本書収載法令及び
法定受託事務に係る主な処理基準通知 PDF
ダウンロードのご案内

○本書には、本書収載法令及び法定受託事務に係る主な処理基準通知の PDF ファイルをダウンロードしてご利用いただけるサービスが付属しています。

PDF の収録内容

●『児童扶養手当・特別児童扶養手当・障害児福祉手当・特別障害者手当法令通知集　第３版』に掲載されている法律・政令・省令・告示及び法定受託事務に係る主な処理基準通知（目次上「処」マークで示している通知）

※本書の改訂や絶版、弊社システムの都合上などにより、予告なくサービスを終了させていただく場合がございます。あらかじめご了承ください。

ダウンロードの方法

① Web ブラウザのアドレスバーに次のダウンロードページの URL を入力してください。（https://www.chuohoki.co.jp/movie/8997/）

② 『児童扶養手当・特別児童扶養手当・障害児福祉手当・特別障害者手当法令通知集　第３版』の付録データダウンロードページが開きます。

③ ZIP ファイルをクリックしてください。

④ パスワードを入力してください。

⑤ ZIP ファイルを開くと、PDF ファイルが開きますのでご活用ください。

パスワード

パスワード
ゆっくりはがしてください

動作環境

●閲覧機器　パソコン、タブレットにてご覧いただけます。

●設定等　インターネットに接続できる環境と Web ブラウザ及び PDF ファイルが表示できるアプリケーションが必要です。

●ご注意　ご案内の PDF ファイルの提供は、ご購読いただいているお客様向けの限定サービスです。当該目的の範囲外でのファイルの無断複製及び無断頒布は禁じます。

児童扶養手当・特別児童扶養手当・障害児福祉手当・特別障害者手当法令通知集

第3版

公益財団法人児童育成協会▼監修

中央法規

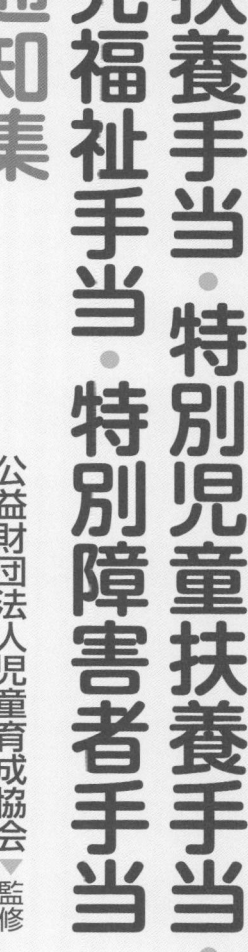

凡　例

〈本書の内容現在〉

法令（法律、政令、省令及び告示）は、令和六年一月十日までに発行された官報を原典に内容を更新した。ただし、改正規定の施行日が令和六年四月二日以降となるものは未施行扱いとし、各法令の末尾に〔参考〕として収載した。通知についても同様に更新した。

〈改正経過〉

1　登載法令の改正の経過を総括的に明らかにするため、法令名の次に〔**一部改正経過**〕としてその法令の一部を改正したすべての法令を改正年月日順に次数を付して列記した。ただし、抜粋法令は最終改正のみを掲げた。
なお、一部改正法令が未施行の場合には注書を付し、その改正法令を〇〇頁参照として当該法令の末尾に収載した。

2　各条毎の〔**改正**〕については、1に示した次数で表示した。
なお、一箇章、一箇節等の全面的追加・改正は、各条ごとの改正を省略し、当該章名、節名等の次にその改正を表示した。また、全部改正以前の改正沿革は省略した。

3　一部改正法令の附則を収録する場合には、「**附　則**（第〇次改正）」と表示し、その法令に関する条項のみを掲げた。
また、法文中には掲げられていない公布年月日等は、便宜上〔　〕を付して挿入した。

＜委任・参照条文＞

法令には、各条文のあとに〔**委任**〕、〔**参照条文**〕を収録し、原条文の解釈や運用の便をはかった。この場合に次の約束をする。

1　語句の抽出は条文中の語句の順序とし、各項号毎に分割して付したが、項号に関係がなく付されているものは、当該条文全体についてのものであることを示す。

2　「　」を付した語句はその条文中にあるもので、「　」の付してない語句は編者が説明上の便宜のために付したものである。

3　単に「法」、「令」、「規則」とあるのは、説明している法律自体、あるいは同法施行令、同法施行規則を示し、「〇〇令」、「〇〇規則」とあるのは、〇〇法の施行令あるいは同法施行規則を示し、「文・厚労令」、「厚労告」とあるのは、文部科学省・厚生労働省令あるいは厚生労働省告示を示す。

4　根拠条文の条号等は次によりその数字を区分した。

条＝和数字（五）　項＝ローマ数字（Ⅴ）　号＝アラビア数字（5）

＜準用規定等＞

1　法令中、他法の準用規定があるものは、条文の後に準用される条文を罫線囲みで収載した。

2　1中、読み替え規定があるものは、読み替え後の該当条文を収載した。

3　法律の条文を読み替えて適用する規定については、読み替えた条文を罫線囲みで収載した。

＜法文の体裁、用字等＞

法文の体裁、配字、用字等については、すべて原文のとおりとするのを原則としたが、利用の便のため次のような措置を講じた。

1　法律及び政令の公布文は省略し、政令、省令及び告示について制定文のあるものはこれを掲げることとした。

2　当該条文に規定されている事実等が実質上変更されているものについては——線を付した。

＜通知文＞

1　通知は、法令の施行通知、解釈例規的なもの等の重要なものを選定し、これを項目毎に区別分類して配列した。

2　通知文は、原文通りとしたが、句読点、送仮名、段落等の体裁については、若干の修正を加えた。

＜索引＞

検索の便を図るため、法令・通知の年別索引を設けた。

＜インデックスシール＞

検索の便を図るため、インデックスシールを付した。

空欄となっているシールについては、読者が自由に語句を記入して、活用ができる。

例：「手当の請求等」「診断書等」「不服申立て」「障害認定」「現況届」「台帳」「証書」「年金」「遺棄」「疑義」「診断書」等

目次

◉＝法律、政令、省令、告示
○＝通知

第一章　児童扶養手当

〔法　律〕

◉児童扶養手当法……昭和三六年一一月法律第二三八号……三
◉平成十五年度における国民年金法による年金の額等の改定の特例に関する法律（抄）……平成一五年三月法律第一九号……五五
◉児童扶養手当法による児童扶養手当の額等の改定の特例に関する法律（抄）……平成一七年三月法律第九号……五六

〔政　令〕

◉児童扶養手当法施行令……昭和三六年一二月政令第四〇五号……五九
◉阪神・淡路大震災に伴う国民年金法第三十条の四の規定による障害基礎年金の支給停止等に係る平成七年の所得の額の計算方法の特例に関する政令……平成八年七月政令第二二七号……一〇一
◉平成十五年度における国民年金法による年金の額等の改定の特例に関する法律に基づく厚生労働省関係法令による年金等の額の改定等に関する政令（抄）……平成一五年三月政令第一六〇号……一〇四
◉児童扶養手当法による児童扶養手当の額等の改定の特例に関する法律第二項の規定に基づき児童扶養手当等の改定額を定める政令……平成一八年三月政令第一一一号……一〇六
◉平成二十二年四月以降において発生が確認された口蹄疫に起因して生じた事態に対処するための手当金等についての健康保険法施行令等の臨時特例に関する政令（抄）……平成二三年七月政令第二四四号……一〇八
◉児童扶養手当法による児童扶養手当の額等の改定の特例に関する法律第二項の規定に基づき児童扶養手当等の改定額を定める政令の一部を改正する等の政令（抄）……平成二五年九月政令第二六一号……一一〇

〔省　令〕

◉児童扶養手当法施行規則……………………………………昭和三六年一二月厚生省令第五一号…………一一一
◉既認定者等に交付する児童扶養手当証書の様式を定める内閣府令…平成一五年三月厚生労働省令第五二号…………二一〇

〔告　示〕

◉児童扶養手当法施行令第五条に規定する主たる生業の維持に供するその他の財産………………………………昭和三六年一二月厚生省告示第四〇二号…………二一四
◉児童扶養手当法施行令別表第二第十一号の規定に基づき内閣総理大臣が定める障害の状態……………………………昭和六〇年七月厚生省告示第一二四号…………二一四

＜略号の説明＞
処＝法定受託事務に係る主な処理基準通知

〔通　知〕

第一節　総括的共通事項

（制定及び一部改正法基本通知）

○児童扶養手当法等の施行について……昭和三六年一二月厚生省発児第三一八号……二一七
処○同……昭和三六年一二月児発第一、三五六号……二一九
処○児童扶養手当法の一部を改正する法律〔第七次改正〕の施行について……昭和三九年六月児発第五四七号……二二三
処○児童扶養手当法等の一部を改正する法律の施行について……昭和四〇年六月児発第四九九号……二二七
○児童扶養手当法の一部を改正する法律、重度精神薄弱児〔特別児童〕扶養手当法の一部を改正する法律等の施行について……昭和四一年八月児発第四九五号……二三一
○児童扶養手当法施行令及び特別児童扶養手当法施行令の一部を改正する政令等の施行について……昭和四三年七月児発第四三〇号……二三六
○児童扶養手当法施行令の一部を改正する政令等の施行について……昭和四四年八月児発第五九九号……二三八
○同……昭和四六年一一月児企第四七号……二三九
○児童扶養手当法等の一部改正について……昭和四七年六月児発第三九八号……二四〇

○児童扶養手当法施行令の一部改正について……昭和四八年五月児発第二九八号……二四二
○児童扶養手当法及び特別児童扶養手当法の一部を改正する法律等の施行について……昭和四八年九月児発第七二七号……二四三
○児童扶養手当法施行令の一部改正について……昭和四九年四月児発第二三九号……二四六
○児童手当法等の一部を改正する法律等の施行について……昭和四九年六月児発第四二一号……二四七
○児童手当法施行令の一部改正（第一五次改正）について……昭和四九年七月児企第三二号……二五三
○児童扶養手当法施行令の一部改正に伴う事務取扱いについて……昭和五〇年五月児発第二六一号……二五六
○特別児童扶養手当等の支給に関する法律等の一部を改正する法律等の施行について……昭和五〇年八月児発第五三一号……（二四八四参照）
○児童扶養手当法等の一部改正について……昭和五一年一〇月児発第六八〇号……二五八
○児童扶養手当法施行令及び特別児童扶養手当等の支給に関する法律施行令の一部改正について……昭和五二年四月児発第二三〇号……二六〇
○児童扶養手当法及び特別児童扶養手当等の支給に関する法律の一部改正について……昭和五二年五月児発第二九二号……二六一
○児童扶養手当法施行令等の一部改正について……昭和五三年七月児発第四〇九号……二六二
○国民年金法施行令等の一部改正について……昭和五五年七月児発第五九四号……二六三
○児童扶養手当法等の外国人適用について……昭和五六年六月児発第四九〇号……二六四
○児童扶養手当法施行令等の一部改正について……昭和五六年七月児発第六五二号……二六五
○障害に関する用語の整理に関する厚生省関係法令の施行について……昭和五七年九月厚生省総第三四六号……二六七
○児童扶養手当法の一部を改正する法律の施行について（依命通知）……昭和六〇年七月厚生省発児第一三四号……二六八

目次

目　次

○児童扶養手当法の一部を改正する法律等の施行について（施行通知）……昭和六〇年七月児発第六六二号……二七〇
○児童扶養手当法及び特別児童扶養手当等の支給に関する法律の一部改正について（施行通知）……昭和六一年四月児発第三八二号……二八二
○児童扶養手当法施行令及び特別児童扶養手当等の支給に関する法律施行令の一部改正について……昭和六一年七月児発第六三四号……二八四
○児童扶養手当法施行令等の一部改正について……昭和六二年五月児発第四八二号……二八八
○児童扶養手当法及び特別児童扶養手当等の支給に関する法律の一部改正について（施行通知）……昭和六二年六月児発第四九三号……二九二
○児童扶養手当法等の一部改正について（施行通知）……昭和六三年五月児発第四六九号……二九三
○児童扶養手当法施行令等の一部改正について……昭和六三年五月児発第四八四号……二九五
○国の補助金等の整理及び合理化並びに臨時特例等に関する法律の施行について（社会福祉関係）……平成元年四月社保第八一号……三〇〇
○児童扶養手当法施行令等の一部改正について……平成元年五月児発第四一九号……三〇一
○児童扶養手当法等の一部改正について（施行通知）……平成元年一二月児発第九一二号……三〇六
○児童扶養手当法施行令等の一部改正について（施行通知）……平成二年三月児発第一八〇号……三〇八
○児童扶養手当法施行令等の一部改正に伴う事務取扱いについて……平成二年三月児企第一六号……三一〇
○児童扶養手当法施行令等の一部改正について……平成二年七月社更第一四四号・児発第六〇四号……三一一
○同（施行通知）……平成三年三月社更第六〇号・児発第二九〇号……三一六
○同……平成三年六月社更第一二三号・児発第五二九号……三一八

○同（施行通知）……平成四年三月社更第六八号・児発第二七五号……三二一
○同……平成四年六月社更第一三五号・児発第五七六号……三二三
○同（施行通知）……平成五年三月社援更第六八号・児発第二一五号……三二六
○同……平成五年六月社援更第一七五号・児発第五二一号……三二八
○同（施行通知）……平成六年三月社援更第六八号・児発第二三三号……三三二
○同（施行通知）……平成六年七月社援更第一八五号・児発第七一〇号……三三四
○児童扶養手当法等の一部改正について……平成六年一一月社援更第二九一号・児発第九九五号……三三九
○児童扶養手当法施行令等の一部改正について（施行通知）……平成七年三月社援更第五四号・児発第二二九号……三四一
○同（施行通知）……平成七年六月社援更第一六四号・児発第六五四号……三四三
○平成八年度における児童扶養手当等の額の改定の特例措置について（施行通知）……平成八年三月社援更第一〇四号・児発第三三六号……三四七
○児童扶養手当法施行令の一部改正について（施行通知）……平成八年七月児発第七一一号……三四八
○同（施行通知）……平成九年七月児発第四六七号……三五〇
○児童扶養手当法施行令等の一部改正について（施行通知）……平成一〇年三月障第一四〇号・児発第一六二号……三五二

目　次

○国民年金法に基づき市町村に交付する事務費に関する政令等の一部改正について（施行通知）……平成一〇年三月児発第一九二号……三五三

○児童扶養手当法施行令及び母子及び寡婦福祉法施行令の一部を改正する政令等の施行について……平成一〇年六月児発第四八五号……三五四

○児童扶養手当法施行令等の一部改正について（施行通知）……平成一一年三月障第一四七号・児発第二二一号……三六四

○平成十二年度における児童扶養手当等の額の改定の特例措置について（施行通知）……平成一二年三月障第二五七号・児発第三三二号……三六五

○平成十三年度における児童扶養手当等の額の改定の特例措置について（施行通知）……平成一三年三月雇児発第二三一号・障発第一四〇号……三六六

○児童扶養手当法施行令等の一部改正について（施行通知）……平成一三年八月雇児発第五一六号……三六七

○平成十四年度における児童扶養手当等の額の改定の特例措置について（施行通知）……平成一四年四月雇児発第〇四〇一〇〇九号・障発第〇四〇一〇〇四号……三六八

○児童扶養手当法に基づき都道府県及び市町村に交付する事務費に関する政令の一部改正について……平成一四年七月雇児発第〇七〇三〇〇一号……三六九

○児童扶養手当法施行令の一部改正に伴う事務取扱いについて……平成一四年七月雇児福発第〇七二五〇〇一号……三七〇

○児童扶養手当法施行令及び母子及び寡婦福祉法施行令の一部を改正する政令等の施行について（施行通知）……平成一四年七月雇児発第〇七二五〇〇三号……三七一

○地方分権の推進を図るための関係法律の整備等に関する法律、地方分権の推進を図るための関係法律の整備等に関する法律の施行に伴う厚生省関係政令の整備等に関する政令及び児童扶養手当法施行規則の一部を改正する省令について（施行通知）……平成一四年七月雇児発第〇七二六〇〇二号……三八一

○母子及び寡婦福祉法等の一部を改正する法律等の施行について（施行通知）……平成一五年三月雇児発第〇三三一〇二〇号……三八五
○平成十五年度における国民年金法による年金の額等の改定の特例に関する法律に基づく厚生労働省関係法令による年金等の額の改定等に関する政令の一部を改正する政令の施行について（施行通知）……平成一五年九月雇児発第〇九一〇〇〇三号……三九九
○児童福祉法等の一部を改正する法律等の施行について……平成一六年三月雇児発第〇三三一〇二九号・老発第〇三三一〇一五号・保発第〇三三一〇一三号……四〇〇
○平成十六年度における国民年金法による年金の額等の改定の特例に関する法律に基づく厚生労働省関係法令による年金等の額の改定等に関する政令の施行について（施行通知）……平成一六年三月雇児発第〇三三一〇三一号・障発第〇三三一〇一〇号……四〇二
○児童扶養手当法による児童扶養手当の額等の改定の特例に関する法律等の施行について（施行通知）……平成一七年三月雇児発第〇三三〇〇〇四号・障発第〇三三〇〇〇三号……四〇四
○児童扶養手当法による児童扶養手当の額等の改定の特例に関する法律第二項の規定に基づき児童扶養手当等の改定額を定める政令等の施行について（施行通知）……平成一八年三月雇児発第〇三三〇〇〇七号・障発第〇三三〇〇〇三号……四〇六
○国の補助金等の整理及び合理化等に伴う児童手当法等の一部を改正する法律等の施行について……平成一八年三月雇児発第〇三三一〇二八号・社援発第〇三三一〇三一号・老発第〇三三一〇一九号……四〇九
○児童扶養手当法施行令等の一部を改正する政令の施行について（施行通知）……平成一九年四月雇児発第〇四〇一〇〇四号・障発第〇四〇一〇〇一号……四一四
○児童扶養手当法施行令の一部を改正する政令等の施行について……平成二〇年二月雇児福発第〇二〇八〇〇二号……四一六

目次

○児童扶養手当法施行令等の一部を改正する政令の施行について（施行通知）……平成二一年三月雇児発第〇三三一〇三〇号・障発第〇三三一〇一七号……四二〇
○同（施行通知）……平成二二年四月雇児発〇四〇一第四号・障発〇四〇一第三号……四二二
○児童扶養手当法の一部を改正する法律等の施行について……平成二二年六月雇児発〇六〇二第一号……四二三
○児童扶養手当法施行令等の一部を改正する政令の施行について（施行通知）……平成二三年三月雇児発〇三三一第七号・障発〇三三一第九号……四二八
○児童扶養手当法施行令の一部を改正する政令等の施行について……平成二四年七月雇児発〇七二七第三号……四三〇
○「国民年金法等の一部を改正する法律等の一部を改正する法律」の施行について（児童扶養手当・特別児童扶養手当関係）……平成二四年一一月雇児発一一二六第一号・障発一一二六第一号……四三二
○児童扶養手当法による児童扶養手当の額等の改定の特例に関する法律第二項の規定に基づき児童扶養手当等の改定額を定める政令の一部を改正する等の政令の施行について（施行通知）……平成二五年九月雇児発〇九〇六第一号・障発〇九〇六第一号……四三四
○児童扶養手当法施行令等の一部を改正する政令の施行について（施行通知）……平成二六年三月雇児発〇三三一第一〇号・障発〇三三一第三九号……四三六
○次代の社会を担う子どもの健全な育成を図るための次世代育成支援対策推進法等の一部を改正する法律について……平成二六年四月雇児発〇四二三第三号……四三八
○次代の社会を担う子どもの健全な育成を図るための次世代育成支援対策推進法等の一部を改正する法律の一部の施行に伴う関係政令の整備に関する政令等の施行について……平成二六年九月雇児発〇九三〇第一九号……四四四
○児童扶養手当法施行令等の一部を改正する政令の施行について（施行通知）……平成二七年三月雇児発〇三三一第二八号・障発〇三三一第一二号……四六三

○児童扶養手当法施行令の一部を改正する政令の施行について……平成二七年一二月雇児発一二一八第一号……四六五
○行政不服審査法及び行政不服審査法の施行に伴う関係法律の整備等に関する法律の施行について（児童扶養手当法関係）……平成二八年四月雇児発〇四〇一第二四号……四六六
○児童扶養手当法施行令等の一部を改正する政令の施行について（施行通知）……平成二八年四月雇児発〇四〇一第二六号・障発〇四〇一第六号……四六七
○児童扶養手当法の一部を改正する法律について……平成二八年五月雇児発〇五一三第一号……四六九
○児童扶養手当法施行令の一部を改正する政令の施行について……平成二八年七月雇児発〇七〇一第一号……四七一
○児童扶養手当法施行令等の一部を改正する政令の施行について（施行通知）……平成二九年三月雇児発〇三三一第六号・障発〇三三一第一号……四七二
○同（施行通知）……平成三〇年三月子発〇三三〇第二号・障発〇三三〇第一号……四七三
○「生活困窮者等の自立を促進するための生活困窮者自立支援法等の一部を改正する法律」の公布について……平成三〇年六月子発〇六〇八第一号・社援発〇六〇八第一号……四七五
○児童扶養手当法施行令等の一部を改正する政令の施行について（児童扶養手当法施行令及び母子及び父子並びに寡婦福祉法施行令関係）（施行通知）……平成三〇年七月子発〇七二七第一号……四八一
○児童扶養手当法施行令等の一部を改正する政令の施行について（施行通知）……平成三一年三月子発〇三二九第二三号・障発〇三二九第一号……四八三
○同（施行通知）……令和二年三月子発〇三三〇第一一号・障発〇三三〇第一一号……四八五
○「年金制度の機能強化のための国民年金法等の一部を改正する法律」の公布について（児童扶養手当法の一部改正関係）（公布通知）……令和二年六月子発〇六〇五第一号……四八七
○国民健康保険法施行令等の一部を改正する政令の公布について……令和二年九月子発〇九〇四第一号・障発〇九〇四第一号・保発〇九〇四第一号……四八八

目　次

○年金制度の機能強化のための国民年金法等の一部を改正する法律の一部の施行に伴う関係政令の整備に関する政令の公布等について（公布通知）……令和二年一〇月子発一〇三〇第一号……四九〇

○健康保険法施行令等の一部を改正する政令の公布について……令和二年一二月府子本第一、一四九号・健発一二二四第一号・子発一二二四第二号・障発一二二四第二号・老発一二二四第四号・保発一二二四第六号……四九四

○児童扶養手当法施行令及び特別児童扶養手当等の支給に関する法律施行令の一部を改正する政令の公布について……令和三年一二月子発一二二四第二号・障発一二二四第一号……四九七

○児童扶養手当法施行令等の一部を改正する政令の施行について……令和四年三月子発〇三二五第一号・障発〇三二五第一号……四九八

○同……令和五年三月子発〇三三〇第一号・障発〇三三〇第一号……五〇〇

（省　令）

処○児童扶養手当法施行規則の一部を改正する省令について……昭和三七年五月児発第五七四号……五〇二

○児童扶養手当法施行令の一部を改正する政令及び児童扶養手当法施行規則の一部を改正する省令の施行について……昭和三九年八月児発第七九〇号……五〇四

○児童扶養手当法施行規則の一部を改正する省令及び重度精神薄弱児扶養手当法施行規則の一部を改正する省令の施行について……昭和四一年八月児発第五三五号……五〇六

○児童扶養手当法施行規則及び特別児童扶養手当法施行規則の一部を改正する省令について……昭和四三年一月児発第二号……五〇九

○児童扶養手当法施行規則及び特別児童扶養手当法施行規則の一部改正について……昭和四四年一二月児発第七七一号……五〇九
○児童扶養手当法施行規則及び特別児童扶養手当法施行規則の一部を改正する省令の施行について……昭和四七年九月児発第六一三号……五一〇
○児童扶養手当法施行規則等の一部を改正する省令の施行について……昭和五三年六月児発第三一五号……五一一
処○児童扶養手当法施行規則の一部を改正する省令の施行について……昭和五五年六月児発第四八八号……五一二
○児童扶養手当法施行規則及び特別児童扶養手当等の支給に関する法律施行規則の一部改正について……昭和五六年一二月児発第一、〇四六号……五一四
○同……昭和五七年六月児発第五三九号……五一四
○児童扶養手当法施行規則等の一部改正について……昭和五七年八月児発第六九五号……五一五
○同……昭和六一年四月児企第一六号……五一六
○同（施行通知）……平成六年七月社援更第一九一号・児発第七四一号……五一七
○同（施行通知）……平成七年三月児発第二九二号……五一八
○児童扶養手当法施行規則の一部改正について（施行通知）……平成八年七月児発第七三〇号……五二〇
○児童扶養手当法施行規則及び児童手当法施行規則の一部を改正する省令の制定について……平成九年一二月児発第七四八号……五二一
○児童扶養手当法施行令及び母子及び寡婦福祉法施行令の一部を改正する政令等の施行について……平成一〇年六月児発第四八五号……（三五四参照）
○地方分権の推進を図るための関係法律の整備等に関する法律、地方分権の推進を図るための関係法律の整備等に関する法律の施行に伴う厚生省関係政令の整備等に関する政令及び児童扶養手当法施行規則の一部を改正する省令について（施行通知）……平成一四年七月雇児発第〇七二六〇〇二号……（三八一参照）

目　次

○母子及び寡婦福祉法等の一部を改正する法律等の施行について（施行通知）……平成一五年三月雇児発第〇三三一〇二〇号……（三八五参照）
○児童扶養手当法施行規則の一部を改正する省令について（施行通知）……平成一七年三月雇児発第〇三二五〇一〇号……五二二
○同（施行通知）……平成一七年七月雇児発第〇七二七〇〇一号……五二三
○児童扶養手当法施行規則等の一部を改正する省令並びに障害児福祉手当及び特別障害者手当の支給に関する省令の一部を改正する省令について（施行通知）……平成一八年七月雇児発第〇七三一〇〇二号・障発第〇七三一〇〇一号……五二四
○児童扶養手当法施行規則及び母子及び寡婦福祉法施行規則の一部を改正する省令の施行について……平成二四年六月雇児発〇六〇六第一号……五二六
○次代の社会を担う子どもの健全な育成を図るための次世代育成支援対策推進法等の一部を改正する法律の一部の施行に伴う関係政令の整備に関する政令等の施行について……平成二六年九月雇児発〇九三〇第一九号……（四四四参照）
○児童扶養手当法施行規則の一部を改正する省令の施行について……平成二八年七月雇児発〇七一四第一号……五二九
○児童扶養手当法施行規則等の一部を改正する省令の施行について（児童扶養手当法施行規則及び母子及び父子並びに寡婦福祉法施行規則関係）（施行通知）……平成三〇年八月子発〇八〇一第一号……五三〇
○生活困窮者等の自立を促進するための生活困窮者自立支援法等の一部を改正する法律の施行に伴う厚生労働省関係省令の整備等に関する省令の施行について（児童扶養手当法施行規則及び母子及び父子並びに寡婦福祉法施行規則関係）（施行通知）……平成三〇年九月子発〇九二八第二号……五三二
○元号の表記の整理のための厚生労働省関係省令の一部を改正する省令の施行について……令和元年五月子発〇五〇七第一号……五三四

○児童扶養手当法施行規則等の一部を改正する省令の施行について（施行通知）……令和元年六月子発〇六二八第五号・障発〇六二八第三号……五三五
○不正競争防止法等の一部を改正する法律の施行に伴う厚生労働省関係省令の整備に関する省令の施行について（子ども家庭局関係）……令和元年七月子発〇七〇一第三号……五三九
○年金制度の機能強化のための国民年金法等の一部を改正する法律の一部の施行に伴う関係政令の整備に関する政令の公布等について（公布通知）……令和二年一〇月子発一〇三〇第一号……（四九〇参照）
○押印を求める手続の見直しのための厚生労働省関係省令の一部を改正する省令の施行について……令和二年一二月子発一二二五第三号……五四〇
○児童福祉法施行規則等の一部を改正する省令の公布について……令和二年一二月健発一二二八第二号・子発一二二八第一号・障発一二二八第三号・老発一二二八第一号……五四一

（準　則　等）

処○児童扶養手当都道府県事務取扱準則の改正について……昭和六〇年八月児発第七〇五号……五四四
＊児童扶養手当都道府県事務取扱準則
処○児童扶養手当町村事務取扱準則の改正について……昭和六〇年八月児発第七〇六号……五六八
＊児童扶養手当町村事務取扱準則
処○児童扶養手当市等事務取扱準則について……平成一四年七月雇児発第〇七〇四〇〇三号……五九五
＊児童扶養手当市等事務取扱準則
処○市町村における新様式による児童扶養手当証書の記載事項の訂正について……昭和三九年五月児発第四二九号……六一八

目次

処○都道府県における児童扶養手当証書の作成について……昭和四一年八月児発第四八三号……六二〇
＊都道府県における児童扶養手当証書の記入要領
＊都道府県における児童扶養手当証書作成上必要な物品の規格及び寸法
○都道府県における児童扶養手当証書等の作成について……昭和六〇年九月児発第七九五号……六二九
○都道府県における児童扶養手当及び特別児童扶養手当の支払期月の変更に係る証書の作成について……昭和五二年六月児発第三八六号……六三〇
○児童扶養手当証書の取り扱いについて……平成一三年七月雇児福発第三〇号……六三二
○児童扶養手当の業務運営上留意すべき事項について……昭和六〇年一〇月児企第三四号……六三三
○児童福祉行政指導監査の実施について……平成一二年四月児発第四七一号……六三五
＊児童福祉行政指導監査実施要綱

(その他)

処○児童扶養手当及び特別児童扶養手当関係法令上の疑義について……昭和四八年五月児企第二八号……六五二
処○同……昭和五五年六月児企第二六号……六八五
○児童扶養手当の取扱いに関する留意事項について……平成二七年四月雇児福発〇四一七第一号……六八七
処○児童扶養手当及び特別児童扶養手当に関する疑義について……昭和五五年七月児企第二九号……六九〇
処○児童扶養手当の受給資格認定に係る事務取扱いについて……昭和六〇年一一月児企第三七号……七〇八
処○児童扶養手当の疑義について……昭和六一年六月児企第三一号……七一〇
処○児童扶養手当法令上の疑義について……昭和六一年九月児企第四五号……七一一

目次

処○児童扶養手当及び特別児童扶養手当関係書類市町村審査要領について……昭和四八年一〇月児企第四八号……七一二
＊児童扶養手当及び特別児童扶養手当関係書類市町村審査要領
処○児童扶養手当法の施行と関係機関の協力について……昭和三七年一月児発第四三号……七二二
○児童扶養手当支給事務の実施上留意すべき事項について……昭和三九年五月児企第四一号……七二三
○地方分権の推進を図るための関係法律の整備等に関する法律等の施行に伴う児童扶養手当並びに特別児童扶養手当、障害児福祉手当、特別障害者手当及び経過的福祉手当に関する法定受託事務に係る処理基準について……平成一三年七月雇児発第五〇二号・障発第三二五号……七三〇
○地方分権の推進を図るための関係法律の整備等に関する法律等の施行に伴う児童扶養手当並びに特別児童扶養手当、障害児福祉手当、特別障害者手当及び経過的福祉手当に関する法定受託事務に係る処理基準（課長通知関係）について……平成一三年七月雇児福発第三四号・障企発第三九号……七三三
○地方分権の推進を図るための関係法律の整備等に関する法律の施行前に発出された通知の取扱いについて……平成一三年八月雇児発第五四〇号……七三六
○児童扶養手当法第九条第一項及び第九条の二に規定する「受給資格者の扶養親族等でない児童で当該受給資格者が前年の十二月三十一日において生計を維持したもの」の取扱いについて……平成一五年七月雇児福発第〇七三一〇〇一号……七三七

第二節　児童扶養手当の支給に関する事項

（手当の請求等）

処○未成年者の児童扶養手当の請求について……………………昭和三七年二月児発第七四号……………………七三九
処○児童扶養手当の認定について…………………………昭和五一年一〇月児企第三六号…………………七四〇
処○児童扶養手当法施行令別表第一における障害の認定要領について……………………昭和四九年八月児発第五一八号……………………七四一
　＊身体の各部位の障害についての障害の認定基準
　＊内科的疾患に基づく身体の障害についての認定基準
　＊精神の障害についての認定基準
　＊政令別表第一の第十七号による障害についての認定基準
処○児童扶養手当法施行令〔別表第二〕における障害の認定要領について……………………昭和三六年一二月児発第一、三七四号……………………七五一
　＊身体の各部位の障害についての障害の認定基準
　＊結核症による障害の認定基準
　＊心肺機能障害についての障害の認定基準
　＊高血圧症による障害の認定基準
　＊精神及び脳疾患による障害の認定基準
　＊政令別表第二第九号の障害の認定基準

処○児童扶養手当におけるヒト免疫不全ウイルス感染症に係る障害認定について……平成一〇年四月児家第一八号……七七三
○児童扶養手当の支給停止関係について……昭和五二年九月児企第三一号……七八二
処○児童扶養手当の事務運営上の留意事項について……昭和五五年一二月児企第四六号……七八四
処○児童扶養手当の事務運営における留意事項について……令和三年七月子家発〇七二一第一号……七八五
○児童扶養手当法等の外国人適用について……昭和五六年六月児発第四九〇号……（二六四参照）
○未支払児童扶養手当支給に係る事務取扱いについて……昭和三八年七月児企第七八号の二……七八七
○国民年金法等の一部を改正する法律附則第三十三条の規定の取扱いについて……昭和六一年五月児企第一八号……七八九
処○一八歳に達する日以後の最初の三月三十一日が終了する児童の児童扶養手当支給事務の取扱い等について……平成八年三月児家第一〇号……七九一
○養育費の取扱いについて……平成一四年七月雇児発第〇七二六〇〇三号……七九三
○児童扶養手当の認定等に関する事務の委譲等に伴う児童扶養手当の事務取扱いについて……平成一四年七月雇児福発第〇七三〇〇〇一号……七九八
○「養育費の算定表」について……平成一五年三月雇児発第〇三三一〇〇二号……八〇三
○児童扶養手当の認定請求、所得状況届及び現況届における一六歳以上一九歳未満の控除対象扶養親族の数の認定方法について……平成三〇年九月子家発〇九二八第三号……八三八
○児童扶養手当の認定請求、所得状況届及び現況届における同一生計配偶者の把握方法について……令和元年七月子家発〇七〇一第一号……八四一
○児童扶養手当法第十三条の三の規定に基づく一部支給停止措置及び一部支給停止措置適用除外に係る事務について……平成二〇年三月雇児福発第〇三三一〇〇一号……八四六

目次

○「児童扶養手当法第十三条の三の規定に基づく一部支給停止措置及び一部支給停止措置適用除外に係る事務について」（平成二十年三月三十一日雇児福発第〇三三一〇〇一号）の一部改正等の留意事項について……平成二八年八月雇児福発〇八〇一第二号……八六一
○児童扶養手当一部支給停止措置適用除外に係る事務について……平成二〇年八月雇児福発第〇八〇一〇〇一号……八六三
処○児童扶養手当における父母の事実婚解消及び母の婚姻によらない懐胎を支給事由とする場合の留意事項について……平成二二年七月雇児福発〇七三〇第二号……八六四
○障害基礎年金の子の加算の運用の見直しに伴う児童扶養手当支給事務の取扱いについて……平成二三年二月雇児福発〇二二一第一号……八六六
＊障害基礎年金の子の加算の運用の見直しに伴う児童扶養手当支給事務の取扱いに係る事務処理要領
処○児童扶養手当における外国人に係る事務の取扱いについて……平成二四年六月雇児福発〇六二一第一号……八七八
処○父又は母が配偶者からの暴力の防止及び被害者の保護等に関する法律による保護命令を受けた児童に係る児童扶養手当の支給事務について……平成二四年七月雇児福発〇七二七第二号……八八一
○児童扶養手当証書の説明文について……平成二五年六月雇児福発〇六二八第一号……八八六
○公的年金給付又は遺族補償等の給付が行われる場合の児童扶養手当支給事務の取扱いについて……平成二六年一〇月雇児福発一〇一七第一号……八九一
＊公的年金給付又は遺族補償等の給付が行われる場合の児童扶養手当支給事務の取扱いに係る事務処理要領
処○児童扶養手当における公的年金の受給状況の審査等について……平成二六年一一月雇児福発一一二八第二号……九二七
処○児童扶養手当遺棄の認定基準について……令和四年三月子家発〇三一八第一号……九三四
＊「遺棄」の認定基準について

（診断書等）

処○児童扶養手当法における障害認定診断書の取扱いについて……昭和三七年一月児発第一三号……九三七
処○児童扶養手当の障害認定に係る再診の取扱いについて……昭和三七年七月児発第七五二号……九三八
○児童扶養手当における有期認定の取扱いについて……令和元年五月子発〇五三一第二号……九四二

第三節　不服申立てに関する事項

○児童扶養手当法上の処分に関する行政不服審査について……昭和三九年五月児発第四二三号……九四四

第四節　雑則に関する事項

（費用負担）

○児童扶養手当給付費の国庫負担について……令和五年四月こ支家第四三号……九四六
＊児童扶養手当給付費国庫負担金交付要綱

目　次

(その他)

○児童扶養手当の現況届等について……平成二八年六月雇児福発〇六一六第一号……九八〇
○児童扶養手当の事務運営におけるプライバシーの保護に配慮した事実婚の支給要件の確認方法に関する留意事項について……令和元年九月子家発〇九三〇第一号……九八一
○児童扶養手当の事務運営における調査の適正な実施について……令和元年九月子家発〇九三〇第二号……九八三
処○児童扶養手当法第二十三条に規定する不正受給の具体例について……昭和三七年五月児企第八九号……九八四
○児童扶養手当の過誤払等による返納金債権の取扱いについて……昭和三七年四月児発第四八九号……九八五
○児童扶養手当返納金債権の管理の事務処理について……昭和六一年一二月児企第六〇号……九八九
＊児童扶養手当返納金債権の管理の事務処理について(昭和六一年一二月会発第九一九号・児発第九二〇号)
処○児童扶養手当の差額追給及び内払調整に基づく減額支給について……昭和三七年五月児発第五八二号……一〇〇八
処○児童扶養手当及び特別児童扶養手当支給事務関係書類の保存期間等について……昭和四七年八月児企第三一号……一〇一二
処○児童扶養手当証書の保管について……昭和三七年二月児企第二七号……一〇一六
処○児童扶養手当及び特別児童扶養手当に係る時効の解釈及び取扱い等について……昭和四七年八月児企第三三号……一〇一七
処○児童扶養手当及び特別児童扶養手当の支払日の改正等について……平成四年一二月児発第一、〇七三号……一〇二〇

○東北地方太平洋沖地震による被災者に対する児童扶養手当等の取扱いについて……平成二三年三月雇児福発〇三一六第一号……一〇二一
○災害により父又は母の生死が明らかでない場合等の児童扶養手当の取扱いについて……平成二三年四月雇児福発〇四一四第一号……一〇二三
○平成二十八年（二〇一六年）熊本地震による被災者に対する児童扶養手当等の取扱いについて……平成二八年四月雇児福発〇四一五第一号……一〇二四
○特定非常災害の被害者の権利利益の保全等を図るための特別措置に関する法律第三条第二項の規定に基づき同条第一項の特定権利利益に係る期間の延長に関し当該延長後の満了日を平成二十八年九月三十日とする措置を指定する件等について……平成二八年五月雇児発〇五一二第二号……一〇二六
○特定者に対する日本国有鉄道の通勤定期乗車券の特別割引制度について……昭和四三年三月社保第八四号・児発第一七二号……一〇二八
○特定者に対する旅客鉄道株式会社の通勤定期乗車券の特別割引制度について……平成二二年七月雇児福発〇七三〇第一号……一〇三〇
○児童扶養手当支給事務指導監査実施状況報告書の提出について……平成一三年四月雇児福発第二一号……一〇三〇

第二章　特別児童扶養手当等

〔法　律〕

◉特別児童扶養手当等の支給に関する法律……昭和三九年七月法律第一三四号……一三〇三
◉児童扶養手当法による児童扶養手当の額等の改定の特例に関する法律（抄）……平成一七年三月法律第九号……（五六参照）

〔政　令〕

◉特別児童扶養手当等の支給に関する法律施行令……昭和五〇年七月政令第二〇七号……一三四七
◉児童扶養手当法による児童扶養手当の額等の改定の特例に関する法律第二項の規定に基づき児童扶養手当等の改定額を定める政令……平成一八年三月政令第一一一号……（一〇六参照）
◉特別児童扶養手当等の支給に関する法律に基づき都道府県及び市町村に交付する事務費に関する政令……昭和四〇年八月政令第二七〇号……一三七七

〔省　令〕

◉特別児童扶養手当等の支給に関する法律施行規則……………昭和三九年八月厚生省令第三八号……………一三九一
◉障害児福祉手当及び特別障害者手当の支給に関する省令……………昭和五〇年八月厚生省令第三四号……………一四四三
◉特別児童扶養手当証書の様式を定める省令……………平成一五年三月厚生労働省令第五三号……………一四七三

〔告　示〕

◉特別児童扶養手当等の支給に関する法律施行令第三条に規定する主たる生業の維持に供するその他の財産……………昭和五〇年八月厚生省告示第二五八号……………一四七七
◉補助金等に係る予算の執行の適正化に関する法律第二十六条第一項等の規定に基づく地方厚生局及び四国厚生支局が行う補助金等の交付に関する事務……………平成一五年五月厚生労働省告示第二〇二号……………一四七七

＜略号の説明＞
処＝法定受託事務に係る主な処理基準通知

〔通　知〕

第一節　特別児童扶養手当に関する事項

（施行通知）

○重度精神薄弱児扶養手当法等の施行について……昭和三九年八月厚生省発児第一八一号……一四七九
○重度精神薄弱児扶養手当関係法令の施行について……昭和三九年八月児発第七七一号……一四八〇
○児童扶養手当法の一部を改正する法律、重度精神薄弱児（特別児童）扶養手当法の一部を改正する法律等の施行について……昭和四一年八月児発第四九五号……（一二三一参照）
○児童扶養手当法施行規則の一部を改正する省令及び重度精神薄弱児扶養手当法施行規則の一部を改正する省令の施行について……昭和四一年八月児発第五三五号……（五〇六参照）
○児童扶養手当法施行規則及び特別児童扶養手当法施行規則の一部を改正する省令について……昭和四三年一月児発第二号……（五〇九参照）
○児童扶養手当法施行令及び特別児童扶養手当法施行令の一部を改正する政令等の施行について……昭和四三年七月児発第四三〇号……（一二三六参照）
○児童扶養手当法施行令の一部を改正する政令等の施行について……昭和四四年八月児発第五九九号……（一二三八参照）

○児童扶養手当法等の一部改正について……昭和四七年六月児発第三九八号……(二四〇参照)
○児童扶養手当法施行令の一部改正について……昭和四八年五月児発第二九八号……(二四二参照)
○児童扶養手当法及び特別児童扶養手当法の一部を改正する法律等の施行について……昭和四八年九月児発第七二七号……(二四三参照)
○児童手当法等の一部を改正する法律等の施行について……昭和四九年六月児発第四二一号……(二四七参照)
○特別児童扶養手当等の支給に関する法律等の一部を改正する法律等の施行について……昭和五〇年八月児発第五三一号……一四八四
○児童扶養手当法等の一部改正について……昭和五一年一〇月児発第六八〇号……(二五八参照)
○児童扶養手当法施行令及び特別児童扶養手当等の支給に関する法律施行令の一部改正について……昭和五二年四月児発第二三〇号……(二六〇参照)
○児童扶養手当法及び特別児童扶養手当等の支給に関する法律の一部改正について……昭和五二年五月児発第二九二号……(二六一参照)
○児童扶養手当法施行規則等の一部を改正する省令の施行について……昭和五三年六月児発第三一五号……(五一一参照)
○児童扶養手当法施行令等の一部改正について……昭和五三年七月児発第四〇九号……(二六二参照)
○国民年金法施行令等の一部改正について……昭和五五年七月児発第五九四号……(二六三参照)
○児童扶養手当法等の外国人適用について……昭和五六年六月児発第四九〇号……(二六四参照)
○児童扶養手当法施行令等の一部改正について……昭和五六年七月児発第六五二号……(二六五参照)
○児童扶養手当法施行規則及び特別児童扶養手当等の支給に関する法律施行規則の一部改正について……昭和五六年一二月児発第一、〇四六号……(五一四参照)
○特別児童扶養手当等の支給に関する法律施行令の一部改正について……昭和五七年六月児発第四八八号……一四八九

目　次

○児童扶養手当法施行規則及び特別児童扶養手当等の支給に関する法律施行規則の一部改正について……昭和五七年六月児発第五三九号……(五一四参照)
○児童扶養手当法施行規則等の一部改正について……昭和五七年八月児発第六九五号……(五一五参照)
○障害に関する用語の整理に関する厚生省関係法令の施行について……昭和五七年九月厚生省総第三四六号……(二六七参照)
○児童扶養手当法の一部を改正する法律等の施行について(施行通知)……昭和六〇年七月児発第六六二号……(二七〇参照)
○児童扶養手当法及び特別児童扶養手当等の支給に関する法律の一部改正について(施行通知)……昭和六一年四月児発第三八二号……(二八二参照)
○児童扶養手当法施行令及び特別児童扶養手当等の支給に関する法律施行令の一部改正について……昭和六一年七月児発第六三四号……(二八四参照)
○児童扶養手当法施行令等の一部改正について……昭和六二年五月児発第四八二号……(二八八参照)
○児童扶養手当法及び特別児童扶養手当等の支給に関する法律の一部改正について(施行通知)……昭和六二年六月児発第四九三号……(二九二参照)
○児童扶養手当法等の一部改正について(施行通知)……昭和六三年五月児発第四六九号……(二九三参照)
○児童扶養手当法施行令等の一部改正について……昭和六三年五月児発第四八四号……(二九五参照)
○国の補助金等の整理及び合理化並びに臨時特例等に関する法律の施行について(社会福祉関係)……平成元年四月社保第八一号……(三〇〇参照)
○児童扶養手当法施行令等の一部改正について……平成元年五月児発第四一九号……(三〇一参照)
○児童扶養手当法等の一部改正について(施行通知)……平成元年一二月児発第九一二号……(三〇六参照)
○児童扶養手当法施行令等の一部改正について(施行通知)……平成二年三月児発第一八〇号……(三〇八参照)
○児童扶養手当法施行令等の一部改正に伴う事務取扱いについて……平成二年三月児企第一六号……(三一〇参照)
○児童扶養手当法施行令等の一部改正について……平成二年七月社更第一四四号・児発第六〇四号……(三一一参照)

○同（施行通知）……平成三年三月社更第六〇号・児発第二九〇号……（三一六参照）
○同……平成三年六月社更第一二三号・児発第五二九号……（三一八参照）
○同（施行通知）……平成四年三月社更第六八号・児発第二七五号……（三二一参照）
○同……平成四年六月社更第一三五号・児発第五七六号……（三二三参照）
○同（施行通知）……平成五年三月社援更第六八号・児発第二一五号……（三二六参照）
○同……平成五年六月社援更第一七五号・児発第五二一号……（三二八参照）
○同（施行通知）……平成六年三月社援更第六八号・児発第二三三号……（三三二参照）
○同（施行通知）……平成六年七月社援更第一八五号・児発第七一〇号……（三三四参照）
○児童扶養手当法施行規則等の一部改正について（施行通知）……平成六年七月社援更第一九一号・児発第七四一号……（五一七参照）
○児童扶養手当法等の一部改正について……平成六年一一月社援更第二九一号・児発第九九五号……（三三九参照）
○児童扶養手当法施行令等の一部改正について（施行通知）……平成七年三月社援更第五四号・児発第二二九号……（三四一参照）
○児童扶養手当法施行規則等の一部改正について（施行通知）……平成七年三月児発第二九二号……（五一八参照）
○児童扶養手当法施行令等の一部改正について（施行通知）……平成七年六月社援更第一六四号・児発第六五四号……（三四三参照）

目　次

○平成八年度における児童扶養手当等の額の改定の特例措置について（施行通知）……平成八年三月社援更第一〇四号・児発第三三六号……（三四七参照）

○児童扶養手当法施行令等の一部改正について（施行通知）……平成一〇年三月障第一四〇号・児発第一六二号……（三五二参照）

○「特別児童扶養手当等の支給に関する法律施行規則等の一部を改正する省令」の施行について……平成一一年一月障第七六〇号……一四九〇

○児童扶養手当法施行令等の一部改正について（施行通知）……平成一一年三月障第一四七号・児発第二二一号……（三六四参照）

○平成十二年度における児童扶養手当等の額の改定の特例措置について（施行通知）……平成一二年三月障第二五七号・児発第三三二号……（三六五参照）

○平成十三年度における児童扶養手当等の額の改定の特例措置について（施行通知）……平成一三年三月雇児発第二三一号・障発第一四〇号……（三六六参照）

○平成十四年度における児童扶養手当等の額の改定の特例措置について（施行通知）……平成一四年四月雇児発第〇四〇一〇〇九号・障発第〇四〇一〇〇四号……（三六八参照）

○平成十五年度における国民年金法による年金の額等の改定の特例に関する法律に基づく厚生労働省関係法令による年金の額の改定等に関する政令の制定について（施行通知）……平成一五年三月障発第〇三三一〇三二号……一四九二

○平成十六年度における国民年金法による年金の額等の改定の特例に関する法律に基づく厚生労働省関係法令による年金等の額の改定等に関する政令の施行について（施行通知）……平成一六年三月雇児発第〇三三一〇三一号・障発第〇三三一〇一〇号……（四〇二参照）

○児童扶養手当法による児童扶養手当の額等の改定の特例に関する法律等の施行について（施行通知）……平成一七年三月雇児発第〇三三〇〇〇四号・障発第〇三三〇〇〇三号……（四〇四参照）

○児童扶養手当法による児童扶養手当の額等の改定の特例に関する法律第二項の規定に基づき児童扶養手当等の改定額を定める政令等の施行について（施行通知）……平成一八年三月雇児発第〇三三〇〇〇七号・障発第〇三三〇〇〇三号……（四〇六参照）
○児童扶養手当法施行令等の一部を改正する政令の施行について（施行通知）……平成一九年四月雇児発第〇四〇一〇〇四号・障発第〇四〇一〇〇一号……（四一四参照）
○同（施行通知）……平成二一年三月雇児発第〇三三一〇三〇号・障発第〇三三一〇一七号……（四二〇参照）
○同（施行通知）……平成二二年四月雇児発〇四〇一第四号・障発〇四〇一第三号……（四二二参照）
○特別児童扶養手当等の支給に関する法律に基づき都道府県及び市町村に交付する事務費に関する政令の一部改正について（施行通知）……平成二三年三月障発〇三二五第一号……一四九三
○児童扶養手当法施行令等の一部を改正する政令の施行について（施行通知）……平成二三年三月雇児発〇三三一第七号・障発〇三三一第九号……（四二八参照）
○「平成二十二年四月以降において発生が確認された口蹄疫に起因して生じた事態に対処するための手当金等についての健康保険法施行令等の臨時特例に関する政令」の施行（特別児童扶養手当等の支給に関する法律施行令の特例に係る部分に限る。）について……平成二三年七月障発〇七二九第四号……一四九四
○特別児童扶養手当等の支給に関する法律施行令の一部改正について……平成二四年一月事務連絡……一四九五
○「特別児童扶養手当等の支給に関する法律」における外国人に係る事務の取扱いについて……平成二四年六月障企発〇六二八第一号……（一六九〇参照）
○特別児童扶養手当等の支給に関する法律施行規則及び障害児福祉手当及び特別障害者手当の支給に関する省令の一部を改正する省令の施行について……平成二四年六月障発〇六二九第一号……一四九六

目　次

○「国民年金法等の一部を改正する法律等の一部を改正する法律」の施行について（児童扶養手当・特別児童扶養手当関係）……平成二四年一一月雇児発一一二六第一号・障発一一二六第一号……（四三二参照）

○児童扶養手当法による児童扶養手当の額等の改定の特例に関する法律第二項の規定に基づき児童扶養手当等の改定額を定める政令の一部を改正する等の政令の施行について（施行通知）……平成二五年九月雇児発〇九〇六第一号・障発〇九〇六第一号……（四三四参照）

○児童扶養手当法施行令等の一部を改正する政令の施行について（施行通知）……平成二六年三月雇児発〇三三一第一〇号・障発〇三三一第三九号……（四三六参照）

○特別児童扶養手当等の支給に関する法律に基づき都道府県及び市町村に交付する事務費に関する政令の一部改正について（施行通知）……平成二七年三月障発〇三二五第二号……一四九七

○児童扶養手当法施行令等の一部を改正する政令の施行について（施行通知）……平成二七年三月雇児発〇三三一第二八号・障発〇三三一第一二号……（四六三参照）

○地域の自主性及び自立性を高めるための改革の推進を図るための関係法律の整備に関する法律の施行に伴う厚生労働省関係政令等の整備等に関する政令及び地域の自主性及び自立性を高めるための改革の推進を図るための関係法律の整備に関する法律の施行に伴う厚生労働省関係省令の整備に関する省令の施行について……平成二七年四月障発〇三三一第一三号……一四九八

○児童扶養手当法施行令等の一部を改正する政令の施行について（施行通知）……平成二八年四月雇児発〇四〇一第二六号・障発〇四〇一第六号……（四六七参照）

○同（施行通知）……平成二九年三月雇児発〇三三一第六号・障発〇三三一第一号……（四七二参照）

○同（施行通知）……平成三〇年三月子発〇三三〇第二号・障発〇三三〇第一号……（四七三参照）

目次

○児童扶養手当法施行令等の一部を改正する政令及び児童扶養手当法施行規則等の一部を改正する省令の施行について（特別児童扶養手当等の支給に関する施行令並びに特別児童扶養手当等の支給に関する法律施行規則及び障害児福祉手当及び特別障害者手当の支給に関する省令関係）……平成三〇年八月障発〇八〇一第一号……一五〇二

○児童扶養手当法施行令等の一部を改正する政令の施行について（施行通知）……平成三一年三月子発〇三二九第一三号・障発〇三二九第一一号……（四八三参照）

○元号の表記の整理のための厚生労働省関係省令の一部を改正する省令及び元号の表記の整理のための厚生労働省関係告示の一部を改正する告示の施行について……令和元年五月障発〇五〇七第三号……一五〇五

○児童扶養手当法施行規則等の一部を改正する省令の施行について（施行通知）……令和元年六月子発〇六二八第五号・障発〇六二八第三号……（五三五参照）

○児童扶養手当法施行令等の一部を改正する政令の施行について（施行通知）……令和二年三月子発〇三三〇第一一号・障発〇三三〇第一一号……（四八五参照）

○国民健康保険法施行令等の一部を改正する政令の公布について……令和二年九月子発〇九〇四第一号・障発〇九〇四第一号・保発〇九〇四第一号……（四八八参照）

○健康保険法施行令等の一部を改正する政令の公布について……令和二年一二月府子本第一、一四九号・健発一二二四第一号・子発一二二四第二号・障発一二二四第二号・老発一二二四第四号・保発一二二四第六号……（四九四参照）

○押印を求める手続の見直し等のための厚生労働省関係省令の一部を改正する省令の施行について……令和二年一二月障発一二二五第三号……一五〇七

○児童福祉法施行規則等の一部を改正する省令の公布について……令和二年一二月健発一二二八第二号・子発一二二八第一号・障発一二二八第三号・老発一二二八第一号……（五四一参照）

目次　（三八）

○児童扶養手当法施行令及び特別児童扶養手当等の支給に関する法律施行令の一部を改正する政令の公布について……令和三年一二月子発一二二四第二号・障発一二二四第一号……（四九七参照）
○児童扶養手当法施行令等の一部を改正する政令の施行について……令和四年三月子発〇三二五第一号・障発〇三二五第一号……（四九八参照）
○同……令和五年三月子発〇三三〇第一号・障発〇三三〇第一号……（五〇〇参照）

（準則等）

処○特別児童扶養手当都道府県事務取扱準則について……平成二三年四月障発〇四〇一第四号……一五〇八
＊特別児童扶養手当都道府県事務取扱準則
処○特別児童扶養手当市町村事務取扱準則について……平成二三年四月障発〇四〇一第五号……一五二八
＊特別児童扶養手当市町村事務取扱準則
処○特別児童扶養手当指定都市事務取扱準則について……平成二七年四月障発〇四〇一第一〇号……一五四五
＊特別児童扶養手当指定都市事務取扱準則
○特別児童扶養手当証書の作成等について……昭和五〇年八月児発第五三二号の一……一五六三
○都道府県における児童扶養手当及び特別児童扶養手当の支払期月の変更に係る証書の作成について……昭和五二年六月児発第三八六号……（六三〇参照）
○都道府県における児童扶養手当証書等の作成について……昭和六〇年九月児発第七九五号……（六二九参照）

（認定に関する事項）

処○特別児童扶養手当等の支給に関する法律施行令別表第三における障害の認定について……昭和五〇年九月児発第五七六号……一五六四
＊特別児童扶養手当等の支給に関する法律施行令別表第三における障害の認定要領
○特別児童扶養手当、障害児福祉手当及び特別障害者手当に係る障害程度認定基準の一部改正の具体的な取扱いについて……平成二七年七月障企発〇七一三第一号……一六三一
処○児童扶養手当の障害認定に係る再診の取扱いについて……昭和三七年七月児発第七五二号……（九三八参照）
○特別児童扶養手当支給事務に係る知的障害児の児童相談所における判定について……昭和五〇年九月児企第三五号……一六三三
処○特別児童扶養手当及び特別障害者手当等におけるヒト免疫不全ウイルス感染症に係る障害認定について……平成一〇年三月障企第二四号……一六三五
○特別児童扶養手当等の支給に関する法律における有期認定の障害認定診断書の取扱いについて……平成二三年一月障発〇一一一第七号……一六四〇
○特別児童扶養手当等の支給に関する法律における有期認定の障害認定診断書の取扱いに関する疑義照会について……平成二三年二月一〇日……一六四二
○特別児童扶養手当における有期認定の取扱いについて……令和元年五月障発〇五三一第四号……一六四四
○特別児童扶養手当等の認定請求書等における所得の額の確認に係る事務等について……令和元年六月障企発〇六二八第二号……一六四六
＊情報連携による同一生計配偶者の把握方法

○特別児童扶養手当等の支給を制限する場合の所得の額の計算における寡婦（夫）控除のみなし適用に係る事実を明らかにすることができる書類について……令和二年一二月事務連絡……一六五九

○特別児童扶養手当の都道府県が任意で設置するオンラインシステムによる認定請求書等の事務手続について……令和五年七月障企発〇七〇三第一号……一六六〇

（雑　則）

○児童扶養手当の過誤払等による返納金債権の取扱いについて……昭和三七年四月児発第四八九号……（九八五参照）

○重度精神薄弱児（特別児童）扶養手当過誤払等による返納金債権の取扱いについて……昭和三九年一二月児発第一、〇二七号……一六六二

○児童扶養手当返納金債権の管理の事務処理について……昭和六一年一二月児企第六〇号……（九八九参照）

＊児童扶養手当返納金債権の管理の事務処理について（昭和六一年一二月会発第九一九号・児発第九二〇号）

○特別児童扶養手当の認定事務の手続等について……昭和四八年一〇月児企第四五号……一六六三

処○児童扶養手当及び特別児童扶養手当関係書類市町村審査要領について……昭和四八年一〇月児企第四八号……（七一二参照）

＊児童扶養手当及び特別児童扶養手当関係書類市町村審査要領

○特別児童扶養手当事務取扱交付金について……昭和四二年八月厚生省発児第一〇六号……一六六五

＊特別児童扶養手当事務取扱交付金交付要綱

○特別児童扶養手当事務取扱交付金の交付について……昭和四二年八月児発第五三七号……一六八五

○特別児童扶養手当事務取扱交付金における特別事情分について……昭和六〇年三月児発第一六三号……一六八八

処○児童扶養手当及び特別児童扶養手当支給事務関係書類の保存期間等について……昭和四七年八月児企第三一号……（一〇一二参照）

処○児童扶養手当及び特別児童扶養手当に係る時効の解釈及び取扱い等について……昭和四七年八月児企第三三号……（一〇一七参照）
○児童扶養手当の支給停止関係について……昭和五二年九月児企第三一号……（七八二参照）
処○児童扶養手当及び特別児童扶養手当関係法令上の疑義について…昭和五五年六月児企第二六号……（六八五参照）
○児童扶養手当法等の外国人適用について……昭和五六年六月児発第四九〇号……（二六四参照）
○「特別児童扶養手当等の支給に関する法律」における外国人に係る事務の取扱いについて……平成二四年六月障企発〇六二八第一号……一六九〇
処○児童扶養手当及び特別児童扶養手当の支払日の改正等について…平成四年一二月児発第一、〇七三号……（一〇二〇参照）
○特別児童扶養手当等の支給に関する法律施行令上の疑義について……平成一二年二月障企第九号……一六九三
○地方分権の推進を図るための関係法律の整備等に関する法律等の施行に伴う児童扶養手当並びに特別児童扶養手当、障害児福祉手当、特別障害者手当及び経過的福祉手当に関する法定受託事務に係る処理基準について……平成一三年七月雇児発第五〇二号・障発第三二五号……（七三〇参照）
○地方分権の推進を図るための関係法律の整備等に関する法律等の施行に伴う児童扶養手当並びに特別児童扶養手当、障害児福祉手当、特別障害者手当及び経過的福祉手当に関する法定受託事務に係る処理基準（課長通知関係）について……平成一三年七月雇児福発第三四号・障企発第三九号……（七三三参照）
○地方分権の推進を図るための関係法律の整備等に関する法律の施行前に発出された通知の取扱いについて……平成一三年八月雇児発第五四〇号……（七三六参照）
○特別児童扶養手当及び特別障害者手当等に関する近畿府県民生主管部長会議、一六大都道府県障害福祉主管課長会議、一六大都道府県児童福祉主管課長会議及び二一大都市心身障害者（児）福祉主管課長会議からの要望に対する回答について……平成二四年八月事務連絡……一六九四
○特別児童扶養手当に関する疑義について……平成二八年六月障企発〇六一五第三号……一七〇一

○番号制度の導入に伴う特別児童扶養手当受給資格者台帳等の取扱いについて……平成二八年一月事務連絡……一七〇七
○日台民間租税取決めに伴う特別児童扶養手当等支給事務に係る所得額の算定基準の一部改正について……平成二八年七月事務連絡……一七一〇
○無戸籍の児童に関する児童福祉等行政上の取扱いについて……平成二八年一〇月事務連絡……一七一一
○特別児童扶養手当の認定請求に関する疑義照会について……平成二九年二月障企発〇二〇二第一号……一七一五
○特別児童扶養手当等支給事務指導監査の実施について……平成三〇年三月障発〇三二八第一号……一七一六
＊特別児童扶養手当等支給事務指導監査要綱

第二節　障害児福祉手当及び特別障害者手当に関する事項

（施行通知）

○福祉手当制度の創設について……昭和五〇年八月厚生省社第七四二号……一七二三
処○同……昭和五〇年八月社更第一一二号……一七二五
○児童扶養手当法施行令及び特別児童扶養手当等の支給に関する法律施行令の一部を改正する政令の施行について……昭和五一年五月社更第五五号……一七二九
○児童扶養手当法等の一部改正について……昭和五一年一〇月児発第六八〇号……（二五八参照）
○児童扶養手当法施行令及び特別児童扶養手当等の支給に関する法律施行令の一部を改正する政令の施行について……昭和五二年四月社更第四八号……一七三一

○特別障害者手当制度の創設等について……昭和六〇年一二月厚生省社第一、〇一六号……一七三二
処○同……昭和六〇年一二月社更第一六〇号……一七三六
○児童扶養手当法施行令等の一部改正について……昭和六三年五月児発第四八四号……（二九五参照）
○同……平成元年五月児発第四一九号……（三〇一参照）
○児童扶養手当法等の一部改正について（施行通知）……平成元年一二月児発第九一二号……（三〇六参照）
○児童扶養手当法施行令等の一部改正について（施行通知）……平成二年三月児発第一八〇号……（三〇八参照）
○同……平成二年七月社更第一四四号・児発第六〇四号……（三一一参照）
○同（施行通知）……平成三年三月社更第六〇号・児発第二九〇号……（三一六参照）
○同……平成三年六月社更第一二三号・児発第五二九号……（三一八参照）
○同（施行通知）……平成四年三月社更第六八号・児発第二七五号……（三二一参照）
○同……平成四年六月社更第一三五号・児発第五七六号……（三二三参照）
○同（施行通知）……平成五年三月社援更第六八号・児発第二一五号……（三二六参照）
○同……平成五年六月社援更第一七五号・児発第五二一号……（三二八参照）
○同（施行通知）……平成六年三月社援更第六八号・児発第二三三号……（三三二参照）
○同（施行通知）……平成六年七月社援更第一八五号・児発第七一〇号……（三三四参照）

目　次

○平成十六年度における国民年金法による年金の額等の改定の特例に関する法律に基づく厚生労働省関係法令による年金等の額の改定等に関する政令の施行について（施行通知）……平成一六年三月雇児発第〇三三一〇三一号・障発第〇三三一〇一〇号……（四〇二参照）

○児童扶養手当法による児童扶養手当の額等の改定の特例に関する法律等の施行について（施行通知）……平成一七年三月雇児発第〇三三〇〇〇四号・障発第〇三三〇〇〇三号……（四〇四参照）

○児童扶養手当法による児童扶養手当の額等の改定の特例に関する法律第二項の規定に基づき児童扶養手当等の改定額を定める政令等の施行について（施行通知）……平成一八年三月雇児発第〇三三〇〇〇七号・障発第〇三三〇〇〇三号……（四〇六参照）

○児童扶養手当法施行令等の一部を改正する政令の施行について（施行通知）……平成一九年四月雇児発第〇四〇一〇〇四号・障発第〇四〇一〇〇一号……（四一四参照）

○同（施行通知）……平成二一年三月雇児発第〇三三一〇三〇号・障発第〇三三一〇一七号……（四二〇参照）

○同（施行通知）……平成二二年四月雇児発〇四〇一第四号・障発〇四〇一第三号……（四二二参照）

○同（施行通知）……平成二三年三月雇児発〇三三一第七号・障発〇三三一第九号……（四二八参照）

○「国民年金法等の一部を改正する法律等の一部を改正する法律」の施行について（児童扶養手当・特別児童扶養手当関係）……平成二四年一一月雇児発一一二六第一号・障発一一二六第一号……（四三二参照）

○児童扶養手当法による児童扶養手当の額等の改定の特例に関する法律第二項の規定に基づき児童扶養手当等の改定額を定める政令の一部を改正する等の政令の施行について（施行通知）……平成二五年九月雇児発〇九〇六第一号・障発〇九〇六第一号……（四三四参照）

○児童扶養手当法施行令等の一部を改正する政令の施行について（施行通知）……平成二六年三月雇児発〇三三一第一〇号・障発〇三三一第三九号……（四三六参照）

（その他）

処○障害児福祉手当及び特別障害者手当等事務取扱細則準則について……昭和六〇年一二月社更第一六一号……一七四五
＊「障害児福祉手当及び特別障害者手当等事務取扱細則」準則
処○障害児福祉手当及び特別障害者手当の障害程度認定基準について……昭和六〇年一二月社更第一六二号……一七五七
＊障害児福祉手当及び特別障害者手当の障害程度認定基準
○特別障害者手当の障害程度認定基準の次表に該当する視野障害の障害程度の確認について……平成三〇年九月事務連絡……一八三五
○人工内耳を用いている場合の障害児福祉手当の認定について……平成三一年三月事務連絡……一八三六
○特別障害者手当等給付費に係る国庫負担について……昭和六一年五月厚生省社第四六二号……一八三七
＊特別障害者手当等給付費国庫負担金交付要綱
○特別障害者手当等給付費国庫負担金の事務執行の適正化について……平成二五年一一月事務連絡……一八五九
処○特別障害者手当の所得制限に係る障害補償年金前払一時金等の所得としての計算方法について……昭和六一年七月社更第一三〇号……一八六〇
○特別障害者手当等給付事務の適正実施の推進について……平成三年八月社更第一九〇号……一八六一
○障害児福祉手当及び特別障害者手当等の支払開始期日が日曜若しくは土曜日又は休日に当たる場合の支払開始期日の繰上げについて……平成四年八月社援更第三二号……一八六二

処

○特別児童扶養手当及び特別障害者手当等におけるヒト免疫不全ウイルス感染症に係る障害認定について……平成一〇年三月障企第二四号……（一六三五参照）
○地方分権の推進を図るための関係法律の整備等に関する法律等の施行に伴う児童扶養手当並びに特別児童扶養手当、障害児福祉手当、特別障害者手当及び経過的福祉手当に関する法定受託事務に係る処理基準について……平成一三年七月雇児発第五〇二号・障発第三二五号……（七三〇参照）
○地方分権の推進を図るための関係法律の整備等に関する法律等の施行に伴う児童扶養手当並びに特別児童扶養手当、障害児福祉手当、特別障害者手当及び経過的福祉手当に関する法定受託事務に係る処理基準（課長通知関係）について……平成一三年七月雇児福発第三四号・障企発第三九号……（七三三参照）
○特別児童扶養手当等の支給に関する法律における有期認定の障害認定診断書の取扱いについて……平成二三年一月障発〇一一一第七号……（一六四〇参照）
○特別児童扶養手当等の支給に関する法律における有期認定の障害認定診断書の取扱いに関する疑義照会について……平成二三年二月一〇日……（一六四二参照）
○「特別児童扶養手当等の支給に関する法律」における外国人に係る事務の取扱いについて……平成二四年六月障企発〇六二八第一号……（一六九〇参照）
○特別児童扶養手当及び特別障害者手当等に関する近畿府県民生主管部長会議、一六大都道府県障害福祉主管課長会議、一六大都道府県児童福祉主管課長会議及び二一大都市心身障害者（児）福祉主管課長会議からの要望に対する回答について……平成二四年八月事務連絡……（一六九四参照）
○番号制度の導入に伴う特別児童扶養手当受給資格者台帳等の取扱いについて……平成二八年一月事務連絡……（一七〇七参照）
○特別障害者手当等に係る所得状況の届出の適正な実施について……平成二八年七月事務連絡……一八六三
○障害児福祉手当及び特別障害者手当に関する疑義について……平成二八年九月障企発〇九二八第一号……一八六四
○無戸籍の児童に関する児童福祉等行政上の取扱いについて……平成二八年一〇月事務連絡……（一七一一参照）

付その他

索　引

第一章　児童扶養手当

〔法　律〕

◉児童扶養手当法

〔昭和三十六年十一月二十九日
法律第二百三十八号〕

（総理・大蔵・厚生・郵政・自治大臣署名）

〔一部改正経過〕

第一次　〔昭和三七年四月一六日法律第七八号「児童扶養手当法の一部を改正する法律」による改正〕
第二次　〔昭和三七年五月一〇日法律第一一五号「戦傷病者戦没者遺族等援護法等の一部を改正する法律」附則第一八項による改正〕
第三次　〔昭和三七年九月一五日法律第一六一号「行政不服審査法の施行に伴う関係法律の整理等に関する法律」第一〇一条による改正〕
第四次　〔昭和三七年五月一六日法律第一四〇号「行政事件訴訟法の施行に伴う関係法律の整理等に関する法律」第四八条による改正〕
第五次　〔昭和三七年九月八日法律第一五二号「地方公務員共済組合法」附則第七二条による改正〕
第六次　〔昭和三八年七月一六日法律第一五〇号「国民年金法及び児童扶養手当法の一部を改正する法律」第二条による改正〕
第七次　〔昭和三九年五月三〇日法律第八七号「国民年金法及び児童扶養手当法の一部を改正する法律」第二条による改正〕
第八次　〔昭和三九年七月六日法律第一五二号「地方公務員共済組合法等の一部を改正する法律」附則第二九条による改正〕
第九次　〔昭和四〇年三月三一日法律第三六号「所得税法及び法人税法の施行に伴う関係法令の整備等に関する法律」第六一・六二条による改正〕
第一〇次　〔昭和四〇年五月三一日法律第九三号「国民年金法等の一部を改正する法律」第二条・附則第一六条による改正〕
第一一次　〔昭和四〇年六月一一日法律第一三〇号「労働者災害補償保険法の一部を改正する法律」附則第三四条による改正〕
第一二次　〔昭和四一年五月九日法律第六七号「国家公務員災害補償法の一部を改正する法律」附則第二七条による改正〕
第一三次　〔昭和四一年七月一五日法律第一二七号「児童扶養手当法の一部を改正する法律」による改正〕
第一四次　〔昭和四一年七月一日法律第一一一号「執行官法」附則第二六条による改正〕
第一五次　〔昭和四二年七月二九日法律第九五号「児童扶養手当法及び特別児童扶養手当法の一部を改正する法律」第一条による改正〕
第一六次　〔昭和四二年八月一七日法律第一三六号「公立学校の学校医、学校歯科医及び学校薬剤師の公務災害補償に関する法律等の一部を改正する法律」第五条による改正〕
第一七次　〔昭和四二年八月一日法律第一二一号「地方公務員災害補償法」附則第二五条による改正〕
第一八次　〔昭和四三年五月二八日法律第六九号「国民年金法等の一部を改正する法律」第二条による改正〕
第一九次　〔昭和四四年一二月一〇日法律第八七号「児童扶養手当法及び特別児童扶養手当法の一部を改正する法律」第一条による改正〕
第二〇次　〔昭和四五年六月四日法律第一一四号「国民年金法等の一部を改正する法律」第二条による改正〕
第二一次　〔昭和四六年三月三〇日法律第一三号「国民年金法等の一部を改正する法律」第二条による改正〕
第二二次　〔昭和四七年六月二三日法律第九七号「国民年金法等の一部を改正する法律」第二条による改正〕
第二三次　〔昭和四八年九月二六日法律第九三号「児童扶養手当法及び特別児童扶養手当法の一部を改正する法律」第一・二条・附則第六条による改正〕
第二四次　〔昭和四九年六月二二日法律第八九号「児童手当法等の一部を改正する法律」第二条による改正〕
第二五次　〔昭和五〇年六月二七日法律第四七号「特別児童扶養手当等の支給に関する法律等の一部を改正する法律」第二条による改正〕
第二六次　〔昭和五一年六月五日法律第六三号「厚生年金保険法等の一部を改正する法律」第一八・一七条による改正〕
第二七次　〔昭和五二年五月二七日法律第四八号「国民年金法等の一部を改正する法律」第三条による改正〕
第二八次　〔昭和五三年五月一六日法律第四六号「国民年金法等の一部を改正する法律」第六条による改正〕
第二九次　〔昭和五四年五月二九日法律第三六号「国民年金法等の一部を改正する法律」第六条による改正〕
第三〇次　〔昭和五五年一〇月三一日法律第八二号「厚生年金保険法等の一部を改正する法律」第一〇条による改正〕
第三一次　〔昭和五六年五月二五日法律第五〇号「国民年金法等の一部を改正する法律」第三条による改正〕
第三二次　〔昭和五六年六月一二日法律第八六号「難民の地位に関する条約等への加入に伴う出入国管理令その他関係法律の整備に関する法律」第三条による改正〕
第三三次　〔昭和五七年八月一三日法律第七九号「国民年金法等の一部を改正する法律」第三条による改正〕
第三四次　〔昭和五七年七月一六日法律第六六号「障害に関する用語の整理に関する法律」第七九条による改正〕

第三五次　〔昭和五八年一二月三日法律第八二号「国家公務員及び公共企業体職員に係る共済組合制度の統合等を図るための国家公務員共済組合法等の一部を改正する法律」附則第八四条による改正〕

第三六次　〔昭和六〇年六月七日法律第四八号「児童扶養手当法の一部を改正する法律」（平成二二年六月法律第四〇号により一部改正）による改正
注　未施行分については〔参考2〕として五三頁以降に収載（政令で定める日施行分）〕

第三七次　〔昭和六〇年五月一日法律第三四号「国民年金法等の一部を改正する法律」附則第一二六・一四三条による改正〕

第三八次　〔昭和六一年四月三〇日法律第四〇号「児童扶養手当法及び特別児童扶養手当等の支給に関する法律の一部を改正する法律」第一条による改正〕

第三九次　〔昭和六一年五月八日法律第四六号「国の補助金等の臨時特例等に関する法律」第二四条による改正〕

第四〇次　〔昭和六二年六月二日法律第四四号「児童扶養手当法等の一部を改正する法律」第一条による改正〕

第四一次　〔昭和六三年五月二四日法律第五六号「児童扶養手当法等の一部を改正する法律」第一条による改正〕

第四二次　〔平成元年四月一〇日法律第二二号「国の補助金等の整理及び合理化並びに臨時特例等に関する法律」第二四条による改正〕

第四三次　〔平成元年一二月二二日法律第八六号「国民年金法等の一部を改正する法律」第四・六条による改正〕

第四四次　〔平成六年一一月九日法律第九五号「国民年金法等の一部を改正する法律」第一七条による改正〕

第四五次　〔平成八年六月一四日法律第八二号「厚生年金保険法等の一部を改正する法律」附則第一〇七条による改正〕

第四六次　〔平成九年五月九日法律第四八号「日本私立学校振興・共済事業団法」附則第五〇条による改正〕

第四七次　〔平成一一年七月一六日法律第八七号「地方分権の推進を図るための関係法律の整備等に関する法律」第二〇五・二〇六条（平成一一年一二月法律第一六〇号・平成一二年六月法律第一一一号により一部改正）による改正〕

第四八次　〔平成一一年一二月二二日法律第一六〇号「中央省庁等改革関係法施行法」第六七一条による改正〕

第四九次　〔平成一三年七月四日法律第一〇一号「厚生年金保険制度及び農林漁業団体職員共済組合制度の統合を図るための農林漁業団体職員共済組合法等を廃止する等の法律」附則第一二三条による改正〕

第五〇次　〔平成一四年七月三一日法律第九八号「日本郵政公社法施行法」第一五八条による改正〕

第五一次　〔平成一四年一一月二九日法律第一一九号「母子及び寡婦福祉法等の一部を改正する法律」第二条による改正〕

第五二次　〔平成一六年三月三一日法律第二一号「児童福祉法等の一部を改正する法律」第三条による改正〕

第五三次　〔平成一六年一二月三日法律第一五三号「児童福祉法の一部を改正する法律」附則第八条による改正〕

第五四次　〔平成一八年二月一〇日法律第一号「国会議員互助年金法を廃止する法律」附則第二一条による改正〕

第五五次　〔平成一八年三月三一日法律第二〇号「国の補助金等の整理及び合理化等に伴う児童手当法等の一部を改正する法律」第六条による改正〕

第五六次　〔平成一九年三月三一日法律第一八号「執行官法の一部を改正する法律」附則第五条による改正〕

第五七次　〔平成一七年一〇月二一日法律第一〇二号「郵政民営化法等の施行に伴う関係法律の整備等に関する法律」第七四・九六条による改正〕

第五八次　〔平成二〇年一二月三日法律第八五号「児童福祉法等の一部を改正する法律」附則第一三条による改正〕

第五九次　〔平成一九年四月二三日法律第三〇号「雇用保険法等の一部を改正する法律」附則第七三条（平成一九年七月法律第一〇九号により一部改正）による改正〕

第六〇次　〔平成二一年五月一日法律第三六号「社会保険の保険料等に係る延滞金を軽減するための厚生年金保険法等の一部を改正する法律」附則第三条による改正〕

第六一次　〔平成二二年六月二日法律第四〇号「児童扶養手当法の一部を改正する法律」による改正〕

第六二次　〔平成二二年一二月一〇日法律第七一号「障がい者制度改革推進本部等における検討を踏まえて障害保健福祉施策を見直すまでの間において障害者等の地域生活を支援するための関係法律の整備に関する法律」附則第五六条（平成二三年五月法律第三七・四〇号により一部改正）による改正〕

第六三次　〔平成二四年九月五日法律第七二号「地方自治法の一部を改正する法律」附則第一一条による改正〕

第六四次　〔平成二六年四月二三日法律第二八号「次代の社会を担う子どもの健全な育成を図るための次世代育成支援対策推進法等の一部を改正する法律」第三条による改正〕

第六五次　〔平成二六年六月一一日法律第六四号「政府管掌年金事業等の運営の改善のための国民年金法等の一部を改正する法律」第八条による改正〕

第六六次　〔平成二四年八月二二日法律第六三号「被用者年金制度の一元化等を図るための厚生年金保険法等の一部を改正する法律」附則第一二四条（平成二四年一一月法律第九七号により一部改正）による改正〕

第六七次　〔平成二六年五月三〇日法律第四二号「地方自治法の一部を改正する法律」附則第三五条による改正〕

第六八次　〔平成二六年六月一三日法律第六九号「行政不服審査法の施行に伴う関係法律の整備等に関する法律」第一四九条による改正〕

第六九次　〔平成二八年五月一三日法律第三七号「児童扶養手当法の一部を改正する法律」による改正〕

第七〇次　〔平成二八年六月三日法律第六三号「児童福祉法等の一部を改正する法律」附則第一一条による改正〕

第七一次　〔平成二九年三月三一日法律第四号「所得税法等の一部を改正する等の法律」附則第一二二条（平成三〇年三月法律第七号により一部改正）による改正〕

第七二次　〔平成三〇年六月八日法律第四四号「生活困窮者等の自立を促進するための生活困窮者自立支援法等の一部を改正する法律」第六条による改正〕

第七三次　〔平成二九年六月二日法律第四五号「民法の一部を改正する法律の施行に伴う関係法律の整備等に関する法律」第一九〇条による改正〕

第七四次　〔平成三〇年五月二五日法律第三一号「厚生年金保険制度及び農林漁業団体職員共済組合制度の統合を図るための農林漁業団体職員共済組合法等を廃止する等の法律の一部を改正する法律」による改正〕
第七五次　〔令和二年三月三一日法律第八号「所得税法等の一部を改正する法律」第二九条・附則第一四九条（令和三年三月法律第一一号により一部改正）による改正〕
第七六次　〔令和二年六月五日法律第四〇号「年金制度の機能強化のための国民年金法等の一部を改正する法律」第一四条による改正〕
第七七次　〔令和四年六月二二日法律第七六号「こども家庭庁設置法の施行に伴う関係法律の整備に関する法律」第一〇条（令和四年六月法律第七七号により一部改正）による改正〕
注　令和四年六月一七日法律第六八号「刑法等の一部を改正する法律の施行に伴う関係法律の整理等に関する法律」第二二一条（令和五年五月法律第二八号により一部改正）による改正は未施行につき〔参考1〕として五二頁以降に収載（令和七年六月一日施行）

児童扶養手当法

目次　頁

第一章　総則

（この法律の目的）

第一条　この法律は、父又は母と生計を同じくしていない児童が育成される家庭の生活の安定と自立の促進に寄与するため、当該児童について児童扶養手当を支給し、もつて児童の福祉の増進を図ることを目的とする。

〔**改正**〕
全部改正（第三六次改正）、一部改正（第六一次改正）

（児童扶養手当の趣旨）

第二条　児童扶養手当は、児童の心身の健やかな成長に寄与することを趣旨として支給されるものであつて、その支給を受けた者は、これをその趣旨に従つて用いなければならない。

2　児童扶養手当の支給を受けた父又は母は、自ら進んでその自立を図り、家庭の生活の安定と向上に努めなければならない。

3　児童扶養手当の支給は、婚姻を解消した父母等が児童に対して履行すべき扶養義務の程度又は内容を変更するものではない。

〔**改正**〕
一部改正（第三六・五一・六一次改正）

（用語の定義）

第三条　この法律において「児童」とは、十八歳に達する日以後の最初の三月三十一日までの間にある者又は二十歳未満で政令で定める程度の障害の状態にある者をいう。

2　この法律において「公的年金給付」とは、次の各号に掲げる給付をいう。

一　国民年金法（昭和三十四年法律第百四十一号）に基づく年金たる給付

二　厚生年金保険法（昭和二十九年法律第百十五号）に基づく年金たる給付（同法附則第二十八条に規定する共済組合が支給する年金たる給付を含む。）

三　船員保険法（昭和十四年法律第七十三号）に基づく年金たる給付（雇用保険法等の一部を改正する法律（平成十九年法律第三十号）附則第三十九条の規定によりなお従前の例によるものとされ

た年金たる給付に限る。）

四　恩給法（大正十二年法律第四十八号。他の法律において準用する場合を含む。）に基づく年金たる給付

五　地方公務員の退職年金に関する条例に基づく年金たる給付

六　旧令による共済組合等からの年金受給者のための特別措置法（昭和二十五年法律第二百五十六号）に基づいて国家公務員共済組合連合会が支給する年金たる給付

七　戦傷病者戦没者遺族等援護法（昭和二十七年法律第百二十七号）に基づく年金たる給付

八　未帰還者留守家族等援護法（昭和二十八年法律第百六十一号）に基づく留守家族手当及び特別手当（同法附則第四十五項に規定する手当を含む。）

九　労働者災害補償保険法（昭和二十二年法律第五十号）に基づく年金たる給付

十　国家公務員災害補償法（昭和二十六年法律第百九十一号。他の法律において準用する場合を含む。）に基づく年金たる補償

十一　公立学校の学校医、学校歯科医及び学校薬剤師の公務災害補償に関する法律（昭和三十二年法律第百四十三号）に基づく条例の規定に基づく年金たる補償

十二　地方公務員災害補償法（昭和四十二年法律第百二十一号）及び同法に基づく条例の規定に基づく年金たる補償

3　この法律にいう「婚姻」には、婚姻の届出をしていないが、事実上婚姻関係と同様の事情にある場合を含み、「配偶者」には、婚姻の届出をしていないが、事実上婚姻関係と同様の事情にある者を含み、「父」には、母が児童を懐胎した当時婚姻の届出をしていないが、その母と事実上婚姻関係と同様の事情にあつた者を含むものとする。

〔改正〕

一部改正（第二・五～八・一〇～一四・一六・一七・二四・二六・三四～三六・四四～四六・四九・五四・五六・五九・六六次改正）

〔委任〕

第一項　「政令」＝令一Ⅰ

〔参照条文〕

第一項　「障害の状態」の届出＝規則四の二

第二章　児童扶養手当の支給

（支給要件）

第四条　都道府県知事、市長（特別区の区長を含む。以下同じ。）及び福祉事務所（社会福祉法（昭和二十六年法律第四十五号）に定める福祉に関する事務所をいう。以下同じ。）を管理する町村長（以下「都道府県知事等」という。）は、次の各号に掲げる場合の区分に応じ、それぞれ当該各号に定める者に対し、児童扶養手当（以下「手当」という。）を支給する。

一　次のイからホまでのいずれかに該当する児童の母が当該児童を監護する場合　当該母

イ　父母が婚姻を解消した児童

ロ　父が死亡した児童

ハ　父が政令で定める程度の障害の状態にある児童

ニ　父の生死が明らかでない児童

ホ　その他イからニまでに準ずる状態にある児童で政令で定める

もの

二　次のイからホまでのいずれかに該当する児童の父が当該児童を監護し、かつ、これと生計を同じくする場合　当該父

イ　父母が婚姻を解消した児童

ロ　母が死亡した児童

ハ　母が前号ハの政令で定める程度の障害の状態にある児童

ニ　母の生死が明らかでない児童

ホ　その他イからニまでに準ずる状態にある児童で政令で定めるもの

三　第一号イからホまでのいずれかに該当する児童を母が監護しない場合若しくは同号イからホまでのいずれかに該当する児童（同号ロに該当するものを除く。）の母がない場合であつて、当該母以外の者が当該児童を養育する（児童と同居して、これを監護し、かつ、その生計を維持することをいう。以下同じ。）とき、前号イからホまでのいずれかに該当する児童を父が監護しないか、若しくはこれと生計を同じくしない場合（父がない場合を除く。）若しくは同号イからホまでのいずれかに該当する児童（同号ロに該当するものを除く。）の父がない場合であつて、当該父以外の者が当該児童を養育するとき、又は父母がない場合であつて、当該父母以外の者が当該児童を養育するとき　当該養育者

2　前項の規定にかかわらず、手当は、母又は養育者に対する手当にあつては児童が第一号から第四号までのいずれかに該当するとき、父に対する手当にあつては児童が第一号、第二号、第五号又は第六号のいずれかに該当するときは、当該児童については、支給しない。

一　日本国内に住所を有しないとき。

二　児童福祉法（昭和二十二年法律第百六十四号）第六条の四に規定する里親に委託されているとき。

三　父と生計を同じくしているとき。ただし、その者が前項第一号ハに規定する政令で定める程度の障害の状態にあるときを除く。

四　母の配偶者（前項第一号ハに規定する政令で定める程度の障害の状態にある父を除く。）に養育されているとき。

五　母と生計を同じくしているとき。ただし、その者が前項第一号ハに規定する政令で定める程度の障害の状態にあるときを除く。

六　父の配偶者（前項第一号ハに規定する政令で定める程度の障害の状態にある母を除く。）に養育されているとき。

3　第一項の規定にかかわらず、手当は、母に対する手当にあつては当該母が、父に対する手当にあつては当該父が、養育者に対する手当にあつては当該養育者が、日本国内に住所を有しないときは、支給しない。

〔改正〕

一部改正（第六・一一・一二・二三〜二五・三二・三四・三六・三七・四七・五三・五八・六一・六二・六四・七〇次改正）

〔委任〕

第一項　第一号ハの「政令」＝令一Ⅱ　ホの「政令」＝令一の二　第二号ホの「政令」＝令二

〔参照条文〕

第一項　本文の「支給」額を制限する場合の計算方法＝令四
第二・三項　受給資格喪失の届出＝規則一一（様式九）

（支給の調整）

第四条の二　同一の児童について、父及び母のいずれもが手当の支給要件に該当するとき、又は父及び養育者のいずれもが手当の支給要件に該当するときは、当該父に対する手当は、当該児童については、支給しない。

2　同一の児童について、母及び養育者のいずれもが手当の支給要件に該当するときは、当該養育者に対する手当は、当該児童については、支給しない。

〔**改正**〕

追加（第六一次改正）

（手当額）

第五条　手当は、月を単位として支給するものとし、その額は、一月につき、四万千百円とする。

2　第四条に定める要件に該当する児童であつて、父が監護し、かつ、これと生計を同じくするもの、母が監護するもの又は養育者が養育するもの（以下「監護等児童」という。）が二人以上である父、母又は養育者に支給する手当の額は、前項の規定にかかわらず、同項に定める額（次条第一項において「基本額」という。）に監護等児童のうちの一人（以下この項において「基本額対象監護等児童」という。）以外の監護等児童につきそれぞれ次の各号に掲げる監護等児童の区分に応じ、当該各号に定める額（次条第二項において「加算額」という。）を加算した額とする。

一　第一加算額対象監護等児童（基本額対象監護等児童以外の監護等児童のうちの一人をいう。次号において同じ。）　一万円

二　第二加算額対象監護等児童（基本額対象監護等児童及び第一加算額対象監護等児童以外の監護等児童をいう。）　六千円

〔**改正**〕

全部改正（第四三次改正）、一部改正（第四四・六一・六九次改正）

〔**参照条文**〕

支給期間・支払期月＝法七　支給の制限＝法九〜一五

（手当額の自動改定）

第五条の二　基本額については、総務省において作成する年平均の全国消費者物価指数（以下「物価指数」という。）が平成五年（この項の規定による基本額の改定の措置が講じられたときは、直近の当該措置が講じられた年の前年）の物価指数を超え、又は下るに至つた場合においては、その上昇し、又は低下した比率を基準として、その翌年の四月以降の基本額を改定する。

2　前項の規定は、加算額について準用する。この場合において、同項中「平成五年」とあるのは、「平成二十七年」と読み替えるものとする。

3　前二項の規定による手当の額の改定の措置は、政令で定める。

〔**改正**〕

追加（第四三次改正）、一部改正（第四四・四八・六九次改正）

〔**委任**〕

第三項　「政令」＝令二の二

〔参照条文〕

平成一七年度以降における額の改定の特例＝平成一七年三月法律第九号「児童扶養手当法による児童扶養手当の額等の改定の特例に関する法律」、平成一八年三月政令第一一号「児童扶養手当法による児童扶養手当の額等の改定の特例に関する法律第二項の規定に基づき児童扶養手当等の改定額を定める政令」

（認定）

第六条　手当の支給要件に該当する者（以下「受給資格者」という。）は、手当の支給を受けようとするときは、その受給資格及び手当の額について、都道府県知事等の認定を受けなければならない。

２　前項の認定を受けた者が、手当の支給要件に該当しなくなつた後再びその要件に該当するに至つた場合において、その該当するに至つた後の期間に係る手当の支給を受けようとするときも、同項と同様とする。

〔改正〕

一部改正（第三六・四七・五一次改正）

〔参照条文〕

第一項　「認定」＝法八Ⅰ・二九、規則一・四・四の二・一五〜二六・二八　「受給資格者」の死亡＝法一六

（支給期間及び支払期月）

第七条　手当の支給は、受給資格者が前条の規定による認定の請求をした日の属する月の翌月（第十三条の三第一項において「支給開始月」という。）から始め、手当を支給すべき事由が消滅した日の属する月で終わる。

２　受給資格者が災害その他やむを得ない理由により前条の規定による認定の請求をすることができなかつた場合において、その理由がやんだ後十五日以内にその請求をしたときは、手当の支給は、前項の規定にかかわらず、受給資格者がやむを得ない理由により認定の請求をすることができなくなつた日の属する月の翌月から始める。

３　手当は、毎年一月、三月、五月、七月、九月及び十一月の六期に、それぞれの前月までの分を支払う。ただし、前支払期月に支払うべきであつた手当又は支給すべき事由が消滅した場合におけるその期の手当は、その支払期月でない月であつても支払うものとする。

〔改正〕

一部改正（第二七・三六・五一・六四・七二次改正）

〔参照条文〕

第一項　「受給資格者」＝法六Ⅰ　「手当を支給すべき事由」＝法四・九〜一三
第二項　「受給資格者」＝法六Ⅰ

（手当の額の改定時期）

第八条　手当の支給を受けている者につき、新たに監護等児童があるに至つた場合における手当の額の改定は、その者がその改定後の額につき認定の請求をした日の属する月の翌月から行う。

２　前条第二項の規定は、前項の改定について準用する。

３　手当の支給を受けている者につき、監護等児童の数が減じた場合

における手当の額の改定は、その減じた日の属する月の翌月から行う。

〔改正〕

一部改正（第四三・六一次改正）

〔参照条文〕

第一項　「改定」の「請求」＝規則二・一八　不服申立て＝法一七～二〇
第三項　「改定」の届出等＝規則三・一八　「改定」の届出等なき場合＝法一五

（支給の制限）

第九条　手当は、受給資格者（第四条第一項第一号ロ又はニに該当し、かつ、母がない児童、同項第二号ロ又はニに該当し、かつ、父がない児童その他政令で定める児童の養育者を除く。以下この項において同じ。）の前年の所得が、その者の所得税法（昭和四十年法律第三十三号）に規定する同一生計配偶者及び扶養親族（以下「扶養親族等」という。）並びに当該受給資格者の扶養親族等でない児童で当該受給資格者が前年の十二月三十一日において生計を維持したものの有無及び数に応じて、政令で定める額以上であるときは、その年の十一月から翌年の十月までは、政令の定めるところにより、その全部又は一部を支給しない。

2　受給資格者が母である場合であつてその監護する児童が父から当該児童の養育に必要な費用の支払を受けたとき、又は受給資格者が父である場合であつてその監護し、かつ、これと生計を同じくする児童が母から当該児童の養育に必要な費用の支払を受けたときは、

政令で定めるところにより、受給資格者が当該費用の支払を受けたものとみなして、前項の所得の額を計算するものとする。

〔改正〕

全部改正（第一九次改正）、一部改正（第二〇・二六・二七・三六・五一・六一・六四・七一・七二次改正）

〔委任〕

第一項　「政令で定める児童」＝令二の三　「政令で定める額」＝令二の四Ⅰ
「政令の定める」＝令二の四Ⅱ～Ⅴ
第二項　「政令」＝令二の四Ⅵ

〔参照条文〕

所得状況の不正届出行為による受給＝法二三　児童扶養手当支給停止通知書＝規則一六Ⅱ（様式一一の三）・二一ⅡⅢ　適用除外＝法一二Ⅰ

第九条の二　手当は、受給資格者（前条第一項に規定する養育者に限る。以下この条において同じ。）の前年の所得が、その者の扶養親族等及び当該受給資格者の扶養親族等でない児童で当該受給資格者が前年の十二月三十一日において生計を維持したものの有無及び数に応じて、政令で定める額以上であるときは、その年の十一月から翌年の十月までは、支給しない。

〔改正〕

追加（第三六次改正）、一部改正（第五一・七二次改正）

〔委任〕

「政令」＝令二の四Ⅶ

〔参照条文〕

児童扶養手当支給停止通知書＝規則一六Ⅱ（様式一一の三）・二一ⅡⅢ　適用除外＝法一二Ⅰ

第十条　父又は母に対する手当は、その父若しくは母の配偶者の前年の所得又はその父若しくは母の民法（明治二十九年法律第八十九号）第八百七十七条第一項に定める扶養義務者でその父若しくは母と生計を同じくするものの前年の所得が、その者の扶養親族等の有無及び数に応じて、政令で定める額以上であるときは、その年の十一月から翌年の十月までは、支給しない。

〔**改正**〕

旧第一一条の全部改正（第七次改正）、一部改正（第九・一〇・一三・一五・一八～二〇・二二・二七・六一・七二次改正）、本条に繰上（第一三次改正）

〔**委任**〕

「政令」＝令二の四Ⅷ

〔**参照条文**〕

所得状況の不正届出行為による受給＝法二三　児童扶養手当支給停止通知書＝規則一六Ⅱ（様式一一の三）・二一ⅡⅢ　適用除外＝法一二Ⅰ

第十一条　養育者に対する手当は、その養育者の配偶者の前年の所得又はその養育者の民法第八百七十七条第一項に定める扶養義務者でその養育者の生計を維持するものの前年の所得が、その者の扶養親族等の有無及び数に応じて、前条に規定する政令で定める額以上であるときは、その年の十一月から翌年の十月までは、支給しない。

〔**改正**〕

旧第一二条の全部改正（第七次改正）、一部改正（第一三・一九・二〇・二二・二七・七二次改正）、本条に繰上（第一三次改正）

〔**参照条文**〕

所得状況の不正届出行為による受給＝法二三　児童扶養手当支給停止通知書＝規則一六Ⅱ（様式一一の三）・二一ⅡⅢ　適用除外＝法一二Ⅰ

第十二条　震災、風水害、火災その他これらに類する災害により、自己又は所得税法に規定する同一生計配偶者若しくは扶養親族の所有に係る住宅、家財又は政令で定めるその他の財産につき被害金額（保険金、損害賠償金等により補充された金額を除く。）がその価格のおおむね二分の一以上である損害を受けた者（以下「被災者」という。）がある場合においては、その損害を受けた月から翌年の十月までの手当については、その損害を受けた年の前年又は前々年における当該被災者の所得に関しては、第九条から前条までの規定を適用しない。

2　前項の規定の適用により同項に規定する期間に係る手当が支給された場合において、次の各号に該当するときは、その支給を受けた者は、政令の定めるところにより、それぞれ当該各号に規定する手当で同項に規定する期間に係るものに相当する金額の全部又は一部を都道府県、市（特別区を含む。）又は福祉事務所を設置する町村（以下「都道府県等」という。）に返還しなければならない。

一　当該被災者（第九条第一項に規定する養育者を除く。以下この号において同じ。）の当該損害を受けた年の所得が、当該被災者の扶養親族等及び当該被災者の扶養親族等でない児童で当該被災者がその年の十二月三十一日において生計を維持したものの有無及び数に応じて、第九条第一項に規定する政令で定める額以上であること。　当該被災者に支給された手当

二　当該被災者（第九条第一項に規定する養育者に限る。以下この号において同じ。）の当該損害を受けた年の所得が、当該被災者の扶養親族等及び当該被災者の扶養親族等でない児童で当該被災者がその年の十二月三十一日において生計を維持したものの有無及び数に応じて、第九条の二に規定する政令で定める額以上であること。　当該被災者に支給された手当

三　当該被災者の当該損害を受けた年の所得が、当該被災者の扶養親族等の有無及び数に応じて、第十条に規定する政令で定める額以上であること。　当該被災者を配偶者又は扶養義務者とする者に支給された手当

〔改正〕

一部改正（第一・六・七・九・一〇・一三・一五・一八～二〇・二二・二七・三六・四七・五一・七一・七二次改正）、旧第一三条を本条に繰上（第一三次改正）

〔委任〕

第一項　「政令」＝令五

第二項　本文の「政令」＝令六

〔参照条文〕

第二項　「手当」の支払の調整＝法三一　「所得」＝令三Ⅱ・四Ⅲ　「扶養義務者」＝法一〇・一一

第十三条　第九条から第十一条まで及び前条第二項各号に規定する所得の範囲及びその額の計算方法は、政令で定める。

〔改正〕

旧第一三条の二として追加（第六次改正）、一部改正（第七・九・一三・一九・五一次改正）、本条に繰上（第一三次改正）

〔委任〕

「政令」＝令三・四、平成二三年七月政令第二四四号「平成二十二年四月以降において発生が確認された口蹄疫に起因して生じた事態に対処するための手当金等についての健康保険法施行令等の臨時特例に関する政令」一三

第十三条の二　手当は、母又は養育者に対する手当にあつては児童が第一号、第二号又は第四号のいずれかに該当するとき、父に対する手当にあつては児童が第一号、第三号又は第四号のいずれかに該当するときは、当該児童については、政令で定めるところにより、その全部又は一部を支給しない。

一　父又は母の死亡について支給される公的年金給付を受けることができるとき。ただし、その全額につきその支給が停止されているときを除く。

二　父に支給される公的年金給付の額の加算の対象となつているとき。

三　母に支給される公的年金給付の額の加算の対象となつているとき。

四　父又は母の死亡について労働基準法（昭和二十二年法律第四十九号）の規定による遺族補償その他政令で定める法令によるこれに相当する給付（以下この条において「遺族補償等」という。）を受けることができる場合であつて、当該遺族補償等の給付事由が発生した日から六年を経過していないとき。

2　手当は、受給資格者が次に掲げる場合のいずれかに該当するときは、政令で定めるところにより、その全部又は一部を支給しない。

一　国民年金法の規定に基づく障害基礎年金その他障害を支給事由

とする政令で定める給付（次項において「障害基礎年金等」という。）及び国民年金法等の一部を改正する法律（昭和六十年法律第三十四号）附則第三十二条第一項の規定によりなお従前の例によるものとされた同法第一条による改正前の国民年金法に基づく老齢福祉年金以外の公的年金給付を受けることができるとき。ただし、その全額につきその支給が停止されているときを除く。

二　遺族補償等（父又は母の死亡について支給されるものに限る。）を受けることができる場合であつて、当該遺族補償等の給付事由が発生した日から六年を経過していないとき。

3　手当は、受給資格者が障害基礎年金等の給付を受けることができるとき（その全額につきその支給が停止されているときを除く。）は、政令で定めるところにより、当該障害基礎年金等の給付（子を有する者に係る加算に係る部分に限る。）の額に相当する額を支給しない。

4　第一項各号列記以外の部分及び前項の政令を定めるに当たつては、監護等児童が二人以上である受給資格者に支給される手当の額が監護等児童が一人である受給資格者に支給される手当の額を下回ることのないようにするものとする。

〔改正〕

追加（第六四次改正）、一部改正（第七六次改正）

〔委任〕

第一項　本文の「政令」＝令六の三　第四号の「政令」＝令六の二
第二項　本文の「政令」＝令六の五　第一号の「政令」＝令六の四
第三項　「政令」＝令六の六・の七

第十三条の三　受給資格者（養育者を除く。以下この条において同じ。）に対する手当は、支給開始月の初日から起算して五年又は手当の支給要件に該当するに至つた日の属する月の初日から起算して七年を経過したとき（第六条第一項の規定による認定の請求をした日において三歳未満の児童を監護する受給資格者にあつては、当該児童が三歳に達した日の属する月の翌月の初日から起算して五年を経過したとき）は、政令で定めるところにより、その一部を支給しない。ただし、当該支給しない額は、その経過した日の属する月の翌月に当該受給資格者に支払うべき手当の額の二分の一に相当する額を超えることができない。

2　受給資格者が、前項に規定する期間を経過した後において、身体上の障害がある場合その他の政令で定める事由に該当する場合には、当該受給資格者については、内閣府令で定めるところにより、その該当している期間は、同項の規定を適用しない。

〔改正〕

旧第一三条の二として追加（第五一次改正）、一部改正（第六一・七七次改正）、本条に繰下（第六四次改正）

〔委任〕

第一項　「政令」＝令七
第二項　「政令」＝令八　「内閣府令」＝規則二四の六

第十四条　手当は、次の各号のいずれかに該当する場合においては、その額の全部又は一部を支給しないことができる。

一　受給資格者が、正当な理由がなくて、第二十九条第一項の規定による命令に従わず、又は同項の規定による当該職員の質問に応じなかつたとき。

二　受給資格者が、正当な理由がなくて、第二十九条第二項の規定による命令に従わず、又は同項の規定による当該職員の診断を拒んだとき。

三　受給資格者が、当該児童の監護又は養育を著しく怠つているとき。

四　受給資格者（養育者を除く。）が、正当な理由がなくて、求職活動その他内閣府令で定める自立を図るための活動をしなかつたとき。

五　受給資格者が、第六条第一項の規定による認定の請求又は第二十八条第一項の規定による届出に関し、虚偽の申請又は届出をしたとき。

〔改正〕

一部改正（第六・一三・五一・六一・七七次改正）

〔委任〕

第四号の「内閣府令」＝規則二四の三

〔参照条文〕

「養育」＝法四Ⅰ　不服申立て＝法一七～二〇

第十五条　手当の支給を受けている者が、正当な理由がなくて、第二十八条第一項の規定による届出をせず、又は書類その他の物件を提出しないときは、手当の支払を一時差しとめることができる。

〔参照条文〕

「届出」＝規則二～六・九～一一・一四　「書類その他の物件」＝規則一三

（未支払の手当）

第十六条　手当の受給資格者が死亡した場合において、その死亡した者に支払うべき手当で、まだその者に支払つていなかつたものがあるときは、その者の監護等児童であつた者にその未支払の手当を支払うことができる。

〔改正〕

一部改正（第六一次改正）

〔参照条文〕

「受給資格者」＝法六Ⅰ　「死亡した場合」＝法七Ⅲ　「未支払の手当」＝規則一二の四・二一の二　受給権の時効＝法二二

第三章　不服申立て

章名＝改正（第三次改正）

（審査請求）

第十七条　都道府県知事のした手当の支給に関する処分に不服がある者は、都道府県知事に審査請求をすることができる。

〔改正〕

一部改正（第三・六八次改正）

〔**参照条文**〕

「手当の支給に関する処分」＝法六〜八・一四・一六

（審査庁）

第十七条の二　第三十三条第二項の規定により市長又は福祉事務所を管理する町村長が手当の支給に関する事務の全部又は一部をその管理に属する行政機関の長に委任した場合における当該事務に関する処分についての審査請求は、都道府県知事に対してするものとする。

〔**改正**〕

追加（第四七次改正）

（裁決をすべき期間）

第十八条　都道府県知事は、手当の支給に関する処分についての審査請求がされたときは、当該審査請求がされた日（行政不服審査法（平成二十六年法律第六十八号）第二十三条の規定により不備を補正すべきことを命じた場合にあつては、当該不備が補正された日）から次の各号に掲げる場合の区分に応じそれぞれ当該各号に定める期間内に、当該審査請求に対する裁決をしなければならない。

一　行政不服審査法第四十三条第一項の規定による諮問をする場合　八十日

二　前号に掲げる場合以外の場合　六十日

2　審査請求人は、審査請求をした日（行政不服審査法第二十三条の規定により不備を補正すべきことを命じられた場合にあつては、当該不備を補正した日。第一号において同じ。）から次の各号に掲げる場合の区分に応じそれぞれ当該各号に定める期間内に裁決がないときは、都道府県知事が当該審査請求を棄却したものとみなすことができる。

一　当該審査請求をした日から六十日以内に行政不服審査法第四十三条第三項の規定により通知を受けた場合　八十日

二　前号に掲げる場合以外の場合　六十日

〔**改正**〕

全部改正（第三次改正）、一部改正（第三六・四七・六八次改正）

（時効の完成猶予及び更新）

第十九条　手当の支給に関する処分についての不服申立ては、時効の完成猶予及び更新に関しては、裁判上の請求とみなす。

〔**改正**〕

一部改正（第三・七三次改正）

〔**参照条文**〕

「手当の支給に関する処分」＝法六〜八・一四・一六　「時効」＝法二二

（再審査請求）

第二十条　手当の支給に関する処分に係る審査請求についての都道府県知事の裁決に不服がある者は、内閣総理大臣に対して再審査請求をすることができる。

〔**改正**〕

旧第一九条の二として追加（第四七次改正）、一部改正（第六八・七七次改正）、旧第二〇条を削り、本条に繰下（第六八次改正）

第四章　雑則

（費用の負担）

第二十一条　手当の支給に要する費用は、その三分の一に相当する額を国が負担し、その三分の二に相当する額を都道府県等が負担する。

〔改正〕

追加（第三六次改正）、一部改正（第四二・四七・五五次改正）

〔参照条文〕

国の負担＝令九

（時効）

第二十二条　手当の支給を受ける権利は、これを行使することができる時から二年を経過したときは、時効によつて消滅する。

〔改正〕

一部改正（第七三次改正）

〔参照条文〕

「手当の支給を受ける権利」＝法四・六等

（不正利得の徴収）

第二十三条　偽りその他不正の手段により手当の支給を受けた者があるときは、都道府県知事等は、国税徴収の例により、受給額に相当する金額の全部又は一部をその者から徴収することができる。

2　国民年金法第九十六条第一項から第五項まで、第九十七条及び第九十八条の規定は、前項の規定による徴収金の徴収について準用する。この場合において、同法第九十七条第一項中「年十四・六パーセント（当該督促が保険料に係るものであるときは、当該納期限の翌日から三月を経過する日までの期間については、年七・三パーセント）」とあるのは、「年十四・六パーセント」と読み替えるものとする。

準用及び読み替え後該当条文【国民年金法】

第六章　費用

（督促及び滞納処分）

第九十六条　保険料その他この法律の規定による徴収金を滞納する者があるときは、厚生労働大臣は、期限を指定して、これを督促することができる。

2　前項の規定によつて督促をしようとするときは、厚生労働大臣は、納付義務者に対して、督促状を発する。

3　前項の督促状により指定する期限は、督促状を発する日から起算して十日以上を経過した日でなければならない。

4　厚生労働大臣は、第一項の規定による督促を受けた者がその指定の期限までに保険料その他この法律の規定による徴収金を納付しないときは、国税滞納処分の例によつてこれを処分し、又は滞納者の居住地若しくはその者の財産所在地の市町村に対して、その処分を請求することができる。

5　市町村は、前項の規定による処分の請求を受けたときは、市町村税の例によつてこれを処分することができる。この場合においては、厚生労働大臣は、徴収金の百分の四に相当する額を当該市町村に交付しなければならない。

6　前二項の規定による処分によつて受け入れた金額を保険料に充当する場合においては、さきに経過した月の保険料から順次これに充当し、一箇月の保険料の額に満たない端数は、納付義務者に交付するものとする。

（延滞金）

第九十七条　前条第一項の規定によつて督促をしたときは、厚生労働大臣は、徴収金額に、納期限の翌日から徴収金完納又は財産差押の日の前日までの期間の日数に応じ、年十四・六パーセントの割合を乗じて計算した延滞金を徴収する。ただし、徴収金額が五百円未満であるとき、又は滞納につきやむを得ない事情があると認められるときは、この限りでない。

2　前項の場合において、徴収金額の一部につき納付があつたときは、その納付の日以後の期間に係る延滞金の計算の基礎となる徴収金額は、その納付のあつた徴収金額を控除した金額による。

3　延滞金を計算するに当り、徴収金額に五百円未満の端数があるときは、その端数は、切り捨てる。

4　督促状に指定した期限までに徴収金を完納したとき、又は前三項の規定によつて計算した金額が五十円未満であるときは、延滞金は、徴収しない。

5　延滞金の金額に五十円未満の端数があるときは、その端数は、切り捨てる。

（先取特権）

第九十八条　保険料その他この法律の規定による徴収金の先取特権の順位は、国税及び地方税に次ぐものとする。

〔改正〕

一部改正（第三六・四七・六〇次改正）

（受給権の保護）

第二十四条　手当の支給を受ける権利は、譲り渡し、担保に供し、又は差し押えることができない。

（公課の禁止）

第二十五条　租税その他の公課は、手当として支給を受けた金銭を標準として、課することができない。

（期間の計算）

第二十六条　この法律又はこの法律に基づく命令に規定する期間の計算については、民法の期間に関する規定を準用する。

準用該当条文【民法】

第六章　期間の計算

（期間の計算の通則）

第百三十八条　期間の計算方法は、法令若しくは裁判上の命令に特別の定めがある場合又は法律行為に別段の定めがある場合を除き、この章の規定に従う。

（期間の起算）

第百三十九条　時間によって期間を定めたときは、その期間は、即時から起算する。

第百四十条　日、週、月又は年によって期間を定めたときは、期間の初日は、算入しない。ただし、その期間が午前零時から始まるときは、この限りでない。

（期間の満了）

第百四十一条　前条の場合には、期間は、その末日の終了をもって満了する。

第百四十二条　期間の末日が日曜日、国民の祝日に関する法律（昭和二十三年法律第百七十八号）に規定する休日その他の休日に当たるときは、その日に取引をしない慣習がある場合に限り、期間は、その翌日に満了する。

（暦による期間の計算）

第百四十三条　週、月又は年によって期間を定めたときは、その期間は、暦に従って計算する。

2　週、月又は年の初めから期間を起算しないときは、その期間は、最後の週、月又は年においてその起算日に応当する日の前日に満了する。ただし、月又は年によって期間を定めた場合において、最後の月に応当する日がないときは、その月の末日に満了する。

（戸籍事項の無料証明）

第二十七条　市町村長（特別区の区長を含むものとし、地方自治法（昭和二十二年法律第六十七号）第二百五十二条の十九第一項の指定都市においては、区長又は総合区長とする。）は、都道府県知事等又は受給資格者に対して、当該市町村（特別区を含む。）の条例の定めるところにより、受給資格者又は監護等児童の戸籍に関し、無料で証明を行うことができる。

〔**改正**〕

一部改正（第四七・五二・六一・六七次改正）

〔**参照条文**〕

「受給資格者」＝法六Ⅰ　「児童」＝法三Ⅰ

（届出）

第二十八条　手当の支給を受けている者は、内閣府令の定めるところにより、都道府県知事等に対し、内閣府令で定める事項を届け出、かつ、内閣府令で定める書類その他の物件を提出しなければならない。

2　手当の支給を受けている者が死亡したときは、戸籍法（昭和二十二年法律第二百二十四号）の規定による死亡の届出義務者は、内閣府令の定めるところにより、その旨を都道府県知事等に届け出なければならない。

〔改正〕

一部改正（第四七・四八・七七次改正）

〔委任〕

第一項　「内閣府令」＝規則二〜六・九〜一一・一二の二・の三・一三・一四
第二項　「内閣府令」＝規則一二・一二の二

〔参照条文〕

第一項　「届け出」等しない場合＝法一五
第二項　罰則＝法三六

（相談及び情報提供等）

第二十八条の二　都道府県知事等は、第六条第一項の規定による認定の請求又は前条第一項の規定による届出をした者に対し、相談に応じ、必要な情報の提供及び助言を行うものとする。

2　都道府県知事等は、受給資格者（養育者を除く。）に対し、生活及び就業の支援（当該支援に関する情報の提供を含む。次項において同じ。）その他の自立のために必要な支援を行うことができる。

3　都道府県知事等は、受給資格者（養育者を除く。）に対する生活及び就業の支援その他の自立のために必要な支援について、地域の実情を踏まえ、内閣総理大臣に対して意見を申し出ることができる。

〔改正〕

追加（第五一次改正）、一部改正（第五五・六一・六四・七七次改正）

（調査）

第二十九条　都道府県知事等は、必要があると認めるときは、受給資格者に対して、受給資格の有無及び手当の額の決定のために必要な事項に関する書類（当該児童の父又は母が支払つた当該児童の養育に必要な費用に関するものを含む。）その他の物件を提出すべきことを命じ、又は当該職員をしてこれらの事項に関し受給資格者、当該児童その他の関係人に質問させることができる。

2　都道府県知事等は、必要があると認めるときは、受給資格者に対して、第三条第一項若しくは第四条第一項第一号ハに規定する政令で定める程度の障害の状態にあることにより手当の支給が行われる児童若しくは児童の父若しくは母につき、その指定する医師の診断を受けさせるべきことを命じ、又は当該職員をしてその者の障害の状態を診断させることができる。

3　前二項の規定によつて質問又は診断を行なう当該職員は、その身分を示す証明書を携帯し、かつ、関係人の請求があるときは、これを提示しなければならない。

〔改正〕

一部改正（第六・一三・二四・三四・三六・四七・五一・六一次改正）

〔**参照条文**〕

第一・二項　命令を拒んだ場合＝法一四
第三項　「身分を示す証明書」＝規則二八（様式一六）

（資料の提供等）

第三十条　都道府県知事等は、手当の支給に関する処分に関し必要があると認めるときは、受給資格者、当該児童若しくは受給資格者の配偶者若しくは扶養義務者の資産若しくは収入の状況又は受給資格者、当該児童若しくは当該児童の父若しくは母に対する公的年金給付の支給状況につき、官公署、日本年金機構、法律によつて組織された共済組合若しくは国家公務員共済組合連合会若しくは日本私立学校振興・共済事業団に対し、必要な書類の閲覧若しくは資料の提供を求め、又は銀行、信託会社その他の機関若しくは受給資格者の雇用主その他の関係人に対し、必要な事項の報告を求めることができる。

〔**改正**〕

一部改正（第三五・四五～四七・五七・六一・六四・六六次改正）

〔**参照条文**〕

「手当の支給に関する処分」＝法六～八・一四・一六　「公的年金給付」＝法三Ⅱ

（手当の支払の調整）

第三十一条　手当を支給すべきでないにもかかわらず、手当の支給としての支払が行なわれたときは、その支払われた手当は、その後に支払うべき手当の内払とみなすことができる。第十二条第二項の規定によりすでに支給を受けた手当に相当する金額の全部又は一部を返還すべき場合におけるその返還すべき金額及び手当の額を減額して改定すべき事由が生じたにもかかわらず、その事由が生じた日の属する月の翌月以降の分として減額しない額の手当が支払われた場合における当該手当の当該減額すべきであつた部分についても、同様とする。

〔**改正**〕

一部改正（第一三・三六次改正）

（実施命令）

第三十二条　この法律に特別の規定があるものを除くほか、この法律の実施のための手続その他その執行について必要な細則は、内閣府令で定める。

〔**改正**〕

一部改正（第四八・七七次改正）、旧第三二条を削り、旧第三三条を本条に繰上（第三六次改正）

〔**委任**〕

「内閣府令」＝昭和三六年一二月厚令第五一号「児童扶養手当法施行規則」、平成一五年三月厚労令第五二号「既認定者等に交付する児童扶養手当証書の様式を定める内閣府令」

（町村長が行う事務等）

第三十三条　手当の支給に関する事務の一部は、政令で定めるところにより、町村長（福祉事務所を管理する町村長を除く。）が行うこととすることができる。

2　都道府県知事等は、手当の支給に関する事務の全部又は一部を、その管理に属する行政機関の長に限り、委任することができる。

〔改正〕

全部改正（第四七次改正）

〔委任〕

第一項「政令」＝令一〇

（町村の一部事務組合等）

第三十三条の二　町村が一部事務組合又は広域連合を設けて福祉事務所を設置した場合には、この法律の規定の適用については、その一部事務組合又は広域連合を福祉事務所を設置する町村とみなし、その一部事務組合の管理者（地方自治法第二百八十七条の三第二項の規定により管理者に代えて理事会を置く同法第二百八十五条の一部事務組合にあつては、理事会）又は広域連合の長（同法第二百九十一条の十三において準用する同法第二百八十七条の三第二項の規定により長に代えて理事会を置く広域連合にあつては、理事会）を福祉事務所を管理する町村長とみなす。

〔改正〕

追加（第四七次改正）、一部改正（第六三次改正）

（事務の区分）

第三十三条の三　この法律（第二十八条の二第二項及び第三項を除く。）の規定により都道府県等が処理することとされている事務は、地方自治法第二条第九項第一号に規定する第一号法定受託事務とする。

〔改正〕

旧第三三条の二として追加（第四七次改正）、一部改正（第四七・五五次改正）、本条に繰下（第四七次改正）

（経過措置）

第三十四条　この法律に基づき政令を制定し、又は改廃する場合においては、政令で、その制定又は改廃に伴い合理的に必要と判断される範囲内において、所要の経過措置を定めることができる。

〔改正〕

追加（第三六次改正）

（罰則）

第三十五条　偽りその他不正の手段により手当を受けた者は、三年以下の懲役又は三十万円以下の罰金に処する。ただし、刑法（明治四十年法律第四十五号）に正条があるときは、刑法による。

〔改正〕

一部改正（第三六次改正）

第三十六条　第二十八条第二項の規定に違反して届出をしなかつた戸籍法の規定による死亡の届出義務者は、十万円以下の過料に処する。

〔改正〕

一部改正（第三六次改正）

附　則

（施行期日）

1　この法律は、昭和三十七年一月一日から施行する。ただし、附則第二項の規定は、公布の日（昭和三十六年十一月二十九日）から施行する。

（認定の請求に関する経過措置）

2　昭和三十七年一月一日において手当の支給要件に該当すべき者は、同日前においても、同日にその要件に該当することを条件として、当該手当について第六条第一項の認定の請求の手続をとることができる。

（手当の支給に関する経過措置）

3　前項の手続をとつた者が、この法律の施行の際手当の支給要件に該当しているときは、その者に対する手当の支給は、第七条第一項の規定にかかわらず、昭和三十七年一月から始める。

4　この法律の施行の際現に手当の支給要件に該当している者又はこの法律の施行後昭和三十七年二月二十八日までの間に手当の支給要件に該当するに至つた者が、同年三月三十一日までの間に第六条第一項の認定の請求をしたときは、その者に対する手当の支給は、第七条第一項の規定にかかわらず、同年一月又はその者が手当の支給要件に該当するに至つた日の属する月の翌月から始める。

5　昭和三十七年一月から三月までの分の手当は、第七条第三項本文の規定にかかわらず、同年三月に支払う。

6　昭和三十五年分の所得につき、第十一条の規定を適用する場合においては、同条中「同法に規定する控除対象配偶者及び扶養親族」とあるのは「所得税法の一部を改正する法律（昭和三十六年法律第三十五号）による改正前の所得税法に規定する扶養親族」と、「控除対象配偶者及び扶養親族の有無並びに扶養親族の数及び年齢」とあるのは「扶養親族の数」と、それぞれ読み替えるものとする。

（昭和六十一年度から昭和六十三年度までの特例）

7　第二十一条の規定の昭和六十一年度から昭和六十三年度までの各年度における適用については、同条中「十分の八」とあるのは「十分の七」と、「十分の二」とあるのは「十分の三」とする。

〔改正〕

全部改正（第三九次改正）

（不正利得の徴収の特例）

8　第二十三条第二項において読み替えて準用する国民年金法第九十七条第一項の規定の適用については、当分の間、同項の規定にかかわらず、各年の延滞税特例基準割合（租税特別措置法（昭和三十二年法律第二十六号）第九十四条第一項に規定する延滞税特例基準割合をいう。）が年七・三パーセントの割合に満たない場合には、その年中においては、第二十三条第二項において読み替えて準用する国民年金法第九十七条第一項中「年十四・六パーセントの割合」とあるのは、「租税特別措置法（昭和三十二年法律第二十六号）第九十四条第一項に規定する延滞税特例基準割合に年七・三パーセントの割合を加算した割合」とする。

〔改正〕

全部改正（第六五次改正）、一部改正（第七五次改正）

（厚生省設置法の一部改正）

9　厚生省設置法（昭和二十四年法律第百五十一号）の一部を次のように改正する。

第十三条第五号の次に次の一号を加える。

五の二　児童扶養手当法（昭和三十六年法律第二百三十八号）を施行すること。

（地方税法の一部改正）

10　地方税法（昭和二十五年法律第二百二十六号）の一部を次のように改正する。

第二百六十二条第四号の二の次に次の一号を加える。

四の三　児童扶養手当法（昭和三十六年法律第二百三十八号）の規定によつて児童扶養手当として支給を受ける金銭

第六百七十二条第四号の二の次に次の一号を加える。

四の三　児童扶養手当法の規定によつて児童扶養手当として支給を受ける金銭

附　則（第一次改正）

1　この法律は、公布の日（昭和三十七年四月十六日）から施行する。

2　この法律による改正後の第五条の規定は、昭和三十七年五月以降の月分の児童扶養手当について適用し、同年四月以前の月分の児童扶養手当については、なお従前の例による。

3　この法律による改正後の第九条第一項及び第十三条第二項の規定は、昭和三十六年以降の年の所得による支給の制限について適用し、昭和三十五年の所得による支給の制限については、なお従前の例による。

附　則（第二次改正）　抄

（施行期日）

1　この法律は、公布の日（昭和三十七年五月十日）から施行する。

附　則（第三次改正）　抄

1　この法律は、昭和三十七年十月一日から施行する。

2　この法律による改正後の規定は、この附則に特別の定めがある場合を除き、この法律の施行前にされた行政庁の処分、この法律の施行前にされた申請に係る行政庁の不作為その他この法律の施行前に生じた事項についても適用する。ただし、この法律による改正前の規定によつて生じた効力を妨げない。

3　この法律の施行前に提起された訴願、審査の請求、異議の申立てその他の不服申立て（以下「訴願等」という。）については、この法律の施行後も、なお従前の例による。この法律の施行前にされた訴願等の裁決、決定その他の処分（以下「裁決等」という。）又はこの法律の施行前に提起された訴願等につきこの法律の施行後にされる裁決等にさらに不服がある場合の訴願等についても、同様とする。

5　第三項の規定によりこの法律の施行後にされる審査の請求、異議の申立てその他の不服申立ての裁決等については、行政不服審査法による不服申立てをすることができない。

6　この法律の施行前にされた行政庁の処分で、この法律による改正前の規定により訴願等をすることができるものとされ、かつ、その提起期間が定められていなかつたものについて、行政不服審査法による不服申立てをすることができる期間は、この法律の施行の日から起算する。

8 この法律の施行前にした行為に対する罰則の適用については、なお従前の例による。

9 前八項に定めるもののほか、この法律の施行に関して必要な経過措置は、政令で定める。

10 この法律及び行政事件訴訟法の施行に伴う関係法律の整理等に関する法律（昭和三十七年法律第百四十号）に同一の法律についての改正規定がある場合においては、当該法律は、この法律によつてまず改正され、次いで行政事件訴訟法の施行に伴う関係法律の整理等に関する法律によつて改正されるものとする。

附　則（第四次改正）抄

1 この法律は、昭和三十七年十月一日から施行する。

附　則（第五次改正）抄

（施行期日）

第一条 この法律は、昭和三十七年十二月一日（以下「施行日」という。）から施行する。〔以下略〕

附　則（第六次改正）抄

（施行期日）

1 この法律は、公布の日〔昭和三十八年七月十六日〕から施行する。〔以下略〕

（手当の額に関する経過措置）

11 この法律による改正後の児童扶養手当法第五条の規定は、昭和三十八年九月以降の月分の児童扶養手当（以下「手当」という。）について適用し、同年八月以前の月分の手当については、なお従前の例による。

（手当の支給制限に関する経過措置）

12 この法律による改正後の児童扶養手当法第九条から第十二条まで及び第十三条第二項の規定は、昭和三十七年以降の年の所得による支給の制限について適用し、昭和三十六年の所得による支給の制限については、なお従前の例による。

13 前項の場合において、昭和三十八年八月以前の月分の手当についての昭和三十七年の所得による支給の制限については、この法律による改正後の児童扶養手当法第九条中「十八万円」とあるのは「十五万円」と、同法第十一条及び第十二条中「六十万円」とあるのは「五十万円」と、それぞれ読み替えるものとする。

（手当の支給に関する経過措置）

14 この法律の施行の際現にこの法律による改正前の児童扶養手当法の規定による手当の支給要件に該当していない者であつて、この法律による改正後の児童扶養手当法の規定による手当の支給要件に該当するものが、この法律の施行の日から起算して一箇月以内に児童扶養手当法第六条第一項の認定の請求をしたときは、その者に対する手当の支給は、同法第七条第一項の規定にかかわらず、この法律の施行の日の属する月の翌月から始める。

15 この法律の施行の際現に手当の支給を受けている者が二十歳未満で児童扶養手当法別表第一号から第八号までに定める程度の廃疾の状態又は内科的疾患に基づかない同表第九号に定める程度の廃疾の

状態にある者（この法律による改正前の同法第三条第一項に規定する児童を除く。）を監護し、又は養育している場合における手当の額の改定は、その者が、この法律の施行の日から起算して一箇月以内に、改定後の額につき認定の請求をしたときは、同法第八条第一項の規定にかかわらず、この法律の施行の日の属する月の翌月から行なう。

附　則（第七次改正）抄

（施行期日）

第一条　この法律は、公布の日（昭和三十九年五月三十日）から施行する。ただし、第一条中国民年金法第三十条第一項、第八十一条及び別表の改正規定並びに第二条中児童扶養手当法第三条第一項の改正規定は、昭和三十九年八月一日から施行する。

（手当の支給制限に関する経過措置）

第十条　児童扶養手当法第九条の規定による手当の支給の制限については、この法律による改正後の同法第三条第一項の規定は、昭和三十九年九月以降の月分の手当について適用し、同年八月以前の月分の手当については、なお従前の例による。

2　この法律による改正後の児童扶養手当法第九条から第十二条までの規定は、昭和三十八年以降の年の所得による支給の制限について適用し、昭和三十七年以前の年の所得による支給の制限については、なお従前の例による。

3　前項の場合において、当該所得が昭和三十八年の所得であるときは、この法律による改正後の児童扶養手当法第十条及び第十一条（同法第十二条の規定を適用する場合及び同法第十三条第二項において例による場合を含む。）中「所得税法第十一条の九」とあるのは「所得税法の一部を改正する法律（昭和三十九年法律第二十号）による改正前の所得税法第十一条の八」と、「所得税法第十一条の十」とあるのは「所得税法の一部を改正する法律（昭和三十九年法律第二十号）による改正前の所得税法第十一条の九」とそれぞれ読み替えるものとし、当該所得が昭和三十九年の所得であるときは、同法第十一条第三号ロ（同法第十二条の規定を適用する場合及び同法第十三条第二項において例による場合を含む。）中「同号ロに規定する控除額」とあるのは、「三万八千八百円」と読み替えるものとする。

〔改正〕
一部改正（第一〇次改正）

（手当に相当する金額の返還に関する経過措置）

第十一条　児童扶養手当法第十三条第二項の規定による同項第一号に規定する手当に相当する金額の返還については、この法律による改正後の同法第三条第一項の規定は、昭和三十九年九月以降の月分の手当について適用し、昭和三十九年八月以前の月分の手当に相当する金額の返還については、なお従前の例による。

2　この法律による改正後の児童扶養手当法第十三条第二項の規定は、昭和三十八年以降の年の所得による手当に相当する金額の返還について適用し、昭和三十七年以前の年の所得による手当に相当する金額の返還については、なお従前の例による。

附　則（第八次改正）抄

（施行期日）

第一条　この法律は、昭和三十九年十月一日（以下「施行日」という。）から施行する。〔以下略〕

附　則（第九次改正）抄

（施行期日）

第一条　この法律は、昭和四十年四月一日から施行する。ただし、第五十九条、第六十二条及び第六十六条の規定は、昭和四十一年一月一日から施行する。

（児童扶養手当法の一部改正に伴う経過規定）

第十二条　第六十二条の規定による改正後の児童扶養手当法第十条（同法第十三条第二項第二号において例による場合を含む。）、第十一条（同法第十二条の規定を適用する場合及び同法第十三条第二項第三号において例による場合を含む。）及び第十三条の二第二項の規定は、昭和四十年以後の年の所得による児童扶養手当の支給の制限及び児童扶養手当に相当する金額の返還について適用し、昭和三十九年以前の年の所得による当該支給の制限及び返還については、なお従前の例による。

附　則（第一〇次改正）抄

（施行期日）

第一条　この法律は、公布の日〔昭和四十年五月三十一日〕から施行する。ただし、第一条中国民年金法別表の改正規定及び第二条中児童扶養手当法第三条第一項の改正規定は昭和四十年八月一日から、

第一条中国民年金法第五十八条、第六十二条及び第七十九条の二第三項の改正規定は同年九月一日から施行する。

（児童扶養手当の額に関する経過措置）

第十一条　この法律による改正後の児童扶養手当法第五条の規定は、昭和四十年九月以降の月分の児童扶養手当（以下この条及び次条において「手当」という。）について適用し、同年八月以前の月分の手当については、なお従前の例による。

（児童扶養手当の支給の制限等に関する経過措置）

第十二条　児童扶養手当法第九条の規定による手当の支給の制限及び同法第十三条第二項の規定による手当に相当する金額の返還については、この法律による改正後の同法第三条第一項の規定は、昭和四十年九月以降の月分の手当について適用し、同年八月以前の月分の手当については、なお従前の例による。

2　この法律による改正後の児童扶養手当法第九条、第十一条（同法第十二条の規定を適用する場合及び同法第十三条第二項第三号において例による場合を含む。）及び同法第十三条第二項の規定は、昭和三十九年以降の年の所得による支給の制限及び手当に相当する金額の返還について適用し、昭和三十八年以前の年の所得による支給の制限及び手当に相当する金額の返還については、なお従前の例による。

附　則（第一一次改正）抄

（施行期日）

第一条　この法律は、昭和四十年八月一日から施行する。ただし、第

二条及び附則第十三条の規定は昭和四十年十一月一日から、第三条並びに附則第十四条から附則第四十三条まで及び附則第四十五条の規定は昭和四十一年二月一日から施行する。

（児童扶養手当法の一部改正に伴う経過措置）

第三十五条 前条の規定による改正後の児童扶養手当法第三条第二項第十五号の規定にかかわらず、昭和四十一年二月一日において現に同法の規定による児童扶養手当の支給を受けている者に対して附則第十五条第一項の規定により支給される障害補償年金又は長期傷病補償給付たる年金は、同法第四条第三項第二号の規定の適用については、その者が当該児童を引き続き監護し、又は養育している間は、公的年金給付としない。

〔改正〕

一部改正（第三六次改正）

附　則（第一二次改正）抄

（施行期日）

第一条 この法律は、昭和四十一年七月一日から施行する。

（児童扶養手当法の一部改正に伴う経過措置）

第二十八条 前条の規定による改正後の児童扶養手当法第三条第二項第十六号の規定にかかわらず、この法律の施行の際現に同法の規定による児童扶養手当の支給を受けている者に対して附則第三条の規定により支給される障害補償年金は、同法第四条第三項第二号の規定の適用については、その者が当該児童を引き続き監護し、又は養育している間は、公的年金給付としない。

〔改正〕

一部改正（第三六次改正）

附　則（第一三次改正）

（施行期日）

第一条 この法律は、公布の日（昭和四十一年七月十五日）から施行する。ただし、第三条第一項の改正規定は昭和四十一年十二月一日から、第五条の改正規定は昭和四十二年一月一日から施行する。

（児童扶養手当の額に関する経過措置）

第二条 この法律による改正後の第五条の規定は、昭和四十二年一月以降の月分の児童扶養手当（以下「手当」という。）について適用し、昭和四十一年十二月以前の月分の手当については、なお従前の例による。

（児童扶養手当の支給の制限等に関する経過措置）

第三条 第九条の規定による手当の支給の制限及びこの法律による改正後の第十二条第二項の規定による手当に相当する金額の返還については、この法律による改正後の第三条第一項の規定は、昭和四十二年一月以降の月分の手当について適用し、昭和四十一年十二月以前の月分の手当については、なお従前の例による。

2　この法律による改正後の第九条、第十条（第十一条の規定を適用する場合及び第十二条第二項第二号において例による場合を含む。）及び第十二条第二項の規定は、昭和四十年以降の年の所得による支給の制限及び手当に相当する金額の返還について適用し、昭和三十九年以前の年の所得による支給の制限及び手当に相当する金額の返還については、なお従前の例による。

3　前項の場合において、この法律による改正後の第十条第三号ロ（第十一条の規定を適用する場合及び第十二条第二項において例による場合を含む。）中「所得税法第七十八条第一項に規定する控除額に相当する額」とあるのは、当該所得が昭和四十年の所得であるときは「五万二千五百円」と、当該所得が昭和四十一年の所得であるときは「五万八千七百五十円」と、それぞれ読み替えるものとする。

附　則（第一四次改正）抄

（施行期日）

第一条　この法律は、公布の日〔昭和四十一年七月一日〕から起算して六月をこえない範囲内において政令で定める日〔昭和四十一年十二月三十一日〕から施行する。

〔**委任**〕

「政令で定める」＝昭和四一年一二月政令第三八〇号「執行官法の施行期日を定める政令」

（国民年金法等の一部改正に関する経過措置）

第二十七条　旧執達吏規則に基づく年金たる給付は、国民年金法、国民年金法等の一部を改正する法律（昭和六十年法律第三十四号。以下「昭和六十年法律第三十四号」という。）附則第二条第二項の規定によりなおその効力を有するものとされた同条第一項の規定による廃止前の通算年金通則法、昭和六十年法律第三十四号附則及び児童扶養手当法の適用については、附則第十三条の規定に基づく年金たる給付とみなす。

〔**改正**〕

一部改正（第二三・三七次改正）

附　則（第一五次改正）抄

（施行期日）

第一条　この法律は、公布の日〔昭和四十二年七月二十九日〕から施行する。ただし、第一条中児童扶養手当法第五条の改正規定〔中略〕は、昭和四十三年一月一日から施行する。

（児童扶養手当法の一部改正に伴う経過措置）

第二条　この法律による改正後の児童扶養手当法第五条の規定は、昭和四十三年一月以降の月分の児童扶養手当について適用し、昭和四十二年十二月以前の月分の児童扶養手当については、なお従前の例による。

2　この法律による改正後の児童扶養手当法第九条、第十条（同法第十一条の規定を適用する場合及び同法第十二条第二項第二号において例による場合を含む。）及び第十二条第二項の規定は、昭和四十一年以降の年の所得による支給の制限及び児童扶養手当に相当する金額の返還について適用し、昭和四十年以前の年の所得による支給の制限及び児童扶養手当に相当する金額の返還については、なお従前の例による。

3　前項の場合において、当該所得が昭和四十一年の所得であるときは、この法律による改正後の児童扶養手当法第十条（同法第十一条の規定を適用する場合及び同法第十二条第二項第二号において例による場合を含む。）中「所得税法第八十三条第一項」とあるのは

「所得税法の一部を改正する法律（昭和四十二年法律第二十号）による改正前の所得税法第七十七条第一項」と、「所得税法第八十四条第一項に規定する控除額に相当する額」とあるのは「五万八千七百五十円」と、それぞれ読み替えるものとする。

附　則（第一六次改正）抄

（施行期日）

1　この法律は、公布の日（昭和四十二年八月十七日）から施行する。

（児童扶養手当法の一部改正に伴う経過措置）

5　第五条の規定による改正後の児童扶養手当法第三条第二項第十七号の規定にかかわらず、この法律の施行の際現に同法の規定による児童扶養手当の支給を受けている者に対して旧法に基づく条例の規定に基づき支給される年金たる障害補償は、同法第四条第三項第二号の規定の適用については、その者が当該児童を引き続き監護し、又は養育している間は、公的年金給付としない。

〔改正〕

一部改正（第三六次改正）

附　則（第一七次改正）抄

（施行期日）

第一条　この法律は、昭和四十二年十二月一日（以下「施行日」という。）から施行する。〔以下略〕

附　則（第一八次改正）抄

（施行期日）

第一条　この法律は、公布の日（昭和四十三年五月二十八日）から施行する。ただし、〔中略〕第二条中児童扶養手当法第五条の改正規定〔中略〕は、昭和四十三年十月一日から施行する。

（児童扶養手当法の一部改正に伴う経過措置）

第三条　この法律による改正後の児童扶養手当法第五条の規定は、昭和四十三年十月以降の月分の児童扶養手当について適用し、同年九月以前の月分の児童扶養手当については、なお従前の例による。

2　この法律による改正後の児童扶養手当法第九条、第十条（同法第十一条の規定を適用する場合及び同法第十二条第二項第二号において例による場合を含む。）及び第十二条第二項の規定は、昭和四十二年以降の年の所得による支給の制限及び児童扶養手当に相当する金額の返還について適用し、昭和四十一年以前の年の所得による支給の制限及び児童扶養手当に相当する金額の返還については、なお従前の例による。

附　則（第一九次改正）抄

（施行期日）

第一条　この法律は、公布の日（昭和四十四年十二月十日）から施行する。

（児童扶養手当法の一部改正に伴う経過措置）

第二条　この法律による改正後の児童扶養手当法第五条の規定は、昭和四十四年十月以降の月分の児童扶養手当について適用し、同年九月以前の月分の児童扶養手当については、なお従前の例による。

2　この法律による改正後の児童扶養手当法第九条から第十一条まで

及び第十二条第二項の規定は、昭和四十三年以降の年の所得による支給の制限及び児童扶養手当に相当する金額の返還について適用し、昭和四十二年以前の年の所得による支給の制限及び児童扶養手当に相当する金額の返還については、なお従前の例による。

附　則（第二〇次改正）抄

（施行期日）

第一条　この法律は、公布の日〔昭和四十五年六月四日〕から施行する。ただし、〔中略〕第二条中児童扶養手当法第五条の改正規定〔中略〕は同年九月一日から施行する。

（児童扶養手当法の一部改正に伴う経過措置）

第三条　この法律による改正後の児童扶養手当法第五条の規定は、昭和四十五年九月以降の月分の児童扶養手当について適用し、同年八月以前の月分の児童扶養手当については、なお従前の例による。

2　前項の場合において、昭和四十五年九月の月分の児童扶養手当については、この法律による改正後の児童扶養手当法第五条中「二千六百円」とあるのは、「二千四百円」と読み替えるものとする。

3　この法律による改正後の児童扶養手当法第九条から第十一条まで及び第十二条第二項の規定は、昭和四十四年以降の年の所得による支給の制限及び児童扶養手当に相当する金額の返還について適用し、昭和四十三年以前の年の所得による支給の制限及び児童扶養手当に相当する金額の返還については、なお従前の例による。

附　則（第二一次改正）抄

（施行期日）

第一条　この法律は、昭和四十六年十一月一日から施行する。〔以下略〕

（児童扶養手当法の一部改正に伴う経過措置）

第九条　この法律による改正後の児童扶養手当法第五条の規定は、昭和四十六年十一月以降の月分の児童扶養手当について適用し、同年十月以前の月分の児童扶養手当については、なお従前の例による。

附　則（第二二次改正）抄

（施行期日等）

第一条　この法律は、昭和四十七年十月一日から施行する。ただし、〔中略〕第二条中児童扶養手当法第十条、第十一条及び第十二条第二項第二号の改正規定〔中略〕、附則第三条第二項〔中略〕は公布の日から〔中略〕施行する。

2　〔前略〕この法律による改正後の児童扶養手当法第十条、第十一条及び第十二条第二項第二号の規定〔中略〕は、昭和四十七年五月一日から適用する。

（児童扶養手当法の一部改正に伴う経過措置）

第三条　昭和四十七年九月以前の月分の児童扶養手当の額については、なお従前の例による。

2　昭和四十五年以前の年の所得による児童扶養手当の支給の制限及び児童扶養手当に相当する金額の返還については、なお従前の例による。

附　則（第二三次改正）抄

（施行期日）

第一条　この法律は、昭和四十八年十月一日から施行する。ただし、第二条及び次条第二項の規定は、昭和四十九年一月一日から施行する。

（児童扶養手当法の一部改正に伴う経過措置）

第二条　昭和四十八年九月以前の月分の児童扶養手当の額については、なお従前の例による。

2　昭和四十八年十二月以前の月分の児童扶養手当の額については、なお従前の例による。

3　この法律の施行の際現にこの法律による改正前の児童扶養手当法の規定による児童扶養手当の支給要件に該当していない者であつて、この法律による改正後の同法の規定による児童扶養手当の支給要件に該当するものが、昭和四十八年十月三十一日までに同法第六条第一項の認定の請求をしたときは、その者に対する児童扶養手当の支給は、同法第七条第一項の規定にかかわらず、同月から始める。

附　則（第二四次改正）抄

（施行期日）

第一条　この法律は、昭和四十九年九月一日から施行する。〔以下略〕

（児童扶養手当法の一部改正に伴う経過措置）

第三条　昭和四十九年八月以前の月分の児童扶養手当の額については、なお従前の例による。

2　この法律による児童扶養手当法の改正により新たに同法第三条第一項に規定する児童とされた者を昭和四十九年九月一日において現に監護し又は養育している者が、同月中にした同法第六条第一項又は第八条第一項の認定の請求についてその認定を受けたときは、その者に対する児童扶養手当の支給又はその額の改定は、同法第七条第一項又は第八条第一項の規定にかかわらず、同月から行う。

（児童扶養手当等の支払に関する経過措置）

第五条　昭和四十九年九月における児童扶養手当、特別児童扶養手当又は特別福祉手当の支払については、児童扶養手当法第七条第三項本文（特別児童扶養手当等の支給に関する法律第十六条の規定により準用する場合を含む。）の規定にかかわらず、同月までの分を支払うものとする。

附　則（第二五次改正）抄

（施行期日）

第一条　この法律は、昭和五十年十月一日から施行する。〔以下略〕

（児童扶養手当法の一部改正に伴う経過措置）

第三条　昭和五十年九月以前の月分の児童扶養手当の額については、なお従前の例による。

2　この法律の施行の際現にこの法律による改正前の児童扶養手当法第四条第二項第一号に該当する児童を監護し、又は養育している者が、昭和五十年十月三十一日までにした同法第六条第一項又は第八条第一項の認定の請求についてその認定を受けたときは、その者に対する児童扶養手当の支給又はその額の改定は、同法第七条第一項又は第八条第一項の規定にかかわらず、同月から行う。

附　則（第二六次改正）抄

（施行期日）

第一条　この法律の規定は、次の各号に掲げる区分に従い、それぞれ当該各号に定める日から施行する。

三　〔前略〕第八条、〔中略〕附則第九条から附則第十一条までの規定　昭和五十一年十月一日

七　〔前略〕第十七条の規定　昭和五十三年四月一日

（第八条の規定の施行に伴う経過措置等）

第九条　昭和五十一年九月以前の月分の児童扶養手当の額については、なお従前の例による。

第十条　昭和五十三年三月三十一日までの間においては、児童扶養手当法第三条第一項中「義務教育終了前」とあるのは、「昭和三十五年四月二日以後に生まれた者、義務教育終了前」と読み替えるものとする。

2　前項の規定により児童扶養手当法第三条第一項の規定が読み替えて適用されることにより新たに同項に規定する児童とされる者を昭和五十一年十月一日において現に監護し、又は養育している者が、同月中にした同法第六条第一項又は第八条第一項の認定の請求についてその認定を受けたときは、その者に対する児童扶養手当の支給又はその額の改定は、同法第七条第一項又は第八条第一項の規定にかかわらず、同月から行う。

附　則（第二七次改正）抄

（施行期日）

第一条　この法律は、昭和五十二年八月一日から施行する。ただし、〔中略〕第三条中児童扶養手当法第七条の改正規定は同年十月一日から施行する。

（児童扶養手当法の一部改正に伴う経過措置）

第四条　昭和五十二年七月以前の月分の児童扶養手当の額については、なお従前の例による。

第五条　昭和五十二年七月以前の月分の児童扶養手当の支給の制限については、なお従前の例による。

附　則（第二八次改正）抄

（施行期日）

第一条　この法律の規定は、次の各号に掲げる区分に従い、それぞれ当該各号に定める日から施行する。

一　第三条及び第五条の規定並びに第八条中児童手当法第二十九条の次に一条を加える改正規定並びに附則第十三条の規定　公布の日〔昭和五十三年五月十六日〕

二　第二条、第四条、附則第五条、附則第六条及び附則第十条から附則第十二条までの規定　昭和五十三年六月一日

三　附則第四条の規定　昭和五十三年七月一日

四　前三号並びに次号及び第六号に掲げる規定以外の規定　昭和五十三年八月一日

五　第八条中児童手当法第六条第一項の改正規定及び附則第九条の規定　昭和五十三年十月一日

六　第一条中国民年金法第八十七条第三項の改正規定及び附則第三

条の規定　昭和五十四年四月一日

（児童扶養手当法の一部改正に伴う経過措置）

第七条　昭和五十三年七月以前の月分の児童扶養手当の額については、なお従前の例による。

附　則（第二九次改正）抄

（施行期日）

第一条　この法律の規定は、次の各号に掲げる区分に従い、それぞれ当該各号に定める日から施行する。

一　第三条中厚生年金保険法等の一部を改正する法律（昭和四十八年法律第九十二号。以下「法律第九十二号」という。）附則第二十二条の二の改正規定及び附則第八条の規定　公布の日〔昭和五十四年五月二十九日〕

二　第四条、第五条、附則第三条、附則第四条及び附則第九条から附則第十一条までの規定　昭和五十四年六月一日

三　前二号及び次号に掲げる規定以外の規定　昭和五十四年八月一日

四　第八条及び附則第七条の規定　昭和五十四年十月一日

（児童扶養手当法の一部改正に伴う経過措置）

第五条　昭和五十四年七月以前の月分の児童扶養手当の額については、なお従前の例による。

附　則（第三〇次改正）抄

（施行期日等）

第一条　この法律は、公布の日〔昭和五十五年十月三十一日〕から施行する。〔以下略〕

2　次の各号に掲げる規定は、当該各号に定める日から適用する。

三　〔前略〕第十条の規定による改正後の児童扶養手当法第五条の規定〔中略〕附則第五十四条〔中略〕の規定　昭和五十五年八月一日

（第十条の規定の施行に伴う経過措置）

第五十四条　昭和五十五年七月以前の月分の児童扶養手当の額については、なお従前の例による。

附　則（第三一次改正）抄

（施行期日）

第一条　この法律は、昭和五十六年八月一日から施行する。〔以下略〕

（児童扶養手当法の一部改正に伴う経過措置）

第四条　昭和五十六年七月以前の月分の児童扶養手当の額については、なお従前の例による。

附　則（第三二次改正）抄

（施行期日）

1　この法律は、難民の地位に関する条約又は難民の地位に関する議定書が日本国について効力を生ずる日〔昭和五十七年一月一日〕から施行する。

注　「効力を生ずる日」－昭和五六年一〇月外告第三五九号（難民の地位に関する条約への日本国の加入に関する件）、昭和五七年一月外告第一号（難民の地位に関する議定書への日本国の加入に関する件）

附　則（第三三次改正）抄

（施行期日等）

第一条　この法律は、昭和五十七年九月一日から施行する。〔以下略〕

（児童扶養手当法の一部改正に伴う経過措置）

第三条　昭和五十七年八月以前の月分の児童扶養手当の額については、なお従前の例による。

附　則（第三四次改正）

この法律は、昭和五十七年十月一日から施行する。

附　則（第三五次改正）抄

（施行期日）

第一条　この法律は、昭和五十九年四月一日から施行する。〔以下略〕

附　則（第三六次改正）抄

（施行期日等）

第一条　この法律は、昭和六十年八月一日から施行する。ただし、第四条に二項を加える改正規定、第二十九条第一項の改正規定（「、当該児童」の下に「、第四条第一項第一号イ若しくは第二号イに該当する児童の父母」を加える部分に限る。）及び第三十条の改正規定並びに次条の規定は、政令で定める日から施行する。

2　政府は、前項ただし書に規定する政令を定めるに当たつては、婚姻を解消した父母の児童に対する扶養義務の履行の状況、当該父又は母の所得の把握方法の状況等を勘案しなければならない。

〔**改正**〕

一部改正（第六一次改正）

（手当額に関する経過措置）

第三条　新法第五条の規定は、昭和六十年八月以降の月分の手当について適用し、同年七月以前の月分の額については、なお従前の例による。

（認定の請求に関する経過措置）

第四条　新法第六条第二項の規定は、この法律の施行後に手当の支給要件に該当するに至つた者の当該手当の認定の請求について適用する。

（費用負担に関する経過措置）

第五条　この法律の施行の際この法律による改正前の児童扶養手当法（次条第二項において「旧法」という。）第六条の規定による認定を受けている者又はこの法律の施行の際同条の規定による認定の請求をしている者であつて新法第六条の規定による認定を受けたもの（次条第一項において「既認定者等」という。）に係る手当の支給に要する費用については、なお従前の例による。

（手当の支給事務に関する経過措置）

第六条　既認定者等に係る手当の支給に関する事務は、政令で定める日までの間は、国が取り扱うものとする。

〔**改正**〕

一部改正（第五〇・五七次改正）

（その他の経過措置の政令への委任）

第七条　この附則に規定するもののほか、この法律の施行に伴い必要な経過措置は、政令で定める。

附　則（第三七次改正）抄

（施行期日）

第一条　この法律は、昭和六十一年四月一日（以下「施行日」という。）から施行する。〔以下略〕

（児童扶養手当の支給要件等の特例）

第三十三条　施行日の前日において児童扶養手当法（昭和三十六年法律第二百三十八号）第四条に規定する児童扶養手当の支給要件に該当している者であつて、同法第六条の認定を受け、又は同条の認定の請求をしているものについては、その者が監護し、又は養育している児童が、新たに附則第二十五条の規定により支給される障害基礎年金又は旧国民年金法による障害年金の加算の対象となつた場合においても、その者に対する昭和六十一年四月以降の月分の児童扶養手当の支給については、当該児童は、児童扶養手当法第四条第二項第四号に該当しないものとみなす。

2　前項の規定に該当した者に支給する児童扶養手当の額は、児童扶養手当法第五条の規定にかかわらず、第一号に掲げる額から第二号に掲げる額を減じた額とする。

一　児童扶養手当法第五条第一項に規定する額（同法第五条の二の規定により手当の額が改定されているときは、その額とし、同法第九条の規定により手当の一部について支給を制限されているときは、その制限されている額を減じた額とする。）

二　国民年金法第三十三条の二の規定により加算する額（子が二人以上あるときに加算する額を除く。）を十二で除して得た額

〔改正〕

一部改正（第四三次改正）

附　則（第三八次改正）抄

（施行期日等）

第一条　この法律は、公布の日（昭和六十一年四月三十日）から施行する。

2　第一条の規定による改正後の児童扶養手当法第五条の規定（中略）並びに次条（中略）の規定は、昭和六十一年四月一日から適用する。

（児童扶養手当法の一部改正に伴う経過措置）

第二条　昭和六十一年三月以前の月分の児童扶養手当の額については、なお従前の例による。

附　則（第三九次改正）抄

1　この法律は、公布の日（昭和六十一年五月八日）から施行する。

2　この法律（第十一条、第十二条及び第三十四条の規定を除く。）による改正後の法律の昭和六十一年度から昭和六十三年度までの各年度の特例に係る規定並びに昭和六十一年度及び昭和六十二年度の特例に係る規定は、昭和六十一年度から昭和六十三年度までの各年度（昭和六十一年度及び昭和六十二年度の特例に係るものにあつては、昭和六十一年度及び昭和六十二年度。以下この項において同じ。）の予算に係る国の負担（当該国の負担に係る都道府県又は市町村の負担を含む。以下この項において同じ。）又は補助（昭和六十年

度以前の年度における事務又は事業の実施により昭和六十一年度以降の年度に支出される国の負担又は補助及び昭和六十年度以前の年度の国庫債務負担行為に基づき昭和六十一年度以降の年度に支出すべきものとされた国の負担又は補助を除く。）並びに昭和六十一年度から昭和六十三年度までの各年度における事務又は事業の実施により昭和六十四年度（昭和六十一年度及び昭和六十二年度の特例に係るものにあつては、昭和六十三年度。以下この項において同じ。）以降の年度に支出される国の負担又は補助、昭和六十一年度から昭和六十三年度までの各年度の国庫債務負担行為に基づき昭和六十四年度以降の年度に支出すべきものとされる国の負担又は補助及び昭和六十一年度から昭和六十三年度までの各年度の歳出予算に係る国の負担又は補助で昭和六十四年度以降の年度に繰り越されるものについて適用し、昭和六十年度以前の年度における事務又は事業の実施により昭和六十一年度以降の年度に支出される国の負担又は補助、昭和六十年度以前の年度の国庫債務負担行為に基づき昭和六十一年度以降の年度に支出すべきものとされた国の負担又は補助及び昭和六十年度以前の年度の歳出予算に係る国の負担又は補助で昭和六十一年度以降の年度に繰り越されたものについては、なお従前の例による。

注　第九章は第三九次改正の本則中の条文

第九章　地方公共団体に対する財政金融上の措置

（地方公共団体に対する財政金融上の措置）

第四十九条　国は、この法律の規定による改正後の法律の規定により昭和六十一年度から昭和六十三年度までの各年度の予算に係る国の負担又は補助の割合の引下げ措置の対象となる地方公共団体に対し、その事務又は事業の執行及び財政運営に支障を生ずることのないよう財政金融上の措置を講ずるものとする。

附　則（第四〇次改正）抄

（施行期日等）

第一条　この法律は、公布の日〔昭和六十二年六月二日〕から施行する。〔以下略〕

2　第一条の規定による改正後の児童扶養手当法第五条の規定〔中略〕は、昭和六十二年四月一日から適用する。

（児童扶養手当法の一部改正に伴う経過措置）

第二条　昭和六十二年三月以前の月分の児童扶養手当の額については、なお従前の例による。

附　則（第四一次改正）抄

（施行期日等）

第一条　この法律は、公布の日〔昭和六十三年五月二十四日〕から施行する。〔以下略〕

2　第一条の規定による改正後の児童扶養手当法第五条の規定〔中略〕は、昭和六十三年四月一日から適用する。

（児童扶養手当法の一部改正に伴う経過措置）

第二条　昭和六十三年三月以前の月分の児童扶養手当の額については、なお従前の例による。

附　則（第四二次改正）抄

（施行期日等）

1　この法律は、公布の日〔平成元年四月十日〕から施行する。

3　第十三条（義務教育費国庫負担法第二条の改正規定に限る。）、第十四条（公立養護学校整備特別措置法第五条の改正規定に限る。）及び第十六条から第二十八条までの規定による改正後の法律の規定は、平成元年度以降の年度の予算に係る国の負担又は補助（昭和六十三年度以前の年度における事務又は事業の実施により平成元年度以降の年度に支出される国の負担又は補助を除く。）について適用し、昭和六十三年度以前の年度における事務又は事業の実施により平成元年度以降の年度に支出される国の負担又は補助及び昭和六十三年度以前の年度の歳出予算に係る国の負担又は補助で平成元年度以降の年度に繰り越されたものについては、なお従前の例による。

附　則〔第四三次改正〕抄

（施行期日等）

第一条　この法律は、公布の日〔平成元年十二月二十二日〕から施行する。〔以下略〕

2　次の各号に掲げる規定は、それぞれ当該各号に定める日から適用する。

一　〔前略〕第四条の規定による改正後の国民年金法等の一部を改正する法律〔中略〕附則第三十三条の規定〔中略〕、第六条の規定による改正後の児童扶養手当法第五条及び第五条の二の規定、〔中略〕　平成元年四月一日

（第六条の規定の施行に伴う経過措置）

第十一条　平成元年三月以前の月分の児童扶養手当の額については、なお従前の例による。

附　則〔第四四次改正〕抄

（施行期日等）

第一条　この法律は、公布の日〔平成六年十一月九日〕から施行する。ただし、次の各号に掲げる規定は、それぞれ当該各号に定める日から施行する。

二　〔前略〕第十七条中児童扶養手当法第三条第一項の改正規定並びに附則〔中略〕第三十六条第二項〔中略〕の規定　平成七年四月一日

2　次の各号に掲げる規定は、それぞれ当該各号に定める日から適用する。

一　〔前略〕第十七条の規定による改正後の児童扶養手当法第五条及び第五条の二の規定〔中略〕　平成六年十月一日

（第十七条の規定の施行に伴う経過措置）

第三十六条　平成六年九月以前の月分の児童扶養手当の額については、なお従前の例による。

2　児童扶養手当法第九条及び第九条の二の規定による児童扶養手当の支給の制限並びに特別児童扶養手当等の支給に関する法律第六条の規定による特別児童扶養手当の支給の制限については、第十七条の規定による改正後の児童扶養手当法第三条第一項の規定は、平成七年八月以降の月分の児童扶養手当及び特別児童扶養手当について適用し、同年七月以前の月分の児童扶養手当及び特別児童扶養手当

については、なお従前の例による。

（その他の経過措置の政令への委任）

第三十九条　この附則に規定するもののほか、この法律の施行に伴い必要な経過措置は、政令で定める。

附　則（第四五次改正）抄

（施行期日）

第一条　この法律は、平成九年四月一日から施行する。〔以下略〕

附　則（第四六次改正）抄

（施行期日）

第一条　この法律は、平成十年一月一日から施行する。〔以下略〕

附　則（第四七次改正）抄

（施行期日）

第一条　この法律は、平成十二年四月一日から施行する。ただし、次の各号に掲げる規定は、当該各号に定める日から施行する。

一　〔前略〕附則第百六十条、第百六十三条、第百六十四条〔中略〕の規定　公布の日〔平成十一年七月十六日〕

三　第二百六条の規定〔中略〕　平成十四年八月一日

（国等の事務）

第百五十九条　この法律による改正前のそれぞれの法律に規定するもののほか、この法律の施行前において、地方公共団体の機関が法律又はこれに基づく政令により管理し又は執行する国、他の地方公共団体その他公共団体の事務（附則第百六十一条において「国等の事務」という。）は、この法律の施行後は、地方公共団体が法律又はこれに基づく政令により当該地方公共団体の事務として処理するものとする。

（処分、申請等に関する経過措置）

第百六十条　この法律（附則第一条各号に掲げる規定については、当該各規定。以下この条及び附則第百六十三条において同じ。）の施行前に改正前のそれぞれの法律の規定によりされた許可等の処分その他の行為（以下この条において「処分等の行為」という。）又はこの法律の施行の際現に改正前のそれぞれの法律の規定によりされている許可等の申請その他の行為（以下この条において「申請等の行為」という。）で、この法律の施行の日においてこれらの行為に係る行政事務を行うべき者が異なることとなるものは、附則第二条から前条までの規定又は改正後のそれぞれの法律（これに基づく命令を含む。）の経過措置に関する規定に定めるものを除き、この法律の施行の日以後における改正後のそれぞれの法律の適用については、改正後のそれぞれの法律の相当規定によりされた処分等の行為又は申請等の行為とみなす。

2　この法律の施行前に改正前のそれぞれの法律の規定により国又は地方公共団体の機関に対し報告、届出、提出その他の手続をしなければならない事項で、この法律の施行の日前にその手続がされていないものについては、この法律及びこれに基づく政令に別段の定めがあるもののほか、これを、改正後のそれぞれの法律の相当規定により国又は地方公共団体の相当の機関に対して報告、届出、提出その他の手続をしなければならない事項についてその手続がされていないものとみなして、この法律による改正後のそれぞれの法律の規定を適用する。

（不服申立てに関する経過措置）

第百六十一条　施行日前にされた国等の事務に係る処分であって、当該処分をした行政庁（以下この条において「処分庁」という。）に施行日前に行政不服審査法に規定する上級行政庁（以下この条において「上級行政庁」という。）があったものについての同法による不服申立てについては、施行日以後においても、当該処分庁に引き続き上級行政庁があるものとみなして、行政不服審査法の規定を適用する。この場合において、当該処分庁の上級行政庁とみなされる行政庁は、施行日前に当該処分庁の上級行政庁であった行政庁とする。

2　前項の場合において、上級行政庁とみなされる行政庁が地方公共団体の機関であるときは、当該機関が行政不服審査法の規定により処理することとされる事務は、新地方自治法第二条第九項第一号に規定する第一号法定受託事務とする。

（罰則に関する経過措置）

第百六十三条　この法律の施行前にした行為に対する罰則の適用については、なお従前の例による。

（その他の経過措置の政令への委任）

第百六十四条　この附則に規定するもののほか、この法律の施行に伴い必要な経過措置（罰則に関する経過措置を含む。）は、政令で定める。

附　則（第四八次改正）抄

（施行期日）

第一条　この法律（第二条及び第三条を除く。）は、平成十三年一月六日から施行する。ただし、次の各号に掲げる規定は、当該各号に定める日から施行する。

一　〔前略〕第千三百四十四条の規定　公布の日（平成十一年十二月二十二日）

注　第一六章は第四八次改正の本則中の条文

第十六章　経過措置等

（処分、申請等に関する経過措置）

第千三百一条　中央省庁等改革関係法及びこの法律（以下「改革関係法等」と総称する。）の施行前に法令の規定により従前の国の機関がした免許、許可、認可、承認、指定その他の処分又は通知その他の行為は、法令に別段の定めがあるもののほか、改革関係法等の施行後は、改革関係法等の施行後の法令の相当規定に基づいて、相当の国の機関がした免許、許可、認可、承認、指定その他の処分又は通知その他の行為とみなす。

2　改革関係法等の施行の際現に法令の規定により従前の国の機関に対してされている申請、届出その他の行為は、法令に別段の定めがあるもののほか、改革関係法等の施行後は、改革関係法等の施行後の法令の相当規定に基づいて、相当の国の機関に対してされた申請、届出その他の行為とみなす。

3　改革関係法等の施行前に法令の規定により従前の国の機関に対し

報告、届出、提出その他の手続をしなければならないとされている事項で、改革関係法等の施行の日前にその手続がされていないものについては、法令に別段の定めがあるもののほか、改革関係法等の施行後は、これを、改革関係法等の施行後の法令の相当規定により相当の国の機関に対して報告、届出、提出その他の手続をしなければならないとされた事項についてその手続がされていないものとみなして、改革関係法等の施行後の法令の規定を適用する。

（従前の例による処分等に関する経過措置）

第千三百二条　なお従前の例によることとする法令の規定により、従前の国の機関がすべき免許、許可、認可、承認、指定その他の処分若しくは通知その他の行為又は従前の国の機関に対してすべき申請、届出その他の行為については、法令に別段の定めがあるもののほか、改革関係法等の施行後は、改革関係法等の施行後の法令の規定に基づくその任務及び所掌事務の区分に応じ、それぞれ、相当の国の機関がすべきものとし、又は相当の国の機関に対してすべきものとする。

（罰則に関する経過措置）

第千三百三条　改革関係法等の施行前にした行為に対する罰則の適用については、なお従前の例による。

（命令の効力に関する経過措置）

第千三百四条　改革関係法等の施行前に法令の規定により発せられた国家行政組織法の一部を改正する法律による改正前の国家行政組織法（昭和二十三年法律第百二十号。次項において「旧国家行政組織法」という。）第十二条第一項の総理府令又は省令は、法令に別段の定めがあるもののほか、改革関係法等の施行後は、改革関係法等の施行後の法令の相当規定に基づいて発せられた相当の内閣府設置法第七条第三項の内閣府令又は国家行政組織法の一部を改正する法律による改正後の国家行政組織法（次項及び次条第一項において「新国家行政組織法」という。）第十二条第一項の省令としての効力を有するものとする。

（政令への委任）

第千三百四十四条　第七十一条から第七十六条まで及び第千三百一条から前条まで並びに中央省庁等改革関係法に定めるもののほか、改革関係法等の施行に関し必要な経過措置（罰則に関する経過措置を含む。）は、政令で定める。

附　則（第四九次改正）抄

（施行期日）

第一条　この法律は、平成十四年四月一日から施行する。

（児童扶養手当法の一部改正に伴う経過措置）

第百二十四条　移行農林共済年金及び移行農林年金は、児童扶養手当法の適用については、同法第三条第二項に規定する公的年金給付とみなす。

〔**改正**〕

一部改正（第七四次改正）

附　則（第五〇次改正）抄

（施行期日）

第一条　この法律は、公社法〔日本郵政公社法（平成十四年法律第九十七号）〕の施行の日〔平成十五年四月一日〕から施行する。ただし、次の各号に掲げる規定は、当該各号に定める日から施行する。

一　〔前略〕附則第三十九条の規定　公布の日〔平成十四年七月三十一日〕

（その他の経過措置の政令への委任）

第三十九条　この法律に規定するもののほか、公社法及びこの法律の施行に関し必要な経過措置（罰則に関する経過措置を含む。）は、政令で定める。

附　則（第五一次改正）抄

（施行期日）

第一条　この法律は、平成十五年四月一日から施行する。

（児童扶養手当法の一部改正に伴う経過措置）

第三条　この法律の施行の際現に第二条の規定による改正前の児童扶養手当法（次条において「旧法」という。）第六条第二項に該当する者については、同項の規定は、なお効力を有する。

第四条　この法律の施行の際現に旧法第六条の規定による認定を受けている者又は旧法の規定による手当の支給要件に該当する者であって、この法律の施行前に同条第一項の規定による認定の請求をしこの法律の施行の日以後に第二条の規定による改正後の児童扶養手当法（以下この項及び次項において「新法」という。）第六条の規定による認定を受けたものに対する児童扶養手当の支給に関し新法第十三条の二の規定を適用する場合においては、同条中「支給開始月の初日から起算して五年又は手当の支給要件に該当するに至つた日の属する月の初日から起算して七年を経過したとき（第六条第一項の規定による認定の請求をした日において三歳未満の児童を監護する受給資格者にあつては、当該児童が三歳に達した日の属する月の翌月の初日から起算して五年を経過したとき）」とあるのは、「平成十五年四月一日から起算して五年を経過したとき（同日において三歳未満の児童を監護する受給資格者にあつては、当該児童が三歳に達した日の属する月の翌月の初日から起算して五年を経過したとき）」とする。

2　この法律の施行の際現に旧法の規定による手当の支給要件に該当する者であってこの法律の施行の日以後に新法第六条第一項の規定による認定の請求をしたものに対する児童扶養手当の支給に関し、新法第十三条の二の規定を適用する場合においては、同条中「手当の支給要件に該当するに至つた日の属する月の初日」とあるのは、「平成十五年四月一日」とする。

（政令への委任）

第五条　前三条に規定するもののほか、この法律の施行に伴い必要な経過措置は、政令で定める。

（検討）

第六条　政府は、この法律の施行の状況を勘案し、母子家庭等の児童の福祉の増進を図る観点から、母子家庭等の児童の親の当該児童についての扶養義務の履行を確保するための施策の在り方について検討を加え、必要があると認めるときは、その結果に基づいて必要な措置を講ずるものとする。

附　則（第五二次改正）抄

（施行期日）

第一条　この法律は、平成十六年四月一日から施行する。

（経過措置）

第二条　この法律による改正後の規定は、平成十六年度以降の年度の予算に係る国又は都道府県の負担（平成十五年度以前の年度における事務又は事業の実施により平成十六年度以降の年度に支出される国又は都道府県の負担を除く。）について適用し、平成十五年度以前の年度における事務又は事業の実施により平成十六年度以降の年度に支出される国又は都道府県の負担及び平成十六年度以降の年度に行われる第三条の規定による改正前の児童扶養手当法第二十一条の二の規定に基づく交付金の交付については、なお従前の例による。

附　則（第五三次改正）抄

（施行期日）

第一条　この法律は、平成十七年一月一日から施行する。〔以下略〕

附　則（第五四次改正）抄

（施行期日）

第一条　この法律は、平成十八年四月一日から施行する。〔以下略〕

（児童扶養手当法の一部改正に伴う経過措置）

第二十二条　附則第二条第一項の規定によりなおその効力を有することとされる旧法第二条第一項の互助年金並びに附則第七条第一項の普通退職年金、附則第十一条第一項の公務傷病年金及び附則第十二条第一項の遺族扶助年金は、児童扶養手当法の適用については、前条の規定による改正後の同法第三条第二項に規定する公的年金給付とみなす。

附　則（第五五次改正）抄

（施行期日）

第一条　この法律は、平成十八年四月一日から施行する。

（その他の経過措置の政令への委任）

第十一条　この附則に規定するもののほか、この法律の施行に伴い必要な経過措置は、政令で定める。

附　則（第五六次改正）抄

（施行期日）

第一条　この法律は、平成十九年四月一日（以下「施行日」という。）から施行する。

（児童扶養手当法の一部改正に伴う経過措置）

第六条　附則第三条第一項の規定によりなお従前の例により支給される旧執行官法附則第十三条の規定に基づく年金たる給付は、前条の規定による改正後の児童扶養手当法第三条第二項に規定する公的年金給付とみなす。

附　則（第五七次改正）抄

（施行期日）

第一条　この法律は、郵政民営化法〔平成十七年法律第九十七号〕の施行の日〔平成十九年十月一日〕から施行する。〔以下略〕

（罰則に関する経過措置）

第百十七条　この法律の施行前にした行為、この附則の規定によりなお従前の例によることとされる場合におけるこの法律の施行後にした行為、この法律の施行後附則第九条第一項の規定によりなおその効力を有するものとされる旧郵便為替法第三十八条の八（第二号及び第三号に係る部分に限る。）の規定の失効前にした行為、この法律の施行後附則第十三条第一項の規定によりなおその効力を有するものとされる旧郵便振替法第七十条（第二号及び第三号に係る部分に限る。）の規定の失効前にした行為、この法律の施行後附則第二十七条第一項の規定によりなおその効力を有するものとされる旧郵便振替預り金寄附委託法第八条（第二号に係る部分に限る。）の規定の失効前にした行為、この法律の施行後附則第三十九条第二項の規定によりなおその効力を有するものとされる旧公社法第七十条（第二号に係る部分に限る。）の規定の失効前にした行為、この法律の施行後附則第四十二条第一項の規定によりなおその効力を有するものとされる旧公社法第七十一条及び第七十二条（第十五号に係る部分に限る。）の規定の失効前にした行為並びに附則第二条第二項の規定の適用がある場合における郵政民営化法第百四条に規定する郵便貯金銀行に係る特定日前にした行為に対する罰則の適用については、なお従前の例による。

附　則（第五八次改正）抄

（施行期日）

第一条　この法律は、平成二十一年四月一日から施行する。〔以下略〕

附　則（第五九次改正）抄

（施行期日）

第一条　この法律は、公布の日から施行する。ただし、次の各号に掲げる規定は、当該各号に定める日から施行する。

三　〔前略〕附則第七十一条から第七十三条まで〔中略〕の規定　日本年金機構法（平成十九年法律第百九号）の施行の日〔平成二十二年一月一日〕

附　則（第六〇次改正）抄

（施行期日）

第一条　この法律は、平成二十二年一月一日から施行する。〔以下略〕

（調整規定）

第八条　この法律及び日本年金機構法又は雇用保険法等の一部を改正する法律（平成十九年法律第三十号）に同一の法律の規定についての改正規定がある場合において、当該改正規定が同一の日に施行されるときは、当該法律の規定は、日本年金機構法又は雇用保険法等の一部を改正する法律によってまず改正され、次いでこの法律によって改正されるものとする。

附　則（第六一次改正）抄

（施行期日）

第一条　この法律は、平成二十二年八月一日から施行する。ただし、次条（第三項を除く。）及び附則第四条の規定は、公布の日（平成二十二年六月二日）から施行する。

（認定の請求等に関する経過措置）

第二条　平成二十二年八月一日においてこの法律による改正後の児童扶養手当法（以下「新法」という。）の規定による児童扶養手当（以下「手当」という。）の支給要件（以下この条において「新支給要件」という。）に該当すべき者（この法律による改正前の児童扶養手当法の規定による手当の支給要件（以下この条において「旧支給要件」という。）に該当していない者に限る。）は、同日前においても、同日に新支給要件に該当することを条件として、当該手当について新法第六条第一項の規定による認定の請求の手続をとることができる。

2　前項の手続をとった者が、平成二十二年八月一日において、新支給要件に該当しているときは、その者に対する手当の支給は、新法第七条第一項の規定にかかわらず、同月から始める。

3　次の各号に掲げる者が、平成二十二年十一月三十日までの間に新法第六条第一項の規定による認定の請求をしたときは、その者に対する手当の支給は、新法第七条第一項の規定にかかわらず、それぞれ当該各号に定める月から始める。

一　平成二十二年八月一日において現に新支給要件に該当している者（旧支給要件に該当していない者に限り、第一項の手続をとった者を除く。）　同月

二　平成二十二年八月一日から同年十一月三十日までの間に新支給要件に該当するに至った者（旧支給要件に該当していない者に限る。）　その者が新支給要件に該当するに至った日の属する月の翌月

第三条　前条第一項の手続をとった者及び同条第三項第一号に掲げる者に対する手当の支給に関し、新法第十三条の二の規定を適用する場合においては、同条第一項中「手当の支給要件に該当するに至つた日の属する月の初日」とあるのは、「平成二十二年八月一日」とする。

（政令への委任）

第四条　前二条に規定するもののほか、この法律の施行に伴い必要な経過措置は、政令で定める。

（検討）

第五条　政府は、この法律の施行後三年を目途として、この法律の施行の状況、父又は母と生計を同じくしていない児童が育成される家庭における父又は母の就業状況及び当該家庭の経済的な状況等を勘案し、当該家庭の生活の安定及び自立の促進並びに児童の福祉の増進を図る観点から、児童扶養手当制度を含め、当該家庭に対する支援施策の在り方について検討を加え、その結果に基づいて必要な措置を講ずるものとする。

附　則（第六二次改正）抄

（施行期日）

第一条　この法律は、平成二十四年四月一日から施行する。〔以下略〕

附　則（第六三次改正）抄

（施行期日）

第一条　この法律は、公布の日から施行する。ただし、〔中略〕附則第十条から第十四条までの規定〔中略〕は、公布の日から起算して六月を超えない範囲内において政令で定める日〔平成二十五年三月一日〕から施行する。

（委任）

ただし書の「政令」＝平成二五年二月政令第二七号「地方自治法の一部を改正する法律の一部の施行期日を定める政令」

附　則（第六四次改正）抄

（施行期日）

第一条　この法律は、平成二十七年四月一日から施行する。ただし、次の各号に掲げる規定は、当該各号に定める日から施行する。

一　〔前略〕附則第四条第一項及び第二項、〔中略〕第十九条の規定　公布の日〔平成二十六年四月二十三日〕

三　第三条並びに附則第四条第三項及び第四項〔中略〕の規定　平成二十六年十二月一日

（検討）

第二条　政府は、この法律の施行後五年を目途として、この法律による改正後のそれぞれの法律の規定について、その施行の状況等を勘案しつつ検討を加え、必要があると認めるときは、その結果に基づいて必要な措置を講ずるものとする。

（児童扶養手当法の一部改正に伴う経過措置）

第四条　平成二十六年十二月一日において第三条の規定による改正後の児童扶養手当法（以下この条において「新法」という。）の規定による児童扶養手当（以下この条において「新手当」という。）の支給要件（以下この条において「新支給要件」という。）に該当すべき者（第三条の規定による改正前の児童扶養手当法の規定による児童扶養手当の支給要件（以下この条において「旧支給要件」という。）に該当していない者に限る。）は、同日前においても、同日に新支給要件に該当することを条件として、当該新手当について新法第六条第一項の規定による認定の請求の手続をとることができる。

2　前項の手続をとった者が、平成二十六年十二月一日において、新支給要件に該当しているときは、その者に対する新手当の支給は、新法第七条第一項の規定にかかわらず、同月から始める。

3　次の各号に掲げる者が、平成二十七年三月三十一日までの間に新法第六条第一項の規定による認定の請求をしたときは、その者に対する新手当の支給は、新法第七条第一項の規定にかかわらず、それぞれ当該各号に定める月から始める。

一　平成二十六年十二月一日において現に新支給要件に該当している者（旧支給要件に該当していない者に限り、第一項の手続をとった者を除く。）　同月

二　平成二十六年十二月一日から平成二十七年三月三十一日までの間に新支給要件に該当するに至った者（旧支給要件に該当していない者に限る。）　その者が新支給要件に該当するに至った日の属する月の翌月

4　第一項の手続をとった者及び前項第一号に掲げる者に対する新手当の支給に関し、新法第十三条の三の規定を適用する場合においては、同条第一項中「手当の支給要件に該当するに至つた日の属する

月の初日」とあるのは、「平成二十六年十二月一日」とする。

（政令への委任）

第十九条　この附則に規定するもののほか、この法律の施行に伴い必要な経過措置は、政令で定める。

附　則（第六五次改正）抄

（施行期日）

第一条　この法律は、平成二十六年十月一日から施行する。ただし、次の各号に掲げる規定は、当該各号に定める日から施行する。

一　〔前略〕附則第十九条の規定　公布の日〔平成二十六年六月十一日〕

二　〔前略〕第六条から第十二条までの規定、〔中略〕附則第十七条の規定　平成二十七年一月一日

（延滞金の割合の特例等に関する経過措置）

第十七条　次の各号に掲げる規定は、当該各号に定める規定に規定する延滞金（第十五号にあっては、加算金。以下この条において同じ。）のうち平成二十七年一月一日以後の期間に対応するものについて適用し、当該延滞金のうち同日前の期間に対応するものについては、なお従前の例による。

十　第八条の規定による改正後の児童扶養手当法附則第八項　児童扶養手当法第二十三条第二項において読み替えて準用する国民年金法第九十七条第一項

（その他の経過措置の政令への委任）

第十九条　この附則に規定するもののほか、この法律の施行に伴い必要な経過措置は、政令で定める。

附　則（第六六次改正）抄

（施行期日）

第一条　この法律は、平成二十七年十月一日から施行する。ただし、次の各号に掲げる規定は、それぞれ当該各号に定める日から施行する。

一　〔前略〕附則第百六十条の規定　公布の日〔平成二十四年八月二十二日〕

（児童扶養手当法の一部改正に伴う経過措置）

第百二十五条　附則第四条第三号に規定する改正前国共済法〔国家公務員共済組合法（昭和三十三年法律第百二十八号）〕及び同条第四号に規定する改正前国共済施行法〔国家公務員共済組合法の長期給付に関する施行法（昭和三十三年法律第百二十九号）〕、同条第六号に規定する改正前地共済法〔地方公務員等共済組合法（昭和三十七年法律第百五十二号）〕及び同条第七号に規定する改正前地共済施行法〔地方公務員等共済組合法の長期給付等に関する施行法（昭和三十七年法律第百五十三号）〕並びに同条第九号に規定する改正前私学共済法〔私立学校教職員共済法（昭和二十八年法律第二百四十五号）〕に基づく年金たる給付は、児童扶養手当法の適用については、前条の規定による改正後の同法第三条第二項に規定する公的年金給付とみなす。

（その他の経過措置の政令への委任）

第百六十条　この附則に規定するもののほか、この法律の施行に伴い

必要な経過措置は、政令で定める。

附　則（第六七次改正）抄

（施行期日）

第一条　この法律は、公布の日から起算して二年を超えない範囲内において政令で定める日〔平成二十八年四月一日〕から施行する。

〔以下略〕

〔**委任**〕

「政令」＝平成二七年一月政令第二九号「地方自治法の一部を改正する法律の施行期日を定める政令」

附　則（第六八次改正）抄

（施行期日）

第一条　この法律は、行政不服審査法（平成二十六年法律第六十八号）の施行の日〔平成二十八年四月一日〕から施行する。

（経過措置の原則）

第五条　行政庁の処分その他の行為又は不作為についての不服申立てであってこの法律の施行前にされた行政庁の処分その他の行為又はこの法律の施行前にされた申請に係る行政庁の不作為に係るものについては、この附則に特別の定めがある場合を除き、なお従前の例による。

（訴訟に関する経過措置）

第六条　この法律による改正前の法律の規定により不服申立てに対する行政庁の裁決、決定その他の行為を経た後でなければ訴えを提起できないこととされる事項であって、当該不服申立てを提起しないでこの法律の施行前にこれを提起すべき期間を経過したもの（当該不服申立てが他の不服申立てに対する行政庁の裁決、決定その他の行為を経た後でなければ提起できないとされる場合にあっては、当該他の不服申立てを提起しないでこの法律の施行前にこれを提起すべき期間を経過したものを含む。）の訴えの提起については、なお従前の例による。

2　この法律の規定による改正前の法律の規定（前条の規定によりなお従前の例によることとされる場合を含む。）により異議申立てが提起された処分その他の行為であって、この法律の規定による改正後の法律の規定により審査請求に対する裁決を経た後でなければ取消しの訴えを提起することができないこととされるものの取消しの訴えの提起については、なお従前の例による。

3　不服申立てに対する行政庁の裁決、決定その他の行為の取消しの訴えであって、この法律の施行前に提起されたものについては、なお従前の例による。

（その他の経過措置の政令への委任）

第十条　附則第五条から前条までに定めるもののほか、この法律の施行に関し必要な経過措置（罰則に関する経過措置を含む。）は、政令で定める。

附　則（第六九次改正）抄

（施行期日）

第一条　この法律は、平成二十八年八月一日から施行する。ただし、附則第三条の規定は、公布の日〔平成二十八年五月十三日〕から施行する。

（経過措置）

第二条　平成二十八年七月以前の月分の児童扶養手当の額については、なお従前の例による。

（政令への委任）

第三条　前条に規定するもののほか、この法律の施行に伴い必要な経過措置は、政令で定める。

附　則（第七〇次改正）抄

（施行期日）

第一条　この法律は、平成二十九年四月一日から施行する。〔以下略〕

附　則（第七一次改正）抄

（施行期日）

第一条　この法律は、平成二十九年四月一日から施行する。ただし、次の各号に掲げる規定は、当該各号に定める日から施行する。

四　次に掲げる規定　平成三十年一月一日

イ　〔前略〕附則第百二十二条及び第百二十三条の規定

（国民年金法等の一部改正に伴う経過措置）

第百二十三条

2　前条（第二号に係る部分に限る。）の規定による改正後の児童扶養手当法第九条第一項、前条（第三号に係る部分に限る。）の規定による改正後の特別児童扶養手当等の支給に関する法律第六条及び前条（第六号に係る部分に限る。）の規定による改正後の特定障害者に対する特別障害給付金の支給に関する法律第九条の規定は、それぞれ令和元年八月以後の月分の児童扶養手当法の規定による児童扶養手当、特別児童扶養手当等の支給に関する法律の規定による特別児童扶養手当及び特定障害者に対する特別障害給付金の支給に関する法律の規定による特別障害給付金（以下この項において「児童扶養手当等」という。）の支給の制限について適用し、同年七月以前の月分の児童扶養手当等の支給の制限については、なお従前の例による。

〔**改正**〕

一部改正（第七五次改正）

（政令への委任）

第百四十一条　この附則に規定するもののほか、この法律の施行に関し必要な経過措置は、政令で定める。

附　則（第七二次改正）抄

（施行期日）

第一条　この法律は、平成三十年十月一日から施行する。ただし、次の各号に掲げる規定は、当該各号に定める日から施行する。

一　〔前略〕附則第二十四条の規定　公布の日〔平成三十年六月八日〕

三　第六条中児童扶養手当法第七条第三項の改正規定並びに附則第六条第二項及び第三項の規定　平成三十一年九月一日

（児童扶養手当に関する経過措置）

第六条　平成三十年十月以前の月分の児童扶養手当の支給の制限については、なお従前の例による。

2　第六条の規定による改正前の児童扶養手当法第七条第三項の規定に基づいて支払われた平成三十一年七月分の児童扶養手当は、第六条の規定による改正後の児童扶養手当法（次項において「新児童扶養手当法」という。）の規定による同月分の児童扶養手当とみなす。

3　平成三十一年八月分の児童扶養手当については、新児童扶養手当法第七条第三項（ただし書を除く。）の規定にかかわらず、同年十一月に支払うものとする。

（政令への委任）

第二十四条　この附則に規定するもののほか、この法律の施行に伴い必要な経過措置は、政令で定める。

附　則（第七三次改正）抄

この法律は、民法改正法〔民法の一部を改正する法律（平成二十九年法律第四十四号）〕の施行の日〔令和二年四月一日〕から施行する。ただし、〔中略〕第三百六十二条の規定は、公布の日〔平成二十九年六月二日〕から施行する。

注　第八・一四章は第七三次改正の本則中の条文

第八章　厚生労働省関係

（児童扶養手当法の一部改正に伴う経過措置）

第百九十一条　施行日前に前条の規定による改正前の児童扶養手当法第十九条に規定する時効の中断の事由が生じた場合におけるその事由の効力については、なお従前の例による。

第十四章　罰則に関する経過措置及び政令への委任

（政令への委任）

第三百六十二条　この法律に定めるもののほか、この法律の施行に伴い必要な経過措置は、政令で定める。

附　則（第七四次改正）抄

（施行期日）

第一条　この法律は、公布の日から起算して二年を超えない範囲内において政令で定める日〔令和二年四月一日〕から施行する。〔以下略〕

〔委任〕

「政令」＝平成三一年四月政令第一四五号「厚生年金保険制度及び農林漁業団体職員共済組合制度の統合を図るための農林漁業団体職員共済組合法等を廃止する等の法律の一部を改正する法律の施行期日を定める政令」

附　則（第七五次改正）抄

（施行期日）

第一条　この法律は、令和二年四月一日から施行する。ただし、次の各号に掲げる規定は、当該各号に定める日から施行する。

二　次に掲げる規定　令和三年一月一日

ハ　〔前略〕附則第百四十九条の規定

（政令への委任）

第百七十二条　この附則に規定するもののほか、この法律の施行に関し必要な経過措置は、政令で定める。

附　則（第七六次改正）抄

（施行期日）

第一条　この法律は、令和四年四月一日から施行する。ただし、次の各号に掲げる規定は、当該各号に定める日から施行する。

一 〔前略〕附則第九十七条の規定 公布の日〔令和二年六月五日〕

四 第十四条及び附則第十三条の規定 令和三年三月一日

（児童扶養手当法の一部改正に伴う経過措置）

第十三条 次の各号に掲げる者が、令和三年六月三十日までの間に児童扶養手当法第六条の規定による認定の請求をしたときは、その者に対する児童扶養手当の支給は、同法第七条第一項の規定にかかわらず、当該各号に定める月から始める。

一 令和三年三月一日において現に児童扶養手当法の規定による児童扶養手当の支給要件に該当している者（同日において当該支給要件に該当するに至った者を除く。）であって第十四条の規定による改正後の児童扶養手当法第十三条の二第二項第一号に規定する障害基礎年金等（次号において「障害基礎年金等」という。）を受けているもの 同月

二 令和三年三月一日から同年六月三十日までの間に児童扶養手当の支給要件に該当するに至った者であって障害基礎年金等を受けているもの その者が当該認定の請求に係る児童扶養手当の支給要件に該当するに至った日又は障害基礎年金等の受給権を有するに至った日のいずれか遅い日の属する月の翌月

2 前項第一号に掲げる者に対する児童扶養手当の支給に関し、児童扶養手当法第十三条の三の規定を適用する場合においては、同条第一項中「手当の支給要件に該当するに至つた日の属する月の初日」とあるのは、「令和三年三月一日」とする。

3 令和三年二月以前の月分の児童扶養手当の支給の制限については、なお従前の例による。

（政令への委任）

第九十七条 この附則に定めるもののほか、この法律の施行に伴い必要な経過措置（罰則に関する経過措置を含む。）は、政令で定める。

附 則（第七七次改正）抄

（施行期日）

第一条 この法律は、こども家庭庁設置法（令和四年法律第七十五号）の施行の日〔令和五年四月一日〕から施行する。ただし、附則第九条の規定は、この法律の公布の日〔令和四年六月二十二日〕から施行する。

（処分等に関する経過措置）

第二条 この法律の施行前にこの法律による改正前のそれぞれの法律（これに基づく命令を含む。以下この条及び次条において「旧法令」という。）の規定により従前の国の機関がした認定、指定その他の処分又は通知その他の行為は、法令に別段の定めがあるもののほか、この法律の施行後は、この法律による改正後のそれぞれの法律（これに基づく命令を含む。以下この条及び次条において「新法令」という。）の相当規定により相当の国の機関がした認定、指定その他の処分又は通知その他の行為とみなす。

2 この法律の施行の際現に旧法令の規定により従前の国の機関に対

してされている申請、届出その他の行為は、法令に別段の定めがあるもののほか、この法律の施行後は、新法令の相当規定により相当の国の機関に対してされた申請、届出その他の行為とみなす。

3　この法律の施行前に旧法令の規定により従前の国の機関に対して申請、届出その他の手続をしなければならない事項で、この法律の施行の日前に従前の国の機関に対してその手続がされていないものについては、法令に別段の定めがあるもののほか、この法律の施行後は、これを、新法令の相当規定により相当の国の機関に対してその手続がされていないものとみなして、新法令の規定を適用する。

（命令の効力に関する経過措置）

第三条　旧法令の規定により発せられた内閣府設置法第七条第三項の内閣府令又は国家行政組織法（昭和二十三年法律第百二十号）第十二条第一項の省令は、法令に別段の定めがあるもののほか、この法律の施行後は、新法令の相当規定に基づいて発せられた相当の内閣府設置法第七条第三項の内閣府令又は国家行政組織法第十二条第一項の省令としての効力を有するものとする。

（政令への委任）

第九条　附則第二条から第四条まで及び前条に定めるもののほか、この法律の施行に関し必要な経過措置（罰則に関する経過措置を含む。）は、政令で定める。

〔**参考1**〕

◉刑法等の一部を改正する法律の施行に伴う関係法律の整理等に関する法律（抄）

〔令和四年六月十七日
法律第六十八号〕

注　令和五年五月一七日法律第二八号「刑事訴訟法等の一部を改正する法律」附則第三六条により一部改正

第一編　関係法律の一部改正

第十一章　厚生労働省関係

（船員保険法等の一部改正）

第二百二十一条　次に掲げる法律の規定中「懲役」を「拘禁刑」に改める。

二十八　児童扶養手当法（昭和三十六年法律第二百三十八号）第三十五条

第二編　経過措置

第一章　通則

（罰則の適用等に関する経過措置）

第四百四十一条　刑法等の一部を改正する法律（令和四年法律第六十七号。以下「刑法等一部改正法」という。）及びこの法律（以下「刑法等一部改正法等」という。）の施行前にした行為の処罰については、次章に別段の定めがあるもののほか、なお従前の例による。

2　刑法等一部改正法等の施行後にした行為に対して、他の法律の規定によりなお従前の例によることとされ、なお効力を有することとされ又は改正前若しくは廃止前の法律の規定の例によることとされる罰則を適用する場合において、当該罰則に定める刑（刑法施行法第十九条第一項の規定又は第八十二条の規定による改正後の沖縄の復帰に伴う特別措置に関する法律第二十五条第四項の規定の適用後のものを含む。）に刑法等一部改正法第二条の規定による改正前の刑法（明治四十年法律第四十五号。以下この項において「旧刑法」という。）第十二条に規定する懲役（以下「懲役」という。）、旧刑法第十三条に規定する禁錮（以下「禁錮」という。）又は旧刑法第十六条に規定する拘留（以下「旧拘留」という。）が含まれるときは、当該刑のうち無期の懲役又は禁錮はそれぞれ無期拘禁刑と、有期の懲役又は禁錮はそれぞれその刑と長期及び短期（刑法施行法第二十条の規定の適用後のものを含む。）を同じくする有期拘禁刑と、旧拘留は長期及び短期（刑法施行法第二十条の規定の適用後のものを含む。）を同じくする拘留とする。

（裁判の効力とその執行に関する経過措置）

第四百四十二条　懲役、禁錮及び旧拘留の確定裁判の効力並びにその執行については、次章に別段の定めがあるもののほか、なお従前の例による。

第四章　その他

（経過措置の政令への委任）

第五百九条　この編に定めるもののほか、刑法等一部改正法等の施行に伴い必要な経過措置は、政令で定める。

附　則　抄

（施行期日）

1　この法律は、刑法等一部改正法施行日（令和七年六月一日）から施行する。ただし、次の各号に掲げる規定は、当該各号に定める日から施行する。

一　第五百九条の規定　公布の日

〔参考2〕

◉児童扶養手当法の一部を改正する法律（抄）

〔昭和六十年六月七日
法律第四十八号〕

注　平成二二年六月二日法律第四〇号「児童扶養手当法の一部を改正する法律」附則第六条により一部改正

児童扶養手当法（昭和三十六年法律第二百三十八号）の一部を次のように改正する。

第四条に次の二項を加える。

4　第一項の規定にかかわらず、同項第一号イ又は第二号イに該当する児童（同時に同項第一号ロからホまで又は第二号ロからホまでのいずれかに該当する児童を除く。）についての手当は、父母が婚姻を解消した日の属する年の前年（当該手当に係る第六条の認定の請求が当該婚姻を解消した日の属する年の一月一日から五月三十一日までの間に行われた場合にあつては、前々年。以下この項において同じ。）における当該児童の父又は母の所得が、その者の所得税法（昭和四十年法律第三十三号）に規定する扶養親族（当該児童を除く。）及び当該父又は母の同法に規定する扶養親族でない児童で当該父母が婚姻を解消した日の属する年の前年の十二月三十一日において生計を維持したものの有無及び数に応じて、政令で定める額以上であるときは、支給しない。ただし、父又は母が日本国内に住所を有しないこと、父又は母の所在が長期間明らかでないことその他の特別の事情により父、母又は養育者が父又は母に当該児童についての扶養義務の履行を求めることが困難であると認められるときは、この限りでない。

5　前項に規定する所得の範囲及びその額の計算方法は、政令で定める。

第二十九条第一項中「、当該児童」の下に「、第四条第一項第一号イ若しくは第二号イに該当する児童の父母」を加える。

第三十条中「当該児童若しくは受給資格者」を「当該児童、第四条第一項第一号イ若しくは第二号イに該当する児童の父若しくは母若しくは受給資格者」に改める。

附　則　抄

（施行期日等）

第一条　この法律は、昭和六十年八月一日から施行する。ただし、第四条に二項を加える改正規定、第二十九条第一項の改正規定（「、当該児童」の下に「、第四条第一項第一号イ若しくは第二号イに該当する児童の父母」を加える部分に限る。）及び第三十条の改正規定並びに次条の規定は、政令で定める日から施行する。

2　政府は、前項ただし書に規定する政令を定めるに当たつては、婚姻を解消した父母の児童に対する扶養義務の履行の状況、当該父又は母の所得の把握方法の状況等を勘案しなければならない。

（支給要件に関する経過措置）

第二条　この法律による改正後の児童扶養手当法（以下「新法」という。）第四条第四項の規定は、前条第一項ただし書に規定する政令で定める日以後に父母が婚姻（婚姻の届出をしていないが、事実上婚姻関係と同様の事情にある場合を含む。）を解消したことにより新法第四条第一項第一号イ又は第二号イに該当するに至つた児童についての児童扶養手当（以下「手当」という。）に関して適用する。

◉平成十五年度における国民年金法による年金の額等の改定の特例に関する法律（抄）

〔平成十五年三月三十一日
法律第十九号〕

1　平成十五年四月から平成十六年三月までの月分の次の表の上欄に掲げる額については、同表の下欄に掲げる規定（他の法令において、引用し、準用し、又はその例による場合を含む。）にかかわらず、平成十三年の年平均の物価指数（総務省において作成する全国消費者物価指数をいう。以下同じ。）に対する平成十四年の年平均の物価指数の比率を基準として改定する。

児童扶養手当法（昭和三十六年法律第二百三十八号）による児童扶養手当の額	児童扶養手当法第五条の二
特別児童扶養手当等の支給に関する法律（昭和三十九年法律第百三十四号）による特別児童扶養手当の額	特別児童扶養手当等の支給に関する法律第十六条において準用する児童扶養手当法第五条の二
特別児童扶養手当等の支給に関する法律による障害児福祉手当の額	特別児童扶養手当等の支給に関する法律第二十六条において準用する同法第十六条において準用する児童扶養手当法第五条の二
特別児童扶養手当等の支給に関する法律による特別障害者手当の額	特別児童扶養手当等の支給に関する法律第二十六条の五において準用する同法第十六条において準用する児童扶養手当法第五条の二
昭和六十年国民年金等改正法附則第九十七条第一項の規定による福祉手当の額	昭和六十年国民年金等改正法附則第九十七条第二項において準用する児童扶養手当法第五条の二

2　前項の規定による額の改定の措置は、政令で定める。

〔委任〕

「政令」＝平成一五年三月政令第一六〇号「平成十五年度における国民年金法による年金の額等の改定の特例に関する法律に基づく厚生労働省関係法令による年金等の額の改定等に関する政令」

附　則

（施行期日）

第一条　この法律は、平成十五年四月一日から施行する。

（児童扶養手当の額に関する経過措置）

第二条　平成十五年四月から同年九月までの月分の児童扶養手当法による児童扶養手当の額については、第一項中「平成十三年の年平均の物価指数（総務省において作成する全国消費者物価指数をいう。以下同じ。）に対する平成十四年の年平均の物価指数の比率を基準として改定する」とあるのは、「これらの規定による平成十年の年平均の物価指数（従前の総務庁において作成した全国消費者物価指数をいう。）に対する平成十四年の年平均の物価指数（総務省において作成する全国消費者物価指数をいう。）の比率を基準とする改定は、行わない」とする。

（検討）

第三条　政府は、平成十五年以降において初めて行われる国民年金法による財政再計算（同法第八十七条第三項に規定する再計算をいう。）において、第一項の表の上欄に掲げる額に係る同表の下欄に掲げる規定による額の改定の措置を、平成十五年度においてこの法律に基づき行わなかったことによる財政に生ずる影響を考慮して、当該額の見直しその他の措置及び当該規定の見直しについて検討を行い、その結果に基づいて所要の措置を講ずるものとする。

◉児童扶養手当法による児童扶養手当の額等の改定の特例に関する法律（抄）

〔平成十七年三月三十日　法律第九号〕

最終改正　平成二四年一一月二六日法律第九九号

1　平成二十五年十月から平成二十七年三月までの月分の次の表の上欄に掲げる手当については、同表の下欄に掲げる規定により計算した額がそれぞれの手当につき次項の規定により読み替えられた同項の表の上欄に掲げる規定により計算した額に満たない場合は、次の表の下欄に掲げる規定（他の法令において引用する場合を含む。）にかかわらず、当該額をこれらの手当の額とする。

児童扶養手当法（昭和三十六年法律第二百三十八号）による児童扶養手当	児童扶養手当法第五条の二
特別児童扶養手当等の支給に関する法律（昭和三十九年法律第百三十四号）による特別児童扶養手当	特別児童扶養手当等の支給に関する法律第十六条において準用する児童扶養手当法第五条の二
特別児童扶養手当等の支給に関する法律による障害児福祉手当	特別児童扶養手当等の支給に関する法律第二十六条において準用する同法第十六条において準用する児童扶養手

	当法第五条の二
特別児童扶養手当等の支給に関する法律による特別障害者手当	特別児童扶養手当等の支給に関する法律第二十六条の五において準用する同法第十六条において準用する児童扶養手当法第五条の二
国民年金法等の一部を改正する法律（昭和六十年法律第三十四号。以下「昭和六十年国民年金等改正法」という。）附則第九十七条第一項の規定による福祉手当	昭和六十年国民年金等改正法附則第九十七条第二項において準用する児童扶養手当法第五条の二

2　前項の場合においては、次の表の上欄に掲げる規定中同表の中欄に掲げる字句は、それぞれ同表の下欄に掲げる字句に読み替えるものとする。

児童扶養手当法第五条第一項	四万千百円	四万千四百三十円（四万千四百三十円（この項の規定による額の改定が行われたときは、当該改定後の額とする。以下同じ。）に物価変動率（当該年度の初日の属する年の前々年の物価指数（総務省において作成する年平均の全国消費者物価指数をいう。以下同じ。）に対する当該年度の初日の属する年の前年の物価指数の比率をいう。）及び〇・九九三を乗じて得た額を基準として政令で定める額が四万千四百三十円を下回る場合においては、平成二十五年十月（当該年度が平成二十六年度である場合にあっては、平成二十六年四月）以降、当該政令で定める額）

特別児童扶養手当等の支給に関する法律第四条	三万三千三百円	三万三千五百七十円（三万三千五百七十円（この条の規定による額の改定が行われたときは、当該改定後の額とする。以下同じ。）に物価変動率（当該年度の初日の属する年の前々年の物価指数（総務省において作成する年平均の全国消費者物価指数をいう。以下同じ。）に対する当該年度の初日の属する年の前年の物価指数の比率をいう。以下同じ。）及び〇・九九三を乗じて得た額を基準として政令で定める額が三万三千五百七十円を下回る場合においては、平成二十五年十月（当該年度が平成二十六年度である場合にあっては、平成二十六年四月）以降、当該政令で定める額）
	五万円	五万四百円（五万四百円（この条の規定による額の改定が行われたときは、当該改定後の額とする。以下同じ。）に物価変動率及び〇・九九三を乗じて得た額を基準として政令で定める額が五万四百円を下回る場合においては、平成二十五年十月（当該年度が平成二十六年度である場合にあっては、平成二十六年四月）以降、当該政令で定める額）
特別児童扶養手当等の支給に関する法律第十八条	一万四千百七十円	一万四千二百八十円（一万四千二百八十円（この条の規定による額の改定が行われたときは、当該改定後の額とする。以下同じ。）に物価変動率及び〇・九九三を乗じて得た額を基準として政令で定める

		額が一万四千二百八十円を下回る場合においては、平成二十五年十月（当該年度が平成二十六年度である場合にあつては、平成二十六年四月）以降、当該政令で定める額）
特別児童扶養手当等の支給に関する法律第二十六条の三	二万六千五百十円	二万六千二百六十円（二万六千二百六十円（この条の規定による額の改定が行われたときは、当該改定後の額とする。以下同じ。）に物価変動率及び〇・九九三を乗じて得た額を基準として政令で定める額が二万六千二百六十円を下回る場合においては、平成二十五年十月（当該年度が平成二十六年度である場合にあつては、平成二十六年四月）以降、当該政令で定める額）
昭和六十年国民年金等改正法附則第九十七条第二項において準用する特別児童扶養手当等の支給に関する法律第二十八条	一万四千百七十円	一万四千二百八十円（一万四千二百八十円（この条の規定による額の改定が行われたときは、当該改定後の額とする。以下同じ。）に物価変動率（当該年度の初日の属する年の前々年の物価指数（総務省において作成する年平均の全国消費者物価指数をいう。以下同じ。）に対する当該年度の初日の属する年の前年の物価指数の比率をいう。）及び〇・九九三を乗じて得た額を基準として政令で定める額が一万四千二百八十円を下回る場合においては、平成二十五年十月（当該年度が平成二十六年度である場合にあつては、平成二十六年四月）以降、当該政令で定める額）

〔委任〕

「政令」＝平成一八年三月政令第一一一号「児童扶養手当法による児童扶養手当の額等の改定の特例に関する法律第二項の規定に基づき児童扶養手当等の改定額を定める政令」

附　則

この法律は、平成十七年四月一日から施行する。

附　則（平成二四年一一月法律第九九号）抄

（施行期日）

第一条　この法律は、公布の日又は財政運営に必要な財源の確保を図るための公債の発行の特例に関する法律（平成二十四年法律第百一号）の施行の日のいずれか遅い日から施行する。ただし、次の各号に掲げる規定は、当該各号に定める日から施行する。

二　〔前略〕第六条の規定並びに次条から附則第六条までの規定　平成二十五年十月一日

（児童扶養手当法等による児童扶養手当等に関する経過措置）

第六条　平成二十五年十月前の月分の児童扶養手当法（昭和三十六年法律第二百三十八号）による児童扶養手当、特別児童扶養手当等の支給に関する法律（昭和三十九年法律第百三十四号）による特別児童扶養手当、障害児福祉手当及び特別障害者手当、昭和六十年改正法附則第九十七条第一項の規定による福祉手当並びに原子爆弾被爆者に対する援護に関する法律（平成六年法律第百十七号）による医療特別手当、特別手当、原子爆弾小頭症手当、健康管理手当及び保健手当については、なお従前の例による。

〔政　令〕

◉児童扶養手当法施行令

〔昭和三十六年十二月七日
政令　第四百　五　号〕

（総理・厚生大臣署名）

〔一部改正経過〕

第一次　〔昭和三七年九月二九日政令第三九一号「行政不服審査法及び行政不服審査法の施行に伴う関係法律の整理等に関する法律の施行に伴う関係政令の整理に関する政令」第三九条による改正〕
第二次　〔昭和三八年七月三〇日政令第二八一号「児童扶養手当法施行令の一部を改正する政令」による改正〕
第三次　〔昭和三九年七月二七日政令第二六〇号「児童扶養手当法施行令の一部を改正する政令」による改正〕
第四次　〔昭和四一年七月一五日政令第二四九号「児童扶養手当法施行令の一部を改正する政令」による改正〕
第五次　〔昭和四二年八月八日政令第二四三号「児童扶養手当法施行令の一部を改正する政令」による改正〕
第六次　〔昭和四二年八月一七日政令第二五八号「公立学校の学校医、学校歯科医及び学校薬剤師の公務災害補償の基準を定める政令の一部を改正する政令」附則第一二条による改正〕
第七次　〔昭和四三年七月四日政令第二二九号「児童扶養手当法施行令及び特別児童扶養手当法施行令の一部を改正する政令」第一条による改正〕
第八次　〔昭和四四年八月二五日政令第二三〇号「児童扶養手当法施行令の一部を改正する政令」による改正〕
第九次　〔昭和四四年一二月一〇日政令第二八四号「児童扶養手当法施行令及び特別児童扶養手当法施行令の一部を改正する政令」第一条による改正〕
第一〇次　〔昭和四五年六月四日政令第一七〇号「児童扶養手当法施行令及び特別児童扶養手当法施行令の一部を改正する政令」第一条による改正〕
第一一次　〔昭和四六年四月五日政令第一一七号「児童扶養手当法施行令の一部を改正する政令」による改正〕
第一二次　〔昭和四六年九月一七日政令第二九三号「児童扶養手当法施行令の一部を改正する政令」による改正〕
第一三次　〔昭和四七年六月二六日政令第二三八号「児童扶養手当法施行令及び特別児童扶養手当法施行令の一部を改正する政令」第一条による改正〕
第一四次　〔昭和四八年四月二八日政令第一二〇号「児童扶養手当法施行令の一部を改正する政令」による改正〕
第一五次　〔昭和四九年四月三〇日政令第一四六号「児童扶養手当法施行令の一部を改正する政令」による改正〕
第一六次　〔昭和五〇年四月三〇日政令第一四二号「児童扶養手当法施行令の一部を改正する政令」による改正〕
第一七次　〔昭和五〇年九月三〇日政令第二九〇号「特別児童扶養手当等の支給に関する法律等の一部を改正する法律の施行に伴う関係政令の整理に関する政令」第二条による改正〕
第一八次　〔昭和五一年四月三〇日政令第七六号「児童扶養手当法施行令及び特別児童扶養手当等の支給に関する法律施行令の一部を改正する政令」第一条による改正〕
第一九次　〔昭和五二年四月二六日政令第一一四号「児童扶養手当法施行令及び特別児童扶養手当等の支給に関する法律施行令の一部を改正する政令」第一条による改正〕
第二〇次　〔昭和五三年六月三〇日政令第二六六号「児童扶養手当法施行令等の一部を改正する政令」第一条（昭和五四年五月政令第一五五号第三条により一部改正）による改正〕
第二一次　〔昭和五四年五月二九日政令第一五五号「児童扶養手当法施行令等の一部を改正する政令」第一条による改正〕
第二二次　〔昭和五五年七月二九日政令第一九九号「国民年金法施行令等の一部を改正する政令」第二条による改正〕
第二三次　〔昭和五六年七月三〇日政令第二六二号「国民年金法施行令等の一部を改正する政令」第二条による改正〕
第二四次　〔昭和六〇年七月一九日政令第二三六号「児童扶養手当法施行令の一部を改正する政令」による改正〕
第二五次　〔昭和六一年四月三〇日政令第一三三号「児童扶養手当法施行令の一部を改正する政令」による改正〕
第二六次　〔昭和六一年五月八日政令第一五〇号「結核予防法施行令等の一部を改正する政令」第二条による改正〕
第二七次　〔昭和六一年七月二二日政令第二六一号「児童扶養手当法施行令及び特別児童扶養手当等の支給に関する法律施行令の一部を改正する政令」第一条による改正〕
第二八次　〔昭和六二年五月二九日政令第一八三号「国民年金法施行令等の一部を改正する政令」第三条による改正〕
第二九次　〔昭和六三年五月二四日政令第一六〇号「児童扶養手当法施行令の一部を改正する政令」による改正〕
第三〇次　〔昭和六三年五月三一日政令第一七三号「児童扶養手当法施行令等の一部を改正する政令」第一条による改正〕
第三一次　〔平成元年五月三一日政令第一六二号「国民年金法施行令等の一部を改正する政令」第三条による改正〕
第三二次　〔平成元年一二月二二日政令第三三八号「児童扶養手当法施行令の一部を改正する政令」による改正〕
第三三次　〔平成二年三月二〇日政令第四一号「児童扶養手当法施行令の一部を改正する政令」による改正〕
第三四次　〔平成二年七月二〇日政令第二一九号「児童扶養手当法施行令及び特別児童扶養手当等の支給に関する法律施行令の一部を改正する政令」第一条による改正〕
第三五次　〔平成三年三月二九日政令第六二号「児童扶養手当法施行令の一部を改正する政令」による改正〕

第三六次　平成三年六月七日政令第二〇〇号「国民年金法施行令等の一部を改正する政令」第三条による改正

第三七次　平成四年三月二一日政令第三九号「児童扶養手当法施行令の一部を改正する政令」による改正

第三八次　平成四年六月一二日政令第一九五号「国民年金法施行令等の一部を改正する政令」第三条による改正

第三九次　平成五年三月二四日政令第五一号「児童扶養手当法施行令の一部を改正する政令」による改正

第四〇次　平成五年六月一六日政令第一九二号「国民年金法施行令等の一部を改正する政令」第三条による改正

第四一次　平成六年三月一八日政令第五四号「児童扶養手当法施行令の一部を改正する政令」による改正

第四二次　平成六年七月一五日政令第二三五号「国民年金法施行令等の一部を改正する政令」第三条による改正

第四三次　平成六年一一月九日政令第三四七号「国民年金法施行令等の一部を改正する等の政令」第一〇条による改正

第四四次　平成七年三月一七日政令第五九号「児童扶養手当法施行令の一部を改正する政令」による改正

第四五次　平成七年六月三〇日政令第二七六号「国民年金法施行令等の一部を改正する政令」第三条による改正

第四六次　平成八年七月一四日政令第二二六号「国民年金法施行令等の一部を改正する政令」第三条による改正

第四七次　平成九年七月二日政令第二二九号「国民年金法施行令等の一部を改正する政令」第三条による改正

第四八次　平成一〇年三月一八日政令第四二号「児童扶養手当法施行令等の一部を改正する政令」第一条による改正

第四九次　平成一〇年六月二四日政令第二二四号「児童扶養手当法施行令及び母子及び寡婦福祉法施行令の一部を改正する政令」第一条による改正

第五〇次　平成一一年三月一九日政令第四六号「児童扶養手当法施行令等の一部を改正する政令」第一条による改正

第五一次　平成一一年五月二八日政令第一六二号「国民年金法施行令等の一部を改正する政令」第三条による改正

第五二次　平成一二年六月七日政令第三〇九号「中央省庁等改革のための厚生労働省関係政令等の整備に関する政令」第六六・一一九条による改正

第五三次　平成一三年七月四日政令第二三四号「国民年金法施行令等の一部を改正する政令」第三条による改正

第五四次　平成一一年一二月八日政令第三九三号「地方分権の推進を図るための関係法律の整備等に関する法律の施行に伴う厚生省関係政令の整備等に関する政令」第四八・六九条による改正

第五五次　平成一四年五月二四日政令第一八二号「国民年金法施行令等の一部を改正する政令」第三条による改正

第五六次　平成一四年六月一二日政令第二〇七号「児童扶養手当法施行令及び母子及び寡婦福祉法施行令の一部を改正する政令」第一条による改正

第五七次　平成一四年一二月一八日政令第三八五号「日本郵政公社法及び日本郵政公社法施行法の施行に伴う関係政令の整備等に関する政令」第七九条による改正

第五八次　平成一五年三月三一日政令第一五〇号「母子及び寡婦福祉法等の一部を改正する法律の施行に伴う関係政令の整備に関する政令」第二条による改正

第五九次　平成一七年三月三〇日政令第九〇号「児童扶養手当法施行令等の一部を改正する政令」第一条による改正

第六〇次　平成一七年六月一日政令第一九七号「健康保険法施行令等の一部を改正する政令」第三条による改正

第六一次　平成一八年三月三〇日政令第一一二号「児童扶養手当法施行令等の一部を改正する政令」第一条による改正

第六二次　平成一八年三月三一日政令第一二四号「租税条約の実施に伴う所得税法、法人税法及び地方税法の特例等に関する法律施行令の一部を改正する政令」附則第五条による改正

第六三次　平成一九年四月一日政令第一五四号「児童扶養手当法施行令等の一部を改正する政令」第一条による改正

第六四次　平成一九年八月三日政令第二三五号「郵政民営化法等の施行に伴う関係政令の整備等に関する政令」第四四条による改正

第六五次　平成二〇年二月八日政令第二三号「児童扶養手当法施行令の一部を改正する政令」による改正

第六六次　平成二一年三月三一日政令第八九号「児童扶養手当法施行令等の一部を改正する政令」第一条による改正

第六七次　平成二二年四月一日政令第一〇四号「児童扶養手当法施行令等の一部を改正する政令」第一条による改正

第六八次　平成二二年三月三一日政令第五七号「租税条約の実施に伴う所得税法、法人税法及び地方税法の特例等に関する法律施行令の一部を改正する政令」附則第三条による改正

第六九次　平成二二年六月二日政令第一四四号「児童扶養手当法施行令及び非常勤消防団員等に係る損害補償の基準を定める政令の一部を改正する政令」第一条による改正

第七〇次　平成二三年三月三一日政令第八〇号「児童扶養手当法施行令等の一部を改正する政令」第一条による改正

第七一次　平成二四年三月三〇日政令第九四号「児童扶養手当法施行令等の一部を改正する政令」第一条による改正

第七二次　平成二三年一二月二八日政令第四三〇号「国民健康保険法施行令等の一部を改正する政令」第一条による改正

第七三次　平成二四年七月二〇日政令第一九八号「児童扶養手当法施行令の一部を改正する政令」による改正

第七四次　平成二五年一二月二六日政令第三五八号「配偶者からの暴力の防止及び被害者の保護に関する法律の一部を改正する法律の施行に伴う関係政令の整備に関する政令」第一条による改正

第七五次　平成二六年三月三一日政令第一一三号「児童扶養手当法施行令等の一部を改正する政令」第一条による改正

第七六次　平成二六年九月二五日政令第三一三号「次代の社会を担う子どもの健全な育成を図るための次世代育成支援対策推進法等の一部を改正する法律の一部の施行に伴う関係政令の整備に関する政令」第二・三条による改正

第七七次　平成二七年三月三一日政令第一三七号「児童扶養手当法施行令等の一部を改正する政令」第一条による改正

第七八次　〔平成二七年一二月一八日政令第四三三号「児童扶養手当法施行令の一部を改正する政令」による改正〕
第七九次　〔平成二八年三月三一日政令第一七五号「児童扶養手当法施行令等の一部を改正する政令」第一条による改正〕
第八〇次　〔平成二八年七月一日政令第二五六号「児童扶養手当法施行令の一部を改正する政令」による改正〕
第八一次　〔平成二八年五月二五日政令第二二六号「外国人等の国際運輸業に係る所得に対する相互主義による所得税等の非課税に関する法律施行令等の一部を改正する政令」附則第一一条による改正〕
第八二次　〔平成二九年三月三一日政令第九六号「児童扶養手当法施行令等の一部を改正する政令」第一条による改正〕
第八三次　〔平成二九年一一月二九日政令第二九四号「国民年金法施行令等の一部を改正する政令」第二条による改正〕
第八四次　〔平成三〇年三月三〇日政令第一〇八号「児童扶養手当法施行令等の一部を改正する政令」第一条による改正〕
第八五次　〔平成三〇年七月二七日政令第二三二号「児童扶養手当法施行令等の一部を改正する政令」第一条による改正〕
第八六次　〔平成三一年二月八日政令第二一号「生活困窮者自立支援法施行令及び国民年金法施行令等の一部を改正する政令の一部を改正する政令」第二条による改正〕
第八七次　〔平成三一年三月二九日政令第一一六号「児童扶養手当法施行令等の一部を改正する政令」第一条による改正〕
第八八次　〔令和二年三月三〇日政令第九六号「児童扶養手当法施行令等の一部を改正する政令」第一条による改正〕
第八九次　〔令和二年三月三〇日政令第一〇一号「国民年金法施行令等の一部を改正する政令」附則第九条による改正〕
第九〇次　〔令和二年七月八日政令第二一九号「雇用保険法等の一部を改正する法律の一部の施行に伴う関係政令の整備に関する政令」第六条による改正〕
第九一次　〔令和二年九月四日政令第二七〇号「国民健康保険法施行令等の一部を改正する政令」第四条による改正〕
第九二次　〔令和二年一二月二四日政令第三八一号「健康保険法施行令等の一部を改正する政令」第三条による改正〕
第九三次　〔令和二年一〇月三〇日政令第三一八号「年金制度の機能強化のための国民年金法等の一部を改正する法律の一部の施行に伴う関係政令の整備に関する政令」第一条による改正〕
第九四次　〔令和三年一二月二四日政令第三四八号「児童扶養手当法施行令及び特別児童扶養手当等の支給に関する法律施行令の一部を改正する政令」第一条による改正〕
第九五次　〔令和四年三月二五日政令第一〇九号「児童扶養手当法施行令等の一部を改正する政令」第一条による改正〕
第九六次　〔令和五年三月三〇日政令第一一三号「児童扶養手当法施行令等の一部を改正する政令」第一条による改正〕
第九七次　〔令和五年三月三〇日政令第一二六号「こども家庭庁設置法及びこども家庭庁設置法の施行に伴う関係法律の整備に関する法律の施行に伴う関係政令の整備等に関する政令」第五・六条による改正〕

児童扶養手当法施行令

内閣は、児童扶養手当法（昭和三十六年法律第二百三十八号）第四条第一項第五号及び第二項第四号、第九条第二項、第十三条第一項、第二十条並びに第三十四条の規定に基づき、この政令を制定する。

（法第三条第一項及び第四条第一項第一号ハの政令で定める程度の障害の状態）

第一条　児童扶養手当法（以下「法」という。）第三条第一項に規定する政令で定める程度の障害の状態は、別表第一に定めるとおりとする。

2　法第四条第一項第一号ハに規定する政令で定める程度の障害の状態は、別表第二に定めるとおりとする。

〔改正〕

追加（第二四次改正）、一部改正（第六九次改正）

（法第四条第一項第一号ホの政令で定める児童）

第一条の二　法第四条第一項第一号ホに規定する政令で定める児童は、次の各号のいずれかに該当する児童とする。

一　父（母が児童を懐胎した当時婚姻の届出をしていないが、その母と事実上婚姻関係と同様の事情にあつた者を含む。以下同じ。）が引き続き一年以上遺棄している児童

二　父が配偶者からの暴力の防止及び被害者の保護等に関する法律（平成十三年法律第三十一号）第十条第一項の規定による命令（母の申立てにより発せられたものに限る。）を受けた児童

三　父が法令により引き続き一年以上拘禁されている児童

四　母が婚姻（婚姻の届出をしていないが事実上婚姻関係と同様の

事情にある場合を含む。以下同じ。）によらないで懐胎した児童

五　前号に該当するかどうかが明らかでない児童

〔改正〕

一部改正（第二・二四・四九・六九・七三・七四次改正）、旧第一条を本条に繰下（第二四次改正）

（法第四条第一項第二号ホの政令で定める児童）

第二条　法第四条第一項第二号ホに規定する政令で定める児童は、次の各号のいずれかに該当する児童とする。

一　母が引き続き一年以上遺棄している児童

二　母が配偶者からの暴力の防止及び被害者の保護等に関する法律第十条第一項の規定による命令（父の申立てにより発せられたものに限る。）を受けた児童

三　母が法令により引き続き一年以上拘禁されている児童

四　母が婚姻によらないで懐胎した児童

五　前号に該当するかどうかが明らかでない児童

〔改正〕

旧第一条の三として追加（第六九次改正）、一部改正（第七三・七四次改正）、旧第二条を削り、本条に繰下（第七六次改正）

（手当額の改定）

第二条の二　令和五年四月以降の月分の児童扶養手当（以下「手当」という。）については、法第五条第一項中「四万千百円」とあるのは、「四万四千百四十円」と読み替えて、法の規定（他の法令において引用する場合を含む。）を適用する。

2　令和五年四月以降の月分の手当については、法第五条第二項第一号中「一万円」とあるのは、「一万四百二十円」と読み替えて、法の規定を適用する。

3　令和五年四月以降の月分の手当については、法第五条第二項第二号中「六千円」とあるのは、「六千二百五十円」と読み替えて、法の規定を適用する。

〔改正〕

追加（第四四次改正）、一部改正（第四八・五〇・五九・六一・六三・六六・六七・七〇・七一・七五・七七・七九・八二・八四・八七・八八・九五・九六次改正）

（法第九条第一項の政令で定める児童）

第二条の三　法第九条第一項に規定する政令で定める児童は、次の各号のいずれかに該当する児童とする。

一　母がなく、かつ、父が法令により引き続き一年以上拘禁されている児童

二　母が婚姻によらないで懐胎した児童であつて、母が死亡したもの又は母の生死が明らかでないもの

三　父がなく、かつ、母が法令により引き続き一年以上拘禁されている児童

四　父母が法令により引き続き一年以上拘禁されている児童

五　母が婚姻によらないで懐胎した児童に該当するかどうかが明らかでない児童

〔改正〕

旧第二条の二として追加（第二四次改正）、一部改正（第五八・六九次改正）、旧第二条の三に繰下（第三三次改正）、旧第二条の二を削り、旧第二条の二に繰上（第四三次改正）、本条に繰下（第四四次改正）

（法第九条から第十条までの政令で定める額等）

第二条の四　法第九条第一項に規定する政令で定める額は、同項に規

定する扶養親族等及び児童がないときは、四十九万円とし、扶養親族等又は児童があるときは、当該扶養親族等又は児童の数に応じて、それぞれ次の表の下欄に定めるとおりとする。

扶養親族等又は児童の数	金額
一人	八七〇、〇〇〇円（当該扶養親族等が所得税法（昭和四十年法律第三十三号）に規定する同一生計配偶者（七十歳以上の者に限る。以下この条において同じ。）又は老人扶養親族であるときは、九七〇、〇〇〇円とし、当該扶養親族等が特定扶養親族等（同法に規定する特定扶養親族又は控除対象扶養親族（十九歳未満の者に限る。）をいう。以下同じ。）であるときは、一、二〇〇、〇〇〇円とする。）
二人以上	八七〇、〇〇〇円に扶養親族等又は児童のうち一人を除いた扶養親族等又は児童一人につき三八〇、〇〇〇円を加算した額（所得税法に規定する同一生計配偶者又は老人扶養親族があるときは、当該同一生計配偶者又は老人扶養親族一人につき一〇〇、〇〇〇円を、特定扶養親族等があるときは、当該特定扶養親族等一人につき一五〇、〇〇〇円をその額に加算した額）

2　法第九条第一項の規定による手当の支給の制限は、同項に規定する所得が次の表の第一欄に定める区分に応じて同表の第二欄に定める額未満であるときは同表の第三欄に定める法第五条第二項に規定する監護等児童の数に応じて手当のうち同表の第四欄に定める額に相当する部分について、当該所得が同表の第一欄に定める区分に応じて同表の第二欄に定める額以上であるときは手当の全部につい

て、行うものとする。

第一欄	第二欄	第三欄	第四欄
法第九条第一項に規定する扶養親族等及び児童がないとき	一、九二〇、〇〇〇円	一人	基本額一部支給停止額
		二人	基本額一部支給停止額に第一加算額一部支給停止額を加えて得た額
		三人以上	基本額一部支給停止額、第一加算額一部支給停止額及び第二加算額一部支給停止額に法第五条第二項第二号に規定する第二加算額対象監護等児童の数を乗じて得た額を合算して得た額
法第九条第一項に規定する扶養親族等又は児童があるとき	一、九二〇、〇〇〇円に当該扶養親族等又は児童一人につき三八〇、〇〇〇円を加算した額（所得税法に規定する同一生計配偶者又は老人扶養親族があるときは、当該同一生計配偶者又は老人扶養親族一人につき一〇〇、〇〇〇円を、特定扶養	一人	基本額一部支給停止額
		二人	基本額一部支給停止額に第一加算額一部支給停止額を加えて得た額
		三人以上	基本額一部支給停止額、第一加

	親族等があるときは、当該特定扶養親族等一人につき一五〇、〇〇〇円をその額に加算した額）		算額一部支給停止額及び第二加算額一部支給停止額に法第五条第二項第二号に規定する第二加算額対象監護等児童の数を乗じて得た額を合算して得た額

3　前項の基本額一部支給停止額は、法第九条第一項に規定する所得の額から四九〇、〇〇〇円（同項に規定する扶養親族等又は児童があるときは、四九〇、〇〇〇円に当該扶養親族等又は児童一人につき三八〇、〇〇〇円を加算した額（所得税法に規定する同一生計配偶者又は老人扶養親族があるときは、当該同一生計配偶者又は老人扶養親族一人につき一〇〇、〇〇〇円を、特定扶養親族等があるときは、当該特定扶養親族等一人につき一五〇、〇〇〇円をその額に加算した額）とする。次項及び第五項において同じ。）を控除して得た額に〇・〇二三五八〇四を乗じて得た額（その額に、五円未満の端数があるときはこれを切り捨てるものとし、五円以上十円未満の端数があるときはこれを十円に切り上げるものとする。）に十円を加えて得た額とする。

4　第二項の第一加算額一部支給停止額は、法第九条第一項に規定する所得の額から四九〇、〇〇〇円を控除して得た額に〇・〇〇三六三六四を乗じて得た額（その額に、五円未満の端数があるときはこれを切り捨てるものとし、五円以上十円未満の端数があるときはこれを十円に切り上げるものとする。）に十円を加えて得た額とする。

5　第二項の第二加算額一部支給停止額は、法第九条第一項に規定する所得の額から四九〇、〇〇〇円を控除して得た額に〇・〇〇二一七四八を乗じて得た額（その額に、五円未満の端数があるときはこれを切り捨てるものとし、五円以上十円未満の端数があるときはこれを十円に切り上げるものとする。）に十円を加えて得た額とする。

6　法第九条第二項の規定により受給資格者が支払を受けたものとみなす費用の金額は、当該受給資格者が母である場合にあつては、その監護する児童が父から支払を受けた当該児童の養育に必要な費用の金額の百分の八十に相当する金額（一円未満の端数があるときは、これを四捨五入して得た金額）とし、当該受給資格者が父である場合にあつては、その監護し、かつ、これと生計を同じくする児童が母から支払を受けた当該児童の養育に必要な費用の金額の百分の八十に相当する金額（一円未満の端数があるときは、これを四捨五入して得た金額）とする。

7　法第九条の二に規定する政令で定める額は、同条に規定する扶養親族等及び児童がないときは、二百三十六万円とし、扶養親族等又は児童があるときは、当該扶養親族等又は児童の数に応じて、それぞれ次の表の下欄に定めるとおりとする。

扶養親族等又は児童の数	金額
一人	二、七四〇、〇〇〇円
二人以上	二、七四〇、〇〇〇円に扶養親族等又は児童のうち一人を除いた扶養親族等又は児童一人につき三八〇、〇〇〇円を加算した額（所得税法に規定する老人扶養親族があるときは、その額に当該老人扶養親族一人につき（当該老人扶養親族のほかに扶養親族等がないときは、当該老人扶養親族のうち一人を除いた老人扶養親族一人につき）六〇、〇〇〇円を加算した額）

8　法第十条に規定する政令で定める額は、同条に規定する扶養親族等がないときは、二百三十六万円とし、扶養親族等があるときは、当該扶養親族等の数に応じて、それぞれ次の表の下欄に定めるとおりとする。

扶養親族等の数	金額
一人	二、七四〇、〇〇〇円
二人以上	二、七四〇、〇〇〇円に扶養親族等のうち一人を除いた扶養親族等一人につき三八〇、〇〇〇円を加算した額（所得税法に規定する老人扶養親族があるときは、その額に当該老人扶養親族一人につき（当該老人扶養親族のほかに扶養親族等がないときは、当該老人扶養親族のうち一人を除いた老人扶養親族一人につき）六〇、〇〇〇円を加算した額）

〔改正〕　旧第二条の二の全部改正（第一三次改正）、一部改正（第一四～一六・一八～二五・二七～五〇・五六・五八・五九・六一・六三・六六・六七・六九～七二・七五・七七・七九・八〇・八二～八五・八七・八八・九五・九六次改正）、旧第二条の三に繰下（第二四次改正）、旧第二条の四に繰下（第三三次改正）、旧第二条の三に繰上（第四三次改正）、本条に繰下（第四四次改正）

（手当の支給を制限する場合の所得の範囲）

第三条　法第九条から第十一条までに規定する所得は、前年の所得のうち、地方税法（昭和二十五年法律第二百二十六号）第四条第二項第一号に掲げる道府県民税（都が同法第一条第二項の規定によつて課する同法第四条第二項第一号に掲げる税を含む。以下同じ。）についての同法その他の道府県民税に関する法令の規定による非課税所得以外の所得（母子及び父子並びに寡婦福祉法施行令（昭和三十九年政令第二百二十四号）第二十九条第一項に規定する母子家庭高等職業訓練修了支援給付金及び同令第三十一条の九第一項に規定する父子家庭高等職業訓練修了支援給付金（次条第一項において「母子家庭高等職業訓練修了支援給付金等」という。）に係るものを除く。）とする。ただし、法第九条第一項に規定する受給資格者が母である場合にあつては、当該母がその監護する児童の父から当該児童の養育に必要な費用の支払として受ける金品その他の経済的な利益（当該児童の世話その他の役務の提供を内容とするものを除く。以下この項及び次条第一項において同じ。）に係る所得を含むものとし、法第九条第一項に規定する受給資格者が父である場合にあつては、当該父がその監護し、かつ、これと生計を同じくする児童の母から当該児童の養育に必要な費用の支払として受ける金品その他の経済的な利益に係る所得を含むものとする。

2　法第十二条第二項各号に規定する所得は、同条第一項の損害を受けた年の所得のうち、前項に規定する範囲の所得とする。

〔改正〕

全部改正（第二次改正）、一部改正（第三・四・五六・五八・六九・七六次改正）

（手当の支給を制限する場合の所得の額の計算方法）

第四条　法第九条第一項及び第九条の二から第十一条までに規定する所得の額は、その年の四月一日の属する年度（以下「当該年度」という。）分の道府県民税に係る地方税法第三十二条第一項に規定する総所得金額（母子家庭高等職業訓練修了支援給付金等に係るものを除き、所得税法第二十八条第一項に規定する給与所得又は同法第三十五条第三項に規定する公的年金等に係る所得を有する場合には、同法第二十八条第二項の規定により計算した金額及び同法第三十五条第二項第一号の規定により計算した金額の合計額から十万円を控除して得た金額（当該金額が零を下回る場合には、零とする。）と同項第二号の規定により計算した金額とを合算した額を当該給与所得の金額及び同条第一項に規定する雑所得の金額の合計額として計算するものとする。）、退職所得金額及び山林所得金額、地方税法附則第三十三条の三第一項に規定する土地等に係る事業所得等の金額、同法附則第三十四条第一項に規定する長期譲渡所得の金額（租税特別措置法（昭和三十二年法律第二十六号）第三十三条の四第一項若しくは第二項、第三十四条第一項、第三十四条の二第一項、第三十四条の三第一項、第三十五条第一項、第三十五条の二第一項、第三十五条の三第一項又は第三十六条の規定の適用がある場合には、これらの規定の適用により同法第三十一条第一項に規定する長期譲渡所得の金額から控除する金額を控除した金額）、地方税法附則第三十五条第一項に規定する短期譲渡所得の金額（租税特別措置法第三十三条の四第一項若しくは第二項、第三十四条第一項、第三十四条の二第一項、第三十四条の三第一項、第三十五条第一項又は第三十六条の規定の適用がある場合には、これらの規定の適用により同法第三十二条第一項に規定する短期譲渡所得の金額から控除する金額を控除した金額）、地方税法附則第三十五条の四第一項に規定する先物取引に係る雑所得等の金額、外国居住者等の所得に対する相互主義による所得税等の非課税等に関する法律（昭和三十七年法律第百四十四号）第八条第二項（同法第十二条第五項及び第十六条第二項において準用する場合を含む。）に規定する特例適用利子等の額、同法第八条第四項（同法第十二条第六項及び第十六条第三項において準用する場合を含む。）に規定する特例適用配当等の額、租税条約等の実施に伴う所得税法、法人税法及び地方税法の特例等に関する法律（昭和四十四年法律第四十六号）第三条の二の二第四項に規定する条約適用利子等の額並びに同条第六項に規定する条約適用配当等の額の合計額（以下この項において「総所得金額等合計額」という。）から八万円を控除した額とする。ただし、法第九条第一項に規定する受給資格者が母である場合にあつては、総所得金額等合計額及び当該母がその監護する児童の父から当該児童の養育に必要な費用の支払として受ける金品その他の経済的な利益に係る所得の金額の百分の八十に相当する金額（一円未満の端数があるときは、これを四捨五入して得た金額）の合計額から八万円を控除した額とし、同項に規定する受給資格者が父である場合にあつては、総所得金額等合計額及び当該父がその監護し、かつ、これと生計を同じくする児童の母から当該児童の養育に必要な費用の支払として受ける金品その他の経済的な利益に係る所得の金額の百分の八十に相当する金額（一円未満の端数があるときは、これを四捨五入して得た金額）の合計額から八万円を控除した額とする。

2　次の各号に掲げる者については、当該各号に定める額を前項の規定によつて計算した額からそれぞれ控除するものとする。

一　当該年度分の道府県民税につき、地方税法第三十四条第一項第一号、第二号、第四号又は第十号の二に規定する控除を受けた者　当該雑損控除額、医療費控除額、小規模企業共済等掛金控除額又は配偶者特別控除額に相当する額

二　当該年度分の道府県民税につき、地方税法第三十四条第一項第六号に規定する控除を受けた者　その控除の対象となつた障害者一人につき二十七万円（当該障害者が同号に規定する特別障害者である場合には、四十万円）

三　当該年度分の道府県民税につき、地方税法第三十四条第一項第八号に規定する控除を受けた者（母を除く。）　二十七万円

四　当該年度分の道府県民税につき、地方税法第三十四条第一項第八号の二に規定する控除を受けた者（母及び父を除く。）　三十五万円

五　当該年度分の道府県民税につき、地方税法第三十四条第一項第九号に規定する控除を受けた者　二十七万円

六　当該年度分の道府県民税につき、地方税法附則第六条第一項に規定する免除を受けた者　当該免除に係る所得の額

3　前二項の規定は、法第十二条第二項各号に規定する所得の額の計算について準用する。この場合において、第一項中「その年」とあるのは、「法第十二条第一項の損害を受けた年の翌年」と読み替えるものとする。

〔改正〕

追加（第二次改正）、一部改正（第三～五・七・八・一〇～一六・一八・二〇・二四・三〇・三一・三四・四〇・四六・五一・五三・五五・五六・五八・六〇～六二・六八・六九・七六・八一・八五・九一・九二次改正）

（法第十二条第一項の政令で定める財産）

第五条　法第十二条第一項に規定する政令で定める財産は、主たる生業の維持に供する田畑、宅地、家屋又は内閣総理大臣が定めるその他の財産とする。

〔改正〕

一部改正（第四・五二・九七次改正）、旧第四条を本条に繰下（第二次改正）

〔委任〕

「内閣総理大臣が定めるその他の財産」＝昭和三六年一二月厚告第四〇二号（児童扶養手当法施行令第五条に規定する主たる生業の維持に供するその他の財産）

（法第十二条第二項の規定による返還）

第六条　法第十二条第二項の規定による返還は、同項に規定する金額から、同条第一項の規定の適用により支給が行われた期間（次項において「支給期間」という。）に係る手当の額（同条第一項の規定の適用がない場合にあつても支給される額に限る。）に相当する金額を控除した金額について行うものとする。

2　法第十二条第二項第一号に該当する場合（同項第三号に該当する場合を除く。）において、同項第一号に規定する所得が当該損害を受けた年の前年又は前々年における当該被災者の所得（以下この項において「前年又は前々年における所得」という。）に満たないと

きは、法第十二条第二項の規定による返還は、前項の規定にかかわらず、同条第二項第一号に規定する手当の金額から、支給期間に係る手当の額（同号に規定する所得を前年又は前々年における所得とみなした場合に支給される額に限る。）に相当する金額を控除した金額について行うものとする。

〔改正〕

旧第五条の二として追加（第二四次改正）、一部改正（第二五・二九・三二・三三・三五・三七・三九・四一・四三・四四・四八・五〇・五九次改正）、本条に繰下（第六五次改正）

（法第十三条の二第一項第四号の政令で定める法令）

第六条の二　法第十三条の二第一項第四号に規定する政令で定める法令は、次のとおりとする。

一　国会職員法（昭和二十二年法律第八十五号）

二　船員法（昭和二十二年法律第百号）

三　災害救助法（昭和二十二年法律第百十八号）

四　労働基準法等の施行に伴う政府職員に係る給与の応急措置に関する法律（昭和二十二年法律第百六十七号）

五　警察官の職務に協力援助した者の災害給付に関する法律（昭和二十七年法律第二百四十五号）

六　海上保安官に協力援助した者等の災害給付に関する法律（昭和二十八年法律第三十三号）

七　証人等の被害についての給付に関する法律（昭和三十三年法律第百九号）

〔改正〕

追加（第七六次改正）

（法第十三条の二第一項の規定による手当の支給の制限）

第六条の三　法第十三条の二第一項の規定による母又は養育者（以下この項において「母等」という。）に対する手当の支給の制限は、月を単位として、次の各号に掲げる受給資格者（法第六条第一項に規定する受給資格者をいう。第六条の五第一項及び第二項第六号、第六条の六第一項並びに第六条の七において同じ。）の区分に応じ、公的年金給付等合算額（法第十三条の二第一項第一号に規定する公的年金給付の額、同項第二号に規定する公的年金給付（同号に規定する加算に係る部分に限る。）の額及び同項第四号に規定する遺族補償等の額を合算して得た額をいう。以下この項において同じ。）が当該各号に定める額未満であるときは手当のうち公的年金給付等合算額に相当する部分について、公的年金給付等合算額が第一号に定める額以上であるときは手当のうち同号に定める額について、公的年金給付等合算額が第二号に定める額以上であるときは手当の全部について、行うものとする。

一　法第九条第一項の規定の適用により手当の一部を支給しないこととされる母等（法第十条又は第十一条の規定の適用を受ける母等を除く。）　手当（法第九条第一項の規定の適用によりその一部を支給しないこととされる部分を除く。）の額

二　法第九条第一項又は第九条の二から第十一条までの規定の適用を受ける母等以外の母等　手当の額

2　前項に規定する公的年金給付等合算額は、次の各号の規定によつて計算する。

一　法第十三条の二第一項第一号に規定する公的年金給付の額に加

算が行われるときは、その加算された後の額による。
二　次のイからリまでに掲げる規定によりその支給が停止された当該イからリまでに定める給付については、内閣府令で定める方法によつて計算した額について、その支給が停止されていないものとみなす。
イ　雇用保険法等の一部を改正する法律（平成十九年法律第三十号）附則第三十九条の規定によりなお従前の例によるものとされた同法第四条の規定による改正前の船員保険法（昭和十四年法律第七十三号。次条第三号及び第六条の五第二項第二号イにおいて「平成二十二年改正前船員保険法」という。）附則第十項　同項に規定する遺族年金
ロ　労働者災害補償保険法（昭和二十二年法律第五十号）第六十条第三項　同項に規定する遺族補償年金
ハ　労働者災害補償保険法第六十条の四第四項において読み替えて準用する同法第六十条第三項　同項に規定する複数事業労働者遺族年金
ニ　労働者災害補償保険法第六十三条第三項において読み替えて準用する同法第六十条第三項　同項に規定する遺族年金
ホ　国家公務員災害補償法（昭和二十六年法律第百九十一号）附則第十四項（他の法律において準用する場合を含む。第六条の五第二項第二号ホにおいて同じ。）　同項に規定する遺族補償年金
ヘ　地方公務員災害補償法（昭和四十二年法律第百二十一号）附則第六条第三項　同項に規定する遺族補償年金
ト　地方公務員災害補償法第六十九条第一項の規定に基づく条例の規定　当該条例の規定に基づき支給される遺族補償年金に相当する補償
チ　公立学校の学校医、学校歯科医及び学校薬剤師の公務災害補償の基準を定める政令（昭和三十二年政令第二百八十三号）附則第一条の三第五項　同項に規定する障害補償年金
リ　公立学校の学校医、学校歯科医及び学校薬剤師の公務災害補償の基準を定める政令附則第二条第四項において読み替えて準用する同令附則第一条の三第五項　同項に規定する遺族補償年金
三　法第十三条の二第一項第一号に規定する公的年金給付の額又は同項第二号に規定する公的年金給付（同号に規定する加算に係る部分に限る。）の額が年を単位として定められているときは、これらの給付の額を十二で除して得た額（その額に一円未満の端数があるときは、これを切り捨てて得た額）による。
四　二人以上の者が共同して法第十三条の二第一項第一号に規定する公的年金給付又は同項第四号に規定する遺族補償等を受けることができるときは、これらの給付の額を受給権者の数で除して得た額（その額に一円未満の端数があるときは、これを切り捨てて得た額）による。
五　法第十三条の二第一項第四号に規定する遺族補償等については、当該遺族補償等の額を七十二で除して得た額（その額に一円未満の端数があるときは、これを切り捨てて得た額）による。
六　法第四条に定める要件に該当する児童（以下この号、第六条の

五第二項第七号及び第六条の六第二項第三号において「支給要件該当児童」という。）が複数ある場合における公的年金給付等合算額は、前各号の規定によるほか、次のイ及びロの規定によつて計算する。

イ　公的年金給付等合算額は、全ての支給要件該当児童の児童別公的年金給付等合算額を合算して計算する。

ロ　イに規定する児童別公的年金給付等合算額は、支給要件該当児童ごとの法第十三条の二第一項第一号に規定する公的年金給付の額、同項第二号に規定する公的年金給付（同号に規定する加算に係る部分に限る。）の額及び同項第四号に規定する遺族補償等の額を合算して計算する。ただし、次の⑴又は⑵に掲げる支給要件該当児童の児童別公的年金給付等合算額については、それぞれ⑴又は⑵に定める額を上限とする。

⑴　第一順位児童（支給要件該当児童のうちロ本文の規定によつて計算した児童別公的年金給付等合算額が最も低い額である者（二人以上ある場合にあつては、そのうちの一人）をいう。⑵において同じ。）以外の支給要件該当児童のうちロ本文の規定によつて計算した児童別公的年金給付等合算額が最も低い額である者（二人以上ある場合にあつては、そのうちの一人。⑵において「第二順位児童」という。）　五千円

⑵　第一順位児童及び第二順位児童以外の支給要件該当児童　三千円

七　前各号の規定によつて計算した額に、五円未満の端数があるときはこれを切り捨てるものとし、五円以上十円未満の端数があるときはこれを十円に切り上げるものとする。

3　法第十三条の二第一項の規定による父に対する支給の制限については、前二項の規定を準用する。この場合において、第一項中「同項第二号」とあるのは「同項第三号」と、同項第一号中「母等」とあるのは「父」と、「第十条又は第十一条」とあるのは「第十条」と、同項第二号中「第九条の二から第十一条まで」とあるのは「第十条」と、「母等」とあるのは「父」と、前項第三号中「同項第二号」とあるのは「同項第三号」と、同項第六号ロ中「同項第二号」とあるのは「同項第三号」と読み替えるものとする。

〔改正〕

追加（第七六次改正）、一部改正（第七八・九〇・九三・九七次改正）

〔委任〕

第二項　第二号本文の「内閣府令」＝規則二四の四Ⅰ

（法第十三条の二第二項第一号の政令で定める給付）

第六条の四　法第十三条の二第二項第一号に規定する政令で定める給付は、次のとおりとする。

一　国民年金法等の一部を改正する法律（昭和六十年法律第三十四号）附則第七十八条第一項の規定によりなお従前の例によるものとされた同法第三条の規定による改正前の厚生年金保険法（昭和二十九年法律第百十五号）の規定に基づく障害年金（障害の程度が同法別表第一に定める一級又は二級に該当する者に支給されるものに限る。）

二　恩給法（大正十二年法律第四十八号）の規定（他の法律において準用する場合を含む。）に基づく増加恩給、傷病年金及び特例

傷病恩給

三　雇用保険法等の一部を改正する法律附則第三十九条の規定によりなお従前の例によるものとされた平成二十二年改正前船員保険法の規定に基づく障害年金

四　戦傷病者戦没者遺族等援護法（昭和二十七年法律第百二十七号）の規定に基づく障害年金

五　未帰還者留守家族等援護法（昭和二十八年法律第百六十一号）の規定に基づく留守家族手当

六　労働者災害補償保険法の規定に基づく障害補償年金、傷病補償年金、複数事業労働者障害年金、複数事業労働者傷病年金、障害年金及び傷病年金

七　国家公務員災害補償法の規定（他の法律において準用する場合を含む。）に基づく傷病補償年金及び障害補償年金

八　地方公務員災害補償法の規定に基づく傷病補償年金及び障害補償年金並びに同法第六十九条第一項の規定に基づく条例の規定に基づく補償でこれらに相当するもの

九　公立学校の学校医、学校歯科医及び学校薬剤師の公務災害補償に関する法律（昭和三十二年法律第百四十三号）第四条第一項の規定に基づく条例の規定に基づく傷病補償年金及び障害補償年金

十　被用者年金制度の一元化等を図るための厚生年金保険法等の一部を改正する法律（平成二十四年法律第六十三号。次号及び第十二号において「平成二十四年一元化法」という。）附則第三十七条第一項の規定によりなおその効力を有するものとされた国家公務員等共済組合法等の一部を改正する法律（昭和六十年法律第百五号）第一条の規定による改正前の国家公務員等共済組合法（昭和三十三年法律第百二十八号。以下この号及び第十二号において「旧国共済法」という。）の規定に基づく障害年金（障害の程度が旧国共済法別表第三に定める一級又は二級に該当する者に支給されるものに限る。）

十一　平成二十四年一元化法附則第六十一条第一項の規定によりなおその効力を有するものとされた地方公務員等共済組合法等の一部を改正する法律（昭和六十年法律第百八号）第一条の規定による改正前の地方公務員等共済組合法（昭和三十七年法律第百五十二号）の規定に基づく障害年金（障害の程度が同法別表第三に定める一級又は二級に該当する者に支給されるものに限る。）

十二　平成二十四年一元化法附則第七十九条の規定によりなおその効力を有するものとされた私立学校教職員共済組合法等の一部を改正する法律（昭和六十年法律第百六号）第一条の規定による改正前の私立学校教職員共済組合法（昭和二十八年法律第二百四十五号）の規定に基づく障害年金（障害の程度が同法第二十五条第一項において準用する旧国共済法別表第三に定める一級又は二級に該当する者に支給されるものに限る。）

十三　国会議員互助年金法を廃止する法律（平成十八年法律第一号）附則第二条第一項の規定によりなおその効力を有するものとされた同法による廃止前の国会議員互助年金法（昭和三十三年法律第七十号）第二条第一項の互助年金のうち公務傷病年金及び国会議員互助年金法を廃止する法律附則第十一条第一項の公務傷病年金

十四　執行官法の一部を改正する法律（平成十九年法律第十八号）による改正前の執行官法（昭和四十一年法律第百十一号）附則第十三条の規定に基づく年金たる給付のうち増加恩給

〔改正〕

追加（第九三次改正）

（法第十三条の二第二項の規定による手当の支給の制限）

第六条の五　法第十三条の二第二項の規定による手当の支給の制限は、月を単位として、次の各号に掲げる受給資格者の区分に応じ、公的年金給付等合算額（同項第一号に規定する公的年金給付の額及び同項第二号に規定する遺族補償等の額を合算して得た額をいう。以下この項において同じ。）が当該各号に定める額未満であるときは手当のうち公的年金給付等合算額に相当する部分について、公的年金給付等合算額が第一号に定める額以上であるときは手当のうち同号に定める額について、公的年金給付等合算額が第二号に定める額以上であるときは手当の全部について、行うものとする。

一　法第九条第一項又は第十三条の二第一項の規定の適用により手当の一部を支給しないこととされる受給資格者（法第九条第一項、第九条の二から第十一条まで又は第十三条の二第一項の規定の適用により手当の全部を支給しないこととされる受給資格者を除く。）　手当（法第九条第一項又は第十三条の二第一項の規定の適用によりその一部を支給しないこととされる部分を除く。）の額

二　法第九条第一項、第九条の二から第十一条まで又は第十三条の二第一項の規定の適用により手当の全部を支給しないこととされる受給資格者及び前号に掲げる受給資格者以外の受給資格者　手当の額

2　前項に規定する公的年金給付等合算額は、次の各号の規定によつて計算する。

一　法第十三条の二第二項第一号に規定する公的年金給付の額に加算が行われるときは、その加算された後の額による。

二　次のイからチまでに掲げる規定によりその支給が停止された当該イからチまでに定める給付については、内閣府令で定める方法によつて計算した額について、その支給が停止されていないものとみなす。

イ　雇用保険法等の一部を改正する法律附則第三十九条の規定によりなお従前の例によるものとされた平成二十二年改正前船員保険法附則第十項　同項に規定する遺族年金

ロ　労働者災害補償保険法第六十条第三項　同項に規定する遺族補償年金

ハ　労働者災害補償保険法第六十条の四第四項において読み替えて準用する同法第六十条第三項　同項に規定する複数事業労働者遺族年金

ニ　労働者災害補償保険法第六十三条第三項において読み替えて準用する同法第六十条第三項　同項に規定する遺族年金

ホ　国家公務員災害補償法附則第十四項　同項に規定する遺族補償年金

ヘ　地方公務員災害補償法附則第六条第三項　同項に規定する遺族補償年金

ト　地方公務員災害補償法第六十九条第一項の規定に基づく条例の規定　当該条例の規定に基づき支給される遺族補償年金に相当する補償

チ　公立学校の学校医、学校歯科医及び学校薬剤師の公務災害補償の基準を定める政令附則第二条第四項において読み替えて準用する同令附則第一条の三第五項　同項に規定する遺族補償年金

三　法第十三条の二第二項第一号に規定する公的年金給付の額が年を単位として定められているときは、当該公的年金給付の額を十二で除して得た額（その額に一円未満の端数があるときは、これを切り捨てて得た額）による。

四　二人以上の者が共同して法第十三条の二第二項第一号に規定する公的年金給付又は同項第二号に規定する遺族補償等を受けることができるときは、これらの給付の額を受給権者の数で除して得た額（その額に一円未満の端数があるときは、これを切り捨てて得た額）による。

五　法第十三条の二第二項第二号に規定する遺族補償等については、当該遺族補償等の額を七十二で除して得た額（その額に一円未満の端数があるときは、これを切り捨てて得た額）による。

六　受給資格者が法第十三条の二第三項の規定の適用を受ける者であるときは、第一号及び前号の規定にかかわらず、同条第二項第一号に規定する公的年金給付の額は当該公的年金給付のうち子を有する者に係る加算に係る部分の額によることとし、同項第二号に規定する遺族補償等の給付の額は零とする。

七　前号に規定する場合において支給要件該当児童が複数あるときは、公的年金給付等合算額は、第二号から第四号まで及び前号の規定によるほか、次のイ及びロの規定によつて計算する。

イ　公的年金給付等合算額は、全ての支給要件該当児童の児童別公的年金給付等合算額を合算して計算する。

ロ　イに規定する児童別公的年金給付等合算額は、支給要件該当児童ごとの法第十三条の二第二項第一号に規定する公的年金給付（子を有する者に係る加算に係る部分に限る。）の額を合算して計算する。ただし、次の(1)又は(2)に掲げる支給要件該当児童の児童別公的年金給付等合算額については、それぞれ(1)又は(2)に定める額を上限とする。

(1)　第一順位児童（支給要件該当児童のうちロ本文の規定によつて計算した児童別公的年金給付等合算額が最も低い額である者（二人以上ある場合にあつては、そのうちの一人）をいう。(2)において同じ。）以外の支給要件該当児童のうちロ本文の規定によつて計算した児童別公的年金給付等合算額が最も低い額である者（二人以上ある場合にあつては、そのうちの一人。(2)において「第二順位児童」という。）　五千円

(2)　第一順位児童及び第二順位児童以外の支給要件該当児童　三千円

八　前各号の規定によつて計算した額に、五円未満の端数があるときはこれを切り捨てるものとし、五円以上十円未満の端数があるときはこれを十円に切り上げるものとする。

〔**改正**〕

旧第六条の四として追加（第七六次改正）、一部改正（第七八・九〇・九三・九七次改正）、本条に繰下（第九三次改正）

〔委任〕

第二項　第二号本文の「内閣府令」＝規則二四の四Ⅱ

（法第十三条の二第三項の規定による手当の支給の制限）

第六条の六　法第十三条の二第三項の規定による手当の支給の制限は、月を単位として、次の各号に掲げる受給資格者の区分に応じ、障害基礎年金等加算額（障害基礎年金等の給付のうち同項に規定する加算に係る部分の額をいう。以下この項において同じ。）が当該各号に定める額未満であるときは手当のうち障害基礎年金等加算額に相当する部分について、障害基礎年金等加算額が第一号に定める額以上であるときは手当のうち同号に定める額について、障害基礎年金等加算額が第二号に定める額以上であるときは手当の全部について、行うものとする。

一　法第九条第一項又は第十三条の二第一項の規定の適用により手当の一部を支給しないこととされる受給資格者（法第九条第一項、第九条の二から第十一条まで又は第十三条の二第一項の規定の適用により手当の全部を支給しないこととされる受給資格者を除く。）　手当（法第九条第一項又は第十三条の二第一項の規定の適用によりその一部を支給しないこととされる部分を除く。）の額

二　法第九条第一項、第九条の二から第十一条まで又は第十三条の二第一項の規定の適用により手当の全部を支給しないこととされる受給資格者及び前号に掲げる受給資格者以外の受給資格者　手当の額

2　前項に規定する障害基礎年金等加算額は、次の各号の規定によつて計算する。

一　公立学校の学校医、学校歯科医及び学校薬剤師の公務災害補償の基準を定める政令附則第一条の三第五項の規定によりその支給が停止された同項に規定する障害補償年金については、内閣府令で定める方法によつて計算した額について、その支給が停止されていないものとみなす。

二　障害基礎年金等の給付（法第十三条の二第三項に規定する加算に係る部分に限る。）の額が年を単位として定められているときは、当該給付の額を十二で除して得た額（その額に一円未満の端数があるときは、これを切り捨てて得た額）による。

三　支給要件該当児童が複数ある場合における障害基礎年金等加算額は、前二号の規定によるほか、次のイ及びロの規定によつて計算する。

イ　障害基礎年金等加算額は、全ての支給要件該当児童の児童別障害基礎年金等加算額を合算して計算する。

ロ　イに規定する児童別障害基礎年金等加算額は、支給要件該当児童ごとの障害基礎年金等の給付（法第十三条の二第三項に規定する加算に係る部分に限る。）の額を合算して計算する。ただし、次の⑴又は⑵に掲げる支給要件該当児童の児童別障害基礎年金等加算額については、それぞれ⑴又は⑵に定める額を上

限とする。

(1) 第一順位児童（支給要件該当児童のうちロ本文の規定によつて計算した児童別障害基礎年金等加算額が最も低い額である者（二人以上ある場合にあつては、そのうちの一人）をいう。(2)において同じ。）以外の支給要件該当児童のうちロ本文の規定によつて計算した児童別障害基礎年金等加算額が最も低い額である者（二人以上ある場合にあつては、そのうちの一人。(2)において「第二順位児童」という。） 五千円

(2) 第一順位児童及び第二順位児童以外の支給要件該当児童 三千円

四 前三号の規定によつて計算した額に、五円未満の端数があるときはこれを切り捨てるものとし、五円以上十円未満の端数があるときはこれを十円に切り上げるものとする。

〔改正〕

追加（第九三次改正）、一部改正（第九七次改正）

〔委任〕

第二項 第一号の「内閣府令」＝規則二四の四Ⅲ

（受給資格者が法第十三条の二第三項の規定の適用を受ける場合の所得の範囲等の特例）

第六条の七 受給資格者が法第十三条の二第三項の規定の適用を受ける場合における第三条並びに第四条第一項及び第二項（これらの規定を同条第三項において準用する場合を含む。）の規定の適用については、第三条第一項中「非課税所得」とあるのは「非課税所得（公的年金給付及び法第十三条の二第一項第四号に規定する遺族補償等に係るものを除く。）」と、第四条第一項中「公的年金等」とあるのは「公的年金等若しくは非課税公的年金給付等（公的年金給付又は法第十三条の二第一項第四号に規定する遺族補償等であつて、地方税法第四条第二項第一号に掲げる道府県民税についての同法その他の道府県民税に関する法令の規定による非課税所得に係るものをいう。以下この項において同じ。）」と、「同法第二十八条第二項」とあるのは「所得税法第二十八条第二項」と、「同法第三十五条第二項第一号」とあるのは「非課税公的年金給付等についても同法第三十五条第三項に規定する公的年金等とみなして同条第二項第一号」とする。

〔改正〕

追加（第九三次改正）

（法第十三条の三第一項の規定により支給しない手当の額）

第七条 受給資格者（法第十三条の三第一項に規定する受給資格者をいう。以下この条及び次条において同じ。）に対する手当について、同項の規定により支給しない手当の額は、月を単位として、支給開始月（法第七条第一項に規定する支給開始月をいう。）の初日から起算して五年又は手当の支給要件に該当するに至つた日の属する月の初日から起算して七年を経過した日（法第六条第一項の規定による認定の請求をした日において三歳未満の児童を監護する受給資格者にあつては、当該児童が三歳に達した日の属する月の翌月の初日から起算して五年を経過した日）の属する月の翌月以降に法第

十三条の三の規定の適用がないものとして法の規定により支給すべき手当の額に二分の一を乗じて得た額（その額が同条第一項ただし書に規定する当該受給資格者に支払うべき手当の額の二分の一に相当する額を超えるときは、当該相当する額）とし、これらの額に十円未満の端数があるときは、これを切り捨てるものとする。

〔改正〕

追加（第六五次改正）、一部改正（第七六次改正）

（法第十三条の三第二項の政令で定める事由）

第八条　法第十三条の三第二項に規定する政令で定める事由は、次に掲げる事由とする。

一　受給資格者が就業していること又は求職活動その他内閣府令で定める自立を図るための活動をしていること。

二　受給資格者が別表第一に定める障害の状態にあること。

三　前号に掲げる事由のほか、受給資格者が疾病又は負傷のために就業することができないことその他の自立を図るための活動をすることが困難である事由として内閣府令で定める事由があること。

〔改正〕

追加（第六五次改正）、一部改正（第七六・九七次改正）

〔委任〕

第一号の「内閣府令」＝規則二四の五ⅠⅡ　第三号の「内閣府令」＝規則二四の五Ⅲ

（国の費用の負担）

第九条　法第二十一条の規定による国の負担は、各年度において、都道府県、市（特別区を含む。）及び福祉事務所を設置する町村が手当の支給のために支出した費用の額から、法第十二条第二項の規定による返還金、法第二十三条第一項の規定による徴収金その他その費用のための収入の額を控除した額について行う。

〔改正〕

旧第五条の三として追加（第二六次改正）、一部改正（第五四次改正）、本条に繰下（第六五次改正）

（福祉事務所を管理しない町村長が行う事務）

第十条　法第三十三条第一項の規定により、次に掲げる事務は、福祉事務所を管理しない町村長が行うこととする。

一　法第六条に規定する認定の請求の受理及びその請求に係る事実についての審査に関する事務

二　法第八条第一項に規定する認定の請求の受理及びその請求に係る事実についての審査に関する事務

三　法第二十八条に規定する届出等の受理及びその届出に係る事実についての審査に関する事務

四　手当に関する証書の交付に関する事務

五　同一都道府県の区域内における住所の変更に係る手当に関する証書の記載事項の訂正に関する事務

〔改正〕

一部改正（第二・七・二四・五四次改正）、旧第五・六条を削り、旧第七条を旧第五条に繰上（第一次改正）、旧第六条に繰下（第二次改正）、本条に繰下（第六五次改正）

附　則

（施行期日）

1　この政令は、昭和三十七年一月一日から施行する。ただし、法附則第二項の規定によつてなされる手続に関しては、公布の日（昭和三十六年十二月七日）から施行する。

（経過措置）

2　昭和三十五年分の所得につき第三条第二項の規定を適用する場合においては、同項中「所得税法に規定する控除対象配偶者若しくは扶養親族」とあるのは、「所得税法の一部を改正する法律（昭和三十六年法律第三十五号）による改正前の所得税法に規定する扶養親族」と読み替えるものとする。

（厚生省組織令の一部改正）

3　厚生省組織令（昭和二十七年政令第三百八十八号）の一部を次のように改正する。

第四十六条中第十一号を第十二号とし、第八号から第十号までを一号ずつ繰り下げ、第七号の次に次の一号を加える。

八　児童扶養手当法（昭和三十六年法律第二百三十八号）の施行に関すること。

附　則（第一次改正）

1　この政令は、行政不服審査法（昭和三十七年法律第百六十号）の施行の日（昭和三十七年十月一日）から施行する。

2　この政令による改正後の規定は、この政令の施行前にされた行政庁の処分その他この政令の施行前に生じた事項についても適用する。ただし、この政令による改正前の規定によつて生じた効力を妨げない。

3　この政令の施行前に提起された訴願、審査の請求、異議の申立てその他の不服申立て（以下「訴願等」という。）については、この政令の施行後も、なお従前の例による。この政令の施行前にされた訴願等の裁決、決定その他の処分（以下「裁決等」という。）又はこの政令の施行前に提起された訴願等につきこの政令の施行後にされる裁決等にさらに不服がある場合の訴願等についても、同様とする。

4　前項に規定する訴願等で、この政令の施行後は行政不服審査法による不服申立てをすることができることとなる処分に係るものは、この政令による改正後の規定の適用については、同法による不服申立てとみなす。

附　則（第二次改正）

1　この政令は、公布の日（昭和三十八年七月三十日）から施行し、この政令による改正後の第三条及び第四条の規定は、昭和三十七年以降の年の所得による児童扶養手当の支給の制限について適用する。

2　昭和三十七年の所得につきこの政令による改正後の第四条の規定を適用する場合においては、同条第二項第五号中「一万円」とあるのは、「七千五百円」と読み替えるものとする。

附　則（第三次改正）

この政令は、公布の日（昭和三十九年七月二十七日）から施行する。

附　則（第四次改正）

1　この政令は、公布の日〔昭和四十一年七月十五日〕から施行する。

2　この政令による改正後の第三条及び第四条の規定は、昭和四十年以降の年の所得による児童扶養手当の支給の制限及び児童扶養手当に相当する金額の返還について適用し、昭和三十九年以前の年の所得による当該支給の制限及び返還については、なお従前の例による。

附　則（第五次改正）

（施行期日）

1　この政令は、公布の日〔昭和四十二年八月八日〕から施行する。

（経過措置）

2　この政令による改正後の第四条第二項の規定は、昭和四十一年以降の年の所得による児童扶養手当の支給の制限及び児童扶養手当に相当する金額の返還について適用し、昭和四十年以前の年の所得による当該支給の制限及び返還については、なお従前の例による。

附　則（第六次改正）抄

（施行期日等）

第一条　この政令は、公布の日〔昭和四十二年八月十七日〕から施行する。

附　則（第七次改正）

（施行期日）

1　この政令は、公布の日〔昭和四十三年七月四日〕から施行する。

（経過措置）

2　この政令による改正後の児童扶養手当法施行令第四条の規定は、昭和四十二年以降の年の所得による児童扶養手当の支給の制限及び児童扶養手当に相当する金額の返還について適用し、昭和四十一年以前の年の所得による支給の制限及び返還については、なお従前の例による。

附　則（第八次改正）

1　この政令は、公布の日〔昭和四十四年八月二十五日〕から施行する。

2　この政令による改正後の第四条の規定は、昭和四十三年以降の年の所得による児童扶養手当の支給の制限及び児童扶養手当に相当する金額の返還について適用し、昭和四十二年以前の年の所得による支給の制限及び返還については、なお従前の例による。

附　則（第九次改正）

この政令は、公布の日〔昭和四十四年十二月十日〕から施行する。

附　則（第一〇次改正）

1　この政令は、公布の日〔昭和四十五年六月四日〕から施行する。

2　この政令による改正後の児童扶養手当法施行令第二条の二及び第四条の規定は、昭和四十四年以降の年の所得による児童扶養手当の支給の制限及び児童扶養手当に相当する金額の返還について適用し、昭和四十三年以前の年の所得による支給の制限及び返還については、なお従前の例による。

附　則（第一一次改正）

1　この政令は、公布の日（昭和四十六年四月五日）から施行する。

2　この政令による改正後の第二条の二及び第四条の規定は、昭和四十五年以降の年の所得による児童扶養手当の支給の制限及び児童扶養手当に相当する金額の返還について適用し、昭和四十四年以前の年の所得による支給の制限及び返還については、なお従前の例による。

附　則（第一二次改正）

1　この政令は、公布の日（昭和四十六年九月十七日）から施行する。

2　この政令による改正後の第四条の規定は、昭和四十六年以降の年の所得による児童扶養手当の支給の制限及び児童扶養手当に相当する金額の返還について適用し、昭和四十五年以前の年の所得による支給の制限及び返還については、なお従前の例による。

附　則（第一三次改正）

1　この政令は、公布の日（昭和四十七年六月二十六日）から施行し、この政令による改正後の児童扶養手当法施行令及び特別児童扶養手当法施行令の規定は、昭和四十七年五月一日から適用する。

2　昭和四十五年以前の年の所得による児童扶養手当及び特別児童扶養手当の支給の制限並びに児童扶養手当及び特別児童扶養手当に相当する金額の返還については、なお従前の例による。

附　則（第一四次改正）

1　この政令は、昭和四十八年五月一日から施行する。

2　昭和四十八年四月以前の月分の児童扶養手当の支給の制限及び同月以前の月分の児童扶養手当に相当する金額の返還については、なお従前の例による。

附　則（第一五次改正）

1　この政令は、昭和四十九年五月一日から施行する。

2　昭和四十九年四月以前の月分の児童扶養手当の支給の制限及び同月以前の月分の児童扶養手当に相当する金額の返還については、なお従前の例による。

附　則（第一六次改正）

1　この政令は、昭和五十年五月一日から施行する。

2　昭和五十年四月以前の月分の児童扶養手当の支給の制限及び同月以前の月分の児童扶養手当に相当する金額の返還については、なお従前の例による。

附　則（第一七次改正）抄

1　この政令は、昭和五十年十月一日から施行する。

附　則（第一八次改正）

1　この政令は、昭和五十一年五月一日から施行する。

2　昭和五十一年四月以前の月分の児童扶養手当、特別児童扶養手当及び福祉手当の支給の制限並びに同月以前の月分の児童扶養手当、特別児童扶養手当及び福祉手当に相当する金額の返還については、なお従前の例による。

附　則（第一九次改正）

1　この政令は、昭和五十二年五月一日から施行する。

2　昭和五十二年四月以前の月分の児童扶養手当、特別児童扶養手当及び福祉手当の支給の制限並びに同月以前の月分の児童扶養手当、特別児童扶養手当及び福祉手当に相当する金額の返還については、なお従前の例による。

附　則（第二〇次改正）抄

1　この政令は、昭和五十三年八月一日から施行する。

2　昭和五十三年七月以前の月分の児童扶養手当、特別児童扶養手当及び福祉手当の支給の制限並びに同月以前の月分の児童扶養手当、特別児童扶養手当及び福祉手当に相当する金額の返還については、なお従前の例による。

附　則（第二一次改正）

1　この政令は、昭和五十四年八月一日から施行する。ただし、第三条の規定は、公布の日（昭和五十四年五月二十九日）から施行する。

2　昭和五十四年七月以前の月分の児童扶養手当、特別児童扶養手当及び福祉手当の支給の制限並びに同月以前の月分の児童扶養手当、特別児童扶養手当及び福祉手当に相当する金額の返還については、なお従前の例による。

附　則（第二二次改正）抄

1　この政令は、昭和五十五年八月一日から施行する。〔以下略〕

3　昭和五十五年七月以前の月分の児童扶養手当、特別児童扶養手当及び福祉手当の支給の制限並びに同月以前の月分の児童扶養手当、特別児童扶養手当及び福祉手当に相当する金額の返還については、なお従前の例による。

附　則（第二三次改正）抄

1　この政令は、昭和五十六年八月一日から施行する。

3　昭和五十六年七月以前の月分の児童扶養手当、特別児童扶養手当及び福祉手当の支給の制限並びに同月以前の月分の児童扶養手当、特別児童扶養手当及び福祉手当に相当する金額の返還については、なお従前の例による。

附　則（第二四次改正）

（施行期日）

第一条　この政令は、昭和六十年八月一日から施行する。

（児童扶養手当の支給の制限等に関する経過措置）

第二条　昭和六十年七月以前の月分の児童扶養手当（以下「手当」という。）の支給の制限及び同月以前の月分の手当に相当する金額の返還については、なお従前の例による。

2　児童扶養手当法の一部を改正する法律（以下「改正法」という。）附則第五条に規定する既認定者等（以下「既認定者等」という。）に係る昭和六十年八月から昭和六十一年七月までの月分の手当の支給の制限及び当該期間の月分の手当に相当する金額の返還についてこの政令による改正後の第二条の三第二項及び第五条の二の規定を適用する場合においては、第二条の三第二項中「一、六〇五、〇〇〇円」とあるのは「二、一四八、〇〇〇円」と、「三三〇、〇〇〇円」とあるのは「二九〇、〇〇〇円」と、第五条の二第二項中「第二条の三第二項」とあるのは「児童扶養手当法施行令の一部を改正する政令（昭和六十年政令第二百三十六号）附則第二条第二項の規定により読み替えられた第二条の三第二項」とする。

（市町村が行う事務に関する経過措置）

第三条　既認定者等に係る手当に関する証書の記載事項の訂正に関する事務については、改正法（昭和六十年法律第四十八号）附則第六条第一項に規定する政令で定める日までの間、この政令による改正前の第六条の規定は、なおその効力を有する。

〔改正〕

一部改正（第五四次改正）

注　次の第六条は附則第三条により、なおその効力を有するとされるこの政令による改正前の本則中の条文

（市町村長に行なわせる事務）

第六条　法第三十四条の規定により、次に掲げる事務は、市町村長（特別区の区長を含む。）に行なわせる。

一　法第六条に規定する認定の請求の受理及びその請求に係る事実についての審査に関する事務

二　法第八条第一項に規定する認定の請求の受理及びその請求に係る事実についての審査に関する事務

三　法第二十八条に規定する届出等の受理及びその届出に係る事実についての審査に関する事務

四　児童扶養手当に関する証書の交付に関する事務

五　同一都道府県の区域内における住所又は支払方法の変更に係る児童扶養手当に関する証書の記載事項の訂正に関する事務

〔改正〕

一部改正（第六四次改正）

（既認定者等に関する経過措置）

第四条　既認定者等に係る改正法附則第六条第一項に規定する政令で定める日の属する月までの月分の手当について児童扶養手当法第十二条、第二十三条又は第二十九条の規定を適用する場合においては、同法第十二条第二項中「都道府県、市（特別区を含む。）又は福祉事務所を設置する町村（以下「都道府県等」という。）」とあるのは「国」と、同法第二十三条第一項中「都道府県知事等」とあるのは「内閣総理大臣」と、同法第二十九条第一項及び第二項中「都道府県知事」とあるのは「内閣総理大臣又は都道府県知事」とする。

〔改正〕

一部改正（第五二・五四・九七次改正）

附　則（第二五次改正）

1　この政令は、公布の日（昭和六十一年四月三十日）から施行する。

2　改正後の第二条の三及び次項（同条第二項の規定を適用する場合に係る部分に限る。）の規定は昭和六十一年四月以降の月分の児童扶養手当（以下「手当」という。）の支給の制限について、改正後の第五条の二及び次項（同条第二項の規定を適用する場合に係る部分に限る。）の規定は同月以降の月分の手当に相当する金額の返還について適用し、同年三月以前の月分の手当の支給の制限及び同月以前の月分の手当に相当する金額の返還については、なお従前の例による。

3　児童扶養手当法の一部を改正する法律（昭和六十年法律第四十八

号）附則第五条に規定する既認定者等であつて、その者の昭和五十九年の児童扶養手当法第九条に規定する所得が改正後の第二条の三第二項の表の上欄に定める区分に応じて同表の下欄に定める額以上であるものに係る昭和六十一年四月から同年七月までの月分の手当の支給の制限及び当該期間の月分の手当に相当する金額の返還について、同項及び改正後の第五条の二第二項の規定を適用する場合においては、これらの規定中「二万千二百円」とあるのは、「二万千七百円」とする。

附　則（第二六次改正）

この政令は、公布の日（昭和六十一年五月八日）から施行する。

附　則（第二七次改正）

1　この政令は、昭和六十一年八月一日から施行する。

2　昭和六十一年七月以前の月分の児童扶養手当、特別児童扶養手当、障害児福祉手当、特別障害者手当及び国民年金法等の一部を改正する法律附則第九十七条第一項の規定による福祉手当（以下「福祉手当」という。）の支給の制限並びに同月以前の月分の児童扶養手当、特別児童扶養手当、障害児福祉手当、特別障害者手当及び福祉手当に相当する金額の返還については、なお従前の例による。

附　則（第二八次改正）抄

1　この政令は、昭和六十二年八月一日から施行する。〔以下略〕

3　昭和六十二年七月以前の月分の児童扶養手当、特別児童扶養手当、障害児福祉手当、特別障害者手当及び国民年金法等の一部を改正する法律附則第九十七条第一項の規定による福祉手当（以下「福祉手当」という。）の支給の制限並びに同月以前の月分の児童扶養手当、特別児童扶養手当、障害児福祉手当、特別障害者手当及び福祉手当に相当する金額の返還については、なお従前の例による。

附　則（第二九次改正）

1　この政令は、公布の日（昭和六十三年五月二十四日）から施行し、改正後の第二条の三及び第五条の二並びに次項の規定は、昭和六十三年四月一日から適用する。

2　昭和六十三年三月以前の月分の児童扶養手当の支給の制限及び同月以前の月分の児童扶養手当に相当する金額の返還については、なお従前の例による。

附　則（第三〇次改正）抄

1　この政令は、昭和六十三年八月一日から施行する。〔以下略〕

2　昭和六十三年七月以前の月分の児童扶養手当、特別児童扶養手当、障害児福祉手当、特別障害者手当及び国民年金法等の一部を改正する法律（昭和六十年法律第三十四号）附則第九十七条第一項の規定による福祉手当（以下「福祉手当」という。）の支給の制限並びに同月以前の月分の児童扶養手当、特別児童扶養手当、障害児福祉手当、特別障害者手当及び福祉手当に相当する金額の返還については、なお従前の例による。

附　則（第三一次改正）抄

1　この政令は、平成元年八月一日から施行する。〔以下略〕

3　平成元年七月以前の月分の児童扶養手当、特別児童扶養手当、障害児福祉手当、特別障害者手当及び国民年金法等の一部を改正する法律附則第九十七条第一項の規定による福祉手当（以下「福祉手当」という。）の支給の制限並びに同月以前の月分の児童扶養手当、特別児童扶養手当、障害児福祉手当、特別障害者手当及び福祉手当に相当する金額の返還については、なお従前の例による。

附　則（第三二次改正）

1　この政令は、公布の日〔平成元年十二月二十二日〕から施行し、改正後の第二条の三及び第五条の二並びに次項の規定は、平成元年四月一日から適用する。

2　平成元年三月以前の月分の児童扶養手当の支給の制限及び同月以前の月分の児童扶養手当に相当する金額の返還については、なお従前の例による。

附　則（第三三次改正）　抄

（施行期日）

1　この政令は、平成二年四月一日から施行する。

（児童扶養手当の支給の制限等の経過措置）

2　平成二年三月以前の月分の児童扶養手当の支給の制限及び同月以前の月分の児童扶養手当に相当する金額の返還については、なお従前の例による。

附　則（第三四次改正）

1　この政令は、平成二年八月一日から施行する。

2　平成二年七月以前の月分の児童扶養手当、特別児童扶養手当、障害児福祉手当、特別障害者手当及び国民年金法等の一部を改正する法律（昭和六十年法律第三十四号）附則第九十七条第一項の規定による福祉手当（以下「福祉手当」という。）の支給の制限並びに同月以前の月分の児童扶養手当、特別児童扶養手当、障害児福祉手当、特別障害者手当及び福祉手当に相当する金額の返還については、なお従前の例による。

附　則（第三五次改正）

1　この政令は、平成三年四月一日から施行する。

2　平成三年三月以前の月分の児童扶養手当の額については、なお従前の例による。

3　平成三年三月以前の月分の児童扶養手当の支給の制限及び同月以前の月分の児童扶養手当に相当する金額の返還については、なお従前の例による。

附　則（第三六次改正）　抄

1　この政令は、平成三年八月一日から施行する。

3　平成三年七月以前の月分の児童扶養手当、特別児童扶養手当、障害児福祉手当、特別障害者手当及び国民年金法等の一部を改正する法律附則第九十七条第一項の規定による福祉手当（以下「福祉手当」という。）の支給の制限並びに同月以前の月分の児童扶養手当、特別児童扶養手当、障害児福祉手当、特別障害者手当及び福祉手当に相当する金額の返還については、なお従前の例による。

附　則（第三七次改正）

1　この政令は、平成四年四月一日から施行する。

2　平成四年三月以前の月分の児童扶養手当の額については、なお従前の例による。

3　平成四年三月以前の月分の児童扶養手当の支給の制限及び同月以前の月分の児童扶養手当に相当する金額の返還については、なお従前の例による。

附　則（第三八次改正）抄

1　この政令は、平成四年八月一日から施行する。

3　平成四年七月以前の月分の児童扶養手当、特別児童扶養手当、障害児福祉手当、特別障害者手当及び国民年金法等の一部を改正する法律附則第九十七条第一項の規定による福祉手当（以下「福祉手当」という。）の支給の制限並びに同月以前の月分の児童扶養手当、特別児童扶養手当、障害児福祉手当、特別障害者手当及び福祉手当に相当する金額の返還については、なお従前の例による。

附　則（第三九次改正）

1　この政令は、平成五年四月一日から施行する。

2　平成五年三月以前の月分の児童扶養手当の額については、なお従前の例による。

3　平成五年三月以前の月分の児童扶養手当の支給の制限及び同月以前の月分の児童扶養手当に相当する金額の返還については、なお従前の例による。

附　則（第四〇次改正）抄

1　この政令は、平成五年八月一日から施行する。ただし、〔中略〕第三条中児童扶養手当法施行令第四条第一項の改正規定〔中略〕並びに附則第四項から第九項までの規定は、平成六年四月一日から施行する。

3　平成五年七月以前の月分の児童扶養手当、特別児童扶養手当、障害児福祉手当、特別障害者手当及び国民年金法等の一部を改正する法律附則第九十七条第一項の規定による福祉手当（以下「福祉手当」という。）の支給の制限並びに同月以前の月分の児童扶養手当、特別児童扶養手当、障害児福祉手当、特別障害者手当及び福祉手当に相当する金額の返還については、なお従前の例による。

7　平成六年七月以前の月分の児童扶養手当の支給の制限について第三条の規定による改正後の児童扶養手当法施行令第四条第一項の規定が適用される場合においては、同項中「総所得金額」とあるのは、「総所得金額（地方税法の一部を改正する法律（平成四年法律第五号）による改正前の地方税法附則第三十三条の二の規定の適用を受ける者については、その者が当該規定の適用を受ける者でないものとして算定した同法第三十二条第一項に規定する総所得金額）」とする。

附　則（第四一次改正）

1　この政令は、平成六年四月一日から施行する。

2　平成六年三月以前の月分の児童扶養手当の額については、なお従前の例による。

3　平成六年三月以前の月分の児童扶養手当の支給の制限及び同月以前の月分の児童扶養手当に相当する金額の返還については、なお従前の例による。

附　則（第四二次改正）抄

1　この政令は、平成六年八月一日から施行する。

3　平成六年七月以前の月分の児童扶養手当、特別児童扶養手当、障害児福祉手当、特別障害者手当及び国民年金法等の一部を改正する法律附則第九十七条第一項の規定による福祉手当（以下「福祉手当」という。）の支給の制限並びに同月以前の月分の児童扶養手当、特別児童扶養手当、障害児福祉手当、特別障害者手当及び福祉手当に相当する金額の返還については、なお従前の例による。

附　則（第四三次改正）抄

（施行期日等）

第一条　この政令は、公布の日（平成六年十一月九日）から施行する。〔以下略〕

2　次の各号に掲げる規定は、それぞれ当該各号に定める日から適用する。

一　〔前略〕第十条の規定による改正後の児童扶養手当法施行令の規定〔中略〕　平成六年十月一日

（児童扶養手当法施行令の一部改正に伴う経過措置）

第二条　平成六年九月以前の月分の児童扶養手当の支給の制限及び同月以前の児童扶養手当に相当する金額の返還については、なお従前の例による。

附　則（第四四次改正）

1　この政令は、平成七年四月一日から施行する。

2　平成七年三月以前の月分の児童扶養手当の支給の制限及び同月以前の月分の児童扶養手当に相当する金額の返還については、なお従前の例による。

附　則（第四五次改正）抄

1　この政令は、平成七年八月一日から施行する。

3　平成七年七月以前の月分の児童扶養手当、特別児童扶養手当、障害児福祉手当、特別障害者手当及び国民年金法等の一部を改正する法律附則第九十七条第一項の規定による福祉手当（以下「福祉手当」という。）の支給の制限並びに同月以前の月分の児童扶養手当、特別児童扶養手当、障害児福祉手当、特別障害者手当及び福祉手当に相当する金額の返還については、なお従前の例による。

附　則（第四六次改正）抄

（施行期日）

1　この政令は、平成八年八月一日から施行する。

（経過措置）

3　平成八年七月以前の月分の児童扶養手当、特別児童扶養手当、障害児福祉手当、特別障害者手当及び国民年金法等の一部を改正する法律附則第九十七条第一項の規定による福祉手当（以下「福祉手当」という。）の支給の制限並びに同月以前の月分の児童扶養手当、特別児童扶養手当、障害児福祉手当、特別障害者手当及び福祉手当に相当する金額の返還については、なお従前の例による。

附　則（第四七次改正）抄

（施行期日）

1　この政令は、平成九年八月一日から施行する。

（経過措置）

3　平成九年七月以前の月分の児童扶養手当、特別児童扶養手当、障

害児福祉手当、特別障害者手当及び国民年金法等の一部を改正する法律附則第九十七条第一項の規定による福祉手当（以下「福祉手当」という。）の支給の制限並びに同月以前の月分の児童扶養手当、特別児童扶養手当、障害児福祉手当、特別障害者手当及び福祉手当に相当する金額の返還については、なお従前の例による。

附　則（第四八次改正）

（施行期日）

1　この政令は、平成十年四月一日から施行する。

（経過措置）

2　平成十年三月以前の月分の児童扶養手当、特別児童扶養手当、障害児福祉手当、特別障害者手当及び国民年金法等の一部を改正する法律附則第九十七条第一項の規定による福祉手当の額については、なお従前の例による。

3　平成十年三月以前の月分の児童扶養手当の支給の制限及び同月以前の月分の児童扶養手当に相当する金額の返還については、なお従前の例による。

附　則（第四九次改正）

（施行期日）

1　この政令は、平成十年八月一日から施行する。ただし、附則第三項の規定は、公布の日〔平成十年六月二十四日〕から施行する。

（児童扶養手当の支給に関する経過措置）

2　平成十年七月以前の月分の児童扶養手当の支給の制限及び同月以前の月分の児童扶養手当に相当する金額の返還については、なお従前の例による。

3　この政令の施行の日（以下「施行日」という。）において、児童扶養手当の支給要件に該当すべき者（第一条中児童扶養手当法施行令第一条の二第三号の改正規定により新たに児童扶養手当の支給要件に該当すべき者となるものに限る。）は、施行日前においても、施行日においてその要件に該当することを条件として、当該児童扶養手当について児童扶養手当法第六条第一項の認定の請求の手続をとることができる。

4　前項の手続をとった者が、施行日において児童扶養手当の支給要件に該当しているときは、その者に対する児童扶養手当については、児童扶養手当法第七条第一項の規定にかかわらず、平成十年八月分から支給する。

附　則（第五〇次改正）

（施行期日）

1　この政令は、平成十一年四月一日から施行する。

（経過措置）

2　平成十一年三月以前の月分の児童扶養手当、特別児童扶養手当、障害児福祉手当、特別障害者手当及び国民年金法等の一部を改正する法律附則第九十七条第一項の規定による福祉手当の額については、なお従前の例による。

3　平成十一年三月以前の月分の児童扶養手当の支給の制限及び同月以前の月分の児童扶養手当に相当する金額の返還については、なお従前の例による。

附　則（第五一次改正）抄

（施行期日）

1　この政令は、平成十一年六月一日から施行する。ただし、第一条から第三条まで（中略）の規定は、平成十一年八月一日から施行する。

附　則（第五二次改正）抄

（施行期日）

1　この政令は、内閣法の一部を改正する法律（平成十一年法律第八十八号）の施行の日（平成十三年一月六日）から施行する。（以下略）

附　則（第五三次改正）抄

（施行期日）

1　この政令は、平成十三年八月一日から施行する。

（経過措置）

3　平成十三年七月以前の月分の児童扶養手当、特別児童扶養手当、障害児福祉手当、特別障害者手当及び国民年金法等の一部を改正する法律附則第九十七条第一項の規定による福祉手当（以下「福祉手当」という。）の支給の制限並びに同月以前の月分の児童扶養手当、特別児童扶養手当、障害児福祉手当、特別障害者手当及び福祉手当に相当する金額の返還については、なお従前の例による。

附　則（第五四次改正）抄

（施行期日）

第一条　この政令は、平成十二年四月一日から施行する。ただし、第四十八条、第四十九条及び第六十九条の規定は、平成十四年八月一日から施行する。

注　第四九条は第五四次改正の本則中の条文

（平成十四年七月以前の月分の児童扶養手当に関する経過措置）

第四十九条　平成十四年七月以前の月分の児童扶養手当について地方分権の推進を図るための関係法律の整備等に関する法律（平成十一年法律第八十七号）第二百三十六条の規定による改正後の児童扶養手当法（昭和三十六年法律第二百三十八号）第十二条、第二十三条又は第二十九条の規定を適用する場合においては、同法第十二条第二項中「都道府県、市（特別区を含む。）又は福祉事務所を設置する町村（以下「都道府県等」という。）」とあるのは「都道府県」と、同法第二十三条第一項中「都道府県知事等」とあるのは「都道府県知事」と、同法第二十九条第一項及び第二項中「都道府県知事等」とあるのは「都道府県知事、市長（特別区の区長を含む。）又は福祉事務所を管理する町村長」とする。

2　平成十四年七月以前の月分の児童扶養手当に係る支給に要する費用及び支払に関する事務については、なお従前の例による。

附　則（第五五次改正）抄

（施行期日）

1　この政令は、平成十四年六月一日から施行する。ただし、第一条から第三条まで（中略）の規定は、平成十四年八月一日から施行する。

附　則（第五六次改正）抄

（施行期日）

第一条　この政令は、平成十四年八月一日から施行する。

（児童扶養手当法施行令の一部改正に伴う経過措置）

第二条　平成十四年七月以前の月分の児童扶養手当の支給の制限及び同月以前の月分の児童扶養手当に相当する金額の返還については、なお従前の例による。

附　則（第五七次改正）抄

（施行期日）

第一条　この政令は、平成十五年四月一日から施行する。

附　則（第五八次改正）

（施行期日）

第一条　この政令は、平成十五年四月一日から施行する。

（児童扶養手当法施行令の一部改正に伴う経過措置）

第二条　平成十五年三月以前の月分の児童扶養手当の支給の制限及び同月以前の月分の児童扶養手当に相当する金額の返還については、なお従前の例による。

附　則（第五九次改正）

（施行期日）

第一条　この政令は、平成十七年四月一日から施行する。

（経過措置）

第二条　平成十七年四月以降の月分の児童扶養手当について、児童扶養手当法による児童扶養手当の額等の改定の特例に関する法律（平成十七年法律第九号）第一項の規定の適用がある場合においては、

第一条の規定による改正後の児童扶養手当法施行令（附則第四条において「新令」という。）第二条の四第二項中「〇・〇一八一六一八」とあるのは、「〇・〇一八四九一三」とする。

第三条　平成十七年三月以前の月分の児童扶養手当の支給の制限については、なお従前の例による。

第四条　新令第五条の二第二項の規定は、この政令の施行の日以後に行われる児童扶養手当法第十二条第二項の規定による返還について、適用する。

2　平成十七年三月以前の月分の児童扶養手当の児童扶養手当法第十二条第二項の規定による返還については、新令第五条の二第二項の規定により返還することとなる金額が第一条の規定による改正前の児童扶養手当法施行令第五条の二第二項に規定する金額を超える場合（児童扶養手当法第十二条第二項第一号に規定する所得が、同令第二条の四第二項の表の上欄に掲げる区分に応じて、それぞれ同表の中欄に定める額未満である場合に限る。）には、新令第五条の二第二項の規定にかかわらず、なお従前の例による。

附　則（第六〇次改正）抄

（施行期日）

第一条　この政令は、公布の日〔平成十七年六月一日〕から施行する。

（児童扶養手当法施行令の一部改正に伴う経過措置）

第五条　第三条の規定による改正後の児童扶養手当法施行令第四条第一項の規定は、平成十七年八月以後の月分の児童扶養手当の支給の

制限及び同月以後の月分の児童扶養手当に相当する金額の返還について適用し、同年七月以前の月分の児童扶養手当の支給の制限及び同月以前の月分の児童扶養手当に相当する金額の返還については、なお従前の例による。

附　則（第六一次改正）抄

（施行期日）

第一条　この政令は、平成十八年四月一日から施行する。

（児童扶養手当法施行令の一部改正に伴う経過措置）

第二条　平成十八年四月以降の月分の児童扶養手当について、児童扶養手当法による児童扶養手当の額等の改定の特例に関する法律（平成十七年法律第九号）第一項の規定の適用がある場合においては、第一条の規定による改正後の児童扶養手当法施行令第二条の四第二項中「〇・〇一八一〇九八」とあるのは、「〇・〇一八四一六二」とする。

第三条　第一条の規定による改正後の児童扶養手当法施行令第二条の四の規定（前条の規定の適用がある場合には、同条の規定）は、平成十八年四月以後の月分の児童扶養手当の支給の制限について適用し、同年三月以前の月分の児童扶養手当の支給の制限については、なお従前の例による。

第四条　第一条の規定による改正後の児童扶養手当法施行令第四条第二項の規定は、平成十八年八月以後の月分の児童扶養手当の支給の制限及び同月以後の月分の児童扶養手当に相当する金額の返還について適用し、同年七月以前の月分の児童扶養手当の支給の制限及び同月以前の月分の児童扶養手当に相当する金額の返還については、なお従前の例による。

附　則（第六二次改正）抄

（施行期日）

第一条　この政令は、平成十八年四月一日から施行する。〔以下略〕

附　則（第六三次改正）

（施行期日）

第一条　この政令は、公布の日〔平成十九年四月一日〕から施行する。

（児童扶養手当法施行令の一部改正に伴う経過措置）

第二条　平成十九年四月以降の月分の児童扶養手当について、児童扶養手当法による児童扶養手当の額等の改定の特例に関する法律（平成十七年法律第九号）第一項の規定の適用がある場合においては、第一条の規定による改正後の児童扶養手当法施行令第二条の四第二項中「〇・〇一八一六一八」とあるのは、「〇・〇一八三九八八」とする。

第三条　第一条の規定による改正後の児童扶養手当法施行令第二条の四第二項の規定（前条の規定の適用がある場合には、同条の規定）は、平成十九年四月以後の月分の児童扶養手当の支給の制限について適用し、同年三月以前の月分の児童扶養手当の支給の制限については、なお従前の例による。

附　則（第六四次改正）抄

（施行期日）

第一条　この政令は、平成十九年十月一日から施行する。〔以下略〕

附　則（第六五次改正）

この政令は、公布の日〔平成二十年二月八日〕から施行する。

附　則（第六六次改正）

（施行期日）

第一条　この政令は、平成二十一年四月一日から施行する。

（児童扶養手当法施行令の一部改正に伴う経過措置）

第二条　第一条の規定による改正後の児童扶養手当法施行令第二条の四第二項の規定は、平成二十一年四月以後の月分の児童扶養手当の支給の制限について適用し、同年三月以前の月分の児童扶養手当の支給の制限については、なお従前の例による。

附　則（第六七次改正）

（施行期日）

第一条　この政令は、公布の日〔平成二十二年四月一日〕から施行する。

（児童扶養手当法施行令の一部改正に伴う経過措置）

第二条　平成二十二年四月以降の月分の児童扶養手当について、児童扶養手当法による児童扶養手当の額等の改定の特例に関する法律（平成十七年法律第九号）第一項の規定の適用がある場合においては、第一条の規定による改正後の児童扶養手当法施行令第二条の四第二項中「〇・〇一八一六一八」とあるのは「〇・〇一八四一六二」とする。

第三条　第一条の規定による改正後の児童扶養手当法施行令第二条の

四第二項の規定（前条の規定の適用がある場合には、同条の規定）は、平成二十二年四月以後の月分の児童扶養手当の支給の制限について適用し、同年三月以前の月分の児童扶養手当の支給の制限については、なお従前の例による。

附　則（第六八次改正）抄

（施行期日）

第一条　この政令は、平成二十二年六月一日から施行する。〔以下略〕

附　則（第六九次改正）

この政令は、平成二十二年八月一日から施行する。

附　則（第七〇次改正）

（施行期日）

第一条　この政令は、平成二十三年四月一日から施行する。

（児童扶養手当法施行令の一部改正に伴う経過措置）

第二条　平成二十三年四月以降の月分の児童扶養手当について、児童扶養手当法による児童扶養手当の額等の改定の特例に関する法律第一項の規定の適用がある場合においては、第一条の規定による改正後の児童扶養手当法施行令第二条の四第二項中「〇・〇一八〇三四七」とあるのは、「〇・〇一八三四一〇」とする。

第三条　第一条の規定による改正後の児童扶養手当法施行令第二条の四第二項の規定（前条の規定の適用がある場合には、同条の規定）は、平成二十三年四月以後の月分の児童扶養手当の支給の制限について適用し、同年三月以前の月分の児童扶養手当の支給の制限については、なお従前の例による。

附　則（第七一次改正）

（施行期日）

1　この政令は、平成二十四年四月一日から施行する。

（児童扶養手当法施行令の一部改正に伴う経過措置）

2　平成二十四年四月以降の月分の児童扶養手当について、児童扶養手当法による児童扶養手当の額等の改定の特例に関する法律（平成十七年法律第九号）第一項の規定の適用がある場合においては、第一条の規定による改正後の児童扶養手当法施行令第二条の四第二項中「〇・〇一七九八二七」とあるのは、「〇・〇一八二八九〇」とする。

3　第一条の規定による改正後の児童扶養手当法施行令第二条の四第二項の規定（前項の規定の適用がある場合には、同項の規定）は、平成二十四年四月以後の月分の児童扶養手当の支給の制限について適用し、同年三月以前の月分の児童扶養手当の支給の制限については、なお従前の例による。

附　則（第七二次改正）抄

（施行期日）

第一条　この政令は、平成二十四年四月一日から施行する。ただし、次の各号に掲げる規定は、それぞれ当該各号に定める日から施行する。

二　〔前略〕第九条から第十二条までの規定並びに附則第五条から第十一条までの規定　平成二十四年八月一日

（児童扶養手当法施行令の一部改正に伴う経過措置）

第十条　第十一条の規定による改正後の児童扶養手当法施行令第二条の四第一項及び第二項の規定は、平成二十三年以後の年の所得による児童扶養手当の支給の制限及び児童扶養手当に相当する金額の返還について適用し、平成二十二年以前の年の所得による支給の制限及び返還については、なお従前の例による。

附　則（第七三次改正）

（施行期日）

1　この政令は、平成二十四年八月一日から施行する。

（経過措置）

2　この政令の施行の日（以下「施行日」という。）においてこの政令による改正後の児童扶養手当法施行令（以下「新令」という。）第一条の二第二号又は第一条の三第二号の規定により新たに児童扶養手当法第四条に定める要件に該当することとなった児童を施行日において現に監護し、又は養育している者が、平成二十四年八月三十一日までの間に同法第六条第一項又は第八条第一項の規定による認定の請求をしたときは、その者に対する児童扶養手当の支給又はその額の改定は、同法第七条第一項又は第八条第一項の規定にかかわらず、同月から行う。

3　前項に規定する者（施行日において新令第一条の二第二号又は第一条の三第二号の規定により新たに児童扶養手当の支給要件に該当することとなった者に限る。）に対する児童扶養手当の支給に関し、児童扶養手当法第十三条の二の規定を適用する場合においては、同条第一項中「手当の支給要件に該当するに至つた日の属する月の初日」とあるのは、「平成二十四年八月一日」とする。

附　則（第七四次改正）

この政令は、配偶者からの暴力の防止及び被害者の保護に関する法律の一部を改正する法律〔平成二十五年法律第七十二号〕の施行の日〔平成二十六年一月三日〕から施行する。

附　則（第七五次改正）

（施行期日）

1　この政令は、平成二十六年四月一日から施行する。

（経過措置）

2　平成二十六年三月以前の月分の児童扶養手当法〔昭和三十六年法律第二百三十八号〕による児童扶養手当、特別児童扶養手当等の支給に関する法律〔昭和三十九年法律第百三十四号〕による特別児童扶養手当、障害児福祉手当及び特別障害者手当、国民年金法等の一部を改正する法律〔昭和六十年法律第三十四号〕附則第九十七条第一項の規定による福祉手当並びに原子爆弾被爆者に対する援護に関する法律〔平成六年法律百十七号〕による医療特別手当、特別手当、原子爆弾小頭症手当、健康管理手当及び保健手当については、なお従前の例による。

3　第一条の規定による改正後の児童扶養手当法施行令第二条の四第二項の規定（第六条の規定による改正後の児童扶養手当法による児童扶養手当の額等の改定の特例に関する法律第二項の規定に基づき児童扶養手当等の改定額を定める政令の一部を改正する等の政令

〔平成二十五年政令第二百六十一号〕第二条の規定の適用がある場合には、同条の規定）は、平成二十六年四月以後の月分の児童扶養手当の支給の制限について適用し、同年三月以前の月分の児童扶養手当の支給の制限については、なお従前の例による。

附　則（第七六次改正）抄

（施行期日）

1　この政令は、平成二十六年十月一日から施行する。ただし、第三条〔中略〕の規定は、同年十二月一日から施行する。

（経過措置）

2　平成二十七年七月以前の月分の児童扶養手当に係る第二条の規定による改正後の児童扶養手当法施行令（以下この項及び次項において「新令」という。）第三条第一項及び第四条第一項の規定の適用については、新令第三条第一項中「母子及び父子並びに寡婦福祉法施行令（昭和三十九年政令第二百二十四号）第二十九条第一項に規定する母子家庭高等職業訓練修了支援給付金及び同令第三十一条の九第一項に規定する父子家庭高等職業訓練修了支援給付金」とあるのは「次代の社会を担う子どもの健全な育成を図るための次世代育成支援対策推進法等の一部を改正する法律（平成二十六年法律第二十八号）第二条の規定による改正前の母子及び寡婦福祉法（昭和三十九年法律第百二十九号）第三十一条に規定する母子家庭自立支援給付金」と、「母子家庭高等職業訓練修了支援給付金等」とあるのは「母子家庭自立支援給付金」と、新令第四条第一項中「母子家庭高等職業訓練修了支援給付金等」とあるのは「母子家庭自立支援給付金」とする。

3　平成二十七年八月から平成二十八年七月までの月分の児童扶養手当に係る新令第三条第一項及び第四条第一項の規定の適用については、新令第三条第一項中「母子及び父子並びに寡婦福祉法施行令」とあるのは「次代の社会を担う子どもの健全な育成を図るための次世代育成支援対策推進法等の一部を改正する法律（平成二十六年法律第二十八号）第二条の規定による改正前の母子及び寡婦福祉法（昭和三十九年法律第百二十九号）第三十一条に規定する母子家庭自立支援給付金並びに母子及び父子並びに寡婦福祉法施行令」と、「母子家庭高等職業訓練修了支援給付金等」とあるのは「母子家庭自立支援給付金等」と、新令第四条第一項中「母子家庭高等職業訓練修了支援給付金等」とあるのは「母子家庭自立支援給付金等」とする。

附　則（第七七次改正）

（施行期日）

1　この政令は、平成二十七年四月一日から施行する。

（経過措置）

2　平成二十七年三月以前の月分の児童扶養手当法（昭和三十六年法律第二百三十八号）による児童扶養手当、特別児童扶養手当等の支給に関する法律（昭和三十九年法律第百三十四号）による特別児童扶養手当、障害児福祉手当及び特別障害者手当並びに国民年金法等の一部を改正する法律（昭和六十年法律第三十四号）附則第九十七条第一項の規定による福祉手当については、なお従前の例による。

3　第一条の規定による改正後の児童扶養手当法施行令第二条の四第二項の規定は、平成二十七年四月以後の月分の児童扶養手当の支給の制限について適用し、同年三月以前の月分の児童扶養手当の支給の制限については、なお従前の例による。

附　則（第七八次改正）

（施行期日）

1　この政令は、平成二十八年一月一日から施行する。

（経過措置）

2　この政令による改正後の児童扶養手当法施行令第六条の三第二項第二号及び第六条の四第二項第二号の規定は、平成二十八年一月以後の月分の児童扶養手当の支給の制限について適用し、平成二十七年十二月以前の月分の児童扶養手当の支給の制限については、なお従前の例による。

附　則（第七九次改正）

（施行期日）

1　この政令は、平成二十八年四月一日から施行する。

（経過措置）

2　平成二十八年三月以前の月分の児童扶養手当法（昭和三十六年法律第二百三十八号）による児童扶養手当、特別児童扶養手当等の支給に関する法律（昭和三十九年法律第百三十四号）による特別児童扶養手当、障害児福祉手当及び特別障害者手当並びに国民年金法等の一部を改正する法律（昭和六十年法律第三十四号）附則第九十七条第一項の規定による福祉手当については、なお従前の例による。

3　第一条の規定による改正後の児童扶養手当法施行令第二条の四第二項の規定は、平成二十八年四月以後の月分の児童扶養手当の支給の制限について適用し、同年三月以前の月分の児童扶養手当の支給の制限については、なお従前の例による。

附　則（第八〇次改正）抄

（施行期日）

1　この政令は、平成二十八年八月一日から施行する。

（経過措置）

2　この政令による改正後の児童扶養手当法施行令第二条の四第二項から第五項までの規定は、平成二十八年八月以後の月分の児童扶養手当の支給の制限について適用し、同年七月以前の月分の児童扶養手当の支給の制限については、なお従前の例による。

附　則（第八一次改正）抄

（施行期日）

第一条　この政令は、所得税法等の一部を改正する法律（平成二十八年法律第十五号。次条第二項及び附則第四条第二項において「改正法」という。）附則第一条第五号に掲げる規定の施行の日〔平成二十九年一月一日〕から施行する。〔以下略〕

附　則（第八二次改正）

（施行期日）

1　この政令は、平成二十九年四月一日から施行する。

（経過措置）

2　平成二十九年三月以前の月分の児童扶養手当法〔昭和三十六年法律第二百三十八号〕による児童扶養手当、特別児童扶養手当等の支給に関する法律〔昭和三十九年法律第百三十四号〕による特別児童扶養手当、障害児福祉手当及び特別障害者手当並びに国民年金法等の一部を改正する法律〔昭和六十年法律第三十四号〕附則第九十七条第一項の規定による福祉手当については、なお従前の例による。

3　第一条の規定による改正後の児童扶養手当法施行令第二条の四第三項から第五項までの規定は、平成二十九年四月以後の月分の児童扶養手当の支給の制限について適用し、同年三月以前の月分の児童扶養手当の支給の制限については、なお従前の例による。

附　則（第八三次改正）抄

（施行期日）

第一条　この政令は、平成三十年一月一日から施行する。〔以下略〕

（経過措置）

第二条

3　第二条の規定による改正後の児童扶養手当法施行令第二条の四第一項から第三項までの規定は、平成三十一年十一月以後の月分の児童扶養手当の支給の制限について適用し、同年十月以前の月分の当該児童扶養手当の支給の制限については、なお従前の例による。

〔**改正**〕一部改正（第八六・八九次改正）

附　則（第八四次改正）

（施行期日）

1　この政令は、平成三十年四月一日から施行する。

（経過措置）

2　平成三十年三月以前の月分の児童扶養手当法（昭和三十六年法律第二百三十八号）による児童扶養手当、特別児童扶養手当等の支給に関する法律（昭和三十九年法律第百三十四号）による特別児童扶養手当、障害児福祉手当及び特別障害者手当並びに国民年金法等の一部を改正する法律（昭和六十年法律第三十四号）附則第九十七条第一項の規定による福祉手当については、なお従前の例による。

3　第一条の規定による改正後の児童扶養手当法施行令第二条の四第三項から第五項までの規定は、平成三十年四月以後の月分の児童扶養手当の支給の制限について適用し、同年三月以前の月分の児童扶養手当の支給の制限については、なお従前の例による。

附　則（第八五次改正）抄

（施行期日）

第一条　この政令は、平成三十年八月一日から施行する。

（児童扶養手当法施行令の一部改正に伴う経過措置）

第二条　第一条の規定による改正後の児童扶養手当法施行令（次項において「新児童扶養手当法施行令」という。）第二条の四第一項及び第三項から第五項までの規定は、平成三十年八月以後の月分の児童扶養手当の支給の制限について適用し、同年七月以前の月分の児童扶養手当の支給の制限については、なお従前の例による。

2　新児童扶養手当法施行令第四条第一項及び第二項の規定は、平成三十年八月以後の月分の児童扶養手当の支給の制限及び同月以後の月分の児童扶養手当に相当する金額の返還について適用し、同年七月以前の月分の児童扶養手当の支給の制限及び同月以前の月分の児童扶養手当に相当する金額の返還については、なお従前の例による。

附　則（第八六次改正）

この政令は、平成三十一年四月一日から施行する。

附　則（第八七次改正）

（施行期日）

1　この政令は、平成三十一年四月一日から施行する。

（経過措置）

2　平成三十一年三月以前の月分の児童扶養手当法による児童扶養手当、特別児童扶養手当等の支給に関する法律による特別児童扶養手当、障害児福祉手当及び特別障害者手当並びに国民年金法等の一部を改正する法律（昭和六十年法律第三十四号）附則第九十七条第一項の規定による福祉手当については、なお従前の例による。

3　第一条の規定による改正後の児童扶養手当法施行令第二条の四第三項から第五項までの規定は、平成三十一年四月以後の月分の児童扶養手当の支給の制限について適用し、同年三月以前の月分の児童扶養手当の支給の制限については、なお従前の例による。

附　則（第八八次改正）

（施行期日）

1　この政令は、令和二年四月一日から施行する。

（経過措置）

2 令和二年三月以前の月分の児童扶養手当法による児童扶養手当、特別児童扶養手当等の支給に関する法律による特別児童扶養手当、障害児福祉手当及び特別障害者手当並びに国民年金法等の一部を改正する法律〔昭和六十年法律第三十四号〕附則第九十七条第一項の規定による福祉手当については、なお従前の例による。

3 第一条の規定による改正後の児童扶養手当法施行令第二条の四第三項から第五項までの規定は、令和二年四月以後の月分の児童扶養手当の支給の制限について適用し、同年三月以前の月分の児童扶養手当の支給の制限については、なお従前の例による。

附　則（第八九次改正）抄

（施行期日）

第一条 この政令は、令和二年四月一日から施行する。

附　則（第九〇次改正）抄

この政令は、雇用保険法等の一部を改正する法律附則第一条第三号に掲げる規定の施行の日（令和二年九月一日）から施行する。〔以下略〕

附　則（第九一次改正）抄

（施行期日）

第一条 この政令は、令和三年一月一日から施行する。

（児童扶養手当法施行令の一部改正に伴う経過措置）

第五条 第四条の規定による改正後の児童扶養手当法施行令第四条第一項（同条第三項において準用する場合を含む。）の規定は、令和二年以後の年の所得による児童扶養手当の支給の制限及び児童扶養手当に相当する金額の返還について適用し、令和元年以前の年の所得による当該支給の制限及び返還については、なお従前の例による。

附　則（第九二次改正）抄

（施行期日）

第一条 この政令は、令和三年一月一日から施行する。〔以下略〕

（児童扶養手当法施行令の一部改正に伴う経過措置）

第七条 第三条の規定による改正後の児童扶養手当法施行令第四条第一項及び第二項（これらの規定を児童扶養手当法施行令第四条第三項において準用する場合を含む。）の規定は、令和二年以後の年の所得による児童扶養手当の支給の制限及び児童扶養手当に相当する金額の返還について適用し、令和元年以前の年の所得による当該支給の制限及び返還については、なお従前の例による。

附　則（第九三次改正）

（施行期日）

1 この政令は、令和三年三月一日から施行する。

（経過措置）

2 この政令による改正後の児童扶養手当法施行令（次項において「新令」という。）第六条の七の規定（児童扶養手当法施行令第三条第一項の読替えに係る部分に限る。）は、令和三年三月以後の月分の児童扶養手当の支給の制限及び児童扶養手当に相当する金額の返還について適用し、同年二月以前の月分の児童扶養手当の支給の制限及び児童扶養手当に相当する金額の返還については、なお従前の例による。

3　新令第六条の七に規定する場合における令和三年三月以後の月分の児童扶養手当の支給の制限及び児童扶養手当に相当する金額の返還についての国民健康保険法施行令等の一部を改正する政令（令和二年政令第二百七十号）附則第五条の規定によりなお従前の例によることとされる同令第四条の規定による改正前の児童扶養手当法施行令第四条第一項（同条第三項において準用する場合を含む。）の規定の適用については、同条第一項中「除く」とあるのは「除き、非課税公的年金給付等（公的年金給付又は法第十三条の二第一項第四号に規定する遺族補償等であつて、地方税法第四条第二項第一号に掲げる道府県民税についての同法その他の道府県民税に関する法令の規定による非課税所得に係るものをいう。以下この項において同じ。）に係る所得を有する場合には、非課税公的年金給付等についても所得税法第三十五条第三項に規定する公的年金等とみなして同条第二項第一号の規定により計算した金額と同項第二号の規定により計算した金額とを合算した金額を同条第一項に規定する雑所得の金額として計算するものとする」と、「山林所得金額、同法」とあるのは「山林所得金額、地方税法」とし、同年二月以前の月分の児童扶養手当の支給の制限及び児童扶養手当に相当する金額の返還については、なお従前の例による。

附　則（第九四次改正）抄

（施行期日）

1　この政令は、令和四年四月一日から施行する。

（児童扶養手当の支給の制限に関する経過措置）

2　この政令の施行の日前に児童扶養手当の支給の認定を受けた児童扶養手当法第十三条の三第一項に規定する受給資格者であって、この政令の施行により新たに児童扶養手当法施行令第八条第二号に掲げる事由に該当することとなったものに係る令和四年三月以前の月分の児童扶養手当の支給の制限については、なお従前の例による。

附　則（第九五次改正）

（施行期日）

1　この政令は、令和四年四月一日から施行する。

（経過措置）

2　令和四年三月以前の月分の児童扶養手当法による児童扶養手当、特別児童扶養手当等の支給に関する法律による特別児童扶養手当、障害児福祉手当及び特別障害者手当並びに国民年金法等の一部を改正する法律附則第九十七条第一項の規定による福祉手当については、なお従前の例による。

3　第一条の規定による改正後の児童扶養手当法施行令第二条の四第三項及び第四項の規定は、令和四年四月以後の月分の児童扶養手当の支給の制限について適用し、同年三月以前の月分の児童扶養手当の支給の制限については、なお従前の例による。

附　則（第九六次改正）

（施行期日）

1　この政令は、令和五年四月一日から施行する。

（経過措置）

2　令和五年三月以前の月分の児童扶養手当法による児童扶養手当、特別児童扶養手当等の支給に関する法律による特別児童扶養手当、障害児福祉手当及び特別障害者手当並びに国民年金法等の一部を改正する法律附則第九十七条第一項の規定による福祉手当については、なお従前の例による。

3　第一条の規定による改正後の児童扶養手当法施行令第二条の四第三項から第五項までの規定は、令和五年四月以後の月分の児童扶養手当の支給の制限について適用し、同年三月以前の月分の児童扶養手当の支給の制限については、なお従前の例による。

附　則（第九七次改正）抄

（施行期日）

第一条　この政令は、令和五年四月一日から施行する。

別表第一（第一条、第八条関係）

一　次に掲げる視覚障害

イ　両眼の視力がそれぞれ〇・〇七以下のもの

ロ　一眼の視力が〇・〇八、他眼の視力が手動弁以下のもの

ハ　ゴールドマン型視野計による測定の結果、両眼のⅠ／四視標による周辺視野角度の和がそれぞれ八〇度以下かつⅠ／二視標による両眼中心視野角度が五六度以下のもの

ニ　自動視野計による測定の結果、両眼開放視認点数が七〇点以下かつ両眼中心視野視認点数が四〇点以下のもの

二　両耳の聴力レベルが九〇デシベル以上のもの

三　平衡機能に著しい障害を有するもの

四　そしやくの機能を欠くもの

五　音声又は言語機能に著しい障害を有するもの

六　両上肢のおや指及びひとさし指又は中指を欠くもの

七　両上肢のおや指及びひとさし指又は中指の機能に著しい障害を有するもの

八　一上肢の機能に著しい障害を有するもの

九　一上肢の全ての指を欠くもの

十　一上肢の全ての指の機能に著しい障害を有するもの

十一　両下肢の全ての指を欠くもの

十二　一下肢の機能に著しい障害を有するもの

十三　一下肢を足関節以上で欠くもの

十四　体幹の機能に歩くことができない程度の障害を有するもの

十五　前各号に掲げるもののほか、身体の機能の障害又は長期にわたる安静を必要とする病状が前各号と同程度以上と認められる状態であつて、日常生活が著しい制限を受けるか、又は日常生活に著しい制限を加えることを必要とする程度のもの

十六　精神の障害であつて、前各号と同程度以上と認められる程度のもの

十七　身体の機能の障害若しくは病状又は精神の障害が重複する場合であつて、その状態が前各号と同程度以上と認められる程度のもの

（備考）視力の測定は、万国式試視力表によるものとし、屈折異常があるものについては、矯正視力によつて測定する。

〔改正〕

追加（第二四次改正）、一部改正（第二五・六五・九四次改正）

別表第二（第一条関係）

一　次に掲げる視覚障害

イ　両眼の視力がそれぞれ〇・〇三以下のもの

ロ　一眼の視力が〇・〇四、他眼の視力が手動弁以下のもの

ハ　ゴールドマン型視野計による測定の結果、両眼のⅠ／四視標による周辺視野角度の和がそれぞれ八〇度以下かつⅠ／二視標による両眼中心視野角度が二八度以下のもの

ニ　自動視野計による測定の結果、両眼開放視認点数が七〇点以下かつ両眼中心視野視認点数が二〇点以下のもの

二　両耳の聴力レベルが一〇〇デシベル以上のもの

三　両上肢の機能に著しい障害を有するもの

四　両上肢の全ての指を欠くもの

五　両上肢の全ての指の機能に著しい障害を有するもの

六　両下肢の機能に著しい障害を有するもの

七　両下肢を足関節以上で欠くもの

八　体幹の機能に座つていることができない程度又は立ち上がることができない程度の障害を有するもの

九　前各号に掲げるもののほか、身体の機能に、労働することを不能ならしめ、かつ、常時の介護を必要とする程度の障害を有するもの

十　精神に、労働することを不能ならしめ、かつ、常時の監視又は介護を必要とする程度の障害を有するもの

十一　傷病が治らないで、身体の機能又は精神に、労働することを不能ならしめ、かつ、長期にわたる高度の安静と常時の監視又は介護とを必要とする程度の障害を有するものであつて、内閣総理大臣が定めるもの

（備考）視力の測定は、万国式試視力表によるものとし、屈折異常があるものについては、矯正視力によつて測定する。

〔改正〕

追加（第二四次改正）、一部改正（第二五・五二・九四・九七次改正）

〔委任〕

第一一号の「内閣総理大臣が定めるもの」＝昭和六〇年七月厚告第一二四号「児童扶養手当法施行令別表第二第十一号の規定に基づき内閣総理大臣が定める障害の状態」

◉阪神・淡路大震災に伴う国民年金法第三十条の四の規定による障害基礎年金の支給停止等に係る平成七年の所得の額の計算方法の特例に関する政令

〔平成八年七月二十四日
政令第二百二十七号〕

（厚生大臣署名）

〔一部改正経過〕

第一次〔平成一一年三月三一日政令第九四号「地方税法施行令の一部を改正する政令」附則第一〇条による改正〕

阪神・淡路大震災に伴う国民年金法第三十条の四の規定による障害基礎年金の支給停止等に係る平成七年の所得の額の計算方法の特例に関する政令

内閣は、国民年金法（昭和三十四年法律第百四十一号）第三十六条の三第二項、国民年金法等の一部を改正する法律（昭和六十年法律第三十四号）附則第二十八条第十項の規定によりその例によるものとされた同法第一条の規定による改正前の国民年金法第六十六条第五項、国民年金法等の一部を改正する法律附則第三十二条第十一項の規定によりなおその効力を有するものとされた同法第一条の規定による改正前の国民年金法第七十九条の二第五項において準用する同法第六十六条第五項、児童扶養手当法（昭和三十六年法律第二百三十八号）第十三条並びに特別児童扶養手当等の支給に関する法律（昭和三十九年法律第百三十四号）第十条及び第二十三条（同法第二十六条の五及び国民年金法等の一部を改正する法律附則第九十七条第二項において準用する場合を含む。）の規定に基づき、この政令を制定する。

次の表の第一欄に掲げる年金たる給付又は手当について、同表の第二欄に掲げる規定に規定する被災者（阪神・淡路大震災によりその財産につき損害を受けたものに限る。）があつたことにより、同欄に掲げる規定により当該被災者の平成五年又は平成六年における所得を理由とする平成七年一月から平成八年七月までの期間に係る支給の停止又は制限を行わないこととされた場合において、当該被災者が、阪神・淡路大震災により地方税法（昭和二十五年法律第二百二十六号）第三十四条第一項第一号に規定する資産について受けた損失の金額（阪神・淡路大震災に関連するやむを得ない支出で、地方税法施行令（昭和二十五年政令第二百四十五号）附則第四条の三で定めるものの金額を含み、保険金、損害賠償金その他これらに類するものにより埋められた部分の金額を除く。）について、同法附則第四条の三第一項の規定により平成六年において生じた同法に規定する損失の金額として同法第三十四条第一項の規定の適用を受けたときは、当該被災者の平成七年の同表の第三欄に掲げる所得の額は、同表の第四欄に掲げる規定にかかわらず、同欄に掲げる規定により計算した額から、阪神・淡路大震災により受けた当該損失の金額に係る雑損控除額を控除した額とする。

国民年金法第三十条の四の規定による障害基礎年金	国民年金法第三十六条の四第一項	国民年金法第三十六条の三第一項及び第三十六条の四第二項に規定する所得の額	国民年金法施行令（昭和三十四年政令第百八十四号）第六条の二
国民年金法等の一部を改正する法律（以下「昭和六十年改正法」という。）附則第二十八条第一項の規定による遺族基礎年金	昭和六十年改正法附則第二十八条第十項においてその例によるものとされた昭和六十年改正法第一条の規定による改正前の国民年金法（以下「旧国民年金法」という。）第六十七条第一項	昭和六十年改正法附則第二十八条第十項においてその例によるものとされた旧国民年金法第六十六条第三項及び第四項並びに第六十七条第二項第二号及び第三号に規定する所得の額	国民年金法等の一部を改正する法律の施行に伴う経過措置に関する政令（昭和六十一年政令第五十四号）第四十六条第七項
旧国民年金法による老齢福祉年金	昭和六十年改正法附則第三十二条第十一項の規定によりなおその効力を有するものとされた旧国民年金法第七十九条の二第五項において準用する旧国民年金法第六十七条第一項	昭和六十年改正法附則第三十二条第十一項の規定によりなおその効力を有するものとされた旧国民年金法第七十九条の二第五項において準用する旧国民年金法第六十六条第一項及び第二項並びに第六十七条第二項第一号及び第二号に規定する所得の額	昭和六十年改正法附則第三十二条第十一項の規定によりなおその効力を有するものとされた国民年金法施行令等の一部を改正する等の政令（昭和六十一年政令第五十三号）第一条の規定による改正前の国民年金法施行令第六条の二
児童扶養手当法による児童扶養手当	児童扶養手当法第十二条第一項	児童扶養手当法第九条から第十一条まで及び第十二条第二項各号に規定する所得の額	児童扶養手当法施行令（昭和三十六年政令第四百五号）第四条
特別児童扶養手当等の支給に関する法律による特別児童扶養手当	特別児童扶養手当等の支給に関する法律第九条第一項	特別児童扶養手当等の支給に関する法律第六条から第八条まで及び第九条第二項各号に規定する所得の額	特別児童扶養手当等の支給に関する法律施行令（昭和五十年政令第二百七号）第五条
特別児童扶養手当等の支	特別児童扶養手当等の支給に関	特別児童扶養手当等の支給に関する法	特別児童扶養手当等の支給に関する法

給に関する法律による障害児福祉手当	する法律第二十二条第一項	律第二十条、第二十一条及び第二十二条第二項各号に規定する所得の額	律施行令第八条第三項及び第四項において準用する同令第五条
特別児童扶養手当等の支給に関する法律による特別障害者手当	特別児童扶養手当等の支給に関する法律第二十六条の五において準用する同法第二十二条第一項	特別児童扶養手当等の支給に関する法律第二十六条の五において準用する同法第二十条、第二十一条及び第二十二条第二項各号に規定する所得の額	特別児童扶養手当等の支給に関する法律施行令第十二条第四項及び第五項において準用する同令第五条
昭和六十年改正法附則第九十七条第一項の規定による福祉手当	昭和六十年改正法附則第九十七条第二項において準用する特別児童扶養手当等の支給に関する法律第二十二条第一項	昭和六十年改正法附則第九十七条第二項において準用する特別児童扶養手当等の支給に関する法律第二十条、第二十一条及び第二十二条第二項各号に規定する所得の額	特別児童扶養手当等の支給に関する法律施行令の一部を改正する政令（昭和六十年政令第三百二十三号）附則第四条において準用する特別児童扶養手当等の支給に関する法律施行令第八条第三項及び第四項において準用する同令第五条

附　則

この政令は、平成八年八月一日から施行する。

附　則（第一次改正）抄

（施行期日）

第一条　この政令は、平成十一年四月一日から施行する。〔以下略〕

◉平成十五年度における国民年金法による年金の額等の改定の特例に関する法律に基づく厚生労働省関係法令による年金等の額の改定等に関する政令（抄）

〔平成十五年三月三十一日
政令第百六十号〕

最終改正　平成一五年九月一〇日政令第四〇五号

第九条の二　平成十五年十月から平成十六年三月までの月分の児童扶養手当法（昭和三十六年法律第二百三十八号）による児童扶養手当については、児童扶養手当法施行令（昭和三十六年政令第四百五号）第二条の二の規定にかかわらず、同法第五条第一項中「四万千百円」とあるのは、「四万二千円」と読み替えて、同法の規定（他の法令において引用する場合を含む。）を適用する。

2　前項に規定する児童扶養手当について、児童扶養手当法施行令第二条の四第二項を適用する場合においては、同項中「〇・〇一八七〇五二」とあるのは、「〇・〇一八五四三四」とする。

（特別児童扶養手当等関係）

第十条　平成十五年四月から平成十六年三月までの月分の特別児童扶養手当等の支給に関する法律（昭和三十九年法律第百三十四号）による特別児童扶養手当、障害児福祉手当及び特別障害者手当については、特別児童扶養手当等の支給に関する法律施行令（昭和五十年政令第二百七号）第五条の二、第九条の二及び第十条の二の規定にかかわらず、同法の次の表の上欄に掲げる規定中同表の中欄に掲げる字句は、それぞれ同表の下欄に掲げる字句に読み替えて、同法の規定を適用する。

第四条	三万三千三百円	三万四千三十円
	五万円	五万千百円
第十八条	一万四千百七十円	一万四千四百八十円
第二十六条の三	二万六千五十円	二万六千六百二十円

第十一条　平成十五年四月から平成十六年三月までの月分の法律第三十四号附則第九十七条第一項の規定による福祉手当については、特別児童扶養手当等の支給に関する法律施行令の一部を改正する政令（昭和六十年政令第三百二十三号）附則第二条の二の規定にかかわらず、法律第三十四号附則第九十七条第二項において準用する特別児童扶養手当等の支給に関する法律第十八条中「一万四千百七十円」とあるのは、「一万四千四百八十円」と読み替えて、法律第三十四号附則第九十七条第二項において準用する特別児童扶養手当等の支給に関する法律第十八条の規定（同令附則第五条第二項第一号において引用する場合を含む。）を適用する。

附　則

この政令は、平成十五年四月一日から施行する。

平成十五年度における国民年金法による年金の額等の改定の特例に関する法律に基づく厚生労働省関係法令による年金等の額の改定等に関する政令（抄）

◉児童扶養手当法による児童扶養手当の額等の改定の特例に関する法律第二項の規定に基づき児童扶養手当等の改定額を定める政令

〔平成十八年三月三十日　政令第百十一号〕

〔一部改正経過〕

第一次〔平成二三年三月三一日政令第八〇号「児童扶養手当法施行令等の一部を改正する政令」第六条による改正〕

第二次〔平成二四年三月三〇日政令第九四号「児童扶養手当法施行令等の一部を改正する政令」第六条による改正〕

第三次〔平成二五年九月六日政令第二六一号「児童扶養手当法による児童扶養手当の額等の改定の特例に関する法律第二項の規定に基づき児童扶養手当等の改定額を定める政令等の一部を改正する政令」第一条による改正〕

第四次〔平成二六年三月三一日政令第一一三号「児童扶養手当法施行令等の一部を改正する政令」第五条による改正〕

児童扶養手当法による児童扶養手当の額等の改定の特例に関する法律第二項の規定に基づき児童扶養手当等の改定額を定める政令

内閣は、児童扶養手当法による児童扶養手当の額等の改定の特例に関する法律（平成十七年法律第九号）第二項の規定に基づき、この政令を制定する。

児童扶養手当法による児童扶養手当の額等の改定の特例に関する法律第二項の表下欄に掲げる政令で定める額は、次の表の上欄に掲げる規定に係る同表の中欄に掲げる同項の表下欄に規定する額について、それぞれ次の表の下欄に掲げる額とする。

児童扶養手当法（昭和三十六年法律第二百三十八号）第五条第一項	四万千四百三十円	四万千二十円
特別児童扶養手当等の支給に関する法律（昭和三十九年法律第百三十四号）第四条	三万三千五百七十円	三万三千二百三十円
	五万四百円	四万九千九百円
特別児童扶養手当等の支給に関する法律第十八条	一万四千二百八十円	一万四千百四十円
特別児童扶養手当等の支給に関する法律第二十六条の三	二万六千二百六十円	二万六千円
国民年金法等の一部を改正する法律（昭和六十年法律第三十四号）附則第九十七条第二項において準用する特別児童扶養手当等の支給に関する法律第十八条	一万四千四百三十円	一万四千二百八十円
原子爆弾被爆者に対する援護に関する法律（平成六年法律第百十七号）第二十四条第三項	十三万六千四百八十円	十三万五千百三十円
原子爆弾被爆者に対する援護に関する法律第二十五条第三項	五万九百円	五万四百円
原子爆弾被爆者に対する援護に関する法律第二十六条第三項	四万六千九百七十円	四万六千五百十円

原子爆弾被爆者に対する援護に関する法律第二十七条第四項	三万三千九百円	三万三千五百七十円
原子爆弾被爆者に対する援護に関する法律第二十八条第三項	一万六千八百三十円	一万六千六百七十円
	三万三千九百円	三万三千五百七十円

附　則

この政令は、平成十八年四月一日から施行する。

附　則（第一次改正）抄

（施行期日）

第一条　この政令は、平成二十三年四月一日から施行する。

附　則（第二次改正）抄

（施行期日）

1　この政令は、平成二十四年四月一日から施行する。

附　則（第三次改正）

この政令は、平成二十五年十月一日から施行する。

附　則（第四次改正）抄

（施行期日）

1　この政令は、平成二十六年四月一日から施行する。

（経過措置）

2　平成二十六年三月以前の月分の児童扶養手当法〔昭和三十六年法律第二百三十八号〕による児童扶養手当、特別児童扶養手当等の支給に関する法律〔昭和三十九年法律第百三十四号〕による特別児童扶養手当、障害児福祉手当及び特別障害者手当、国民年金法等の一部を改正する法律〔昭和六十年法律第三十四号〕附則第九十七条第一項の規定による福祉手当並びに原子爆弾被爆者に対する援護に関する法律〔平成六年法律第百十七号〕による医療特別手当、特別手当、原子爆弾小頭症手当、健康管理手当及び保健手当については、なお従前の例による。

児童扶養手当法による児童扶養手当の額等の改定の特例に関する法律第二項の規定に基づき児童扶養手当等の改定額を定める政令

◉平成二十二年四月以降において発生が確認された口蹄疫に起因して生じた事態に対処するための手当金等についての健康保険法施行令等の臨時特例に関する政令（抄）

〔平成二十三年七月二十九日　政令第二百四十四号〕

最終改正　平成二三年一二月二八日政令第四三〇号

（児童扶養手当法施行令の特例）

第十三条　児童扶養手当法第九条から第十一条まで及び第十二条第二項各号に規定する所得（その所得が生じた年の翌年の四月一日の属する年度分の地方税法第四条第二項第一号に掲げる道府県民税につき、口蹄疫道府県民税等特例法第一条第一項に規定する免除を受けた者に係るものに限る。）の額を計算する場合における児童扶養手当法施行令（昭和三十六年政令第四百五号）第四条第二項（同条第三項において準用する場合を含む。以下この条において同じ。）の規定の適用については、同令第四条第二項中「五　当該年度分の道府県民税につき、地方税法附則第六条第一項に規定する免除を受けた者については、当該免除に係る所得の額」とあるのは、「六　当該年度分の道府県民税につき、平成二十二年四月以降において発生が確認された口蹄疫に起因して生じた事態に対処するための手当金等についての個人の道府県民税及び市町村民税の臨時特例に関する法律（平成二十二年法律第四十九号）第一条第一項（同条第二項において準用する場合を含む。）に規定する免除を受けた者については、当該免除に係る所得の額」とする。

（特別児童扶養手当等の支給に関する法律施行令の特例）

第十四条　特別児童扶養手当等の支給に関する法律第六条から第八条まで、第九条第二項各号並びに第二十条、第二十一条及び第二十二条第二項各号（これらの規定を同法第二十六条の五及び昭和六十年国民年金等改正法附則第九十七条第二項において準用する場合を含む。）に規定する所得（その所得が生じた年の翌年の四月一日の属する年度分の地方税法第四条第二項第一号に掲げる道府県民税につき、口蹄疫道府県民税等特例法第一条第一項に規定する免除を受けた者に係るものに限る。）の額を計算する場合における特別児童扶養手当等の支給に関する法律施行令（昭和五十年政令第二百七号）第五条第二項（同令第八条第三項及び第四項並びに第十二条第四項及び第五項並びに特別児童扶養手当等の支給に関する法律施行令の一部を改正する政令（昭和六十年政令第三百二十三号）附則第四条において準用する特別児童扶養手当等の支給に関する法律施行令第八条第三項及び第四項において準用する場合を含む。以下この条において同じ。）の規定の適用については、特別児童扶養手当等の支給に関する法律施行令第五条第二項中「五　前項に規定する道府県民税につき、地方税法附則第六条第一項に規定する免除を受けた者については、当該免除に係る所得の額」とあるのは、「五　前項に規定する道府県民税につき、地方税法附則第六条第一項に規定する免除を受けた者については、当該免除に係る所得の額
六　前項に規定する道府県民税につき、平成二十二年四月以降において発生が確認された口蹄疫に起因して生じた事態に対処するための手当金等についての個人の道府県民税及び市町村民税の臨時特例に関する法律（平成二十二年法律第四十九号）第一条第一項（同条第二項において準用する場合を含む。）に規定する免除を受けた者については、当該免除に係る所得の額」とする。

附　則　抄

（施行期日）

第一条　この政令は、平成二十三年八月一日から施行する。

（児童扶養手当法施行令の特例に関する経過措置）

第十四条　第十三条の規定は、平成二十二年以後の児童扶養手当法第九条から第十一条まで及び第十二条第二項各号に規定する所得の額の算定について適用する。

（特別児童扶養手当等の支給に関する法律施行令の特例に関する経過措置）

第十五条　第十四条の規定は、平成二十二年以後の特別児童扶養手当等の支給に関する法律第六条から第八条まで、第九条第二項各号並びに第二十条、第二十一条及び第二十二条第二項各号（これらの規定を同法第二十六条の五及び昭和六十年国民年金等改正法附則第九十七条第二項において準用する場合を含む。）に規定する所得の額の算定について適用する。

平成二十二年四月以降において発生が確認された口蹄疫に起因して生じた事態に対処するための手当金等についての健康保険法施行令等の臨時特例に関する政令（抄）

◉児童扶養手当法による児童扶養手当の額等の改定の特例に関する法律第二項の規定に基づき児童扶養手当等の改定額を定める政令の一部を改正する等の政令（抄）

〔平成二十五年九月六日
政令第二百六十一号〕

最終改正　平成二六年三月三一日政令第一一三号

（児童扶養手当法施行令の特例）

第二条　平成二十六年四月から平成二十七年三月までの月分の児童扶養手当について、児童扶養手当法による児童扶養手当の額等の改定の特例に関する法律第一項の規定の適用がある場合においては、児童扶養手当法施行令（昭和三十六年政令第四百五号）第二条の四第二項中「〇・〇一八〇五二〇」とあるのは、「〇・〇一八一〇九八」とする。

附　則

この政令は、平成二十五年十月一日から施行する。

附　則（平成二六年三月政令第一一三号）抄

（施行期日）

1　この政令は、平成二十六年四月一日から施行する。

（経過措置）

2　平成二十六年三月以前の月分の児童扶養手当法（昭和三十六年法律第二百三十八号）による児童扶養手当、特別児童扶養手当等の支給に関する法律（昭和三十九年法律第百三十四号）による特別児童扶養手当、障害児福祉手当及び特別障害者手当、国民年金法等の一部を改正する法律（昭和六十年法律第三十四号）附則第九十七条第一項の規定による福祉手当並びに原子爆弾被爆者に対する援護に関する法律（平成六年法律第百十七号）による医療特別手当、特別手当、原子爆弾小頭症手当、健康管理手当及び保健手当については、なお従前の例による。

〔省　令〕

◉児童扶養手当法施行規則

〔昭和三十六年十二月七日
厚生省令第五十一号〕

〔一部改正経過〕

第一次　〔昭和三七年五月一六日厚生省令第二二号「児童扶養手当法施行規則の一部を改正する省令」による改正〕
第二次　〔昭和三七年一〇月一日厚生省令第四七号「優生保護法施行規則等の一部を改正する省令」第四条による改正〕
第三次　〔昭和三七年一二月一日厚生省令第五二号「船員保険法施行規則等の一部を改正する省令」第七条による改正〕
第四次　〔昭和三八年八月二一日厚生省令第四一号「児童扶養手当法施行規則の一部を改正する省令」による改正〕
第五次　〔昭和三九年八月二八日厚生省令第三七号「児童扶養手当法施行規則の一部を改正する省令」による改正〕
第六次　〔昭和四〇年五月三一日厚生省令第二五号「児童扶養手当法施行規則の一部を改正する省令」による改正〕
第七次　〔昭和四一年八月一日厚生省令第二八号「児童扶養手当法施行規則の一部を改正する省令」による改正〕
第八次　〔昭和四二年八月三一日厚生省令第三二号「児童扶養手当法施行規則及び特別児童扶養手当法施行規則の一部を改正する省令」第一条による改正〕
第九次　〔昭和四二年一一月一〇日厚生省令第四八号「日雇労働者健康保険法施行規則等の一部を改正する省令」第五条による改正〕
第一〇次　〔昭和四二年一二月二五日厚生省令第五八号「児童扶養手当法施行規則及び特別児童扶養手当法施行規則の一部を改正する省令」第一条による改正〕
第一一次　〔昭和四三年七月四日厚生省令第二八号「児童扶養手当法施行規則及び特別児童扶養手当法施行規則の一部を改正する省令」第一条による改正〕
第一二次　〔昭和四四年七月一日厚生省令第一七号「児童福祉法施行規則等の一部を改正する省令」第一七条による改正〕
第一三次　〔昭和四四年八月二五日厚生省令第二六号「児童扶養手当法施行規則及び特別児童扶養手当法施行規則の一部を改正する省令」第一条による改正〕
第一四次　〔昭和四四年一二月一〇日厚生省令第三九号「児童扶養手当法施行規則及び特別児童扶養手当法施行規則の一部を改正する省令」第一条による改正〕
第一五次　〔昭和四五年六月一七日厚生省令第三一号「児童扶養手当法施行規則及び特別児童扶養手当法施行規則の一部を改正する省令」第一条による改正〕
第一六次　〔昭和四七年九月一六日厚生省令第四九号「児童扶養手当法施行規則及び特別児童扶養手当法施行規則の一部を改正する省令」第一条による改正〕
第一七次　〔昭和四八年九月二八日厚生省令第三八号「児童扶養手当法施行規則及び特別児童扶養手当法施行規則の一部を改正する省令」第一条による改正〕
第一八次　〔昭和四九年六月二〇日厚生省令第二一号「児童扶養手当法施行規則及び特別児童扶養手当法施行規則の一部を改正する省令」第一条による改正〕
第一九次　〔昭和四九年六月二二日厚生省令第二二号「児童扶養手当法施行規則及び特別児童扶養手当法施行規則の一部を改正する省令」第一条による改正〕
第二〇次　〔昭和五〇年八月一三日厚生省令第三三号「特別児童扶養手当等の支給に関する法律施行規則及び児童扶養手当法施行規則の一部を改正する省令」第二条による改正〕
第二一次　〔昭和五一年一〇月一日厚生省令第四六号「児童扶養手当法施行規則等の一部を改正する省令」第一条による改正〕
第二二次　〔昭和五二年一〇月一日厚生省令第四四号「児童扶養手当法施行規則等の一部を改正する省令」第一条による改正〕
第二三次　〔昭和五三年四月一日厚生省令第一六号「児童扶養手当法施行規則及び特別児童扶養手当等の支給に関する法律施行規則の一部を改正する省令」第一条による改正〕
第二四次　〔昭和五三年五月二七日厚生省令第三四号「児童扶養手当法施行規則等の一部を改正する省令」第一条による改正〕
第二五次　〔昭和五五年六月二三日厚生省令第二五号「児童扶養手当法施行規則の一部を改正する省令」による改正〕
第二六次　〔昭和五六年七月三〇日厚生省令第五六号「児童扶養手当法施行規則及び特別児童扶養手当等の支給に関する法律施行規則の一部を改正する省令」第一条による改正〕
第二七次　〔昭和五六年一二月一九日厚生省令第六九号「児童扶養手当法施行規則及び特別児童扶養手当等の支給に関する法律施行規則の一部を改正する省令」第一条による改正〕
第二八次　〔昭和五七年六月九日厚生省令第二五号「児童扶養手当法施行規則の一部を改正する省令」による改正〕
第二九次　〔昭和五七年八月一四日厚生省令第三五号「福祉年金支給規則等の一部を改正する省令」第三条による改正〕
第三〇次　〔昭和五七年八月三一日厚生省令第四〇号「船員保険法施行規則等の一部を改正する省令」第九条による改正〕
第三一次　〔昭和五九年三月三一日厚生省令第一八号「国家公務員及び公共企業体職員に係る共済組合制度の統合等を図るための国家公務員共済組合法等の一部を改正する法律の施行に伴う厚生省関係省令の整備等に関する省令」第九条による改正〕
第三二次　〔昭和六〇年七月二四日厚生省令第三三号「児童扶養手当法施行規則の一部を改正する省令」による改正〕
第三三次　〔昭和六〇年七月二九日厚生・郵政省令第一号「児童扶養手当証書の様式を定める省令の一部を改正する省令」附則第二項による改正〕
第三四次　〔昭和六一年三月二九日厚生省令第一七号「国民年金法施行規則等の一部を改正する等の省令」第一六条による改正〕
第三五次　〔昭和六三年五月三一日厚生省令第三九号「児童扶養手当法施行規則等の一部を改正する省令」第一条による改正〕

第三六次（平成元年三月二四日厚生省令第一〇号「人口動態調査令施行細則等の一部を改正する省令」第五三条による改正）

第三七次（平成二年七月二〇日厚生省令第四二号「児童扶養手当法施行規則及び特別児童扶養手当等の支給に関する法律施行規則の一部を改正する省令」第一条による改正）

第三八次（平成五年六月一六日厚生省令第二八号「老齢福祉年金支給規則等の一部を改正する省令」第三条による改正）

第三九次（平成六年二月二八日厚生省令第六号「厚生省関係研究交流促進法施行規則等の一部を改正する省令」第三六条による改正）

第四〇次（平成六年七月二七日厚生省令第四八号「老齢福祉年金支給規則等の一部を改正する省令」第三条による改正）

第四一次（平成七年三月三〇日厚生省令第二一号「児童扶養手当法施行規則等の一部を改正する省令」第一・四条による改正）

第四二次（平成八年七月二六日厚生省令第四六号「老齢福祉年金支給規則等の一部を改正する法律」第三条による改正）

第四三次（平成九年三月二八日厚生省令第三一号「厚生年金保険法施行規則等の一部を改正する等の省令」第一〇条による改正）

第四四次（平成九年一二月二六日厚生省令第九二号「児童扶養手当法施行規則及び児童手当法施行規則の一部を改正する省令」第一条による改正）

第四五次（平成一〇年六月二四日厚生省令第六四号「児童扶養手当法施行規則の一部を改正する省令」による改正）

第四六次（平成一一年五月二八日厚生省令第六〇号「老齢福祉年金支給規則等の一部を改正する省令」第三条による改正）

第四七次（平成一二年一〇月二〇日厚生省令第一二七号「中央省庁等改革のための健康保険法施行規則等の一部を改正する等の省令」第一一七条による改正）

第四八次（平成一三年七月三一日厚生労働省令第一七七号「児童扶養手当法施行規則の一部を改正する省令」による改正）

第四九次（平成一三年一二月一三日厚生労働省令第二二〇号「児童扶養手当法施行規則の一部を改正する省令」による改正）

第五〇次（平成一四年七月三日厚生労働省令第九一号「児童扶養手当法施行規則及び母子及び寡婦福祉法施行規則の一部を改正する省令」第一条による改正）

第五一次（平成一五年三月三一日厚生労働省令第六九号「母子及び寡婦福祉法等の一部を改正する法律の施行に伴う関係省令の整備に関する省令」第二条による改正）

第五二次（平成一七年三月二五日厚生労働省令第四六号「児童扶養手当法施行規則の一部を改正する省令」による改正）

第五三次（平成一七年六月二九日厚生労働省令第一〇四号「介護保険法施行規則等の一部を改正する省令」第一一条による改正）

第五四次（平成一七年七月二六日厚生労働省令第一二三号「児童扶養手当法施行規則の一部を改正する省令」による改正）

第五五次（平成一八年七月二八日厚生労働省令第一四四号「児童扶養手当法施行規則等の一部を改正する省令」第一条による改正）

第五六次（平成一九年九月二五日厚生労働省令第一一二号「郵政民営化法等の施行に伴う厚生労働省関係省令の整理に関する省令」第二五条による改正）

第五七次（平成二〇年二月八日厚生労働省令第一二号「児童扶養手当法施行規則の一部を改正する省令」による改正）

第五八次（平成二二年六月二日厚生労働省令第七六号「児童扶養手当法施行規則の一部を改正する省令」による改正）

第五九次（平成二四年六月六日厚生労働省令第九一号「児童扶養手当法施行規則及び母子及び寡婦福祉法施行規則の一部を改正する省令」第一条による改正）

第六〇次（平成二四年七月二七日厚生労働省令第一〇八号「児童扶養手当法施行規則の一部を改正する省令」による改正）

第六一次（平成二五年一二月二六日厚生労働省令第一三六号「国民年金法施行規則及び児童扶養手当法施行規則の一部を改正する省令」第二号による改正）

第六二次（平成二六年九月三〇日厚生労働省令第一一五号「次代の社会を担う子どもの健全な育成を図るための次世代育成支援対策推進法等の一部を改正する法律の一部の施行に伴う厚生労働省関係省令の整備等に関する省令」第二・三条による改正）

第六三次（平成二七年九月二九日厚生労働省令第一五〇号「行政手続における特定の個人を識別するための番号の利用等に関する法律及び行政手続における特定の個人を識別するための番号の利用等に関する法律の施行に伴う関係法律の整備等に関する法律の施行に伴う厚生労働省関係省令の整備等に関する省令」第一九条（平成二八年一二月厚生労働省令第一八七号により一部改正）による改正）

第六四次（平成二八年二月二五日厚生労働省令第二五号「行政不服審査法及び行政不服審査法の施行に伴う関係法律の整備等に関する法律の施行に伴う厚生労働省関係省令の整備に関する省令」第八条による改正）

第六五次（平成二八年七月一四日厚生労働省令第一二六号「児童扶養手当法施行規則の一部を改正する省令」による改正）

第六六次（平成二八年八月一九日厚生労働省令第一四二号「職業安定法施行規則等の一部を改正する省令」第三条による改正）

第六七次（平成二九年六月三〇日厚生労働省令第六六号「雇用保険法等の一部を改正する法律の一部の施行に伴う厚生労働省関係省令の整備等に関する省令」第四条による改正）

第六八次（平成三〇年八月一日厚生労働省令第一〇一号「児童扶養手当法施行規則等の一部を改正する省令」第一条による改正）

第六九次（平成三〇年九月二八日厚生労働省令第一一七号「生活困窮者等の自立を促進するための生活困窮者自立支援法等の一部を改正する法律の施行に伴う厚生労働省関係省令の整備等に関する省令」第四条（令和元年五月厚生労働省令第一号により一部改正）による改正）

第七〇次（令和元年五月七日厚生労働省令第一号「元号の表記の整理のための厚生労働省関係省令の一部を改正する省令」第二八条による改正）

第七一次（令和元年六月二八日厚生労働省令第二二号「児童扶養手当法施行規則等の一部を改正する省令」第一条による改正）

第七二次（令和二年七月一七日厚生労働省令第一四一号「雇用保険法等の一部を改正する法律の一部の施行に伴う厚生労働省関係省令の整備等に関する省令」第六条による改正）

第七三次（令和二年一二月二五日厚生労働省令第二〇八号「押印を求める手続の見直し等のための厚生労働省関係省令の一部を改正する省令」第四〇条による改正）

第七四次（令和二年一二月二八日厚生労働省令第二一二号「児童福祉法施行規則等の一部を改正する省令」第二条による改正）

第七五次 〔令和二年一一月一九日厚生労働省令第一八四号「児童扶養手当法施行規則の一部を改正する省令」（令和二年一二月厚生労働省令第二〇八・二一二号により一部改正）による改正〕
第七六次 〔令和三年一〇月二二日厚生労働省令第一七五号「厚生労働省の所管する法律又は政令の規定に基づく立入検査等の際に携帯する職員の身分を示す証明書の様式の特例に関する省令」附則第七条による改正〕
第七七次 〔令和三年一二月二四日厚生労働省令第一九八号「児童扶養手当法施行規則の一部を改正する省令」による改正〕
第七八次 〔令和四年六月一〇日厚生労働省令第九三号「雇用保険法等の一部を改正する法律の一部の施行に伴う厚生労働省関係省令の整備等に関する省令」第二条による改正〕
第七九次 〔令和四年九月八日厚生労働省令第一二六号「公的給付の支給等の迅速かつ確実な実施のための預貯金口座の登録等に関する法律の一部の施行に伴う厚生労働省関係省令の整備に関する省令」第七条による改正〕
第八〇次 〔令和五年三月三一日厚生労働省令第四八号「こども家庭庁設置法等の施行に伴う厚生労働省関係省令の整備等に関する省令」第一一・一六条による改正〕

児童扶養手当法（昭和三十六年法律第二百三十八号）第二十八条及び第三十三条の規定に基づき、児童扶養手当法施行規則を次のように定める。

児童扶養手当法施行規則

目次 頁

第一章 認定の請求及び届出等

（認定の請求）

第一条 児童扶養手当法（昭和三十六年法律第二百三十八号。以下「法」という。）第六条の規定による児童扶養手当（以下「手当」という。）の受給資格及びその額についての認定の請求は、児童扶養手当認定請求書（様式第一号）に、次に掲げる書類等を添えて、これを住所地を管轄する福祉事務所（社会福祉法（昭和二十六年法律第四十五号）に定める福祉に関する事務所をいう。以下同じ。）を管理する都道府県知事、市長（特別区の区長を含む。以下同じ。）又は町村長（以下「手当の支給機関」という。）に提出することによつて行わなければならない。

一 受給資格者及びその者が監護し、かつ、生計を同じくする児童、その者が監護する児童又はその者が養育する児童であつて、法第四条に定める要件に該当するもの（以下「対象児童」という。）の戸籍の謄本又は抄本及びこれらの者の属する世帯の全員の住民票の写し

一の二　受給資格者が父（母が当該児童を懐胎した当時婚姻の届出をしていないがその母と事実上婚姻関係と同様の事情にあつた者を含む。以下同じ。）である場合において、対象児童と同居しないでこれを監護し、かつ、これと生計を同じくしているときは、その事実を明らかにすることができる書類

二　受給資格者が母である場合において、対象児童と同居しないでこれを監護しているときは、その事実を明らかにすることができる書類

三　受給資格者が養育者である場合には、対象児童の父及び母の戸籍又は除かれた戸籍の謄本又は抄本並びに受給資格者が対象児童を養育していることを明らかにすることができる書類

四　対象児童の父又は母が児童扶養手当法施行令（昭和三十六年政令第四百五号。以下「令」という。）別表第二に定める程度の障害の状態にあることによつて請求する場合には、次に掲げる書類等

イ　当該障害の状態に関する医師又は歯科医師の診断書（様式第二号）

ロ　当該障害が別表に定める傷病に係るものであるときは、エックス線直接撮影写真

五　次のいずれかに該当することによつて請求する場合には、その事実を明らかにすることができる書類

イ　対象児童の父又は母の生死が明らかでないこと。

ロ　対象児童が父又は母から引き続き一年以上遺棄されていること。

ハ　対象児童の父又は母が配偶者からの暴力の防止及び被害者の保護等に関する法律（平成十三年法律第三十一号）第十条第一項の規定による命令（それぞれ当該対象児童の母又は父の申立てにより発せられたものに限る。）を受けたこと。

ニ　対象児童の父又は母が法令により引き続き一年以上拘禁されていること。

六　対象児童が令別表第一に定める程度の障害の状態にあることによつて請求する場合には、次に掲げる書類等

イ　当該障害の状態に関する医師又は歯科医師の診断書

ロ　当該障害が別表に定める傷病に係るものであるときはエックス線直接撮影写真

七　受給資格者の前年（一月から九月までの間に請求する者にあつては、前々年とする。以下この条において同じ。）の所得につき、次に掲げる書類等

イ　所得の額（令第三条及び第四条の規定によつて計算した所得の額をいう。以下同じ。）並びに法第九条第一項又は第九条の二に規定する扶養親族等の有無及び数並びに所得税法（昭和四

十年法律第三十三号）に規定する同一生計配偶者（七十歳以上の者に限る。）、老人扶養親族及び特定扶養親族の有無及び数についての市町村長（特別区の区長を含む。以下同じ。）の証明書（やむを得ない理由により同法に規定する同一生計配偶者の有無及び当該同一生計配偶者が七十歳以上であるかの別についての市町村長の証明書を提出することができない場合には、当該事実を明らかにできる書類）

ロ　受給資格者が令第四条第二項各号の規定に該当するとき（ハに該当するときを除く。）は、当該事実を明らかにすることができる市町村長の証明書

ハ　受給資格者が令第四条第二項第三号に規定する所得割の納税義務者であるときは、当該事実を明らかにすることができる書類

ニ　受給資格者が所得税法に規定する控除対象扶養親族（十九歳未満の者に限る。）を有するときは、次に掲げる書類

(1)　当該控除対象扶養親族の数を明らかにすることができる書類

(2)　当該控除対象扶養親族が法第十条又は第十一条に規定する扶養義務者でない場合には、当該控除対象扶養親族の前年の所得の額についての市町村長の証明書

ホ　受給資格者が前年の十二月三十一日においてその者の法第九条第一項又は第九条の二に規定する扶養親族等でない児童の生計を維持したときは、次に掲げる書類等

(1)　当該児童の数及び受給資格者が前年の十二月三十一日において当該児童の生計を維持したことを明らかにすることができる書類

(2)　当該児童（前年の十二月三十一日において十八歳に達する日以後の最初の三月三十一日までの間にある者を除く。）が同日において令別表第一に定める程度の障害の状態にあつた場合には、当該障害の状態に関する医師又は歯科医師の診断書（当該障害が別表に定める傷病に係るものであるときは、当該診断書及びエックス線直接撮影写真とする。第三条の四第一項第三号を除き、以下同じ。）

ヘ　受給資格者が法第十二条第一項の規定に該当するときは、児童扶養手当被災状況書（様式第三号）

八　配偶者（婚姻の届出をしていないが、事実上婚姻関係と同様の事情にある者を含む。以下同じ。）がある受給資格者又は法第十条に規定する扶養義務者がある父若しくは母である受給資格者若しくは法第十一条に規定する扶養義務者がある養育者である受給資格者にあつては、当該配偶者又は当該扶養義務者の前年の所得につき、次に掲げる書類

イ　所得の額並びに法第十条又は第十一条に規定する扶養親族等の有無及び数並びに所得税法に規定する老人扶養親族の有無及び数についての市町村長の証明書（やむを得ない理由により同

法に規定する同一生計配偶者の有無についての市町村長の証明書を提出することができない場合には、当該事実を明らかにすることができる書類）

ロ　当該配偶者又は当該扶養義務者が令第四条第二項各号の規定に該当するとき（ハに該当するときを除く。）は、当該事実を明らかにすることができる市町村長の証明書

ハ　当該配偶者又は当該扶養義務者が令第四条第二項第三号に規定する所得割の納税義務者であるときは、当該事実を明らかにすることができる書類

ニ　当該配偶者又は当該扶養義務者が法第十二条第一項の規定に該当するときは、児童扶養手当被災状況書

九　対象児童が法第十三条の二第一項各号（受給資格者が母又は養育者であるときは第三号を除き、受給資格者が父であるときは第二号を除く。）のいずれかに該当するときは、次に掲げる証明書

イ　当該対象児童が法第十三条の二第一項第一号に規定する公的年金給付を受けることができる場合には、当該公的年金給付の額についての当該公的年金給付の支給を行う者の証明書

ロ　当該対象児童が法第十三条の二第一項第二号に規定する公的年金給付の額の加算の対象となつている場合には、当該加算の額についての当該公的年金給付の支給を行う者の証明書

ハ　当該対象児童が法第十三条の二第一項第三号に規定する公的年金給付の額の加算の対象となつている場合には、当該加算の額についての当該公的年金給付の支給を行う者の証明書

ニ　当該対象児童が法第十三条の二第一項第四号に規定する遺族補償等を受けることができる場合には、当該遺族補償等の額についての当該遺族補償等の給付を行う者の証明書

十　受給資格者が法第十三条の二第二項各号又は第三項のいずれかに該当するときは、次に掲げる証明書

イ　当該受給資格者が法第十三条の二第二項第一号に規定する公的年金給付又は障害基礎年金等を受けることができる場合には、それぞれ当該公的年金給付の額についての当該公的年金給付の支給を行う者の証明書又は当該障害基礎年金等の額についての当該障害基礎年金等の支給を行う者の証明書

ロ　当該受給資格者が法第十三条の二第二項第二号に規定する遺族補償等を受けることができる場合には、当該遺族補償等の額についての当該遺族補償等の給付を行う者の証明書

〔改正〕

一部改正（第一・四～九・一一・一三～一七・一九・二一・二三・二四・二六・三〇・三二・三七・四〇・四一・四九・五一・五八～六二・六八・六九・七一・七五次改正）

（手当額の改定の請求及び届出）

第二条　法第八条第一項の規定による手当の額の改定の請求は、児童扶養手当額改定請求書（様式第四号）に、新たに対象児童に係る次の各号に掲げる書類等を添えて、これを手当の支給機関に提出することによつて行わなければならない。

一　戸籍の抄本及び新たな対象児童の属する世帯の全員の住民票の写し
二　前条第一号の二から第三号まで、第六号、第九号又は第十号に該当する場合には、それぞれ当該各号に掲げる書類等
三　前条第四号又は第五号に該当する場合であつて、新たな対象児童の父又は母とその他の対象児童の父又は母が同じでないときには、それぞれ当該各号に掲げる書類等

〔改正〕

一部改正（第四・五・九・一六・二三・二四・三二・三四・四九・五八・六二・七五次改正）

第三条　手当の支給を受けている者（以下「受給者」という。）は、法第八条第三項の規定による手当の額の改定を行うべき事由が生じたときは、速やかに、児童扶養手当額改定届（様式第五号）を手当の支給機関に提出しなければならない。

〔改正〕

一部改正（第一六・三二・四九次改正）

（支給停止に関する届出）

第三条の二　受給者は、法第九条第一項、第十条又は第十一条の規定により手当の全部又は一部の支給を受けないこととなる事由が生じたときは、十四日以内に、児童扶養手当支給停止関係届（様式第五号の二）を手当の支給機関に提出しなければならない。この場合においては、第一条第八号に掲げる書類その他の当該事由を明らかにすることができる書類を添えなければならない。

2　受給者は、法第九条第一項の規定により手当の一部を受けないこととなつている事由が消滅したときは、十四日以内に、児童扶養手当支給停止関係届を手当の支給機関に提出しなければならない。この場合においては、第一条第七号に掲げる書類その他の当該事由が消滅したことを明らかにすることができる書類を添えなければならない。

3　受給者は、法第十二条第一項の規定により法第九条第一項の規定を適用しない事由が生じたときは、十四日以内に、児童扶養手当被災状況書を手当の支給機関に提出しなければならない。

〔改正〕

追加（第三二次改正）、一部改正（第四九・五二・六〇・六二次改正）

第三条の三　受給者は、法第十三条の二の規定により手当の全部又は一部の支給を受けないこととなる事由が生じたときは、十四日以内に、公的年金給付等受給状況届（様式第五号の三）を手当の支給機関に提出しなければならない。この場合においては、第一条第九号又は第十号に掲げる証明書を添えなければならない。

2　受給者は、法第十三条の二の規定により手当の一部を受けないこととなつている事由が消滅したとき又は当該事由の内容に変更が生じたときは、十四日以内に、公的年金給付等受給状況届を手当の支給機関に提出しなければならない。この場合においては、第一条第九号又は第十号に掲げる証明書を添えなければならない。

〔改正〕

追加（第六二次改正）

（一部支給停止の適用除外に関する届出）

第三条の四　受給資格者（養育者を除く。以下この条、第二十四条の五第三項、第二十四条の六及び第二十六条第二項において同じ。）は、法第十三条の三第一項に規定する期間が満了する月の翌月以降において、令第八条各号に掲げる事由に該当する場合又は該当する見込みである場合であつて、法第十三条の三第二項の規定の適用を受けようとするときは、当該適用を受けようとする月（以下「適用除外事由発生月」という。）の属する年の八月一日（適用除外事由発生月が八月から十月までのいずれかの月である場合にあつてはその三月前の月の初日とし、適用除外事由発生月が一月から七月までのいずれかの月である場合にあつては当該年の前年の八月一日とする。）から適用除外事由発生月の末日（適用除外事由発生月が八月である場合にあつては、当該年の九月三十日。第一号において同じ。）までに、児童扶養手当一部支給停止適用除外事由届出書（様式第五号の四）を、次の各号に掲げる場合に応じ、それぞれ当該各号に掲げる書類等その他当該事由が生じていること又は生ずる見込みであることを明らかにできる書類等を添えて、これを手当の支給機関に提出しなければならない。

一　令第八条第一号に掲げる事由に該当する場合又は該当する見込みである場合　次のイからハまでに掲げる場合に応じ、それぞれ当該イからハまでに掲げる書類（適用除外事由発生月の属する年の六月一日（適用除外事由発生月が八月である場合にあつては当該年の五月一日とし、適用除外事由発生月が一月から七月までのいずれかの月である場合にあつては当該年の前年の六月一日とする。）から適用除外事由発生月の末日までのいずれかの時において、イに掲げる場合にあつては就業していること、ロに掲げる場合にあつては求職活動をしていること、ハに掲げる場合にあつては第二十四条の五第二項第一号に掲げる活動をしていることをそれぞれ明らかにできる書類に限る。）

イ　就業している場合　雇用されていることを証明することができる書類の写し又は受給資格者が事業主であること若しくは在宅就業等を行つていることを証する書類その他の受給資格者が就業していることを明らかにできる書類

ロ　求職活動をしている場合　次に掲げるいずれかの書類

(1)　公共職業安定所、母子家庭就業支援事業（母子及び父子並びに寡婦福祉法（昭和三十九年法律第百二十九号）第三十条第一項第三号に規定する母子家庭就業支援事業をいう。第二十四条の五第一項において同じ。）若しくは父子家庭就業支援事業（同法第三十一条の九第一項第三号に規定する父子家庭就業支援事業をいう。第二十四条の五第一項において同じ。）を実施する機関、特定地方公共団体（職業安定法（昭和二十二年法律第百四十一号）第四条第九項に規定する特定地方公共団体をいう。第二十四条の五第一項において同じ。）又は職業紹介事業者（同法第四条第十項に規定する職業紹介事業者をいう。第二十四条の五第一項において同じ。）において就職に関する相談等を受けたことを明らかにできる書類

⑵　求人者に面接したことその他の就業するための活動を行つていることを明らかにできる書類

ハ　第二十四条の五第二項第一号に掲げる活動をしている場合　公共職業能力開発施設、専修学校等に在学していることその他の職業能力の開発及び向上を図つていることを明らかにできる書類

二　令第八条第二号に掲げる事由に該当する場合又は該当する見込みである場合　当該障害の状態に関する医師又は歯科医師の診断書

三　令第八条第三号に掲げる事由に該当する場合又は該当する見込みである場合　次のイ又はロに掲げる場合に応じ、それぞれ当該イ又はロに掲げる書類等

イ　第二十四条の五第三項第一号に該当する場合又は該当する見込みである場合　医師又は歯科医師の診断書その他の疾病、負傷又は要介護状態にあることにより受給資格者が就業することが困難であることを明らかにできる書類等

ロ　第二十四条の五第三項第二号に該当する場合又は該当する見込みである場合　次に掲げるいずれかの書類等

⑴　医師又は歯科医師の診断書その他の受給資格者の監護する児童が障害の状態にあること又は疾病、負傷若しくは要介護状態にあることにより介護が必要であることを明らかにできる書類等及び受給資格者が当該児童を介護する必要があることを明らかにできる書類

⑵　医師又は歯科医師の診断書その他の受給資格者の親族が障害の状態にあること又は疾病、負傷若しくは要介護状態にあることにより介護が必要であることを明らかにできる書類等及び受給資格者が当該親族を介護する必要があることを明らかにできる書類

2　現に法第十三条の三第二項の規定の適用を受けている受給資格者であつて、引き続き同項の規定の適用を受けようとするものは、前項の規定にかかわらず、児童扶養手当一部支給停止適用除外事由届出書に、次の各号に掲げる場合に応じ、それぞれ当該各号に掲げる書類等その他令第八条各号に掲げる事由が生じていることを明らかにできる書類等を添えて、毎年八月一日から同月三十一日までの間に、これを手当の支給機関に提出しなければならない。ただし、同項の規定により当該書類等が既に提出されているときは、当該書類等については、この限りでない。

一　令第八条第一号に掲げる事由に該当する場合　前項第一号イからハまでに掲げる場合に応じ、それぞれ当該イからハまでに掲げる書類（適用除外事由発生月の属する年の六月一日から八月三十

一日までのいずれかの時において、当該イに掲げる場合にあつては就業していること、当該ロに掲げる場合にあつては求職活動をしていること、当該ハに掲げる場合にあつては第二十四条の五第二項第一号に掲げる活動をしていることをそれぞれ明らかにできる書類に限る。)

二　令第八条第二号に掲げる事由に該当する場合　前項第二号に掲げる書類等

三　令第八条第三号に掲げる事由に該当する場合　前項第三号イ又はロに掲げる場合に応じ、それぞれ当該イ又はロに掲げる書類等

3　前項に規定する受給資格者であつて、法第二十八条の二第一項又は第二項の規定による相談、情報の提供、助言又は支援を受けたものについては、前項中「から同月三十一日まで」とあり、及び同項第一号中「から八月三十一日まで」とあるのは、「から九月三十日まで」とする。

4　前各項の規定による児童扶養手当一部支給停止適用除外事由届出書及びこれに添付する書類等の提出について、やむを得ない事情により期限までに提出できなかつた場合は、その事情が消滅してから速やかに提出しなければならない。

〔改正〕

旧第三条の三として追加（第五七次改正）、一部改正（第五八・五九・六二・六六・六七・七八次改正）、本条に繰下（第六二次改正）

（所得状況の届出）

第三条の五　七月から九月までの間に法第六条の規定による認定の請求をした者は、児童扶養手当所得状況届（様式第五号の五）に第一条第七号（へを除く。）及び第八号（ニを除く。）に掲げる書類等（同条第七号柱書の規定にかかわらず、前年の所得に係るもの。）を添えて、当該請求をした日からその年の十月三十一日までの間に、これを手当の支給機関に提出しなければならない。

〔改正〕

追加（第六九次改正）

（現況の届出）

第四条　受給者は、児童扶養手当現況届（様式第六号）に第一条第七号（へを除く。）及び第八号（ニを除く。）並びに次の各号に掲げる書類等を添えて、毎年（前条の規定による届出をした者にあつては、当該届出をした年を除く。）八月一日から同月三十一日までの間に、これを手当の支給機関に提出しなければならない。ただし、対象児童の父又は母が第三号の二イに該当する場合であつて、既に同号イに掲げる書類を提出しているときは、当該書類については、この限りでない。

一　受給者及び対象児童の属する世帯の全員の住民票の写し

一の二　受給者が父である場合において、対象児童と同居しないでこれを監護し、かつ、これと生計を同じくしているときは、その事実を明らかにすることができる書類

二　受給者が母である場合において、対象児童と同居しないでこれを監護しているときは、その事実を明らかにすることができる書

類
三　受給者が養育者であるときは、対象児童を養育していることを明らかにすることができる書類
三の二　受給者が法第九条第一項に規定する養育者であるときは、次に掲げる書類
イ　対象児童の父又は母が死亡しているときは、当該児童の父又は母の戸籍又は除かれた戸籍の謄本又は抄本
ロ　対象児童の父又は母の生死が明らかでないときは、その事実を明らかにすることができる書類
ハ　対象児童の父又は母が法令により引き続き一年以上拘禁されているときは、その事実を明らかにすることができる書類
ニ　対象児童の父又は母が明らかでないときは、当該児童の戸籍の謄本又は抄本
四　受給者が法第四条第一項第一号ニに規定する児童を監護し若しくは養育しているとき（前号に該当する場合を除く。第六号及び第七号において同じ。）又は同項第二号ニに規定する児童を監護し、かつ、これと生計を同じくし若しくは養育しているとき（前号に該当する場合を除く。第六号及び第七号において同じ。）は、当該児童の父又は母の生死が明らかでないことを明らかにすることができる書類
五　受給者が令第一条の二第一号に規定する児童を監護し若しくは養育しているとき又は令第二条第一号に規定する児童を監護し、かつ、これと生計を同じくし若しくは養育しているときは、当該児童が父又は母から引き続き一年以上遺棄されていることを明らかにすることができる書類
六　受給者が令第一条の二第三号に規定する児童を監護し若しくは養育しているとき又は令第二条第三号に規定する児童を監護し、かつ、これと生計を同じくし若しくは養育しているときは、当該児童の父又は母が法令により引き続き一年以上拘禁されていることを明らかにすることができる書類
七　受給者が令第一条の二第五号に規定する児童を監護し若しくは養育しているとき又は令第二条第五号に規定する児童を監護し、かつ、これと生計を同じくし若しくは養育しているときは、当該児童の戸籍の謄本又は抄本

〔改正〕
一部改正（第四・一六・二四〜二七・三二・四五・四九・五一・五八〜六〇・六二・六八・六九次改正）

（障害の状態の届出）
第四条の二　受給者は、手当の支給が行われている児童について十八歳に達した日以後の最初の三月三十一日が終了した場合であつて、当該児童が令別表第一に定める程度の障害の状態にあるときは、速やかに、当該障害の状態に関する医師又は歯科医師の診断書を手当の支給機関に提出しなければならない。ただし、第一条第六号又は第二条第二号の規定により、当該児童の障害の状態に関する医師又は歯科医師の診断書が既に提出されているときは、この限りでな

い。

〔**改正**〕

追加（第四次改正）、一部改正（第一六・二一・二三・二四・三〇・三二・四一・四九・五九次改正）

（氏名変更の届出）

第五条　受給者は、氏名を変更したときは、次の各号に掲げる事項を記載した届書に戸籍の抄本を添えて、十四日以内に、これを手当の支給機関に提出しなければならない。

一　変更前及び変更後の氏名

二　児童扶養手当証書の番号

〔**改正**〕

一部改正（第六・一二・三二・四九次改正）

（住所変更の届出）

第六条　受給者は、手当の支給機関の変更を伴う住所の変更をしようとするときは、あらかじめ、次の各号に掲げる事項を記載した届書を変更前の手当の支給機関に提出しなければならない。

一　変更前及び変更後の住所

二　住民基本台帳法（昭和四十二年法律第八十一号）第二十四条の転出の予定年月日

三　児童扶養手当証書の番号

2　受給者は、住所を変更したときは、十四日以内に、次の各号に掲げる事項を記載した届書を手当の支給機関（手当の支給機関の変更を伴う住所の変更をしたときは、変更後の手当の支給機関）に提出しなければならない。この場合において、手当の支給機関の変更を伴う住所の変更をしたときは、変更後の住所地の世帯の全員の住民票の写しを添えなければならない。

一　前項第一号及び第三号に掲げる事項

二　住民基本台帳法第二十二条第一項第三号の転入をした年月日

〔**改正**〕

全部改正（第三二次改正）、一部改正（第四九次改正）

第七条及び第八条　削除（第三二次改正）

（証書の再交付の申請）

第九条　受給者は、児童扶養手当証書を破り、又は汚したときは、児童扶養手当証書の再交付を手当の支給機関に申請することができる。

2　前項の申請をするには、児童扶養手当証書の番号を記載した申請書を手当の支給機関に提出しなければならない。この場合において、破り、又は汚した児童扶養手当証書を申請書に添えなければならない。

〔**改正**〕

一部改正（第五・七・三二・四九次改正）

（証書の亡失の届出等）

第十条　受給者は、児童扶養手当証書を失つたときは、直ちに、児童扶養手当証書亡失届（様式第八号）を手当の支給機関に提出しなければならない。

2　受給者は、前項の届出をした後、失つた児童扶養手当証書を発見したときは、速やかに、これを手当の支給機関に返納しなければならない。

〔**改正**〕

一部改正（第五・三二・四九次改正）

（受給資格喪失の届出）

第十一条　受給者は、法第四条に定める手当の支給要件に該当しなくなつたときは、速やかに、児童扶養手当資格喪失届（様式第九号）を手当の支給機関に提出しなければならない。

〔**改正**〕

一部改正（第五・三二・四九次改正）

（死亡の届出）

第十二条　受給者が死亡したときは、戸籍法（昭和二十二年法律第二百二十四号）の規定による死亡の届出義務者は、次の各号に掲げる事項を記載した届書に、その死亡を証する書類を添えて、十四日以内に、これを手当の支給機関に提出しなければならない。

一　氏名

二　死亡した年月日

三　児童扶養手当証書の番号

〔**改正**〕

一部改正（第五・七・二〇・三二・四九次改正）

（届書等の記載事項）

第十二条の二　第五条、第六条、第九条及び前条の届書又は申請書には、届出人又は申請者の氏名及び住所並びに届出又は申請の年月日を記載しなければならない。

〔**改正**〕

追加（第七次改正）、一部改正（第三二・四五・七三次改正）

（準用）

第十二条の三　第三条から第六条まで（第三条の二第一項、第三条の三第一項、第三条の四、第五条第二号及び第六条第一項第三号を除く。）、第十一条から前条まで（第十二条第三号を除く。）及び第十四条の規定は、受給資格の認定を受けた者であつて法第九条から第十一条まで又は第十三条の二の規定により手当の全部の支給を受けていないもの（以下「全部支給停止者」という。）について準用する。この場合において、第三条の二第二項中「第九条第一項」とあるのは「第九条第一項、第十条、第十一条又は第十三条の二」と、「一部」とあるのは「全部」と、第三条の二第三項中「第九条第一項」とあるのは「第九条から第十一条まで又は第十三条の二」と、第四条の二中「手当の支給が行われている児童」とあるのは「法第九条から第十一条まで又は第十三条の二の規定により手当の全部の支給が行われていない児童」と、第六条第二項第一号中「前項第一号及び第三号」とあるのは「前項第一号」と、第十二条の二中「、第九条及び前条の届書又は申請書」とあるのは「及び前条の届書」と、第十四条中「、申請書若しくは診断書又は児童扶養手当証書」

とあるのは「又は診断書」と、「提出又は返納する場合」とあるのは「提出する場合」と読み替えるものとする。

〔**改正**〕

追加（第二〇次改正）、一部改正（第二三・二五・三二・四九・五一・五七・六二次改正）

（未支払の手当の請求）

第十二条の四　法第十六条に規定する未支払の手当を受けようとする者は、未支払児童扶養手当請求書（様式第十号）を手当の支給機関に提出しなければならない。

〔**改正**〕

旧第一二条の二として追加（第一次改正）、一部改正（第五・三二・四九次改正）、旧第一二条の三に繰下（第七次改正）、本条に繰下（第二〇次改正）

（証書の添付）

第十三条　第二条から第三条の四まで、第四条から第五条まで、第六条第二項、第十一条及び第十二条の規定によつて請求書、届書又は診断書を手当の支給機関に提出する場合においては、その請求書、届書又は診断書に、児童扶養手当証書を添えなければならない。

〔**改正**〕

一部改正（第一・四・五・七・二〇・二三・三一・四九・七一次改正）

（町村長の経由）

第十四条　この章の規定によつて請求書、届書、申請書若しくは診断書又は児童扶養手当証書を住所地を管轄する福祉事務所を管理する都道府県知事に提出又は返納する場合においては、当該受給資格者又は受給者の住所地の町村長を経由しなければならない。

〔**改正**〕

一部改正（第四・二三・三二・四九次改正）

第二章　認定及び支給等

（認定の請求書及び届書の受理及び提出）

第十五条　町村長は、前条の規定により町村長を経由して都道府県知事に提出しなければならないこととされている請求書、届書又は申請書を受理したときは、請求書、届書又は申請書の所定事項について必要な審査を行い、これを都道府県知事に提出しなければならない。

2　前項の場合において、提出された届書が手当の支給機関の変更を伴わない住所の変更に係るものであるときは、同項の規定にかかわらず、町村長は、当該届書に添えて提出された児童扶養手当証書の所定欄に住所又は支払郵便局の変更に関する所要事項を記載し、かつ、当該証書を受給者に返付した旨の報告をもつて同項の提出に代えるものとする。

3　第一項の場合において、提出された届書が氏名の変更に係るものであるときは、同項の規定にかかわらず、町村長は、当該届書に記載された事項を記載した書類を送付することによつて同項の提出に代えることができる。この場合において、当該届書に添えて提出された児童扶養手当証書を添えなければならない。

〔**改正**〕

一部改正（第四・六・七・一一・三二・四九次改正）

（認定の通知）

第十六条　手当の支給機関は、認定の請求があつた場合において、受給資格の認定をしたときは、児童扶養手当認定通知書（様式第十一号）及び児童扶養手当証書（様式第十一号の二）を当該受給資格者に交付しなければならない。

2　手当の支給機関は、前項の場合において、法第九条から第十一条まで又は第十三条の二の規定により手当の全部又は一部を支給しないときは、児童扶養手当支給停止通知書（様式第十一号の三）を当該全部支給停止者又は受給者に交付しなければならない。この場合において、前項の規定にかかわらず、当該全部支給停止者に対しては、児童扶養手当証書を交付しない。

〔改正〕

一部改正（第五・二〇・三二・四九・六二次改正）

（認定請求の却下通知）

第十七条　手当の支給機関は、認定の請求があつた場合において、受給資格がないと認めたときは、児童扶養手当認定請求却下通知書（様式第十二号）を請求者に交付しなければならない。

〔改正〕

一部改正（第五・四九次改正）

（手当額の改定の通知等）

第十八条　手当の支給機関は、法第八条の規定により手当の額を改定したときは、児童扶養手当額改定通知書（様式第十三号）を受給者に交付しなければならない。

2　手当の支給機関は、前項の通知をする場合において、第十三条の規定によつて児童扶養手当証書が提出されているときは、当該児童扶養手当証書に当該改定に関する所要事項を記載し、又は新たに児童扶養手当証書を作成し、これを受給者に返付し、又は交付しなければならない。

3　手当の支給機関は、第一項の通知をする場合において、児童扶養手当証書が提出されていないときは、受給者に対して、児童扶養手当証書の提出を命じなければならない。

4　第二項の規定は、前項の命令によつて児童扶養手当証書が提出された場合に準用する。

5　第二項（前項において準用される場合を含む。）の規定により新たな児童扶養手当証書が交付されたときは、従前の児童扶養手当証書は、その効力を失うものとする。

6　手当の支給機関は、手当の額の改定の請求があつた場合において、改定すべき事由がないと認めたときは、児童扶養手当額改定請求却下通知書（様式第十四号）を受給者に交付しなければならない。

〔改正〕

一部改正（第五・三二・四九次改正）

（証書の訂正）

第十九条　手当の支給機関は、氏名の変更の届書若しくは住所の変更の届書（第十五条第二項に係る届書及び手当の支給機関の変更を伴う住所の変更に係る届書を除く。）又は同条第三項の書類を受理したときは、これらの届書又は書類に添えて提出された児童扶養手当証書の当該事項を訂正して、これを受給者に返付しなければならない。

2　前項の規定は、町村長が住所の変更の届書（第十五条第二項に係る届書に限る。）を受理した場合に準用する。

〔改正〕

全部改正（第六次改正）、一部改正（第三二・四九次改正）

（証書の再交付等）

第二十条　手当の支給機関は、児童扶養手当証書の再交付の申請書若しくは児童扶養手当証書亡失届又は手当の支給機関の変更を伴う住所の変更に係る届書を受理したときは、新たに児童扶養手当証書を作成し、これを受給者に交付しなければならない。

2　第十八条第五項の規定は、前項の規定により新たな児童扶養手当証書が交付された場合に、準用する。

3　手当の支給機関は、手当の支給機関の変更を伴う住所の変更に係る届書を受理したときは、当該変更前の手当の支給機関に、文書で第六条第二項各号に掲げる事項を通知しなければならない。

〔改正〕

一部改正（第四・六・七・三二・四九次改正）

（証書の更新、支給停止の通知等）

第二十一条　手当の支給機関は、第三条の二、第三条の三又は第四条（これらの規定を第十二条の三において準用する場合を含む。）の規定により提出された児童扶養手当支給停止関係届若しくは児童扶養手当被災状況書、公的年金給付等受給状況届又は児童扶養手当現況届を受理した場合（法第九条第一項、第九条の二から第十一条まで又は第十三条の二第一項から第三項までの規定の適用により手当の全部を支給しない場合を除く。）においては、当該届書に添えて提出された児童扶養手当証書に所要事項を記載し、又は新たに児童扶養手当証書を作成し、これを当該受給者に返付し、又は交付しなければならない。

2　手当の支給機関は、法第十三条の三第一項の規定により手当の一部を支給しないときは、児童扶養手当証書に所要事項を記載し、又は新たに児童扶養手当証書を作成し、これを受給者に返付し、又は交付しなければならない。

3　手当の支給機関は、第一項の届書を受理した場合において、法第九条から第十一条まで又は第十三条の二の規定により手当の全部又は一部を支給しないときは、児童扶養手当支給停止通知書を当該全部支給停止者又は受給者に交付しなければならない。

4　手当の支給機関は、法第十三条の三第一項の規定により手当の一部を支給しないときは、児童扶養手当支給停止通知書を受給者に交付しなければならない。

5　手当の支給機関は、受給者に前項の通知をする場合において、児童扶養手当証書が提出されていないときは、当該受給者に対して、児童扶養手当証書の提出を命ずることができる。

〔**改正**〕

全部改正（第二〇次改正）、一部改正（第二五・三二・四九・五一・五七・六二・七五次改正）

（未支払の手当の支払通知）

第二十一条の二　手当の支給機関は、未支払児童扶養手当請求書を受理したときは、児童扶養手当支払通知書を作成し、これを請求者に交付しなければならない。

〔**改正**〕

追加（第一次改正）、一部改正（第四九次改正）

（受給資格喪失の通知）

第二十二条　手当の支給機関は、受給者の受給資格が消滅したときは、児童扶養手当資格喪失通知書（様式第十五号）をその者（その者が死亡した場合にあつては、戸籍法の規定による死亡の届出義務者とする。）に交付しなければならない。

2　手当の支給機関は、前項の通知をする場合において、児童扶養手当証書が提出されていないときは、同項に定める者に対して、児童扶養手当証書の提出を命じなければならない。

〔**改正**〕

一部改正（第五・二〇・四九次改正）

（経由）

第二十三条　都道府県知事は、この章の規定によつて、通知書を交付し、児童扶養手当証書を交付し、若しくは返付し、又は児童扶養手当証書の提出を命ずるときは、当該受給者の住所地の町村長を経由しなければならない。

〔**改正**〕

一部改正（第四九次改正）

（証書の交付等の停止）

第二十四条　町村長は、前条の規定によつて当該受給者に対して児童扶養手当証書を交付し、又は返付する場合において、受給資格が消滅していることが明らかに認められるときは、児童扶養手当証書の交付又は返付を停止し、その旨を都道府県知事に報告しなければならない。

〔**改正**〕

一部改正（第四九次改正）

（準用）

第二十四条の二　第十五条第一項及び第三項前段、第十八条第一項、第二十条第三項、第二十二条第一項並びに第二十三条の規定は、全部支給停止者について準用する。この場合において、第十五条第一項中「、届書又は申請書」とあるのは「又は届書」と、第二十三条中「交付し、児童扶養手当証書を交付し、若しくは返付し、又は児童扶養手当証書の提出を命ずる」とあるのは「交付する」と読み替えるものとする。

〔**改正**〕

追加（第二〇次改正）、一部改正（第三二・四九次改正）

（法第十四条第四号に規定する内閣府令で定める自立を図るための活動）

第二十四条の三　法第十四条第四号に規定する内閣府令で定める自立を図るための活動は、公共職業能力開発施設、専修学校等に在学していることその他の職業能力の開発及び向上を図るための活動とする。

〔**改正**〕

追加（第五一次改正）、一部改正（第五七・八〇次改正）

（令第六条の三第二項第二号、第六条の五第二項第二号及び第六条の六第二項第一号の内閣府令で定める方法によつて計算した額）

第二十四条の四　令第六条の三第二項第二号の内閣府令で定める方法によつて計算した額は、次の表の第一欄に掲げる規定によりその支給を停止された同表の第二欄に掲げる給付について、当該給付（法第十三条の二第一項第二号又は第三号に規定する公的年金給付である場合にあつては、同項第二号又は第三号に規定する加算に係る部分に限る。）の全額とする。ただし、同表の第三欄に掲げる一時金が支給されたときは、その支給された月後最初の同表の第二欄に掲げる給付の支払期月から一年を経過した月以後については、同表の第二欄に掲げる給付の額を、同表の第四欄に掲げる法定利率にその経過した年数（当該年数に一年未満の端数を生じたときは、これを切り捨てた年数）を乗じて得た数に一を加えた数で除して得た額とする。

第一欄	第二欄	第三欄	第四欄
雇用保険法等の一部を改正する法律（平成十九年法律第三十号）附則第三十九条の規定によりなお従前の例によるものとされた同法第四条の規定による改正前の船員保険法（昭和十四年法律第七十三号。次項において「平成十九年改正前船員保険法」という。）附則第十項	同項に規定する遺族年金	同項に規定する遺族年金前払一時金	障害の原因である疾病又は負傷の発生時における法定利率
労働者災害補償保険法（昭和二十二年法律第五十号）第六十条第三項	同項に規定する遺族補償年金	同項に規定する遺族補償年金前払一時金	同法第八条第一項に規定する算定事由発生日における法定利率
労働者災害補償保険法第六十条の四第四項において読み替えて準用する同法第六十条第三項	同項に規定する複数事業労働者遺族年金	同項に規定する複数事業労働者遺族年金前払一時金	同法第八条第一項に規定する算定事由発生日における法定利率
労働者災害補償保険法第六十三条第三項において読み替えて準用する同法第六十条第三項	同項に規定する遺族年金	同項に規定する遺族年金前払一時金	同法第八条第一項に規定する算定事由発生日における法定利率
国家公務員災害補償法（昭和二十六年法律第百九十一号）附則第十四項（他の法律において準用する場合を含む。次項において同じ。）	同項に規定する遺族補償年金	同項に規定する遺族補償年金前払一時金	人事院規則一六―〇（職員の災害補償）第八条の二に規定する事故発生日における法定利率
地方公務員災害補償法（昭和四十二年法律第百二十一号）附則第六条第三項	同項に規定する遺族補償年金	同項に規定する遺族補償年金前払一時金	同法第二条第四項に規定する災害発生の日における法定利率
地方公務員災害補償法第六十九条第一項の規定に基づく条例の規定	当該条例の規定に基づき支給される遺族補償年金に相当する補償	当該条例の規定に基づき支給される遺族補償年金前払一時金に相当する補償	同法第二条第四項に規定する災害発生の日に相当する日として当該条例で定める日における法定利率

公立学校の学校医、学校歯科医及び学校薬剤師の公務災害補償の基準を定める政令（昭和三十二年政令第二百八十三号）附則第一条の三第五項	同項に規定する障害補償年金	同項に規定する障害補償年金前払一時金	同令第一条第二項に規定する事故発生日における法定利率
公立学校の学校医、学校歯科医及び学校薬剤師の公務災害補償の基準を定める政令附則第二条第四項において読み替えて準用する同令附則第一条の三第五項	同項に規定する遺族補償年金	同項に規定する遺族補償年金前払一時金	同令第一条第二項に規定する事故発生日における法定利率

2　令第六条の五第二項第二号の内閣府令で定める方法によつて計算した額は、次の表の第一欄に掲げる規定によりその支給を停止された同表の第二欄に掲げる給付について、当該給付（法第十三条の二第三項の規定の適用を受けている受給資格者にあつては、同項に規定する加算に係る部分に限る。）の全額とする。ただし、同表の第三欄に掲げる一時金が支給されたときは、その支給された月後最初の同表の第二欄に掲げる給付の支払期月から一年を経過した月以後については、同表の第二欄に掲げる給付の額を、同表の第四欄に掲げる法定利率にその経過した年数（当該年数に一年未満の端数を生じたときは、これを切り捨てた年数）を乗じて得た数に一を加えた数で除して得た額とする。

第一欄	第二欄	第三欄	第四欄
雇用保険法等の一部を改正する法律附則第三十九条の規定によりなお従前の例によるものとされた平成二十二年改正前船員保険法附則第十項	同項に規定する遺族年金	同項に規定する遺族年金前払一時金	障害の原因である疾病又は負傷の発生時における法定利率
労働者災害補償保険法第六十条第三項	同項に規定する遺族補償年金	同項に規定する遺族補償年金前払一時金	同法第八条第一項に規定する算定事由発生日における法定利率
労働者災害補償保険法第六十条の四第四項において読み替えて準用する同法第六十条第三項	同項に規定する複数事業労働者遺族年金	同項に規定する複数事業労働者遺族年金前払一時金	同法第八条第一項に規定する算定事由発生日における法定利率
労働者災害補償保険法第六十三条第三項において読み替えて準用する同法第六十条第三項	同項に規定する遺族年金	同項に規定する遺族年金前払一時金	同法第八条第一項に規定する算定事由発生日における法定利率
国家公務員災害補償法附則第十四項	同項に規定する遺族補償年金	同項に規定する遺族補償年金前払一時金	人事院規則一六―〇（職員の災害補償）第八条の二に規定する事故発生日における法定利率
地方公務員災害補償法附則第六条第三項	同項に規定する遺族補償年金	同項に規定する遺族補償年金前払一時金	同法第二条第四項に規定する災害発生の日における法定利率
地方公務員災害補償法第六十九条第一項の規定に基づく条例の規定	当該条例の規定に基づき支給される遺族補償年金に相当する補償	当該条例の規定に基づき支給される遺族補償年金前払一時金に相当する補償	同法第二条第四項に規定する災害発生の日に相当する日として当該条例で定める日における法定利率
公立学校の学校医、学校歯科医及び学校薬剤師の公務災害補償の基準を定める政令附則第二条第四項において読み替えて準用する同令附則第一条の三第五項	同項に規定する遺族補償年金	同項に規定する遺族補償年金前払一時金	同令第一条第二項に規定する事故発生日における法定利率

3　令第六条の六第二項第一号の内閣府令で定める方法によつて計算した額は、次の表の第一欄に掲げる規定によりその支給を停止された同表の第二欄に掲げる給付について、当該給付（法第十三条の二第三項に規定する加算に係る部分に限る。）の全額とする。ただし、同表の第三欄に掲げる一時金が支給されたときは、その支給さ

れた月後最初の同表の第二欄に掲げる給付の支払期月から一年を経過した月以後については、同表の第二欄に掲げる給付の額を、同表の第四欄に掲げる法定利率にその経過した年数（当該年数に一年未満の端数を生じたときは、これを切り捨てた年数）を乗じて得た数に一を加えた数で除して得た額とする。

第一欄	第二欄	第三欄	第四欄
公立学校の学校医、学校歯科医及び学校薬剤師の公務災害補償の基準を定める政令附則第一条の三第五項	同項に規定する障害補償年金	同項に規定する障害補償年金前払一時金	同令第一条第二項に規定する事故発生日における法定利率

〔改正〕
追加（第六二次改正）、一部改正（第七二・七五・八〇次改正）

（令第八条第一号に規定する求職活動等）

第二十四条の五　令第八条第一号に規定する求職活動は、公共職業安定所、母子家庭就業支援事業若しくは父子家庭就業支援事業を実施する機関、特定地方公共団体又は職業紹介事業者において就職に関する相談等を受けたこと、求人者に面接したことその他就業するための活動とする。

2　令第八条第一号に規定する内閣府令で定める自立を図るための活動は、次に掲げるものとする。

一　公共職業能力開発施設、専修学校等に在学していることその他の職業能力の開発及び向上を図るための活動

二　法第二十八条の二第一項又は第二項の規定による相談、情報の提供、助言又は支援を受け、就業し、求職活動をし、又は前号に掲げる活動を行うこと。

3　令第八条第三号に規定する内閣府令で定める事由は、次の各号に掲げる事由とする。

一　受給資格者が疾病、負傷又は要介護状態にあることその他これに類する事由により就業することが困難であること。

二　受給資格者が監護する児童又は受給資格者の親族が障害の状態にあること又は疾病、負傷若しくは要介護状態にあることその他これに類する事由により受給資格者がこれらの者の介護を行う必要があり就業することが困難であること。

〔改正〕
旧第二四条の四として追加（第五七次改正）、一部改正（第六二・六六・八〇次改正）、本条に繰下（第六二次改正）

（法第十三条の三第二項の適用）

第二十四条の六　第三条の四第一項の規定により受給資格者から児童扶養手当一部支給停止適用除外事由届出書が提出され、当該受給資格者が令第八条各号に掲げる事由に該当する場合には、適用除外事由発生月から翌年十月（適用除外事由発生月が一月から七月までのいずれかの月である場合にあつては、その年の十月）までの期間においては、法第十三条の三第一項の規定を適用しない。

2　第三条の四第二項の規定により受給資格者から児童扶養手当一部支給停止適用除外事由届出書が提出され、当該受給資格者が令第八条各号に掲げる事由に該当する場合には、当該年の十一月から翌年十月までの期間においては、法第十三条の三第一項の規定を適用し

ない。

〔改正〕

旧第二四条の五として追加（第五七次改正）、一部改正（第五九・六二・六九次改正）、本条に繰下（第六二次改正）

第三章　雑則

（口頭による請求）

第二十五条　市町村長は、第一章に規定する請求書、届書又は申請書を作成することができない特別の事情があると認めるときは、当該請求者、届出者又は申請者の口頭による陳述を当該職員に聴取させたうえで、必要な措置をとることによつて、同章に規定する請求書、届書又は申請書の受理にかえることができる。

2　前項の陳述を聴取した当該職員は、陳述事項に基づいて所定の請求書、届書又は申請書の様式に従つて聴取書を作成し、これを陳述者に読み聞かせたうえで、陳述者とともに氏名を記載しなければならない。

〔改正〕

一部改正（第一・七三次改正）

（添付書類の省略等）

第二十六条　対象児童の父又は母が国民年金法（昭和三十四年法律第百四十一号）の規定による障害基礎年金（障害の程度が同法第三十条第二項に規定する障害等級の一級に該当する者に支給されるものに限る。）又は国民年金法等の一部を改正する法律（昭和六十年法律第三十四号）第一条の規定による改正前の国民年金法の規定による障害年金（障害の程度が同法別表に定める一級に該当する者に支給されるものに限る。）の支給を受けることができるときは、第一条の児童扶養手当認定請求書又は第二条の児童扶養手当額改定請求書に添えるべき第一条第四号に掲げる書類等を添えることを要しない。

2　手当の支給機関は、障害の状態にある児童、受給資格者又は受給資格者の親族について、既にこれらの者の障害の状態に関する診断書の提出を受けたことがある場合において、当該児童受給資格者又は受給資格者の親族の障害の状態が固定している等の事情により当該障害の状態に関する診断書を添える必要がないと認めるときは、第一章の規定により請求書又は届書に添えなければならない当該障害の状態に関する診断書を省略させることができる。

3　第一条の児童扶養手当認定請求書、第三条の二第一項及び第二項（第十二条の三において準用する場合を含む。）の児童扶養手当支給停止関係届、第三条の五の所得状況届（第十二条の三において準用する場合を含む。）並びに第四条（第十二条の三において準用する場合を含む。）の児童扶養手当現況届を住所地を管轄する福祉事務所を管理する都道府県知事に提出する場合において、当該請求書又は届書に添えるべき第一条第七号イ、ロ及びニ(2)並びに第八号イ及びロに規定する町村長の証明書を当該受給資格者又は受給者若しくは全部支給停止者の住所地の町村長から受けるべきときは、これを添えることを要しないものとする。この場合において、町村長は、証明すべき事実につき課税台帳その他の公簿によつて審査した旨を当該請求書又は届書に記載しなければならない。

4　手当の支給機関は、非常災害に際して特に必要があると認めるときは、第一章の規定により請求書又は届書に添えなければならない書類を省略させ、又はこれに代わるべき他の書類を添えて提出させることができる。

5　第一章の規定により請求書又は届書に戸籍の謄本若しくは抄本若しくは住民票の写し、身分関係若しくは生計関係を明らかにすることができる書類又は診断書を添えて提出しなければならない場合において、一通又は二通以上の戸籍の謄本若しくは抄本若しくは住民票の写し、身分関係若しくは生計関係を明らかにすることができる書類又は診断書を添えることにより当該関係事項のすべてを明らかにすることができるときは、その明らかにすることができる書類を、当該請求書又は届書に添えることをもつて足りるものとする。

6　第一章の規定により請求書又は届書に第一条第九号イからニまでに規定する証明書又は同条第十号イ若しくはロに規定する証明書を添えて提出しなければならない場合において、公的年金給付の受給状況又は遺族補償等の受給状況を明らかにすることができる書類を添えることにより当該関係事項の全てを明らかにすることができるときは、その明らかにすることができる書類を、当該請求書又は届書に添えることをもつて足りるものとする。

7　手当の支給機関は、第一章の規定により請求書又は届書に添えて提出する書類等により証明すべき事実を公簿等によつて確認することができるときは、当該書類等を省略させることができる。

〔**改正**〕

一部改正（第四・八・九・一五・一六・一八・二〇・二三〜二五・三〇・三二・三四・四九・五七〜五九・六二・六八・七一次改正）

（経由の省略）

第二十七条　都道府県知事は、特別の事情があると認めるときは、第十四条（第十二条の三において準用する場合を含む。）の規定にかかわらず、第一章に規定する請求書、届書又は申請書を町村長を経由しないで提出させることができる。児童扶養手当証書の経由についても、同様とする。

2　都道府県知事は、特別の事情があると認めるときは、第二十三条（第二十四条の二において準用する場合を含む。）の規定にかかわらず、前章に規定する通知書を町村長を経由しないで交付することができる。児童扶養手当証書の経由についても、同様とする。

〔**改正**〕

一部改正（第二〇・四九次改正）

（身分を示す証明書）

第二十八条　法第二十九条第三項の規定によつて当該職員が携帯すべき身分を示す証明書は、様式第十六号による。

〔**改正**〕

一部改正（第五・三二次改正）

附　則

1　この省令は、昭和三十七年一月一日から施行する。ただし、法附則第二項の規定によつてなされる手続に関しては、公布の日（昭和三十六年十二月七日）から施行する。

2　第四条の規定により、昭和三十七年六月一日から同月三十日までの間において提出すべき児童扶養手当所得状況届には、児童扶養手当証書を添えなければならない。

3　都道府県知事は、前項の児童扶養手当所得状況届を受理した場合において、受給資格があると認めたときは、第二十一条の規定にかかわらず、当該児童扶養手当所得状況届に添えて提出された児童扶養手当証書に、所要事項を記載し、これを受給者に返付しなければならない。

附　則（第一次改正）

この省令は、公布の日（昭和三十七年五月十六日）から施行する。

附　則（第二次改正）

1　この省令は、行政不服審査法（昭和三十七年法律第百六十号）の施行の日（昭和三十七年十月一日）から施行する。

2　この省令の施行の際、現にあるこの省令による改正前の様式による通知書の用紙は、当分の間、これを取り繕つて使用することがある。

附　則（第三次改正）

1　この省令は、公布の日（昭和三十七年十二月一日）から施行する。

2　この省令の施行の際、現にあるこの省令による改正前の様式による請求書、届書及び申出書の用紙は、当分の間、これを取り繕つて使用することができる。

附　則（第四次改正）

1　この省令は、公布の日（昭和三十八年八月二十一日）から施行し、この省令による改正後の児童扶養手当所得状況届及びこれに添えなければならない書類に関する規定は、昭和三十七年以降の年の所得による児童扶養手当の支給の制限に関する手続について適用する。

2　昭和三十八年八月以前の月分の児童扶養手当についての昭和三十七年の所得による支給の制限については、この省令による改正後の第一条第二項第二号中「十八万円」とあるのは、「十五万円」と読み替えるものとする。

3　この省令の施行の際現にある請求書、届書及び通知書の用紙は、当分の間、これを取り繕つて使用することができる。

附　則（第五次改正）

1　この省令は、公布の日（昭和三十九年八月二十八日）から施行する。ただし、様式第一号の改正規定中注意の5のトの改正に係る部分、様式第五号の改正規定中注意の5のトの改正に係る部分、様式第六号の改正規定及び様式第九号中の改正規定中注意の1のハの(ト)の改正に係る部分は、昭和三十九年十月一日から施行する。

2　この省令の施行の際現にある請求書及び届書の用紙は、当分の間、これを取り繕つて使用することができる。

附　則（第六次改正）

この省令は、公布の日〔昭和四十年五月三十一日〕から施行する。ただし、様式第一号の改正規定、様式第三号の改正規定中注意の5の改正に係る部分及び様式第五号の改正規定は、昭和四十年八月一日から施行する。

附　則（第七次改正）

1　この省令は、公布の日〔昭和四十一年八月一日〕から施行する。ただし、第一条第一項第七号ロの改正規定及び同条第二項第二号イの(3)の改正規定並びに様式第一号の改正規定中注意の9及び16のリの改正に係る部分、様式第三号の改正規定中注意の5及び10のロの(ホ)の改正に係る部分並びに様式第五号の改正規定中注意の4及び12のリの改正に係る部分は、昭和四十一年十二月一日から施行する。

2　この省令による改正後の児童扶養手当所得状況届及びこれに添えなければならない書類等に関する規定（第一条第二項第二号イの(3)並びに様式第三号の注意の5及び10のロの(ホ)を除く。）は、昭和四十年以降の年の所得による児童扶養手当の支給の制限に関する手続について適用する。

3　この省令の施行の際現にあるこの省令による改正前の様式による請求書及び届書の用紙は、当分の間、これを取り繕つて使用することができる。

附　則（第八次改正）

1　この省令は、公布の日〔昭和四十二年八月三十一日〕から施行する。

2　昭和四十年以前の年の所得に係る児童扶養手当所得状況届及び特別児童扶養手当所得状況届並びにこれらに添えるべき書類等については、なお従前の例による。

附　則（第九次改正）

この省令は、公布の日〔昭和四十二年十一月十日〕から施行する。

附　則（第一〇次改正）

この省令は、公布の日〔昭和四十二年十二月二十五日〕から施行する。

附　則（第一一次改正）

1　この省令は、公布の日〔昭和四十三年七月四日〕から施行する。

2　昭和四十一年以前の年の所得に係る児童扶養手当所得状況届及び特別児童扶養手当所得状況届については、なお従前の例による。

附　則（第一二次改正）抄

1　この省令は、公布の日〔昭和四十四年七月一日〕から施行する。

〔以下略〕

附　則（第一三次改正）

1　この省令は、公布の日〔昭和四十四年八月二十五日〕から施行する。

2　昭和四十二年以前の年の所得に係る児童扶養手当所得状況届及び特別児童扶養手当所得状況届については、なお従前の例による。

附　則（第一四次改正）

この省令は、公布の日（昭和四十四年十二月十日）から施行する。

附　則（第一五次改正）

1　この省令は公布の日（昭和四十五年六月十七日）から施行する。

2　昭和四十三年以前の年の所得に係る児童扶養手当所得状況届及び特別児童扶養手当所得状況届並びにこれらに添えるべき書類等の提出については、なお従前の例による。

附　則（第一六次改正）

この省令は、昭和四十七年十月一日から施行する。

附　則（第一七次改正）

1　この省令は、昭和四十八年十月一日から施行する。

2　昭和四十六年以前の年の所得に係る児童扶養手当所得状況届及び特別児童扶養手当所得状況届並びにこれらに添えるべき証明書については、なお、従前の例による。

附　則（第一八次改正）

1　この省令は、公布の日（昭和四十九年六月二十日）から施行する。

2　昭和四十七年以前の年の所得に係る児童扶養手当所得状況届及び特別児童扶養手当所得状況届並びにこれらに添えるべき証明書については、なお、従前の例による。

附　則（第一九次改正）抄

1　この省令は、昭和四十九年九月一日から施行する。ただし、附則第二項の規定及び児童手当法等の一部を改正する法律（昭和四十九年法律第八十九号。以下「改正法」という。）附則第四条第二項の規定によつてなされる手続に関しては、公布の日（昭和四十九年六月二十二日）から施行する。

附　則（第二〇次改正）

この省令は、昭和五十年十月一日から施行する。

附　則（第二一次改正）

この省令は、公布の日（昭和五十一年十月一日）から施行する。

附　則（第二二次改正）

この省令は、公布の日（昭和五十二年十月一日）から施行する。

附　則（第二三次改正）

この省令は、公布の日（昭和五十三年四月一日）から施行する。

附　則（第二四次改正）抄

1　この省令は、公布の日（昭和五十三年五月二十七日）から施行する。

2　昭和五十三年四月期渡分の児童扶養手当の支払を受けることができる者（既に支払を受けている者を含む。）であつて、同年八月期渡分の児童扶養手当の支払を受けることができるもの（同年六月又は七月に受給資格を喪失する者を除く。）に対する改正後の児童扶養手当法施行規則第四条の適用については、昭和五十三年六月一日から同年九月十日までの間は、同条中「毎年八月十一日から九月十日」とあるのは「昭和五十三年六月一日から同月三十日」と、様式第六号（表面）の⑯の欄中「8月1日」とあるのは「6月1日」と、同様式（裏面）の注意の1中「毎年8月11日から9月10日までの間」とあるのは「昭和53年6月中」とする。

附　則（第二五次改正）

この省令は、公布の日〔昭和五十五年六月二十三日〕から施行する。

附　則（第二六次改正）

1　この省令は、昭和五十六年八月一日から施行する。

2　昭和五十四年以前の年の所得に係る児童扶養手当現況届及び特別児童扶養手当所得状況届並びにこれらに添えるべき証明書については、なお従前の例による。

附　則（第二七次改正）

この省令は、難民の地位に関する条約等への加入に伴う出入国管理令その他関係法律の整備に関する法律（昭和五十六年法律第八十六号）の施行の日〔昭和五十七年一月一日〕から施行する。

附　則（第二八次改正）

この省令は、昭和五十七年七月一日から施行する。

附　則（第二九次改正）

この省令は、公布の日〔昭和五十七年八月十四日〕から施行する。

附　則（第三〇次改正）

この省令は、昭和五十七年十月一日から施行する。

附　則（第三一次改正）

この省令は、昭和五十九年四月一日から施行する。

附　則（第三二次改正）

（施行期日）

1　この省令は、昭和六十年八月一日から施行する。

（経過措置）

2　児童扶養手当法の一部を改正する法律（昭和六十年法律第四十八号）附則第五条に規定する既認定者等（以下「既認定者等」という。）に係る住所及び支払方法の変更についての届出並びに都道府県知事及び市町村長の事務については、同法附則第六条第一項に規定する政令で定める日（以下「変更日」という。）までの間は、なお従前の例による。

〔改正〕

一部改正（第五六次改正）

3　この省令による改正前の様式による児童扶養手当額改定請求書及び児童扶養手当額改定届は、当分の間、この省令による改正後の児童扶養手当法施行規則（以下「新規則」という。）の様式によるものとみなす。

4　この省令による改正前の様式による児童扶養手当現況届は、昭和六十年九月十日までの間、新規則の様式によるものとみなす。

5　既認定者等が提出すべき児童扶養手当証書亡失届及び未支払児童扶養手当請求書の様式並びに既認定者等に交付する児童扶養手当認定通知書の様式は、変更日までの間は、なお従前の例による。

〔改正〕 旧第五項を削り、旧第六項を本項に繰上（第五六次改正）

6 既認定者等に対して発する変更日の属する月までの月分の手当に係る督促状の様式は、なお従前の例による。

〔改正〕 旧第七項を旧第八項に繰下（第四一次改正）、旧第七項を削り、本項に繰上（第五六次改正）

7 既認定者等に支給する変更日の属する月までの月分の手当に係る児童扶養手当証書の様式は、既認定者等に交付する児童扶養手当証書の様式を定める省令（昭和三十九年厚生省郵政省令第一号）の定めるところによるものとする。

〔改正〕 一部改正（第三三次改正）、旧第八項を旧第九項に繰下（第四一次改正）、本項に繰上（第五六次改正）

8 当該職員が既認定者等に係る変更日の属する月までの月分の手当について児童扶養手当法（昭和三十六年法律第二百三十八号）第二十九条第一項又は第二項の規定によつて調査を行う場合においては、様式第十六号（表面）中「職名」とあるのは「官職又は職名」と、「都道府県知事」とあるのは「内閣総理大臣又は都道府県知事」と、同様式（裏面）中「都道府県知事」とあるのは「内閣総理大臣又は都道府県知事」とする。

〔改正〕 一部改正（第四七・八〇次改正）、旧第九項を旧第一〇項に繰下（第四一次改正）、本項に繰上（第五六次改正）

附　則（第三三次改正）抄

1 この省令は、昭和六十年八月一日から施行する。

附　則（第三四次改正）抄

（施行期日）

第一条 この省令は、昭和六十一年四月一日（以下「施行日」という。）から施行する。

附　則（第三五次改正）抄

（施行期日）

1 この省令は、昭和六十三年七月一日から施行する。〔以下略〕

（様式に関する経過措置）

2 第一条、第二条及び第四条の規定の施行の際現にあるこれらの規定による改正前の様式による請求書及び届の用紙は、当分の間、これを取り繕つて使用することができる。

（所得の額の計算方法に関する特例）

4 昭和六十三年八月一日前における児童扶養手当法施行規則第一条、特別児童扶養手当等の支給に関する法律施行規則第一条並びに障害児福祉手当及び特別障害者手当の支給に関する省令第二条及び第十五条の規定の適用については、これらの規定中「計算した所得の額」とあるのは「計算した所得の額と昭和六十三年度分の道府県民税（都が地方税法（昭和二十五年法律第二百二十六号）第一条第二項の規定によつて課する同法第四条第二項第一号に掲げる税を含む。以下同じ。）に係る同法附則第三十三条の四第一項に規定する超短期所有土地等に係る事業所得等の金額とを合算した額」と、

「第三号までの規定に該当するとき」とあるのは「第三号までの規定に該当するとき又は昭和六十三年度分の道府県民税につき地方税法第三十四条第一項第十号の二に規定する控除を受けたとき」とする。

附　則（第三六次改正）抄

1　この省令は、公布の日〔平成元年三月二十四日〕から施行する。

2　この省令の施行の際この省令による改正前の様式（以下「旧様式」という。）により使用されている書類は、この省令による改正後の様式によるものとみなす。

3　この省令の施行の際現にある旧様式による用紙及び板については、当分の間、これを取り繕つて使用することができる。

4　この省令による改正後の省令の規定にかかわらず、この省令により改正された規定であつて改正後の様式により記載することが適当でないものについては、当分の間、なお従前の例による。

附　則（第三七次改正）

1　この省令は、公布の日〔平成二年七月二十日〕から施行する。

2　第一条及び第二条の規定の施行の際現にあるこれらの規定による改正前の様式による請求書及び届の用紙は、当分の間、これを取り繕って使用することができる。

附　則（第三八次改正）抄

1　この省令は、平成五年八月一日から施行する。ただし、次の各号に掲げる規定は、当該各号に定める日から施行する。

二　〔前略〕第三条〔中略〕及び附則第三項から第七項までの規定

平成六年四月一日

5　平成六年七月以前の月分の児童扶養手当の受給資格及びその額についての認定の請求について第三条による改正後の児童扶養手当法施行規則様式第一号（裏面）の規定が適用される場合においては、

「8　㉖の欄は、前年（1月から6月までの間に請求する人の場合には、前々年をいいます。）の所得について、都道府県民税の総所得金額、退職所得金額、山林所得金額、土地等に係る事業所得等の金額、超短期所有土地等に係る事業所得等の金額及び長期・短期譲渡所得金額の合計額を記入してください。」

同令様式第一号(裏面)中

とあるのは、

「8　㉖の欄は、前年（1月から6月までの間に請求する人の場合には、前々年をいいます。）の所得について、都道府県民税の総所得金額、退職所得金額、山林所得金額、土地等に係る事業所得等の金額、超短期所有土地等に係る事業所得等の金額及び長期・短期譲渡所得金額の合計額を記入してください。

なお、みなし法人課税を選択している場合は、その旨を申し出てください。」

とする。

7　第三条及び第四条の規定の施行の際、現にあるこれらの規定による改正前の様式による請求書及び届の用紙は、当分の間、これを取り繕って使用することができる。

附　則（第三九次改正）

1　この省令は、平成六年四月一日から施行する。

2　この省令の施行の際現にあるこの省令による改正前の様式による

用紙については、当分の間、これを使用することができる。

附　則（第四〇次改正）抄

1　この省令は、平成六年八月一日から施行する。〔以下略〕

3　第一条、第三条及び第四条の規定の施行の際現にあるこれらの規定による改正前の様式による請求書及び届の用紙については、当分の間、これを取り繕って使用することができる。

附　則（第四一次改正）抄

1　この省令は、平成七年四月一日から施行する。ただし、〔中略〕第四条の規定は平成七年四月三日から、第一条中児童扶養手当法施行規則第一条第七号二(2)の改正規定、様式第一号（裏面）の改正規定及び様式第六号（裏面）の改正規定〔中略〕は平成七年七月一日から施行する。

2　この省令の施行の際この省令による改正前の様式（以下「旧様式」という。）により使用されている書類は、この省令による改正後の様式によるものとみなす。

3　この省令の施行の際現にある旧様式による用紙は、当分の間、これを取り繕って使用することができる。

附　則（第四二次改正）抄

（施行期日）

1　この省令は、平成八年八月一日から施行する。〔以下略〕

（経過措置）

4　第三条の規定の施行の際現にあるこの省令による改正前の様式による請求書及び届の用紙については、当分の間、これを取り繕って使用することができる。

附　則（第四三次改正）抄

（施行期日）

第一条　この省令は、平成九年四月一日から施行する。

（児童扶養手当法施行規則の一部改正に伴う経過措置）

第十一条　この省令の施行の際現にある第十条の規定による改正前の様式による届の用紙については、当分の間、これを取り繕って使用することができる。

附　則（第四四次改正）

1　この省令は、平成十年一月一日から施行する。

2　この省令の施行の際現にあるこの省令による改正前の様式による用紙については、当分の間、これを取り繕って使用することができる。

附　則（第四五次改正）

（施行期日）

1　この省令は、平成十年八月一日から施行する。ただし、児童扶養手当法施行令及び母子及び寡婦福祉法施行令の一部を改正する政令（平成十年政令第二百二十四号）附則第三項の規定によってなされる手続に関する改正規定は、公布の日〔平成十年六月二十四日〕から施行する。

（経過措置）

2　この省令の施行の際現にあるこの省令による改正前の様式による請求書及び届の用紙については、当分の間、これを取り繕って使用することができる。

附　則（第四六次改正）抄

（施行期日）

1　この省令は、平成十一年七月一日から施行する。〔以下略〕

（経過措置）

3　第一条から第四条まで及び第六条の規定の施行の際現にあるこれらの規定による改正前の様式による請求書及び届の用紙は、当分の間、これを取り繕って使用することができる。

附　則（第四七次改正）抄

（施行期日）

1　この省令は、内閣法の一部を改正する法律（平成十一年法律第八十八号）の施行の日（平成十三年一月六日）から施行する。

附　則（第四八次改正）

1　この省令は、平成十三年八月一日から施行する。

2　この省令の施行の際現にあるこの省令による改正前の様式による請求書及び届の用紙については、当分の間、これを取り繕つて使用することができる。

附　則（第四九次改正）

（施行期日）

1　この省令は、平成十四年八月一日から施行する。ただし、第一条の改正規定（同条第七号及び第八号に係る部分に限る。）及び第四条の改正規定（「同号ホ」を「ニ」に、「同号ニ」を「ハ」に改める部分に限る。）は、公布の日〔平成十三年十二月十三日〕から施行する。

（経過措置）

2　この省令の施行の際現にこの省令による改正前の様式（次項において「旧様式」という。）により使用されている書類は、この省令による改正後の様式によるものとみなす。

3　この省令の施行の際現にある旧様式による用紙については、当分の間、これを取り繕って使用することができる。

附　則（第五〇次改正）

（施行期日）

1　この省令は、平成十四年八月一日から施行する。

（児童扶養手当法施行規則の一部改正に関する経過措置）

2　この省令の施行の際現に第一条の規定による改正前の様式（次項において「旧様式」という。）により使用されている書類は、同条の規定による改正後の様式によるものとみなす。

3　この省令の施行の際現にある旧様式による書類については、当分の間、これを取り繕って使用することができる。

附　則（第五一次改正）

（施行期日）

第一条　この省令は、平成十五年四月一日から施行する。

（児童扶養手当法施行規則の一部改正に関する経過措置）

第二条　この省令の施行の際現に第二条の規定による改正前の様式（次項において「旧様式」という。）により使用されている書類は、同条の規定による改正後の様式によるものとみなす。

第三条　この省令の施行の際現にある旧様式による書類については、当分の間、これを取り繕って使用することができる。

附　則（第五二次改正）

（施行期日）

1　この省令は、平成十七年四月一日から施行する。

（経過措置）

2　この省令の施行の際現にこの省令による改正前の様式（次項において「旧様式」という。）により使用されている書類は、この省令による改正後の様式によるものとみなす。

3　この省令の施行の際現にある旧様式による用紙については、当分の間、これを取り繕って使用することができる。

附　則（第五三次改正）

1　この省令は、公布の日（平成十七年六月二十九日）から施行する。

2　この省令の施行の際現にあるこの省令による改正前の様式による用紙については、当分の間、これを取り繕って使用することができる。

附　則（第五四次改正）

（施行期日）

1　この省令は、平成十七年八月一日から施行する。

（経過措置）

2　この省令の施行の際現にこの省令による改正前の様式（次項において「旧様式」という。）により使用されている書類は、この省令による改正後の様式によるものとみなす。

3　この省令の施行の際現にある旧様式による用紙については、当分の間、これを取り繕って使用することができる。

附　則（第五五次改正）抄

（施行期日）

第一条　この省令は、平成十八年八月一日から施行する。

（児童扶養手当法施行規則の一部改正に伴う経過措置）

第二条　この省令の施行の際現にある第一条の規定による改正前の児童扶養手当法施行規則の様式により使用されている書類は、同条の規定による改正後の児童扶養手当法施行規則の様式によるものとみなす。

2　この省令の施行の際現にある第一条の規定による改正前の児童扶養手当法施行規則の様式による用紙については、当分の間、これを取り繕って使用することができる。

附　則（第五六次改正）抄

（施行期日）

第一条　この省令は、平成十九年十月一日から施行する。

附　則（第五七次改正）

（施行期日）

第一条　この省令は、公布の日〔平成二十年二月八日〕から施行する。

（平成二十年五月までの特例）

第二条　この省令の施行の日から平成二十年五月末日までの間に、児童扶養手当法（昭和三十六年法律第二百三十八号）第十三条の二第一項に規定する期間を満了する受給資格者（同法第六条に規定する受給資格者をいい、母に限る。）については、第三条の三第二項中「五年等満了月の末日まで」とあるのは、「平成二十年六月末日まで」とする。

（経過措置）

第三条　この省令の施行の際現にこの省令による改正前の様式による用紙については、当分の間、これを取り繕って使用することができる。

附　則（第五八次改正）

（施行期日）

1　この省令は、平成二十二年八月一日から施行する。

（経過措置）

2　この省令の施行の際現にあるこの省令による改正前の様式（次項において「旧様式」という。）により使用されている書類は、この省令による改正後の様式によるものとみなす。

3　この省令の施行の際現にある旧様式による書類については、当分の間、これを取り繕って使用することができる。

附　則（第五九次改正）抄

（施行期日）

第一条　この省令は、平成二十四年八月一日から施行する。ただし、第一条中児童扶養手当法施行規則第一条第六号及び第七号の改正規定、同令第四条の改正規定、同令第四条の二の改正規定並びに同令第二十六条第三項の改正規定並びに同令様式第一号及び様式第六号の改正規定並びに次条及び附則第五条の規定は、同年七月一日から施行する。

（児童扶養手当法施行規則の一部改正に伴う経過措置）

第二条　平成二十二年以前の年の所得に係る児童扶養手当認定請求書及び児童扶養手当現況届並びにこれらに添えるべき書類については、なお従前の例による。

第三条　第一条の規定による改正後の児童扶養手当法施行規則（以下「新令」という。）第三条の三第一項に規定する適用除外事由発生月（以下「適用除外事由発生月」という。）が平成二十四年八月前である受給資格者（児童扶養手当法第六条第一項に規定する受給資格者をいい、養育者を除く。以下同じ。）に係る新令第三条の三及び第二十四条の五の規定並びに様式第五号の三の適用については、なお従前の例による。

第四条　新令第三条の三第一項の規定により新令第一条に規定する手

当の支給機関が受給資格者から児童扶養手当一部支給停止適用除外事由届出書の提出を受け、当該受給資格者が児童扶養手当法施行令（昭和三十六年政令第四百五号）第八条各号に掲げる事由に該当するか否かを認定することが困難であると認められる特別の事情がある場合における新令第三条の三及び第二十四条の五の規定並びに様式第五号の三の適用については、適用除外事由発生月が平成二十五年八月前である場合に限り、なお従前の例によることができる。

第五条　この省令の施行の際現にある第一条の規定による改正前の様式による児童扶養手当一部支給停止適用除外事由届出書の用紙並びに附則第一条ただし書に規定する改正規定の施行の際現にある第一条の規定による改正前の様式による児童扶養手当認定請求書及び児童扶養手当現況届の用紙については、当分の間、これを取り繕って使用することができる。

附　則（第六〇次改正）

（施行期日）

1　この省令は、平成二十四年八月一日から施行する。

（経過措置）

2　この省令の施行の際現にあるこの省令による改正前の様式による用紙については、当分の間、これを取り繕って使用することができる。

附　則（第六一次改正）

この省令は、配偶者からの暴力の防止及び被害者の保護に関する法律の一部を改正する法律の施行の日（平成二十六年一月三日）から施行する。

附　則（第六二次改正）抄

（施行期日）

1　この省令は、平成二十六年十月一日から施行する。ただし、次の各号に掲げる規定は、当該各号に定める日から施行する。

一　第三条の規定　平成二十六年十二月一日

（経過措置）

2　この省令の施行の際現にあるこの省令による改正前の様式による用紙については、当分の間、これを取り繕って使用することができる。

附　則（第六三次改正）抄

（施行期日）

第一条　この省令は、行政手続における特定の個人を識別するための番号の利用等に関する法律（以下「番号利用法」という。）の施行の日（平成二十七年十月五日）から施行する。ただし、次の各号に掲げる規定は、当該各号に定める日から施行する。

一　（前略）第十九条から第二十九条まで（中略）の規定　番号利用法附則第一条第四号に掲げる規定の施行の日（平成二十八年一月一日）

（児童扶養手当法施行規則の一部改正に関する経過措置）

第五条　この省令の施行の際現に提出されている第十九条の規定によ

る改正前の児童扶養手当法施行規則の様式（次項において「旧様式」という。）により使用されている書類は、同条の規定による改正後の児童扶養手当法施行規則の様式によるものとみなす。

2　この省令の施行の際現にある旧様式による用紙については、当分の間、これを取り繕って使用することができる。

附　則（第六四次改正）抄

（施行期日）

1　この省令は、行政不服審査法（平成二十六年法律第六十八号）の施行の日（平成二十八年四月一日）から施行する。

附　則（第六五次改正）

（施行期日）

1　この省令は、平成二十八年八月一日から施行する。

（経過措置）

2　この省令の施行の際現にあるこの省令による改正前の様式による用紙については、当分の間、これを取り繕って使用することができる。

附　則（第六六次改正）抄

（施行期日）

第一条　この省令は、平成二十八年八月二十日から施行する。

附　則（第六七次改正）抄

（施行期日）

第一条　この省令は、平成三十年一月一日から施行する。〔以下略〕

附　則（第六八次改正）

（施行期日）

1　この省令は、平成三十年八月一日から施行する。

（経過措置）

2　この省令の施行の際現にあるこの省令による改正前の様式（次項において「旧様式」という。）により使用されている書類は、この省令による改正後の様式によるものとみなす。

3　この省令の施行の際現にある旧様式による用紙については、当分の間、これを取り繕って使用することができる。

附　則（第六九次改正）抄

（施行期日）

第一条　この省令は、平成三十年十月一日から施行する。ただし、第四条中児童扶養手当法施行規則第三条の五、第四条、様式第一号及び第五号の五の改正規定は、平成三十一年七月一日から〔中略〕施行する。

（経過措置）

第二条　児童扶養手当法施行規則第三条の四第一項の規定による届出を平成三十年七月以前にした者であって、同条第二項の届出（同年八月一日から同月三十一日までの間に提出しなければならないこととされているものに限る。）を提出していないものについては、この省令による改正後の児童扶養手当法施行規則第二十四条の六の規定は適用しない。

第三条　この省令の施行の際現にあるこの省令による改正前の様式（生活困窮者自立支援法施行規則様式第三号を除く。次項において「旧様式」という。）により使用されている書類は、この省令による改正後の様式によるものとみなす。

2　この省令の施行の際現にある旧様式による用紙については、当分の間、これを取り繕って使用することができる。

附　則（第七〇次改正）抄

（施行期日）

第一条　この省令は、公布の日〔令和元年五月七日〕から施行する。

（経過措置）

第二条　この省令による改正前のそれぞれの省令で定める様式（次項において「旧様式」という。）により使用されている書類は、この省令による改正後のそれぞれの省令で定める様式によるものとみなす。

2　旧様式による用紙については、合理的に必要と認められる範囲内で、当分の間、これを取り繕って使用することができる。

附　則（第七一次改正）抄

（施行期日）

第一条　この省令は、令和元年七月一日から施行する。ただし、次の各号に掲げる規定は、当該各号に定める日から施行する。

一　第一条中児童扶養手当法施行規則様式第六号の改正規定及び第二条の規定　令和元年八月一日

三　第一条中児童扶養手当法施行規則様式第一号及び様式第三号（裏面）の改正規定　令和元年十月一日

（経過措置）

第二条　平成二十九年以前の年の所得に係る児童扶養手当認定請求書及びこれに添えるべき書類については、なお従前の例による。

第三条　この省令の施行の際現にあるこの省令による改正前の様式（次項において「旧様式」という。）により使用されている書類は、この省令による改正後の様式によるものとみなす。

2　この省令の施行の際現にある旧様式による用紙については、当分の間、これを取り繕って使用することができる。

附　則（第七二次改正）抄

（施行期日）

第一条　この省令は、令和二年九月一日から施行する。

附　則（第七三次改正）抄

（施行期日）

第一条　この省令は、公布の日〔令和二年十二月二十五日〕から施行する。

（経過措置）

第二条　この省令の施行の際現にあるこの省令による改正前の様式（次項において「旧様式」という。）により使用されている書類は、この省令による改正後の様式によるものとみなす。

2　この省令の施行の際現にある旧様式による用紙については、当分の間、これを取り繕って使用することができる。

附　則（第七四次改正）抄

（施行期日）

第一条　この省令は、令和三年一月一日から施行する。

（児童扶養手当法施行規則、特別児童扶養手当等の支給に関する法律施行規則及び障害児福祉手当及び特別障害者手当の支給に関する省令の一部改正に伴う経過措置）

第三条　令和元年以前の年の所得に係る児童扶養手当認定請求書、児童扶養手当所得状況届、児童扶養手当現況届、特別児童扶養手当認定請求書、特別児童扶養手当所得状況届、障害児福祉手当認定請求書、障害児福祉手当所得状況届、特別障害者手当認定請求書及び特別障害者手当所得状況届並びにこれらに添えるべき書類については、なお従前の例による。

2　この省令の施行の際現にある第二条から第四条までの規定による改正前の様式（次項において「旧様式」という。）により使用されている書類は、第二条から第四条までの規定による改正後の様式によるものとみなす。

3　この省令の施行の際現にある旧様式による用紙については、当分の間、これを取り繕って使用することができる。

附　則（第七五次改正）

（施行期日）

第一条　この省令は、令和三年三月一日から施行する。

（経過措置）

第二条　令和三年二月以前の月分の児童扶養手当の支給に係る児童扶養手当認定請求書、児童扶養手当額改定請求書及び児童扶養手当現況届並びにこれらに添えるべき書類等については、なお従前の例による。

第三条　この省令の施行の際現にあるこの省令による改正前の様式（次項において「旧様式」という。）により使用されている書類は、この省令による改正後の様式によるものとみなす。

2　この省令の施行の際現にある旧様式による用紙については、当分の間、これを取り繕って使用することができる。

附　則（第七六次改正）抄

（施行期日）

第一条　この省令は、公布の日〔令和三年十月二十二日〕から施行する。

（経過措置）

第十二条　この省令の施行の際現にあるこの省令による改正前の様式（次項において「旧様式」という。）により使用されている書類は、この省令による改正後の様式によるものとみなす。

2　この省令の施行の際現にある旧様式による用紙については、当分の間、これを取り繕って使用することができる。

附　則（第七七次改正）

（施行期日）

1　この省令は、令和四年四月一日から施行する。

（経過措置）

2　この省令の施行の際現にあるこの省令による改正前の様式（次項において「旧様式」という。）により使用されている書類は、この省令による改正後の様式によるものとみなす。

3　この省令の施行の際現にある旧様式による用紙については、当分の間、これを取り繕って使用することができる。

附　則（第七八次改正）

この省令は、令和四年十月一日から施行する。

附　則（第七九次改正）

（施行期日）

第一条　この省令は、令和四年十月一日から施行する。

（様式に関する経過措置）

第二条　この省令の施行の日（次項において「施行日」という。）において現に提出され、又は交付されているこの省令による改正前の様式（次項において「旧様式」という。）により使用されている書類は、この省令による改正後の様式によるものとみなす。

2　施行日において現にある旧様式による用紙については、当分の間、これを取り繕って使用することができる。

附　則（第八〇次改正）抄

（施行期日）

第一条　この省令は、令和五年四月一日から施行する。

別表

一　呼吸器系結核
二　肺えそ
三　肺のうよう
四　けい肺（これに類似するじん肺症を含む。）
五　じん臓結核
六　胃かいよう
七　胃がん
八　十二指腸かいよう
九　内臓下垂症
十　動脈りゅう
十一　骨又は関節結核
十二　骨ずい炎
十三　骨又は関節損傷
十四　その他認定又は診査に際し必要と認められるもの

面）

あなたと、あなたの配偶者・同居している扶養義務者の所得について									
㉔ 平成・令和　年分所得		㉕ 請求者		㉖ 配偶者		㉗ 扶養義務者			
氏名									
㉘ 個人番号									
㉙同一生計配偶者及び扶養親族の合計数（うち老人扶養親族の数（請求者については、㋑70歳以上の同一生計配偶者及び老人扶養親族の合計数㋺特定扶養親族の数㋩16歳以上19歳未満の控除対象扶養親族の数））		人 （㋑　人） （㋺　人） （㋩　人）		人 （　人）		人 （　人）		人 （　人）	
㉚ ㉙以外で請求者によつて生計を維持していた児童		人							
所得額	㉛児童扶養手当法施行令第４条第１項による所得の額	円	※　円	円	※　円	円	※　円	円	※　円
	㉜児童扶養手当法施行令第３条に定める金品等の額	円	円						
	母又は父に対し支払われた額	円	円						
	母又は父に対し支払われた額の８割相当額　A	円	円						
	児童に対し支払われた額	円	円						
	児童に対し支払われた額の８割相当　B	円	円						
	合計　A＋B	円	円						
控除	㉝障害者控除	障　人 特　人	円	障　人 特　人	円	障　人 特　人	円	障　人 特　人	円
	㉞寡婦控除・ひとり親控除（請求者が母又は父の場合は控除しない。）、勤労学生控除等	寡・ひとり・勤 円		寡・ひとり・勤 円		寡・ひとり・勤 円		寡・ひとり・勤 円	
	㉟雑損控除	円	円	円	円	円	円	円	円
	㊱医療費控除	円	円	円	円	円	円	円	円
	㊲小規模企業共済等掛金控除	円	円	円	円	円	円	円	円
	㊳配偶者特別控除	円	円	円	円	円	円	円	円
	㊴地方税法附則第６条第１項による免除（肉用牛の売却による事業所得）	円	円	円	円	円	円	円	円
児童扶養手当法施行令第４条第１項による控除			円		円		円		円
㊵控除後の所得額		円		円		円		円	
所得制限限度額	全部支給	円		円		円		円	
	一部支給	円							

関係書類を添えて、児童扶養手当の受給資格の認定を請求します。
令和　年　月　日

都道府県知事（福祉事務所長）
市町村長（福祉事務所長）　殿

氏名

※審査	公的年金照会	あり　種類 なし　（　　）	㉕〜㊵の欄及びその他の事項		
	上記のとおり相違ありません。 令和　年　月　日 町村長　㊞				
※添付書類	戸籍 住民票	イ 公的年金調書　ロ 診断書・X線フイルム　ハ 生死不明証明書　ニ 遺棄申立書・証明 ホ 保護命令決定書　ヘ 拘禁の証明書　ト 養育費等に関する申告書　チ 養育申立書・証明 リ 別居監護申立書・証明　ヌ 前住地の所得証明書　ル 公的年金給付等受給証明書 その他（　　）			
備考					

ではつきり書いてください。

様式第一号（第一条関係）

（表

※※　第　号			
※経由町村名	※市区町村受付年月日　令和・・	※町村提出　令和・・　第　号	※町村再提出　令和・・　第　号

児童扶養手当認定請求書

あなたのことについて	①ふりがな氏名・性別	男・女	③生年月日	大正・昭和・平成・令和　・・生	④障害の有無	ある・ない
	②個人番号				⑤配偶者の有無	ある・ない
	⑥住所	TEL（　）	⑦支払希望金融機関	名称	口座番号	□公金受取口座を利用します。
	⑧職業又は勤務先名	TEL（　）	⑨勤務先所在地			
	⑩公的年金受給状況	受けることができる・支給停止・受けることができない　種類（　）　基礎年金番号・年金コード（　）　年額（　円）	⑪児童の父又は母の死亡による遺族補償の受給状況	受けることができる・支給停止・受けることができない　種類（　）　年額（　円）	⑫養育費の取決めの有無	ある・ない

児童のことについて				
⑬児童の氏名（生年月日）		（平成・令和　・・生）	（平成・令和　・・生）	（平成・令和　・・生）
⑭個人番号				
⑮請求者との続柄・同居・別居の別		同居・別居	同居・別居	同居・別居
⑯監護等を始めた年月日		平成・令和　・・	平成・令和　・・	平成・令和　・・
⑰障害の状態の有無		ある・ない	ある・ない	ある・ない
⑱父・母の状況について（該当するものに○をする）		イ離婚　ロ死亡　ハ障害　ニ生死不明　ホ遺棄　ヘ保護命令　ト拘禁　チ未婚　リその他	イ離婚　ロ死亡　ハ障害　ニ生死不明　ホ遺棄　ヘ保護命令　ト拘禁　チ未婚　リその他	イ離婚　ロ死亡　ハ障害　ニ生死不明　ホ遺棄　ヘ保護命令　ト拘禁　チ未婚　リその他
⑲父	氏名			
	生年月日	（　）昭和・平成・令和　・・	（　）昭和・平成・令和　・・	（　）昭和・平成・令和　・・
	現在父が死亡・生死不明・拘禁のときは、その該当事由及び該当年月日			
⑳母	氏名			
	生年月日	（　）昭和・平成・令和　・・	（　）昭和・平成・令和　・・	（　）昭和・平成・令和　・・
	現在母が死亡・生死不明・拘禁のときは、その該当事由及び該当年月日			
㉑児童が父若しくは母の死亡により受けることができる公的年金・遺族補償の受給状況又は児童が加算の対象となっている父若しくは母の公的年金の受給状況		受けることができる・支給停止・受けることができない　種類（　）　基礎年金番号・年金コード（　）　年額（　円）	受けることができる・支給停止・受けることができない　種類（　）　基礎年金番号・年金コード（　）　年額（　円）	受けることができる・支給停止・受けることができない　種類（　）　基礎年金番号・年金コード（　）　年額（　円）
㉒あなたが障害基礎年金等を受けることができるとき	あなたが受けることができる公的年金（児童を有する者に係る加算に係る部分に限る。）の受給状況	受けることができる・支給停止　種類（　）　基礎年金番号・年金コード（　）　年額（　円）	受けることができる・支給停止　種類（　）　基礎年金番号・年金コード（　）　年額（　円）	受けることができる・支給停止　種類（　）　基礎年金番号・年金コード（　）　年額（　円）
㉓父又は母が障害であるとき	身体障害者手帳の番号及び障害等級			
	年金の種類・障害等級			
	父若しくは母の職業又は勤務先			

※※認定・却下	支給開始年月	対象児童数	支給停止	手当月額	支払期別金額				証書番号
	年　月	人	支給	月から　円	1月	円	7月	円	第　号
			一部停止	月から　円	3月	円	9月	円	
			全部停止	月から　円	5月	円	11月	円	

◎　裏面の注意をよく読んでから記入してください。※、※※の欄は記入する必要がありません。字は楷書

（裏　　面）

注　意

1　⑦の欄は、住所地の金融機関のうちで支払を受けるのに最も便利な金融機関を選んで、その名称及び口座番号を記入してください。ただし、公的給付の支給等の迅速かつ確実な実施のための預貯金口座の登録等に関する法律（令和３年法律第38号）第３条第１項、第４条第１項及び第５条第２項の規定による登録に係る口座として、公金受取口座を利用する場合は、「公金受取口座を利用します。」のチェックボックスに「レ」マークを入れ、⑦の欄に記載する必要はありません。

2　⑩、⑪、㉑及び㉒の欄の「受けることができる」とは、現に受けているとき、申請中であるとき又は申請すれば受けることができる状態にあるときをいいます。

3　⑩及び㉑から㉓までの欄の「公的年金」とは、「遺族年金（遺族基礎年金、遺族厚生年金及び遺族共済年金を含む。）」、「老齢年金（老齢基礎年金、老齢厚生年金及び退職共済年金を含む。）」、「障害年金（障害基礎年金、障害厚生年金及び障害共済年金を含む。）」、「母子年金」、「恩給」等をいいます。また、㉓の欄の「障害基礎年金等」とは、障害基礎年金その他障害を支給事由とする給付（労働者災害補償保険の障害（補償）年金、傷病（補償）年金等）をいいます。

4　⑯欄は、児童が児童扶養手当の支給対象となつた日以後、あなた（請求者）が当該児童の監護等（あなたが母の場合には監護すること、父の場合には監護し、かつ、生計を同じくすること、養育者の場合には養育すること）を始めた年月日を記入してください。

5　⑲及び⑳の欄は、それぞれの父又は母が同じ場合は「同左」と記入して差し支えありません。

6　㉑の欄は、児童が父若しくは母の死亡により受けることができる「公的年金」若しくは「遺族補償」の受給状況又はあなたが母若しくは養育者である場合であつて児童が父に支給される公的年金の額の加算の対象となつているときには父の「公的年金」の受給状況、あなたが父である場合であつて児童が母に支給される公的年金の額の加算の対象となつているときには母の「公的年金」の受給状況を記入してください。

7　㉒の欄は、あなたが障害基礎年金等を受けることができる場合に記入いただくものです。あなたが受けることができる公的年金のうち児童を有する者に係る加算に係る部分の受給状況を記入してください。

8　㉗の欄は、あなたと生計を同じくしている（又はあなたが養育者である場合にはあなたの生計を維持している）あなたの父母、祖父母、子、孫等の直系血族と兄弟姉妹があるときに記入してください。

9　㉙の欄は、地方税法に定める同一生計配偶者、扶養親族の合計数を記入してください。

なお、地方税法に定める同一生計配偶者（70歳以上の者に限る。）、老人扶養親族及び特定扶養親族並びに16歳以上19歳未満の同法に定める控除対象扶養親族があるときは、その人数を次により（　）内に再掲してください。

⑴　請求者については、㋑に70歳以上の同一生計配偶者及び老人扶養親族の合計数を、㋺に特定扶養親族の数を、㋩に16歳以上19歳未満の控除対象扶養親族の数を記入してください。

⑵　配偶者及び扶養義務者については、老人扶養親族の数を記入してください。

10　㉚の欄にいう「児童」とは、地方税法に定める扶養親族以外の者（18歳に達する日以後の最初の３月31日までの間にある者をいいます。）又は障害の状態にある20歳未満の者をいいます。

また、前年（１月から９月までの間に請求する人の場合には、前々年をいいます。）の12月31日時点において請求者によつて生計を維持していた児童の人数を記入してください。

11　㉛の欄は、前年（１月から９月までの間に請求する人の場合には、前々年をいいます。）の所得について、都道府県民税の総所得金額、退職所得金額、山林所得金額、土地等に係る事業所得等の金額、長期・短期譲渡所得金額（譲渡所得に係る特別控除を受けた場合は、その額を控除した額）及び先物取引に係る雑所得等の金額の合計額を記入してください。

12　㉜の欄は、請求者が母である場合には、その児童の父から、請求者が父である場合には、その児童の母から、対象児童についての扶養義務を履行するための費用として受け取った金品等の所得の金額を記入するとともに、それぞれ母若しくは父又は児童に支払われた額とその金額の８割に相当する額（１円未満四捨五入）を記入し、合計の欄には、それぞれの金額の８割に相当する額の合計額を記入してください。

13　㉞の欄は、寡婦控除若しくはひとり親控除又は勤労学生控除を受けた場合は、その額を記入してください。なお、請求者が母である場合には、寡婦控除及びひとり親控除の額、請求者が父である場合には、ひとり親控除の額は控除しません。

14　この請求書に添えなければならない書類は、次のとおりです。なお、省略できるものがある場合もありますので、市役所、区役所又は町村役場の人に確認してください。

⑴　あなたと児童の戸籍の謄本又は抄本とこれらの者の属する世帯全員の住民票の写し

⑵　請求者が母であり、児童と同居していない場合には、児童を監護していることを明らかにすることができる書類

⑶　請求者が父であり、児童と同居していない場合には、児童を監護し、かつ、これと生計を同じくしていることを明らかにすることができる書類

⑷　請求者が母又は父以外の者である場合には、児童の父及び母の戸籍又は除かれた戸籍の謄本又は抄本と請求者が児童を養育していることを明らかにすることができる書類

⑸　児童又は児童の父若しくは母が障害の状態にある場合には、医師又は歯科医師の診断書、次の傷病によるときには、エツクス線直接撮影写真

呼吸器系結核・肺えそ・肺のうよう・けい肺・じん臓結核・胃かいよう・胃がん・十二指腸かいよう・内臓下垂症・動脈りゆう・骨又は関節結核・骨ずい炎・骨又は関節損傷・その他認定又は診査に際し必要と認められるもの

⑹　次の場合は、その事実を明らかにすることができる書類

㈠父又は母が生死不明の場合、㈡父又は母が１年以上遺棄している場合、㈢父又は母がそれぞれ母又は父の申立てにより保護命令を受けた場合、㈣父又は母が１年以上拘禁されている場合

⑺　本年１月２日以後現住所に転入された方は、㉘から㊳までの欄に記入した事項について、前の住所地の市区町村長の証明書

⑻　児童若しくはあなたが公的年金若しくは遺族補償等を受けることができる場合又は児童が公的年金の加算の対象となつている場合には、その給付を行う者の証明書

⑼　このほかの書類も必要になる場合がありますので、詳しいことは市役所、区役所又は町村役場の人に聞いてください。

15　この請求書について分からないことがありましたら、市役所、区役所又は町村役場の人によく聞いてください。

◎　虚偽の内容を記載した場合には、手当額の全部又は一部の返還のほか、一定の金額の納付を命ぜられ、また、処罰される場合があります。

〔改正〕

全部改正（第79次改正）

様式第二号(一)（第一条関係）

（表　　面）

児童扶養手当障害認定診断書

（視覚障害用）

（ふりがな） 氏　　名		生年月日	大正・昭和 平成・令和　年　月　日生（　歳）
住　　所	住所地の郵便番号 （　―　）		

①障害の原因となつた傷病名		②傷病の発生年月日	大正・昭和 平成・令和　年　月　日 ・診療録で確認 ・本人の申立て
		③①のため初めて医師の診断を受けた日	大正・昭和 平成・令和　年　月　日 ・診療録で確認 ・本人の申立て

④傷病の原因又は誘因	・先天性 ・後天性（疾病・不慮災・労災・その他） 初診年月日 （大正・昭和・平成・令和　年　月　日）	⑤既往症及び既存障害		⑥将来再認定の要	有・無

⑦傷病が治つた（症状が固定して治療の効果が期待できない状態を含む。）かどうか。	傷病が治つている場合………　治つた日　大正・昭和・平成・令和　年　月　確認 推定
	傷病が治つていない場合……　症状のよくなる見込　有・無・不明
⑧診断書作成医療機関における初診時所見 初診年月日 （大正・昭和・平成・令和　年　月　日）	

⑨現在までの治療の内容、期間、経過、その他参考となる事項		診療回数	年間　回、月平均　回
		手術歴	部位　左・右 眼球摘出・その他の手術 手術名（　　　） 手術年月日 （大正・昭和・平成・令和　年　月　日）

⑩　障害の状態　（令和　年　月　日現症）

(1) 視力

	裸眼	矯正視力
右		×　D　（　cyl　D　Ax　°
左		×　D　（　cyl　D　Ax　°

(3) 所見

	右	左
前眼部		
中間透光体		
眼底		

(2) 視野

・ゴールドマン型視野計を用いた場合は、Ⅰ／4の視標の視野図のコピー及びⅠ／2の視標の視野図のコピーを添付してください。

なお、どのイソプタがⅠ／4の視標やⅠ／2の視標によるものかを明確に区別できるように記載してください。

・自動視野計を用いた場合は、両眼開放エスターマンテストの検査結果及び10―2プログラムの検査結果がわかるものを添付してください。

Ⅰ　ゴールドマン型視野計

(ア)　周辺視野の評価（Ⅰ／4）

周辺視野の角度

	上	内上	内	内下	下	外下	外	外上	合計	
右										度
左										度

どちら

かに記入してください。

(イ) 中心視野の評価（Ｉ／２）

中心視野の角度

	上	内上	内	内下	下	外下	外	外上	合計
右									a 度
左									b 度

両眼中心視野角度（Ｉ／２）　（　　（ａとｂのうち大きい方）　×３＋　　（ａとｂのうち小さい方）　）／４＝　　　度

Ⅱ　自動視野計

(ア) 周辺視野の評価

両眼開放エスターマンテスト　　両眼開放視認点数　　　点

(イ) 中心視野の評価（10―２プログラム）

右	c	点（≧26dB）
左	d	点（≧26dB）

両眼中心視野視認点数（Ｉ／２）　（　　（ｃとｄのうち大きい方）　×３＋　　（ｃとｄのうち小さい方）　）／４＝　　　点

⑪現症時の日常生活活動能力（必ず記入してください。）	
⑫予後（必ず記入してください。）	

（裏　　面）

⑬備考	（本人の状態について特記すべきことがあれば記入してください（例えば、視力や視野についての検査を補完し、障害の状態を客観的に証明できる他覚的所見等（網膜電位、視覚誘発電位等））。）

本人の障害の程度及び状態に無関係な欄には記入する必要はありません。（無関係な欄は、斜線により抹消してください。）

上記のとおり、診断します。　　　　　　令和　　年　　月　　日

病院又は診療所の名称　　　　　　　　診療担当科名

所　　在　　地　　　　　　　　　　　医師氏名

注　意

1　この診断書は、児童扶養手当の受給資格と手当の額を認定するための資料の一つです。

この診断書は、児童の父又は母の障害の状態を証明するときにも、また児童の障害の状態を証明するときにも使用されますが、いずれの場合にも、記入事項に不明の点がありますと認定がおそくなることがありますので、くわしく記入して下さい。

2　○・×で答えられる欄は、該当するものを○で囲んでください。記入しきれない場合は、別に紙片を貼り付けて記入してください。

3　③の欄は、この診断書を作成するための診断日ではなく、障害者が障害の原因となった傷病について初めて医師の診断を受けた日を記入してください。前に他の医師が診断している場合は、障害者本人又はその父母等の申立てによつて記入してください。

また、それが不明な場合には、その旨を記入してください。

4　⑨の欄の「診療回数」は、現症日前１年間における診療回数を記入してください。（なお、入院日数１日は、診療回数１回として計算してください。）

5　⑩の欄は、次のことに留意して記入してください。

(1)　「(1)視力」の測定結果は、過去３ヶ月間において複数回の測定を行つている場合は、それぞれ記入してください。

(2)　「(1)視力」の「矯正視力」の欄は、最良視力が得られる矯正レンズによつて得られた視力を記入してください。

なお、眼内レンズ挿入眼は裸眼と同様に扱い、屈折異常がある場合は適正に矯正した視力を測定してください。

(3)　視野は、ゴールドマン型視野計又は自動視野計を用いて測定してください。

ゴールドマン型視野計を用いる場合、周辺視野の測定にはＩ／４の視標を用い、中心視野の測定にはＩ／２の視標を用いてください。自動視野計を用いる場合、両眼開放視認点数は視標サイズⅢによる両眼開放エスターマンテストで測定し、両眼中心視野視認点数は視標サイズⅢによる10―２プログラムで測定してください。

(4)　「(2)Ｉ(ア)」の「周辺視野の角度」は、Ｉ／４の視標を用いて左右眼ごとに８方向の視野の角度（Ｉ／４の視標が視認できない部分を除いて算出）を該当する方向の欄に記入し、８方向の角度を合算した数値を「合計」の欄に記入してください。

(5)　「(2)Ｉ(イ)」の「中心視野の角度」は、Ｉ／２の視標を用いて左右眼ごとに８方向の視野の角度（Ｉ／２の視標が視認できない部分を除いて算出）を該当する方向の欄に記入し、８方向の角度を合算した数値を「合計」の欄に記入してください。

〔改正〕

全部改正（第77次改正）

様式第二号（二）（第一条関係）

（表　　面）

児童扶養手当障害認定診断書（聴　力・平衡機能／咀嚼《そしやく》機能・音声言語機能　障害用）					
①（ふりがな）氏　名			②生　年　月　日	大正・昭和・平成・令和　年　月　日	
③住　所			④障害の原因となつた傷病名		
⑤傷病の原因又は誘因	先天性・後天性	（疾病・不慮災・労災・戦傷災・その他）	⑥傷病発生年月日	年　月　日	
⑦④のためはじめて医師又は歯科医師の診断を受けた日	年　月　日		⑧将来再認定の要	有・無	
⑨聴　力　障　害					
現症（機能障害診断）	聴力損失又は聴力レベル			オージオグラム	
	聴力損失（旧規格）	左　デシベル			
		右　デシベル			
	聴力レベル（新規格）	左　デシベル			
		右　デシベル			
	最良語音明瞭度				
	左　％				
	右　％				
	使用したオージオメータの型式				
	⑩平　衡　機　能　障　害				
	所　見				
	⑪咀嚼《そしやく》機能障害		⑫音声言語機能障害		
	所　見		所　見		
⑬備　考					

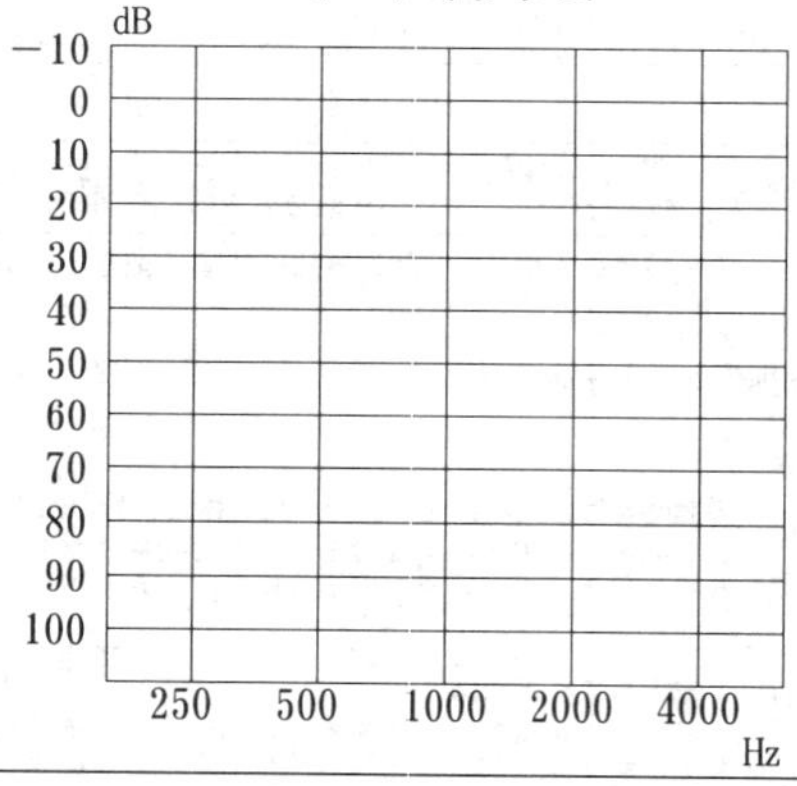

上記のとおり診断します。　　　　令和　年　月　日

病院又は診療所の名称

所　在　地

診療担当科名　　　医師又は歯科医師名

◎　裏面の注意をよく読んでから記入して下さい。診断書をもらおうとする人の障害の程度及び状態の認定に無関係な欄には記入する必要がありません。

◎　字は楷書ではつきりと書いて下さい。

（裏　　面）

注意

1　この診断書は、児童扶養手当の受給資格と手当の額を認定するための資料の一つです。この診断書は、児童の父又は母の障害の状態を証明するときにも、また児童の障害の状態を証明するときにも使用されますが、いずれの場合にも、記入事項に不明の点がありますと認定がおそくなることがありますので、くわしく記入して下さい。

2　○・×で答えられる欄は、該当するものを○でかこんで下さい。記入しきれない場合は、別に紙片をはりつけてそれに記入して下さい。

3　⑦の欄は、この診断書を作成するための診断日でなく、本人が障害の原因となつた傷病についてはじめて医師又は歯科医師の診断を受けた日を記入して下さい。前に他の医師又は歯科医師が診断している場合は、本人の申立てによつて記入して下さい。また、それが不明の場合には、その旨を記入して下さい。

4　⑨の欄のデシベル値は、話声域すなわち、振動数500、1,000、2,000周波数の音の聴力損失デシベル又は聴力レベルデシベルの平均値をとることにより、算定して下さい。すなわち、その各々をａ、ｂ、ｃとすれば$\frac{a+2b+c}{4}$となります。

5　昭和57年８月14日改正前のＪＩＳ規格又はこれに準ずる標準オージオメータで測定した場合のデシベル値は⑨の聴力損失（旧規格）の欄に記入し、同日改正後のＪＩＳ規格又はこれに準ずる標準オージオメータで測定した場合のデシベル値は⑨の聴力レベル（新規格）の欄に記入してください。なお、オージオメータによる測定値が聴力レベルで表される場合には、製品に必ず聴力レベルであることの表示が行われているので確認してください。

6　最良語音明瞭度の検査は、オージオロジー学会で定めた方法によつて下さい。
　なお、この検査は、語音明瞭度障害が問題となり、特に本人から依頼された場合にのみ測定して下さい。

7　平衡機能で脳性によるものは（例　脳性麻痺）、肢体不自由として取り扱われますので、診断書の用紙は肢体不自由用を使用して下さい。

8　口頭による諸検査結果と他覚所見とが一致しないような場合は、備考欄になるべくくわしく診断結果を附加記入して下さい。

〔改正〕

一部改正（第４・５・21・29・30・36・39・45・58・70・73次改正）

様式第二号（三）（第一条関係）

（表　　面）

児童扶養手当障害認定診断書（肢体不自由）

（ふりがな） ①氏　　名		②生年月日	大正 昭和 平成 令和　　年　　月　　日
③住　　所		④障害の原因となつた傷病名	
⑤傷病の原因又は誘因	先天性 後天性（疾病・不慮災・労災・戦傷災・その他）	⑥傷病発生年月日	年　　月　　日
⑦④のためはじめて医師の診断を受けた日	年　　月　　日	⑧将来再認定の要	有・無

⑨切・離断	部位		母指	示指	中指	薬指	小指		手関節	前腕	肘関節	上腕	肩関節	リスフラン関節	ショペール関節	足関節	下腿	膝関節	大腿	股関節
	末節以下	左						左												
		右																		
	中節以下	左						右												
		右																		
	基節以下	左						断端の痛み　有・無　すぐ上の関節の異常　有・無（あれば⑪、⑫、⑬に記入）												
		右																		

⑩麻　　痺		⑪体幹・四肢関節運動筋力					⑫体幹・四肢関節運動範囲		
外	弛緩性 痙直性不随意運動性	部位	運動の種類	程度：正常又は、やや減	程度：半・減	程度：著減又は消失	強直肢位	自動肢位	他動肢位
			前屈						

現症	観	失調性
		強剛性
		しんせん性
	起因部位	脳性
		脊髄性
		末梢神経性（筋性）
		その他
	種類及びその程度	知覚麻痺
		知覚　脱失・鈍麻
		知覚　過敏・異常
		運動麻痺（程度は⑪、⑫、⑬に記入）

首	後屈						
	捻転	左			左		
		右			右		
体幹	前屈						
	後屈						
骨盤	ひきあげ	左					
		右					
	ひきあげ	左					
		右					
肩甲骨	内転	左					
		右					
	外転	左					
		右					
肩関節	前挙	左			左		
		右			右		
	外挙	左			左		
		右			右		
肘関節	屈曲	左			左		
		右			右		
	伸展	左			左		
		右			右		

機)

反射	上肢	左	
		右	
	下肢	左	
		右	
	バビンスキー反射その他病的反射	左	
		右	
排尿・排便障害 有・無			
褥創又はその瘢痕 有・無			

能

前腕	回内	左			左		
		右			右		
	回外	左			左		
		右			右		
手関節	背屈	左			左		
		右			右		
	掌屈	左			左		
		右			右		
肢関節	屈曲	左			左		
		右			右		
	伸展	左			左		
		右			右		
	内転	左			左		
		右			右		
	外転	左			左		
		右			右		
膝関節	屈曲	左			左		
		右			右		
	伸展	左			左		
		右			右		
足関節	背屈	左			左		
		右			右		
	底屈	左			左		
		右			右		

障害）

⑬指運動筋力及び自動肢位（障害があるときのみ）		母指	示指	中指	薬指	小指
	左	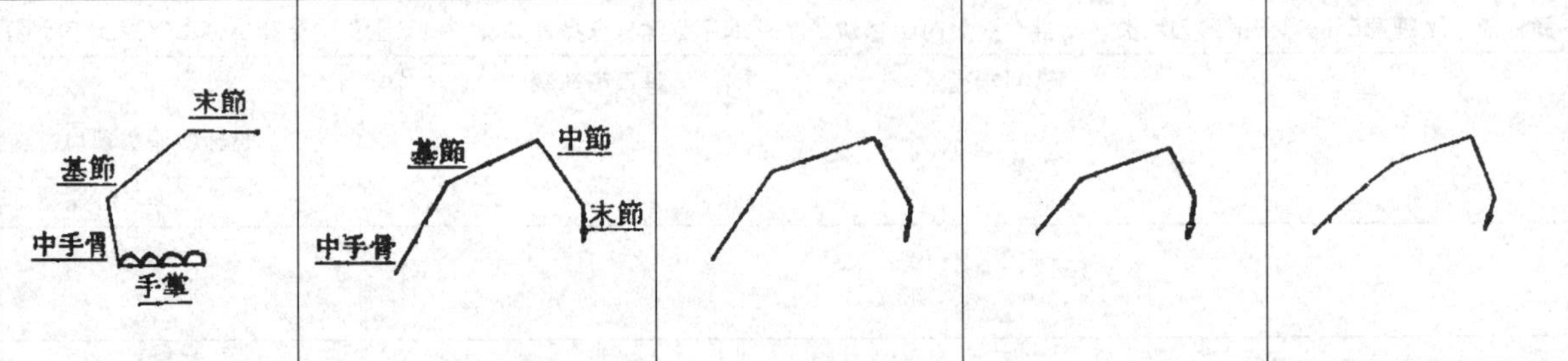				
	右	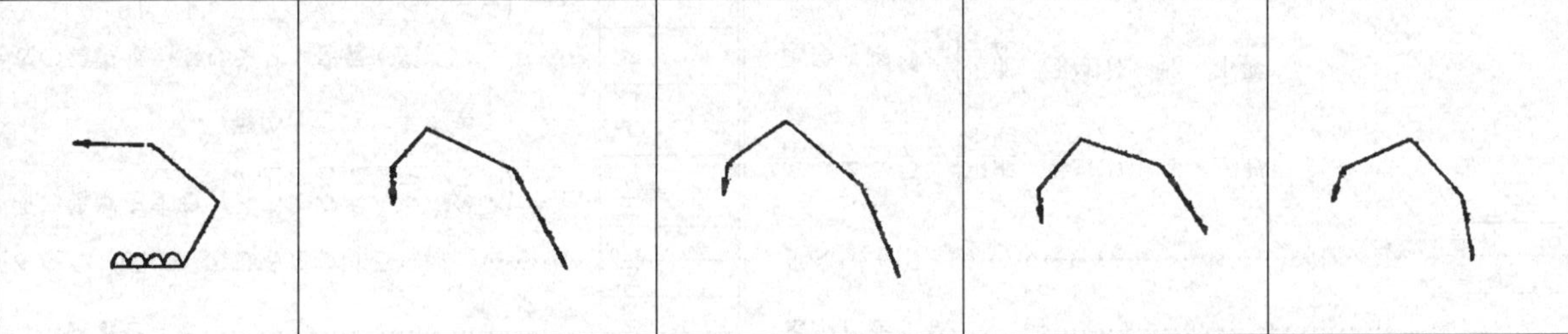				

⑭四肢長		上肢長	下肢長	⑮四肢囲		上腕囲	前腕囲	大腿囲	下腿囲
	左	cm	cm		左	cm	cm	cm	cm
	右	cm	cm		右	cm	cm	cm	cm

⑯補助用具使用状況					
常時	イ 義手	ロ 義足	ハ 上肢補装具	ニ 下肢補装具
ときどき	ホ 杖	ヘ 松葉杖	ト 車椅子	チ 歩行車
使用せず	リ 補助用小道具	ヌ その他（具体的に）		

⑰日常生活動作の障害程度	つまむ（新聞紙が引きぬけない程度）……	左／右	
	にぎる（丸めた週刊紙が引きぬけない程度）……	左／右	
	タオルをしぼる（水がきれる程度）……	両手	
	ひもをむすぶ……	両手	
	はし／さじで食事をする……	左／右	
	顔を洗う（顔に手のひらをつける）……	左／右	
	便所の処置をする（ズボンのまえのボタンのところに手をやる）……	左／右	
	（臀のところに手をやる）……	左／右	
	上衣の着脱（かぶりシャツを着て脱ぐ）……		
	（ワイシャツを着てボタンをとめる）……		
	ズボンの着脱（姿勢に関係なくズボンをはく）……		
	靴下をはく（姿勢に関係なく片手で行なってよい）……	左／右	
	坐る・正座・横すわり・あぐら・脚をなげだし 立ち上る……		
	片足で立つ……	左／右	
	最敬礼をする……		
	歩く……	室内／室外	
	階段をのぼる｛可能／不能	手すり	要・不要
	階段を降りる｛可能／不能	手すり	要・不要
⑱備考			

上記のとおり診断します。

令和　　年　　月　　日

病院又は診療所の名称

所在地

診療担当科名

医師氏名

◎ 裏面の注意をよく読んでから記入して下さい。診断書をもらおうとする人の障害の程度及び状態の認定に無関係な欄には記入する必要がありません。

◎ 字は楷書ではっきりと書いて下さい。

（裏　　面）

注意

1　この診断書は、児童扶養手当の受給資格と手当の額を認定するための資料の一つです。この診断書は、児童の父又は母の障害の状態を証明するときにも、また児童の障害の状態を証明するときにも使用されますが、いずれの場合にも、記入事項に不明の点がありますと認定がおそくなることがありますので、くわしく記入して下さい。

2　○・×で答えられる欄は、該当するものを○でかこんで下さい。記入しきれない場合は、別に紙片をはりつけて記入して下さい。

3　⑦の欄は、この診断書を作成するための診断日ではなく、本人が障害の原因となつた傷病についてはじめて医師の診断を受けた日を記入して下さい。前に他の医師が診断している場合は、本人の申立てによつて記入して下さい。また、それが不明の場合には、その旨を記入して下さい。

4　⑨の欄の有効切断肢長０センチメートルの切断は、そのすぐ上位の関節での離断とみなして下さい。

5　⑩の欄の起因部位が心因性のものと思われる場合は、「その他」の所にマークして下さい。

6　⑪の欄の筋力の程度をあらわすのに「正常」、「やや減」、「半減」、「著減」、「消失」、の言葉を用いていますが、その具体的な「程度」は次のとおりです。

正　常……検者が手で加える十分な抵抗を排して自動可能な場合
やや減……検者が手をおいた程度の抵抗を排して自動可能な場合
半　減……検者の加える抵抗には抗し得ないが、自分の体部分の重さに抗して自動可能な場合
著　減……自分の体部分の重さに抗し得ないが、それを排するような肢位では自動可能な場合
消　失……いかなる肢位でも関節の自動が不能な場合

7　⑫の欄の体幹、四肢関節の運動範囲は、関節角度計を使用して下さい。四肢の角度の測り方は、日本整形外科学会及び日本リハビリテーション医学会で定めた方法によつて下さい。

例

イ　自然起立姿勢で四肢がとる位置は、次のような角度になります。
肩関節０°、肘関節０°、前腕０°（母指が前方にむく位置）、手関節０°、股関節０°、膝関節０°、足関節０°（図Ａ参照）。

ロ　四肢の運動角度は、図Ａ、Ｂの⤵の角度を記入して下さい。

ハ　首、体幹の運動角度は、図Ｃ、Ｄ、Ｅの⤵の角度を記入して下さい。
なお、自然起立位で、体幹がとる位置は、すべて０°とします。

8　⑬の欄の指の運動角度は、各関節とも伸展位を０°とし、指の背面がなす角度で測つて下さい。角度の記入は、基本肢位を０°とする股、肩のそれに準じて図Ｆ、Ｇのように伸展角度を外側に、屈曲角度を内側に記入して下さい。筋力はその程度を関節ごとに、たとえば、

（半減）、強直の場合は（強直00°）というように記入して下さい。

9　⑭の欄の上肢長は、肩峯尖端より橈骨茎状突起尖端まで、下肢長は腸骨前上棘より内踝尖端までの距離を測つて下さい。

10　⑮の欄の上腕囲、前腕囲、大腿囲はその中央部周囲計、下腿囲はその最大周囲計を測つて下さい。

11　⑯の欄では起床より就寝まで装着使用する場合は、「常時」、その間、ある時にはずす場合は、「ときどき」として下さい。

12　⑰の欄の日常生活動作については、補助用具を使用しないで、ひとりでできる場合には可能とみなして○で、ひとりでできても、うまくできない場合、通常の人が行う４～５倍以上の時間を要する場合は△でかこんで下さい。まつたくできない場合は×にして下さい。

A（基本肢位と角度測定の方向）

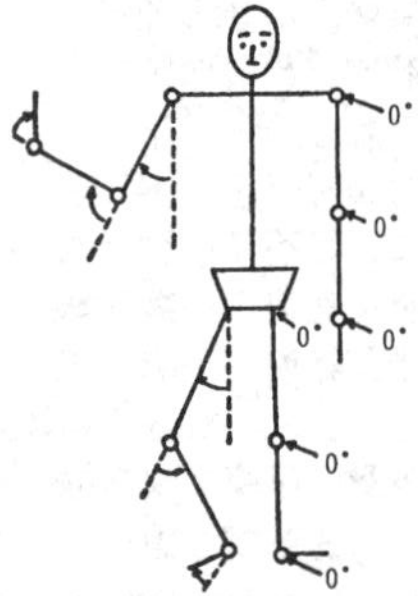

B（前腕回内・回外）

C（首前屈・後屈）

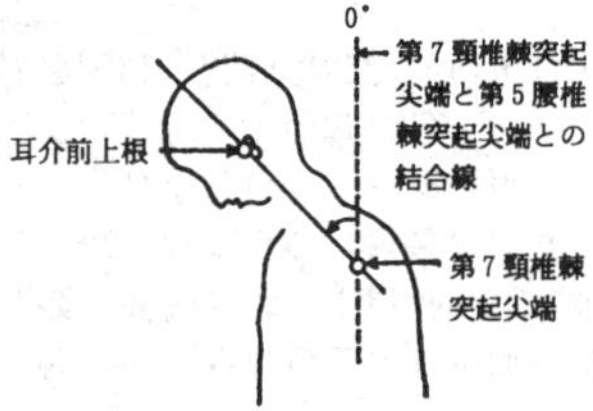

D（首捻転）

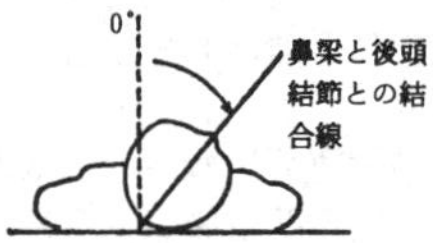

E（体幹前屈・後屈）

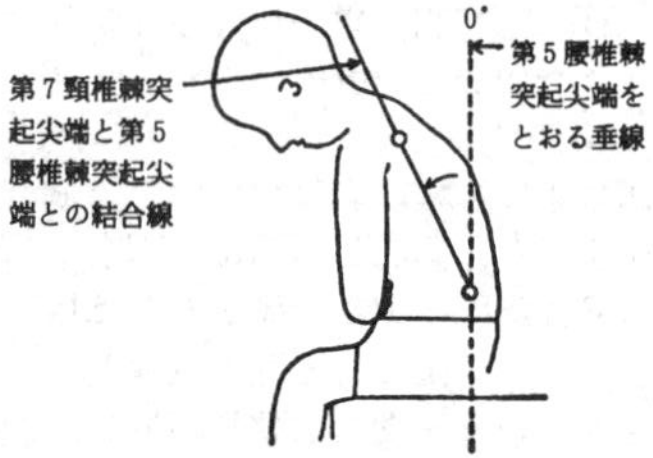

F（母指屈伸）

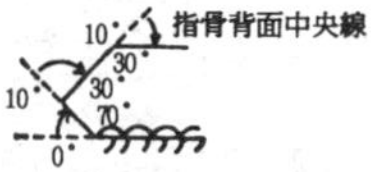

G（他４指屈伸）

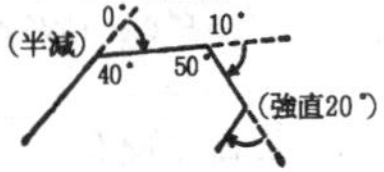

〔改正〕

一部改正（第４・５・20・21・30・36・39・45・49・58・70・73次改正）

様式第二号（四）（第一条関係）

（表　　面）

児童扶養手当障害認定診断書（呼吸器結核用）

① （ふりがな） 氏　　名		② 生年月日	大正 昭和 平成 令和　　年　　月　　日
③ 住　　所		④ 障害の原因となつた傷病名	主要疾病 合併症
⑤ 傷病の原因又は誘因		⑥ 傷病発生年月日	年　　月　　日
⑦ ④のためはじめて医師の診断を受けた日	年　　月　　日	⑧ 将来再認定の要	有・無
⑨ 既往症及び既存障害			

初診から現在までの臨床的経過			
初診時所見	⑩ 自覚症状	発熱・盗汗・食欲不振・痩削・胸痛・疲労・倦怠・咳嗽・喀痰・喀血又は血痰・その他（　　　）・なし	⑭ 初診時レントゲン所見
	理学的所見		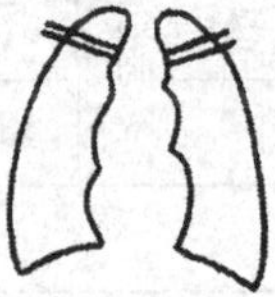 年　　月　　日撮影 （所見）
	赤沈値	1時間値　　mm　2時間値　　mm（　年　月　日検査）	
	検痰成績	塗抹＋・－（ガフキー　号）培養＋・－（コロニー　個）（年　月　日検査）	
⑪ 症状の経過			
⑫ 現在までの治療状況			
⑬ 喀痰中菌検索の推移			⑱ レントゲン所見
⑮ 胸部理学的所見			

⑯ その他の所見				年　月　日
⑰ 症状の概要	栄養状態（良・中・不良）	盗汗（有・無）	食欲（良・中・不良）	体温（平熱・微熱・中等熱・高熱・馳張熱）
	咳嗽（多・少・無）	喀痰（多・少・無）	腹痛（有・無）	便通（普通・便秘・下痢　1日平均　回）
	排尿痛（有・無）	尿意頻数（有・無）	嗄声（有・無）	咽頭痛（有・無）
	骨関節機能障害（有・無）	骨関節変形（有・無）	その他（　　　）	
⑲ 検痰成績	塗抹　＋・－（ガフキー　号） 培養　＋・－（コロニー　個）	⑳ 赤沈値	1時間値　mm 2時間値　mm	㉑ 安静度　　度

㉒ 計測	身長	cm	体重	kg	胸囲	cm	術側肩関節の機能障害		前方挙上	後方挙上	側方挙上	内転	外転
	胸囲充盈差	cm	脈搏		体温	℃		自動的	度	度	度	度	度
	体温日差		呼吸		肺活量	c.c.		他動的	度	度	度	度	度
㉓ 予後													
㉔ 備考													

上記のとおり診断します。

令和　　年　　月　　日

病院又は診療所の名称

所在地

診療担当科名　　　　医師氏名

◎ 裏面の注意をよく読んでから記入して下さい。診断書をもらおうとする人の障害の程度及び状態の認定に無関係な欄には記入する必要がありません。

◎ 字は楷書ではつきりと書いて下さい。

（裏　　面）

注意

1　この診断書は、児童扶養手当の受給資格と手当の額を認定するための資料の一つです。この診断書は、児童の父又は母の障害の状態を証明するときにも、また児童の障害の状態を証明するときにも使用されますが、いずれの場合にも、記入事項に不明の点がありますと認定がおそくなることがありますので、くわしく記入して下さい。

2　○・×で答えられる欄は、該当するものを○でかこんで下さい。記入しきれない場合は、別に紙片をはりつけてそれに記入して下さい。

3　⑦の欄は、この診断書を作成するための診断日でなく、本人が障害の原因となつた傷病についてはじめて医師の診断を受けた日を記入して下さい。前に他の医師が診断している場合は、本人の申立てによつて記入して下さい。また、それが不明の場合には、その旨を記入して下さい。

4　⑫の欄には、初診日以後現在までに行なつた療法について、その種類及び実施時期を順を追つて記入して下さい。

5　⑬の欄には、検査年月日とともに、陽転又は陰転の経過を順を追つて記入して下さい。

6　⑭の欄には、初診日又は初診日に極めて近い日に撮影したエックス線写真を図示し、簡単に所見を記入して下さい。

7　⑱の欄には、添附されたエックス線写真についてその所見を記入して下さい。

8　㉑の欄には、「結核の治療指針」（厚生省）の安静度を記入して下さい。

9　㉒の欄「術側肩関節の機能障害」欄には、胸廓成形術等により機能障害がある場合に記入して下さい。

〔**改正**〕

一部改正（第5・21・30・36・39・45・49・58・70・73次改正）

様式第二号（五）（第一条関係）

（表　　面）

児童扶養手当障害認定診断書（呼吸器系結核以外の結核症・心肺機能障害及び高血圧症用）			
（ふりがな） ① 氏　　名		② 生年月日	大正 昭和 平成 令和　年　月　日
③ 住　　所		④ 障害の原因となつた傷病名	主要疾病 合併病
⑤ 傷病の原因又は誘因		⑥ 傷病発生年月日	年　月　日
⑦ ④のためはじめて医師の診断を受けた日	年　月　日	⑧ 将来再認定の要	有・無
⑨ 既往症及び既存障害			

初診から現在までの臨床的経過	⑩ 初診時所見	
	⑪ 症状の経過	
	⑫ 現在までの治療状況	

現症	⑬ 症状の概要				⑮ レントゲン所見		
	⑭ 現在の主要所見				令和　年　月　日撮影 （所見）		
	⑯ 計測及び検査所見	身　長	cm	体　重	kg	胸　囲	cm
		体　温	℃	脈　搏		呼　吸	
		肺活量	cc	動脈血酸素飽和度		血　圧	
		尿検査所見	比重（　）蛋白－・±・＋（　c/00）沈渣所見（　）				
		腎機能検査所見	ＰＳＰ		血中残余窒素量　mg／dl		
			その他の腎機能検査所見				
		眼　底					
		心電図所見					
		その他の検査所見					
⑰ 予　後							
⑱ 備　考							

上記のとおり診断します。

令和　年　月　日

病院又は診療所の名称

所　在　地

診療担当科名　　医師氏名

◎ 裏面の注意をよく読んでから記入して下さい。診断書をもらおうとする人の障害の程度及び状態の認定に無関係な欄には記入する必要がありません。

◎ 字は楷書ではつきりと書いて下さい。

（裏　　面）

注意

1　この診断書は、児童扶養手当の受給資格と手当の額を認定するための資料の一つです。この診断書は、児童の父又は母の障害の状態を証明するときにも、また児童の障害の状態を証明するときにも使用されますが、いずれの場合にも、記入事項に不明の点がありますと認定がおそくなることがありますので、くわしく記入して下さい。

2　○・×で答えられる欄は、該当するものを○でかこんで下さい。記入しきれない場合は、別に紙片をはりつけてそれに記入して下さい。

3　⑦の欄は、この診断書を作成するための診断日でなく、本人が障害の原因となつた傷病についてはじめて医師の診断を受けた日を記入して下さい。前に他の医師が診断している場合は、本人の申立てによつて記入して下さい。また、それが不明な場合には、その旨を記入して下さい。

4　⑫の欄には、人工透析療法を実施している場合は、その透析回数を記入して下さい。

5　⑮の欄には、添附されたエックス線写真についてその所見を記入して下さい。

6　⑯の欄には、循環機能、腎機能、眼底所見等の所見を得るに必要な検査を行ない、その結果を記入して下さい。ただし、人工透析療法を実施している者の腎機能検査成績は、当該療法実施前の成績により記入して下さい。PSP（フェノール・スルフォンフタレイン試験）欄には、色素初発時間並びに1時間及び2時間色素排泄量（%）を記入して下さい。心電図所見欄には、誘導の種類（肢誘導、胸部誘導）及びその所見を記入して下さい。

〔**改正**〕

一部改正（第5・20・21・30・36・39・45・58・70・73次改正）

様式第二号（六）（第一条関係）

（表　　面）

児童扶養手当障害認定診断書（精神及び脳疾患用）			
（ふりがな） ① 氏　　名		② 生年月日	大正 昭和 平成 令和　　年　　月　　日
③ 住　　所		④ 障害の原因となつた傷病名	主な精神障害（　　） 合併精神障害（　　） 合併身体障害（　　）
⑤ 傷病発生年月	主な精神障害　　年　　月 合併精神障害　　年　　月 合併身体障害　　年　　月	⑥ ④のためはじめて医師の診断を受けた日	年　　月　　日
⑦ 入院年月日	年　　月　　日	⑧ 将来再認定の要	有・無

既往歴及び現病歴	⑨ 生活歴及び発病前状況等	
	⑩ 現病歴	
	⑪ 現在まで受けた特殊療法等	1 特殊薬物療法　2 インシユリン療法　3 痙攣療法　4 持続睡眠療法　5 熱療法 6 駆梅療法　7 精神療法　8 作業療法　9 その他（　　）
現在の	⑫ 抑うつ状態	1 思考・運動制止　2 刺戟性・興奮　3 憂うつ気分　4 その他（　　）
	⑬ そう状態	1 行為心迫　2 多弁　3 感情昂揚・刺戟性　4 その他（　　）
	⑭ 幻覚妄想状態	1 幻覚　2 妄想　3 その他の思考障害（　　）
	⑮ 精神運動興奮及び昏迷の状態	1 興奮　2 昏迷　3 拒絶　4 その他（　　）

状態像	⑯ 意識障害	1 せん妄　2 錯乱　3 もうろう　4 痙攣　5 精神(運動)発作　6 不機嫌　7 その他（　）
	⑰ 知的障害及び器質的欠陥状態	1 重度知的障害　2 中度知的障害　3 軽度知的障害　4 認知症
	⑱ 統合失調症等欠陥状態	1 自閉　2 感情の鈍麻冷却　3 無為　4 その他（　）
	⑲ その他	
⑳ 問題行動		1 殺人　2 傷害　3 暴行　4 脅迫　5 自殺企図　6 自傷　7 破衣　8 不潔　9 放火　10 弄火　11 器物破損　12 窃盗　13 盗癖　14 ぶじょく　15 強盗　16 恐かつ　17 無銭飲食　18 無賃乗車等　19 はいかい　20 家宅侵入　21 性的異常　22 風俗犯的行動　23 無断離院　24 その他（　）
㉑ 身体症状		1 失禁　2 麻痺（全・片）　3 言語障害　4 瞳孔異常　5 梅毒反応（血液・脊髄液）　6 錐体外路障害　7 その他（　）
精神科特殊看護及び指導	㉒ 要注意必要度	
	㉓ 日常生活の介助指導・必要度	
㉔ 医学的総合判定		
㉕ 備考		

上記のとおり診断します。　　令和　　年　　月　　日

病院又は診療所の名称
所在地
診療担当科名　　医師氏名

◎ 裏面の注意をよく読んでから記入して下さい。診断書をもらおうとする人の障害の程度及び状態の認定に無関係な欄には記入する必要がありません。

◎ 字は楷書ではっきりと書いて下さい。

（裏　　面）

注意

1　この診断書は、児童扶養手当の受給資格と手当の額を認定するための資料の一つです。この診断書は、児童の父又は母の障害の状態を証明するときにも、また児童の障害の状態を証明するときにも使用されますが、いずれの場合にも、記入事項に不明の点がありますと認定がおそくなることがありますので、くわしく記入して下さい。

2　○・×で答えられる欄は、該当するものを○でかこんで下さい。記入しきれない場合は、別に紙片をはりつけてそれに記入して下さい。

3　本診断書作成に当たつては、相手が患者本人であることを確認して下さい。

4　⑥の欄は、この診断書を作成するための診断日ではなく、本人が障害の原因となつた傷病についてはじめて医師の診断をうけた日を記入して下さい。前に他の医師が診断している場合は、保護者の申立てによつて記入して下さい。また、それが不明の場合には、その旨を記入して下さい。

5　⑦の欄は、現に入院中の者について入院年月日を記入して下さい。なお、既往の入院で判明している場合は、⑩現病歴の欄中に記入して下さい。

6　㉒の欄は、注意を要する発作性症状等につき、その有無、程度及び頻度に応じて、「常に厳重な注意」、「随時一応の注意」、「殆んど不要」の３段階に分けて記入して下さい。

7　㉓の欄は、必要に応じて「極めて手数のかかる介助」、「比較的簡単な介助と指導」、「生活指導を要する」、「指導の要がない」の４段階に分けて記入して下さい。

8　㉔の欄は、⑨から㉓までの欄に記載された事項を総合的に判定して、障害の状態を詳細に記入して下さい。特に、「要入院医療」と判定された障害者については、その理由を記入して下さい。

〔**改正**〕

一部改正（第５・21・30・36・39・45・46・49・53・58・70・73次改正）

様式第三号（第一条関係）

（表　面）

※※　第　　号			
※経由町村名		※市区町村受付年月日	平成　年　月　日
※町村提出	平成　年　月　日　第　号	※町村再提出	平成　年　月　日　第　号

児童扶養手当被災状況書

①提出者	氏名		証書番号	第　号
	住所			
②被災者	氏名		提出者との続柄	
	被災当時の住所又は居所		職業	
③災害	災害の種類			
	被災年月日	平成　年　月　日		

④被災状況	財産の種類	被災前の財産の概要とその価格	損害の程度とその金額
	住宅		
	家財		
	田畑		
	宅地		
	住宅でない建物		
	その他の財産		
⑤保険金又は損害賠償金の受給状況	受けた 受けることができる	種類 （　　）	金額　　円

上記のとおり、被災状況を申し立てます。
平成　年　月　日
氏名
都道府県知事（福祉事務所長）
市町村長（福祉事務所長）　殿

※審査	
	上記のとおり、相違ありません。 平成　年　月　日 町村長　㊞

◎　裏面の注意をよく読んでから記入して下さい。※、※※の欄は記入する必要がありません。
◎　字は楷書ではつきりと書いて下さい。

（裏　　面）

注意

1　①の欄の「証書番号」は、児童扶養手当証書の交付を受けていない人は記入する必要はありません。

2　②の欄の「被災者」とは、手当を受けることができる人、その配偶者又は扶養義務者（父母、祖父母、子、孫、兄弟姉妹など）で震災、風水害、火災などの災害により、住宅、家財その他の財産（自分の所有するもののほか、所得税法に定める同一生計配偶者又は扶養親族の所有する財産を含みます。）について、その価格のおおむね２分の１以上の損害を受けた人をいいます。

3　③の欄の「災害の種類」は、震災、水害、火災などの別のほか○○台風などのように、なるべくくわしく記入して下さい。

4　④の欄の記入については、次の事柄に留意して下さい。

⑴　被災前の財産の概要とその価格

財産は、被災者又はその同一生計配偶者若しくは扶養親族の名義のものでなければなりません。また、財産は住宅、家財又は主たる生計のために使用している田畑、宅地、住宅でない建物その他の財産のうち、最も被害の大きかつたものについてのみ記入すれば十分です。住宅について被害を受けたときは、当然家財に被害を受けますが、その場合には住宅についてのみ記入すればよく、その住宅が被災者又はその同一生計配偶者若しくは扶養親族の名義のものでないときは、家財について記入して下さい。

イ　「住宅」については、その規模、構造、延面積、価格等を記入して下さい。（例　木造平家建60平方メートル約50万円）

ロ　「家財」については、家財の主な種類、名称、価格の総額等を記入するとともに、あわせて、住宅の規模、構造、延面積などを記入して下さい。

ハ　「田畑」については、田、畑別及びその総面積、価格等を記入して下さい。

ニ　「宅地」については、その総面積、価格等を記入して下さい。

ホ　「住宅でない建物」については、店舗、工場、倉庫、納屋などの名称ごとの規模、構造、延面積、価格等を記入して下さい。

ヘ　「その他の財産」については、機械、器具、荷車、漁船、牛馬、水車等事業用の資産などの種類、名称、数量、価格等を記入して下さい。

(2)　損害の程度とその価格

イ　損害の程度は、「住宅」及び「住宅でない建物」については、流失、全壊、半壊、土砂流入、軒下浸水、床上○○メートル浸水、全焼、半焼、一部焼失等のように記入して下さい。

「家財」については、その家財の存した住宅の被害の状況を記入して下さい。

「田畑」及び「宅地」については、流出、冠水、○○センチメートル土砂（泥土、砂礫）堆積等の別及びその被害面積を記入して下さい。

「その他の財産」については、財産の種類に応じて具体的に記入して下さい。

ロ　損害の金額は、時価○○万円のように記入して下さい。

5　この被災状況書についてわからないところがありましたら、市役所、区役所又は町村役場の人によく聞いて下さい。

〔**改正**〕

旧様式第４号の全部改正（第５次改正）、一部改正（第７・21・36・39・45・49・58・70・71・73次改正）、旧様式第３号を削り、本様式に繰上（第16次改正）

面）

④ 児童の氏名			
⑤ 個人番号			
⑥ 生年月日		平成 令和　年　月　日生	平成 令和　年　月　日生
⑦ 請求者との続柄			
⑧ 請求者との同居・別居の別		同　居・別　居	同　居・別　居
⑨ 監護等を始めた年月日		平成 令和　年　月　日	平成 令和　年　月　日
⑩ 障害の状態の有無		あ　る・な　い	あ　る・な　い
⑪ 父又は母の状況		イロハニホヘトチリヌルヲワカヨ	イロハニホヘトチリヌルヲワカヨ
⑫ 父の氏名・生年月日		（　年　月　日生）	（　年　月　日生）
⑬ 母の氏名・生年月日		（　年　月　日生）	（　年　月　日生）
父の死亡したとき	⑭ 死亡年月日	年　月　日	年　月　日
	⑮ 死亡の原因	業務上・業務外	業務上・業務外
	⑯ 死亡時又は死亡時直近の勤務先　名称		
	所在地		
母の死亡したとき	⑰ 死亡年月日	年　月　日	年　月　日
	⑱ 死亡の原因	業務上・業務外	業務上・業務外
	⑲ 死亡時又は死亡時直近の勤務先　名称		
	所在地		
⑳ 児童が父若しくは母の死亡により受けることができる公的年金・遺族補償の受給状況又は児童が加算の対象となつている父若しくは母の公的年金の受給状況		受けることができる　種類（　） 基礎年金番号・年金コード 支給停止（　） 受けることができない 年額（　円）	受けることができる　種類（　） 基礎年金番号・年金コード 支給停止（　） 受けることができない 年額（　円）
㉑ 請求者が障害基礎年金等を受けることができるとき	請求者が受けることができる公的年金（児童を有する者に係る加算に係る部分に限る。）の受給状況	受けることができる　種類（　） 基礎年金番号・年金コード 支給停止（　） 年額（　円）	受けることができる　種類（　） 基礎年金番号・年金コード 支給停止（　） 年額（　円）
㉒ 父又は母が障害であるとき	身体障害者手帳の番号及び障害等級		
	公的年金の種類・障害等級		
	父又は母の職業又は勤務先名		
備考			

様式第四号（第二条関係）

（表

※※　第　　　　　号	
※ 経由町村名	※ 市区町村受付年月日　令和　　年　　月　　日
※ 町村提出　令和　　年　　月　　日　第　　　号	※ 町村再提出　令和　　年　　月　　日　第　　　号

児童扶養手当額改定請求書

（ふりがな） ① 氏名		② 証書番号	第　　　号
③ 住所			

関係書類を添えて、児童扶養手当の額の改定について請求します。

令和　　年　　月　　日

氏名

都道府県知事（福祉事務所長）
市町村長（福祉事務所長）　殿

※※	
改定却下　令和　　年　　月　　日	※※証書作成　令和　　年　　月　　日 改訂　　第　　　号

◎　裏面の注意をよく読んでから記入してください。※、※※の欄は記入する必要がありません。

◎　字は楷書ではっきり書いてください。

（裏　　面）

注意

1　⑳及び㉑の欄の「受けることができる」とは、現に受けているとき、申請中であるとき又は申請すれば受けることができる状態にあるときをいいます。

2　④から㉒までの欄は、新たに手当の支給の対象となる児童について記入してください。

3　⑨の欄の「監護等」とは、請求者が母である場合には監護すること、請求者が父である場合には監護し、かつ、生計を同じくすること、請求者が養育者である場合には養育することをいいます。

4　⑪の欄は、児童の状況について、次に掲げる場合のうち該当する文字を○で囲んでください。

イ　父母が婚姻（婚姻の届出をしていないが、事実上婚姻関係と同様の事情にある場合を含む。以下同じ。）を解消した。

ロ　父が死亡した。

ハ　父が障害の状態にある。

ニ　父の生死が明らかでない。

ホ　父が児童を引き続き1年以上遺棄している。

ヘ　父が母の申立てにより保護命令を受けた。

ト　父が法令により引き続き1年以上拘禁されている。

チ　母が死亡した。

リ　母が障害の状態にある。

ヌ　母の生死が明らかでない。

ル　母が児童を引き続き1年以上遺棄している。

ヲ　母が父の申立てにより保護命令を受けた。

ワ　母が法令により引き続き1年以上拘禁されている。

カ　婚姻によらないで生れた児童である。

ヨ　棄児などで父母がいるかいないかが明らかでない。

5　⑫から⑲までの欄は、それぞれの児童の父又は母が同じ場合は「同左」と記入して差し支えありません。

6　⑳及び㉑の欄の「公的年金」とは、「遺族年金（遺族基礎年金、遺族厚生年金及び遺族共済年金を含む。）」、「老齢年金（老齢基礎年金、老齢厚生年金及び退職共済年金を含む。）」、「障害年金（障害基礎年金、障害厚生年金及び障害共済年金を含む。）」、「母子年金」、「恩給」等をいいます。また、㉑の欄の「障害基礎年金等」とは、障害基礎年金その他障害を支給事由とする給付（労働者災害補償保険の障害（補償）年金、傷病（補償）年金等）をいいます。

7　⑳の欄は、新たに手当の支給の対象となる児童が、父若しくは母の死亡により受けることができる「公的年金」若しくは「遺族補償」の受給状況又は請求者が母若しくは養育者である場合であつて児童が父に支給される公的年金の額の加算の対象となつているときには父の「公的年金」の受給状況、請求者が父である場合であつて児童が母に支給される公的年金の額の加算の対象となつているときには母の「公的年金」の受給状況を記入してください。

8　㉑の欄は、請求者が障害基礎年金等を受けることができる場合に記入いただくものです。請求者が受けることができる公的年金のうち新たに手当の支給の対象となる児童を有する者に係る加算に係る部分の受給状況を記入してください。

9　この請求書に添えなければならない書類は、次のとおりです。

なお、書類については省略できるものがある場合もありますので、市役所、区役所又は町村役場の人に確認してください。

イ　新たに手当の支給の対象となる児童の戸籍の抄本とその児童の属する世帯の全員の住民票の写し

ロ　請求者が母である場合で、新たに手当の支給の対象となる児童と同居しないでこれを監護しているときは、その事実を明らかにすることができる書類

ハ　請求者が父である場合で、新たに手当の支給の対象となる児童と同居しないでこれを監護し、かつ、これと生計を同じくしているときは、その事実を明らかにすることができる書類

ニ　請求者が母又は父以外の者である場合は、新たに手当の支給の対象となる児童の父及び母の戸籍又は除かれた戸籍の謄本又は抄本と請求者がその児童を養育していることを明らかにすることができる書類

ホ　新たに手当の支給の対象となる児童又はその父若しくは母が障害の状態にある場合には医師又は歯科医師の診断書、次の傷病によるときにはエックス線直接撮影写真

呼吸器系結核・肺えそ・肺のうよう・けい肺・じん臓結核・胃かいよう・胃がん・十二指腸かいよう・内臓下垂症・動脈りゆう・骨又は関節結核・骨ずい炎・骨又は関節損傷・その他認定又は診査に際し必要と認められるもの

ヘ　次の場合は、その事実を明らかにすることができる書類

（イ）　新たに手当の支給の対象となる児童の父又は母の生死が明らかでない場合

（ロ）　新たに手当の支給の対象となる児童の父又は母が引き続き1年以上その児童を遺棄している場合

（ハ）　新たに手当の支給の対象となる児童の父又は母がそれぞれ母又は父の申立てにより保護命令を受けた場合

（ニ）　新たに手当の支給の対象となる児童の父又は母が法令により引き続き1年以上拘禁されている場合

ト　児童若しくは請求者が公的年金若しくは遺族補償を受けることができる場合又は児童が加算の対象となつている場合には、その給付を行う者の証明書

10　手当の全部又は一部が支給停止となつている方で、新たに手当の支給の対象となる児童が児童扶養手当法第9条の児童（父と母が、死亡したこと、生死不明であること、法令により引き続き1年以上拘禁されていること又は明らかでないことのいずれかに該当する児童をいう。）である方は、併せて児童扶養手当支給停止関係届を出してください。

11　この請求書は、市役所、区役所又は町村役場に出してください。この請求書について分からないことがありましたら、市役所、区役所又は町村役場の人によく聞いてください。

〔改正〕

全部改正（第75次改正）

様式第五号（第三条関係）

（表　　面）

※※第　　　　　号

※経　由 町村名		※市区町村 受付年月日	令和　年　月　日
※町　村 提　出	令和　年　月　日 第　　号	※町　村 再提出	令和　年　月　日 第　　号

児童扶養手当額改定届

（ふりがな） 氏　　名		証書番号	第　　号
住　　所			

対象児童でなくなった児童の氏名生年月日	対象児童でなくなった理由	理由の発生した年　月　日
(平成／令和　年　月　日生)	イ ロ ハ ニ ホ ヘ ト チ リ ヌ ル ヲ	令和　年　月　日
(平成／令和　年　月　日生)	イ ロ ハ ニ ホ ヘ ト チ リ ヌ ル ヲ	令和　年　月　日
(平成／令和　年　月　日生)	イ ロ ハ ニ ホ ヘ ト チ リ ヌ ル ヲ	令和　年　月　日

上記のとおり、児童扶養手当の額の改定について届け出ます。

令和　　年　　月　　日

氏名

都道府県知事（福祉事務所長）
市　町　村　長（福祉事務所長）　殿

※※ 証書作成	令和　年　月　日	※※ 改定通知	令和　年　月　日 第　　号

◎　裏面の注意をよく読んでから記入して下さい。※、※※の欄には記入する必要がありません。

◎　字は楷書ではっきりと書いて下さい。

（裏　面）

注意

1　「対象児童でなくなつた理由」の欄は、次のイからヲまでのいずれか該当するものを○で囲んでください。

イ　手当の支給を受けている人が児童の母であつて、その母に監護されなくなつた。

ロ　手当の支給を受けている人が児童の父（母が児童を懐胎した当時婚姻の届出をしていないが、その母と事実上婚姻関係と同様の事情にあつた者を含む。以下同じ。）であつて、その父に監護されなくなり、又はこれと生計を同じくしなくなつた。

ハ　手当の支給を受けている人が児童の母又は父以外の人であつて、その人に養育（同居、監護、生計維持）されなくなつた。

ニ　死亡した。

ホ　日本国内に住所がなくなつた。

ヘ　児童が18歳に達した日の属する年度が終了した。

ト　18歳に達した日の属する年度が終了した児童であつて児童扶養手当法施行令（以下「令」という。）別表第1に定める程度の障害の状態にあつたものが20歳に達したか、又は同表に定める程度の障害の状態でなくなつた。

チ　母の監護を受けていた場合又は養育者の養育を受けていた場合において、父と生計を同じくするようになつた。

リ　父の監護を受け、かつ、これと生計を同じくしていた場合において、母と生計を同じくするようになつた。

ヌ　母の婚姻（婚姻の届出をしていないが、事実上婚姻関係と同様の事情にある場合を含む。以下同じ。）等により、母の配偶者（婚姻の届出をしていないが、事実上婚姻関係と同様の事情にある者を含む。以下同じ。）に養育されるようになつた。

ル　父の婚姻等により、父の配偶者に養育されるようになつた

ヲ　次の(イ)から(チ)までのいずれにも該当しなくなつた。

(イ)　父母が婚姻を解消した児童

(ロ)　父又は母が死亡した児童

(ハ)　父又は母が令別表第2に定める程度の障害の状態にある児童

(ニ)　父又は母の生死が明らかでない児童

(ホ)　父又は母が引き続き1年以上遺棄している児童

(ヘ)　父又は母が法令により引き続き1年以上拘禁されている児童

(ト)　母が婚姻によらないで懐胎した児童

(チ)　(ト)に該当するかどうかが明らかでない児童

2　児童扶養手当法（以下「法」という。）第9条の児童（父と母が、死亡したこ

と、生死不明であること、法令により引き続き１年以上拘禁されていること又は明らかでないことのいずれかに該当する児童をいう。以下同じ。）が対象児童でなくなり、他の対象児童の中に法第９条の児童がいない場合には、併せて児童扶養手当支給停止関係届が必要となることがありますので、詳しくは、市役所、区役所又は町村役場の人によく聞いてください。

3　全ての対象児童が１のイからヲまでのいずれかに該当するようになつたときは、手当を受ける資格がなくなりますので、児童扶養手当資格喪失届を出してください。

〔**改正**〕

一部改正（第３～５・７・８・10・20・21・23・30～32・36・39・41・43～45・49・58・62・70・73次改正）、旧様式第６号を本様式に繰上（第16次改正）

様式第五号の二（第三条の二関係）

（表　　面）

※※第　　　　　　　号			
※経由町村名		※市区町村受付年月日	令和　　年　　月　　日
※町村提出	令和　　年　　月　　日　第　　　　号	※町村再提出	令和　　年　　月　　日　第　　　　号

児童扶養手当支給停止関係｛発生・消滅・変更｝届

（ふりがな）氏名	------------------------------	証書番号	第　　　　号
住所			

① 支給停止事由発生（変更）　　令和　　年　　月　　日
- イ　所得の高い扶養義務者に扶養されるようになつた。
- ロ　所得の高い人と婚姻した。
- ハ　法第９条の児童（孤児等）の養育者がその児童と養子縁組をした。
- ニ　法第９条の児童（孤児等）の養育者がその児童を養育しなくなつた。
- ホ　法第９条の児童（孤児等）が死亡した。
- ヘ　養育している児童のすべてが法第９条の児童（孤児等）に該当しなくなつた。
- ト　その他（　　　　　　　　　　　　　　　　　　　　）

② 支給停止事由消滅（変更）　　令和　　年　　月　　日
- イ　所得の高い扶養義務者に扶養されなくなつた。
- ロ　所得の高い扶養義務者が死亡した。
- ハ　所得の高い配偶者と婚姻を解消した。
- ニ　所得の高い配偶者が死亡した。
- ホ　法第９条の児童（孤児等）を養育するようになつた。
- ヘ　養育している児童が法第９条の児童（孤児等）に該当するようになつた。
- ト　その他（　　　　　　　　　　　　　　　　　　　　）

扶養義務者又は配偶者の氏名及び個人番号	（氏名） （個人番号）	扶養義務者又は配偶者の氏名及び個人番号	（氏名） （個人番号）

上記のとおり、児童扶養手当支給停止｛発生・消滅・変更｝について届け出ます。

令和　　年　　月　　日

氏　名

都道府県知事（福祉事務所長）｝
市　町　村　長（福祉事務所長）｝殿

※※　通知　　　令和　　年　　月　　日
備　考

◎　裏面の注意をよく読んでから記入して下さい。

◎　※、※※の欄には記入する必要がありません。

◎　字は楷書ではつきりと書いて下さい。

（裏　　面）

注意

1　①の欄について

(1)　手当が一部支給停止となっている方が全部支給停止となる場合にも、この欄に記入してください。この場合には「(変更)」を○で囲んでください。

(2)　イの「扶養義務者に扶養されるようになった」とは、受給者が父又は母の場合には、父又は母と民法第877条第１項に定める扶養義務者（以下単に「扶養義務者」という。）とが生計を同じくするようになった場合を指し、受給者が養育者の場合には、養育者が扶養義務者に生計維持されるようになった場合を指します。

(3)　ハからへまでの「法第９条の児童」とは、父と母が、死亡したこと、生死不明であること、法令により引き続き１年以上拘禁されていること又は明らかでないことのいずれかに該当する児童をいいます。

(4)　への「該当しなくなった」とは

１）児童があなた以外の人の養子となった

２）生死不明の父又は母が生存していることがわかった

３）父又は母の拘禁が終了した

４）児童の父又は母が明らかになった

などの場合をいいます。

(5)　監護している児童、監護し、かつ、生計を同じくしている児童又は養育している児童の数が減った場合（いなくなった場合を除きます。）には、併せて児童扶養手当額改定届を出してください。

(6)　監護している児童、監護し、かつ、生計を同じくしている児童又は養育している児童がいなくなるなど資格がなくなる場合には、児童扶養手当資格喪失届を出してください。

2　②の欄について

(1)　手当が全部支給停止となっている方が一部支給停止となる場合にも、この欄に記入してください。この場合には「(変更)」を○で囲んでください。

(2)　監護している児童、監護し、かつ、生計を同じくしている児童又は養育している児童の数が増えた場合には、併せて児童扶養手当額改定請求書を出してください。

3　この届けに添えなければならない書類は、次のとおりです。なお、省略できるものがある場合もありますので、市役所、区役所又は町村役場の人に確認してください。

(1) ①の欄のイ又は②の欄のイ若しくはロに該当する方は、あなたと扶養義務者の続柄が明らかになる書類、扶養義務者の前年又は前々年の所得が明らかになる書類及び扶養されるようになった（又は扶養されなくなったか扶養義務者が死亡した）ことが明らかになる書類

(2) ①の欄のロ又は②の欄のハ若しくはニに該当する方は、配偶者と婚姻（婚姻の届出をしていないが、事実上婚姻関係と同様の事情にある場合を含む。以下同じ。）した（又は婚姻を解消したか配偶者が死亡した）ことが明らかになる戸籍の謄本又は抄本などの書類、配偶者の前年又は前々年の所得が明らかになる書類及び世帯の全員の住民票の写し

(3) ①の欄のハに該当する方は、養子縁組をしたことが明らかになる戸籍の謄本又は抄本

(4) ①の欄のニ又は②の欄のホに該当する方は、養育しなくなった（又は養育するようになった）ことが明らかになる書類と世帯の全員の住民票の写し

(5) ①の欄のホに該当する方は、死亡を証する書類

(6) ①の欄のヘ若しくはト又は②の欄のヘ若しくはトに該当する方は、その事実が明らかになる書類

4　この届けについて分からないことがありましたら、市役所、区役所又は町村役場の人によく聞いてください。

〔改正〕

追加（第32次改正）、一部改正（第36・39・45・49・58・63・70・73次改正）

様式第五号の三（第三条の三関係）

※※第　　　　　　号	（表　面）

※経　由 町村名	※市区町村 受付年月日　令和　　年　　月　　日
※町　村　令和　　年　　月　　日 提　出　　　　第　　　　号	※町　　村　令和　　年　　月　　日 再　提　出　　　第　　　　号

公的年金給付等受給届

（ふりがな） 氏　　名	証書番号	第　　　　号
住　　所		

①　公的年金給付等受給事由発生　　　　　令和　　年　　月　　日
イ　児童が父又は母の死亡について支給される公的年金給付を受けることができるようになった。
ロ　児童が父又は母に支給される公的年金給付の額の加算の対象になった。
ハ　児童が父又は母の死亡について遺族補償等を受けることができるようになった。
ニ　受給資格者が公的年金給付を受けることができるようになった。
ホ　受給資格者が遺族補償等を受けることができるようになった。

②　公的年金給付等受給事由消滅　　　　　令和　　年　　月　　日
イ　児童が父又は母の死亡について支給される公的年金給付を受けることができなくなった。
ロ　児童が父又は母に支給される公的年金給付の額の加算の対象でなくなった。
ハ　児童が父又は母の死亡について遺族補償等を受けることができなくなった。又は、受けることができるようになってから６年を経過した。
ニ　受給資格者が公的年金給付を受けることができなくなった。
ホ　受給資格者が遺族補償等を受けることができなくなった。又は、受けることができるようになってから６年を経過した。

③　公的年金給付等受給額変更　　　　　令和　　年　　月　　日
イ　児童が受け取ることができる父又は母の死亡について支給される公的年金給付の額が変更になった。
ロ　児童が対象となっている父又は母に支給される公的年金給付の額の加算額が変更になった。
ハ　児童が受けることができる父又は母の死亡について遺族補償等の額が変更になった。
ニ　受給資格者が受けることができる公的年金給付の額が変更になった。
ホ　受給資格者が受けることができる遺族補償等の額が変更になった。

上記のとおり、公的年金給付等の受給状況について届け出ます。
令和　　年　　月　　日
　　　　　　　　　　氏　名
都道府県知事（福祉事務所長）
市　町　村　長（福祉事務所長）　殿

※※　通知　　　　令和　　年　　月　　日

備　　考

◎　裏面の注意をよく読んでから記入して下さい。
◎　※、※※の欄には記入する必要がありません。
◎　字は楷書ではっきりと書いて下さい。

（裏　面）

注　意

1　①②③の欄について

⑴　それぞれイからホまでのうち該当する記号を全て○で囲んでください。

⑵　公的年金給付等を受けることができるときは、現に受給している場合のみでなく、申請をすれば受けることができる場合を含みます。

⑶　ロは、受給資格者が母の場合は父について、受給資格者が父の場合は母についての状況を回答してください。

2　この届けには、「公的年金給付等の支給を行う者の証明書」を添えてください。証明書は、原則として、申請を行う日からおおむね１か月以内に発行（証明）されたものである必要があります。

なお、公的年金給付等の関係書類（年金証書、年金決定通知書・支給額変更通知書、年金額改定通知書等）の写しにより、その受給状況が確認できるときは、当該書類をもって証明書に代えることができます。

年金事務所等において証明書等の発行に相当の期間を要するなどの理由で当該書類の提出が困難である場合は、その旨を記載した申立書の提出等をもって受付が可能な場合がありますので、市役所、区役所又は町村役場にご相談ください。

3　この届けについて分からないことがありましたら、市役所、区役所又は町村役場の人によく聞いてください。

〔改正〕

追加（第62次改正）、一部改正（第70・73次改正）

様式第五号の四（第三条の四関係）

（表　面）

※※第　　　　　　　号

※経　由 町村名	※市区町村 受付年月日　令和　　年　　月　　日
※町　村　令和　　年　　月　　日 提　出　第　　　　　　　号	※町　　村　令和　　年　　月　　日 再　提　出　第　　　　　　号

児童扶養手当一部支給停止適用除外事由届出書

氏《ふりがな》　名	証書番号	第　　　号
住　　所		

次の⑴から⑷までの中から該当する児童扶養手当の一部支給停止適用除外事由を○で囲み、その事実を明らかにできる書類を添えてください。

⑴　就業していること又は求職活動等の自立を図るための活動をしている。

⑵　障害の状態にある。

⑶　疾病、負傷又は要介護状態にあることその他これに類する事由（　　　）により就業することが困難である。

⑷　監護する児童又は親族が障害の状態にあること又は疾病、負傷若しくは要介護状態にあることその他これに類する事由（　　　　　）により、これらの者の介護を行う必要があり就業等が困難である。

上記のとおり、児童扶養手当一部支給停止適用除外事由について届け出ます。

令和　　年　　月　　日

氏　名

都道府県知事（福祉事務所長）
市町村長（福祉事務所長）　殿

※※　通　　知　　令和　　年　　月　　日　　第　　　号
備　　考

◎　裏面の注意をよく読んでから記入して下さい。

◎　※、※※の欄には記入する必要がありません。

◎　字は楷書ではっきりと書いてください。

（裏　面）

注　意

1　この届出書は、手当の支給開始月の初日から起算して５年又は手当の支給要件に該当する日の属する月の初日から起算して７年を経過した日（児童扶養手当法（昭和36年法律第238号）第６条第１項の規定により認定の請求をした日において３歳未満の児童を監護する受給資格者にあつては当該児童が３歳に達した日の属する月の翌月の初日から起算して５年を経過した日）の属する月の翌月以降において、手当の一部支給停止適用除外を受けようとするときに、その年の８月１日（一部支給停止適用除外を受けようとする月（以下「適用除外事由発生月」という。）が８月から10月までのいずれかの月であるときはそれぞれその３月前の月の初日、１月から７月までのいずれかの月であるときはその前年の８月１日）から適用除外事由発生月の末日（適用除外事由発生月が８月であるときは、９月30日）までの間に出してください。なお、その年の８月（適用除外事由発生月が１月から７月までのいずれかの月であるときは、その前年の８月）に、児童扶養手当現況届と併せて出すことができます。

また、手当の一部支給停止適用除外事由に該当する間は、毎年８月１日から同月31日までの間に出してください。

2　この届出書に添えなければならない書類は、次のとおりです。

⑴　就業していること又は求職活動等の自立を図るための活動をしている場合は、以下イからホまでのいずれかの書類

イ　雇用されていることを証明することができる書類の写し又は受給資格者が事業主であること若しくは在宅就業等を行つていることを明らかにできる書類

ロ　公共職業安定所、母子家庭就業支援事業及び父子家庭就業支援事業を実施する機関又は職業紹介事業者において就職に関する相談等を受けたことを明らかにできる書類

ハ　求人者に面接したことその他の就業するための活動を行っていることを明らかにできる書類

ニ　公共職業能力開発施設、専修学校等に在学していることその他の職業能力の開発及び向上を図っていることを明らかにできる書類

ホ　都道府県知事、市長（特別区の区長を含む。）、福祉事務所を管理する町村長が行う就業に関する相談、情報の提供、助言又は支援を受け、就業し、求職活動をし、又はその他の自立を図るための活動を行つたことを明らかにできる書類

⑵　児童扶養手当法施行令（昭和36年政令第405号）別表第一に掲げる障害の状態にある場合は、以下の書類

イ　児童扶養手当法施行令別表第一に掲げる障害の状態に関する医師又は歯科医師の診断書

ロ　エックス線直接撮影写真（呼吸器系結核、肺えそ、肺のうよう、けい肺（これに類似するじん肺症を含みます。）、じん臓結核、胃かいよう、胃がん、十二指腸かいよう、内臓下垂症、動脈りゆう、骨又は間接結核、骨ずい炎、骨又は間接損傷、その他の傷病に係る障害である場合に限る。）

⑶　疾病、負傷又は要介護状態にあることその他これに類する事由により就業することが困難である場合は、以下の書類

医師又は歯科医師の診断書その他の疾病、負傷又は要介護状態にあることにより受給資格者が就業することが困難であることを明らかにできる書類

⑷　監護する児童又は受給資格者の親族が障害の状態にあること又は疾病、負傷若しくは要介護状態にあることその他これに類する事由により受給資格者がこれらの者の介護を行う必要があり就業等が困難である場合は、以下イ及びロの書類

イ　医師又は歯科医師の診断書その他の監護する児童又は受給資格者の親族が障害の状態にあること又は疾病、負傷若しくは要介護状態にあることにより介護が必要であることを明らかにできる書類

ロ　当該監護する児童又は受給資格者の親族を受給資格者が介護する必要があることにより就業等が困難であることを明らかにできる書類

3　表面の⑶及び⑷の「その他これに類する事由」に該当する場合は（　）内を記入してください。

4　この届出書は、市役所、区役所又は町村役場に出してください。この届出書について分からないことがありましたら、市役所、区役所又は町村役場の人によく聞いてください。

〔改正〕

旧様式第５号の３として追加（第57次改正）、一部改正（第58・59・65・70・73次改正）、本様式に繰下（第62次改正）

様式第五号の五（第三条の五関係）

（表　面）

※※整理番号　第　　号			
※経由町村名	※市区町村受付年月日　令和　・　・	※町村提出　令和　・　・　第　　号	※町村再提出　令和　・　・　第　　号

児童扶養手当所得状況届

①証書番号	第　　号	②氏名		③住所	

あなたと、あなたの配偶者・同居している扶養義務者の所得について

④　平成・令和　　年分所得	⑤　請求者		⑥　配偶者		⑦　扶養義務者			
氏　　名								
⑧　同一生計配偶者及び扶養親族の合計数（うち老人扶養親族の数（請求者については、㋑70歳以上の同一生計配偶者及び老人扶養親族の合計数㋺特定扶養親族の数㋩16歳以上19歳未満の控除対象扶養親族の数））	人 （㋑　人） （㋺　人） （㋩　人）		人 （　人）		人 （　人）		人 （　人）	
⑨　⑧以外で前年の12月31日において請求者によつて生計を維持していた児童	人							
所得額　⑩児童扶養手当法施行令第4条第1項による所得の額	円	※　円	円	※　円	円	※　円	円	※　円
所得額　⑪児童扶養手当法施行令第3条に定める金品等の額	円	円						
母又は父に対し支払われた額	円	円						
母又は父に対し支払われた額の8割相当額　A	円	円						
児童に対し支払われた額	円	円						
児童に対し支払われた額の8割相当額　B	円	円						
合計　A＋B	円	円						
控除　⑫障害者控除	障　人 特　人	円	障　人 特　人	円	障　人 特　人	円	障　人 特　人	円
⑬寡婦控除・ひとり親控除（請求者が母又は父の場合は控除しない。）、勤労学生控除等	寡・ひとり・勤 円		寡・ひとり・勤 円		寡・ひとり・勤 円		寡・ひとり・勤 円	
⑭雑損控除	円	円	円	円	円	円	円	円
⑮医療費控除	円	円	円	円	円	円	円	円
⑯小規模企業共済等掛金控除	円	円	円	円	円	円	円	円
⑰配偶者特別控除	円	円	円	円	円	円	円	円
⑱地方税法附則第6条第1項による免除（肉用牛の売却による事業所得）	円	円	円	円	円	円	円	円
児童扶養手当法施行令第4条第1項による控除		円		円		円		円
⑲控除後の所得額	円		円		円		円	
所得制限限度額　全部支給	円		円		円		円	
所得制限限度額　一部支給	円							

上記のとおり、所得状況を届け出ます。
令和　年　月　日
都道府県知事（福祉事務所長）
市町村長（福祉事務所長）　殿

氏名

※審査				
支給停止の状況	前年度		今年度	
	支給・一部停止・全部停止		支給・一部停止・全部停止	
本年又は前年の被災の有無	有（　）・無 令和　・　・	その他の事項		

上記のとおり、相違ありません。
令和　年　月　日

町村長　　　　印

◎　裏面の注意をよく読んでから記入してください。※、※※の欄は記入する必要はありません。字は楷書ではっきりと書いてください。

（裏　　面）

注意

1　この届けは、請求をした日からその年の10月31日までの間に出してください。この期間中に提出がない場合には、手当の支払が差し止められることがあります。

2　①の欄の「証書番号」は、児童扶養手当証書の交付を受けていない人は記入する必要はありません。

3　⑦の欄は、あなたと生計を同じくしている（又はあなたが養育者である場合にはあなたの生計を維持している）あなたの父母、祖父母、子、孫等の直系血族と兄弟姉妹があるときに記入してください。

4　⑧の欄は、地方税法に定める同一生計配偶者、扶養親族の合計数を記入してください。

なお、地方税法に定める同一生計配偶者（70歳以上の者に限る。）、老人扶養親族及び特定扶養親族並びに16歳以上19歳未満の同法に定める控除対象扶養親族があるときは、その人数を次により（　）内に再掲してください。

(1)　請求者については、㋑に70歳以上の同一生計配偶者及び老人扶養親族の合計数を、㋺に特定扶養親族の数を、㋩に16歳以上19歳未満の控除対象扶養親族の数を記入してください。

(2)　配偶者及び扶養義務者については、老人扶養親族の数を記入してください。

5　⑨の欄こいう「児童」とは、地方税法に定める扶養親族以外の者（18歳に達する日以後の最初の3月31日までの間にある者をいいます。）又に障害の状態にある20歳未満の者をいいます。

6　⑩の欄は、前年の所得について、都道府県民税の総所得金額、退職所得金額、山林所得金額、土地等に係る事業所得等の金額、長期・短期譲渡所得金額（譲渡所得に係る特別控除を受けた場合は、その額を控除した額）及び先物取引に係る雑所得等の金額の合計額を記入してください。

7　⑪の欄は、請求者が母である場合には、その児童の父から、請求者が父である場合には、その児童の母から、対象児童についての扶養義務を履行するための費用として受け取つた金品等の所得の金額を記入するとともに、それぞれ母若しくは父又は児童に支払われた額とその金額の８割に相当する額（１円未満四捨五入）を記入し、合計の欄には、それぞれの金額の８割に相当する額の合計額を記入してください。

8　⑬の欄は、寡婦控除若しくはひとり親控除又は勤労学生控除を受けた場合は、その額を記入してください。なお、請求者が母である場合には、寡婦控除及びひとり親控除の額、請求者が父である場合には、ひとり親控除の額は控除しません。

9　この届けに添えなければならない書類が必要になる場合がありますので、詳しいことは市役所、区役所又は町村役場の人に聞いてください。

10　この届けについて分からないことがありましたら、市役所、区役所又は町村役場の人によく聞いてください。

◎　虚偽の内容を記載した場合には、手当額の全部又は一部の返還のほか、一定の金額の納付を命ぜられ、また、処罰される場合があります。

〔改正〕

全部改正（第74次改正）

面）

出　令　和　・　・　第　号	※　町村再提出　令　和　・　・　第　号

現　況　届　（令和　年分）

有無	※第９条・第９条の２の区分		⑦支払金融機関	変更	名　称	口座番号
ない	前年度	今年度		有・無		
	９条・９条の２	９条・９条の２				
務先 在地					□公金受取口座を利用します。	

控					除				
⑰寡婦控除・ひとり親控除（請求者が父又は母の場合）、勤労学生控除等	⑱雑損控除	⑲医療費控除	⑳小規模企業共済等掛金控除	㉑配偶者特別控除	㉒地方税法附則第６条第１項による免除に（肉用牛の売却による事業所得）	児童扶養手当法施行令第４条第１項による免除	㉓控除後の所得額	所得制限限度額 全部支給	所得制限限度額 一部支給
寡・ひとり・勤	円	円	円	円	円		円	円	円
円	円	円	円	円	円	円			
寡・ひとり・勤	円	円	円	円	円		円	円	
円	円	円	円	円	円	円			
寡・ひとり・勤	円	円	円	円	円		円	円	
円	円	円	円	円	円	円			
寡・ひとり・勤	円	円	円	円	円		円	円	
円	円	円	円	円	円	円			

入所施設名	障害の有無	身体障害者手帳等の名称、障害等級及び番号	※　再　診
	有・無	・　・	
	有・無	・　・	
	有・無	・　・	
	有・無	・　・	

基礎年金番号・年金コード：　）	㉖父が拘禁されている場合又は母が拘禁されている場合	氏　名	
		拘禁終了予定年月日	令和　・　・

受給者の公的年金受給状況

受けることができる
支給停止
受けることができない
種　類（　）
基礎年金番号・年金コード（　）
年額（　円）

のとおり、相違なく現況を届け出ます。
令和　年　月　日
都道府県知事（福祉事務所長）
殿
市町村長（福祉事務所長）
氏　名

証明　４　生死不明証明書　５　遺棄申立書・証明　６　拘禁の証明書　７　戸籍の謄本又は抄本
）

年度	その他の事項
停止・全部停止	

と書いてください。

様式第六号（第四条関係）

（表

※※ 整理番号 第 号				
※ 経由町村名		※ 市区町村受付年月日	令和 ・ ・	※町村提

児童扶養手当

①証書番号	第 号	※ 既認定・新規認定	② 氏名	（ 歳）	③ 障害の ある・
			個人番号		
④住所	TEL（ ）		⑤ 職業又は勤務先名	TEL（ ）	⑥ 勤所

平成・令和 年分所得	氏名	⑫ 同一生計配偶者及び扶養親族の合計数（うち老人扶養親族の数（受給者については、㋑70歳以上の同一生計配偶者及び老人扶養親族の合計数 ㋺特定扶養親族の数 ㋩16歳以上19歳未満の控除対象扶養親族の数））	⑬ ⑫以外で前年の12月31日において受給者によって生計を維持した児童	所得額 ⑭ 児童扶養手当法施行令第4条第1項による所得の額	⑮ 児童扶養手当法施行令第3条に定める金品等の額 父又は母に対し支払われた額	父又は母に対し支払われた額の8割相当額A	児童に対し支払われた額	児童に対し支払われた額の8割相当額B	合計 A＋B	⑯ 障害者控除
⑧受給者		人 （㋑ 人） （㋺ 人） （㋩ 人）	人	円 ※ 円	円 円	円 円	円 円	円 円	円 円	円 円	障 人 特 人 円
⑨孤児等の養育者		（ 人）	人	円 ※ 円						障 人 特 人 円
⑩配偶者		（ 人）		円 ※ 円						障 人 特 人 円
⑪扶養義務者		（ 人）		円 ※ 円						障 人 特 人 円

㉔ 本年8月1日における対象児童の状況	児童氏名	続柄	生年月日	同居・別居の別	受給理由

㉕ 父又は母の障害について	氏名			
	公的年金の受給状況	1 （ア） 受けることができない （イ） 支給停止 （ウ） 受けることができる 2 ㉔に記載した児童が額の加算の対象に （ア） なっていない （イ） なっている	（種類： 障害等級： （加算の年額： 円）	
	身体障害者手帳の番号及び障害等級		父若しくは母の職業又は勤務先名	

㉗父若しくは母の死亡に関し㉔に記載した児童が受けることができる公的年金又は遺族補償の受給状況				㉘
1 受けることができる 2 支給停止 3 受けることができない	種類（ ）	基礎年金番号・年金コード（ ） 年額（ 円）		1 2 3
㉙受給者が障害基礎年金等を受けることができる場合における受給者が受けることができる公的年金（㉔に記載した児童を有する受給者に係る加算に係る部分に限る。）の受給状況				上記
1 受けることができる 2 支給停止	種類（ ）	基礎年金番号・年金コード（ ） 年額（ 円）		
※添付書類	1 世帯の全員の住民票の写し 2 別居監護申立書・証明 3 養育申立書・ 8 前住地の所得証明書 9 養育費等に関する申告書 10 その他（			

※審査	本年又は前年の被災の有無	有（ ）・無 令和 ・ ・	支給停止の状況	前年度 支給・一部停止・全部停止	今 支給・一部
	上記のとおり、相違ありません。 令和 年 月 日				

◎ 裏面をよく読んでから記入してください。※、※※の欄は記入する必要がありません。字は楷《かい》書ではっきり

（裏　　面）

注　意

1　この届けは、毎年８月１日から８月31日までの間に出してください。この期間中に出さないと手当の支払が差し止められることがあります。

2　⑦の欄は、「有・無」のうち該当する文字を○で囲んでください。「有」の場合は、変更を希望する金融機関の名称及び口座番号を記入してください。ただし、公的給付の支給等の迅速かつ確実な実施のための預貯金口座の登録等に関する法律（令和３年法律第38号）第３条第１項、第４条第１項及び第５条第２項の規定による登録に係る口座として、公金受取口座を利用する場合は、「公金受取口座を利用します。」のチェックボックスに「レ」マークを入れ、⑦の欄に記載する必要はありません。

3　⑪の欄は、あなたと生計を同じくしている（又はあなたが養育者である場合はあなたの生計を維持している）あなたの父母、祖父母、子、孫等の直系血族と兄弟姉妹があるときに記入してください。

4　⑫の欄は、地方税法に定める同一生計配偶者、扶養親族（「扶養親族等」という。）の合計数を記入してください。

なお、地方税法に定める同一生計配偶者（70歳以上の者に限る。）、老人扶養親族及び特定扶養親族並びに16歳以上19歳未満の同法に定める控除対象扶養親族があるときは、その人数を次により（　）内に再掲してください。

⑴　受給者については、㋑に70歳以上の同一生計配偶者及び老人扶養親族の合計数を、㋺に特定扶養親族の数を、㋩16歳以上19歳未満の控除対象扶養親族の数を記入してください。

⑵　配偶者及び扶養義務者については、老人扶養親族の数を記入してください。

5　⑬の欄の「児童」とは、地方税法に定める扶養親族以外の者（18歳に達する日以後の最初の３月31日までの間にある者をいう。）又は障害の状態にある20歳未満の者をいいます。

6　⑭の欄は、前年の所得について、都道府県民税の総所得金額、退職所得金額、山林所得金額、土地等に係る事業所得等の金額、長期・短期譲渡所得金額（譲渡所得に係る特別控除を受けた場合は、その額を控除した額）及び先物取引に係る雑所得等の金額の合計額を記入してください。

7　⑮の欄は、請求者が母である場合には、その児童の父から、請求者が父である場合には、その児童の母から、対象児童についての扶養義務を履行するための費用として受け取つた金品等の所得の金額を記入するとともに、それぞれ母若しくは父又は児童に支払われた額とその金額の８割に相当する額（１円未満四捨五入）を記入し、合計の欄には、それぞれの金額の８割に相当する額の合計額を記入してください。

8　⑯の欄は、あなた又は扶養親族等について該当する人の数を記入し、⑰の欄は、あなたが該当するときに、該当する文字を○で囲んでください。

9　⑰の欄は、寡婦控除若しくはひとり親控除又は勤労学生控除を受けた場合は、その額を記入してください。なお、請求者が母である場合には、寡婦控除及びひとり親控除の額、請求者が父である場合には、ひとり親控除の額は控除しません。

10　㉔の欄の「受給理由」には、次のイからヨまでに該当する事項を選び、その符号を記入してください。

イ　父母が婚姻を解消した。

ロ　父が死亡した。

ハ　父が児童扶養手当法施行令別表第２に定める程度の障害の状態にある。

ニ　父の生死が明らかでない。

ホ　父が引き続き１年以上遺棄している。

ヘ　父が母の申立てにより保護命令を受けた。

ト　父が法令により引き続き１年以上拘禁されている。

チ　母が死亡した。

リ　母が児童扶養手当法施行令別表第２に定める程度の障害の状態にある。

ヌ　母の生死が明らかでない。

ル　母が引き続き１年以上遺棄している。

ヲ　母が父の申立てにより保護命令を受けた。

ワ　母が法令により引き続き１年以上拘禁されている。

カ　母が婚姻によらないで懐胎した。

ヨ　その他

11　㉔の欄の「身体障害者手帳等の名称、障害等級及び番号」には、その児童が障害の状態にあることにより身体障害者手帳又は療育手帳の交付を受けている場合には、その名称、その手帳に記載されている障害等級及び番号を記入してください。

12　㉕の欄は、㉔の欄の「受給理由」にハ又はリと記入した方だけが記入してください。公的年金の種類には、下の「公的年金の種類」から該当する事項を選び、その符号を記入してください。

13　㉕、㉗から㉙までの欄の「受けることができる」とは、現に受けているとき、申請中であるとき又は申請すれば受けとることができる状態にあるときをいいます。

14　㉗、㉘及び㉙の欄は、対象児童又はあなたが公的年金、遺族補償若しくは障害基礎年金等を受けることができるか又はその支給が停止されているときは、下の「公的年金の種類」、「遺族補償の種類」若しくは「障害基礎年金等の種類」から該当する事項を全て選び、その全て符号を記入してください。また、その支給が停止されているときは、その期間も記入してください。なお、「公的年金の種類」と「障害基礎年金等の種類」の両方に該当する給付がある場合にあつては、「障害基礎年金等の種類」からその符号を記入してください。

◎　この届けについて分からないことがありましたら、市役所、区役所又は町村役場の人によく聞いてください。

◎　虚偽の内容を記載した場合には、手当額の全部又は一部の返還のほか、一定の金額の納付を命ぜられ、また、処罰される場合があります。

公的年金の種類	イ　老齢福祉年金 ロ　イ以外の国民年金 ハ　厚生年金保険の年金 ニ　船員保険の年金 ホ　恩給 ヘ　国家公務員共済組合の年金 ト　条例による地方公務員の年金 チ　地方公務員共済組合、地方議会議員共済会、地方団体関係団体職員共済組合又は旧市町村職員共済組合の年金 リ　日本私立学校振興・共済事業団の年金 ヌ　農林漁業団体職員共済組合の年金 ル　国会議員互助年金 ヲ　日本製鉄八幡共済組合の年金 ワ　執行官の恩給 カ　旧令による共済組合等からの年金受給者のために国家公務員共済組合連合会が支給する年金 ヨ　戦傷病者、戦没者遺族の年金又は給与金 タ　未帰還者の留守家族手当又は特別手当 レ　労働者災害補償保険の年金 ソ　国家公務員災害補償制度の年金 ツ　公立学校の学校医、学校歯科医及び学校薬剤師の公務災害補償制度の年金 ネ　地方公務員災害補償制度の年金	障害基礎年金等の種類	ヤ　障害基礎年金 マ　旧国民年金法による障害年金 ケ　旧厚生年金保険法による障害年金 フ　旧船員保険法による障害年金 コ　恩給法による増加恩給、傷病年金及び特例傷病恩給 エ　戦傷病者の障害年金 テ　未帰還者の留守家族手当 ア　労働者災害補償保険の障害補償年金、傷病補償年金、複数事業労働者障害年金、複数事業労働者傷病年金、障害年金及び傷病年金 サ　国家公務員災害補償制度の傷病補償年金及び障害補償年金 キ　公立学校の学校医、学校歯科医及び学校薬剤師の公務災害補償制度の傷病補償年金及び障害補償年金 ユ　地方公務員災害補償制度の傷病補償年金及び障害補償年金（条例による補償でこれらに相当するものを含む。） メ　旧国家公務員等共済組合法による障害年金 ミ　旧地方公務員等共済組合法による障害年金 シ　旧私立学校教職員共済組合法による障害年金 ヱ　国会議員の公務傷病年金 ヒ　執行官の増加恩給 ※　なお、ケ、メ、ミ及びシは障害の程度が一級又は二級に該当する者に支給されるものに限る。
遺族補償の種類	ナ　労働基準法による遺族補償 ラ　国会職員法による災害補償 ム　船員法による遺族手当 ウ　災害救助法による遺族扶助金 ヰ　労働基準法等の施行に伴う政府職員に係る給与の応急措置に関する法律による遺族補償 ノ　警察官の職務に協力援助した者の災害給付に関する法律による遺族給付 オ　海上保安官に協力援助した者等の災害給付に関する法律による遺族給付 ク　証人等の被害についての給付に関する法律による遺族給付		

添付書類（なお、省略できるものがある場合もありますので、市役所、区役所又は町村役場の人に確認してください。）

1　本年の１月２日以降現住所に転入された方は、⑫から㉓までの欄に記入した事項について、前の住所地の市区町村長の証明書を添えて出してください。

2　あなたと対象児童の属する世帯の全員の住民票の写しを添えて出してください。

3　あなたが対象児童と同居していない母のときは、当該児童を監護していることを明らかにすることができる書類を添えて出してください。

4　あなたが対象児童と同居していない父のときは、当該児童を監護し、かつ、これと生計を同じくしていることを明らかにすることができる書類を添えて出してください。

5　あなたが養育者のときは、あなたが対象児童を養育していることを明らかにすることができる書類を添えて出してください。

6　あなたが児童扶養手当法第９条の児童（父と母が、死亡したこと、生死不明であること、法令により引き続き１年以上拘禁されていること又は明らかでないことのいずれかに該当する児童をいう。）の養育者であるときは、次の書類を添えて出してください。

イ　父又は母が死亡しているときは、当該父又は母の戸籍の謄本若しくは抄本又は除かれた戸籍の謄本若しくは抄本（ただし既にその書類を出しているときは必要ありません。）

ロ　父又は母の生死が明らかでないときは、その事実を明らかにすることができる書類

ハ　父又は母が法令により引き続き１年以上拘禁されているときは、その事実を明らかにすることができる書類

ニ　父又は母が明らかでないときは、当該児童の戸籍の謄本又は抄本

7　㉔の欄の「受給理由」にニ、ホ、ト、ヌ、ル又はワと記入した方は、その事実を明らかにすることができる書類を添えて出してください。

8　㉔の欄の「受給理由」にヨと記入した方は、対象児童の戸籍の謄本又は抄本を添えて出してください。

9　このほかの書類も必要になる場合がありますので、詳しいことは市役所、区役所又は町村役場の人に聞いてください。

〔改正〕

全部改正（第79次改正）

様式第七号　削除（第６次改正）

様式第八号（第十条関係）

※※第　　　号	（表　面）			
※経　由 町村名		※市区町村 受付年月日	令和　年　月　日	
※町　村 提　出	令和　年　月　日 第　　号	※町　村 再提出	令和　年　月　日 第　　号	
児童扶養手当証書亡失届				
① （ふりがな） 氏　名		② 証書番号	第　　号	
③ 住　所				
④ 証書を失った日	令和　年　月　日			
⑤ 証書を失ったときの事情				
上記のとおり、児童扶養手当証書を失ったので届け出ます。 令和　年　月　日 氏名 都道府県知事（福祉事務所長） 市町村長（福祉事務所長）　殿				
※※証書作成	令和　年　月　日			

◎　裏面の注意をよく読んでから記入して下さい。※、※※の欄は記入する必要がありません。

◎　字は楷書ではっきり書いて下さい。

（裏　面）

注意

1　証書の番号がわからないときは、市役所、区役所又は町村役場で聞いてください。

2　証書を失つたときは、すぐ、この届書を作成し、住所地の市役所、区役所又は町村役場に提出してください。

〔**改正**〕

全部改正（第５次改正）、一部改正（第７・21・32・36・39・45・49・58・70・73次改正）

様式第九号（第十一条関係）

※※第　　　　号	（表　面）		
※経由町村名		※市区町村受付年月日	令和　　年　　月　　日
※町村提出	令和　　年　　月　　日　第　　号	※町村再提出	令和　　年　　月　　日　第　　号
児童扶養手当資格喪失届			
（ふりがな） 氏名		証書番号	第　　　　号
住所			
受給資格がなくなつた理由	イ　ロ　ハ　ニ ホ　ヘ　ト　チ リ　ヌ　ル　ヲ ワ		
理由が発生した日	令和　　年　　月　　日		

上記のとおり、児童扶養手当を受ける資格がなくなりましたので届け出ます。

令和　　年　　月　　日

氏　名

都道府県知事（福祉事務所長）
市　町　村　長（福祉事務所長）　殿

※※通　　知	令和　　年　　月　　日　　第　　　号
※備考欄	

◎　裏面の注意をよく読んでから記入して下さい。※、※※の欄は記入する必要がありません。
◎　字は楷書ではつきり書いて下さい。

（裏　面）

注　意

1　「受給資格がなくなつた理由」の欄は、次に掲げるところにより該当する文字を○で囲んでください。

イ　手当を受けている人が日本国内に住所を有しなくなつた。

ロ　児童が手当を受けている母に監護されなくなつた。

ハ　児童が手当を受けている父（母が児童を懐胎した当時婚姻の届出をしていないが、その母と事実上婚姻関係と同様の事情にあつた者を含む。以下同じ。）に監護されなくなり、又はこれと生計を同じくしなくなつた。

ニ　児童が手当を受けている母又は父以外の人に養育（同居、監護、生計維持）されなくなつた。

ホ　児童が死亡した。

ヘ　児童が日本国内に住所を有しなくなつた。

ト　児童が18歳に達した日の属する年度が終了した。

チ　18歳に達した日の属する年度が終了した児童であつて児童扶養手当法施行令（以下「令」という。）別表第1に定める程度の障害の状態にあつたものが20歳に達したか、又は同表に定める程度の障害の状態でなくなつた。

リ　母の監護を受けている場合又は養育者の養育を受けている場合において、児童が父と生計を同じくするようになつた。

ヌ　父の監護を受け、かつ、これと生計を同じくしている場合において、児童が母と生計を同じくするようになつた。

ル　母の婚姻（婚姻の届出をしていないが、事実上婚姻関係と同様の事情にある場合を含む。以下同じ。）等により、児童が母の配偶者（婚姻の届出をしていないが、事実上婚姻関係と同様の事情にある者を含む。以下同じ。）に養育されるようになつた。

ヲ　父の婚姻等により、児童が父の配偶者に養育されるようになつた。

ワ　次の(イ)から(チ)までのいずれにも該当しなくなつた。

(イ)　父母が婚姻を解消した児童

(ロ)　父又は母が死亡した児童

(ハ)　父又は母が令別表第2に定める程度の障害の状態にある児童

(ニ)　父又は母の生死が明らかでない児童

(ホ)　父又は母が引き続き1年以上遺棄している児童

(ヘ)　父又は母が法令により引き続き1年以上拘禁されている児童

(ト)　母が婚姻によらないで懐胎した児童

(チ)　(ト)に該当するかどうかが明らかでない児童

2　手当を受けている人が死亡したときは、この届けではなく、戸籍の届出をしなければならない人に、受給者の死亡の届書を出してもらうことになります。

〔改正〕

全部改正（第62次改正）、一部改正（第70・73次改正）

様式第十号（第十二条の四関係）

<table>
<tr><td>※※第　　　　号</td><td colspan="4">（表　　面）</td></tr>
<tr><td colspan="3">※経　　由
町　村　名</td><td colspan="2">※市区町村
受付年月日　　令和　年　月　日</td></tr>
<tr><td colspan="3">※町　　村　令和　年　月　日
提　　出　　　第　　号</td><td colspan="2">※町　　村　令和　年　月　日
再　提　出　　第　　号</td></tr>
<tr><td colspan="5">未支払児童扶養手当請求書</td></tr>
<tr><td rowspan="2">①
死亡者</td><td>（ふりがな）
氏　　名</td><td></td><td>証書番号</td><td>第　　号</td></tr>
<tr><td>住　　所</td><td></td><td>死亡した日</td><td>令和　年　月　日</td></tr>
<tr><td rowspan="3">②
請求者である児童</td><td>（ふりがな）
氏　　名</td><td></td><td rowspan="2">支払希望
金融機関</td><td>名称　｜　口座番号</td></tr>
<tr><td>個人番号</td><td></td><td>□公金受取口座を利用します。</td></tr>
<tr><td>住　　所</td><td colspan="3"></td></tr>
<tr><td>備考</td><td colspan="4"></td></tr>
<tr><td colspan="5">児童扶養手当法に基づき、上記のとおり請求します。

令和　年　月　日

請求者氏名

都道府県知事（福祉事務所長）
市　町　村　長（福祉事務所長）　殿</td></tr>
<tr><td colspan="3">※※資格喪失　令和　年　月　日
通　　知　　第　　号</td><td colspan="2">※※未支払手当
支給通知　　令和　年　月　日</td></tr>
</table>

◎　裏面の注意をよく読んでから記入して下さい。※、※※の欄は記入する必要がありません。

◎　字は楷書ではつきり書いて下さい。

（裏　　面）

注　意

1　②の欄の「支払希望金融機関」の欄は、請求者である児童が未支払の手当の支払を受けるのに最も便利な金融機関を選んで、その正しい名称を記入してください。ただし、公的給付の支給等の迅速かつ確実な実施のための預貯金口座の登録等に関する法律（令和３年法律第38号）第３条第１項、第４条第１項及び第５条第２項の規定による登録に係る口座として、公金受取口座を利用する場合は、「公金受取口座を利用します。」のチェックボックスに「レ」マークを入れ、②の欄の「支払希望金融機関」の欄に記載する必要はありません。

2　請求者である児童に代わつて支払金融機関で未支払の手当を受け取る人があるときは、備考欄にその人の氏名、住所及び請求者である児童との続柄その他の関係を記入し、押印してください。

〔**改正**〕

全部改正（第79次改正）

様式第十一号（第十六条関係）

（表　　面）

第　　　　号 児童扶養手当認定通知書			
受給者氏名		受給者住所	
対象児童氏名	(1)	(4)	
	(2)	(5)	
	(3)	(6)	
対象児童数	人	支給手当月額	円
支給開始年月	令和　　年　　月分から	証書番号	第　　　　号
備考			
令和　　年　　月　　日付けで請求のありました児童扶養手当については、上記のとおり認定しましたので通知します。 令和　　年　　月　　日 都道府県知事（福祉事務所長） 市町村長（福祉事務所長）　印 殿			

◎　裏面の注意をよく読んで下さい。

（裏　　面）

注意

1　児童扶養手当認定通知書を受けた人で全額支給停止でない方の児童扶養手当は児童扶養手当証書に記載されている金融機関の口座に振り込まれることになつています。

2　この認定に不服があるときは、この通知書を受けた日の翌日から起算して３か月以内に、書面で、都道府県知事に対して審査請求をすることができます。

なお、この通知書を受けた日の翌日から起算して３か月以内であつても、この処分の日の翌日から起算して１年を経過したときは、審査請求をすることができません。

3　この通知書を受けた日の翌日から起算して６か月以内に、市町村（都道府県）を被告として（訴訟において市町村（都道府県）を代表する者は市町村長（都道府県知事）となります。）、処分の取消しの訴えを提起することができます。

なお、この通知書を受けた日の翌日から起算して６か月以内であつても、この処分の日の翌日から起算して１年を経過したときは、処分の取消しの訴えを提起することができません。

〔改正〕

一部改正（第２・４・21・32・36・39・49・52・58・64・65・70次改正）、旧様式第11〜13号の２を削り、旧様式第14号を本様式に繰上（第５次改正）

様式第十一号の二（第十六条関係）

（表　紙）

児童扶養手当証書 都道府県知事（福祉事務所長） 市町村長（福祉事務所長）	
有効期限	令和　　年10月31日

（２ページ）

証書番号	
受給者氏名	
生年月日	
住所	
手当月額	円
支給対象児童数	人
支給開始年月	令和　　年　　月
支払金融機関	

令和　　年　　月　　日

都道府県知事（福祉事務所長）
市町村長（福祉事務所長）　印

〔改正〕

全部改正（第49次改正）、一部改正（第58・69・70次改正）

様式第十一号の三（第十六条関係）

（表　　面）

第　　　　　号

児童扶養手当支給停止通知書

受給資格者氏名		証書番号	第　　　号
受給資格者住所			
支給停止の期間	令和　　年　　月分から 令和　　年　　月分まで		
支給停止の金額	円		
備考			

あなたは、児童扶養手当法（第９条、第９条の２、第10条、第11条、第13条の２、第13条の３）の規定により、上記のとおり支給停止となりましたので通知します。

令和　　年　　月　　日

都道府県知事（福祉事務所長）
市 町 村 長（福祉事務所長）　　印

殿

◎　裏面の注意をよく読んで下さい。

（裏　　面）

注意

1　児童扶養手当現況届は毎年８月１日から８月31日までの間に出してください。この期間中に出さないと手当の支払が差し止められることがあります。

2　支給停止中の期間内に、あなたが婚姻（婚姻の届出をしていないが、事実上婚姻関係と同様の事情にある場合を含みます。）を解消した場合、あなたの配偶者が死亡した場合、あなたが扶養義務者（父母、祖父母、子、孫、兄弟姉妹などをいいます。以下同様です。）に扶養されなくなつた場合又はあなたが児童扶養手当法第９条の児童（父と母が、死亡したこと、生死不明であること、法令により引き続き１年以上拘禁されていること又は明らかでないことのいずれかに該当する児童をいいます。）を養育するようになつた場合などには、支給停止が解除されることがあります。

3　児童扶養手当法第13条の２の規定により、手当の一部又は全部を支給停止されている間に、公的年金給付等の受給状況に変更があつた場合には、公的年金給付等受給届にその支給を行う者の証明書を添付して提出する必要があります。

4　児童扶養手当法第13条の３の規定により、手当の一部を支給停止されている間に、次の①から④までのいずれかの事由に該当する場合には、手当の一部支給停止が解除されることがありますので、市役所、区役所又は町村役場の人によく聞いた上で、児童扶養手当一部支給停止適用除外事由届出書に当該事由を明らかにできる書類を添えて提出して下さい。

①　就業、求職活動等の自立を図るための活動をしている。

②　障害の状態にある。

③　負傷、疾病又は要介護状態にあることその他これに類する事由により就業することができない。

④　監護している児童又は親族が障害の状態にあること又は負傷、疾病若しくは要介護状態にあることその他これに類する事由があり、かつ、これらの者を介護する必要があるため就業することができない。

5　この支給停止に不服があるときは、この通知を受けた日の翌日から起算して３か月以内に、書面で、都道府県知事に対して審査請求をすることができます。

なお、この通知書を受けた日の翌日から起算して３か月以内であつても、この処分の日の翌日から起算して１年を経過したときは、審査請求をすることができません。

6　この通知を受けた日の翌日から起算して、６か月以内に、市町村（都道府県）を被告として（訴訟において市町村（都道府県）を代表する者は市町村長（都道府県知事）となります。）、処分の取消しの訴えを提起することができます。

なお、この通知書を受けた日の翌日から起算して６か月以内であつても、この処分の日の翌日から起算して１年を経過したときは、処分の取消しの訴えを提起することができません。

〔改正〕

旧様式第11号の２として追加（第20次改正）、一部改正（第21・24・25・32・36・39・49・52・57・58・62・64・65・70次改正）、本様式に繰下（第32次改正）

様式第十二号（第十七条関係）

第　　　　号 児童扶養手当認定請求却下通知書	
氏　　名	
住　　所	
却下した 理　　由	
令和　　年　　月　　日付けで児童扶養手当認定の請求がありましたが、上記のとおり却下しましたので通知します。 これに不服があるときは、この通知書を受けた日の翌日から起算して３か月以内に、書面で、都道府県知事に対し審査請求をすることができます。 なお、この通知書を受けた日の翌日から起算して３か月以内であつても、この処分の日の翌日から起算して１年を経過したときは、審査請求をすることができません。 また、この通知書を受けた日の翌日から起算して、６か月以内に、市町村（都道府県）を被告として（訴訟において市町村（都道府県）を代表する者は市町村長（都道府県知事）となります。）、処分の取消しの訴えを提起することができます。 なお、この通知書を受けた日の翌日から起算して６か月以内であつても、この処分の日の翌日から起算して１年を経過したときは、処分の取消しの訴えを提起することができません。 令和　　年　　月　　日 都道府県知事（福祉事務所長） 市　町　村　長（福祉事務所長）　　印 殿	

〔**改正**〕

全部改正（第64次改正）、一部改正（第65・70次改正）

様式第十三号（第十八条関係）

第　　　　号

児童扶養手当額改定通知書

受給者	氏　名		証書番号		第　　　　号
	住　所				
新たに対象となる児童名		(1)	(2)		
改定前	対象児童数		改定後	対象児童数	
	手当月額	円		手当月額	円
改定年月		令和　　年　　月から			
備　考					

上記のとおり、児童扶養手当の額を改定しましたので通知します。

令和　　年　　月　　日

都道府県知事（福祉事務所長）
市　町　村　長（福祉事務所長）　　印

殿

注　意

1　これに不服があるときは、この通知書を受けた日の翌日から起算して３か月以内に書面で、都道府県知事に対し審査請求をすることができます。

なお、この通知書を受けた日の翌日から起算して３か月以内であつても、この処分の日の翌日から起算して１年を経過したときは、審査請求をすることができません。

2　この通知書を受けた日の翌日から起算して６か月以内に、市町村（都道府県）を被告として（訴訟において市町村（都道府県）を代表する者は市町村長（都道府県知事）となります。）、処分の取消しの訴えを提起することができます。

なお、この通知書を受けた日の翌日から起算して６か月以内であつても、この処分の日の翌日から起算して１年を経過したときは、処分の取消しの訴えを提起することができません。

〔**改正**〕

全部改正（第64次改正）、一部改正（第65・70次改正）

様式第十四号（第十八条関係）

<table>
<tr><td colspan="4">第　　　　号

児童扶養手当額改定請求却下通知書</td></tr>
<tr><td>請求者
氏　名</td><td></td><td>証書番号</td><td>第　　　　号</td></tr>
<tr><td>請求者
住　所</td><td colspan="3"></td></tr>
<tr><td>却下した
理　　由</td><td colspan="3"></td></tr>
<tr><td colspan="4">令和　　年　　月　　日付けで児童扶養手当額の改定請求がありましたが、上記のとおり却下しましたので通知します。
これに不服があるときは、この通知書を受けた日の翌日から起算して３か月以内に、書面で、都道府県知事に対し審査請求をすることができます。
なお、この通知書を受けた日の翌日から起算して３か月以内であつても、この処分の日の翌日から起算して１年を経過したときは、審査請求をすることができません。
また、この通知書を受けた日の翌日から起算して、６か月以内に、市町村（都道府県）を被告として（訴訟において市町村（都道府県）を代表する者は市町村長（都道府県知事）となります。）、処分の取消しの訴えを提起することができます。
なお、この通知書を受けた日の翌日から起算して６か月以内であつても、この処分の日の翌日から起算して１年を経過したときは、処分の取消しの訴えを提起することができません。
令和　　年　　月　　日
都道府県知事（福祉事務所長）
市　町　村　長（福祉事務所長）　印

殿</td></tr>
</table>

〔**改正**〕

全部改正（第64次改正）、一部改正（第65・70次改正）

様式第十五号（第二十二条関係）

<table>
<tr><td colspan="4">第　　　　号

児童扶養手当資格喪失通知書</td></tr>
<tr><td>氏　　　名</td><td></td><td>証　書
番　号</td><td>第　　　　　号</td></tr>
<tr><td>住　　　所</td><td colspan="3"></td></tr>
<tr><td>受給資格がなくなつた理由</td><td colspan="3"></td></tr>
<tr><td>受給資格がなくなつた日</td><td colspan="3">令和　　年　　月　　日</td></tr>
<tr><td colspan="4">上記のとおり、受給者は児童扶養手当の受給資格がなくなりましたので通知します。
これに不服があるときは、この通知書を受けた日の翌日から起算して３か月以内に、書面で、都道府県知事に対し審査請求をすることができます。
なお、この通知書を受けた日の翌日から起算して３か月以内であつても、この処分の日の翌日から起算して１年を経過したときは、審査請求をすることができません。
また、この通知書を受けた日の翌日から起算して６か月以内に、市町村（都道府県）を被告として（訴訟において市町村（都道府県）を代表する者は市町村長（都道府県知事）となります。）、処分の取消しの訴えを提起することができます。
なお、この通知書を受けた日の翌日から起算して６か月以内であつても、この処分の日の翌日から起算して１年を経過したときは、処分の取消しの訴えを提起することができません。
令和　　年　　月　　日
都道府県知事（福祉事務所長）
市　町　村　長（福祉事務所長）　　印

殿</td></tr>
</table>

〔**改正**〕

全部改正（第64次改正）、一部改正（第65・70次改正）

様式第十六号（第二十八条関係）

（表面）

児童扶養手当受給資格調査員証

第　　　　号

写真

官　職
又は職名

氏　名

生年月日

児童扶養手当法第29条に定める当該職員であることを証する。

年　月　日交付
年　月　日限り有効

都道府県知事（福祉事務所長）
市町村長（福祉事務所長）

印

（裏面）

児童扶養手当法（抄）

（支給の制限）
第14条　手当は、次の各号のいずれかに該当する場合においては、その額の全部又は一部を支給しないことができる。
1　受給資格者が、正当な理由がなくて、第29条第１項の規定による命令に従わず、又は同項の規定による当該職員の質問に応じなかつたとき。
2　受給資格者が、正当な理由がなくて、第29条第２項の規定による命令に従わず、又は同項の規定による当該職員の診断を拒んだとき。
3　受給資格者が、当該児童の監護又は養育を著しく怠つているとき。
4・5　（略）

（調査）
第29条　都道府県知事等は、必要があると認めるときは、受給資格者に対して、受給資格の有無及び手当の額の決定のために必要な事項に関する書類（当該児童の父又は母が支払つた当該児童の養育に必要な費用に関するものを含む。）その他の物件を提出すべきことを命じ、又は当該職員をしてこれらの事項に関し、受給資格者、当該児童その他の関係人に質問させることができる。
2　都道府県知事等は、必要があると認めるときは、受給資格者に対して、第３条第１項若しくは第４条第１項第１号ハに規定する政令で定める程度の障害の状態にあることにより、手当の支給が行われる児童若しくは児童の父若しくは母につき、その指定する医師の診断を受けさせるべきことを命じ、又は当該職員をしてその者の障害の状態を診断させることができる。
3　前２項の規定によつて質問又は診断を行なう当該職員は、その身分を示す証明書を携帯し、かつ、関係人の請求があるときは、これを提示しなければならない。

注意
1　この調査員証は他人に貸与し、又は譲渡してはならない。
2　この調査員証は、有効期間が経過し、又は不要となつたときは、速やかに、返還しなければならない。

1．厚紙その他の材料を用い、使用に十分耐えうるものとする。

2．大きさは、縦54ミリメートル、横86ミリメートルとする。

〔**改正**〕

全部改正（第55次改正）、一部改正（第58・70・76次改正）

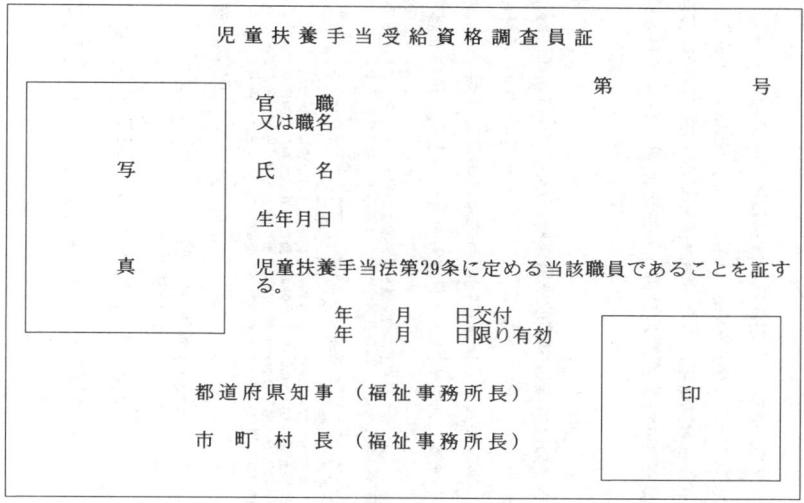

◉既認定者等に交付する児童扶養手当証書の様式を定める内閣府令

〔平成十五年三月二十六日
厚生労働省令第五十二号〕

〔一部改正経過〕

第一次　〔平成一九年九月二五日厚生労働省令第一一二号「郵政民営化法等の施行に伴う厚生労働省関係省令の整理に関する省令」第三六条による改正〕

第二次　〔令和元年五月七日厚生労働省令第一号「元号の表記の整理のための厚生労働省関係省令の一部を改正する省令」第七八条による改正〕

第三次　〔令和元年六月二八日厚生労働省令第二〇号「不正競争防止法等の一部を改正する法律の施行に伴う厚生労働省関係省令の整備に関する省令」第三四条による改正〕

第四次　〔令和五年三月三一日厚生労働省令第四八号「こども家庭庁設置法等の施行に伴う厚生労働省関係省令の整備等に関する省令」第二五条による改正〕

児童扶養手当法（昭和三十六年法律第二百三十八号）第三十二条の規定に基づき、既認定者等に交付する児童扶養手当証書の様式を定める省令を次のように定める。

既認定者等に交付する児童扶養手当証書の様式を定める内閣府令

題名＝改正（第四次改正）

児童扶養手当法の一部を改正する法律（昭和六十年法律第四十八号）附則第五条に規定する既認定者等であって児童扶養手当法（昭和三十六年法律第二百三十八号）に基づく児童扶養手当の支給を受けることができる者に交付する児童扶養手当証書の様式を次のとおり定める。

様式

（表　紙）

児　童　扶　養　手　当　証　書 こ　ど　も　家　庭　庁

（日本産業規格Ａ列６番）

（２ページ）

記号　　第　　号

児　童　扶　養　手　当

受給者 氏　名		生年 月日	昭和 平成　　年　　月　　日

手当月額	支給対象 児童数	支給開始年月	昭和 平成　　年　　月 令和
円	人	改　定　年　月	改　定　理　由
円	人	令和　　年　　月	
円	人	令和　　年　　月	
円	人	令和　　年　　月	
円	人	令和　　年　　月	
円	人	令和　　年　　月	

上記のとおり、児童扶養手当法によって支給します。ただし、支給停止を受けているときは、その期間、支給停止額を控除した金額を支給します。

令和　　年　　月　　日

都道府県知事　　　　　　　　印

（３ページ）

支払金融機関

支払方法	支払金融機関名	口座番号
口座振替 送　　金		
口座振替 送　　金	（令和　　年　　月　　日変更）	
口座振替 送　　金	（令和　　年　　月　　日変更）	
口座振替 送　　金	（令和　　年　　月　　日変更）	

住　　所

〒　　―
〒　　―　（令和　　年　　月　　日変更）
〒　　―　（令和　　年　　月　　日変更）
〒　　―　（令和　　年　　月　　日変更）

記　　事

（4ページ）

支　給　停　止

支給停止額	支給停止期間	支給停止理由
円	令和　　年　　月から 令和　　年　　月まで	
円	令和　　年　　月から 令和　　年　　月まで	
円	令和　　年　　月から 令和　　年　　月まで	
円	令和　　年　　月から 令和　　年　　月まで	
円	令和　　年　　月から 令和　　年　　月まで	
円	令和　　年　　月から 令和　　年　　月まで	
円	令和　　年　　月から 令和　　年　　月まで	

〔改正〕

一部改正（第１～４次改正）、旧様式第１号を削り、旧様式第２号を本様式に変更（第１次改正）

附　則

（施行期日）

1　この省令は、平成十五年四月一日から施行する。

（経過措置）

2　この省令の施行の際現に交付されている児童扶養手当証書は、この省令による児童扶養手当証書とみなす。

附　則（第一次改正）抄

（施行期日）

第一条　この省令は、平成十九年十月一日から施行する。

（既認定者等に交付する児童扶養手当証書の様式を定める省令の一部改正に伴う経過措置）

第十二条　この省令の施行前に交付された第三十六条の規定による改正前の既認定者等に交付する児童扶養手当証書の様式を定める省令の様式による児童扶養手当証書は、同条による改正後の同令の様式によるものとみなす。

2　この省令の施行の際現にある第三十六条の規定による改正前の既認定者等に交付する児童扶養手当証書の様式を定める省令の様式による児童扶養手当証書は、当分の間、これを取り繕って使用することができる。

附　則（第二次改正）抄

（施行期日）

第一条　この省令は、公布の日〔令和元年五月七日〕から施行する。

（経過措置）

第二条　この省令による改正前のそれぞれの省令で定める様式（次項において「旧様式」という。）により使用されている書類は、この省令による改正後のそれぞれの省令で定める様式によるものとみなす。

2　旧様式による用紙については、合理的に必要と認められる範囲内で、当分の間、これを取り繕って使用することができる。

附　則（第三次改正）抄

（施行期日）

第一条　この省令は、不正競争防止法等の一部を改正する法律の施行の日（令和元年七月一日）から施行する。

（様式に関する経過措置）

第二条　この省令の施行の際現にあるこの省令による改正前の様式（次項において「旧様式」という。）により使用されている書類は、この省令による改正後の様式によるものとみなす。

2　この省令の施行の際現にある旧様式による用紙については、当分の間、これを取り繕って使用することができる。

附　則（第四次改正）抄

（施行期日）

第一条　この省令は、令和五年四月一日から施行する。

（様式に関する経過措置）

第二条　この省令の施行の際現にあるこの省令による改正前の様式（次項において「旧様式」という。）により使用されている書類は、この省令による改正後の様式によるものとみなす。

2　この省令の施行の際現にある旧様式による用紙については、当分の間、これを取り繕って使用することができる。

〔告　示〕

◉児童扶養手当法施行令第五条に規定する主たる生業の維持に供するその他の財産

〔昭和三十六年十二月七日　厚生省告示第四百二号〕

児童扶養手当法施行令（昭和三十六年政令第四百五号）第四条に規定する主たる生業の維持に供するその他の財産として次の財産を定める。

機械、器具その他事業の用に供する固定資産（鉱業権、漁業権その他の無形減価償却資産を除く。）

◉児童扶養手当法施行令別表第二第十一号の規定に基づき内閣総理大臣が定める障害の状態

〔昭和六十年七月二十九日　厚生省告示第百二十四号〕

〔一部改正経過〕

第一次　〔平成一二年一二月二八日厚告第四三八号〕
第二次　〔令和五年三月三一日厚労告第一六七号〕

児童扶養手当法施行令（昭和三十六年政令第四百五号）別表第二第十一号の規定により、傷病が治らないで、身体の機能又は精神に、労働することを不能ならしめ、かつ、長期にわたる高度の安静と常時の監視又は介護とを必要とする程度の障害を有するものであつて、厚生大臣が定めるものを次のように定め、昭和三十六年十二月厚生省告示第四百三号（児童扶養手当法別表第二第十一号の規定により、傷病が治らないで、身体の機能又は精神に、労働することを不能ならしめ、かつ、長期にわたる高度の安静と常時の監視又は介護とを必要とする程度の障害を有するものであつて、厚生大臣が定めるものを、定める件）は、昭和六十年七月三十一日限り、廃止する。

児童扶養手当法施行令別表第二第十一号の規定に基づき内閣総理大臣が定める障害の状態

当該障害の原因となつた傷病につき初めて医師の診療を受けた日から起算して一年六月を経過しているもの

前　文（第一次改正）抄

〔前略〕平成十三年一月六日から適用する。

附　則（第二次改正）抄

（適用期日）

第一条　この告示は、令和五年四月一日から適用する。

（経過措置）

第二条　この告示の適用前にこの告示による改正前のそれぞれの告示の規定により厚生労働大臣が行った行為は、この告示の適用後は、この告示による改正後のそれぞれの告示の相当規定により相当の国の機関がした行為とみなす。

〔通　知〕

第一節　総括的共通事項

〔制定及び一部改正法基本通知〕

○児童扶養手当法等の施行について

〔昭和三十六年十二月二十一日　厚生省発児第三二八号
各都道府県知事宛　厚生事務次官通知〕

〔改正経過〕

第一次改正　〔昭和五七年一〇月一日厚生省発児第一八七号〕

児童扶養手当法は、昭和三十六年十一月二十九日法律第二百三十八号として公布され、これに伴う児童扶養手当法施行令（昭和三十六年政令第四百五号）、昭和三十五年分の所得税額に関し児童扶養手当法に基づく児童扶養手当の支給制限の基準となる金額を定める政令（昭和三十六年政令第四百六号）及び児童扶養手当法施行規則（昭和三十六年厚生省令第五十一号）も同年十二月七日公布され、それぞれ昭和三十七年一月一日から施行されることになった。この法律は、これに関する法案が第三十八回通常国会に提案されたところ審議未了となったが、衆議院社会労働委員会で修正可決された内容をそのまとり入れて改めて第三十九回臨時国会に提案され成立したものである。

児童及び母子の福祉を図る施策としては、児童福祉法をはじめ、母子福祉資金の貸付等に関する法律その他種々の制度があるが、この児童扶養手当制度は児童及び母子の福祉を更に増進する制度としてきわめて重要なものと考えられる。

この制度に関し、次にその大綱と特に留意すべき点を示すから、これらにつき十分配慮され、これが運営に遺憾のないよう取り計らわれたく、命によって通達する。

1　立法の趣旨

母子世帯には社会的経済的に困窮している事例が多いことは諸種の統計の示すところであり、母子世帯の母が児童を扶養する努力を経済的に援助する必要があることはいうまでもない。母子世帯の所得保障を図る制度としては、母子福祉年金をはじめ各種の公的年金制度があるが、これらの制度はいずれも夫と死別した母と子の世帯のみを対象としており、夫と離別した母と子の世帯を対象としてはいない。離婚を年金保険事故とすることは不適当であり、また、母子福祉年金は拠出制を前提とする国民年金法の体系の一環として存在するものである。従って夫と離別した母子世帯については、年金による所得保障の途がないということになるが、それでは死別の母子世帯と均衡を欠くこととなる。また、母子世帯以外に、父母の欠けている児童を祖父母、伯叔父、兄姉その他の者が養い育てている事例も少なくない。

この法律は、以上の諸点を考慮し、経済的支柱である父と生計を同じくしていない児童の世帯に手当を支給し、もって児童の福祉の増進を図るために立案されたものであること。

2 支給要件
この手当は、父母が婚姻を解消した後父と生計を異にする児童、父が死亡した児童、父が障害である児童、父が生死不明の児童、父が引き続き一年以上遺棄している児童、父が法令により引き続き一年以上拘禁されている児童、母が婚姻（事実婚を含む。）によらないで懐胎した児童等であって義務教育終了前のものを母が監護している場合及び母がないか若しくは母が監護しないため母以外の者が養育している場合に支給されるが、母若しくは養育者又は児童が公的年金給付若しくは遺族補償（費）を受けることができる場合、児童が里親に委託されている場合、児童が母の配偶者に養育されている場合等には支給されないこと。

以上のように、この制度の支給要件は相当に複雑であるので、別途通達されるところに従い、その認定に遺漏なきを期せられたいこと。

3 所得による支給制限
母若しくは養育者に、前年において十三万円（前年の十二月三十一日に生計を維持した児童一人につき三万円を加算する。）をこえる所得があった場合、母若しくは養育者の配偶者の所得につき、前年において所得税額があった場合又は母若しくは養育者の扶養義務者に前年において標準世帯にして五十万円程度以上の所得があった場合は、その年の五月から翌年の四月までこの手当は支給されないこととされていること。このように、この制度は、低所得階層を対象とするものであるから、その運営に当たっては、この点を十分配慮し、特に所得認定関係の書類の整備及び審査事務の適正な処理について管下市町村を十分に指導されたいこと。

4 手当額、支給期間及び支払期月
(1) 児童扶養手当の額は、児童一人の場合は月八百円、二人の場合は千二百円、三人以上の場合は、千二百円に三人以上の一人につき二百円を加算した額であること。
(2) 支給期間は、受給資格者が認定の請求をした日の属する月の翌月から手当の支給の事由が消滅した日の属する月までであることとする。ただ災害その他やむを得ない理由により請求できなかった場合のみ例外としてさかのぼる取扱いが認められている。この点は支給すべき事由の発生時期を起点とする各種年金保険制度と異なるところであるが、この意味においても、この制度の周知徹底については十分に配慮せられたいこと。
なお、この制度発足の際は、昭和三十七年一月一日に支給要件に該当する者が同年三月三十一日までに認定の請求をすれば同年一月から手当の支給が開始される等の経過措置が認められていること。
(3) 支払期月は、一月、五月及び九月であるが、昭和三十七年においては、三月、五月及び九月であること。

5 事務機構等

(1) 受給資格及び手当の額の認定は都道府県知事が行ない、市町村長は、認定の請求の受理及びその請求に係る事実についての審査、手当の増額改定の認定の請求の受理及びその請求に係る事実についての審査、厚生省令で定める事項の届出等の受理及びその届出に係る事実についての審査並びに児童扶養手当に関する証書の交付に関する事務を行ない、手当の支払に関する事務は郵政大臣が取り扱うこととなっているが、市町村で行なわれるこれらの事務については、その適正な執行がなされるよう十分に指導を行なわれるとともに、都道府県における事務機構の整備を図り、また、管下関係諸機関の相互の連携が密接に行なわれるよう配慮されたいこと。

なお、都道府県におけるこの制度に関する事務は児童福祉主管課（部）において取り扱うようにされたいこと。

(2) 児童扶養手当の事務の執行に要する費用は、おってこれに関する政令が制定されるものであること。

○児童扶養手当法等の施行について

〔昭和三十六年十二月二十一日 児発第一、三五六号
各都道府県知事宛 厚生省児童局長通知〕

児童扶養手当法の施行については、本年十二月二十一日厚生省発児第三一八号各都道府県知事あて厚生事務次官通達「児童扶養手当法等の施行について」によってその大綱が示されたところであるが、同法の施行については、同通達によるほか次の事項に留意してその適正な施行を期せられたい。

なお、この通達においては、児童扶養手当法を「法」と児童扶養手当法施行令を「令」とそれぞれ略称する。

第一 手当の支給要件について

1 積極的支給要件

(1) 法第四条第一項は、児童扶養手当（以下「手当」という。）を支給する積極的要件についての規定であるが、母が児童と同居しないでこれを監護する場合の取扱いについては、おって通達する予定であるのでそれによって処理されたいこと。

(2) 児童福祉施設の長その他の職員は、法第四条第一項の養育者として取り扱わず、また、児童福祉施設（母子寮、保育所及び精神薄弱児通園施設を除く。）に児童福祉法第二十七条第一項第三号の規定によって入所させられている児童及び少年院等に

収容されている児童の母は、当該児童を監護しないものとして取り扱うこと。

(3) 児童のみの世帯等で児童を養育している者が未成年者である場合でも、児童を養育している実態があればこれを養育者として取り扱って差し支えないものであるが、この場合における申請又は支払の手続等については、おって通達する予定であること。

(4) 法第四条第一項各号及び令第一条各号に規定する児童については次の点に留意されたいこと。

イ 父の生死が明らかでない場合とは、次の場合をいうものとすること。

(イ) 沈没した船舶に乗っていた場合その他死亡の原因となるべき危難に遭遇し、その危難が去った後三か月以上生死が明らかでない場合。

(ロ) (イ)以外の場合にあっては、一年以上生死が明らかでないとき。

ロ 父が児童を遺棄している場合とは、父が児童と同居しないで扶養義務及び監護義務をまったく放棄している場合をいうものであること。

ハ 令第一条第五号は、同条第四号に該当するかどうかが明らかでない児童について規定しているが、これは、いわゆる棄児等で母が児童を懐胎した当時の事情が不明である児童をいうものであること。

2 消極的支給要件

(1) 法第四条第二項は、手当を支給しない場合の児童に関する消極的要件についての規定であるが、同項第八号の規定については、児童と母の配偶者とが同一世帯に属している場合は、その者が長期疾病等によって児童の生計を維持していると認め難い特別の事情がある場合を除き、通例は母の配偶者に養育されているものと推定されるものであること。

(2) 法第四条第三項は、手当を支給しない場合の母又は養育者に関する消極的要件について規定したものであるが、母又は養育者がいかなる種類の公的年金給付を受けることができる場合でも手当は支給されないことに留意すること。

3 所得制限について

(1) 法第九条から第十三条までの規定は所得に関する支給の要件に関する規定であって、第九条は手当の請求者、第十条はその配偶者、第十一条及び第十二条はその扶養義務者の所得について、第十三条はこれらの者が災害を受けた場合の措置について、それぞれ規定しているものであり、この制限に該当する場合は、その年の五月から翌年四月までは受給資格がないこととなるものであること。

なお、ここでいう所得とは前年の所得をいうのであるが、五月から翌年四月までを一期間とする関係上一月から四月までの分の手当は前前年の所得によって認定するものであること。

(2) この所得制限の適用にあたっては次の点に留意されたいこ

と。

イ　法第九条第一項において加算の対象となる児童は、法第三条第一項の要件を満たす者であれば手当の支給対象児童でなくともこの対象となり、その数及び生計維持関係は前年又は前前年の十二月三十一日において認定し、その後の異動にかかわらないこと。

ロ　法第九条第二項の所得の範囲及び額の計算方法は、令第三条に規定するものであるが、その具体的内容については、所得税法に規定されているものであること。

ハ　法第十条から十二条までに規定する法第四条の支給要件に該当する者の配偶者、扶養義務者の有無の状況については、その所得に関しては前年又は前前年のものによることになっているが、この場合は現在時点においてその状況を認定するものであること。

ニ　法第十一条及び第十二条の政令で定める金額は、昭和三十五年分の所得税額に関し児童扶養手当法に基づく児童扶養手当の支給の制限の基準となる金額を定める政令（昭和三十六年政令第四百六号）に定められているものであること。

ホ　法第十一条において母と生計を同じくするものかどうかは、住民票その他の公簿の同居の関係によって認定するが、この生計を同じくする者が二人以上ある場合においてもそれらの所得を合算せず、これらのうち、少なくとも一人がこれに該当するかどうかで認定すること。

へ　法第十二条において、養育者の生計を維持したものとは、直接又は間接に養育者の生計費の全部又は大部分を負担していることをいうが、このような者が二人以上ある場合は最も多額の費用を負担している者を生計を維持しているものとすること。

ト　養育者の場合においては、所得制限の関係上手当の請求者が法第四条第一項に規定する生計維持の要件を満たしているかどうかに十分留意すること。

4　認定にあたって留意すべき事項

本制度の特殊性及び手当の支給要件の複雑性にかんがみ、受給資格の認定にあたっては、必要に応じ法第二十九条の調査又は第三十条の資料の提供等を求め、また、簡明な事例を先に処理し、複雑な事例は後で十分審査する等、その適正な認定を期せられたいこと。

第二　その他の事項について

1　未支払の手当

法第十六条は、手当の受給者の死亡した場合の規定であるが、この場合には、法第七条第三項ただし書の規定により、その死亡した日の属する月までの分の手当は、その支払期月でない月であっても支払うものであり、その受給の手続等については、おって通達するものであること。

2　不服の申立て

法第十七条から第二十条までは不服の申立てに関する規定であ

り、その手続については令第五条及び第六条に規定してあるが、法第十八条第一項の審査の請求は、令第六条第一項の規定により、直接厚生大臣に対して行なうこととなっているが、都道府県知事を経由して行なっても差し支えないものであること。なお、この不服の申立てに関しては、その書式については特に定めないので、令第五条第一項各号に定める事項（令第六条第一項において準用する場合を含む。）が記載されていれば足りるものであること。

3　時効

法第二十二条の時効の規定は、手当の支給が受給資格者が請求した日（その請求を市町村（特別区を含む。）において受付けた日）の属する月の翌月から行なわれる関係上、手当の支払を現実に受けることができる日から起算して二年を経過した日に時効が完成するものと解されたいこと。

4　手当の支払の事務

手当の支払の事務は、法第三十二条第一項の規定によって、郵政大臣が取り扱うこととなっており、この支払の事務手続については近く郵政省令が公布される予定であること。手当の支払は、児童扶養手当支払郵便局に児童扶養手当証書を提出してこれを受けることとなり、この支払郵便局は、手当の受給者と同一の都道府県内にある郵便局のうちからあらかじめ指定されるものがこれになる予定であること。

○児童扶養手当法の一部を改正する法律〔第七次改正〕の施行について

〔昭和三十九年六月二十三日　児発第五四七号
各都道府県知事宛　厚生省児童局長通知〕

〔改正経過〕

第一次改正　〔昭和五七年一〇月一日児発第八二四号
第二次改正　〔平成一三年七月三一日雇児発第五〇二号・障発第三三五号

本年五月三十日、国民年金法及び児童扶養手当法の一部を改正する法律（昭和三十九年法律第八十七号）が制定公布され、同日から施行されているところであるが、この法律による児童扶養手当法の改正内容及びその施行に当って留意すべき事項は次のとおりであるので、管内市町村をはじめ関係諸機関、諸団体、住民等への周知徹底を図るとともに、改正法の運用の適正を期することによって、対象児童の福祉の増進に欠けることのないよう御配意を煩らわしたい。

第一　児童の範囲拡大

1　改正の内容

障害の状態にあることによって児童扶養手当法上の児童とされる者の範囲は、従来肢体不自由等のいわゆる外部的障害で障害の状態にある二〇歳未満の者に限られていたのであるが、今回の改正により、いわゆる内部的障害である結核による身体の機能の障害若しくは病状、非結核性疾患による呼吸器の機能の障害又は精神障害（精神病質、神経症及び精神薄弱によるものを除く。）で障害の状態にある二〇歳未満の者も児童となったこと。

この第三条第一項を改正する規定は、附則第一条ただし書の規定により、昭和三十九年八月一日から施行するものとされていること。

(1)　第三条第一項第一号の規定について

第三条第一項第一号の規定は、従前の第三条第一項中の「別表第一号から第八号までに定める程度の障害の状態にある者」という規定と全く同内容、同趣旨のものであること。

(2)　第三条第一項第二号及び第三号の規定について

第三条第一項第二号及び第三号の規定は、同項第四号の規定とともに、児童の範囲を拡大した規定であること。また、同項第二号は、次の三者を規定しているものであること。

ア　結核性疾患による身体の機能の障害で別表第九号に定める程度の障害の状態にある者

イ　結核性疾患による長期にわたる安静を必要とする病状で別表第九号に定める程度の障害の状態にある者

ウ　結核性疾患以外の疾患による呼吸器の機能の障害で別表第九号に定める程度の障害の状態にある者

なお、別表第九号に定める程度の障害の状態とは、「労働することを不能ならしめ、かつ、常時の介護を必要とする程度の状態」であり、第三条第一項第四号に規定する同表第十号に定める程度の障害の状態とは「労働することを不能ならしめ、かつ、常時の監視又は介護を必要とする程度の状態」であること。

(3)　第三条第一項第四号の規定について

第三条第一項第四号の規定は、従前の第三条第一項中の「内科的疾患に基づかない別表第九号に定める程度の障害の状態にある者」という規定とほぼ同趣旨のものであること。

即ち、この従前の規定は、従前の国民年金法別表第一級の第九号の規定と同趣旨同内容のものであって、それは、併合認定、換言すれば、二種以上の異なる障害を重複して有する者につき、その個々の障害によって結果されるいわばその者の部分的な機能の減少に着目するのではなく、それらの総合によってもたらされる全体としての労働機能又は生活機能の減少に着目して、その者の障害を認定するための根拠規定として働いていたのであるが、その趣旨及び併合認定の基礎とすることができる障害の範囲が必ずしも明確でなかったので、第三条第一項第四号の規定は、その趣旨を明確にするとともに、いわゆる併合認定の基礎とすることができる障害等の範囲に同項第二号及び第三号の規定によって、新たに加えられた障害等の種類を加えたものであること。第三条第一項第四号もいわゆる併合認定の基礎とすることができる障害等の範囲を拡大した限りにおいて、同項第二号及び第三号と同様、障害の状態にあることによって本法上の児童とされる者の範囲を拡大したものであること。

2　留意事項

(1)　第三条第一項の改正規定は昭和三十九年八月一日から施行するものとされているので、同項の改正により新たに「児童」となった者にかかる手当の認定又は改定の請求は、昭和三十九年八月一日以後に行なうことができるものであること。即ち、当該「児童」については昭和三十九年九月以降の月分の手当からその支給が開始されるものであること。

(2)　精神障害に係る児童の障害認定診断書は、できる限り精神衛生法第十八条に規定する精神衛生鑑定医により作成されたものとするよう指導すること。

精神衛生鑑定医の診断を受けることが極めて困難な場合にも、精神科の医師による診断書とするよう指導すること。

精神衛生鑑定医に対しては、法の趣旨及び診断書を作成する際には病歴、現症、生活の状況等を詳細に記載するよう十分に周知徹底を図ること。

在宅療養中の精神障害児については、精神衛生鑑定医等の診察を受けることが困難なため、認定又は改定の請求が遅延することも予測されるので、児童相談所の巡回相談の機会を活用しての利便の供与、また、関係機関の協力要請等にも十分留意すること。

なお、以上の取扱いは、今後、精神障害に係る父の障害認定診断書にも準用するものとすること。

第二　支給制限等の緩和

１　改正の内容

(1)　支給対象者本人の所得による支給制限の緩和

ア　地方税法の一部が改正され、道府県民税における老年者等の非課税所得の限度額一八万円が二〇万円に引き上げられたことに伴い、児童扶養手当の支給が制限されることとなる支給対象者本人の所得の基準となる額一八万円も二〇万円に引き上げられたこと。この改正規定は、昭和三十八年以降の年の所得による支給の制限について適用され、昭和三十七年以前の年の所得による支給の制限については、なお、従前の例によるものとされたこと。

イ　第三条第一項の改正に伴い、三万円の加算の対象となる児童の範囲が拡大されたこと。ただし、この改正によって新たに児童とされた者の加算は、昭和三十九年九月以降の月分の手当にかかる支給の制限について適用され、昭和三十九年八月以前の手当にかかる支給の制限については、なお、従前の例によるものとされたこと。（附則第十条第一項）

(2)　扶養義務者の所得による支給制限の緩和等

扶養義務者の所得による支給制限を行なう際の基準となる金額六〇万円が六五万円に引き上げられたこと。

また、支給が制限されることとなる扶養義務者の所得の額及び配偶者の所得の額を政令の定めに譲っていた取扱いを廃止し、所得税法の関係規定等を引用することによって、法律の規定のみにより個々の扶養義務者につき、支給が制限されることとなる具体的な額を算定できることになったこと。したがって、今後は所得税法の基礎控除額、配偶者控除額等が引き上げられれば、配偶者又は扶養義務者の所得による支給制限も、自動的に緩和されることとなったこと。

第十条から第十二条までの改正規定は、昭和三十八年以降の年の所得による支給の制限について適用され、昭和三十七年以前の年の所得による支給の制限については、なお、従前の例によるものとされたこと。（附則第十条第二項）

(3)　災害を受けた際の特例支給に係る手当の返還条件の緩和等

災害を受けた際の特例支給に係る手当の返還に関する規定についても、第九条から第十二条までの改正に応じて、所要の改正が行なわれたこと。

経過規定も支給制限についてのそれに準じていること。（附則第十一条第二項）

２　留意事項

(1)　支給制限に係る改正規定は、昭和三十八年以降の年の所得による支給の制限から適用するものとされているので、所得状況届の処理にあたっては、十分留意すること。また、本人の所得による支給の制限を行なう際の三万円加算の対象となる児童の範囲の拡大は、昭和三十九年九月以降の月分の手当に係る支給の制限につき適用されるので、第三条第一項の規定の改正により対象児童の範囲が拡大されることによって支給の制限が緩和され、手当の支給を受けることができるようになる者については、八月中に認定請求を行なうよう指導されたいこと。

(2) 第九条から第十二条まで又は第十三条第二項の規定を適用するにあたっては、第十三条の二第二項並びに今回の改正法律の附則第十条第二項、同条第三項及び第十一条第三項の規定に留意すること。

(3) 昭和三十九年五月から昭和四十年四月までの月分の手当については、昭和三十八年の配偶者の所得の額（児童扶養手当法施行令第三条に規定する所得につき同第四条の規定により計算した額）が、扶養親族等の有無及び数において次の表に定める金額をこえるときは、手当は支給されないものであること。

扶養親族等の数	○人	一人	二人以上
金額	一〇万八九九九円	二一万二七四九円	二一万二七四九円に扶養親族等のうち一人を除いた扶養親族一人につき五万円を加算した額

(4) 昭和三十九年五月から昭和四十年四月までの月分の手当については、昭和三十八年の所定の扶養義務者の所得の額（児童扶養手当法第三条に規定する所得につき同第四条の規定により計算した額）が、扶養親族等の有無及び数に応じてそれぞれ次の表に定める金額をこえるときは、手当は支給されないものであること。

扶養親族の数	○人	一人	二人	三人	四人	五人	六人	七人	八人以上
金額	三一万二〇〇〇円	三九万六〇〇〇円	四二万六八七五円	四六万五五六二円	五〇万二二五〇円	五三万九九三七円	五七万七六二五円	六一万八一二五円	六一万八一二五円に扶養親族等のうち七人を除いた扶養親族等一人につき四万一八七五円を加算した額

第三　その他の改正

その他今回の法律改正により、第二十条中「第十七条第一項」を「第十七条」に改める改正が行われたこと。

○児童扶養手当法等の一部を改正する法律の施行について

〔昭和四十年六月十四日　児発第四九九号
各都道府県知事宛　厚生省児童家庭局長通知〕

〔改正経過〕

第一次改正　〔昭和五七年一〇月一日児発第八二四号〕

今般、国民年金法等の一部を改正する法律（昭和四十年五月三十一日法律第九十三号）が公布施行され、児童扶養手当及び重度精神薄弱児扶養手当制度の内容の充実が図られることとなり、また、これに伴って児童扶養手当法施行規則の一部を改正する省令（昭和四十年五月三十一日厚生省令第二十五号）及び重度精神薄弱児扶養手当法施行規則の一部を改正する省令（昭和四十年五月三十一日厚生省令第二十六号）もそれぞれ公布施行されたところであるが、今回の改正の趣旨及び内容は次のとおりであるので、この法律の施行にあたっては、その趣旨の普及徹底を図るとともに、事務処理の適確かつ円滑な実施に遺憾のないよういたされたい。

なお、第四十八回通常国会において、所得税法及び法人税法の施行に伴う関係法令の整備等に関する法律（昭和四十年三月三十一日法律第三十六号）及び労働者災害補償保険法の一部を改正する法律（昭和四十年六月十一日法律第百三十号）が制定され、児童扶養手当及び重度精神薄弱児扶養手当について所要の改正が行われたので、あわせて留意されたい。

おって、この通達において、国民年金法等の一部を改正する法律を「改正法」と略称する。

第一　改正の趣旨

今回の改正は、手当額の引上げ、所得による支給制限の緩和等制度の内容の充実を図ることにより、父のない児童又は重度精神薄弱児を監護し、又は養育する世帯の児童の福祉を更に増進させようとする趣旨によるものであること。

第二　児童扶養手当法関係

1　児童の範囲拡大

障害の状態にあることにより児童扶養手当法上の児童とされる者の範囲は、従来精神の障害で障害の状態にある二〇歳未満の者にあっては精神薄弱によるものが除かれていたのを今回、精神薄弱によるものまで拡大したこと。

なお、この改正は、昭和四十年八月一日から施行することとされているので、これにより新たに児童扶養手当法上の児童となる者に係る児童扶養手当の認定又は改定の請求は、同日以後に行なうこととなり、当該児童については、同年九月以降の月分の児童扶養手当からその支給が開始されることに留意されたいこと。

また、精神薄弱に係る児童の障害認定診断書については、従来の精神障害に係る障害認定診断書を使用することとなるので、その取扱いについては従来の例によることとするが、精神衛生鑑定

児童扶養手当法等の一部を改正する法律の施行について

医に対しては、改正法の趣旨を徹底するとともに、診断書の作成にあたっては病歴、現症、生活状況等を詳細に記載するほか、「要注意必要度」及び「日常生活の介助指導、必要度」の欄を十分活用するように周知徹底を図ること。

2 手当額の引上げ

児童扶養手当の月額は、従来児童一人の場合は一〇〇〇円、二人の場合は一七〇〇円、三人以上の場合は一七〇〇円に三人以上の児童一人につき四〇〇円を加算することとされていたのを、一人の場合は一二〇〇円、二人の場合は一九〇〇円、三人以上の場合は一九〇〇円に三人以上の児童一人につき四〇〇円を加算することにそれぞれ引き上げたこと。

3 所得による支給制限の緩和等

(1) 支給対象者本人の所得による支給制限の緩和

支給対象者本人の所得による児童扶養手当の支給制限の限度額を二〇万円から二二万円に、また、その扶養する児童一人あたりの加算額を三万円から四万円にそれぞれ引き上げるとともに、児童の範囲拡大の改正（前記1参照）に伴い、支給対象者本人の所得による支給制限の限度額二二万円に児童一人につき四万円加算されることとなる児童の範囲を拡大したこと。

なお、前者は昭和三十九年以降の所得から、また、後者は昭和四十年九月以降の月分の児童扶養手当に係る支給制限について適用されるので、所得状況届の処理にあたっては、この旨十分留意されたいこと。

(2) 扶養義務者の所得による支給制限の緩和

扶養義務者に扶養親族等がない場合の支給制限の限度額を計算する基準となる額四〇万円を四三万円に引き上げ、また、扶養義務者に扶養親族等が一人ある場合の加算額は、所得税法の配偶者控除額と配偶者がいない場合の第一順位者の扶養控除額との合算した額に相当する額であったのを配偶者控除額に相当する額に引き上げたこと。

なお、この改正は、昭和三十九年以降の年の所得による支給制限について適用され、昭和三十八年以前の年の所得による支給制限については、従前の例によるものとされていること（昭和三十九年の所得による収入金額及び限度額について別表参照。）。

(3) 被災特例に係る児童扶養手当の返還条件の緩和

災害を受けた際の特例により手当を支給された者について、災害を受けた年に所定以上の所得があったことにより手当を返還することとなる場合の所得の限度額を支給対象者本人及び扶養義務者の所得による支給制限の限度額にあわせて緩和したこと。

(4) その他

今回の改正により、国民年金法及び児童扶養手当法の一部を改正する法律（昭和三十九年法律第八十七号）の附則第四項を削ったが、これは扶養義務者の所得による支給制限の限度額について、扶養親族等が一人の場合の額を三九万六〇〇〇円とする経過措置が不要となったため、整理したものであること。

4　施行規則の一部改正

児童扶養手当法施行規則（昭和三十六年厚生省令第五十一号）については、支給対象児童の範囲の拡大及び所得による支給制限の緩和に伴う所要の改正を行なったほか、事務の合理化を図るため、氏名、住所、支払郵便局及び印鑑の変更に係る届出は従来一定の様式（様式第七号）によっていたのを、今回所定の事項を記載した届書の提出をもってすることとし、その様式については、特に定めない取扱いとしたこと。ただし、現にある様式についてはこれを取り繕って使用しても差しつかえないこと。

また、氏名及び住所の変更に係る届書を提出すべき期間については、死亡の届出と同様に一四日以内としたこと。

第三　重度精神薄弱児扶養手当法関係

1　手当額の引上げ

重度精神薄弱児扶養手当（以下「手当」という。）の月額は、従来重度精神薄弱児一人につき一〇〇〇円とされていたのを一二〇〇円に引き上げたこと。

なお、この改正は、昭和四十年九月分の手当から適用されること。（前記第二の2参照）。

2　所得による支給制限の緩和

支給対象者本人及び扶養義務者の所得による手当の支給制限及び被災特例に係る手当の返還条件の緩和については、児童扶養手当の場合と同様であること（前記第二の3の⑴及び⑵参照）。

3　改正法の施行に伴う国民年金法と重度精神薄弱児扶養手当法との調整

改正法附則第十五条の規定は、国民年金の支給の対象となる障害の範囲に精神薄弱がとり入れられたことにより生じた母子年金等と手当との差異を調整するものであること。

調整の内容は、今回の改正によりこれまで手当の支給の要件となっていた重度精神薄弱児が母子年金等の支給の対象又は加算の対象となったため手当が支給されないか又は減額支給されることとなる場合において、改正後の母子年金等を受給額が従前支給されていた額を下廻ることとなる者については、その差額に相当する額を経過的に本手当として支給するものであること。

なお、改正法附則第十五条に係る事務処理については、別途通知するものであること。

第四　所得税法及び法人税法の施行に伴う関係法令の整備等に関する法律関係

所得税法の全部を改正する法律が昭和四十年三月三十一日法律第三十三号をもって公布、同年四月一日より施行されたが、これに伴って児童扶養手当法及び重度精神薄弱児扶養手当法の関係条文を整理する必要があるので、所要の改正を行なったものであること。

第五　労働者災害補償保険法の一部を改正する法律関係

労働者災害補償保険法の一部を改正する法律が施行され労働者災害補償保険法の遺族補償費等の保険給付が年金化されるに伴い、同法の年金たる保険給付を児童扶養手当法及び重度精神薄弱児扶養手

児童扶養手当法等の一部を改正する法律の施行について

当法において公的年金給付として取り扱うこととし、従来の六年間不支給の措置を廃止したこと。ただし、労働者災害補償保険法の一部改正による児童扶養手当法等の改正規定の施行の際、現に児童扶養手当等の支給を受けている者であって、この改正により障害補償年金又は長期傷病補償給付たる年金を受けることになる者については、引き続き児童扶養手当等を支給することとしたこと。

なお、この改正は、労働者災害補償保険法の保険給付が年金化される昭和四十一年二月一日から施行されること。

第六　制度の趣旨徹底

児童扶養手当及び重度精神薄弱児扶養手当制度については、制度発足後日が浅い関係もあり、手当を受けられるにもかかわらず請求をしない等制度の趣旨が十分活かされていない向もみうけられるので、請求もれのないように今回の法改正にあたり制度の趣旨徹底について なお、格段の努力を煩わしたい。

別　表

昭和39年の所得による扶養義務者の所得制限

		収　入　金　額	限　度　額
扶養親族等の数	0人	430,000円	331,250円
	1人	538,800	429,170
	2人	583,200	469,130
	3人	627,600	509,090
	4人	672,000	549,050
	5人	716,400	589,010
	6人	760,800	630,052
	7人	805,200	671,122
	8人	849,600	714,600
	9人以上	略	略

○児童扶養手当法の一部を改正する法律、重度精神薄弱児（特別児童）扶養手当法の一部を改正する法律等の施行について

〔昭和四十一年八月十一日　児発第四九五号〕
〔各都道府県知事宛　厚生省児童家庭局長通知〕

〔改正経過〕

第一次改正　〔昭和五七年一〇月一日児発第八二四号〕

今般、児童扶養手当法の一部を改正する法律（昭和四十一年七月十五日法律第百二十七号）及び重度精神薄弱児扶養手当法の一部を改正する法律（昭和四十一年七月十五日法律第百二十八号）が公布され、関係政令の一部を改正する政令とともに施行されることとなったが、今回の改正の要旨及び内容は次のとおりであるので、その施行にあたってはその趣旨の普及徹底を図られたい。とくに今回、新たに支給対象児童の範囲が拡大されることとなった特別児童扶養手当制度については、新たに支給対象児童となった身体に重度の障害を有する児童の父母等に対して都道府県、市町村の広報活動を中心に、手当支給の対象となる児童の範囲を具体的に教示する等本制度の趣旨を周知せしめ、本制度を知らないために手当の支給が受けられない者のないよう格段の配意をされたい。さらに、昭和三十八年七月五日児発第七〇二号本職通知「身体障害児童の登録管理、指導について」により指示した身体障害児の登録管理を十分に活用し、手当の支給対象児童の把握につとめられたい。

なお、第五十一回通常国会において、これらの改正法の制定と並行して、国家公務員災害補償法の一部を改正する法律（昭和四十一年五月九日法律第六十七号）及び執行官法（昭和四十一年七月一日法律第百十一号）が制定され、児童扶養手当法及び重度精神薄弱児扶養手当法について所要の改正が行なわれ、さらに非常勤消防団員等に係る損害補償の基準を定める政令及び消防団員等公務災害補償等共済基金法施行令の一部を改正する政令（昭和四十一年四月四日政令第百八号）の制定に伴い、両手当法に基づく給付と、消防組織法（昭和二十二年法律第二百二十六号）、消防法（昭和二十三年法律第百八十六号）又は水防法（昭和二十四年法律第百九十三号）に基づく給付との調整につき所要の改正が行なわれたので、これが取扱いについてもあわせて留意し、所要の事務の的確かつ円滑な遂行を図られたい。

第一　児童扶養手当法の一部を改正する法律について

1　改正の趣旨

今回の改正は、手当額の引上げ、所得による支給制限の緩和等制度の内容の充実を図ることにより、父のない児童等の福祉に寄与させる趣旨によるものである。

2　改正の内容

(1)　手当額の引上げ

児童扶養手当の月額は、従来、児童一人の場合は一二〇〇円、二人の場合は一九〇〇円、三人以上の場合は一九〇〇円に三人以上の児童一人につき四〇〇円を加算することとされてい

たが、これが、児童一人の場合は一四〇〇円、二人の場合は二一〇〇円、三人以上の場合は二一〇〇円に三人以上の児童一人につき四〇〇円を加算することに改められたものである。（法第五条の改正）

なお、この手当額の引上げは昭和四十二年一月以降の月分の手当から適用されるものであり、昭和四十一年十二月以前の月分の手当額は従前どおりであるので留意されたい。（改正法附則第二条）

(2) 所得による支給制限の緩和等

ア 支給要件該当者本人の所得による支給制限の緩和、支給要件該当者本人の所得による手当の支給制限の限度額は、従来二二万円にその扶養する児童一人あたり四万円を加算した額であったものが、二四万円にその扶養する児童一人あたり四万円を加算した額に改められたものである。（法第九条の改正）

イ 支給要件該当者の配偶者及び扶養義務者の所得による支給制限の緩和

支給要件該当者の扶養義務者に扶養親族等がない場合の支給制限の限度額を計算する際の基準額が四三万円から四九万円に引きあげられ、あわせて、従来、扶養義務者の所得による支給制限よりも、条件の厳しかった支給要件該当者の配偶者の所得による支給制限が扶養義務者のそれと同じにまで緩和された。（法第十条及び第十一条の改正）

なお、扶養親族が一名以上ある場合の支給制限の限度額も扶養親族がない場合の基準額の改正の結果、同様に改正されたものであるが、それらについては、別表を参照されたい。

ウ 被災特例に係る手当の返還条件の緩和

被災特例により手当の支給を受けた者又はその者の配偶者若しくは扶養義務者に、災害を受けた年に所定以上の所得があったことにより手当に相当する金額を返還することとなる場合の所得の限度額が、所得による手当の支給制限の緩和と全く同様に緩和された。（法第十二条の改正）

なお、ア、イ及びウの支給制限の緩和及び手当に相当する金額の返還条件の緩和の規定は昭和四十年以降の年の所得について適用され、昭和三十九年以前の年の所得については従前どおりの支給制限等が適用されるものであるので留意されたい。（改正法附則第三条第二項）

(3) 支給対象児童の範囲の拡大

二〇歳未満であって障害の状態にあることにより児童扶養手当法上の児童とされる者の範囲が従来は障害の原因たる障害又は疾病の種類により限定されていたが、今回あらゆる種類の障害又は疾病にまで拡大されたことにより、児童扶養手当法上、児童とされる者の範囲が拡大された。（法第三条の改正）

なお、この支給対象児童の範囲の拡大は昭和四十一年十二月一日から実施されるものであるが、その結果として法第九条（手当の支給の制限に関する規定）及び法第十二条第二項（手当の支給を受けた被災者が手当に相当する金額を返還すべき場合に関する規定）の規定の適用に際して、当該支給要件該当者等の年間所得からの控除の対象とされる児童の範囲が拡大されることとなる。（改正法附則第三条第一項）。ただし、法第九条及び法第十二条第二項の規定についての法第三条の改正規定の適用は昭和四十二年一月以降とされたので留意されたい。

第二　重度精神薄弱児扶養手当法の一部を改正する法律について

1　改正の趣旨

重度精神薄弱児扶養手当制度は、昭和三十九年九月一日に発足し、昨年の改正によりその内容の改善をみたところであるが、今回さらに、重度精神薄弱児と同様の状態にある身体に重度の障害を有する児童に、新たに手当を支給することとし、かつ、手当額の引上げ及び所得による支給制限の緩和を行なうことにより、これら児童の福祉の向上を図る趣旨によるものである。

2　改正の内容

(1)　法律の題名等の改正

今回新たに身体に重度の障害を有する児童についても手当を支給することとされたことを勘案し、従来の重度精神薄弱児及び身体に重度の障害を有する児童を本法上の児童と総称し、法律の題名を特別児童扶養手当法と改め、手当の名称を特別児童扶養手当と改めることとされた。

なお、法律の題名等の改正の実施は昭和四十一年八月一日からであるが、手当の名称が特別児童扶養手当となるのは昭和四十一年九月分の手当からである。（改正法附則第一条）

(2)　身体に重度の障害を有する児童に対する手当の支給

従来の重度精神薄弱児に加えて、身体に重度の障害を有する児童に対しても、新たに同額の手当を支給することとされた。（法第三条）

身体に重度の障害を有する児童に対する手当の支給に関する規定は昭和四十一年八月一日から施行されるので、これにより新たに特別児童扶養手当法上の児童となる者に係る特別児童扶養手当の受給資格等の認定又は手当の額の改定の請求は同日以降に行なわれることとなり、同年九月以降の月分の手当からその支給が開始され、又は手当額が改定されるものである。（改正法附則第一条）

なお、身体に重度の障害を有する児童に係る認定請求書の添附書類として従来のもののうち精神薄弱の状態に関する医師の診断書に替えて身体障害の状態に関する医師又は歯科医師の診断書が要求されることとなったので留意されたい。

(3)　手当額の引上げ

手当の月額は、従来、一二〇〇円に支給対象児童の数を乗じて得た額とされていたが、これが、一四〇〇円に支給対象児童の数を乗じて得た額に改められた。（法第五条の改正）

なお、この手当額の引上げは昭和四十二年一月以降の月分の手当から適用されるものであり、昭和四十一年十二月以前の月分の手当額は従前どおりであるので留意されたい。（改正法附則第二条）

(4)　所得による支給制限の緩和

児童扶養手当法の一部を改正する法律、重度精神薄弱児〔特別児童〕扶養手当法の一部を改正する法律等の施行について

支給要件該当者本人、その配偶者又は扶養義務者の所得による手当の支給制限の緩和及び被災特例に係る手当に相当する金額の返還条件の緩和については、児童扶養手当の場合と全く同様の改正が行なわれた。（法第七条、第九条、第十条及び第十二条の改正）（前記第一の2の(2)参照）

第三　国家公務員災害補償法の一部を改正する法律関係

国家公務員災害補償法の一部を改正する法律が昭和四十一年七月一日から施行され、国家公務員災害補償法（昭和二十六年法律第百九十一号）に基づく遺族補償費等の給付が年金化されることに伴い、同法の年金たる給付を児童扶養手当法および特別児童扶養手当法（昭和四十一年八月一日前にあっては重度精神薄弱児扶養手当法）において公的年金給付として取り扱うこととし、従来の六年間不支給の措置は廃止された。ただし、昭和四十一年七月一日現在、現に児童扶養手当又は重度精神薄弱児扶養手当の支給を受けている者であって、この改正により国家公務員災害補償法の一部を改正する法律附則第三条の規定により従来の第一種障害補償に替えて障害補償年金の支給を受けることとなる者については、その者が当該児童を引き続き監護し、又は養育している間は、引続き児童扶養手当又は重度精神薄弱児扶養手当を支給することとされた。

この改正によりこれまで国家公務員災害補償法に基づく遺族補償費の給付を受けることができる場合当該給付の事由が発生してから六年を経過していないために却下された申請は、昭和四十一年七月一日からその却下事由が消滅したこととなるので、改めて申請させるよう指導されたい。

第四　執行官法関係

執行官法が昭和四十一年七月一日公布され、同法の施行とともに、従来の執達吏規則（明治二十三年法律第五十一号）が廃止されることにともない、児童扶養手当法第三条第二項第十二号及び特別児童扶養手当法第三条第二項第十二号の執達吏規則を執行官法に改めることとされた。

なお、従来の執達吏規則に基づく年金たる給付は児童扶養手当法又は特別児童扶養手当法の適用については、執行官法に基づく年金たる給付とみなされるので、この取扱いについては従来どおりで差しつかえない。

おって執行官法は公布の日から起算して六月をこえない範囲内において施行されるものである。

第五　非常勤消防団員等に係る損害補償の基準を定める政令及び消防団員等公務災害補償等共済基金法施行令の一部を改正する政令関係

前記の政令の制定により消防組織法（昭和二十二年法律第二百二十六号）、消防法（昭和二十三年法律第百八十六号）又は水防法（昭和二十四年法律第百九十三号）に基づく遺族補償費等の給付が年金化されたが、当該年金化が政令により行なわれた関係上、前述の国家公務員災害補償法の場合とは異なり、当分の間、公的年金給付として取り扱わないこととされ、かつ、これら三法に基づく給付を受けることができる場合の手当を六年間支給しな

い措置は国家公務員災害補償法の場合と同様に廃止されたので、児童扶養手当又は特別児童扶養手当（昭和四十一年八月以前の月分にあっては重度精神薄弱児扶養手当）とこれらの法律に基づく年金たる給付は、当分の間、併給されることとなったので、これが取扱いについては十分留意されたい。

なお、当該併給にあたっては、当該年金たる給付の支給の際、自治省令で定める場合に応じ、自治省令で定める額を差し引いた額を支給することとされているので、受給者の側からすれば、結果として国家公務員災害補償法の場合と同様の取り扱いを受けたこととなるものである。

おって、本政令は昭和四十一年四月一日から適用されるものである。

別　表

配偶者及び扶養義務者の昭和40年の所得による支給制限の基準額及び限度額

扶養親族等の数	基準額（収入金額）	限度額
人	円	円
0	490,000	371,563
1	607,500	474,500
2	660,000	521,750
3	712,500	569,000
4	765,000	617,500
5	817,500	670,000
6	870,000	722,500
7	922,500	775,000
8	975,000	827,500
9人以上	略	略

○児童扶養手当法施行令及び特別児童扶養手当法施行令の一部を改正する政令等の施行について

〔昭和四十三年七月四日　児発第四三〇号
各都道府県知事宛　厚生省児童家庭局長通知〕

今般、児童扶養手当法施行令及び特別児童扶養手当法施行令の一部を改正する政令及び児童扶養手当法施行規則及び特別児童扶養手当法施行規則の一部を改正する省令が、昭和四十三年七月四日政令第二百二十九号、厚生省令第二十八号としてそれぞれ公布、即日施行されたところであるが、改正の内容は次のとおりであるので、ご了知のうえ、所要の事務処理に遺憾なきを期せられたい。

また、今回の改正に伴う都道府県及び市町村の事務取扱準則の改正については別途通知するので参照されたい。

なお、この通知において、児童扶養手当法施行令及び特別児童扶養手当法施行令の一部を改正する政令による改正後の児童扶養手当法施行令を「令」と、児童扶養手当法施行令及び特別扶養手当法施行令の一部を改正する政令を「改正政令」と、児童扶養手当法施行規則及び特別児童扶養手当法施行規則の一部を改正する省令を「改正省令」とそれぞれ略称する。

第一　児童扶養手当法施行令に関する事項

1　児童扶養手当の支給を制限する場合の所得の額の計算方法に関する改正事項

(1)　手当の支給を受けようとする者等の配偶者又は扶養義務者（以下「配偶者等」という。）の所得につき、道府県民税に係る総所得金額等から社会保険料控除及び生命保険料控除相当額として控除する額を三万円から五万円としたこと（令第四条第一項）。

(2)　地方税法に規定する小規模企業共済掛金控除を受けた配偶者等については、その所得から当該控除額に相当する額を控除することとしたこと（令第四条第二項第五号）。

(3)　肉用牛の売却による農業所得につき地方税法の規定により個人の道府県民税の所得割が免除された配偶者等については、その者の所得から当該免除に係る所得の額を控除することとしたこと（令第四条第二項第七号）。

2　その他の改正事項

(1)　同一都道府県の区域内における手当の受給者の住所の変更及び支払郵便局の変更に伴う児童扶養手当証書の記載事項の訂正に関する事務を市町村長に行なわせることとしたこと（令第六条第五号）。

(2)　その他地方税法の改正により、青色事業専従者控除及び事業専従者控除の限度額が引き上げられたこと等に伴い、必要な条文の整理を行なったこと（令第四条第二項第二号、第三号、第六号及び第八号）。

第二　特別児童扶養手当法施行令に関する事項

1　同一都道府県の区域内における住所の変更及び支払郵便局の変更に伴う特別児童扶養手当証書の記載事項の訂正に関する事務を市町村長に行なわせることとしたこと（特別児童扶養手当法施行令第四条第五号の改正）。

2　前記第一の1及び2の(2)の改正事項については、特別児童扶養手当法施行令第二条の規定により、特別児童扶養手当の所得による支給制限等の場合の所得の算定についても同様に適用されることとなるので留意されたいこと。

第三　施行期日

改正政令は公布の日から施行し、改正後の政令の規定は、昭和四十二年以降の年の所得による支給の制限等から適用されるものであること（改正政令附則）。

第四　児童扶養手当法施行規則及び特別児童扶養手当法施行規則に関する事項

1　国民年金法等の一部を改正する法律（昭和四十三年法律第六十九号）による児童扶養手当法及び特別児童扶養手当法の改正並びに政令改正に伴い、児童扶養手当及び特別児童扶養手当の所得状況届に関する所要の改正を行なったこと（児童扶養手当法施行規則第一条第二項、同様式第三号及び特別児童扶養手当法施行規則第一条第二項、同様式第三号の改正）。

2　同一都道府県の区域内における住所及び支払郵便局の変更による証書の訂正事務を市町村長に行なわせることとしたことに伴い所要の条文整理を行なったこと（児童扶養手当法施行規則第十五条第二項及び第三項並びに特別児童扶養手当法施行規則第十六条第二項及び第三項の改正）。

3　改正省令は公布の日から施行されるものであるが、昭和四十一年以前の年の所得に係る児童扶養手当所得状況届及び特別児童扶養手当所得状況届については、従前の例によるので留意されたいこと（改正省令附則）。

なお、改正省令施行の際現にある従前の児童扶養手当所得状況届及び特別児童扶養手当所得状況届については、これをとりつくろって使用して差し支えないものであること。

○児童扶養手当法施行令の一部を改正する政令等の施行について

〔昭和四十四年八月二十七日　児発第五九九号〕
〔各都道府県知事宛　厚生省児童家庭局長通知〕

今般、「児童扶養手当法施行令の一部を改正する政令」及び「児童扶養手当法施行規則及び特別児童扶養手当法施行規則の一部を改正する省令」が、昭和四十四年八月二十五日政令第二百三十号、厚生省令第二十六号としてそれぞれ公布、即日施行されたところであるが、改正の内容は次のとおりであるので、ご了知のうえ、所要の事務処理に遺憾なきを期せられたい。

なお、この通知において、児童扶養手当法施行令の一部を改正する政令による改正後の児童扶養手当法施行令を「令」と、児童扶養手当法施行令の一部を改正する政令を「改正政令」と、児童扶養手当法施行規則及び特別児童扶養手当法施行規則の一部を改正する省令を「改正省令」とそれぞれ略称する。

第一　児童扶養手当法施行令に関する事項

1　児童扶養手当の支給を制限する場合の所得の額の計算方法に関する改正事項

(1)　手当の支給を受けようとする者等の配偶者又は扶養義務者（以下「配偶者等」という。）の所得につき、道府県民税に係る総所得金額等から社会保険料控除及び生命保険料控除相当額として控除する額を五万円から六万円としたこと（令第四条第一項かっこ書）。

(2)　地方税法に規定する障害者控除、老年者控除、寡婦控除又は勤労学生控除を受けた配偶者等については、控除する額を七万五〇〇〇円から八万円（特別障害者については一二万円）としたこと（令第四条第二項第三号）。

(3)　手当の支給要件に該当する母若しくは養育者又は配偶者等の所得につき地方税法に規定する青色事業専従者又は事業専従者を有する場合に前年の所得から一定額を控除する措置は、第六十一国会における地方税法の一部改正により所得税法と地方税法の間に控除の額について差がなくなったことに伴い必要でなくなったので、廃止することとしたこと。

(4)　その他所要の条文整理を行なったこと（令第四条第二項第四号及び第三項）。

2　施行期日

改正政令は公布の日から施行し、昭和四十三年以降の年の所得による児童扶養手当の支給の制限から適用するものであること。

3　その他

この改正は、特別児童扶養手当法施行令第二条の規定により、特別児童扶養手当についても適用されるので、念のため申し添える。

第二　児童扶養手当法施行規則及び特別児童扶養手当法施行規則に関する事項

1　児童扶養手当法施行令の一部改正に伴い、必要な条文整理並びに児童扶養手当及び特別児童扶養手当の現況届所得状況届に関する所要の改正を行なったこと（児童扶養手当法施行規則第一条第二項、同様式第三号及び特別児童扶養手当法施行規則第一条第二項、同様式第三号の改正）。

2　改正省令は、公布の日から施行されるものであるが、昭和四十二年以前の年の所得に係る児童扶養手当現況届及び特別児童扶養手当所得状況届については、従前の例によるので留意されたいこと（改正省令附則）。

なお、改正省令施行の際現にある従前の児童扶養手当現況届及び特別児童扶養手当所得状況届の用紙についてはこれを取り繕って使用して差し支えないものであること。

○児童扶養手当法施行令の一部を改正する政令等の施行について

〔昭和四十六年十一月五日　児企第四七号
各都道府県民生主管部(局)長宛　厚生省児童家庭局企画課長通知〕

今般、別添のとおり、昭和四十六年九月十七日付けで、児童扶養手当法施行令の一部を改正する政令が、また、昭和四十六年十一月五日付けで、児童扶養手当法に基づき都道府県及び市町村に交付する事務費に関する政令及び特別児童扶養手当法に基づき都道府県及び市町村に交付する事務費に関する政令の一部を改正する政令がそれぞれ公布、即日施行されたので通知する。

なお、児童扶養手当法施行令の一部を改正する政令は、地方税法等の一部を改正する法律（昭和四十四年法律第十六号）により、昭和四十五年から昭和五十年までの間における土地等の譲渡所得に対する課税について特例措置が講じられたことに伴い、手当の支給制限にかかる所得額の計算方法の規定について必要な条文整理を行なったものである。

おって、当該政令は昭和四十六年以降の所得額の算定について適用されるものであるから念のため申し添える。

別添　略

○児童扶養手当法等の一部改正について

〔昭和四十七年六月二十六日　児発第三九八号
各都道府県知事宛　厚生省児童家庭局長通知〕

今般、「国民年金法等の一部を改正する法律」が昭和四十七年六月二十三日法律第九十七号として公布され、同法により児童扶養手当法及び特別児童扶養手当法の一部が改正され、また、「児童扶養手当法施行令及び特別児童扶養手当法施行令の一部を改正する政令」が昭和四十七年六月二十六日政令第二百三十八号として公布施行された。

前記各法令の改正の内容は次のとおりであるので、ご了知のうえ所要の事務処理に遺憾のないようにされたい。

第一　児童扶養手当法及び特別児童扶養手当法の一部改正

1　児童扶養手当法に関する事項

(1)　手当額の引上げ

児童扶養手当の額を、昭和四十七年十月分から、引き上げて、これまでの児童一人の場合月額二九〇〇円を月額四三〇〇円とし、加算額については二人以降の児童一人につき四〇〇円を加算した額とすること。

(2)　所得制限の改善

児童扶養手当の受給者の配偶者又は扶養義務者の所得による支給の制限を大巾に緩和するため、その限度額を、昭和四十七年五月分の児童扶養手当から、受給者本人の所得により支給を制限する場合の限度額と別立てとすること。

2　特別児童扶養手当に関する事項

(1)　手当額の引上げ

特別児童扶養手当の額を、昭和四十七年十月分から、児童一人につき月額二九〇〇円から児童一人につき月額四三〇〇円に引き上げること。

(2)　所得制限の改善

児童扶養手当と同様の改正を行なうこと。

(3)　障害範囲の拡大

特別児童扶養手当の支給対象児童の障害の範囲に、従来含まれていなかった心機能障害、結核性疾患、腎臓疾患、血液疾患、肝臓疾患等のいわゆる内部障害、精神分裂症、てんかん、そううつ症等の精神障害及び身体障害と精神障害の併合障害等を昭和四十七年十月一日から含めることとすること。

なお、障害範囲の拡大による新たに支給対象児童となった者を昭和四十七年十月一日において現に監護し、又は養育している者が同月中に認定の請求をし、認定を受けた場合には同月分の特別児童扶養手当から支給することとすること。

第二　児童扶養手当法施行令及び特別児童扶養手当法施行令の一部改正

1　児童扶養手当法施行令に関する事項

(1)　所得制限の限度額の引上げ

児童扶養手当の受給者本人並びに受給者の配偶者及び扶養義

務者の所得により支給を制限する場合の限度額をそれぞれ引き上げ、次の表のとおりとすること。

所得制限の区別	扶養親族等及び児童の数	金額
受給者本人の所得制限	〇人	九九五、七五〇円
	一人以上	九九五、七五〇円に扶養親族等又は児童一人につき一三五、〇〇〇円を加算した額
配偶者及び扶養義務者の所得制限	〇人	一、三二三、六二五円
	一人	一、五一八、六二五円
	二人以上	一、五一八、六二五円に扶養親族等のうち一人を除いた扶養親族等一人につき一三五、〇〇〇円を加算した額

(2) 所得の額の計算方法の改善

児童扶養手当の受給者本人又は受給者の配偶者若しくは扶養義務者の所得の算定にあたり、地方税法に規定する障害者控除、老年者控除、寡婦控除又は勤労学生控除を受けた者について、道府県民税に係る総所得金額から控除する額を一〇万円から一一万五〇〇〇円（特別障害者については、一四万円から一五万五〇〇〇円）に引き上げるとともに、地方税法の改正に伴い、心身障害者扶養保険の掛金についてその全額を道府県民税に係る総所得金額から控除することとすること。

なお、(1)(2)の改正は昭和四十六年以降の所得による児童扶養手当の支給の制限から行なうこと。

2 特別児童扶養手当法施行令に関する事項

児童扶養手当と同様の改善を行なうため所要の条文整理を行なうこと。

○児童扶養手当法施行令の一部改正について

〔昭和四十八年五月十日　児発第二九八号
各都道府県知事宛　厚生省児童家庭局長通知〕

児童扶養手当法施行令の一部を改正する政令が昭和四十八年四月二十八日政令第百二十号をもって公布され、同年五月一日から施行されたが、本改正の要点及び留意を要する事項は次のとおりであるので、ご了知のうえ、遺憾のないように運用されたい。

1　所得による支給制限の限度額の引上げ

(1)　児童扶養手当の受給者本人並びに受給者の配偶者及び扶養義務者の所得により支給を制限する場合の限度額をそれぞれ引き上げ、次の表のとおりとすること。

所得制限の区別	扶養親族等及び児童の数	金額
受給者本人の所得制限	○人	一、二○四、七○○円
	一人以上	一、二○四、七○○円に扶養親族等又は児童一人につき一四○、○○○円（当該扶養親族等が所得税法（昭和四十年法律第三十三号）に規定する老人扶養親族であるときは、当該老人扶養親族一人につき一六○、○○○円）を加算した額
受給者の配偶者及び扶養義務者の所得制限	○人	四、七一○、○○○円
	一人	四、九一○、○○○円
	二人以上	四、九一○、○○○円に扶養親族等のうち一人を除いた扶養親族等一人につき一四○、○○○円を加算した額（所得税法に規定する老人扶養親族があるときは、その額に当該老人扶養親族一人につき（当該老人扶養親族のほかに扶養親族等がないときは、当該老人扶養親族のうち一人を除いた老人扶養親族一人につき）二○、○○○円を加算した額）

(2)　(1)の表のとおり、所得税法に規定する老人扶養親族がある者については、限度額に特例が設けられたので、これに伴い、おって、児童扶養手当法施行規則及び特別児童扶養手当法施行規則の改正を行なう予定であるが、それまでの間、とりあえず、前記省令に規定する児童扶養手当（特別児童扶養手当）認定請求書又は児童扶養手当（特別児童扶養手当）現況届所得状況届を提出する者などが、老人扶養親族を有する場合には、これらの様式の「控除対象配偶者及び扶養親族の合計数」の欄に、老人扶養親族の数をカッコ書きで内数として記載するよう指導されたいこと。

2　控除額の引上げ

所得の額の計算にあたり、地方税法に規定する障害者控除、老年者控除、寡婦控除又は勤労学生控除を受けた者について、道府県民税に係る総所得金額から控除する額を、一二万円（特別障害者については、一六万円）に引き上げること。

○児童扶養手当法及び特別児童扶養手当法の一部を改正する法律等の施行について

〔昭和四十八年九月二十八日　児発第七二七号〕
〔各都道府県知事宛　厚生省児童家庭局長通知〕

〔改正経過〕
第一次改正　〔昭和五七年一〇月一日児発第八二四号〕

今般、児童扶養手当法及び特別児童扶養手当法の一部を改正する法律（昭和四十八年九月二十六日法律第九十三号。以下「改正法」という。）、特別児童扶養手当法施行令の一部を改正する政令（昭和四十八年九月二十六日政令第二百七十号）及び児童扶養手当法施行規則及び特別児童扶養手当法施行規則の一部を改正する省令（昭和四十八年九月二十八日厚生省令第三十八号）が公布されたところであるが、改正の内容は次のとおりであるので、御了知のうえ、所要の事務処理に遺憾なきを期せられたい。

第一　児童扶養手当法に関する事項

1　手当額の引上げ

児童一人の場合の児童扶養手当の月額四三〇〇円を昭和四十八年十月分から六五〇〇円に引き上げるとともに、児童二人以上の場合の児童扶養手当の月額については、従来、四三〇〇円に児童一人を除いた児童一人につき四〇〇円を加算することとしていたのを、昭和四十九年一月分から、児童二人の場合には七三〇〇円とし、児童三人以上の場合には七三〇〇円に児童二人を除いた児童一人につき四〇〇円を加算することとしたこと（児童扶養手当法第五条の改正並びに改正法附則第一条並びに第二条第一項及び第二項）。

2　支給要件の緩和

(1)　児童扶養手当の支給要件に該当する者が国民年金法に基づく障害福祉年金又は老齢福祉年金を受けることができるときは、従来、児童扶養手当を支給しないこととしていたが、昭和四十八年十月分の手当からこれを併給することとしたこと（児童扶養手当法第四条第三項第三号の改正）。

なお、この改正に伴い、従来、例えば老齢福祉年金と準母子福祉年金の受給権をともに有する場合に、国民年金法第二十条の規定により、準母子福祉年金を選択し受給していた者が老齢福祉年金を選択しなおせば、児童扶養手当が併給されることとなるので、留意されたいこと。

(2)　この改正により、昭和四十八年十月一日に児童扶養手当の支給要件に該当するにいたった者が昭和四十八年十月三十一日までに都道府県知事に認定の請求をしたときは、その者に対する児童扶養手当の支給は十月分から始めるものであること（改正法附則第二条第三項）。

第二　特別児童扶養手当法及び同法施行令に関する事項

1　手当額の引上げ

特別児童扶養手当の月額四三〇〇円を昭和四十八年十月分から六五〇〇円に引き上げたこと（特別児童扶養手当法第五条の改正）。

2 支給要件の緩和

(1) 特別児童扶養手当は、従来、児童又はその監護する父母等が公的年金給付を受けることができる場合は支給しないこととしていたが、これを改め、昭和四十八年十月分の手当から原則として公的年金給付と併給することとしたこと。

ただし、例外として、児童が次に掲げる法律に基づく年金たる給付で障害を支給事由とするものを受けることができるときは、特別児童扶養手当を支給しないこととしたこと（特別児童扶養手当法第四条第三項及び第四項並びに特別児童扶養手当法施行令第一条の改正）。

ア 厚生年金保険法（昭和二十九年法律第百十五号）

イ 船員保険法（昭和十四年法律第七十三号）

ウ 国家公務員共済組合法（昭和三十三年法律第百二十八号）

エ 地方公務員等共済組合法（昭和三十七年法律第百五十二号）

オ 私立学校教職員共済組合法（昭和二十八年法律第二百四十五号）

カ 公共企業体職員等共済組合法（昭和三十一年法律第百三十四号）

キ 農林漁業団体職員共済組合法（昭和三十三年法律第九十九号）

ク 労働者災害補償保険法（昭和二十二年法律第五十号）

ケ 国家公務員災害補償法（昭和二十六年法律第百九十一号。裁判所職員臨時措置法（昭和二十六年法律第二百九十九号）、防衛庁職員給与法（昭和二十七年法律第二百六十六号）等他の法律において準用する場合を含む。）

コ 地方公務員災害補償法（昭和四十二年法律第百二十一号）

なお、従来、児童が里親に委託されているときは、特別児童扶養手当が支給されなかったところであるが、この改正により、この場合にも特別児童扶養手当が支給されることとなったので、留意されたいこと（特別児童扶養手当法第四条第三項第六号の改正）。

(2) この改正により昭和四十八年十月一日に特別児童扶養手当の支給要件に該当するにいたった者又は昭和四十八年十月一日に現に特別児童扶養手当の支給を受けている者であって、この改正により新たに支給対象となる児童を監護し、又は養育しているものが、昭和四十八年十月三十一日までに都道府県知事に認定の請求をしたときは、これらの者に対する特別児童扶養手当の支給は十月分から始めるものであること（改正法附則第三条第二項及び第三項）。

第三 児童扶養手当法施行規則及び特別児童扶養手当法施行規則に関する事項

1 児童扶養手当法施行規則の一部改正に関する事項

(1) 児童扶養手当法施行令の一部を改正する政令（昭和四十八年四月二十八日政令第百二十号）により、所得税法に規定する老人扶養親族がある者について、その者の所得により児童扶養手当の支給の制限をする場合の限度額に特例が設けられたことに伴い、児童扶養手当認定請求書及び児童扶養手当所得状況届の様式等について所要の改正を行ったこと（児童扶養手当法施行規則第一条並びに様式第一号及び様式第六号の改正）。

(2) 児童扶養手当と国民年金法に基づく障害福祉年金及び老齢福祉年金との併給を行うこととしたことに伴い、児童扶養手当資格喪失届の様式中の注意について所要の改正を行ったこと。

2 特別児童扶養手当施行規則の一部改正に関する事項

(1) 特別児童扶養手当と公的年金給付との併給を原則として行うこととしたことに伴い、特別児童扶養手当認定請求書、特別児童扶養手当額改定請求書、特別児童扶養手当額改定届及び特別児童扶養手当資格喪失届の様式について、所要の改正を行ったこと（特別児童扶養手当法施行規則様式第一号、様式第四号、様式第五号及び様式第九号の改正）。

(2) 特別児童扶養手当認定請求書及び特別児童扶養手当所得状況届について、前記1の(1)と同様の改正を行ったこと（特別児童扶養手当法施行規則第一条並びに様式第一号及び様式第六号の改正）。

3 施行期日等に関する事項

(1) 昭和四十八年十月一日から施行すること。
ただし、昭和四十六年以前の年の所得に係る児童扶養手当所得状況届及び特別児童扶養手当所得状況届並びにこれらに添えるべき証明書については、なお従前の例によること。

(2) この省令による改正前の認定請求書及び届書については、当分の間取り繕って使用してさしつかえないこと。

第四 その他

特別児童扶養手当と公的年金給付との併給を原則として行うこととしたことに伴い、昭和四十一年九月二十八日児発第六四八号各都道府県知事あて本職通知「児童扶養手当と特別児童扶養手当の受給権の選択について」は、廃止すること。

○児童扶養手当法施行令の一部改正〔第一五次改正〕について

〔昭和四十九年四月三十日　児発第二三九号
各都道府県知事宛　厚生省児童家庭局長通知〕

児童扶養手当法施行令の一部を改正する政令が本日政令第百四十六号をもって公布され、昭和四十九年五月一日から施行されることとなったが、本改正の要点及び留意を要する事項は次のとおりであるので、御了知のうえ、遺憾のないよう運用されたい。

1　所得による支給制限の限度額の引上げ

(1)　児童扶養手当の受給者本人並びに受給者の配偶者及び扶養義務者の所得により支給を制限する場合の限度額をそれぞれ引き上げ、次の表のとおりとすること。

所得制限の区別	扶養親族等及び児童の数	金額
受給者本人の所得制限	0人	1,436,000円
	1人以上	1,436,000円に扶養親族等又は児童1人につき155,000円（当該扶養親族等が所得税法（昭和40年法律第33号）に規定する老人扶養親族であるときは、当該老人扶養親族1人につき182,500円）を加算した額
受給者の配偶者及び扶養義務者の所得制限	0人	5,347,500円
	1人	5,555,000円
	2人以上	5,555,000円に扶養親族等のうち1人を除いた扶養親族等1人につき155,000円を加算した額（所得税法に規定する老人扶養親族があるときは、その額に当該老人扶養親族1人につき（当該扶養親族等がないときは、当該老人扶養親族のうち1人を除いた老人扶養親族1人につき）27,500円を加算した額）

2　控除額の引上げ

所得の額の計算に当たり、地方税法に規定する障害者控除、老年者控除、寡婦控除又は勤労学生控除を受けた者について、道府県民税に係る総所得金額等から控除する額を、一二万七五〇〇円（特別障害者については、一八万二五〇〇円）に引き上げること。

3　地方税法の改正に伴う所得の額の計算方法の特例

地方税法の一部を改正する法律（昭和四十九年法律第十九号）の施行に伴い、道府県民税に係る総所得金額の範囲が変更されたため、児童扶養手当の支給を制限する場合の所得の額の計算方法について、次のような特例が設けられたので、留意されたいこと。

(1)　地方税法附則第三十三条の二（地方税法の一部を改正する法律

（昭和四十九年法律第十九号）附則第十七条第一項の規定により適用される場合を含む。）の規定の適用を受ける者（みなし法人課税を選択した者）の総所得金額は、道府県民税の課税上は地方税法附則第三十三条の二第二項の規定により計算された額（以下「特例総所得金額」という。）であるが、児童扶養手当の支給の制限をする場合の所得の計算に当たっては、この特例総所得金額ではなく、地方税法第三十二条第二項の規定により計算された総所得金額（以下「通常総所得金額」という。）で計算するものであること。

なお、みなし法人課税を選択したかどうか及び選択した者の通常総所得金額について、市町村又は特別区の税務当局において容易に確認できるよう配慮する予定であること。

(2) 地方税法附則第三十三条の三の規定により、土地の譲渡等に係る事業所得又は雑所得については、総所得金額と分離して課税されることとなったので、児童扶養手当の支給の制限をする場合の所得の額の計算に当たっては、総所得金額とは別に、土地の譲渡等に係る事業所得又は雑所得を計算すること。

○児童手当法等の一部を改正する法律等の施行について

〔昭和四十九年六月二十二日　児発第四二一号〕
〔各都道府県知事宛　厚生省児童家庭局長通知〕

〔改正経過〕

第一次改正（昭和五七年一〇月一日児発第八二四号）

今般次の法律等が公布された。

1　児童手当法等の一部を改正する法律（昭和四十九年六月二十二日法律第八十九号。以下「改正法」という。）

2　特別児童扶養手当法施行令及び特別児童扶養手当法に基づき都道府県及び市町村に交付する事務費に関する政令の一部を改正する政令（昭和四十九年六月二十二日政令第二百十七号）

3　児童扶養手当法施行規則及び特別児童扶養手当法施行規則の一部を改正する省令（昭和四十九年六月二十二日厚生省令第二十二号）

4　特別児童扶養手当証書の様式を定める省令の一部を改正する省令（昭和四十九年六月二十二日厚生省郵政省令第一号）

5　児童扶養手当法施行規則及び特別児童扶養手当法施行規則の一部を改正する省令（昭和四十九年六月二十日厚生省令第二十一号）

改正の内容は次のとおりであるので、御了知のうえ、所要の事務処理に遺憾なきを期せられたい。

第一　児童手当法等の一部改正

児童手当法等の一部を改正する法律等の施行について

1 改正の趣旨

今回の改正は、児童手当、児童扶養手当及び特別児童扶養手当の額を引き上げるとともに、児童扶養手当の対象児童の要件を緩和し、併せて重度の精神薄弱及び重度の身体障害が重複している者を監護する父母等に対し新たに特別福祉手当を支給すること等により、これら児童手当等の制度の充実を図ろうとするものであること。

2 児童手当法に関する事項

児童手当の額を昭和四十九年十月分から児童一人につき月額三〇〇〇円から四〇〇〇円に引き上げること（法第六条関係）。

3 児童扶養手当法に関する事項

(1) 手当額の引上げ

児童扶養手当の額を、昭和四十九年九月分から、児童一人の場合月額六五〇〇円から九八〇〇円に、児童二人の場合月額七三〇〇円から一万六〇〇〇円に引き上げること（法第五条の改正）。

(2) 対象児童の要件の緩和

ア 児童扶養手当の支給対象児童の要件を緩和し、義務教育終了後二〇歳に達するまでの児童であってその者の障害の程度が国民年金法（昭和三十四年法律第百四十一号）別表二級に相当する程度のものを支給対象とすること（法第三条の改正）。

イ この要件の緩和により、新たに支給対象となる児童を昭和四十九年九月一日において現に監護し、又は養育している者

が、同月中に認定の請求をし、認定を受けた場合には特別措置として同月分の児童扶養手当から支給すること（改正法附則第三条第二項）。

4 特別児童扶養手当法に関する事項

(1) 題名の変更

今回の改正により、二〇歳未満である障害児についての特別児童扶養手当に加えて、重度の精神薄弱及び重度の身体障害が重複している特別障害者についても特別福祉手当を支給することとなることにかんがみ、題名を「特別児童扶養手当法」から「特別児童扶養手当等の支給に関する法律」に改めること。

(2) 特別福祉手当の新設

ア 重度の身体障害と重度の精神薄弱が重複しているため、日常生活において常時特別の介護を必要とする者を新たに「特別障害者」とし、この者を監護する父母等に対して昭和四十九年九月分から特別福祉手当として特別障害者一人につき三〇〇〇円を支給すること（法第三条、第四条及び第五条の改正）。（別図参照）

別図

	二〇歳以上	二〇歳未満
一一、三〇〇円	障害福祉年金（一級）	特別児童扶養手当
三、〇〇〇円	特別福祉手当	特別福祉手当

イ　昭和四十九年九月一日において特別福祉手当の支給要件に該当すべき者は、同日以前においても当該特別福祉手当の認定の請求の手続を採ることができること（改正法附則第四条第二項）。

ウ　イの手続を採った者が昭和四十九年九月一日に特別福祉手当の支給要件に該当しているとき、又は同日に現に特別福祉手当の支給要件に該当している者が同月中に認定の請求をしたときは、これらの者に対する特別福祉手当の支給は、同月分から始めること（改正法附則第四条第二項）。

(3)　手当額の引上げ等

特別福祉手当の新設に伴い、従来の特別児童扶養手当の支給対象となる児童を「障害児」とし、その手当の額を昭和四十九年九月分から月額障害児一人につき六五〇〇円から一万一三〇〇円に引き上げること（法第三条及び第五条の改正）。

5　施行期日等

(1)　昭和四十九年九月一日から施行すること。ただし、4の(2)のイの事前請求の規定は、公布の日（昭和四十九年六月二十二日）から、児童手当の額の引上げに関する規定は昭和四十九年十月一日から施行すること（改正法附則第一条）。

(2)　昭和四十九年九月における児童扶養手当、特別児童扶養手当又は特別福祉手当の支払いについては、特例措置として同月までの分を支払うものとする（改正法附則第五条）。

第二　特別児童扶養手当法施行令及び特別児童扶養手当法に基づき都道府県及び市町村に交付する事務費に関する政令の一部改正

1　改正の趣旨

今回の改正は、特別児童扶養手当法の一部改正に伴い、障害児又は特別障害者（以下「障害者」という。）が障害を支給事由とする年金たる給付を受けることができることにより特別児童扶養手当又は特別福祉手当を支給しない場合の当該年金たる給付の範囲等を定めようとするものであること。

2　特別児童扶養手当法施行令に関する事項

(1)　題名の改正

改正法により、特別児童扶養手当法の題名が改められたことに伴い、「特別児童扶養手当法施行令」の題名を「特別児童扶養手当等の支給に関する法律施行令」に改められるとともに、題名の改正に伴う所要の整理を行うこと。

(2)　特別児童扶養手当等を支給しない場合の年金給付の範囲

ア　改正法により、特別障害者について、特別福祉手当が支給されることとなることに伴い、当該手当と国民年金法に基づく年金の支給に関し調整を図ることが必要となったものであること。

イ　障害者が障害を支給事由とする年金たる給付を受けることができることにより、特別児童扶養手当又は特別福祉手当を支給しない場合の当該年金たる給付（以下単に「当該年金給付」という。）に国民年金法（昭和三十四年法律第百四十一号）に基づく障害年金（障害福祉年金を除く。）を追加したものであること（施行令第一条の改正）。

ウ　その他、改正法により、従来政令で当該年金給付に係る法律を規定していたのを当該年金給付自体を規定することに改めたことに伴い、条文の全面改正を行うこと（施行令第一条の改正）。

(3)　その他

改正法により、特別福祉手当が支給されることとされ、当該手当に関する事務を市町村の事務に加えることに伴い、規定の整備を行うこと（施行令第四条の改正）。

3　特別児童扶養手当法に基づき都道府県及び市町村に交付する事務費に関する政令に関する事項

改正法により、特別福祉手当が支給されることとされたこと等に伴い、都道府県に交付する事務費に関する規定に所要の改正を行うこと（施行令第一条の改正）。

4　施行期日

昭和四十九年九月一日から施行すること。

第三　児童扶養手当法施行規則及び特別児童扶養手当法施行規則の一部改正（昭和四十九年六月二十二日厚生省令第二十二号）

1　児童扶養手当法施行規則に関する事項

改正法により、義務教育終了後二〇歳に達するまでの児童であって、その者の障害の程度が国民年金法別表二級に相当する程度のものを支給対象児童としたことに伴い、所要の事項、様式第四号の裏面及び様式第十七号の裏面の改正を行うこと。

2　特別児童扶養手当法施行規則に関する事項

(1)　題名の改正等

ア　改正法により法律の題名が改められたことに伴い、「特別児童扶養手当法施行規則」の題名を「特別児童扶養手当等の支給に関する法律施行規則」に改めるとともに、題名の改正に伴う所要の条文整理を行うこと。

イ　新たに、特別福祉手当が支給されることになったことに伴い、「支給対象児童」を「支給対象障害者」に改め、請求書、診断書、届書、通知書及び手当証書の様式の名称等の改正を行うこと。

したがって、これらの様式について特別児童扶養手当及び特別福祉手当に係る場合においては、両手当別々に作成することなく一の様式によること。

(2)　認定の通知等に関する規定の改正

認定の通知及び手当証書の交付に関する規定について、次の事項の新設を行うこと。

ア　特別児童扶養手当及び特別福祉手当の受給資格の認定をしたときは、一の手当証書を交付しなければならないこと。

イ　既に特別児童扶養手当又は特別福祉手当の受給資格があると認められた者が、新たに特別福祉手当又は特別児童扶養手当の認定の請求をした場合において、その受給資格の認定をしたときは、新たに一の手当証書を交付しなければならないこと。

この場合受給資格者が手当証書を提出していないときは、当該受給資格者に対して、当該手当証書の提出を命じなければならないこと。

ウ　前記イにより新たな手当証書が交付されたときは、従前の手当証書は、その効力を失うものであること。

(3)　受給資格喪失の通知に関する規定の改正

受給資格喪失の通知に関する規定について、次の事項の新設を行うこと。

ア　受給資格喪失の通知（特別児童扶養手当及び特別福祉手当の受給者であっていづれか一方の手当の受給資格が消滅したときの通知に限る。）をする場合において、手当証書が提出されているときは、新たな手当証書を作成し、交付しなければならないこと。

イ　前記アにより新たな手当証書が交付されたときは、従前の手当証書は、その効力を失うものであること。

(4)　添付書類の省略等に関する規定の改正

既に特別児童扶養手当又は特別福祉手当の支給を受けている者が、新たに特別福祉手当又は特別児童扶養手当の支給を受けようとする場合には、記載事項（所得の状況など）、添付書類の省略を認めることができること。

(5)　その他

様式第一号から様式第十七号の表面及び裏面の一部を改正すること。

児童手当法等の一部を改正する法律等の施行について

3　施行期日等

(1)　昭和四十九年九月一日から施行すること。

ただし、特別福祉手当の事前請求に係る部分（改正法附則第四条第二項）は公布の日（昭和四十九年六月二十二日）から施行されたこと。

(2)　特別福祉手当の事前請求に係る手当認定請求書及びこれに添えるべき診断書等については、なお、従前の例によることができること。

この場合において、様式第一号中「特別児童扶養手当」とあるのは「特別福祉手当」と、「支給対象児童」とあるのは「支給対象障害者」と、「児童のことについて」とあるのは「障害者のことについて」と、「対象児童数」とあるのは「対象障害者数」とそれぞれ読み替え、様式第二号中「特別児童扶養手当」とあるのは「特別福祉手当」と、「児童」とあるのは「障害者」とそれぞれ読み替え、様式第三号中「特別児童扶養手当」とあるのは「特別福祉手当」と読み替えること。

(3)　この省令の施行の際現にあるこの省令による改正前の様式による請求書、診断書、届書及び通知書の用紙は、当分の間、これを取り繕って使用することができること。

第四　特別児童扶養手当証書の様式を定める省令の一部改正

1　改正の内容

(1)　新たに特別福祉手当が支給されることになったことに伴い、「特別児童扶養手当証書」の名称を「手当証書（特別児童扶養手当等の支給に関する法律）」に改めること。

(2) 証書の様式は、特別児童扶養手当及び特別福祉手当について別々に作成することはせず、一の様式によること。

(3) 証書の様式の二ページの記載事項について、それぞれ特別児童扶養手当の欄と特別福祉手当の欄とに区分する等の改正を行うこと。

2 施行期日等

(1) 昭和四十九年九月一日から施行すること。

(2) 昭和四十九年九月一日において現に交付されている特別児童扶養手当証書は、改正後の様式によるものとみなすこと。したがって、特別児童扶養手当証書の用紙が、二年間使用できるよう調整されているので、昭和四十九年九月から昭和五十一年五月までの支払期月に係る手当の支給を受けることができる者に交付する証書は、二種類の証書が使用されるものであること。

(3) 昭和四十九年四月以前の月分の特別児童扶養手当証書であって、同年九月十日までに交付するものの様式については、なお従前の例によるものであること。

3 手当証書の記載要綱については、おって通知する予定であること。

第五 児童扶養手当法施行規則及び特別児童扶養手当法施行規則の一部改正（昭和四十九年六月二十日厚生省令第二十一号）

1 児童扶養手当法施行規則に関する事項

(1) 手当の支給を制限する場合の所得の額の計算に当たり、総所

得金額について特例が設けられたことに伴い、様式第一号の裏面及び様式第六号の裏面の改正を行ったこと。

(2) 国民年金法の規定による障害福祉年金が同法別表二級に定める程度の障害の状態にある者に対しても支給されることになったことに伴い、添付書類の省略に関する規定の改正を行ったこと。

(3) その他所要の改正を行ったこと。

2 特別児童扶養手当法施行規則に関する事項

前記の1の(1)と同様の改正を行ったこと。

3 施行期日等

(1) 公布の日（昭和四十九年六月二十日）から施行されたこと。

(2) 昭和四十七年以前の年の所得に係る所得状況届及びこれに添えるべき証明書については、なお、従前の例によること。

(3) 現にある従前の児童扶養手当認定請求書の用紙については、当分の間、これを取り繕って使用することができること。

第六 その他

法改正等に伴い、「特別児童扶養手当法における障害の認定要領（昭和四十七年九月十六日児発第六一四号各都道府県知事あて本職通知の別紙）」を「特別児童扶養手当等の支給に関する法律における障害の認定要領」とすること。

○児童扶養手当法施行令の一部改正に伴う事務取扱いについて

〔昭和四十九年七月十五日　児企第三二号　各都道府県民生主管部(局)長宛　厚生省児童家庭局企画課長通知〕

昭和四十九年四月三十日政令第百四十六号をもって児童扶養手当法施行令の一部が改正されたが、これに伴う事務取扱いについては同年四月三十日児発第二三九号「児童扶養手当法施行令の一部改正について」によるほか、次の点に留意されたい。なお、特別児童扶養手当等の支給に関する法律施行令第二条並びに同施行規則第一条第六号イ及び第七号イ並びに同施行規則第二十八条第二項を適用する場合における事務取扱いについても同様である。

1　みなし法人課税の規定の適用を受ける者の総所得金額の計算について

(1)　みなし法人課税の規定の適用を受ける者の総所得金額については、改正後の児童扶養手当法施行令第四条第一項かっこ書に定める総所得金額によることとなるが、その具体的な計算方法は次によること。

総所得金額 ＝ 所得の合計額 － 配当所得金額

－ 給与所得金額 ＋ みなし法人課税期間の事業、不動産所得金額 － 青色申告控除額

(注) 1　この算式は、次の場合に適用することができること。

(1)　事業主報酬以外の給与所得金額がないこと。

(2)　事業所得、不動産所得、山林所得の金額が個人課税期間、みなし法人課税期間ともに黒字であること。

(3)　繰越控除の適用を受けていないこと。

2　「所得金額の合計額」は、地方税法上みなし法人課税の適用があるものとして課税台帳に記載された総所得金額をいい、具体的には、確定申告書1面の⑩の欄に記載された金額であること。

3　「配当所得金額」は、次の金額であること。

(1)　確定申告書1面の⑥欄＞確定申告書付表の⑪の欄の場合→確定申告書付表の⑪の欄の金額

(2)　確定申告書1面の⑥欄≦確定申告書付表の⑪の欄の場合→確定申告書1面の⑥の欄の金額

4　「給与所得金額」は、事業主報酬額より給与所得控除額を引いた額をいい、具体的には、確定申告書1面の⑦欄に記載された金額であること。

5　みなし法人課税期間の事業、不動産所得金額は確定申告書付表の⑦欄に記載された金額であること。

6　青色申告控除額は、租税特別措置法第25条の3に規定

するものであり、通常その額は、10万円としてさしつかえないこと。

(2)　みなし法人課税の規定の適用の有無、みなし法人課税の規定の適用を受ける場合の総所得金額の計算（特に、損益通算又は繰越控除等があることにより、(1)の算式を適用できない場合の総所得金額の計算）等については、税務担当者の積極的な協力を求め、所得の額の計算にあたり誤りなきを期するとともに、この計算によって児童扶養手当所得状況の届出等の事務処理が遅滞しないよう留意すること。

(3)　みなし法人課税の規定の適用を受ける者について児童扶養手当法施行規則第一条第八号イ若しくは第九号イに規定する所得に関する証明書を市町村長が発行する場合又は同規則第二十六条第三項により前記証明書にかえて、当該証明すべき事実につき審査した旨を市町村長が届書に記載する場合にあっても、当該みなし法人課税の規定の適用を受ける者の総所得金額は(1)と同様の計算方法によるものであるので、この旨税務担当者に連絡し、誤りがないようにされたいこと。

　この場合にあっては、所得に関する証明書又は当該届書の備考欄に、みなし法人課税を受ける者である旨が記入される必要があること。

2　認定請求書等の記入上の注意事項等の改正について

　児童扶養手当認定請求書及び児童扶養手当所得状況届については、裏面の「注」に所要の改正を行いみなし法人課税を選択している場合は、その旨を申し出なければならないこと及び新たに分離課税されることとなった地方税法附則第三十三条の三第一項に規定する土地等に係る事業所得等の金額を合算した所得の合計額を記入することとされたこと。

3　みなし法人課税の規定の適用を受ける者の総所得金額の計算等についての税務担当者の協力等については、自治省税務局市町村税課と協議済みであること（別添参照）。

〔別　添〕

みなし法人課税を選択した者に係る総所得金額の取扱い等について

〔昭和四十九年六月十四日　事務連絡
各都道府県地方課税制担当係長宛　自治省税務局市町村税課法制第一係長〕

国民年金法に規定する障害者福祉年金等の支給を停止する場合の所得の額、老人福祉法に規定する老人医療費を支給しない場合の所得の額、児童手当法に規定する児童手当を支給しない場合の所得の額及び児童扶養手当法に規定する児童扶養手当を制限する場合の所得の額の計算に用いる総所得金額は、これらの給付の受給権者等がみなし法人課税選択者である場合においては、みなし法人課税選択者に係る市町村民税の所得割の算定に用いられる地方税法附則第三十三条の二第二項に規定する総所得金額によらずみなし法人課税を選択しなかったとした場合の総所得金額によるものとされている。

　したがって、昭和四十九年度から昭和五十四年度までは、市町村民税所得割の算定に用いられる総所得金額と国民年金、老人医療費、児童手当及び児童扶養手当に係る所得制限を判定する場合に用いられる総所得金額とは、みなし法人課税選択者については、異なる取扱いとなるため、厚生省並びに社会保険庁から当該所得金額のは握について協力方依頼があったので、この取扱いについて、左記の点に留意し貴管下市町村に対しよろしくご指導願いたい。

記

税務担当課において、みなし法人課税選択者の市町村民税所得割を算定する場合に用いられる総所得金額は、別図Ⓑ（略）によるものであるが、国民年金、老人医療費、児童手当及び児童扶養手当に係る所得制限を判定する場合に用いられる総所得金額は、別図Ⓐ（略）によるものであるから、これらの担当課が別図Ⓐ（略）の総所得金額をは握する際は、税務担当課において協力するものとすること。

なお、国民年金等に係る所得制限を判定する場合に用いる総所得金額の算式（一般式）については、別紙（略）のとおりであるので参考とされたい。

○児童扶養手当法施行令の一部改正について

〔昭和五十年五月七日　児発第二六一号
各都道府県知事宛　厚生省児童家庭局長通知〕

児童扶養手当法施行令の一部を改正する政令が四月三十日政令第百四十二号をもって公布され、昭和五十年五月一日から施行されたところであるが、本改正の要点及び留意を要する事項は次のとおりであるので、御了知のうえ、遺憾のないよう運用されたい。

1　所得による支給制限の基準額の引上げ（児童扶養手当法施行令（以下「令」という。）第二条の二関係）

(1)　児童扶養手当の受給者本人並びに受給者の配偶者及び扶養義務者の所得により支給を制限する場合の基準額をそれぞれ引き上げ、次の表のとおりとすること。

所得制限の区別	扶養親族等及び児童の数	金額
受給者本人の所得制限	0人	1,632,500円
	1人以上	1,632,500円に扶養親族等又は児童1人につき220,000円（当該親族等が所得税法（昭和40年法律第33号）に規定する老人扶養親族であるときは、当該老人扶養親族1人につき257,500円）を加算した額
受給者の配偶者及び扶養義務者の所得制限	0人	6,049,300円
	1人	6,306,800円
	2人以上	6,306,800円に扶養親族等のうち1人を除いた扶養親族等1人につき220,000円を加算した額（所得税法に規定する老人扶養親族があるときは、その額に当該老人扶養親族1人につき（当該老人扶養親族のほかに扶養親族等がないときは、当該老人扶養親族のうち1人を除いた老人扶養親族1人につき）37,500円を加算した額）

2　控除額の引上げ（令第四条第二項第二号関係）

所得の額の計算に当たり、地方税法に規定する障害者控除、老年者控除、寡婦控除又は勤労学生控除を受けた者について、道府県民税に係る総所得金額等から控除する額を、一五万二五〇〇円（特別障害者については、二二万七五〇〇円）を引き上げること。

3　経過規定の削除（令第四条第一項関係）

地方税法の総所得金額の計算については同法上みなし法人課税を

選択した場合の特例が設けられており、特に昭和四十八年七月一日から同年十二月末日までの所得に係る昭和四十九年度分の道府県民税の課税上の総所得金額について特別の経過措置があった。このみなし法人課税の特例は令第四条第一項の大括弧書を以って手当の支給を制限する場合の総所得金額の計算について適用されない旨規定されていたが、この経過措置に係る期間が既に経過したので、条文の整理上同条の該当部分を削除したものであること。

4　施行期日

前記の改正は、昭和五十年五月以降の月分の児童扶養手当の所得による支給の制限について適用され、昭和五十年四月以前の月分の児童扶養手当の所得による支給の制限及び同月以前の児童扶養手当に相当する金額の返還については、なお従前の例によること。

○児童扶養手当法等の一部改正について

〔昭和五十一年十月一日　児発第六八〇号
各都道府県知事宛　厚生省児童家庭・社会局長連名通知〕

昭和五十一年六月五日法律第六十三号として公布された厚生年金保険法等の一部を改正する法律（以下「改正法」という。）により、児童扶養手当法及び特別児童扶養手当等の支給に関する法律の一部が改正され、これに伴い昭和五十一年十月一日厚生省令第四十六号として公布された児童扶養手当法施行規則等の一部を改正する省令（以下「改正省令」という。）により、児童扶養手当法施行規則、特別児童扶養手当等の支給に関する法律施行規則及び福祉手当の支給に関する省令の一部が改正されたが、その内容は次のとおりであるので、御了知のうえ、所要の事務処理に遺憾なきを期せられるとともに、管下市町村への連絡方をよろしくお願い致したい。

第一　児童扶養手当法の一部改正

1　改正の趣旨

児童扶養手当の手当額の引上げ及び支給対象児童の範囲の拡大を行い、もって支給対象児童の福祉の向上を図ろうとするものであること。

2　改正の内容（昭和五十一年十月一日実施）

(1)　手当額の引上げ

児童扶養手当の額を昭和五十一年十月支給分より、対象児童一人の場合　月額一万五六〇〇円から一万七六〇〇円に、対象児童二人の場合　月額一万六四〇〇円から一万九六〇〇円にそれぞれ引き上げたこと。（改正法第八条及び附則第一条第三号関係）

なお、三人目以上の対象児童についての加算は、従来どおり一人につき　四〇〇円であること。

(2)　支給対象児童の範囲の拡大

ア　児童扶養手当の支給対象児童の範囲を、義務教育終了前の児童から三年計画で段階的に一八歳未満の児童に拡大すること。

具体的には、次のとおり。

①　昭和五十一年十月一日から昭和五十三年三月三十一日までの間

従来の支給対象児童の範囲に、新たに「昭和三十五年四月二日以後に生まれた者」を加えること。

②　昭和五十三年四月一日以後

支給対象児童の範囲を「一八歳未満の者」に全面的に改めること。

従って、昭和三十五年四月二日以後に生まれた者については、一八歳に達するまで支給対象児童となるが、昭和三十五年四月一日以前に生まれた者は、今回の支給対象児童の範囲の拡大の対象とならないこと。（改正法第十七条、附則第一条第七号及び附則第十条第一項関係）

イ　今回の支給対象児童の範囲の拡大により、新たに支給対象児童となる者（昭和三十五年四月二日以後に生まれた者であって、昭和五十一年三月三十一日に義務教育を終了した児童）を、昭和五十一年十月一日において現に監護又は養育している者が、同月中に認定の請求をし、認定を受けた場合には特別措置として同月分の児童扶養手当から支給すること。

（改正法附則第十条第二項関係）

第二　特別児童扶養手当等の支給に関する法律の一部改正

1　改正の趣旨

特別児童扶養手当及び福祉手当について、手当額の引上げを行い、もって支給対象児童等の福祉の向上を図ろうとするものであること。

2　改正の内容（昭和五十一年十月一日実施）

昭和五十一年十月支給分より、特別児童扶養手当の額を、重度障害児一人につき　月額一万八〇〇〇円から二万三〇〇〇円に、中度障害児一人につき　月額一万二〇〇〇円から一万三五〇〇円に、また福祉手当の額を重度障害児・者一人につき月額四〇〇〇円から五〇〇〇円に、それぞれ引き上げたこと。（改正法第九条及び附則第一条第三号関係）

第三　児童扶養手当法施行規則、特別児童扶養手当等の支給に関する法律施行規則及び福祉手当の支給に関する省令の一部改正

1　児童扶養手当の支給対象児童の範囲に、昭和五十一年十月一日から昭和五十三年三月三十一日までの間、「昭和三十五年四月二日以後に生まれた者」が加えられたことに伴い、児童扶養手当法施行規則及び特別児童扶養手当等の支給に関する法律施行規則について字句の整理等所要の改正を行ったこと。（改正省令第一条及び第二条関係）

2　児童扶養手当法施行令及び特別児童扶養手当等の支給に関する法律施行令の一部を改正する政令（昭和五十一年政令第七十六号昭和五十一年五月一日施行）により条文が整理されたことに伴い、福祉手当の支給に関する省令についても所要の条文の整理等を行ったこと。（改正省令第三条関係）

3　今回の改正省令により、児童扶養手当認定請求書等の様式の一部が改正されたが、当分の間、従前の請求書等の用紙を取り繕って使用しても差し支えないこと。

4　改正省令は、昭和五十一年十月一日から施行されたこと。

〔参考〕

別添1　「厚生年金保険法等の一部を改正する法律」（抄）　略

別添2　「児童扶養手当法施行規則等の一部を改正する省令」　略

○児童扶養手当法施行令及び特別児童扶養手当等の支給に関する法律施行令の一部改正について

〔昭和五十二年四月二十六日　児発第二三〇号
各都道府県知事宛　厚生省児童家庭局長通知〕

児童扶養手当法施行令及び特別児童扶養手当等の支給に関する法律施行令の一部を改正する政令が四月二十六日政令第百十四号をもって公布されたところであるが、本改正中児童扶養手当及び特別児童扶養手当（以下「手当」という。）に係る改正の要点は次のとおりであるので、御了知のうえ、遺憾のないよう運用されたい。

1　受給資格者の所得による支給制限の基準額の改定

手当の受給資格者の所得により手当の支給を制限する場合の基準額を改めたこと。

2　施行期日

前記の改正内容は、昭和五十二年五月以降の月分の手当の所得による支給の制限について適用し、同年四月以前の手当の所得による支給の制限及び同月以前の手当に相当する金額の返還については、なお従前の例によること。

3　その他

改正後の所得制限額等については、別添資料（改正政令条文等）を参照されたいこと。

別添　略

○児童扶養手当法及び特別児童扶養手当等の支給に関する法律の一部改正について

〔昭和五十二年五月二十七日 児発第二九二号
各都道府県知事宛 厚生省児童家庭局長通知〕

今般、「国民年金法等の一部を改正する法律」が昭和五十二年五月二十七日法律第四十八号として公布され、同法により児童扶養手当法及び特別児童扶養手当等の支給に関する法律の一部が改正された。今回の改正の内容は次のとおりであるので、この法律の施行にあたっては、その趣旨の周知徹底を図るとともに、所要の事務処理に遺憾なきを期せられたい。

第一　児童扶養手当法に関する事項

1　手当額の引上げ

児童扶養手当の額を、昭和五十二年八月支給分より、対象児童一人の場合月額一万七六〇〇円から一万九五〇〇円に、対象児童二人の場合月額一万九六〇〇円から二万一五〇〇円に、それぞれ引き上げること。

2　手当の支払期月の変更

児童扶養手当の支払期月を昭和五十二年十月より一月、五月及び九月の三期から四月、八月及び十二月の三期に改めること。ただし、十二月に支払うべき手当は、手当の支給を受けている者の請求があったときは、その前月に支払うものとすること。したがって、改正後の最初の支払期月は昭和五十二年十二月又は十一月であり、当該月に昭和五十二年九月、十月及び十一月支給分を支払うこととなるものであること。

第二　特別児童扶養手当等の支給に関する法律に関する事項

1　手当額の引上げ

特別児童扶養手当の額を、昭和五十二年八月支給分より、障害児一人につき月額一万三五〇〇円から一万五〇〇〇円に、重度障害児一人につき月額二万三〇〇〇円から二万二五〇〇円に、それぞれ引き上げること。

2　手当の支払期月の変更

児童扶養手当と同様の改正を行うこと。

第三　改正内容の周知徹底

今回の改正の中で、特に手当の支払期月の変更については、手当の支給を受けている者に混乱を生じせしめることのないようその内容の周知徹底には、格段の努力を煩わしたいこと。

○児童扶養手当法施行令等の一部改正について

〔昭和五十三年七月六日　児発第四〇九号
各都道府県知事宛　厚生省社会・児童家庭局長連名通知〕

今般、昭和五十三年六月三十日政令第二百六十六号として公布された児童扶養手当法施行令等の一部を改正する政令（別添）により、児童扶養手当法施行令、特別児童扶養手当等の支給に関する法律施行令及び児童手当法施行令の一部が改正されたところであるが、これらの改正の内容は次のとおりであるので、御了知の上、所要の事務処理に遺憾なきを期されるとともに、管下市町村長に対する周知、徹底を図られたく、通知する。

第一　児童扶養手当法施行令の一部改正

1　児童扶養手当の受給資格者又はその扶養義務者等の所得により支給を制限する場合の基準額を定めることとしたこと。

2　所得の額の計算に当たり地方税法に規定する障害者控除、老年者控除、寡婦控除又は勤労学生控除を受けた者について控除する額を引き上げることとしたこと。

第二　特別児童扶養手当等の支給に関する法律施行令の一部改正

1　特別児童扶養手当及び福祉手当の受給資格者又は扶養義務者等の所得により支給を制限する場合の基準額を改めることとしたこと。

2　所得の額の計算に当たり地方税法に規定する障害者控除、老年者控除、寡婦控除又は勤労学生控除を受けた者について控除する額を引き上げることとしたこと。

第三　児童手当法施行令の一部改正

所得により児童手当の支給を制限する場合の基準額を改めることとしたこと。

第四　施行期日

第一の1及び第二の1中扶養義務者等に係る基準額の改正は昭和五十四年八月一日から、第三に掲げる基準額の改正は同年六月一日から、その他の改正は昭和五十三年八月一日からそれぞれ実施されるものであること。

別添　略

〇国民年金法施行令等の一部改正について

〔昭和五十五年七月二十九日　児発第五九四号
各都道府県知事宛　厚生省社会・児童家庭局長連名通知〕

今般、昭和五十五年七月二十九日政令第百九十九号として公布された国民年金法施行令等の一部を改正する政令（別添）により、児童扶養手当法施行令、特別児童扶養手当等の支給に関する法律施行令の一部が改正されたところであるが、これらの改正の内容は次のとおりであるので、御了知の上、所要の事務処理に遺憾なきを期されるとともに管下市町村長に対する周知、徹底を図られたく通知する。

第一　児童扶養手当、特別児童扶養手当及び福祉手当の受給資格者本人の所得により支給を制限する場合の限度額をそれぞれ引き上げ、次の表のとおりとすること。

（単位：円）

扶養親族等及び児童の数	児童扶養手当・特別児童扶養手当		福祉手当	
	改正前	改正後	改正前	改正後
0　人	2,036,000	2,148,000	955,000	1,014,000
1　人	2,326,000	2,438,000	1,305,000	1,364,000
2　人	2,616,000	2,728,000	1,595,000	1,654,000
3　人	2,906,000	3,018,000	1,885,000	1,944,000
4　人	3,196,000	3,308,000	2,175,000	2,234,000
5　人	3,486,000	3,598,000	2,465,000	2,524,000

（注）1　扶養親族が老人扶養親族であるときは、表の額に当該老人扶養親族一人につき六万円を加算した額である。

2　扶養親族等及び児童が六人以上の場合は、一人につき二九万円を加算した額とする。

第二　施行期日

前記の改正内容は、昭和五十五年八月以降の月分の手当の所得による支給の制限について適用し、同年七月以前の手当の所得による支給の制限については、なお従前の例によること。

別添　略

○児童扶養手当法等の外国人適用について

〔昭和五十六年六月十二日　児発第四九〇号
各都道府県知事宛　厚生省社会・児童家庭局長連名通知〕

本日、法律第八十六号として公布された難民の地位に関する条約等への加入に伴う出入国管理令その他関係法律の整備に関する法律（以下「難民条約関係法」という。）により、別添のとおり児童扶養手当法、特別児童扶養手当等の支給に関する法律及び児童手当法が改正されたところであるが、今回の改正の趣旨・内容は次のとおりであるので、御了知のうえ、管下市町村長に対する周知徹底を図られたい。

1　改正の趣旨

難民問題に対する我が国の国際協力を一層促進するという見地から「難民の地位に関する条約及び難民の地位に関する議定書」（以下「難民条約」という。）に留保を附することなく加入することとしたことに伴い、難民条約に定める社会保障に関する内国民待遇を実現するため、児童扶養手当法等の国籍要件を撤廃し、難民はもとより広く外国人一般に対しこれらの法律を適用することとしたものである。

2　改正内容

(1)　児童扶養手当の受給資格者の国籍要件を撤廃すること。（児童扶養手当法第四条第三項関係）

(2)　特別児童扶養手当の受給資格者の国籍要件を撤廃すること。（特別児童扶養手当等の支給に関する法律第三条第四項関係）

(3)　福祉手当の受給資格者の国籍要件を撤廃すること。（特別児童扶養手当等の支給に関する法律第十七条関係）

(4)　児童手当の受給資格者の国籍要件を撤廃すること。（児童手当法第四条第一項関係）

3　施行期日等

難民条約関係法の施行期日は、難民条約が日本国について効力を生ずる日から施行すること（同法附則）とされているが、事務手続体制の整備、制度の周知徹底等のための準備期間が必要であることから、昭和五十七年一月一日が予定されている。

なお、難民条約関係法の施行に伴う具体的に事務取扱いについては、おって通知する予定である。

別添　略

〇児童扶養手当法施行令等の一部改正について

〔昭和五十六年七月三十日 児発第六五二号 各都道府県知事宛 厚生省社会・児童家庭局長連名通知〕

今般、国民年金法施行令等の一部を改正する政令（昭和五十六年七月三十日政令第二百六十二号、別添1）により、児童扶養手当法施行令及び特別児童扶養手当等の支給に関する法律施行令の一部が改正され、また、これらの改正等に伴って児童扶養手当法施行規則、特別児童扶養手当等の支給に関する法律施行規則及び福祉手当の支給に関する省令がそれぞれ改正されたところであるが（昭和五十六年七月三十日厚生省令第五十六号及び第五十七号、別添2及び3）、これらの改正の内容は次のとおりであるので、御了知の上、所要の事務処理に遺憾なきを期されるとともに、管下市町村長に対する周知、徹底を図られたく通知する。

第一　児童扶養手当法施行令及び特別児童扶養手当等の支給に関する法律施行令の一部改正

1　特別児童扶養手当及び福祉手当の受給資格者本人の所得により支給を制限する場合の基準額をそれぞれ引き上げ、次の表のとおりとしたこと。

（単位：円）

扶養親族等の数	特別児童扶養手当		福祉手当	
	改正前	改正後	改正前	改正後
0人	2,148,000	2,284,000	1,014,000	1,660,000
1人	2,438,000	2,574,000	1,364,000	1,950,000
2人	2,728,000	2,864,000	1,654,000	2,240,000
3人	3,018,000	3,154,000	1,944,000	2,530,000
4人	3,308,000	3,444,000	2,234,000	2,820,000
5人	3,598,000	3,734,000	2,524,000	3,110,000

（注）1　扶養親族等が老人控除対象配偶者又は老人扶養親族であるときは、表の額に当該老人控除対象配偶者又は老人扶養親族一人につき六万円を加算した額である。

2　扶養親族等が六人以上の場合は、一人につき二九万円又は三五万円を加算した額とする。

2　児童扶養手当、特別児童扶養手当及び福祉手当の受給者本人の所得により支給を制限する場合の基準額を定めるに当たり、老人控除対象配偶者のある者について、老人扶養親族のある者と同様に三五万円を加算することとしたこと。

3　以上の改正内容は、昭和五十六年八月以降の月分の手当の所得による支給の制限について適用し、同年七月以前の手当の所得による支給の制限については、なお従前の例によること。

第二　児童扶養手当法施行規則、特別児童扶養手当等の支給に関する

児童扶養手当法施行令等の一部改正について

法律施行規則及び福祉手当の支給に関する省令の一部改正

1　第一の2の改正に伴い、児童扶養手当認定請求書及び現況届、特別児童扶養手当認定請求書及び所得状況届並びに福祉手当所得状況届の様式等について所要の改正を行ったこと。（児童扶養手当法施行規則第一条並びに様式第一号及び様式第六号の改正、特別児童扶養手当等の支給に関する法律施行規則第一条並びに様式第一号及び様式第六号の改正、福祉手当の支給に関する省令第二条及び様式第三号の改正）

2　児童扶養手当の現況届には、受給理由の如何を問わず、受給者及び対象児童の属する世帯の全員の住民票の写しを添付しなければならないこととしたこと。（児童扶養手当法施行規則第四条の改正）

3(1)　改正省令は、昭和五十六年八月一日から施行すること。ただし、昭和五十四年以前の年の所得に係る児童扶養手当現況届並びに特別児童扶養手当及び福祉手当所得状況届並びにこれらに添えるべき証明書については、なお従前の例によること。

(2)　改正省令の施行の際、現にある改正前の様式による認定請求書、現況届及び所得状況届の用紙は、当分の間これを取り繕って使用することができること。

別添1～3　略

○障害に関する用語の整理に関する厚生省関係法令の施行について

〔昭和五十七年九月二十七日　厚生省総第三四六号
各都道府県知事・各指定都市市長宛　厚生事務次官通知〕

障害に関する用語の整理に関する厚生省関係法令として、本年七月十六日及び八月三十一日に左記のとおり法律、政令、省令及び告示が公布されたところである。

これらの法令は、国際障害者年を契機として政府が一体として取り組んできた障害に関する法令上の不適当な用語を改正する一環として、厚生省関係諸法令において用いられている「廃疾」等の用語を「障害」等に改めるものであり、障害者に対する国民の理解を深め、もって障害者の福祉の向上に寄与することを目的としている。

施行期日は、本年十月一日であり、おって細部等については所管部局長より通知する予定であるので、以上の趣旨を御理解の上、よろしくお取り計らい願いたい。

記

法令名	公布日
○障害に関する用語の整理に関する法律（昭和五十七年法律第六十六号）	昭和五十七年七月十六日
○障害に関する用語の整理のための厚生省関係政令の整理に関する政令（昭和五十七年政令第二百三十六号）	昭和五十七年八月三十一日
○船員保険法施行規則等の一部を改正する省令（昭和五十七年厚生省令第四十号）	同右
○障害に関する用語の整理に関する法律の施行に伴い関係告示中「廃疾」を「障害」に改める件（昭和五十七年厚生省告示第百五十二号）	同右

○児童扶養手当法の一部を改正する法律の施行について（依命通知）

〔昭和六十年七月三十一日　厚生省発児第一三四号
各都道府県知事宛　厚生事務次官通知〕

児童扶養手当法の一部を改正する法律は、昭和六十年六月七日法律第四十八号をもって公布され、一部を除き本年八月一日から施行することとされたところである。

この改正の趣旨及び主な内容は次のとおりであるので、その周知徹底を図るとともに、その施行に当たっては遺憾なきを期されたく、命により通知する。

第一　改正の趣旨

児童扶養手当制度は、死別母子世帯に対する母子福祉年金制度を補完するものとして昭和三十六年度に発足した。しかしながら、制度発足から二〇年余を経過した今日、母子福祉年金の受給者はほとんど消滅し、その一方で、離婚の増加により、母子家庭の大半は離婚によるもので占められるようになるとともに、児童扶養手当の受給者数も著しく増加している。

今回の改正は、以上のような事情にかんがみて児童扶養手当制度の見直しを行い、この制度を、従来の母子福祉年金の補完的制度から、母子家庭の生活の安定と自立の促進を通じて児童の健全育成を図ることを目的とする福祉制度に改めるものであること。

第二　主な改正の内容

1　目的の改正

第一の改正の趣旨を踏まえて目的規定を改め、児童扶養手当法は、父と生計を同じくしていない児童が育成される家庭の生活の安定と自立の促進に寄与するため、当該児童について児童扶養手当を支給し、もって児童の福祉の増進を図ることを目的とすることとされたこと。

2　扶養義務との関係

児童扶養手当の支給は、婚姻を解消した父等が児童に対して履行すべき扶養義務の程度又は内容を変更するものではないことが明らかにされたこと。

3　父の所得との関係

婚姻を解消した父の所得が一定額以上であるときには、扶養義務の履行が可能であるので、原則として児童扶養手当を支給しないこととされ、併せて、都道府県知事が児童の父について調査等を行い得ることが明定されたこと。

なお、この改正規定は、父の扶養義務の履行状況等を勘案して別途政令で定める日から施行することとされたこと。

4　児童扶養手当の額及び支給制限

(1)　この制度が第一の改正の趣旨で述べたような福祉制度に改められたことに伴い、従来母子福祉年金に準じて定められてきた手当額及び支給制限について、受給者の必要度を考慮して定めることとされたこと。すなわち、児童扶養手当の一部支給停止を導入し、支給金額を所得に応じて二段階にするとともに、全部支給停止とする場合の所得の限度額も改められたこと。

(2) 孤児等の養育者については、他の養育者とは別の支給制限を適用することとされたこと。すなわち、児童扶養手当の一部支給停止は行わず、また、全部支給停止とする場合の所得の限度額も他の養育者とは別に定めることとされたこと。

5 支給主体及び費用の負担

この制度が第一の改正の趣旨で述べたような福祉制度に改められたことに伴い、支給に要する費用について都道府県負担を導入し、その負担割合は一〇分の二とすることとされたこと。また、支給主体については、国から都道府県知事に改められたこと。

なお、この改正規定は、今回の改正後に新たに認定の請求をする者に係る児童扶養手当の支給について適用することとされたこと。

6 その他

(1) 認定の請求は、児童扶養手当の支給要件に該当するに至った日から起算して五年を経過したときは、正当な理由があるときを除き、行うことができないこととされたこと。

なお、この改正規定は、今回の改正後に児童扶養手当の支給要件に該当するに至った者について適用することとされたこと。

(2) 児童扶養手当法別表で定められている障害の状態は政令で定めることとされたこと。

(3) この改正法は、3の改正を除き、本年八月一日から施行することとされたこと。

○児童扶養手当法の一部を改正する法律等の施行について（施行通知）

〔昭和六十年七月三十一日 児発第六六二号
各都道府県知事宛 厚生省児童家庭局長通知〕

〔改正経過〕

第一次改正 〔平成四年一二月二五日児発第一、〇七三号

児童扶養手当法の一部を改正する法律（昭和六十年六月七日法律第四十八号）の公布に伴い、児童扶養手当法施行令の一部を改正する政令が本年七月十九日政令第二百三十六号として、児童扶養手当法施行規則の一部を改正する省令が同月二十四日厚生省令第三十三号として、それぞれ公布され、本年八月一日から施行することとされたところである。また、国民年金法等の一部を改正する法律も、昭和六十年五月一日法律第三十四号として公布され、原則として明年四月一日から施行することとされたところである。

児童扶養手当法の一部を改正する法律の施行については、本日厚生省発児第一三四号により厚生事務次官から通知されたところであるが、同法、前記政令の実施及び国民年金法等の一部を改正する法律の施行に伴う児童扶養手当及び特別児童扶養手当に関する取扱いの実施については、次の事項に留意し、遺憾なきを期すとともに、管下市町村長及び受給者等に対する周知徹底を図られたい。

おって、この通知においては、児童扶養手当法の一部を改正する法律を「改正法」と、国民年金法等の一部を改正する法律を「国年法等改正法」と、これらの法律による改正後の児童扶養手当法を「法」と、児童扶養手当法施行令の一部を改正する政令を「改正政令」と、同政令による改正後の児童扶養手当法施行令を「政令」と、児童扶養手当法施行規則の一部を改正する省令を「改正省令」と、同省令による改正後の児童扶養手当法施行規則を「省令」と、それぞれ略称する。

Ⅰ　法及び政令に関する事項

第一　児童扶養手当の額及び法第九条の支給制限

1　児童扶養手当（以下「手当」という。）の額を月額三万二七〇〇円から三万三〇〇〇円に引き上げたこと。（児童一人の場合）

なお、二人以上の児童を有する受給者に係る加算については、第二子五〇〇〇円、第三子以降一人につき二〇〇〇円であり、改正前と変りはないこと。

2　法第九条の規定により、手当の一部支給停止が導入され、手当額が二段階となったが、これは、所得が低く、より手当を必要とする者に手厚い給付を行うという趣旨であること。

3　扶養親族等一人の世帯で所得が七七万九〇〇〇円未満の場合は手当の全部を支給することとしているが、この額は、所得税が非課税となる水準であること。

同様の世帯で所得が一九三万五〇〇〇円以上の場合は手当の全部を支給しないこととしているが、この額は、生活程度が普通と意識している階層の平均年収を勘案したものであること。

この両者の間の世帯については、その必要度を考慮し、手当月額のうち一万一〇〇〇円を支給停止することとしたこと。

なお、経過措置として、既認定者等（昭和六十年七月三十一日において認定を受けている者及び同日において認定の請求をしている者であってその後認定を受けた者をいう。以下同じ。）であって手当が全部支給停止となる者のうち、昭和五十九年の所得が改正前の所得制限限度額未満の者については、昭和六十年八月から昭和六十一年七月まで（又はそれ以前で失権の月まで）の月分の手当について、一部（手当月額のうち一万一〇〇〇円）を支給停止した額を支給することとしたこと。

4　扶養親族等の数別の所得制限限度額は、別表第1のとおりであること。

5　また、所得を計算する上で用いる障害者等に係る控除を二三万円から二五万円に、特別障害者控除を三一万円から三三万円に改めたこと。

（法第五条及び第九条、政令第二条の三第一項及び第二項並びに第四条第二項第二号並びに改正政令附則第二条第二項関係）

第二　法第九条の二の支給制限について

1　孤児等の養育者については、扶養義務を有しない児童を養育している者であること等から、他の場合とは区別し、別の支給制限を設けることとしたこと。なお、所得の計算方法は、他と同様であること。

2　この支給の制限においては、一部支給停止は行わないこととし、また、全部支給停止となる所得の限度額は、扶養義務者に係るものと同様に、扶養親族等五人の世帯の場合で六七八万九〇〇〇円としたこと。

扶養親族等の数別の所得の限度額は、別表第2のとおりであること。

3　孤児等の範囲については、次のとおりであること。

①　父（母が児童を懐胎した当時事実婚の状態にあった者を含む。以下同じ。）が死亡し又は生死不明であって、かつ、母がない児童（母が死亡し若しくは生死不明であるか又は戸籍上母がない児童をいう。）

②　父が法令により引き続き一年以上拘禁されている児童であって、母がないもの又は母が法令により引き続き一年以上拘禁されているもの。

③　母が婚姻（事実婚を含む。）によらず懐胎した児童（父から認知された児童を除く。）であって、母が死亡したもの又は母の生死が明らかでないもの。

④　いわゆる「棄児」（政令第一条の二第四号に該当する児童）

⑤　父がない児童（父が死亡し若しくは生死不明であるか又は明らかでない児童をいう。）であって、母が法令により引き続き一年以上拘禁されているもの。

（法第九条及び第九条の二並びに政令第二条の二並びに第二条の三第三項関係）

第三　被災年に係る支給手当の返還

法第十二条第一項に規定する被災者の被災年の所得が政令第二条の三第一項で定める金額を超えたときは、支給を受けた手当の全部又は一部を都道府県に返還させることとしたが、この返還は、法第十二条第一項の規定の適用により支給された手当に相当する金額から、被災年の前年又は前々年の所得に法第九条から第十一条までの規定を適用したとした場合に支給されることとなる手当であって法第十二条第一項の規定の適用により支給が行われた期間に係るものに相当する金額を控除した金額について行うこととしたこと。ただし、法第十二条第二項第三号に該当せず同項第一号に該当する場合であって被災年の所得が政令第二条の三第一項で定める金額以上で同条第二項で定める金額（既認定者等に係る昭和六十年八月から昭和六十一年七月までの手当の返還については、改正前の児童扶養手当法施行令第二条の二第一項で定める金額）未満のときは、この控除する金額は、一万一〇〇〇円に法第十二条第一項の規定の適用により支給が行われた期間の月数を乗じて得た金額としたこと。

なお、既認定者等に係る改正法附則第六条第一項に規定する政令で定める日（以下「変更日」という。）の属する月までの手当の返還は、従来どおり国に対して行うものであること。

（法第十二条、政令第五条の二並びに改正政令附則第二条第二項及び第四条関係）

第四　認定の請求期限

認定の請求は、手当の支給要件に該当するに至った日（請求をすれば認定されうる状態になった日）から起算して五年を経過したときは、正当な理由があるときを除き、行うことができないこととしたが、この正当な理由があるときとは、法第七条第二項の「やむを得ない理由」と同様、震災、風水害等の事由に限られること。

なお、この規定は本年八月から施行するが、改正法の施行後に手当の支給要件に該当するに至った者から適用するものであること。

（法第六条第二項及び改正法附則第四条関係）

第五　費用の負担及び手当の支払

1　昭和六十年八月一日以後に認定の請求を行う者に係る手当の支給に要する費用については、国が一〇分の八、都道府県が一〇分の二を負担することとなるが、これらの者に係る手当の支給主体も国から都道府県知事に変更したこと。

2　この支給主体の変更に伴い、これらの者に関する手当の支払については、十二月支払分の十一月払いは行わないこととなり、支払日も都道府県知事が定めることとなること。なお、これらの者についての手当の支払日を定めるに当たっては、既認定者等との均衡も考慮して、既認定者等についての支払日（支払期月の十一日（その日が日曜日若しくは土曜日又は休日（以下「日曜日等」という。）に当たる場合は、その日の直前の日曜日等でない日）と著しい間隔が生じないよう配慮されたいこと。

3　これらの者については、印鑑及び支払郵便局の登録は行われないこととなるとともに、法第二十九条に基づく調査を都道府県知事が行うこととなること。

4　既認定者等に係る手当の支給に要する費用については、従来どおり国庫が全額負担すること。

既認定者等についても十二月支払分の十一月払いは行われないこととなるが、既認定者等に係る変更日の属する月までの手当の支払事務については、従来どおり、国（郵便局）が取り扱うものであること。

既認定者等については、変更日までの間は引き続き印鑑及び支払郵便局の登録に係る事務が必要であること。また、既認定者等に係る変更日の属する月までの手当については、法第二十九条に基づく調査を厚生大臣も引き続き行えること。

（法第四条第一項、第七条、第二十一条及び第二十九条、改正法附則第五条及び第六条、政令第六条第五号並びに改正政令附則第三条、第四条、第五条関係）

（注）　特別児童扶養手当の十二月支払分は、従来どおり十一月に支払われるものであることに留意されたい。

（改正法による改正後の特別児童扶養手当等の支給に関する法律第五条の二第四項関係）

第六　障害に関する取扱い

児童扶養手当法の別表で定められていた障害の状態が政令の別表で定められることとなったが、その内容に変更はないので、障害に関する取扱いは従来どおりとされたいこと。

（法第三条第一項及び第四条第一項第三号並びに政令第一条、別表第一及び別表第二関係）

第七　改正法の施行期日

改正法の施行期日は、昭和六十年八月一日であること。

ただし、父の所得により手当を支給しないこととする規定及び児童の父を調査対象として明定する等のための改正規定については、婚姻を解消した父の児童に対する扶養義務の履行状況等を勘案して、別に政令で定める日から施行するものであること。

（法第四条第四項及び第五項、第二十九条第一項及び第三十条並びに改正法附則第一条関係）

第八　国年法等改正法による改正

1　老齢福祉年金以外の公的年金受給者に係る手当の取扱い

現行は、障害福祉年金及び老齢福祉年金以外の公的年金を受給することができるときには手当を受給することができないこととされているが、改正後は、老齢福祉年金以外の公的年金を受給することができるときは手当を受給することができないこととされたこと。それは、障害福祉年金の制度を廃止し、昭和六十一年三月三十一日における障害福祉年金の受給権者には、原則として、障害基礎年金を支給することとする改正（国年法等改正法附則第二十五条）に伴うものであること。

したがって、障害福祉年金の受給権者である手当の受給資格者は、障害福祉年金を全額支給停止されている場合を除き、同日をもって手当を失権するものであること。

（国年法等改正法附則第百二十六条による改正後の法第四条第三項第二号）

2　国民年金の障害基礎年金又は障害年金を受けることのできる父に係る児童についての手当の取扱い

(1)　従来から、児童が父に支給される公的年金給付の額の加算の対象となっているときは、当該児童について手当は支給されないこととなっているが、今回の改正により発足する障害基礎年金には子の加算が設けられ（国年法等改正法による改正後の国民年金法第三十三条の二）、また、国年法等改正法附則第三十二条第一項及び旧国民年金法（国年法等改正法による改正前の国民年金法）により昭和六十一年四月以降支給される障害年金にも、子の加算が設けられる（同条第六項）ことに伴い、対象児童がこれらの年金の加算の対象となる場合には、手当は支給しないものであること。

(2)　したがって、

①昭和六十一年三月三十一日における障害福祉年金の受給権者たる父は、原則として子の加算がついた障害基礎年金を受給することとなり、当該父に係る児童についての手当は、法第四条第二項第四号により、支給しないものとなり、

②また、旧国民年金法による障害年金受給権者たる父にも、原則として子の加算がつくこととなるので、同様に、手当は支給しないものとなるが、

③しかしながら、これらの場合であっても、昭和六十一年三月三十一日において手当の認定を受けている者及び同日において手当の認定の請求をしている者であってその後認定を受けた者については、法第五条本文に規定する額（三万三〇〇〇円）又はこの額から一部支給停止の額を控除した額（二万二〇〇〇円）から第一子に係る加算の額（一万五〇〇〇円）を控除した額（一万八〇〇〇円又は七〇〇〇円）を手当として支給する（失権しない）ものであること。なお、この支給額は、児童数の如何にかかわらず同一であること。

（国年法等附則第三十三条）

3　特別児童扶養手当に係る障害等級表

国民年金法等における改正と同様に、特別児童扶養手当等の支給に関する法律別表で定められている障害等級表を政令で定めることとしたこと。なお、当該政令は、追って公布されるものであること。

（国年法等改正法第七条による改正後の特別児童扶養手当等の支給に関する法律第二条第一項関係）

4　施行期日

これら国年法等改正法による改正の施行期日は昭和六十一年四月一日であること。

（国年法等改正法附則第一条関係）

Ⅱ　省令等に関する事項

第一　管轄都道府県知事

手当の受給資格者がその受給資格及び手当額についての認定若し

くは手当額の改定の請求をし、又は児童扶養手当現況届等を提出すべき都道府県知事は、住所地の都道府県知事としたこと。

第二　受給者が都道府県の区域を越えて住所を変更した場合の取扱い（省令第一章関係）

1　受給者は、都道府県の区域を越えて住所を変更しようとする場合には、あらかじめ変更前の住所地の市町村長を通じて、当該住所地の都道府県知事に、変更前後の住所、住民基本台帳法に基づき届け出た転出予定年月日及び児童扶養手当証書の記号番号を届け出ることとしたこと。

2　受給者は、都道府県の区域を越えて住所を変更したときは、一四日以内に、変更後の住所地の市町村長を通じて、当該住所地の都道府県知事に、変更後の住所地の世帯の全員の住民票の写しを添えて、変更前後の住所、住民基本台帳法に基づき届け出た転入年月日及び児童扶養手当証書の記号番号を届け出ることとしたこと。

3　1及び2の市町村長は、当該届書に記載された事項を転記した書類ではなく、当該届書自体を都道府県知事に進達することとしたこと。

4　2の届出を受理した変更後の住所地の都道府県知事は、届出受給者に係る変更前後の住所、転入年月日及び従前の児童扶養手当証書の記号番号を変更前の住所地の都道府県知事に文書で通知することとしたこと。

5　なお、変更前の住所地の都道府県知事は、変更後の住所地への転入年月日の属する月分までの手当を支給し、変更後の住所地の都道府県知事は、転入年月日の属する月の翌月分から手当を支給するものであること。この場合、前者の手当については、変更後の都道府県知事からの転入に関する通知を受けた後、失権の場合に準じて、随時払いの取扱いを行うこと。また、後者の手当については、受給者からの届出により転入を確認した上支払うこととすること。

6　既認定者等については、変更日までの間は1から5までにかかわらず、従前の例によること。

（省令第六条、第十五条及び第二十条第三項並びに附則第二項関係）

第三　孤児等の養育者の支給制限の新設等に係る取扱い

1　従来は支給停止関係の届について児童扶養手当法施行規則上特段の定めがなかったが、今回の改正により孤児等の養育者については その他の養育者とは異なる支給制限が設けられることになったこと等に伴い、年の途中で受給者が孤児等を養育する場合等に即応できるよう、児童扶養手当支給停止関係届の様式を定めるとともに、その届出時期及び添付書類等を定めたこと。

なお、児童扶養手当支給停止関係届等により、新たに手当の全部若しくは一部の支給を停止し、又は手当の支給停止を解除することとしたときは、異動の発生した月の翌月から当該措置をとること。

また、児童扶養手当被災状況書について、届出時期を明確化したこと。

2　また、孤児等の養育者は、児童扶養手当認定請求書及び児童扶養手当現況届に孤児等の養育者であることを明らかにする書類を添付すべきこととしたこと。ただし、父又は母の死亡を明らかにすることができる書類を既に提出しているときは、児童扶養手当現況届に当該書類を添付する必要がないものであること。

なお、この添付は、本年八月一日以降提出する児童扶養手当認定請求書及び児童扶養手当現況届から必要となることに留意されたいこと。

（省令第一条、第三条の二及び第四条関係）

第四　手当支払方法の変更に伴う取扱い

1　支給主体を国から都道府県知事に変更したことに伴い、手当の支払も、郵便局払いから普通地方公共団体の支出の方法によることになったこと。また、これに伴い、受給者の印鑑及び支払郵便局に関する届出並びに都道府県及び市町村におけるその受理、記録等に関する事務が不要となること。

2　ただし、既認定者等に係る変更日の属する月までの月分の手当については引き続き郵便局払いのみによるものであるので、既認定者等については変更日までの間は従来どおり印鑑及び支払郵便局に関する届出等に関する事務が必要であること。

（省令第十二条の二、第十二条の三、第十三条、第十五条第二項及び第三項、第十九条並びに第二十条第一項並びに改正省令附則第二項、第四項、第五項、第六項及び第八項関係）

第五　手当の一部支給停止導入に伴う通知書等の取扱い

手当の一部支給停止者は、受給者であると同時に手当の支給を停止される者でもあるので、認定を行った等の場合には、受給者に対して交付すべき通知書等の他に、支給停止通知書も併せて交付するものであること。

（省令第十六条並びに第二十一条第一項及び第二項関係）

第六　様式の改正

次の様式が改正、新設又は廃止されたこと。

①児童扶養手当請求書　様式第一号（旧様式第一号の全部改正）

②児童扶養手当額改定請求書　様式第四号（旧様式第四号の一部改正）

③児童扶養手当額改定届　様式第五号（旧様式第五号の一部改正）

④児童扶養手当支給停止関係届　様式第五号の二（新設）

⑤児童扶養手当現況届　様式第六号（旧様式第六号の全部改正）

⑥児童扶養手当証書亡失届　様式第八号（旧様式第八号の一部改正）

⑦児童扶養手当資格喪失届　様式第九号（旧様式第九号の一部改正）

⑧未支払児童扶養手当請求書　様式第十号（旧様式第十号の一部改正）

⑨児童扶養手当認定通知書　様式第十一号（旧様式第十一号の一部改正）

⑩児童扶養手当証書　様式第十一号の二（新設）

⑪児童扶養手当支給停止通知書　様式第十一号の三（旧様式第十一号の二を一部改正の上様式第十一号の三に繰下げ）

⑫督促状（旧様式第十六号）の廃止

⑬児童扶養手当受給資格調査員証　様式第十六号（旧様式第十七号を一部改正の上様式第十六号に繰上げ）

なお、②児童扶養手当額改定請求書及び③児童扶養手当額改定届は従前の様式を使用しても差し支えないこと。昭和六十年九月十日までに提出されるべき⑤児童扶養手当現況届については、従前の様式によるものを用いても差し支えないこと。明年以降変更日までの間の既認定者等に係る⑤児童扶養手当現況届は、新様式第六号中支払金融機関の欄を支払郵便局の欄に置き直したものを用いること。既認定者等に係る⑥児童扶養手当証書亡失届、⑧未支払児童扶養手当請求書及び⑨児童扶養手当認定通知書は、変更日までの間は旧様式を用いること。既認定者等に支給する変更日の属する月までの手当に係る⑩児童扶養手当証書は、引き続き従来の様式のものを用いること。既認定者等に対して発する変更日の属する月までの手当に係る⑫督促状は、従来の様式によるものを用いること。既認定者等に係る変更日の属する月までの手当について調査を行う場合の⑬児童扶養手当受給資格調査員証は、「都道府県知事」とあるのを「厚生大臣又は都道府県知事」等と置き直すものであること。

（省令各様式及び改正省令附則第三項から第八項まで関係）

第七　国民年金法の一部改正に伴う取扱い

国民年金法の一部改正に伴い、昭和六十一年三月三十一日において障害福祉年金を受給している者に対する手当及び同日において国民年金の障害年金又は障害福祉年金を受給している父に係る児童についての手当は、多くの場合、同日をもって失権し、あるいは減額されることとなるので、あらかじめ、既認定者等については本年の児童扶養手当現況届に係る事務の中で、本年八月一日以後認定の請求をする者についてはその認定事務の中で、その事実を把握しておく必要があることに留意されたいこと。

手当の受給者が障害福祉年金を受けていることが確認された場合には、当該受給者に交付する児童扶養手当証書には、取りあえず、昭和六十一年三月分まで（昭和六十一年四月期まで）の手当の金額を打刻して交付し、その後、障害基礎年金の受給の有無を確認の上、障害基礎年金を受けない場合には、同年七月分までの手当の金額を打刻して交付し、障害基礎年金を受ける場合には、資格喪失処分を行うこと。

児童の父が障害福祉年金又は現行国民年金法による障害年金を受けていることが確認された場合には、取りあえず、昭和六十一年三月分まで（昭和六十一年四月期まで）の手当の金額を打刻して交付し、その後、加算の有無を確認の上、児童が加算の対象となった場合には、同年七月分までの減額した手当の金額を打刻して交付し、児童が加算の対象とならなかった場合には、同年七月分までの減額しない手当の金額を打刻して交付すること。

別表第１

⑴　手当の全部を支給する所得の限度額

（本通知Ｉの第１の３関係。法第９条及び政令第２条の３第１項関係）

扶養親族等の数	所　得　ベ　ー　ス	収　入　ベ　ー　ス
人	円	円
0	398,000	968,000
1	779,000	1,706,000
2	1,146,000	2,230,000
3	1,513,000	2,754,000
4	1,880,000	3,278,000

1　所得税法に規定する老人控除対象配偶者又は老人扶養親族がある者について限度額（所得ベース）は、上記の金額に当該老人控除対象配偶者又は老人扶養親族１人につき６万円を加算した額とする。

2　扶養親族等が５人以上の場合の限度額（所得ベース）は、１人につき36万7000円（扶養親族等が老人控除対象配偶者又は老人扶養親族であるときは、42万7000円）を加算した額とする。

3　収入ベースの額は、所得ベースの限度額に給与所得控除額相当分（扶養親族等が１人以上の場合は、及び寡婦控除相当分）を加算したものである。

⑵　手当の一部を支給する所得の限度額

（本通知Ｉの第１の３関係。法第９条及び政令第２条の３第２項関係）

扶養親族等の数	所　得　ベ　ー　ス	収　入　ベ　ー　ス
人	円	円
0	1,605,000	2,529,000
1	1,935,000	3,000,000
2	2,265,000	3,450,000
3	2,595,000	3,862,000
4	2,925,000	4,275,000

1　所得税法に規定する老人控除対象配偶者又は老人扶養親族がある者について限度額（所得ベース）は、上記の金額に当該老人控除対象配偶者又は老人扶養親族１人につき６万円を加算した額とする。

2　扶養親族等が５人以上の場合の限度額（所得ベース）は、１人につき33万円（扶養親族等が老人控除対象配偶者又は老人扶養親族であるときは、39万円）を加算した額とする。

3　収入ベースの額は、所得ベースの限度額に給与所得控除額相当分を加算したものである。

⑶　施行後１年間手当の一部を支給する所得の限度額

（本通知Ⅰの第１の３関係。法第９条及び改正政令附則第２条第２項関係）

扶養親族等の数	所　得　ベ　ー　ス	収　入　ベ　ー　ス
人	円	円
0	2,148,000	3,304,000
1	2,438,000	3,666,000
2	2,728,000	4,029,000
3	3,018,000	4,391,000
4	3,308,000	4,754,000

1　所得税法に規定する老人控除対象配偶者又は老人扶養親族がある者について限度額（所得ベース）は、上記の金額に当該老人控除対象配偶者又は老人扶養親族１人につき６万円を加算した額とする。

2　扶養親族等が５人以上の場合の限度額（所得ベース）は、１人につき29万円（扶養親族等が老人控除対象配偶者又は老人扶養親族であるときは、35万円）を加算した額とする。

3　収入ベースの額は、所得ベースの限度額に給与所得控除額相当分を加算したものである。

別表第２

孤児等の養育者及び扶養義務者の所得制限限度額

（本通知Ｉの第２の２関係。法第９条の２及び政令第２条の３第３項並びに法第10条及び第11条並びに政令第２条の３第４項関係）

扶養親族等の数	所得ベース	収入ベース
人	円	円
0	5,688,000	7,537,000
1	5,937,000	7,814,000
2	6,150,000	8,050,000
3	6,363,000	8,287,000
4	6,576,000	8,523,000

1　扶養親族等の数が２人以上の世帯については、所得税法に規定する老人扶養親族がある者について限度額（所得ベース）は、上記の金額に当該老人扶養親族１人につき（当該老人扶養親族のほかに扶養親族等がないときは、当該老人扶養親族のうち１人を除いた老人扶養親族１人につき）６万円を加算した額とする。

2　扶養親族等が５人以上の場合の限度額（所得ベース）は、１人につき21万3000円（扶養親族等が老人扶養親族であるときは、当該老人扶養親族１人につき（当該老人扶養親族のほかに扶養親族等がないときは、当該老人扶養親族のうち１人を除いた老人扶養親族１人につき）27万3000円）を加算した額とする。

3　収入ベースの額は、所得ベースの限度額に給与所得控除額相当分を加算したものである。

○児童扶養手当法及び特別児童扶養手当等の支給に関する法律の一部改正について（施行通知）

〔昭和六十一年四月三十日　児発第三八二号
各都道府県知事宛　厚生省社会・児童家庭局長連名通知〕

本日、児童扶養手当法及び特別児童扶養手当等の支給に関する法律の一部を改正する法律（以下「改正法」という。）が法律第四十号として、また児童扶養手当法施行令の一部を改正する政令（以下「改正政令」という。）が政令第百三十三号として、それぞれ、別添1及び2のとおり、公布施行され、本年四月一日から適用することとされたところである。また、国民年金法等の一部を改正する法律の施行に伴う経過措置に関する政令（以下「国年経過措置政令」という。）についても、昭和六十一年三月二十八日政令第五十四号として公布され、本年四月一日から施行されているところである（別添3参照）。以上の改正に関しては、以下の事項について十分御了知の上、所要の事務処理に遺憾なきを期されるとともに、管下市町村及び福祉事務所に対する周知徹底を図られたく通知する。

第一　児童扶養手当に関する事項

(1)　児童扶養手当の額の引上げについて

今回の改正により、児童扶養手当の額が児童一人の場合月額三万三〇〇〇円から月額三万三七〇〇円に引き上げられたこと。また、改正政令により、児童扶養手当について受給資格者の所得による一部支給制限の額が一万一〇〇〇円から一万一二〇〇円に改められたこと。これにより、一部支給制限を受ける者に係る手当月額は、児童一人の場合二万二〇〇〇円から二万二五〇〇円に改められるものであること。

また、二人以上の児童を有する受給者に係る加算額については、第二子五〇〇〇円、第三子以降一人につき二〇〇〇円であり、改正前と変更はないものであること。

なお、昨年の児童扶養手当法施行令の一部を改正する政令（昭和六十年政令第二百三十六号）附則第二条第二項の規定により、経過的措置として、本年七月までの月分の児童扶養手当について、一部支給制限した額（二万二〇〇〇円）の支給を受けている者については、改正政令により、一部支給制限の額を一万一七〇〇円とし、手当月額二万二〇〇〇円を据置くこととしたこと。

(2)　父が国民年金の障害基礎年金又は障害年金を受けることができる場合の取扱いについて

前記については、本年四月からの国民年金制度の改正に伴い、従来の障害福祉年金については障害基礎年金に移行し新たに子について加算が付されることとなり、また、従来の障害年金についても子の加算が付されることとなるため、障害福祉年金又は障害年金の受給権者たる父の児童に係る児童扶養手当は、児童扶養手当法（昭和三十六年法律第二百三十八号）第四条第二項第四号の規定により、支給しないこととなる。しかしながら、これらの場合であっても、本年三月三十一日において児童扶養手当の認定を受けている者及び同日において児童扶養手当の認定を請求している者であってその後認定を受けた者については、国民年金法等の一部を改正する法律（昭和六十年法律第三十四号。以下「国年法等改正法」という。）附則第三十三条の規定により、児童扶養手当法（昭和三十六年法律第二百三十八号）第五条本文に規定する額（三万三七〇〇円）又はこの額から一部支給制限の額を控除した額（二万二五〇〇円又は二万二〇〇〇円）から第一子に係る加算の額（国年経過措置政令第十七条の規定により、一万五五六六円）を控除した額（一万八一三四円、六九三四円又は六四三四円）を児童扶養手当として支給するものであること。

(3) 児童扶養手当法施行令別表について

改正政令により、児童扶養手当法施行令（昭和三十六年政令第二百三十八号）別表第一及び別表第二について「聴力損失」を「聴力レベル」に改めることとしたが、これはオージオメータに係る日本工業規格（JIS規格）の改正に伴うものであり、同別表の障害の程度を変更するものではないこと。

第二　特別児童扶養手当に関する事項

特別児童扶養手当の額が、障害児一人につき月額二万六五〇〇円から二万七二〇〇円に、重度の障害児一人につき月額三万九八〇〇円から四万八〇〇円に、それぞれ引き上げられたこと。

第三　障害児福祉手当及び特別障害者手当に関する事項

本年四月に制度が発足した障害児福祉手当及び特別障害者手当については、改正法により、本年四月分からそれぞれ障害児福祉手当の額は月額一万一五五〇円と、特別障害者手当の額は月額二万八〇〇円とされたこと。

第四　経過的に支給される福祉手当に関する事項

特別障害者手当制度の発足に伴い、経過的に支給されることとなる福祉手当（以下「経過的福祉手当」という。）の額については、改正法により、本年四月分から、月額一万一五五〇円とされたこと。

なお、特別児童扶養手当等の支給に関する法律施行令の一部を改正する政令（昭和六十年政令第三百二十三号）附則第五条の規定により、本年三月三十一日において児童扶養手当の支給要件に該当している者（その監護、養育する児童が一人の場合に限る。）であって、受給資格の認定を受け又は認定の請求をしているもの（本年三月分の月分の児童扶養手当の全部又は一部が支給制限されている者を除く。）に対して、経過的福祉手当の一部を支給する場合については、本年四月分からその額は四六〇九円となるものであること。

別添1～3　略

児童扶養手当法及び特別児童扶養手当等の支給に関する法律の一部改正について（施行通知）

○児童扶養手当法施行令及び特別児童扶養手当等の支給に関する法律施行令の一部改正について

〔昭和六十一年七月二十二日　児発第六三四号
各都道府県知事宛　厚生省児童家庭局長通知〕

児童扶養手当法施行令及び特別児童扶養手当等の支給に関する法律施行令の一部を改正する政令（以下「改正政令」という。）は、本日政令第二百六十一号として別添1のとおり公布され、児童扶養手当法施行令（昭和三十六年政令第四百五号）及び特別児童扶養手当等の支給に関する法律施行令（昭和五十年政令第二百七号）の一部が改正されたところであるが、改正の内容は左記のとおりであるので、御了知の上、所要の事務処理に遺憾なきを期されるとともに、管下市町村長に対する周知徹底を図られたく通知する。

記

1　児童扶養手当法施行令一部改正

児童扶養手当の受給資格者本人の所得により支給を制限する場合の限度額（別添2）を昭和六十一年八月一日から改正すること。

（改正政令第一条関係）

なお、昭和六十一年七月以前の月分の児童扶養手当の支給の制限及び同月以前の月分の児童扶養手当に相当する金額の返還については、なお従前の例によること。

（改正政令附則第二項関係）

2　特別児童扶養手当等の支給に関する法律施行令の一部改正

(1)　特別児童扶養手当の受給資格者本人の所得により支給を制限する場合の限度額（別添3）を昭和六十一年八月一日から改正すること。

（改正政令第二条関係）

(2)　障害児福祉手当、特別障害者手当及び国民年金法等の一部を改正する法律附則第九十七条第一項の規定による福祉手当（以下「福祉手当」という。）の受給資格者本人の所得により支給を制限する場合の限度額（別添4）を昭和六十一年八月一日から改正すること。

（改正政令第二条関係）

なお、昭和六十一年七月以前の月分の特別児童扶養手当、障害児福祉手当、特別障害者手当及び福祉手当の支給の制限並びに同月以前の月分の特別児童扶養手当、障害児福祉手当、特別障害者手当及び福祉手当に相当する金額の返還については、なお従前の例によること。

（改正政令附則第二項関係）

別添1　略

（別添２）

昭和61年度児童扶養手当所得制限限度額

（単位：円）

扶養親族等の数	本人		配偶者・扶養義務者及び孤児等の養育者	
	収入額	限度額	収入額	限度額
0	2,607,000	1,660,000	7,537,000	5,688,000
1	3,078,000	1,990,000	7,814,000	5,937,000
2	3,519,000	2,320,000	8,050,000	6,150,000
3	3,931,000	2,650,000	8,287,000	6,363,000
4	4,344,000	2,980,000	8,523,000	6,576,000
5	4,756,000	3,310,000	8,760,000	6,789,000

（注）

1　所得税法に規定する老人控除対象配偶者又は老人扶養親族がある者についての限度額（所得ベース）は、上記の金額に当該老人控除対象配偶者又は老人扶養親族１人につき６万円を加算した額とする。

2　扶養親族等が６人以上の場合の限度額（所得ベース）は、１人につき33万円（扶養親族等が老人控除対象配偶者又は老人扶養親族であるときは、39万円）を加算した額とする。

3　収入ベースの限度額は、所得ベースの限度額に給与所得控除額相当分を加算したものである。

4　扶養義務者の所得制限の限度額については据置きである。

（別添３）

昭和61年度特別児童扶養手当所得制限限度額

（単位：円）

扶養親族等の数	本人		配偶者及び扶養義務者	
	収入額	限度額	収入額	限度額
0	4,424,000	3,044,000	7,537,000	5,688,000
1	4,836,000	3,374,000	7,814,000	5,937,000
2	5,249,000	3,704,000	8,050,000	6,150,000
3	5,661,000	4,034,000	8,287,000	6,363,000
4	6,066,000	4,364,000	8,523,000	6,576,000
5	6,432,000	4,694,000	8,760,000	6,789,000

（注）

1　所得税法に規定する老人控除対象配偶者又は老人扶養親族がある者についての限度額（所得ベース）は、上記の金額に当該老人控除対象配偶者又は老人扶養親族１人につき６万円を加算した額とする。

2　扶養親族等が６人以上の場合の限度額（所得ベース）は、１人につき33万円（扶養親族等が老人控除対象配偶者又は老人扶養親族であるときは、39万円）を加算した額とする。

3　収入ベースの限度額は、所得ベースの限度額に給与所得控除額相当分を加算したものである。

4　扶養義務者の所得制限の限度額については据置きである。

（別添４）

昭和61年度特別障害者手当等所得制限限度額

（単位：円）

扶養親族等の数	本人所得制限		扶養義務者所得制限	
	収入額	限度額	収入額	限度額
0	3,172,000	2,055,000	7,537,000	5,688,000
1	3,600,000	2,385,000	7,814,000	5,937,000
2	4,016,000	2,715,000	8,050,000	6,150,000
3	4,428,000	3,045,000	8,287,000	6,363,000
4	4,840,000	3,375,000	8,523,000	6,576,000
5	5,252,000	3,705,000	8,760,000	6,789,000

(注)

1　所得税法に規定する老人控除対象配偶者又は老人扶養親族がある者についての限度額（所得ベース）は、上記の金額に当該老人控除対象配偶者又は老人扶養親族１人につき６万円を加算した額とする。

2　扶養親族等が６人以上の場合の限度額（所得ベース）は、１人につき33万円（扶養親族等が老人控除対象配偶者又は老人扶養親族であるときは、39万円）を加算した額とする。

3　収入ベースの限度額は、所得ベースの限度額に給与所得控除額相当分を加算したものである。

4　扶養義務者の所得制限の限度額については据置きである。

○児童扶養手当法施行令等の一部改正について

〔昭和六十二年五月二十九日　児発第四八二号
各都道府県知事宛　厚生省社会・児童家庭局長連名通知〕

国民年金法施行令等の一部を改正する政令（以下「改正政令」という。）は、本日政令第百八十三号として別添のとおり公布され、児童扶養手当法施行令（昭和三十六年政令第四百五号）、特別児童扶養手当等の支給に関する法律施行令（昭和五十年政令第二百七号）及び児童手当法施行令（昭和四十六年政令第二百八十一号）の一部が改正されたところであるが、改正の内容は左記のとおりであるので、御了知の上、所要の事務処理に遺憾なきを期されるとともに、管下市町村長に対する周知徹底を図られたく通知する。

記

1　児童扶養手当法施行令の一部改正

児童扶養手当の受給資格者本人の所得により支給を制限する場合の限度額（別添1）を昭和六十二年八月一日から改正すること。

（改正政令第三条関係）

なお、昭和六十二年七月以前の月分の児童扶養手当の支給の制限及び同月以前の月分の児童扶養手当に相当する金額の返還については、なお従前の例によること。

（改正政令附則第三項関係）

2　特別児童扶養手当等の支給に関する法律施行令の一部改正

(1)　特別児童扶養手当の受給資格者本人の所得により支給を制限する場合の限度額（別添2）を昭和六十二年八月一日から改正すること。

（改正政令第四条関係）

(2)　障害児福祉手当、特別障害者手当及び国民年金法等の一部を改正する法律（昭和六十年法律第三十四号）附則第九十七条第一項の規定による福祉手当（以下「福祉手当」という。）の受給資格者本人の所得により支給を制限する場合の限度額（別添3）を昭和六十二年八月一日から改正すること。（改正政令第四条関係）

なお、昭和六十二年七月以前の月分の特別児童扶養手当、障害児福祉手当、特別障害者手当及び福祉手当の支給の制限並びに同月以前の月分の特別児童扶養手当、障害児福祉手当、特別障害者手当及び福祉手当に相当する金額の返還については、なお従前の例によること。

（改正政令附則第三項関係）

3　児童手当法施行令の一部改正

(1)　児童手当の受給資格者の所得により支給を制限する場合の限度額（別添4）を昭和六十二年六月一日から改正すること。

（改正政令第五条関係）

(2)　児童手当法附則第六条第一項の給付（以下「特例給付」という。）の受給者の所得により支給を制限する場合の限度額（別添4）を昭和六十二年六月一日から改正すること。

（改正政令第五条関係）

なお、昭和六十二年五月以前の月分の児童手当及び特例給付の支給の制限については、なお従前の例によること。

（改正政令附則第四項関係）

別添　略

（別添１）

昭和62年度児童扶養手当所得制限限度額

（単位：円）

扶養親族等の数	本人		配偶者・扶養義務者及び孤児等の養育者	
	収入額	限度額	収入額	限度額
0	2,654,000	1,693,000	7,537,000	5,688,000
1	3,125,000	2,023,000	7,814,000	5,937,000
2	3,560,000	2,353,000	8,050,000	6,150,000
3	3,973,000	2,683,000	8,287,000	6,363,000
4	4,385,000	3,013,000	8,523,000	6,576,000
5	4,798,000	3,343,000	8,760,000	6,789,000

（注）

1　所得税法に規定する老人控除対象配偶者又は老人扶養親族がある者についての限度額（所得ベース）は、上記の金額に当該老人控除対象配偶者又は老人扶養親族１人につき６万円を加算した額とする。

2　扶養親族等が６人以上の場合の限度額（所得ベース）は、１人につき33万円（扶養親族等が老人控除対象配偶者又は老人扶養親族であるときは、39万円）を加算した額とする。

3　収入ベースの限度額は、所得ベースの限度額に給与所得控除額相当分を加算したものである。

4　扶養義務者の所得制限の限度額については据置きである。

（別添２）

昭和62年度特別児童扶養手当所得制限限度額

（単位：円）

扶養親族等の数	本人所得制限		扶養義務者所得制限	
	収入額	限度額	収入額	限度額
0	4,550,000	3,149,000	7,537,000	5,688,000
1	4,968,000	3,479,000	7,814,000	5,937,000
2	5,380,000	3,809,000	8,050,000	6,150,000
3	5,792,000	4,139,000	8,287,000	6,363,000
4	6,182,000	4,469,000	8,523,000	6,576,000
5	6,549,000	4,799,000	8,760,000	6,789,000

（注）

1　所得税法に規定する老人控除対象配偶者又は老人扶養親族がある者についての限度額（所得ベース）は、上記の金額に当該老人控除対象配偶者又は老人扶養親族１人につき６万円を加算した額とする。

2　扶養親族等が６人以上の場合の限度額（所得ベース）は、１人につき33万円（扶養親族等が老人控除対象配偶者又は老人扶養親族であるときは、39万円）を加算した額とする。

3　収入ベースの限度額は、所得ベースの限度額に給与所得控除額相当分を加算したものである。

4　扶養義務者の所得制限の限度額については据置きである。

〔別添３〕

昭和62年度特別障害者手当等所得制限限度額

（単位：円）

扶養親族等の数	本人所得制限		扶養義務者所得制限	
	収入額	限度額	収入額	限度額
0	3,288,000	2,135,000	7,537,000	5,688,000
1	3,700,000	2,465,000	7,814,000	5,937,000
2	4,116,000	2,795,000	8,050,000	6,150,000
3	4,528,000	3,125,000	8,287,000	6,363,000
4	4,940,000	3,455,000	8,523,000	6,576,000
5	5,352,000	3,785,000	8,760,000	6,789,000

（注）

1　所得税法に規定する老人控除対象配偶者又は老人扶養親族がある者についての限度額（所得ベース）は、上記の金額に当該老人控除対象配偶者又は老人扶養親族１人につき６万円を加算した額とする。

2　扶養親族等が６人以上の場合の限度額（所得ベース）は、１人につき33万円（扶養親族等が老人控除対象配偶者又は老人扶養親族であるときは、39万円）を加算した額とする。

3　収入ベースの限度額は、所得ベースの限度額に給与所得控除額相当分を加算したものである。

4　扶養義務者の所得制限の限度額については据置きである。

〔別添４〕

昭和62年度児童手当等所得制限限度額

（単位：円）

扶養親族等の数	児童手当		特例給付	
	収入額	限度額	収入額	限度額
0	2,144,000	1,336,000	4,688,000	3,255,000
1	2,573,000	1,636,000	5,063,000	3,555,000
2	3,001,000	1,936,000	5,438,000	3,855,000
3	3,414,000	2,236,000	5,813,000	4,155,000
4	3,789,000	2,536,000	6,167,000	4,455,000
5	4,164,000	2,836,000	6,500,000	4,755,000

（注）

1　所得税法に規定する老人控除対象配偶者又は老人扶養親族がある者についての限度額（所得ベース）は、上記の金額に当該老人控除対象配偶者又は老人扶養親族１人につき６万円を加算した額とする。

2　扶養親族等が６人以上の場合の限度額（所得ベース）は、１人につき30万円（扶養親族等が老人控除対象配偶者又は老人扶養親族であるときは、36万円）を加算した額とする。

3　収入ベースの限度額は、所得ベースの限度額に給与所得控除額相当分を加算したものである。

○児童扶養手当法及び特別児童扶養手当等の支給に関する法律の一部改正について（施行通知）

〔昭和六十二年六月二日　児発第四九三号
各都道府県知事宛　厚生省社会・児童家庭局長連名通知〕

本日、児童扶養手当法等の一部を改正する法律が法律第四十四号として、また国民年金法等による年金の額の改定に関する政令（以下「年金改定政令」という。）が政令第百八十七号として、それぞれ、別添1及び2のとおり、公布施行され、本年四月一日から適用することとされたところであるが、以下の事項について十分御了知の上、所要の事務処理に遺憾なきを期されるとともに、管下市町村及び福祉事務所に対する周知徹底を図られたく通知する。

第一　児童扶養手当に関する事項

(1)　児童扶養手当の額の引上げについて

児童扶養手当の額については、本年四月分から、児童一人の場合、月額三万三七〇〇円から三万三九〇〇円に引き上げられたこと。

また、これにより、一部支給制限を受ける者に係る手当月額についても、児童一人の場合月額二万二五〇〇円から二万二七〇〇円に改められるものであること。

なお、二人以上の児童を有する受給者に係る加算額については、第二子五〇〇〇円、第三子以降一人につき二〇〇〇円であり、改正前と変更はないものであること。

(2)　父が国民年金の障害基礎年金又は障害年金を受けることができる場合の取扱いについて

国民年金法等の一部を改正する法律（昭和六十年法律第三十四号）附則第三十三条第一項に規定する者に支給される児童扶養手当の額については、同条第二項の規定により、本年四月分から、児童扶養手当法（昭和三十六年法律第二百三十八号）第五条本文に規定する額（月額三万三九〇〇円）又はこの額から一部支給制限の額を控除した額（月額二万二七〇〇円）から第一子に係る加算の額（年金改定政令第一条の規定により、月額一万五六五八円）を控除した額（月額一万八二四二円又は七〇四二円）であること。

第二　特別児童扶養手当に関する事項

特別児童扶養手当の額については、本年四月分から、障害児一人につき月額二万七二〇〇円から二万七四〇〇円に、重度の障害児一人につき月額四万八〇〇円から四万一一〇〇円に、それぞれ引き上げられたこと。

第三　障害児福祉手当及び特別障害者手当に関する事項

障害児福祉手当及び特別障害者手当の額については、本年四月分から、障害児福祉手当の額については月額一万一五五〇円から一万一六五〇円に、特別障害者手当の額については、月額二万八〇〇円から二万九〇〇円に、それぞれ引き上げられたこと。

第四　経過的に支給される福祉手当に関する事項

　特別障害者手当制度の発足に伴い、経過的に支給されている福祉手当（以下「経過的福祉手当」という。）の額については、本年四月分から、月額一万一五五〇円から一万一六五〇円に引き上げられたこと。

　なお、特別児童扶養手当等の支給に関する法律施行令の一部を改正する政令（昭和六十年政令第三百二十三号）附則第五条第一項に規定する者に支給される経過的福祉手当の額については、同条第二項の規定により、本年四月分から、月額四四三四円となるものであること。

別添　略

○児童扶養手当法等の一部改正について
（施行通知）

〔昭和六十三年五月二十四日　児発第四六九号
各都道府県知事宛　厚生省社会・児童家庭局長連名通知〕

　本日、児童扶養手当法等の一部を改正する法律が法律第五十六号（以下「改正法」という。）として、児童扶養手当法施行令の一部を改正する政令が政令第百六十号（以下「改正政令」という。）として、また、国民年金法等による年金の額の改定に関する政令の一部を改正する政令（以下「年金改定政令」という。）が政令第百五十五号として、それぞれ、別添1、2及び3のとおり公布施行され、本年四月一日から適用することとされたところであるが、改正の内容は次のとおりであるので、十分御了知の上、所要の事務処理に遺憾なきを期されるとともに、管下市町村及び福祉事務所に対する周知徹底を図られたく通知する。

第一　児童扶養手当法及び児童扶養手当法施行令等の一部改正関係

(1)　児童扶養手当の額の引上げについて

　手当の額については、改正法により、本年四月分から、児童一人の場合、月額三万三九〇〇円から三万四〇〇〇円に引き上げられたこと。

　受給資格者の所得による一部支給制限の額については、改正政令により、本年四月分から、一万一二〇〇円から一万一二五〇円に改められたこと。

したがって、手当の一部支給制限を受ける者に係る手当月額は、児童一人の場合月額二万二七〇〇円から二万二七五〇円に改められたものであること。

なお、二人以上の児童を有する受給者に係る加算額については、第二子五〇〇〇円、第三子以降一人につき二〇〇〇円であり、変更はないものであること。

(2) 父が国民年金の障害基礎年金又は障害年金を受けることができる場合の取扱いについて

年金改正政令の規定により障害基礎年金の第一子に係る加算の額が年額一八万七九〇〇円（月額一万八二四二円）から年額一八万八一〇〇円（月額一万八三二五円）に改められたこと。

これにより、国民年金法等の一部を改正する法律（昭和六十年法律第三十四号）附則第三十三条第一項に規定する者に経過措置として支給される児童扶養手当の額については、同条第二項第一号の額が月額三万四〇〇〇円（一部支給制限を受ける者の場合月額二万二七五〇円）と改められ、同項第二号の額が月額一万八三二五円と改められたため、月額一万八三二五円（一部支給制限を受ける者の場合月額七〇七五円）に改められたものであること。

第二　特別児童扶養手当等の支給に関する法律の一部改正関係

1　特別児童扶養手当に関する事項

特別児童扶養手当の額については、本年四月分から、障害児一人につき月額二万七四〇〇円から二万七五〇〇円に、重度の障害

児一人につき月額四万一一〇〇円から四万一三〇〇円に、それぞれ引き上げられたこと。

2　障害児福祉手当に関する事項

障害児福祉手当の額については、本年四月分から、月額一万一六五〇円から一万一七〇〇円に引き上げられたこと。

3　特別障害者手当に関する事項

特別障害者手当の額については、本年四月分から、月額二万九〇〇〇円から二万九五〇〇円に引き上げられたこと。

4　経過的に支給される福祉手当に関する事項

国民年金法等の一部を改正する法律（昭和六十年法律第三十四号）附則第九十七号の規定により経過的に支給されている福祉手当の額については、本年四月分から、月額一万一六五〇円から一万一七〇〇円に引き上げられたこと。

また、特別児童扶養手当等の支給に関する法律施行令の一部を改正する政令（昭和六十年政令第三百二十三号）附則第五条第一項の規定により経過的に支給されている福祉手当の額については、同条第二項の規定により、本年四月分から、月額四四九二円となるものであること。

別添1～3　略

○児童扶養手当法施行令等の一部改正について

〔昭和六十三年五月三十一日　児発第四八四号
各都道府県知事宛　厚生省社会・児童家庭局長連名通知〕

児童扶養手当法施行令等の一部を改正する政令（以下「改正政令」という。）が政令第百七十三号として別添1のとおり、また、児童扶養手当法施行規則等の一部を改正する省令（以下「改正省令」という。）が、厚生省令第三十九号として別添2のとおり、それぞれ本日公布されたところであるが、改正の内容は左記のとおりであるので、御了知の上、所要の事務処理に遺憾なきを期されるとともに、管下市町村長に対する周知徹底を図られたく通知する。

記

第一　児童扶養手当法施行令等の一部を改正する政令

1　児童扶養手当法施行令の一部改正関係

(1)　所得制限限度額の引上げ

児童扶養手当の受給資格者本人の所得により手当の支給を制限する場合の所得限度額を引き上げること。（別表1）

(2)　所得額の計算方法の一部改正

地方税法の一部を改正する法律（昭和六十二年九月二十二日法律第九十四号）による地方税法の一部改正に伴い、受給資格者等の所得により手当の支給を制限する場合の所得の額の計算方法の一部を次のとおり改めること。

①　超短期所有土地等に係る事業所得等の金額（地方税法附則第三十三条の四第一項）を所得の額に加える。

②　配偶者特別控除（地方税法第三十四条第一項第十号の二）の額を所得額から控除する額に加える。

(3)　施行期日等

本改正は、昭和六十三年八月一日から施行すること。

なお、昭和六十三年七月以前の月分の手当の支給の制限並びに同月以前の月分の手当に相当する金額の返還については、なお従前の例によること。

2　特別児童扶養手当等の支給に関する法律施行令の一部改正関係

(1)　所得制限限度額の引上げ

特別児童扶養手当、障害児福祉手当、特別障害者手当及び国民年金法等の一部を改正する法律（昭和六十年法律第三十四号）附則第九十七条第一項の規定による福祉手当の受給資格者本人の所得により手当の支給を制限する場合の所得限度額を引き上げること。（別表2、別表3）

(2)　所得額の計算方法の一部改正

地方税法の一部改正に伴い、受給資格者等の所得により手当の支給を制限する場合の所得の額の計算方法の一部を次のとおり改めること。

①　超短期所有土地等に係る事業所得等の金額（地方税法附則第三十三条の四第一項）を所得の額に加える。

児童扶養手当法施行令等の一部改正について

② 配偶者特別控除（地方税法第三十四条第一項第十号の二）の額を所得額から控除する額に加える。

(3) 施行期日等

本改正は、昭和六十三年八月一日から施行すること。

なお、昭和六十三年七月以前の月分の手当の支給の制限並びに同月以前の月分の手当に相当する金額の返還については、なお従前の例によること。

3 児童手当法施行令の一部改正関係

(1) 所得制限限度額の引上げ

児童手当及び児童手当法附則第六条第一項の給付（以下「特例給付」という。）の受給資格者の所得により手当の支給を制限する場合の限度額を引き上げること。（別表4）

(2) 所得額の計算方法の一部改正

地方税法の一部改正に伴い、受給資格者の所得により手当の支給を制限する場合の所得の額に超短期所有土地等に係る事業所得等の金額（地方税法附則第三十三条の四第四項において準用する同条第一項）を加えること。

(3) 施行期日等

本改正は、昭和六十三年六月一日から施行すること。

なお、昭和六十三年五月以前の月分の手当の支給の制限については、なお従前の例によること。

第二 児童扶養手当法施行規則等の一部を改正する省令

1 児童扶養手当法施行規則の一部改正関係

(1) 認定請求書及び現況届の様式の一部改正

改正政令により、受給者等の所得により児童扶養手当の支給を制限する場合の所得の額の計算方法の一部が改正されることに伴い、次の様式について所要の改正を行なうこと。

① 児童扶養手当認定請求書（様式第1号）

② 児童扶養手当現況届（様式第6号）

(2) 施行期日等

本改正は本年七月一日から施行すること。

なお、改正の施行の際現にある改正前の様式による用紙は、当分の間、これを取り繕って使用することができること。

2 特別児童扶養手当等の支給に関する法律施行規則の一部改正関係

(1) 認定請求書及び所得状況届の様式の一部改正

改正政令により、受給者等の所得により特別児童扶養手当の支給を制限する場合の所得の額の計算方法の一部が改正されることに伴い、次の様式について所要の改正を行うこと。

① 特別児童扶養手当認定請求書（様式第1号）

② 特別児童扶養手当所得状況届（様式第6号）

(2) 施行期日等

本改正は本年七月一日から施行すること。

なお、改正の施行の際現にある改正前の様式による用紙は、当分の間、これを取り繕って使用することができること。

3 児童手当法施行規則の一部改正関係

(1) 認定請求書及び現況届の様式の一部改正

改正政令により、受給者資格者の所得により児童手当及び特例給付の支給を制限する場合の所得の額の計算方法の一部が改正されることに伴い、次の様式について所要の改正を行うこと。

① 児童手当認定請求書（様式第1号）

② 児童手当現況届（様式第3号）

(2) 施行期日等

本改正は公布の日から施行すること。

なお、改正の施行の際現にある改正前の様式による用紙は、当分の間、これを取り繕って使用することができること。

4 障害児福祉手当及び特別障害者手当の支給に関する省令の一部改正関係

(1) 所得状況届の様式の一部改正

改正政令により、受給資格者等の所得により障害児福祉手当等の支給を制限する場合の所得の額の計算方法の一部が改正されることに伴い、次の様式について所要の改正を行うこと。

① 障害児福祉手当（福祉手当）所得状況届（様式第3号）

② 特別障害者手当所得状況届（様式第7号）

(2) 施行期日等

本改正は本年七月一日から施行すること。

なお、改正の施行の際現にある改正前の様式による用紙は、当分の間、これを取り繕って使用することができること。

別添1・2 略

（別表1）

昭和63年度児童扶養手当所得制限限度額　　（単位：円）

扶養親族等の数	本人		配偶者・扶養義務者及び孤児等の養育者	
	収入額	限度額	収入額	限度額
0	2,737,000	1,751,000	7,537,000	5,688,000
1	3,208,000	2,081,000	7,814,000	5,937,000
2	3,633,000	2,411,000	8,050,000	6,150,000
3	4,045,000	2,741,000	8,287,000	6,363,000
4	4,458,000	3,071,000	8,523,000	6,576,000
5	4,870,000	3,401,000	8,760,000	6,789,000

（注）

1 所得税法に規定する老人控除対象配偶者又は老人扶養親族がある者についての限度額（所得ベース）は、上記の金額に当該老人控除対象配偶者又は老人扶養親族1人につき6万円を加算した額とする。

2 扶養親族等が6人以上の場合の限度額（所得ベース）は、1人につき33万円（扶養親族等が老人控除対象配偶者又は老人扶養親族であるときは、39万円）を加算した額とする。

3 収入ベースの限度額は、所得ベースの限度額に給与所得控除額相当分を加算したものである。

4 扶養義務者の所得制限の限度額については据置きである。

（別表２）

昭和63年度特別児童扶養手当所得制限限度額　（単位：円）

扶養親族等の数	本人所得制限		扶養義務者所得制限	
	収入額	限度額	収入額	限度額
0	4,621,000	3,202,000	7,537,000	5,688,000
1	5,034,000	3,532,000	7,814,000	5,937,000
2	5,446,000	3,862,000	8,050,000	6,150,000
3	5,859,000	4,192,000	8,287,000	6,363,000
4	6,241,000	4,522,000	8,523,000	6,576,000
5	6,608,000	4,852,000	8,760,000	6,789,000

（注）

1　所得税法に規定する老人控除対象配偶者又は老人扶養親族がある者についての限度額（所得ベース）は、上記の金額に当該老人控除対象配偶者又は老人扶養親族１人につき６万円を加算した額とする。

2　扶養親族等が６人以上の場合の限度額（所得ベース）は、１人につき33万円（扶養親族等が老人控除対象配偶者又は老人扶養親族であるときは、39万円）を加算した額とする。

3　収入ベースの限度額は、所得ベースの限度額に給与所得控除額相当分を加算したものである。

4　扶養義務者の所得制限の限度額については据置きである。

（別表３）

昭和63年度特別障害者手当、障害児福祉手当、経過的福祉手当所得制限限度額　（単位：円）

扶養親族等の数	本人所得制限		扶養義務者所得制限	
	収入額	限度額	収入額	限度額
0	3,404,000	2,228,000	7,537,000	5,688,000
1	3,820,000	2,558,000	7,814,000	5,937,000
2	4,232,000	2,888,000	8,050,000	6,150,000
3	4,644,000	3,218,000	8,287,000	6,363,000
4	5,056,000	3,548,000	8,523,000	6,576,000
5	5,468,000	3,878,000	8,760,000	6,789,000

（注）

1　所得税法に規定する老人控除対象配偶者又は老人扶養親族がある者についての限度額（所得ベース）は、上記の金額に当該老人控除対象配偶者又は老人扶養親族１人につき６万円を加算した額とする。

2　扶養親族等が６人以上の場合の限度額（所得ベース）は、１人につき33万円（扶養親族等が老人控除対象配偶者又は老人扶養親族であるときは、39万円）を加算した額とする。

3　収入ベースの限度額は、所得ベースの限度額に給与所得控除額相当分を加算したものである。

4　扶養義務者の所得制限の限度額については据置きである。

（別表４）

昭和63年度児童手当等所得制限限度額

（単位：円）

扶養親族等の数	児童手当		特例給付	
	収入額	限度額	収入額	限度額
0	2,156,000	1,344,000	4,800,000	3,345,000
1	2,584,000	1,644,000	5,175,000	3,645,000
2	3,013,000	1,944,000	5,550,000	3,945,000
3	3,424,000	2,244,000	5,925,000	4,245,000
4	3,799,000	2,544,000	6,267,000	4,545,000
5	4,174,000	2,844,000	6,600,000	4,845,000

（注）

1　所得税法に規定する老人控除対象配偶者又は老人扶養親族がある者についての限度額（所得ベース）は、上記の金額に当該老人控除対象配偶者又は老人扶養親族１人につき６万円を加算した額とする。

2　扶養親族等が６人以上の場合の限度額（所得ベース）は、１人につき30万円（扶養親族等が老人控除対象配偶者又は老人扶養親族であるときは、36万円）を加算した額とする。

3　収入ベースの限度額は、所得ベースの限度額に給与所得控除額相当分を加算したものである。

○国の補助金等の整理及び合理化並びに臨時特例等に関する法律の施行について（社会福祉関係）

〔平成元年四月十日　社保第八一号
各都道府県知事・各指定都市市長宛　厚生省社会・児童家庭局長・大臣官房老人保健福祉部長通知〕

本日付けをもって、平成元年法律第二十二号として「国の補助金等の整理及び合理化並びに臨時特例等に関する法律」が別添のとおり公布、施行され、平成元年度以降における社会福祉（母子保健を含む。）関係の国の負担又は補助の割合が左記のとおり変更された。

ついては、今後の社会福祉関係予算の執行等にあたっては、左記事項を御了知の上、社会福祉制度の円滑・適正な運営に遺憾なきを期されるとともに、貴管下市（区）町村に対してもこの旨の周知をお願いする。

記

1　国の負担又は補助の割合の変更等

平成元年度以降の地方公共団体に対する国の負担又は補助の割合が次のとおり変更され、公布の日から施行されること。

	（変更前の本則）	（変更後の本則）
児童福祉法の一部改正	8/10	1/2
身体障害者福祉法の一部改正	8/10	5/10
生活保護法の一部改正	8/10	3/4
売春防止法の一部改正	8/10	5/10
精神薄弱者福祉法の一部改正	8/10	5/10
児童扶養手当法の一部改正	8/10	3/4
老人福祉法の一部改正	8/10	1/2
特別児童扶養手当等の支給に関する法律の一部改正	8/10	3/4
母子保健法の一部改正	8/10	1/2
国民年金法等の一部を改正する法律の一部改正（福祉手当（経過措置分）関係）	8/10	3/4

2　その他

今回の措置に伴う地方負担については、地方財政計画を通じて地方交付税措置等により総体的な対策が講じられるので、各地方公共団体においても社会福祉についての行財政の適切な運営に御配意願いたいこと。

別添　略

○児童扶養手当法施行令等の一部改正について

〔平成元年五月三十一日　児発第四一九号
各都道府県知事宛　厚生省社会・児童家庭局長連名通知〕

国民年金法施行令等の一部を改正する政令（以下「改正政令」という。）が政令第百六十二号として別添1のとおり、また、障害児福祉手当及び特別障害者手当の支給に関する省令の一部を改正する省令（以下「改正省令」という。）が厚生省令第三十号として別添2のとおり、それぞれ本日公布されたところであるが、改正の内容は左記のとおりであるので、御了知の上、所要の事務処理に遺憾なきを期されるとともに、管下市町村及び福祉事務所に対する周知徹底を図られたく通知する。

記

第一　国民年金法施行令等の一部を改正する政令

1　児童扶養手当法施行令の一部改正（改正政令第三条関係）

(1)　所得制限限度額の引上げ

児童扶養手当（以下第一の1において「手当」という。）の受給資格者本人の所得により手当の支給を制限する場合の限度額を引き上げること。（別表1）

(2)　所得額の計算方法の一部改正

地方税法の一部を改正する法律（昭和六十二年法律第九十四号）による地方税法の一部改正に伴い、受給資格者等の所得により手当の支給を制限する場合の所得の額の計算方法の一部を次のとおり改めること。

・所得額から控除する額のうち、老年者控除の額を二五万円から五〇万円に引き上げる。

(3)　施行期日等

本改正は、平成元年八月一日から施行すること。

なお、平成元年七月以前の月分の手当の支給の制限並びに同月以前の月分の手当に相当する金額の返還については、なお従前の例によること。

2　特別児童扶養手当等の支給に関する法律施行令の一部改正（改正政令第四条関係）

(1)　所得制限限度額の引上げ

特別児童扶養手当、障害児福祉手当、特別障害者手当及び経過的福祉手当（以下第一の2において「手当」という。）の受給資格者本人の所得により手当の支給を制限する場合の限度額を引き上げること。（別表2、別表3）

(2)　所得額の計算方法の一部改正

①　地方税法の一部改正に伴い、受給資格者等の所得により手当の支給を制限する場合の所得の額の計算方法の一部を次のとおり改めること。

・所得額から控除する額のうち、老年者控除の額を二五万円から五〇万円に引き上げる。

② 所得税法等の一部を改正する法律（昭和六十二年法律第九十六号）による所得税法及び租税特別措置法の一部改正に伴い、受給資格者等の所得により特別障害者手当の支給を制限する場合の所得の額の計算方法の一部を、前記①に加えて、次のとおり改めること。

・以下に掲げる公的年金等（課税、非課税を問わない。）を雑所得とみなしたうえで、六五歳未満の者に係る公的年金等控除を適用して所得額を算出する。

公的年金等

イ 国民年金
ロ 厚生年金保険の年金
ハ 船員保険の年金
ニ 恩給
ホ 国家公務員等共済組合等の年金
ヘ 条例による地方公務員の年金
ト 地方公務員共済組合、地方団体関係団体職員共済組合、地方議会議員共済会又は旧市町村職員共済組合の年金
チ 私立学校教職員共済組合の年金
リ 農林漁業団体職員共済組合の年金
ヌ 国会議員互助年金
ル 日本製鉄八幡共済組合の年金
ヲ 執行官の恩給
ワ 旧令による共済組合等からの年金受給者のために国家公務員等共済組合連合会が支給する年金
カ 戦傷病者、戦没者遺族の年金又は給与金
ヨ 未帰還者の留守家族手当
タ 労働者災害補償制度の年金
レ 国家公務員災害補償制度の年金
ソ 公立学校の学校医、学校歯科医及び学校薬剤師の公務災害補償制度の年金
ツ 地方公務員災害補償制度の年金
ネ 所得税法第三五条第二項に規定する公的年金等で前記イ～ツに該当しない課税対象年金

（注） 六五歳未満の者に係る公的年金等控除額の計算式は次のとおり

xを公的年金等の収入金額
yを公的年金等控除額 ｝とする。

・xが120万円未満の場合
y＝60万円
・xが120万円以上400万円未満の場合
y＝（0.25×x＋30）万円
・xが400万円以上760万円未満の場合
y＝（0.15×x＋70）万円
・xが760万円以上の場合
y＝（0.05×x＋146）万円

(3) 施行期日等

本改正は、平成元年八月一日から施行すること。

なお、平成元年七月以前の月分の手当の支給の制限並びに同月以前の月分の手当に相当する金額の返還については、なお従前の例によること。

3 児童手当法施行令の一部改正関係（改正政令第五条関係）

(1) 所得制限限度額の引上げ

児童手当及び児童手当法附則第六条第一項の給付（以下「特例給付」という。）の受給資格者の所得により児童手当及び特例給付（以下第一の3において「手当」という。）の支給を制限する場合の限度額を引き上げること。（別表4）

(2) 所得額の計算方法の一部改正

地方税法の一部改正に伴い、受給資格者の所得により手当の支給を制限する場合の所得の額の計算方法の一部を次のとおり改めること。

・所得額から控除する額のうち、老年者控除の額を二五万円から五〇万円に引き上げる。

(3) 施行期日等

本改正は、平成元年六月一日から施行すること。

なお、平成元年五月以前の月分の手当の支給の制限については、なお従前の例によること。

第二 障害児福祉手当及び特別障害者手当の支給に関する省令の一部を改正する省令

(1) 特別障害者手当所得状況届の様式の一部改正

改正政令により、受給資格者等の所得により特別障害者手当の支給を制限する場合の所得の額の計算方法の一部が改正されることに伴い、特別障害者手当所得状況届の様式（様式第七号）について所要の改正を行うこと。（別添様式）

(2) 施行期日

本改正は、平成元年七月一日から施行すること。

別添1・2・別添様式　略

(別表１)

平成元年度児童扶養手当所得制限限度額　　　　(単位：円)

扶養親族等の数	本人		配偶者・扶養義務者及び孤児等の養育者	
	収入額	限度額	収入額	限度額
0	2,906,000	1,869,000	7,537,000	5,688,000
1	3,367,000	2,199,000	7,814,000	5,937,000
2	3,780,000	2,529,000	8,050,000	6,150,000
3	4,193,000	2,859,000	8,287,000	6,363,000
4	4,605,000	3,189,000	8,523,000	6,576,000
5	5,018,000	3,519,000	8,760,000	6,789,000

(注)

１　所得税法に規定する老人控除対象配偶者又は老人扶養親族がある者についての限度額（所得ベース）は、上記の金額に当該老人控除対象配偶者又は老人扶養親族１人につき６万円を加算した額とする。

２　扶養親族等が６人以上の場合の限度額（所得ベース）は、１人につき33万円（扶養親族等が老人控除対象配偶者又は老人扶養親族であるときは、39万円）を加算した額とする。

３　収入ベースの限度額は、所得ベースの限度額に給与所得控除額相当分を加算したものである。

４　扶養義務者の所得制限の限度額については据置きである。

(別表２)

平成元年度特別児童扶養手当所得制限限度額　　　　(単位：円)

扶養親族等の数	本人所得制限		扶養義務者所得制限	
	収入額	限度額	収入額	限度額
0	4,898,000	3,423,000	7,537,000	5,688,000
1	5,310,000	3,753,000	7,814,000	5,937,000
2	5,723,000	4,083,000	8,050,000	6,150,000
3	6,120,000	4,413,000	8,287,000	6,363,000
4	6,487,000	4,743,000	8,523,000	6,576,000
5	6,853,000	5,073,000	8,760,000	6,789,000

(注)

１　所得税法に規定する老人控除対象配偶者又は老人扶養親族がある者についての限度額（所得ベース）は、上記の金額に当該老人控除対象配偶者又は老人扶養親族１人につき６万円を加算した額とする。

２　扶養親族等が６人以上の場合の限度額（所得ベース）は、１人につき33万円（扶養親族等が老人控除対象配偶者又は老人扶養親族であるときは、39万円）を加算した額とする。

３　収入ベースの限度額は、所得ベースの限度額に給与所得控除額相当分を加算したものである。

４　扶養義務者の所得制限の限度額については据置きである。

（別表３）

平成元年度特別障害者手当、障害児福祉手当、経過的福祉手当所得制限限度額　　（単位：円）

扶養親族等の数	本人所得制限		扶養義務者所得制限	
	収入額	限度額	収入額	限度額
0	3,552,000	2,346,000	7,537,000	5,688,000
1	3,964,000	2,676,000	7,814,000	5,937,000
2	4,380,000	3,006,000	8,050,000	6,150,000
3	4,792,000	3,336,000	8,287,000	6,363,000
4	5,204,000	3,666,000	8,523,000	6,576,000
5	5,616,000	3,996,000	8,760,000	6,789,000

（注）

1　所得税法に規定する老人控除対象配偶者又は老人扶養親族がある者についての限度額（所得ベース）は、上記の金額に当該老人控除対象配偶者又は老人扶養親族１人につき６万円を加算した額とする。

2　扶養親族等が６人以上の場合の限度額（所得ベース）は、１人につき33万円（扶養親族等が老人控除対象配偶者又は老人扶養親族であるときは、39万円）を加算した額とする。

3　収入ベースの限度額は、所得ベースの限度額に給与所得控除額相当分を加算したものである。

4　扶養義務者の所得制限の限度額については据置きである。

（別表４）

平成元年度児童手当等所得制限限度額　　（単位：円）

扶養親族等の数	児童手当		特例給付	
	収入額	限度額	収入額	限度額
0	2,217,000	1,387,000	4,913,000	3,435,000
1	2,646,000	1,687,000	5,288,000	3,735,000
2	3,074,000	1,987,000	5,663,000	4,035,000
3	3,478,000	2,287,000	6,033,000	4,335,000
4	3,853,000	2,587,000	6,367,000	4,635,000
5	4,227,000	2,887,000	6,700,000	4,935,000

（注）

1　所得税法に規定する老人控除対象配偶者又は老人扶養親族がある者についての限度額（所得ベース）は、上記の金額に当該老人控除対象配偶者又は老人扶養親族１人につき６万円を加算した額とする。

2　扶養親族等が６人以上の場合の限度額（所得ベース）は、１人につき30万円（扶養親族等が老人控除対象配偶者又は老人扶養親族であるときは、36万円）を加算した額とする。

3　収入ベースの限度額は、所得ベースの限度額に給与所得控除額相当分を加算したものである。

○児童扶養手当法等の一部改正について（施行通知）

〔平成元年十二月二十二日　児発第九一二号
各都道府県知事宛　厚生省社会・児童家庭局長連名通知〕

本日、児童扶養手当法及び特別児童扶養手当等の支給に関する法律の一部改正等を内容とする国民年金法等の一部を改正する法律が法律第八十六号（以下「改正法」という。）として、児童扶養手当法施行令の一部を改正する政令が政令第三百三十八号（以下「改正政令」という。）として、それぞれ、別添1及び2のとおり公布施行され、本年四月一日から適用することとされたところである。児童扶養手当法及び特別児童扶養手当等の支給に関する法律の一部改正については、本日厚生省発年第六九号「国民年金法等の一部を改正する法律の施行について」をもって厚生事務次官より別添3のとおり通知されたところであるが、改正法及び改正政令の施行に伴う児童扶養手当、特別児童扶養手当、障害児福祉手当等に関する取扱いの実施については、次の事項に御留意の上、所要の事務処理に遺憾のないようにされるとともに、特に手当の遡及改善分については、速やかに支給ができるよう管下市町村及び福祉事務所に対する周知徹底を図られたく通知する。

第一　児童扶養手当法及び児童扶養手当法施行令等の一部改正関係

1　児童扶養手当に関する事項

手当の額については、改正法により、本年四月分から、児童一人の場合、月額三万四〇〇〇円から三万五一〇〇円に引き上げられたこと。

受給資格者の所得による一部支給制限の額については、改正政令により、本年四月分から、月額一万一二五〇円から一万一六〇〇円に改められたこと。

したがって、手当の一部支給制限を受ける者に係る手当月額は、児童一人の場合月額二万二七五〇円から二万三五〇〇円に改められたものであること。

なお、二人以上の児童を有する受給者に係る加算額については、第二子五〇〇〇円、第三子以降一人につき二〇〇〇円であり、変更はないものであること。

2　父が国民年金の障害基礎年金又は障害年金を受けることができる場合の取扱いに関する事項

改正法により障害基礎年金の第一子に係る加算の額が年額一八万八一〇〇円（月額一万五六七五円）から年額一九万二〇〇〇円（月額一万六〇〇〇円）に改められたこと。

これにより、国民年金法等の一部を改正する法律（昭和六十年法律第三十四号）附則第三十三条第一項に規定する者に経過措置として支給される児童扶養手当の額については、同条第二項第一号の額が月額三万五一〇〇円（一部支給制限を受ける者の場合月額二万三五〇〇円）に、同項第二号の額が月額一万六〇〇〇円に改められたため、月額一万九一〇〇円（一部支給制限を受ける者の場合月額七五〇〇円）に改められたものであること。

3　手当額の完全自動物価スライド制に関する事項

総務庁が作成する全国消費者物価指数が前年の物価指数を超え、又は下るに至ったときは、その上昇し、又は低下した比率を基準として、政令により、その翌年の四月以降の手当の額（児童二人以上の場合の加算額を除く。）を改定することとされたこと。

第二　特別児童扶養手当等の支給に関する法律の一部改正関係

1　特別児童扶養手当に関する事項

特別児童扶養手当の額については、本年四月分から、障害児一人につき二級（中度）の場合月額二万七五〇〇円から二万八四〇〇円に、一級（重度）の場合月額四万一三〇〇円から四万二六〇〇円に、それぞれ引き上げられたこと。

2　障害児福祉手当に関する事項

障害児福祉手当の額については、本年四月分から、月額一万一七〇〇円から一万二一〇〇円に引き上げられたこと。

3　特別障害者手当に関する事項

特別障害者手当の額については、本年四月分から、月額二万九五〇円から二万二二五〇円に引き上げられたこと。

4　経過的に支給される福祉手当に関する事項

国民年金法等の一部を改正する法律（昭和六十年法律第三十四号）附則第九十七条の規定により経過的に支給されている福祉手当の額については、本年四月分から、月額一万一七〇〇円から一万二一〇〇円に引き上げられたこと。

また、特別児童扶養手当等の支給に関する法律施行令の一部を改正する政令（昭和六十年政令第三百二十三号）附則第五条の規定により経過的に支給されている福祉手当の額については、改正法の公布日の属する月の翌月分から、月額一六二五円となるものであること。

5　手当額の完全自動物価スライド制に関する事項

総務庁が作成する全国消費者物価指数が前年の物価指数を超え、又は下るに至ったときは、その上昇し、又は低下した比率を基準として、政令により、その翌年の四月以降の手当の額を改定することとされたこと。

別添1～3　略

○児童扶養手当法施行令等の一部改正について（施行通知）

〔平成二年三月二十日　児発第一八〇号
各都道府県知事宛　厚生省社会・児童家庭局長連名通知〕

本日、児童扶養手当法施行令の一部を改正する政令が政令第四十一号として、特別児童扶養手当等の支給に関する法律施行令等の一部を改正する政令が政令第四十二号として、国民年金法等による年金の額の改定に関する政令が政令第四十号として、それぞれ、別添のとおり公布され、本年四月一日から施行することとされたところである。これら政令の施行に伴う児童扶養手当、特別児童扶養手当、障害児福祉手当等に関する取扱いの実施については、次の事項に御留意の上、所要の事務処理に遺憾のないようにされるとともに、管下市町村及び福祉事務所に対する周知徹底を図られたく通知する。

第一　児童扶養手当法施行令等の一部改正関係

1　児童扶養手当に関する事項

手当の額については、本年四月分から、児童一人の場合、月額三万五一〇〇円から三万五九一〇円に引き上げられたこと。

受給資格者の所得による一部支給制限の額については、本年四月分から、月額一万一六〇〇円から一万一八七〇円に改められたこと。

したがって、手当の一部支給制限を受ける者に係る手当月額は、児童一人の場合月額二万三五〇〇円から二万四〇四〇円に改められたものであること。

なお、二人以上の児童を有する受給者に係る加算額については、第二子五〇〇〇円、第三子以降一人につき二〇〇〇円であり、変更はないものであること。

2　父が国民年金の障害基礎年金又は障害年金を受けることができる場合の取扱いに関する事項

国民年金法等による年金の額の改定に関する政令により障害基礎年金の第一子に係る加算の額が年額一九万二〇〇〇円（月額一万六〇〇〇円）から年額一九万六四〇〇円（月額一万六三六七円）に改められたこと。これにより、国民年金法等の一部を改正する法律（昭和六十年法律第三十四号）附則第三十三条第一項に規定する者に経過措置として支給される児童扶養手当の額については、同条第二項第一号の額が月額三万五九一〇円（一部支給制限を受ける者の場合月額二万四〇四〇円）に、同項第二号の額が月額一万六三六七円に改められたため、月額一万九五四三円（一部支給制限を受ける者の場合月額七六七三円）に改められたものであること。

第二　特別児童扶養手当等の支給に関する法律施行令等の一部改正関係

1　特別児童扶養手当に関する事項

特別児童扶養手当の額については、本年四月分から、障害児一人につき二級（中度）の場合月額二万八四〇〇円から二万九〇五〇円に、一級（重度）の場合月額四万二六〇〇円から四万三五八〇円に、それぞれ引き上げられたこと。

2　障害児福祉手当に関する事項

障害児福祉手当の額については、本年四月分から、月額一万二一〇〇円から一万二三八〇円に引き上げられたこと。

3　特別障害者手当に関する事項

特別障害者手当の額については、本年四月分から、月額二万二二五〇円から二万二七六〇円に引き上げられたこと。

4　経過的に支給される福祉手当に関する事項

国民年金法等の一部を改正する法律（昭和六十年法律第三十四号）附則第九十七条の規定により経過的に支給されている福祉手当の額については、本年四月分から、月額一万二一〇〇円から一万二三八〇円に引き上げられたこと。

また、特別児童扶養手当等の支給に関する法律施行令の一部を改正する政令（昭和六十年政令第三百二十三号）附則第五条の規定により経過的に支給されている福祉手当の額については、本年四月分から、月額七五五七円となるものであること。

第三　関係通知の改正

昭和四十一年八月五日付け本職通知「都道府県における児童扶養手当証書の作成について」別紙1「都道府県における児童扶養手当証書の記入要領」を次のように改正する。

次のよう　略

別添　略

○児童扶養手当法施行令等の一部改正に伴う事務取扱いについて

（平成二年三月二十日　児企第一六号　各都道府県民生主管部(局)長宛　厚生省児童家庭局企画課長通知）

平成二年三月二十日政令第四十一号及び第四十二号をもって児童扶養手当法施行令及び特別児童扶養手当の支給に関する法律施行令の一部が改正されたところであるが、これに伴う事務の取扱いについては、平成二年三月二十日付け厚生省社会局長・児童家庭局長連名通知「児童扶養手当法施行令等の一部改正について（施行通知）」によるほか、次の点に留意の上、遺憾のないようにされたい。

1　現況届提出後の児童扶養手当証書及び特別児童扶養手当証書（以下「証書」という。）の支払金額欄の打刻については十二月期分及び四月期分のみとし、八月期分については支払い金額欄を無打刻のまま交付し、受給者が四月期分の手当を受領後、直ちに証書を回収し、八月期分を新手当額により打刻して受給者に交付すること。

なお、この取扱いにより、平成三年度以降手当額の改正に係る差額支給は要しなくなること。

2　平成二年八月期分の手当については、四月期分の手当を受給者が受領後、直ちに証書を回収し、八月期分の支払い日までには差額手当額を受領できるようにすること。

3　独自に証書を作成している都道府県においても、1及び2に準じた取扱いによること。

4　1～3の取扱いについて、受給者及び市町村の窓口等への周知徹底に努めること。

○児童扶養手当法施行令等の一部改正について

〔平成二年七月二十日　社更第一四四号・児発第六〇四号
各都道府県知事宛　厚生省社会・児童家庭局長連名通知〕

児童扶養手当法施行令及び特別児童扶養手当等の支給に関する法律施行令の一部を改正する政令（以下「改正政令」という。）が政令第二百十九号として別添1のとおり、また、児童扶養手当法施行規則及び特別児童扶養手当等の支給に関する法律施行規則の一部を改正する省令が、厚生省令第四十二号として別添2のとおり、障害児福祉手当及び特別障害者手当の支給に関する省令が厚生省令第四十三号として別添3のとおりそれぞれ本日公布されたところであるが、改正の内容は左記のとおりであるので、御了知の上、所要の事務処理に遺憾なきを期されるとともに、管下市町村長に対する周知徹底を図られたく通知する。

記

第一　児童扶養手当法施行令及び特別児童扶養手当等の支給に関する法律施行令の一部を改正する政令

1　児童扶養手当法施行令の一部改正関係

(1)　所得制限限度額の引上げ

児童扶養手当の受給資格者本人の所得により手当の全部又は一部の支給を制限する場合の所得限度額を引き上げること。

児童扶養手当法施行令等の一部改正について

また、間差の加算額を六万円から一〇万円に引き上げるとともに、加算対象となる扶養親族等に新たに特定扶養親族を加えること。（別表1）

(2)　所得額の計算方法の一部改正

受給資格者等の所得により手当の支給を制限する場合の所得の額の計算方法の一部を次のとおり改めること。

①　所得額から控除する額のうち、障害者控除、寡婦（寡夫）控除、勤労学生控除についてはそれぞれ二五万円から二七万円に、特別障害者控除については三三万円から三五万円に引き上げる。

②　所得額から控除する額に寡婦控除の特例（地方税法第三十四条第三項）を加え、これを三五万円とする。

(3)　施行期日等

本改正は、平成二年八月一日から施行すること。

なお、平成二年七月以前の月分の手当の支給の制限並びに同月以前の月分の手当に相当する金額の返還については、なお従前の例によること。

2　特別児童扶養手当等の支給に関する法律施行令の一部改正関係

(1)　所得制限限度額の引上げ

特別児童扶養手当、障害児福祉手当、特別障害者手当及び国民年金法等の一部を改正する法律（昭和六十年法律第三十四号）附則第九十七条第一項の規定による福祉手当の受給資格者本人の所得により手当の支給を制限する場合の所得限度額を引

児童扶養手当法施行令等の一部改正について

き上げること。

また、間差の加算対象となる扶養親族等に新たに特定扶養親族を加え、加算額についても六万円から一〇万円に引き上げること。（別表2、別表3）

(2) 所得額の計算方法の一部改正

受給資格者等の所得により手当の支給を制限する場合の所得の額の計算方法の一部を次のとおり改めること。

① 所得額から控除する額のうち、障害者控除、寡婦（寡夫）控除、勤労学生控除についてはそれぞれ二五万円から二七万円に、特別障害者控除については三三万円から三五万円に引き上げる。

② 所得額から控除する額に寡婦控除の特例（地方税法第三十四条第三項）を加え、これを三五万円とする。

(3) 施行期日等

本改正は、平成二年八月一日から施行すること。

なお、平成二年七月以前の月分の手当の支給の制限並びに同月以前の月分の手当に相当する金額の返還については、なお従前の例によること。

第二　児童扶養手当法施行規則及び特別児童扶養手当等の支給に関する法律施行規則の一部を改正する省令

1　児童扶養手当法施行規則の一部改正関係

(1) 認定請求書及び現況届の様式の一部改正

改正政令により、受給者等の所得により児童扶養手当の支給

を制限する場合の所得限度額及び所得の額の計算方法の一部が改正されることに伴い、次の様式について所要の改正を行うこと。

① 児童扶養手当認定請求書（様式第一号）

② 児童扶養手当現況届（様式第六号）

(2) 市町村長の証明内容の追加

認定請求書、現況届に添付する証明書に、受給資格者の特定扶養親族の有無及び数についての証明並びに受給資格者又は扶養義務者が寡婦控除の特例（地方税法第三十四条第三項）の対象者である場合はその事実についての証明を新たに追加すること。

なお、住所地の市町村長が証明することとなる場合には、従来通りこれを省略し、課税台帳その他の公簿により審査することができる。

(3) 施行期日等

本改正は公布の日から施行すること。

なお、改正規則の施行の際現にある改正前の様式による用紙は、当分の間、これを取り繕って使用することができること。

2　特別児童扶養手当等の支給に関する法律施行規則の一部改正関係

(1) 認定請求書及び所得状況届の様式の一部改正

改正政令により、受給者等の所得により特別児童扶養手当の支給を制限する場合の所得限度額及び所得の額の計算方法の一

部が改正されることに伴い、次の様式について所要の改正を行うこと。

① 特別児童扶養手当認定請求書（様式第一号）

② 特別児童扶養手当所得状況届（様式第六号）

(2) 市町村長の証明内容の追加

認定請求書、所得状況届に添付する証明書に、受給資格者の特定扶養親族の有無及び数についての証明並びに受給資格者又は扶養義務者が寡婦控除の特例（地方税法第三十四条第三項）の対象者である場合はその事実についての証明を新たに追加すること。

なお、住所地の市町村長が証明することとなる場合には、従来通りこれを省略し、課税台帳その他の公簿により審査することができる。

(3) 施行期日等

本改正は公布の日から施行すること。

なお、改正規則の施行の際現にある改正前の様式による用紙は、当分の間、これを取り繕って使用することができること。

第三 障害児福祉手当及び特別障害者手当の支給に関する省令の一部改正関係

(1) 所得状況届の様式の一部改正

改正政令により、受給資格者等の所得により障害児福祉手当等の支給を制限する場合の所得の額の計算方法の一部が改正されることに伴い、次の様式について所要の改正を行うこと。

① 障害児福祉手当（福祉手当）所得状況届（様式第三号）

② 特別障害者手当所得状況届（様式第七号）

(2) 市町村長の証明内容の追加について

所得状況届に添付する証明書に、受給資格者の特定扶養親族の有無及び数についての証明並びに受給資格者又は扶養義務者が寡婦控除の特例（地方税法第三十四条第三項）の対象者である場合はその事実についての証明を新たに追加すること。

なお、事実を公簿等により確認することができるときは、これらの証明等を省略することができる。

(3) 施行期日等

本改正は公布の日から施行すること。

なお、改正規則の施行の際現にある改正前の様式による用紙は、当分の間、これを取り繕って使用することができること。

別添1～3 略

（別表１）

平成２年度児童扶養手当所得制限限度額

（単位：円）

扶養親族等の数	本人				配偶者・扶養義務者及び孤児等の養育者	
	全部支給		一部支給			
	収入額	限度額	収入額	限度額	収入額	限度額
0	989,000	419,000	2,969,000	1,913,000	7,537,000	5,688,000
1	1,929,000	835,000	3,448,000	2,263,000	7,814,000	5,937,000
2	2,484,000	1,224,000	3,885,000	2,613,000	8,050,000	6,150,000
3	3,040,000	1,613,000	4,323,000	2,963,000	8,287,000	6,363,000
4	3,559,000	2,002,000	4,760,000	3,313,000	8,523,000	6,576,000
5	4,045,000	2,391,000	5,198,000	3,663,000	8,760,000	6,789,000

（注）

1　所得税法に規定する老人控除対象配偶者、特定扶養親族又は老人扶養親族がある者についての限度額（所得ベース）は、上記の金額に当該老人控除対象配偶者、特定扶養親族又は老人扶養親族１人につき10万円を加算した額とする。

2　扶養親族等が６人以上の場合の限度額（所得ベース）は、

①　一部支給限度額の場合

扶養親族等１人につき35万円（扶養親族等が老人控除対象配偶者、特定扶養親族又は老人扶養親族であるときは、45万円）を加算した額とする。

②　全部支給限度額の場合

扶養親族等１人につき38.9万円（扶養親族等が老人控除対象配偶者、特定扶養親族又は老人扶養親族であるときは、48.9万円）を加算した額とする。

3　収入ベースの限度額は、所得ベースの限度額に給与所得控除額相当分（全部支給の場合はさらに寡婦控除額相当分）を加算したものである。

4　扶養義務者等の所得制限の限度額については据置きである。

（別表２）

平成２年度特別児童扶養手当所得制限限度額

（単位：円）

扶養親族等の数	本人所得制限		扶養義務者等所得制限	
	収入額	限度額	収入額	限度額
0	5,020,000	3,521,000	7,537,000	5,688,000
1	5,458,000	3,871,000	7,814,000	5,937,000
2	5,895,000	4,221,000	8,050,000	6,150,000
3	6,296,000	4,571,000	8,287,000	6,363,000
4	6,684,000	4,921,000	8,523,000	6,576,000
5	7,073,000	5,271,000	8,760,000	6,789,000

（注）

1　所得税法に規定する老人控除対象配偶者、特定扶養親族又は老人扶養親族がある者についての限度額（所得ベース）は、上記の金額に当該老人控除対象配偶者、特定扶養親族又は老人扶養親族１人につき10万円を加算した額とする。

2　扶養親族等が６人以上の場合の限度額（所得ベース）は、１人につき35万円（扶養親族等が老人控除対象配偶者、特定扶養親族又は老人扶養親族であるときは、45万円）を加算した額とする。

3　収入ベースの限度額は、所得ベースの限度額に給与所得控除額相当分を加算したものである。

4　扶養義務者等の所得制限の限度額については据置きである。

（別表３）

平成２年度特別障害者手当、障害児福祉手当、
福祉手当（経過措置分）所得制限限度額

（単位：円）

扶養親族等の数	本人所得制限		扶養義務者等所得制限	
	収入額	限度額	収入額	限度額
0	3,704,000	2,468,000	7,537,000	5,688,000
1	4,144,000	2,818,000	7,814,000	5,937,000
2	4,580,000	3,168,000	8,050,000	6,150,000
3	5,020,000	3,518,000	8,287,000	6,363,000
4	5,456,000	3,868,000	8,523,000	6,576,000
5	5,892,000	4,218,000	8,760,000	6,789,000

（注）

1　所得税法に規定する老人控除対象配偶者、特定扶養親族又は老人扶養親族がある者についての限度額（所得ベース）は、上記の金額に当該老人控除対象配偶者、特定扶養親族又は老人扶養親族１人につき10万円を加算した額とする。

2　扶養親族等が６人以上の場合の限度額（所得ベース）は、１人につき35万円（扶養親族等が老人控除対象配偶者、特定扶養親族又は老人扶養親族であるときは、45万円）を加算した額とする。

3　収入ベースの限度額は、所得ベースの限度額に給与所得控除額相当分を加算したものである。

4　扶養義務者等の所得制限の限度額については据置きである。

○児童扶養手当法施行令等の一部改正について（施行通知）

〔平成三年三月二十九日　社更第六〇号・児発第二九〇号
各都道府県知事宛　厚生省社会・児童家庭局長連名通知〕

標記については、本日、児童扶養手当法施行令の一部を改正する政令が政令第六十二号として、特別児童扶養手当等の支給に関する法律施行令等の一部を改正する政令が政令第六十三号として、国民年金法等による年金の額の改定に関する政令の一部を改正する政令が政令第七十二号として、それぞれ別添のとおり公布され、本年四月一日から施行することとしたところである。これらの政令の施行に伴う児童扶養手当、特別児童扶養手当、障害児福祉手当、特別障害者手当等に関する取扱いについては、次の事項に御留意の上、所要の事務処理に遺漏のないようにされるとともに、管下市町村及び福祉事務所に対する周知徹底を図られたく通知する。

第一　児童扶養手当法施行令の一部改正関係

1　児童扶養手当に関する事項

手当の額については、本年四月分から、児童一人当たりの場合、月額三万五九一〇円から月額三万七〇〇〇円に引き上げたこと。

受給資格者の所得による一部支給制限の額については、本年四月分から、月額一万一八七〇円から月額一万二二三〇円に改めたこと。

したがって、手当の一部支給制限を受ける者に係る手当月額は、児童一人の場合月額二万四〇四〇円から月額二万四七七〇円に改めたものであること。

なお、二人以上の児童を有する受給者に係る加算額については、第二子五〇〇〇円、第三子以降一人につき二〇〇〇円であり、変更はないものであること。

2　父が国民年金の障害基礎年金又は障害年金を受けることができる場合の取扱いに関する事項

国民年金法等による年金の額の改定に関する政令の一部を改正する政令により、障害基礎年金の第一子に係る加算の額が年額一九万六四〇〇円（月額一万六三六七円）から年額二〇万二四〇〇円（月額一万六八六七円）に改められた。これに伴い、国民年金法等の一部を改正する法律（昭和六十年法律第三十四号）附則第三十三条第一項に規定する者に経過措置として支給される児童扶養手当の額については、同条第二項第一号の額が月額三万七〇〇〇円（一部支給制限を受ける者の場合月額二万四七七〇円）に、同項第二号の額が月額一万六八六七円となったことにより、月額二万一三三円（一部支給制限を受ける者の場合月額七九〇三円）に改めたものであること。

第二　特別児童扶養手当等の支給に関する法律施行令等の一部改正関係

1　特別児童扶養手当に関する事項

特別児童扶養手当の額については、本年四月分から、障害児一人につき二級（中度）の場合月額二万九〇五〇円から月額二万九三〇〇円に、一級（重度）の場合月額四万三五八〇円から月額四万四九〇〇円に、それぞれ引き上げたこと。

2　障害児福祉手当に関する事項

障害児福祉手当の額については、本年四月分から、月額一万二三八〇円から月額一万二七五〇円に引き上げたこと。

3　特別障害者手当に関する事項

特別障害者手当の額については、本年四月分から、月額二万二七六〇円から月額二万三四五〇円に引き上げたこと。

4　経過的に支給される福祉手当に関する事項

国民年金法等の一部を改正する法律（昭和六十年法律第三十四号）附則第九十七条の規定により経過的に支給される福祉手当の額については、本年四月分から、月額一万二三八〇円から月額一万二七五〇円に引き上げたこと。

別添　略

○児童扶養手当法施行令等の一部改正について

〔平成三年六月七日　社更第一二三号・児発第五二九号
各都道府県知事宛　厚生省社会・児童家庭局長連名通知〕

本日公布された国民年金法施行令等の一部を改正する政令（政令第二百号。別添参考。以下「改正政令」という。）により、児童扶養手当法施行令（昭和三十六年政令第四百五号）及び特別児童扶養手当等の支給に関する法律施行令（昭和五十年政令第二百七号）がそれぞれ改正されたところであるが、その改正内容は左記のとおりであるので、御了知の上、所要の事務処理に遺憾なきを期されるとともに、管下市町村長に対する周知徹底を図られたく通知する。

記

第一　児童扶養手当法施行令の一部改正関係（改正政令第三条）

1　所得制限限度額の引上げ

(1)　児童扶養手当の受給資格者本人の所得により手当の全部の支給を制限する場合の所得限度額のうち、扶養親族等のない世帯に係る額を引き上げること。

(2)　児童扶養手当の受給資格者本人の所得により手当の一部の支給を制限する場合の所得限度額を引き上げること。（別表1）

2　施行期日等

本改正は、平成三年八月一日から施行すること。

なお、平成三年七月以前の月分の手当の支給の制限及び同月以前の月分の手当に相当する金額の返還については、なお従前の例によること。

第二　特別児童扶養手当等の支給に関する法律施行令の一部改正関係（改正政令第四条）

1　所得制限限度額の引上げ

特別児童扶養手当、障害児福祉手当、特別障害者手当及び国民年金法等の一部を改正する法律（昭和六十年法律第三十四号）附則第九十七条第一項の規定による福祉手当の受給資格者本人の所得により手当の支給を制限する場合の所得限度額を引き上げること。（別表2、別表3）

2　施行期日等

本改正は、平成三年八月一日から施行すること。

なお、平成三年七月以前の月分の手当の支給の制限及び同月以前の月分の手当に相当する金額の返還については、なお従前の例によること。

別添　略

所得制限限度額表

別表１

児童扶養手当

（単位：円）

	扶養親族等の数	本人 全部支給 収入額	本人 全部支給 所得額	本人 一部支給 収入額	本人 一部支給 所得額	孤児等の養育者 配偶者 扶養義務者 収入額	孤児等の養育者 配偶者 扶養義務者 所得額
平成３年	0	1,075,000	425,000	3,132,000	2,011,000	7,537,000	5,688,000
	1	1,929,000	835,000	3,569,000	2,361,000	7,814,000	5,937,000
	2	2,484,000	1,224,000	4,007,000	2,711,000	8,050,000	6,150,000
	3	2,913,000	1,613,000	4,445,000	3,061,000	8,287,000	6,363,000
	4	3,448,000	2,002,000	4,882,000	3,411,000	8,523,000	6,576,000
	5	3,934,000	2,391,000	5,320,000	3,761,000	8,760,000	6,789,000
平成２年	0	989,000	419,000	2,969,000	1,913,000	7,537,000	5,688,000
	1	1,929,000	835,000	3,448,000	2,263,000	7,814,000	5,937,000
	2	2,484,000	1,224,000	3,885,000	2,613,000	8,050,000	6,150,000
	3	2,913,000	1,613,000	4,323,000	2,963,000	8,287,000	6,363,000
	4	3,448,000	2,002,000	4,760,000	3,313,000	8,523,000	6,576,000
	5	3,934,000	2,391,000	5,198,000	3,663,000	8,760,000	6,789,000

(注)　政令上は所得額で規定されており、ここに掲げた収入額は、給与所得者を例として給与所得控除額等を加えて表示した額である。

別表２

特別児童扶養手当

（単位：円）

	扶養親族等の数	本人 収入額	本人 所得額	配偶者及び扶養義務者 収入額	配偶者及び扶養義務者 所得額
平成３年	0	5,335,000	3,773,000	7,537,000	5,688,000
	1	5,772,000	4,123,000	7,814,000	5,937,000
	2	6,186,000	4,473,000	8,050,000	6,150,000
	3	6,575,000	4,823,000	8,287,000	6,363,000
	4	6,964,000	5,173,000	8,523,000	6,576,000
	5	7,353,000	5,523,000	8,760,000	6,789,000
平成２年	0	5,020,000	3,521,000	7,537,000	5,688,000
	1	5,458,000	3,871,000	7,814,000	5,937,000
	2	5,895,000	4,221,000	8,050,000	6,150,000
	3	6,296,000	4,571,000	8,287,000	6,363,000
	4	6,684,000	4,921,000	8,523,000	6,576,000
	5	7,073,000	5,271,000	8,760,000	6,789,000

(注)　政令上は所得額で規定されており、ここに掲げた収入額は、給与所得者を例として給与所得控除額等を加えて表示した額である。

別表３

障害児福祉手当・特別障害者手当・経過的福祉手当

（所得制限限度額表）　　　　　　　　　　　　　　　（単位：円）

所得の区分＼扶養親族等の数			0　人	1　人	2　人	3　人	4　人	5　人
本人	現行(2)	収入	3, 704, 000	4, 144, 000	4, 580, 000	5, 020, 000	5, 456, 000	5, 892, 000
		所得	2, 468, 000	2, 818, 000	3, 168, 000	3, 518, 000	3, 868, 000	4, 218, 000
	改正後（平成３年）	収入	3, 908, 000	4, 344, 000	4, 780, 000	5, 220, 000	5, 656, 000	6, 082, 000
		所得	2, 629, 000	2, 979, 000	3, 329, 000	3, 679, 000	4, 029, 000	4, 379, 000
扶養義務者等	現行(2)	収入	7, 537, 000	7, 814, 000	8, 050, 000	8, 287, 000	8, 523, 000	8, 760, 000
		所得	5, 688, 000	5, 937, 000	6, 150, 000	6, 363, 000	6, 576, 000	6, 789, 000
	改正後（平成３年）	収入	同上					
		所得						

〇児童扶養手当法施行令等の一部改正について（施行通知）

〔平成四年三月二十七日　社更第六八号・児発第二七五号〕
〔各都道府県知事宛　厚生省社会・児童家庭局長連名通知〕

標記については、平成四年三月二十一日、児童扶養手当法施行令の一部を改正する政令（平成四年政令第三十九号）及び特別児童扶養手当等の支給に関する法律施行令等の一部を改正する政令（平成四年政令第四十号）が、また、本日、国民年金法等による年金の額の改定に関する政令の一部を改正する政令（平成四年政令第六十七号）が、それぞれ別添のとおり公布されたところであるが、その改正内容は、左記のとおりであるので、御了知の上、事務処理に遺漏のないようにされるとともに、管下市町村及び福祉事務所に対する周知方をお願いする。

記

第一　児童扶養手当法施行令（昭和三十六年政令第四百五号）等の一部改正関係

1　児童扶養手当の額の改定に関する事項

(1)　児童扶養手当（以下第一において「手当」という。）の額を、月額三万七〇〇〇円から月額三万八二二〇円に引き上げたこと。

(2)　受給資格者の所得による支給の一部制限の額を、月額一万二二三〇円から月額一万二六三〇円に改めたこと。

これにより、支給の一部制限を受ける者に係る手当の額は、月額二万四七七〇円から月額二万五五九〇円に引き上げられたものであること。

(3)　なお、二人以上の児童を有する受給者に係る加算額については、第二子五〇〇〇円、第三子以降一人につき二〇〇〇円であり、変更はないものであること。

2　父が国民年金の障害基礎年金又は障害年金を受けることができる場合の取扱いに関する事項

国民年金法等による年金の額の改定に関する政令（平成二年政令第三十九号）の一部が改正され、障害基礎年金の第一子に係る加算の額が年額二〇万二四〇〇円（月額一万六八六七円）から年額二〇万九一〇〇円（月額一万七四二五円）に引き上げられたこと及び手当の額の改定に伴い、国民年金法等の一部を改正する法律（昭和六十年法律第三十四号）附則第三十三条第一項の規定に該当した者に支給される手当の額は、月額二万一三三円（一部支給制限を受ける者の場合月額七九〇三円）から月額二万七九五円（一部支給制限を受ける者の場合月額八一六五円）に引き上げられたものであること。

3　施行期日等

本改正は、平成四年四月一日から施行し、平成四年四月分の手当から適用されること。

なお、平成四年三月以前の月分の手当の額等については、なお従前の例によること。

児童扶養手当法施行令等の一部改正について（施行通知）

第二　特別児童扶養手当等の支給に関する法律施行令（昭和五十年政令第二百七号）等の一部改正関係

1　特別児童扶養手当に関する事項

特別児童扶養手当の額を、障害児一人について、二級（中度）の場合月額二万九九三〇円から月額三万九三〇円に、一級（重度）の場合月額四万四九〇〇円から月額四万六三九〇円に、それぞれ引き上げたこと。

2　障害児福祉手当に関する事項

障害児福祉手当の額を、月額一万二七五〇円から月額一万三一八〇円に引き上げたこと。

3　特別障害者手当に関する事項

特別障害者手当の額を、月額二万三四五〇円から月額二万四二三〇円に引き上げたこと。

4　経過的に支給される福祉手当に関する事項

国民年金法等の一部を改正する法律（昭和六十年法律第三十四号）附則第九十七条の規定により経過的に支給される福祉手当の額を、月額一万二七五〇円から月額一万三一八〇円に引き上げたこと。

5　施行期日等

本改正は、平成四年四月一日から施行し、平成四年四月分のこれらの手当から適用されること。

なお、平成四年三月以前の月分のこれらの手当の額については、なお従前の例によること。

別添　略

○児童扶養手当法施行令等の一部改正について

〔平成四年六月十二日　社更第一三五号・児発第五七六号
各都道府県知事宛　厚生省社会・児童家庭局長連名通知〕

本日別添のとおり公布された国民年金法施行令等の一部を改正する政令（政令第百九十五号。以下「改正政令」という。）により、児童扶養手当法施行令（昭和三十六年政令第四百五号）及び特別児童扶養手当等の支給に関する法律施行令（昭和五十年政令第二百七号）がそれぞれ改正されたところであるが、その改正内容は左記のとおりであるので、御了知の上、所要の事務処理に遺憾なきを期されるとともに、管下市町村長に対する周知徹底を図られたく通知する。

記

第一　児童扶養手当法施行令の一部改正関係（改正政令第三条）

1　所得制限限度額の引上げ

児童扶養手当の受給資格者本人の所得により手当の一部の支給を制限する場合の所得限度額を引き上げること。（別表1）

2　施行期日等

本改正は、平成四年八月一日から施行すること。

なお、平成四年七月以前の月分の手当の支給の制限及び同月以前の月分の手当に相当する金額の返還については、なお従前の例によること。

第二　特別児童扶養手当等の支給に関する法律施行令の一部改正関係（改正政令第四条）

1　所得制限限度額の引上げ

特別児童扶養手当、障害児福祉手当、特別障害者手当及び国民年金法等の一部を改正する法律（昭和六十年法律第三十四号）附則第九十七条第一項の規定による福祉手当の受給資格者本人の所得により手当の支給を制限する場合の所得限度額を引き上げること。（別表2、別表3）

2　施行期日等

本改正は、平成四年八月一日から施行すること。

なお、平成四年七月以前の月分の手当の支給の制限及び同月以前の月分の手当に相当する金額の返還については、なお従前の例によること。

別添　略

所得制限限度額

（別表１）

児童扶養手当

（単位：円）

	扶養親族等の数	本人 全部支給 収入額	本人 全部支給 所得額	本人 一部支給 収入額	本人 一部支給 所得額	孤児等の養育者 配偶者 扶養義務者 収入額	孤児等の養育者 配偶者 扶養義務者 所得額
平成４年	0	1,075,000	425,000	3,226,000	2,093,000	7,537,000	5,688,000
	1	1,929,000	835,000	3,673,000	2,443,000	7,814,000	5,937,000
	2	2,484,000	1,224,000	4,110,000	2,793,000	8,050,000	6,150,000
	3	2,913,000	1,613,000	4,548,000	3,143,000	8,287,000	6,363,000
	4	3,448,000	2,002,000	4,985,000	3,493,000	8,523,000	6,576,000
	5	3,934,000	2,391,000	5,423,000	3,843,000	8,760,000	6,789,000
平成３年	0	1,075,000	425,000	3,132,000	2,011,000	7,537,000	5,688,000
	1	1,929,000	835,000	3,569,000	2,361,000	7,814,000	5,937,000
	2	2,484,000	1,224,000	4,007,000	2,711,000	8,050,000	6,150,000
	3	2,913,000	1,613,000	4,445,000	3,061,000	8,287,000	6,363,000
	4	3,448,000	2,002,000	4,882,000	3,411,000	8,523,000	6,576,000
	5	3,934,000	2,391,000	5,320,000	3,761,000	8,760,000	6,789,000

（注）　政令上は所得額で規定されており、ここに掲げた収入額は、給与所得者を例として給与所得控除額等を加えて表示した額である。

（別表２）

特別児童扶養手当

（単位：円）

	扶養親族等の数	本人 収入額	本人 所得額	配偶者及び扶養義務者 収入額	配偶者及び扶養義務者 所得額
平成４年	0	5,643,000	4,019,000	7,537,000	5,688,000
	1	6,071,000	4,369,000	7,814,000	5,937,000
	2	6,460,000	4,719,000	8,050,000	6,150,000
	3	6,849,000	5,069,000	8,287,000	6,363,000
	4	7,238,000	5,419,000	8,523,000	6,576,000
	5	7,627,000	5,769,000	8,760,000	6,789,000
平成３年	0	5,335,000	3,773,000	7,537,000	5,688,000
	1	5,772,000	4,123,000	7,814,000	5,937,000
	2	6,186,000	4,473,000	8,050,000	6,150,000
	3	6,575,000	4,823,000	8,287,000	6,363,000
	4	6,964,000	5,173,000	8,523,000	6,576,000
	5	7,353,000	5,523,000	8,760,000	6,789,000

（注）　政令上は所得額で規定されており、ここに掲げた収入額は、給与所得者を例として給与所得控除額等を加えて表示した額である。

（別表３）

障害児福祉手当、特別障害者手当及び経過的福祉手当

（単位：円）

所得の区分 ＼ 扶養親族等の数			０　人	１　人	２　人	３　人	４　人	５　人
本人	現行(3)	収入	3,908,000	4,344,000	4,780,000	5,220,000	5,656,000	6,082,000
		所得	2,629,000	2,979,000	3,329,000	3,679,000	4,029,000	4,379,000
	改正案（平成４年）	収入	4,120,000	4,560,000	4,996,000	5,432,000	5,872,000	6,272,000
		所得	2,800,000	3,150,000	3,500,000	3,850,000	4,200,000	4,550,000
扶養義務者等	現行(3)	収入	7,537,000	7,814,000	8,050,000	8,287,000	8,523,000	8,760,000
		所得	5,688,000	5,937,000	6,150,000	6,363,000	6,576,000	6,789,000
	改正案（平成４年）	収入	同　上					
		所得						

○児童扶養手当法施行令等の一部改正について（施行通知）

（平成五年三月二十四日　社援更第六八号・児発第二二五号　各都道府県知事宛　厚生省社会・援護・児童家庭局長連名通知）

標記については、本日、児童扶養手当法施行令の一部を改正する政令（平成五年政令第五十一号）、特別児童扶養手当等の支給に関する法律施行令等の一部を改正する政令（平成五年政令第五十二号）及び国民年金法等による年金の額の改定に関する政令の一部を改正する政令（平成五年政令第四十九号）が、それぞれ別添のとおり公布されたところであるが、その改正内容は、左記のとおりであるので、御了知の上、事務処理に遺漏のないようにされるとともに、管下市町村及び福祉事務所に対する周知方をお願いする。

記

第一　児童扶養手当法施行令（昭和三十六年政令第四百五号）等の一部改正関係

1　児童扶養手当の額の改定に関する事項

(1)　児童扶養手当（以下第一において「手当」という。）の額を、月額三万八二二〇円から月額三万八八六〇円に引き上げたこと。

(2)　受給資格者の所得による支給の一部制限の額を、月額一万二六三〇円から月額一万二八五〇円に改めたこと。

これにより、支給の一部制限を受ける者に係る手当の額は、月額二万五五九〇円から月額二万六〇一〇円に引き上げられたものであること。

(3)　なお、二人以上の児童を有する受給者に係る加算額については、第二子五〇〇〇円、第三子以降一人につき二〇〇〇円であり、変更はないものであること。

2　父が国民年金の障害基礎年金又は障害年金を受けることができる場合の取扱いに関する事項

国民年金法等による年金の額の改定に関する政令（平成二年政令第三十九号）の一部が改正され、障害基礎年金の第一子に係る加算の額が年額二〇万九一〇〇円（月額一万七四二五円）から年額二一万二五〇〇円（月額一万七七〇八円）に引き上げられたこと及び手当の額の改定に伴い、国民年金法等の一部を改正する法律（昭和六十年法律第三十四号）附則第三十三条第一項の規定に該当した者に支給される手当の額は、月額二万七九五円（一部支給制限を受ける者の場合月額八一六五円）から月額二万一一五二円（一部支給制限を受ける者の場合月額八三〇二円）に引き上げられたものであること。

3　施行期日等

本改正は、平成五年四月一日から施行し、平成五年四月分の手当から適用されること。

なお、平成五年三月以前の月分の手当の額等については、なお従前の例によること。

第二　特別児童扶養手当等の支給に関する法律施行令（昭和五十年政令第二百七号）等の一部改正関係

1　特別児童扶養手当に関する事項

特別児童扶養手当の額を、障害児一人について、二級（中度）の場合月額三万九三〇円から月額三万一四四〇円に、一級（重度）の場合月額四万六三九〇円から月額四万七一六〇円に、それぞれ引き上げたこと。

2　障害児福祉手当に関する事項

障害児福祉手当の額を、月額一万三一八〇円から月額一万三三九〇円に引き上げたこと。

3　特別障害者手当に関する事項

特別障害者手当の額を、月額二万四二三〇円から月額二万四六三〇円に引き上げたこと。

4　経過的に支給される福祉手当に関する事項

国民年金法等の一部を改正する法律（昭和六十年法律第三十四号）附則第九十七条の規定により経過的に支給される福祉手当の額を、月額一万三一八〇円から月額一万三三九〇円に引き上げたこと。

5　施行期日等

本改正は、平成五年四月一日から施行し、平成五年四月分のこれらの手当から適用されること。

なお、平成五年三月以前の月分のこれらの手当の額については、なお従前の例によること。

別添　略

児童扶養手当法施行令等の一部改正について（施行通知）

○児童扶養手当法施行令等の一部改正について

〔平成五年六月十六日　社援更第一七五号・児発第五二一号
各都道府県知事宛　厚生省社会・援護・児童家庭局長連名通知〕

本日公布された国民年金法施行令等の一部を改正する政令（政令第百九十二号。別添1参考。以下「改正政令」という。）により、児童扶養手当法施行令（昭和三十六年政令第四百五号）及び特別児童扶養手当等の支給に関する法律施行令（昭和五十年政令第二百七号）が、また、本日公布された老齢福祉年金支給規則等の一部を改正する省令（厚生省令第二十八号。別添2参考。以下「改正省令」という。）により、児童扶養手当法施行規則（昭和三十六年厚生省令第五十一号）及び特別児童扶養手当等の支給に関する法律施行規則（昭和三十九年厚生省令第三十八号）がそれぞれ改正されたところであるが、その改正内容は左記のとおりであるので、御了知の上、所要の事務処理に遺憾なきを期されるとともに、管下市町村長に対する周知徹底を図られたく通知する。

記

第一　児童扶養手当法施行令の一部改正関係（改正政令第三条）

1　所得制限限度額の引上げ

児童扶養手当の受給資格者本人の所得により手当の一部の支給を制限する場合の所得制限限度額を引き上げること。（別表1）

本改正は、平成五年八月一日から施行すること。

なお、平成五年七月以前の月分の手当の支給の制限及び同月以前の月分の手当に相当する金額の返還については、なお従前の例によること。

2　地方税法の一部を改正する法律の施行に伴う所要の規定の整理

みなし法人課税制度が平成五年度分の地方税をもって廃止されることに伴う所要の改正を行うこと。この場合においても、児童扶養手当の所得の額を計算するに当たり、地方税法第三十二条第一項に規定する通常総所得金額で計算する取扱いは変わらない。

本改正は、平成六年四月一日から施行すること。

なお、平成六年七月以前の月分の手当の支給の制限については、なお従前の例によること。

第二　特別児童扶養手当等の支給に関する法律施行令の一部改正関係（改正政令第四条）

1　所得制限限度額の引上げ

特別児童扶養手当、障害児福祉手当、特別障害者手当及び国民年金法等の一部を改正する法律（昭和六十年法律第三十四号）附則第九十七条第一項の規定による福祉手当の受給資格者本人の所得により手当の支給を制限する場合の所得制限限度額を引き上げること。（別表2、別表3）

本改正は、平成五年八月一日から施行すること。

なお、平成五年七月以前の月分の手当の支給の制限及び同月以前の月分の手当に相当する金額の返還については、なお従前の例によること。

2　地方税法の一部を改正する法律の施行に伴う所要の規定の整理

みなし法人課税制度が平成五年度分の地方税をもって廃止されることに伴う所要の改正を行うこと。この場合においても、特別児童扶養手当等の所得の額を計算するに当たり、地方税法第三十二条第一項に規定する通常総所得金額で計算する取扱いは変わらない。

本改正は、平成六年四月一日から施行すること。

なお、平成六年七月以前の月分の手当の支給の制限については、なお従前の例によること。

第三　児童扶養手当法施行規則の一部改正関係（改正省令第三条）

みなし法人課税制度が廃止されることに伴い、児童扶養手当認定請求書（様式第一号）の裏面及び児童扶養手当現況届（様式第六号）の裏面中「なお、みなし法人課税を選択している場合は、その旨を申し出て下さい。」を削ること。（別添3、別添4参考。）

本改正は、平成六年四月一日から施行すること。

平成六年七月以前の月分の手当についての児童扶養手当認定請求書については、なお従前の例によること。

なお、現にある児童扶養手当認定請求書及び児童扶養手当現況届の用紙は、当分の間これを取り繕って使用することができること。

第四　特別児童扶養手当等の支給に関する法律施行規則の一部改正関係（改正省令第四条）

みなし法人課税制度が廃止されることに伴い、特別児童扶養手当認定請求書（様式第一号）の裏面及び特別児童扶養手当所得状況届（様式第六号）の裏面中「なお、みなし法人課税を選択している場合は、その旨を申し出て下さい。」を削ること。（別添5、別添6参考。）

本改正は、平成六年四月一日から施行すること。

平成六年七月以前の月分の手当についての特別児童扶養手当認定請求書については、なお従前の例によること。

なお、現にある特別児童扶養手当認定請求書及び特別児童扶養手当所得状況届の用紙は、当分の間これを取り繕って使用することができること。

別添1～6　略

所得制限限度額

別表1

児童扶養手当

（単位：円）

	扶養親族等の数	本人 全部支給 収入額	本人 全部支給 所得額	本人 一部支給 収入額	本人 一部支給 所得額	孤児等の養育者 配偶者 扶養義務者 収入額	孤児等の養育者 配偶者 扶養義務者 所得額
平成5年	0	1,075,000	425,000	3,383,000	2,211,000	7,537,000	5,688,000
	1	1,929,000	835,000	3,820,000	2,561,000	7,814,000	5,937,000
	2	2,484,000	1,224,000	4,258,000	2,911,000	8,050,000	6,150,000
	3	2,913,000	1,613,000	4,695,000	3,261,000	8,287,000	6,363,000
	4	3,448,000	2,002,000	5,133,000	3,611,000	8,523,000	6,576,000
	5	3,934,000	2,391,000	5,570,000	3,961,000	8,760,000	6,789,000
平成4年	0	1,075,000	425,000	3,226,000	2,093,000	7,537,000	5,688,000
	1	1,929,000	835,000	3,673,000	2,443,000	7,814,000	5,937,000
	2	2,484,000	1,224,000	4,110,000	2,793,000	8,050,000	6,150,000
	3	2,913,000	1,613,000	4,548,000	3,143,000	8,287,000	6,363,000
	4	3,448,000	2,002,000	4,985,000	3,493,000	8,523,000	6,576,000
	5	3,934,000	2,391,000	5,423,000	3,843,000	8,760,000	6,789,000

（注）　政令上は所得額で規定されており、ここに掲げた収入額は、給与所得者を例として給与所得控除額等を加えて表示した額である。

別表2

特別児童扶養手当

（単位：円）

	扶養親族等の数	本人 収入額	本人 所得額	配偶者及び扶養義務者 収入額	配偶者及び扶養義務者 所得額
平成5年	0	5,949,000	4,264,000	7,537,000	5,688,000
	1	6,343,000	4,614,000	7,814,000	5,937,000
	2	6,732,000	4,964,000	8,050,000	6,150,000
	3	7,121,000	5,314,000	8,287,000	6,363,000
	4	7,510,000	5,664,000	8,523,000	6,576,000
	5	7,899,000	6,014,000	8,760,000	6,789,000
平成4年	0	5,643,000	4,019,000	7,537,000	5,688,000
	1	6,071,000	4,369,000	7,814,000	5,937,000
	2	6,460,000	4,719,000	8,050,000	6,150,000
	3	6,849,000	5,069,000	8,287,000	6,363,000
	4	7,238,000	5,419,000	8,523,000	6,576,000
	5	7,627,000	5,769,000	8,760,000	6,789,000

（注）　政令上は所得額で規定されており、ここに掲げた収入額は、給与所得者を例として給与所得控除額等を加えて表示した額である。

別表３

障害児福祉手当、特別障害者手当及び経過的福祉手当

（単位：円）

所得の区分 ＼ 扶養親族等の数			０　人	１　人	２　人	３　人	４　人	５　人
本人	平成４年	収入	4,120,000	4,560,000	4,996,000	5,432,000	5,872,000	6,272,000
		所得	2,800,000	3,150,000	3,500,000	3,850,000	4,200,000	4,550,000
	平成５年	収入	4,276,000	4,716,000	5,152,000	5,588,000	6,022,000	6,411,000
		所得	2,925,000	3,275,000	3,625,000	3,975,000	4,325,000	4,675,000
扶養義務者等	平成４年	収入	7,537,000	7,814,000	8,050,000	8,287,000	8,523,000	8,760,000
		所得	5,688,000	5,937,000	6,150,000	6,363,000	6,576,000	6,789,000
	平成５年	収入　所得	同上					

○児童扶養手当法施行令等の一部改正について（施行通知）

〔平成六年三月十八日　社援更第六八号・児発第二三三号
各都道府県知事宛　厚生省社会・援護・児童家庭局長連名通知〕

標記については、本日、児童扶養手当法施行令の一部を改正する政令（平成六年政令第五十四号）、特別児童扶養手当等の支給に関する法律施行令等の一部を改正する政令（平成六年政令第五十五号）及び国民年金法等による年金の額の改定に関する政令の一部を改正する政令（平成六年政令第五十七号）が、それぞれ別添のとおり公布されたところであるが、その改正内容は、左記のとおりであるので、御了知の上、事務処理に遺漏のないようにされるとともに、管下市町村及び福祉事務所に対する周知方をお願いする。

記

第一　児童扶養手当法施行令（昭和三十六年政令第四百五号）等の一部改正関係

1　児童扶養手当の額の改定に関する事項

(1)　児童扶養手当（以下第一において「手当」という。）の額を、月額三万八八六〇円から月額三万九三八〇円に引き上げたこと。

(2)　受給資格者の所得による支給の一部制限の額を、月額一万二八五〇円から月額一万三〇一〇円に改めたこと。

これにより、支給の一部制限を受ける者に係る手当の額は、月額二万六〇一〇円から月額二万六三七〇円に引き上げられたものであること。

(3)　なお、二人以上の児童を有する受給者に係る加算額については、第二子五〇〇〇円、第三子以降一人につき二〇〇〇円であり、変更はないものであること。

2　父が国民年金の障害基礎年金又は障害年金を受けることができる場合の取扱いに関する事項

国民年金法等による年金の額の改定に関する政令（平成二年政令第三十九号）の一部が改正され、障害基礎年金の第一子に係る加算の額が年額二一万二五〇〇円（月額一万七七〇八円）から年額二一万五四〇〇円（月額一万七九五〇円）に引き上げられたこと及び手当の額の改定に伴い、国民年金法等の一部を改正する法律（昭和六十年法律第三十四号）附則第三十三条第一項の規定に該当した者に支給される手当の額は、月額二万一一五二円（一部支給制限を受ける者の場合月額八三〇二円）から月額二万一四三〇円（一部支給制限を受ける者の場合月額八四二〇円）に引き上げられたものであること。

3　施行期日等

本改正は、平成六年四月一日から施行し、平成六年四月分の手当から適用されること。

なお、平成六年三月以前の月分の手当の額等については、なお従前の例によること。

第二　特別児童扶養手当等の支給に関する法律施行令（昭和五十年政令第二百七号）等の一部改正関係

1　特別児童扶養手当に関する事項

特別児童扶養手当の額を、障害児一人について、二級（中度）の場合月額三万一四四〇円から月額三万一八六〇円に、一級（重度）の場合月額四万七一六〇円から月額四万七八〇〇円に引き上げたこと。

2　障害児福祉手当に関する事項

障害児福祉手当の額を、月額一万三三九〇円から月額一万三五八〇円に引き上げたこと。

3　特別障害者手当に関する事項

特別障害者手当の額を、月額二万四六三〇円から月額二万四九六〇円に引き上げたこと。

4　経過的に支給される福祉手当に関する事項

国民年金法等の一部を改正する法律（昭和六十年法律第三十四号）附則第九十七条の規定により経過的に支給される福祉手当の額を、月額一万三三九〇円から月額一万三五八〇円に引き上げたこと。

5　施行期日等

本改正は、平成六年四月一日から施行し、平成六年四月分のこれらの手当から適用されること。

なお、平成六年三月以前の月分のこれらの手当の額については、なお従前の例によること。

別添　略

○児童扶養手当法施行令等の一部改正について（施行通知）

〔平成六年七月十五日　社援更第一八五号・児発第七一〇号　各都道府県知事宛　厚生省社会・援護・児童家庭局長連名通知〕

本日公布された国民年金法施行令等の一部を改正する政令（政令第二百三十五号。別添参照。以下「改正政令」という。）により、児童扶養手当法施行令（昭和三十六年政令第四百五号）及び特別児童扶養手当等の支給に関する法律施行令（昭和五十年政令第二百七号）が、改正されたところであるが、その改正内容は左記のとおりであるので、御了知の上、所要の事務処理に遺憾なきを期されるとともに、管下市町村長に対する周知徹底を図られたく通知する。

記

第一　児童扶養手当法施行令の一部改正関係（改正政令第三条）

1　所得制限の限度額の引上げ（別表1）

(1)　児童扶養手当法第九条に規定する受給資格者本人の所得により手当の一部の支給を制限する場合の所得制限の限度額を引き上げること。

(2)　児童扶養手当法第九条の二による受給資格者本人の所得により手当の支給を制限する場合並びに同法第十条及び第十一条に規定する配偶者又は扶養義務者等の所得により手当の支給を制限する場合の限度額を引き上げること。

(3)　租税特別措置法の一部改正により特定扶養親族の所得控除額が、四五万円から五〇万円に引き上げられたことに伴い、特定扶養親族がいる場合について限度額の間差を引き上げること。

2　本改正は、平成六年八月一日から施行すること。

なお、平成六年七月以前の月分の手当の支給の制限及び同月以前の月分の手当に相当する金額の返還については、なお従前の例によること。

第二　特別児童扶養手当等の支給に関する法律施行令の一部改正関係（改正政令第四条）

1　所得制限の限度額の引上げ（別表2、別表3）

(1)　特別児童扶養手当、障害児福祉手当、特別障害者手当及び国民年金法等の一部を改正する法律（昭和六十年法律第三十四号）附則第九十七条第一項に規定する福祉手当の受給資格者本人の所得により手当の支給を制限する場合の所得制限の限度額を引き上げること。

(2)　特別児童扶養手当、障害児福祉手当、特別障害者手当及び国民年金法等の一部を改正する法律（昭和六十年法律第三十四号）附則第九十七条第一項に規定する福祉手当の受給資格者本人の扶養義務者等の所得により支給を制限する場合の所得制限の限度額を引き上げること。

(3)　租税特別措置法の一部改正により特定扶養親族の所得控除額

が、四五万円から五〇万円に引き上げられたことに伴い、特定扶養親族がいる場合について限度額の間差を引き上げること。

2　本改正は、平成六年八月一日から施行すること。

なお、平成六年七月以前の月分の手当の支給の制限及び同月以前の月分の手当に相当する金額の返還については、なお従前の例によること。

別添　略

（別表１）

所　得　制　限　の　限　度　額

【児童扶養手当】

（単位：円）

	扶養親族等の数	本人 全部支給 収入額	本人 全部支給 所得額	本人 一部支給 収入額	本人 一部支給 所得額	孤児等の養育者 配偶者 扶養義務者 収入額	孤児等の養育者 配偶者 扶養義務者 所得額
平成6年	0	1,075,000	425,000	3,495,000	2,301,000	7,698,000	5,833,000
	1	1,929,000	835,000	3,932,000	2,651,000	7,975,000	6,082,000
	2	2,484,000	1,224,000	4,370,000	3,001,000	8,212,000	6,295,000
	3	2,913,000	1,613,000	4,808,000	3,351,000	8,448,000	6,508,000
	4	3,448,000	2,002,000	5,245,000	3,701,000	8,685,000	6,721,000
	5	3,934,000	2,391,000	5,683,000	4,051,000	8,922,000	6,934,000
平成5年	0	1,075,000	425,000	3,383,000	2,211,000	7,537,000	5,688,000
	1	1,929,000	835,000	3,820,000	2,561,000	7,814,000	5,937,000
	2	2,484,000	1,224,000	4,258,000	2,911,000	8,050,000	6,150,000
	3	2,913,000	1,613,000	4,695,000	3,261,000	8,287,000	6,363,000
	4	3,448,000	2,002,000	5,133,000	3,611,000	8,523,000	6,576,000
	5	3,934,000	2,391,000	5,570,000	3,961,000	8,760,000	6,789,000

（注）

1　平成６年においては、所得税法に規定する老人控除対象配偶者、老人扶養親族又は特定扶養親族がある者についての限度額（所得ベース）は、上記の金額に次の額を加算した額とする。

⑴　本人の場合は、

①　老人控除対象配偶者又は老人扶養親族１人につき10万円

②　特定扶養親族１人につき15万円

⑵　孤児等の養育者、配偶者、扶養義務者の場合は、老人扶養親族１人につき（当該老人扶養親族のほかに扶養親族等がないときは、当該老人扶養親族のうち１人を除いた老人扶養親族１人につき）６万円

2　政令上は所得額で規定されており、ここに掲げた収入額は、給与所得者を例として給与所得控除額等を加えて表示した額である。

（別表２）

所　得　制　限　の　限　度　額

【特別児童扶養手当】

（単位：円）

	扶養親族等の数	本人		配偶者及び扶養義務者	
		収入額	所得額	収入額	所得額
平成6年	0	6,144,000	4,435,000	7,698,000	5,833,000
	1	6,533,000	4,785,000	7,975,000	6,082,000
	2	6,922,000	5,135,000	8,212,000	6,295,000
	3	7,311,000	5,485,000	8,448,000	6,508,000
	4	7,700,000	5,835,000	8,685,000	6,721,000
	5	8,089,000	6,185,000	8,922,000	6,934,000
平成5年	0	5,949,000	4,264,000	7,537,000	5,688,000
	1	6,343,000	4,614,000	7,814,000	5,937,000
	2	6,732,000	4,964,000	8,050,000	6,150,000
	3	7,121,000	5,314,000	8,287,000	6,363,000
	4	7,510,000	5,664,000	8,523,000	6,576,000
	5	7,899,000	6,014,000	8,760,000	6,789,000

（注）

1　平成６年においては、所得税法に規定する老人控除対象配偶者、老人扶養親族又は特定扶養親族がある者についての限度額（所得ベース）は、上記の金額に次の額を加算した額とする。

⑴　本人の場合は、

①　老人控除対象配偶者又は老人扶養親族１人につき10万円

②　特定扶養親族１人につき15万円

⑵　配偶者及び扶養義務者の場合は、老人扶養親族１人につき（当該老人扶養親族のほかに扶養親族等がないときは、当該老人扶養親族のうち１人を除いた老人扶養親族１人につき）６万円

2　政令上は所得額で規定されており、ここに掲げた収入額は、給与所得者を例として給与所得控除額等を加えて表示した額である。

（別表３）

障害児福祉手当、特別障害者手当及び経過的福祉手当

（単位：円）

所得の区分＼扶養親族等の数			0　人	1　人	2　人	3　人	4　人	5　人
本人	平成5年	収入	4,276,000	4,716,000	5,152,000	5,588,000	6,022,000	6,411,000
		所得	2,925,000	3,275,000	3,625,000	3,975,000	4,325,000	4,675,000
	平成6年	収入	4,396,000	4,832,000	5,272,000	5,708,000	6,128,000	6,517,000
		所得	3,020,000	3,370,000	3,720,000	4,070,000	4,420,000	4,770,000
扶養義務者等	平成5年	収入	7,537,000	7,814,000	8,050,000	8,287,000	8,523,000	8,760,000
		所得	5,688,000	5,937,000	6,150,000	6,363,000	6,576,000	6,789,000
	平成6年	収入	7,698,000	7,975,000	8,212,000	8,448,000	8,685,000	8,922,000
		所得	5,833,000	6,082,000	6,295,000	6,508,000	6,721,000	6,934,000

（注）

1　平成６年においては、所得税法に規定する老人控除対象配偶者、老人扶養親族又は特定扶養親族がある者についての限度額（所得ベース）は、上記の金額に次の額を加算した額とする。

⑴　本人の場合は、

①　老人控除対象配偶者又は老人扶養親族１人につき10万円

②　特定扶養親族１人につき15万円

⑵　配偶者及び扶養義務者の場合は、老人扶養親族１人につき（当該老人扶養親族のほかに扶養親族等がないときは、当該老人扶養親族のうち１人を除いた老人扶養親族１人につき）６万円

2　政令上は所得額で規定されており、ここに掲げた収入額は、給与所得者を例として給与所得控除額等を加えて表示した額である。

○児童扶養手当法等の一部改正について

（平成六年十一月九日　社援更第二九一号・児発第九九五号
各都道府県知事宛　厚生省社会・援護・児童家庭局長
連名通知）

本日、児童扶養手当法及び特別児童扶養手当等の支給に関する法律の一部改正を内容とする国民年金法等の一部を改正する法律が法律第九十五号（以下「改正法」という。）として、児童扶養手当法施行令、特別児童扶養手当等の支給に関する法律施行令及び特別児童扶養手当等の支給に関する法律施行令の一部を改正する政令の一部改正を内容とする国民年金法施行令等の一部を改正する等の政令が政令第三百四十七号（以下「改正政令」という。）として、それぞれ、別添1及び2のとおり公布されたところである。児童扶養手当法及び特別児童扶養手当等の支給に関する法律の一部改正については、本日厚生省発年第五九号「国民年金法等の一部を改正する法律の施行について」をもって厚生事務次官より別添3のとおり通知されたところであるが、改正法及び改正政令の施行に伴う児童扶養手当、特別児童扶養手当、障害児福祉手当等に関する取扱いについては、次の事項に御留意の上、所要の事務処理に遺漏のないようにされるとともに、手当が速やかに支給ができるよう管下市町村及び福祉事務所に対する周知徹底を図られたく通知する。

第一　児童扶養手当法及び児童扶養手当法施行令の一部改正関係

児童扶養手当法等の一部改正について

1　児童扶養手当に関する事項

(1)　手当の額については、改正法により、本年十月分から、児童一人の場合、月額三万九三八〇円から四万一一〇〇円に引き上げられたこと。

受給資格者の所得による一部支給による制限額については、改正政令により、本年十月分から、一万三〇一〇円から一万三六〇〇円に改められたこと。

したがって、手当の一部支給の制限を受ける者に係る手当月額は、児童一人の場合、月額二万六三七〇円から二万七五〇〇円に改められたものであること。

(2)　第三子以降の児童に対する加算額を二〇〇〇円から三〇〇〇円に引き上げること。

(3)　支給対象となる児童の範囲を一八歳未満から一八歳に達する日以後の最初の三月三十一日までの間にある者とすること。

2　父が国民年金の障害基礎年金又は障害年金を受けることができる場合の取扱いに関する事項

改正法により障害基礎年金の第一子に係る加算の額が年額二二万四四〇〇円（月額一万八七〇〇円）に改められたこと。

これにより、国民年金法等の一部を改正する法律（昭和六十年法律第三十四号）附則第三十三条第一項に規定した者に支給される児童扶養手当の額は、月額二万一四三〇円（一部支給制限を受ける者の場合月額八四二〇円）から月額二万二四〇〇円（一部支給制限を受ける者の場合月額八八〇〇円）に引き上げられたものであること。

3 手当額の完全自動物価スライドの規定について

児童扶養手当法施行令第二条の二を削除する。

第二 特別児童扶養手当等の支給に関する法律及び特別児童扶養手当等の支給に関する法律施行令等の一部改正関係

1 特別児童扶養手当に関する事項

特別児童扶養手当の額については、本年十月分から、障害児一人につき二級（中度）の場合月額三万一八六〇円から三万三三〇〇円に、一級（重度）の場合月額四万七八〇〇円から五万円に、それぞれ引き上げられたこと。

2 障害児福祉手当に関する事項

障害児福祉手当の額については、本年十月分から、月額一万三五八〇円から一万四一七〇円に引き上げられたこと。

3 特別障害者手当に関する事項

特別障害者手当の額については、月額二万四九六〇円から二万六〇五〇円に引き上げられたこと。

4 経過的に支給される福祉手当に関する事項

国民年金法等の一部を改正する法律（昭和六十年法律第三十四号）附則第九十七条の規定により経過的に支給されている福祉手当の額については、本年十月分から、月額一万三五八〇円から一万四一七〇円に引き上げられたこと。

5 手当額の完全自動物価スライドの規定について

特別児童扶養手当等の支給に関する法律施行令第五条の二、第九条の二及び第十条の二並びに特別児童扶養手当等の支給に関する法律施行令の一部を改正する政令第二条の二を削除する。

第三 施行期日等

本改正は、公布の日から施行し、第一及び第二については、平成六年十月一日（第一の1(3)については平成七年四月一日）から適用されること。

ただし、児童扶養手当法第九条及び第九条の二の規定による児童扶養手当の支給の制限並びに特別児童扶養手当等の支給に関する法律第六条の規定による特別児童扶養手当の支給の制限については、第一の1(3)は、平成七年八月以降の月分の児童扶養手当及び特別児童扶養手当について適用し、同年七月以前の月分の児童扶養手当及び特別児童扶養手当については、なお従前の例によること。

なお、平成六年九月以前の月分の手当額等については、なお従前の例によること。

別添 略

○児童扶養手当法施行令等の一部改正について（施行通知）

〔平成七年三月二十三日　社援更第五四号・児発第二二九号
各都道府県知事宛　厚生省社会・援護・児童家庭局長
連名通知〕

標記については、児童扶養手当法施行令の一部を改正する政令（平成七年政令第五十九号）、特別児童扶養手当等の支給に関する法律施行令等の一部を改正する政令（平成七年政令第六十号）及び国民年金法等による年金の額の改定に関する政令（平成七年政令第七十三号）が、それぞれ別添のとおり公布されたところであるが、その改正内容は、左記のとおりであるので、御了知の上、事務処理に遺漏のないようにされるとともに、管下市町村及び福祉事務所に対する周知方をお願いする。

記

第一　児童扶養手当法施行令（昭和三十六年政令第四百五号）等の一部改正関係

1　児童扶養手当の額の改定に関する事項

(1)　児童扶養手当（以下第一において「手当」という。）の額を、月額四万一一〇〇円から月額四万一三九〇円に引き上げたこと。

(2)　受給資格者の所得による支給の一部制限の額を、月額一万三六〇〇円から月額一万三七〇〇円に改められたこと。

これにより、支給の一部制限を受ける者に係る手当の額は、月額二万七五〇〇円から月額二万七六九〇円に引き上げられたものであること。

(3)　なお、二人以上の児童を有する受給者に係る加算額については、第二子五〇〇〇円、第三子以降一人につき、三〇〇〇円であり、変更はないものであること。

2　父が国民年金の障害基礎年金又は障害年金を受けることができる場合の取扱いに関する事項

国民年金法等による年金の額の改定に関する政令（平成七年政令第七十三号）が制定され、障害基礎年金の第一子に係る加算の額が年額二二万四四〇〇円（月額一万八七〇〇円）から年額二二万六〇〇〇円（月額一万八八三三円）に引き上げられたこと及び手当の額の改定に伴い、国民年金法等の一部を改正する法律（昭和六十年法律第三十四号）附則第三十三条第一項の規定に該当した者に支給される手当の額は、月額二万二四〇〇円（一部支給制限を受ける者の場合月額八八〇〇円）から月額二万二五五七円（一部支給制限を受ける者の場合月額八八五七円）に引き上げられたものであること。

3　施行期日等

本改正は、平成七年四月一日から施行し、平成七年四月分の手当から適用されること。

なお、平成七年三月以前の月分の手当の額等については、なお従前の例によること。

児童扶養手当法施行令等の一部改正について（施行通知）

第二　特別児童扶養手当等の支給に関する法律施行令等の一部改正関係

1　特別児童扶養手当に関する事項

特別児童扶養手当の額を、障害児一人について、二級（中度）の場合月額三万三三〇〇円から三万三五三〇円に、一級（重度）の場合月額五万円から五万三五〇円に引き上げたこと。

2　障害児福祉手当に関する事項

障害児福祉手当の額を、月額一万四一七〇円から一万四二七〇円に引き上げたこと。

3　特別障害者手当に関する事項

特別障害者手当の額を、月額二万六〇五〇円から二万六二三〇円に引き上げたこと。

4　経過的に支給される福祉手当に関する事項

国民年金法等の一部を改正する法律（昭和六十年法律第三十四号）附則第九十七条の規定により経過的に支給される福祉手当の額を、月額一万四一七〇円から一万四二七〇円に引き上げたこと。

5　施行期日等

本改正は、平成七年四月一日から施行し、平成七年四月分のこれらの手当から適用されること。

なお、平成七年三月以前の月分のこれらの手当の額については、なお従前の例によること。

別添　略

○児童扶養手当法施行令等の一部改正について（施行通知）

〔平成七年六月三十日　社援更第一六四号・児発第六五四号
各都道府県知事宛　厚生省社会・援護・児童家庭局長連名通知〕

本日公布された国民年金法施行令等の一部を改正する政令（平成七年政令第二百七十六号。別添参照。以下「改正政令」という。）により、児童扶養手当法施行令（昭和三十六年政令第四百五号）及び特別児童扶養手当等の支給に関する法律施行令（昭和五十年政令第二百七号）が改正されたところであるが、その改正内容は左記のとおりであるので、御了知の上、所要の事務処理に遺憾なきを期されるとともに、管下市町村長に対する周知徹底を図られたく通知する。

記

第一　児童扶養手当法施行令の一部改正関係（改正政令第三条）

1　所得制限の限度額の引上げ（別表1）

(1)　児童扶養手当法第九条に規定する受給資格者本人の所得により手当の一部の支給を制限する場合の所得制限の限度額を引き上げること。

(2)　児童扶養手当法第九条の二による受給資格者本人の所得により手当の支給を制限する場合並びに同法第十条及び第十一条に規定する配偶者又は扶養義務者等の所得により手当の支給を制限する場合の限度額を引き上げること。

2　本改正は、平成七年八月一日から施行すること。

なお、平成七年七月以前の月分の手当の支給の制限及び同月以前の月分の手当に相当する金額の返還については、なお従前の例によること。

第二　特別児童扶養手当等の支給に関する法律施行令の一部改正関係（改正政令第四条）

1　所得制限の限度額の引上げ（別表2、別表3）

(1)　特別児童扶養手当、障害児福祉手当、特別障害者手当及び国民年金法等の一部を改正する法律（昭和六十年法律第三十四号）附則第九十七条第一項に規定する福祉手当の受給資格者本人の所得により手当の支給を制限する場合の所得制限の限度額を引き上げること。

(2)　特別児童扶養手当、障害児福祉手当、特別障害者手当及び国民年金法等の一部を改正する法律（昭和六十年法律第三十四号）附則第九十七条第一項に規定する福祉手当の受給資格者本人の扶養義務者等の所得により支給を制限する場合の所得制限の限度額を引き上げること。

2　本改正は、平成七年八月一日から施行すること。

なお、平成七年七月以前の月分の手当の支給の制限及び同月以前の月分の手当に相当する金額の返還については、なお従前の例によること。

別添　略

（別表１）

所　得　制　限　の　限　度　額

【児童扶養手当】

（単位：円）

	扶養親族等の数	本人 全部支給 収入額	本人 全部支給 所得額	本人 一部支給 収入額	本人 一部支給 所得額	孤児等の養育者 配偶者 扶養義務者 収入額	孤児等の養育者 配偶者 扶養義務者 所得額
平成7年	0	1,075,000	425,000	3,541,000	2,338,000	7,818,000	5,941,000
	1	1,929,000	835,000	3,979,000	2,688,000	8,094,000	6,190,000
	2	2,484,000	1,224,000	4,416,000	3,038,000	8,331,000	6,403,000
	3	2,913,000	1,613,000	4,854,000	3,388,000	8,568,000	6,616,000
	4	3,448,000	2,002,000	5,291,000	3,738,000	8,804,000	6,829,000
	5	3,934,000	2,391,000	5,729,000	4,088,000	9,041,000	7,042,000
平成6年	0	1,075,000	425,000	3,495,000	2,301,000	7,698,000	5,833,000
	1	1,929,000	835,000	3,932,000	2,651,000	7,975,000	6,082,000
	2	2,484,000	1,224,000	4,370,000	3,001,000	8,212,000	6,295,000
	3	2,913,000	1,613,000	4,808,000	3,351,000	8,448,000	6,508,000
	4	3,448,000	2,002,000	5,245,000	3,701,000	8,685,000	6,721,000
	5	3,934,000	2,391,000	5,683,000	4,051,000	8,922,000	6,934,000

（注）

1　平成７年においては、所得税法に規定する老人控除対象配偶者、老人扶養親族又は特定扶養親族がある者についての限度額（所得ベース）は、上記の金額に次の額を加算した額とする。

⑴　本人の場合は、

①　老人控除対象配偶者又は老人扶養親族１人につき10万円

②　特定扶養親族１人につき15万円

⑵　孤児等の養育者、配偶者、扶養義務者の場合は、老人扶養親族１人につき（当該老人扶養親族のほかに扶養親族等がないときは、当該老人扶養親族のうち１人を除いた老人扶養親族１人につき）６万円

2　政令上は所得額で規定されており、ここに掲げた収入額は、給与所得者を例として給与所得控除額等を加えて表示した額である。

（別表２）

所得制限の限度額

【特別児童扶養手当】

（単位：円）

	扶養親族等の数	本人 収入額	本人 所得額	配偶者及び扶養義務者 収入額	配偶者及び扶養義務者 所得額
平成7年	0	6,243,000	4,524,000	7,818,000	5,941,000
	1	6,632,000	4,874,000	8,094,000	6,190,000
	2	7,021,000	5,224,000	8,331,000	6,403,000
	3	7,410,000	5,574,000	8,568,000	6,616,000
	4	7,799,000	5,924,000	8,804,000	6,829,000
	5	8,188,000	6,274,000	9,041,000	7,042,000
平成6年	0	6,144,000	4,435,000	7,698,000	5,833,000
	1	6,533,000	4,785,000	7,975,000	6,082,000
	2	6,922,000	5,135,000	8,212,000	6,295,000
	3	7,311,000	5,485,000	8,448,000	6,508,000
	4	7,700,000	5,835,000	8,685,000	6,721,000
	5	8,089,000	6,185,000	8,922,000	6,934,000

（注）

1　平成７年においては、所得税法に規定する老人控除対象配偶者、老人扶養親族又は特定扶養親族がある者についての限度額（所得ベース）は、上記の金額に次の額を加算した額とする。

⑴　本人の場合は、

①　老人控除対象配偶者又は老人扶養親族１人につき10万円

②　特定扶養親族１人につき15万円

⑵　配偶者及び扶養義務者の場合は、老人扶養親族１人につき（当該老人扶養親族のほかに扶養親族等がないときは、当該老人扶養親族のうち１人を除いた老人扶養親族１人につき）６万円

2　政令上は所得額で規定されており、ここに掲げた収入額は、給与所得者を例として給与所得控除額等を加えて表示した額である。

（別表３）

所得制限の限度額

【障害児福祉手当・特別障害者手当・経過的福祉手当】

（単位：円）

	扶養親族等の数	本人 収入額	本人 所得額	配偶者及び扶養義務者 収入額	配偶者及び扶養義務者 所得額
平成7年	0	4,500,000	3,103,000	7,818,000	5,941,000
	1	4,936,000	3,453,000	8,094,000	6,190,000
	2	5,376,000	3,803,000	8,331,000	6,403,000
	3	5,812,000	4,153,000	8,568,000	6,616,000
	4	6,220,000	4,503,000	8,804,000	6,829,000
	5	6,609,000	4,853,000	9,041,000	7,042,000
平成6年	0	4,396,000	3,020,000	7,698,000	5,833,000
	1	4,832,000	3,370,000	7,975,000	6,082,000
	2	5,272,000	3,720,000	8,212,000	6,295,000
	3	5,708,000	4,070,000	8,448,000	6,508,000
	4	6,128,000	4,420,000	8,685,000	6,721,000
	5	6,517,000	4,770,000	8,922,000	6,934,000

（注）

1　平成７年においては、所得税法に規定する老人控除対象配偶者、老人扶養親族又は特定扶養親族がある者についての限度額（所得ベース）は、上記の金額に次の額を加算した額とする。

⑴　本人の場合は、

①　老人控除対象配偶者又は老人扶養親族１人につき10万円

②　特定扶養親族１人につき15万円

⑵　配偶者及び扶養義務者の場合は、老人扶養親族１人につき（当該老人扶養親族のほかに扶養親族等がないときは、当該老人扶養親族のうち１人を除いた老人扶養親族１人につき）６万円

2　政令上は所得額で規定されており、ここに掲げた収入額は、給与所得者を例として給与所得控除額等を加えて表示した額である。

○平成八年度における児童扶養手当等の額の改定の特例措置について（施行通知）

（平成八年三月三十一日　社援更第一〇四号・児発第三三六号　各都道府県知事宛　厚生省社会・援護・児童家庭局長連名通知）

標記については、平成八年度における国民年金法による年金の額等の改定の特例に関する法律（平成八年法律第二十九号）が、本日別添のとおり公布されたところであるが、その内容については、左記のとおりであるので、御了知の上、事務処理に遺漏のないようにされるとともに、管下市町村及び福祉事務所に対する周知方をお願いする。

記

本年四月分からの児童扶養手当、特別児童扶養手当、特別障害者手当、障害児福祉手当及び経過的福祉手当の額については、平成六年の年平均の消費者物価指数に対する平成七年の年平均の消費者物価指数の比率を基準とする額の改定の措置を講じないこととしたことから、それぞれ平成七年度分の手当額と同額に据え置かれ、変更はないものであること。

なお、児童扶養手当の受給資格者の所得による一部支給制限の額については、月額一万三七〇〇円と変更はないものであることから、一部支給制限を受ける者に係る手当の額についても、月額二万七六九〇円であり、変更はないものであること。

おって、障害基礎年金の第一子に係る加算の額が据え置かれたことにより、国民年金法等の一部を改正する法律（昭和六十年法律第三十四号）附則第三十三条第一項に規定する者に経過措置として支給される児童扶養手当の額については、同条第二項第一号の額が、月額四万一三九〇円（一部支給制限を受ける者については月額二万七六九〇円）と変更がないことから、同条第二項第二号の額についても、月額二万二五五七円（一部支給制限を受ける者については月額八八五七円）と変更はないものであること。

別添　略

（参考）

手当		手当額
児童扶養手当	全部支給	四万一三九〇円
	一部支給	二万七六九〇円
特別児童扶養手当	一級	五万三五〇〇円
	二級	三万三五三〇円
特別障害者手当		二万六二三〇円
障害児福祉手当		一万四二七〇円
経過的福祉手当		一万四二七〇円

○児童扶養手当法施行令の一部改正について（施行通知）

〔平成八年七月二十四日　児発第七一一号
各都道府県知事宛　厚生省児童家庭局長通知〕

本日公布された国民年金法施行令等の一部を改正する政令（政令第二百二十六号。別添参照。）により、児童扶養手当法施行令（昭和三十六年政令第四百五号。以下「令」という。）が改正されたところであるが、その改正内容は左記のとおりであるので、御了知の上、所要の事務処理に遺憾なきを期されるとともに、管下市町村長に対する周知徹底を図られたく通知する。

記

1　所得制限の限度額の引上げ（別表参照）

(1)　児童扶養手当法第九条に規定する受給資格者本人の所得により手当の全部又は一部を支給しないとする場合の所得制限限度額を引き上げること。

また、児童扶養手当法第九条に規定する扶養親族等又は児童の数に応じて所得制限限度額に加算する間差の額を次のとおり引き上げること。

①　受給資格者本人の所得により手当の全部を支給する場合（令第二条の四第一項）

扶養親族等又は児童の数が二人以上の場合に扶養親族等又は児童のうち一人を除いた扶養親族等又は児童一人についての加算額を三八万九〇〇〇円から四二万二〇〇〇円に引き上げる。

②　受給資格者本人の所得により手当の一部の支給を制限する場合（令第二条の四第二項）

扶養親族等又は児童がある場合に扶養親族等又は児童一人についての加算額を三五万円から三八万円に引き上げる。

(2)　児童扶養手当法第九条の二による受給資格者本人の所得により手当の支給を制限する場合並びに同法第十条及び第十一条に規定する配偶者又は扶養義務者等の所得により手当を支給しないとする場合の所得制限限度額を引き上げること。

2　所得の額の計算方法の一部改正

児童扶養手当法第十三条に規定する所得の額の計算方法の一部を、次のとおり改めること。

・所得額から控除する額のうち、開墾地等の農業所得の免除を受けた者についての当該免除に係る所得の額を、租税特別措置法の一部を改正する法律（平成七年法律第五十五号）附則第十二条第一項の規定により、なおその効力を有するものとされる同法による改正前の租税特別措置法（昭和三十二年法律第二十六号）第二十四条に規定する免除を受けた者についての当該免除に係る所得の額に改める。

3　施行期日等

本改正は、平成八年八月一日から施行すること。

なお、平成八年七月以前の月分の手当の支給の制限及び同月以前の月分の手当に相当する金額の返還については、なお従前の例によること。

別添　略

別　表

所得制限の限度額

【児童扶養手当】

（単位：円）

	扶養親族等の数	本人 全部支給 収入額	本人 全部支給 所得額	本人 一部支給 収入額	本人 一部支給 所得額	孤児等の養育者 配偶者 扶養義務者 収入額	孤児等の養育者 配偶者 扶養義務者 所得額
平成8年	0	1,108,000	458,000	3,544,000	2,301,000	8,068,000	6,061,000
	1	2,048,000	904,000	4,026,000	2,681,000	8,344,000	6,310,000
	2	2,651,000	1,326,000	4,501,000	3,061,000	8,581,000	6,523,000
	3	3,254,000	1,748,000	4,976,000	3,441,000	8,818,000	6,736,000
	4	3,825,000	2,170,000	5,451,000	3,821,000	9,054,000	6,949,000
	5	4,353,000	2,592,000	5,926,000	4,201,000	9,291,000	7,162,000
平成7年	0	1,075,000	425,000	3,541,000	2,338,000	7,818,000	5,941,000
	1	1,929,000	835,000	3,979,000	2,688,000	8,094,000	6,190,000
	2	2,484,000	1,224,000	4,416,000	3,038,000	8,331,000	6,403,000
	3	2,913,000	1,613,000	4,854,000	3,388,000	8,568,000	6,616,000
	4	3,448,000	2,002,000	5,291,000	3,738,000	8,804,000	6,829,000
	5	3,934,000	2,391,000	5,729,000	4,088,000	9,041,000	7,042,000

（注）

1　平成８年においては、所得税法に規定する老人控除対象配偶者、老人扶養親族又は特定扶養親族がある者についての限度額（所得ベース）は、上記の金額に次の額を加算した額とする。

(1)　本人の場合は、

①　老人控除対象配偶者又は老人扶養親族１人につき10万円

②　特定扶養親族１人につき15万円

(2)　孤児等の養育者、配偶者、扶養義務者の場合は、老人扶養親族１人につき（当該老人扶養親族のほかに扶養親族等がないときは、当該老人扶養親族のうち１人を除いた老人扶養親族１人につき）６万円

2　政令上は所得額で規定されており、ここに掲げた収入額は、給与所得者を例として給与所得控除額等を加えて表示した額である。

○児童扶養手当法施行令の一部改正について（施行通知）

〔平成九年七月二日　児発第四六七号
各都道府県知事宛　厚生省児童家庭局長通知〕

本日公布された国民年金法施行令等の一部を改正する政令（平成九年政令第二百二十九号。別添参照。）により、児童扶養手当法施行令（昭和三十六年政令第四百五号）が改正されたところであるが、その改正内容は左記のとおりであるので、御了知の上、所要の事務処理に遺憾なきを期されるとともに、管下市町村長に対する周知徹底を図られたく通知する。

記

1　所得制限の限度額の引上げ（別表参照）

(1)　児童扶養手当法第九条に規定する受給資格者本人の所得により手当の一部の支給を制限する場合の所得制限限度額を引き上げること。

(2)　児童扶養手当法第九条の二による受給資格者本人の所得により手当の支給を制限する場合並びに同法第十条及び第十一条に規定する配偶者又は扶養義務者等の所得により手当の支給を制限する場合の所得制限限度額を引き上げること。

2　施行期日等

本改正は、平成九年八月一日から施行すること。

なお、平成九年七月以前の月分の手当の支給の制限及び同月以前の月分の手当に相当する金額の返還については、なお従前の例によること。

別添　略

別表

所得制限の限度額

【児童扶養手当】

（単位：円）

	扶養親族等の数	本人 全部支給 収入額	本人 全部支給 所得額	本人 一部支給 収入額	本人 一部支給 所得額	孤児等の養育者 配偶者 扶養義務者 収入額	孤児等の養育者 配偶者 扶養義務者 所得額
平成9年	0	1,108,000	458,000	3,603,000	2,342,000	8,240,000	6,216,000
	1	2,048,000	904,000	4,078,000	2,722,000	8,517,000	6,465,000
	2	2,651,000	1,326,000	4,553,000	3,102,000	8,753,000	6,678,000
	3	3,254,000	1,748,000	5,028,000	3,482,000	8,990,000	6,891,000
	4	3,825,000	2,170,000	5,503,000	3,862,000	9,227,000	7,104,000
	5	4,353,000	2,592,000	5,978,000	4,242,000	9,463,000	7,317,000
平成8年	0	1,108,000	458,000	3,544,000	2,301,000	8,068,000	6,061,000
	1	2,048,000	904,000	4,026,000	2,681,000	8,344,000	6,310,000
	2	2,651,000	1,326,000	4,501,000	3,061,000	8,581,000	6,523,000
	3	3,254,000	1,748,000	4,976,000	3,441,000	8,818,000	6,736,000
	4	3,825,000	2,170,000	5,451,000	3,821,000	9,054,000	6,949,000
	5	4,353,000	2,592,000	5,926,000	4,201,000	9,291,000	7,162,000

（注）1　所得税法に規定する老人控除対象配偶者、老人扶養親族又は特定扶養親族がある者についての限度額（所得ベース）は、上記の額に次の額を加算した額とする。

(1)　本人の場合は、

①　老人控除対象配偶者又は老人扶養親族１人につき10万円

②　特定扶養親族１人につき15万円

(2)　孤児等の養育者、配偶者、扶養義務者の場合は、老人扶養親族１人につき（当該老人扶養親族のほかに扶養親族等がないときは、当該老人扶養親族のうち１人を除いた老人扶養親族１人につき）６万円

2　政令上は所得額で規定されており、ここに掲げた収入額は、給与所得者を例として給与所得控除額等を加えて表示した額である。

○児童扶養手当法施行令等の一部改正について（施行通知）

〔平成十年三月十八日　障第一四〇号・児発第一六二号
各都道府県知事宛　厚生省大臣官房障害保健福祉部長
・児童家庭局長連名通知〕

標記については、児童扶養手当法施行令等の一部を改正する政令（平成十年政令第四十二号）が、別添のとおり公布されたところであるが、その改正内容は、左記のとおりであるので、御了知の上、事務処理に遺漏のないようにされるとともに、管下市町村及び福祉事務所に対する周知方をお願いする。

記

第一　児童扶養手当法施行令（昭和三十六年政令第四百五号）の一部改正関係

1　児童扶養手当の額を、月額四万一三九〇円から月額四万二一三〇円に引き上げたこと。

2　受給資格者の所得による支給の一部制限の額を、月額一万三七〇〇円から月額一万三九四〇円に改めたこと。

　これにより、支給の一部制限を受ける者に係る児童扶養手当の額は、月額二万七六九〇円から二万八一九〇円に引き上げられたものであること。

3　なお、二人以上の児童を有する受給者に係る加算額については、第二子五〇〇〇円、第三子以降一人につき、三〇〇〇円であり、変更はないものであること。

第二　特別児童扶養手当等の支給に関する法律施行令（昭和五十年政令第二百七号）等の一部改正関係

1　特別児童扶養手当に関する事項

　特別児童扶養手当の額を、障害児一人について、二級の場合月額三万三五三〇円から三万四一三〇円に、一級の場合月額五万三五〇円から五万一二五〇円に引き上げたこと。

2　障害児福祉手当に関する事項

　障害児福祉手当の額を、月額一万四二七〇円から一万四五二〇円に引き上げたこと。

3　特別障害者手当に関する事項

　特別障害者手当の額を、月額二万六二三〇円から二万六七〇〇円に引き上げたこと。

4　経過的に支給される福祉手当に関する事項

　国民年金法等の一部を改正する法律（昭和六十年法律第三十四号）附則第九十七条の規定により経過的に支給される福祉手当の額を、月額一万四二七〇円から一万四五二〇円に引き上げたこと。

第三　施行期日等

　本改正は、平成十年四月一日から施行し、平成十年四月分の手当から適用されること。

　なお、平成十年三月以前の月分の手当の額等については、なお従前の例によること。

別添　略

○国民年金法に基づき市町村に交付する事務費に関する政令等の一部改正について（施行通知）

〔平成十年三月二十六日　児発第一九二号
各都道府県知事宛　厚生省児童家庭局長通知〕

標記については、国民年金法に基づき市町村に交付する事務費に関する政令等の一部を改正する政令（平成十年政令第四十七号）が三月二十日に、児童手当事務費交付金の額の算定に関する省令の一部を改正する省令（平成十年厚生省令第二十九号）が三月二十六日に、別添のとおりそれぞれ公布されたところであるが、その改正内容は左記のとおりであるので、御了知の上、事務処理に遺漏のないようにされるとともに、管下市町村に対する周知方をお願いする。

記

1　児童扶養手当法に基づき都道府県及び市町村に交付する事務費に関する政令（昭和三十八年政令第三百号）の一部改正関係

(1)　都道府県分

都道府県に交付する児童扶養手当事務費交付金の算定基礎となる受給資格者一人当たりの基準額を一〇四〇円から一〇六〇円に引き上げたこと。

(2)　市町村分

市町村に交付する児童扶養手当事務費交付金の算定基礎となる受給資格者一人当たりの基準額を四二〇円から四三〇円に引き上げたこと。

2　児童手当法に基づき市町村に交付する事務費に関する政令（昭和四十六年政令第三百三十九号）の一部改正関係

(1)　児童手当分

市町村に交付する児童手当事務費交付金の児童手当分の算定基礎となる受給者一人当たりの基準額を三一三円から三一九円に引き上げたこと。

(2)　特例給付分

市町村に交付する児童手当事務費交付金の特例給付分の算定基礎となる受給者一人当たりの基準額を二四四九円から二四七八円に引き上げたこと。

3　児童手当事務費交付金の額の算定に関する省令（昭和五十二年厚生省令第十一号）の一部改正関係

(1)　児童手当分の算定基本額を一八四七円から一八八〇円に引き上げたこと。

(2)　特例給付分の算定基本額を一万五〇四〇円から一万五〇九五円に引き上げたこと。

(3)　地域差及び寒冷度の係数について所要の改定を行ったこと。

4　施行期日について

この改正は、公布の日から施行し、平成九年度分の児童扶養手当事務費交付金及び児童手当事務費交付金から適用されること。

別添　略

○児童扶養手当法施行令及び母子及び寡婦福祉法施行令の一部を改正する政令等の施行について

〔平成十年六月二十四日　児発第四八五号
各都道府県知事・各指定都市市長・各中核市市長宛
厚生省児童家庭局長通知〕

児童扶養手当法施行令及び母子及び寡婦福祉法施行令の一部を改正する政令（以下「改正政令」という。）が平成十年政令第二百二十四号として別添1のとおり、また、児童扶養手当法施行規則の一部を改正する省令（以下「改正省令」という。）が、平成十年厚生省令第六十四号として別添2のとおり、それぞれ本日公布されたところであるが、改正の内容は左記のとおりであるので、御了知の上、所要の事務処理に遺憾なきを期されるとともに、管下市町村長に対する周知徹底を図られたく通知する。

記

第一　児童扶養手当法施行令の一部改正関係

1　支給対象児童の範囲の拡大（令第一条の二第三号関係）

母が婚姻（婚姻の届出をしていないが事実上婚姻関係と同様の事情にある場合を含む。）によらないで懐胎した児童が父から認知された場合も児童扶養手当（以下「手当」という。）を支給することとしたこと。

なお、この場合において、児童扶養手当法（昭和三十六年法律第二百三十八号）第六条第二項に規定する受給資格認定請求に係る五年の時効の取扱いについては、改正政令の施行前に既に認知がなされている場合は、期間計算の始期（手当の支給要件に該当するに至った日）は、改正政令の施行日（平成十年八月一日）であること。

2　所得制限限度額の改正（令第二条の四第二項、第三項及び第四項関係）

(1)　児童扶養手当法第九条に規定する受給資格者本人の所得により手当の一部の支給を制限する場合の所得制限の制限額について別表第1のとおりとしたこと。

(2)　児童扶養手当法第九条の二に規定する受給資格者本人の所得により手当の支給を制限する場合並びに法第十条及び第十一条に規定する配偶者又は扶養義務者の所得により手当の支給を制限する場合の限度額について別表第1のとおりとしたこと。

3　その他（改正政令附則関係）

(1)　本改正は、平成十年八月一日から施行すること。

(2)　平成十年七月以前の月分の手当の支給の制限及び同月以前の月分の手当に相当する金額の返還については、なお従前の例によること。

(3)　この政令の施行日において、手当の支給要件に該当すべき者（児童扶養手当法施行令第一条の二第三号の改正により新たに児童扶養手当の支給要件に該当すべき者となるものに限る。）

は、施行日前においても、施行日においてその要件に該当することを条件として、当該手当について児童扶養手当法第六条第一項の認定の請求の手続をとることができること。

また、増額請求（児童扶養手当法施行令第一条の二第三号の改正により増額請求できることとなる者に限る。）についても、同様に取り扱われたいこと。

(4) (3)の手続をとった者が、施行日において手当の支給要件に該当しているときは、その者に対する手当については、児童扶養手当法第七条第一項の規定にかかわらず、平成十年八月分から支給すること。

第二 母子及び寡婦福祉法施行令の一部改正関係

1 児童扶養資金の貸付対象者の変更等

(1) 貸付対象者（令第二条第一項第七号関係）

児童扶養資金は、貸付けを受けようとする者が次の要件のいずれにも該当する場合に貸付の対象となること。

① 母子及び寡婦福祉法第五条第一項に定義する配偶者のない女子で、民法第八百七十七条の規定により現に児童を扶養していること。

② 児童扶養手当法第九条から第十一条までの規定により手当の全部又は一部につき支給を制限されている者であること。

③ ア 児童扶養手当法第九条に規定する受給資格者（イ以外の受給資格者）にあっては、前年の所得（一月から七月までの月分の貸付金の貸付けを受けようとする場合にあっては、当該月の前々年の所得。以下同じ。）が、改正政令による改正前の児童扶養手当法施行令第二条の四第二項に定める額未満（別表第2参照）であること。

イ 児童扶養手当法第九条の二に規定する受給資格者（孤児等養育者）にあっては、前年の所得が、改正政令による改正前の児童扶養手当法施行令第二条の四第三項に定める額未満（別表第3参照）であること。

(2) 貸付限度額

貸付限度額は、貸付対象者が、改正政令の施行に伴い、その所得等に応じ支給が制限される手当額であること。具体的には、以下の区分に応じた額となること。

① 児童扶養手当法第九条の規定（本人の所得による支給制限）により手当の全部につき支給を制限されている者

全部支給額（児童扶養手当法第五条第一項に規定する額。ただし、同法第五条の二の規定により手当の額が改定されているときはその額。以下同じ。）から支給制限額（児童扶養手当法第九条の規定により手当の一部につき支給の制限が行われる額。以下同じ。）を控除した額（いわゆる手当一部支給額）

② 児童扶養手当法第九条の規定（本人の所得による支給制限）により手当の一部につき支給を制限されている者

支給制限額

③ 児童扶養手当法第九条の二又は第十一条の規定（孤児等養

育者又はその扶養義務者等の所得による支給制限）により手当の全部につき支給を制限されている者

　全部支給額

④　児童扶養手当法第十条の規定（本人の扶養義務者等による支給制限）により児童扶養手当の全部につき支給を制限されている者で、前年の所得が児童扶養手当法施行令第二条の四第一項に定める額未満（別表第４参照）である者

　全部支給額

⑤　児童扶養手当法第十条の規定により児童扶養手当の全部につき支給を制限されている者で、前年の所得が児童扶養手当法施行令第二条の四第一項に定める額以上（別表第４参照）である者

　全部支給額から支給制限額を控除した額（いわゆる手当一部支給額）

(3)　父母のない児童に対する児童扶養資金の貸付け（令附則第三条関係）

父母のない児童についても、母子及び寡婦福祉法附則第三条第一項の規定により、児童扶養資金を貸し付けることができることとしたこと。

また、当該父母のない児童を養育する者は、児童扶養手当法第九条の二に規定するいわゆる孤児等養育者に該当することとなるため、児童扶養資金の貸付けに当たっては、当該者が(1)②及び(1)③イの要件を満たしているかどうかを確認の上、(2)③に定める額を限度として貸付けを行うこと。

なお、配偶者のない女子がその直系血族又は兄弟姉妹であって父母のない児童（孫等）を養育している場合には、法附則の適用はなく、従来どおり当該配偶者のない女子として貸付の対象となるものであること。

2　修学資金の貸付限度額の引上げ

母子福祉資金及び寡婦福祉資金の貸付金額の限度が、修学資金について、学校等種別の区分ごとに、それぞれ次のように引き上げられたこと。

(1)　高等学校又は専修学校の高等課程にあっては、月額二万八〇〇〇円から四万二〇〇〇円

(2)　高等学校又は専修学校の高等課程であって、その生計を主として維持する者と同居する児童及びこれに準ずると認められる児童以外の児童（以下「自宅外通学の児童」という。）にあっては、月額三万三〇〇〇円から四万九五〇〇円

(3)　大学、高等専門学校又は専修学校の専門課程にあっては、月額四万九〇〇〇円から七万三五〇〇円

(4)　大学、高等専門学校又は専修学校の専門課程にあって、自宅外通学の児童にあっては、月額五万九〇〇〇円から八万八五〇〇円

(5)　専修学校の一般課程にあっては、月額二万七〇〇〇円から四万五〇〇〇円

3　母子福祉資金の貸付けについて運用上留意すべき事項

(1) 児童扶養資金について

今回の改正に伴い、母子及び寡婦福祉法附則第三条に規定する父母のない児童についても、児童扶養資金を貸し付けることができることとしたが、この場合において、貸付申請者が父母のない児童であることから、父母のない児童に対する他の資金の貸付けの場合と同様に、貸付申請に際しては、決定代理人の同意を必要とするので、これを確認のうえ、貸付申請書を受理すること。

(2) 修学資金について

今回の改正においては、母子家庭の母等に対する修学資金の貸付限度額について、母子家庭等の生活実態を踏まえ、児童の修学を容易にするため、特別に引き上げられたところであるが、本資金の貸付けに当たっては、次の点に留意されたいこと。

① 今回の貸付限度額の引上げの対象となるのは、高等学校、専修学校、高等専門学校又は大学（短期大学を含む。）に在学している者であり、現在、修学資金の貸付けを受けている者に限られるものではないこと。

② 今回の改正に伴い、本年八月一日以降に適用される修学資金の学校等種別及び学年別の貸付限度額（月額）については、別表第5に定める額（以下「特別分限度額」という。）を限度として運用すること。

ただし、特別分限度額の適用を受けるのは、修学に係る直接必要な経費（例　授業料、通学費、教科外活動費等）が別表第6に定める額（以下「一般分限度額」という。）を超える場合等児童の修学に際し、必要と認められる場合に対象となるものであること。

よって、特別分限度額の適用を受けない者については、一般分限度額により貸付けを行うものであること。

③ 日本育英会から学資の貸与を受けている者であっても、今回の改正の趣旨を踏まえ、必要と認められる場合には、別表第5に定める額と別表第6に定める額との差額を限度として、修学資金を貸し付けることができること。

④ 以上のほか、今回の改正に伴う事務処理に当たっては、次の事項に留意されたいこと。

ア 特別分限度額の適用については、一般分限度額により既に貸付けを受けている者にあっては、「母子及び寡婦福祉法都道府県・指定都市及び中核市事務取扱準則」（昭和三十九年八月五日児発第六八五号本職通知。以下「準則」という。）第七の規定により処理するものであること。

また、それ以外の者にあっては、準則第一の規定により処理するものであること。

イ アによる増額申請書及び貸付申請書の提出にあたっては、特別分限度額での貸付けを必要とする理由の記載及び特別分限度額が必要であることを証明できる書類（授業料納付書の写し等）をできる限り添付させること。

ウ　今回の改正に伴い、貸付限度額が大幅に引き上げられたことにより、貸付期間終了後償還金の額が従来と比べ増加する者が生じることから、特別分限度額の適用を受ける者に対する貸付に当たっては、償還計画等について、十分配慮されたいこと。

4　寡婦福祉資金の貸付けについて運用上留意すべき事項

修学資金について、3(2)に準じて運用すること。

5　施行期日等

本改正は、平成十年八月一日より施行されるものであること。

なお、施行日以前に特別分限度額での貸付を受けようとする者の増額申請書及び貸付申請書を受理することは差し支えないこと。

第三　児童扶養手当法施行規則の一部改正関係

1　児童扶養手当現況届の添付書類の見直し（省令第四条第七号関係）

受給者が児童扶養手当法施行令第一条の二第三号に規定する児童を監護し又は養育しているときは、児童扶養手当現況届の提出に当たり、当該児童の戸籍の謄本又は抄本を添付しなくてよいとしたこと。

2　届書又は申請書の届出人等の押印の取扱い（省令第十二条の二関係）

届書又は申請書の届出人又は申請者の記載については、自署又は記名押印でよいとしたこと。

3　様式の見直し（様式第一号から様式第十号まで関係）

改正政令により児童扶養手当法施行令第一条の二第三号に規定する児童を監護し、又は養育しているときの認知による取扱いが改正されること及び改正省令により届書又は申請書の届出人等の押印の取扱いが改正されることに伴い、児童扶養手当法施行規則に定める様式について所要の改正を行うこと。

4　施行期日等

この省令は、平成十年八月一日から施行すること。

なお、改正省令の施行の際現にあるこの省令による改正前の様式による請求書等の用紙については、当分の間、これを取り繕って使用することができること。

第四　改正内容の周知徹底

今回の改正については、手当の受給者や母子寡婦福祉貸付金の貸付申請者等に混乱を生ぜしめることのないよう、その内容の周知徹底に格段の努力を払われたいこと。

別添1・2　略

別表第１

児童扶養手当所得制限の限度額

（単位：円）

	扶養親族等の数	本人				孤児等の養育者 配偶者 扶養義務者	
		全部支給		一部支給			
		収入額	所得額	収入額	所得額	収入額	所得額
平成10年	0	1,108,000	458,000	2,457,000	1,540,000	3,625,000	2,360,000
	1	2,048,000	904,000	3,000,000	1,920,000	4,100,000	2,740,000
	2	2,651,000	1,326,000	3,543,000	2,300,000	4,575,000	3,120,000
	3	3,254,000	1,748,000	4,025,000	2,680,000	5,050,000	3,500,000
	4	3,825,000	2,170,000	4,500,000	3,060,000	5,525,000	3,880,000
	5	4,353,000	2,592,000	4,975,000	3,440,000	6,000,000	4,260,000
平成9年	0	1,108,000	458,000	3,603,000	2,342,000	8,240,000	6,216,000
	1	2,048,000	904,000	4,078,000	2,722,000	8,517,000	6,465,000
	2	2,651,000	1,326,000	4,553,000	3,102,000	8,753,000	6,678,000
	3	3,254,000	1,748,000	5,028,000	3,482,000	8,990,000	6,891,000
	4	3,825,000	2,170,000	5,503,000	3,862,000	9,227,000	7,104,000
	5	4,353,000	2,592,000	5,978,000	4,242,000	9,463,000	7,317,000

（注）１　所得税法に規定する老人控除対象配偶者、老人扶養親族又は特定扶養親族がある者についての限度額（所得ベース）は、上記の額に次の額を加算した額とする。

⑴　本人の場合は、

①老人控除対象配偶者又は老人扶養親族１人につき10万円

②特定扶養親族１人につき15万円

⑵　孤児等の養育者、配偶者及び扶養義務者の場合は、老人扶養親族１人につき（当該老人扶養親族のほかに扶養親族等がないときは、当該老人扶養親族のうち１人を除いた老人扶養親族１人につき）６万円

２　政令上は所得額で規定されており、ここに掲げた収入額は、給与所得者を例として給与所得控除額等を加えて表示した額である。

別表第２

改正政令による改正前の扶養手当法施行令第２条の４第２項に定める額
（本通知第２の１(1)③ア関係）

扶養親族等の数	所得ベース	収入ベース
0人	2,342,000円	3,603,000円
1	2,722,000	4,078,000
2	3,102,000	4,553,000
3	3,482,000	5,028,000
4	3,862,000	5,503,000
5	4,242,000	5,978,000

1　所得税法に規定する老人控除対象配偶者、老人扶養親族又は特定扶養親族がある者についての限度額（所得ベース）は、上記の額に次の額を加算した額とする。

(1)　老人控除対象配偶者又は老人扶養親族１人につき10万円

(2)　特定扶養親族１人につき15万円

2　収入ベースの額は、所得ベースの限度額に給与所得控除額相当分を加算したものである。

別表第３

改正政令による改正前の児童扶養手当法施行令第２条の４第３項に定める額
（本通知第２の１(1)③イ関係）

扶養親族等の数	所得ベース	収入ベース
0人	6,216,000円	8,240,000円
1	6,465,000	8,517,000
2	6,678,000	8,753,000
3	6,891,000	8,990,000
4	7,104,000	9,227,000
5	7,317,000	9,463,000

1　所得税法に規定する老人扶養親族がある者についての限度額（所得ベース）は、上記の金額に当該老人扶養親族１人（当該老人扶養親族のほかに扶養親族等がないときは、当該老人扶養親族のうち１人を除いた老人扶養親族１人につき）６万円を加算した額とする。

2　収入ベースの額は、所得ベースの限度額に給与所得控除額相当分を加算したものである。

別表第4

児童扶養手当法施行令第2条の4第1項に定める額

（本通知第2の1⑵④関係）

扶養親族等の数	所得ベース	収入ベース
0人	458,000円	1,108,000円
1	904,000	2,048,000
2	1,326,000	2,651,000
3	1,748,000	3,254,000
4	2,170,000	3,825,000
5	2,592,000	4,353,000

1　所得税法に規定する老人控除対象配偶者、老人扶養親族又は特定扶養親族がある者についての限度額（所得ベース）は、上記の額に次の額を加算した額とする。

⑴　老人控除対象配偶者又は老人扶養親族1人につき10万円

⑵　特定扶養親族1人につき15万円

2　収入ベースの額は、所得ベースの限度額に給与所得控除額相当分（扶養親族等が1人以上の場合は、及び寡婦控除相当分）を加算したものである。

（注）　上記別表は、平成10年度の所得制限限度額である。

別表第5

平成10年度修学資金（特別分）貸付限度額（月額）一覧表

単位：円　（平成10年8月1日から適用）

学校等種別 ＼ 学年別			1年	2年	3年	4年	5年
高等学校 専修学校（高等課程）	国公立	自宅通学のとき	24,000	24,000	21,000		
		自宅外通学のとき	31,500	31,500	28,500		
	私立	自宅通学のとき	42,000	42,000	39,000		
		自宅外通学のとき	49,500	49,500	46,500		
高等専門学校	国公立	自宅通学のとき	28,500	28,500	25,500	57,000	52,500
		自宅外通学のとき	30,700	30,700	27,700	66,000	61,500
	私立	自宅通学のとき	45,000	45,000	42,000	69,000	64,500
		自宅外通学のとき	49,500	49,500	46,500	84,000	79,500
短期大学 専修学校（専門課程）	国公立	自宅通学のとき	60,000	60,000			
		自宅外通学のとき	69,000	69,000			
	私立	自宅通学のとき	72,000	72,000			
		自宅外通学のとき	82,500	82,500			
大学	国公立	自宅通学のとき	60,000	60,000	57,000	57,000	
		自宅外通学のとき	69,000	69,000	66,000	66,000	
	私立	自宅通学のとき	73,500	73,500	70,500	70,500	
		自宅外通学のとき	88,500	88,500	85,500	85,500	
専修学校（一般課程）			40,500	40,500			

別表第6

平成10年度修学資金（一般分）貸付限度額（月額）一覧表

単位：円　（平成10年4月1日から適用）

学校等種別		学年別	1年	2年	3年	4年	5年
高等学校 専修学校（高等課程）	国公立	自宅通学のとき	16,000	16,000	14,000		
		自宅外通学のとき	21,000	21,000	19,000		
	私立	自宅通学のとき	28,000	28,000	26,000		
		自宅外通学のとき	33,000	33,000	31,000		
高等専門学校	国公立	自宅通学のとき	19,000	19,000	17,000	38,000	35,000
		自宅外通学のとき	20,500	20,500	18,500	44,000	41,000
	私立	自宅通学のとき	30,000	30,000	28,000	46,000	43,000
		自宅外通学のとき	33,000	33,000	31,000	56,000	53,000
短期大学 専修学校（専門課程）	国公立	自宅通学のとき	40,000	40,000			
		自宅外通学のとき	46,000	46,000			
	私立	自宅通学のとき	48,000	48,000			
		自宅外通学のとき	55,000	55,000			
大学	国公立	自宅通学のとき	40,000	40,000	38,000	38,000	
		自宅外通学のとき	46,000	46,000	44,000	44,000	
	私立	自宅通学のとき	49,000	49,000	47,000	47,000	
		自宅外通学のとき	59,000	59,000	57,000	57,000	
専修学校（一般課程）			27,000	27,000			

○児童扶養手当法施行令等の一部改正について（施行通知）

〔平成十一年三月十九日　障第一四七号・児発第二二一号
各都道府県知事宛　厚生省大臣官房障害保健福祉部長・
児童家庭局長連名通知〕

標記については、児童扶養手当法施行令等の一部を改正する政令（平成十一年政令第四十六号）が、別添のとおり公布されたところであるが、その改正内容は、左記のとおりであるので、御了知の上、事務処理に遺漏のないようにされるとともに、管下市町村及び福祉事務所に対する周知方をお願いする。

記

第一　児童扶養手当法施行令（昭和三十六年政令第四百五号）の一部改正関係

1　児童扶養手当の額を、月額四万二一三〇円から月額四万二三七〇円に引き上げたこと。

2　受給資格者の所得による支給の一部制限の額を、月額一万三九四〇円から月額一万四〇二〇円に改めたこと。

これにより、支給の一部制限を受ける者に係る児童扶養手当の額は、月額二万八一九〇円から二万八三五〇円に引き上げられたものであること。

3　なお、二人以上の児童を有する受給者に係る加算額については、第二子五〇〇〇円、第三子以降一人につき、三〇〇〇円であり、変更はないものであること。

第二　特別児童扶養手当等の支給に関する法律施行令（昭和五十年政令第二百七号）等の一部改正関係

1　特別児童扶養手当に関する事項

特別児童扶養手当の額を、障害児一人について、二級の場合月額三万四一三〇円から三万四三三〇円に、一級の場合月額五万一二五〇円から五万一五五〇円に引き上げたこと。

2　障害児福祉手当に関する事項

障害児福祉手当の額を、月額一万四五二〇円から一万四六一〇円に引き上げたこと。

3　特別障害者手当に関する事項

特別障害者手当の額を、月額二万六七〇〇円から二万六八六〇円に引き上げたこと。

4　経過的に支給される福祉手当に関する事項

国民年金法等の一部を改正する法律（昭和六十年法律第三十四号）附則第九十七条の規定により経過的に支給される福祉手当の額を、月額一万四五二〇円から一万四六一〇円に引き上げたこと。

第三　施行期日等

本改正は、平成十一年四月一日から施行し、平成十一年四月分の手当から適用されること。

なお、平成十一年三月以前の月分の手当の額等については、なお従前の例によること。

別添　略

○平成十二年度における児童扶養手当等の額の改定の特例措置について（施行通知）

〔平成十二年三月三十一日　障第二五七号・児発第三三二号
各都道府県知事宛　厚生省大臣官房障害保健福祉部長・児童家庭局長連名通知〕

標記については、平成十二年度における国民年金法による年金の額等の改定の特例に関する法律（平成十二年法律第三十四号）が、本日別添のとおり公布されたところであるが、その内容については、左記のとおりであるので、御了知の上、事務処理に遺漏のないようにされるとともに、管下市町村及び福祉事務所に対する周知方をお願いする。

記

本年四月分からの児童扶養手当、特別児童扶養手当、特別障害者手当、障害児福祉手当及び経過的福祉手当の額については、平成十年の年平均の消費者物価指数に対する平成十一年の年平均の消費者物価指数の比率を基準とする額の改定の措置を講じないこととしたことから、それぞれ平成十一年度分の手当額と同額に据え置かれ、変更はないものであること。

なお、児童扶養手当の受給資格者の所得による一部支給制限の額については、月額一万四〇二〇円と変更はないものであることから、一部支給制限を受ける者に係る手当の額についても、月額二万八三五〇円であり、変更はないものであること。

よって、障害基礎年金の第一子に係る加算の額が据え置かれたことにより、国民年金法等の一部を改正する法律（昭和六十年法律第三十四号）附則第三十三条第一項に規定する者に経過措置として支給される児童扶養手当の額については、同条第二項第一号の額が、月額四万二三七〇円（一部支給制限を受ける者については月額二万八三五〇円）と変更がないことから、同条第二項第二号の額についても、月額二万三〇八七円（一部支給制限を受ける者については月額九〇六七円）と変更はないものであること。

別添　略

（参考）

手当		手当月額
児童扶養手当	全部支給 一部支給	四万二三七〇円 二万八三五〇円
特別児童扶養手当	一級 二級	五万一五五〇円 三万四三三〇円
特別障害者手当		二万六八六〇円
障害児福祉手当		一万四六一〇円
経過的福祉手当		一万四六一〇円

○平成十三年度における児童扶養手当等の額の改定の特例措置について（施行通知）

（平成十三年三月三十日　雇児発第二三一号・障発第一四〇号
各都道府県知事宛　厚生労働省雇用均等・児童家庭局長・社会・援護局障害保健福祉部長連名通知）

標記については、平成十三年度における国民年金法による年金の額等の改定の特例に関する法律（平成十三年法律第十三号）が、本日別添のとおり公布されたところであるが、その内容については、左記のとおりであるので、御了知の上、事務処理に遺漏のないようにされるとともに、管内の市区町村及び福祉事務所に対する周知方をお願いする。

記

本年四月分からの児童扶養手当、特別児童扶養手当、特別障害者手当、障害児福祉手当及び経過的福祉手当の額については、平成十年の年平均の消費者物価指数に対する平成十二年の年平均の消費者物価指数の比率を基準とする額の改定の措置を講じないこととしたことから、それぞれ平成十二年度分の手当額と同額に据え置かれ、変更はないものであること。

なお、児童扶養手当の受給資格者の所得による一部支給制限の額についても、月額一万四〇二〇円と変更はないものであることから、一部支給制限を受ける者に係る手当の額についても、月額二万八三五〇円であり、変更はないものであること。

よって、障害基礎年金の第一子に係る加算の額が据え置かれたことにより、国民年金法等の一部を改正する法律（昭和六十年法律第三十四号）附則第三十三条第一項に規定する者に経過措置として支給される児童扶養手当の額については、同条第二項第一号の額が、月額四万二三七〇円（一部支給制限を受ける者については月額二万八三五〇円）と変更がないことから、同条第二項第二号の額についても、月額二万三〇八七円（一部支給制限を受ける者については月額九〇六七円）と変更はないものであること。

別添　略

（参考）

手当		手当月額
児童扶養手当	全部支給	四万二三七〇円
	一部支給	二万八三五〇円
特別児童扶養手当	一級	五万一五五〇円
	二級	三万四三三〇円
特別障害者手当		二万六八六〇円
障害児福祉手当		一万四六一〇円
経過的福祉手当		一万四六一〇円

○児童扶養手当法施行令等の一部改正について（施行通知）

〔平成十三年八月七日　雇児発第五一六号
各都道府県知事宛　厚生労働省雇用均等・児童家庭局長通知〕

今般、国民年金法施行令等の一部を改正する政令（平成十三年七月四日政令第二百三十四号、別添1）により、児童扶養手当法施行令（以下「令」という。）の一部が改正され、また、この改正に伴って児童扶養手当法施行規則（以下「規則」という。）の一部が改正された（平成十三年七月三十一日厚生労働省令第百七十七号、別添2）ところであるが、その改正内容は左記のとおりであるので、御了知の上、所要の事務処理に遺漏なきを期されるとともに、管内市町村長に対する周知徹底を図られたく通知する。

なお、この通知は、地方自治法（昭和二十二年法律第六十七号）第二百四十五号の四第一項の規定に基づく技術的な助言である。

記

1　児童扶養手当法施行令の一部改正関係

(1)　所得額の計算方法の一部改正

受給資格者等の所得により児童扶養手当の支給を制限する場合の所得の額の計算方法に関する規定について、租税特別措置法の一部を改正する法律（平成七年法律第五十五号）附則第十二条の規定に基づく開墾地等の農業所得の免税に関する経過措置が平成十一年をもって終了したことに伴い、当該経過措置に係る規定の削除（令第四条第二項第七号）及び改正（令第四条第三項）すること。

(2)　施行期日等

本改正は平成十三年八月一日から施行すること。

なお、平成十三年七月以前の月分の手当の支給の制限及び同月以前の月分の手当に相当する金額の返還については、なお従前の例による。

2　児童扶養手当法施行規則の一部改正関係

(1)　認定請求書及び現況届の様式の一部改正

改正政令により、受給者等の所得により児童扶養手当の支給を制限する場合の所得の額の計算方法の一部が改正されることに伴い、次の様式について所要の改正を行うこと。

①　児童扶養手当認定請求書（様式第一号）

②　児童扶養手当現況届（様式第六号）

(2)　施行期日等

本改正は平成十三年八月一日から施行すること。

なお、改正規則の施行の際現にある改正前の様式については、当分の間、これを取り繕って使用することができること。

別添1・2　略

○平成十四年度における児童扶養手当等の額の改定の特例措置について（施行通知）

〔平成十四年四月一日　雇児発第〇四〇一〇〇九号・障発第〇四〇一〇〇四号　各都道府県知事宛　厚生労働省雇用均等・児童家庭局長・社会・援護局障害保健福祉部長連名通知〕

標記については、平成十四年度における国民年金法による年金の額等の改定の特例に関する法律（平成十四年法律第二十一号）が、三月三十一日付で別添のとおり公布されたところであるが、その内容については、左記のとおりであるので、御了知の上、事務処理に遺漏のないようにされるとともに、管内市町村及び福祉事務所に対する周知方をお願いする。

記

本年四月分からの児童扶養手当、特別児童扶養手当、特別障害者手当、障害児福祉手当及び経過的福祉手当の額については、平成十年の年平均の消費者物価指数に対する平成十三年の年平均の消費者物価指数の比率を基準とする額の改定の措置を講じないこととしたことから、それぞれ平成十三年度分の手当額と同額に据え置かれ、変更はないものであること。

なお、児童扶養手当の受給資格者の所得による一部支給制限の額については、月額一万四〇二〇円と変更はないものであることから、一部支給制限を受ける者に係る手当の額についても、月額二万八三五〇円であり、変更はないものであること。ただし、一部支給制限の額は本年八月から所得制限等の見直しにより変更を予定している。

よって、障害基礎年金の第一子に係る加算の額が据え置かれたことにより、国民年金法等の一部を改正する法律（昭和六十年法律第三十四号）附則第三十三条第一項に規定する者に経過措置として支給される児童扶養手当の額については、同条第二項第一号の額が、月額四万二三七〇円（一部支給制限を受ける者については月額二万八三五〇円）と変更がないことから、同条第二項第二号の額についても、月額二万三〇八七円（一部支給制限を受ける者については月額九〇六七円）と変更はないものであること。

別添　略

（参　考）

手当		手当月額
児童扶養手当	全部支給	四万二三七〇円
	一部支給	二万八三五〇円
特別児童扶養手当	一級	五万一五五〇円
	二級	三万四三三〇円
特別障害者手当		二万六八六〇円
障害児福祉手当		一万四六一〇円
経過的福祉手当		一万四六一〇円

○児童扶養手当法に基づき都道府県及び市町村に交付する事務費に関する政令の一部改正について

〔平成十四年七月三日　雇児発第〇七〇三〇〇一号
各都道府県知事宛　厚生労働省雇用均等・児童家庭局長通知〕

標記については、本日、児童扶養手当法に基づき都道府県及び市町村に交付する事務費に関する政令の一部を改正する政令（平成十四年政令第二百四十五号）が、別添のとおり公布されたところであるが、改正の内容は左記のとおりであるので、御了知の上、その取扱いに遺漏のないようされるとともに、管内の市町村に対する周知方お願いする。

なお、この通知は、地方自治法（昭和二十二年法律第六十七号）第二百四十五号の四第一項の規定に基づく技術的な助言である。

記

1　第一条関係（都道府県交付分）

都道府県に交付する児童扶養手当事務費交付金について、算定の基礎となる都道府県区域内に居住する受給者の数から、当該都道府県の区域内にある市（特別区を含む。）及び福祉事務所を設置する町村（以下「市等」という。）に居住する受給者の数を除くこととしたこと。

ただし、児童扶養手当法の一部を改正する法律（昭和六十年法律第四十八号）附則第五条に規定する既認定者等については、従前どおり、当該都道府県の区域内にある市等に居住する者についても、算定の基礎となる受給者の数に含めることとしたこと。

なお、受給者一人当たりの基準額は、従前どおり、一〇六〇円であること。

2　第二条第一項関係（市等交付分）

市等に交付する児童扶養手当事務費交付金について、市等に居住する受給者一人当たりの基準額を一四三〇円としたこと。

ただし、市等に居住する受給者のうち既認定者等については、一人当たりの基準額を四三〇円としたこと。

3　第二条第二項関係（町村交付分）

福祉事務所を設置しない町村に交付する児童扶養手当事務費交付金について、町村に居住する受給者一人当たりの基準額は、従前どおり、四三〇円であること。

以　上

別添　略

○児童扶養手当法施行令の一部改正に伴う事務取扱いについて

〔平成十四年七月二十五日　雇児福発第〇七二五〇〇一号
各都道府県民生主管部(局)長宛　厚生労働省雇用均等・
児童家庭局家庭福祉課長通知〕

児童扶養手当法施行令の一部を改正する政令が、本年八月一日から施行されるところであるが、この取扱いについては左記の点に留意するとともに、管内の市町村に指導方お願いする。

なお、この通知は、地方自治法（昭和二十二年法律第六十七号）第二百四十五条の四第一項の規定に基づく技術的な助言である。

記

一　低所得者の所得の確認について

従来、市町村民税の申告をしていない者については、昭和五十五年七月九日児企第二九号厚生省児童家庭局企画課長通知「児童扶養手当及び特別児童扶養手当関係法上の疑義について」により、所得なしとして取り扱っていたところであるが、今回の所得制限限度額等の改正に伴い、地方税の均等割非課税の場合であっても、児童扶養手当（以下「手当」という。）の一部支給の対象となる場合が生じることから、こうした場合には支給額を決定するため、受給資格者の源泉徴収票や事業主の所得証明書等所得の確認ができる書類を提出させることとし、所得を証明できる書類がない場合には、受給資格者に所得を申告させ、その額で所得を認定すること。

なお、同通知の別紙第四の問3は、削除することとする。

二　昭和六十一年四月に施行された国民年金法等の改正に伴う経過措置について

児童が父に給付されている年金の加算の対象となっているときは、その児童について手当は支給されないが、昭和六十一年三月末日において手当の認定を受けている者又は認定の請求をしてその後認定を受けた者で、その者が監護・養育しているすべての児童が昭和六十一年四月から障害基礎年金又は旧国民年金法による障害年金の加算の対象となる場合は、経過措置として児童の人数にかかわらず手当額と加給年金の額の差額が支給されているところである。

（国民年金法等の一部を改正する法律（昭和六十年六月七日法律第四十八号）附則第三十三条）

今回の手当額の改正後も、これまでどおり手当額と加給年金の額の差額を支給することとなるが、手当額が加給年金の額以下となる場合には、支給停止扱いとすること。

○児童扶養手当法施行令及び母子及び寡婦福祉法施行令の一部を改正する政令等の施行について（施行通知）

〔平成十四年七月二十五日　雇児発第〇七二五〇〇三号
各都道府県知事・各指定都市市長・各中核市市長宛
厚生労働省雇用均等・児童家庭局長通知〕

児童扶養手当法施行令及び母子及び寡婦福祉法施行令の一部を改正する政令（以下「改正政令」という。）が、平成十四年政令第二百七号として別添1のとおり、児童扶養手当法施行規則及び母子及び寡婦福祉法施行規則の一部を改正する省令（以下「改正省令」という。）が、平成十四年厚生労働省令第九十一号として別添2のとおり、それぞれ公布され、いずれも同年八月一日から施行されるところであるが、改正の内容は左記のとおりであるので、御了知の上、所要の事務処理に遺憾なきを期されるとともに、管内市町村長に対する周知を図られたく通知する。

なお、この通知は、地方自治法（昭和二十二年法律第六十七号）第二百四十五条の四第一項の規定に基づく技術的な助言である。

記

第一　児童扶養手当法施行令の一部改正関係

1　児童扶養手当法第九条に規定する受給資格者本人の所得により手当の支給を制限する場合の所得制限限度額の改正（児童扶養手当法施行令（昭和三十六年政令第四百五号）第二条の四関係）

(1)　児童扶養手当法（昭和三十六年法律第二百三十八号）第九条に規定する政令で定める額（全部支給の所得制限限度額）は、扶養親族等及び児童がないときは、四五万八〇〇〇円であったが、これを一九万円とすること。また、扶養親族等又は児童が一人の場合は、九〇万四〇〇〇円であったが、これを五七万円とすること。さらに扶養親族等又は児童が二人以上の場合は、扶養親族等又は児童が一人の場合の所得制限限度額に扶養親族等又は児童のうち一人を除いた扶養親族等又は児童一人につき加算する額は、四二万二〇〇〇円であったが、これを三八万円とすること。（別添3参照）

(2)　児童扶養手当法第九条の規定により手当の全部について支給の制限を行う額（一部支給の所得制限限度額）は、扶養親族等及び児童がないときは、一五四万円であったが、これを一九二万円とすること。（別添3参照）

2　児童扶養手当の額の改正（児童扶養手当法施行令第二条の四関係）

(1)　受給資格者の所得による一部制限の額は、一万四〇二〇円であったが、これを所得に応じ三万二三七〇円から一〇円まで、一〇円単位で設定すること。すなわち、一部支給による手当額は、二万八三五〇円であったが、これを所得に応じ四万二三六〇円から一万円まで一〇円単位の額とすること。

(2)　一部制限の額は、次の方法により計算すること。

一部制限の額＝（受給者の所得額－所得制限限度額）

×0.0187052＋10円

すなわち、一部支給の額は、前記の「一部制限の額」を全部支給額から除したものであること。（別添４参照）

(3) なお、全部支給額については、従来どおり四万二三七〇円であること。

(4) また、別添３の（注）１のとおり、所得税法（昭和四十年法律第三十三号）に規定する老人控除対象配偶者、老人扶養親族又は特定扶養親族がある場合には、従来どおりの額を本人の所得制限限度額に加算すること。例えば、母と特定扶養親族一人、老人扶養親族一人の三人世帯の場合、一部支給の所得制限限度額は、本人の所得制限限度額（扶養親族等の数が二人）二六八万円に二五万円（特定扶養親族一五万円、老人扶養親族一〇万円）を加算した二九三万円となること。

(5) 児童扶養手当法第九条の二に規定する孤児等の養育者、第十条及び第十一条に規定する配偶者及び扶養義務者の所得制限限度額については、別添３の「孤児等の養育者、配偶者、扶養義務者」の欄にあるとおり、従来どおりであり、また手当額も従来どおり四万二三七〇円であること。

(6) 第二子加算、第三子以降加算は、従来どおり五〇〇〇円、三〇〇〇円であること。

３　手当の支給を制限する場合の所得の範囲の改正（児童扶養手当法施行令第三条第一項関係）

手当の支給を制限する場合の所得の範囲に、児童扶養手当法第九条に規定する受給者（母に限る。）が、その監護する児童の父から当該児童の養育に必要な費用の支払いとして受ける金品その他の経済的な利益に係る所得（いわゆる「養育費」。以下同じ。）を含めることとしたこと。

４　手当の支給を制限する場合の所得の額の計算方法の改正（児童扶養手当法施行令第四条第一項、第二項関係）

(1) 地方税法等の一部を改正する法律（平成十三年法律第八号）により、商品先物取引における雑所得等に係る道府県民税及び市町村民税の課税の特例が創設されたことに伴い、国民年金法施行令等の一部を改正する政令（平成十四年政令第百八十二号）が公布され、この中で児童扶養手当法施行令についても、手当の支給を制限する場合の所得の額の計算方法の規定について所要の改正を行ったこと。なお、当該計算方法については、従来どおり商品先物取引に係る雑所得等も所得に含めて計算するものであり、この改正により所得の範囲が変更されるものではないこと。

(2) 手当の支給を制限する場合の所得の額を計算する際には、前記３により所得の範囲に含まれるいわゆる「養育費」については、その一〇〇分の八〇（一円未満の端数があるときは、これを四捨五入する）を所得に含めるものであること。

(3) 手当の支給を制限する場合の所得を計算する際に、児童扶養手当法施行令第四条第二項の各号に該当する額を控除できるが、その額について、次のとおり改正すること。

ア　当該年度分の道府県民税につき、地方税法（昭和二十五年法律第二百二十六号）第三十四条第一項第六号に規定する特別障害者として控除を受けた者については、その控除の対象となった特別障害者一人につき控除する額を三五万円から四〇万円に引き上げること。

イ　当該年度分の道府県民税につき、地方税法第三十四条第一項第八号に規定する控除（寡婦控除、寡婦控除特別加算）を受けた者については、二七万円又は三五万円を控除することとしていたが、同号に規定する控除を受けた者が児童扶養手当法第九条に規定する受給資格者のうち「母」である場合においては、控除しないこととすること。なお、同号に規定する控除を受けた者が、児童扶養手当法第九条及び第九条の二に規定する受給資格者のうち「養育者」である場合には、従来どおり、二七万円又は三五万円の控除を行うこと。ただし、同号に規定する控除を受けた者が、「母」であり、かつ「養育者」である場合には、控除しないこととすること。

5　その他（改正政令附則関係）

(1)　本改正は、平成十四年八月一日から施行すること。

(2)　平成十四年七月以前の月分の児童扶養手当の支給の制限及び同月以前の月分の児童扶養手当に相当する金額の返還については、なお従前の例によること。

第二　母子及び寡婦福祉法施行令の一部改正関係

1　特例児童扶養資金の創設（改正政令附則第四条関係）

(1)　創設の趣旨

従来の児童扶養資金を廃止し、前記第一の児童扶養手当制度の改正に伴い、改正前から児童扶養手当を受給していた者に対する激変緩和策として特例児童扶養資金を創設すること。

このように児童扶養手当制度の補完として貸し付けるものであるため、児童の福祉の増進を図る観点から、その貸付けを受けた者が扶養している児童の扶養全般に必要な資金であり、他の母子福祉資金貸付金と併せて貸し付けることができるものであること。

(2)　貸付対象者

配偶者のない女子で現に児童を扶養しているものであって、次の要件のいずれにも該当する場合に、当該児童の扶養に必要な資金を貸し付けることができること。

ア　平成十四年七月分の児童扶養手当の支給を受けた者であること

イ　当該資金の貸付けの申請の際現に児童扶養手当の支給を受けていること

ウ　当該資金の貸付けの申請の際現に支給を受けている児童扶養手当の額（第二子以降の加算額を除く。以下同じ。）が、平成十四年七月分の児童扶養手当の額未満であること

(3)　貸付限度額

平成十四年七月分の児童扶養手当の額から当該資金の貸付け

の申請の際現に支給を受けている児童扶養手当の額を控除した額とすること。第二子以降の加算額を考慮しないため、扶養している児童の数により貸付限度額の変動はないこと。

(4) 貸付期間

当該資金の貸付けは、改正政令の施行の日から五年を経過する日までの間の経過措置とするため、貸付期間は、最長五年であること。

ただし、一回の貸付決定に係る貸付期間は、原則として貸付開始月から最初の七月分まで（この間に、貸付けを受けた者の扶養する児童が一八歳に達したときは、当該児童が一八歳に達する日以後の最初の三月分まで、二〇歳に達するときは、二〇歳に達する日の属する月分まで）を限度とするものであること。

(5) 据置期間

貸付期間が満了した日又は当該資金の貸付けを受けた者が扶養している児童が満一五歳に達した日の属する学年を修了した日のうちいずれか遅い日（当該資金の貸付けを受けた者が死亡し、又は児童を扶養しなくなったときは、その死亡し、又は扶養しなくなった日）の翌日から起算して一年を経過するまでとすること。

ただし、当該据置期間中に貸付を受けた者が死亡し、又は、児童を扶養しなくなったときは、その死亡し、又は児童を扶養しなくなって後六か月を経過するまでであること。

なお、当該据置期間中に貸付を受けた者が配偶者のない女子でなくなり、又は児童扶養手当の受給資格者でなくなった場合（児童を扶養しなくなった場合を除く。）においても、扶養している児童が一五歳に達した日の属する学年を修了した日の翌日から六か月を経過するまでは据置期間の取扱いとすること。

(6) 据置期間の延長

当該資金の貸付けを受けた者（配偶者のない女子でなくなり、児童を扶養しなくなり、又は児童扶養手当の受給資格者でなくなった者を除く。）の経済的状況が厚生労働大臣の定める要件に該当する場合には、その据置期間を、当該資金の貸付けを受けた者が扶養している児童について一八歳に達した日以後の最初の三月三十一日が終了した日（児童扶養手当法施行令別表第一に定める程度の障害の状態にある児童にあっては、二〇歳に達した日）の翌日から起算して六か月を経過するまでの範囲内において、厚生労働大臣が定める期間延長することができること。

厚生労働大臣の定める要件とは、改正政令による改正後の児童扶養手当法施行令第二条の二第一項に定める額（別添3の「全部支給額」の欄参照。）未満であるものをいうこと。

また、厚生労働大臣の定める期間とは、二年間であり、同様の手続きを取った上で再延長することを妨げないものであること。

(7) 償還期限

据置期間を経過した後一〇年以内であること。

(8) 償還方法

年賦償還、半年償還又は月賦償還の方法により償還するものとし、元利均等償還とすること。ただし、当該資金の貸付を受けた者は、いつでも繰上償還をすることができること。

(9) 利率

利率は、無利子であること。

(10) 貸付金の交付

当該資金の交付は、原則として各月の初めに、当月分を交付するものとすること。ただし、児童扶養手当法第六条第一項の規定による認定を受ける等特別の事情があるときは、この限りではないこと。

また、特別の事情があるときは、数月分をあわせて、あらかじめ交付することは妨げないものであり、この取扱いについては、就学資金等他の貸付金と同様とすること。

(11) 貸付けの停止

当該資金の貸付けは、次に掲げるア又はイの場合は、それぞれの事由が生じた日の属する月の翌月から、ウの場合は、その事由が生じた日の属する月から、将来に向かって行わないものとすること。

ア 当該資金の貸付けを受けている者が、死亡し、又は児童を扶養しなくなったとき。

イ 当該資金の貸付けを受けている者が、配偶者のない女子でなくなり、又は受給資格者でなくなったとき（児童を扶養しなくなったときを除く。）。

ウ 当該資金の貸付けを受けている者が、児童扶養手当法第十二条第一項の規定により、災害等の際に児童扶養手当の支給を受けるに至ったとき。

この場合の据置期間は、その貸付けを行わないこととなった後（イ及びウにおいて、扶養する児童が満一五歳に達した日の属する学年を終了する前であるときは、当該学年を終了した後）六か月を経過するまでであること。

(12) 支払猶予

当該資金に係る償還金の支払期日において、当該資金の貸付けを受けた者が扶養している児童（二〇歳以上である者を含む。）が高等学校、大学、高等専門学校又は専修学校に就学しているときは、償還金の支払いを猶予することができること。

支払いが猶予された場合の当該資金の利子の計算については、その償還金の支払いによって償還されるべきであった当該資金は、猶予前の支払期日に償還されたものとみなすこと。

(13) 改正政令による改正後の母子及び寡婦福祉法施行令（昭和三十九年政令第二百二十四号）第八条第一項及び第二項（保証人）、第九条（貸付金の交付）、第十五条第一号及び第二号（一時償還）、第十六条（違約金）、第十九条（償還を免除することができない場合）、第二十二条（施行の細則の委任）並びに第二十三条（貸付業務の報告）の規定は、当該資金の貸付け又は償還について準用すること。

(14) 児童扶養資金の廃止に伴い、その他所要の改正を行ったこと。

2 特例児童扶養資金の貸付けについて運用上注意すべき事項

(1) 特例児童扶養資金の貸付けの申請及び貸付金の交付について

ア 特例児童扶養資金の貸付けの申請に当たっては、貸付申請書に児童扶養手当証書の番号を記載させるとともに、当該資金の貸付けの申請の際に児童扶養手当の受給者であることの確認に必要な書類、申請の際の児童扶養手当の受給額及び平成十四年七月分の児童扶養手当の受給額の確認に必要な書類（児童扶養手当証書など）の提出を求めること。

ただし、都道府県（指定都市及び中核市を含む。）において前記事項が確認できる場合は、書類の提出を省略して差し支えないこと。

イ その他、貸付金の交付については、「母子及び寡婦福祉法都道府県・指定都市及び中核市事務取扱準則」（以下「事務取扱準則」という。）第一に準じて取り扱うものであること。

ウ 貸付金の交付については、現に貸付けの申請を行った日の属する月の翌月分（当該申請が翌々月分以降の貸付金についての申請であるときは、申請に係る月分）から交付するものであること。

ただし、八月に児童扶養手当現況届を提出した後に、児童扶養手当額改定通知書を受けたものが、遅滞なく当該資金の貸付けの申請を行った場合は、同年八月分まで遡及して当該資金の貸付けを行うことができること。

エ 当該資金の据置期間の延長の申請書の様式は、別紙を参考とされたいこと。

(2) 配偶者のない女子でなくなったとき等の届出について

ア 当該資金の貸付けを受けている者は、当該資金の貸付けが将来に向かってやめられるべき事由が生じたときは、速やかにその居住地を管轄する福祉事務所長を経由して、その旨を都道府県知事（指定都市、中核市にあっては、市長）に届け出なければならないこと。

また、前年の所得額について更正の決定等により変更が生じ、当該資金の貸付条件に変動が生じた場合も同様とすること。

イ 当該資金の貸付けを受けている者又は保証人が氏名又は住所を変更したときの届出については、事務取扱準則第五に準じて取り扱うものであること。

(3) 保証人について

母子寡婦福祉貸付金制度においては、制度の安定した運営を図り、返済の履行を確保するため保証人を必要としており（母子及び寡婦福祉法施行令第八条第一項、第二項）、特例児童扶養資金においても同様であること。しかしながら、児童扶養手当制度改正の激変を緩和する趣旨から創設する当該資金については、保証人を捜すことが困難である、または時間を要するため、緊急に資金が必要であっても貸付けを受けられないという問題が生じることが想定される。このため、当該資金についてのみ、五万円を限度に、保証人を立てることを猶予できるという取扱いができることとすること。（例えば、当該資金を月々一万円借りる場合は、五か月間、五〇〇〇円の場合は、一〇か月間、三〇〇〇円の場合は、一二か月間（最長一六か月間）保証人を猶予することができる。）また、五万円を超えて借りようとする場合は、従来どおり保証人が必要となること。

(4) 関係行政機関の連絡について

当該資金の貸付けについては、児童扶養手当の認定等の事務を行う市や福祉事務所を設置する町村との連絡を密にする等、その事務処理に万全を期されたいこと。

3 生活資金の拡充（母子及び寡婦福祉法施行令第二条第一項第二号の二、第六条第七号、第七条第四項関係）

(1) 今回の生活資金の拡充は、児童扶養資金制度の廃止により、従来の児童扶養資金の貸付を受けられなくなる者も生じることから、これらの者への対応として行うものであること。

(2) 生活資金のうち母子及び寡婦福祉法施行令第二条第一項第二号の二に規定する貸付け（以下「生活安定貸付」という。）については、配偶者のない女子が当該配偶者のない女子となった事由の生じたときから七年を経過するまでの期間中、月額一〇万三〇〇〇円、合計二四〇万円を限度として貸し付けることとし、二年の貸付期間の限度を廃止したこと。

(3) 前記の生活安定貸付のうち、厚生労働省令（左記第四の1参照。）で定める範囲内のものについて無利子とすること。

4 その他

(1) 本改正は、平成十四年八月一日から施行すること。

(2) 平成十四年七月三十一日以前の申請に係る貸付金の貸付けについては、なお従前の例によること。

第三 児童扶養手当法施行規則（昭和三十六年厚生省令第五十一号）の一部改正関係

1 様式の一部改正

改正政令により、手当の支給を制限する場合の所得の額の計算方法が改正されたこと等に伴い、児童扶養手当認定請求書（様式第一号）、児童扶養手当額改定請求書（様式第四号）、児童扶養手当現況届（様式第六号）について、次のとおり所要の改正を行うこと。

(1) 所得額の欄（様式第一号、第六号）

第一の4(1)のとおり、地方税法等の一部を改正する法律により、商品先物取引における雑所得等に係る課税の特例が設けられたことにより、裏面の注意事項にその旨記載したこと。

また、第一の3のとおり、受給資格者（母に限る。）が、その監護する児童の父から当該児童の養育に必要な費用の支払いとして受けたいわゆる養育費の額を記入する欄を設け、裏面の注意事項にその旨記載したこと。

(2) 控除の欄（様式第一号、第六号）

第一の4(3)イのとおり、寡婦控除、寡婦控除特別加算を受けた者が母である場合は、控除しないこととする旨を控除の欄及び裏面の注意事項に記載したこと。

(3) 添付書類（様式第一号、第六号）

添付書類として「養育費等に関する申告書」を追加したこと。

(4) 基礎年金番号・年金コード（様式第一号、第四号、第六号）

「証書の記号・番号」を「基礎年金番号・年金コード」に変更したこと。

2 その他

(1) 本改正は、平成十四年八月一日から施行すること。

(2) 改正省令の施行の際現に改正前の様式により使用されている書類は、改正後の様式によるものとみなすこと。

(3) 改正省令の施行の際現にある旧用紙については、当分の間、これを取り繕って使用することができること。

第四 母子及び寡婦福祉法施行規則（昭和三十九年厚生省令第三十二号）の一部改正関係

1 生活資金の無利子の範囲の拡大（母子及び寡婦福祉法施行規則第一条関係）

生活資金の生活安定貸付は、改正政令において貸付限度額等が改められたところであるが、この生活安定貸付のうち、月額二万円、合計四八万円を超えない範囲を無利子とすること。

2 その他所要の改正を行うこと。

3 本改正は、平成十四年八月一日から施行すること。

第五 その他

1 本改正により、第一の3のとおり、いわゆる「養育費」についても児童扶養手当の支給を制限する場合の所得に含めることとしたところであるが、既に「児童扶養手当の事務運営上の留意事項について」（昭和五十五年十二月十六日児企第四六号）のとおり、児童扶養手当の受給資格の認定に当たっては、プライバシーの問題に触れざるを得ないところであるが、必要以上にプライバシーの問題に立ち入らないよう事務運営に当たって配慮するとともに、職務上知り得た個人の秘密を漏らすことは、地方公務員法（昭和二十五年法律第二百六十一号）によっても禁止されているところなので、かかることのないよう十分留意されたいこと。

2 本改正について、児童扶養手当の受給者や母子寡婦福祉貸付金の貸付申請者等に混乱が生じることのないよう、その内容の周知徹底に格段の努力を払われたいこと。

別添1・2 略

（別添３）

平成14年度児童扶養手当所得制限限度額表
（平成14年８月以降）

（単位：円）

扶養親族等の数	本人 全部支給 収入額	本人 全部支給 所得額	本人 一部支給 収入額	本人 一部支給 所得額	孤児等の養育者 配偶者 扶養義務者 収入額	孤児等の養育者 配偶者 扶養義務者 所得額
0	920,000	190,000	3,114,000	1,920,000	3,725,000	2,360,000
1	1,300,000	570,000	3,650,000	2,300,000	4,200,000	2,740,000
2	1,717,000	950,000	4,125,000	2,680,000	4,675,000	3,120,000
3	2,271,000	1,330,000	4,600,000	3,060,000	5,150,000	3,500,000
4	2,814,000	1,710,000	5,075,000	3,440,000	5,625,000	3,880,000
5	3,357,000	2,090,000	5,550,000	3,820,000	6,100,000	4,260,000

（注）１　所得税法に規定する老人控除対象配偶者、老人扶養親族又は特定扶養親族がある者についての限度額（所得ベース）は、上記の額に次の額を加算した額とする。

⑴　本人の場合は、

①　老人控除対象配偶者又は老人扶養親族１人につき10万円

②　特定扶養親族１人につき15万円

⑵　孤児等の養育者、配偶者及び扶養義務者の場合は、老人扶養親族１人につき（当該老人扶養親族のほかに扶養親族等がないときは、当該老人扶養親族のうち１人を除いた老人扶養親族１人につき）６万円

２　政令上は所得額で規定されており、ここに掲げた収入額は、給与所得者を例として給与所得控除額等を加えて表示した額である。

（別添４）

児童扶養手当の額の算出方法について

○　一部支給の手当額は改正政令第２条の４第２項により所得に応じて４万2360円から１万円まで10円単位できめ細かく設定されることから、手当額を決定する際には、収入、所得を十分に確認した上で、間違いのないよう行うこと。

○　一部支給の手当額は、同条同項により次の算式に基づいて得られた額とするが、算式中の所得制限限度額は、別添３の「所得制限限度額表」により、扶養親族の数に応じて算出すること。

手当額＝42,360円－（所得額－所得制限限度額）×0.0187052
（10円未満を四捨五入）

（別　紙）

経由	
貸付決定番号　　　号	

児童扶養手当証書の番号

特例児童扶養資金据置期間延長申請書

次の通り、特例児童扶養資金の据置期間を延長することを申請致します。

1　申請に係る資金の貸付期間　平成　　年　　月分から

平成　　年　　月分まで

2　貸付金の総額

3　据置期間の最終日　平成　　年　　月　　日

4　延長を申請する期間　据置期間の最終日の翌日から

平成　　年　　月　　日まで

平成　　年　　月　　日

住　所

氏　名　　　　　　　　　　　　印

都道府県知事殿

（注）1　前年及び前前年の所得並びに扶養する児童の状況を証明する書類を添付して下さい。

2　記名・押印に変えて署名することができます。

○地方分権の推進を図るための関係法律の整備等に関する法律、地方分権の推進を図るための関係法律の整備等に関する法律の施行に伴う厚生省関係政令の整備等に関する政令及び児童扶養手当法施行規則の一部を改正する省令について（施行通知）

〔平成十四年七月二十六日 雇児発第〇七二六〇〇二号
各都道府県知事宛 厚生労働省雇用均等・児童家庭局長通知〕

標記については、地方分権の推進を図るための関係法律の整備等に関する法律（平成十一年法律第八十七号。以下「地方分権一括法」という。別添1参照。）が平成十一年七月十六日に、地方分権の推進を図るための関係法律の施行に伴う厚生省関係政令の整備等に関する政令（平成十一年政令第三百九十三号。以下「地方分権一括法整備政令」という。別添2参照。）が同年十二月八日に、児童扶養手当法施行規則の一部を改正する省令（平成十三年厚生労働省令第二百二十号。以下「改正省令」という。別添3参照。）が、平成十三年十二月十三日にそれぞれ公布された。地方分権一括法及び地方分権一括法整備政令の一部、並びに改正省令が本年八月一日から施行されるが、その主な内容は左記のとおりであるので、御了知の上、その取扱いに遺漏のないようされるとともに、管内の市町村に対する周知方お願いする。

なお、この通知は、地方自治法（昭和二十二年法律第六十七号）第二百四十五条の四第一項の規定に基づく技術的な助言である。

記

第一　地方分権一括法関係

1　趣旨

地方分権一括法の施行により、これまで児童扶養手当法（昭和三十六年法律第二百三十八号）において、都道府県知事が行うものとされてきた児童扶養手当（以下「手当」という。）の支給や受給資格認定等に関する事務が、平成十四年八月一日から、市長（特別区の区長を含む。以下同じ。）及び福祉事務所（社会福祉法（昭和二十六年法律第四十五号）に定める福祉に関する事務所をいう。以下同じ。）を管理する町村長に委譲されること。ただし、福祉事務所を設置していない町村については、従前どおり、都道府県知事が認定等の事務を行うこと。なお、委譲に関する事務の詳細は、先般の「児童扶養手当都道府県事務取扱準則の改正について」（平成十四年七月四日雇児発第〇七〇四〇〇一号）、「児童扶養手当市町村事務取扱準則の改正について」（平成十四年七月四日雇児発第〇七〇四〇〇二号）及び「児童扶養手当市等事務取扱準則について」（平成十四年七月四日雇児発第〇七〇四〇〇三号）を参照されたいこと。

2　手当の認定等に関する事務の委譲（地方分権一括法第二百六条、児童扶養手当法（以下「改正法」という。）第四条第一項、第六条第一項、第十二条第二項、第二十三条、第二十七条、第二十八条、第二十九条第一項、第二項、第三十三条の三）

都道府県知事、市長及び福祉事務所を管理する町村長が手当の支給や受給資格認定等に関する事務を行うこととしたことに伴い、所要の改正を行ったこと。

なお、児童扶養手当法の一部を改正する法律（昭和六十年法律第四十八号。「以下「昭和六十年改正法」という。）附則第五条に規定する「既認定者等」（以下「旧法による既認定者等」という。）については、従前のとおり都道府県知事が取り扱うものであること。

3　不服申立て（改正法第十七条の二、第十八条、第十九条の二）

手当の支給に関する処分についての不服申立ては、市長又は福祉事務所を管理する町村長が処分をした場合は、行政不服審査法（平成十二年法律第九十一号）第五条に基づき、都道府県知事に審査請求を行い、その審査請求の裁決に不服がある場合は、改正法第十九条の二により厚生労働大臣に再審査請求を行うものとされたこと。

また、改正法第三十三条第二項の規定により、市長又は福祉事務所を管理する町村長が手当の支給に関する事務の全部又は一部をその管理に属する行政機関の長に委任した場合における当該事務に関する処分については、改正法第十七条の二に基づき、都道府県知事に審査請求を行い、その審査請求の裁決に不服がある場合は、改正法第十九条の二により厚生労働大臣に再審査請求を行うものとされたこと。

都道府県知事が処分をした場合は、従前どおり、改正法第十七条に基づき、都道府県知事に異議申立てを行い、その決定に不服がある場合は、行政不服審査法第五条に基づき、処分庁の直近上級行政庁である厚生労働大臣に審査請求を行うものであること。

なお、旧法による既認定者等に係る不服申立ては、従前のとおりであり、都道府県知事が処分をした場合と同様であること。

4　費用の負担（改正法第二十一条）

手当の支給に要する費用は、その四分の三に相当する額を国が負担し、その四分の一に相当する額を都道府県等（すなわち、市、福祉事務所を設置する町村、福祉事務所を設置していない町村については都道府県）が負担するものとされたこと。

なお、旧法による既認定者等に係る支給に要する費用については、従前のとおりであり、昭和六十年改正法附則第五条により、国が負担するものであること。

5　町村長が行う事務等（改正法第三十三条）

手当の支給に関する事務の一部は、地方分権一括法整備政令による改正後の児童扶養手当法施行令（昭和三十六年政令第四百五号。以下「改正政令」という。）第六条に定めるところにより、町村長（福祉事務所を管理する町村長を除く。）が行うこととすることができることと改めるとともに、都道府県知事等は、手当の支給に関する事務の全部又は一部を、その管理に属する行政機関の長である福祉事務所長に委任することができることとしたこと。

6　町村の一部事務組合等（改正法第三十三条の二）

町村が一部事務組合又は広域連合を設けて福祉事務所を設置した場合には、その一部事務組合又は広域連合を福祉事務所を設置する町村と、その一部事務組合の管理者又は広域連合の長を福祉事務所を管理する町村長とみなして、法の規定を適用することとする。

第二　地方分権一括法整備政令関係

1　認定等の事務の委譲（地方分権一括法整備政令第四十八条、第六十九条、改正政令第五条の三、第六条）

手当の認定等に関する事務の委譲に伴い、「都道府県」を「都道府県、市（特別区を含む。）及び福祉事務所を設置する町村」と改めるなど、所要の改正を行ったこと。

2　平成十四年七月以前の月分の手当に関する経過措置（地方分権一括法整備政令第四十九条）

平成十四年七月以前の月分の手当についての取扱いは、次のとおりであること。

(1)　平成十四年七月以前の月分の手当について、改正法第十二条第二項の規定により被災者から返還を受けるのは都道府県であること。また、改正法第二十三条第一項の規定により不正利得の徴収を行い、改正法第二十九条の規定により調査を行うのは、都道府県知事であること。

(2)　平成十四年七月以前の月分の手当の支給に要する費用の負担及び支払に関する事務については、従前のとおりであること。

第三　児童扶養手当法施行規則（昭和三十六年厚生省令第五十一号）の一部改正関係

1　手当の認定等に関する事務の委譲（改正省令第一条等）

手当の認定等に関する事務の委譲に伴い、「都道府県知事」を、「都道府県知事」（福祉事務所未設置町村の場合）、「市長」及び「町村長」（福祉事務所設置町村の場合）と改め、これらをまとめて「手当の支給機関」と言い換え、認定請求書等各種請求書や届書の提出先等を住所地の都道府県知事から手当の支給機関に改めたこと。

2　現況届提出期間の変更（改正省令第四条）

児童扶養手当現況届の提出期間を「八月十一日から九月十日まで」から「八月一日から八月三十一日まで」と改めたこと。

3　児童扶養手当証書（以下「証書」という。）の変更（改正省令第五条、第六条、第九条、第十二条、様式第十一号の二）

証書には、証書の記号及び番号を記載していたところであるが、事務処理の簡素化の観点からこれを番号のみとしたこと。

4　全部支給停止者に対する証書の交付廃止（改正省令第十六条第二項）

これまで、証書は、手当の全部について支給停止を受けている者（以下「全部支給停止者」という。）に対しても原則としては交付し、例外的に交付しないことができると規定していたところであるが、証書の役割や市町村における事務量の軽減の観点から、全部支給停止者に対しては、証書を交付しないものとしたこと。

5　添付書類の省略（改正省令第二十六条第六項）

手当の支給機関は、改正省令第一章の規定により請求書又は届書に添えて提出する書類等により証明すべき事実を公簿によって確認することができるときは、当該書類等の添付を省略させることができること。

6　証書の有効期限の設定（様式第十一号の二）

証書に有効期限を設け、その期限を八月一日から翌年の七月三十一日までと定めたこと。

7　その他

(1)　様式等について、所要の改正を行ったこと。

(2)　施行の際に現に使用している改正前の様式は改正後の様式とみなすこと。

(3)　改正前の様式は、当分の間、これを取り繕って使用することができること。

別添1～3　略

○母子及び寡婦福祉法等の一部を改正する法律等の施行について（施行通知）

〔平成十五年三月三十一日　雇児発第〇三三一〇二〇号
各都道府県知事・各指定都市市長・各中核市市長宛
厚生労働省雇用均等・児童家庭局長通知〕

母子及び寡婦福祉法等の一部を改正する法律（平成十四年法律第百十九号）が、平成十四年十一月二十九日に公布され、母子及び寡婦福祉法等の一部を改正する法律の施行に伴う関係政令の整備に関する政令（平成十五年政令第百五十号）が、平成十五年三月三十一日に公布され、母子及び寡婦福祉法等の一部を改正する法律の施行に伴う関係省令の整備に関する省令（平成十五年厚生労働省令第六十九号）が、同月三十一日に公布され、これらはいずれも同年四月一日から施行されるところであるが、改正の内容は左記のとおりであるので、御了知の上、所要の事務処理に遺憾なきを期されるとともに、管内市町村長に対する周知を図られたく通知する。

なお、この通知は、地方自治法（昭和二十二年法律第六十七号）第二百四十五号の四第一項の規定に基づく技術的な助言である。

記

第一　母子及び寡婦福祉法等の一部を改正する法律関係

1　改正の趣旨

近年における離婚の急増等母子家庭等をめぐる諸状況の変化にかんがみ、母子家庭等の自立を促進するため、総合的な母子家庭等対策を推進する一環として、子育て支援の充実、就業支援の強化、扶養義務の履行の確保、児童扶養手当制度の見直し等の措置を講ずることとし、そのため、母子及び寡婦福祉法、児童扶養手当法、児童福祉法及び社会福祉法について、所要の改正を行うものであること。

2　母子及び寡婦福祉法の一部改正

(1)　扶養義務の履行

母子家庭等の児童の親は、扶養義務の履行に努めるとともに、当該児童を監護しない親の扶養義務の履行の確保に努めるものとすること。また、国及び地方公共団体は、扶養義務の履行を確保するために広報その他適切な措置を講ずるように努めなければならないものとすること（第五条関係）。

(2)　母子自立支援員

母子相談員の名称を母子自立支援員に改め、委嘱主体を都道府県知事から、都道府県知事、市長及び福祉事務所を設置する町村長（以下「都道府県知事等」という。）にまで拡大するとともに、その業務に職業能力の向上及び求職活動に関する支援を追加すること（第八条関係）。

(3)　基本方針

厚生労働大臣は、母子家庭及び寡婦の生活の安定と向上のための措置に関する基本的な方針（以下「基本方針」という。）

を定めるものとすること（第十一条関係）。

(4) 母子家庭及び寡婦自立促進計画

都道府県等は、基本方針に即し、母子家庭及び寡婦自立促進計画を策定し、又は変更しようとするときは、あらかじめ、母子福祉団体その他の関係者の意見を反映させるために必要な措置を講ずるとともに、その内容を公表するものとすること（第十二条関係）。

(5) 母子福祉資金の貸付け

① 都道府県知事による母子福祉資金の貸付けの対象として、配偶者のない女子が現に扶養している児童及び配偶者のない女子で現に児童を扶養しているものの自立の促進を図るための事業として政令で定める事業を行う母子福祉団体を追加すること（第十三条及び第十四条関係）。

なお、配偶者のない女子が現に扶養している児童に対して貸し付けることができる母子福祉資金は、修学資金、修業資金、就職支度資金及び就学支度資金であること。

「配偶者のない女子で現に児童を扶養しているものの自立の促進を図るための事業として政令で定める事業」については、第二の1(2)を参照のこと。

また、この改正は、寡婦福祉資金の貸付けについても同様であること（第三十二条第一項、第三項関係）。

② 母子福祉資金貸付金のうち政令で定めるものの貸付けを受けた者が、所得の状況その他政令で定める事由により当該貸付金を償還することができなくなったと認められるときは、条例で定めるところにより、当該貸付金の償還未済額の一部を免除できるものとすること（第十五条関係）。

「母子福祉資金貸付金のうち政令で定めるもの」及び「所得の状況その他政令で定める事由」については、第二の1(3)及び(4)を参照のこと。

(6) 母子家庭等日常生活支援事業及び寡婦日常生活支援事業

① 「母子家庭居宅介護等事業」の名称を「母子家庭等日常生活支援事業」に改めるとともに、当該事業の対象者として配偶者と死別した男子で現に婚姻していないもの及びこれに準ずる者であって現に児童を扶養しているものを、当該事業の実施場所として厚生労働省令で定める場所をそれぞれ追加すること（第十七条関係）。

② 「寡婦居宅介護等事業」の名称を「寡婦日常生活支援事業」に改めるとともに、当該事業の実施場所として厚生労働省令で定める場所を追加すること（第三十三条関係）。

③ 「母子家庭等日常生活支援事業」及び「寡婦日常生活支援事業」の実施場所として厚生労働省令で定める場所については、第三の1(1)を参照のこと。

(7) 保育所への入所に関する特別の配慮

市町村は、児童福祉法の規定により保育所に入所する児童を選考する場合には、母子家庭等の福祉が増進されるように特別の配慮をしなければならないものとすること（第二十八条関係）。

(8) 雇用の促進

① 国及び地方公共団体は、就職を希望する母子家庭の母及び児童の雇用の促進を図るため、事業主その他国民一般の理解を高めるとともに、公共的施設における雇入れの促進等必要な措置を講ずるように努めるものとすること（第二十九条第一項関係）。

② 公共職業安定所は、母子家庭の母の雇用の促進を図るため、求人に関する情報の収集及び提供、母子家庭の母を雇用する事業主に対する援助その他必要な措置を講ずるように努めるものとすること（第二十九条第二項関係）。

(9) 母子家庭就業支援事業及び寡婦就業支援事業

① 都道府県は、就職を希望する母子家庭の母及び児童の雇用の促進を図るため、母子福祉団体と緊密な連携を図りつつ、母子家庭就業支援事業を総合的かつ一体的に行うことができるものとすること（第三十条関係）。

② 都道府県は、就職を希望する寡婦の雇用の促進を図るため、母子福祉団体と緊密な連携を図りつつ、寡婦就業支援事業を総合的かつ一体的に行うことができるものとすること（第三十五条関係）。

(10) 母子家庭自立支援給付金

都道府県等は、配偶者のない女子で現に児童を扶養しているものの雇用の安定及び就職の促進を図るため、政令で定めるところにより、配偶者のない女子で現に児童を扶養しているもの又は事業主に対し、母子家庭自立支援給付金を支給することができるものとすること（第三十一条関係）。

母子家庭自立支援給付金の種類や支給要件については、第二の1(6)を、支給手続については、第三の1(2)から(4)をそれぞれ参照のこと。

(11) 費用

① 市町村は、自ら行う母子家庭等日常生活支援事業及び寡婦日常生活支援事業の実施並びに母子家庭自立支援給付金の支給に要する費用を支弁するものとすること（第四十二条関係）。

② 都道府県は、自ら行う母子家庭等日常生活支援事業、母子家庭等就業支援事業、寡婦日常生活支援事業及び寡婦就業支援事業の実施並びに母子家庭自立支援給付金の支給に要する費用を支弁するとともに、市町村が支弁する母子家庭等日常生活支援事業及び寡婦日常生活支援事業の実施に要する費用のうちその四分の一以内を補助することができるものとすること（第四十三条及び第四十四条関係）。

③ 国は、市町村又は都道府県が支弁する費用のうち、母子家庭等日常生活支援事業、母子家庭就業支援事業、寡婦日常生活支援事業及び寡婦就業支援事業の実施に要する費用については その二分の一以内を、母子家庭自立支援給付金の支給に要する費用についてはその四分の三以内を、それぞれ補助することができるものとすること（第四十五条関係）。

3　児童扶養手当法の一部改正

⑴　児童扶養手当の趣旨

児童扶養手当（以下「手当」という。）の趣旨として、手当の支給を受けた母は、自ら進んでその自立を図り、家庭の生活の安定と向上に努めなければならない旨を追加すること（第二条第二項関係）。

⑵　認定

受給資格及び手当の額についての認定の請求は、手当の支給要件に該当するに至った日から起算して五年を経過したときはすることができない旨の規定を削除すること（第六条第二項関係）。

⑶　支給の制限

①　母である受給資格者の監護する児童が父から当該児童の養育に必要な費用の支払を受けたときは、受給資格者が当該費用の支払を受けたものとみなして、受給資格者の所得の額を計算するものとすること（第九条第二項関係）。

②　母である受給資格者に対する手当は、受給資格者が認定の請求をした月（以下「支給開始月」という。）の初日から五年を経過したとき又は手当の支給要件に該当するに至った月の初日から七年を経過したとき（認定の請求をした日において三歳未満の児童を監護する受給資格者にあっては、当該児童が三歳に達した月の翌月の初日から五年を経過したとき）は、政令で定めるところにより、その一部を支給しないものとすること。ただし、当該支給しない額は、当該受給資格者に支払うべき手当の額の二分の一に相当する額を超えることができないものとすること（第十三条の二第一項関係）。

なお、この減額の割合を定める政令は、この法律の施行後における子育て支援策、就労支援策、養育費の確保策及び経済的支援策の状況並びに離婚の状況等を勘案し、この規定が現実に適用される平成二十年四月一日までに、十分な時間的余裕をもって定める予定であること。

③　②の期間を経過した後において、当該受給資格者が身体上の障害がある場合等には、その該当している期間は、②の支給制限を適用しないものとすること（第十三条の二第二項関係）。

④　手当の全部又は一部を支給しないことができる事由として、母である受給資格者が、正当な理由がなくて、求職活動その他厚生労働省令で定める自立を図るための活動をしなかったとき等を追加すること（第十三条関係）。

なお、この場合の「正当な理由」としては、子育て、親の介護、受給者本人又は監護する児童の疾病、障害などの事由により、これらの活動をしないことについてやむを得ない事由があることを意味すること。すなわち、「正当な理由がなくて、求職活動その他自立を図るための活動をしなかった」として、この規定により支給停止とすることができるのは、受給資格者本人の能力、環境等からみてこれらの活動をすることが十分可能であるにもかかわらず、あえてこれらの活動をしないという極めて例外的な場合に限定されるものであること。

「求職活動その他厚生労働省令で定める自立を図るための活動」については、第三の2を参照のこと。

また、この規定を適用するに当たっては、プライバシーに十分配慮すること。

(4) 相談及び情報提供等

都道府県知事等は、手当の認定の請求をした者又は受給資格者に対し、相談に応じ、必要な情報の提供及び助言を行うものとすること(第二十八条の二関係)。

4 児童福祉法の一部改正

(1) 子育て短期支援事業の実施

子育て短期支援事業とは、保護者の疾病その他の理由により家庭において養育を受けることが一時的に困難となった児童について、児童養護施設その他の施設に入所させ、必要な保護を行う事業をいい、市町村は、厚生労働省令で定めるところにより、子育て短期支援事業を行うことができるものとすること(第六条の二第十三項及び第三十四条の八関係)。

(2) 費用

市町村が支弁する子育て短期支援事業の実施に要する費用のうち、都道府県はその四分の一以内を、国はその二分の一以内を、それぞれ補助できるものとすること(第五十一条、第五十三条の二及び第五十五条の二関係)。

5 社会福祉法の一部改正

児童福祉法に規定する子育て短期支援事業を第二種社会福祉事業に追加するほか、2(6)の改正に伴う所要の規定の整備を行うこと(第二条第三項第二号及び第三号関係)。

6 施行期日等

(1) 施行期日

この法律は、平成十五年四月一日から施行すること(附則第一条関係)。

(2) 経過措置

① 母子及び寡婦福祉法の一部改正に伴う経過措置(附則第二条関係)

ア この法律の施行の際現に委嘱されている母子相談員は、母子自立支援員として委嘱されたものとみなすこと。

イ この法律の施行の際現に母子家庭等日常生活支援事業又は寡婦日常生活支援事業を行っている者又は休止している者であって、母子家庭居宅介護等事業又は寡婦居宅介護等事業に係る届出を行っているものについては、改正後の母子及び寡婦福祉法の規定による届出を行ったものとみなすこと。

ウ この法律の施行前にされた母子家庭居宅介護等事業又は寡婦居宅介護等事業の制限又は停止の命令は、母子家庭等日常生活支援事業又は寡婦日常生活支援事業の制限又は停止を命ずる処分とみなすこと。

② 児童扶養手当法の一部改正に伴う経過措置

ア 第六条第二項削除に関する経過措置（附則第三条関係）

この法律の施行の際現にこの法律による改正前の児童扶養手当法（以下「旧法」という。）第六条第二項（五年間の請求期限の規定）に該当する者については、この規定はなお効力を有すること。

すなわち、この法律が施行される平成十五年四月一日時点において、既に手当の支給要件に該当するに至った日から五年を経過している場合には、従前どおり、手当の請求をすることができないこと。

イ 第十三条の二に関する経過措置（附則第四条関係）

(a) この法律の施行の際現に旧法により認定を受けている者又は旧法の規定により認定の請求をし施行日以後にこの法律による改正後の児童扶養手当法（以下「新法」という。）の規定による認定を受けた者について、新法第十三条の二の規定を適用する場合には、「支給開始月の初日から起算して五年又は手当の支給要件に該当するに至った日の属する月の初日から起算して七年を経過したとき（認定の請求をした日において三歳未満の児童を監護する受給資格者にあっては、当該児童が三歳に達した月の翌月の初日から五年を経過したとき）」とあるのは、「平成十五年四月一日から起算して五年を経過したとき（同日において三歳未満の児童を監護する受給資格者にあっては、当該児童が三歳に達した月の翌月の初日から五年を経過したとき）」とすること（第一項関係）。

(b) この法律の施行の際現に旧法の規定による支給要件に該当する者であってこの法律の施行日以後に新法の規定による認定の請求をしたものについて、新法第十三条の二の規定を適用する場合には、「手当の支給要件に該当するに至った日の属する月の初日」とあるのは、「平成十五年四月一日」とすること（第二項関係）。

(c) すなわち、この法律の施行日までに既に認定を受けている者や、施行日までに認定請求をし施行日以後に認定を受けた者、施行日までに支給要件に該当し施行日以後に認定請求をした者については、新法第十三条の二における五年又は七年の起算点を、いずれも「平成十五年四月一日」とするものであること。

(3) 検討

政府は、この法律の施行の状況を勘案し、母子家庭等の児童の福祉の増進を図る観点から、母子家庭等の児童の親の当該児童についての扶養義務の履行を確保するための施策の在り方について検討を加え、必要があると認めるときは、その結果に基づいて必要な措置を講ずるものとすること（附則第六条関係）。

第二 母子及び寡婦福祉法等の一部を改正する法律の施行に伴う関係政令の整備に関する政令関係

1　母子及び寡婦福祉法施行令の一部改正

(1)　母子福祉資金貸付金等の充実（限度額の拡大等）

①　技能習得期間中の生活資金貸付けについて、技能習得資金との併せ貸しを要件としないこととすること（第三条第三項、第三十二条第三項）。

また、その貸付限度額を月一〇万三〇〇〇円から月一四万一〇〇〇円に拡大すること（第七条第八号イ、第三十六条第八号イ）。

②　修学資金について、貸付限度額を拡大すること（第七条第三号ロ、第三十二条第三号ロ）。

ア　自宅から通学の場合　月額七万六五〇〇円から七万九五〇〇円に拡大

イ　自宅外から通学の場合　月額九万一五〇〇円から九万四五〇〇円に拡大

③　医療介護資金について、貸付限度額を拡大（二七万円から三一万円に拡大）すること（第七条第七号イ、第三十二条第七号イ）。

④　就学支度資金について、貸付限度額を拡大すること（第七条第十一号、第三十二条第十一号）。

ア　私立高校等に進学する場合　二五万円から三〇万円に拡大

イ　私立大学等に進学する場合　三九万円から四五万円に拡大

(2)　母子福祉資金貸付金の貸付けの対象となる母子福祉団体が行う母子家庭又は寡婦の自立の促進を図るための事業として政令で定めるものとして、母子家庭又は寡婦を対象とする以下の事業を規定すること（第六条第二項）。

①　職業紹介事業

②　第一種社会福祉事業及び第二種社会福祉事業

③　労働者派遣事業

④　その他厚生労働大臣が定める事業

この「厚生労働大臣が定める事業」としては、厚生労働省告示において、「信用保証業」及び「母子家庭の母又は寡婦の家庭生活又は職業生活に関する相談に応ずる事業（カウンセリング業）」を別途定めるものであること。

なお、この「厚生労働大臣が定める事業」や第六条第一項第八号の「その他厚生労働大臣が定める事業」については、今後、各方面からの意見を聴いて拡大していきたいと考えているので、積極的に提案されたいこと。

(3)　減免の対象となる母子福祉資金貸付金として、特例児童扶養資金を規定すること（第二十一条）。

(4)　都道府県が条例により特例児童扶養資金を減免できる事由として、死亡、精神又は身体に著しい障害を受けた場合を規定すること（第二十二条）。

なお、母子及び寡婦福祉法第十五条に、この減免できる事由として「所得の状況」が規定されているが、この「所得の状況」とは、特例児童扶養資金の償還日において、当該配偶者のない女子で現に児童を扶養しているものの所得が児童扶養手当の全額支給水準未満（母一人、子一人の場合：所得五七万円未満）であること。

(5) 配偶者と死別した男子で現に婚姻をしていないものに準ずる者として、「離婚した男子であって現に婚姻をしていないもの」等を規定すること（第二十五条）。

(6) 母子自立支援給付金として、常用雇用転換奨励給付金、自立支援教育訓練給付金及び高等職業訓練促進給付金の三種類を規定し、それぞれについて、支給要件等を定めること（第二十七条から第三十一条まで）。

① 常用雇用転換奨励給付金関係（第二十八条）

ア 常用雇用転換奨励給付金は、事業主が、以下の要件に該当する場合に支給するものであること（第一項）。

(a) 雇用対策法第二条に規定する職業紹介機関（公共職業安定所又は職業安定法の規定により許可を受け又は届出をした職業紹介事業者）の紹介を受けて、前年（一月から七月までに申請する場合には前々年。以下同じ。）の所得が児童扶養手当支給水準未満（母一人、子一人の場合、所得が二三〇万円未満）である配偶者のない女子で現に児童を扶養しているもの（以下「対象女子」という。）との間で、期間の定めのある労働契約を締結したこと。

(b) 当該対象女子に対し、必要な職業訓練を行った上、(a)の期間の定めのある労働契約の期間の初日から起算して六か月を経過するまでに、当該対象女子との間で期間の定めのない労働契約を締結したこと。

(c) (b)の後、一般被保険者として厚生労働大臣に届け出て、引き続き六か月以上雇用したこと。

なお、一般被保険者としての雇用は、当初の期間の定めのある労働契約に基づいて行っていたものであっても、その後の期間の定めのない労働契約に基づいて新たに行うものであっても差し支えないこと。

イ 常用雇用転換奨励給付金の額は、対象女子一人当たり三〇万円であること（第三項）。

② 自立支援教育訓練給付金関係（第二十九条）

ア 自立支援教育訓練給付金は、次の要件のいずれにも該当する配偶者のない女子で現に児童を扶養しているもの（以下「受給資格者」という。）が、雇用の安定及び就職の促進を図るために必要な職業に関する教育訓練として都道府県知事等（都道府県知事、市長（特別区の区長を含む。）及び福祉事務所を管理する町村長）が指定するものを受け、その教育訓練を修了した場合に支給するものであること（第一項）。

(a) 前年の所得が児童扶養手当支給水準未満（母一人、子一人の場合、所得が二三〇万円未満）であること。

(b) 雇用保険法の規定による教育訓練給付金の支給を受けることができないこと。

イ 自立支援教育訓練給付金の額は、受給資格者が教育訓練の受講のために支払った費用（入学料及び授業料に限る。）の額の四〇パーセントに相当する額（その額が二〇万円を超えるときは、二〇万円）であること（第三項）。

ウ 自立支援教育訓練給付金は、イにより算定された額が八〇〇〇円を超えないときは、支給しないこと（第四項）。

③ 高等職業訓練促進給付金関係（第三十条）

ア 高等職業訓練促進給付金は、前年の所得が児童扶養手当支給水準未満（母一人、子一人の場合、所得が二三〇万円未満）である配偶者のない女子で現に児童を扶養しているもの（以下「受給資格者」という。）が、就職を容易にするために必要な資格として都道府県知事等が定めるものを取得するため養成機関において二年以上修業する場合に支給するものであること（第一項）。

イ 高等職業訓練促進給付金の額は、月額一〇万三〇〇〇円とすること（第二項）。

ウ 高等職業訓練促進給付金の支給期間は、受給資格者が養成機関において修業する期間の三分の一に相当する期間（その期間が一二か月を超えるときは、一二か月）を超えない期間とすること（第三項）。

④ ①から③までに定めるほか、母子家庭自立支援教育訓練給付金の支給の手続その他の必要な事項は、厚生労働省令で定めること（第四項）。

(7) 都道府県又は国が補助を行う場合の額について定めること（第四十五条）。

2 児童扶養手当法施行令の一部改正

(1) 受給資格者（母に限る。）が支払を受けたものとみなす費用の額を、当該受給資格者の監護する児童がその父から支払を受けた当該児童の養育に必要な費用の八割に相当する額とすること（第二条の四第三項）。

なお、施行日である平成十五年四月一日において現に受給中である受給者については、平成十五年度の現況届提出の際にこの規定に基づいた所得の計算を行えばよく、施行日の段階でこの規定に基づく所得の再計算をする必要はないこと。

(2) 所得による手当の支給制限を考慮する場合の所得の範囲から、「母子自立支援給付金」に係る所得を除くこと（第三条第一項、第四条第一項）。

3 児童福祉法施行令の一部改正

子育て短期支援事業について国及び都道府県が補助を行う場合の額について定めること（第十八条の二第三号）。

4 その他

「地方自治法施行令」、「住宅金融公庫法施行令」、「地方公務員等共済組合法施行令」、「指定都市、中核市又は特例市の指定があった場合における必要な事項を定める政令」、「北海道防寒住宅建設等促進法施行令」、「沖縄の復帰に伴う厚生省関係法令の適用の特別措置等に関する政令」、「児童扶養手当法施行令及び母子及び寡婦福祉法施行令の一部を改正する政令」の規定について、所要の整備を行うこと。

第三　母子及び寡婦福祉法等の一部を改正する法律の施行に伴う関係省令の整備に関する省令関係

１　母子及び寡婦福祉法施行規則の一部改正関係

(1)　母子家庭等（寡婦）日常生活支援事業の実施場所として、

①　家庭生活支援員の居宅

②　母子家庭の母等が職業訓練を受けている場所

③　そのほか、母子家庭等（寡婦）日常生活支援事業における便宜を適切に供与することができる場所

を規定すること（第一条の三、第六条の十七）。

なお、「便宜を適切に供与することができる場所」としては、母子生活支援施設、児童館などが想定されること。

(2)　常用雇用転換奨励給付金の支給手続を次のとおり定めること（第六条の二から第六条の五まで）。

①　常用雇用転換奨励金の支給を受けようとする事業主（以下「受給希望事業主」という。）は、雇用対策法（昭和四十一年法律第百三十二号）第二条に規定する職業紹介機関（公共職業安定所や許可を受け又は届出をして職業紹介事業を行っている者）の紹介を受けて期間の定めのある労働契約を締結した配偶者のない女子で現に児童を扶養しているもの（以下「対象女子」という。）の住所地を管轄する都道府県知事等に対し、当該期間の定めのある労働契約を締結した後速やかに、当該対象女子に対して行う職業訓練の内容及び方法を定めた計画（以下「職業訓練計画」という。）を提出しなければならないこと（第六条の二第一項）。

②　この職業訓練計画の提出には、

ア　当該期間の定めのある労働契約に係る契約書の写し

イ　当該対象女子及びその扶養している児童の戸籍の謄本又は抄本及びこれらの者の属する世帯全員の住民票の写し

ウ　当該対象女子の児童扶養手当証書の写し（当該対象女子が児童扶養手当受給者である場合）又は当該対象女子の前年（一月から七月までの間に申請する場合にあっては、前々年とする。以下同じ。）の所得の額並びに児童扶養手当法第九条第一項又は第九条の二に規定する扶養親族等（以下「扶養親族等」という。）の有無及び数並びに所得税法（昭和四十年法律第三十三号）に規定する老人控除対象配偶者、老人親族及び特定扶養親族の有無及び数についての市町村長（特別区の区長を含む。以下同じ。）の証明書

を添付しなければならないこと（第六条の二第二項）。

エ　その他都道府県知事等が必要と認める書類等

なお、都道府県知事等は、アからエまでの書類等により証明すべき事実を公簿等によって確認することができるときは、当該書類等を省略することができること（第六条の十六）。

③　受給希望事業主は、対象女子に対し、職業訓練を行うに当

たっては、職業訓練計画に即して行わなければならないこと（第六条の三）。

④　支給の申請は、当該対象女子との間で期間の定めのない労働契約の期間の初日から起算して六か月を経過した日（以下「常用雇用転換期間経過日」という。）以後に、当該対象女子の住所地を管轄する都道府県知事等にしなければならないこと（第六条の四第一項）。

⑤　支給の申請には、

ア　職業訓練に関する当該事業主の報告書

イ　当該期間の定めのない労働契約に係る契約書の写し

ウ　当該対象女子の雇用保険被保険者証の写し

エ　当該対象女子及びその扶養している児童の戸籍の謄本又は抄本及びこれらの者の属する世帯全員の住民票の写し

オ　当該対象女子の児童扶養手当証書の写し又は当該対象女子の前年の所得の額並びに扶養親族等の有無及び数並びに所得税法に規定する老人控除対象配偶者、老人親族及び特定扶養親族の有無及び数についての市町村長の証明書

カ　その他都道府県知事等が必要と認める書類等

を添付しなければならないこと（第六条の四第二項）。

なお、都道府県知事等は、アからカまでの書類等により証明すべき事実を公簿等によって確認することができるときは、当該書類等を省略することができること（第六条の十六）。

⑥　支給の申請は、常用雇用転換期間経過日の属する月の翌月の末日までにしなければならないこと。ただし、やむを得ない事由があるときは、この限りではないこと（第六条の四第三項）。

⑦　都道府県知事等は、支給の申請があった場合には、当該受給希望事業主が支給要件に該当しているかどうかを調査し、速やかに、常用雇用転換奨励給付金を支給し、又はしないことの決定を行わなければならないこと（第六条の五第一項）。

また、都道府県知事等は、この決定を行ったときは、遅滞なく、その旨を当該受給希望事業主に通知しなければならないこと（第六条の五第二項）。

(3)　自立支援教育訓練給付金の手続を次のとおり定めること（第六条の六から第六条の九まで）。

①　自立支援教育訓練給付金の支給を受けようとする配偶者のない女子で現に児童を扶養しているもの（以下「受給希望者」という。）は、その住所地を管轄する都道府県知事等に、受けるべき教育訓練講座の指定の申請をしなければならないこと（第六条の六第一項）。

②　指定の申請には、

ア　当該受給希望者及びその扶養している児童の戸籍の謄本又は抄本及びこれらの者の属する世帯全員の住民票の写し

イ　当該受給希望者の児童扶養手当証書の写し（当該受給希望者が児童扶養手当受給者の場合）又は当該受給希望者の前年の所得の額並びに児童扶養手当法第九条第一項又は第

九条の二に規定する扶養親族等の有無及び数並びに所得税法に規定する老人控除対象配偶者、老人親族及び特定扶養親族の有無及び数についての市町村長の証明書　　　　、

を添付しなければならないこと（第六条の六第二項）。

なお、都道府県知事等は、ア及びイの書類等により証明すべき事実を公簿等によって確認することができるときは、当該書類等を省略することができること（第六条の十六）。

③　都道府県知事等は、指定の申請があった場合には、当該受給希望者が当該教育訓練講座を受けることがその雇用の安定及び就職の促進を図るために必要であるかどうかを調査して、速やかに、教育訓練講座の指定をしなければならないこと（第六条の七第一項）。

また、都道府県知事等は、教育訓練講座の指定をしたときは、遅滞なく、その旨を当該受給希望者に通知しなければならないこと（第六条の七第二項）。

④　自立支援教育訓練給付金の支給の申請は、指定された教育訓練講座（以下「指定講座」という。）修了後に、住所地を管轄する都道府県知事等にしなければならないこと（第六条の八第一項）。

⑤　支給の申請には、

ア　当該受給希望者及びその扶養している児童の戸籍の謄本又は抄本及びこれらの者の属する世帯全員の住民票の写し

イ　当該受給希望者の児童扶養手当証書の写し（当該受給希望者が児童扶養手当受給者の場合）又は当該受給希望者の前年の所得の額並びに児童扶養手当法第九条第一項又は第九条の二に規定する扶養親族等の有無及び数並びに所得税法に規定する老人控除対象配偶者、老人親族及び特定扶養親族の有無及び数についての市町村長の証明書

ウ　都道府県知事等の指定通知書

エ　当該指定講座の修了証明書の写し

オ　当該指定講座の入学料及び授業料の領収書の写し

を添付しなければならないこと（第六条の八第二項）。

なお、都道府県知事等は、アからオまでの書類等により証明すべき事実を公簿等によって確認することができるときは、当該書類等を省略することができること（第六条の十六）。

⑥　支給の申請は、当該指定講座を修了した日から起算して三〇日以内にしなければならないこと。ただし、やむを得ない事由があるときは、この限りではないこと（第六条の八第三項）。

⑦　都道府県知事等は、支給の申請があった場合には、当該受給希望者が支給要件に該当しているかどうかを調査して、速やかに、自立支援教育訓練給付金の支給をし、又はしないことの決定を行わなければならないこと（第六条の九第一項）。

また、都道府県知事等は、この決定を行ったときは、遅滞なく、その旨を当該受給希望者に通知しなければならないこと（第六条の九第二項）。

(4) 高等職業訓練促進給付金の手続を次のとおり定めること（第六条の十から第六条の十五）。

① 高等職業訓練促進給付金の支給の申請は、養成機関において修業する期間の三分の二に相当する期間を経過した日以後に、住所地を管轄する都道府県知事等にしなければならないこと（第六条の十第一項）。

② 支給の申請には、

ア 高等職業訓練促進給付金の支給を受けようとする配偶者のない女子で現に児童を扶養しているもの（以下「受給希望者」という。）及びその扶養している児童の戸籍の謄本又は抄本及びこれらの者の属する世帯全員の住民票の写し

イ 当該受給希望者の児童扶養手当証書の写し（当該受給希望者が児童扶養手当受給者の場合）又は当該受給希望者の前年の所得の額並びに児童扶養手当法第九条第一項又は第九条の二に規定する扶養親族等の有無及び数並びに所得税法に規定する老人控除対象配偶者、老人親族及び特定扶養親族の有無及び数についての市町村長の証明書

ウ 養成機関における在籍に関する証明書（以下「在籍証明書」という。）

エ 養成機関における修得単位証明書

を添付しなければならないこと（第六条の十第二項）。

なお、都道府県知事等は、アからエまでの書類等により証明すべき事実を公簿等によって確認することができるときは、当該書類等を省略することができること（第六条の十六）。

③ 都道府県知事等は、支給の申請があった場合には、当該受給希望者が支給要件に該当しているかどうかを調査して、速やかに、高等職業訓練促進給付金の支給をし、又はしないことの決定を行わなければならないこと（第六条の十一第一項）。

また、都道府県知事等は、この決定を行ったときは、遅滞なく、その旨を当該受給希望者に通知しなければならないこと（第六条の十一第二項）。

④ 高等職業訓練促進給付金の支給は、受給希望者が支給の申請をした日の属する月の翌月から始め、支給すべき事由が消滅した日の属する月で終わること（第六条の十二）。

⑤ 高等職業訓練促進給付金の支給を受けている配偶者のない女子で現に児童を扶養しているもの（以下「受給者」という。）は、支給要件に該当しなくなったときは、速やかに、都道府県知事等に届け出なければならないこと（第六条の十三）。

⑥ 都道府県知事等は、受給者の養成機関における在籍状況又は出席状況を確認するために必要があると認めるときは、当該受給者に対し、在籍証明書の提出又は出席状況の報告を求めることができること（第六条の十四第一項）。

また、都道府県知事等は、受給者の所得の状況を確認するため必要があると認めるときは、当該受給者に対し、児童扶養手当証書又は所得の額等についての市町村長の証明書の提出を求めることができること（第六条の十四第二項）。

⑦　都道府県知事等は、受給者が支給要件に該当しなくなったときは、支給決定を取り消さなければならないこと（第六条の十五第一項）。

また、都道府県知事等は、この決定を行ったときは、遅滞なく、その旨を当該受給者に通知しなければならないこと（第六条の十五第二項）。

2　児童扶養手当法施行規則の一部改正関係

児童扶養手当法第十四条第五号（求職活動懈怠による支給停止）に規定する「求職活動その他厚生労働省令で定める自立を図るための活動」として、「職業訓練を受けていることその他職業能力の開発及び向上を図るための活動をしていること」を規定すること（第二十四条の三）。

なお、この規定を適用する場合の注意点については、第一の3(3)④を参照のこと。

3　児童福祉法施行規則の一部改正関係

(1)　子育て短期支援事業の種類として、

①　短期入所生活援助事業（ショートステイ）

②　夜間養護等事業（トワイライトステイ）

を定めること（第一条の五の二）。

(2)　短期入所生活援助事業とは、保護者が疾病、疲労、育児疲れ、看病疲れなどの身体上、精神上又は環境上の理由により家庭において児童を養育することが一時的に困難となった場合において、市町村長が適当と認めたときに、(4)に掲げる施設において必要な保護を行う事業をいうこと（第一条の五の三第一項）。

この保護の期間は、原則として七日以内であること。ただし、市町村長は、必要があると認めるときは、その期間を延長することができること（第一条の五の三第二項）。

(3)　夜間養護等事業とは、保護者が仕事その他の理由により平日の夜間又は休日に不在となり家庭において児童を養育することが困難となった場合や緊急の必要がある場合において、市町村長が適当と認めたときに、(4)に掲げる施設において必要な保護を行う事業をいうこと（第一条の五の四第一項）。

この保護の期間は、保護者が仕事その他の理由により不在となる期間又は緊急の必要がなくなるまでの間とすること。ただし、市町村長は、必要があると認めるときは、その期間を延長することができること（第一条の五の四第二項）。

(4)　子育て短期支援事業を実施する施設は、

①　乳児院

②　母子生活支援施設

③　児童養護施設

④　その他保護を適切に行うことができる施設

であること（第一条の五の五）。

なお、「その他保護を適切に行うことができる施設」とは、保育所などが想定されること。

4　その他

「雇用対策法施行規則」、「雇用保険法施行規則」、「福祉の措置及び保育の実施等の解除に係る説明等に関する省令」について、所要の規定の整備を行うこと。

○平成十五年度における国民年金法による年金の額等の改定の特例に関する法律に基づく厚生労働省関係法令による年金等の額の改定等に関する政令の一部を改正する政令の施行について（施行通知）

〔平成十五年九月十日　雇児発第〇九一〇〇〇三号
各都道府県知事宛　厚生労働省雇用均等・児童家庭局長通知〕

平成十五年度における国民年金法による年金の額等の改定の特例に関する法律に基づく厚生労働省関係法令による年金等の額の改定等に関する政令の一部を改正する政令（平成十五年政令第四百五号）が、別添のとおり公布されたところであるが、その内容は、左記のとおりであるので、御了知の上、事務処理に遺漏のないようにされるとともに、管内市町村長に対する周知方をお願いする。

この通知は、地方自治法（昭和二十二年法律第六十七号）第二百四十五条の四第一項の規定に基づく技術的な助言である。

記

第一　趣旨

平成十五年度における国民年金法による年金の額等の改定の特例に関する法律（平成十五年法律第十九号）に基づき、特例措置として、児童扶養手当法（昭和三十六年法律第二百三十八号）第五条の二の規定にかかわらず、平成十五年十月から平成十六年三月までの月分の児童扶養手当の額について、平成十三年の年平均の消費者物価指数に対する平成十四年の年平均の消費者物価指数の比率であるマイナス〇・九％を基準として改定すること。

なお、額の改定は、平成十五年十月分から行うものであり、平成十五年四月から平成十五年九月までの月分の児童扶養手当の額については据え置くものであること。

第二　額の改定の内容

1　児童扶養手当の額を、「月額四万二三七〇円」から「月額四万二〇〇〇円」に引き下げたこと。

2　受給資格者の所得による支給の一部制限に関する係数を「〇・〇一八七〇五二」から「〇・〇一八五四三四」に改め、一部制限の額を「月額一〇円～三万二三七〇円」から「月額一〇円～三万二〇九〇円」に改めたこと。

これにより、支給の一部制限を受ける者に係る児童扶養手当の額は、「月額四万二三六〇円～一万円」から「月額四万一九九〇円～九九一〇円」に引き下げられたものであること。

3　なお、二人以上の児童を有する受給者に係る加算額については、第二子五〇〇〇円、第三子以降一人につき三〇〇〇円であり、変更はないものであること。

第三　施行期日

本政令は、平成十五年十月一日から施行され、平成十五年十月から平成十六年三月までの月分の児童扶養手当について適用されるものであること。

別添　略

平成十五年度における国民年金の額等改定特例法に基づく厚生労働省関係法令による年金額の改定等に関する政令の一部を改正する政令の施行について（施行通知）

○児童福祉法等の一部を改正する法律等の施行について

（平成十六年三月三十一日　雇児発第〇三三一〇二九号・老発第〇三三一〇一五号・保発第〇三三一〇一三号　各都道府県知事・各政令指定都市市長・各中核市市長宛　厚生労働省雇用均等・児童家庭・老健・保険局長連名通知）

児童福祉法等の一部を改正する法律（平成十六年法律第二十一号）、児童福祉法等の一部を改正する法律の施行に伴う関係政令の整備に関する政令（平成十六年政令第百十一号）、児童手当事務費交付金の額の算定に関する省令を廃止する省令（平成十六年厚生労働省令第八十三号）及び介護保険の事務費交付金の交付額の算定に関する省令を廃止する省令（平成十六年厚生労働省令第八十四号）が、別添のとおり、平成十六年三月三十一日に公布され、平成十六年四月一日から施行することとされたところである。その改正の趣旨及び主な内容は左記のとおりであるので、その運用に遺憾なきを期されたい。

記

第一　改正の趣旨

「経済財政運営と構造改革に関する基本方針二〇〇三」（平成十五年六月二十七日閣議決定）、「平成十六年度予算編成の基本方針」（平成十五年十二月五日閣議決定）等を踏まえ、公立保育所運営費及び介護保険法等に係る法施行事務費について、国庫補助負担の対象外としたものである。なお、これに伴う地方財源の手当てについては、所得譲与税等を通じて所要の財源措置が講じられることとされている。

第二　改正の内容

1　児童福祉法の一部改正関係

1)　都道府県及び市町村が設置する保育所（以下「公立保育所」という。）における保育の実施に要する費用について、国の負担を廃止したこと。また、市町村が設置する保育所における保育の実施に要する費用について、都道府県の負担を廃止したこと。なお、公立保育所の運営が民間に委託されている場合については、当該保育所の設置者は地方公共団体であることから、国及び都道府県の負担の廃止の対象となる。

2)　平成十五年度以前の年度における公立保育所の運営費に係る国及び都道府県の負担については、従前どおりの扱いとしたこと。

3)　なお、公立保育所における保育の実施に要する費用について国及び都道府県の負担を廃止した後であっても、児童福祉法（昭和二十二年法律第百六十四号）第二十四条第一項に基づく市町村による保育の実施責任には変更がないこと。また、公立保育所の設置者は、公立保育所の設備及び運営について、児童福祉施設最低基準（昭和二十三年厚生省令第六十三号）を遵守する必要があること。

4)　前記1)に伴い、児童福祉法施行令（昭和二十三年政令第七十

四号）の一部を改正し、所要の規定を整備したこと。

2　国民健康保険法の一部改正関係

1)　介護納付金の納付に関する事務費用のうち市町村が実施するものについて、国の負担を廃止したこと。

2)　前記1)に伴い、国民健康保険の国庫負担金及び被用者保険等保険者拠出金等の算定等に関する政令（昭和三十四年政令第四十一号）の一部を改正し、所要の規定を整備したこと。

3　児童扶養手当法の一部改正関係

1)　都道府県、市及び福祉事務所設置町村が支給する児童扶養手当に関する事務費用について、国からの交付を廃止したこと。

2)　平成十五年度以前の年度における事務費用については、従前どおりの扱いとしたこと。

3)　事務費用に対する国からの交付を廃止したことに伴い、交付する事務費の額について算定基準を示した、児童扶養手当法に基づき都道府県及び市町村に交付する事務費に関する政令（昭和三十八年政令第三百号）を廃止したこと。

4　児童手当法の一部改正関係

1)　市町村が支給する児童手当に関する事務費用について、国からの交付を廃止したこと。

2)　特例給付の事務費用について、事業主拠出金率の算定基礎から除外したこと。

3)　事務費用に対する国からの交付を廃止したことに伴い、交付金の額について算定基準を示した、児童手当法に基づき市町村に交付する事務費に関する政令（昭和四十六年政令第三百三十九号）及び児童手当事務費交付金の額の算定に関する省令（昭和五十二年厚生省令第十一号）を廃止したこと。

5　介護保険法の一部改正関係

1)　市町村が行う要介護認定又は要支援認定（以下「要介護認定等」という。）に係る事務費用について、国からの交付を廃止したこと。

2)　前記1)に伴い、介護保険の国庫負担金の算定等に関する政令（平成十年政令第四百十三号）のうち交付金の算定基準等の規定を削除するとともに、交付金の算定額を定めた介護保険の事務費交付金の交付額の算定に関する省令（平成十三年厚生労働省令第十四号）を廃止したこと。

3)　なお、平成十六年四月一日から、要介護認定等の事務の効率化のため、介護保険法施行規則の一部を改正する省令（平成十六年厚生労働省令第五十号）により要介護認定等の更新に係る有効期間を拡大するとともに、「「介護認定審査会の運営について」の一部改正について」（平成十六年三月二十九日老発第〇三二九〇〇一号）により介護認定審査会の合議体の定数の弾力的運用を認めたところである。

第三　施行期日等

1)　施行期日は、平成十六年四月一日からであること。

2)　これらの法律、政令及び省令の施行に際し必要な経過措置を定めるとともに、その他関係法律、政令及び省令について所要の規定の整備を行うこと。

別添　略

〇平成十六年度における国民年金法による年金の額等の改定の特例に関する法律に基づく厚生労働省関係法令による年金等の額の改定等に関する政令の施行について（施行通知）

（平成十六年三月三十一日　雇児発第〇三三一〇三一号・障発第〇三三一〇一〇号　各都道府県知事宛　厚生労働省雇用均等・児童家庭局長・社会・援護局障害保健福祉部長連名通知）

平成十六年度における国民年金法による年金の額等の改定の特例に関する法律に基づく厚生労働省関係法令による年金等の額の改定等に関する政令（平成十六年政令第百十七号）が、別添のとおり公布されたところであるが、そのうち、児童扶養手当（第十条）、特別児童扶養手当等（第十一条及び第十二条）に係る内容は左記のとおりであるので、御了知の上、事務処理に遺漏のないようにされるとともに、管内市町村及び福祉事務所に対する周知方をお願いする。

なお、受給者に対しては、今回の内容について理解が得られるよう、広報手段の活用等により、周知徹底を図るとともに、管内市町村においても適切な対応が図られるよう指導方重ねてお願いしたい。

この通知は、地方自治法（昭和二十二年法律第六十七号）第二百四十五条の四第一項の規定に基づく技術的な助言である。

記

第一　趣旨

平成十六年度における国民年金法による年金の額等の改定の特例に関する法律（平成十六年法律第二十三号）に基づき、特例措置として、児童扶養手当法（昭和三十六年法律第二百三十八号）第五条の二の規定（特別児童扶養手当等の支給に関する法律（昭和三十九年法律第百三十四号）第十六条等において準用する場合を含む。）にかかわらず、平成十六年四月から平成十七年三月までの月分の児童扶養手当、特別児童扶養手当等の額について、平成十三年の年平均の消費者物価指数に対する平成十五年の年平均の消費者物価指数の比率を基準として改定するものであること。これにより、平成十五年度の額からマイナス〇・三％の改定を行うものであること。

第二　児童扶養手当に関する事項

1　児童扶養手当の額を、「月額四万二〇〇〇円」から「月額四万一八八〇円」に改めたこと。

2　受給資格者の所得による支給の一部制限に関する係数を「〇・〇一八五四三四」から「〇・〇一八四九一三」に改め、一部制限の額を「月額一〇円～三万二〇九〇円」から「月額一〇円～三万二〇〇〇円」に改めたこと。

これにより、支給の一部制限を受ける者に係る児童扶養手当の額は、「月額四万一九九〇円～九九一〇円」から「月額四万一八七〇～九八八〇円」に改めたものであること。

3　なお、二人以上の児童を有する受給者に係る加算額については、第二子五〇〇〇円、第三子以降一人につき三〇〇〇円であり、変更はないものであること。

第三　特別児童扶養手当に関する事項

特別児童扶養手当の額を、障害児一人について、二級の場合「月額三万四〇三〇円」から「月額三万三九〇〇円」に改め、一級の場合「月額五万一一〇〇円」から「月額五万九〇〇円」に改めたこと。

第四　障害児福祉手当に関する事項

障害児福祉手当の額を、「月額一万四四八〇円」から「月額一万四四三〇円」に改めたこと。

第五　特別障害者手当に関する事項

特別障害者手当の額を、「月額二万六六二〇円」から「月額二万六五二〇円」に改めたこと。

第六　福祉手当（経過措置分）に関する事項

福祉手当（経過措置分）の額を、「月額一万四四八〇円」から「月額一万四四三〇円」に改めたこと。

第七　施行期日

本政令は、平成十六年四月一日から施行され、平成十六年四月から平成十七年三月までの月分の児童扶養手当、特別児童扶養手当等について適用されるものであること。

別添　略

○児童扶養手当法による児童扶養手当の額等の改定の特例に関する法律等の施行について（施行通知）

〔平成十七年三月三十日　雇児発第〇三三〇〇〇四号・障発第〇三三〇〇〇三号　各都道府県知事宛　厚生労働省雇用均等・児童家庭局長・社会・援護局障害保健福祉部長連名通知〕

児童扶養手当法による児童扶養手当の額等の改定の特例に関する法律（平成十七年法律第九号。以下「特例法」という。）、児童扶養手当法施行令等の一部を改正する政令（平成十七年政令第九十号。以下「改正政令」という。）が、いずれも本日公布され、平成十七年四月一日から施行されることとなったところである。

特例法及び改正政令の内容は左記のとおりであるので、御了知の上、事務処理に遺漏のないようにされるとともに、管内市町村及び福祉事務所に対する周知方をお願いする。

また、受給者に対しても、広報手段の活用等により、特例法及び改正政令の内容について周知徹底を図るとともに、管内市町村においても適切な対応が図られるよう指導方重ねてお願いする。

なお、医療特別手当等に関しては、別途、当省健康局長から通知が発出されるので、そちらを参照されたい。

この通知は、地方自治法（昭和二十二年法律第六十七号）第二百四十五条の四第一項の規定に基づく技術的な助言である。

記

第一　特例法の趣旨

児童扶養手当等の各種手当については、毎年の消費者物価指数の変動に応じて手当額を改定する「物価スライド制度」が採られているが、近年の物価の下落に対しては特例措置を講じてきたところであり、平成十六年度の手当額についても、平成十六年度における児童扶養手当法による手当の額等の改定の特例に関する法律（平成十六年法律第二十三号）により、児童扶養手当法等の物価スライド規定に基づき物価の変動どおりに計算した場合の額よりも一・七％かさ上げされた手当額となっている。

本特例法は、この特例措置によりかさ上げされている一・七％分について、平成十七年度以降、段階的な解消を図るための措置を定めるものであること。

第二　特例法の内容

1　措置の内容

平成十七年度以降の各種手当の手当額について、

・児童扶養手当法等の物価スライド規定に基づき物価の変動どおりに計算した場合の額（以下「本来額」という。）

と、

・平成十六年度の手当額を基準として、物価が上昇した場合には据え置き、物価が下落した場合にはその下落分のみ引き下げた場合の額（以下「特例額」という。）

とを比較し、本来額が特例額を下回っている間は、特例として、特例額を各種手当の額とするものであること。

また、特例法による措置は、一・七％分を解消するまでの特例措置であり、一・七％分を解消した（すなわち、本来額が特例額を上回るに至った）後は、児童扶養手当法等の物価スライド規定に基づき、物価の変動どおりに手当額を改定することとなること。

２　対象となる手当

特例法の対象となるのは、次の各手当であること。

・児童扶養手当法（昭和三十六年法律第二百三十八号）に規定する児童扶養手当

・特別児童扶養手当等の支給に関する法律（昭和三十九年法律第百三十四号）に規定する特別児童扶養手当、障害児福祉手当、特別障害者手当、国民年金法等の一部を改正する法律（昭和六十年法律第三十四号）に規定する経過的福祉手当

・原子爆弾被爆者に対する援護に関する法律（平成六年法律第百十七号）に規定する医療特別手当、特別手当、原子爆弾小頭症手当、健康管理手当、保健手当

第三　平成十七年度の手当額

平成十五年の年平均の消費者物価指数に対する平成十六年の年平均の消費者物価指数の比率は±〇・〇％であったことから、平成十七年度の特例額は平成十六年度の手当額と同額となり、本来額を上回ることとなる。

このため、平成十七年四月以降の月分の各種手当の手当額は、特例法で示している左記の特例額（平成十六年度の手当額と同額）となること（くれぐれも、誤って改正政令で示している本来額を支給することのないよう、十分注意されたい。）。

１　児童扶養手当

児童扶養手当の額は、全部支給の場合、「月額四万一八八〇円」となること。

受給資格者の所得による支給の一部制限に関する係数は「〇・〇一八四九一三」となり、これにより、一部制限の額は「月額一〇円～三万二〇〇〇円」、支給の一部制限を受ける者に係る児童扶養手当の額は「月額四万一八七〇円～九八八〇円」となること。

なお、二人以上の児童を有する受給者に係る加算額については、第二子五〇〇〇円、第三子以降一人につき三〇〇〇円であること。

２　特別児童扶養手当

特別児童扶養手当の額は、障害児一人について、二級の場合「月額三万三九〇〇円」、一級の場合「月額五万九〇〇〇円」となること。

３　障害児福祉手当

障害児福祉手当の額は、「月額一万四四三〇円」となること。

４　特別障害者手当

特別障害者手当の額は、「月額二万六五二〇円」となること。

5　福祉手当（経過措置分）

福祉手当（経過措置分）の額は、「月額一万四四三〇円」となること。

第四　その他

改正政令により、児童扶養手当法施行令（昭和三十六年政令第四百五号）第五条の二第二項が改正され、児童扶養手当法（昭和三十六年法律第二百三十八号）第十二条第二項による返還について、被災者の被災年の所得が被災年の前年（又は前々年）の所得に満たない場合には、返還は、児童扶養手当法第十二条第一項の規定により支給された手当の金額から、被災年の所得を被災年の前年（又は前々年）の所得とみなした場合に支給される手当の額を控除した金額について行うものとされたこと。

改正後の児童扶養手当法施行令第五条の二第二項の規定は、平成十七年四月一日以後に行われる児童扶養手当法第十二条第二項による返還について適用されること。ただし、平成十七年三月以前の月分の児童扶養手当の返還について、返還することとなる額が、改正前の児童扶養手当法第五条の二第二項に規定する金額を超える場合（被災年の所得が一部支給相当である場合に限る。）には、なお従前の例によること。

○児童扶養手当法による児童扶養手当の額等の改定の特例に関する法律第二項の規定に基づき児童扶養手当等の改定額を定める政令等の施行について（施行通知）

〔平成十八年三月三十日　雇児発第〇三三〇〇〇七号・障発第〇三三〇〇〇三号　各都道府県知事宛　厚生労働省雇用均等・児童家庭・社会・援護局障害保健福祉部長連名通知〕

児童扶養手当法による児童扶養手当の額等の改定の特例に関する法律第二項の規定に基づき児童扶養手当等の改定額を定める政令（平成十八年政令第百十一号。以下「特例政令」という。）、児童扶養手当法施行令等の一部を改正する政令（平成十八年政令第百十二号。以下「改正政令」という。）が、いずれも本日公布され、平成十八年四月一日から施行されることとなったところである。

特例政令及び改正政令の内容は左記のとおりであるので、御了知の上、事務処理に遺漏のないようにされるとともに、管内市町村及び福祉事務所に対する周知方をお願いする。

また、受給者に対しても、広報手段の活用等により、特例政令及び改正政令の内容について周知徹底を図るとともに、管内市町村においても適切な対応が図られるよう指導方重ねてお願いする。
なお、医療特別手当等に関しては、別途、当省健康局長から通知が発出されるので、そちらを参照されたい。
この通知は、地方自治法（昭和二十二年法律第六十七号）第二百四十五条の四第一項の規定に基づく技術的な助言である。

記

第一　特例政令の趣旨

児童扶養手当、特別児童扶養手当等については、「自動物価スライド制」が採られており、その具体的な改定額は、政令で定めることとされている。

しかしながら、平成十二年度以降は、年金などと共に、各年度ごとの国民年金法による年金の額等の改定の特例に関する法律等に基づき、物価の下落に伴う手当額の改定の特例措置を講じており、物価スライド規定どおりに計算した額よりも一・七%かさ上げされた状態となっている。

この一・七%の特例措置の平成十七年度以降の取扱いについては、平成十七年三月に成立した「児童扶養手当法による児童扶養手当の額等の改定の特例に関する法律（平成十七年法律第九号）」（以下「特例法」という。）により、次のような解消方法が定められているところである。

（解消方法）

本来額が特例額を下回っている間は、特例額を手当の額とする。

①　本来額：物価スライド規定どおりに計算した額
②　特例額：特例法の規定に基づき、次のルールにより計算した額
　1）物価が上昇した際には手当額を据え置く
　2）物価が下落した際にはその下落分だけ手当額を引き下げる

特例政令は、児童扶養手当、特別児童扶養手当等について、特例法第二項に基づき、平成十七年消費者物価指数の下落に応じた平成十八年度以降の特例額を示すためのものであること。

第二　平成十八年度の手当額

平成十六年の年平均の消費者物価指数に対する平成十七年の年平均の消費者物価指数の比率はマイナス〇・三%であったことから、平成十八年度の特例額及び本来額について、平成十七年度の手当額からマイナス〇・三%の改定を行うものであり、依然として特例額が本来額を上回ることとなる。

このため、平成十八年四月以降の月分の各種手当の手当額は、特例政令で示している左記の特例額となること（くれぐれも、誤って改正政令で示している本来額を支給することのないよう、十分注意されたい。）。

1　児童扶養手当

児童扶養手当の額は、全部支給の場合、「月額四万一七二〇円」となること。

受給資格者の所得による支給の一部制限に関する係数は「〇・

〇一八四一六二」となり、これにより、一部制限の額は「月額一〇円～三万一八七〇円」、支給の一部制限を受ける者に係る児童扶養手当の額は、「月額四万一七一〇円～九八五〇円」となること。

なお、二人以上の児童を有する受給者に係る加算額については、第二子五〇〇〇円、第三子以降一人につき三〇〇〇円であること。

2 特別児童扶養手当

特別児童扶養手当の額は、障害児一人について、二級の場合「月額三万三八〇〇円」、一級の場合「月額五万七五〇円」となること。

3 障害児福祉手当

障害児福祉手当の額は、「月額一万四三八〇円」となること。

4 特別障害者手当

特別障害者手当の額は、「月額二万六四四〇円」となること。

5 福祉手当（経過措置分）

福祉手当（経過措置分）の額は、「月額一万四三八〇円」となること。

第三 その他

地方税法及び国有資産等所在市町村交付金及び納付金に関する法律の一部を改正する法律（平成十六年法律第十七号）（以下「改正法」という。）により、少子高齢化社会へ対応していくため、平成十七年一月一日から年金課税の適正化の観点から老年者控除が廃止

され、改正法附則の経過措置により、平成十八年度以後の年度分の個人の道府県民税から適用することとされている。

前記税制改正に伴い、地方税法第三十四条第一項第七号の規定による控除（老年者控除）が廃止されたため、平成十八年度以後の年度分の個人の道府県民税から老年者控除を受ける者が存在しなくなったところである。

このため、改正政令により、児童扶養手当法施行令（昭和三十六年政令第四百五号）第四条第二項及び特別児童扶養手当等の支給に関する法律施行令（昭和五十年政令第二百七号）第五条第二項において、第三号を削除し、以下第四号から第六号までを一号ずつ繰り上げる改正を行ったところであること。

改正後の児童扶養手当法施行令第四条第二項及び特別児童扶養手当等の支給に関する法律施行令第五条第二項の規定は、平成十八年八月以後の月分の児童扶養手当等の支給の制限及び児童扶養手当等に相当する金額の返還について適用するものであること。ただし、平成十八年七月以前の児童扶養手当等の支給の制限及び児童扶養手当等に相当する金額の返還については、なお従前の例によること。

○国の補助金等の整理及び合理化等に伴う児童手当法等の一部を改正する法律等の施行について

〔平成十八年三月三十一日　雇児発第〇三三一〇二八号・社援発第〇三三一〇三一号・老発第〇三三一〇一九号
各都道府県知事・各政令指定都市市長・各中核市市長宛
厚生労働省雇用均等・児童家庭・社会・援護・老健局長連名通知〕

国の補助金等の整理及び合理化等に伴う児童手当法等の一部を改正する法律（平成十八年法律第二十号）（以下「改正法」という。）、児童手当法施行令等の一部を改正する政令（平成十八年政令第百五十五号）、児童手当法施行規則の一部を改正する省令（平成十八年厚生労働省令第八十五号）及び地域における公的介護施設等の計画的な整備等の促進に関する法律施行規則等の一部を改正する省令（平成十八年厚生労働省令第百八号）が、別添のとおり、本日公布され、平成十八年四月一日から施行することとされたところである。その改正の趣旨及び主な内容（国民年金法等の一部を改正する法律（平成十六年法律第百四号）の一部改正関係は除く。）に左記のとおりであるので、十分御了知の上、その施行に遺憾のないよう配慮されたい。

なお、この通知は、地方自治法（昭和二十二年法律第六十七号）第二百四十五条の四に規定する技術的な助言に当たるものである。

記

第一　改正の趣旨

政府においては、昨年十一月三十日の「三位一体改革について」（政府・与党合意）を経て、「平成十八年度予算編成の基本方針」を閣議決定し、国と地方に関する「三位一体の改革」を推進するため、平成十八年度までに四兆円程度の国庫補助負担金改革、三兆円規模の税源移譲を実現することにより、地方の権限と責任を拡大し、真に住民に必要な行政サービスを地方が自らの責任で自主的、効率的に選択できるようにするとともに、国・地方を通じた簡素で効率的な行財政システムの構築を図ることとしているところである。

また、昨年十二月十五日の政府・与党合意により、児童手当について、支給対象年齢を、平成十八年四月より、小学校第三学年修了時から小学校修了時まで引き上げるとともに、併せて、所得制限の緩和により、支給率を概ね九〇％まで引き上げるものとされたところである。

今回の改正は、かかる政府の方針等を受け、児童手当における国庫負担の割合の見直し及び支給対象年齢の引上げ等のほか、児童扶養手当における国庫負担の割合の見直し、特別養護老人ホーム等に係る国庫補助金等の廃止・縮減等の措置を講ずるものである。

第二　改正の内容

1　児童手当法（昭和四十六年法律第七十三号）（第二の1において

て「法」という。）の一部改正関係

1) 児童手当の支給に要する費用について国、都道府県及び市町村の負担の割合を見直したこと。

① 被用者に対する児童手当の支給に要する費用負担の割合を、従来の国一〇分の二、都道府県一〇分の〇・五、市町村一〇分の〇・五から、国一〇分の一、都道府県一〇分の一、市町村一〇分の一としたこと。

② 被用者等でない者（被用者又は公務員でない者をいう。以下同じ。）に対する児童手当の支給に要する費用負担の割合を、従来の国六分の四、都道府県六分の一、市町村六分の一から、国三分の一、都道府県三分の一、市町村三分の一としたこと。

③ 前記①及び②に伴い、政府が市町村に対し、児童手当の支給に関する費用について、従来、被用者に対する費用の一〇分の九に相当する額、被用者等でない者に対する費用の六分の四に相当する額をそれぞれ交付していたのを、被用者に対する費用の一〇分の八に相当する額、被用者等でない者に対する費用の三分の一に相当する額をそれぞれ交付することとしたこと。

④ 法附則第七条第一項及び第八条第一項の特例給付の支給に要する費用負担の割合を、従来の国六分の四、都道府県六分の一、市町村六分の一から、国三分の一、都道府県三分の一、市町村三分の一としたこと。

⑤ 前記④に伴い、政府が市町村に対し、法附則第七条第一項及び第八条第一項の特例給付の支給に要する費用について、従来その六分の四に相当する額を交付していたのを、その三分の一に相当する額を交付することとしたこと。

2) 都道府県知事及び市町村長は、法第二十九条第一項の報告に際し、同法の規定により都道府県又は市町村が処理することとされている事務を円滑に行うために必要な事項について、地域の実情を踏まえ、厚生労働大臣に対して意見を申し出ることができることとしたこと。

3) 法附則第七条第一項及び第八条第一項の特例給付について、これまで三歳以上小学校第三学年修了前（九歳に達する日以後の最初の三月三十一日まで）の間にある児童を監護し、かつ、生計を同じくする等の日本国内に住所を有する者に対して給付されていたのを、三歳以上小学校修了前（一二歳に達する日以後の最初の三月三十一日まで）までの延長すること。

4) 児童手当法施行令（昭和四十六年政令第二百八十一号）の一部を改正し、児童手当、法附則第六条第一項、第七条第一項及び第八条第一項の特例給付に係る所得制限を緩和したこと。

5) 前記3)及び地方税法（昭和二十五年法律第二百二十六号）の一部改正に伴い、児童手当法施行令及び児童手当法施行規則（昭和四十六年厚生省令第三十三号）の一部を改正し、所要の規定を整備したこと。

2 児童福祉法（昭和二十二年法律第百六十四号）（第二の2にお

いて「法」という。）の一部改正関係

1) 法第五十二条に規定する都道府県及び市町村が設置する児童福祉施設（知的障害児施設、知的障害児通園施設、盲ろうあ児施設、施設不自由児施設、重症心身障害児施設に限る。以下同じ。）の設備に要する費用に係る国庫負担を廃止することとしたこと。

2) 法第五十四条に規定する市町村の設置する児童福祉施設の設備に要する費用に係る都道府県の負担を廃止することとしたこと。

3) 前記1)及び2)に伴い、児童福祉法施行令（昭和二十三年政令第七十四号）の一部を改正し、所要の規定を整備したこと。

3 身体障害者福祉法（昭和二十四年法律第二百八十三号）（第二の3において「法」という。）の一部改正関係

1) 法第三十七条第三項に規定する市町村が設置する身体障害者更生援護施設の設置に要する費用に係る都道府県の負担を廃止することとしたこと。

2) 法第三十七条の二第一項第一号に規定する都道府県及び市町村が設置する身体障害者更生援護施設の設置に要する費用に係る国庫負担を廃止することとしたこと。

3) 訪問診査（市町村が歩行が困難等の状態にある身体障害者に対し、医師、看護師、身体障害者福祉司等をして訪問させ、診査及び更生相談等を行うもの）に要する費用に係る都道府県負担及び国庫負担を廃止することとしたこと。

4) 都道府県・指定都市・中核市が行う身体障害者更生相談所の運営及び都道府県・指定都市・中核市が行う身体障害者手帳の交付に要する費用については、現行、身体障害者適正判定等事業として、それぞれ運営主体又は交付主体が一義的に支弁し（それぞれ第三十六条第二号、第三号）、これについて、国が一〇分の五を負担（それぞれ第三十七条の二第一項第二号、第三号）することとされているが、この国庫負担を廃止することとしたこと。

5) 前記1)から4)に伴い、身体障害者福祉法施行令（昭和二十五年政令第七十八号）の一部を改正し、所要の規定を整備したこと。

4 生活保護法（昭和二十五年法律第百四十四号）（第二の4において「法」という。）の一部改正関係

1) 法第七十三条第三号に規定する市町村が設置する保護施設の設備に要する費用に係る都道府県の負担を廃止すること。

2) 法第七十五条第一項第二号に規定する市町村又は都道府県が設置する保護施設の設備に要する費用に係る国庫負担を廃止すること。

3) 前記1)及び2)に伴い、生活保護法施行令（昭和二十五年政令第百四十八号）の一部を改正し、所要の規定を整備したこと。

5 知的障害者福祉法（昭和三十五年法律第三十七号）（第二の5において「法」という。）の一部改正関係

1) 法第二十五条第五号に規定する市町村が設置する知的障害者

更生施設又は特定知的障害者授産施設の設置に要する費用に係る都道府県の負担を廃止することとしたこと。

2) 法第二十六条第四号に規定する市町村又は都道府県が設置する知的障害者更生施設又は、特定知的障害者授産施設の設置に要する費用に係る国庫負担を廃止することとしたこと。

3) 前記1)及び2)に伴い、知的障害者福祉法施行令（昭和二十五年政令第百三号）の一部を改正し、所要の規定を整備したこと。

6 児童扶養手当法（昭和三十六年法律第二百三十八号）の一部改正関係

1) 児童扶養手当の支給に要する費用負担の割合を、従来の国四分の三、都道府県等四分の一から、国三分の一、都道府県等三分の二としたこと。

2) 都道府県知事等は、児童扶養手当の受給資格者（母に限る。）に対し、就業支援その他の自立のために必要な支援を行うことができることを入念的に明記し、また、当該支援について、地域の実情を踏まえ、厚生労働大臣に対して意見を申し出ることができることとしたこと。

3) 前記2)の事務については、自治事務とすること。

7 地域における公的介護施設等の計画的な整備等の促進に関する法律（平成元年法律第六十四号）の一部改正関係

1) 都道府県交付金を廃止したこと。

これと同時に税源移譲も実施され、都道府県の指定等に係る

特別養護老人ホーム等の施設整備は、都道府県等の判断・責任において実施することとなったこと。

2) 市町村交付金の対象事業を拡充したこと。

3) 前記1)及び2)に伴い、地域における公的介護施設等の計画的な整備等の促進に関する法律施行令（平成元年政令第二百五号）及び地域における公的介護施設等の計画的な整備等の促進に関する法律施行規則（平成元年厚生省令第三十四号）の一部を改正し、所要の規定を整備したこと。

8 介護保険法（平成九年法律第百二十三号）の一部改正関係

1) 介護保険施設及び特定施設入居者生活介護に係る介護給付及び予防給付に要する費用について、国の負担の割合を一〇〇分の二〇から一〇〇分の一五に、都道府県の負担の割合を一〇〇分の一二・五から一〇〇分の一七・五に見直したこと。

2) そのサービス量が既に必要量に達している場合等に都道府県知事が指定をしないことができる居宅サービスとして、介護専用型特定施設入居者生活介護以外の特定施設入居者生活介護（以下「混合型特定施設入居者生活介護」という。）を追加したこと。

3) 住所地特例対象施設として、介護専用型特定施設以外の特定施設を追加したこと。

4) 前記1)に伴い、介護保険の国庫負担金の算定等に関する政令（平成十年政令第四百十三号）の一部を改正し、所要の規定を整備したこと。

5) 前記2)に伴い、介護保険法施行規則（平成十一年厚生省令第三十六号）の一部を改正し、混合型特定施設入居者生活介護の推定利用定員を、混合型特定施設入居者生活介護の事業が行われる特定施設の入居定員に一〇〇分の七〇を超えない範囲内で都道府県が定める割合を乗じて得た数とすることとしたこと。

第三 施行期日

施行期日は平成十八年四月一日であること。

第四 経過措置

1 全体関係

改正法による改正後の規定は、平成十八年度以降の年度の予算に係る国、都道府県若しくは市町村（特別区を含む。以下同じ。）の負担（平成十七年度以前の年度における事務又は事業の実施により平成十八年度以降の年度に支出される国、都道府県又は市町村の負担を除く。）又は交付金の交付について適用し、平成十七年度以前の年度における事務又は事業の実施により平成十八年度以降の年度に支出される国、都道府県又は市町村の負担については、なお従前の例によること。

2 児童手当法の一部改正関係

1) 平成十八年四月一日において支給対象年齢の延長又は所得制限の緩和により新たに支給要件を満たすこととなった者が、同年九月三十日までに新規に認定請求をしたときは、同年四月分から手当を支給するものとすること。ただし、同年四月一日より小学校四年生になった児童（平成八年四月二日から平成九年四月一日までの間に生まれた児童。以下同じ。）のみを養育しており、平成十八年三月三十一日まで小学校第三学年修了前特例給付の受給者であった者については、認定請求を行わなくても、引き続き平成十八年四月分からの手当を支給する取扱いとすること。

2) 平成十八年四月一日から同年九月三十日までの間に支給対象年齢の延長又は所得制限の緩和に該当する支給要件児童を養育するに至った者が、同年九月三十日までに1)と同様の認定の請求をしたときは、その者が支給要件に該当するに至った日の属する月の翌月から手当を支給するものとすること。

3 その他関係

その他関係法令の施行に際し必要な経過措置を定めること。

第五 改正法の周知徹底等について

今回の児童手当制度改正は、大幅な受給者の増を伴うものであり、国民への十分な周知を図ることにより、請求漏れがないよう特に留意する必要がある。

貴職におかれても、この点くれぐれも遺漏のないようご留意いただくとともに、併せて管内市町村への周知並びに助言等についても特段のご配慮をお願いする。

別添 略

○児童扶養手当法施行令等の一部を改正する政令の施行について（施行通知）

〔平成十九年四月一日　雇児発第〇四〇一〇〇四号・障発第〇四〇一〇〇一号
各都道府県知事宛　厚生労働省雇用均等・児童家庭局長・社会・援護局障害保健福祉部長連名通知〕

児童扶養手当法施行令等の一部を改正する政令（平成十九年政令第百五十四号。以下「改正政令」という。）が、本日公布され、公布の日から施行されることとなったところである。

改正政令の内容は左記のとおりであるので、御了知の上、事務処理に遺漏のないようにされるとともに、管内市町村及び福祉事務所に対する周知方をお願いする。

この通知は、地方自治法（昭和二十二年法律第六十七号）第二百四十五条の四第一項の規定に基づく技術的な助言である。

記

第一　改正政令の内容

児童扶養手当、特別児童扶養手当等については、「自動物価スライド制」が採られており、その具体的な改定額は、政令で定めることとされている。平成十七年の年平均の消費者物価指数に対する平成十八年の年平均の消費者物価指数の比率は〇・三％であったことから、平成十九年度の児童扶養手当法施行令及び特別児童扶養手当等の支給に関する法律施行令により定める手当額（以下「本来額」という。）を〇・三％改定するものであること。

第二　平成十九年度の手当額

平成十七年の年平均の消費者物価指数に対する平成十八年の年平均の消費者物価指数の比率は〇・三％であったことから、平成十九年度の本来額について、平成十八年度の手当額から〇・三％の改定を行うものであるが、依然として、現行の手当額となっている児童扶養手当法による児童扶養手当の額等の改定の特例に関する法律第二項に基づき児童扶養手当等の改定額を定める政令（以下「特例政令」という。）により定める額（以下「特例額」という。）が本来額を上回ることとなる。

このため、平成十九年四月以降の月分の各種手当の手当額は、平成十八年度と同額の特例政令で示している左記の特例額となること（くれぐれも、誤って改正政令で示している本来額を支給することのないよう、十分注意されたい。）。

1　児童扶養手当

児童扶養手当の額は、全部支給の場合、「月額四万一七二〇円」であること。

受給資格者の所得による支給の一部制限に関する係数は「〇・〇一八四一六二」となり、これにより、一部制限の額は「月額一〇円～三万一八七〇円」、支給の一部制限を受ける者に係る児童扶養手当の額は「月額四万一七一〇円～九八五〇円」となること。

なお、二人以上の児童を有する受給者に係る加算額については、第二子五〇〇〇円、第三子以降一人につき三〇〇〇円であること。

2　特別児童扶養手当

特別児童扶養手当の額は、障害児一人について、二級の場合「月額三万三八〇〇円」、一級の場合「月額五万七五〇〇円」となること。

3　障害児福祉手当

障害児福祉手当の額は、「月額一万四三八〇円」となること。

4　特別障害者手当

特別障害者手当の額は、「月額二万六四四〇円」となること。

5　福祉手当（経過措置分）

福祉手当（経過措置分）の額は、「月額一万四三八〇円」となること。

○児童扶養手当法施行令の一部を改正する政令等の施行について

〔平成二十年二月八日　雇児福発第〇二〇八〇〇二号
各都道府県知事宛　厚生労働省雇用均等・児童家庭局長通知〕

今般、児童扶養手当法施行令の一部を改正する政令（平成二十年二月八日政令第二十三号。以下「改正政令」という。）及び児童扶養手当法施行規則の一部を改正する省令（平成二十年二月八日厚生労働省令第十二号。以下「改正省令」という。）が、それぞれ本日公布され、公布の日から施行されることとなったところである。

改正政令及び改正省令の内容は左記のとおりであるので、御了知の上、その施行に遺漏のないようにされるとともに、管内市町村及び福祉事務所に対する周知方お願いする。

また、本通知は、地方自治法（昭和二十二年法律第六十七号）第二百四十五条の四第一項の規定に基づく技術的な助言である。

記

Ⅰ　改正の趣旨

児童扶養手当の受給開始から五年を経過した場合等における手当の一部支給停止措置については、平成十四年の母子及び寡婦福祉法等の改正の際に、離婚後の生活の激変を一定期間内で緩和し、自立を促進するという趣旨から設けられた規定である。これに基づく一部支給停止措置に係る一部支給停止される手当の額や当該措置を適用しない事由等の具体的な内容については、政令に委任されていたところである。

当該一部支給停止措置については、平成二十年四月よりこれが適用される可能性がある者がいることから、今般、政省令を定めたものである。

Ⅱ　改正政令に関する事項

児童扶養手当法（以下「法」という。）第十三条の二の規定により、手当を受給してから五年を経過した場合等においては、手当の額の二分の一を支給停止する（左記1に記載）こととなる。令第八条（左記2に記載）に規定する事由に該当する場合を除き、以下に詳細を記載する。

1　支給しない手当の額（第七条）

受給資格者（母に限る。）に対する児童扶養手当（以下「手当」という。）の支給開始月の初日から起算して五年又は手当の支給要件に該当するに至った日の属する月の初日から起算して七年を経過した日（法第六条第一項の規定による認定の請求をした日において三歳未満の児童を監護する受給資格者は、当該児童が三歳に達した日の属する月の翌月の初日から起算して五年を経過した日）の属する月（以下「五年等満了月」という。）の翌月以降に支給すべき手当の額（法第九条、法第九条の二及び第十条の規定に基づく所得制限（以下「所得制限」という。）による全部又は一部支給停止が行われている場合にあっては、当該支給停止後の額）に二分の一を乗じて得た額とし、これらに一〇円未満の端数があるときは、これを切り捨てるものとすること。

ただし、当該一部支給停止の額は、法第十三条の二第一項ただし書に規定する手当の額（五年等満了月の翌月に支払うべき手当の額（所得制限により手当の全部又は一部が支給停止されている場合にあっては、当該支給停止前の額））を上限とする。

2 手当の一部支給停止を適用しない事由（第八条）

(1) 受給資格者が就業していること又は求職活動その他厚生労働省令で定める自立を図るための活動をしていること。

(2) 受給資格者が児童扶養手当法施行令別表第一に掲げる障害の状態にあること。

(3) 受給資格者が疾病又は負傷のために就業することができないことその他の自立を図るための活動をすることが困難である事由として厚生労働省令で定める事由があること。

Ⅲ 改正省令に関する事項

1 一部支給停止の適用除外に関する届出（第三条の三）

(1) 受給資格者は、五年等満了月の翌月以降において、手当の一部支給停止適用除外事由に該当し、一部支給停止の適用除外を受けようとするとき（以下「適用除外事由発生月」という。）は、その月の末日までに、児童扶養手当一部支給停止適用除外事由届出書（以下「届出書」という。）に次の書類を添えて、手当の支給機関に提出しなければならないこと。

① 就業している場合

雇用契約書の写し又は受給資格者が事業主であること若しくは在宅就業等を行っていることその他の受給資格者が就業していることを明らかにできる書類（適用除外事由発生月（その月が七月の場合は七月又は八月のいずれかの月。以下②及び③において同じ。）において就業していることを明らかにできる書類に限る。）

② 求職活動をしている場合（適用除外事由発生月において求職活動をしていることを明らかにできる書類に限る。）

イ 公共職業安定所、母子家庭就業支援事業を実施している機関又は職業紹介事業者において就職に関する相談等を受けたことを明らかにできる書類

ロ 求人者に面接を受けたことその他の就業するための活動を行っていることを明らかにできる書類

③ 公共職業能力開発施設、専修学校等に在学していることその他の職業能力の開発及び向上を図るための活動をしている場合（適用除外事由発生月において公共職業能力開発施設、専修学校等に在学していることその他の職業能力の開発及び向上を図るための活動をしていることを明らかにできる書類に限る。）

公共職業能力開発施設、専修学校等に在学していることその他の職業能力の開発及び向上を図るための活動を行っていることを明らかにできる書類

④ 児童扶養手当法施行令別表第一に掲げる障害の状態にある場合

児童扶養手当法施行令の一部を改正する政令等の施行について

イ　当該障害の状態に関する医師又は歯科医師の診断書
ロ　当該障害が児童扶養手当法施行規則別表に定める傷病に係るものであるときは、エックス線直接撮影写真
⑤　受給資格者が疾病、負傷又は要介護状態にあることにより就業することが困難である場合
　医師又は歯科医師の診断書その他の疾病、負傷又は要介護状態にあることにより受給資格者が就業することが困難であることを明らかにできる書類等
⑥　受給資格者の監護する児童又は受給資格者の親族が疾病、負傷又は要介護状態にあることにより受給資格者が就業することが困難である場合
　医師又は歯科医師の診断書その他の受給資格者の監護する児童又は受給資格者の親族が障害の状態にあること又は疾病、負傷若しくは要介護状態にあることにより介護が必要であることを明らかにできる書類等及び受給資格者がこれらの者を介護する必要があることを明らかにできる書類

(2)　五年等満了月の翌月に一部支給停止適用除外事由に該当すると見込まれる場合
　五年等満了月の前々月の初日から五年等満了月の末日までの間に届出書及び書類等を提出することができる。この場合において、書類等は五年等満了月の前々月から五年等満了月の末日までの間のいずれかの時において、前記①から③までに掲げる活動（以下「求職活動等」という。）をしていることを明らかにするものであること。

(3)　現に一部支給停止の適用を除外されている場合
　毎年八月一日から三十一日まで（都道府県及び市（区）町村（以下「都道府県等」という。）による指導等を受けた場合は、九月三十日まで）の間に、届出書に必要な書類等を添えて、手当の支給機関に提出しなければならない。この場合において、書類等は当該年の六月一日から八月三十一日まで（都道府県等による指導等を受けた場合は、九月三十日まで）の間のいずれかの時において、求職活動等をしていることを明らかにするものであること。

(4)　届出書及びこれに添付する書類等の提出について、やむを得ない事情により期限までに提出できなかった場合は、その事情が消滅してから速やかに提出しなければならないこと。

2　証書の更新、支給停止の通知等（第二十一条第二項及び第四項）

(1)　手当の支給機関は、手当の一部を支給しないときは、児童扶養手当証書に所要事項を記載し、又は新たに児童扶養手当証書を作成し、これを受給者に返付し、又は交付しなければならないこと。

(2)　手当の支給機関は、手当の一部を支給しないときは、児童扶養手当支給停止通知書（様式第十一号の三）を受給者に交付しなければならないこと。

3　令第八条に規定する求職活動等及び事由（第二十四条の四）

(1) 公共職業安定所、母子家庭就業支援事業を実施する機関又は職業紹介事業者において就職に関する相談等を受けたこと、求人者に面接したことその他就業するための活動

(2) 公共職業能力開発施設、専修学校等に在学していることその他の職業能力の開発及び向上を図るための活動

(3) 都道府県等による相談、情報の提供、助言又は支援を受け、就業し、求職活動をし、又は公共職業能力開発施設等に在学していることその他の職業能力の開発及び自立を図るための活動を行うこと。

(4) 受給資格者が疾病、負傷又は要介護状態にあることその他これに類する事由により就業することが困難であること。

(5) 受給資格者が監護する児童又は受給資格者の親族が障害の状態のあること又は疾病、負傷若しくは要介護状態にあることその他これに類する事由により受給資格者がこれらの者を介護する必要があり就業することが困難であること。

4 一部支給停止が適用されない期間（第二十四条の五）

(1) 五年等満了月の翌月以降に一部支給停止適用除外事由に該当し、適用除外事由発生月（七月である場合は八月）の末日までに届け出た場合

適用除外事由発生月から翌年七月（適用除外事由発生月が一月から六月までの場合は当該年の七月）までの期間は一部支給停止が適用されないこと。

(2) 五年等満了月の翌月に一部支給停止適用除外事由に該当する見込みであり、五年等満了月の末日までに届け出た場合

五年等満了月から翌年七月（五年等満了月が一月から六月までの場合は当該年の七月）までの期間は一部支給停止が適用されないこと。

(3) 現に一部支給停止適用除外事由に該当し、八月三十一日（都道府県等の指導等を受けた場合は九月三十日）までに届け出た場合

当該年の八月から翌年七月までの期間は一部支給停止が適用されないこと。

5 様式の改正

(1) 届出書の様式を定めたこと（様式第五号の三）。

(2) 児童扶養手当支給停止通知書の様式を改正したこと（様式第十一号の三）。

Ⅳ 施行期日等

1 公布の日（二月八日）から施行する。

2 平成二十年五月までの特例

平成二十年五月末日までの間に、五年等満了月を迎える受給資格者については、届出書及び書類等の提出期限を平成二十年六月末日までとする。この場合において、書類等は五年等満了月の前々月から平成二十年六月末日までのいずれかの時において求職活動等をしていることを明らかにできるものとすること。

3 改正前の様式の用紙は、当分の間、これを取り繕って使用することができること。

○児童扶養手当法施行令等の一部を改正する政令の施行について（施行通知）

〔平成二一年三月三一日　雇児発第〇三三一〇三〇号・障発第〇三三一〇一七号　各都道府県知事宛　厚生労働省雇用均等・児童家庭局長・社会・援護局障害保健福祉部長連名通知〕

児童扶養手当法施行令等の一部を改正する政令（平成二十一年政令第八十九号。以下「改正政令」という。）が、本日公布され、平成二十一年四月一日から施行されることとなったところである。

改正政令の内容は左記のとおりであるので、御了知の上、事務処理に遺漏のないようにされるとともに、管内市町村及び福祉事務所に対する周知方をお願いする。

この通知は、地方自治法（昭和二十二年法律第六十七号）第二百四十五条の四第一項の規定に基づく技術的な助言である。

記

第一　改正政令の内容

児童扶養手当、特別児童扶養手当等については、「自動物価スライド制」が採られており、その具体的な改定額は、政令で定めることとされている。平成十九年の年平均の消費者物価指数に対する平成二十年の年平均の消費者物価指数の比率は一・四％であったことから、平成二十一年度の児童扶養手当法施行令及び特別児童扶養手当等の支給に関する法律施行令により定める手当額（以下「本来額」という。）を一・四％改定するものであること。

第二　平成二十一年度の手当額

平成十九年の年平均の消費者物価指数に対する平成二十年の年平均の消費者物価指数の比率は一・四％であったことから、平成二十一年度の本来額について、平成二十年度の手当額から一・四％改定するものである。

改正政令により、平成二十年度の児童扶養手当、特別児童扶養手当等の手当額となっている「児童扶養手当法による児童扶養手当の額等の改定の特例に関する法律第二項の規定に基づき児童扶養手当等の改定額を定める政令」（平成十八年政令第百十一号）により定める額と本来額が並ぶことになる。

このため、平成二十一年四月以降の月分の児童扶養手当、特別児童扶養手当等の手当額は、平成二十年度と同額となるが、本来額により支給されるものとなる。

1　児童扶養手当

児童扶養手当の額は、全部支給の場合、「月額四万一七二〇円」となること。

受給資格者の所得による手当の支給の制限に関する係数は「〇・〇一八四一六二」となり、これにより、手当の支給の制限の額は「月額一〇円～三万一八七〇円」、手当の支給の制限を受ける者に係る児童扶養手当の額は「月額四万一七一〇円～九八五〇円」となること。

なお、二人以上の児童を有する受給者に係る加算額については、第二子五〇〇〇円、第三子以降一人につき三〇〇〇円であること。

2　特別児童扶養手当

特別児童扶養手当の額は、障害児一人について、二級の場合「月額三万三八〇〇円」、一級の場合「月額五万七五〇〇円」となること。

3　障害児福祉手当

障害児福祉手当の額は、「月額一万四三八〇円」となること。

4　特別障害者手当

特別障害者手当の額は、「月額二万六四四〇円」となること。

5　福祉手当（経過措置分）

福祉手当（経過措置分）の額は、「月額一万四三八〇円」となること。

○児童扶養手当法施行令等の一部を改正する政令の施行について(施行通知)

〔平成二十二年四月一日　雇児発〇四〇一第四号・障発〇四〇一第三号
各都道府県知事宛　厚生労働省雇用均等・児童家庭局長・社会・援護局障害保健福祉部長連名通知〕

児童扶養手当法施行令等の一部を改正する政令（平成二十二年政令第百四号。以下「改正政令」という。）が、本日公布され、施行されることとなったところである。

改正政令の内容は左記のとおりであるので、御了知の上、事務処理に遺漏のないようにされるとともに、管内市町村及び福祉事務所に対する周知方をお願いする。

この通知は、地方自治法（昭和二十二年法律第六十七号）第二百四十五条の四第一項の規定に基づく技術的な助言である。

記

第一　改正政令の内容

児童扶養手当、特別児童扶養手当等については、「自動物価スライド制」が採られており、その具体的な改定額は、政令で定めることとされている。平成二十年の年平均の消費者物価指数に対する平成二十一年の年平均の消費者物価指数の比率はマイナス一・四％であったことから、平成二十二年度の児童扶養手当法施行令及び特別児童扶養手当等の支給に関する法律施行令により定める手当額（以下「本来額」という。）をマイナス一・四％改定するものであること。

第二　平成二十二年度の手当額

平成二十年の年平均の消費者物価指数に対する平成二十一年の年平均の消費者物価指数の比率はマイナス一・四％であったことから、平成二十二年度の本来額について、平成二十一年度の手当額からマイナス一・四％改定するものである。

改正政令により、平成二十一年度の児童扶養手当、特別児童扶養手当等の手当額となっている「児童扶養手当法による児童扶養手当の額等の改定の特例に関する法律第二項の規定に基づき児童扶養手当等の改定額を定める政令」（平成十八年政令第百十一号）により定める額（以下「特例額」という。）が本来額を上回ることになる。

このため、平成二十二年四月以降の月分の児童扶養手当、特別児童扶養手当等の手当額については特例額が適用となり、平成二十一年度の手当額と同額となる。

1　児童扶養手当

児童扶養手当の額は、全部支給の場合、「月額四万一七二〇円」となること。

受給資格者の所得による手当の支給の制限に関する係数は「〇

・〇一八四一六二」となり、これにより、手当の支給の制限の額は「月額一〇円～三万一八七〇円」、手当の支給の制限を受ける者に係る児童扶養手当の額は「月額四万一七一〇円～九八五〇円」となること。

なお、二人以上の児童を有する受給者に係る加算額については、第二子五〇〇〇円、第三子以降一人につき三〇〇〇円であること。

2　特別児童扶養手当

特別児童扶養手当の額は、障害児一人について、二級の場合「月額三万三八〇〇円」、一級の場合「月額五万七五〇〇円」となること。

3　障害児福祉手当

障害児福祉手当の額は、「月額一万四三八〇円」となること。

4　特別障害者手当

特別障害者手当の額は、「月額二万六四四〇円」となること。

5　福祉手当（経過措置分）

福祉手当（経過措置分）の額は、「月額一万四三八〇円」となること。

○児童扶養手当法の一部を改正する法律等の施行について

〔平成二二年六月二日　雇児発〇六〇二第一号　各都道府県知事宛　厚生労働省雇用均等・児童家庭局長通知〕

「児童扶養手当法の一部を改正する法律（平成二十二年法律第四十号。以下「改正法」という。）」については、本年二月十二日に第百七十四回国会に提出され、五月二十六日に成立し、六月二日に公布されたところである。あわせて、児童扶養手当法施行令及び非常勤消防団員等に係る損害補償の基準を定める政令の一部を改正する政令（平成二十二年政令第百四十四号）及び児童扶養手当法施行規則の一部を改正する省令（平成二十二年厚生労働省令第七十六号）が同日に公布され、これらはいずれも平成二十二年八月一日から施行されるところであるが、改正の内容は左記のとおりであるので、御了知の上、所要の事務処理に遺憾なきを期されるとともに、管内市町村長に対する周知を図られたく通知する。

なお、本通知は、地方自治法（昭和二十二年法律第六十七号）第二百四十五条の四第一項の規定に基づく技術的助言である。

記

第一　改正の趣旨

ひとり親家庭は、子育てと生計を一人で担わなければならず、母

児童扶養手当法の一部を改正する法律等の施行について

子家庭、父子家庭のいずれもが生活上の様々な困難を抱えており、父子家庭においても、母子家庭と同様に、経済的に厳しい状況等に置かれている家庭が見られるところ。

こうした状況を踏まえ、児童扶養手当（以下「手当」という。）について父子家庭の父を支給対象とする措置を講ずることとし、児童扶養手当法（昭和三十六年法律第二百三十八号。以下「法」という。）及び関係法令について必要な改正を行った。

第二　児童扶養手当法の一部改正

手当について、新たに児童を監護し、かつ、これと生計を同じくする父子家庭の父を支給対象とするため、所要の改正を行うこと。

1　支給要件

都道府県知事、市長（特別区の区長を含む。以下同じ。）及び福祉事務所を管理する町村長（以下「都道府県知事等」という。）は、従来から支給対象となっている母子家庭の母等に加え次の者に対し手当を支給すること。（第四条関係）

⑴　次のいずれかに該当する児童を監護し、かつ、これと生計を同じくする当該児童の父に対し手当を支給すること。

イ　父母が婚姻を解消した児童

ロ　母が死亡した児童

ハ　母が政令で定める程度の障害の状態にある児童

ニ　母の生死が明らかでない児童

ホ　その他イからニに準ずる状態にある児童で政令で定める者

（「第三の1」参照）

⑵　児童が次のいずれかに該当するときは手当は支給しないこと。

イ　日本国内に住所を有しないとき。

ロ　母の死亡について支給される公的年金給付を受けることができるとき。ただしその全額について支給が停止されているときを除く。

ハ　母の死亡について労働基準法の規定による遺族補償その他政令で定める法令によるこれらに相当する給付（以下「遺族補償等」という。）を受けることができる場合であって、給付事由が発生した日から六年を経過していないとき。

ニ　児童福祉法に規定する里親等に委託されているとき。

ホ　母に支給される公的年金給付の額の加算の対象となっているとき。

ヘ　母と生計を同じくしているとき。ただし、母が政令で定める程度の障害の状態にあるときを除く。

ト　父の配偶者（母が政令で定める程度の障害の状態にあるときを除く。）に養育されているとき。

チ　母の死亡について支給される遺族補償等を受けることができる父の監護を受け、かつ、生計を同じくしている場合であって、給付事由が発生した日から六年を経過していないとき。

⑶　父が次のいずれかに該当するときは手当は支給しないこと。

イ　日本国内に住所を有しないとき。

ロ　老齢福祉年金以外の公的年金給付を受けることができるとき。ただしその全額について支給が停止されているときを除く。

2　支給の調整

同一の児童について、父及び母の両方、又は父及び養育者の両方が手当の支給要件に該当するときは、母又は養育者に対し手当を支給することとし、父には支給しないこと。

また、同一の児童について、母及び養育者の両方が手当の支給要件に該当するときは、母に対し手当を支給することとし、養育者に対しては支給しないこと。（法第四条の二関係）

3　手当額

父に対する手当の額は、現行の母及び養育者に対する手当の額と同様となるよう、所要の改正を行うこと。（法第五条及び第八条関係）

4　支給の制限

(1)　父に対する手当の支給については、現行の母に対する手当の支給についてと同様、受給資格者、受給資格者の配偶者及び受給資格者の扶養義務者の所得に応じ、政令で定めるところにより支給を制限すること。（法第九条及び第十条関係）

(2)　法第九条第一項に規定する養育者（いわゆる孤児等の養育者）については他の場合とは区別し、別の支給制限を設けているところであるが、孤児等の範囲に、新たに「母が死亡した児童で父がない児童」及び「母の生死が明らかでない児童で父がない児童」を加えること。（法第九条関係）

(3)　父に対する手当については、現行の母に対する手当と同様、支給開始月の初日から起算して五年を経過した場合等は政令で定めるところにより、手当の一部を支給しないこととすること。（法第十三条の二関係）

ただし、法第十三条の二の規定中の「手当の支給要件に該当するに至った日の属する月の初日」とあるのは、「平成二十二年八月一日」とすること。（改正法附則第三条）

(4)　父に対する手当は、現行の母に対する手当と同様、受給資格者が正当な理由なく、求職活動その他省令で定める自立を図るための活動をしなかったときは、手当額の全部又は一部を支給しないことができること。（法第十四条関係）

5　その他

その他所要の規定の整備を行うこと。

第三　児童扶養手当法施行令の一部改正

改正法により、父子家庭の父が手当の支給対象となることに伴い、児童扶養手当法施行令（昭和三十六年政令第四百五号。以下「令」という。）について所要の改正を行うこと。

1　第二の1(1)のホの政令で定める児童

第二の1(1)ホの「その他イから二に準ずる状態にある児童で政令で定める者」は次のいずれかに該当する児童とすること。（令第一条の三関係）

(1)　母が引き続き一年以上遺棄している児童

(2) 母が法令により引き続き一年以上拘禁されている児童
(3) 母が婚姻によらないで懐胎した児童
(4) (3)に該当するかどうかが明らかでない児童

2 法第九条第一項の政令で定める児童（いわゆる孤児等）

法第九条第一項の政令で定める児童については、父子家庭の父を支給対象としたことに伴い、法において、「第四条第一項第二号ロ又は二に該当し、かつ、父がない児童」が追加されている。令においては新たに対象となる児童を追加することはないが、父子家庭の父を支給対象としたことに伴い、規定ぶりを改正すること。（令第二条の三関係）

3 支給を制限する場合の所得の額等

第二の4の手当の支給を制限する際の所得の額、範囲及び計算方法について、母に対する手当と同様の取扱いとなるよう所要の改正を行うこと。（令第二条の四から第四条まで関係）

4 その他

その他所要の規定の整備を行うこと。

第四 児童扶養手当法施行規則の一部改正

改正法により、父子家庭の父が手当の支給対象となることに伴い、児童扶養手当法施行規則（昭和三十六年厚生省令第五十一号。以下「規則」という。）について所要の改正を行うこと。

1 添付書類等

父が法に基づき認定の請求等を行う際に必要な書類等について、母が申請する場合と同様の取り扱いとなるよう、所要の改正

を行うこと。なお、法第六条第一項に基づく認定の請求、法第八条第一項の規定に基づく手当額の改定の請求及び現況の届け出の際には、受給資格者が父である場合で児童と同居していないときは、同居せずにこれを監護し、かつ、これと生計を同じくしていることを明らかにする書類が必要となること。

2 様式

父子家庭の父が児童扶養手当の対象となることに伴い、規則において規定されている申請等の様式について所要の改正を行うこと。

3 経過措置

規則において規定する申請等の様式については、この規則の施行の際現に使用されている様式については、改正後の様式とみなすこと。また、この規則の施行後当分の間は、既存の様式を取り繕って使用することができること。

4 その他

その他所要の規定の整備を行うこと。

第五 施行期日等

1 施行期日

これらの改正法令はいずれも、平成二十二年八月一日から施行すること。ただし、認定の請求等に関する経過措置は公布日から施行すること。

2 検討

政府は、この法律の施行後三年を目途として、この法律の施行

の状況、父又は母と生計を同じくしていない児童が育成される家庭における父又は母の就業状況及び当該家庭の経済的な状況等を勘案し、当該家庭の生活の安定及び自立の促進並びに児童の福祉の増進を図る観点から、児童扶養手当制度を含め、当該家庭に対する支援施策の在り方について検討を加え、その結果に基づいて必要な措置を講ずるものとすること。（改正法附則第五条関係）

3　経過措置等

(1)　請求の事前手続

平成二十二年八月一日において支給要件に該当すべき者は、同日に支給要件に該当することを条件として、同日前に認定の請求の手続をとることができること。（改正法附則第二条第一項）

(2)　支給開始月の特例

改正により新たに手当を受給することとなる者の手当の認定の請求に関し次の経過措置を設けること。（改正法附則第二条第二項及び同条第三項）

イ　請求の事前手続をとった者が平成二十二年八月一日において、支給要件に該当しているときは、八月分から支給する。

ロ　平成二十二年八月一日から平成二十二年十一月三十日までの間に請求の手続をとった者が、平成二十二年八月一日においてすでに支給要件に該当しているときは、八月分から支給する。

ハ　平成二十二年八月一日から平成二十二年十一月三十日までの間に支給要件に該当するに至った者が、平成二十二年十一月三十日までに請求の手続をとったときは、支給要件に該当するに至った月の翌月分から支給する。

第六　その他

1　改正に伴う事務取扱い

現行、法の規定によりすでに児童扶養手当の受給資格を有する者について、改正法の規定により新たに該当する支給要件が発生した場合においても、特段認定事由を変更する必要はないこと。

2　申請書の交付について

新たに手当の支給の対象となる者等から申請を希望する相談があった場合には、必要な申請書類等を速やかに交付し、手当の申請があった場合には書類の不備等が無ければ、申請を受付け、支給要件に関し実態を確認した上で、認定又は却下などの処分を行うこと。

3　改正法の周知徹底について

本改正について、広報誌等の活用を通じて新たに手当の支給対象となる者等に対し、改正の内容の周知が行われるよう格段の努力を払われたいこと。

○児童扶養手当法施行令等の一部を改正する政令の施行について（施行通知）

〔平成二十三年三月三十一日　雇児発〇三三一第七号・障発〇三三一第九号　各都道府県知事宛　厚生労働省雇用均等・児童家庭局長・社会・援護局障害保健福祉部長連名通知〕

児童扶養手当法施行令等の一部を改正する政令（平成二十三年政令第八十号。以下「改正政令」という。）が、本日公布され、平成二十三年四月一日から施行されることとなったところである。

改正政令の内容は左記のとおりであるので、御了知の上、事務処理に遺漏のないようにされるとともに、管内市町村及び福祉事務所に対する周知方をお願いする。

この通知は、地方自治法（昭和二十二年法律第六十七号）第二百四十五条の四第一項の規定に基づく技術的な助言である。

記

第一　改正政令の内容

児童扶養手当、特別児童扶養手当等については、「自動物価スライド制」が採られており、その具体的な改定額は、政令で定めることとされている。平成二十一年の年平均の全国消費者物価指数（以下「物価指数」という。）に対する平成二十二年の物価指数の比率はマイナス〇・七％であったことから、平成二十三年度の児童扶養手当法施行令（昭和三十六年政令第四百五号）及び特別児童扶養手当等の支給に関する法律施行令（昭和五十年政令第二百七号）により定める手当額（以下「本来額」という。）をマイナス〇・七％改定するものであること。

また、「児童扶養手当法による児童扶養手当の額等の改定の特例に関する法律第二項の規定に基づき児童扶養手当等の改定額を定める政令」（平成十八年政令第百十一号）により定める手当額（以下「特例額」という。）は、平成二十二年の物価指数が、直近の改定が行われた平成十八年の前年（平成十七年）の物価指数を下回った場合、平成十七年の物価指数を下回った比率により特例額を改定することとされており、平成二十三年度特例額は、マイナス〇・四％改定するものであること。

このように、改正政令により、本来額をマイナス〇・七％、特例額をマイナス〇・四％それぞれ改定することとなるが、この結果、平成二十三年度は特例額が本来額を上回るため、平成二十三年四月以降の月分の児童扶養手当、特別児童扶養手当等の手当額については、特例額が適用されることとなること。

第二　平成二十三年度の手当額

1　児童扶養手当

児童扶養手当の額は、全部支給の場合、「月額四万一五五〇円」となること。

受給資格者の所得による手当の支給の制限に関する係数は「〇・〇一八三四一〇」となり、これにより、手当の支給の制限の額は「月額一〇円～三万一七四〇円」、手当の支給の制限を受ける者に係る児童扶養手当の額は「月額四万一五四〇円～九八一〇円」となること。

なお、二人以上の児童を有する受給者に係る加算額については、第二子五〇〇〇円、第三子以降一人につき三〇〇〇円であること。

2　特別児童扶養手当

特別児童扶養手当の額は、障害児一人について、二級の場合「月額三万三六七〇円」、一級の場合「月額五万五五〇〇円」となること。

3　障害児福祉手当

障害児福祉手当の額は、「月額一万四三三〇円」となること。

4　特別障害者手当

特別障害者手当の額は、「月額二万六三四〇円」となること。

5　福祉手当（経過措置分）

福祉手当（経過措置分）の額は、「月額一万四三三〇円」となること。

○児童扶養手当法施行令の一部を改正する政令等の施行について

〔平成二十四年七月二十七日　雇児発〇七二七第三号
各都道府県知事宛　厚生労働省雇用均等・児童家庭局長通知〕

「児童扶養手当法施行令の一部を改正する政令」（平成二十四年政令第百九十八号。以下「改正政令」という。）が平成二十四年七月二十日に別添1のとおり公布されるとともに、「児童扶養手当法施行規則の一部を改正する省令」（平成二十四年厚生労働省令第百八号。以下「改正省令」という。）が同月二十七日に別添2のとおり公布され、いずれも同年八月一日から施行することとされたところである。

また、「東日本大震災に伴う国民年金法第三十条の四の規定による障害基礎年金の支給停止等に係る平成二十三年の所得の額の計算方法の特例に関する政令」（平成二十四年政令第百八十九号。以下「特例政令」という。）が平成二十四年七月十三日に別添3のとおり公布され、同年八月一日から施行することとされたところである。

これらの概要については、左記のとおりであるので、御了知いただくとともに、管内市町村に周知していただくようお願いする。

記

第一　改正政令及び改正省令関係

1　改正の内容

児童扶養手当（以下「手当」という。）の支給対象に、父又は母が配偶者からの暴力の防止及び被害者の保護に関する法律（平成十三年法律第三十一号）第十条第一項による命令（それぞれ母又は父の申立てにより発せられたものに限る。以下「保護命令」という。）を受けた児童を加えることとする。（改正政令による改正後の児童扶養手当法施行令（昭和三十六年政令第四百五号。以下「令」という。）第一条の二第二号及び第一条の三第二号関係）

また、これに伴い、手当の認定請求及び手当額の改定請求をする際の添付書類に、対象児童の父又は母が保護命令を受けたことを明らかにすることができる書類を加えるとともに、児童扶養手当認定請求書、児童扶養手当額改定請求書及び児童扶養手当現況届の様式について所要の改正を行うこととする。（改正省令による改正後の児童扶養手当法施行規則（昭和三十六年厚生省令第五十一号）第一条第五号ハ並びに様式第一号、様式第四号及び様式第六号関係）

2　施行期日等

(1)　施行期日

改正政令及び改正省令は、平成二十四年八月一日から施行する。

(2) 経過措置

① 改正政令の施行の日（以下「施行日」という。）において新たに「父又は母が保護命令を受けた児童」として支給対象となった児童を、施行日において現に監護し、又は養育している者が、平成二十四年八月三十一日までの間に手当の認定請求又は手当額の改定請求をしたときは、その者に対する手当の支給又は手当額の増額改定は、同月分から行う。（改正政令附則第二項関係）

② ①に定める者（施行日において新たに「父又は母が保護命令を受けた児童」を監護し、又は養育する者として手当の支給要件に該当することとなった者に限る。）に対する手当の一部支給停止の適用については、児童扶養手当法（昭和三十六年法律第二百三十八号。以下「法」という。）第十三条の二第一項中「手当の支給要件に該当するに至った日の属する月の初日」とあるのは、「平成二十四年八月一日」とする。（改正政令附則第三項関係）

第二 特例政令関係

1 特例政令の内容

手当の受給資格者又はその配偶者及び扶養義務者のうち、東日本大震災（平成二十三年三月十一日に発生した東北地方太平洋沖地震及びこれに伴う原子力発電所の事故による災害をいう。以下同じ。）によりその財産に損害を受けた法第十二条第一項に規定する被災者（以下「被災者」という。）である者が、同項の適用により平成二十三年三月から平成二十四年七月までの期間において所得による支給の制限を行わないとされた場合において、当該被災者が、東日本大震災により受けた損失の金額について地方税法（昭和二十五年法律第二百二十六号）附則第四十二条第一項の規定により、平成二十二年において生じた損失の金額として同年の雑損控除の適用を受けたときは、当該被災者の手当の支給の制限及び手当に相当する金額の返還に係る平成二十三年の所得の額（法第九条から第十一条まで及び第十二条第二項各号に規定する額）については、令第四条の規定により計算した額から、東日本大震災により受けた当該損失の金額に係る雑損控除額を控除した額とするものである。

2 施行期日

特例政令は、平成二十四年八月一日から施行する。

別添1〜3 略

○「国民年金法等の一部を改正する法律」の施行について（児童扶養手当・特別児童扶養手当関係）

〔平成二十四年十一月二十六日　雇児発一一二六第一号・障発一一二六第一号
各都道府県知事宛　厚生労働省雇用均等・児童家庭局長・社会・援護局障害保健福祉部長連名通知〕

「国民年金法等の一部を改正する法律」（平成二十四年法律第九十九号。以下「改正法」という。）については、本日公布されたところである。そのうち「児童扶養手当法による児童扶養手当の額等の改定の特例に関する法律」（平成十七年法律第九号。以下「特例法」という。）の一部改正に係る規定（改正法第六条関係）については、平成二十五年十月一日から施行される。

ついては、改正の内容は左記のとおりであるので、御了知の上、その運用に遺漏のなきを期されるとともに、管内市町村及び福祉事務所に周知いただくようお願いする。

なお、改正法全体の概要については、別添の当省年金局長通知を参照されたい。

本通知は、地方自治法（昭和二十二年法律第六十七号）第二百四十五条の四第一項の規定に基づく技術的助言である。

記

1　特例法の改正の趣旨

児童扶養手当等の各種手当（※）については、毎年の消費者物価指数の変動に応じて手当額を改定するスライド措置が採られているが、平成十二年度から十四年度までの間、物価下落時に年金と合わせた特例措置により手当額が据え置かれた経緯から、平成二十四年度の手当額については、特例法により、児童扶養手当法等の物価スライド規定に基づき計算した場合の額よりも一・七％かさ上げされた手当額となる特例水準が生じている。

本改正法は、年金額に係る特例水準について、その解消を図るための改正を行うことに伴い、これまで年金と同様の特例措置により改定してきた児童扶養手当法等の各種手当についても、同じく特例水準を解消する必要があり、特例法に基づく手当額水準（特例水準）と、児童扶養手当法等に規定する法律上本来想定している手当額水準（本来水準）との差（一・七％）を、平成二十七年四月までに解消するものである。

※　対象となる手当

・児童扶養手当法（昭和三十六年法律第二百三十八号）に規定する児童扶養手当

・特別児童扶養手当等の支給に関する法律（昭和三十九年法律第百三十四号）に規定する特別児童扶養手当、障害児福祉手当、

特別障害者手当、国民年金法等の一部を改正する法律（昭和六十年法律第三十四号）に規定する経過的福祉手当

・原子爆弾被爆者に対する援護に関する法律（平成六年法律第百十七号）に規定する医療特別手当、特別手当、原子爆弾小頭症手当、健康管理手当、保健手当

2　特例法の改正の内容

手当額の改定の特例措置に係る規定の適用は、平成二十六年度の月分までとし、平成二十七年度以降は適用しないこととする。（特例法第一項関係）

手当額の改定の特例措置に基づく平成二十五年度（十月以降の月分に限る。）及び平成二十六年度の手当額について、特例水準が本来水準に段階的に近づくよう、物価変動率を基準とする改定と併せて、それぞれ〇・七％の適正化が図られるように改定する措置を講ずる。（特例法第二項関係）

3　施行後の手当額

施行後の手当額については、別途お示しする予定としている。

4　施行期日

平成二十五年十月一日から施行する。

なお、平成二十五年十月前の月分の各種手当については、なお従前の例による。

別添　略

「国民年金法等の一部を改正する法律等の一部を改正する法律」の施行について（児童扶養手当・特別児童扶養手当関係）

○児童扶養手当法による児童扶養手当の額等の改定の特例に関する法律第二項の規定に基づき児童扶養手当等の改定額を定める政令の一部を改正する等の政令の施行について（施行通知）

〔平成二十五年九月六日　雇児発〇九〇六第一号・障発〇九〇六第一号
各都道府県知事宛　厚生労働省雇用均等・児童家庭局長・社会・援護局障害保健福祉部長連名通知〕

児童扶養手当法による児童扶養手当の額等の改定の特例に関する法律第二項の規定に基づき児童扶養手当等の改定額を定める政令の一部を改正する等の政令（平成二十五年政令第二百六十一号。以下「改正政令」という。）が、本日公布され、平成二十五年十月一日から施行されることとなったところである。

改正政令の内容は左記のとおりであるので、御了知の上、事務処理に遺漏のないようにされるとともに、管内市町村及び福祉事務所に対する周知方をお願いする。

この通知は、地方自治法（昭和二十二年法律第六十七号）第二百四十五条の四第一項の規定に基づく技術的な助言である。

記

第一　改正政令の内容

児童扶養手当、特別児童扶養手当等については、児童扶養手当法施行令（昭和三十六年政令第四百五号）及び特別児童扶養手当等の支給に関する法律施行令（昭和五十年政令第二百七号）等により定める手当額（以下「本来額」という。）が児童扶養手当法による児童扶養手当の額等の改定の特例に関する法律第二項の規定に基づき児童扶養手当等の改定額を定める政令（平成十八年政令第百十一号）により定める手当額（以下「特例額」という。）に満たない場合に特例額をこれらの手当の額とするとしている。

平成二十四年十一月に成立した国民年金法等の一部を改正する法律等の一部を改正する法律（平成二十四年法律第九十九号）では、特例額における児童扶養手当等の手当額の特例水準（一・七％）について、平成二十五年度から平成二十七年度までの三年間で解消することとしており、平成二十五年十月においては、特例額をマイナス〇・七％改定することとしている。

このため、改正政令により、マイナス〇・七％の改定を行った手当額を特例額として定めるものである。

このように、改正政令により、特例額はマイナス〇・七％の改定をすることとなるが、この結果、平成二十五年十月以降においても特例額が本来額を上回るため、平成二十五年十月以降の月分の児童扶養手当、特別児童扶養手当等の手当額については、引き続き特例額が適用されることとなる。

第二　平成二十五年十月以降の手当額

1　児童扶養手当

児童扶養手当の額は、全部支給の場合、「月額四万一一四〇円」となること。

受給資格者の所得による手当の支給の制限に関する係数は「〇・〇一八一六一八」となり、これにより、手当の支給の制限の額は「月額一〇円～三万一四三〇円」、手当の支給の制限を受ける者に係る児童扶養手当の額は「月額四万一一三〇円～九七一〇円」となること。

なお、二人以上の児童を有する受給者に係る加算額については、第二子五〇〇〇円、第三子以降一人につき三〇〇〇円であり、変更はないこと。

2　特別児童扶養手当

特別児童扶養手当の額は、障害児一人について、二級の場合「月額三万三三三〇円」、一級の場合「月額五万五〇円」となること。

3　障害児福祉手当

障害児福祉手当の額は、「月額一万四一八〇円」となること。

4　特別障害者手当

特別障害者手当の額は、「月額二万六〇八〇円」となること。

5　福祉手当（経過措置分）

福祉手当（経過措置分）の額は、「月額一万四一八〇円」となること。

○児童扶養手当法施行令等の一部を改正する政令の施行について（施行通知）

〔平成二十六年三月三十一日　雇児発〇三三一第一〇号・障発〇三三一第三九号　各都道府県知事宛　厚生労働省雇用均等・児童家庭局長・社会・援護局障害保健福祉部長連名通知〕

児童扶養手当法施行令等の一部を改正する政令（平成二十六年政令第百十三号。以下「改正政令」という。）が、本日公布され、平成二十六年四月一日から施行されることとなったところである。

改正政令の内容は左記のとおりであるので、御了知の上、事務処理に遺漏のないようにされるとともに、管内市町村及び福祉事務所に対する周知方をお願いする。

この通知は、地方自治法（昭和二十二年法律第六十七号）第二百四十五条の四第一項の規定に基づく技術的な助言である。

記

第一　改正政令の内容

児童扶養手当、特別児童扶養手当等については、児童扶養手当法施行令（昭和三十六年政令第四百五号）及び特別児童扶養手当等の支給に関する法律施行令（昭和五十年政令第二百七号）等により定める手当額（以下「本来額」という。）が児童扶養手当法による児童扶養手当の額等の改定の特例に関する法律第二項の規定に基づき児童扶養手当等の改定額を定める政令（平成十八年政令第百十一号）により定める手当額（以下「特例額」という。）に満たない場合に特例額をこれらの手当の額とするとしている。

本来額については、「自動物価スライド制」が採られており、平成二十四年の年平均の全国消費者物価指数（以下「物価指数」という。）に対する平成二十五年の物価指数の比率はプラス〇・四％であったことから、本来額をプラス〇・四％改定する。

特例額については、平成二十四年十一月に成立した国民年金法等の一部を改正する法律等の一部を改正する法律（平成二十四年法律第九十九号）において、特例額における児童扶養手当等の手当額の特例水準（一・七％）について、平成二十五年度から平成二十七年度までの三年間で解消することとしており、平成二十六年度においては、同年度の前々年（平成二十四年）に対する同年度の前年（平成二十五年）の物価指数の比率にマイナス〇・七％を乗じて得た額とすることとしている。

このため、改正政令により、物価指数の比率のプラス〇・四％とマイナス〇・七％を反映したマイナス〇・三％の改定を行った手当額を特例額として定めるものである。

このように、改正政令により、本来額はプラス〇・四％、特例額はマイナス〇・三％の改定をすることとなるが、この結果、平成二十六年度以降においても特例額が本来額を上回るため、平成二十六年度以降の月分の児童扶養手当、特別児童扶養手当等の手当額については、引き続き特例額が適用されることとなる。

第二　平成二十六年度以降の手当額

1　児童扶養手当

児童扶養手当の額は、全部支給の場合、「月額四万一〇二〇円」となること。

受給資格者の所得による手当の支給の制限に関する係数は「〇・〇一八一〇九八」となり、これにより、手当の支給の制限の額は「月額一〇円～三万一三四〇円」、手当の支給の制限を受ける者に係る児童扶養手当の額は「月額四万一〇一〇円～九六八〇円」となること。

なお、二人以上の児童を有する受給者に係る加算額については、第二子五〇〇〇円、第三子以降一人につき三〇〇〇円であり、変更はないこと。

2　特別児童扶養手当

特別児童扶養手当の額は、障害児一人について、二級の場合「月額三万三三三〇円」、一級の場合「月額四万九九〇〇円」となること。

3　障害児福祉手当

障害児福祉手当の額は、「月額一万四一四〇円」となること。

4　特別障害者手当

特別障害者手当の額は、「月額二万六〇〇〇円」となること。

5　福祉手当（経過措置分）

福祉手当（経過措置分）の額は、「月額一万四一四〇円」となること。

○次代の社会を担う子どもの健全な育成を図るための次世代育成支援対策推進法等の一部を改正する法律について

〔平成二十六年四月二十三日　雇児発〇四二三第三号
各都道府県知事・各指定都市市長・各中核市市長宛
厚生労働省雇用均等・児童家庭局長通知〕

「次代の社会を担う子どもの健全な育成を図るための次世代育成支援対策推進法等の一部を改正する法律（平成二十六年法律第二十八号）」については、本年二月十四日に第百八十六回国会に提出され、四月十六日に可決成立し、四月二十三日に公布されたところである。

この法律は、我が国における少子化の進行、母子家庭及び父子家庭の厳しい経済状況等を踏まえ、次代の社会を担う全ての子どもが健やかに生まれ、育成される環境の整備を図るため、次世代育成支援対策の推進・強化、母子家庭及び父子家庭に対する支援施策の充実等の措置を講ずるものであり、その主たる内容は左記のとおりである。

この法律による次世代育成支援対策推進法（平成十五年法律第百二十号）等の改正について、その趣旨を十分御理解の上、管内の市町村、関係機関等に周知を図るとともに、その施行に万全を期されたい。

また、この法律による改正後の次世代育成支援対策推進法の施行のために必要な関係省令等については、今後、労働政策審議会に諮り、その答申を得て、制定することとしているところであるので、御了知ありたい。

なお、この通知は、地方自治法（昭和二十二年法律第六十七号）第二百四十五条の四第一項の規定に基づく技術的な助言である。

記

第一　改正の趣旨

我が国における少子化の進行、母子家庭及び父子家庭の厳しい経済状況等を踏まえ、次代の社会を担う全ての子どもが健やかに生まれ、育成される環境を整備することが喫緊の課題となっている。

次世代育成支援対策推進法に基づく一〇年間の集中的・計画的な取組により、仕事と子育てが両立できる雇用環境の整備等が一定程度進んだものの、いまだ少子化の流れは変わっておらず、子どもが健やかに生まれ、育成される環境を更に改善し、充実させることが必要である。

また、母子家庭及び父子家庭の親等が就業し、仕事と子育てを両立しながら経済的に自立するとともに、子どもが心身ともに健やかに成長できるよう、そして、子どもの貧困対策のためにも、これらの家庭の福祉の増進を図ることが必要である。

このため、次世代育成支援対策の推進・強化、母子家庭及び父子家庭に対する支援施策の充実等の措置を講ずることとし、今回、次世代育成支援対策推進法、母子及び寡婦福祉法及び児童扶養手当法を改正することとしたものである。

第二　次世代育成支援対策推進法の一部改正関係

1　特例認定制度の創設

(1)　厚生労働大臣は、雇用環境の整備に関し、行動計画策定指針に照らして適切な一般事業主行動計画を策定したこと等の厚生労働大臣の認定を受けた事業主（以下「認定一般事業主」という。）からの申請に基づき、当該認定一般事業主について、次世代育成支援対策の実施の状況が優良なものであることその他の厚生労働省令で定める基準に適合するものである旨の認定（以下「特例認定」という。）を行うことができるものとすること。（第十五条の二関係）

(2)　(1)の特例認定を受けた認定一般事業主（以下「特例認定一般事業主」という。）については、一般事業主行動計画の策定及びその旨の届出に代えて、厚生労働省令で定めるところにより、毎年少なくとも一回、次世代育成支援対策の実施の状況であって厚生労働省令で定める事項を公表しなければならないものとすること。（第十五条の三関係）

(3)　特例認定一般事業主は、広告等に厚生労働大臣の定める表示を付することができることとし、何人もこの場合を除くほか、広告等に当該表示又はこれと紛らわしい表示を付してはならないものとすること。（第十五条の四関係）

(4)　特例認定一般事業主が、次世代育成支援対策の実施の状況が優良なものであることその他の厚生労働省令で定める基準に適合しなくなったと認めるとき、(2)の公表をせず又は虚偽の公表をしたとき等に該当する場合には、厚生労働大臣は、特例認定を取り消すことができるものとすること。（第十五条の五関係）

2　期限の延長

法律の有効期限を一〇年間延長し、平成三十七年三月三十一日までとすること。（附則第二条第一項関係）

3　その他

(1)　罰則について必要な規定の整備を行うこと。

(2)　その他所要の規定の整備を行うこと。

第三　母子及び寡婦福祉法の一部改正関係

1　題名

題名を母子及び父子並びに寡婦福祉法とすること。（題名関係）

2　総則等

(1)　関係機関の責務の創設

母子・父子自立支援員、福祉事務所その他母子家庭及び父子家庭（以下「母子家庭等」という。）並びに寡婦の支援を行う関係機関は、その者の生活の安定と向上のために相互に協力しなければならないものとすること。（第三条の二関係）

(2)　父子家庭を新たに支援対象とすることに伴う名称変更等

ア　母子福祉団体を母子・父子福祉団体とするとともに、その定義を配偶者のない者で現に児童を扶養しているものの福祉又はこれに併せて寡婦の福祉を増進することを主たる目的とする社会福祉法人その他営利を目的としない法人として厚生労働省令で定めるものであって、その理事その他の役員の過半数が配偶者のない女子又は配偶者のない男子であるものをいうものとすること。（第六条第六項関係）

イ　母子自立支援員を母子・父子自立支援員とするとともに、都道府県、市及び福祉事務所を設置する町村（以下「都道府県等」という。）は、母子・父子自立支援員等の人材の確保及び資質の向上を図るよう努めるものとすること。（第八条関係）

ウ　母子福祉施設を母子・父子福祉施設と、母子福祉センターを母子・父子福祉センターと、母子休養ホームを母子・父子休養ホームとすること。（第三十八条及び第三十九条関係）

(3) 母子家庭等及び寡婦の生活の安定と向上のための措置の積極的かつ計画的な実施等の規定の創設

都道府県等は、母子家庭等及び寡婦が適切な支援を総合的に受けられるようにするため、その生活の安定と向上のための措置の積極的かつ計画的な実施及び周知並びに支援を行う者の活動の連携及び調整を図るよう努めなければならないものとすること。（第十条の二関係）

3　基本方針等

(1) 基本方針

厚生労働大臣が定める基本方針の対象に父子家庭を加えること。（第十一条第一項関係）

(2) 自立促進計画

自立促進計画の対象に父子家庭を加えるとともに、都道府県が当該計画の策定等を行う場合は、あらかじめ、母子家庭等及び寡婦の置かれている環境その他の事情を勘案するよう努めなければならないこと等とすること。（第十二条関係）

4　母子家庭に対する福祉の措置

(1) 保育所への入所等に関する特別の配慮

市町村は、保育所へ入所する児童を選考する場合に加え、放課後児童健全育成事業その他の事業を行う場合には、母子家庭の福祉が増進されるように特別の配慮をしなければならないものとすること。（第二十八条第一項関係）

(2) 母子家庭就業支援事業等

都道府県は、就業支援事業として行うことのできる業務として、母子家庭の母及び児童並びに事業主に対する就職の支援に関する情報の提供を明示するものとすること。（第三十条第二項関係）

(3) 母子家庭自立支援給付金

ア　母子家庭自立支援教育訓練給付金

都道府県等は、配偶者のない女子で現に児童を扶養しているものが、教育訓練を受け、当該訓練を修了した場合に、その者に給付金を支給することができるものとすること。（第三十一条第一号関係）

イ　母子家庭高等職業訓練促進給付金

都道府県等は、配偶者のない女子で現に児童を扶養しているものが、安定した職業に就くことを容易にするために必要な資格を取得することを目的として養成機関において修業する場合に、その生活を支援するためその者に給付金を支給することができるものとすること。（第三十一条第二号関係）

ウ　受給権の保護及び公課の禁止等

母子家庭自立支援教育訓練給付金及び母子家庭高等職業訓練促進給付金に係る受給権の保護及び公課の禁止等に関する規定を定めるものとすること。（第三十一条の二から第三十一条の四まで関係）

(4)　母子家庭生活向上事業の創設

都道府県及び市町村は、母子家庭の母及び児童の生活の向上を図るため、母子・父子福祉団体と密接な連携を図りつつ、次の業務を行うことができるものとすること。（第三十一条の五第一項関係）

ア　母子家庭の母及び児童に対し、家庭生活及び職業生活に関する相談に応じ、又は母子・父子福祉団体による支援その他の母子家庭の母及び児童に対する支援に係る情報の提供を行うこと。

イ　母子家庭の児童に対し、生活に関する相談に応じ、又は学習に関する支援を行うこと。

ウ　母子家庭の母及び児童に対し、母子家庭相互の交流の機会を提供することその他の必要な支援を行うこと。

5　父子家庭に対する福祉の措置

父子家庭に対する福祉の措置の章を創設し、父子福祉資金の貸付け、父子家庭日常生活支援事業、公営住宅の供給に関する特別の配慮、保育所への入所等に関する特別の配慮、雇用の促進、父子家庭就業支援事業、父子家庭自立支援給付金及び父子家庭生活向上事業を定めるものとすること。（第三十一条の六から第三十一条の十一まで関係）

6　寡婦に対する福祉の措置

都道府県及び市町村は、寡婦に対して、寡婦生活向上事業を実施できるものとすること。（第三十五条の二関係）

7　守秘義務の創設等

都道府県が母子家庭就業支援事業その他の事業を委託できることを明示するとともに、母子家庭就業支援事業その他の事業の委託に係る事務に従事する者等の守秘義務及び秘密を漏らした場合の罰則を定めるものとすること。（第十七条第二項、第三十条第三項及び第四項、第三十一条の五第二項及び第三項、第三十一条の七第一項及び第二項、第三十一条の九第三項及び第四項、第三十一条の十一第二項及び第三項、第三十三条第二項、第三十五条第三項及び第四項、第三十五条の二第二項及び第三項並びに第四十八条関係）

8　その他所要の規定の整備を行うこと。

第四　児童扶養手当法の一部改正関係

次代の社会を担う子どもの健全な育成を図るための次世代育成支援対策推進法等の一部を改正する法律について

1 支給要件及び支給制限の改正

児童扶養手当を支給しないとする要件から父又は母の死亡について支給される公的年金給付を受けることができる場合等を削るとともに、この場合における支給について定めるものとすること。（第四条第二項及び第三項並びに第十三条の二関係）

2 相談及び情報提供等の改正

都道府県知事等が、受給資格者（養育者を除く。）に対し、自立のために必要な支援として就業の支援に加え、生活の支援等を行うことができることを明示すること。（第二十八条の二第二項関係）

3 その他所要の規定の整備を行うこと。

第五 施行期日等

1 施行期日

この法律は、平成二十七年四月一日から施行すること。ただし、次に掲げる事項は、それぞれに定める日から施行すること。（附則第一条関係）

(1) 第二の2 公布の日

(2) 第三 平成二十六年十月一日

(3) 第四 平成二十六年十二月一日

2 検討

政府は、この法律の施行後五年を目途として、この法律による改正後のそれぞれの法律の規定について、その施行の状況等を勘案しつつ検討を加え、必要があると認めるときは、その結果に基づいて必要な措置を講ずるものとすること。（附則第二条関係）

3 経過措置

(1) 母子及び寡婦福祉法の一部改正に伴う経過措置（附則第三条関係）

ア 父子家庭への支援を拡大したことに伴い、名称変更等を行った母子・父子自立支援員、母子家庭等日常生活支援事業について、施行後も円滑に業務を継続できるよう、必要な経過措置を設けるものとすること。

イ 配偶者のない女子で現に児童を扶養しているものが同時に二〇歳以上の子を扶養している場合における当該二〇歳以上の子についての貸付金については、現行では、寡婦福祉資金を貸し付けることになっているが、改正後の母子及び寡婦福祉法においては、母子福祉資金を貸し付けることとすることから、改正前に寡婦福祉資金の貸付けを受けた場合の取扱いについて明確化するため、なお従前の例によることとする規定を設けるものとすること。

(2) 児童扶養手当法の一部改正に伴う経過措置（附則第四条関係）

ア 平成二十六年十二月一日において支給要件に該当することを条件として、平成二十六年十二月一日以前から認定の請求の手続をとることができるものとすること。

イ 改正により新たに手当を受給することとなる者の手当の認定の請求に関し次の経過措置を設けるものとすること。

(ア) 請求の事前手続をとった者及び平成二十六年十二月一日から平成二十七年三月三十一日までの間に請求の手続をとった者が、平成二十六年十二月一日に支給要件に該当しているときは、十二月分から支給。

(イ) 平成二十六年十二月一日から平成二十七年三月三十一日までの間に支給要件に該当するに至った者が、平成二十七年三月三十一日までに請求の手続をとったときは、支給要件に該当するに至った月の翌月分から支給。

4 その他

その他関係法律について所要の規定の整備を行うものとすること。(附則第五条から第十九条まで関係)

○次代の社会を担う子どもの健全な育成を図るための次世代育成支援対策推進法等の一部を改正する法律の一部の施行に伴う関係政令の整備に関する政令等の施行について

〔平成二十六年九月三十日　雇児発〇九三〇第一九号
各都道府県知事・各指定都市市長・各中核市市長宛
厚生労働省雇用均等・児童家庭局長通知〕

「次代の社会を担う子どもの健全な育成を図るための次世代育成支援対策推進法等の一部を改正する法律」（平成二十六年法律第二十八号）が、平成二十六年四月二十三日に公布されたところである。

その一部の施行に伴い、「次代の社会を担う子どもの健全な育成を図るための次世代育成支援対策推進法等の一部を改正する法律の一部の施行に伴う関係政令の整備に関する政令」（平成二十六年政令第三百十三号）が同年九月二十五日に公布され、「次代の社会を担う子どもの健全な育成を図るための次世代育成支援対策推進法等の一部を改正する法律の一部の施行に伴う厚生労働省関係省令の整備等に関する省令」（平成二十六年厚生労働省令第百十五号）等が同月三十日に公布され、これらはいずれも同年十月一日（児童扶養手当法の一部改正関係は同年十二月一日）から施行されるところである。これらの改正の内容は左記の通りであるので、御了知の上、所要の事務処理に遺憾なきを期されるとともに、管内市町村に対する周知を図られたく通知する。

なお、この通知は、地方自治法（昭和二十二年法律第六十七号）第二百四十五条の四第一項の規定に基づく技術的な助言である。

記

第一　次代の社会を担う子どもの健全な育成を図るための次世代育成支援対策推進法等の一部を改正する法律の一部の施行に伴う関係政令の整備に関する政令関係

1　母子及び寡婦福祉法施行令の一部改正【第一条関係】

(1)　題名

題名を母子及び父子並びに寡婦福祉法施行令とすること。

(題名関係)

(2)　定義等

法第六条第二項第六号に規定する政令で定める男子を、次に掲げる男子とすること。（第一条の二関係）

①　配偶者が法令により長期にわたって拘禁されているためその扶養を受けることができない男子

②　婚姻によらないで父となった男子であって、現に婚姻をしていないもの

(3)　母子家庭に対する福祉の措置

①　母子福祉資金

ア　母子及び父子並びに寡婦福祉法（昭和三十九年法律第百二十九号。以下「法」という。）第十三条第一項におい

て、母子福祉資金の貸付け対象である配偶者のない女子が現に扶養している児童に、「配偶者のない女子で現に児童を扶養しているものが同時に民法第八百七十七条の規定により二〇歳以上である子その他これに準ずる者を扶養している場合におけるその二〇歳以上である子その他これに準ずる者」を含むとされたことから、政令においても当該者が対象となるよう、「配偶者のない女子の二〇歳以上である子等」を定義すること。（第三条第九号関係）

イ　母子福祉資金貸付金の種別について、その名称に「母子」を冠すること。（第七条関係）

ウ　母子福祉資金のうち、母子・父子福祉団体に対する母子事業開始資金又は母子事業継続資金の貸付けについては、当該母子・父子福祉団体の厚生労働省令で定める役員の全員が連帯債務を負担する借主として加わらなければならないとすること。（第九条第四項関係）

②　母子家庭自立支援給付金

ア　共通事項

i　母子家庭自立支援給付金の種類は法第三十一条で規定することとしたため、給付金の種類を削除すること。（改正前の第二十七条関係）

ii　常用雇用転換奨励給付金に関する規定を削除すること。（改正前の第二十八条関係）

イ　母子家庭自立支援教育訓練給付金

給付金の対象となる教育訓練が、法第三十一条第一号の改正により省令で定められることとなったため、対象となる教育訓練の要件を削除すること。（第二十九条第一項関係）

ウ　母子家庭高等職業訓練促進給付金

給付金の対象となる資格が、法第三十一条第二号の改正により省令で定められることとなったため、対象となる資格の要件を削除すること。（第三十条第一項関係）

エ　母子家庭高等職業訓練修了支援給付金

法第三十一条第三号に規定する政令で定める給付金は、母子家庭高等職業訓練修了支援給付金とすること。

(4)　父子家庭に対する福祉の措置

①　父子福祉資金

法第三十一条の六第一項第四号に規定する政令で定める資金や貸付金額の限度等を母子福祉資金と同様に規定するとともに、母子福祉資金に関する必要な規定を父子福祉資金の貸付について準用すること。（第三十一条から第三十一条の七まで関係）

②　父子家庭日常生活支援事業

法第三十一条の七第一項の措置は、当該配偶者のない男子で現に児童を扶養しているものの現に日常生活に支障が生じている状況に応じて適切な同項に規定する便宜を供与し、又は当該便宜を供与することを委託して行うものとすること。

（第三十一条の八関係）

③ 父子家庭自立支援給付金

ア 法第三十一条の十において準用する法第三十一条第三号に規定する政令で定める給付金は、父子家庭高等職業訓練修了支援給付金とすること。（第三十一条の九関係）

イ 母子家庭自立支援給付金に関する必要な規定を父子家庭自立支援給付金について準用すること。（第三十一条の九第二項関係）

(5) 四〇歳以上の配偶者のない女子に対する福祉資金の貸付け

法附則第六条第一項第四号に規定する政令で定める資金を、寡婦福祉資金と同様に規定すること。（附則第四条関係）

(6) その他所要の規定の整備を行うこと。

2 児童扶養手当法施行令の一部改正【第二条関係】

(1) 児童扶養手当の支給を制限する場合の所得は、前年の所得のうち、道府県民税に関する法令の規定による非課税所得以外の所得であるが、当該所得から、母子家庭高等職業訓練修了支援給付金及び父子家庭高等職業訓練修了支援給付金を除くこと。（第三条関係）

(2) その他所要の規定の整備を行うこと。

3 児童扶養手当法施行令の一部改正【第三条関係】

(1) 法第十三条の二第一項第四号に規定する遺族補償等について

① 法第十三条の二第一項第四号に規定する政令で定める法令は、次のとおりとすること。

ア 国会職員法（昭和二十二年法律第八十五号）

イ 船員法（昭和二十二年法律第百号）

ウ 災害救助法（昭和二十二年法律第百十八号）

エ 労働基準法等の施行に伴う政府職員に係る給与の応急措置に関する法律（昭和二十二年法律第百六十七号）

オ 警察官の職務に協力援助した者の災害給付に関する法律（昭和二十七年法律第二百四十五号）

カ 海上保安官に協力援助した者等の災害給付に関する法律（昭和二十八年法律第三十三号）

キ 証人等の被害についての給付に関する法律（昭和三十三年法律第百九号）

(2) 児童が公的年金給付等を受給できる場合の手当の支給の制限

① 法第十三条の二第一項の規定による母又は養育者（以下①において「母等」という。）に対する手当の支給の制限は、月を単位として、次のア及びイに掲げる受給資格者（法第六条第一項に規定する受給資格者をいう。(3)の①において同じ。）の区分に応じ、公的年金給付等合算額（法第十三条の二第一項第一号に規定する公的年金給付の額、同項第二号に規定する公的年金給付（同号に規定する加算に係る部分に限る。）の額及び同項第四号に規定する遺族補償等の額を合算して得た額をいう。以下①において同じ。）が当該各号に定める額未満であるときは手当のうち公的年金給付等合算額に相当する部分について、公的年金給付等合算額がアに定める

額以上であるときは手当のうちアに定める額について、公的年金給付等合算額がイに定める額以上であるときは手当の全部について、行うものとすること。

ア　法第九条第一項の規定の適用により手当の一部を支給しないこととされる母等（法第十条又は第十一条の規定の適用を受ける母等を除く。）　手当（法第九条第一項の規定の適用によりその一部を支給しないこととされる部分を除く。）の額

イ　法第九条第一項又は第九条の二から第十一条までの規定の適用を受ける母等以外の母等　手当の額

②　①に規定する公的年金給付等合算額は、次の各号の規定によって計算すること。

ア　法第十三条の二第一項第一号に規定する公的年金給付の額に加算が行われるときは、その加算された後の額による。

イ　次のｉからｘまでに掲げる規定によりその支給が停止された当該ｉからｘまでに定める給付については、厚生労働省令で定める方法によって計算した額について、その支給が停止されていないものとみなす。

ｉ　船員保険法（昭和十四年法律第七十三号）附則第五条第四項　同項に規定する障害年金

ii　船員保険法附則第五条第四項　同項に規定する遺族年金

iii　労働者災害補償保険法（昭和二十二年法律第五十号）附則第五十九条第三項　同項に規定する障害補償年金

iv　労働者災害補償保険法附則第六十条第三項　同項に規定する遺族補償年金

v　国家公務員災害補償法（昭和二十六年法律第百九十一号）附則第十項　同項に規定する障害補償年金

vi　国家公務員災害補償法附則第十四項　同項に規定する遺族補償年金

vii　地方公務員災害補償法（昭和四十二年法律第百二十一号）附則第五条の三第三項　同項に規定する障害補償年金

viii　地方公務員災害補償法附則第六条第三項　同項に規定する遺族補償年金

ix　公立学校の学校医、学校歯科医及び学校薬剤師の公務災害補償の基準を定める政令（昭和三十二年政令第二百八十三号）附則第一条の三第五項　同項に規定する障害補償年金

x　公立学校の学校医、学校歯科医及び学校薬剤師の公務災害補償の基準を定める政令附則第二条第四項において準用する同令附則第一条の三第五項　同項に規定する遺族補償年金

ウ　法第十三条の二第一項第一号に規定する公的年金給付の額又は同項第二号に規定する公的年金給付（同号に規定す

る加算に係る部分に限る。）の額が年を単位として定められているときは、これらの給付の額を一二で除して得た額（その額に一円未満の端数があるときは、これを切り捨てて得た額）による。

エ　二人以上の者が共同して法第十三条の二第一項第一号に規定する公的年金給付又は同項第四号に規定する遺族補償等を受けることができるときは、これらの給付の額を受給権者の数で除して得た額（その額に一円未満の端数があるときは、これを切り捨てて得た額）による。

オ　法第十三条の二第一項第一号若しくは第二号に規定する公的年金給付又は同項第四号に規定する遺族補償等の全額につき支給が停止されている場合におけるこれらの給付の額は、それぞれ零とする。

カ　法第十三条の二第一項第四号に規定する遺族補償等については、当該遺族補償等の額を七二で除して得た額（その額に一円未満の端数があるときは、これを切り捨てて得た額）による。

キ　法第四条に定める要件に該当する児童（以下キにおいて「支給要件該当児童」という。）が複数ある場合における公的年金給付等合算額は、アからカの規定によるほか、次のiからiiiまでの規定によって計算する。

i　公的年金給付等合算額は、全ての支給要件該当児童の児童別公的年金給付等合算額を合算して計算する。

ii　iに規定する児童別公的年金給付等合算額は、支給要件該当児童ごとの法第十三条の二第一項第一号に規定する公的年金給付の額、同項第二号に規定する公的年金給付（同号に規定する加算に係る部分に限る。）の額及び同項第四号に規定する遺族補償等の額を合算して計算する。

iii　次の(1)又は(2)に掲げる支給要件該当児童の児童別公的年金給付等合算額については、iiの規定にかかわらず、次のいずれかに定める額を上限とする。

(1)　第一順位児童（支給要件該当児童のうちiiの規定によって計算した児童別公的年金給付等合算額が最も低い額である者（二人以上ある場合にあっては、そのうちの一人）をいう。(2)において同じ。）以外の支給要件該当児童のうちiiの規定によって計算した児童別公的年金給付等合算額が最も低い額である者（二人以上ある場合にあっては、そのうちの一人。(2)において「第二順位児童」という。）　五〇〇〇円

(2)　第一順位児童及び第二順位児童以外の支給要件該当児童　三〇〇〇円

ク　アからキの規定によって計算した額に、五円未満の端数があるときはこれを切り捨てるものとし、五円以上一〇円未満の端数があるときはこれを一〇円に切り上げるものとする。

③　法第十三条の二第一項の規定による父に対する支給の制限については、①及び②の規定を準用する。この場合において、①中「同項第二号」とあるのは「同項第三号」と、①のア中「母等」とあるのは「父」と、「第十条又は第十一条」とあるのは「第十条」と、①のイ中「第九条の二から第十一条まで」とあるのは「第十条」と、「母等」とあるのは「父」と、②のウ中「同項第二号」とあるのは「同項第三号」と、②のオ中「第二号」とあるのは「第三号」と、②のキのii中「同項第二号」とあるのは「同項第三号」と読み替えるものとする。

(3)　受給資格者が公的年金給付等を受給できる場合の手当の支給の制限

①　法第十三条の二第二項の規定による手当の支給の制限は、月を単位として、次のア及びイに掲げる受給資格者の区分に応じ、公的年金給付等合算額（同項第一号に規定する公的年金給付の額及び同項第二号に規定する遺族補償等の額を合算して得た額をいう。以下①において同じ。）がア及びイに定める額未満であるときは手当のうち公的年金給付等合算額に相当する部分について、公的年金給付等合算額がアに定める額以上であるときは手当のうちアに定める額について、公的年金給付等合算額がイに定める額以上であるときは手当の全部について、行うものとする。

ア　法第九条第一項又は第十三条の二第一項の規定により手当の一部を支給しないこととされる受給資格者（法第九条第一項、第九条の二から第十一条まで又は第十三条の二第一項の規定の適用により手当の全部を支給しないこととされる受給資格者を除く。）　手当（法第九条第一項又は第十三条の二第一項の規定の適用によりその一部を支給しないこととされる部分を除く。）の額

イ　法第九条第一項、第九条の二から第十一条まで又は第十三条の二第一項の規定の適用により手当の全部を支給しないこととされる受給資格者及びアに掲げる受給資格者以外の受給資格者　手当の額

②　①に規定する公的年金給付等合算額は、次のアからキの規定によって計算すること。

ア　法第十三条の二第二項第一号に規定する公的年金給付の額に加算が行われるときは、その加算された後の額による。

イ　次のiからxまでに掲げる規定によりその支給が停止された当該iからxまでに定める給付については、厚生労働省令で定める方法によって計算した額について、その支給が停止されていないものとみなす。

i　船員保険法附則第五条第四項　同項に規定する障害年金

ii　船員保険法附則第五条第四項　同項に規定する遺族年金

ⅲ　労働者災害補償保険法附則第五十九条第三項　同項に規定する障害補償年金

ⅳ　労働者災害補償保険法附則第六十条第三項　同項に規定する遺族補償年金

ⅴ　国家公務員災害補償法附則第十項　同項に規定する障害補償年金

ⅵ　国家公務員災害補償法附則第十四項　同項に規定する遺族補償年金

ⅶ　地方公務員災害補償法附則第五条の三第三項　同項に規定する障害補償年金

ⅷ　地方公務員災害補償法附則第六条第三項　同項に規定する遺族補償年金

ⅸ　公立学校の学校医、学校歯科医及び学校薬剤師の公務災害補償の基準を定める政令附則第一条の三第五項　同項に規定する障害補償年金

ⅹ　公立学校の学校医、学校歯科医及び学校薬剤師の公務災害補償の基準を定める政令附則第二条第四項において準用する同令附則第一条の三第五項　同項に規定する遺族補償年金

ウ　法第十三条の二第二項第一号に規定する公的年金給付の額が年を単位として定められているときは、当該公的年金給付の額を一二で除して得た額（その額に一円未満の端数があるときは、これを切り捨てて得た額）による。

エ　二人以上の者が共同して法第十三条の二第二項第一号に規定する公的年金給付又は同項第二号に規定する遺族補償等を受けることができるときは、これらの給付の額を受給権者の数で除して得た額（その額に一円未満の端数があるときは、これを切り捨てて得た額）による。

オ　法第十三条の二第二項第一号に規定する公的年金給付又は同項第二号に規定する遺族補償等の全額につき支給が停止されている場合におけるこれらの給付の額は、それぞれ零とする。

カ　法第十三条の二第二項第二号に規定する遺族補償等については、当該遺族補償等の額を七二で除して得た額（その額に一円未満の端数があるときは、これを切り捨てて得た額）による。

キ　アからカの規定によって計算した額に、五円未満の端数があるときはこれを切り捨てるものとし、五円以上一〇円未満の端数があるときはこれを一〇円に切り上げるものとする。

(4)　その他所要の規定の整備を行うこと。

4　施行期日等

(1)　施行期日

この政令は、平成二十六年十月一日から施行すること。ただし、3及び3により改正が必要となる政令については、同年十二月一日から施行すること。（附則第一項関係）

(2) 児童扶養手当法施行令第三条第一項及び第四条第一項に関する経過措置

① 平成二十七年七月以前の月分の児童扶養手当

第三条第一項中「母子及び父子並びに寡婦福祉法施行令（昭和三十九年政令第二百二十四号）第二十九条第一項に規定する母子家庭高等職業訓練修了支援給付金及び同令第三十一条の九第一項に規定する父子家庭高等職業訓練修了支援給付金」とあるのは「次代の社会を担う子どもの健全な育成を図るための次世代育成支援対策推進法等の一部を改正する法律（平成二十六年法律第二十八号）第二条の規定による改正前の母子及び寡婦福祉法（昭和三十九年法律第百二十九号）第三十一条に規定する母子家庭自立支援給付金」と、「母子家庭高等職業訓練修了支援給付金等」とあるのは「母子家庭自立支援給付金」と、新令第四条第一項中「母子家庭高等職業訓練修了支援給付金等」とあるのは「母子家庭自立支援給付金」とすること。

② 平成二十七年八月から平成二十八年七月までの月分の児童扶養手当

第三条第一項中「母子及び父子並びに寡婦福祉法施行令」とあるのは「次代の社会を担う子どもの健全な育成を図るための次世代育成支援対策推進法等の一部を改正する法律（平成二十六年法律第二十八号）第二条の規定による改正前の母子及び寡婦福祉法（昭和三十九年法律第百二十九号）第三十一条に規定する母子家庭自立支援給付金並びに母子及び父子並びに寡婦福祉法施行令」と、「母子家庭高等職業訓練修了支援給付金等」とあるのは「母子家庭自立支援給付金等」と、第四条第一項中「母子家庭高等職業訓練修了支援給付金等」とあるのは「母子家庭自立支援給付金等」とすること。

5 その他

その他関係政令について所要の規定の整備を行うものとすること。（第四条から第二十条まで関係）

第二 次代の社会を担う子どもの健全な育成を図るための次世代育成支援対策推進法等の一部を改正する法律の施行に伴う厚生労働省関係省令の整備等に関する省令関係

1 母子及び寡婦福祉法施行規則の一部改正【第一条関係】

(1) 題名

題名を母子及び父子並びに寡婦福祉法施行規則とすること。（題名関係）

(2) 総則

① 法第六条第六項第二号に規定する厚生労働省令で定める法人及び役員を規定すること。（第一条関係）

② 法第十二条第五項に規定する厚生労働省令で定める方法は、同条第一項に規定する自立促進計画の素案及び当該素案に対する意見の提出方法、提出期限、提出先その他意見の提出に必要な事項を、インターネットの利用、印刷物の配布その他適切な手段により住民に周知する方法とすること。（第

一条の二関係）

③ 母子及び父子並びに寡婦福祉法施行令（昭和三十九年政令第二百二十四号。以下「令」という。）第九条第四項に規定する厚生労働省令で定める役員は、社会福祉法人にあってはその理事とし、①に掲げる法人にあってはその区分に応じ、①に掲げる役員とすること。（第一条の三関係）

(3) 母子家庭に対する福祉の措置

① 保育所への入所等に関する特別の配慮

法第二十八条第二項に規定する厚生労働省令で定める事業は、次のとおりとすること。（第六条の二関係）

ア 児童福祉法（昭和二十二年法律第百六十四号）第六条の三第二項に規定する放課後児童健全育成事業

イ 児童福祉法第六条の三第三項に規定する子育て短期支援事業

ウ 児童福祉法第六条の三第七項に規定する一時預かり事業

② 母子家庭就業支援事業

法第三十条第三項に規定する厚生労働省令で定める者は、都道府県知事が同条第二項各号に掲げる業務を適切に行うことができると認めた者とする。（第六条の三関係）

③ 母子家庭自立支援給付金

ア 共通事項

常用雇用転換奨励給付金の支給に関する規定を削除すること。（改正前の第六条の四関係）

イ 母子家庭自立支援教育訓練給付金

法第三十一条第一号に規定する厚生労働省令で定める教育訓練は、配偶者のない女子で現に児童を扶養しているものの雇用の安定及び就職の促進を図るために必要な職業に関する訓練として都道府県知事、市長（特別区の区長を含む。）又は福祉事務所を管理する町村長（以下ウにおいて「都道府県知事等」という。）が指定するものとすること。（第六条の五関係）

ウ 母子家庭高等職業訓練促進給付金

法第三十一条第二号に規定する厚生労働省令で定める資格は、配偶者のない女子で現に児童を扶養しているものの就職を容易にするために必要な資格として都道府県知事等が定めるものとすること。（第六条の九の二関係）

④ 母子家庭生活向上事業

法第三十一条の五第二項に規定する厚生労働省令で定める者は、都道府県知事又は市町村長が同条第一項各号に掲げる業務を適切に行うことができると認めた者とすること。（第六条の十七の二関係）

(4) 父子家庭に対する福祉の措置

① 父子福祉資金

母子福祉資金の貸付業務の報告に関する第一条の四の規定を父子福祉資金の貸付業務について準用すること。（第六条の十七の三関係）

② 父子家庭日常生活支援事業

母子家庭日常生活支援事業に関する第一条の五から第六条までの規定を父子家庭日常生活支援事業について準用すること。（第六条の十七の四関係）

③ 公営住宅の共有に関する特別の配慮等

第六条の二の規定は、法第三十一条の八において準用する法第二十八条第二項に規定する厚生労働省令で定める事業について準用すること。（第六条の十七の五関係）

④ 父子家庭就業支援事業等

第六条の三の規定は、法第三十一条の九第三項に規定する厚生労働省令で定める者について準用すること。（第六条の十七の六関係）

⑤ 父子家庭自立支援給付金

ア 第六条の五から第六条の十七までの規定は、父子家庭自立支援給付金について準用すること。（第六条の十七の七関係）

⑥ 父子家庭生活向上事業

第六条の十七の二の規定は、法第三十一条の十一第二項に規定する厚生労働省令で定める者について準用すること。

⑸ 寡婦に対する福祉の措置

① 寡婦福祉資金

母子福祉資金の貸付業務の報告に関する第一条の四の規定を寡婦福祉資金の貸付業務について準用すること。（第六条の十九関係）

② 寡婦日常生活支援事業

第一条の五から第六条までの規定は、寡婦日常生活支援事業について準用すること。（第七条関係）

③ 寡婦就業支援事業等

第六条の三の規定は、法第三十五条第三項に規定する厚生労働省令で定める者について準用すること。（第八条関係）

④ 寡婦生活向上事業

第六条の十七の二の規定は、法第三十五条の二第二項に規定する厚生労働省令で定める者について準用すること。（第九条関係）

⑸ その他所要の規定の整備を行うこと。

2 児童扶養手当法施行規則の一部改正【第三条関係】

⑴ 認定の請求

① 対象児童が法第十三条の二第一項各号（受給資格者が母又は養育者であるときは第三号を除き、受給資格者が父であるときは第二号を除く。）のいずれかに該当するときは、アからエの証明書を児童扶養手当認定請求書に添えて提出すること。（第一条第九号関係）

ア 当該対象児童が法第十三条の二第一項第一号に規定する公的年金給付を受けることができる場合には、当該公的年金給付の額についての当該公的年金給付の支給を行う者の証明書

イ　当該対象児童が法第十三条の二第一項第二号に規定する公的年金給付の額の加算の対象となつている場合には、当該加算の額についての当該公的年金給付の支給を行う者の証明書

ウ　当該対象児童が法第十三条の二第一項第三号に規定する公的年金給付の額の加算の対象となつている場合には、当該加算の額についての当該公的年金給付の支給を行う者の証明書

エ　当該対象児童が法第十三条の二第一項第四号に規定する遺族補償等を受けることができる場合には、当該遺族補償等の額についての当該遺族補償等の給付を行う者の証明書

②　受給資格者が法第十三条の二第二項各号のいずれかに該当するときは、ア又はイの証明書を児童扶養手当認定請求書に添えて提出すること。（第一条第十号関係）

ア　当該受給資格者が法第十三条の二第二項第一号に規定する公的年金給付を受けることができる場合には、当該公的年金給付の額についての当該公的年金給付の支給を行う者の証明書

イ　当該受給資格者が法第十三条の二第二項第二号に規定する遺族補償等を受けることができる場合には、当該遺族補償等の額についての当該遺族補償等の給付を行う者の証明書

(2)　支給停止関係

①　受給者は、法第十三条の二の規定により手当の全部又は一部の支給を受けないこととなる事由が生じたときは、一四日以内に、公的年金給付等受給状況届（様式第五号の三）を手当の支給機関に提出しなければならないこと。この場合においては、(1)の①又は②に掲げる証明書を添えなければならない。また、受給者は、法第十三条の二の規定により手当の一部を受けないこととなっている事由が消滅したとき又は当該事由の内容に変更が生じたときは、一四日以内に、公的年金給付等受給状況届を手当の支給機関に提出しなければならない。この場合においては、第一条第九号又は第十号に掲げる証明書を添えなければならないこと。（第三条の三関係）

②　令第六条の三第二項第二号及び第六条の四第二項第二号の厚生労働省令で定める額は、次の表の上欄に掲げる規定によりその支給を停止された同表の中欄に掲げる給付について、当該給付の全額とする。ただし、同表の下欄に掲げる一時金が支給されたときは、その支給された月後最初の同表の中欄に掲げる給付の支払期月から一年を経過した月以後については、同表の中欄に掲げる給付の額を、百分の五にその経過した年数（当該年数に一年未満の端数を生じたときは、これを切り捨てた年数）を乗じて得た数に一を加えた数で除して得た額とすること。（第二十四条の四関係）

船員保険法（昭和十四年法律第七十三号）附則第五条第四項	同項に規定する障害年金	同項に規定する障害前払一時金

船員保険法附則第五条第四項	同項に規定する遺族年金	同項に規定する遺族前払一時金
労働者災害補償保険法（昭和二十二年法律第五十号）附則第五十九条第三項	同項に規定する障害補償年金	同項に規定する障害補償年金前払一時金
労働者災害補償保険法附則第六十条第三項	同項に規定する遺族補償年金	同項に規定する遺族補償年金前払一時金
国家公務員災害補償法（昭和二十六年法律第百九十一号）附則第十項	同項に規定する障害補償年金	同項に規定する障害補償年金前払一時金
国家公務員災害補償法附則第十四項	同項に規定する遺族補償年金	同項に規定する遺族補償年金前払一時金
地方公務員災害補償法（昭和四十二年法律第百二十一号）附則第五条の三第三項	同項に規定する障害補償年金	同項に規定する障害補償年金前払一時金
地方公務員災害補償法附則第六条第三項	同項に規定する遺族補償年金	同項に規定する遺族補償年金前払一時金
公立学校の学校医、学校歯科医及び学校薬剤師の公務災害補償の基準を定める政令（昭和三十二年政令第二百八十三号）附則第一条の三第五項	同項に規定する障害補償年金	同項に規定する障害補償年金前払一時金
公立学校の学校医、学校歯科医及び学校薬剤師の公務災害補償の基準を定める政令附則第二条第四項において準用する同令附則第一条の三第五項	同項に規定する遺族補償年金	同項に規定する遺族補償年金前払一時金

(3) その他様式を改正するなどの所要の規定の整備を行うこと。

3 施行期日

この省令は、平成二十六年十月一日から施行すること。ただし、次に掲げる事項は、それぞれに定める日から施行すること。（附則第一項関係）

(1) 2 平成二十六年十二月一日

(2) 第四条中児童福祉施設の設備及び運営に関する基準第三十二条第五号の改正規定 子ども・子育て支援法（平成二十四年法律第六十五号）の施行の日

4 経過措置

この省令の施行の際現にあるこの省令による改正前の様式による用紙については、当分の間、これを取り繕って使用することができること。（附則第二項関係）

5 その他

その他関係省令について所要の規定の整備を行うものとすること。（第二条及び第四条から第十二条まで関係）

第三 次代の社会を担う子どもの健全な育成を図るための次世代育成支援対策推進法等の一部を改正する法律の施行に伴う厚生労働省関係告示の整備に関する告示（平成二十六年厚生労働省告示第

三百八十一号）

１　関係告示について所要の規定の整備を行うものとすること。

（第一から第一〇まで関係）

２　平成二十六年十月一日から適用すること。

第四　母子及び父子並びに寡婦福祉法施行令第三十一条第九号の規定に基づき厚生労働大臣が定める施設（平成二十六年厚生労働省告示第三百八十二号）

１　学校教育法（昭和二十二年法律第二十六号）第百三十四条第一項に定める各種学校であるもの又は同法以外の法律若しくは政令の規定に基づき特別の教育を行うものとすること。

２　平成二十六年十月一日から適用すること。

第五　母子及び父子並びに寡婦福祉法施行令第三十二条第八号の規定に基づき厚生労働大臣が定める施設（平成二十六年厚生労働省告示第三百八十三号）

１　学校教育法（昭和二十二年法律第二十六号）第百三十四条第一項に定める各種学校であるもの又は同法以外の法律若しくは政令の規定に基づき特別の教育を行うものとすること。

２　平成二十六年十月一日から適用すること。

第六　運用に関する留意事項

１　母子家庭自立支援給付金及び父子家庭自立支援給付金の運用に関する留意事項

⑴　母子家庭の母に関する次代の社会を担う子どもの健全な育成を図るための次世代育成支援対策推進法等の一部を改正する法律による改正前の母子及び寡婦福祉法（以下「旧法」という。）第三十一条の規定に基づく自立支援教育訓練給付金、高等職業訓練促進給付金及び高等職業訓練修了支援給付金に係る運用上の留意事項は以下のとおりであるので参考とされたい。

①　旧法の規定に基づく自立支援教育訓練給付金

ｉ　法第三十一条の四（公課の禁止）の規定が適用されるのは、平成二十六年十月一日以降に受講が修了した者に係るものであること。

ⅱ　旧法の規定に基づく自立支援教育訓練給付金の支給に係る講座指定の申請、承認、通知を平成二十六年九月三十日までに受けた者が、平成二十六年十月一日以降に母子家庭自立支援教育訓練給付金の支給を申請してきた場合には、母子家庭自立支援教育訓練給付金の支給に係る講座指定の申請、承認、通知が行われているものとして取り扱って差し支えないこと。

②　旧法の規定に基づく高等職業訓練促進給付金

ｉ　法第三十一条の四（公課の禁止）の規定が適用されるのは、平成二十六年十月分以降の支給に係る母子家庭高等職業訓練促進給付金であること。

ⅱ　旧法の規定に基づく高等職業訓練促進給付金の支給を受けている者については、平成二十六年十月分以降の支給に関し、改めて母子家庭高等職業訓練促進給付金の支給に係る手続きを行う必要はないこととして差し支えないこと。

③ 旧法の規定に基づく高等職業訓練修了支援給付金

i 旧法の規定に基づく高等職業訓練促進給付金の支給を受けた者が、平成二十六年十月一日以降に母子家庭高等職業訓練修了支援給付金の支給を申請してきた場合には、母子家庭高等職業訓練促進給付金の支給を受けていた者とみなすこととして差し支えないこと。

(2) 父子家庭の父に関する「母子家庭等自立支援給付金事業の実施について（平成二十五年五月十六日雇児発第〇五一六号。以下「平成二十五年通知」という。）」に基づく自立支援教育訓練給付金、高等職業訓練促進給付金及び高等職業訓練修了支援給付金に係る取扱いは以下のとおりとなるので留意されたい。

① 平成二十五年通知に基づく自立支援教育訓練給付金

i 法第三十一条の四（公課の禁止）の規定が適用されるのは、平成二十六年十月一日以降に受講が修了した者に係るものであること。

ii 平成二十五年通知に基づく自立支援教育訓練給付金の支給に係る講座指定の申請、承認、通知を九月三十日までに受けた者が、平成二十六年十月一日以降に父子家庭自立支援教育訓練給付金の支給を申請してきた場合には、父子家庭自立支援教育訓練給付金の支給に係る講座指定の申請、承認、通知が行われているものとして取り扱って差し支えないこと。

② 平成二十五年通知に基づく高等職業訓練促進給付金

i 法第三十一条の四（公課の禁止）の規定が適用されるのは、平成二十六年十月分以降の支給に係る父子家庭高等職業訓練給付金であること。

ii 平成二十五年通知に基づく高等職業訓練促進給付金の支給を受けている者については、平成二十六年十月分以降の支給に関し、改めて父子家庭高等職業訓練促進給付金の支給に係る手続きを行う必要はないこととして差し支えないこと。

③ 平成二十五年通知に基づく高等職業訓練修了支援給付金

i 平成二十五年通知に基づく高等職業訓練促進給付金の支給を受けた者が、平成二十六年十月一日以降に父子家庭高等職業訓練修了支援給付金の支給を申請してきた場合には、父子家庭高等職業訓練促進給付金の支給を受けた者とみなすこととして差し支えないこと。

2 福祉資金貸付金の運用に関する留意事項

母子福祉資金、父子福祉資金及び寡婦福祉資金の貸付について、運用上の留意事項を別紙のとおりとりまとめたので参考とされたい。

〔別　紙〕

母子福祉資金貸付金、父子福祉資金貸付金及び寡婦福祉資金貸付金の資金別貸付限度額等

種類	貸付限度額	据置期間	償還期限	貸付利子
母子事業開始資金 父子事業開始資金 寡婦事業開始資金	（個人）2,830,000円 （団体）4,260,000円 ※　複数の母子家庭の母等が共同して起業する場合の限度額は団体貸付の限度額を適用できる。	貸付の日から１年間	据置期間経過後７年以内	＜保証人有＞無利子 ＜保証人無＞据置期間経過後年1.5％
母子事業継続資金 父子事業継続資金 寡婦事業継続資金	（個人）1,420,000円 （団体）1,420,000円	貸付の日から６箇月間	据置期間経過後７年以内	＜保証人有＞無利子 ＜保証人無＞据置期間経過後年1.5％
母子修学資金 父子修学資金 寡婦修学資金	別表第１又は別表第２ ※　高等学校、高等専門学校又は専修学校に就学する児童が18歳に達した日以後の最初の３月31日が終了したことにより児童扶養手当等の給付を受けることができなくなった場合、上記金額に児童扶養手当の額を加算した額（母子修学資金及び父子修学資金）	当該資金の貸付により修学をした者が当該修学を終了して後６箇月を経過するまで	据置期間経過後20年以内 （専修学校に就学する児童等であって一般課程を履修するものに係る修学資金については、据置期間経過後５年以内）	無利子
母子技能習得資金 父子技能習得資金 寡婦技能習得資金	月額　68,000円 ※１　知識技能を習得する期間中５年を超えない範囲内 ※２　特別な事情がある場合は、一括816,000円（12月相当） ※３　自動車運転免許取得の場合は、460,000円	知識技能を習得する期間が満了して後１年を経過するまで	据置期間経過後20年以内	＜保証人有＞無利子 ＜保証人無＞据置期間経過後年1.5％

母子修業資金 父子修業資金 寡婦修業資金	月額　68,000円 ※１　知識技能を習得する期間中５年を超えない範囲内 ※２　自動車運転免許取得の場合は、460,000円 ※３　修業施設で知識技能習得中の児童が18歳に達した日以後の最初の３月31日が終了したことにより児童扶養手当等の給付を受けることができなくなった場合、上記金額に児童扶養手当の額を加算した額（母子修業資金及び父子修業資金）	知識技能を習得する期間が満了して後１年を経過するまで	据置期間経過後６年以内	無利子
母子就職支度資金 父子就職支度資金 寡婦就職支度資金	100,000円 ※　通勤のために自動車を購入することが必要と認められる場合は、320,000円	貸付の日から１年間	据置期間経過後６年以内	（親に係る貸付の場合） ＜保証人有＞無利子 ＜保証人無＞据置期間経過後年1.5％ （児童に係る貸付の場合） 無利子
母子医療介護資金 父子医療介護資金 寡婦医療介護資金	【医療】340,000円 ※　特に経済的に困難な事情にあると認められる場合は、480,000円 【介護】500,000円	医療又は介護を受ける期間が満了して後６箇月を経過するまで	据置期間経過後５年以内	＜保証人有＞無利子 ＜保証人無＞据置期間経過後年1.5％
母子生活資金 父子生活資金 寡婦生活資金	【知識技能を習得している期間】月額141,000円 ※　３箇月相当額の一括貸付を行うことができる。	知識技能を習得する期間が満了して後６箇月を経過するまで	据置期間経過後20年以内	
	【医療又は介護を受けている期間】月額103,000円	医療又は介護を受ける期間が満		

	※　3箇月相当額の一括貸付を行うことができる。	了して後6箇月を経過するまで	据置期間経過後5年以内	＜保証人有＞無利子 ＜保証人無＞据置期間経過後年1.5%
	【失業貸付期間】月額103,000円 ※　3箇月相当額の一括貸付を行うことができる。	失業貸付期間が満了して後6箇月を経過するまで		
	【生活安定貸付期間】（母子生活資金及び父子生活資金）月額103,000円（合計2,400,000円） ※1　3箇月相当額の一括貸付を行うことができる。 ※2　養育費取得のための裁判費用については、一括1,236,000円（12月相当）	生活安定貸付期間が満了して後6箇月を経過するまで	据置期間経過後8年以内	
母子住宅資金 父子住宅資金 寡婦住宅資金	1,500,000円 ※　災害等により住宅が全壊した場合等で特に必要と認められる場合や、老朽等による増改築（移転改築を含む。）を行う場合　2,000,000円	貸付の日から6箇月間	据置期間経過後6年以内 ※　災害等により住宅が全壊した場合等で特に必要と認められる場合や、老朽等による増改築（移転改築を含む。）を行う場合　据置期間経過後7年以内	＜保証人有＞無利子 ＜保証人無＞据置期間経過後年1.5%
母子転宅資金 父子転宅資金 寡婦転宅資金	260,000円	貸付の日から6箇月間	据置期間経過後3年以内	＜保証人有＞無利子 ＜保証人無＞据置期間経過後年1.5%
母子就学支度資金 父子就学支度資金 寡婦就学支度資金	小学校　40,600円 中学校　47,400円	当該資金の貸付けにより小学校又は中学校に入学した者が満15歳に達した日の属する学年を終了して後（その者が死亡したと		

		きは、その死亡して後）６箇月を経過するまで		
	【高等学校又は専修学校の高等課程若しくは一般課程】 自宅から通学する者　150,000円 自宅外から通学する者　160,000円	当該資金の貸付けにより高等学校、大学、高等専門学校又は専修学校に入学した者が当該高等学校、大学、高等専門学校又は専修学校における修学を終了して後（その者が死亡し、又は修学をすることをやめたときは、その死亡し、又はやめて後）６箇月を経過するまで	据置期間経過後20年以内（専修学校に入学する児童等であって一般課程を履修するもの及び修業施設に入所したものに係る就学支度資金については、据置期間経過後５年以内）	無利子
	【私立の高等学校又は専修学校の高等課程】 自宅から通学する者　410,000円 自宅外から通学する者　420,000円			
	【国公立の大学、短期大学、高等専門学校又は専修学校の専門課程】 自宅から通学する者　370,000円 自宅外から通学する者　380,000円			
	【私立の大学、短期大学、高等専門学校又は専修学校の専門課程】 自宅から通学する者　580,000円 自宅外から通学する者　590,000円			
	【修業施設】 自宅から通学する者　90,000円 自宅外から通学する者　100,000円	当該資金の貸付により修業施設に入所した者が当該修業施設における知識技能の習得を終了して後（その者が死亡し、又は知識技能の習得をやめたときはその死亡し、又はやめて後）６箇月を経過するまで		
母子結婚資金 父子結婚資金 寡婦結婚資金	300,000円	貸付の日から６箇月以内	据置期間経過後５年以内	＜保証人有＞無利子 ＜保証人無＞据置期間経過後年1.5％

別表第１

修学資金（一般分）貸付限度額（月額）一覧表

学年別／学校等種別			１　年	２　年	３　年	４　年	５　年
高等学校専修学校（高等課程）	国公立	自宅通学の時	18,000円	18,000円	18,000円		
		自宅外通学の時	23,000円	23,000円	23,000円		
	私　立	自宅通学の時	30,000円	30,000円	30,000円		
		自宅外通学の時	35,000円	35,000円	35,000円		
高等専門学校	国公立	自宅通学の時	21,000円	21,000円	21,000円	45,000円	45,000円
		自宅外通学の時	22,500円	22,500円	22,500円	51,000円	51,000円
	私　立	自宅通学の時	32,000円	32,000円	32,000円	53,000円	53,000円
		自宅外通学の時	35,000円	35,000円	35,000円	60,000円	60,000円
短期大学専修学校（専門課程）	国公立	自宅通学の時	45,000円	45,000円			
		自宅外通学の時	51,000円	51,000円			
	私　立	自宅通学の時	53,000円	53,000円			
		自宅外通学の時	60,000円	60,000円			
大　　学	国公立	自宅通学の時	45,000円	45,000円	45,000円	45,000円	
		自宅外通学の時	51,000円	51,000円	51,000円	51,000円	
	私　立	自宅通学の時	54,000円	54,000円	54,000円	54,000円	
		自宅外通学の時	64,000円	64,000円	64,000円	64,000円	
専修学校（一般課程）			31,000円	31,000円			

別表第２

修学資金（特別分）貸付限度額（月額）一覧表

学年別／学校等種別			１　年	２　年	３　年	４　年	５　年
高等学校専修学校（高等課程）	国公立	自宅通学の時	27,000円	27,000円	27,000円		
		自宅外通学の時	34,500円	34,500円	34,500円		
	私　立	自宅通学の時	45,000円	45,000円	45,000円		
		自宅外通学の時	52,500円	52,500円	52,500円		
高等専門学校	国公立	自宅通学の時	31,500円	31,500円	31,500円	67,500円	67,500円
		自宅外通学の時	33,750円	33,750円	33,750円	76,500円	76,500円
	私　立	自宅通学の時	48,000円	48,000円	48,000円	79,500円	79,500円
		自宅外通学の時	52,500円	52,500円	52,500円	90,000円	90,000円
短期大学専修学校（専門課程）	国公立	自宅通学の時	67,500円	67,500円			
		自宅外通学の時	76,500円	76,500円			
	私　立	自宅通学の時	79,500円	79,500円			
		自宅外通学の時	90,000円	90,000円			
大　　学	国公立	自宅通学の時	67,500円	67,500円	67,500円	67,500円	
		自宅外通学の時	76,500円	76,500円	76,500円	76,500円	
	私　立	自宅通学の時	81,000円	81,000円	81,000円	81,000円	
		自宅外通学の時	96,000円	96,000円	96,000円	96,000円	
専修学校（一般課程）			46,500円	46,500円			

○児童扶養手当法施行令等の一部を改正する政令の施行について（施行通知）

〔平成二十七年三月三十一日　雇児発〇三三一第二八号・障発〇三三一第一二号　各都道府県知事・各指定都市市長宛　厚生労働省雇用均等・児童家庭局長・社会・援護局障害保健福祉部長連名通知〕

児童扶養手当法施行令等の一部を改正する政令（平成二十七年政令第百三十七号。以下「改正政令」という。）が、本日公布され、平成二十七年四月一日から施行されることとなったところである。

改正政令の内容は左記のとおりであるので、御了知の上、事務処理に遺漏のないようにされるとともに、管内市町村及び福祉事務所に対する周知方をお願いする。

この通知は、地方自治法（昭和二十二年法律第六十七号）第二百四十五条の四第一項の規定に基づく技術的な助言である。

記

第一　改正政令の内容

児童扶養手当等の手当額については、児童扶養手当法（昭和三十六年法律第二百三十八号）等に基づき「自動物価スライド制」が採られており、その具体的な改定額は、政令によって規定することとされている。平成二十五年の年平均の全国消費者物価指数（以下「物価指数」という。）に対する平成二十六年の物価指数の比率はプラス二・七％であった。

また、平成二十四年十一月に成立した国民年金法等の一部を改正する法律等の一部を改正する法律（平成二十四年法律第九十九号）による手当額の特例水準を平成二十五年度から平成二十七年度の三年間で解消することとしており、平成二十七年度においては、マイナス〇・三％を乗じて得た額とすることとしている。

このため、改正政令により、物価指数の比率のプラス二・七％とマイナス〇・三％を反映したプラス二・四％の改定を行った額を手当額として定めるものである。

第二　平成二十七年度以降の手当額

１　児童扶養手当

児童扶養手当の額は、全部支給の場合、「月額四万二〇〇〇円」となること。

受給資格者の所得による手当の支給の制限に関する係数は「〇・〇一八五四三四」となり、これにより、手当の支給の制限の額は「月額一〇円～三万二〇九〇円」、手当の支給の制限を受ける者に係る児童扶養手当の額は「月額四万一九九〇円～九九一〇円」となること。

なお、二人以上の児童を有する受給者に係る加算額については、第二子五〇〇〇円、第三子以降一人につき三〇〇〇円であり、変更はないこと。

2　特別児童扶養手当

特別児童扶養手当の額は、障害児一人につき、二級の場合「月額三万四〇三〇円」、一級の場合「月額五万一一〇〇円」となること。

3　障害児福祉手当

障害児福祉手当の額は、「月額一万四四八〇円」となること。

4　特別障害者手当

特別障害者手当の額は、「月額二万六六二〇円」となること。

5　福祉手当（経過措置分）

福祉手当（経過措置分）の額は、「月額一万四四八〇円」となること。

○児童扶養手当法施行令の一部を改正する政令の施行について

〔平成二十七年十二月十八日　雇児発一二一八第一号
各都道府県知事・各指定都市市長宛　厚生労働省雇用
均等・児童家庭局長通知〕

児童扶養手当法施行令の一部を改正する政令（平成二十七年政令第四百三十二号。以下「改正政令」という。）が、本日公布され、平成二十八年一月一日から施行されることとなったところである。

改正政令の内容は左記のとおりであるので、御了知の上、事務処理に遺漏なきを期されるとともに、管内市町村及び福祉事務所に対する周知方をお願いする。

この通知は、地方自治法（昭和二十二年法律第六十七号）第二百四十五条の四第一項の規定に基づく技術的な助言である。

記

第一　改正政令の内容

労働者災害補償保険法の規定による障害年金前払一時金又は遺族年金前払一時金の支給を受けている者に係る児童扶養手当について、障害年金又は遺族年金を受けている場合と同様、併給調整を行うこととする。

第二　施行期日

平成二十八年一月一日

第三　経過措置

この政令による改正後の規定は、平成二十八年一月以後の月分の児童扶養手当の支給の制限について適用し、平成二十七年十二月以前の月分の児童扶養手当の支給の制限については、なお従前の例によることとする。

○行政不服審査法及び行政不服審査法の施行に伴う関係法律の整備等に関する法律の施行について（児童扶養手当法関係）

〔平成二十八年四月一日　雇児発〇四〇一第二四号
各都道府県知事・各指定都市市長宛　厚生労働省雇用均等・児童家庭局長通知〕

第百八十六回国会において成立し、平成二十六年六月十三日に公布された行政不服審査法（平成二十六年法律第六十八号。以下「新行審法」という。）及び行政不服審査法の施行に伴う関係法律の整備等に関する法律（平成二十六年法律第六十九号。以下「整備法」という。）については、行政不服審査法の施行期日を定める政令（平成二十七年政令第三百九十号）により、本年四月一日から施行することとしている。

このうち、整備法による児童扶養手当法（昭和三十六年法律第二百三十八号。以下「法」という。）の主な改正内容は左記のとおりであるので、御了知の上、事務処理に遺漏なきを期されるとともに、管内市町村及び福祉事務所に対する周知方をお願いする。

この通知は、地方自治法（昭和二十二年法律第六十七号）第二百四十五条の四第一項の規定に基づく技術的な助言である。

記

第一　審査請求（法第十七条及び第二十条関係）

整備法による改正後の法においては、異議申立てを廃止し、審査請求に一元化する。

第二　裁決をすべき期間（法第十八条関係）

1　裁決をすべき期間を左記のとおりとする。

①　新行審法第四十三条第一項の規定による諮問をする場合　八〇日以内

②　①に掲げる場合以外の場合　六〇日以内

2　一定期間の経過により、審査請求を棄却したものとみなすことのできる期間を左記のとおりとする。

①　当該審査請求をした日から六〇日以内に新行審法第四十三条第三項の規定により通知を受けた場合　八〇日

②　①に掲げる場合以外の場合　六〇日

第三　不服申立前置（改正前の法第二十条関係）

不服申立前置を廃止する。

○児童扶養手当法施行令等の一部を改正する政令の施行について（施行通知）

〔平成二十八年四月一日　雇児発〇四〇一第二六号・障発〇四〇一第六号
各都道府県知事・各指定都市市長宛　厚生労働省雇用均等・児童家庭局長・社会・援護局障害保健福祉部長連名通知〕

児童扶養手当法施行令等の一部を改正する政令（平成二十八年政令第百七十五号。以下「改正政令」という。）が、本日公布され、平成二十八年四月一日から施行されることとなったところである。

改正政令の内容は左記のとおりであるので、御了知の上、事務処理に遺漏のないようにされるとともに、管内市町村及び福祉事務所に対する周知方をお願いする。

この通知は、地方自治法（昭和二十二年法律第六十七号）第二百四十五条の四第一項の規定に基づく技術的な助言である。

記

第一　改正政令の内容

児童扶養手当等の手当額については、児童扶養手当法（昭和三十六年法律第二百三十八号）等に基づき「自動物価スライド制」が採られており、その具体的な改定額は、政令によって規定することとされている。

平成二十六年の年平均の全国消費者物価指数（以下「物価指数」という。）に対する平成二十七年の物価指数の比率はプラス〇・八％であったことを踏まえ、平成二十八年度の手当額を引き上げるものである。

第二　平成二十八年度以降の手当額

1　児童扶養手当

児童扶養手当の額は、全部支給の場合、「月額四万二三三〇円」となること。

受給資格者の所得による手当の支給の制限に関する係数は「〇・〇一八六八七九」となり、これにより、手当の支給の制限の額は「月額一〇円～三万二三四〇円」、手当の支給の制限を受ける者に係る児童扶養手当の額は「月額四万二三二〇円～九九九〇円」となること。

なお、二人以上の児童を有する受給者に係る加算額については、第二子五〇〇〇円、第三子以降一人につき三〇〇〇円であり、変更はないこと。

2　特別児童扶養手当

特別児童扶養手当の額は、障害児一人につき、二級の場合「月額三万四三〇〇円」、一級の場合「月額五万一五〇〇円」となること。

3　障害児福祉手当

障害児福祉手当の額は、「月額一万四六〇〇円」となること。

4　特別障害者手当

特別障害者手当の額は、「月額二万六八三〇円」となること。

5　福祉手当（経過措置分）

福祉手当（経過措置分）の額は、「月額一万四六〇〇円」となること。

○児童扶養手当法の一部を改正する法律について

〔平成二十八年五月十三日　雇児発〇五一三第一号
各都道府県知事・各指定都市市長・各中核市市長宛
厚生労働省雇用均等・児童家庭局長通知〕

ひとり親家庭は、子育てと生計の維持を一人で担わなければならず、生活上の様々な困難を抱えている方が多いことから、きめ細かな支援が必要である。

このため、政府においては、「すくすくサポート・プロジェクト（すべての子どもの安心と希望の実現プロジェクト）」（平成二十七年十二月二十一日子どもの貧困対策会議決定。以下「プロジェクト」という。）を策定し、就業による自立に向けた支援を基本としつつ、子育て・生活支援、学習支援などの総合的な取組を充実することとしており、特に経済的に厳しいひとり親家庭に対しては、児童扶養手当の第二子以降の加算額を増額することとしている。

このため、プロジェクトに基づき、「児童扶養手当法の一部を改正する法律（平成二十八年法律第三十七号）」を、本年二月九日に第百九十回通常国会に提出し、本法律は五月二日に可決成立し、五月十三日に公布された。その主たる内容は左記のとおりである。

この法律による児童扶養手当法の改正について、その趣旨を十分御理解の上、管内の市町村、関係機関等に周知を図るとともに、その施行に万全を期されたい。

また、施行に当たっては、プロジェクトの趣旨に基づき、就業による自立に向けた就業支援を基本としつつ、子育て・生活支援、学習支援などの総合的な取組を充実するとともに、支援を必要とするひとり親家庭に行政の支援が確実につながるよう、努めていただきたい。

なお、この通知は、地方自治法（昭和二十二年法律第六十七号）第二百四十五条の四第一項の規定に基づく技術的な助言である。

記

第一　改正の趣旨

ひとり親家庭は、子育てと生計を一人で担わなければならず、生活上の様々な困難を抱えている。特に、子どもが二人以上のひとり親家庭においては、より経済的に厳しい状況にある。

このため、児童扶養手当について、特に経済的に厳しい状況にあるひとり親家庭に重点を置いた改善を図ることとしたものである。

第二　概要

1　加算額の増額

児童扶養手当の支給要件に該当する児童であって母が監護するもの等が二人以上である場合における加算額（以下単に「加算額」という。）について、第二子に係る加算額を月額五〇〇〇円から一万円に、第三子以降の児童に係る加算額を月額三〇〇〇円から六〇〇〇円に増額すること。（第五条第二項関係）

児童扶養手当法の一部を改正する法律について

2　加算額の物価スライド制の新設

加算額について、基本額と同様に全国消費者物価指数の変動に応じて改定する物価スライド制を新設すること。（第五条の二第二項関係）

第三　施行期日等

1　施行期日

この法律は、平成二十八年八月一日から施行すること。ただし、附則第三条の規定（政令への委任）は公布の日から施行すること。

2　経過措置

平成二十八年七月以前の月分の児童扶養手当の額については、なお従前の例によるものとすること。

3　その他

その他所要の規定の整備を行うこと。

第四　留意事項

本改正について、広報誌等の活用を通じて新たに手当の支給対象となる者等に対し、改正の内容の周知が行われるよう格段の努力を払われたいこと。

○児童扶養手当法施行令の一部を改正する政令の施行について

〔平成二十八年七月一日　雇児発〇七〇一第一号
各都道府県知事・各指定都市市長宛　厚生労働省雇用均等・児童家庭局長通知〕

児童扶養手当法の一部を改正する法律（平成二十八年法律第三十七号）の施行に伴い、児童扶養手当法施行令の一部を改正する政令（平成二十八年政令第二百五十六号。以下「改正政令」という。）が、本日公布され、平成二十八年八月一日から施行されることとなったところである。

改正政令の内容は左記のとおりであるので、御了知の上、事務処理に遺漏なきを期されるとともに、管内市町村及び福祉事務所に対する周知方をお願いする。

この通知は、地方自治法（昭和二十二年法律第六十七号）第二百四十五条の四第一項の規定に基づく技術的な助言である。

記

第一　改正政令の内容

児童扶養手当の加算額について、基本額と同様に、受給資格者の前年の所得が、所得税法（昭和四十年法律第三十三号）に規定する控除対象配偶者及び扶養親族（以下「扶養親族等」という。）並びに当該受給資格者の扶養親族等でない児童で当該受給資格者が前年の十二月三十一日において生計を維持したものの有無及び数等に応じて、一定額以上であるときは、その年の八月から翌年の七月までは、その全部又は一部を支給しないこととする。

第二　施行期日

平成二十八年八月一日

第三　経過措置

この政令による改正後の児童扶養手当法施行令（昭和三十六年政令第四百五号）第二条の四第二項から第五項までの規定は、平成二十八年八月以後の月分の児童扶養手当の支給の制限について適用し、同年七月以前の月分の児童扶養手当の支給の制限については、なお従前の例によることとする。

○児童扶養手当法施行令等の一部を改正する政令の施行について（施行通知）

〔平成二十九年三月三十一日　雇児発〇三三一第六号・障発〇三三一第一号
各都道府県知事・各指定都市市長宛　厚生労働省雇用均等・児童家庭局長・社会・援護局障害保健福祉部長連名通知〕

児童扶養手当法施行令等の一部を改正する政令（平成二十九年政令第九十六号。以下「改正政令」という。）が、本日公布され、平成二十九年四月一日から施行されることとなったところである。

改正政令の内容は左記のとおりであるので、御了知の上、事務処理に遺漏のないようにされるとともに、管内市町村及び福祉事務所に対する周知方をお願いする。

なお、この通知は、地方自治法（昭和二十二年法律第六十七号）第二百四十五条の四第一項の規定に基づく技術的な助言である。

記

第一　改正政令の内容

児童扶養手当等の手当額については、児童扶養手当法（昭和三十六年法律第二百三十八号）等に基づき「自動物価スライド制」が採られており、その具体的な改定額は、政令によって規定することとされている。

平成二十七年の年平均の全国消費者物価指数（以下「物価指数」という。）に対する平成二十八年の物価指数の比率はマイナス〇・一％であったことを踏まえ、平成二十九年度の手当額を見直すものである。

第二　平成二十九年度以降の手当額

1　児童扶養手当

児童扶養手当の基本額は、全部支給の場合、「月額四万二二九〇円」となること。

受給資格者の所得による手当の支給の制限に関する係数は「〇・〇一八六七〇五」となり、これにより、手当の支給の制限の額は「月額一〇円～三万二三一〇円」、手当の支給の制限を受ける者に係る児童扶養手当の基本額は「月額四万二二八〇円～九九八〇円」となること。

また、二人以上の児童を有する受給者に係る加算額については、

・第二子の全部支給の場合、「月額九九九〇円」となること。受給資格者の所得による手当の支給の制限に関する係数は、「〇・〇〇二八七八六」となり、これにより、手当の支給の制限の額は「月額一〇円～四九九〇円」、手当の支給の制限を受ける者に係る加算額は「月額九九八〇円～五〇〇〇円」となること。

・第三子以降は、全部支給の場合、一人につき「月額五九九〇円」となること。受給資格者の所得による手当の支給の制限に関する係数は、「〇・〇〇一七二二五」となり、これにより、

手当の支給の制限の額は、「月額一〇円～二九九〇円」、手当の支給の制限を受ける者に係る加算額は「月額五九八〇円～三〇〇〇円」となること。

2　特別児童扶養手当

特別児童扶養手当の額は、障害児一人につき、二級の場合「月額三万四二七〇円」、一級の場合「月額五万一四五〇円」となること。

3　障害児福祉手当

障害児福祉手当の額は、「月額一万四五八〇円」となること。

4　特別障害者手当

特別障害者手当の額は、「月額二万六八一〇円」となること。

5　福祉手当（経過措置分）

福祉手当（経過措置分）の額は、「月額一万四五八〇円」となること。

○児童扶養手当法施行令等の一部を改正する政令の施行について（施行通知）

（平成三十年三月三十日　子発〇三三〇第二号・障発〇三三〇第一号　各都道府県知事・各指定都市市長宛　厚生労働省子ども家庭局長・社会・援護局障害保健福祉部長連名通知）

児童扶養手当法施行令等の一部を改正する政令（平成三十年政令第百八号。以下「改正政令」という。）が、本日公布され、平成三十年四月一日から施行されることとなったところである。

改正政令の内容は左記のとおりであるので、御了知の上、事務処理に遺漏のないようにされるとともに、管内市町村及び福祉事務所に対する周知方をお願いする。

なお、この通知は、地方自治法（昭和二十二年法律第六十七号）第二百四十五条の四第一項の規定に基づく技術的な助言である。

記

第一　改正政令の内容

児童扶養手当等の手当額については、児童扶養手当法（昭和三十六年法律第二百三十八号）等に基づき「自動物価スライド制」が採られており、その具体的な改定額は、政令によって規定することとされている。

平成二十八年の年平均の全国消費者物価指数（以下「物価指数」という。）に対する平成二十九年の物価指数の比率はプラス〇・

五％であったことを踏まえ、平成三十年度の手当額を引き上げるものである。

第二　平成三十年度以降の手当額

1　児童扶養手当

児童扶養手当の基本額は、全部支給の場合、「月額四万二五〇〇円」となること。

受給資格者の所得による手当の支給の制限に関する係数は「〇・〇一八七六三〇」となり、これにより、手当の支給の制限の額は「月額一〇円～三万二四七〇円」、手当の支給の制限を受ける者に係る児童扶養手当の基本額は「月額四万二四九〇円～一万三〇円」となること。

また、二人以上の児童を有する受給者に係る加算額については、

・第二子の全部支給の場合、「月額一万四〇円」となること。受給資格者の所得による手当の支給の制限に関する係数は、「〇・〇〇二八九六〇」となり、これにより、手当の支給の制限の額は「月額一〇円～五〇二〇円」、手当の支給の制限を受ける者に係る加算額は「月額一万三〇円～五〇二〇円」となること。

・第三子以降は、全部支給の場合、一人につき「月額六〇二〇円」となること。受給資格者の所得による手当の支給の制限に関する係数は、「〇・〇〇一七三四一」となり、これにより、手当の支給の制限の額は「月額一〇円～三〇一〇円」、手当の支給の制限を受ける者に係る加算額は「月額六〇一〇円～三〇一〇円」となること。

2　特別児童扶養手当

特別児童扶養手当の額は、障害児一人につき、二級の場合「月額三万四四三〇円」、一級の場合「月額五万一七〇〇円」となること。

3　障害児福祉手当

障害児福祉手当の額は、「月額一万四六五〇円」となること。

4　特別障害者手当

特別障害者手当の額は、「月額二万六九四〇円」となること。

5　福祉手当（経過措置分）

福祉手当（経過措置分）の額は、「月額一万四六五〇円」となること。

○「生活困窮者等の自立を促進するための生活困窮者自立支援法等の一部を改正する法律」の公布について

（平成三十年六月八日　子発〇六〇八第一号・社援発〇六〇八第一号
各都道府県知事・各指定都市市長・各中核市市長宛
厚生労働省子ども家庭・社会・援護局長連名通知）

生活困窮者等の自立を促進するための生活困窮者自立支援法等の一部を改正する法律（平成三十年法律第四十四号。以下「改正法」という。）については、本日公布され、順次施行することとされたところである。

改正の趣旨及び主な内容は、左記のとおりであるので、十分御了知の上、管内市町村（特別区を含む。）を始め、関係者、関係団体等に対し、その周知徹底を図るとともに、その運用に遺漏なきを期されたい。

記

第一　改正の趣旨

生活困窮者等の一層の自立の促進を図るため、都道府県等による生活困窮者就労準備支援事業等の実施の努力義務化及びその適切な実施に係る指針の公表、教育訓練施設に入学する被保護者に対する進学準備給付金の創設、住居を設置する第二種社会福祉事業に係る規制の強化、児童扶養手当の支払回数の増加等の措置を講ずること。

第二　改正法の主な内容

1　生活困窮者自立支援法（平成二十五年法律第百五号）の一部改正（改正法第一条及び第二条関係）

(1)　基本理念の創設

ア　生活困窮者に対する自立の支援は、生活困窮者の尊厳の保持を図りつつ、生活困窮者の就労の状況、心身の状況、地域社会からの孤立の状況その他の状況に応じて、包括的かつ早期に行われなければならないものとすること。（生活困窮者自立支援法第二条第一項関係）

イ　生活困窮者に対する自立の支援は、地域における福祉、就労、教育、住宅その他の生活困窮者に対する支援に関する業務を行う関係機関（以下単に「関係機関」という。）及び民間団体との緊密な連携その他必要な支援体制の整備に配慮して行われなければならないものとすること。（生活困窮者自立支援法第二条第二項関係）

(2)　生活困窮者の定義の見直し

生活困窮者の定義について、経済的困窮に至る要因として、「就労の状況、心身の状況、地域社会との関係性その他の事情」を明記すること。（生活困窮者自立支援法第三条第一項関係）

(3) 生活困窮者一時生活支援事業の拡充

生活困窮者一時生活支援事業を次に掲げる事業とすること。(生活困窮者自立支援法第三条第六項関係)

ア 一定の住居を持たない生活困窮者に対し、厚生労働省令で定める期間にわたり、宿泊場所の供与、食事の提供その他当該宿泊場所において日常生活を営むのに必要な便宜として厚生労働省令で定める便宜を供与する事業

イ 次に掲げる生活困窮者に対し、厚生労働省令で定める期間にわたり、訪問による必要な情報の提供及び助言その他の現在の住居において日常生活を営むのに必要な便宜として厚生労働省令で定める便宜を供与する事業

(ア) アに掲げる事業を利用していた生活困窮者であって、現に一定の住居を有するもの

(イ) 現在の住居を失うおそれのある生活困窮者であって、地域社会から孤立しているもの

(4) 子どもの学習・生活支援事業の創設

子どもの学習・生活支援事業を次に掲げる事業とすること。(生活困窮者自立支援法第三条第七項関係)

ア 生活困窮者である子どもに対し、学習の援助を行う事業

イ 生活困窮者である子ども及び当該子どもの保護者に対し、当該子どもの生活習慣及び育成環境の改善に関する助言を行う事業

ウ 生活困窮者である子どもの進路選択その他の教育及び就労に関する問題につき、当該子ども及び当該子どもの保護者からの相談に応じ、必要な情報の提供及び助言をし、並びに関係機関との連絡調整を行う事業

(5) 都道府県等による生活困窮者就労準備支援事業等の実施の努力義務化及びその適切な実施に係る指針の公表

ア 都道府県等は、生活困窮者自立相談支援事業及び生活困窮者住居確保給付金の支給のほか、生活困窮者就労準備支援事業及び生活困窮者家計改善支援事業を行うように努めるものとすること。(生活困窮者自立支援法第七条第一項関係)

イ 厚生労働大臣は、生活困窮者就労準備支援事業及び生活困窮者家計改善支援事業の適切な実施を図るために必要な指針を公表するものとすること。(生活困窮者自立支援法第七条第五項関係)

(6) 利用勧奨等

都道府県等は、福祉、就労、教育、税務、住宅その他のその所掌事務に関する業務の遂行に当たって、生活困窮者を把握したときは、当該生活困窮者に対し、生活困窮者自立支援法に基づく事業の利用及び給付金の受給の勧奨その他適切な措置を講ずるように努めるものとすること。(生活困窮者自立支援法第八条関係)

(7) 支援会議の設置

ア 都道府県等は、関係機関、都道府県等から生活困窮者自立相談支援事業等の委託を受けた者、生活困窮者に対する支援

に関係する団体、当該支援に関係する職務に従事する者その他の関係者により構成される会議を組織することができるものとすること。（生活困窮者自立支援法第九条第一項関係）

イ　支援会議の事務に従事する者又は従事していた者は、正当な理由がなく、支援会議の事務に関して知り得た秘密を漏らしてはならないものとすること。（生活困窮者自立支援法第九条第五項関係）

(8)　都道府県の市等の職員に対する研修等事業の創設

都道府県は、次に掲げる事業を行うように努めるものとすること。（生活困窮者自立支援法第十条第一項関係）

ア　生活困窮者自立支援法の実施に関する事務に従事する市等の職員の資質を向上させるための研修の事業

イ　生活困窮者自立支援法に基づく事業又は給付金の支給を効果的かつ効率的に行うための体制の整備、支援手法に関する市等に対する情報提供、助言その他の事業

(9)　福祉事務所を設置していない町村による相談等を行う事業の創設

福祉事務所を設置していない町村は、生活困窮者に対する自立の支援につき、生活困窮者及び生活困窮者の家族その他の関係者からの相談に応じ、必要な情報の提供及び助言、都道府県との連絡調整、生活困窮者自立相談支援事業の利用の勧奨その他必要な援助を行う事業を行うことができるものとすること。（生活困窮者自立支援法第十一条第一項関係）

(10)　国の補助

生活困窮者就労準備支援事業及び生活困窮者家計改善支援事業が効果的かつ効率的に行われている場合として政令で定める場合に該当するときは、国は、予算の範囲内において、政令で定めるところにより、都道府県等が行う生活困窮者家計改善支援事業の実施に要する費用の三分の二以内を補助することができるものとすること。（生活困窮者自立支援法第十五条第四項関係）

(11)　情報提供等

都道府県等は、生活困窮者自立支援法に基づく事業及び給付金の支給を行うに当たって、生活保護法（昭和二十五年法律第百四十四号）に規定する要保護者となるおそれが高い者を把握したときは、当該者に対し、同法に基づく保護又は給付金若しくは事業についての情報の提供、助言その他適切な措置を講ずるものとすること。（生活困窮者自立支援法第二十三条関係）

(12)　その他

その他所要の改正を行うこと。

2　生活保護法の一部改正（改正法第三条及び第四条関係）

(1)　生活扶助の方法

被保護者の居宅において生活扶助を行うことができないとき等において生活扶助を行う施設に、日常生活支援住居施設（社会福祉法（昭和二十六年法律第四十五号）第二条第三項第八号に規定する事業の用に供する施設その他の施設であって、被保

護者に対する日常生活上の支援の実施に必要なものとして厚生労働省令で定める要件に該当すると都道府県知事が認めたものをいう。）を追加するものとすること。（生活保護法第三十条第一項ただし書関係）

(2) 医療扶助の方法

医療の給付のうち、医療を担当する医師又は歯科医師が医学的知見に基づき後発医薬品を使用することができると認めたものについては、原則として、後発医薬品によりその給付を行うものとすること。（生活保護法第三十四条第三項関係）

(3) 進学準備給付金の創設

都道府県知事、市長及び福祉事務所を管理する町村長は、その管理に属する福祉事務所の所管区域内に居住地を有する（居住地がないか、又は明らかでないときは当該所管区域内にある）被保護者（一八歳に達する日以後の最初の三月三十一日までの間にある者その他厚生労働省令で定める者に限る。）であって教育訓練施設のうち教育訓練の内容その他の事情を勘案して厚生労働省令で定めるものに確実に入学すると見込まれるものに対して、厚生労働省令で定めるところにより、進学準備給付金を支給するものとすること。（生活保護法第五十五条の五第一項関係）

(4) 被保護者健康管理支援事業の創設等

ア　保護の実施機関は、被保護者に対する必要な情報の提供、保健指導、医療の受診の勧奨その他の被保護者の健康の保持及び増進を図るための事業（以下「被保護者健康管理支援事業」という。）を実施するものとすること。（生活保護法第五十五条の八第一項関係）

イ　厚生労働大臣は、被保護者健康管理支援事業の実施に資するため、被保護者の年齢別及び地域別の疾病の動向その他被保護者の医療に関する情報について調査及び分析を行い、保護の実施機関に対して、当該調査及び分析の結果を提供するものとすること。（生活保護法第五十五条の九第一項関係）

(5) 費用の徴収

ア　急迫の場合等において資力があるにもかかわらず、保護を受けた者があるとき（徴収することが適当でないときとして厚生労働省令で定めるときを除く。）は、保護に要する費用を支弁した都道府県又は市町村の長は、保護の実施機関の定める額の全部又は一部をその者から徴収することができるものとすること。（生活保護法第七十七条の二第一項関係）

イ　アの徴収金は、生活保護法に別段の定めがある場合を除き、国税徴収の例により徴収することができるものとすること。（生活保護法第七十七条の二第二項関係）

ウ　アの場合において、保護の実施機関は、被保護者が、保護金品（金銭給付によって行うものに限る。）の交付を受ける前に、厚生労働省令で定めるところにより、当該保護金品の一部を、徴収金の納入に充てる旨を申し出た場合において、保護の実施機関が当該被保護者の生活の維持に支障がないと認めたときは、厚生労働省令で定めるところにより、当該被保護者に対して保護金品を交付する際に当該申出に係る徴収金を徴収することができるものとすること。（生活保護法第七十八条の二第一項関係）

(6) 都道府県の援助等

都道府県知事は、市町村長に対し、保護並びに就労自立給付金及び進学準備給付金の支給に関する事務の適正な実施並びに被保護者就労支援事業及び被保護者健康管理支援事業の効果的かつ効率的な実施のため、必要な助言その他の援助を行うことができるものとすること。（生活保護法第八十一条の二第一項及び第二項関係）

(7) 情報提供等

保護の実施機関は、保護の廃止を行うに際しては、当該保護を廃止される者が生活困窮者自立支援法に規定する生活困窮者に該当する場合には、当該者に対して、同法に基づく事業又は給付金についての情報の提供、助言その他適切な措置を講ずるよう努めるものとすること。（生活保護法第八十一条の三関係）

(8) 保護の実施機関についての特例

ア 保護の実施機関についての特例の対象に介護扶助（特定施設入居者生活介護及び介護予防特定施設入居者生活介護に限る。）を委託して行う場合を追加するものとすること。（生活保護法第十九条第三項関係）

イ 当分の間、保護の実施機関についての特例の対象に日常生活支援住居施設に入所している者を追加するものとすること。（生活保護法附則第十六項関係）

(9) その他

その他所要の改正を行うこと。

3 社会福祉法の一部改正（改正法第五条関係）

(1) 住居の用に供するための施設を設置する第二種社会福祉事業の規制の強化

ア 住居の用に供するための施設を設置して、第二種社会福祉事業を開始する場合において、市町村又は社会福祉法人は、事業開始の日から一月以内に、国、都道府県、市町村及び社会福祉法人以外の者は、事業の開始前に、その施設（以下「社会福祉住居施設」という。）を設置する地の都道府県知事に、施設の名称等を届け出なければならないものとすること。（社会福祉法第六十八条の二関係）

イ 都道府県は、社会福祉住居施設の設備の規模及び構造並びに福祉サービスの提供の方法、利用者等からの苦情への対応その他の社会福祉住居施設の運営について、条例で基準を定めなければならないものとすること。（社会福祉法第六十八条の五第一項関係）

ウ 都道府県知事は、アの届出をして社会福祉事業を経営する者の施設が、イの基準に適合しないと認められるに至ったときは、その事業を経営する者に対し、当該基準に適合するた

めに必要な措置を採るべき旨を命ずることができるものとすること。（社会福祉法第七十一条関係）

エ　社会福祉住居施設には、専任の管理者を置かなければならないものとすること。（社会福祉法第六十八条の六関係）

(2)　その他

その他所要の改正を行うこと。

4　児童扶養手当法（昭和三十六年法律第二百三十八号）の一部改正（改正法第六条関係）

(1)　支払期月の改正

児童扶養手当の支払期月を毎年一月、三月、五月、七月、九月及び十一月の六期とすること。（児童扶養手当法第七条第三項関係）

(2)　支給制限の適用期間の改正

児童扶養手当の支給制限の適用期間等をその年の十一月から翌年の十月までとすること。（児童扶養手当法第九条第一項、第九条の二から第十一条まで及び第十二条第一項関係）

5　施行期日等

(1)　施行期日

この法律は、平成三十年十月一日から施行するものとすること。ただし、次に掲げる事項は、それぞれ次に定める日から施行するものとすること。（改正法附則第一条関係）

ア　2の(3)　公布の日

イ　1の(3)及び(4)　平成三十一年四月一日

ウ　4の(1)　平成三十一年九月一日

エ　2の(1)及び(8)イ並びに3　平成三十二年四月一日

オ　2の(4)　平成三十三年一月一日

(2)　進学準備給付金の支給に関する特例

進学準備給付金の支給に関する規定は、平成三十年一月一日から適用するものとすること。（改正法附則第二条関係）

(3)　検討

政府は、この法律の施行後五年を目途として、この法律の規定による改正後の規定の施行の状況について検討を加え、必要があると認めるときは、その結果に基づいて所要の措置を講ずるものとすること。（改正法附則第八条関係）

(4)　経過措置等

この法律の施行に関し、必要な経過措置を定めるとともに、関係法律について所要の改正を行うこと。（改正法附則第三条から第七条まで及び第九条から第二十四条まで関係）

○児童扶養手当法施行令等の一部を改正する政令の施行について（児童扶養手当法施行令及び母子及び父子並びに寡婦福祉法施行令関係）（施行通知）

〔平成三十年七月二十七日　子発〇七二七第一号
各都道府県知事・各指定都市市長・各中核市市長宛
厚生労働省子ども家庭局長通知〕

児童扶養手当法施行令等の一部を改正する政令（平成三十年政令第二百三十二号。以下「改正政令」という。）が、本日公布されたところである。

改正政令の内容は左記のとおりであるので、御了知の上、事務処理に遺漏のないようにされるとともに、管内市町村（特別区を含む。）及び福祉事務所に対する周知方をお願いする。

記

第一　改正の趣旨

平成二十八年通常国会で成立した児童扶養手当法の一部を改正する法律（平成二十八年法律第三十七号）に対する附帯決議において、「一部の地方公共団体が取り組んでいる未婚のひとり親に対する保育料軽減等の寡婦控除のみなし適用について、その実態の把握に努め、必要に応じて適切な措置を講ずること」とされたことを踏まえ、児童扶養手当の支給額の算定の基礎等となる所得の額について、未婚の母又は未婚の父（以下「未婚のひとり親」という。）についても地方税法（昭和二十五年法律第二百二十六号）上の寡婦控除又は寡夫控除（以下「寡婦・寡夫控除」という。）の適用があったものとみなして計算する等の措置を講ずるものである。

第二　改正の内容

1　寡婦・寡夫控除等のみなし適用

(1)　児童扶養手当及び自立支援教育訓練給付金

児童扶養手当及び自立支援教育訓練給付金（母子及び父子並びに寡婦福祉法（昭和三十九年法律第百二十九号）第三十一条第一号に規定する母子家庭自立支援教育訓練給付金及び同法第三十一条の十に規定する父子家庭自立支援教育訓練給付金をいう。）に係る所得の算定において、寡婦・寡夫控除が適用されない未婚のひとり親のうち、①又は②のいずれかに該当する者については、寡婦・寡夫控除を受けた者と同様、二七万円（①のうち扶養親族である子を有し、かつ、前年の合計所得金額が五〇〇万円以下である場合には三五万円）を控除すること。

なお、①又は②に該当するか否かについては、地方税法上の寡婦又は寡夫であることの判断と同様、前年の十二月三十一日時点の状況により判断すること。（(2)において同じ。）

①　婚姻（民法（明治二十九年法律第八十九号）上の婚姻をいう。以下同じ。）によらないで母となった女子であって、現に婚姻をしていないもののうち、扶養親族その他その者と生

計を一にする子（他の者の控除対象配偶者又は扶養親族とされている者を除き、前年の総所得金額等が三八万円以下の者）を有するもの。

② 婚姻によらないで父となった男子であって、現に婚姻をしていないもののうち、その者と生計を一にする子（他の者の控除対象配偶者又は扶養親族とされている者を除き、前年の総所得金額等が三八万円以下の者）を有し、かつ、前年の合計所得金額が五〇〇万円以下であるもの。

(2) 高等職業訓練促進給付金及び高等職業訓練修了支援給付金

高等職業訓練促進給付金（母子及び父子並びに寡婦福祉法第三十一条第二号に規定する母子家庭高等職業訓練促進給付金及び同法第三十一条の十に規定する父子家庭高等職業訓練促進給付金をいう。以下同じ。）及び高等職業訓練修了支援給付金（母子及び父子並びに寡婦福祉法施行令（昭和三十九年政令第二百二十四号）第二十九条第一項に規定する母子家庭高等職業訓練修了支援給付金及び同令第三十一条の九第一項に規定する父子家庭高等職業訓練修了支援給付金をいう。以下同じ。）に係る所得の算定において、寡婦・寡夫控除が適用されない未婚のひとり親のうち、(1)の①又は②のいずれかに該当する者については、(1)と同様に取り扱うこと。

また、(1)の①又は②に該当する者であって、前年の合計所得金額が一二五万円以下のものについては、高等職業訓練促進給付金及び高等職業訓練修了支援給付金の給付額の算定において、地方税法の規定による市町村民税が課されない者として取り扱うこと。

2 公共用地取得による土地代金等の特別控除

児童扶養手当の支給額の判定に係る所得については、地方税法の規定による総所得金額等の合計額から、長期譲渡所得又は短期譲渡所得に係る以下の特別控除額を控除して得た額を用いること。

① 公共事業などのために土地建物を売った場合　五〇〇〇万円
② 居住用財産を売った場合　三〇〇〇万円
③ 特定土地区画整理事業などのために土地を売った場合　二〇〇〇万円
④ 特定住宅地造成事業などのために土地を売った場合　一五〇〇万円
⑤ 平成二十一年及び平成二十二年に取得した国内にある土地を譲渡した場合　一〇〇〇万円
⑥ 農地保有の合理化などのために土地を売った場合　八〇〇万円
⑦ 前記の①～⑥のうち二つ以上の適用を受ける場合の最高限度額　五〇〇〇万円

3 児童扶養手当の全部支給所得制限限度額の引上げ

児童扶養手当の全部支給所得制限限度額を三〇万円引き上げるとともに、児童扶養手当の支給制限に係る係数を改正すること。

※ なお、改正後の児童扶養手当の一部支給額を算出するための

係数は、以下のとおり。

・本　体　額　〇・〇二二六九九三
・第二子加算額　〇・〇〇三五〇三五
・第三子加算額　〇・〇〇二〇九七九

第三　施行期日等

1　施行期日

改正政令は平成三十年八月一日から施行すること。

2　経過措置

(1)　児童扶養手当法施行令の改正に伴う経過措置

改正政令による改正後の児童扶養手当法施行令（昭和三十六年政令第四百五号）の規定は、平成三十年八月以後の月分の児童扶養手当の支給の制限及び同月以後の月分の児童扶養手当に相当する金額の返還について適用し、同年七月以前の月分の児童扶養手当の支給の制限及び同月以前の月分の児童扶養手当に相当する金額の返還については、なお従前の例によること。

(2)　母子及び父子並びに寡婦福祉法施行令の改正に伴う経過措置

平成三十年七月以前の月分の高等職業訓練促進給付金の支給については、なお従前の例によること。

また、この政令の施行の日（平成三十年八月一日）前に、養成機関における課程を修了した者に対する高等職業訓練修了支援給付金の支給については、なお従前の例によること。

〇児童扶養手当法施行令等の一部を改正する政令の施行について（施行通知）

〔平成三十一年三月二十九日　子発〇三二九第二三号・障発〇三二九第一一号　各都道府県知事・各指定都市市長宛　厚生労働省子ども家庭局長・社会・援護局障害保健福祉部長連名通知〕

児童扶養手当法施行令等の一部を改正する政令（平成三十一年政令第百十六号。以下「改正政令」という。）が、本日公布され、平成三十一年四月一日から施行されることとなったところである。

改正政令の内容は左記のとおりであるので、御了知の上、事務処理に遺漏のないようにされるとともに、管内市町村及び福祉事務所に対する周知方をお願いする。

なお、この通知は、地方自治法（昭和二十二年法律第六十七号）第二百四十五条の四第一項の規定に基づく技術的な助言である。

記

第一　改正政令の内容

児童扶養手当等の手当額については、児童扶養手当法（昭和三十六年法律第二百三十八号）等に基づき「自動物価スライド制」が採られており、その具体的な改定額は、政令によって規定することとされている。

平成二十九年の年平均の全国消費者物価指数（以下「物価指数」

という。）に対する平成三十年の物価指数の比率はプラス一・〇％であったことを踏まえ、平成三十一年度の手当額を引き上げるものである。

第二　平成三十一年度以降の手当額

1　児童扶養手当

児童扶養手当の基本額は、全部支給の場合、「月額四万二九一〇円」となること。

受給資格者の所得による手当の支給の制限に関する係数は「〇・〇二二九二三一」となり、これにより、手当の支給の制限の額は「月額一〇円～三万二七九〇円」、手当の支給の制限を受ける者に係る児童扶養手当の基本額は「月額四万二九〇〇円～一万一二〇円」となること。

また、二人以上の児童を有する受給者に係る加算額については、

・第二子の全部支給の場合、「月額一万一四〇円」となること。受給資格者の所得による手当の支給の制限に関する係数は、「〇・〇〇三五三八五」となり、これにより、手当の支給の制限の額は「月額一〇円～五〇七〇円」、手当の支給の制限を受ける者に係る加算額は「月額一万一三〇円～五〇七〇円」となること。

・第三子以降は、全部支給の場合、一人につき「月額六〇八〇円」となること。受給資格者の所得による手当の支給の制限に関する係数は、「〇・〇〇二一一八九」となり、これにより、手当の支給の制限の額は「月額一〇円～三〇四〇円」、手当の支給の制限を受ける者に係る加算額は「月額六〇七〇円～三〇四〇円」となること。

2　特別児童扶養手当

特別児童扶養手当の額は、障害児一人につき、二級の場合「月額三万四七七〇円」、一級の場合「月額五万二二〇〇円」となること。

3　障害児福祉手当

障害児福祉手当の額は、「月額一万四七九〇円」となること。

4　特別障害者手当

特別障害者手当の額は、「月額二万七二〇〇円」となること。

5　福祉手当（経過措置分）

福祉手当（経過措置分）の額は、「月額一万四七九〇円」となること。

○児童扶養手当法施行令等の一部を改正する政令の施行について（施行通知）

〔令和二年三月三十日　子発〇三三〇第一一号・障発〇三三〇第一一号　各都道府県知事・各指定都市市長宛　厚生労働省子ども家庭局長・社会・援護局障害保健福祉部長連名通知〕

児童扶養手当法施行令等の一部を改正する政令（令和二年政令第九十六号。以下「改正政令」という。）が、本日公布され、令和二年四月一日から施行されることとなったところである。

改正政令の内容は左記のとおりであるので、御了知の上、事務処理に遺漏のないようにされるとともに、管内市町村（特別区を含む。）及び福祉事務所に対する周知方をお願いする。

なお、この通知は、地方自治法（昭和二十二年法律第六十七号）第二百四十五条の四第一項の規定に基づく技術的な助言である。

記

第一　改正政令の内容

児童扶養手当等の手当額については、児童扶養手当法（昭和三十六年法律第二百三十八号）等に基づき「自動物価スライド制」が採られており、その具体的な改定額は、政令によって規定することとされている。

平成三十年の年平均の全国消費者物価指数（以下「物価指数」という。）に対する令和元年の物価指数の比率はプラス〇・五％であったことを踏まえ、令和二年度の手当額を引き上げるものである。

第二　令和二年度以降の手当額

1　児童扶養手当

児童扶養手当の基本額は、全部支給の場合、「月額四万三一六〇円」となること。

受給資格者の所得による手当の支給の制限に関する係数は「〇・〇二三〇五五九」となり、この手当の支給の制限を受ける者に係る児童扶養手当の基本額の最高額は「月額四万三一五〇円」、最低額は「月額一万一八〇円」となること。

また、二人以上の児童を有する受給者に係る加算額については、

・第二子の全部支給の場合、「月額一万一九〇円」となること。受給資格者の所得による手当の支給の制限に関する係数は「〇・〇〇三五五二四」となり、手当の支給の制限を受ける者に係る加算額の最高額は「月額一万一八〇円」、最低額は「月額五一〇〇円」となること。

・第三子以降は、全部支給の場合、一人につき「月額六一一〇円」となること。受給資格者の所得による手当の支給の制限に関する係数は「〇・〇〇二一二五九」となり、手当の支給の制限を受ける者に係る加算額の最高額は「月額六一〇〇円」、最低額は「月額三〇六〇円」となること。

2　特別児童扶養手当

特別児童扶養手当の額は、障害児一人につき、二級の場合は「月額三万四九七〇円」、一級の場合は「月額五万二五〇〇円」となること。

3　障害児福祉手当

障害児福祉手当の額は、「月額一万四八八〇円」となること。

4　特別障害者手当

特別障害者手当の額は、「月額二万七三五〇円」となること。

5　福祉手当（経過措置分）

福祉手当（経過措置分）の額は、「月額一万四八八〇円」となること。

○「年金制度の機能強化のための国民年金法等の一部を改正する法律」の公布について（児童扶養手当法の一部改正関係）（公布通知）

〔令和二年六月五日　子発〇六〇五第一号
各都道府県知事・各指定都市市長・各中核市市長宛
厚生労働省子ども家庭局長通知〕

「年金制度の機能強化のための国民年金法等の一部を改正する法律」（令和二年法律第四十号。以下「改正法」という。）が本日公布された。

本法律による児童扶養手当法（昭和三十六年法律第二百三十八号）の一部改正の趣旨及び内容は左記のとおりであるので、御了知の上、管内の福祉事務所及び市町村（特別区を含む。）に対する周知方をお願いする。

なお、本改正に伴う事務処理等については、追ってお示しする。

この通知は、地方自治法（昭和二十二年法律第六十七号）第二百四十五条の四第一項の規定に基づく技術的な助言である。

記

第一　改正の趣旨

ひとり親の障害年金受給者は、現行制度では、障害年金額が児童扶養手当額を上回ると児童扶養手当を受給できない状況にある。このため、児童扶養手当と障害年金の併給調整の方法を見直すことにより、ひとり親の障害年金受給者が児童扶養手当を受給できることとしたものである。

第二　改正の内容

児童扶養手当の受給資格者が障害基礎年金等の給付を受けることができるときは、児童扶養手当を支給しないものとする対象を障害基礎年金等（子を有する者に係る加算に係る部分に限る。）の額に相当する額に限るものとすること。（改正法第十四条による児童扶養手当法第十三条の二の改正関係）

第三　施行期日等

1　施行期日

この法律は、令和三年三月一日から施行すること。（改正法附則第一条第四号関係）

2　経過措置

施行日において児童扶養手当の支給要件に該当する者であって障害基礎年金等を受けているものが令和三年六月三十日までの間に児童扶養手当法第六条の規定による認定の請求をしたときは、その者に対する児童扶養手当の支給は三月から始めること等とすること。（改正法附則第十三条関係）

「年金制度の機能強化のための国民年金法等の一部を改正する法律」の公布について（児童扶養手当法の一部改正関係）（公布通知）

○国民健康保険法施行令等の一部を改正する政令の公布について

（令和二年九月四日 子発〇九〇四第一号・障発〇九〇四第一号・保発〇九〇四第一号 各都道府県知事・各指定都市市長・各中核市市長・各地方厚生(支)局長・全国健康保険協会理事長・各健康保険組合理事長・各健康保険組合連合会長宛 厚生労働省子ども家庭局長・社会・援護局障害保健福祉部長・保険局長連名通知）

国民健康保険法施行令等の一部を改正する政令（令和二年政令第二百七十号。以下「改正政令」という。）が本日公布され、令和三年一月一日に施行されるところである。

改正政令の趣旨及び内容は左記のとおりであるので、御了知の上、関係者、関係団体等に対し、その周知徹底を図るとともに、その運用に遺漏なきようお願いする。

記

第一　改正の趣旨

平成三十年度税制改正において、給与所得控除・公的年金等控除について一〇万円引き下げるとともに、基礎控除を一〇万円引き上げることとされた。これに伴い、所得情報を活用している社会保障制度において、「意図せざる影響や不利益」が生じないよう、国民健康保険法施行令（昭和三十三年政令第三百六十二号）等の規定の見直しを行うもの。

第二　改正の内容

1　国民健康保険法施行令の一部改正

(1)　一部負担金の割合を判定する際に用いる所得に係る控除対象者の合計所得金額の算定方法について、給与所得を有する者の場合には給与所得の金額から一〇万円を控除するものとすること。

(2)　高額療養費算定基準額について、低所得Ⅰに該当する者に係る各種金額の算定に当たり、総所得金額に給与所得が含まれている場合には、当該給与所得の金額から一〇万円を控除するものとすること。

(3)　低所得世帯であって、倒産、雇止め等により非自発的な離職をした特例対象被保険者等の属するものに係る高額療養費算定基準額及び介護合算算定基準額について、当該世帯に給与所得を有する者又は公的年金等に係る所得を有する者（以下「給与所得者等」という。）が二人以上いる場合には、当該基準額に、給与所得者等の数の合計数から一を減じた数に一〇万円を乗じて得た金額を加えるものとすること。

(4)　保険料の被保険者均等割額及び世帯別平等割額の減額に係る基準について、当該世帯に給与所得者等が二人以上いる場合には、当該基準額に、給与所得者等の数の合計数から一を減じた数に一〇万円を乗じて得た金額を加えるものとすること。

2　健康保険法施行令（大正十五年勅令第二百四十三号）の一部改正

(1)　高額療養費算定基準額について、低所得Ⅰに該当する者に係る各種金額の算定に当たり、総所得金額に給与所得が含まれている場合には、当該給与所得の金額から一〇万円を控除するものとすること。

3　船員保険法施行令（昭和二十八年政令第二百四十号）の一部改正

(1)　高額療養費算定基準額について、低所得Ⅰに該当する者に係る各種金額の算定に当たり、総所得金額に給与所得が含まれている場合には、当該給与所得の金額から一〇万円を控除するものとすること。

4　児童扶養手当法施行令（昭和三十六年政令第四百五号）の一部改正

(1)　児童扶養手当の支給を制限する場合の所得の額の計算方法について、給与所得又は公的年金等に係る所得を有する受給資格者の総所得金額の計算に当たり、給与所得の金額及び公的年金等に係る所得の金額の合計額から一〇万円を控除するものとすること。

5　特別児童扶養手当等の支給に関する法律施行令（昭和五十年政令第二百七号）の一部改正

(1)　特別児童扶養手当、特別障害者手当、障害児福祉手当及び経過的福祉手当の支給を制限する場合の所得の額の計算方法について、給与所得又は公的年金等に係る所得を有する受給資格者の総所得金額の計算に当たり、給与所得の金額及び公的年金等に係る所得の金額の合計額から一〇万円を控除するものとすること。

6　高齢者の医療の確保に関する法律施行令（平成十九年政令第三百十八号）の一部改正

(1)　一部負担金の割合を判定する際に用いる所得に係る控除対象者の合計所得金額の算定方法について、給与所得を有する者の場合には給与所得の金額から一〇万円を控除するものとすること。

(2)　高額療養費算定基準額について、低所得Ⅰに該当する者に係る各種金額の算定に当たり、総所得金額に給与所得が含まれている場合には、当該給与所得の金額から一〇万円を控除するものとすること。

(3)　保険料の被保険者均等割額の軽減に係る基準額について、当該世帯に給与所得者等が二人以上いる場合には、当該基準額に、給与所得者等の数の合計数から一を減じた数に一〇万円を乗じて得た金額を加えるものとすること。

第三　施行期日等

1　改正政令は、令和三年一月一日から施行すること。

2　この政令の施行に際し必要な経過措置を設けることとすること。

○年金制度の機能強化のための国民年金法等の一部を改正する法律の一部の施行に伴う関係政令の整備に関する政令の公布等について（公布通知）

〔令和二年十月三十日　子発一〇三〇第一号
各都道府県知事・各指定都市市長・各中核市市長宛
厚生労働省子ども家庭局長通知〕

年金制度の機能強化のための国民年金法等の一部を改正する法律（令和二年法律第四十号。以下「改正法」という。）が第二百一回通常国会で成立し、本年六月五日に公布された。これにより児童扶養手当法（昭和三十六年法律第二百三十八号）が改正され、児童扶養手当と障害年金の併給調整に係る見直しが行われる。

これに伴い、児童扶養手当法施行令（昭和三十六年政令第四百五号）等について所要の規定の整備を行うため、年金制度の機能強化のための国民年金法等の一部を改正する法律の一部の施行に伴う関係政令の整備に関する政令（令和二年政令第三百十八号。以下「改正政令」という。）が本日公布され、令和三年三月一日に施行するところである。また、改正法及び改正政令の施行に伴い、児童扶養手当法施行規則（昭和三十六年厚生省令第五十一号）についても所要の整備を行うべく、児童扶養手当法施行規則の一部を改正する省令（以下「改正省令」という。）を近日中に公布し、改正政令と同じく令和三年三月一日に施行する予定である。

改正政令及び改正省令の内容は左記のとおりであるので、御了知の上、事務処理に遺漏のないようにされるとともに、管内市町村（特別区を含む。）及び福祉事務所に対する周知方をお願いする。

なお、この通知は、地方自治法（昭和二十二年法律第六十七号）第二百四十五条の四第一項の規定に基づく技術的な助言である。

記

第一　改正政令関係

1　児童扶養手当法施行令の一部改正

(1)　児童扶養手当法第十三条の二第三項の規定による児童扶養手当の支給の制限に当たり、本人の障害を支給事由とし、国民年金法（昭和三十四年法律第百四十一号）の規定に基づく障害基礎年金と同様に日常生活能力の制約に着目してその者の生活を支えることを趣旨目的とする公的年金給付として、次に掲げる公的年金給付を規定すること。（第六条の四関係）

①　国民年金法等の一部を改正する法律（昭和六十年法律第三十四号）附則第七十八条第一項の規定によりなお従前の例によるものとされた同法第三条の規定による改正前の厚生年金保険法の規定に基づく障害年金（障害の程度が同法別表第一に定める一級又は二級に該当する者に支給されるものに限る。）

②　恩給法（大正十二年法律第四十八号）の規定（他の法律において準用する場合を含む。）に基づく増加恩給、傷病年金及び特例傷病恩給

③　雇用保険法等の一部を改正する法律（平成十九年法律第三十号）附則第三十九条の規定によりなお従前の例によるものとされた同法第四条の規定による改正前の船員保険法の規定に基づく障害年金

④　戦傷病者戦没者遺族等援護法（昭和二十七年法律第百二十七号）の規定に基づく障害年金

⑤　未帰還者留守家族等援護法（昭和二十八年法律第百六十一号）の規定に基づく留守家族手当

⑥　労働者災害補償保険法（昭和二十二年法律第五十号）の規定に基づく障害補償年金、傷病補償年金、複数事業労働者障害年金、複数事業労働者傷病年金、障害年金及び傷病年金

⑦　国家公務員災害補償法（昭和二十六年法律第百九十一号）の規定（他の法律において準用する場合を含む。）に基づく傷病補償年金及び障害補償年金

⑧　地方公務員災害補償法（昭和四十二年法律第百二十一号）の規定に基づく傷病補償年金及び障害補償年金並びに同法第六十九条第一項の規定に基づく条例の規定に基づく補償でこれらに相当するもの

⑨　公立学校の学校医、学校歯科医及び学校薬剤師の公務災害補償に関する法律（昭和三十二年法律第百四十三号）第四条第一項の規定に基づく条例の規定に基づく傷病補償年金及び障害補償年金

⑩　被用者年金制度の一元化等を図るための厚生年金保険法等の一部を改正する法律（平成二十四年法律第六十三号。以下「一元化法」という。）附則第三十七条第一項の規定によりなおその効力を有するものとされた国家公務員等共済組合法等の一部を改正する法律（昭和六十年法律第百五号）第一条の規定による改正前の国家公務員等共済組合法（昭和三十三年法律第百二十八号。以下「旧国共済法」という。）の規定に基づく障害年金（障害の程度が旧国共済法別表第三に定める一級又は二級に該当する者に支給されるものに限る。）

⑪　一元化法附則第六十一条第一項の規定によりなおその効力を有するものとされた地方公務員等共済組合法等の一部を改正する法律（昭和六十年法律第百八号）第一条の規定による改正前の地方公務員等共済組合法（昭和三十七年法律第百五十二号）の規定に基づく障害年金（障害の程度が同法別表第三に定める一級又は二級に該当する者に支給されるものに限る。）

⑫　一元化法附則第七十九条の規定によりなおその効力を有するものとされた私立学校教職員共済組合法等の一部を改正する法律（昭和六十年法律第百六号）第一条の規定による改正前の私立学校教職員共済組合法（昭和二十八年法律第二百四十五号）の規定に基づく障害年金（障害の程度が同法第二十五条第一項において準用する旧国共済法別表第三に定める一級又は二級に該当する者に支給されるものに限る。）

⑬　国会議員互助年金法を廃止する法律（平成十八年法律第一

号）附則第二条第一項の規定によりなおその効力を有するものとされた同法による廃止前の国会議員互助年金法（昭和三十三年法律第七十号）第二条第一項の互助年金のうち公務傷病年金及び国会議員互助年金法を廃止する法律附則第十一条第一項の公務傷病年金

⑭　執行官法の一部を改正する法律（平成十九年法律第十八号）による改正前の執行官法（昭和四十一年法律第百十一号）附則第十三条の規定に基づく年金たる給付のうち増加恩給

(2)　障害基礎年金及び(1)に掲げる公的年金給付（以下「障害基礎年金等」という。）の給付を受けることができる受給資格者が受給する障害基礎年金等以外の公的年金給付等（子を有する者に係る加算に係る部分に限る。）について児童扶養手当の支給の制限を行うこととし、当該制限の対象となる児童扶養手当の額の計算方法等を定めること。（第六条の五関係）

(3)　障害基礎年金等の給付を受けることができる受給資格者が受給する障害基礎年金等について、その給付のうち子を有する者に係る加算に係る部分についてのみ児童扶養手当の支給の制限が行われるところ、当該制限の対象となる児童扶養手当の支給の額の計算方法等を定めること。（第六条の六関係）

(4)　受給資格者が障害基礎年金等の給付を受けることができる場合における所得の範囲について、受給資格者が受給している非課税所得である公的年金給付等を所得に加えること。（第六条の七関係）

(5)　受給資格者が障害基礎年金等の給付を受けることができる場合における所得の額の計算方法について、総所得金額を、非課税所得である公的年金給付等を課税所得である公的年金等とみなして公的年金等控除等を適用して算定した額とすること。（第六条の七関係）

2　施行期日等

(1)　改正政令は、令和三年三月一日から施行すること。

(2)　改正政令の施行に際し必要な経過措置を左記のとおり設けること。

①　1(4)については、令和三年三月以後の月分の児童扶養手当の支給の制限及び児童扶養手当に相当する金額の返還について適用し、同年二月以前の月分の児童扶養手当の支給の制限及び児童扶養手当に相当する金額の返還については、なお従前の例によること。

②　令和三年三月から十月分の児童扶養手当の支給の制限及び児童扶養手当に相当する金額の返還についての1(5)の適用に当たっては、国民健康保険法施行令等の一部を改正する政令（令和二年政令第二百七十号）附則第五条の規定によりなお従前の例によることとされる同令第四条の規定による改正前の児童扶養手当法施行令第四条第一項（同条第三項において準用する場合を含む。）の規定を読み替えること。

(3)　その他関係政令について所要の規定の整備を行うこと。

第二　改正省令関係

１　児童扶養手当法施行規則の一部改正

(1)　障害基礎年金等の給付を受けることができる受給資格者の障害基礎年金等の給付に係る一時金が支給されたときに停止される当該給付であって、改正令の規定による改正後の児童扶養手当法施行令（以下「新令」という。）の規定により支給が停止されていないものとして算定する給付（子を有する者に係る加算に係る部分に限る。）については、その給付の全額について支給が停止されていないものとみなして、併給調整を行う場合の計算を行うこととすること。

(2)　当該計算並びに新令第六条の三第二項第二号及び第六条の五第二項第二号の厚生労働省令で定める額の計算に当たり、遺族年金、障害年金等の支払期日から一年を経過したときの計算に用いることとされている利率について、現行は五％と規定されているところ、民法（明治二十九年法律第八十九号）第四百四条第二項に規定する法定利率（三％）に改めること。

(3)　その他、様式の改正など、所要の規定の整備を行うこと。

２　施行期日等

(1)　改正省令は、令和三年三月一日から施行すること。

(2)　改正省令の施行に際し必要な経過措置を設けること。

第三　運用に関する留意事項

母子及び父子並びに寡婦福祉法（昭和三十九年法律第百二十九号）第三十一条（同法第三十一条の十において準用する場合を含む。）に規定する母子家庭自立支援給付金及び父子家庭自立支援給付金の支給その他同法に基づく事業の実施に当たって、所得の範囲及び計算方法を児童扶養手当法施行令第三条第一項並びに第四条第一項及び第二項の規定の例により定めている場合があるが、当該場合については改正政令により新設される児童扶養手当法施行令第六条の七の規定の適用を受けないため、改正政令の施行にかかわらず、所得の範囲及び計算方法に変更がないことについてご留意頂きたい。

年金制度の機能強化のための国民年金法等の一部を改正する法律の一部の施行に伴う関係政令の整備に関する政令の公布等について（公布通知）

○健康保険法施行令等の一部を改正する政令の公布について

（令和二年十二月二十四日　府子本第一、一四九号・健発一二二四第一号・子発一二二四第二号・障発一二二四第二号・老発一二二四第四号・保発一二二四第六号　各都道府県知事・各指定都市市長・各中核市市長・各児童相談所設置市市長・各地方厚生（支）局長・全国健康保険協会理事長・各健康保険組合理事長・各健康保険組合連合会長宛　内閣府子ども・子育て本部統括官・厚生労働省健康・子ども家庭局長・社会・援護局障害保健福祉部長・老健・保険局長連名通知）

健康保険法施行令等の一部を改正する政令（令和二年政令第三百八十一号。以下「改正政令」という。）が本日公布され、令和三年一月一日から施行されるところである。

改正政令の趣旨及び内容は左記のとおりであるので、御了知の上、管内市町村（特別区を含む。）を始め、関係者、関係団体等に対し、その周知徹底を図るとともに、その運用に遺漏なきようお願いする。

記

第一　改正の趣旨

1　低未利用土地等の長期譲渡所得に係る特別控除について

令和二年度税制改正において、個人が令和二年七月一日から令和四年十二月三十一日までの間に低未利用土地等の譲渡をした場合には、税法上の特別控除として、低未利用土地等の譲渡に係る長期譲渡所得の金額から一〇〇万円を控除することができることとされた。これに伴い、長期譲渡所得に関する特別控除を定める健康保険法施行令（大正十五年勅令第二百四十三号）等の規定について所要の見直しを行うもの。

2　個人所得課税の見直しについて

平成三十年度税制改正において、給与所得控除・公的年金等控除について一〇万円引き下げるとともに、基礎控除を一〇万円引き上げることとされた。これに伴い意図せざる影響や不利益が生じないよう、児童福祉法施行令（昭和二十三年政令第七十四号）等の規定について所要の見直しを行うもの。

3　みなし寡婦（夫）適用の見直しについて

令和二年度税制改正において、未婚のひとり親を対象とした控除が創設されることに伴い、児童福祉法施行令等で講じた未婚のひとり親のみなし寡婦（夫）適用に係る規定について、所要の見直しを行うもの。

第二　改正の内容

1　健康保険法施行令の一部改正

高額療養費算定基準額について、低未利用土地等を譲渡した場合の譲渡所得に係る特別控除適用後の金額とする。

2　船員保険法施行令（昭和二十八年政令第二百四十号）の一部改正

高額療養費算定基準額について、1に準じた改正を行う。

3　国民健康保険法施行令（昭和三十三年政令第三百六十二号）の一部改正

一部負担金に係る所得の額について、1に準じた改正を行う。

4　高齢者の医療の確保に関する法律施行令（平成十九年政令第三百十八号）の一部改正

一部負担金に係る所得の額について、1に準じた改正を行う。

5　児童福祉法施行令の一部改正

(1)　小児慢性特定疾病医療支援等に係る負担上限月額の算定方法について、未婚のひとり親へのみなし適用に係る規定を削除する。

(2)　小児慢性特定疾病医療支援等に係る負担上限月額の算定における給与所得を有する者の合計所得金額の算定に当たっては、給与所得の金額から一〇万円を控除する。

6　児童扶養手当法施行令（昭和三十六年政令第四百五号）の一部改正

(1)　児童扶養手当の支給を制限する場合の所得の額について、1に準じた改正を行う。

(2)　児童扶養手当の支給を制限する場合の所得の額の計算方法について、5(1)に準じた改正を行う。

7　母子及び父子並びに寡婦福祉法施行令（昭和三十九年政令第二百二十四号）の一部改正

母子家庭高等職業訓練促進給付金及び父子家庭自立支援教育訓練給付金等について、5(1)に準じた改正を行う。

8　児童手当法施行令（昭和四十六年政令第二百八十一号）の一部改正

(1)　児童手当の支給に係る所得の額の計算方法について、給与所得又は公的年金等に係る所得を有する受給資格者の総所得金額の計算に当たり、給与所得の金額及び公的年金等に係る所得の金額の合計額から一〇万円を控除することとする。

(2)　児童手当の支給に係る所得の額について、1に準じた改正を行う。

(3)　児童手当の支給に係る所得の額の計算方法について、5(1)に準じた改正を行う。

9　特別児童扶養手当等の支給に関する法律施行令（昭和五十年政令第二百七号）の一部改正

(1)　特別児童扶養手当の支給を制限する場合の所得の額について、1に準じた改正を行う。

(2)　特別児童扶養手当の支給を制限する場合の所得の額の計算方法について、5(1)に準じた改正を行う。

10　介護保険法施行令（平成十年政令第四百十二号）の一部改正

(1)　居宅介護サービス費等の額に係る所得の額の算定における給与所得又は公的年金等に係る所得を有する第一号被保険者の合計所得金額の計算について、8(1)に準じた改正を行う。

(2)　居宅介護サービス費等の額に係る所得の額及び高額医療合算介護サービス費について、1に準じた改正を行う。

11　健康保険法等の一部を改正する法律（平成十八年法律第八十三号）附則第百三十条の二第一項の規定によりなおその効力を有するものとされた介護保険法施行令の一部改正

(1)　居宅介護サービス費等の額に係る所得の額の算定における給与所得又は公的年金等に係る所得を有する第一号被保険者の合計所得金額の計算について、8(1)に準じた改正を行う。

(2) 居宅介護サービス費等の額に係る所得の額及び高額医療合算介護サービス費について、1に準じた改正を行う。

12 障害者の日常生活及び社会生活を総合的に支援するための法律施行令（平成十八年政令第十号）の一部改正

(1) 指定障害福祉サービス等に係る負担上限月額、指定障害福祉サービス等及び基準該当障害福祉サービスに係る負担上限月額、指定自立支援医療に係る負担上限月額、指定療養介護医療等に係る負担上限月額並びに補装具費に係る負担上限月額の算定方法について、5(1)に準じた改正を行う。

(2) 指定自立支援医療及び指定療養介護医療等に係る負担上限月額の算定における給与所得を有する者の合計所得金額の算定について、5(2)に準じた改正を行う。

13 子ども・子育て支援法施行令（平成二十六年政令第二百十三号）の一部改正

子どものための教育・保育給付及び子育てのための施設等利用給付について、5(1)に準じた改正を行う。

14 難病の患者に対する医療等に関する法律施行令（平成二十六年政令第三百五十八号）の一部改正

(1) 指定特定医療に係る負担上限月額の算定方法について、5(1)に準じた改正を行う。

(2) 指定特定医療に係る負担上限月額の算定における給与所得を有する者の合計所得金額の算定について、5(2)に準じた改正を行う。

第三　施行期日等

1 改正政令は、令和三年一月一日から施行する。

2 改正政令の施行に際し必要な経過措置を設けることとする。

○児童扶養手当法施行令及び特別児童扶養手当等の支給に関する法律施行令の一部を改正する政令の公布について

（令和三年十二月二十四日　子発一二二四第二号・障発一二二四第一号
各都道府県知事・各指定都市市長・各中核市市長宛
厚生労働省子ども家庭局長・社会・援護局障害保健福祉部長連名通知）

児童扶養手当法施行令及び特別児童扶養手当等の支給に関する法律施行令の一部を改正する政令（令和三年政令第三百四十八号。以下「改正政令」という。）が、本日公布され、令和四年四月一日から施行されることとなったところである。

改正政令の内容は左記のとおりであるので、御了知の上、事務処理に遺漏のないようにされるとともに、管内市町村（特別区を含む。）及び福祉事務所に対する周知をお願いする。

記

第一　改正の趣旨

児童扶養手当、特別児童扶養手当、障害児福祉手当及び特別障害者福祉手当の支給要件である障害の程度については、国民年金法（昭和三十四年法律第百四十一号）等の障害等級の基準に準じて、児童扶養手当法施行令（昭和三十六年政令第四百五号）別表第一及び別表第二並びに特別児童扶養手当等の支給に関する法律施行令（昭和五十年政令第二百七号）別表第一から第三までに定めている。

今般、国民年金法施行令等の一部を改正する政令（令和三年政令第三百三号）により、国民年金法等の障害等級の基準のうち、視覚障害に係る障害の状態の基準について所要の改正が行われたことを踏まえ、「特別児童扶養手当等の認定（眼の障害）に関する専門家会合」における視覚障害に係る障害の状態に係る議論等に基づき、児童扶養手当法施行令別表第一及び別表第二並びに特別児童扶養手当等の支給に関する法律施行令別表第一から第三までに定める視覚障害に係る障害の状態の基準等について、必要な見直しを行うもの。

第二　改正の内容

1　児童扶養手当法施行令の一部改正

(1)　児童扶養手当の支給要件に該当する児童の障害の状態等のうち、視覚障害に関するものを次のとおりとすること。

1　両眼の視力がそれぞれ〇・〇七以下のもの
2　一眼の視力が〇・〇八、他眼の視力が手動弁以下のもの
3　ゴールドマン型視野計による測定の結果、両眼のI／4視標による周辺視野角度の和がそれぞれ八〇度以下かつI／2視標による両眼中心視野角度が五六度以下のもの
4　自動視野計による測定の結果、両眼開放視認点数が七〇点

以下かつ両眼中心視野視認点数が四〇点以下のもの

(2) 児童扶養手当の支給要件に該当する父母の障害の状態のうち、視覚障害に関するものを次のとおりとすること。

1 両眼の視力がそれぞれ〇・〇三以下のもの

2 一眼の視力が〇・〇四、他眼の視力が手動弁以下のもの

3 ゴールドマン型視野計による測定の結果、両眼のＩ／４視標による周辺視野角度の和がそれぞれ八〇度以下かつＩ／２視標による両眼中心視野角度が二八度以下のもの

4 自動視野計による測定の結果、両眼開放視認点数が七〇点以下かつ両眼中心視野視認点数が二〇点以下のもの

2 特別児童扶養手当等の支給に関する法律施行令の一部改正

(1) 障害児福祉手当の支給要件に該当する障害の状態のうち、両眼の視力に係るものを両眼の視力がそれぞれ〇・〇二以下のものとすること。

(2) 特別障害者手当の支給要件及び特別児童扶養手当の障害等級の一級に該当する障害の状態のうち、視覚障害に関するものについて、1(2)に準じた改正を行うこと。

(3) 特別児童扶養手当の障害等級の二級に該当する障害の状態のうち、視覚障害に関するものについて、1(1)に準じた改正を行うこと。

第三 施行期日等

1 改正政令は、令和四年四月一日から施行すること。

2 この政令の施行に関し、必要な経過措置を定めること。

○児童扶養手当法施行令等の一部を改正する政令の施行について

（令和四年三月二十五日 子発〇三二五第一号・障発〇三二五第一号 各都道府県知事・各指定都市市長・各中核市市長宛 厚生労働省子ども家庭局長・社会・援護局障害保健福祉部長連名通知）

児童扶養手当法施行令等の一部を改正する政令（令和四年政令第百九号。以下「改正政令」という。）が、本日公布され、令和四年四月一日から施行されることとなったところである。

改正政令の内容は左記のとおりであるので、御了知の上、事務処理に遺漏のないようにされるとともに、管内市町村（特別区を含む。）及び福祉事務所に対する周知をお願いする。

記

第一 改正政令の内容

児童扶養手当等の手当額については、児童扶養手当法（昭和三十六年法律第二百三十八号）等に基づき「自動物価スライド制」が採られており、その具体的な改定額は、政令によって規定することとされている。

令和二年の年平均の全国消費者物価指数（以下「物価指数」という。）に対する令和三年の物価指数の比率はマイナス〇・二％であ

ったことを踏まえ、令和四年度の手当額を見直すものである。

第二　令和四年度以降の手当額

1　児童扶養手当

児童扶養手当の基本額は、全部支給の場合、「月額四万三〇七〇円」となること。

受給資格者の所得による手当の支給の制限に関する係数は「〇・〇二三〇七〇」となり、この手当の支給の制限を受ける者に係る児童扶養手当の基本額の最高額は「月額四万三〇六〇円」、最低額は「月額一万一六〇円」となること。

また、二人以上の児童を有する受給者に係る加算額については、

・　第二子の全部支給の場合、「月額一万一七〇円」となること。受給資格者の所得による手当の支給の制限に関する係数は「〇・〇〇三五四五五」となり、手当の支給の制限を受ける者に係る加算額の最高額は「月額一万一六〇円」、最低額は「月額五〇九〇円」となること。

・　第三子以降は、全部支給の場合、一人につき「月額六一〇〇円」となること。受給資格者の所得による手当の支給の制限に関する係数は「〇・〇〇二一二五九」となり、手当の支給の制限を受ける者に係る加算額の最高額は「月額六〇九〇円」、最低額は「月額三〇五〇円」となること。

2　特別児童扶養手当

特別児童扶養手当の額は、障害児一人につき、二級の場合は「月額三万四九〇〇円」、一級の場合は「月額五万二四〇〇円」となること。

3　障害児福祉手当

障害児福祉手当の額は、「月額一万四八五〇円」となること。

4　特別障害者手当

特別障害者手当の額は、「月額二万七三〇〇円」となること。

5　福祉手当（経過措置分）

福祉手当（経過措置分）の額は、「月額一万四八五〇円」となること。

○児童扶養手当法施行令等の一部を改正する政令の施行について

〔令和五年三月三十日　子発〇三三〇第一号・障発〇三三〇第一号
各都道府県知事・各指定都市市長・各中核市市長宛
厚生労働省子ども家庭局長・社会・援護局障害保健福祉部長連名通知〕

児童扶養手当法施行令等の一部を改正する政令（令和五年政令第百十三号。以下「改正政令」という。）が、本日公布され、令和五年四月一日から施行されることとなったところである。

改正政令の内容は左記のとおりであるので、御了知の上、事務処理に遺漏のないようにされるとともに、管内市町村（特別区を含む。）及び福祉事務所に対する周知をお願いする。

記

第一　改正政令の内容

児童扶養手当等の手当額については、児童扶養手当法（昭和三十六年法律第二百三十八号）等に基づき「自動物価スライド制」が採られており、その具体的な改定額は、政令によって規定することとされている。

令和三年の年平均の全国消費者物価指数（以下「物価指数」という。）に対する令和四年の物価指数の比率はプラス二・五％であったことを踏まえ、令和五年度の手当額を見直すものである。

第二　令和五年度以降の手当額

1　児童扶養手当

児童扶養手当の基本額は、全部支給の場合、「月額四万四一四〇円」となること。

受給資格者の所得による手当の支給の制限に関する係数は「〇・〇二三五八〇四」となり、この手当の支給の制限を受ける者に係る児童扶養手当の基本額の最高額は「月額四万四一三〇円」、最低額は「月額一万四一〇円」となること。

また、二人以上の児童を有する受給者に係る加算額については、

・第二子の全部支給の場合、「月額一万四二〇円」となること。受給資格者の所得による手当の支給の制限に関する係数は「〇・〇〇三六三六四」となり、手当の支給の制限を受ける者に係る加算額の最高額は「月額一万四一〇円」、最低額は「月額五二一〇円」となること。

・第三子以降は、全部支給の場合、一人につき「月額六二五〇円」となること。受給資格者の所得による手当の支給の制限に関する係数は「〇・〇〇二一七四八」となり、手当の支給の制限を受ける者に係る加算額の最高額は「月額六二四〇円」、最低額は「月額三一三〇円」となること。

2　特別児童扶養手当

特別児童扶養手当の額は、障害児一人につき、二級の場合は「月額三万五七六〇円」、一級の場合は「月額五万三七〇〇円」

となること。

3　障害児福祉手当

障害児福祉手当の額は、「月額一万五二二〇円」となること。

4　特別障害者手当

特別障害者手当の額は、「月額二万七九八〇円」となること。

5　福祉手当（経過措置分）

福祉手当（経過措置分）の額は、「月額一万五二二〇円」となること。

（省　令）

○児童扶養手当法施行規則の一部を改正する省令について

〔昭和三十七年五月十八日　児発第五七四号
各都道府県知事宛　厚生省児童局長通知〕

児童扶養手当法施行規則の一部を改正する省令は、昭和三十七年五月十六日厚生省令第二十二号をもって公布、即日施行されたが、これが運用については次の事項にご留意のうえ、遺憾のないよう致されたい。

第一　主なる改正点

1　児童扶養手当法第十六条に規定する未支払の児童扶養手当（以下「手当」という。）に関し、請求手続等を定めたこと。

2　偽りその他不正の手段により手当の支給を受けた者から国税徴収の例により受給額に相当する金額の全部又は一部を徴収する場合において、徴収金の滞納者に対して発する督促状の様式を定めたこと。

3　昭和三十六年分の所得税額に関し児童扶養手当法に基づく児童扶養手当の支給制限の基準となる金額を定める政令（昭和三十七年五月八日政令第百九十六号）の制定に伴い、児童扶養手当所得状況届の様式を一部改めたこと。

4　児童扶養手当証書亡失届の様式の一部を改め、最終手当受領年月日につき支払郵便局の証明欄を設けたこと。

5　昭和三十七年四月十六日法律第七十八号による児童扶養手当法の一部改正に伴い所要の整理を行なったこと。

第二　未支払の手当に関する事項

1　未支払の手当は、死亡した者に支払うべき手当で、まだその者に支払われていなかったもの（死亡当時受給資格があった場合は、死亡した日の属する月までの分）であり、死亡当時当該手当につき支払期月が到来していたかどうかにかかわらないものであること。

2　未支払の手当の請求者は、当該手当につき支給の対象とされていた児童であること。

なお、かかる児童が二人以上ある場合は、一人が全員を代表して請求するものであるが、そのうちの最も年長の者が請求を行なうよう指導されたいこと。

3　未支払の手当の請求者が幼少等のため意思能力がない場合は、その保護者は未支払児童扶養手当請求書の備考欄に記名押印するものであること。この場合においては、当該保護者が手当の指定受取人となるものであること。

4　未支払の手当を支払うため児童扶養手当支払通知書を交付することとなっているが、これは児童扶養手当証書（以下「手当証書」という。）をもって行なうこととし、その作成に当っては次の点に留意すること。

(1) 手当証書一ページの受給者氏名は、請求者である児童の氏名を記入することとし、生年月日、手当月額、支給対象児童数及び支給開始年月の欄は記入しないで斜線で抹消すること。なお、前記3の場合にあつては、受給者氏名の上部に保護者の氏名を次の如く記入するとともにその末尾に止印を押すこと。

「指定受取人氏名　甲野乙子　止印
受給者氏名　甲野丙男」

(2) 手当証書一ページの都道府県知事の前記の年月日は、手当証書を作成した年月日を記入すること。

(3) 手当証書一ページの左上部に「未支払手当」と記入すること。

(4) 手当証書の番号は、死亡した受給者の手当証書の番号に枝番号を附したものとすること。

(5) 手当証書の適宜の一支払期月分の児童扶養手当支払通知書兼受領証書及び児童扶助手当支払原符（以下「受領証書等」という。）の支払金額欄に未支払の手当に係る支払金額を一括して記入すること。

なお、当該受領証書等の支払期月欄は廃線で抹消するとともに、その備考欄に「未支払手当」と記入し、その末尾に止印を押すこと。

(6) 手当証書二ページの支払日附印欄は、一支払期月分を残し他を廃線で抹消するとともに、抹消しなかつた支払日附印欄の上部の支払期月を抹消し、その上部に未支払手当と記入すること。

(7) 指定受取人がある場合においては、手当証書二ページの印鑑欄に押されるべき印鑑は、指定受取人のものであること。

○児童扶養手当法施行令の一部を改正する政令及び児童扶養手当法施行規則の一部を改正する省令の施行について

〔昭和三十九年八月三十一日　児発第七九〇号
各都道府県知事宛　厚生省児童家庭局長通知〕

〔改正経過〕

第一次改正　〔昭和五七年一〇月一日児発第八二四号〕

児童扶養手当法施行令の一部を改正する政令（昭和三十九年政令第二百六十号）は本年七月二十七日、児童扶養手当法施行規則の一部を改正する省令（昭和三十九年厚生省令第三十七号）は本年八月二十八日、それぞれ公布され、いずれも公布の日から施行されているところであるが、その改正の内容はそれぞれ次のとおりであるので、管下市区町村等への周知徹底を図り、関係事務処理の適正を期せられたい。

1　児童扶養手当法施行令の改正について

この度の児童扶養手当法施行令の一部改正は、先般の児童扶養手当法の一部改正（昭和三十九年六月二十三日児発第五四七号本職通知参照）に伴うものではなく、重度精神薄弱児扶養手当法施行令制定の機会に、従来の規定の不備を整備したものであること。すなわち、改正前の第三条及び第四条の規定は、法第九条から第十二条までに規定する所得の範囲及びその額の計算方法と法第十三条第二項各号に規定する所得の範囲及びその額の計算方法とを一緒に規定していたため、法第十三条第二項各号に規定する所得の範囲及びその額の計算方法に関する規定につき不備があったので、これを分けて規定することによりその不備な点を整備したものであること。

2　児童扶養手当法施行規則の一部改正について

児童扶養手当法施行規則の一部改正の内容は、次のように、児童扶養手当法の改正に伴う改正、児童扶養手当証書の使用期間を二か年とした児童扶養手当証書の様式を定める省令（昭和三十九年五月十六日児発第四二七号本職通知参照）の制定に伴う改正、従来不備な点のあった認定請求書、改定請求書及び被災状況書の様式の改正、地方公務員共済組合法及び地方公務員共済組合法の長期給付に関する施行法の一部改正に伴う請求書等の注意の改正並びに関係手続及び事務の簡素化を目的とした諸様式の統合の五種のものからなること。

(1)　法律の改正に伴うもの

ア　法第三条第一項の改正に基づくもの

児童扶養手当法上の児童の範囲を拡大した法第三条第一項の改正に基づき、第一条第一項第七号、同条第二項第二号イ(3)、第二条第二号及び第三号の規定並びに様式第一号の注意、様式第二号の注意の一、様式第三号の注意及び様式第五号の注意を改正したこと。

第一条第一項第七号、同条第二項第二号イ(3)、第二条第二号及び第三号の改正により、児童の障害の状態に関する診断書を提出しなければならない場合において、当該障害が別表第一号から第五号まで又は第十一号から第十四号までに掲げる傷病に係るものであるときは、エックス線直接撮影写真の添附が必要とされたことに注意すること。

なお、様式第一号及び様式第五号については(3)の理由により全面改正が行なわれたこと。

イ　法第九条の改正に基づくもの

法第九条の改正により、支給対象者法人の所得により支給制限を行なう場合の基準額一八万円が二〇万円に引き上げられたことに伴い、第一条第二項第二号の規定及び様式第三号の注意の十のイ及びロを改正したこと。

(2)　証書の様式の変更に伴うもの

児童扶養手当証書の使用期間を二か年とした児童扶養手当証書の様式を定める省令の制定に伴い、第十三条、第十八条第二項及び第二十一条の規定が改正されたこと。

第十三条の改正により受給者が所得状況届を提出する場合には証書を添附しなければならないこととなったこと。第十八条第二項の改正により、手当額を改定した場合でも、その改定があらかじめ予定されていたものであるときは、新証書の作成を要せず、提出された証書の所定欄に所要事項を記載して返付することとなったこと。第二十一条の改正により、証書は二年目ごとに更新することになったこと。

(3)　認定請求書等の改正

ア　従来の認定請求書、被災状況書及び手当額改定請求書には不備な点があったので、これを改正したこと。従来の認定請求書及び手当額改定請求書の「父の公的年金の受給状況」の欄は、父が障害であるときのみ記入するような形になっていたが、父の当該児童を給付の額の対象とする厚生年金保険、船員保険等の老齢年金の受給状況が把握できるように、これを改めたこと。被災状況書については、損害額がその住宅等の損害を受ける前の価格との対比において明確に把握できるようその様式を改めたこと。

なお、これらの改正は便宜上全面改正の形式によったこと。

イ　地方公務員共済組合法等の一部改正に伴い、認定請求書、手当額改定請求書、手当額改定届及び資格喪失届の注意のなかに掲げている公的年金の種類に、地方議会議員共済会の年金と地方団体関係団体職員共済組合の年金を加えたこと。

この改正は、昭和三十九年十月一日から施行されること。

なお、資格喪失届は、様式番号整理の便宜上全面改正の形式をとったこと。

(4)　様式の統合

関係手続及び事務処理の便宜を図るため、氏名、住所、支払郵便局及び印鑑の四種の届の様式、手当証書再交付申請書及び手当証書亡失届の様式並びに受給者死亡届及び未支払手当請求書の様式をそれぞれ統一したこと。これに伴い様式番号を整理したこと。

(5)　従前の様式による認定請求書等の使用について

改正する省令の附則第二項の規定により、従前の請求書及び届書は、当分の間これを取り繕って使用することができるものであること。

○児童扶養手当法施行規則の一部を改正する省令及び重度精神薄弱児扶養手当法施行規則の一部を改正する省令の施行について

〔昭和四十一年八月三十日　児発第五三五号
各都道府県知事宛　厚生省児童家庭局長通知〕

児童扶養手当法施行規則の一部を改正する省令（昭和四十一年八月一日厚生省令第二十八号）及び重度精神薄弱児扶養手当法施行規則の一部を改正する省令（昭和四十一年八月一日厚生省令第二十九号）が、それぞれ公布施行されたが、その改正の内容は、それぞれ次のとおりであるので、管下市区町村等への周知徹底を図り、関係事務の円滑な処理を期せられたい。

第一　児童扶養手当法施行規則の一部を改正する省令関係

1　児童扶養手当法の改正に伴うもの

(1)　所得制限の緩和等に係るもの（昭和四十一年八月十一日児発第四九五号本職通知（以下「改正法施行通知」という。）第一の2の(2)参照）

イ　配偶者の所得による支給制限が扶養義務者のそれと同じにされたことに伴い、様式第三号中社会保険料控除及び生命保険料控除の欄を削除し、かつ、それらに関する事項を削除した。

ロ　その他所要の改正が行なわれた。

ハ　改正後の規定は、昭和四十年以降の年の所得による児童扶養手当の支給制限に関する手続について適用される。（改正省令附則第二項）

(2)　支給対象児童の範囲の拡大に係るもの（改正法施行通知第一の2の(3)参照）

イ　エックス線直接撮影写真を提出しなければならない障害の原因たる傷病の範囲に、あらたに次のものが加えられた。

胃かいよう、胃がん、十二指腸かいよう、内臓下垂症、動脈りゅう

ロ　その他所要の改正が行なわれた。

ハ　これらの改正規定は、昭和四十一年十二月一日から施行される。（改正省令附則第一項）

2　地方税法の改正に伴うもの

(1)　配偶者控除の新設に係るもの

従来扶養親族の中に含まれていた配偶者が、配偶者控除の新設に伴い、控除対象配偶者として取り出され、独立の概念とされたことに伴い、「扶養親族」を「控除対象配偶者又は扶養親族」に改める等の所要の改正が行なわれた。

(2) 専従者控除の控除限度額の引上げに係るもの
専従者控除の控除限度額が、青色申告者については一〇万円（現行八万円）に、白色申告者については六万円（現行五万円）に、それぞれ引き上げられたことに伴う所要の改正が行なわれた。

(3) 字句の整理に係るもの
地方税法において「退職所得の金額」及び「山林所得の金額」が、それぞれ「退職所得金額」及び「山林所得金額」に改められたことに伴う所要の改正が行なわれた。

(4) これらの改正規定は、公布の日（昭和四十一年八月一日）から施行される。（改正省令附則第一項本文）

3 国家公務員災害補償法等の改正に伴うもの（改正法施行通知第三及び第五参照）
国家公務員災害補償法に基づく給付の年金化及びさきに行なわれた労働者災害補償保険法に基づく給付の年金化並びに消防組織法、消防法又は水防法に基づく給付の年金化に伴う所要の改正が行なわれ、公布の日（昭和四十一年八月一日）から施行される。

4 事務の簡素化のためのもの
(1) 様式の廃止
児童扶養手当証書再交付申請書（様式第八号）及び児童扶養手当受給者死亡届（様式第十号）の様式が廃止され、それぞれの申告書又は届書の記載事項のみを定める（記載事項方式）こととされたので、昭和四十一年八月一日以降は、これらについては、市区町村は任意の様式の申請書又は届書を作成してよいことになるものである。

(2) 印鑑変更の届出先の変更
従来、印鑑変更の届出先は都道府県知事であったが市区町村長に改められた。したがって、昭和四十一年八月一日以降は、市区町村長は印鑑変更の届について、規則第十五条第二項の報告を都道府県知事に対して行なう必要がなくなったものである。

第二 重度精神薄弱児扶養手当法施行規則の一部を改正する省令関係
1 重度精神薄弱児扶養手当法の改正に伴うもの
(1) 省令の題名の改正に係るもの（改正法施行通知第二の2の(1)参照）
法律の題名、手当の名称等が改められたことに伴い、所要の改正が行なわれ、公布の日（昭和四十一年八月一日）から施行される。

(2) 身体に重度の障害を有する児童に対する手当の支給に係るもの（改正法施行通知第二の2の(2)参照）
イ 特別児童扶養手当認定診断書の身体障害用の様式の新設
障害認定のため、次の診断書の様式が新設された。なお、これらは児童扶養手当法施行規則の相当様式とほぼ同じである。
(イ) 様式第二号(二)特別児童扶養手当認定診断書（視覚障害用）

(ロ) 様式第二号(三)特別児童扶養手当認定診断書（聴力・平衡機能・咀嚼機能・音声言語機能障害用）

(ハ) 様式第二号(四)特別児童扶養手当認定診断書（肢体不自由用）

したがって、身体に重度の障害を有する児童について、手当の支給を申請する場合には、これらの診断のうち、該当するものを添付することとなったのであるが、その他、当該障害が規則に新たに加えられた別表に掲げる傷病によるものであるときは、エックス線直接撮影写真をも添付しなければならないこととされた。

ロ その他所要の改正

その他所要の改正により、該当児童についての取扱いは、障害の状態にあることにより児童とされる二〇歳未満の者についての児童扶養手当法令上の取扱いとほぼ同様のものとされた。

ハ これらの改正規定の施行は、公布の日（昭和四十一年八月一日）である。（改正省令附則第一項本文）

(3) 所得制限の緩和等に係るもの

児童扶養手当法施行規則の一部を改正する省令関係と全く同様の改正が行なわれた。（第一の1の(1)参照）

2 地方税法の改正に伴うもの、国家公務員災害補償法等の改正に伴うもの及び事務の簡素化のためのもの

これらについては、児童扶養手当法施行規則の一部を改正する省令関係と全く同様の改正が行なわれた。（第一の2、3及び4参照）

○児童扶養手当法施行規則及び特別児童扶養手当法施行規則の一部を改正する省令について

〔昭和四十三年一月五日　児発第二号
各都道府県知事宛　厚生省児童家庭局長通知〕

児童扶養手当法施行規則及び特別児童扶養手当法施行規則の一部を改正する省令が、昭和四十二年十二月二十五日厚生省令第五十八号をもって公布、即日施行されたが、次の点を御了知のうえ取扱いに遺憾のないように配意されたい。

今回の改正は、地方公務員災害補償法（昭和四十二年八月一日法律第百二十一号）が、昭和四十二年十二月一日より施行され、同法附則第二十五条及び第二十六条の規定により、同法による地方公務員災害補償制度の年金が、児童扶養手当法及び特別児童扶養手当法の公的年金とされたことに伴い、児童扶養手当及び特別児童扶養手当に関する認定請求書、手当額改定請求書、手当額改定届及び資格喪失届の裏面の注意の該当部分を改めたものである。

なお、従前の様式は、そのまとり繕って使用してさしつかえないので念のため申し添える。

○児童扶養手当法施行規則及び特別児童扶養手当法施行規則の一部改正について

〔昭和四十四年十二月十三日　児発第七七一号
各都道府県知事宛　厚生省児童家庭局長通知〕

「児童扶養手当法及び特別児童扶養手当法の一部を改正する法律」及び「児童扶養手当法施行令及び特別児童扶養手当法施行令の一部を改正する政令」の施行については別途昭和四十四年十二月十日付児発第七六六号により通知したところであるが、これらの改正に伴い、「児童扶養手当法施行規則及び特別児童扶養手当法施行規則の一部を改正する省令」が、別紙のとおり昭和四十四年十二月十日厚生省令第三十九号として公布、即日施行されたので、次の点にご留意のうえ所要の事務処理に遺憾なきを期せられたい。

(1)　今回の改正は、児童扶養手当及び特別児童扶養手当について所得による支給制限の限度額に関する規定が政令に委任されたこと及び生計を維持する児童がない場合における受給者本人の所得による支給制限の限度額が二八万円から三〇万円に改められたことによる改正を内容とするものであるが、事務処理については従前と実質的に変わるものでないこと。

(2) また、この省令は公布の日から施行されるが、昭和四十二年以前の年の所得に係る現況届所得状況届については従前の例によるものであること。

(3) なお、現にある従前の児童扶養手当現況届及び特別児童扶養手当所得状況届の用紙については、これを取り繕って使用してさしつかえないので申し添える。

別紙　略

○児童扶養手当法施行規則及び特別児童扶養手当法施行規則の一部を改正する省令の施行について

〔昭和四十七年九月十六日　児発第六一三号
各都道府県知事宛　厚生省児童家庭局長通知〕

児童扶養手当法施行規則及び特別児童扶養手当法施行規則の一部を改正する省令が、別添のとおり、昭和四十七年九月十六日厚生省令第四十九号をもって公布され、同年十月一日から施行されることとなったが、改正の要点は次のとおりであるので、その事務処理の適正かつ円滑な実施に遺憾のないようされたい。

1　児童扶養手当法施行規則の一部改正

児童扶養手当認定請求書の記入欄を整理し、所得状況を記載する欄を設けることにより、当該請求書に児童扶養手当現況届の添付を要しないこととするとともに、当該請求書に記入する際の注意事項を簡明にしたこと。また、児童扶養手当現況届の様式等について所要の改正を行なったこと。

2　特別児童扶養手当法施行規則の一部改正

(1) 特別児童扶養手当認定請求書及び特別児童扶養手当所得状況届

について、児童扶養手当法施行規則と同様の改正を行なったこと。

(2) 国民年金法等の一部を改正する法律（昭和四十七年法律第九十七号）により、特別児童扶養手当の支給対象児童の障害範囲が、昭和四十七年十月一日より拡大されることに伴い、当該拡大部分の障害に係る特別児童扶養手当認定診断書の様式をあらたに定める等所要の改正を行なったこと。

なお、この省令による改正前の児童扶養手当認定請求書又は特別児童扶養手当認定請求書は、この省令の施行後においても当分の間使用してさしつかえないが、その場合には従前どおり当該請求書にそれぞれ児童扶養手当現況届又は特別児童扶養手当所得状況届を添付させること。

また、この省令による改正前の認定請求書以外の届書等については、当分の間取り繕って使用してさしつかえないこと。

別添　略

○児童扶養手当法施行規則等の一部を改正する省令の施行について

〔昭和五十三年六月五日　児発第三一五号
各都道府県知事宛　厚生省児童家庭局長通知〕

児童扶養手当法施行規則等の一部を改正する省令が別添のとおり昭和五十三年五月二十七日厚生省令第三十四号をもって公布、即日施行されたが、児童扶養手当及び特別児童扶養手当（以下「手当」という。）に係る改正点及び留意事項は以下のとおりであるので、所要の事務処理に遺憾のないようにするとともに、管下市町村に対してもよろしく指導願いたい。

1　手当についての所得状況届の提出時期を「毎年六月一日から同月三十日までの間」から「毎年八月十一日から九月十日までの間」に変更することとしたこと。

なお、昭和五十三年の取扱いについては、新旧証書交換事務の便宜等を勘案して、次の方法により行うものである。

(1) 昭和五十三年四月期渡分の手当の支払を受けることができる者（既に支払を受けている者を含む。）であって引き続き同年八月期渡分の手当の支払を受けることができる者（同年六月又は七月に受給資格を喪失する者を除く。）は、従来どおり五十三年六月一日から同月三十日までの間に所得状況届に旧証書を添付して提出させ、児童扶養手当都道府県取扱準則等の審査要領に基づき、昭和五十四年七月までの月分の手当に係る決定を行い、五十三年八月十日までに受給者に送付し五十三年八月期渡分の受領が円滑に行われるような措置を講じること。

(2)　昭和五十三年四月期渡分の手当の支払を受けることができる者（既に支払を受けている者を含む。）であって昭和五十三年七月までに資格を喪失する者については五十三年の所得状況届を提出させる必要はないので、資格喪失の日の属する月までの金額を新証書に打ち込み、受給者に送付すること。

(3)　受給資格者の所得状況届の提出時期の遅延又は都道府県の審査に日時を要することにより、五十四年七月までの金額を決定し新証書に打ち込んで昭和五十三年八月十日までに受給者に送付することが困難である場合には、既に決定が行われている五十三年八月期渡分の額のみを打ち込んで新証書を受給者に送付し、五十三年八月期の支払を受けた後に速やかに証書の提出を求めること。

2　所得状況届の様式について「公的年金受給状況」欄を新しく設ける等所要の改正を行ったこと。

3　毎年一月から六月までの間に新規認定請求する者については、前々年の所得について届け出ることとなっているが、新規認定請求時において、既に前年の所得状況も明らかである場合には、前年所得を所得状況届の様式に記入させ八月分以降の支給の決定も併せて行って差し支えないこと。

なお所得状況届の様式中「八月一日における受給対象児童の状況」は請求時の状況を記入させ、八月一日において変更があった場合には、受給資格者から報告を求めること。

4　なお、厚生年金保険法等の一部を改正する法律（昭和五十一年法律第六十三号）により児童扶養手当法の一部が改正され、昭和五十三年四月一日より支給対象児童の年齢の一八歳完全延長が図られたところであるが、証書への金額等の打ち込みに際しては、支給対象児童が一八歳に到達する月を確認の上、その事務に慎重を期されたいこと。

別添　略

○児童扶養手当法施行規則の一部を改正する省令の施行について

〔昭和五十五年六月二十三日　児発第四八八号〕
〔各都道府県知事宛　厚生省児童家庭局長通知〕

〔改正経過〕

第一次改正　〔昭和五七年一〇月一日児発第八二四号〕
第二次改正　〔平成一三年七月三一日雇児発第五〇二号・障発第三三五号〕

児童扶養手当法施行規則の一部を改正する省令が別添のとおり昭和五十五年六月二十三日厚生省令第二十五号をもって公布、即日施行されたところであるが、その改正の内容、運用上の留意点等は次のとおりであるので、管内市区町村等への周知徹底を図り、関係事務の円滑な処理を期せられたい。

第一　改正の趣旨

従来所得状況届については、専ら所得制限を適用するための手段として毎年受給者に所得額の提出を求めてきたところであるが、今般所得状況届を現況届に改め、所得ばかりでなく、受給資格認定後の資格要件に係る事情の変更についても毎年受給者から報告を求め、児童扶養手当制度の適正な運営を図ることとしたものである。

第二　改正の内容等

１　児童扶養手当所得状況届を児童扶養手当現況届（改正後の様式第六号）に改め、新たに受給理由、父の障害の状況、児童及び受給者の公的年金の受給状況等に関しても報告を求めるとともに、受給者ばかりでなく支給停止者に対しても届出を義務づけることとしたこと。

２　児童扶養手当現況届に新たに次の書類を添付させることとしたこと。

(1)　受給者が母である場合において、対象児童と同居しないでこれを監護しているときは、その事実を明らかにすることができる書類

この場合の書類とは、本人の申立書及び学校長、寄宿舎の長、民生・児童委員等の証明書であること。

(2)　受給者が養育者であるときは、対象児童を養育していることを明らかにすることができる書類

この場合の書類とは、本人の申立書及び民生・児童委員等の証明書であること。

(3)　児童扶養手当法（以下「法」という。）第四条第一号又は第二号に規定する児童を監護し又は養育しているときは、受給者及び当該児童の属する世帯の全員の住民票の写し

(4)　法第四条第四号に規定する児童を監護し又は養育しているときは、当該児童の父の生死が明らかでないことを明らかにすることができる書類

この場合の書類とは、福祉事務所、警察署その他の官公署、関係会社等の証明書であること。

(5)　児童扶養手当法施行令（以下「令」という。）第一条第一号に規定する児童を監護し又は養育しているときは、当該児童が父から引き続き一年以上遺棄されていることを明らかにすることができる書類

この場合の書類とは、本人の申立てに基づく民生・児童委員、福祉事務所長、市区町村長等の証明書であること。

(6)　令第一条第二号に規定する児童を監護し又は養育しているときは、当該児童の父が法令により引き続き一年以上拘禁されていることを明らかにすることができる書類

この場合の書類とは、刑務所、拘置所、その他の官公署等の証明書であること。

(7)　令第一条第三号又は第四号に規定する児童を監護し又は養育しているときは、受給者及び当該児童の属する世帯の全員の住民票の写し並びに当該児童の戸籍の謄本又は抄本

第三　運用上の留意点

１　改正省令は公布の日から施行されること。したがって、昭和五十五年の届は改正後の新様式によるべきであるが、本年の届に関し既にその用紙の印刷を終了した都道府県にあっては、本年に限

り当該用紙を取り繕う等により使用して差し支えないものとする。

2　現況届の提出により支給要件に疑義がもたれた事例については、本人及び関係機関等に照会する等の方法により支給要件の確認に努め、支給要件に該当しないことが判明した場合にはすみやかに資格喪失処分を行われたいこと。

第四　関係通知の改正

従来の関係通知中「所得状況届」とあるのは、児童扶養手当については「現況届」と改める。

別添　略

○児童扶養手当法施行規則及び特別児童扶養手当等の支給に関する法律施行規則の一部改正について

〔昭和五十六年十二月十九日　児発第一、〇四六号
各都道府県知事宛　厚生省児童家庭局長通知〕

本日、児童扶養手当法施行規則及び特別児童扶養手当等の支給に関する法律施行規則の一部を改正する省令（昭和五十六年十二月十九日厚生省令第六十九号）が別添のとおり公布されたが、その改正の内容は次のとおりであるので、御了知の上、所要の事務処理に遺憾なきを期されるとともに、管下市町村長に対する周知徹底を図られたく通知する。

第一　児童扶養手当資格喪失届及び特別児童扶養手当資格喪失届の改正

児童扶養手当及び特別児童扶養手当の受給資格者の国籍要件を撤廃することに伴い、児童扶養手当法施行規則様式第九号及び特別児童扶養手当等の支給に関する法律施行規則様式第九号に所要の改正を行うこと。

第二　その他所要の改正を行うこと。

第三　施行期日等

1　改正省令は、難民の地位に関する条約等への加入に伴う出入国管理令その他関係法律の整備に関する法律の施行の日（昭和五十七年一月一日）より施行すること。

2　改正省令の施行の際現にある改正前の様式による資格喪失届等の用紙は、当分の間これを取り繕って使用することができること。

別添　略

○児童扶養手当法施行規則及び特別児童扶養手当等の支給に関する法律施行規則の一部改正について

〔昭和五十七年六月二十二日　児発第五三九号
各都道府県知事宛　厚生省児童家庭局長通知〕

今般、児童扶養手当法施行規則の一部を改正する省令（昭和五十七年六月九日厚生省令第二十五号）及び特別児童扶養手当等の支給に関する法律施行規則の一部を改正する省令（昭和五十七年六月九日厚生

省令第二十六号）により、児童扶養手当法施行規則及び特別児童扶養手当等の支給に関する法律施行規則の一部が改正されたところであるが、改正の内容は次のとおりであるので、御了知の上、所要の事務処理に遺憾なきを期されるとともに、管下市町村長に対する周知徹底を図られたく通知する。

1　児童扶養手当法施行規則関係

　児童扶養手当の受給資格者等の所得の額の計算において、寡夫控除を考慮することとしたことに伴い、児童扶養手当認定請求書（様式第一号）の表面の㉙の欄及び児童扶養手当現況届（様式第六号）の表面の⑫の欄中「寡婦」の次に「（寡夫）」を加えること等。

2　特別児童扶養手当等の支給に関する法律施行規則関係

　1と同様の理由により特別児童扶養手当認定請求書（様式第一号）の表面の㉔の欄及び特別児童扶養手当所得状況届（様式第六号）の表面の⑫の欄中「寡婦」の次に「（寡夫）」を加えること。

○児童扶養手当法施行規則等の一部改正について

〔昭和五十七年八月十四日　児発第六九五号
各都道府県知事宛　厚生省児童家庭局長通知〕

今般、福祉年金支給規則等の一部を改正する省令（昭和五十七年八月十四日厚生省令第三十五号）により、児童扶養手当法施行規則及び特別児童扶養手当等の支給に関する法律施行規則の一部が改正されたところであるが、改正の内容は次のとおりであるので、御了知の上、所要の事務処理に遺憾なきを期されるとともに、管下市町村長に対する周知徹底を図られたく通知する。

1　児童扶養手当法施行規則関係

　昭和五十七年八月十四日オージオメータに係る日本工業規格（JIS）が改正されたことに伴い、新規格のオージオメータによる診断結果も記載することができるよう児童扶養手当廃疾認定書（様式第二号㈡）の⑨の欄を改正すること。

2　特別児童扶養手当等の支給に関する法律施行規則関係

　1と同様の理由により特別児童扶養手当認定診断書（様式第二号㈡）の⑨の欄を改正すること。

3　運用上の留意点

⑴　新規格のオージオメータで測定した場合の認定に当たっては、デシベル値から一〇デシベルを減じたものを児童扶養手当法別表第一、同別表第二又は特別児童扶養手当等の支給に関する法律別表第一の数値と比較するものであること。

⑵　改正前の様式については、当分の間取り繕う等により使用して差し支えないものであること。

○児童扶養手当法施行規則等の一部改正について

〔昭和六十一年四月八日　児企第一六号
各都道府県民生主管部(局)長宛　厚生省児童家庭局企画課長通知〕

標記厚生省令については、別添のとおり、昭和六十一年三月二十九日において公布された「国民年金法施行規則等の一部を改正する等の省令（昭和六十一年厚生省令第十七号）」により改正され、同年四月一日から施行されたので通知する。

なお、改正内容は次の各様式が改正されたこと等である。

(1)　児童扶養手当法施行規則一部改正関係

①　児童扶養手当認定請求書　様式第一号
②　児童扶養手当額改正請求書　様式第四号
③　児童扶養手当現況届　様式第六号
④　児童扶養手当資格喪失届　様式第九号

(2)　特別児童扶養手当の支給に関する法律施行規則一部改正関係

①　特別児童扶養手当認定請求書　様式第一号
②　特別児童扶養手当額改定請求書　様式第四号
③　特別児童扶養手当額改定届　様式第五号
④　特別児童扶養手当資格喪失届　様式第九号

なお、以上の請求書等については、現にある従前の用紙を適宜補正して使用しても差し支えないものであること。

別添　略

○児童扶養手当法施行規則等の一部改正について（施行通知）

〔平成六年七月二十七日　社援更第一九一号・児発第七四一号　各都道府県知事宛　厚生省社会・援護・児童家庭局長連名通知〕

本日公布された老齢福祉年金支給規則等の一部を改正する省令（平成六年厚生省令第四十八号。別添参照。以下「改正省令」という。）により、児童扶養手当法施行規則（昭和三十六年厚生省令第五十一号）、特別児童扶養手当等の支給に関する法律施行規則（昭和三十九年厚生省令第三十八号）及び障害児福祉手当及び特別障害者手当の支給に関する省令（昭和五十年厚生省令第三十四号）がそれぞれ改正されたところであるが、その改正内容は左記のとおりであるので、御了知の上、所要の事務処理に遺漏なきを期されるとともに、管下市町村長に対する周知徹底を図られたく通知する。

記

第一　児童扶養手当法施行規則の一部改正関係（改正省令第三条）

1　国民年金法施行令等の一部を改正する政令（平成六年政令第二百三十五号。以下「改正政令」という。）により、特定扶養親族がいる場合について限度額の間差が引き上げられたことに伴い、所要の用語の整理を行うこと。（別紙1参照。）

2　認定請求書及び現況届の様式の一部改正

改正政令により、受給者等の所得により児童扶養手当の支給を制限する場合の所得の額の計算方法の一部が改正されるに伴い、次の様式について所要の改正を行うこと。（別紙2参照。）

(1)　児童扶養手当認定請求書（様式第一号）

(2)　児童扶養手当現況届（様式第六号）

3　本改正は、平成六年八月一日から施行すること。

なお、改正省令の施行の際現にあるこの省令による改正前の様式による請求書及び届の用紙については、当分の間、これを取り繕って使用することができる。

第二　特別児童扶養手当等の支給に関する法律施行規則の一部改正関係（改正省令第四条）

1　改正政令により、特定扶養親族がいる場合について限度額の間差が引き上げられたことに伴い、所要の用語の整理を行うこと。（別紙3参照。）

2　認定請求書及び所得状況届の様式の一部改正

改正政令により、受給者等の所得により特別児童扶養手当の支給を制限する場合の所得の額の計算方法の一部が改正されるに伴い、次の様式について所要の改正を行うこと。（別紙4参照。）

(1)　特別児童扶養手当認定請求書（様式第一号）

(2)　特別児童扶養手当所得状況届（様式第六号）

3　本改正は、平成六年八月一日から施行すること。

なお、改正省令の施行の際現にあるこの省令による改正前の様式による請求書及び届の用紙については、当分の間、これを取り繕って使用することができる。

第三　障害児福祉手当及び特別障害者手当の支給に関する省令の一部改正関係（改正省令第五条関係）

1　改正政令により、特定扶養親族がいる場合について限度額の間差が引き上げられたことに伴い、所要の用語の整理を行うこと。（別紙5参照。）

2　所得状況届の様式の一部改正

改正政令により、受給者等の所得により障害児福祉手当等の支給を制限する場合の所得の額の計算方法の一部が改正されるに伴い、次の様式について所要の改正を行うこと。（別紙6参照。）

(1)　障害児福祉手当（福祉手当）所得状況届	（様式第三号）
(2)　特別障害者手当所得状況届	（様式第七号）

3　本改正は、平成六年八月一日から施行すること。

なお、改正省令の施行の際現にあるこの省令による改正前の様式による届の用紙については、当分の間、これを取り繕って使用することができる。

別添・別紙1～6　略

○児童扶養手当法施行規則等の一部改正について（施行通知）

〔平成七年三月三十日　児発第二九二号　各都道府県知事宛　厚生省児童家庭局長通知〕

標記については、本日、児童扶養手当法施行規則等の一部を改正する省令（平成七年厚生省令第二十一号）が、別添のとおり公布されたところであるが、その改正内容は、左記のとおりであるので、御了知の上、事務処理に遺漏のないようにされるとともに、管下市町村に対する周知方をお願いする。

記

第一　児童扶養手当法施行規則（昭和三十六年厚生省令第五十一号）の一部改正関係（改正省令第一条）

1　国民年金法等の一部を改正する法律（平成六年法律第九十五号）により、児童の定義が改正されたことに伴い、次の様式について所要の改正を行うこと。

(1)　児童扶養手当認定請求書	様式第一号
(2)　児童扶養手当額改定届	様式第五号
(3)　児童扶養手当現況届	様式第六号
(4)　児童扶養手当資格喪失届	様式第九号

2　その他規定の整備を行うこと。

３　本改正は、平成七年四月一日から施行すること。

ただし、児童扶養手当法施行規則第一条第七号ニ⑵の改正規定並びに様式第一号（裏面）及び様式第六号（裏面）の改正規定は、平成七年七月一日から施行すること。

なお、改正省令の施行の際改正省令による改正前の様式（以下「旧様式」という。）により使用されている書類は、改正省令による改正後の様式によるものとみなし、改正省令の施行の際現にある旧様式による用紙は、当分の間、これを取り繕って使用することができる。

第二　特別児童扶養手当等の支給に関する法律施行規則（昭和三十九年厚生省令第三十八号）の一部改正関係（改正省令第二条）

１　国民年金法等の一部を改正する法律（平成六年法律第九十五号）により、児童の定義が改正されたことに伴い、次の様式について所要の改正を行うこと。

⑴　特別児童扶養手当認定請求書　様式第一号
⑵　特別児童扶養手当所得状況届　様式第六号

２　通常郵便貯金に振り替えてする預入（以下「振替預入」という。）により支払いを受けることができるようになることに伴い、次の様式について所要の改正を行うこと。

⑴　特別児童扶養手当認定請求書　様式第一号
⑵　特別児童扶養手当証書亡失届　様式第八号
⑶　未支払特別児童扶養手当請求書　様式第十号
⑷　特別児童扶養手当認定通知書　様式第十一号

３　その他規定の整備を行うこと。

４　本改正は、平成七年四月一日から施行すること。

ただし、様式第一号（表面）の改正規定、同様式（裏面）の改正規定中注意の１に係る部分、様式第八号（表面）の改正規定、様式第十号の改正規定及び様式第十一号（表面）の改正規定は平成七年四月三日から、特別児童扶養手当等の支給に関する法律施行規則第一条第六号ニ⑵の改正規定、様式第一号（裏面）の改正規定中注意の６に係る部分及び様式第六号（裏面）の改正規定は平成七年七月一日から施行すること。

なお、改正省令の施行の際旧様式により使用されている書類は、改正省令による改正後の様式によるものとみなし、改正省令の施行の際現にある旧様式による用紙は、当分の間、これを取り繕って使用することができる。

第三　児童手当法施行規則（昭和四十六年厚生省令第三十三号）の一部改正関係（改正省令第三条）

１　児童手当法の一部を改正する法律（平成六年法律第十八号）により、児童の定義が改正されたことに伴い、次の様式について所要の改正を行うこと。

⑴　児童手当認定請求書　様式第一号
⑵　児童手当額改定請求書、児童手当額改定届　様式第二号
⑶　児童手当現況届　様式第三号
⑷　氏名変更届、住所変更届　様式第四号
⑸　未支払児童手当請求書　様式第六号

２　本改正は、平成七年四月一日から施行すること。

なお、改正省令の施行の際旧様式により使用されている書類は、改正省令による改正後の様式によるものとみなし、改正省令の施行の際現にある旧様式による用紙は、当分の間、これを取り繕って使用することができる。

第四　児童扶養手当法施行規則の一部を改正する省令（昭和六十年厚生省令第三十三号）（改正省令第四条）

１　振替預入により支払いを受けることができるようになることに伴い、次の様式について所要の改正を行うこと。

(1)　児童扶養手当現況届　　様式第六号

(2)　児童扶養手当証書亡失届　　様式第八号

(3)　未支払児童扶養手当請求書　　様式第十号

２　その他規定の整備を行うこと。

３　本改正は、平成七年四月三日から施行すること。

なお、改正省令の施行の際旧様式により使用されている書類は、改正省令による改正後の様式によるものとみなし、改正省令の施行の際現にある旧様式による用紙は、当分の間、これを取り繕って使用することができる。

別添　略

○児童扶養手当法施行規則の一部改正について（施行通知）

〔平成八年七月三十日　児発第七三〇号　各都道府県知事宛　厚生省児童家庭局長通知〕

標記については、平成八年七月二十六日、老齢福祉年金支給規則等の一部を改正する省令（平成八年厚生省令第四十六号。以下「改正省令」という。）が別添のとおり公布され、児童扶養手当法施行規則（昭和三十六年厚生省令第五十一号）が改正されたところであるが、その改正内容は左記のとおりであるので、御了知の上、所要の事務処理に遺漏なきを期されるとともに、管下市町村長に対する周知徹底を図られたく通知する。

記

１　国民年金法施行令等の一部を改正する政令（平成八年政令第二百二十六号）により、受給者等の所得により児童扶養手当の支給を制限する場合の所得の額の計算方法の一部が改正されるに伴い、次の様式について所要の改正を行うこと。（別紙参照）

(1)　児童扶養手当認定請求書（様式第一号）

(2)　児童扶養手当現況届（様式第六号）

２　本改正は、平成八年八月一日から施行すること。

なお、改正省令の施行の際現にあるこの省令による改正前の様式による請求書及び届の用紙については、当分の間、これを取り繕って使用することができる。

別添・別紙　略

○児童扶養手当法施行規則及び児童手当法施行規則の一部を改正する省令の制定について

〔平成九年十二月二十六日　児発第七四八号　各都道府県知事・各指定都市市長・各中核市市長宛　厚生省児童家庭局長通知〕

平成九年十二月二十六日付けをもって、「児童扶養手当法施行規則及び児童手当法施行規則の一部を改正する省令」が公布され、平成十年一月一日から施行されることとなったところである。その改正の理由及び概要は以下の通りであるので、御了知の上、管下市町村にその周知徹底を図るとともに、その適切な指導を行い、その運用に遺憾のないようにされたい。

記

第一　改正の理由

日本私立学校振興・共済事業団法（平成九年法律第四十八号）が平成十年一月一日から施行され、これにより私立学校教職員共済組合が解散し、その業務が日本私立学校振興・共済事業団に引き継がれることに伴い、児童扶養手当法施行規則及び児童手当法施行規則の所要の改正を行うものである。

第二　改正の概要

(1)　児童扶養手当法施行規則

様式第五号、第六号及び第九号のうち、「私立学校教職員共済組合」を「日本私立学校振興・共済事業団」に改める。

(2) 児童手当法施行規則

様式第一号（児童手当認定請求書）及び様式第三号（児童手当現況届）のうち、「私立学校教職員共済組合」を「私立学校教職員共済」に改める等、当該欄の記載事項の整理を行う。

私立学校教職員共済制度が、従来の「組合員」を「加入者」として位置づけ、年金の受給者に対して「組合員証」の代わりに「加入者証」を交付することから、様式上所要の改正を行う。

第三　施行期日及び経過措置

(1) 施行期日は平成十年一月一日からとする。

(2) この省令の施行の際現にあるこの省令の改正前の様式による用紙については、当分の間、これを取り繕って使用することができる。

○児童扶養手当法施行規則の一部を改正する省令について（施行通知）

〔平成十七年三月二十五日　雇児発第〇三二五〇一〇号
各都道府県知事宛　厚生労働省雇用均等・児童家庭局長通知〕

行政事件訴訟法の一部を改正する法律（平成十六年法律第八十四号）が平成十七年四月一日から施行されることとなっているが、これに伴い、本日、児童扶養手当法施行規則の一部を改正する省令（平成十七年厚生労働省令第四十六号。以下「改正規則」という。）が公布され、平成十七年四月一日から施行されることとなったところである。

改正規則の内容は左記のとおりであるので、御了知の上、事務処理に遺漏のないようにされるとともに、管内市町村においても適切な対応が図られるよう指導方重ねてお願いする。

この通知は、地方自治法（昭和二十二年法律第六十七号）第二百四十五条の四第一項の規定に基づく技術的な助言である。

記

第一　改正の趣旨

今般、行政事件訴訟法の一部が改正され、平成十七年四月一日からは、処分の相手方に対し、取消訴訟の提起に関する事項について、書面で教示することが義務づけられたことから、児童扶養手当の関係様式の改正を行うこと。

第二　改正の内容

児童扶養手当法施行規則（昭和三十六年厚生省令第五十一号）の様式第十一号（児童扶養手当認定通知書）、様式第十一号の三（児童扶養手当支給停止通知書）、様式第十二号（児童扶養手当認定請求却下通知書）、様式第十三号（児童扶養手当額改定通知書）、様式第十四号（児童扶養手当額改定請求却下通知書）及び様式第十五号（児童扶養手当資格喪失通知書）に、それぞれ取消訴訟の提起に関する事項についての教示を加えたこと。（別添1～6参照）

第三　経過措置

当分の間は、新様式に代えて、取消訴訟の提起に関する事項を教示する書面を旧様式に添付することにより対応することも可能であること。（別添7参照）

別添1～7　略

○児童扶養手当法施行規則の一部を改正する省令について（施行通知）

〔平成十七年七月二十七日　雇児発第〇七二七〇〇一号
各都道府県知事宛　厚生労働省雇用均等・児童家庭局長通知〕

地方税法等の一部を改正する法律（平成十五年法律第九号）、健康保険法施行令等の一部を改正する政令（児童扶養手当法施行令の一部改正を含む。）（平成十七年政令第百九十七号）の施行に伴い、児童扶養手当法施行規則の一部を改正する省令（平成十七年厚生労働省令第百二十三号）が平成十七年七月二十六日に公布されたところであるが、その内容は左記のとおりであるので、御了知の上、事務処理に遺漏のないようにされるとともに、管内市町村に対する周知方お願いする。

この通知は、地方自治法（昭和二十二年法律第六十七号）第二百四十五条の四第一項の規定に基づく技術的な助言である。

記

第一　改正の趣旨

地方税法等の一部を改正する法律（平成十五年法律第九号）により、「商品先物取引に係る雑所得等」の名称が「先物取引に係る雑所得等」に改められたことに伴い、児童夫養手当法施行規則の所要の改正を行うものである。

第二　改正の内容

1　児童扶養手当法施行規則（昭和三十六年厚生省令第五十一号）様式第一号（児童扶養手当認定請求書）及び第六号（児童扶養手当現況届）の裏面のうち、「商品先物取引」を「先物取引」に改めること。

2　本改正は、平成十七年八月一日から施行すること。

なお、改正省令の施行の際改正省令による改正前の様式（以下、「旧様式」という。）により使用されている書類は、改正省令による改正後の様式によるものとみなし、改正省令の施行の際現にある旧様式による用紙は、当分の間、これを取り繕って使用することができる。

○児童扶養手当法施行規則等の一部を改正する省令並びに障害児福祉手当及び特別障害者手当の支給に関する省令の一部を改正する省令について（施行通知）

〔平成十八年七月三十一日　雇児発第〇七三一〇〇二号・障発第〇七三一〇〇一号　各都道府県知事宛　厚生労働省雇用均等・児童家庭局長・社会・援護局障害保健福祉部長連名通知〕

児童扶養手当法施行規則等の一部を改正する省令（平成十八年厚生労働省令第百四十四号）並びに障害児福祉手当及び特別障害者手当の支給に関する省令の一部を改正する省令（平成十八年厚生労働省令第百四十六号）が別添のとおりそれぞれ公布され、平成十八年八月一日から施行されることとなったところである。

前記改正省令の内容は左記のとおりであるので、御了知の上、事務処理に遺漏のないようにされるとともに、管内市町村に対する周知方をお願いする。

なお、この通知は、地方自治法（昭和二十二年法律第六十七号）第二百四十五条の四第一項の規定に基づく技術的な助言である。

記

1 改正の趣旨

(1) 地方税法及び国有資産等所在市町村交付金及び納付金に関する法律の一部を改正する法律（平成十六年法律第十七号）により、「老年者控除」が廃止されたこと等に伴い、児童扶養手当法施行規則（昭和三十六年厚生省令第五十一号）等に定める様式等について、所要の改正を行うこと。

(2) 立入検査に係る身分証の表記事項について、本人確認事項（氏名、顔写真及び生年月日）のうち、氏名とともに本人かどうかの同一性を確認する上で重要な要素である顔写真及び生年月日を表記することとしたことに伴い、児童扶養手当法施行規則等に定める様式等について、所要の改正を行うこと。

2 改正の内容

(1) 児童扶養手当法施行規則様式第一号（児童扶養手当認定請求書）、様式第六号（児童扶養手当現況届）の「老年者控除」を削り、様式第一号（裏面）の注意に「4 ⑬欄は、児童が児童扶養手当の支給対象となった日以後、あなたが当該児童の監護又は養育を始めた年月日を記入してください。」を加え、及び様式第十六号（児童扶養手当受給資格調査員証）の表記事項を改めること。

(2) 特別児童扶養手当等の支給に関する法律施行規則（昭和三十九年厚生省令第三十八号）様式第一号（特別児童扶養手当認定請求書）、様式第六号（特別児童扶養手当所得状況届）の「老年者控除」を削り、及び様式第十七号（特別児童扶養手当受給資格調査員証）の表記事項を改めること。

(3) 母子及び寡婦福祉法施行規則（昭和三十九年厚生省令第三十二号）別記様式（母子家庭及び寡婦福祉検査証）の表記事項を改めること。

(4) 障害児福祉手当及び特別障害者手当の支給に関する省令（昭和五十年厚生省令第三十四号）様式第三号（障害児福祉手当（福祉手当）所得状況届）、様式第三号（裏面）の注意中、様式第七号（特別障害者手当所得状況届）、様式第七号（裏面）注意中の「老年者控除」を削り、及び様式第八号（障害児福祉手当（福祉手当）・特別障害者手当受給資格調査員証）の表記事項を改めること。

(5) 本改正は、平成十八年八月一日から施行すること。

なお、前記改正省令の施行の際現にある改正前の様式（以下「旧様式」という。）により使用されている書類は、改正省令による改正後の様式とみなし、改正省令の施行の際現にある旧様式による用紙は、当分の間、これを取り繕って使用することができること。

別添　略

○児童扶養手当法施行規則及び母子及び寡婦福祉法施行規則の一部を改正する省令の施行について

〔平成二十四年六月六日　雇児発〇六〇六第一号　各都道府県知事宛　厚生労働省雇用均等・児童家庭局長通知〕

児童扶養手当法施行規則及び母子及び寡婦福祉法施行規則の一部を改正する省令（平成二十四年厚生労働省令第九十一号。以下「改正省令」という。）が別添のとおり平成二十四年六月六日に公布され、一部を除き同年八月一日から施行することとされたところである。改正省令による改正の概要については、左記のとおりであるので、御了知いただくとともに、管内市町村に周知していただくようお願いする。

なお、本通知は、地方自治法（昭和二十二年法律第六十七号）第二百四十五条の四第一項の規定による技術的な助言である。

記

第一　改正の趣旨

児童扶養手当法（昭和三十六年法律第二百三十八号。以下「手当法」という。）第十三条の二に基づく児童扶養手当（以下「手当」という。）の一部支給停止について、その適用除外手続の負担軽減を図る改正を行うとともに、所得税法（昭和四十年法律第三十三号）に規定する特定扶養親族（以下「特定扶養親族」という。）の改正に伴い、手当及び母子及び寡婦福祉法（昭和三十九年法律第百二十九号）第三十一条に基づく母子家庭自立支援給付金（以下「母子家庭自立支援給付金」という。）の支給手続の改正を行う。

第二　改正の概要

1　児童扶養手当法施行規則の一部改正

(1)　手当の一部支給停止に係る五年等満了時の適用除外手続の改正

手当法第十三条の二第一項に規定する期間が満了する際の同条第二項に基づく一部支給停止の適用除外手続（以下「五年等満了時の適用除外手続」という。）については、児童扶養手当法施行規則（昭和三十六年厚生省令第五十一号。以下「手当規則」という。）第三条の三第一項に規定する五年等満了月以前三か月間に、一部支給停止の適用除外届出を行う等とされている。また、一部支給停止の適用除外を受けた後の二回目以降の適用除外手続（以下「二回目以降の適用除外手続」という。）については、児童扶養手当現況届（以下「現況届」という。）の提出期間（毎年八月）に、一部支給停止の適用除外届出を行う等とされている。

このうち、五年等満了時の適用除外手続について、次に掲げる改正を行うことにより、二回目以降の適用除外手続と同じ八月の届出、及び二回目以降の適用除外手続で提出する就業等に関する添付書類（手当規則第三条の三第一項第一号イから八までに掲げる書類をいう。以下同じ。）と同じ六月から八月までのいずれか時点の就業等に関する添付書類の提出も行うことができるようにするものであり、八月の現況届と併せて適用除外届出を行うことを可能とする。（手当規則第三条の三第一項関係）

① 届出期間に八月が含まれるように、届出期間の始期を八月一日（手当規則第三条の三第一項に規定する適用除外事由発生月（以下「適用除外事由発生月」という。）が八月から十月までのいずれかの月であるときはそれぞれその三か月前の月の初日とし、適用除外事由発生月が一月から七月までのいずれかの月であるときは前年の八月一日とする。以下この①において同じ。）に繰り上げること。なお、改正後の届出期間は、九月一日から適用除外事由発生月の末日（適用除外事由発生月が八月であるときは、九月三十日）までとなる。

② 就業等に関する添付書類の時点に六月から八月までの期間が含まれるように、当該時点の始期を六月一日（適用除外事由発生月が八月であるときは五月一日とし、適用除外事由発生月が一月から七月までのいずれかの月であるときは前年の六月一日とする。以下この②において同じ。）に繰り上げること。なお、改正後の就業等に関する添付書類の時点は、六月一日から適用除外事由発生月の末日（適用除外事由発生月が八月であるときは、九月三十日）までのいずれかの時となる。

また、適用除外事由発生月が七月である場合については、その前年の六月時点の就業等に関する添付書類の提出も可能とすることに伴い、一部支給停止の適用除外期間を適用除外事由発生月である七月の一か月間に変更する。（手当規則第二十四条の五第一項関係）

(2) 税制上の特定扶養親族の改正に伴う手当の認定請求及び現況届の手続の改正

手当法第九条第一項に基づく手当の所得制限基準額については、特定扶養親族がある場合には基準額を一人につき一五万円加算することとしているが、平成二十三年の所得から、特定扶養親族の定義が、所得税法に規定する扶養親族のうち一六歳以上二三歳未満の者から、同法に規定する控除対象扶養親族（以下「控除対象扶養親族」という。）のうち一九歳以上二三歳未満の者に変更されることとなる。これに伴い、特定扶養親族ではなくなる一六歳以上一九歳未満の控除対象扶養親族がある場合について、手当の所得制限基準額が引き下げられることとならないよう、国民健康保険法施行令等の一部を改正する政令（平成二十三年政令第四百三十号）により、児童扶養手当法施行令（昭和三十六年政令第四百五号）第二条の四の規定を改正し、特定扶養親族がある場合と同じ基準額の加算を行うこととした。

このため、手当の請求者又は受給者に一六歳以上一九歳未満の控除対象扶養親族がある場合について、引き続き所得制限基準額の加算を行うため、手当の支給機関が一六歳以上一九歳未満の控除対象扶養親族の数を把握することが必要であることから、手当の認定請求及び現況届において、次に掲げる改正を行うこととする。

① 児童扶養手当認定請求書及び現況届に、一六歳以上一九歳未満の控除対象扶養親族の数を記載すること。（手当規則様式第一号及び様式第六号関係）

② 手当の請求者又は受給者が一六歳以上一九歳未満の控除対象扶養親族を有するときは、その数（当該控除対象扶養親族が手当法第十条又は第十一条に規定する扶養義務者でないときは、当該控除対象扶養親族の所得を含む。）に関し所要の添付書類を提出すること。（手当規則第一条及び第四条関係）

2 母子及び寡婦福祉法施行規則の一部改正

母子家庭自立支援給付金（常用雇用転換奨励金、自立支援教育訓練給付金、高等職業訓練促進給付金及び高等職業訓練修了支援給付金）については、手当の所得制限基準額による対象者の所得制限を行っており、対象者に一六歳以上一九歳未満の控除対象扶養親族がある場合について、特定扶養親族の定義の変更後も引き続き所得制限基準額の加算を行うため、都道府県知事等が一六歳以上一九歳未満の控除対象扶養親族の数を把握することが必要である。このため、母子家庭自立支援給付金の支給手続において、児童扶養手当証書の写しの提出がない場合であって、母子家庭自立支援給付金の申請者等が一六歳以上一九歳未満の控除対象扶養親族を有するときは、その数及び所得に関し所要の添付書類を提出することとする。（母子及び寡婦福祉法施行規則（昭和三十九年厚生省令第三十二号）第六条の二第二項、第六条の四第二項、第六条の六第二項、第六条の八第二項、第六条の十第二項及び第六条の十六第二項関係）

3 施行期日等

(1) 施行期日

平成二十四年八月一日。ただし、1(2)については、同年七月一日とする。

(2) 経過措置

① 五年等満了時の適用除外手続については、適用除外事由発生月が平成二十四年八月前である受給資格者に係るものである場合には、なお従前の例によるものであること。（改正省令附則第三条関係）

② 手当の支給機関が、1(1)による改正後の五年等満了時の適用除外手続に基づき、受給資格者から手当の一部支給停止の適用除外届出を受け、一部支給停止の適用除外事由に該当するか否かを認定することが困難であると認められる特別の事情がある場合においては、適用除外事由発生月が平成二十五年八月前である場合に限り、なお従前の例によることができること。（改正省令附則第四条関係）

③ その他所要の経過措置を講ずるものであること。

別添　略

○児童扶養手当法施行規則の一部を改正する省令の施行について

〔平成二十八年七月十四日　雇児発〇七一四第一号
各都道府県知事・各指定都市市長宛　厚生労働省雇用均等・児童家庭局長通知〕

児童扶養手当法施行規則の一部を改正する省令（平成二十八年厚生労働省令第百二十六号。以下「改正省令」という。）が、本日公布され、平成二十八年八月一日から施行されることとなったところである。

改正省令の内容は左記のとおりであるので、御了知の上、事務処理に遺漏なきを期されるとともに、管内市町村及び福祉事務所に対する周知方をお願いする。

この通知は、地方自治法（昭和二十二年法律第六十七号）第二百四十五条の四第一項の規定に基づく技術的な助言である。

記

第一　改正省令の内容

1　児童扶養手当認定請求書の見直し

児童扶養手当法施行規則（昭和三十六年厚生省令第五十一号。以下「規則」という。）第一条に基づく児童扶養手当認定請求書（様式第一号）について、養育費の取決めの有無について確認する項目を設けることとする。

養育費の取決めをしていないなど養育費の確保支援を必要としているひとり親家庭に対しては、母子・父子自立支援員との連携を図る等により、相談支援につなげる等適切な対応をとること。

※　なお、本改正により、養育費の取決めをしていることが、児童扶養手当の支給要件となるものではないことを申し添える。

2　その他所要の改正

行政不服審査法（平成二十六年法律第六十八号）及び行政不服審査法の施行に伴う関係法律の整備等に関する法律（平成二十六年法律第六十九号）の施行に伴い、規則について所要の規定の整備を行うため、平成二十八年二月二十五日に、行政不服審査法及び行政不服審査法の施行に伴う関係法律の整備等に関する法律の施行に伴う厚生労働省関係省令の整備に関する省令（平成二十八年厚生労働省令第二十五号）を公布したが、当該省令で改正した規則の様式の一部に誤りがあったため、所要の改正を行うこととする。

第二　施行期日

平成二十八年八月一日

第三　経過措置

改正省令の施行の際現にある改正省令による改正前の様式による用紙については、当分の間、これを取り繕って使用することができることとする。

○児童扶養手当法施行規則等の一部を改正する省令の施行について（児童扶養手当法施行規則及び母子及び父子並びに寡婦福祉法施行規則関係）（施行通知）

〔平成三十年八月一日　子発〇八〇一第一号
各都道府県知事・各指定都市市長・各中核市市長宛
厚生労働省子ども家庭局長通知〕

児童扶養手当法施行規則等の一部を改正する省令（平成三十年厚生労働省令第百一号。以下「改正省令」という。）が、本日公布されたところである。

改正省令の内容は左記のとおりであるので、御了知の上、事務処理に遺漏のないようにされるとともに、管内市町村（特別区を含む。）及び福祉事務所に対する周知方をお願いする。

記

第一　改正の趣旨

平成二十八年通常国会で成立した児童扶養手当法の一部を改正する法律（平成二十八年法律第三十七号）に対する附帯決議において、「一部の地方公共団体が取り組んでいる未婚のひとり親に対する保育料軽減等の寡婦控除のみなし適用について、その実態の把握に努め、必要に応じて適切な措置を講ずること」とされたことを踏まえ、児童扶養手当法施行令等の一部を改正する政令（平成三十年政令第二百三十二号。以下「改正政令」という。）により、児童扶養手当の支給額の算定の基礎等となる所得の額について、未婚の母又は未婚の父（以下「未婚のひとり親」という。）についても地方税法（昭和二十五年法律第二百二十六号）上の寡婦控除又は寡夫控除（以下「寡婦・寡夫控除」という。）の適用があったものとみなして計算する等の措置を、本年八月から講ずることとした。

これに伴い、必要となる様式の改正や添付書類の追加を行うものである。

第二　改正の内容

1　児童扶養手当法施行規則（昭和三十六年厚生省令第五十一号）の一部改正

(1)　児童扶養手当に係る認定請求書及び現況届の提出の際の添付書類の追加（第一条第七号ハ及び第八号ハ関係）

寡婦・寡夫控除が適用されない未婚のひとり親のうち、①又は②のいずれかに該当する者（以下「みなし適用対象者」という。）については、児童扶養手当に係る認定請求書及び現況届の提出に際し、当該事実を明らかにすることができる書類を添付すること。

なお、当該事実を明らかにすることができる書類とは、みなし適用対象者（児童扶養手当の支給対象児童の母及び父を除く。）及びその者と生計を一にする子の戸籍謄本及び課税証明書等であること。

①　婚姻（民法（明治二十九年法律第八十九号）上の婚姻をいう。以下同じ。）によらないで母となった女子であって、現に婚姻をしていないもののうち、扶養親族その他その者と生計を一にする子（他の者の控除対象配偶者又は扶養親族とされている者を除き、前年の総所得金額等が三八万円以下の者）を有するもの。

② 婚姻によらないで父となった男子であって、現に婚姻をしていないもののうち、その者と生計を一にする子（他の者の控除対象配偶者又は扶養親族とされている者を除き、前年の総所得金額等が三八万円以下の者）を有し、かつ、前年の合計所得金額が五〇〇万円以下であるもの。

(2) 認定請求書及び現況届の様式について（様式第一号、様式第六号関係）

児童扶養手当認定請求書（様式第一号）及び児童扶養手当現況届（様式第六号）について、改正政令の施行に伴い、所要の改正を行うこと。

2 母子及び父子並びに寡婦福祉法施行規則（昭和三十九年厚生省令第三十二号）の一部改正

(1) 自立支援教育訓練給付金の手続きにおける添付書類の追加（第六条の六第二項第三号及び第六条の八第二項第三号関係）

自立支援教育訓練給付金（母子及び父子並びに寡婦福祉法（昭和三十九年法律第百二十九号）第三十一条第一号に規定する母子家庭自立支援教育訓練給付金及び同法第三十一条の十に規定する父子家庭自立支援教育訓練給付金をいう。）の受給希望者がみなし適用対象者であるときは、教育訓練講座の指定の申請及び支給の申請に際し、みなし適用対象者である旨を明らかにすることができる書類を添付すること。

なお、みなし適用対象者である旨を明らかにすることができる書類とは、みなし適用対象者（養育者に限る。）及びその者と生計を一にする子の戸籍謄本及び課税証明書等であること。

(2) 高等職業訓練促進給付金及び高等職業訓練修了支援給付金の手続きにおける添付書類の追加について（第六条の十第二項第三号及び第六条の十六第二項第三号関係）

高等職業訓練促進給付金（母子及び父子並びに寡婦福祉法第三十一条第二号にする母子家庭高等職業訓練促進給付金及び同法第三十一条の十に規定する父子家庭高等職業訓練促進給付金をいう。以下同じ。）及び高等職業訓練修了支援給付金（母子及び父子並びに寡婦福祉法施行令（昭和三十九年政令第二百二十四号）第二十九条第一項に規定する母子家庭高等職業訓練修了支援給付金及び同令第三十一条の九第一項に規定する父子家庭高等職業訓練修了支援給付金をいう。以下同じ。）の受給希望者がみなし適用対象者であるときは、支給の申請に際し、みなし適用対象者である旨を明らかにすることができる書類を添付すること。

なお、みなし適用対象者である旨を明らかにすることができる書類とは、みなし適用対象者及びその者と生計を一にする子の戸籍謄本及び課税証明書等であること。

第三 施行期日等

1 施行期日

改正省令は平成三十年八月一日から施行すること。

2 経過措置

改正省令の施行の際現にある改正前の様式（以下「旧様式」という。）により使用されている書類は、この省令による改正後の様式によるものとみなすこと。

また、この省令の施行の際現にある旧様式による書類については、当分の間、これを取り繕って使用することができること。

○生活困窮者等の自立を促進するための生活困窮者自立支援法等の一部を改正する法律の施行に伴う厚生労働省関係省令の整備等に関する省令の施行について（児童扶養手当法施行規則及び母子及び父子並びに寡婦福祉法施行規則関係）（施行通知）

〔平成三十年九月二十八日　子発〇九二八第二号
各都道府県知事・各指定都市市長・各中核市市長宛
厚生労働省子ども家庭局長通知〕

平成三十年通常国会で成立した生活困窮者等の自立を促進するための生活困窮者自立支援法等の一部を改正する法律（平成三十年法律第四十四号。以下「改正法」という。）により、児童扶養手当法（昭和三十六年法律第二百三十八号。以下「法」という。）が改正され、児童扶養手当の支払回数を年三回から年六回に増やすこととし、平成三十一年十一月支払分より実施することとしている。これに伴い、生活困窮者等の自立を促進するための生活困窮者自立支援法等の一部を改正する法律の施行に伴う厚生労働省関係省令の整備等に関する省令（平成三十年厚生労働省令第百十七号。以下「改正省令」という。）が、本日公布されたところである。

改正省令の内容は左記のとおりであるので、御了知の上、事務処理に遺漏のないようにされるとともに、管内市町村（特別区を含む。）に対する周知方をお願いする。

記

第一　改正の内容

1　児童扶養手当法施行規則（昭和三十六年厚生省令第五十一号）の一部改正

(1)　児童扶養手当の認定請求の手続き（第一条第七号及び様式第一号関係）

改正法において、児童扶養手当の額を前年の所得に基づき改定する時期を八月から十一月に後ろ倒したことに伴い、受給資格者の所得について、一月から九月までの間に認定請求する者については前々年の所得、十月から十二月までの間に認定請求する者については前年の所得を確認することとすること。

(2)　児童扶養手当所得状況届（第三条の五、第四条及び様式第五号の五関係）

七月から九月までの間に認定請求する者については、受給者及び自治体の負担軽減の観点から、その年の十一月支給分以降の児童扶養手当の額の改定に必要となる前年の所得を把握するため、認定請求を行った日からその年の十月三十一日までの間に、前年の所得に係る第一条第七号（へを除く。）及び第八号（ニを除く。）に掲げる書類等を添えて、児童扶養手当所得状況届（様式第五号の五）を提出させること。

(3)　支給制限の適用除外期間等（第二十四条の六及び様式第十一号の二関係）

改正法において、所得制限による支給制限の適用期間を見直したことに伴い、法第十三条の三第二項に規定する支給制限の適用除外期間について、「八月から翌年七月まで」とあるのを「十一月から翌年十月まで」とすること。また、適用除外事由発生月が八月から十月までの場合にあっては、支給制限の適用除外期間を翌年の十月までとするなどの所要の措置を講ずること。

2 母子及び父子並びに寡婦福祉法施行規則（昭和三十九年厚生省令第三十二号）の一部改正

(1) 自立支援教育訓練給付金等の添付書類（第六条の六第二項第二号、第六条の八第二項第二号、第六条の十第二項第二号及び第六条の十六第二項第二号関係）

改正法の施行に伴い、児童扶養手当と自立支援教育訓練給付金等（母子及び父子並びに寡婦福祉法（昭和三十九年法律第百二十九号）第三十一条第一号に規定する母子家庭自立支援教育訓練給付金、同法第三十一条第二号に規定する母子家庭高等職業訓練促進給付金、同法第三十一条の十に規定する父子家庭自立支援教育訓練給付金及び父子家庭高等職業訓練促進給付金並びに母子及び父子並びに寡婦福祉法施行令（昭和三十九年政令第二百二十四号）第二十九条第一項に規定する母子家庭高等職業訓練修了支援給付金及び同令第三十一条の九第一項に規定する父子家庭高等職業訓練修了支援給付金をいう。以下同じ。）とにおいて、支給の判定等を行う所得の年度を改定する時期に差異が生じることから、八月から十月までの間に自立支援教育訓練給付金等を申請する者については、児童扶養手当証書の写しを添付書類から除外すること。

第二 施行期日等

1 施行期日

改正省令は平成三十年十月一日から施行すること。ただし、第一の1(1)（第一条第七号の改正規定を除く。）及び(2)については平成三十一年七月一日、第一の2については平成三十年十一月一日から施行すること。

2 経過措置

改正省令の施行の際現にある改正省令による改正前の様式（以下「旧様式」という。）により使用されている書類は、改正省令による改正後の様式によるものとみなすこと。

また、改正省令の施行の際現にある旧様式による書類については、当分の間、これを取り繕って使用することができること。

○元号の表記の整理のための厚生労働省関係省令の一部を改正する省令の施行について

〔令和元年五月七日　子発〇五〇七第一号
各都道府県知事・各指定都市市長・各中核市市長宛
厚生労働省子ども家庭局長通知〕

元号の表記の整理のための厚生労働省関係省令の一部を改正する省令（令和元年厚生労働省令第一号）が本日公布・施行された。

このうち、当局所管省令の改正の内容は左記のとおりであるので、御了知の上、その円滑な施行につき御配慮いただくとともに、管内市町村への周知をお願いしたい。

記

1　改元に伴い、次に掲げる省令により定められた様式において、「平成」を「令和」に改める等必要な措置を講ずること。

・　児童福祉法施行規則（昭和二十三年厚生省令第十一号）
・　母体保護法施行規則（昭和二十七年厚生省令第三十二号）
・　児童扶養手当法施行規則（昭和三十六年厚生省令第五十一号）
・　母子及び父子並びに寡婦福祉法施行規則（昭和三十九年厚生省令第三十二号）
・　母子保健法施行規則（昭和四十年厚生省令第五十五号）
・　既認定者等に交付する児童扶養手当証書の様式を定める省令（平成十五年厚生労働省令第五十二号）
・　厚生労働省関係国家戦略特別区域法施行規則（平成二十六年厚生労働省令第三十三号）
・　生活困窮者等の自立を促進するための生活困窮者自立支援法等の一部を改正する法律の施行に伴う厚生労働省関係省令の整備等に関する省令（平成三十年厚生労働省令第百十七号）

2　改正前の様式（以下「旧様式」という。）により使用されている書類は、当該改正後の様式によるものとみなすものとすること。

また、旧様式による用紙については、合理的に必要と認められる範囲内で、当分の間、例えば、訂正印や手書きによる訂正等により、これを取り繕って使用することができるものとすること。

○児童扶養手当法施行規則等の一部を改正する省令の施行について（施行通知）

〔令和元年六月二十八日　子発〇六二八第五号・障発〇六二八第三号
各都道府県知事・各指定都市市長・各中核市市長宛
厚生労働省子ども家庭局長・社会・援護局障害保健福祉部長連名通知〕

児童扶養手当法施行規則等の一部を改正する省令（令和元年厚生労働省令第二十二号。以下「改正省令」という。）が、本日公布され、一部の規定を除き、本年七月一日に施行されることとなった。

改正省令の内容は左記のとおりであるので、御了知の上、事務処理に遺漏のないようにされるとともに、管内市町村に対する周知をお願いする。

なお、この通知は、地方自治法（昭和二十二年法律第六十七号）第二百四十五条の四第一項の規定に基づく技術的な助言である。

記

第一　改正省令の趣旨

所得税法等の一部を改正する等の法律（平成二十九年法律第四号。以下「改正法」という。）のうち、配偶者控除の見直しに係る改正規定が平成三十（二〇一八）年一月に施行されたところ、同年以降の年の所得の額を基に本年十一月以降の月分の児童扶養手当等の支給制限の適用を判断するため、児童扶養手当法施行規則（昭和三十六年厚生省令第五十一号。以下「児扶手法規則」という。）等の関係省令の規定の整備を行うもの。

第二　改正省令の内容

1　児扶手法規則関係

(1)　配偶者控除の見直しに伴う定義の改正について（児扶手法規則第一条関係）

改正法による配偶者控除の見直しにより、平成三十（二〇一八）年一月より所得税法（昭和四十年法律第三十三号）第二条の三十三の二に規定する控除対象配偶者（以下「控除対象配偶者」という。）及び同法第二条の三十三の三に規定する老人控除対象配偶者（以下「老人控除対象配偶者」という。）の用語の指し示す範囲が狭まった。

現行では、児童扶養手当受給者の老人控除対象配偶者の数を考慮して、児童扶養手当の支給制限を行っているところ、改正法による改正にかかわらず、従前と変わらない取扱とする必要がある。

また、控除対象配偶者の定義が見直されたことに伴い、児童扶養手当受給者等の同一生計配偶者の有無及び当該同一生計配偶者が七〇歳以上であるか否かについて、課税証明書では把握できない場合がある。

このため、「老人控除対象配偶者」を「同一生計配偶者（七〇歳以上の者に限る。）」に改正するとともに、同一生計配偶者の有無等を課税証明書で把握できない場合、それを確認できる書類を認定請求や現況届の添付書類として追加すること。

なお、具体的には、申立書及び当該同一生計配偶者の前年（一月から九月までに請求する場合には、前々年。）の所得の額についての市町村長の証明書（同一生計配偶者がいない者については、申立書のみ。）を添付すること。

(2) 所得状況届に係る添付書類の省略について（児扶手法規則第十三条及び第二十六条関係）

児扶手法規則第十三条において、受給者が各種届出をする場合等には、児童扶養手当証書を添えなければならないと規定しているところ、児扶手法規則第三条の五に規定する所得状況届（以下「所得状況届」という。）については、認定請求書と同時に提出することを想定していることから、児童扶養手当証書の添付を省略すること。

また、児扶手法規則第二十六条において、受給資格者が児童扶養手当認定請求書等を、住所地を管轄する都道府県知事に提出する場合等において、これらの者の住所地の町村長を経由するときは、添付書類を省略することとなっているところ、所得状況届についても同様の扱いとすること。

(3) 各様式の改正について（児扶手法規則様式第一号、第三号、第五号の五及び第六号関係）

児扶手法規則様式第一号（児童扶養手当認定請求書）、第三号（児童扶養手当被災状況書）、第五号の五（児童扶養手当所得状況届）及び第六号（児童扶養手当現況届）について所要の改正を行うこと。

改正後の様式については、平成三十（二〇一八）年の所得を用いて児童扶養手当の支給制限の判断をする時点（様式第一号及び第三号は本年十月一日、様式第五号の五は本年七月一日、様式第六号は本年八月一日）から使用すること。

なお、改正前の様式により使用されている書類は、この省令による改正後の様式によるものとみなすとともに、改正前の様式による用紙については、当分の間、これを取り繕って使用することができること。

2 母子及び父子並びに寡婦福祉法施行規則（昭和三十九年厚生省令第三十二号。以下「母子寡婦法規則」という。）関係

(1) 配偶者控除の見直しに伴う定義の改正について（母子寡婦法規則第六条の六、第六条の八、第六条の十及び第六条の十六関係）

現行、母子及び父子並びに寡婦福祉法（昭和三十九年法律第百二十九号）第三十一条に規定する自立支援教育訓練給付金及び高等職業訓練促進給付金並びに母子及び父子並びに寡婦福祉法施行令（昭和三十九年政令第二百二十四号）第二十九条に規定する高等職業訓練修了給付金（以下「給付金」という。）の支給については、受給希望者の老人控除対象配偶者の数を考慮する児童扶養手当受給者と同等の所得水準である者を対象としているところ、今般の配偶者控除の見直しにかかわらず、従前と変わらない取扱とする必要がある。

また、控除対象配偶者の定義が見直されたことに伴い、受給希望者の同一生計配偶者の有無及び当該同一生計配偶者が七〇歳以上であるか否かについて、課税証明書では把握できない場合がある。

このため、「老人控除対象配偶者」を「同一生計配偶者（七〇歳以上の者に限る。）」に改正するとともに、同一生計配偶者の有無等を課税証明書で把握できない場合、それを確認できる書類を支給申請の添付書類として追加すること。

なお、具体的には、申立書及び当該同一生計配偶者の前年（一月から七月までに請求する場合には、前々年。）の所得の額についての市町村長の証明書（同一生計配偶者がいない者については、申立書のみ。）を添付すること。

3 特別児童扶養手当等の支給に関する法律施行規則（昭和三十九年厚生省令第三十八号。以下「特児扶法規則」という。）関係

(1) 配偶者控除の見直しに伴う定義の改正について（特児扶法規則第一条関係）

現行では、特別児童扶養手当受給者の老人控除対象配偶者の数に応じ、特別児童扶養手当の支給制限を行っているところ、今般の配偶者控除の見直しにかかわらず、従前と変わらない取扱とする必要がある。

また、控除対象配偶者の定義が見直されたことに伴い、特別児童扶養手当受給者等の同一生計配偶者の有無及び当該同一生計配偶者が七〇歳以上であるか否かについて、課税証明書では把握できない場合がある。

このため、「老人控除対象配偶者」を「同一生計配偶者（七〇歳以上の者に限る。）」に改正するとともに、同一生計配偶者の有無等を課税証明書で把握できない場合、それを確認できる書類を認定請求や所得状況届等の添付書類として追加すること。

なお、具体的には、申立書及び当該同一生計配偶者の前年（一月から六月までに請求する場合には、前々年。）の所得の額についての市町村長の証明書（同一生計配偶者がいない者については、申立書のみ。）を添付すること。

(2) 各様式の改正について（特児扶法規則様式第一号、第三号及び第六号関係）

特児扶法規則様式第一号（特別児童扶養手当認定請求書）、第三号（特別児童扶養手当被災状況書）及び第六号（特別児童扶養手当所得状況届）について所要の改正を行うこと。改正後の様式については、平成三十（二〇一八）年の所得を用いて特別児童扶養手当の支給制限の判断をする時点（様式第一号及び第三号については本年七月一日、様式第六号については本年八月十二日）から使用すること。

なお、改正前の様式により使用されている書類は、この省令による改正後の様式によるものとみなすとともに、改正前の様式による用紙については、当分の間、これを取り繕って使用することができること。

4　障害児福祉手当及び特別障害者手当の支給に関する省令（昭和五十年厚生省令第三十四号。以下「手当規則」という。）関係

(1)　配偶者控除の見直しに関する定義の改正について（手当規則第二条、第十五条関係）

現行では、障害児福祉手当及び特別障害者手当受給者の老人控除対象配偶者の数に応じ、障害児福祉手当及び特別障害者手当の支給制限を行っているところ、今般の配偶者控除の見直しにかかわらず、従前と変わらない取扱とする必要がある。

また、控除対象配偶者の定義が見直されたことに伴い、特別障害者手当等の受給者等の同一生計配偶者の有無及び当該同一生計配偶者が七〇歳以上であるか否かについて、課税証明書では把握できない場合がある。

このため、「老人控除対象配偶者」を「同一生計配偶者（七〇歳以上の者に限る。）」に改正するとともに、同一生計配偶者の有無等を課税証明書で把握できない場合、それを確認できる書類を認定請求や所得状況届等の添付書類として追加すること。

なお、添付書類は、申立書及び当該同一生計配偶者の前年（一月から六月までに請求する場合には、前々年。）の所得の額についての市町村長の証明書（同一生計配偶者がいない者については、申立書のみ。）とすること。

(2)　各様式の改正について（手当規則様式第三号、第四号及び第七号関係）

手当規則様式第三号（障害児福祉手当所得状況届）、第四号（障害児福祉手当及び特別障害者手当被災状況書）及び第七号（特別障害者手当所得状況届）について所要の改正を行うこと。改正後の様式については、平成三十（二〇一八）年の所得を用いて障害児福祉手当及び特別障害者手当の支給制限の判断をする時点（本年七月一日）から使用すること。

なお、改正前の様式により使用されている書類は、この省令による改正後の様式によるものとみなすとともに、改正前の様式による用紙については、当分の間、これを取り繕って使用することができること。

(3)　経過的福祉手当について

国民年金法等の一部を改正する法律（昭和六十年法律第三十四号）附則第九十七条第一項の規定による福祉手当についても、(1)及び(2)の改正が適用されること。

5　その他所要の改正

第三　施行期日

一部の規定を除き、令和元年七月一日

〇不正競争防止法等の一部を改正する法律の施行に伴う厚生労働省関係省令の整備に関する省令の施行について（子ども家庭局関係）

〔令和元年七月一日 子発〇七〇一第三号
各都道府県知事・各指定都市市長・各中核市市長宛
厚生労働省子ども家庭局長通知〕

不正競争防止法等の一部を改正する法律の施行に伴う厚生労働省関係省令の整備に関する省令（令和元年厚生労働省令第二十号）が本年六月二十八日に公布され、本日施行された。

このうち、当局所管省令の改正の内容は左記のとおりであるので、御了知の上、その円滑な施行につき御配慮いただくとともに、管内市町村への周知をお願いしたい。

記

1　次に掲げる省令により定められた様式において、「日本工業規格」を「日本産業規格」に改める等必要な措置を講ずること。

・児童福祉法施行規則（昭和二十三年厚生省令第十一号）
・母体保護法施行規則（昭和二十七年厚生省令第三十二号）
・母子保健法施行規則（昭和四十年厚生省令第五十五号）
・既認定者等に交付する児童扶養手当証書の様式を定める省令（平成十五年厚生労働省令第五十二号）
・厚生労働省関係国家戦略特別区域法施行規則（平成二十六年厚生労働省令第三十三号）
・民間あっせん機関による養子縁組のあっせんに係る児童の保護等に関する法律施行規則（平成二十九年厚生労働省令第百二十五号）

2　この省令による改正前の様式（以下「旧様式」という。）により使用されている書類は、この省令による改正後の様式によるものとみなすものとすること。

旧様式による用紙については、当分の間、これを取り繕って使用することができるものとすること。

○押印を求める手続の見直しのための厚生労働省関係省令の一部を改正する省令の施行について

〔令和二年十二月二十五日　子発一二二五第三号
各都道府県知事・各指定都市市長・各中核市市長宛
厚生労働省子ども家庭局長通知〕

押印を求める手続の見直し等のための厚生労働省関係省令の一部を改正する省令（令和二年厚生労働省令第二百八号）が本日公布・施行された。

このうち、当局所管省令の改正の内容は左記のとおりであるので、御了知の上、その円滑な施行につき御配慮いただくとともに、管内市町村への周知をお願いしたい。

記

1　次に掲げる省令において、国民や事業者等に対して押印を求めている手続について、国民や事業者等の押印等を不要とする改正を行う。

・　児童福祉法施行規則（昭和二十三年厚生省令第十一号）
・　母体保護法施行規則（昭和二十七年厚生省令第三十二号）
・　児童扶養手当法施行規則（昭和三十六年厚生省令第五十一号）
・　厚生労働省関係国家戦略特別区域法施行規則（平成二十六年厚生労働省令第三十三号）
・　民間あっせん機関による養子縁組のあっせんに係る児童の保護等に関する法律施行規則（平成二十九年厚生労働省令第百二十五号）
・　旧優生保護法に基づく優生手術等を受けた者に対する一時金の支給等に関する法律施行規則（平成三十一年厚生労働省令第七十二号）
・　児童扶養手当法施行規則の一部を改正する省令（令和二年厚生労働省令第百八十四号）

2　改正前の様式（以下「旧様式」という。）により使用されている書類は、当該改正後の様式によるものとみなすものとすること。
また、旧様式による用紙については、当分の間、これを取り繕って使用することができるものとすること。

○児童福祉法施行規則等の一部を改正する省令の公布について

（令和二年十二月二十八日 健発一二二八第二号・子発一二二八第一号・障発一二二八第三号・老発一二二八第一号 各都道府県知事・各指定都市市長・各中核市市長・各児童相談所設置市市長・各地方厚生（支）局長宛 厚生労働省健康・子ども家庭局長・社会・援護局障害保健福祉部長・老健局長連名通知）

児童福祉法施行規則等の一部を改正する省令（令和二年厚生労働省令第二百十二号。以下「改正省令」という。）が本日公布され、令和三年一月一日から施行されるところである。

改正省令の趣旨及び内容は左記のとおりであるので、御了知の上、管内市町村（特別区を含む。）を始め、関係者、関係団体等に対し、その周知徹底を図るとともに、その運用に遺漏なきようお願いする。

記

第一　改正の趣旨

1　みなし寡婦（夫）適用の見直しについて

令和二年度税制改正において、未婚のひとり親を対象とした控除が創設されることに伴い、児童福祉法施行規則（昭和二十三年厚生省令第十一号）等で講じた未婚のひとり親のみなし寡婦（夫）適用に係る規定について、所要の見直しを行うもの。

2　個人所得課税の見直しについて

平成三十年度税制改正において、給与所得控除・公的年金等控除について一〇万円引き下げるとともに、基礎控除を一〇万円引き上げることとされた。これに伴い意図せざる影響や不利益が生じないよう、特別児童扶養手当等の支給に関する法律施行規則（昭和三十九年厚生省令第三十八号）等の規定について所要の見直しを行うもの。

3　低未利用土地等の長期譲渡所得に係る特別控除について

令和二年度税制改正において、個人が令和二年七月一日から令和四年十二月三十一日までの間に低未利用地の譲渡をした場合には、税法上の特別控除として、低未利用地の譲渡に係る長期譲渡所得の金額から一〇〇万円を控除することができることとされた。これに伴い、長期譲渡所得に関する特別控除を定める介護保険法施行規則（平成十一年厚生省令第三十六号）等の規定について所要の見直しを行うもの。

4　押印等の見直しについて

児童扶養手当法施行規則（昭和三十六年厚生省令第五十一号）等において、国民に対して押印を求めている手続について、国民の押印等を不要とする改正を行うもの。

5　死亡者の個人番号に係る措置について

特別児童扶養手当等の支給に関する法律施行規則等において、受給者の死亡の届出の際に死亡者の個人番号を求めないこととする改正を行うもの。

第二　改正の内容

1　児童福祉法施行規則の一部改正

児童福祉法施行規則等の一部を改正する省令の公布について

(1) 指定小児慢性特定疾病医療支援等に係る負担上限月額の区分の認定に用いるための市町村民税の所得割の額の算定等について、未婚のひとり親へのみなし寡婦（夫）適用に係る規定を削除する。

(2) その他所要の改正を行う。

2 児童扶養手当法施行規則の一部改正

(1) 1(1)に準じた改正を行う。

(2) 押印を求めている手続について、押印等を不要とする改正を行う。

(3) その他所要の改正を行う。

3 特別児童扶養手当等の支給に関する法律施行規則の一部改正

(1) 1(1)に準じた改正を行う。

(2) 総所得金額に給与所得控除・公的年金等控除が含まれている場合には、その合計額から一〇万円を控除する等の改正を行う。

(3) 2(2)に準じた改正を行う。

(4) 受給者の死亡の届出の際に、死亡者の個人番号を不要とする改正を行う。

(5) その他所要の改正を行う。

4 障害児福祉手当及び特別障害者手当の支給に関する省令（昭和五十年厚生省令第三十四号）の一部改正

(1) 1(1)に準じた改正を行う。

(2) 3(2)に準じた改正を行う。

(3) 2(2)に準じた改正を行う。

(4) 3(4)に準じた改正を行う。

(5) その他所要の改正を行う。

5 介護保険法施行規則の一部改正

(1) 3(2)に準じた改正を行う。

(2) 低未利用土地の長期譲渡所得の特別控除の見直しに伴い、新設された租税特別措置法第三十五条の三第一項の規定を介護保険法施行規則において引用している租税特別措置法の規定に加える改正を行う。

(3) その他所要の改正を行う。

6 健康保険法等の一部を改正する法律（平成十八年法律第八十三号）附則第百三十条の二第一項の規定によりなおその効力を有するものとされた介護保険法施行規則の一部改正

(1) 3(2)に準じた改正を行う。

(2) 5(2)に準じた改正を行う。

(3) その他所要の改正を行う。

7 障害者の日常生活及び社会生活を総合的に支援するための法律施行規則（平成十八年厚生労働省令第十九号）の一部改正

(1) 1(1)に準じた改正を行う。

(2) その他所要の改正を行う。

8 ハンセン病問題の解決の促進に関する法律施行規則（平成二十一年厚生労働省令第七十五号）の一部改正

(1) 1(1)に準じた改正を行う。

(2) 3(2)に準じた改正を行う。

9 難病の患者に対する医療等に関する法律施行規則（平成二十六年厚生労働省令第百二十一号）の一部改正

(1) 1(1)に準じた改正を行う。

第三 施行期日等

1 改正省令は、令和三年一月一日から施行する。

2 改正省令の施行に際し必要な経過措置を設けることとする。

（準　則　等）

○児童扶養手当都道府県事務取扱準則の改正について

〔昭和六十年八月二十一日　児発第七〇五号
各都道府県知事宛　厚生省児童家庭局長通知〕

〔改正経過〕

第一次改正　〔平成一四年七月四日雇児発第〇七〇四〇〇一号
第二次改正　〔平成一五年三月三一日雇児発第〇三三一〇〇七号
第三次改正　〔平成二〇年一一月六日雇児発第一一〇六〇〇四号
第四次改正　〔平成二二年七月三〇日雇児発〇七三〇第二号
第五次改正　〔平成二六年九月三〇日雇児発〇九三〇第五号
第六次改正　〔平成二七年一〇月二三日雇児発一〇二三第一号
第七次改正　〔平成二八年三月二五日雇児発〇三二五第一号
第八次改正　〔平成三〇年九月二八日子発〇九二八第三号
第九次改正　〔令和元年五月三〇日子発〇五三〇第一号
第一〇次改正　〔令和元年七月一日子発〇七〇一第二号

今般、「生活困窮者等の自立を促進するための生活困窮者自立支援法等の一部を改正する法律」（平成三十年法律第四十四号）及び「元号を改める政令」（平成三十一年政令第百四十三号）の施行に伴い、「児童扶養手当受給資格者台帳」（様式第3号）、「児童扶養手当受給資格者台帳索引票」（様式第4号）、「児童扶養手当証書提出命令書」（様式第5号）、「児童扶養手当支給停止解除通知書」（様式第6号）及び「児童扶養手当移管通知書」（様式第7号）の記載の改正が必要となった。このため、児童扶養手当都道府県事務取扱準則を別冊のとおり改正する。

なお、この準則は、地方自治法（昭和二十二年法律第六十七号）第二百四十五条の九の規定に基づく法定受託事務に係る処理基準である。

別　冊

児童扶養手当都道府県事務取扱準則

第一　帳簿等について

都道府県においては、次の帳簿等を備えるものとする。

1　児童扶養手当関係書類提出受付処理簿（様式第1号。以下「受付処理簿」という。）

この帳簿は、児童扶養手当（以下「手当」という。）に関する請求書、届書及び申請書等の受付順に整理して記入するものである。

2　児童扶養手当受給資格者台帳番号簿（様式第2号。以下「番号簿」という。）

この帳簿は、受給資格者（新規認定者（既認定者等を除く受給資格者）及び既認定者等（昭和六十年七月三十一日において認定を受けている者及び同日において認定の請求をしている者であってその後認定を受けた者）をいう。以下同じ。）をその番号順に整理するものである。

3　児童扶養手当受給資格者台帳（様式第3号。以下「受給資格者台帳」という。）

この台帳は、受給資格者の番号順に配列し整理するものである。

4　児童扶養手当支給廃止簿（以下「支給廃止簿」という。）

この簿冊は、受給資格を失った者及び他の都道府県又は市等（以下「都道府県等」という。）の区域に住所を変更した受給資格者に係る受給資格者台帳を編入するものである。

5　児童扶養手当受給資格者台帳索引票（様式第4号。以下「台帳索引票」という。）

この索引票は、索引に便利なように受給資格者の氏名の五十音順等に整理し、簿冊（以下これを「台帳索引簿」という。）にとりまとめるものである。

6　児童扶養手当住所・支払金融機関変更届処理済報告書等綴

この綴は、受給資格者について町村（福祉事務所設置町村を除く。以下同じ。）から提出された児童扶養手当住所・支払金融機関変更届処理済報告書等を綴り込むものである。

7　前記の帳簿のうち、番号簿、受給資格者台帳、支給廃止簿、台帳索引票については、これらに記載すべき事項を電算システムにより確実に記録し、これを適正に管理及び利用することによって、事務を支障なく行い得る都道府県については、これらの作成を省略することができる。

第二　認定について

町村から児童扶養手当認定請求書（児童扶養手当法施行規則（以下「規則」という。）様式第一号。以下「認定請求書」という。）の提出を受けたときは、おおむね、次の手続をとるものとする。

1　受付処理簿の件名（氏名）欄及び受付（再提出）欄に件名、氏名及び受付年月日を記入し、認定請求書の記載及びその添付書類等に不備がないかどうか、町村の審査が適当であるかどうかを検討すること。

2　認定請求書の記載に容易に補正ができない程度の誤りがあるとき、若しくは添付書類等に著しい不備があるとき、又は町村の審査が適当でないときは、認定請求書を町村に返戻し、受付処理簿の返戻欄に返戻年月日及び返戻事由を記入すること。

3　町村が返戻された認定請求書を再提出したときは、受付処理簿の受付（再提出）欄に再提出受付年月日を記入すること。

4　認定請求書の記載及びその添付書類等に不備がなく、町村の審査が適当であるときは、受付処理簿の受理欄に受理年月日を記入して、認定請求書の記載とその添付書類の内容とを照合し、審査すること。

なお、請求に係る事実を明確にするため、特に必要があると認めるときは、児童扶養手当法（以下「法」という。）第二十九条の規定による調査を行い、又は、法第三十条に規定する措置をとること。

5　審査の結果、受給資格があるものと決定したときは、次によること。

(1)　受付処理簿の審査結果欄に認定の旨を記入すること。

(2)　当該受給資格者についての番号を認定順に決定し、番号簿に当該所定事項を記入すること。

(3)　当該受給資格者につき、受給資格者台帳を作成すること。

(4)　当該受給資格者につき、台帳索引票を作成し、台帳索引簿を整理すること。

(5)　当該受給資格者につき、児童扶養手当証書（規則様式第十一号の二。以下「証書」という。）を作成すること。

(6) 児童扶養手当認定通知書（規則様式第十一号。以下「認定通知書」という。）及び証書を町村に送付し、受給資格者台帳の証書欄に証書送付年月日を記入すること。

(7) 受付処理簿の処理経過欄に処理済年月日を記入すること。

6 審査の結果、受給資格があると認定した者であって、手当の全部又は一部を支給停止とする決定をしたときは、前記5によるほか、次によること。

(1) 受付処理簿の審査結果欄に認定及び手当の全部又は一部を支給停止とする旨を記入すること。

(2) 認定通知書及び児童扶養手当支給停止通知書（規則様式第十一号の三。以下「支給停止通知書」という。）並びに証書を町村に送付し、受給資格者台帳の証書欄に証書送付年月日を記入すること。ただし、規則第十六条第二項の規定に基づき受給資格者に証書を交付しない場合には、受給資格者台帳の証書欄に未交付の旨を記入し、5の(5)の手続は必要ないこと。

(3) 全部支給停止者については、証書は作成しないこと。

7 審査の結果、受給資格がないものと決定したときは、次によること。

(1) 受付処理簿の審査結果欄に却下の旨を記入すること。

(2) 児童扶養手当認定請求却下通知書（規則様式第十二号）を町村に送付すること。

(3) 受付処理簿の処理経過欄に処理済年月日を記入すること。

第三 手当額改定について

I 町村から児童扶養手当額改定請求書（規則様式第四号）又は児童扶養手当額改定届（規則様式第五号）（以下「手当額改定請求書等」という。）の提出を受けたときは、おおむね、次の手続をとるものとする。

1 受付処理簿の件名（氏名）欄及び受付（再提出）欄に件名、氏名及び受付年月日を記入し、手当額改定請求書等の記載及びその添付書類等に不備がないかどうかを検討すること。

2 手当額改定請求書等の記載に容易に補正ができない程度の誤りがあるとき、又は手当額改定請求書等の添付書類等に著しい不備があるときは、手当額改定請求書等を町村に返戻し、受付処理簿の返戻欄に返戻年月日及び返戻事由を記入すること。

3 町村が返戻された手当額改定請求書等を再提出したときは、受付処理簿の受付（再提出）欄に再提出受付年月日を記入すること。

4 手当額改定請求書等の記載及びその添付書類等に不備がないときは、受付処理簿の受理欄に受理年月日を記入して、手当額改定請求書等の記載とその添付書類等の内容とを照合し、審査すること。

なお、請求又は届出に係る事実を明確にするため、特に必要があると認めるときは、法第二十九条の規定による調査を行い、又は法第三十条に規定する措置をとること。

5 審査の結果、手当の額を改定すべきものと決定したときは、次によること。

(1) 受付処理簿の審査結果欄に改定の旨を記入すること。

(2) 受給資格者台帳につき所要の事項を記入すること。

(3) 手当額改定請求書等に添えられた証書にその改定に関する所要事項を記載し、又は新たな証書を作成すること。ただし、規則第十六条第二項又は第二十四条の規定に基づき証書を交付しなかった者（以下「証書未交付者」という。）に係る証書についてはこの限りでない。

(4) 新たな証書を作成したときは、従前の証書を廃棄すること。

(5) 児童扶養手当額改定通知書（規則様式第十三号。以下「手当額改定通知書」という。）及び(3)による証書を町村に送付し、受給資格者台帳の証書欄に証書送付年月日を記入すること。ただし、証書未交付者に係る証書の送付及び受給資格者台帳の記入についてはこの限りでない。

(6) 受付処理簿の処理経過欄に処理済年月日を記入すること。

6 審査の結果、請求に基づく手当の額の改定をしないものと決定したときは、次によること。

(1) 受付処理簿の審査結果欄に却下の旨を記入すること。

(2) 児童扶養手当額改定請求却下通知書（規則様式第十四号。以下「手当額改定請求却下通知書」という。）及び従前の証書を町村に送付し、受給資格者台帳の証書欄に証書返付年月日を記入すること。ただし、証書未交付者に係る証書の送付及び受給資格者台帳の記入についてはこの限りでない。

(3) 受付処理簿の処理経過欄に処理済年月日を記入すること。

II 職権に基づいて手当の額の減額の改定を決定したときは、おおむね、次の手続をとるものとする。

1 受給資格者台帳につき所要の事項を記入すること。

2 手当額改定通知書を町村に送付し、受給資格者台帳の備考欄に手当額改定通知書送付年月日を記入すること。証書を提出させる必要がある場合には、児童扶養手当証書提出命令書（様式第5号。以下「証書提出命令書」という。）も併せて町村に送付すること。

3 証書提出命令書に基づき、町村から証書の送付を受けたときは、次によること。

(1) 証書提出命令書に基づき提出された証書にその改定に関する所要事項を記載し、又は新たな証書を作成すること。

(2) 新たな証書を作成したときは、従前の証書を廃棄すること。

(3) (1)による証書を町村に送付し、受給資格者台帳の証書欄に証書送付年月日を記入すること。

第四 支給停止関係について

I 町村から児童扶養手当支給停止関係届（規則様式第五号の二。以下「支給停止関係届」という。）の提出を受けたときは、おおむね、次の手続をとるものとする。

1 受付処理簿の件名（氏名）欄及び受付（再提出）欄に件名、

氏名及び受付年月日を記入し、支給停止関係届の記載及びその添付書類等に不備がないかどうかを検討すること。

2　支給停止関係届の記載に容易に補正ができない程度の誤りがあるとき、又はその添付書類等に著しい不備があるときは、支給停止関係届を町村に返戻し、受付処理簿の返戻欄に返戻年月日及び返戻事由を記入すること。

3　町村が返戻された支給停止関係届を再提出したときは、受付処理簿の受付（再提出）欄に再提出受付年月日を記入すること。

4　支給停止関係届の記載及びその添付書類等に不備がないときは、受付処理簿の受理欄に受理年月日を記入して、支給停止関係届の記載とその添付書類等の内容とを照合し、審査すること。なお、届出に係る事実を明確にするため、特に必要があると認めるときは、法第二十九条の規定による調査を行い、又は法第三十条に規定する措置をとること。

5　審査の結果、手当の全額を支給することと決定したときは、次によること。

⑴　受付処理簿の審査結果欄に支給停止解除の旨を記入すること。

⑵　受給資格者台帳の区分欄に所得の年を記入し、届出の有無欄の「有」・「関係届」の文字及び該・非欄の「非」の文字を○で囲み、所得欄に必要な事項を記入すること。

⑶　証書未交付者については、新たに証書を作成し、又は交付していない証書に所要事項を記載すること。また、支給停止関係届に証書が添付された場合においては、当該証書に所要事項を記載すること。

⑷　⑶による証書及び児童扶養手当支給停止解除通知書（様式第6号。以下「支給停止解除通知書」という。）を町村に送付し、受給資格者台帳の証書欄に証書送付年月日を記入すること。

⑸　受付処理簿の処理経過欄に処理済年月日を記入すること。

6　審査の結果、手当の全部又は一部を支給停止とすることと決定したときは、次によること。

⑴　受付処理簿の審査結果欄に手当の全部又は一部を支給停止とする旨を記入すること。

⑵　受給資格者台帳の区分欄に所得の年を記入し、届出の有無欄の「有」・「関係届」の文字及び該・非欄の「該」又は「一部該」の文字を○で囲み、所得欄に必要な事項を記入すること。

⑶　証書未交付者については、新たに証書を作成し、又は交付していない証書に所要事項を記載すること。また、支給停止関係届に証書が添付された場合においては、当該証書に所要事項を記載すること。

⑷　⑶による証書及び支給停止通知書を町村に送付し、受給資格者台帳の証書欄に証書送付年月日を記入すること。ただし、全部支給停止者については、受給資格者台帳の証書欄に

未交付の旨記入し、⑶の手続は必要ないこと。

⑸ 受付処理簿の処理経過欄に処理済年月日を記入すること。

Ⅱ 規則第三条の三の規定により、町村から公的年金給付等受給状況届（規則様式第五号の三）の提出を受けたときは、おおむね、次の手続をとるものとする。

1 受付処理簿の件名（氏名）欄及び受付（再提出）欄に件名、氏名及び受付年月を記入し、公的年金給付等受給状況届の記載及びその添付書類等に不備がないかどうかを検討すること。

2 公的年金給付等受給状況届の記載に容易に補正ができない程度の誤りがあるとき、又はその添付書類等に著しい不備があるときは、公的年金給付等受給状況届を町村に返戻し、受付処理簿の返戻欄に返戻年月日及び返戻事由を記入すること。

3 町村が返戻された公的年金給付等受給状況届を再提出したときは、受付処理簿の受付（再提出）欄に再提出受付年月日を記入すること。

4 公的年金給付等受給状況届の記載及びその添付書類等に不備がないときは、受付処理簿の受理欄に受理年月日を記入して、公的年金給付等受給状況届の記載とその添付書類等の内容とを照合し、審査すること。なお、届出に係る事実を明確にするため、特に必要があると認めるときは、法第二十九条の規定による調査を行い、又は法第三十条に規定する措置をとること。

5 審査の結果、手当の全額を支給することと決定したときは、次によること。

⑴ 受付処理簿の審査結果欄に支給停止解除の旨を記入すること。

⑵ 受給資格者台帳の区分欄に届出の年を記入し、届出の有無欄の「有」の文字を○で囲み、公的年金給付等欄に必要な事項を記入すること。

⑶ 証書未交付者については、新たに証書を作成し、又は交付していない証書に所要事項を記載すること。また、公的年金給付等受給状況届に証書が添付された場合においては、当該証書に所要事項を記載すること。

⑷ ⑶による証書及び支給停止解除通知書を町村に送付し、受給資格者台帳の証書欄に証書送付年月日を記入すること。

⑸ 受付処理簿の処理経過欄に処理済年月日を記入すること。

6 審査の結果、手当の全部又は一部を支給停止とすることと決定したときは、次によること。

⑴ 受付処理簿の審査結果欄に手当の全部又は一部を支給停止とする旨を記入すること。

⑵ 受給資格者台帳の区分欄に届出の年を記入し、届出の有無欄の「有」の文字を○で囲み、本人受給、児童受給、加算対象児童の別欄の「本人」、「児童」又は「加算対象」の文字を○で囲み、公的年金給付等欄に必要な事項を記入すること。

⑶ 証書未交付者については、新たに証書を作成し、又は交付していない証書に所要事項を記載すること。また、公的年金給付等受給状況届に証書が添付された場合においては、当該

証書に所要事項を記載すること。なお、新たな証書を作成したときは、従前の証書を廃棄すること。

(4) (3)による証書及び支給停止通知書を町村に送付し、受給資格者台帳の証書欄に証書送付年月日を記入すること。ただし、全部支給停止者については、受給資格者台帳の証書欄に未交付の旨記入し、(3)の手続は必要ないこと。

(5) 受付処理簿の処理経過欄に処理済年月日を記入すること。

Ⅲ 規則第三条の四の規定により、町村から児童扶養手当一部支給停止適用除外事由届出書（規則様式第五号の四。以下「適用除外事由届出書」という。）の提出を受けたときは、おおむね、次の手続によるものとする。

1 受付処理簿の件名（氏名）欄及び受付（再提出）欄に件名、氏名及び受付年月日を記入し、適用除外事由届出書の記載及びその添付書類等に不備がないかどうかを検討すること。

2 適用除外事由届出書の記載に容易に補正ができない程度の誤りがあるとき、又はその添付書類等に著しい不備があるときは、適用除外事由届出書を町村に返戻し、受付処理簿の返戻欄に返戻年月日及び返戻事由を記入すること。

3 町村が返戻された適用除外事由届出書を再提出したときは、受付処理簿の受付（再提出）欄に再提出受付年月日を記入すること。

4 適用除外事由届出書の記載及びその添付書類等に不備がないときは、受付処理簿の受理欄に受理年月日を記入して、適用除外事由届出書の記載とその添付書類等の内容とを照合し、審査すること。なお、届出に係る事実を明確にするため、特に必要があると認めるときは、法第二十九条の規定による調査を行い、又は法第三十条に規定する措置をとること。

5 審査の結果、一部支給停止適用除外とすることと決定したときは、次によること。

(1) 受付処理簿の審査結果欄に一部支給停止適用除外の旨を記入すること。

(2) 受給資格者台帳の一部支給停止適用除外事由届出書の届出書の有無欄の「有」の文字及び適用・適用除外の別欄の「除外」の文字を○で囲み、除外とする期間を括弧内に記入し、適用除外事由欄の該当する事由を○で囲むこと。

(3) 審査の結果、一部支給停止されていた者について手当の全額を支給することと決定したときは支給停止解除通知書を町村に送付すること。

(4) 受付処理簿の処理経過欄に処理済年月日を記入すること。

6 審査の結果、一部支給停止適用とすることと決定したときは、次によること。

(1) 受付処理簿の審査結果欄に一部支給停止適用とする旨を記入すること。

(2) 受給資格者台帳の一部支給停止適用除外事由届出書の有無欄の「有」又は「無」の文字及び適用・適用除外の別欄の「適用」の文字を○で囲み、適用とする期間を括弧内に記入すること。

(3) 証書に所要事項を記載すること。

(4) 証書及び支給停止通知書を町村に送付し、受給資格者台帳の証書欄に証書送付年月日を記入すること。

(5) 受付処理簿の処理経過欄に処理済年月日を記入すること。ただし、全部支給停止者については、受給資格者台帳の証書欄に未交付の旨記入し、(3)及び(4)の手続は必要ないこと。

Ⅳ 職権に基づいて手当の全部又は一部を支給停止とすることと決定したときは、おおむね、次の手続によるものとする。

1 受給資格者台帳につき所要の事項を記入すること。

2 支給停止通知書を町村に送付し、受給資格者台帳の備考欄に支給停止通知書送付年月日を記入すること。証書を提出させる必要がある場合には、証書提出命令書も併せて町村に送付すること。

3 証書提出命令書に基づき、町村から証書の送付を受けたときは、次によること。

(1) 証書提出命令書に基づき提出された証書に手当の一部の支給停止に関する所要事項を記載し、又は新たな証書を作成すること。

(2) 新たな証書を作成したときは、従前の証書を廃棄すること。

(3) (1)による証書を町村に送付し、受給資格者台帳の証書欄に証書送付年月日を記入すること。

児童扶養手当都道府県事務取扱準則の改正について

第五 所得状況届について

規則第三条の五の規定によって、町村から児童扶養手当所得状況届(規則様式第五号の五。以下「所得状況届」という。)の提出を受けたときは、おおむね、次の手続きによるものとする。

1 受付処理簿の件名(氏名)欄及び受付(再提出)欄に件名、氏名及び受付年月日を記入し、所得状況届の記載及びその添付書類等に不備がないかどうか、並びに所得状況届における所定事項についての町村の審査が適当であるかどうかを検討すること。

2 所得状況届の記載に容易に補正ができない程度の誤りがあるとき、若しくはその添付書類等に著しい不備があるとき、又は町村の審査が適当でないときは、所得状況届を町村に返戻し、受付処理簿の返戻欄に返戻年月日及び返戻事由を記入すること。

3 町村が返戻された所得状況届を再提出したときは、受付処理簿の受付(再提出)欄に再提出受付年月日を記入すること。

4 所得状況届の記載及びその添付書類等に不備がなく、町村の審査が適当であるときは、受付処理簿の受理欄に受理年月日を記入して、所得状況届の記載とその添付書類等の内容とを照合し、審査すること。

なお、届出に係る事実を明確にするため、特に必要があると認めるときは、法第二十九条の規定による調査を行い、又は法第三十条に規定する措置をとること。

5 審査の結果、引き続いて手当の全部の支給を行うものと決定したときは、次によること。

(1) 受付処理簿の審査結果欄に継続支給の旨を記入すること。
(2) 受給資格者台帳の区分欄に所得の年を記入し、届出の有無欄の「有」・「関係届」の文字及び該・非欄の「非」の文字を○で囲み、所得欄に必要な事項を記入すること。
(3) 当該受給者につき新たな証書を作成すること。
(4) (3)による証書を町村に送付し、受給資格者台帳の証書欄に証書送付年月日を記入すること。
(5) 受付処理簿の処理経過欄に処理済年月日を記入すること。

6 審査の結果、手当の全部又は一部の支給停止を受けていた者について手当の全額を支給することと決定したときは、次によること。
(1) 受付処理簿の審査結果欄に支給停止解除の旨を記入すること。
(2) 受給資格者台帳の区分欄に所得の年を記入し、届出の有無欄の「有」・「関係届」の文字及び該・非欄の「非」の文字を○で囲み、所得欄に必要な事項を記入すること。
(3) 当該受給者につき新たな証書を作成すること。
(4) 前記5の(4)及び(5)の手続を準用すること。なお、支給停止解除通知書を町村に送付すること。

7 審査の結果、手当の全部又は一部を支給停止とすることと決定したときは、次によること。
(1) 受付処理簿の審査結果欄に手当の全部又は一部を支給停止とする旨を記入すること。

(2) 受給資格者台帳の区分欄に所得の年を記入し、届出の有無欄の「有」・「関係届」の文字及び該・非欄の「該」又は「一部該」の文字を○で囲み、所得欄に必要な事項を記入すること。
(3) 当該受給者につき新たな証書を作成すること。
(4) 支給停止通知書及び証書を町村に送付し、受給資格者台帳の証書欄に証書送付年月日を記入すること。ただし、全部支給停止者については、受給資格者台帳の証書欄に未交付の旨記入し、(3)の手続は必要ないこと。
(5) 受付処理簿の処理経過欄に処理済年月日を記入すること。

第六 定時の現況届について

規則第四条の規定によって、町村から定時の児童扶養手当現況届（規則様式第六号。以下「現況届」という。）の提出を受けたときは、おおむね、次の手続によるものとする。

1 受付処理簿の件名（氏名）欄及び受付（再提出）欄に件名、氏名及び受付年月日を記入し、現況届の記載及びその添付書類等に不備がないかどうか、並びに現況届における所定事項についての町村の審査が適当であるかどうかを検討すること。

2 現況届の記載に容易に補正ができない程度の誤りがあるとき、若しくはその添付書類等に著しい不備があるとき、又は町村の審査が適当でないときは、現況届を町村に返戻し、受付処理簿の返戻欄に返戻年月日及び返戻事由を記入すること。

3 町村が返戻された現況届を再提出したときは、受付処理簿の受付（再提出）欄に再提出受付年月日を記入すること。

4　現況届の記載及びその添付書類等に不備がなく、町村の審査が適当であるときは、受付処理簿の受理欄に受理年月日を記入して、現況届の記載とその添付書類等の内容とを照合し、審査すること。

なお、届出に係る事実を明確にするため、特に必要があると認めるときは、法第二十九条の規定による調査を行い、又は法第三十条に規定する措置をとること。

5　審査の結果、引き続いて手当の全部の支給を行うものと決定したときは、次によること。

(1)　受付処理簿の審査結果欄に継続支給の旨を記入すること。

(2)　受給資格者台帳の区分欄に所得の年を記入し、届出の有無欄の「有」・「現況届」の文字及び該・非欄の「非」の文字を○で囲み、所得欄に必要な事項を記入すること。

(3)　当該受給者につき新たな証書を作成すること。

(4)　(3)による証書を町村に送付し、受給資格者台帳の証書欄に証書送付年月日を記入すること。

(5)　受付処理簿の処理経過欄に処理済年月日を記入すること。

6　審査の結果、手当の全部又は一部の支給停止を受けていた者について手当の全額を支給することと決定したときは、次によること。

(1)　受付処理簿の審査結果欄に支給停止解除の旨を記入すること。

(2)　受給資格者台帳の区分欄に所得の年を記入し、届出の有無欄の「有」・「現況届」の文字及び該・非欄の「非」の文字を○で囲み、所得欄に必要な事項を記入すること。

(3)　当該受給者につき新たな証書を作成すること。

(4)　前記5の(4)及び(5)の手続を準用すること。なお、支給停止解除通知書を町村に送付すること。

7　審査の結果、手当の全部又は一部を支給停止とすることと決定したときは、次によること。

(1)　受付処理簿の審査結果欄に手当の全部又は一部を支給停止とする旨を記入すること。

(2)　受給資格者台帳の区分欄に所得の年を記入し、届出の有無欄の「有」・「現況届」の文字及び該・非欄の「該」又は「一部該」の文字を○で囲み、所得欄に必要な事項を記入すること。

(3)　当該受給者につき新たな証書を作成すること。

(4)　支給停止通知書及び証書を町村に送付し、受給資格者台帳の証書欄に証書送付年月日を記入すること。ただし、全部支給停止者については、受給資格者台帳の証書欄に未交付の旨記入し、(3)の手続は必要ないこと。

(5)　受付処理簿の処理経過欄に処理済年月日を記入すること。

第七　障害診断書について

規則第四条の二の規定によって、町村から支給対象児童に係る児童扶養手当障害認定診断書（規則様式第二号。以下「障害診断書」という。エックス線直接撮影写真を含む。）の提出を受けたときは、おおむね、次の手続によるものとする。

1　受付処理簿の件名（氏名）欄及び受付（再提出）欄に件名、氏名及び受付年月日を記入し、障害診断書に不備があるかどうかを検討すること。

2　障害診断書に著しい不備があるときは、これを町村に返戻し、受付処理簿の返戻欄に返戻年月日及び返戻事由を記入すること。

3　町村が返戻された障害診断書を再提出したときは、受付処理簿の受付（再提出）欄に再提出受付年月日を記入すること。

4　障害診断書に不備がないときは、受付処理簿の受理欄に受理年月日を記入して、その内容を審査すること。なお、障害診断書の事実を確認するため、特に必要があると認めるときは、法第二十九条の規定による調査を行い、又は法第三十条に規定する措置をとること。

5　審査の結果、当該児童分について引き続き手当の支給を行うものと決定したときは、次によること。

⑴　受付処理簿の審査結果欄に当該児童分継続支給の旨を記入すること。

⑵　受給資格者台帳につき所要の補正を行うこと。

⑶　障害診断書に添えられた証書に継続支給に関する所要事項を記載し、又は新たな証書を作成すること。

⑷　新たな証書を作成したときは、従前の証書を廃棄すること。

⑸　⑶による証書を町村に送付し、受給資格者台帳の証書欄に証書送付年月日を記入すること。

⑹　受付処理簿の処理経過欄に処理済年月日を記入すること。

6　審査の結果、当該児童分について引き続き手当の支給を行わないものと決定したときは、次によること。

⑴　受付処理簿の審査結果欄に改定の旨を記入すること。

⑵　受給資格者台帳につき所要の事項を記入すること。

⑶　障害診断書に添えられた証書に改定に関する所要事項を記載し、又は新たな証書を作成すること。

⑷　新たな証書を作成したときは、従前の証書を廃棄すること。

⑸　手当額改定通知書及び⑶による証書を町村に送付し、受給資格者台帳の証書欄に証書送付年月日を記入すること。

⑹　受付処理簿の処理経過欄に処理済年月日を記入すること。

7　審査の結果、当該児童分について引き続き手当の支給を行わないことにより受給資格がないものと決定したときは、おおむね、後記第七のⅠの3から7までの手続に準じて処理すること。

第八　受給資格喪失等について

Ⅰ　町村から児童扶養手当資格喪失届（規則様式第九号。以下「資格喪失届」という。）又は受給資格者の死亡の届書（以下「受給資格者死亡届」という。）の提出を受けたときは、おおむね、次の手続によるものとする。

1　受付処理簿の件名（氏名）欄及び受付（再提出）欄に件名、氏名及び受付年月日を記入し、資格喪失届の記載（特に資格喪失年月日）又は受給資格者死亡届の記載及びその添付書類等に不備がないかどうかを検討すること。

2　資格喪失届の記載又は受給資格者死亡届の記載及びその添付

書類等に不備がないときは、受付処理簿の受理欄に受理年月日を記入して、資格喪失届又は受給資格者死亡届の記載とその添付書類等の内容とを照合し、審査すること。

なお、届出に係る事実を明確にするため、特に必要があると認めるときは、法第二十九条の規定による調査を行い、又は法第三十条に規定する措置をとること。

3 番号簿の当該備考欄に受給資格喪失の旨を記入し、当該部分の全体に斜線（赤書）を付すること。

4 受給資格者台帳の受給資格喪失欄に当該所定事項を記入し、これを支給廃止簿に編入すること。

5 当該台帳索引票の備考欄に受給資格喪失の旨を記入し、これを台帳索引簿から除去すること。

6 資格喪失届又は受給資格者死亡届に添えられた証書について所定の手続をとること。

7 資格喪失通知書を町村に送付すること。

8 受付処理簿の処理経過欄に処理済年月日を記入すること。

Ⅱ 職権に基づいて受給資格が消滅したものと決定したときは、おおむね、次の手続をとるものとする。町村から証書交付停止報告書又は証書返付停止報告書の提出があったときは、これに準ずるものとする。

1 番号簿の当該備考欄に受給資格喪失の旨を記入し、当該部分の全体に斜線（赤書）を付すること。

2 受給資格者台帳の受給資格喪失欄に当該所定事項を記入し、これを支給廃止簿に編入すること。

3 当該台帳索引票の備考欄に受給資格喪失の旨を記入し、これを台帳索引簿から除去すること。

4 資格喪失通知書を町村に送付し、受給資格者台帳の備考欄に資格喪失通知書送付年月日を記入すること。証書を提出させる必要がある場合には、証書提出命令書も併せて町村に送付すること。

5 証書提出命令書に基づき、町村から証書の送付を受けたときは、当該証書につき、前記Ⅰの6及び7に準じて必要な手続をとること。

Ⅲ 町村から未支払児童扶養手当請求書（規則様式第十号。以下「未支払手当請求書」という。）の提出を受けたときは、おおむね、次の手続によるものとする。

1 受付処理簿の件名（氏名）欄及び受付（再提出）欄に件名、氏名及び受付年月日を記入し、未支払手当請求書の記載が不備でないかどうかを検討すること。

2 未支払手当請求書の記載に不備がないときは、受付処理簿の受理欄に受理年月日を記入すること。

3 支給廃止簿に編入されている受給資格者台帳の記号及び番号欄に「第　号の二」のごとき枝番号を追記すること。

4 当該請求書につき、児童扶養手当支払通知書を作成すること。

5 4によって作成した児童扶養手当支払通知書を町村に送付

し、支給廃止簿に編入されている受給資格者台帳の備考欄に児童扶養手当支払通知書送付年月日を記入すること。

6　受付処理簿の処理経過欄に処理済年月日を記入すること。

第九　氏名変更について

町村から氏名変更の届書（以下「氏名変更届」という。）の提出を受けたときは、おおむね、次の手続によるものとする。

1　受付処理簿の件名（氏名）欄及び受付（再提出）欄に件名、氏名及び受付年月日を記入し、氏名変更届及びその添付書類等に不備がないかどうかを検討すること。

2　氏名変更届の記載及びその添付書類等に不備がないときは、受付処理簿の受理欄に受理年月日を記入して、氏名変更届の記載とその添付書類等の内容とを照合し、審査すること。

3　番号簿の氏名欄を訂正し、備考欄に訂正年月日を記入すること。

4　受給資格者台帳及び台帳索引票の氏名欄を訂正すること。

5　証書の氏名欄を訂正すること。

6　5によって訂正した証書を町村に送付し、受給資格者台帳の証書欄に証書返付年月日を記入すること。

7　受付処理簿の処理経過欄に処理済年月日を記入すること。

第一〇　住所変更及び支払金融機関変更について

1　町村から当該都道府県の区域内における住所又は支払金融機関の変更に係る児童扶養手当住所・支払金融機関変更届処理済報告書等の提出を受けたときは、当該受給資格者台帳の住所欄又は支払金融機関欄を訂正するものとする。

2　他の都道府県等の区域からの住所及び支払金融機関の変更に係る住所変更届及び支払金融機関変更届の提出を町村から受けたときは、おおむね、次の手続によるものとする。

(1)　受付処理簿の件名（氏名）欄及び受付（再提出）欄に件名、氏名及び受付年月日を記入し、住所変更届の記載及びその添付書類等又は支払金融機関変更届の記載に不備がないかどうかを検討すること。

(2)　住所変更届の記載及びその添付書類等又は支払金融機関変更届の記載に不備がないときは、受付処理簿の受理欄に受理年月日を記入して、住所変更届の記載とその添付書類等の内容とを照合するなどの審査をすること。

(3)　旧住所地の都道府県等に対して当該受給資格者の受給資格者台帳の写しの送付を求めるとともに、受給資格者については、変更前後の住所・証書の番号・転入年月日並びに新たな支払金融機関を通知すること。

(4)　住所変更届及び支払金融機関変更届に添えられた従前の証書を廃棄するとともに、旧住所地の都道府県等に返付し、受付処理簿の備考欄に証書返付年月日を記入すること。

(5)　受給資格者台帳の写しの送付を受けたときは、当該受給資格者についての当該都道府県の番号を決定し、番号簿に当該所定事項を記入すること。

(6)　当該受給資格者について、当該都道府県等の受給資格者台帳を作成すること。この場合において、備考欄に旧住所地から移管された旨を記入すること。

(7) 当該受給資格者について、台帳索引票を作成し、台帳索引簿を整理すること。

(8) 当該受給資格者について、当該都道府県等の証書を作成すること。

(9) 児童扶養手当移管通知書（様式第7号）に、当該都道府県等の受給資格者台帳の写し及び(8)によって作成した証書を添えて、これを新住所地の町村に送付し、当該都道府県等の受給資格者台帳の証書欄に当該証書送付年月日を記入すること。

(10) 受付処理簿の処理経過欄に処理済年月日を記入すること。

3 受給資格者について、他の都道府県等の区域への住所の変更に係る住所変更届の提出を町村から受けたときは、おおむね、次の手続によるものとする。

(1) 受付処理簿の件名（氏名）欄及び受付（再提出）欄に件名、氏名及び受付年月日を記入し、住所変更届の記載に不備がないかどうかを検討すること。

(2) 住所変更届の記載に不備がないときは、受付処理簿の受理欄に受理年月日を記入して、住所変更届を審査すること。

(3) 受給資格者台帳の備考欄に転出予定の旨を記入すること。

(4) 新住所地の都道府県等から、当該受給資格者が新住所地へ転居した旨の通知があるまでは、手当の支払いを行わないこと。

4 2の(3)によって受給資格者台帳の写しの送付を求められた旧住所地の都道府県等は、おおむね、次の手続をとるものとする。

(1) 当該受給資格者台帳の写しを新住所地の都道府県等に送付し、その旨を受給資格者台帳の備考欄に記入すること。

(2) 2の(4)によって証書の返付を受けたときは、番号簿の当該備考欄に移管の旨を記入し、当該部分の全体に斜線（赤書）を付すること。

(3) 受給資格者台帳の証書欄に証書の返付を受けた年月日を、備考欄に移管の旨をそれぞれ記入しこれを支給廃止簿に編入すること。

(4) 当該台帳索引票の備考欄に移管の旨を記入し、これを台帳索引簿から除去すること。

(5) 移管通知書を旧住所地の町村に送付すること。

第一一 証書再交付について

町村から証書の再交付の申請書（以下「証書再交付申請書」という。）又は児童扶養手当証書亡失届（規則様式第八号。以下「証書亡失届」という。）の提出を受けたときは、おおむね、次の手続によるものとする。

1 受付処理簿の件名（氏名）欄及び受付（再提出）欄に件名、氏名及び受付年月日を記入し、証書再交付申請書又は証書亡失届の記載に不備がないかどうかを検討すること。

2 証書再交付申請書又は証書亡失届の記載に不備がないときは、受付処理簿の受理欄に受理年月日を記入して、証書再交付申請書又は証書亡失届を審査すること。

3　証書亡失届の場合には、番号簿、受給資格者台帳及び台帳索引票の証書の番号の欄に「第　号の二」のごとき枝番号を追記すること。

4　当該受給者につき、新たに証書を作成すること。

5　証書再交付申請書に添えられた証書を廃棄すること。

6　4によって作成した証書を町村に送付し、受給資格者台帳の証書欄に証書送付年月日を記入すること。

7　番号簿の備考欄に再交付年月日を記入すること。

8　受付処理簿の処理経過欄に処理済年月日を記入すること。

第一二　受給資格者台帳の記載について

手当が受給者に支払われた場合には、支払済年月日及び支払金額等を確認し、受給資格者台帳に記載すること。なお、新規認定者については、都道府県等の区域を越えて住所を変更した場合には、随時払いを行う場合が生じるが、この随時払いについての受給資格者台帳への記載も他と同様に行うこと。

第一三　その他

委譲対象とならない既認定者等に係る事務については、前記の第一及び第三、第四、第六から第一一までの文中の「町村」を「市町村」に読み替えるものとすること。

様式第１号

児童扶養手当関係書類提出受付処理簿

整理番号	件名 （氏名）	受付 （再提出）	返戻 年月日	返戻 事由	受理	処理経過	審査結果	備考
		・　・	・　・		・　・			
		・　・	・　・		・　・			
	（　　）	・　・	・　・		・　・			
		・　・	・　・		・　・			
		・　・	・　・		・　・			
	（　　）	・　・	・　・		・　・			
		・　・	・　・		・　・			
		・　・	・　・		・　・			
	（　　）	・　・	・　・		・　・			
		・　・	・　・		・　・			
		・　・	・　・		・　・			
	（　　）	・　・	・　・		・　・			

備考　この帳簿の用紙寸法は、日本産業規格Ｂ列５番の大きさとすること。

様式第２号

児童扶養手当受給資格者台帳番号簿

番号	受給資格者氏名	決定年月日	備考	番号	受給資格者氏名	決定年月日	備考

備考　この帳簿の用紙寸法は、日本産業規格Ｂ列５番の大きさとすること。

様式第３号

（表　面）

児童扶養手当受給資格者台帳　　（都道府県名）

令和　　年　　月　　日認定

整理番号	

					住所		支払金融機関	名　称	口座番号
氏名	（ふりがな）				〒				
	（ふりがな）				〒	（令　・　・　変更）		（令　・　・　変更）	
個人番号		生年月日	大・昭・平・令　年　月　日		〒	（令　・　・　変更）		（令　・　・　変更）	
配偶者	氏名		個人番号		〒	（令　・　・　変更）		（令　・　・　変更）	
扶養義務者	氏名		個人番号						

児童扶養手当証書	番　号	第　　号	手当月額	令　・　・	円（　）
				令　・　・	円（　）
				令　・　・	円（　）
				令　・　・	円（　）

支給対象児童	氏名	個人番号	続柄	生年月日	認定請求年月日	障害の有無	再診年月日	当初支給開始年月日	該当事由	事由発生年月日	９条・９条の２（　）	非該当予定年月日	非該当年月日	非該当事由			
				令　・　・		有・無									障害	父又は母の氏名	
				令　・　・		有・無										傷病名等	
				令　・　・		有・無										障害の状態	
				令　・　・		有・無									拘禁	父の氏名	
				令　・　・		有・無										母の氏名	
																拘禁終了予定年月日	

		年　度		令和　　年	令和　　年	令和　　年	令和　　年	令和　　年
現況届		届出の有無		有（関係届・現況届）無	有（関係届・現況届）無	有（関係届・現況届）無	有（関係届・現況届）無	有（関係届・現況届）無
		所得制限の該当、非該当の別		該・一部該・非（災）	該・一部該・非（災）	該・一部該・非（災）	該・一部該・非（災）	該・一部該・非（災）
		所得額・扶養人数・控除（障・特障・老・勤）	本人	円　人	円　人	円　人	円　人	円　人
			配・扶	円　人	円　人	円　人	円　人	円　人

支給停止関係	支給停止関係届	公的年金給付等受給状況届	届出の有無	有・無	有・無	有・無	有・無	有・無
			本人受給、児童受給、加算対象児童の別	本人・児童・加算対象	本人・児童・加算対象	本人・児童・加算対象	本人・児童・加算対象	本人・児童・加算対象
			公的年金給付等の種類					
			公的年金給付等の年額	円	円	円	円	円
			上記の対象期間	令和　年　月から	令和　年　月から	令和　年　月から	令和　年　月から	令和　年　月から
		一部支給停止適用除外事由届出書	届出の有無	有・無	有・無	有・無	有・無	有・無
			適用、適用除外の別（５年等満了月：令和　年　月）	適用（　年　月～　年　月） 除外（　年　月～　年　月）	適用（　年　月～　年　月） 除外（　年　月～　年　月）	適用（　年　月～　年　月） 除外（　年　月～　年　月）	適用（　年　月～　年　月） 除外（　年　月～　年　月）	適用（　年　月～　年　月） 除外（　年　月～　年　月）
			適用除外事由	就業中・就職活動中等・障害・負傷疾病・介護	就業中・就職活動中等・障害・負傷疾病・介護	就業中・就職活動中等・障害・負傷疾病・介護	就業中・就職活動中等・障害・負傷疾病・介護	就業中・就職活動中等・障害・負傷疾病・介護
	停止金額			令和　年　月から 令和　年　月まで 円	令和　年　月から 令和　年　月まで 円	令和　年　月から 令和　年　月まで 円	令和　年　月から 令和　年　月まで 円	令和　年　月から 令和　年　月まで 円
受給資格喪失	喪失年月日	令和　年　月　日	喪失事由					
備考								

（裏　面）

整理番号		氏　名		証書の番号	第　　号

証書の交付　―返付―

令　・　・ （　　　）	令　・　・ （　　　）	令　・　・ （　　　）	令　・　・ （　　　）	令　・　・ （　　　）
令　・　・ （　　　）	令　・　・ （　　　）	令　・　・ （　　　）	令　・　・ （　　　）	令　・　・ （　　　）

児童扶養手当支払記録

区　分		令和　年		令和　年		令和　年		令和　年	
		①	②	①	②	①	②	①	②
1月渡	11月分								
	12月分								
	計								
	支払済年月日	：　：		：　：		：　：		：　：	
3月渡	1月分								
	2月分								
	計								
	支払済年月日	：　：		：　：		：　：		：　：	
5月	3月分								
	4月分								
	計								

渡	支払済年月日	：　：			：　：			：　：			：　：		
7月渡	5月分												
	6月分												
	計												
	支払済年月日	：　：			：　：			：　：			：　：		
9月渡	7月分												
	8月分												
	計												
	支払済年月日	：　：			：　：			：　：			：　：		
11月渡	9月分												
	10月分												
	計												
	支払済年月日	：　：			：　：			：　：			：　：		

様式第４号

児童扶養手当受給資格者台帳索引票

（ふりがな） 氏　　　名	生　年　月　日	受給資格者名簿 整　理　番　号	備　　　　考
	大・昭・平・令　・　・　生		

３㎝　15㎝

様式第５号

児童扶養手当証書提出命令書

児童扶養手当証書の番号	第　　　号
受　給　者 氏　　　名	
住　　　所	
提出を要する理由	

上記の児童扶養手当証書を令和　　年　　月　　日までに　　　　町村の児童扶養手当支給担当者係に提出して下さい。

令和　　年　　月　　日

都道府県知事（福祉事務所長）　㊞

殿

備考　この用紙は、はがき大とすること。

様式第６号

（表面）

第　　　号

児童扶養手当支給停止解除通知書

受給資格者 氏　　名		受給資格者 住　　所	
証　　書 番　　号	第　　　号	解除の理由	

あなたは、児童扶養手当法（第９条、第９条の２、第10条、第11条、第13条の２、第13条の３）の規定により支給停止となっておりますが、この度これが解除されましたので通知します。

令和　　年　　月　　日

都道府県知事（福祉事務所長）　印

◎　裏面の注意をよく読んでください。

（日本産業規格Ｂ列５番）

（裏面）

注意

1　児童扶養手当はその証書に記載されている金融機関の口座に振り込まれることになっております。

2　この支給停止解除に不服があるときは、この通知書を受けた日の翌日から起算して３か月以内に、書面で、都道府県知事に対して審査請求をすることができます。

　なお、この通知書を受けた日の翌日から起算して３か月以内であっても、この処分の日の翌日から起算して１年を経過したときは、審査請求をすることができません。

3　この通知書を受けた日の翌日から起算して６か月以内に、市町村（都道府県）を被告として（訴訟において市町村（都道府県）を代表する者は市町村長（都道府県知事）となります。）、処分の取消しの訴えを提起することができます。

　なお、この通知書を受けた日の翌日から起算して６か月以内であっても、この処分の日の翌日から起算して１年を経過したときは、処分の取消しの訴えを提起することができません。

様式第７号

第　　　号
令和　　年　　月　　日

市（福祉事務所長）
町村長　殿

都道府県知事（福祉事務所長）　㊞

児童扶養手当移管通知書

下記の受給資格者につき　町村長に移管されたから
町村長に移管するから
児童扶養手当受給資格者名簿を整備されたい。

児童扶養手当証書の番号		旧都道府県	第　　号
		新都道府県	第　　号
受給資格者氏名			
住所	変更前		
	変更後		
	変更年月日		
旧住所地市町村への移管通知年月日			
旧住所地市町村への移管通知年月日			
備考			

備考　この帳簿の用紙寸法は、日本産業規格Ｂ列５番の大きさとすること。

○児童扶養手当町村事務取扱準則の改正について

〔昭和六十年八月二十一日　児発第七〇六号
各都道府県知事宛　厚生省児童家庭局長通知〕

〔改正経過〕

第一次改正　〔平成一四年七月四日雇児発第〇七〇四〇〇二号
第二次改正　〔平成一五年三月三一日雇児発第〇三三一〇〇六号
第三次改正　〔平成二〇年一一月六日雇児発第一一〇六〇〇三号
第四次改正　〔平成二二年七月三〇日雇児発〇七三〇第二号
第五次改正　〔平成二六年九月三〇日雇児発〇九三〇第五号
第六次改正　〔平成二七年一〇月二三日雇児発一〇二三第一号
第七次改正　〔平成三〇年九月二八日子発〇九二八第三号
第八次改正　〔令和元年五月一〇日子発〇五一〇第二号
第九次改正　〔令和元年七月一日子発〇七〇一第二号
第一〇次改正　〔令和二年一二月二五日子発一二二五第二号

今般、「生活困窮者等の自立を促進するための生活困窮者自立支援法等の一部を改正する法律の施行に伴う厚生労働省関係省令の整備等に関する省令」（平成三十年厚生労働省令第百十七号）の施行に伴い、児童扶養手当法施行規則（昭和三十六年厚生省令第五十一号）第三条の五に規定する児童扶養手当所得状況届に係る記載が必要となった。このため、児童扶養手当町村事務取扱準則を別冊のとおり改正する。

なお、この準則は、地方自治法（昭和二十二年法律第六十七号）第二百四十五条の九の規定に基づく法定受託事務に係る処理基準である。

別冊

児童扶養手当町村事務取扱準則

第一　帳簿等について

町村（福祉事務所を設置する町村及び特別区を除く。以下同じ。）においては、次の帳簿を備えるものとする。

1　児童扶養手当関係書類提出受付処理簿（様式第1号。以下「受付処理簿」という。）

この帳簿は、児童扶養手当（以下「手当」という。）に関する請求書、届書及び申請書等の受付順に整理して記入するものである。

2　児童扶養手当受給資格者名簿（様式第2号。以下「受給資格者名簿」という。）

この帳簿は、原則として児童扶養手当証書（児童扶養手当法施行規則（以下「規則」という。）様式第十一号の二。以下「証書」という。）の番号順に整理するものである。

3　児童扶養手当受給資格者名簿索引票（様式第3号。以下「名簿索引票」という。）

この索引票は、索引に便利なように受給資格者（新規認定者（既認定者等を除く受給資格者）及び既認定者等（昭和六十年七月三十一日において認定を受けている者及び同日において認定の請求をしている者であってその後認定を受けた者）をいう。以下同じ。）の氏名の五十音順等に名簿索引簿に整理するものであるが、受給資格者数の少ない町村にあっては省略して差し支えない。

4　児童扶養手当住所・支払金融機関変更届等綴

この綴は、受給資格者から提出された当該都道府県の区域内における住所又は支払金融機関の変更に係る住所変更の届書又は支払金融機関変更の届書等を綴り込むものである。

5　前記の帳簿のうち、受付処理簿、受給資格者名簿、名簿索引票については、これらに記載すべき事項を電算システムにより確実に記録し、これを適正に管理及び利用することによって、事務を支障なく行い得る町村については、これらの作成を省略することができる。

第二　認定請求について

1　認定請求書等の受理及び提出

規則第一条に規定する児童扶養手当認定請求書（規則様式第一号。以下「認定請求書」という。）の提出を受けたときは、おおむね、次によって処理するものとする。

(1)　受付処理簿の件名（氏名）欄及び受付（再提出）欄に件名、氏名及び受付年月日を、それぞれ記入すること。

(2)　認定請求書の記載及びその添付書類等に不備がないかどうかを検討し、規則第二十六条の規定により添付書類等が省略されているときは、認定請求書の余白に省略された書類の名称を記入すること。

(3)　認定請求書に町村において容易に補正することができない程度の誤りがあるとき又はその添付書類等に著しい不備があるときは、認定請求書を請求者に返付すること。

(4)　(3)によって認定請求書を返付するときは、受付処理簿の返付欄に返付年月日を記入すること。

(5)　請求者が返付された認定請求書を補正して再提出したときは、受付処理簿の受付（再提出）欄に再提出受付年月日を記入すること。

(6)　認定請求書の記載及びその添付書類等に不備がないときは、受付処理簿の受理欄及び認定請求書の町村受付年月日欄に受理年月日を記入するとともに、請求者に認定請求書の請求年月日を記入させること。

(7)　認定請求書の記載及びその添付書類等の内容を審査し、審査欄等に所要事項を記入し、受付処理簿の処理経過欄に審査済年月日を記入すること。

(8)　認定請求書の提出欄に提出年月日及び受付処理簿の整理番号を、それぞれ記入すること。

(9)　児童扶養手当関係書類提出・再提出書（様式第4号。以下「提出書」という。）に認定請求書を添えて、これを都道府県に送付するとともに、受付処理簿の処理経過欄に提出年月日を記入すること。

2　認定請求書の補正及び再提出

認定請求書の記載又はその添付書類等に著しい不備があるため、都道府県から認定請求書が返戻されたときは、おおむね、次によって処理するものとする。

(1) 受付処理簿の処理経過欄に返戻年月日を記入すること。

(2) 認定請求書の記載又はその添付書類等の不備が、町村において容易に補正することができるものは、これを補正し、補正できないものは、これを請求者に返付すること。

(3) (2)によって認定請求書を返付するときは、受付処理簿の返付欄に返付年月日を記入すること。

(4) 請求者が返付された認定請求書を補正して再提出したときは、受付処理簿の受付（再提出）欄に再提出受付年月日を記入すること。

(5) 認定請求書の再提出欄に再提出年月日を記入し、児童扶養手当関係書類再提出書（様式第4号。以下「再提出書」という。）に認定請求書を添えて、それを都道府県に送付するとともに、受付処理簿の処理経過欄に再提出年月日を記入すること。

3 認定請求書の再審査等

認定請求書の審査が適当でないため、都道府県から認定請求書が返戻されるときは、おおむね、次によって処理するものとする。

(1) 受付処理簿の処理経過欄に返戻年月日を記入すること。

(2) 当該指摘事項について再審査を行うこと。

(3) 再審査の結果が当初の審査と異なるときは、認定請求書の指摘された所を赤書で訂正し、当初の審査と異ならないときは、認定請求書の余白にその旨を赤書で記入すること。

(4) 受付処理簿の処理経過欄に再審査済年月日を記入すること。

(5) 認定請求書の再提出欄に再提出年月日を記入し、再提出書に認定請求書を添えて、これを都道府県に送付するとともに、受付処理簿の処理経過欄に再提出年月日を記入すること。

4 認定通知書等の交付

都道府県から児童扶養手当認定通知書（規則様式第十一号。以下「認定通知書」という。）、児童扶養手当支給停止通知書（規則様式第十一号の三。以下「支給停止通知書」という。）及び証書が送付されたときは、おおむね、次によって処理するものとする。

(1) 認定通知書を交付するときは、次によること。

イ 証書送付書と認定通知書及び証書とを照合し、これらに相違があるときは、直ちに都道府県へ照会すること。

ロ 認定通知書及び証書を受理したときは、証書受領書（様式第5号）を都道府県に送付すること。

ハ 受付処理簿の都道府県における審査結果欄に認定の旨を記入すること。

ニ 受給資格者名簿に記入すること。

ホ 名簿索引票を作成、整理すること。

ヘ 認定通知書を受給資格者に交付すること。

ト 受付処理簿の処理経過欄に認定通知書交付年月日を記入すること。

(2)　認定通知書及び支給停止通知書を交付するときは、次によること。
イ　証書送付書と認定通知書、支給停止通知書及び証書とを照合し、これらに相違があるときは、直ちに都道府県へ照会すること。
ロ　認定通知書、支給停止通知書及び証書を受理したとき、証書受領書を都道府県に送付すること。
ハ　受付処理簿の都道府県における審査結果欄に認定及び支給停止の旨を記入すること。
ニ　受給資格者名簿に記入すること。
ホ　名簿索引票を作成、整理すること。
ヘ　認定通知書及び支給停止通知書を受給資格者に交付すること。
ト　受付処理簿の処理経過欄に認定通知書及び支給停止通知書交付年月日を記入すること。
(3)　証書を交付するときは、次によること。
イ　証書を受給資格者に交付すること。
ロ　受給資格者名簿の証書交付（返付）欄に証書交付年月日を記入すること。
(4)　受給資格者の死亡等によって受給資格が消滅していることが明らかに認められ証書の交付を停止する必要があるときは、次によること。
イ　児童扶養手当証書交付・返付停止報告書（様式第6号。以下「証書交付・返付停止報告書」という。）に証書を添えて、これを都道府県に送付すること。
ロ　受給資格者名簿の備考欄に交付停止年月日を記入すること。
5　認定請求却下通知書の交付
都道府県から児童扶養手当認定請求却下通知書（規則様式第十二号。以下「認定請求却下通知書」という。）が送付されたときは、おおむね、次によって処理するものとする。
(1)　受付処理簿の都道府県における審査結果欄に却下の旨を記入すること。
(2)　認定請求却下通知書を請求者に交付すること。
(3)　受付処理簿の処理経過欄に認定請求却下通知書交付年月日を記入すること。
第三　手当額改定について
1　手当額改定請求書等の受理及び提出
規則第二条の規定による児童扶養手当額改定請求書（規則様式第四号）又は規則第三条の規定による児童扶養手当額改定届（規則様式第五号。以下「手当額改定請求書等」という。）の提出を受けたときは、おおむね、次によって処理するものとする。
(1)　受付処理簿の件名（氏名）欄及び受付（再提出）欄に件名、氏名及び受付年月日を、それぞれ記入すること。

(2) 手当額改定請求書等の記載及びその添付書類等に不備がないかどうかを検討すること。

(3) 手当額改定請求書等に町村において容易に補正することができない程度の誤りがあるとき、又はその添付書類等に著しい不備があるときは、手当額改定請求書等を受給資格者に返付すること。

(4) (3)によって手当額改定請求書等を返付するときは、受付処理簿の返付欄に返付年月日を記入すること。

(5) 受給資格者が返付された手当額改定請求書等を補正して再提出したときは、受付処理簿の受付（再提出）欄に再提出受付年月日を記入すること。

(6) 手当額改定請求書等の記載及びその添付書類等に不備がないときは、受付処理簿の受理欄及び手当額改定請求書等の町村受付年月日欄に受付年月日を記入するとともに、受給資格者に手当額改定請求書等の請求年月日又は届出年月日を記入させ、その内容を審査すること。

(7) 手当額改定請求書等の経由町村名欄に当該町村名を、提出欄に提出年月日及び受付処理簿の整理番号を、それぞれ記入すること。

(8) 提出欄に手当額改定請求書等を添えて、これを都道府県に送付するとともに、受付処理簿の処理経過欄に提出年月日を記入すること。

2 手当額改定請求書等の補正及び再提出

手当額改定請求書等の記載又はその添付書類等に著しい不備があるため、都道府県から手当額改定請求書等が返戻されたときは、おおむね、次によって処理するものとする。

(1) 受付処理簿の処理経過欄に返戻年月日を記入すること。

(2) 手当額改定請求書等の記載又はその添付書類等の不備が、町村において容易に補正することができるものは、これを補正し、補正できないものは、これを受給資格者に返付すること。

(3) (2)によって手当額改定請求書等を返付するときは、受付処理簿の返付欄に返付年月日を記入すること。

(4) 受給資格者が返付された手当額改定請求書等を補正して再提出したときは、受付処理簿の受付（再提出）欄に再提出受付年月日を記入すること。

(5) 手当額改定請求書等の再提出欄に再提出年月日を記入し、再提出書に手当額改定請求書等を添えて、これを都道府県に送付するとともに、受付処理簿の処理経過欄に再提出年月日を記入すること。

3 手当額改定通知書等の交付等

都道府県から児童扶養手当額改定通知書（規則様式第十三号。以下「手当額改定通知書」という。）及び証書が送付されたときは、おおむね、次によって処理するものとする。

(1) 手当額改定通知書を交付するときは、次によること。

イ　証書送付書と手当額改定通知書及び証書とを照合し、これらに相違があるときは、直ちに都道府県へ照会すること。
ロ　手当額改定通知書及び証書を受理したときは、証書受理書を都道府県に送付すること。
ハ　受付処理簿の都道府県における審査結果欄に改定の旨を記入すること。
ニ　受給資格者名簿につき、所要の事項を記入すること。
ホ　手当額改定通知書を受給資格者に交付すること。
ヘ　受付処理簿の処理経過欄に手当額改定通知書交付年月日を記入すること。
ト　規則第十六条第二項又は第二十四条の規定に基づき受給資格者に証書を交付（返付）しない場合には、イの証書に係る照合及び都道府県への照会は不要であること。
(2)　証書を返付し、又は交付するときは、次によること。
イ　受給資格者に証書を返付し、又は交付すること。
ロ　受給資格者名簿の証書交付（返付）欄に返付又は交付年月日を記入すること。
(3)　受給資格者の死亡等によって受給資格が消滅していることが明らかに認められ証書の返付又は交付を停止する必要があるときは、次によること。
イ　証書交付・返付停止報告書（様式第6号）に証書を添えて、これを都道府県に送付すること。
ロ　受給資格者名簿の備考欄に交付・返付停止年月日を記入すること。
4　職権に基づく手当額改定通知書等の交付等
(1)　職権に基づいて都道府県から減額の手当額改定通知書が送付されたときは、おおむね、次によって処理するものとする。
イ　受給資格者名簿につき所要の事項を記入すること。
ロ　手当額改定通知書を受給資格者に交付すること。
ハ　受給資格者名簿の備考欄に手当額改定通知書交付年月日を記入すること。
(2)　職権に基づいて都道府県から減額の手当額改定通知書とともに児童扶養手当証書提出命令書（児童扶養手当都道府県事務取扱準則（以下「都道府県準則」という。）様式第5号。以下「証書提出命令書」という。）が送付されたときは、(1)の手続によるほか更に次によって処理するものとする。
イ　証書提出命令書を受給資格者に交付すること。
ロ　受給資格者名簿の備考欄に手当額改定通知書及び証書提出命令書の交付年月日を記入すること。
ハ　証書を都道府県に送付すること。
ニ　受給資格者名簿の備考欄に証書送付年月日を記入すること。
ホ　証書提出命令書に基づき証書が提出されることにより、都道府県から所要事項を記載した当該証書又は新たな証書が送付された場合における手続については、前記3に準ずること。

5 手当額改定請求却下通知書の交付等
都道府県から児童扶養手当額改定請求却下通知書（規則様式第十四号。以下「手当額改定請求却下通知書」という。）及び証書が送付されたときは、おおむね、次によって処理するものとする。

(1) 受付処理簿の都道府県における審査結果欄に却下の旨を記入すること。

(2) 手当額改定請求却下通知書を受給資格者に交付すること。

(3) 受付処理簿の処理経過欄に手当額改定請求却下通知書交付年月日を記入すること。

(4) 証書の受給資格者への返付等の手続については、前記3に準ずること。

第四 支給停止関係について

1 支給停止関係届の受理及び提出
規則第三条の二第一項又は第二項の規定による児童扶養手当支給停止関係届（規則様式第五号の二。以下「支給停止関係届」という。）の提出を受けたときは、おおむね、次によって処理するものとする。

(1) 受付処理簿の件名（氏名）欄及び受付（再提出）欄に件名、氏名及び受付年月日を、それぞれ記入すること。

(2) 支給停止関係届の記載及びその添付書類等に不備がないかどうかを検討すること。

(3) 支給停止関係届に町村において容易に補正することができない程度の誤りがあるとき、又はその添付書類等に著しい不備があるときは、支給停止関係届を受給資格者に返付すること。

(4) (3)によって支給停止関係届を返付するときは、受付処理簿の返付欄に返付年月日を記入すること。

(5) 受給資格者が返付された支給停止関係届を補正して再提出したときは、受付処理簿の受付（再提出）欄に再提出受付年月日を記入すること。

(6) 支給停止関係届の記載及びその添付書類等に不備がないときは、受付処理簿の受理欄及び支給停止関係届の町村受付年月日欄に受理年月日を記入するとともに、受給資格者に支給停止関係届の届出年月日を記入させ、その内容を審査すること。

(7) 支給停止関係届の経由町村名欄に当該町村名を、提出欄に提出年月日及び受付処理簿の整理番号を、それぞれ記入すること。

(8) 提出書に支給停止関係届を添えて、これを都道府県に送付するとともに、受付処理簿の処理経過欄に提出年月日を記入すること。

2 公的年金給付等受給状況届の受理及び提出
規則第三条の三の規定による公的年金給付等受給状況届（規則

様式第五号の三）の提出を受けたときは、おおむね、次によって処理するものとする。

(1) 受付処理簿の件名（氏名）欄及び受付（再提出）欄に件名、氏名及び受付年月日を、それぞれ記入すること。

(2) 公的年金給付等受給状況届の記載及びその添付書類等に不備がないかどうかを検討すること。

(3) 公的年金給付等受給状況届に町村において容易に補正することができない程度の誤りがあるとき、又はその添付書類等に著しい不備があるときは、公的年金給付等受給状況届を受給資格者に返付すること。

(4) (3)によって公的年金給付等受給状況届を返付するときは、受付処理簿の返付欄に返付年月日を記入すること。

(5) 受給資格者が返付された公的年金給付等受給状況届を補正して再提出したとき、受付処理簿の受付（再提出）欄に再提出受付年月日を記入すること。

(6) 公的年金給付等受給状況届の記載及びその添付書類等に不備がないときは、受付処理簿の受理欄及び公的年金給付等受給状況届の町村受付年月日欄に受理年月日を記入するとともに、受給資格者に公的年金給付等受給状況届の届出年月日を記入させ、その内容を審査すること。

(7) 公的年金給付等受給状況届の経由町村名欄に当該町村名を、提出欄に提出年月日及び受付処理簿の整理番号を、それぞれ記入すること。

(8) 提出書に公的年金給付等受給状況届を添えて、これを都道府県に送付するとともに、受付処理簿の処理経過欄に提出年月日を記入すること。

3 適用除外事由届出書の受理及び提出

規則第三条の四の規定による児童扶養手当一部支給停止適用除外事由届出書（規則様式第五号の四。以下「適用除外事由届出書」という。）及び関係書類の提出を受けたときは、おおむね、次によって処理するものとする。

(1) 受付処理簿の件名（氏名）欄及び受付（再提出）欄に件名、氏名及び受付年月日を、それぞれ記入すること。

(2) 適用除外事由届出書の記載及びその添付書類等に不備がないかどうかを検討すること。

(3) 適用除外事由届出書に町村において容易に補正することができない程度の誤りがあるとき、又はその添付書類等に著しい不備があるときは、適用除外事由届出書を受給資格者に返付すること。

(4) (3)によって適用除外事由届出書を返付するときは、受付処理簿の返付欄に返付年月日を記入すること。

(5) 受給資格者が返付された適用除外事由届出書を補正して再提出したとき、受付処理簿の受付（再提出）欄に再提出受付年月日を記入すること。

(6)　適用除外事由届出書の記載及びその添付書類等に不備がないときは、受付処理簿の受理欄及び適用除外事由届出書の町村受付年月日欄に受理年月日を記入し、その内容を審査すること。

(7)　適用除外事由届出書の経由町村名欄に当該町村名を、提出欄に提出年月日及び受付処理簿の整理番号を、それぞれ記入すること。

(8)　提出書に適用除外事由届出書及び添付書類等を添えて、これを都道府県に送付するとともに、受付処理簿の処理経過欄に提出年月日を記入すること。

4　支給停止関係届等の補正及び再提出

支給停止関係届、公的年金給付等受給状況届及び適用除外事由届出書（以下「支給停止関係届等」という。）の記載又はその添付書類等に著しい不備があるため、都道府県から支給停止関係届等が返戻されたときは、おおむね、次によって処理するものとする。

(1)　受付処理簿の処理経過欄に返戻年月日を記入すること。

(2)　支給停止関係届等の記載又はその添付書類等の不備が、町村において容易に補正することができるものは、これを補正し、補正できないものは、これを受給資格者に返付すること。

(3)　(2)によって支給停止関係届等を返付するときは、受付処理簿の返付欄に返付年月日を記入すること。

(4)　受給資格者が返付された支給停止関係届等を補正して再提出したとき、受付処理簿の受付（再提出）欄に再提出受付年月日を記入すること。

(5)　支給停止関係届等の再提出欄に再提出年月日を記入し、再提出書に支給停止関係届等を添えて、これを都道府県に送付するとともに、受付処理簿の受理経過欄に再提出年月日を記入すること。

5　支給停止通知書又は支給停止解除通知書の交付等

都道府県から支給停止通知書又は児童扶養手当支給停止解除通知書（都道府県準則様式第6号。以下「支給停止解除通知書」という。）及び証書が送付されたときは、おおむね次によって処理するものとする。

(1)　支給停止通知書又は支給停止解除通知書を交付するときは、次によること。

イ　証書送付書と支給停止通知書又は支給停止解除通知書及び証書とを照合し、これらに相違があるときは、直ちに都道府県へ照会すること。

ロ　支給停止通知書又は支給停止解除通知書及び証書を受理したときは、証書受領書を都道府県に送付すること。

ハ　受付処理簿の都道府県における審査結果欄に支給停止関係が変わった旨を記入すること。

ニ　受給資格者名簿につき、所要の事項を記入すること。

ホ　支給停止通知書又は支給停止解除通知書を受給資格者に交

付すること。

ヘ　受付処理簿の処理経過欄に支給停止通知書又は支給停止解除通知書交付年月日を記入すること。

ト　規則第二十四条の規定に基づき受給資格者に証書を交付(返付)しない場合には、イの証書に係る照合及び都道府県への照会は不要であること。

(2)　証書を返付し、又は交付するときは、次によること。

イ　受給資格者に証書を返付し、又は交付すること。

ロ　受給資格者名簿の証書交付(返付)欄に返付又は交付年月日を記入すること。

(3)　受給資格者の死亡等によって受給資格が消滅していることが明らかに認められ証書の返付又は交付を停止する必要があるときは、次によること。

イ　証書交付・返付停止報告書に証書を添え、これを都道府県に送付すること。

ロ　受給資格者名簿の備考欄に交付・返付停止年月日を記入すること。

6　職権に基づく支給停止通知書等の交付等

(1)　職権に基づいて都道府県から支給停止通知書が送付されたときは、おおむね、次によって処理するものとする。

イ　受給資格者名簿につき所要の事項を記入すること。

ロ　支給停止通知書を受給資格者に交付すること。

ハ　受給資格者名簿の備考欄に支給停止通知書交付年月日を記入すること。

(2)　職権に基づいて都道府県から支給停止通知書とともに児童扶養手当証書提出命令書が送付されたときは、前記(1)の手続によるほか更に次によって処理するものとする。

イ　証書提出命令書を受給資格者に交付すること。

ロ　受給資格者名簿の備考欄に支給停止通知書及び証書提出命令書の交付年月日を記入すること。

ハ　証書を都道府県に送付すること。

ニ　受給資格者名簿の備考欄に証書送付年月日を記入すること。

ホ　証書提出命令書に基づき証書が提出されることにより、都道府県から所要事項を記載した当該証書又は新たな証書の送付を受けた場合における手続については、前記第三の3に準ずること。

第五　所得状況届について

1　所得状況届の受理及び提出

規則第三条の五の規定によって、児童扶養手当所得状況届(規則様式第五号の五。以下「所得状況届」という。)の提出を受けたときは、おおむね、次によって処理するものとする。

(1)　受付処理簿の件名(氏名)欄及び受付(再提出)欄に件名、

氏名及び受付年月日をそれぞれ記入すること。

(2) 所得状況届の記載及びその添付書類等に不備がないかどうかを検討し、規則第二十六条の規定により添付書類等が省略されているときは、所得状況届の余白に省略された書類の名称を記入すること。

(3) 所得状況届の記載に町村において容易に補正することができない程度の誤りがあるとき、又はその添付書類等に著しい不備があるときは、所得状況届を受給資格者に送付すること。

(4) (3)によって所得状況届を返付するときは、受付処理簿の返付欄に返付年月日を記入すること。

(5) 受給資格者が返付された所得状況届を補正して再提出したときは、受付処理簿の受付（再提出）欄に再提出受付年月日を記入すること。

(6) 所得状況届の記載及びその添付書類等に不備がないときは、受付処理簿の受理欄及び所得状況届の町村受付年月日欄に受理年月日を記入するとともに、受給資格者に所得状況届の届出年月日を記入させること。

(7) 所得状況届の記載及びその添付書類等の内容を審査し、審査欄等に所要事項を記入し、受付処理簿の処理経過欄に審査済年月日を記入すること。

(8) 所得状況届の提出欄に提出年月日を記入すること。

(9) 提出書に所得状況届を添えて、これを都道府県に送付するとともに、受付処理簿の処理経過欄に提出年月日を記入すること。

2 所得状況届の補正及び再提出

所得状況届の記載又はその添付書類等に著しい不備があるため、都道府県から所得状況届が返戻されたときは、おおむね、次によって処理するものとする。

(1) 受付処理簿の処理経過欄に返戻年月日を記入すること。

(2) 所得状況届の記載又はその添付書類等の不備が、町村において容易に補正することができるものは、これを補正し、補正できないものは、これを受給資格者に返付すること。

(3) (2)によって所得状況届を返付するときは、受付処理簿の返付欄に返付年月日を記入すること。

(4) 受給資格者が返付された所得状況届を補正して再提出したときは、受付処理簿の受付（再提出）欄に再提出受付年月日を記入すること。

(5) 所得状況届の余白に再提出年月日を記入し、再提出書に所得状況届を添えて、これを都道府県に送付するとともに、受付処理簿の処理経過欄に再提出年月日を記入すること。

3 所得状況届の再審査等

所得状況届の審査が適当でないため、都道府県から所得状況届が返戻されたときは、おおむね、次によって処理するものとする。

(1) 受付処理簿の処理経過欄に返戻年月日を記入すること。

(2) 当該指摘事項について再審査を行うこと。

(3) 再審査の結果が当初の審査と異なるときは、所得状況届の指摘された個所を赤書で訂正し、当初の審査と異ならないときは、所得状況届の余白にその旨を赤書で記入すること。

(4) 受付処理簿の処理経過欄に再審査済年月日を記入すること。

(5) 所得状況届の余白に再提出年月日を記入し、再提出書に所得状況届を添えて、これを都道府県に送付するとともに、受付処理簿の処理経過欄に再提出年月日を記入すること。

4 証書の返付又は交付等

(1) 都道府県から手当の全部の継続支給を受ける者について証書が送付されたとき、又は手当の全部若しくは一部の支給停止を受けていた者について支給停止解除通知書及び証書が送付されたときは、おおむね、次によって処理するものとする。

イ 受付処理簿の都道府県における審査結果欄に継続支給又は支給停止解除の旨を記入すること。

ロ 証書の受給資格者への返付等の手続については、前記第三の3に準ずること。

(2) 都道府県から手当の全部又は一部の支給停止を受ける者について支給停止通知書及び証書が送付されたときは、おおむね、次によって処理するものとする。

イ 受付処理簿の都道府県における審査結果欄に手当の全部又は一部を支給停止とされた旨を記入すること。

ロ 証書の受給資格者への返付等の手続については、前記第三の3に準ずること。

第六 定時の現況届について

1 定時の現況届の受理及び提出

規則第四条の規定によって定時の児童扶養手当現況届（規則様式第六号。以下「現況届」という。）の提出を受けたときは、おおむね、次によって処理するものとする。

(1) 受付処理簿の件名（氏名）欄及び受付（再提出）欄に件名、氏名及び受付年月日を、それぞれ記入すること。

(2) 現況届の記載及びその添付書類等に不備がないかどうかを検討し、規則第二十六条の規定により添付書類等が省略されているときは、現況届の余白に省略された書類の名称を記入すること。

(3) 現況届の記載に町村において容易に補正することができない程度の誤りがあるとき、又はその添付書類等に著しい不備があるときは、現況届を受給資格者に送付すること。

(4) (3)によって現況届を返付するときは、受付処理簿の返付欄に返付年月日を記入すること。

(5) 受給資格者が返付された現況届を補正して再提出したときは、受付処理簿の受付（再提出）欄に再提出受付年月日を記入すること。

(6) 現況届の記載及びその添付書類等に不備がないときは、受付処理簿の受理欄及び現況届の町村受付年月日欄に受理年月日を記入するとともに、受給資格者に現況届の届出年月日を記入させること。

(7) 現況届の記載及びその添付書類等の内容を審査し、審査欄等に所要事項を記入し、受付処理簿の処理経過欄に審査済年月日を記入すること。

(8) 現況届の提出欄に提出年月日を記入すること。

(9) 提出書に現況届を添えて、これを都道府県に送付するとともに、受付処理簿の処理経過欄に提出年月日を記入すること。

2 現況届の補正及び再提出

現況届の記載又はその添付書類等に著しい不備があるため、都道府県から現況届が返戻されたときは、おおむね、次によって処理するものとする。

(1) 受付処理簿の処理経過欄に返戻年月日を記入すること。

(2) 現況届の記載又はその添付書類等の不備が、町村において容易に補正することができるものは、これを補正し、補正できないものは、これを受給資格者に返付すること。

(3) (2)によって現況届を返付するときは、受付処理簿の返付欄に返付年月日を記入すること。

(4) 受給資格者が返付された現況届を補正して再提出したときは、受付処理簿の受付（再提出）欄に再提出受付年月日を記入すること。

(5) 現況届の余白に再提出年月日を記入し、再提出書に現況届を添えて、これを都道府県に送付するとともに、受付処理簿の処理経過欄に再提出年月日を記入すること。

3 現況届の再審査等

現況届の審査が適当でないため、都道府県から現況届が返戻されたときは、おおむね、次によって処理するものとする。

(1) 受付処理簿の処理経過欄に返戻年月日を記入すること。

(2) 当該指摘事項について再審査を行うこと。

(3) 再審査の結果が当初の審査と異なるときは、現況届の指摘された個所を赤書で訂正し、当初の審査と異ならないときは、現況届の余白にその旨を赤書で記入すること。

(4) 受付処理簿の処理経過欄に再審査済年月日を記入すること。

(5) 現況届の余白に再提出年月日を記入し、再提出書に現況届を添えて、これを都道府県に送付するとともに、受付処理簿の処理経過欄に再提出年月日を記入すること。

4 証書の返付又は交付等

(1) 都道府県から手当の全部の継続支給を受ける者について証書が送付されたとき、又は手当の全部若しくは一部の支給停止を受けていた者について支給停止解除通知書及び証書が送付されたときは、おおむね、次によって処理するものとする。

イ 受付処理簿の都道府県における審査結果欄に継続支給又は支給停止解除の旨を記入すること。

ロ 証書の受給資格者への返付等の手続については、前記第三の3に準ずること。

(2) 都道府県から手当の全部又は一部の支給停止を受ける者について支給停止通知書及び証書が送付されたときは、おおむね、次によって処理するものとする。

イ 受付処理簿の都道府県における審査結果欄に手当の全部又は一部を支給停止とされた旨を記入すること。

ロ 証書の受給資格者への返付等の手続については、前記第三の3に準ずること。

第七 氏名変更届等について

1 氏名変更等の届出の受理及び提出

規則第五条の規定による氏名変更の届書（以下「氏名変更届」という。）、規則第九条の規定による証書の再交付の申請書（以下「証書再交付申請書」という。）、規則第十条の規定による児童扶養手当証書亡失届（規則様式第八号。以下「証書亡失届」という。）又は規則第十一条の規定による児童扶養手当資格喪失届（規則様式第九号。以下「資格喪失届」という。）の提出を受けたときは、おおむね、次によって処理するものとする。

(1) 受付処理簿の件名（氏名）欄及び受付（再提出）欄に件名、氏名及び受付年月日を、それぞれ記入すること。

(2) 氏名変更届、証書再交付申請書、証書亡失届又は資格喪失届の記載及びその添付書類等に不備がないかどうかを検討すること。

(3) 氏名変更届、証書再交付申請書、証書亡失届又は資格喪失届の記載に町村において容易に補正することができない程度の誤りがあるとき、又はその添付書類に著しい不備があるときは、氏名変更届、証書再交付申請書、証書亡失届又は資格喪失届を受給資格者に返付すること。

(4) (3)によって氏名変更届、証書再交付申請書、証書亡失届又は資格喪失届を返付するときは、受付処理簿の返付欄に返付年月日を記入すること。

(5) 受給資格者が返付された氏名変更届、証書再交付申請書、証書亡失届又は資格喪失届を補正して再提出したときは、受付処理簿の受付（再提出）に再提出受付年月日を記入すること。

(6) 氏名変更届、証書再交付申請書、証書亡失届又は資格喪失届の記載及びその添付書類等に不備がないときは、受付処理簿の受理欄及び氏名変更、証書再交付申請書、証書亡失届又は資格喪失届の町村受付年月日欄に受理年月日を記入するとともに、受給資格者に氏名変更届、証書再交付申請書、証書亡失届又は資格喪失届の届出年月日を記入させ、その内容を審査すること。

(7) 氏名変更届、証書再交付申請書、証書亡失届又は資格喪失届の経由町村名欄に当該町村名を、提出欄に提出年月日及び受付処理簿の整理番号を、それぞれ記入すること。

(8) 提出書に氏名変更届、証書再交付申請書、証書亡失届又は資格喪失届を添えて、これを都道府県に送付するとともに、受付処理簿の処理経過欄に提出年月日を記入すること。

2 障害診断書（エックス線直接撮影写真を含む。）の受理及び提出

規則第四条の二の規定により児童扶養手当障害認定診断書（規則様式第二号。以下「障害診断書」という。）の提出を受けたときは、おおむね、次によって処理するものとする。

(1) 受付処理簿の件名（氏名）欄及び受付（再提出）欄に件名、氏名及び受付年月日を記入すること。

(2) 障害診断書に不備がないかどうかを検討すること。

(3) 障害診断書に著しい不備があるときは、障害診断書を受給資格者に返付すること。

(4) (3)によって障害診断書を返付するときは、受付処理簿の返付欄に返付年月日を記入すること。

(5) 受給資格者が返付された障害診断書を補正して再提出したときは、受付処理簿の受付（再提出）欄に再提出受付年月日を記入すること。

(6) 障害診断書に不備がないときは、受付処理簿の受理欄に受理年月日を記入し、その内容を審査すること。

(7) 障害認定診断書の提出書（様式第7号）に障害診断書を添えて、これを都道府県に送付するとともに、受付処理簿の処理経過欄に提出年月日を記入すること。

3 受給資格者死亡届等の受理及び提出

規則第十二条の規定による受給資格者の死亡の届書（以下「受給資格者死亡届」という。）又は規則第十二条の四の規定による未支払児童扶養手当請求書（規則様式第十号。以下「未支払手当請求書」という。）の提出を受けたときは、おおむね、次によって受理するものとする。

(1) 受付処理簿の件名（氏名）欄及び受付（再提出）欄に件名、氏名及び受付年月日を、それぞれ記入すること。

(2) 受給資格者死亡届の記載及びその添付書類等又は未支払手当請求書の記載に不備がないかどうかを検討すること。

(3) 受給資格者死亡届又は未支払手当請求書の記載に町村において容易に補正することができない程度の誤りがあるとき、又は受給資格者死亡届の添付書類等に著しい不備があるときは、受給資格者死亡届又は未支払手当請求書を届出者又は請求者に返付すること。

(4) (3)によって受給資格者死亡届又は未支払手当請求書を返付するとき、受付処理簿の返付欄に返付年月日を記入すること。

(5) 届出者又は請求者が返付された受給資格者死亡届又は未支払手当請求書を補正して再提出したときは、受付処理簿の受付（再提出）欄に再提出受付年月日を記入すること。

(6) 受給資格者死亡届の記載及びその添付書類等又は未支払手当請求書の記載に不備がないときは、受付処理簿の受理欄及び受

給資格者死亡届又は未支払手当請求書の町村受付年月日欄に受理年月日を記入するとともに、届出者又は請求者に受給資格者死亡届又は未支払手当請求書の届出年月日又は請求年月日を記入させ、その内容を審査すること。

(7)　受給資格者死亡届又は未支払手当請求書の経由町村名欄に当該町村名を、提出欄に提出年月日及び受付処理簿の整理番号を、それぞれ記入すること。

(8)　提出書に受給資格者死亡届又は未支払手当請求書を添えて、これを都道府県に送付するとともに、受付処理簿の処理経過欄に提出年月日を記入すること。

4　氏名変更に伴う証書の返付

都道府県から氏名変更届に基づき訂正された証書が送付されたときは、おおむね、次によって処理するものとする。

(1)　受付処理簿の都道府県における審査結果欄に証書訂正の旨を記入すること。

(2)　受給資格者名簿及び名簿索引票の氏名欄を整理すること。

(3)　証書の受給資格者への返付等の手続については、前記第三の3に準ずること。

5　児童扶養手当資格喪失通知書の交付

(1)　都道府県から資格喪失届又は受給資格者死亡届に基づいて児童扶養手当資格喪失通知書（規則様式第十五号。以下「資格喪失通知書」という。）が送付されたときは、おおむね、次によって処理するものとする。

イ　受付処理簿の都道府県における審査結果欄に資格喪失の旨を記入すること。

ロ　受給資格者名簿の備考欄に資格喪失又は死亡の旨を記入し、全体にわたって斜線（赤書）を交互に付すること。

ハ　名簿索引票を取り除くこと。

ニ　資格喪失通知書を受給資格者等に交付すること。

ホ　受付処理簿の処理経過欄に資格喪失通知書交付年月日を記入すること。

(2)　都道府県から職権に基づいて資格喪失通知書が送付されたときは、(1)のイからホまでの手続をとるとともに、あわせて証書提出命令書の送付があったときは、更に前記第三の4の(2)に準じて処理するものとする。

(3)　都道府県から未支払手当請求書に基づいて児童扶養手当支払通知書が送付されたときは、おおむね、次によって処理するものとする。

イ　受付処理簿の都道府県における審査結果欄に未支払手当支給の旨を記入すること。

ロ　請求者に対する児童扶養手当支払通知書の交付等の手続については、前記(1)に準ずること。

6　証書の再交付等

(1)　都道府県から証書再交付申請書又は証書亡失届に基づいて証書が送付されたときは、おおむね、次によって処理するものとする。

イ　受付処理簿の都道府県における審査結果欄に再交付の旨を記入すること。

ロ　証書の再交付が証書亡失届に基づく場合には、受給資格者名簿及び名簿索引票の証書番号欄を整理すること。

ハ　証書の受給資格者への交付等の手続については、前記第三の3に準ずること。

(2)　都道府県から前記2により提出した障害診断書に基づいて証書等が送付されたときは、おおむね、次によって処理するものとする。

イ　証書のみが送付されたときは、前記第六の4の(1)の手続に準ずること。

ロ　手当額改定通知書が併せて送付されたときは、前記第三の3の手続に準ずること。

ハ　資格喪失通知書が併せて送付されたときは、前記5の(1)の手続に準ずること。

第八　住所変更及び支払金融機関変更について

1　同一町村内における住所の変更

当該町村の区域内における住所の変更に係る住所変更の届書(以下「住所変更届」という。)の提出を受けたときは、おおむね、次によって処理するものとする。

(1)　受付処理簿の件名(氏名)欄及び受付(再提出)欄に件名、氏名及び受付年月日を、それぞれ記入すること。

(2)　住所変更届の記載に不備がないかどうかを検討すること。

(3)　住所変更届の記載に町村において容易に補正することができない程度の誤りがあるときは、住所変更届を受給資格者に返付すること。

(4)　(3)によって住所変更届を返付するときは、受付処理簿の返付欄に返付年月日を記入すること。

(5)　受給資格者が返付された住所変更届を補正して再提出したときは、受付処理簿の受付(再提出)欄に再提出受付年月日を記入すること。

(6)　住所変更届の記載に不備がないときは、受付処理簿の受理欄に受付年月日を記入し、その内容を審査すること。

(7)　証書の住所欄を訂正すること。

(8)　住所変更届の証書訂正(作成)欄に訂正年月日を記入すること。

(9)　児童扶養手当住所・支払金融機関変更届処理済報告書(様式第8号)は児童扶養手当住所変更届処理済報告書を作成し、都道府県に送付すること。

(10)　受付処理簿の処理経過欄及び都道府県における審査結果欄に、処理済年月日及び処理済報告の旨をそれぞれ記入すること。

(11)　証書の受給資格者への返付及び交付の停止の手続については、前記第三の3の(2)及び(3)に準ずること。

2　当該都道府県内の他の町村からの住所の変更

当該都道府県の区域内の他の町村からの住所の変更に係る住所変更届の提出を受けたときは、前記1の手続に準じて処理するほか、1の(6)と(7)の間に、次の事務処理を行うこと。

(1)　旧住所地の町村に対して住所変更の届出があった旨を明らかにして当該受給資格者名簿の写しの送付を求めること。

(2)　受給資格者名簿の写しの送付を受けたときは、当該受給資格者につき、受給資格者名簿を作成すること。この場合において、備考欄に旧住所地から移管された旨を記入すること。

(3)　当該受給資格者につき名簿索引票を作成し、整理すること。

3　他の都道府県又は当該都道府県内の他の市等からの住所及び支払金融機関の変更

他の都道府県の区域又は当該都道府県内の他の市等の区域からの住所及び支払金融機関の変更に係る住所変更届及び支払金融機関変更の届書（以下「支払金融機関変更届」とする。）の提出を受けたときは、おおむね、次によって処理するものとする。

(1)　前記1の手続に準じて受給資格者から提出された住所変更届及び支払金融機関変更届を都道府県に送付すること。

(2)　都道府県から住所変更届及び支払金融機関変更届に基づいて児童扶養手当移管通知書（都道府県準則様式第7号。以下「移管通知書」という。）の送付を受けたときは、次の手続をとるものとする。

イ　受付処理簿の都道府県における審査結果欄に、移管の旨を記入すること。

ロ　移管通知書とともに送付された受給資格者台帳の写しに基づいて受給資格者名簿を作成すること。

ハ　名簿索引票を作成し、整理すること。

ニ　都道府県から移管通知書とともに送付された証書の受給資格者への交付等の手続については、前記第三の3に準ずること。

4　他の都道府県又は当該都道府県内の他の市町村への住所の変更

(1)　受給資格者から、他の都道府県への住所の変更に係る住所変更届の提出を受けたときは、前記1の手続に準じて受給資格者から提出された住所変更届を都道府県に送付すること。なお、この届には、証書は添付されないものであること。

(2)　都道府県から当該都道府県の区域外に受給資格者の住所が変更した旨の移管通知書の送付を受けたとき又は当該都道府県の区域内の他の市町村からの(1)によって当該受給資格者名簿の写しの送付を求められ、送付したときは、次の手続をとるものとする。

イ　当該受給資格者名簿の備考欄に住所変更の旨を記入し、全体にわたって斜線（赤書）を交互に付すること。

ロ　名簿索引票を取り除くこと。

5　同一都道府県内における支払金融機関の変更

同一都道府県内における支払金融機関変更届の提出を受けたときは、前記3の手続に準じて処理するものとする。

第九　連名表について

　二件以上の認定請求書等を同時に都道府県に提出又は再提出する場合においては、提出書又は再提出書に受給資格者等の氏名を連記した書類を添えるものとする。

第一〇　その他

　委譲対象とならない既認定者等に係る事務については、前記の第一及び第三、第四、第六から第八までの文中の「町村」を「市町村」に読み替えるものとすること。

　経過措置（第一〇次改正）

改正前の様式（以下「旧様式」という。）により使用されている書類は、当該改正後の様式によるものとみなすものとすること。

また、旧様式による用紙については、当分の間、これを取り繕って使用することができるものとすること。

様式第１号

児童扶養手当関係書類提出受付処理簿

整理番号	件名（氏名）	受付（再提出）	返付		受理	処理経過	都道府県における審査結果	備考
			年月日	事由				
		・ ・	・ ・		・ ・			
		・ ・	・ ・		・ ・			
	（　　）	・ ・	・ ・		・ ・			
		・ ・	・ ・		・ ・			
		・ ・	・ ・		・ ・			
	（　　）	・ ・	・ ・		・ ・			
		・ ・	・ ・		・ ・			
		・ ・	・ ・		・ ・			
	（　　）	・ ・	・ ・		・ ・			
		・ ・	・ ・		・ ・			
		・ ・	・ ・		・ ・			
	（　　）	・ ・	・ ・		・ ・			

備考　この帳簿の用紙寸法は、日本産業規格Ｂ列５番の大きさとすること。

様式第２号

（表　面）

児童扶養手当受給資格者名簿

（町　村　名）

令和　年　月　日　認定

整理番号	

氏名	（ふりがな）	住所	〒	支払金融機関	名　称	口座番号
	（ふりがな）		〒			
			（令　・　・　変更）		（令　・　・　変更）	
個人番号			〒			
			（令　・　・　変更）		（令　・　・　変更）	
生年月日	大・昭・平・令　年　月　日		〒			
			（令　・　・　変更）		（令　・　・　変更）	

証書の番号	第　号	証書の交付―返付―	令　・　・ （　）	令　・　・ （　）	令　・　・ （　）
手当月額	令和　・　・	円（　）	令　・　・ （　）	令　・　・ （　）	令　・　・ （　）
	令和　・　・	円（　）	令　・　・ （　）	令　・　・ （　）	令　・　・ （　）
	令和　・　・	円（　）			
	令和　・　・	円（　）			
	令和　・　・	円（　）			

支給対象児童	氏名	個人番号	続柄	障害の有無	生年月日	再診年月日	該当年月日	該当事由	9条・9条の2（　）	非該当予定年月日	非該当年月日	非該当事由
				有・無	平・令　・　・		平・令　・　・			平・令　・　・	平・令　・　・	
				有・無	平・令　・　・		平・令　・　・			平・令　・　・	平・令　・　・	
				有・無	平・令　・　・		平・令　・　・			平・令　・　・	平・令　・　・	
				有・無	平・令　・　・		平・令　・　・			平・令　・　・	平・令　・　・	
				有・無	平・令　・　・		平・令　・　・			平・令　・　・	平・令　・　・	

障害	父又は母の氏名	
	傷病名等	
拘禁	父の氏名	
	母の氏名	
	拘禁終了予定年月日	

受給資格喪失	受給資格喪失年月日	受給資格喪失事由
	令　・　・	
備考	有期診断該当、非該当の別	

（裏　面）

整理番号		氏　名		証書の記号・番号	第　　号

所得等の状況					
区		分	令和　年	令和　年	令和　年
支給停止関係届	現況届	届出の有無	有（関係届・現況届）・無	有（関係届・現況届）・無	有（関係届・現況届）・無
		所得制限の該当・非該当の別	該・一部該・非　（災）	該・一部該・非　（災）	該・一部該・非　（災）
	公的年金給付等受給状況届	届出の有無	有・無	有・無	有・無
		本人受給、児童受給、加算対象児童の別	本人・児童・加算対象	本人・児童・加算対象	本人・児童・加算対象
		公的年金給付等の種類			
		公的年金給付等の年額	円	円	円
		上記の対象期間	令和　年　月から	令和　年　月から	令和　年　月から
	一部支給停止適用除外事由届出書（５年等経過月：令和　年　月）	届出の有無	有・無	有・無	有・無
		適用、適用除外の別	適用（　年　月～　年　月） 除外（　年　月～　年　月）	適用（　年　月～　年　月） 除外（　年　月～　年　月）	適用（　年　月～　年　月） 除外（　年　月～　年　月）
		適用除外事由	就業中・求職活動中等・障害・負傷疾病・介護	就業中・求職活動中等・障害・負傷疾病・介護	就業中・求職活動中等・障害・負傷疾病・介護
支　給　停　止			令和　年　月から 令和　年　月まで 円	令和　年　月から 令和　年　月まで 円	令和　年　月から 令和　年　月まで 円

区	分	氏　名	個人番号	受給資格者との続柄	受給資格者の所得にかかる税法上の扶養親族等の数及び12月31日現在の生計維持した児童の合計数	配偶者又は扶養義務者の所得にかかる税法上の扶養親族等の数	総所得金額等の合計額	備　考（控除の種類等）
令和	受給資格者			本人			円	
	配・扶						円	
年	配・扶						円	
令和	受給資格者			本人			円	
	配・扶						円	
年	配・扶						円	
令和	受給資格者			本人			円	
	配・扶						円	
年	配・扶						円	

様式第３号

児童扶養手当受給資格者名簿索引票

(ふりがな) 氏　　名	生　年　月　日	受給資格者名簿 整理番号	備　　考
	大・昭・平・令　・　・　生		

3㎝　15㎝

様式第４号

第　　　号

令和　　年　　月　　日

都道府県知事（福祉事務所長）殿

町村長　　　　　(印)

児童扶養手当関係書類 提出／再提出 書

下記書類を 提出／再提出 致します。

件　　　名	件　　　数
	外　　　件
	外　　　件
	外　　　件
	外　　　件
	外　　　件
	外　　　件

備　考

（B列５番）

様式第５号

第　　　号
令和　　年　　月　　日

都道府県知事（福祉事務所長）殿

町村長　　　　　　（印）

児童扶養手当証書受領書

下記の児童扶養手当証書を受領しました。

受給資格者氏名	児童扶養手当証書の番号	備　　考

（Ｂ列５番）

様式第６号

第　　　号

令和　年　月　日

都道府県知事（福祉事務所長）殿

町村長　　　　(印)

児童扶養手当証書（交付／返付）停止報告書

下記により児童扶養手当証書の（交付／返付）を停止しましたから、報告します。

児童扶養手当証書の番号	第　　　号
受給資格者氏名	
児童扶養手当証書の交付又は返付を停止した事由	

備　考

（B列５番）

様式第７号

第　　　号
令和　　年　　月　　日

都道府県知事（福祉事務所長）殿

町村長　　　　　(印)

障害認定診断書の提出書

下記の者に係る児童扶養手当法施行規則第４条の２に規定する障害診断書については、別添のとおり児童扶養手当証書を添えて提出いたします。

受給資格者氏名	証書の番号	児童の氏名（生年月日）	受給資格者との続柄	Ｘ線写真の添付の有無
		(平・令　・　・　)		有　・　無
		(平・令　・　・　)		有　・　無
		(平・令　・　・　)		有　・　無
		(平・令　・　・　)		有　・　無

様式第８号

第　　　号
令和　　年　　月　　日

都道府県知事（福祉事務所長）殿

町村長　　　　　(印)

児童扶養手当住所・支払金融機関変更届処理済報告書

変更届書の種類	処理済年月日	証書の番号	受給資格者氏名	住所又は支払金融機関の変更	
				旧	新
	・　・				
	・　・				
	・　・				
	・　・				
	・　・				
	・　・				
	・　・				
	・　・				
	・　・				

（日本産業規格Ｂ列５番）

○児童扶養手当市等事務取扱準則について

〔平成十四年七月四日 雇児発第〇七〇四〇〇三号
各都道府県知事宛 厚生労働省雇用均等・児童家庭局
長通知〕

〔改正経過〕

第一次改正 〔平成一五年三月三一日雇児発第〇三三一〇〇六号
第二次改正 〔平成二〇年一一月六日雇児発第一一〇六〇〇二号
第三次改正 〔平成二二年七月三〇日雇児発〇七三〇第二号
第四次改正 〔平成二六年九月三〇日雇児発〇九三〇第五号
第五次改正 〔平成二七年一〇月二三日雇児発一〇二三第一号
第六次改正 〔平成二八年三月二五日雇児発〇三二五第一号
第七次改正 〔平成三〇年九月二八日子発〇九二八第三号
第八次改正 〔令和元年五月三〇日子発〇五三〇第一号
第九次改正 〔令和元年七月一日子発〇七〇一第二号

今般、「生活困窮者等の自立を促進するための生活困窮者自立支援法等の一部を改正する法律」（平成三十年法律第四十四号）及び「元号を改める政令」（平成三十一年政令第百四十三号）の施行に伴い、「児童扶養手当受給資格者台帳」（様式第3号）、「児童扶養手当受給資格者台帳索引票」（様式第4号）及び「児童扶養手当支給停止解除通知書」（様式第5号）の記載の改正が必要となった。このため、児童扶養手当市等事務取扱準則を別冊のとおり改正する。

なお、この準則は、地方自治法（昭和二十二年法律第六十七号）第二百四十五条の九の規定に基づく法定受託事務に係る処理基準である。

別　冊

児童扶養手当市等事務取扱準則

児童扶養手当市等事務取扱準則について

第一　帳簿等について

市等においては、次の帳簿等を備えるものとする。

1　児童扶養手当関係書類提出受付処理簿（様式第1号。以下「受付処理簿」という。）

この帳簿は、児童扶養手当（以下「手当」という。）に関する請求書、届書及び申請書等の受付順に整理して記入するものである。

2　児童扶養手当受給資格者台帳番号簿（様式第2号。以下「番号簿」という。）

この帳簿は、受給資格者（既認定者等（昭和六十年七月三十一日において認定を受けている者及び同日において認定の請求をしている者であってその後認定を受けた者をいう。）を除く受給資格者をいう。以下同じ。）をその番号順に整理するものである。

3　児童扶養手当受給資格者台帳（様式第3号。以下「受給資格者台帳」という。）

この台帳は、受給資格者の番号順に配列し整理するものである。

4　児童扶養手当支給廃止簿（以下「支給廃止簿」という。）

この簿冊は、受給資格を失った者及び他の都道府県、市等の区域に住所を変更した受給資格者に係る受給資格者台帳を編入するものである。

5　児童扶養手当受給資格者台帳索引票（様式第4号。以下「台帳索引票」という。）

この索引票は、索引に便利なように受給資格者の氏名の五十音順等に整理し、簿冊（以下これを「台帳索引簿」という。）にとりまとめるものである。

6　児童扶養手当住所・支払金融機関変更届等綴

この綴は、受給資格者から提出された当該市等の区域内における住所又は支払金融機関の変更に係る住所変更の届書又は支払金融機関変更の届書等を綴り込むものである。

なお、前記のうち、受付処理簿、受給資格者台帳、支給廃止簿、台帳索引票については、これらに記載すべき事項を電算システムにより確実に記録し、これを適正に管理及び利用することによって、事務を支障なく行い得る市等においては、これらの作成を省略することができる。

第二　認定等について

児童扶養手当法施行規則（以下「規則」という。）第一条に規定する児童扶養手当認定請求書（規則様式第一号。以下「認定請求書」という。）の提出を受けたときは、おおむね、次によって処理するものとする。

1　受付処理簿の件名（氏名）欄及び受付（再提出）欄に件名、氏名及び受付年月日を記入し、認定請求書の記載及びその添付書類等に不備がないかどうかを検討すること。

なお、規則第二十六条の規定により添付書類等が省略されているときは、認定請求書の余白に省略された書類の名称を記入すること。

2　認定請求書の記載に容易に補正することができない程度の誤りがあるとき、又はその添付書類等に著しい不備があるときは、認定請求書を請求者に返付し、受付処理簿の返付欄に返付年月日及び返付事由を記入すること。

3　請求者が返付された認定請求書を補正して再提出したときは、受付処理簿の受付（再提出）欄に再提出受付年月日を記入すること。

4　認定請求書の記載及びその添付書類等に不備がないときは、受付処理簿の受理欄及び認定請求書の市区町村受付年月日欄に受理年月日を記入するとともに、請求者に認定請求書の請求年月日を記入させること。

5　認定請求書の記載及びその添付書類等の内容を審査すること。

なお、請求に係る事実を明確にするため、特に必要があると認めるときは、児童扶養手当法（以下「法」という。）第二十九条の規定による調査を行い、又は、法第三十条に規定する措置をとること。

6　審査の結果、受給資格があるものと認定し、かつ、手当の全部を支給するものと決定したときは、次によること。

(1)　受付処理簿の審査結果欄に認定の旨を記入すること。

(2)　当該受給資格者についての番号を認定順に決定し、番号簿に当該所定事項を記入すること。

(3)　当該受給資格者につき、受給資格者台帳を作成すること。

(4)　当該受給資格者につき、台帳索引票を作成し、台帳索引簿を整理すること。

(5)　当該受給資格者につき、児童扶養手当認定通知書（規則様式第十一号。以下「認定通知書」という。）を作成し、これを交付すること。

(6) 当該受給資格者につき、児童扶養手当証書（規則様式第十一号の二。以下「証書」という。）を作成し、これを交付し、受給資格者台帳の証書欄に証書交付年月日を記入すること。

(7) 受付処理簿の処理経過欄に処理済年月日を記入すること。

7 審査の結果、受給資格があると認定した者であって、手当の全部又は一部を支給停止するものと決定したときは、次によること。

(1) 受付処理簿の審査結果欄に認定及び手当の全部又は一部を支給停止する旨を記入すること。

(2) 当該受給資格者についての番号を認定順に決定し、番号簿に当該所定事項を記入すること。

(3) 当該受給資格者につき、受給資格者台帳を作成すること。

(4) 当該受給資格者につき、台帳索引票を作成し、台帳索引簿を整理すること。

(5) 当該受給資格者につき、認定通知書を作成し、これを交付すること。

(6) 当該受給資格者につき、児童扶養手当支給停止通知書（規則様式第十一号の三。以下「支給停止通知書」という。）を作成し、これを交付すること。

(7) 当該受給資格者につき、証書を作成し、これを交付し、受給資格者台帳の証書欄に証書交付年月日を記入すること。なお、全部支給停止者については、証書は作成しない。

(8) 受付処理簿の処理経過欄に処理済年月日を記入すること。

8 審査の結果、受給資格がないものと決定したときは、次によること。

(1) 受付処理簿の審査結果欄に却下の旨を記入すること。

(2) 児童扶養手当認定請求却下通知書（規則様式第十二号）を作成し、これを請求者に交付すること。

(3) 受付処理簿の処理経過欄に認定請求却下通知書交付年月日を記入すること。

第三 手当額改定について

規則第二条の規定による児童扶養手当額改定請求書（規則様式第四号）又は規則第三条の規定による児童扶養手当額改定届（規則様式第五号）（以下「手当額改定請求書等」という。）の提出を受けたときは、おおむね、次によって処理するものとする。

1 受付処理簿の件名（氏名）欄及び受付（再提出）欄に件名、氏名及び受付年月日を記入し、手当額改定請求書等の記載及びその添付書類等に不備がないかどうかを検討すること。なお、添付書類等が省略されているときは、手当額改定請求書等の余白に省略された書類の名称を記入すること。

2 手当額改定請求書等の記載に容易に補正ができない程度の誤りがあるとき、又はその添付書類等に著しい不備があるときは、手当額改定請求書等を受給資格者に返付し、受付処理簿の返付欄に返付年月日及び返付事由を記入すること。

3　受給資格者が返付された手当額改定請求書等を補正して再提出したときは、受付処理簿の受付（再提出）欄に再提出受付年月日を記入すること。

4　手当額改定請求書等の記載及びその添付書類等に不備がないときは、受付処理簿の受理欄及び手当額改定請求書等の市区町村受付年月日欄に受理年月日を記入するとともに、受給資格者に手当額改定請求書等の請求年月日を記入させること。

5　手当額改定請求書等の記載及びその添付書類等の内容を審査すること。

なお、請求に係る事実を明確にするため、特に必要があると認めるときは、法第二十九条の規定による調査を行い、又は法第三十条に規定する措置をとること。

6　審査の結果、手当額を改定すべきものと決定したときは、次によること。

(1)　受付処理簿の審査結果欄に改定の旨を記入すること。

(2)　受給資格者台帳につき所要事項を記入すること。

(3)　手当額改定請求書に添えられた証書に、その改定に関する所要事項を記載し、又は新たな証書を作成すること。なお、新たに証書を作成したときは、従前の証書を廃棄すること。

(4)　当該受給資格者につき、児童扶養手当額改定通知書（規則様式第十三号。以下「手当額改定通知書」という。）及び証書を交付し、受給資格者台帳の証書欄に証書交付年月日を記入すること。ただし、証書未交付者に係る証書の交付及び受給資格者台帳への記入については行わないこと。

(5)　受付処理簿の処理経過欄に処理済年月日を記入すること。

7　審査の結果、請求に基づく手当額の改定をしないものと決定したときは、次によること。

(1)　受付処理簿の審査結果欄に却下の旨を記入すること。

(2)　当該受給資格者につき、児童扶養手当額改定請求却下通知書（規則様式第十四号）及び従前の証書を返付し、受給資格者台帳の証書欄に証書返付年月日を記入すること。ただし、証書未交付者に係る証書の交付及び受給資格者台帳への記入については行わないこと。

(3)　受付処理簿の処理経過欄に処理済年月日を記入すること。

8　職権に基づいて手当額の減額の改定を決定したときは、概ね、次の手続によること。

(1)　受付処理簿の審査結果欄に改定の旨を記入すること。

(2)　受給資格者台帳に所要の事項を記入すること。

(3)　当該受給資格者につき、手当額改定通知書を作成し、これを交付すること。

(4)　手当額改定届に添えられた証書にその改定に関する所要事項を記載し、又は、新たな証書を作成し、これを交付する。証書を提出させる必要がある場合は、証書提出命令書も併せて受給資格者に交付すること。なお、新たな証書を作成したときは、従前の証書を廃棄すること。

(5)　証書提出命令書（児童扶養手当都道府県事務取扱準則様式第

5号）に基づき、受給資格者から証書の提出を受けたときは、次によること。

ア　証書提出命令書に基づき提出された証書に、その改定に関する所要事項を記載し、又は新たな証書を作成すること。なお、新たな証書を作成したときは、従前の証書を廃棄すること。

イ　証書を受給資格者に返付又は交付し、受給資格者台帳の証書欄に証書交付年月日を記入すること。

第四　支給停止関係について

Ⅰ　規則第三条の二第一項又は第二項の規定による児童扶養手当支給停止関係届（規則様式第五号の二。以下「支給停止関係届」という。）の提出を受けたときは、おおむね、次によって処理するものとする。

1　受付処理簿の件名（氏名）欄及び受付（再提出）欄に件名、氏名及び受付年月日を記入し、支給停止関係届の記載及びその添付書類等に不備がないかどうかを検討すること。なお、添付書類等が省略されているときは、支給停止関係届の余白に省略された書類の名称を記入すること。

2　支給停止関係届の記載に容易に補正することができない程度の誤りがあるとき、又はその添付書類等に著しい不備があるときは、支給停止関係届を受給資格者に返付し、受付処理簿の返付欄に返付年月日及び返付事由を記入すること。

3　受給資格者が返付された支給停止関係届を補正して再提出したときは、受付処理簿の受付（再提出）欄に再提出受付年月日を記入すること。

4　支給停止関係届の記載及びその添付書類等に不備がないときは、受付処理簿の受理欄及び支給停止関係届の市区町村受付年月日欄に受理年月日を記入するとともに、受給資格者に支給停止関係届の届出年月日を記入させ、その内容を審査すること。なお、届出に係る事実を明確にするため、特に必要があると認めるときは、法第二十九条の規定による調査を行い、又は法第三十条に規定する措置をとること。

5　審査の結果、手当の全額を支給することと決定したときは、次によること。

(1)　受付処理簿の審査結果欄に支給停止解除の旨を記入すること。

(2)　受給資格者台帳の区分欄に所得の年を記入し、届出の有無欄の「有」・「関係届」の文字及び該・非欄の「非」の文字を○で囲み、所得欄に必要な事項を記入すること。

(3)　証書未交付者については、新たに証書を作成し、又は交付していない証書に所要事項を記入すること。また、支給停止関係届に証書が添付された場合においては、当該証書に所要事項を記載すること。

(4)　当該受給資格者につき、児童扶養手当支給停止解除通知書（様式第5号。以下「支給停止解除通知書」という。）及び証書を交付し、受給資格者台帳の証書欄に証書交付年月日を記入すること。

(5) 受付処理簿の処理経過欄に処理済年月日を記入すること。

6 審査の結果、手当の全部又は一部を支給停止とすることと決定したときは、次によること。

(1) 受付処理簿の審査結果欄に手当の全部又は一部を支給停止とする旨を記入すること。

(2) 受給資格者台帳の区分欄に所得の年を記入し、届出の有無欄の「有」・「関係届」の文字及び該・非欄の「該」又は「一部該」の文字を○で囲み、所得欄に必要な事項を記入すること。

(3) 証書未交付者については、新たに証書を作成し、又は交付していない証書に所要事項を記載すること。また、支給停止関係届に証書が添付された場合においては、当該証書に所要事項を記載すること。なお、新たな証書を作成したときは、従前の証書を廃棄すること。

(4) 当該受給資格者につき、支給停止通知書及び証書を交付又は返付し、受給資格者台帳の証書交付欄に証書交付年月日又は返付年月日を記入すること。

(5) 受給資格者台帳の備考欄に支給停止通知書交付年月日を記入すること。

(6) 受付処理簿の処理経過欄に処理済年月日を記入すること。ただし、全部支給停止者については、証書の作成及び交付は行わず、受給資格者台帳の証書欄に未交付の旨記入すること。

Ⅱ 規則第三条の三の規定による公的年金給付等受給状況届（規則様式第五号の三）の提出を受けたときは、おおむね、次によって処理するものとする。

1 受付処理簿の件名（氏名）欄及び受付（再提出）欄に件名、氏名及び受付年月日を記入し、公的年金給付等受給状況届の記載及びその添付書類等に不備がないかどうかを検討すること。なお、添付書類等が省略されているときは、公的年金給付等受給状況届の余白に省略された書類の名称を記入すること。

2 公的年金給付等受給状況届の記載に容易に補正することができない程度の誤りがあるとき、又はその添付書類等に著しい不備があるときは、公的年金給付等受給状況届を受給資格者に返付し、受付処理簿の返付欄に返付年月日及び返付事由を記入すること。

3 受給資格者が返付された公的年金給付等受給状況届を補正して再提出したときは、受付処理簿の受付（再提出）欄に再提出受付年月日を記入すること。

4 公的年金給付等受給状況届の記載及びその添付書類等に不備がないときは、受付処理簿の受理欄及び公的年金給付等受給状況届の市区町村受付年月日欄に受理年月日を記入するとともに、受給資格者に公的年金給付等受給状況届の届出年月日を記入させ、その内容を審査すること。なお、届出に係る事実を明確にするため、特に必要があると認めるときは、法第二十九条の規定による調査を行い、又は法第三十条に規定する措置をとること。

5　審査の結果、手当の全額を支給することと決定したときは、次によること。

(1)　受付処理簿の審査結果欄に支給停止解除の旨を記入すること。

(2)　受給資格者台帳の区分欄に届出の年を記入し、届出の有無欄の「有」の文字を○で囲み、公的年金給付等欄に必要な事項を記入すること。

(3)　証書未交付者については、新たに証書を作成し、又は交付していない証書に所要事項を記入すること。また、公的年金給付等受給状況届に証書が添付された場合においては、当該証書に所要事項を記載すること。

(4)　当該受給資格者につき、支給停止解除通知書及び証書を交付し、受給資格者台帳の証書欄に証書交付年月日を記入すること。

(5)　受付処理簿の処理経過欄に処理済年月日を記入すること。

6　審査の結果、手当の全部又は一部を支給停止とすることと決定したときは、次によること。

(1)　受付処理簿の審査結果欄に手当の全部又は一部を支給停止とする旨を記入すること。

(2)　受給資格者台帳の区分欄に届出の年を記入し、届出の有無欄の「有」の文字を○で囲み、本人受給、児童受給、加算対象児童の別欄の「本人」、「児童」又は「加算対象」の文字を○で囲み、公的年金給付等欄に必要な事項を記入すること。

(3)　証書未交付者については、新たに証書を作成し、又は交付していない証書に所要事項を記載すること。また、公的年金給付等受給状況届に証書が添付された場合においては、当該証書に所要事項を記載すること。なお、新たな証書を作成したときは、従前の証書を廃棄すること。

(4)　当該受給資格者につき、支給停止通知書及び証書を交付又は返付し、受給資格者台帳の証書交付欄に証書交付年月日又は返付年月日を記入すること。

(5)　受給資格者台帳の備考欄に支給停止通知書交付年月日を記入すること。

(6)　受付処理簿の処理経過欄に処理済年月日を記入すること。ただし、全部支給停止者については、証書の作成及び交付は行わず、受給資格者台帳の証書欄に未交付の旨記入すること。

Ⅲ　規則第三条の四の規定による児童扶養手当一部支給停止適用除外事由届出書（規則様式第五号の四。以下「適用除外事由届出書」という。）の提出を受けたときは、おおむね、次によって処理するものとする。

1　受付処理簿の件名（氏名）欄及び受付（再提出）欄に件名、氏名及び受付年月日を記入し、適用除外事由届出書の記載及びその添付書類等に不備がないかどうかを検討すること。なお、添付書類等が省略されているときは、適用除外事由届出書の余白に省略された書類の名称を記入する。

2 適用除外事由届出書の記載に容易に補正することができない程度の誤りがあるとき、又はその添付書類等に著しい不備があるときは、適用除外事由届出書を受給資格者に返付し、受付処理簿の返付欄に返付年月日及び返付事由を記入すること。

3 受給資格者が返付された適用除外事由届出書を補正して再提出したときは、受付処理簿の受付（再提出）欄に再提出受付年月日を記入すること。

4 適用除外事由届出書の記載及びその添付書類等に不備がないときは、受付処理簿の受理欄及び適用除外事由届出書の市区町村受付年月日欄に受理年月日を記入し、その内容を審査すること。なお、届出に係る事実を明確にするため、特に必要があると認めるときは、法第二十九条の規定による調査を行い、又は法第三十条に規定する措置をとること。

5 審査の結果、一部支給停止適用除外とすることと決定したときは、次によること。

(1) 受付処理簿の審査結果欄に一部支給停止適用除外の旨を記入すること。

(2) 受給資格者台帳の一部支給停止適用除外事由届出書の届出書の有無欄の「有」の文字及び適用・適用除外の別欄の「除外」の文字を○で囲み、除外とする期間を括弧内に記入し、適用除外事由欄に該当する事由を○で囲むこと。

(3) 一部支給停止措置を解除する場合には、当該受給資格者につき、支給停止解除通知書を当該受給資格者に送付すること。

(4) 受付処理簿の処理経過欄に処理済年月日を記入すること。

6 審査の結果、一部支給停止適用とすることと決定したときは、次によること。

(1) 受付処理簿の審査結果欄に一部支給停止適用とする旨を記入すること。

(2) 受給資格者台帳の一部支給停止適用除外事由届出書の届出書の有無欄の「有」又は「無」の文字及び適用・適用除外の別欄の「適用」の文字を○で囲み、適用とする期間を括弧内に記入すること。

(3) 証書に所要事項を記載すること。

(4) 当該受給資格者につき、支給停止通知書及び証書を交付し、受給資格者台帳の証書交付欄に証書交付年月日を記入すること。

(5) 受給資格者台帳の備考欄に支給停止通知書交付年月日を記入すること。

(6) 受付処理簿の処理経過欄に処理済年月日を記入すること。ただし、全部支給停止者については、受給資格者台帳の証書欄に未交付の旨記入し、(3)及び(4)の手続きは必要ないこと。

Ⅳ 職権に基づいて手当の全部又は一部を支給停止とすることと決定したときは、おおむね、次によって処理するものとする。

1　受給資格者台帳に所要の事項を記入すること。

2　当該受給資格者につき、支給停止通知書を交付し、受給資格者台帳の備考欄に支給停止通知書交付年月日を記入すること。証書を提出させる必要がある場合は、証書提出命令書も併せて交付すること。

3　証書提出命令書に基づき、当該受給資格者から証書の送付を受けたときは、次によること。

(1)　証書提出命令書に基づき提出された証書に手当の一部の支給停止に関する所要事項を記載し、又は新たな証書を作成すること。なお、新たな証書を作成したときは、従前の証書を廃棄すること。

(2)　当該受給資格者につき、証書を交付し、受給資格者台帳の証書欄に証書交付年月日を記入すること。

第五　所得状況届について

規則第三条の五の規定によって児童扶養手当所得状況届（規則様式第五号の五。以下「所得状況届」という。）の提出を受けたときは、おおむね、次によって処理するものとする。

1　受付処理簿の件名（氏名）欄及び受付（再提出）欄に件名、氏名及び受付年月日を記入し、所得状況届の記載及びその添付書類等に不備がないかどうかを検討すること。なお、添付書類等が省略されているときは、所得状況届の余白に省略された書類の名称を記入すること。

2　所得状況届の記載に容易に補正することができない程度の誤りがあるとき、又はその添付書類等に著しい不備があるときは、所得状況届を受給資格者に返付し、受付処理簿の返付欄に返付年月日及び返付事由を記入すること。

3　受給資格者が返付された所得状況届を補正して再提出したときは、受付処理簿の受付（再提出）欄に再提出受付年月日を記入すること。

4　所得状況届の記載及びその添付書類等に不備がないときは、受付処理簿の受理欄及び所得状況届の市区町村受付年月日欄に受理年月日を記入するとともに、受給資格者に所得状況届の届出年月日を記入させること。

5　所得状況届の記載及びその添付書類等の内容を審査すること。なお、届出に係る事実を明確にするため、特に必要があると認めるときは、法第二十九条の規定による調査を行い、又は法第三十条に規定する措置をとること。

6　審査の結果、引き続いて手当の全部支給を行うものと決定したときは、次によること。

(1)　受付処理簿の審査結果欄に継続支給の旨を記入すること。

(2)　受給資格者台帳の区分欄に所得の年を記入し、届出の有無欄の「有」・「関係届」の文字及び該・非欄の「非」の文字を○で囲み、所得欄に必要な事項を記入すること。

(3)　当該受給資格者につき、新たな証書を作成すること。

(4)　当該受給資格者につき、証書を交付し、受給資格者台帳の証書欄に証書交付年月日を記入すること。

(5) 受付処理簿の処理経過欄に処理済年月日を記入すること。

7 審査の結果、手当の全部又は一部の支給停止を受けていた者につき、手当の全額を支給することを決定したときは、次によること。

(1) 受付処理簿の審査結果欄に支給停止解除の旨記入すること。

(2) 受給資格者台帳の区分欄に所得の年を記入し、届出の有無欄の「有」・「関係届」の文字及び該・非欄の「非」の文字を○で囲み、所得欄に必要な事項を記入すること。

(3) 当該受給資格者につき、新たな証書を作成すること。

(4) 当該受給資格者につき、証書を交付し、受給資格者台帳の証書欄に証書交付年月日を記入すること。

(5) 当該受給資格者につき、支給停止解除通知書を交付すること。

(6) 受付処理簿の処理経過欄に処理済年月日を記入すること。

8 審査の結果、手当の全部又は一部を支給停止することを決定したときは、次によること。

(1) 受付処理簿の審査結果欄に手当の全部又は一部を支給停止とする旨を記入すること。

(2) 受給資格者台帳の区分欄に所得の年を記入し、届出の有無欄の「有」・「関係届」の文字及び該・非欄の「該」又は「一部該」の文字を○で囲み、所得欄に必要な事項を記入すること。

(3) 当該受給資格者につき、支給停止通知書を交付すること。

(4) 当該受給資格者につき、新たな証書を作成すること。

(5) 当該受給資格者につき、証書を交付し、受給資格者台帳の証書欄に証書交付年月日を記入すること。

(6) 当該全部支給停止者については証書は作成せず、受給資格者台帳の証書欄に未交付の旨記入すること。

(7) 受付処理簿の処理経過欄に処理済年月日を記入すること。

第六　定時の現況届について

規則第四条の規定によって定時の児童扶養手当現況届（規則様式第六号。以下「現況届」という。）の提出を受けたときは、おおむね、次によって処理するものとする。

1 受付処理簿の件名（氏名）欄及び受付（再提出）欄に件名、氏名及び受付年月日を記入し、現況届の記載及びその添付書類等に不備がないかどうかを検討すること。なお、添付書類等が省略されているときは、現況届の余白に省略された書類の名称を記入すること。

2 現況届の記載に容易に補正することができない程度の誤りがあるとき、又はその添付書類等に著しい不備があるときは、現況届を受給資格者に返付し、受付処理簿の返付欄に返付年月日及び返付事由を記入すること。

3 受給資格者が返付された現況届を補正して再提出したときは、受付処理簿の受付（再提出）欄に再提出受付年月日を記入すること。

4 現況届の記載及びその添付書類等に不備がないときは、受付処理簿の受理欄及び現況届の市区町村受付年月日欄に受理年月日を記入するとともに、受給資格者に現況届の届出年月日を記入させること。

5　現況届の記載及びその添付書類等の内容を審査すること。なお、届出に係る事実を明確にするため、特に必要があると認めるときは、法第二十九条の規定による調査を行い、又は法第三十条に規定する措置をとること。

6　審査の結果、引き続いて手当の全部支給を行うものと決定したときは、次によること。

(1)　受付処理簿の審査結果欄に継続支給の旨を記入すること。

(2)　受給資格者台帳の区分欄に所得の年を記入し、届出の有無欄の「有」・「現況届」の文字及び該・非欄の「非」の文字を○で囲み、所得欄に必要な事項を記入すること。

(3)　当該受給資格者につき、新たな証書を作成すること。

(4)　当該受給資格者につき、証書を交付し、受給資格者台帳の証書欄に証書交付年月日を記入すること。

(5)　受付処理簿の処理経過欄に処理済年月日を記入すること。

7　審査の結果、手当の全部又は一部の支給停止を受けていた者について手当の全額を支給することと決定したときは、次によること。

(1)　受付処理簿の審査結果欄に支給停止解除の旨記入すること。

(2)　受給資格者台帳の区分欄に所得の年を記入し、届出の有無欄の「有」・「現況届」の文字及び該・非欄の「非」の文字を○で囲み、所得欄に必要な事項を記入すること。

(3)　当該受給資格者につき、新たな証書を作成すること。

(4)　当該受給資格者につき、証書を交付し、受給資格者台帳の証書欄に証書交付年月日を記入すること。

(5)　当該受給資格者につき、支給停止解除通知書を交付すること。

(6)　受付処理簿の処理経過欄に処理済年月日を記入すること。

8　審査の結果、手当の全部又は一部を支給停止することを決定したときは、次によること。

(1)　受付処理簿の審査結果欄に手当の全部又は一部を支給停止とする旨を記入すること。

(2)　受給資格者台帳の区分欄に所得の年を記入し、届出の有無欄の「有」・「現況届」の文字及び該・非欄の「該」又は「一部該」の文字を○で囲み、所得欄に必要な事項を記入すること。

(3)　当該受給資格者につき、支給停止通知書を交付すること。

(4)　当該受給資格者につき、新たな証書を作成すること。

(5)　当該受給資格者につき、証書を交付し、受給資格者台帳の証書欄に証書交付年月日を記入すること。

(6)　当該全部支給停止者については証書は作成せず、受給資格者台帳の証書欄に未交付の旨記入すること。

(7)　受付処理簿の処理経過欄に処理済年月日を記入すること。

第七　障害診断書（エックス線直接撮影写真を含む。）について

規則第四条の二の規定により児童扶養手当障害認定診断書（規則様式第二号。以下「障害診断書」という。）の提出を受けたとき

は、おおむね、次によって処理するものとする。

1　受付処理簿の件名（氏名）欄及び受付（再提出）欄に件名、氏名及び受付年月日を記入し、障害診断書に不備がないかどうかを検討すること。

なお、障害診断書が省略されているときは、受給資格者台帳の備考欄に省略事由及び省略した旨を記入すること。

2　障害診断書に著しい不備があるときは、障害診断書を受給資格者に返付し、受付処理簿の返付欄に返付年月日及び返付事由を記入すること。

3　受給資格者が返付された障害診断書を補正して再提出したときは、受付処理簿の受付（再提出）欄に再提出受付年月日を記入すること。

4　障害診断書に不備がないときは、受付処理簿の受理欄に受理年月日を記入して、その内容を審査すること。なお、障害診断書の事実を確認するため、特に必要があると認めるときは、法第二十九条の規定による調査を行い、又は法第三十条に規定する措置をとること。

5　審査の結果、当該児童分について引き続き手当の支給を行うものと決定したときは、次によること。

(1)　受付処理簿の審査結果欄に当該児童分継続支給の旨を記入すること。

(2)　受給資格者台帳につき所要の補正を行うこと。

(3)　障害診断書に添えられた証書に継続支給に関する所要事項を記載し、又は新たな証書を作成すること。

なお、新たな証書を作成したときは、従前の証書を廃棄すること。

(4)　証書を当該受給資格者に交付し、受給資格者台帳の証書欄に証書交付年月日を記入すること。

(5)　受付処理簿の処理経過欄に処理済年月日を記入すること。

6　審査の結果、当該児童分について引き続き手当の支給を行わないことを決定したときは、概ね次により処理すること。

(1)　受付処理簿の審査結果欄に改定の旨を記入すること。

(2)　受給資格者台帳に所要の事項を記入すること。

(3)　障害診断書に添えられた証書に改定に関する所要事項を記載し、又は新たな証書を作成すること。なお、新たな証書を作成したときは、従前の証書を廃棄すること。

(4)　手当額改定通知書及び証書を受給資格者に交付し、受給資格者台帳の証書欄に証書交付年月日を記入すること。ただし、全部支給停止者に対しては、証書を作成しないこと。

(5)　受付処理簿の処理経過欄に処理済年月日を記入すること。

7　審査の結果、当該児童分について引き続き手当の支給を行わないことにより受給資格がないものと決定したときは、おおむね、次により処理すること。

(1)　番号簿の当該備考欄に受給資格喪失の旨を記入し、当該部分の全体に斜線（朱書）を付すること。

(2)　受給資格者台帳の受給資格喪失欄に当該所定事項を記入し、

これを支給停止簿に編入すること。

(3) 当該台帳索引票の備考欄に受給資格喪失の旨を記入し、これを台帳索引簿から除去すること。

(4) 障害診断書に添えられた証書を廃棄すること。

(5) 児童扶養手当資格喪失通知書（規則様式第十五号。以下「資格喪失通知書」という。）を受給資格者に交付すること。

(6) 受付処理簿の処理経過欄に処理済年月日を記入すること。

第八 受給資格喪失等について

規則第十一条の規定による児童扶養手当資格喪失届（規則様式第九号）又は規則第十二条の規定による受給資格者の死亡の届書（以下「資格喪失届等」という。）の提出を受けたときは、おおむね、次によって処理するものとする。

1 受付処理簿の件名（氏名）欄及び受付（再提出）欄に件名、氏名及び受付年月日を記入し、資格喪失届等の記載及びその添付書類等に不備がないかどうかを検討すること。

2 資格喪失届等の記載に容易に補正することができない程度の誤りがあるとき、資格喪失届等を受給資格者等に返付し、受付処理簿の返付欄に返付年月日及び返付事由を記入すること。

3 受給資格者等が返付された資格喪失届等を補正して再提出したときは、受付処理簿の受付（再提出）欄に再提出受付年月日を記入すること。

4 資格喪失届等の記載及びその添付書類等に不備がないときは、受付処理簿の受理欄及び資格喪失届等の市区町村受付年月日に受理年月日を記入させるとともに、その内容を審査すること。なお、届出に係る事実を明確にするため、特に必要があると認めるときは、法第二十九条の規定による調査を行い、又は法第三十条に規定する措置をとること。

5 番号簿の当該備考欄に受給資格喪失の旨を記入し、当該部分の全体に斜線（赤書）を付すること。

6 受給資格者台帳の受給資格喪失欄に当該所定事項を記入し、これを支給廃止簿に編入すること。

7 当該台帳索引票の備考欄に受給資格喪失の旨を記入し、これを台帳索引簿から除去すること。

8 資格喪失届等に添えられた証書を破棄すること。

9 当該受給資格者等につき、資格喪失通知書を交付すること。

10 受付処理簿の処理経過欄に処理済年月日を記入すること。ただし、全部支給停止者であった者については、8の手続は行わないこと。

11 職権に基づいて受給資格が消滅したものと決定したときは、概ね、次の手続をとるものとする。

(1) 番号簿の当該備考欄に受給資格喪失の旨を記入し、当該部分の全体に斜線（赤書）を付すること。

(2) 受給資格者台帳の受給資格喪失欄に当該所定事項を記入し、これを支給廃止簿に編入すること。

(3) 当該台帳索引票の備考欄に受給資格喪失の旨を記入し、これを台帳索引票から除去すること。

12 未支払児童扶養手当請求書（規則様式第十号。以下「未支払手当請求書」という。）の提出を受けたときは、概ね、次の手続をとるものとする。

(1) 受付処理簿の件名（氏名）欄及び受付（再提出）欄に件名、氏名及び受付年月日を記入し、未支払手当請求書の記載に不備がないかどうか検討すること。

(2) 未支払手当請求書の記載に不備がないときは、受付処理簿の受理欄に受理年月日を記入すること。

(3) 支給廃止簿に編入されている受給資格者台帳の記号及び番号欄に「第　号の二」のごとき枝番号を追記すること。

(4) 当該請求書につき、児童扶養手当支払通知書を作成すること。

(5) 受付処理簿の処理経過欄に処理済年月日を記入すること。

第九　氏名変更等について

規則第五条の規定による氏名変更の届書（以下「氏名変更届」という。）の提出を受けたときは、おおむね、次によって処理するものとする。

(1) 受付処理簿の件名（氏名）欄及び受付（再提出）欄に件名、氏名及び受付年月日を記入し、氏名変更届の記載及びその添付書類等に不備がないかどうかを検討すること。

(2) 氏名変更届の記載に市等において容易に補正することができない程度の誤りがあるとき、又はその添付書類に著しい不備があるときは、氏名変更届を受給資格者に返付し、受付処理簿の返付欄に返付年月日及び返付事由を記入すること。

(3) 受給資格者が返付された氏名変更届を補正して再提出したときは、受付処理簿の受付（再提出）欄に再提出受付年月日を記入すること。

(4) 氏名変更届の記載及びその添付書類等に不備がないときは、受付処理簿の受理欄及び氏名変更届の市区町村受付年月日欄に受理年月日を記入するとともに、受給資格者に氏名変更届の届出年月日を記入させ、その内容を審査すること。

(5) 番号簿の氏名欄を訂正し、備考欄に訂正年月日を記入すること。

(6) 受給資格者台帳及び台帳索引票の氏名欄を訂正すること。

(7) 氏名変更届に添えられた証書の氏名欄を訂正すること。

(8) 証書を受給資格者に返付し、受給資格者台帳の証書欄に証書返付年月日を記入すること。

(9) 受付処理簿の処理経過欄に処理済年月日を記入すること。ただし、全部支給停止者の場合、前記のうち(7)及び(8)の手続は行わないこと。

第一〇　住所変更及び支払金融機関変更について

住所変更届又は支払金融機関変更届（以下「住所変更届等」という。）の提出を受けたときは、おおむね、次によって処理するものとする。

［同一市等内における住所変更及び支払金融機関変更］

(1) 受付処理簿の件名（氏名）欄及び受付（再提出）欄に件名、氏名及び受付年月日を記入し、住所変更届等の記載に不備がないかどうかを検討すること。

(2) 住所変更届等の記載に容易に補正することができない程度の誤りがあるときは、住所変更届等を受給資格者に返付し、受付処理簿の返付欄に返付年月日及び返付事由を記入すること。

(3) 受給資格者が返付された住所変更届等を補正して再提出したときは、受付処理簿の受付（再提出）欄に再提出受付年月日を記入すること。

(4) 住所変更届等の記載に不備がないときは、受付処理簿の受理欄及び住所変更届等の市区町村受付年月日に受理年月日を記入するとともに、受給資格者も住所変更届等の届出年月日を記入させ、その内容を審査すること。

(5) 証書の住所欄若しくは支払金融機関欄を訂正し、又は新たな証書を作成すること。

(6) 受給資格者台帳の住所欄又は支払金融機関を訂正すること。

(7) 証書を当該受給資格者に返付し、受給資格者台帳の証書欄に証書返付年月日を記入すること。

(8) 受付処理簿の処理経過欄に処理済年月日を記入すること。ただし、全部支給停止者の場合、前記のうち(5)及び(7)の手続は行わないこと。

[市等から都道府県内の市区町村又は都道府県の区域を越える住所変更及び支払金融機関変更]

1 変更前の市等の事務

前記の(1)から(4)の事務を行う。

(5) 受給資格者台帳の備考欄に転出予定の旨を記入すること。なお、新住所地の都道府県又は市等（以下「都道府県等」という。）から通知があるまでは、手当の支払いは行わないこと。

(6) 変更後の都道府県等から、当該受給資格者の受給資格者台帳の写しの送付を求められたときは、台帳の写しを送付し、その旨を受給資格者台帳の備考欄に記入すること。

(7) 証書の返付を受けたときは、番号簿の当該備考欄に移管の旨を記入し、当該部分の全体に斜線（赤書）を付すること。

(8) 受給資格者台帳の証書欄に証書の返付を受けた年月日を、備考欄に移管の旨をそれぞれ記入し、これを支給廃止簿に編入すること。

(9) 当該台帳索引票の備考欄に移管の旨を記入し、これを台帳索引簿から除去すること。ただし、全部支給停止者の場合、(7)の手続は行わないこと。

2 変更後の住所地の市等の事務

前記の(1)から(4)の事務を行う。

(5) 変更前の都道府県等に対して当該受給資格者の受給資格者台帳の写しの送付を求めるとともに、文書で変更前後の住所、証書番号、転入年月日及び新たな支払金融機関を通知すること。

(6) 住所変更届等に添えられた従前の証書に「無効」の印を押印し、変更前の都道府県等に返付し、受付処理簿の備考欄に証書返付年月日を記入すること。

(7) 受給資格者台帳の写しの送付を受けたときは、当該受給資格者についての当該都道府県等の番号を決定し、番号簿に当該所定事項を記入すること。

(8) 当該受給資格者につき、当該都道府県等の受給資格者台帳を作成すること。この場合、備考欄に変更前の都道府県等から移管された旨を記入すること。

(9) 当該受給資格者につき、台帳索引票を作成し、台帳索引票を整理すること。

(10) 当該受給資格者につき、新たに証書を作成すること。

(11) 当該受給資格者につき、証書を当該受給者に交付し、受給資格者台帳の証書欄に証書交付年月日を記入すること。

(12) 受付処理簿の処理経過欄に処理済年月日を記入すること。ただし、全部支給停止者の場合、受給資格者台帳の備考欄に移管された旨を記入するが、前記のうち(10)及び(11)の手続は行わないこと。

第一一　証書再交付等について

受給資格者から証書の再交付の申請書又は児童扶養手当証書亡失届（規則様式第八号。以下「証書亡失届等」という。）の提出を受けたときは、おおむね、次によって処理するものとする。

(1) 受付処理簿の件名（氏名）欄及び受付（再提出）欄に件名、氏名及び受付年月日を記入し、証書亡失届等の記載に不備がないかどうかを検討すること。

(2) 証書亡失届等の記載に容易に補正することができない程度の誤りがあるときは、証書亡失届等を受給資格者に返付し、受付処理簿の返付欄に返付年月日及び返付事由を記入すること。

(3) 当該受給資格者が返付された証書亡失届等を補正して再提出したときは、受付処理簿の受付（再提出）欄に再提出受付年月日を記入すること。

(4) 証書亡失届等の記載に不備がないときは、受付処理簿の受理欄及び証書亡失届等の市区町村受付年月日に受理年月日を記入するとともに、受給資格者に証書亡失届等の届出年月日を記入させ、その内容を審査すること。

(5) 証書亡失届の場合は、番号簿、受給資格者台帳及び台帳索引票の証書の番号の欄に「第　号の二」のごとき枝番号を追記すること。

(6) 当該受給資格者につき、新たに証書を作成し、証書再交付申請書に添えられた証書を廃棄すること。

(7) 当該受給資格者につき、証書を交付し、受給資格者台帳の証書欄に証書交付年月日を記入すること。

(8) 番号簿の備考欄に再交付年月日を記入すること。

(9) 受付処理簿の処理経過欄に処理済年月日を記入すること。

第一二　受給資格者台帳の記載について

手当が受給者に支払われた場合には、支払済年月日及び支払金額等を確認し、受給資格者台帳に記載すること。なお、新規認定者については、都道府県等の区域を越えて住所を変更した場合には、随時払いを行う場合が生じるが、この随時払いについての受給資格者台帳への記載も他と同様に行うこと。

第一三　その他

既認定者等に関する事務については、本準則の対象とはならず、町村事務取扱準則により取り扱うものとする。

様式第１号

児童扶養手当関係書類提出受付処理簿

整理番号	件名（氏名）	受付（再提出）	返付 年月日	返付 事由	受理	処理経過	審査結果	備考
		・　・	・　・		・　・			
		・　・	・　・		・　・			
	（　　　）	・　・	・　・		・　・			
		・　・	・　・		・　・			
		・　・	・　・		・　・			
	（　　　）	・　・	・　・		・　・			
		・　・	・　・		・　・			
		・　・	・　・		・　・			
	（　　　）	・　・	・　・		・　・			
		・　・	・　・		・　・			
		・　・	・　・		・　・			
	（　　　）	・　・	・　・		・　・			

備考　この帳簿の用紙寸法は、日本産業規格Ｂ列５番の大きさとすること。

様式第２号

児童扶養手当受給資格者台帳番号簿

番号	受給資格者氏名	決定年月日	備考	番号	受給資格者氏名	決定年月日	備考

備考　この帳簿の用紙寸法は、日本産業規格Ｂ列５番の大きさとすること。

様式第３号

（表　面）

整理番号	

児童扶養手当受給資格者台帳　（市等名）

令和　年　月　日 認定

氏名	（ふりがな）			住所	〒
	（ふりがな）				〒　（令　・　・　変更）
個人番号		生月年日	大・昭・平・令　年　月　日		〒　（令　・　・　変更）
配偶者	氏名	個人番号			〒　（令　・　・　変更）
扶養義務者	氏名	個人番号			
児童扶養手当証書	番　号	第　号			

支払金融機関	名称	口座番号
	（令　・　・　変更）	
	（令　・　・　変更）	
	（令　・　・　変更）	

手当月額		
	令　・　・	円（　）
	令　・　・	円（　）
	令　・　・	円（　）
	令　・　・	円（　）

支給対象児童	氏名	個人番号	続柄	生年月日	認定請求年月日	障害の有無	再診年月日	当初支給開始年月日	該当事由	事由発生年月日	9条・9条の2（　）	非該当予定年月日	非該当年月日	非該当事由
				令　・　・		有・無								
				令　・　・		有・無								
				令　・　・		有・無								
				令　・　・		有・無								
				令　・　・		有・無								

障害	父又は母の氏名	
	傷病名等	
	障害の状態	
拘禁	父の氏名	
	母の氏名	
	拘禁終了予定年月日	

	区分		令和　年	令和　年	令和　年	令和　年	令和　年
支給停止関係届 現況届	届出の有無		有（関係届・現況届）無	有（関係届・現況届）無	有（関係届・現況届）無	有（関係届・現況届）無	有（関係届・現況届）無
	所得制限の該当、非該当の別		該・一部該・非（災）	該・一部該・非（災）	該・一部該・非（災）	該・一部該・非（災）	該・一部該・非（災）
	所得額・扶養人数・控除（障・特障・老・勤）	本人	円　人	円　人	円　人	円　人	円　人
		配・扶	円　人	円　人	円　人	円　人	円　人
公的年金給付等受給状況届	届出の有無		有・無	有・無	有・無	有・無	有・無
	本人受給、児童受給、加算対象児童の別		本人・児童・加算対象	本人・児童・加算対象	本人・児童・加算対象	本人・児童・加算対象	本人・児童・加算対象
	公的年金給付等の種類						
	公的年金給付等の年額		円	円	円	円	円
	上記の対象期間		令和　年　月から	令和　年　月から	令和　年　月から	令和　年　月から	令和　年　月から
一部支給停止適用除外事由届出書 （５年等経過月：令和　年　月）	届出書の有無		有・無	有・無	有・無	有・無	有・無
	適用、適用除外の別		適用（　年　月～　年　月） 除外（　年　月～　年　月）	適用（　年　月～　年　月） 除外（　年　月～　年　月）	適用（　年　月～　年　月） 除外（　年　月～　年　月）	適用（　年　月～　年　月） 除外（　年　月～　年　月）	適用（　年　月～　年　月） 除外（　年　月～　年　月）
	適用除外事由		就業中・求職活動中等・障害・負傷疾病・介護	就業中・求職活動中等・障害・負傷疾病・介護	就業中・求職活動中等・障害・負傷疾病・介護	就業中・求職活動中等・障害・負傷疾病・介護	就業中・求職活動中等・障害・負傷疾病・介護
支給停止			令和　年　月から 令和　年　月まで 円	令和　年　月から 令和　年　月まで 円	令和　年　月から 令和　年　月まで 円	令和　年　月から 令和　年　月まで 円	令和　年　月から 令和　年　月まで 円

受給資格喪失	喪失年月日	令和　年　月　日	喪失事由	
備考				

（裏　面）

整理番号		氏　名		証書の番号	第　　　号

証書の交付　－返付－									
令・・ (　　)		令・・ (　　)		令・・ (　　)		令・・ (　　)		令・・ (　　)	
令・・ (　　)		令・・ (　　)		令・・ (　　)		令・・ (　　)		令・・ (　　)	

児童扶養手当支払記録

区分		令和　年 ①	②	令和　年 ①	②	令和　年 ①	②	令和　年 ①	②
1月渡	11月分								
	12月分								
	計								
	支払済年月日	：：		：：		：：		：：	
3月渡	1月分								
	2月分								
	計								
	支払済年月日	：：		：：		：：		：：	
5月渡	3月分								
	4月分								
	計								
	支払済年月日	：：		：：		：：		：：	
7月渡	5月分								
	6月分								
	計								
	支払済年月日	：：		：：		：：		：：	
9月渡	7月分								
	8月分								
	計								
	支払済年月日	：：		：：		：：		：：	
11月渡	9月分								
	10月分								
	計								
	支払済年月日	：：		：：		：：		：：	

様式第４号

児童扶養手当受給資格者台帳索引票

(ふりがな) 氏　　名	生　年　月　日	受給資格者名簿 整　理　番　号	備　　考
	大・昭・平・令　・　・　生		

3㎝

15cm

様式第５号

（表面）

第　　　　号

児童扶養手当支給停止解除通知書

受給資格者 氏　　　名		受給資格者 住　　　所	
証　　　書 番　　　号	第　　号	解除の理由	

あなたは、児童扶養手当法（第９条、第９条の２、第10条、第11条、第13条の２、第13条の３）の規定により支給停止となっておりますが、この度これが解除されましたので通知します。

令和　　年　　月　　日

市等の長（福祉事務所長）㊞

◎　裏面の注意をよく読んで下さい。

（日本産業規格Ｂ列５番）

（裏面）

注意

1　児童扶養手当はその証書に記載されている金融機関の口座に振り込まれることになっております。

2　この支給停止解除に不服があるときは、この通知書を受けた日の翌日から起算して３か月以内に、書面で、都道府県知事に対して審査請求をすることができます。

なお、この通知書を受けた日の翌日から起算して３か月以内であっても、この処分の日の翌日から起算して１年を経過したときは、審査請求をすることができません。

3　この通知書を受けた日の翌日から起算して６か月以内に、市町村を被告として（訴訟において市町村を代表する者は市町村長となります。）、処分の取消しの訴えを提起することができます。

なお、この通知書を受けた日の翌日から起算して６か月以内であっても、この処分の日の翌日から起算して１年を経過したときは、処分の取消しの訴えを提起することができません。

○市町村における新様式による児童扶養手当証書の記載事項の訂正について

〔昭和三十九年五月十六日　児発第四二九号
各都道府県知事宛　厚生省児童局長通知〕

〔改正経過〕

第一次改正　〔昭和四三年七月四日児発第四五五号〕
第二次改正　〔平成一三年七月三一日雇児発第五〇二号・障発第三三五号〕

今般児童扶養手当証書の様式を定める省令（昭和三十九年五月十三日厚生・郵政省令第一号）が施行されたところであるが、これに伴って市町村長（特別区の区長を含む。以下同じ。）が児童扶養手当法施行令（昭和三十六年政令第四百五号）第六条第五号に定める受給者の印鑑又は当該都道府県の区域内における住所若しくは支払郵便局の変更に係る前記省令に定める新様式の児童扶養手当証書の記載事項の訂正については、次によることとしたので、貴管内市町村長に対する周知につき、特段の配慮をお願いしたく通知する。

なお、旧様式による児童扶養手当証書の記載事項の訂正については、なお従前の例によるものであるから併せて指導されたい。

1　一般的事項

(1)　市町村長が新様式による児童扶養手当証書（以下「証書」という。）の記載事項を訂正するについては、次の場合に限るものであって、その他の場合にはすべて都道府県において行うものであること。

a　市町村長が児童扶養手当印鑑変更届を受理した場合

b　市町村長が当該都道府県の区域内における住所又は支払郵便局変更に係る児童扶養手当住所変更届若しくは児童扶養手当支払郵便局変更届を受理した場合

(2)　証書の訂正を行なう場合には、明瞭、かつ、丁寧に行なうものとし、もしも誤記を生じたときは、その誤記個所に証券用黒色インクを用いてペンで二重線を引いて抹消のうえ、別記に定める訂正の印を押印したのち、正しく記入すること。

2　証書の訂正記入事項

(1)　印鑑変更の場合

受給者が印鑑を変更したときは、証書の三ページの旧印鑑の印影に別記に定める「印鑑変更届受理済」の印を押印してこれを抹消するとともにその右部の印鑑欄に新たな印鑑を押印したのち、証券用黒色インクを用いてペンでその改印年月日を記入すること。

(2)　支払郵便局変更の場合

受給者が支払郵便局を変更したときは、証書の三ページの旧支払郵便局名に別記に定める「変更」の印を押印してこれを抹消するとともにその下欄に新支払郵便局名及び当該証書の訂正年月日を証券用黒色インクを用いてペンで記入すること。

(3) 住所変更の場合

受給者が当該都道府県の区域内において住所を変更したときは、証書の三ページの旧住所に別記に定める「変更」の印を押印してこれを抹消するとともにその下欄に新住所及び当該証書の訂正年月日を証券用黒色インクを用いてペンで記入すること。

別記

市町村における新様式による児童扶養手当証書の訂正記入上必要な物品の規格及び寸法等について

1 印鑑変更の印

『

』とし、文字は八ポイントのゴシック体とし、たて一五ミリメートル、よこ二〇ミリメートルの矩形で枠を作ること。

2 支払郵便局及び住所変更の印

『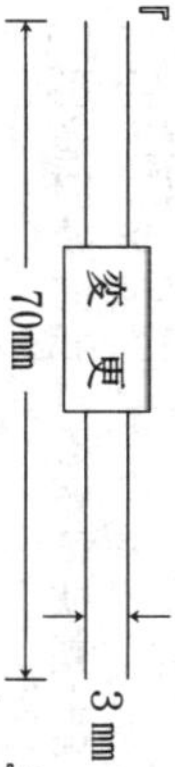

』とし、文字は四号のゴシック体とすること。

3 訂正の印

記号は各都道府県の止印と同じものとすること。

文字は九ポイントのてん書体で木製とし、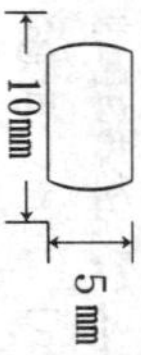

の枠を作ること。

例 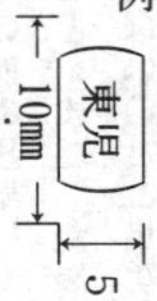

東京都の場合

4 以上の印を押印する場合には、黒肉又は証券用黒色スタンプ台（不滅黒色スタンプ台）を使用すること。

市町村における新様式による児童扶養手当証書の記載事項の訂正について

○都道府県における児童扶養手当証書の作成について

〔昭和四十一年八月五日　児発第四八三号
各都道府県知事宛　厚生省児童家庭局長通知〕

〔改正経過〕
第一次改正〔昭和四二年一二月一一日児発第七四二号〕
第二次改正〔昭和四三年七月四日児発第四五五号〕
第三次改正〔昭和四五年六月三〇日児発第三六〇号〕
第四次改正〔昭和五〇年八月一三日児発第五三二号の一〕
第五次改正〔昭和五三年四月一日児発第一五九号〕
第六次改正〔昭和五四年五月九日児発第三二四号〕
第七次改正〔昭和五五年六月二三日児発第四八八号〕
第八次改正〔平成二年三月二〇日児発第八〇号〕

このたび児童扶養手当証書の様式を定める省令の一部を改正する省令が昭和四十一年六月二十九日厚生省・郵政省令第一号として別添のとおり公布施行されたことに伴い、別紙1「都道府県における児童扶養手当証書の記入要領」及び別紙2「都道府県における児童扶養手当証書の作成上必要な物品の規格及び寸法」を定めたが主たる改正内容等は次のとおりであるのでその取扱いに遺憾のないよう留意されたい。

1　省令改正の主なる点について

(1)　表紙の記載事項を簡略にし、別に旧様式の表紙と同一の事項を記載した「カバー」をつけることとしたこと。

(2)　表紙を一ページと数えることとし、旧様式の一ページを二ページとし、旧様式の二ページ及び三ページの記載事項を一括して三ページの記載事項としたこと。

(3)　五ページ以降奇数のページの児童扶養手当支払通知書兼受領証書の受給者の受領証明欄中「昭和　年　月　日」を削除し、委任欄中「受取人」を「受給者」に改めたこと。

2　児童扶養手当証書の作成に当たり従前と変わった主なる点について

(1)　記入要領

ア　証書の記入に当たり特別の印を使用する指定を少なくし、それ以外の事項についてはペン又は印のいずれを使用しても差しつかえないこととしたこと。

イ　表紙は従来のものよりも記載事項が簡略化されたが、カバーとして従来の表紙と同一のものが添附され、必要な事項を記入することにより、事務上の便宜に差しつかえないものとされたこと。

ウ　従来表紙に押していた再交付、特別再発行及び無効の印並びに記載欄に押していた資格喪失及び未支払手当の印をいずれも二ページに押すこととしたこと。

エ　記事欄に記入すべき事項は手当額改定及び氏名変更の処理を行なった場合とし、その他の事項については必要に応じて適宜記載することとしたこと。また、金額を記入する場合でもペンを使用して差しつかえないこととしたこと。

(2)　物品の規格及び寸法

支給対象児童数の印、支払郵便局及び住所変更の印記事欄で使用していた印（止印、資格喪失の印及び未支払手当の印を除く。）及び支払日附印欄で使用していた印（未支払手当の印を除く。）の規定を削除したこと。しかし、これらの印を従前どおり使用することは差しつかえないものとした。

3　今回調製した児童扶養手当証書の二ページの手当月額欄の記入方法について

(1)　昭和四十一年十二月までの月分のみの手当が支給される場合

手当月額欄の「法改正により昭和四十二年一月から　　円」の印刷文字を抹消して別紙2に定める止印を押し、手当月額を右下部に記入すること。

(2)　昭和四十一年十二月までの月分の手当及び昭和四十二年一月以降の月分の手当が支給される場合

昭和四十一年十二月までの月分の手当月額については手当月額欄の右下部に、昭和四十二年一月分以降の月分の手当月額については「法改正により昭和四十二年一月から　　円」と印刷されたところに記入すること。

(3)　昭和四十二年一月以降の月分のみの手当が支給される場合

前記3の(1)に準じて記入すること。

別紙1

都道府県における児童扶養手当証書の記入要領

第一　一般的事項

1　都道府県が児童扶養手当証書の様式を定める省令の一部を改正する省令（昭和四十一年六月二十九日厚生省・郵政省令第一号）による改正後の児童扶養手当証書の様式を定める省令（昭和三十九年厚生省・郵政省令第一号）に規定する様式による児童扶養手当証書（以下「証書」という。）を作成するに当たっては、この記入要領によるものとすること。ただし、昭和四十一年四月分までの手当に係る証書を昭和四十一年九月十日までに受給資格者に交付する場合には、改正前の旧様式によるものとし、その証書の記入要領はなお従前の例によるものであること。

2　証書は、楷《かい》書で明瞭かつ丁寧に記入するものとし、数字は算用数字（アラビア数字）を用いること。

3　証書の記入は、ペン又は印で行なうものとし、ペンで記入する場合には証券用黒色インクを用い、印を押印する場合には黒肉又は証券用黒色スタンプ台（不滅黒色スタンプ台）を用いること。

4　証書の五ページ以降奇数のページ（以下「五ページ以降」という。）の児童扶養手当支払済通知書及び児童扶養手当受領証書（以下「受領証書等」という。）の支払金額欄の記入は、別紙2に定める金額表示器（以下「金額表示器」という。）を用いて行なうこと。

なお、金額の頭部には¥を記入すること。

5　記入は慎重に行ない誤記のないよう十分留意すること。誤記を生じた場合には誤記箇所を訂正のうえ別紙2に定める止印（以下「止印」という。）を押すこと。ただし、五ページ以降の受領証書等の記号番号及び支払金額については誤記訂正を行なわず新たな証書を作成すること。

第二　証書の記入事項

1　新規認定の場合

(1)　二ページ

新規認定を行なったときは次により記入すること。

都道府県における児童扶養手当証書の作成について

ア　記号番号　児童扶養手当都道府県事務取扱準則第二の5の(2)に規定する記号番号を別紙2に定める印及びナンバーリングを使用して記入すること。

イ　受給者氏名　受給資格者の氏名を記入すること。なお、認定請求書に記載された氏名が戸籍に記載された氏名と異なる場合であっても、それがいずれも同一人を表わすものであり、認定請求書に記載された氏名が通常用いられているときは、それによって差しつかえないこと。

ウ　生年月日　受給資格者の生年月日を記入すること。年号は該当するものを○で囲むこと。

エ　手当月額　受給資格者に支給する児童扶養手当（以下「手当」という。）の月額を金額表示器又は印を用いて記入すること。

オ　支給対象児童数　支給対象児童の数を記入すること。

カ　支給開始年月　手当の支給が開始される年月を記入すること。

キ　知事名の上記の年月日　当該証書を作成した年月日を記入すること。

(2)　三ページ

ア　印鑑　市町村が受給資格者の印を押印し、又は印鑑変更の事項を記入するものであるから、都道府県においては記入しないものであること。

イ　支払郵便局　受給資格者が支払いを受けようとする当該都道府県内の郵便局名を記入すること。

ウ　住所　受給資格者の住所を記入すること。

エ　記事　必要に応じ適宜記載するものであること。

(3)　四ページ

支払日附印欄は、支払郵便局が受給資格者に対して支払ったことを証明するスタンプを押すことになっているので、都道府県においては記入しないこと。ただし、支払いの必要がない支払期月渡分には支払不要の印を押すなど支払不要の旨を記入すること。

(4)　五ページ以降

受領証書等の記入等については次によること。ただし、児童扶養手当法施行規則（以下「規則」という。）第十六条第二項の規定に基づき支給停止を受けた者に係る受領証書等の記入については不要であるので、イによる処理を行うこととなること。

ア　受領証書等の記入は支給開始年月から翌年三月（支給開始月が一月から三月までの場合にはその年の三月）までの月分の手当に係る受領書等についてのみ記入を行うこと。四月から七月までの月分の手当に係る受領書等については、年度開始後の支給日以降、直ちに受給者から児童扶養手当証書を回収した上で記入すること。

イ　支払不要の支払期月分の受領証書等は切り取って破棄すること。

ウ　受領証書等の記入は、証書記号欄、証書番号欄及び支払金額欄についてのみ行ない、その他の欄については行なわないこと。

エ　証書記号欄及び証書番号欄は、前記(1)のアによること。

オ　支払金額欄については、それぞれの支払期月に支払うべき手当額を記入すること。

カ　手当額の減額改定又は受給資格の喪失が明らかに予測されるときは、その予測に基づいて支払金額を記入すること。

キ　支給開始年月が遡及したためすでに到来している支払期月分があるときには、その支払金額をすでに到来している直近の支払期月分の受領証書等に一括して記入すること。

2　定時届による継続支給及び支給停止解除と決定した場合

都道府県が定時の児童扶養手当現況届（以下「定時届」という。）を審査した結果、継続支給と決定したとき又は支給停止解除と決定したときは、次により新たな証書を作成し、又は受給資格者から提出された証書に所要事項を記入すること。

(1)　新たな証書を作成する場合

証書は三年間の支払金額を記入することができるので、新たな証書を作成する場合は、昭和五十三年及び同年から三年目ごとの年における定時届の審査の結果に基づき継続支給と決定したとき又は新規認定の際規則第十六条第二項の規定に基づき児童扶養手当証書を交付しなかった場合において定時届の審査の結果に基づき支給停止解除と決定したときであること。

なお、二ページの記入については次に掲げるほか新規認定と同様の要領によること。

ア　記号番号　当該受給資格者の従前の記号番号（枝番号を含む。以下同じ。）とすること。

イ　支給開始年月　従前の証書に記入されている支給開始年月を記入すること。

ウ　知事名の上記の年月日　当該証書を作成した年月日を記入すること。

(2)　受給資格者から提出された証書に所要事項を記入する場合

昭和五十三年及び同年から三年目ごとの年以外の年における定時届の審査の結果に基づき継続支給と決定したとき又は新規認定の際規則第十六条第二項の規定に基づき支給停止を受けた者について、支給停止解除と決定したときであって受領証書等についてのみ新規認定の場合と同様の要領で記入すること。

3　手当額の改定を行なった場合

手当額の改定を行なった場合には、次により受給資格者から提出された証書の所定欄を改定し、又は新たな証書を作成すること。

(1)　受給資格者から提出された証書の所定欄を改訂する場合

受給資格の認定を行なったときに減額改定が明らかに予測され、その予測に基づいて受領証書等に支払金額が記入されている場合であって、記入は次のとおりであること。

ア　手当月額　改定後の新手当月額を金額表示器又は印を用いて記入すること。

イ　支給対象児童数　改定後の新支給対象児童数を記入すること。

ウ　改定年月　改定後の手当額が支給開始される年月を記入す

都道府県における児童扶養手当証書の作成について

ること。

エ　改定理由　政令改正に伴う場合は「政令改正」と記入し、支給対象児童の増減による場合はその理由を「出生」又は「一八歳到達」等と記入すること。

(2)　新たな証書を作成する場合

新たな証書を作成する場合は、手当額の改定に伴い受領証書等に記入されている支払金額を変更する必要がある場合であって、記入は次に掲げるほか新規認定の場合と同様の要領によること。

ア　二ページ

(ア)　記号番号　当該受給資格者の従前の記号番号とすること。

(イ)　手当月額　改定後の手当月額を記入すること。

(ウ)　支給対象児童数　改定後の支給対象児童数を記入すること。

(エ)　知事名の上記の年月日　当該証書を作成した年月日を記入すること。

イ　五ページ以降　支払金額欄に改定後の手当額を記入すること。

4　氏名変更の場合

受給資格者が氏名を変更した場合には受給資格者から提出された証書に次により記入すること。

(1)　二ページ

受給者氏名欄の旧氏名に別紙2に定める「氏名変更」の印を押して抹消し、その上部に新氏名を記入すること。

(2)　三ページ

記事欄に「昭和　年　月　日氏名変更届処理済」と記入すること。

5　住所又は支払郵便局の変更をした場合

都道府県の区域をこえて住所及び支払郵便局を変更した場合この場合には新たな証書を作成するものであるが、二ページの記入については次に掲げるところによるほか、新規認定の場合と同様の要領によること。

(1)　記号番号　当該都道府県の記号番号を記入すること。

(2)　支給開始年月　受給資格者から提出された証書に記入されている年月を記入すること。

(3)　知事名の上記の年月日　当該都道府県が当該証書を作成した年月日を記入すること。

6　証書の再交付を行なう場合

受給資格者が証書を破り、よごし、若しくは亡失したことにより又は郵政官署側の事故により従前の証書が使用できない場合には、二ページの記入について次に掲げるところによる。新規認定の場合と同様の要領により新たな証書を作成すること。

(1)　左上部に別紙2に定める再交付の印を押すこと。

(2)　記号番号　従前の記号番号を記入すること。ただし、証書を亡失したときは、その番号はたとえば「第一二三号の二」のように枝番号を附して記入すること。この場合枝番号もナンバーリングで記入すること。

(3) 知事名の上記の年月日　当該証書を作成した年月日を記入すること。

7 資格喪失の場合

受給資格者が受給資格を喪失した場合において、まだその者に支払われていなかった手当があるときは次により受給資格者から提出された証書に所要事項を記入し、又は新たな証書を作成すること。

(1) 受給資格者から提出された証書の受領証書等に記入されている支払金額を変更する必要がない場合には新たな証書を作成することなく、当該証書に次のとおり記入すること。

ア 二ページ

別紙2に定める受給資格喪失の印（以下「受給資格喪失の印」という。）を知事印の上部の余白に押印するとともに止印を押すこと。

イ 四ページ

支払いの必要がなくなった支払期月の支払日附印欄に支払不要の印を押すなど支払不要の旨を記入すること。

ウ 五ページ以降

当該証書における支払いを要する最終の支払期月分の受領証書等の支払期月欄を抹消するとともに、その備考欄に受給資格喪失の印を押すこと。また、支払いの必要がなくなった受領証書等を切り取って破棄すること。

(2) 受給資格者から提出された証書の受領証書等に記入されている支払金額を変更する必要があって、五ページ以降の受領証書等に支払金額が記入されていないページがある場合には新たな証書を作成することなく当該証書に次のとおり記入すること。

ア 二ページ

受給資格喪失の印を知事印の上部の余白に押印するとともに止印を押すこと。

イ 四ページ

支払いの必要がなくなった支払期月の支払日付印欄に支払不要の旨を記入すること。

ウ 五ページ以降

受給資格を喪失した月の属する支払期月分以降で支払金額が記入されている受領証書等のうち必要のなくなったものは切り取って破棄し、支払金額が記入されていない受領証書等の支払金額欄にまだ支払われていない金額を一括して記入し、支払期月欄を抹消するとともに、その備考欄に受給資格喪失の印を押すこと。

なお、残余の受領証書等を切り取って破棄すること。

(3) 受給資格者から提出された証書の受領証書等に記入されている支払金額を変更する必要があって、五ページ以降の受領証書等に支払金額が、記入されていないページがない場合には、次によるほか新規認定の場合と同様の要領により新たな証書を作成すること。

ア 二ページ

(ア) 記号番号　従前の記号番号とすること。

(イ) 知事名の上の年月日　当該証書を作成した年月日を記入すること。

(ウ) 受給資格喪失の印を知事印の上部の余白に押印するとと

もに、止印を押すこと。

イ　五ページ以降

受給資格を喪失した月の属する支払期月分の受領証書等について、支払金額欄にまだ支払われていない金額を一括して記入し、支払期月欄を抹消するとともに、その備考欄に受給資格喪失の印を押すこと。

8　未支払手当を支給する場合

受給資格者が死亡したため、まだその者に支払われていなかった手当があるときは児童扶養手当支払通知書（以下「通知書」という。）を作成することになっているが、この場合新たな証書の用紙を使用して次の要領により作成するものとすること。

(1)　二ページ

ア　記号番号　記号は提出された証書の記号を用い番号は死亡した受給資格者の番号に枝番号を附して記入すること。

イ　受給者氏名　請求者である児童の氏名を記入すること。ただし、当該児童に代って未支払手当を受け取る人がある場合には、受給者氏名欄の上部にその者の名を次の例のように記入するとともにその末尾に止印を押すこと。

例

受給者	指定受取人氏名	甲野乙子	止印
氏　名	受給者氏名	甲野丙男	

→請求者である児童の氏名

ウ　生年月日等　生年月日、手当月額及び支給対象児童数の各欄並びに「支給開始年月　昭和　年　月」は抹消すること。

エ　知事名の上記の年月日　当該通知書を作成した年月日を記入すること。

オ　別紙2に定める未支払手当の印（以下「未支払手当の印」という。）を知事印の上部の余白に押すこと。

(2)　三ページ

ア　住所　請求者である児童の住所を記入すること。ただし、当該児童に指定受取人がある場合にはその指定受取人の住所を記入すること。

イ　支払郵便局　請求者である児童又は指定受取人が支払いを受けようとする当該都道府県内の郵便局名を記入すること。

(3)　四ページ

一支払期渡分の支払日附印欄の「昭和　年　月期渡分」を抹消してその上部に別紙2の3に定める未支払手当の印を押すとともに、他の支払期渡分の欄はすべて抹消すること。

(4)　五ページ以降

ア　一支払期月分の受領証書等のみを残し、他の受領証書等は切り取って破棄すること。

イ　記号番号は前記(1)のアと同様に記入し、支払期月欄を抹消すること。支払金額欄には未支払分の金額を一括して記入すること。

ウ　備考欄に未支払手当の印を押印すること。

9　差額追給の場合

証書を交付したのち、都道府県の誤認定、証書の誤作成、在学証明書又は廃疾診断書の提出その他の事由により手当の支払額が不足していることが判明し、不足分につき追加支給を行なうときは次によるほか、新規認定の場合と同様の要領により新たな証書を作成すること。

(1) 二ページ

ア 左上部に別紙2に定める特別再発行の印（以下「特別再発行の印」という。）を押すこと。

イ 記号番号 従前の記号番号を使用すること。

ウ 知事名の上記の年月日 当該証書を作成した年月日を記入すること。

(2) 四ページ

当該差額追給を行なう支払期月期渡分の支払日附印欄には支払済の場合であっても支払不要の表示をしないこと。

(3) 五ページ以降

すでに到来している直近の支払期月分の受領証書等の支払金額欄に追加支給すべき金額を記入すること。ただし、すでに到来している支払期月分の手当で未支払いのものがある場合には、その金額と追加支給すべき金額との合算額を記入すること。

10 減額支給の場合

証書を交付したのち、都道府県の誤認定、証書の誤作成等の事由により手当の支払額が過剰となっていることが判明し、その過剰分につき内払調整に基づく減額支給を行なうときは、次によるほか新規認定の場合と同様の要領により新たな証書を作成すること。ただし、左記(2)のイの場合には新たな証書を作成することなく受給資格者から提出された証書に所要事項を記入するものとすること。

(1) 二ページ

ア 左上部に特別再発行の印を押印すること。

イ 記号番号 従前の記号番号を使用すること。

(2) 五ページ以降

支払金額欄は次により記入すること。

ア 内払とみなして減額調整すべき額が次期支払金額に満たないときはその差額を次期支払期月の支払額とすること。

イ 内払とみなして減額調整すべき額が次期支払額と同額であるときは、その差額は零であるから次期支払期月分の受領証書等は切り取って破棄すること。

ウ 内払とみなして減額調整すべき額が次期支払額をこえるときは、次期支払額については前記イにより、また次期の次の支払期日における支払額については前記アによること。

別紙2

都道府県における児童扶養手当証書作成上必要な物品の規格及び寸法

1 証書の二ページにおいて使用する印

(1) 記号の印 文字は一八ポイントの丸ゴジック体とし木製とすること。

(2) 番号の印 児童扶養手当証書用ナンバーリング（特製）を使用すること。

(3) 止印 児童扶養手当都道府県事務取扱準則第二の5の(2)に規定する当該都道府県の記号とすること。

文字は五号のてん書体で木製とし、縦五㎜、横一〇㎜の矩形で枠を作ること。

都道府県における児童扶養手当証書の作成について

例　東京都の場合

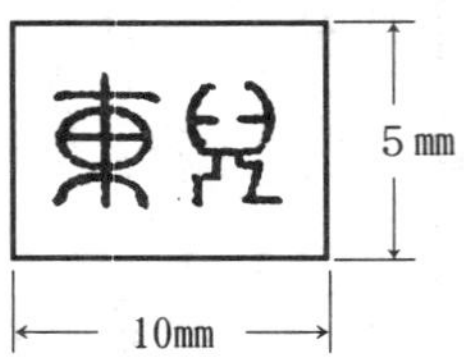

(4)　手当月額の印　児童扶養手当証書用金額表示器（特製）を使用すること。

(5)　氏名変更の印

とし、文字は四号のゴシック体とすること。

(6)　証書再交付の印

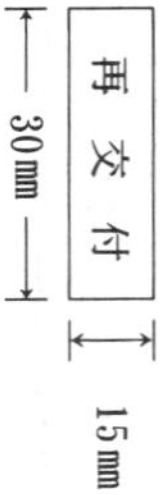

とし、文字は二号の丸ゴシック体とすること。

(7)　証書無効の印

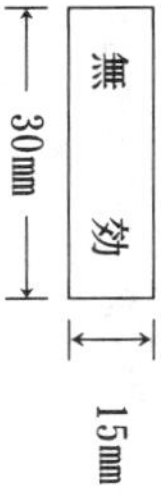

とし、文字は二号の丸ゴシック体とすること。

(8)　証書特別再発行の印

とし、文字は二号の丸ゴシック体とすること。

(9)　受給資格喪失の印

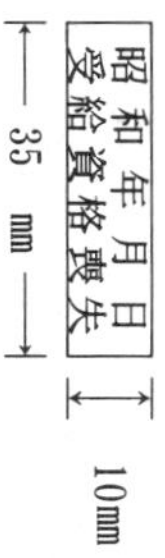

とし、文字は八ポイントのゴシック体とすること。

(10)　未支払手当の印

とし、文字は二号の明朝体とすること。

2　証書の三ページにおいて使用する印

止印　前記1の(3)に同じ

3　証書の四ページにおいて使用する印

未支払手当の印

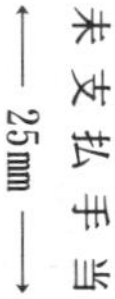

とし、文字は四号のゴシック体とすること。

4　証書の「児童扶養手当支払済通知書」及び「児童扶養手当受領証書」において使用する印

(1)　記号の印及び番号の印　前記1の(1)及び(2)に同じ

(2)　止印　前記1の(3)に同じ

(3)　支払金額の印　前記1の(4)に同じ

(4)　受給資格喪失の印　前記1の(9)に同じ

(5)　未支払手当の印　前記3に同じ

別添　略

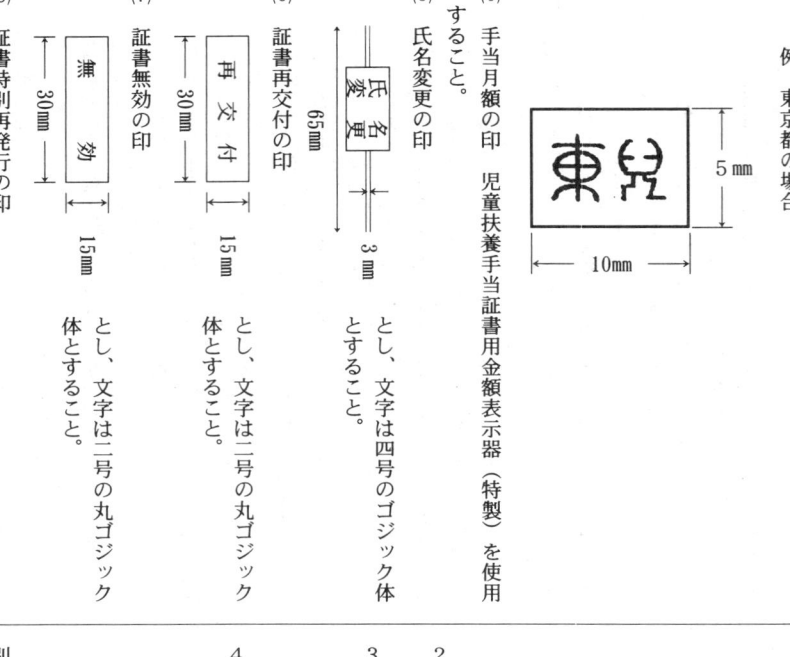

○都道府県における児童扶養手当証書等の作成について

〔昭和六十年九月二十七日 児発第七九五号
各都道府県知事宛 厚生省児童家庭局長通知〕

標記については、昭和四十一年八月五日児発第四八三号各都道府県知事あて本職通知及び昭和五十年八月十三日児発第五三二号の一各都道府県知事あて本職通知によることとしているが、さきに、児童扶養手当法、児童扶養手当法施行令及び児童扶養手当法施行規則が改正され、また、国民年金法等の一部を改正する法律が昭和六十一年四月一日から施行されることに伴い、次のように取り扱うこととしたので、その実施に当たっては遺憾のないようにいたされたい。

Ｉ　手当証書関係通知の適用範囲

児童扶養手当法（以下「法」という。）の改正により、受給資格者が、既認定者等（昭和六十年七月三十一日において認定を受けている者及び同日において認定の請求をしている者であってその後認定を受けた者をいう。以下同じ。）と新規認定者（既認定者等を除く受給資格者をいう。以下同じ。）との支給主体及び費用負担の異なる二者に分れることとなったが、昭和四十一年八月五日児発第四八三号各都道府県知事あて本職通知（以下「手当証書関係通知」という。）の別紙１「都道府県における児童扶養手当証書の記入要領」（以下「別紙１」という。）及び別紙２「都道府県における児童扶養手当証書の作成上必要な物品の規格及び寸法」で言う「児童扶養手当証書」とは、既認定者等に係る「児童扶養手当証書」のみを言うものであることとする。

Ⅱ　一部支給停止の取扱い等について

法の改正により、手当額が二段階となったことに伴い手当証書関係通知の別紙１の第一に次の二項を追加すること。

６　証書の二ページの「児童扶養手当法によって支給します。」の記載の次に「ただし、支給停止を受けているときは、その期間、支給停止額を控除した金額を支給します。」の記載がない証書については、当該事項をゴム印等により記載すること。

７　一部支給停止をする場合には、証書の二ページの改定理由欄に「支給停止」の文字、支給停止額及び停止期間を記載することとし、その際、手当月額の欄には、支給停止額を含めた全額を記載すること。

また、五ページ以降の受領証書等には、支給停止をした額を除いた手当月額により算出した額を記入すること。

Ⅲ　特別児童扶養手当証書の作成について

特別児童扶養手当証書の作成については、従来、昭和五十年八月十三日児発第五三二号の一各都道府県知事あて本職通知により、手当証書関係通知に準じて取り扱うこととされていたが、今後とも引き続き手当証書関係通知に準じて取り扱われたい。

ただし、特別児童扶養手当証書の作成に当たっては、Ⅱで述べた項目に準じる必要はないので注意すること。

Ⅳ　新規認定者に係る証書の作成等について

新規認定者に係る児童扶養手当証書（以下「証書」という。）の様式は児童扶養手当法施行規則によって定められたが、その作成に当たっては次の点に注意すること。

(1)　証書に付する記号番号は、昭和六十年八月二十一日児発第七〇五号各都道府県知事あて本職通知の別冊「児童扶養手当都道府県事務取扱準則」第二の5の(2)に規定する記号番号を用いること。

(2)　証書の二ページの手当月額の欄には、支給停止額を含めた全額を記載すること。

(3)　一部支給停止とする旨を記載する場合には、証書の二ページの改定理由欄を用いるのではなく、四ページの支給停止欄を用いること。

(4)　新規認定者から児童扶養手当資格喪失届が提出された場合には、証書を交付する必要はなく、支払通知書等により対応すること。

(5)　新規認定者に係る未支払児童扶養手当請求書が提出された場合には、児童扶養手当支払通知書は、証書にはよらないこと。

(6)　新規認定者から児童扶養手当証書の再交付の申請書又は児童扶養手当証書亡失届が提出され、証書を再交付する場合には、証書の番号に「第　号の二」のごとき枝番号を追記すること。

○都道府県における児童扶養手当及び特別児童扶養手当の支払期月の変更に係る証書の作成について

〔昭和五十二年六月二十三日　児発第三八六号〕
〔各都道府県知事宛　厚生省児童家庭局長通知〕

〔改正経過〕

第一次改正　〔昭和五五年六月二三日児発第四八八号〕

児童扶養手当証書の様式を定める省令及び特別児童扶養手当証書の省令様式を定める省令の一部を改正する省令が別添1のとおり、昭和五十二年六月二十三日厚生・郵政省令第一号をもって公布、即日施行されたことに伴い、児童扶養手当及び特別児童扶養手当（以下「手当」という。）の支払期月の変更に係る児童扶養手当証書及び特別児童扶養手当証書（以下「証書」という。）の取扱いについては、次によることとしたので、御留意のうえ遺憾のないように取り計られたい。

1 現にある証書は、昭和五十三年四月期支払分までは以下により取り繕って使用すること。

(1) 証書の四ページ中「昭和五十三年一月期渡分」を「昭和五十二年十二月期渡分」に、「昭和五十三年五月期渡分」を「昭和五十三年四月期渡分」に、ペン又は印で訂正するものとし、昭和四十一年八月五日付け本職通知「都道府県における児童扶養手当証書の作成について」に規定する「止印」（以下「止印」という。）を押印すること。

なお、ペンで訂正する場合には証券用黒色インクを用い、印で訂正する場合には黒肉又は証券用黒色スタンプ台（不減黒色スタンプ台）を用いること。

（訂正例）

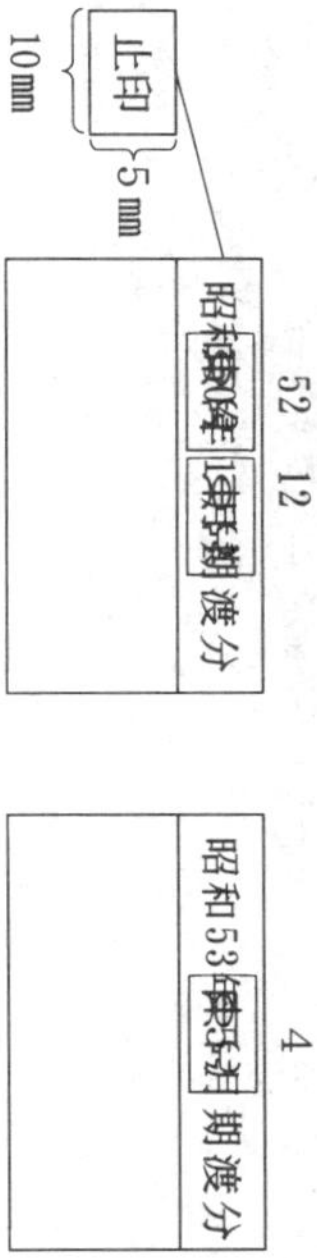

(2) 五ページ以降の奇数ページの支払期月欄中「五十三年一月」を「五十二年十二月」に、「五十三年五月」を「五十三年四月」にそれぞれペン又は印で訂正し、止印を押印すること。

都道府県における児童扶養手当及び特別児童扶養手当の支払期月の変更について

（訂正例）

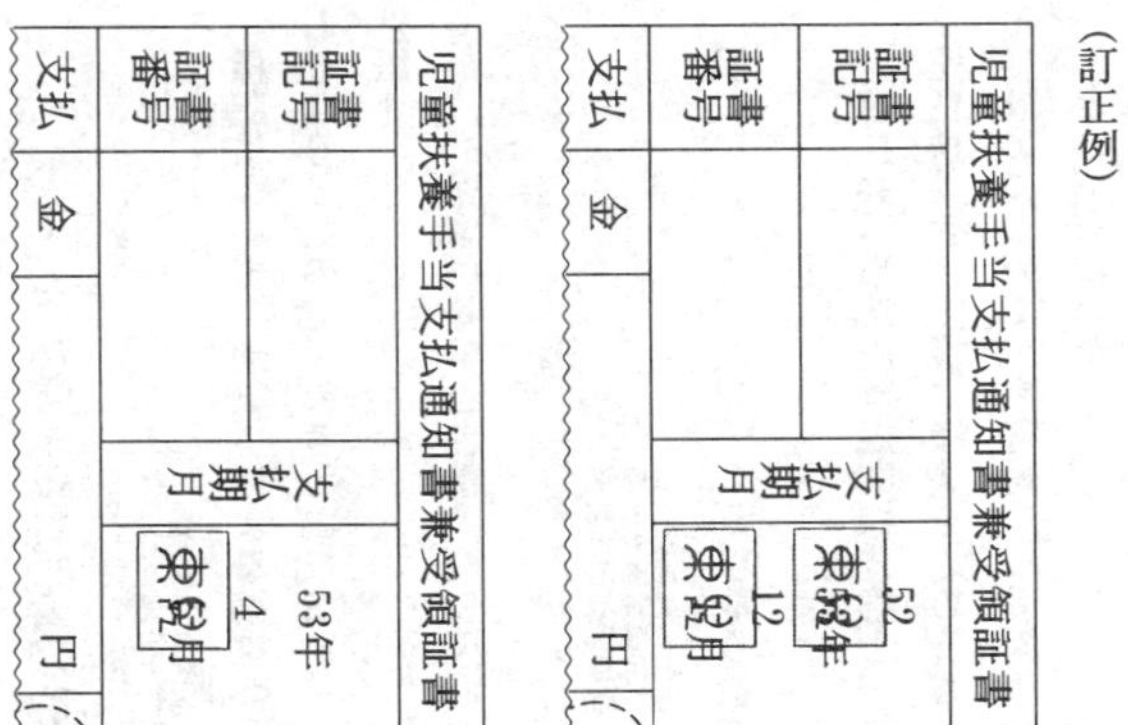

2 支払期月の変更について、受給資格者に対し証書を交付する際にチラシを折り込むこと等により個々に知らしめるとともに、テレビ新聞等報道機関の活用により広く周知徹底を図られたいこと。

なお、別添2のとおり例文を示すので参考とされたいこと。

3 継続支給の場合の証書の訂正事務等は本年度の定時の現況届の事務処理と併せて実施されたいこと。

4 証書の五ページ以降の奇数ページ中手当の支払通知書兼受領証書の作成

児童扶養手当証書の取り扱いについて

と支払原符との間の契印は昭和五十二年十二月期支払分から省略する予定である。

別添1　略

別添2

参考(1)　チラシを折り込む場合

——支払期月の変更について——

手当の支払は、毎年一月と五月と九月（各月とも十一日から）の三回にわけて支払われていましたが、昭和五十二年九月に支払われた後は、十二月と四月と八月（各月とも十一日から）にそれぞれ一か月ずつ繰りあがって支払われることになりました。

とくに、十二月に支払われる手当については、支給を受けているみなさんが十一月十一日以降に郵便局に受取に行けば、十二月にならなくとも支払われることになりました。

参考(2)　証書の裏紙等にゴム印で押印する場合

——支払期月の変更について——

（現　行）		（改　定）
昭和五十三年一月	→	昭和五十二年十二月（請求すれば十一月）
昭和五十三年五月	→	昭和五十三年四月

○児童扶養手当証書の取り扱いについて

〔平成十三年七月三日　雇児福発第三〇号　都道府県民生主管部(局)長宛　厚生労働省雇用均等・児童家庭局家庭福祉課長通知〕

標記について、別紙1による東京都からの照会に対して別紙2のとおり回答したので、参考とされたい。

別紙1

児童扶養手当証書の取り扱い上の疑義について（照会）

〔平成十三年六月二十日　一三福子推第二八九号　厚生労働省雇用均等・児童家庭局家庭福祉課長宛　東京都福祉局子ども家庭部長照会〕

標記について、左記のように取り扱ってよいかご教示願います。

記

児童扶養手当法施行規則様式第十一号の二及び既認定者等に交付する児童扶養手当証書の様式を定める省令様式第2号に定める児童扶養手当証書について、市町村から受給者に対する交付を郵送により行うこととしてもよいか。

別紙2

児童扶養手当証書の取り扱い上の疑義について（回答）

〔平成十三年七月三日　雇児福発第二九号
東京都福祉局子ども家庭部長宛　厚生労働省雇用均等・児童家庭局家庭福祉課長回答〕

平成十三年六月二十日一三福子推第二八九号をもって照会のあった標記については、左記のとおり回答する。

記

児童扶養手当法施行令第六条第四号に基づく市町村による同法施行規則様式第十一号の二及び既認定者等に交付する児童扶養手当証書の様式を定める省令様式第2号に定める児童扶養手当証書の交付については、市町村から受給者に対して郵送により行うこととしても差し支えない。

ただし市町村が証書の交付を郵送によって行った場合には、都道府県に対して児童扶養手当証書を郵送により交付した旨連絡し、児童扶養手当受給資格者名簿の証書の交付（返付）欄にその旨記載するよう当該市町村に対して依頼されたい。

なお、既認定者に交付する児童扶養手当証書の様式を定める省令様式第1号に定める児童扶養手当証書については、従来どおり市町村窓口における手渡しによる交付とされたい。

○児童扶養手当の業務運営上留意すべき事項について

〔昭和六十年十月九日　児企第三四号
各都道府県民生主管部(局)長宛　厚生省児童家庭局企画課長通知〕

児童扶養手当支給事務については、日頃より、各都道府県及び市町村の格別の御配意、御協力を煩らわせているところであるが、今般、総務庁事務次官より当省事務次官あて「児童扶養手当の業務運営に関する地方監察結果」が通知され、改善を要する事項の指摘が別添のとおりなされたので、次の事項に十分御留意の上、支給事務の適正な運営につき遺憾なきを期されたい。

なお、市町村（特別区を含む。）に関連のある事項については、管下市町村に対し、十分指導されたい。

1　公的年金給付の受給状況の確認について

(1)　児童扶養手当（以下「手当」という。）の受給資格者及び支給対象児童に係る公的年金給付の受給状況については、昭和四十七年九月十六日児企第三七号本職通知「児童扶養手当における公的年金受給状況の審査について」をもって認定請求の際「公的年金調書」を作成することとしているが、この調書はすべての請求者について作成するものであること。

なお、同通知の別紙様式中「□請求者の夫死亡」を「□請求者の夫死亡 □その他」に改めることとしたこと。

(2) 請求者に係る公的年金給付の受給状況については、社会保険事務所、関係共済組合及び都道府県における遺族補償の主管課等の関係機関への照会、確認の徹底を図られたいこと。

なお、社会保険事務所におけるデータについては、昭和五十五年一月二十二日庁保発第一号社会保険庁年金保険部長通知「社会保険事務所におけるデータ提供の基準」及びその運用において、都道府県より児童扶養手当等の支給要件審査を行うため公文書により照会があった場合は、データの提供ができることとされていること。

2 事実婚の審査等について

(1) いわゆる事実婚の審査については、住民票上母子以外の者との同居を示唆するいわゆる方書きのある場合、前夫と住民票上世帯分離となっている場合等事実婚が存在することが想定される場合は、その事実関係については十分な調査を行うよう努められたいこと。

(2) 受給資格者たる母に係る扶養義務者等の所得審査については、住民票上同一世帯にある者のほか、生計同一の実態が想定される扶養義務者等について、受給資格者との生計関係を十分調査し、受給資格者と当該扶養義務者等との生計同一関係が認められる場合には、当該扶養義務者等の所得状況の把握を図ることとされたいこと。

3 父の障害の認定について

児童扶養手当法施行令別表第二に規定する父の障害の状態のうち第十一号の内科的疾患については、労働することを不能ならしめ、かつ、長期にわたる高度の安静と常時の監視又は介護とを必要とする程度の障害を有することが要件となっているので、十分御留意の上、障害認定の適正化を図られたいこと。

4 請求者に係る請求時点の扱いについて

手当は、児童扶養手当法（昭和三十六年法律第二百三十八号）第七条により、認定請求の翌月から支給することとされているが、請求時点は、市町村において、児童扶養手当法施行規則上必要とされる添付書類及び請求書の記載に不備がないものとして請求書を受理した時点であること。

5 手当に係る受給資格喪失時点について

手当に係る受給資格喪失については、受給者からの受給資格喪失届等により確認することとされているが、受給資格喪失時点については、受給資格喪失事由に係る戸籍、住民票等の関係公簿による確認等により、その正確な把握に努められたいこと。

○児童福祉行政指導監査の実施について

〔平成十二年四月二十五日　児発第四七一号
各都道府県知事・各指定都市市長・各中核市市長宛
厚生省児童家庭局長通知〕

〔改正経過〕

第一次改正〔平成一五年四月一日雇児発第〇四〇一〇一〇号〕
第二次改正〔平成二一年四月一日雇児発第〇四〇一〇〇二号〕
第三次改正〔平成二三年九月三〇日雇児発〇九三〇第一号〕
第四次改正〔平成二八年一〇月二四日雇児発一〇二四第一号〕
第五次改正〔平成二九年八月九日子発〇八〇九第三号〕
第六次改正〔令和三年七月九日子発〇七〇九第一号〕

児童福祉行政指導監査の実施については、平成十年三月三十一日児発第二五〇号本職通知に基づき、実施されているところであるが、地方分権の推進を図るための関係法律の整備等に関する法律（平成十一年法律第八十七号）が公布され、平成十二年四月一日から施行されたことに伴い、従来機関委任事務として行ってきた児童福祉施設の指導監査は自治事務とされ、さらに児童扶養手当支給事務は機関委任事務から法定受託事務とされたところである。

ついては、別紙のとおり地方自治法（昭和二十二年法律第六十七号）第二百四十五条の四第一項の規定に基づく技術的な助言及び勧告として児童福祉行政指導監査実施要綱を改め、平成十二年度から実施することとしたので、次の事項に留意の上、管内児童福祉行政の実施機関及び児童福祉施設（雇用均等・児童家庭局所管施設及び里親をいう。以下同じ。）に対し、十分指導監督の実を挙げるよう格段の配慮をお願いする。

児童福祉行政指導監査の実施について

なお、この通知中、指定都市については児童扶養手当に関する部分、中核市については助産施設、母子生活支援施設及び保育所以外の児童福祉施設並びに児童扶養手当に関する部分の定めは適用しないものとする。

おって、平成十年三月三十一日児発第二五〇号本職通知「児童福祉行政指導監査の実施について」及び平成十年三月三十一日児企第一四号厚生省児童家庭局企画課長通知「児童福祉行政指導監査の着眼点及び報告書の様式等について」は廃止する。

1　児童相談所及び都道府県の設置する福祉事務所に対する指導監査については、都道府県の監査委員事務局等監査を担当する部局との協力等の下に、児童福祉行政が適正に執行されるようこの通知の定めるところに準じて実施するようお願いする。

2　福祉事務所等に指導監査の権限を委任している都道府県においては、指導監査の統一的実施を確保するため監査の実施方針、実施方法及び監査項目等について当該委任機関に対し指導の徹底を図るとともに、十分な連携の下での指導監査をお願いする。

別紙

児童福祉行政指導監査実施要綱

1　指導監査の目的

指導監査は、都道府県知事が児童福祉行政の実施機関における児童福祉施設の措置費等についての事務処理状況及び児童扶養手当の支給事務処理状況並びに児童福祉施設についての最低基準等の実施状況が、関係法令等に照らし適正に実施されているかどうかを個別的に詳らかにし、必要な助言・勧告又は是正の措置を講ずることなどにより、児童福祉行政の適正かつ円滑なる実施を確保しようとするものである。

2　用語の意義

この通知における用語の意義は、それぞれ次のとおりとすること。

(1)　「都道府県」には指定都市、中核市及び児童相談所設置市を、「都道府県知事」には指定都市、中核市及び児童相談所設置市の市長を、それぞれ含むものとする。

(2)　「児童福祉施設」とは、子ども家庭局所管施設、小規模型児童養育事業を行う者、児童自立生活援助事業を行う者及び里親をいう。

(3)　「措置費等」とは、児童入所施設措置費及び保育所に係る子どものための教育・保育給付費負担金をいう。

(4)　「入所施設」とは、児童福祉施設のうち保育所を除く施設をいう。

(5)　「実施機関」とは、児童福祉法（昭和二十二年法律第百六十四号）第二十二条から第二十四条までに定める助産の実施、母子保護の実施及び保育の実施を行う市町村並びに児童扶養手当法（昭和三十六年法律第二百三十八号）による児童扶養手当の支給事務の処理に当たる市町村をいう。

3　指導監査の方針

(1)　児童福祉施設の措置費等についての実施機関に対する指導監査は、当該事務の執行が適正に行われているか否かにつき実施するものであるが、併せてこれと密接に関連する当該実施機関の組織・機構、施設入所関係事務、措置費等の関連予算の編成・執行及びその他の事務処理状況等行政全般にわたる状況についても把握するよう努めること。

(2)　児童福祉施設に対する指導監査は、入所者の処遇、職員の配置及び勤務条件、経理状況、設備の状況等施設の運営管理全般にわたって総合的に実施するとともに、施設が民間施設である場合は、当該施設の財政的基盤の状況等についても把握すること。

前記の実施に当たっては、児童福祉施設がその種別、歴史的沿革、立地条件その他の事情により、それぞれ創意工夫のもとに運営されていることに鑑み、個々の施設の運営努力をも勘案し、形式的、画一的指導にならないよう留意すること。

特に、保育所において、保育所保育指針（平成二十年三月二十八日厚生労働省告示第百四十一号）の遵守状況に関する指導監査を行うに当たっては、取組の結果のみに着目するのではなく、取組の過程（保育実践及びその振り返り、自己評価の取組等）についても尊重する必要があることに留意すること。

(3)　児童扶養手当支給事務についての指導監査は、市町村における手当に係る認定請求及び諸届等の受理、審査、進達等の処理状況が適正か否かにつき実施するものである。

4　指導監査の対象

指導監査は、市町村並びに児童福祉施設の他、必要に応じ児童相談所、福祉事務所等についても対象とすること。

5　指導監査の方式及び回数

指導監査は、一般指導監査と特別指導監査に分けて次により実施すること。

(1)　一般指導監査は、次のアからエによること。

ア　実施機関（児童福祉法第二十二条から第二十四条までに定める助産の実施、母子保護の実施及び保育の実施機関）及び措置費等の指導監査については年一回以上の実地監査を行うこと。

イ　実施機関（児童扶養手当の支給事務の処理に当たる市町村）の指導監査については、二年に一回以上の実地監査を行うこと。

ウ　児童福祉施設については、児童福祉法施行令（昭和二十三年政令第七十四号）第三十八条の規定により年一回以上の実地監査を行うこと。

実地監査の実施に当たっては、必要に応じて、例えば、経理指導監査について現地において集合監査を行い、又は実地監査の際必要な項目についてあらかじめ自主点検表を提出させる等、指導監査の能率的な実施方法を併用して差し支えないこと。

また、指導監査の方法については、監査対象施設の規模及び前回の指導監査の結果等を考慮した弾力的な指導監査を行うこと。

エ　民間の児童福祉施設に対する指導監査を行う場合は、法人監査も併せて行うよう配慮すること。

(2)　特別指導監査は、問題を有する事項について実施機関及び児童福祉施設を対象に必要に応じて特定の事項について実施すること。この他、保育所については、死亡事故等の重大事故（死亡事故、意識不明となる事態等の重大な事故をいう。以下同じ。）が発生した場合又は児童の生命・心身・財産に重大な被害が生じるおそれが認められる場合（こうしたおそれにつき通報・苦情・相談等により把握した場合や重大事故が発生する可能性が高いと判断した場合等も含む。以下同じ。）等には、特別指導監査を実施すること。

6　指導監査の実施計画の策定

(1)　指導監査の実施計画は、毎年度当初に策定すること。

(2)　指導監査実施計画を策定するに当たっては、行政運営の方針、前年度の指導監査の結果等を勘案して当該年度の重点事項を定め、その効果的実施について十分留意すること。

(3)　指導監査の実施時期については、その監査の対象となる実施機関及び児童福祉施設における諸般の事情等を考慮して決定すること。

7　指導監査班の編成

(1)　指導監査班は、必要に応じて指導監査事項の区分ごとに関係法令及び関係指導指針について十分な知識及び経験を有する者二名以上をもって編成するものとし、そのうち一名は原則として係長以上の職にある者とすること。

(2)　児童扶養手当支給事務の指導監査に当たっては児童福祉施設等の指導監査事項と区分して指導監査班を編成すること。

(3) 児童福祉施設の入所者の処遇内容の指導に当たっては、必要に応じて次のア～ウのいずれかの者を参加させる等により適切な指導が可能となる体制を整えること。

ア 児童福祉施設の所掌に当たる技術指導職員

イ 児童福祉施設職員（元児童福祉施設職員を含む。）

ウ その他児童福祉施設内の入所者の処遇について知見を有する者

8 指導監査の事前準備

(1) 指導監査の実施に当たっては、その対象となる者に対し、その期日、指導監査職員の氏名その他必要な事項を特別な場合を除き事前に通知すること。ただし、保育所において死亡事故等の重大事故が発生した場合又は児童の生命・心身・財産に重大な被害が生じるおそれが認められる場合等は、実施する特別指導監査の目的に照らして、必要に応じて事前に通知せずに特別指導監査を実施することが適切であることに留意すること。

(2) 指導監査職員は、前回の監査結果の問題点その他必要とする事項について事前に検討を加え、指導監査の実効を期すること。

(3) 指導監査に必要な資料（自主点検表又は自己評価等を徴することとしている場合は、それを含む。）は、あらかじめ整備を行わせること。なお、提出資料等については、過重なものとならないよう配慮し必要なものに限ること。

(4) 児童扶養手当支給事務の指導監査において、受給資格者等に対する実地調査に当たる職員には、児童扶養手当受給資格調査員証をあらかじめ交付しておくこと。

9 指導監査事項

指導監査は、実施機関及び児童福祉施設に対しては、別紙1「児童福祉行政指導監査事項」に、児童扶養手当支給事務に当たる市町村に対しては、別紙2「児童扶養手当支給事務指導監査事項」に準拠して実施すること。

10 指導監査実施上の留意事項

(1) 指導監査は、公正不偏に指導援助的態度で実施し、努めて関係者の理解と自発的協力が得られるよう配意すること。

(2) 指導監査の過程においては、直接の担当者からの事情聴取のみに終始することなく、責任者を中心に進めるよう意を用い、相互信頼を基礎として十分意見の交換を行い、一方的判断を押しつけることのないよう留意すること。

(3) 指導監査の結果、問題点を認めたときは、できる限りその発生原因の究明を行うよう努めること。

(4) 保育所に対して指導監査を実施する場合には、特に以下の点に留意すること。

① 市町村が子ども・子育て支援法（平成二十四年法律第六十五号）に基づき、保育所に対し指導監査を実施するときは、「子ども・子育て支援法に基づく特定教育・保育施設等の指導監査について（平成二十七年十二月七日府子本第三九〇号、二七文科初第一、一三五号、雇児発一二〇七第二号）」を踏まえ、連携して効率的な指導監査を実施すること。その実施に当たって

は、「子ども・子育て支援新制度における指導監査等の実施について（平成二十七年十二月七日府子本第三九一号、二七初幼教第二八号、雇児保発一二〇七第一号）」も踏まえて対応すること。

② 死亡事故等の重大事故が発生した保育所については、当該事故と同様の事故の再発防止策及び「教育・保育施設等における重大事故の再発防止のための事後的な検証について」（平成二十八年三月三十一日府子本第一九一号等）による事故後の検証結果を踏まえた対応状況等を確認すること。

③ 保育所における死亡事故等の重大事故に係る検証が実施された場合、検証の結果については、今後の指導監査に反映させること。

11 指導監査結果の措置

(1) 講評及び指示等

指導監査職員は、指導監査終了後、幹部及び関係職員の出席を求めて講評及び必要な助言・勧告又は指示を行うこと。ただし、人事等特に幹部のみに講評を行うことを適当とする事項については、その者に対し別途講評及び助言・勧告又は指示を行うこと。

(2) 指導監査の復命

指導監査職員は、帰庁後速やかに指導監査結果について復命書を作成し、かつ、これに指導監査職員の所見及び現地における意見、要望等を付して都道府県知事に提出するものとすること。

(3) 指導監査結果の検討及び措置

指導監査結果については、綿密に検討してその問題点を明らかにし、これに対する監査の対象となった実施機関及び児童福祉施設又は都道府県が採るべき措置を具体的に決定して、速やかに問題点の解消に努めるよう必要な措置をとること。

(4) 指導監査結果の指示及び確認

ア 指導監査結果の指示は、前項の検討に基づき、必要な事項の内容及び改善方法を具体的に文書をもって速やかに行うこと。

イ 指示事項に対する是正改善の状況は、期限を付して報告を求めるほか、重要事項については必要に応じてその改善状況等を確認するために特別指導監査等の措置を採ること。

ウ 指導監査において繰り返し是正措置を採るよう指示したにもかかわらず、なお改善がなされていないものについては、必要に応じて法令等に基づく処分を行うこと。

(5) 事故後の検証における指導監査結果の活用

保育所において死亡事故等の重大事故が発生した場合に市町村が行う検証において、事実関係の整理の際に活用できるよう、事故の発生前までに実施した指導監査及び事故に関連して行った指導監査の結果並びに措置状況等の提供について市町村と協力すること。

別紙１

児童福祉行政指導監査事項

１　市町村児童福祉行政指導監査事項

主眼事項	着　眼　点
第１　児童福祉行政事務処理体制	児童福祉行政主管課の業務体制が適切か。 ア　児童福祉行政主管課の業務処理体制が適切か。 イ　内部組織相互間における連携がとられているか。 ウ　児童福祉施設に対する指導が適切に行われているか。 エ　関係機関等との連携が適切に行われているか。
第２　保育の実施の確保 １　要保育児童の把握状況	(1)　きめ細かな保育の提供がなされるよう、関係者相互の連携等を図り、地域の実情に応じた体制整備、保育所等の情報提供等が行われているか。 (2)　保育所等（保育所、認定こども園及び家庭的保育事業等をいう。以下同じ。）の適正配置等が行われているか。
２　保育の実施事務処理状況	保育の実施事務処理が、適切に行われているか。 ア　保育所等の入所手続（申込窓口（保育所等の代行も含めて）、申込書、申込時期、入所決定に関する書類等）が利用者の利便に配慮されているか。 イ　入所申込書の受付から入所決定（認定こども園及び家庭的保育事業等の場合は利用の要請又はあっせん）までの事務処理が迅速に処理されているか。 ウ　希望した保育所等への入所のため、入所の円滑化に努めているか。 エ　利用調整における選考（選考する場合の条件・選考基準の制定・内容・公表）が適正に行われているか。 オ　「保育が必要な状況」の確認が適正に行われているか。 カ　待機児童の解消等に向けた適切な対応、低年齢児（０～２歳）の入所状況を適切に把握し、これらに対する対応計画を立案しているか。 　また、開所・閉所時間、育休・産休明け保育・途中入所等の保育需要に対応しているか。 キ　広域入所を行っているか。関係市町村との連絡調整等が行われているか。
３　保育所等運営費の事務処理状況	児童福祉法及び子ども・子育て支援法等の関係法令に基づき、保育所等の運営費（施設型給付費及び地域型保育給付費並びに私立保育所に係る委託費等を含む。）の支給等に関する事務処理が適切に行われているか。

第３　入所施設措置費の事務処理状況	⑴　母子生活支援施設、助産施設への要利用者の実態把握及び利用者（世帯）の入所状況が適正に行われているか。 ⑵　母子生活支援施設、助産施設への利用者（世帯）の徴収金算定基礎が適正に行われているか。 ⑶　支弁対象者（世帯）の事務処理が適正に行われているか。 ア　入所申込事務（入所申請の受理、調査、判定、指導等）が適正に行われているか。 イ　母子保護の実施及び助産の実施の解除、停止、変更等の事務処理が適正に行われているか。 ⑷　支弁台帳（総括表、施設表）の記載が適正に行われているか。 ⑸　措置費支弁（時期、額の算定、支払方法等）が適正に行われているか。 ⑹　同一世帯内の扶養義務者の把握、その課税確認が適正に行われているか。 ⑺　措置費の積算（実支出額、支弁額、徴収金基準）が適正に行われているか。

２　施設指導監査事項

⑴　社会福祉施設共通事項

主眼事項	着　眼　点
第１　適切な入所者処遇の確保	施設の処遇について、個人の尊厳の保持を旨とし、入所者の意向、希望等を尊重するよう配慮がなされているか。 施設の管理の都合により、入所者の生活を不当に制限していないか。
１　入所者処遇の充実	⑴　処遇計画は、適切に策定されているか。 ア　処遇計画は、日常生活動作能力、心理状態、家族関係及び所内生活態度等についての定期的調査結果及び入所者本人等の希望に基づいて策定されているか。 また、処遇計画は、入所後、適切な時期に、ケース会議の検討結果等を踏まえたうえで策定され、必要に応じて見直しが行われているか。 イ　処遇計画は医師、理学療法士等の専門的なアドバイスを得て策定され、かつその実践に努めているか。 ウ　入所者の処遇記録等は整備されているか。 ⑵　機能訓練が、必要な者に対して適切に行われているか。

(3) 適切な給食を提供するよう努められているか。

ア 必要な栄養所要量が確保されているか。

イ 嗜好調査、残食（菜）調査、検食等が適切になされており、その結果等を献立に反映するなど、工夫がなされているか。

ウ 入所者の身体状態に合わせた調理内容になっているか。

エ 食事の時間は、家族生活に近い時間となっているか。

オ 保存食は、一定期間（２週間）適切な方法（冷凍保存）で保管されているか。また、原材料についてもすべて保存されているか。

カ 食器類の衛生管理に努めているか。

キ 給食関係者の検便は適切に実施されているか。

(4) 適切な入浴等の確保がなされているか。

入所者の入浴又は清拭（しき）は、１週間に少なくとも２回以上行われているか。特に、入浴日が行事日・祝日等に当たった場合、代替日を設けるなど週２回の入浴等が確保されているか。

(5) 入所者の状態に応じた排泄及びおむつ交換が適切に行われているか。

排泄の自立についてその努力がなされているか。トイレ等は入所者の特性に応じた工夫がなされているか。また、換気、保温及び入所者のプライバシーの確保に配慮がなされているか。

(6) 衛生的な被服及び寝具が確保されるよう努めているか。

(7) 医学的管理は、適切に行われているか。

ア 定期の健康診断、衛生管理及び感染症等に対する対策は適切に行われているか。

イ 施設の種別、入所定員の規模別に応じて、必要な医師、嘱託医がおかれているか。（必要な日数、時間が確保されているか。）また、個々の入所者の身体状況・症状等に応じて、医師、嘱託医による必要な医学的管理が行われ、看護師等への指示が適切に行われているか。

(8) レクリエーションの実施等が適切になされているか。

(9) 家族との連携に積極的に努めているか。また、入所者や家族からの相談に応じる体制がとられているか。相談に対して適切な助言、援助が行われているか。

(10) 苦情を受け付けるための窓口を設置するなど苦情解決に適切に対応しているか。

(11) 実施機関との連携が図られているか。

2　入所者の生活環境等の確保	施設設備等生活環境は、適切に確保されているか。 ア　入所者が安全・快適に生活できる広さ、構造、設備となっているか。 　また、障害に応じた配慮がなされているか。 イ　居室等が設備及び運営基準にあった構造になっているか。 ウ　居室等の清掃、衛生管理、保温、換気、採光及び照明は適切になされているか。
3　自立、自活等への支援援助	入所者個々の状況等を考慮し、施設種別ごとの特性に応じた自立、自活等への援助が行われているか。
第2　社会福祉施設運営の適正実施の確保	健全な環境のもとで、社会福祉事業に関する熱意及び能力を有する職員による適切な運営を行うよう務めているか。
1　施設の運営管理体制の確立	(1)　入所定員及び居室の定員を遵守しているか。 (2)　必要な諸規程は、整備されているか。 　管理規程、経理規程等必要な規程が整備され、当該規程に基づいた適切な運用がなされているか。 (3)　施設運営に必要な帳簿は整備されているか。 (4)　直接処遇職員等は、配置基準に基づく必要な職員が確保されているか。 (5)　施設の職員は、専ら当該施設の職務に従事しているか。 (6)　施設長に適任者が配置されているか。 ア　施設長の資格要件は満たされているか。 イ　施設長は専任者が確保されているか。 　施設長がやむなく他の役職を兼務している場合は、施設の運営管理に支障が生じないような体制がとられているか。 (7)　育児休業、産休等代替職員は確保されているか。 (8)　施設設備は、適正に整備されているか。 　また、建物、設備の維持管理は適切に行われているか。 (9)　運営費は適正に運用され、弾力運用も適正に行われているか。 ア　施設の運営が適正に行われた上で、運営費の弾力運用が行われているか。 イ　運用収入の本部会計への繰入額は妥当であるか。また、その積算根拠は明確にされているか。 ウ　当期末支払資金残高は、優先的に各種積立金に充てられているか。 エ　当期末支払資金残高及び積立金は、安全確実な方法で

	管理運用されているか。 また、取り崩し等についての手続きは適正に行われているか。 ⑽　高額の当期末支払資金残高等を有している場合、入所者処遇等に必要な改善を要するところはないか。 当期末支払資金残高を有している場合は、過大な保有を防止する観点から当該年度の運営費収入の30％以下の保有となっているか。 ⑾　施設設備を地域に開放し、地域との連携が深められているか。
2　必要な職員の確保と職員処遇の充実	⑴　労働時間の短縮等労働条件の改善に努めているか。 ア　労働基準法等関係法規は、遵守されているか。 イ　職員への健康診断等健康管理は、適正に実施されているか。 ⑵　業務体制の確立と業務省力化の推進のための努力がなされているか。 ⑶　職員研修等資質向上対策について、その推進に努めているか。 ⑷　職員の確保及び定着化について積極的に取り組んでいるか。
3　防災対策の充実強化	防災対策について、その充実強化に努めているか。 ア　消防法令に基づくスプリンクラー、屋内消火栓、非常通報装置、防災カーテン、寝具等の設備が整備され、また、これらの設備について専門業者により定期的に点検が行われているか。 イ　非常時の際の連絡・避難体制及び地域の協力体制は、確保されているか。例えば、風水害の場合、「避難準備・高齢者等避難開始」、「避難勧告」及び「避難指示（緊急）」等の緊急度合に応じた複数の避難先が確保されているか。 ウ　児童福祉施設等が定める非常災害に対する具体的な計画（以下、「非常災害対策計画」という。）が作成されているか。 また、非常災害対策計画は、火災に対処するための計画のみではなく、火災、水害・土砂災害、地震等の地域の実情も鑑みた災害にも対処できるものであるか（必ずしも災害ごとに別の計画として策定する必要はない。）。 エ　非常災害対策計画には、以下の項目が盛り込まれているか。また、実際に災害が起こった際にも利用児童等の安全が確保できる実効性のあるものであるか（施設が所

	在する都道府県等で防災計画の指針等が示されている場合には、当該指針等を参考の上、実効性の高い非常災害対策計画が策定されているか。）。 【具体的な項目例】 ・　児童福祉施設等の立地条件（地形　等） ・　災害に関する情報の入手方法（「避難準備情報」等の情報の入手方法の確認等） ・　災害時の連絡先及び通信手段の確認（自治体、家族、職員等） ・　避難を開始する時期、判断基準（「避難準備情報発令」時等） ・　避難場所（市町村が設置する避難場所、施設内の安全なスペース　等） ・　避難経路（避難場所までのルート（複数）、所要時間等） ・　避難方法（利用児童の年齢や発達に応じた避難方法等） ・　災害時の人員体制、指揮系統（災害時の参集方法、役割分担、避難に必要な職員数　等） ・　関係機関との連携体制 オ　非常災害対策計画の内容を職員間で十分共有しているか。 　また、関係機関と避難場所や災害時の連絡体制等必要な事項について認識を共有しているか。 カ　火災、地震その他の災害が発生した場合を想定した消火訓練及び避難訓練は、消防機関に消防計画を届出の上、それぞれの施設ごとに定められた回数以上適切に実施され、そのうち１回は夜間訓練又は夜間を想定した訓練が実施されているか。 キ　避難訓練を実施し、非常災害対策計画の内容を検証し、見直しを行っているか。

⑵　児童福祉施設事項

主眼事項	着　眼　点
第１　適切な入所者支援の確保	施設入所者への支援等について、児童の保護者等及び関係機関（児童相談所・福祉事務所等）との連絡調整が図られているか。

1　入所者支援の充実	［児童入所施設］ ⑴　子ども一人一人の権利を尊重し、その意見や訴えをくみ取る仕組みが設けられているか。 ⑵　懲戒に係る権限の濫用及び被措置児童等虐待（身体的虐待、性的虐待、ネグレクト、心理的虐待等）防止に向けての取り組みが行われているか。 ⑶　個々の子どもの特性に応じた支援を行うための専門的知識や援助技術の習得など職員の資質向上に努めているか。 ⑷　施設長が子どもの権利擁護や子どもの指導、職員の管理、危機管理に関して十分な見識を有し、適切に指導・監督ができているか。 ⑸　子どもの生命を守り、安全を確保するために、事件や事故防止、健康管理に関して必要な措置が講じられているか。 ⑹　個々の子どもの特性や家庭状況に応じた生活指導、職業指導、家庭復帰又は自立支援に向けた適切な指導・援助が行われているか。 ⑺　子どもの指導・援助の際に、必要に応じ児童相談所等関係機関との連携が適切に行われているか。 ⑻　子どもに係る給付金として支払を受けた金銭の管理が適切に行われているか。 ［保育所］ ⑴　開所・閉所時間、保育時間、開設日数が適切に設けられているか。 ⑵　入所児童の年齢制限を行っていないか。 ⑶　保育所保育指針に規定される保育の内容に係る基本原則に関する事項を踏まえ、各保育所の実情に応じて適切な保育が行われているか。 ア　保育課程を編成し、それに基づく指導計画が作成されているか。 イ　保育の記録や自己評価に基づいて、保育所児童保育要録が作成されているか。また、児童の就学に際し、小学校への送付が行われているか。 ウ　保護者との連絡を適切に行い、家庭との連携を図るように努めているか。 エ　職員及び保育所の課題を踏まえた研修が計画的に実施されているか。 ⑷　定員を超えて私的契約児を入所させていないか。 ⑸　事故発生の防止のための指針の整備等、事故発生の防止及び発生時の対応に関する措置を講じているか。 　特に、睡眠中、プール活動・水遊び中、食事中等の場面では重大事故が発生しやすいことを踏まえ、以下の対策を講じているか。

	ア　睡眠中の窒息リスクの除去として、医学的な理由で医師からうつぶせ寝を勧められている場合以外は、仰向きに寝かせるなど寝かせ方に配慮すること、児童を一人にしないこと、安全な睡眠環境を整えているか。 イ　プール活動や水遊びを行う場合は、監視体制の空白が生じないよう、専ら監視を行う者とプール指導等を行う者を分けて配置し、その役割分担を明確にしているか。 ウ　児童の食事に関する情報（咀嚼や嚥下機能を含む発達や喫食の状況、食行動の特徴など）や当日の子どもの健康状態を把握し、誤嚥等による窒息のリスクとなるものを除去しているか。 　また、食物アレルギーのある子どもについては生活管理指導表等に基づいて対応しているか。 エ　窒息の可能性のある玩具、小物等が不用意に保育環境下に置かれていないかなどについての、保育士等による保育室内及び園庭内の点検を、定期的に実施しているか。 オ　事故発生時に適切な救命処置が可能となるよう、訓練を実施しているか。 カ　事故発生時には速やかに当該事実を都道府県知事等に報告しているか。 (6)　障害児を含め、入所児童に対する虐待やその心身に有害な影響を与える行為の防止及び発生時の対応に関する措置を講じているか。 (7)　保育所における死亡事故等の重大事故に係る検証が実施された場合には、検証結果を踏まえた再発防止の措置を講じているか。
第２　児童福祉施設運営の適正実施の確保	[共通事項] (1)　健康診断の実施、結果の記録及び保管が適切に行われているか。 (2)　乳幼児突然死症候群の防止に努めるなど、事故防止対策を講じているか。 (3)　給食材料が適切に用意され、保管されているか。 (4)　給食日誌の記録及び脱脂粉乳の受払記録が適正に行われているか。 (5)　３歳未満児に対する献立、調理（離乳食等）、食事の環境などについての配慮がされているか。 (6)　食中毒対策が適切に行われているか。 (7)　調理の業務委託が行われている場合、契約内容等が遵守されているか。 (8)　子どもの状態を観察し、不適切な養育等の発見に努める

	とともに、必要に応じて関係機関との連携を図っているか。
1　施設の運営管理体制の確立	措置費等を財源に運営する児童福祉施設の経理事務は、適切に事務処理され、措置費等が適正に使われているか。 (1)　予算及び補正予算の編成の時期と積算は適切に行われているか。 (2)　会計経理が適切に行われているか。 ア　措置費等の請求金額が適正に行われているか。 イ　事業費と事務費の流用が適正に行われているか。 ウ　利用者負担金（職員給食費等＝共通事項）・（延長保育、一時保育利用料、私的契約児利用料＝保育所）が適正な額となっているか。 エ　他の会計間の貸借が適正に行われているか。 オ　現金、預金等の保管が適正に行われているか。 カ　内部牽制体制が確立され、適正に機能しているか。
2　必要な職員確保と職員処遇の充実	(1)　通勤・住宅手当等の各種手当が規定され、適正に支払われているか。 (2)　労働基準法第24条・第36条の労使の協定が締結され、労働基準監督署へ提出されているか。 (3)　職員の確保及び定着化について積極的に取り組んでいるか。 ア　職員の計画的な採用に努めているか。 イ　労働条件の改善等に配慮し、定着促進及び離職防止に努めているか。
3　防災対策の充実強化	(1)　非常時に対する避難設備（階段、避難器具）が整備され、点検されているか。 (2)　防犯について配慮されているか。

別紙2

児童扶養手当支給事務指導監査事項

1　市等監査事項

主眼事項	着　眼　点
1　主管課の業務体制の状況	支給事務に必要な業務体制が取られているか。
2　関係機関等との連携の状況	関係部課、関係機関との連携が図られているか。
3　広報の状況	(1)　制度の広報が十分行われているか。 (2)　受給者に対し制度（各種届を含む。）周知が十分行われているか。
4　委任機関に対する指導状況	認定事務を行政区等に事務委任している指定都市等においては、国の指導通知及び市内の取扱い水準を統一するための連絡会議、研修会議等が行われているか。
5　規則に定める諸様式用紙等の作成、記入、整理及び保管の状況	認定請求書、現況届等及び関係書類提出受付処理簿、受給資格者台帳等の整理・保管が適切に行われているか。
6　認定請求書の受理状況	(1)　窓口における認定請求書の作成指導が適切に行われているか。 (2)　認定請求書の受理時において添付書類が整備されているか。
7　認定請求書の審査及び認定の状況	(1)　配偶者、子、扶養義務者との身分関係及び生計維持関係等についての事実関係の確認が十分行われているか。 (2)　受給資格者、配偶者及び扶養義務者の所得等の確認が適切に行われているか。 (3)　戸籍担当部門、住民基本台帳担当部門、年金担当部門、施設入所担当部門等関係機関との連携が十分図られているか。 (4)　却下処分は適切に行われているか。
8　現況届の処理状況	(1)　処理状況は的確に行われているか。 (2)　未提出者の取扱いは適正に行われているか。 (3)　時効処理は適切に行われているか。
9　一部支給停止措置及び一部支給停止適用除外に係る事務処理の状況	(1)　受給資格者への事前通知は適切に行われているか。 (2)　適用除外事由届出書及び関係書類が提出された場合の事務処理が適切に行われているか。 (3)　適用除外事由届出書及び関係書類が提出されない場合に手続の支援が行われているか。 (4)　一部支給停止措置は適切に行われているか。
10　受給資格喪失	(1)　資格喪失届の提出指導が適切に行われているか。

者に係る事務処理の状況	(2) 資格喪失届の審査（資格喪失時点の調査・確認を含む。）が適切に行われているか。
11 債権管理事務処理の状況	(1) 債権管理事務は適正に行われているか。 (2) 債権発生防止に関する対策が行われているか。
12 負担金の支給事務の状況	支出が適切に行われているか。
13 その他	差額追求及び内払調整に基づく減額支給は適切に行われているか。

2 町村監査事項

主眼事項	着　眼　点
1 主管課の業務体制の状況	支給事務に必要な業務体制が取られているか。
2 関係機関等との連携の状況	関係部課、関係機関との連携が図られているか。
3 制度の広報の状況	(1) 制度の広報が十分行われているか。 (2) 受給者に対し制度（各種届を含む。）周知が十分行われているか。
4 規則に定める諸様式用紙等の作成、記入、整理及び保管の状況	認定請求書、現況届等及び関係書類提出受付処理簿、受給資格者名簿等の整理・保管が適切に行われているか。
5 認定請求書の受理状況	(1) 窓口における認定請求書の作成指導が適切に行われているか。 (2) 認定請求書の受理時において添付書類が整備されているか。
6 認定請求書の審査及び提出の状況	(1) 配偶者、子、扶養義務者との身分関係及び生計維持関係等についての事実関係の確認が十分行われているか。 (2) 受給資格者、配偶者及び扶養義務者の所得等の確認が適切に行われているか。 (3) 戸籍担当部門、住民基本台帳担当部門、年金担当部門、施設入所担当部門等関係機関との連携が十分図られているか。 (4) 受理から提出までの事務処理期間が適切か。
7 現況届の処理状況	(1) 現況届の受理時における添付書類が整備されているか。 (2) 受給者及び扶養義務者の所得、年金の確認が適切に行われているか。 (3) 未提出者に対する提出指導及び受給資格を喪失していることが公簿等により確認されている者の扱いが適切に行われているか。

8　一部支給停止措置及び一部支給停止適用除外に係る事務処理の状況	⑴　適用除外事由届出書及び関係書類が提出された場合の事務処理が適切に行われているか。 ⑵　適用除外事由届出書及び関係書類が提出されない場合に手続の支援が行われているか。
9　受給資格喪失者に係る事務処理の状況	⑴　資格喪失届の提出指導が適切に行われているか。 ⑵　資格喪失届の審査（資格喪失時点の確認を含む。）が適切に行われているか。 ⑶　資格喪失届の進達処理が適切に行われているか。

〔その他〕

○児童扶養手当及び特別児童扶養手当関係法令上の疑義について

〔昭和四十八年五月十六日　児企第二八号
各都道府県民生主管部(局)長宛　厚生省児童家庭局企画課長通知〕

〔改正経過〕

第一次改正〔昭和五五年六月二三日児企第二六号〕
第二次改正〔昭和五五年六月二三日児発第四八八号〕
第三次改正〔昭和五五年一二月一六日児企第四六号〕
第四次改正〔昭和五七年一〇月一日児発第八二四号〕
第五次改正〔平成八年二月二九日児家第九号〕
第六次改正〔平成二三年一〇月二〇日障企発一〇二〇第一号〕
第七次改正〔令和四年三月一八日子家発〇三一八第一号〕

標記について、従来の疑義回答を整理区分するとともに新たな疑義事項につき、それぞれ回答を附し、別紙のとおりまとめたので、事務取扱上の参考とされたい。

別　紙

児童扶養手当関係

第1　支給要件（監護、婚姻解消関係）

問	答
1　父母が離婚した場合において、父が親権者となっているが、実際は母が引き取って監護しているとき、母を受給資格者としてよいか。	親権がいずれにあるかは、受給資格の認定には直接関係がなく、母が監護しているかどうかによって認定されたい。
2　離婚届を出していないが、事実上婚姻関係をやめている場合は、婚姻を解消したことになるか。	戸籍上婚姻関係にあるかぎり、法第4条第1項第1号の婚姻を解消したことにならない。
3　児童の養父母が協議離婚した場合であっても、当該児童が実父母によってその生計を維持されている場合は、父と生計を同一にしているという理由で、養母からの請求を却下してよいか。	実父との生計同一関係を認定できれば却下すべきであるが、当該児童が養父母の離婚後、実父によりその生計を維持されている場合であっても、実父との生計同一関係を認定できない場合、即ち、実父からの仕送りを受けてはいるが、養母とともに、実父の家庭とは別個の経済単位を形成して生活している場合においては、請求を却下することはできない。
4　父と児童だけからなる世帯で、父が児童の生計を維持している場合でもその者が別表に定める程度の障害の状態にあるときは、児童のうちの1人を養育者と定めて手当を支給してさしつかえないか。	生計を維持しているのは父であり、また父と児童だけで生活が営なまれているところをみると、障害の状態にあっても、当該父は監護能力を有するものと認定するのが一般的であるので、父を養育者として請求させることとされたい。
5　父母が離婚の際、児童は父に引きとられていたが、その後児童の父が当該児童を遺棄したので、母が引きとって監護している。この場合認定事由は離婚とするか遺棄とするか。	父母の離婚後、当該児童が父と生計を同一にしていたという事実は、当該児童について、その母等の受給資格を認定するに当っての消極的要件であるにすぎないのでお示しの事例は、父母が離婚した児童として処理されたい。
6　児童扶養手当の支給対象児童が婚姻によらないで児童を出生した場合手当の支給は如何になすべきか。	本手当の要件事実である監護は、必らずしも親権の存在を前提とするものではない（例えば、養育者が行なう監護）ので（民法第753条、第833条参照）、児童を出生した当該未婚の女子の監護能力の欠欠を証明する明らかな

事実がない限り、当該児童たる未婚の女子の名をもって請求させる取扱いとされたい。

7　父母が婚姻を解消した児童として支給の対象となっているが、子供の就職等の便宜を考慮し、父母は復縁した。しかし父は戸籍上だけ復縁したのであり、事実上は数年前（離婚中も）より児童を遺棄している場合、資格喪失の処分を行なうべきか、又は遺棄として引き続き支給してよいか。

父母が復縁した時点で児童は「父母が婚姻を解消した児童」たることを事由とする支給要件に該当しないので資格喪失の処分を行われたい。その後、遺棄の事実があれば改めて資格認定することとなるが、児童の父の所在が判明していると考えられるので実態を十分調査のうえ認定は慎重に行われたい。

8　法的手続をとらず、双方の話し合いだけで児童を養子とした。その後児童を引きとった事実上の養父は漁に出たまま行方不明となった。後に残された事実上の養母は児童と正式に養子縁組する手続をとろうとしたが、夫が帰ってくるか、又は失踪宣告がなされるまでは受け付けしてくれないということで、７年間夫の生死不明のまま児童を養育してきた。

その後夫の失踪宣告がなされたので養子縁組を行なった。この場合手当は支給されるか。なお、実父母は健在であるが、仕送り、監護等はしていない。

現行法令は配偶者のない女子が児童を養子にしただけでは支給要件を充足する取扱いとはしていない。お示しの事例においては、失踪宣告をうけた事実上の養父は、児童の父ではないので、当該児童は「父が死亡した児童」には該当しない。したがって、当該児童が支給対象児童となるか否かは専ら実父との関係において決定されることとなる。

9　いわゆる事実婚の範囲について

児童扶養手当法上婚姻には事実婚が含まれ、配偶者にはいわゆる内縁関係にある者が含まれる。（法第３条第３項）事実婚あるいは内縁関係とは、婚姻の届出を欠くが、社会通念上当事者間に夫婦としての共同生活と認められる事実関係が存在することである。

なお、民法は、第731条、第732条、第733条第１項又は第734条から第737条第１項までの規定により所定の状態にある者又は所定の関係にある当事者間の婚姻を禁じているが、これらの規定により婚姻が受理されない場合であっても当事者間に前記の事実関係が存在する場合には、母に実質上の配偶者がいることには変りないので事実婚として取り扱われたい。

従って、例えば未婚の女子が妻子ある男性（妻と離婚していない。）と同棲している場合は、当該男性は未婚の女子の配偶者（婚姻の届出はしていないが、事実上婚姻関係と同様の事情にある者）に該当するので、当該未婚の女子は受給資格を有しないものである。

また、事実婚は原則として同居していることを要件とするが、別居していてもひんぱんに定期的な訪問があり、かつ、定期的に生計費の補助を受けている場合あるいは母子が税法上の扶養親族の取扱いを受けている場合等の場合には事実婚が成立しているものとして取り扱われたい。

10　夫に遺棄されている妻が他の男と同棲し、その実態が社会通念上いわゆる夫婦関係にあり（妻と前夫との間に出生した子は、その男の稼働により生計を維持し、その男と妻との間にも子が出生しており社会生活上も一般の夫婦（家庭）と何らの区別がつけられない。）、その妻に児童扶養手当を支給することが、社会の実情にそわないと認められるが、前夫と正式に離婚しない限り、その男との事実婚は成立しないので、単なる同棲として手当を支給してよろしいか。

妻と同棲中の男は「届出はしないが事実上婚姻関係と同様の事情にある者」に該当し、児童は当該男性（妻の実質上の配偶者）に養育されていると認められるので法第４条第２項第７号の規定により、手当は支給されないものである。

11　Ａ男（母方の祖父）とＢ子（母方の祖母）の間に三女Ｃ子（母）がいた。Ａ男とＢ子は離婚した。Ｃ子（母）はＤ男（父）と結婚しＥ子（児童）が生まれたが、その後離婚し、Ｅ子（児童）の親権者はＣ子（母）となった。その後親権者であるＣ子（母）の承諾を得てＥ子（児童）は配偶者のないＡ男（祖父）と養子縁組をしたが２年後Ａ男（祖父である養父）の承諾を得てＥ子（児童）は配偶者のないＢ子（祖母）の養子となり現に養育されている。こ

Ｅ子（児童）がＡ男との養子縁組を解消せずＢ子の養子となったのであれば、Ａ男は養父であることに変りはない。養父と実父が共に存在する場合には、実父にまで遡ることなく、まず養父との関係で受給資格をみるべきであり、⑵の取り扱いによられたい。

のＢ子から手当の認定請求書が提出されたが、次のいずれに解すべきか。 ⑴　実父との関係（父母が離婚した児童）において受給資格者とすべきか。 ⑵　祖父と養子縁組した後、さらに独身の女子の養子となったものであるから、実父の状態にまで遡って決定するものではなく養父との関係において受給資格とみるべきか。（即ち受給資格なしと解すべきか。）	
12　支給対象児童が、児童福祉施設に措置されたときは、手当は支給されないのはなぜか。	児童福祉施設に入所措置された児童については、母等の監護という要件に該当しないため、手当は支給されないこととされている。なお、保育所、精神薄弱児通園施設、母子寮に入所した場合及び肢体不自由児施設、情緒障害児短期治療施設に通園又は保護者とともに入所する場合はその性質上監護の事実が認められるので、手当は支給される。
13　身体障害者福祉施設、精神薄弱者福祉施設等児童福祉施設以外の社会福祉施設に入所している児童は手当の支給対象となるか。	児童が社会福祉施設に入所している場合にすべて手当の支給対象となることはなく、個々のケースについて、母等の監護が及んでいるかどうかを判断することとされたい。
14　法第３条第３項の規定によれば「父」とは戸籍上及び事実上の父であるが、法第４条第２項第８号の「母の配偶者」には連れ子からみた後妻の夫つまり養父でも重度の障害者であれば手当の支給ができるとなっている。とすると、法第３条第３項に規定する父と法第４条第２項第８号に規定する障害の父とは、その範囲を異にすることになるか。	いずれの場合もその範囲を異にするものでなく戸籍上及び事実上の父と解する。
15　削除	
16　女Ｂと外人との間にＣが出生し（認知なし）、その後ＢはＡ男と婚姻、Ｃを実家で養育していた。 昭和40年からＡは行方不明となり、ＢはＣを実家から引き戻し同居	婚姻によらないで生れた児童として処理して差し支えない。 なお、Ａについては、Ｃに対し扶養義務はないので、遺棄という問題は生じない。

している。今般遺棄証明書を添付し認定請求書が提出された。 　Ｃは Ａと養子縁組をしておらず、民法上扶養義務は存在しないため、Ａから遺棄されるという理由は成立つか。 　また、外国人はＣを認知しないため、「婚姻によらないで生れた児童」として処理してよろしいか。	
17　削除	
18　離婚世帯の場合、父から養育費の送金があっても手当の支給が認められるが、これが認知児童の場合認知した父から養育費の送金のみあった場合、手当支給の対象となるか。（児童の父は、出生後、本妻のもとに帰り養育費の送金のみしている。）	父から認知されているので、支給対象とはならない。
19　不認知児童であっても、その父と推定できる者（戸籍上他に妻がある）が同居している場合、手当の支給ができるか。 　また、児童の母は、その男は単なる同居人（間借）であると言い張った場合はどうか。	たとえ同居人と言い張った場合でも、客観的事実関係からみて生計同一の場合には事実婚の存在が認められるので、法第４条第２項第７号の規定により手当は支給されない。
20　削除	
21　父(A)母(B)が婚姻を解消し、その後児童(C)は母方の祖父母（Ｄ、Ｅ）と養子縁組をした。その後Ｄが死亡した。現在、Ｅと実母(B)および児童(C)が生計を共にしている。 　この場合、次のいずれによるか。 (1)　父母が婚姻を解消したことを理由に実母(B)から請求させる。 (2)　養父(D)の死亡を理由に養母(E)から請求させる。 (3)　Ｄの死亡を理由に、実母(B)から請求させる。 (4)　(3)の場合においては、ＣがＥと同居しているので、Ｂを養育者として請求させる。	児童を監護しているのが実母(B)の場合には(1)、養母(E)の場合には(2)によられたい。
22　手当を受給していた母が精神病で入院した場合、母の監護事実および能力を調査し別居監護の事実および	お見込みのとおりである。監護能力の有無については医師の所見又は診断書により判定されたい。

能力により継続又は喪失としてよいか。この場合、監護能力の判定の方法はどうするか。 また、精神衛生法による措置入院の場合監護能力はないものと解してよいか。	
23　養父と養女との間に子ができたが、その後養子縁組を解消し、解消後養父が、その子を認知した。その場合、養父と養女は民法上婚姻できないので、婚姻解消とみなすことはできないと考えてよろしいか。また、養父が認知したことにより子に父ができたが、手当を支給するとすれば遺棄とみなして認知後１年間経過しないと支給できないか。	前段については、事実婚の解消と解すべきである。従って、後段については、手当の支給を行う場合には父母が婚姻を解消した児童として認定されたい。
24　Ａ男とＢ女の間にＣが出生し、ＡはＣを認知し自己の戸籍に入れ同居している。（Ｃ出生以来同居している。） しかし、請求書には、請求者と対象児童の戸籍謄本と住民票のみ添付する規定であり、Ａは他の女と婚姻しているか否かは不明である。 従って、ＡとＢは内縁関係（準婚関係）にあると判断できないため、支給該当事由はどうなるか。 また、それに伴う証明書の添付はＡによる監護状況を明らかにするものでよいか。	Ａ男はＣを認知し、かつ同居しているのであるから、Ｃは手当の支給対象となり得ない。
25　児童扶養手当法第４条第１項第３号に該当し、（「父が別表に定める程度の障害」）、手当を支給していたが、過日、受給者の配偶者（障害者）が死亡したという連絡をうけた。 この場合、受給者から、死亡したことが認め得る資料（戸籍抄本又は死亡診断書）及び他の公的年金の給付に該当しない旨の証明書の提出を受け、支給要件を移項し、継続支給してよいか。	継続支給して差し支えない。

第2　養育関係

問	答
1　祖父母と孫（対象児童）の世帯において、主として祖父の実質収入によって祖母が孫の世話をしている場合の受給資格はいずれか。	祖父が孫を養育していると認められるので、受給資格者は祖父である。
2　祖母と児童の世帯で、祖母が生活保護その他仕送り等の費用で生活している場合、祖母に受給資格があるか。	祖母に受給資格がある。
3　独身の女子が法第4条第1項各号のいずれも該当しない児童を養子とした場合に、当該児童について手当は支給されるか。	手当の支給対象となる児童は法第4条第1項各号のいずれかに該当するものに限られ、設問の場合には支給されない。
4　農業世帯において配偶者の名で所得の申告をしている場合（児童と養子縁組はしていない。児童は連れ子。）であって、その配偶者が障害福祉年金を受給して在宅しているときも、「母の配偶者に養育されている」に該当するか。またその配偶者が長期入院中のときはどうか。	当該配偶者が、当該児童と同居し、その生計を維持していることは明らかなので、当該配偶者が精神障害にある等、その監護能力の欠欠を認定できる格別の事由がない限り「配偶者に養育されているとき」に該当する。その者が長期入院中の場合であっても、事の性質上入院とは、一般に、一時的な現象であり、その者の生活の本拠に変更があるとは考えられないので、特別の事情がない限り、原則として、入院によっても同居の要件を欠くには至らないものとして取扱うべきである。
5　父母のいない児童で祖父が病弱であるということで祖母を養育者として手当を支給していたが、実態調査したところ祖父は健全であり、祖父を養育者とすることが適当であると認めたので受給者の変更をするように手続中祖父が公的年金の受給者であることを発見した。この場合の取扱い如何（不正利得）	資格喪失の手続をとり返還させるようにされたい。
6　父母がなく親権者となるべき者もいない児童が生活維持のため生活保護法の適用をうけて後見人又は代理人と同居している場合、児童の後見人又は代理人が手当の請求者となりうるか。	手当は法第4条の要件に該当する児童を監護する母又は養育者に対して支給することになっており、親権の有無を問わない。したがって設例の場合実際に養育している者（同居し、監護し、かつ生計を維持する）に支給する

こととなる。

7　父（障害状態）(A)と妻(B)との間にCが出生、その後Bが死亡し、AはDと婚姻した。ACDは同居。

今般、Dから認定請求書が出されたが、DとCは養子縁組をしていないため、請求書には「養育証明書」を添付しなければならないという意見が出た。

しかし、養子縁組をしていないということは、民法上の扶養義務が生じないということであって、AとDは婚姻し、A、C、Dは同居していることから、DはCに対し、「事実監護」しているとみなしてよいと思う。

従って、「養育証明書」を添付する必要はないと思うが如何。

Dの「養育証明書」を添付されたい。

8　児童の父母が死亡し、親権を行なう者がなく、児童の所有に帰すべき財産のある場合、民法及び戸籍法上後見人の設定がなされている。この場合、後見終了とともに児童の養育費及び財産管理費等の精算を行なうこととなっている。

従って児童が成人に達するまでの養育費は児童の金品によると解されるので、手当は支給できないと解するが如何。

後見人が児童の生計を維持しているなら、養育者としての他の要件である同居、監護の事実がある限り手当を支給できる。

9

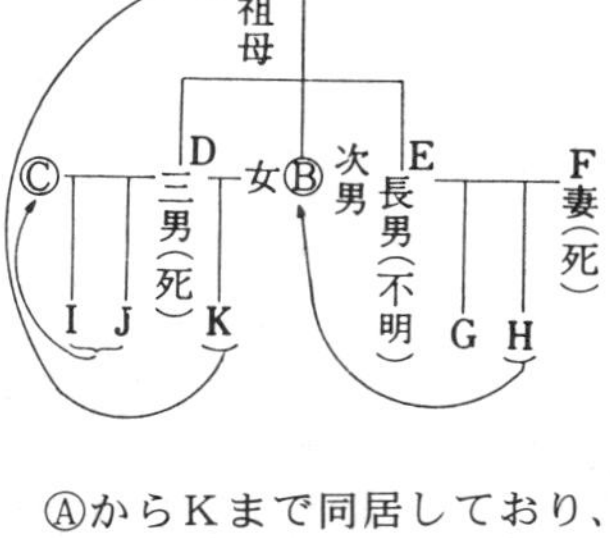

Ⓐから K まで同居しており、E（長男）は行方不明、F（妻）とD（三男）は死亡している。

今般、Hについては、Bが請求者

監護又は養育の実態を調査のうえ、同一人物が監護養育していれば一つの請求にすべきである。

となり、KについてはⒶが、I、JについてはⒸから請求書が提出された。 請求の方法は間違ってないが、統合の方法はないものか。	
10　児童世帯（姉13歳、弟８歳）に対しては、姉を受給資格者とすれば、１人分の児童扶養手当をうけることになるが、２人分の手当をうけることはできないか。	姉が養育しているのは弟のみであるので１人分の手当しか受けることは出来ない。
11　祖父母と孫（全日制高校生）の世帯で、住所地から高校まで相当距離があるため通学が困難で高校所在地に下宿した。児童の生計費全額は祖父が支出し、休日等には祖父母のもとに帰宅している。 「同居」とは住民票を一にしていることとなっているがこのケースの場合児童は一時的に祖父母と別居しているのであり生活実態からみて「同居」の扱いをし祖父に児童扶養手当を支給してよろしいか。	勉学のため寮、下宿等に居住する場合でも、その寮、下宿等が養育者（祖父母）の住所に近接する地にあり、休暇以外にもしばしば帰宅している事実があれば「同居」であると解し、生計維持、監護の要件を満たしていれば児童扶養手当を支給してさしつかえない。

第３　遺棄、拘禁関係

問	答
１　父が出かせぎに行ったが、仕送りをしていない場合は遺棄に該当するか。	遺棄は、父又は母が監護義務をまったく放棄しており、父又は母の監護意思及び監護事実が客観的に認められない場合など、父又は母による現実の扶養を期待することができない場合であるので、出かせぎ、入院の如く特定又は不特定期間、就労、事業、療養等のため仮に別居しているが、目的達成後帰来することが予定されている場合は当然遺棄に該当しない。
２　戸籍には父の名は記載されていないが、請求書に父の名が記載されている場合、遺棄証明が必要か。	「父」には、母が児童を懐胎した当時婚姻の届出をしていないが、その母と事実上婚姻関係と同様の事情にあった者も含まれる（法第３条第３項、施行令第１条の２第４号）ので、戸籍上父がない場合であっても、請求書に父の名が記載されている場合等事実上の

	父の存在が推定される事実がある場合には、それが婚姻（届出をしていないが、事実上婚姻関係と同様の事情にある場合を含む。）によらない児童であることを明らかにする書類又は父が遺棄していることを明らかにする書類等の提出を求めて事実関係を認定すべきである。
3　父は刑期を終り、刑務所を出所したが、母子のもとに帰ってこない場合、手当は引き続き支給してよいか。	父が出所した日において、資格喪失の処分を行なわれたい。
4　婚姻によらないで子を出産した未婚の女子が、世間体をはばかるあまり、兄夫婦の嫡出子として入籍せしめたが、その児童は当該未婚の女子に扶養されており、戸籍上の実父母（兄夫婦）からはその児童に対し何らの援助もない場合、その児童は実父母から遺棄されている児童として手当の対象としてよいか。	貴見のとおり手当を支給してさしつかえない。
5　削除	
6　削除	
7　父が拘禁されたことによって手当の請求があった場合、拘禁後１年間を経過しなければならないが、その起算点を警察に逮捕されて拘禁された時としてよいか、あるいは刑が確定し刑務所に拘禁された時か。 また、仮釈放（保釈金をつんだとき等）になり、短期間在宅したときはどうか。	前段については警察官署に附属する留置場に拘禁された時から起算するものと解する。仮釈放された場合には、拘禁が中断するので、再度拘禁されたときは、当該時点からあらためて起算することとなる。
8　父(A)と母(B)の間に子(C)が出生したが、その後、Ｂが死亡し、Ｃは独身の婦人(D)の養子となりＤと生活している。 Ａは、他の女子(E)と再婚し今日にいたっている。今回Ｄから児童扶養手当の請求があったが、この場合、父が引続き１年以上遺棄している児童の世帯として認定してよろしいか。	Ｃが法第４条に規定する支給要件に該当する児童でなければ、Ｃを養子とし、監護している事実があってもＤに受給資格は生じない。Ｃが支給要件に該当するか否かは父(A)との関係で決まる問題であるが、本件においてＣがＡから遺棄されているか否かについては事実関係を総合的に調査のうえ判断すべきである。

9　離婚のため、家庭裁判所において調停に附されている妻が夫から遺棄されていることを理由に児童扶養手当の請求をしてきた。しかし、調停のための家庭裁判所への出頭を夫が行なわないが、夫の居所がわかっている場合、認定をすることができるか。なお、調停に附されてから7年を経過している。	設例の条件のみをもって「父が引き続き1年以上遺棄している児童」の世帯として認定をすることはできない。遺棄しているかどうかは、調停の経過及び父の日常の行為等の具体的事実に基いて、父による現実の扶養を期待することができないと判断される場合には、遺棄に該当するものとするなど、事実関係を総合的に勘案のうえ判断されたい。
10　家庭の不和により妻が子供をつれて実家に帰った場合、遺棄として取扱ってよろしいか。	ただ単に実家に帰ったことのみでは遺棄とはならない。
11　父が1年以上遺棄していることを理由に昭和39年1月から児童扶養手当をうけていた世帯について、43年1月にいたり、42年7月から父が拘禁されていることがわかった。この場合拘禁の日に遡り受給資格を喪失させるべきか。	照会の事例においては、1年以上遺棄の実態があり、また、遺棄と拘禁が継続しているので、受給資格は喪失しないものと解する。なお、父の拘禁を理由に手当を受給していたが、1年以上拘禁後、出所したことが後程判明した場合には、出所後母子のもとへ帰宅するのが一般的なので出所した時点で資格喪失処分を行い、その後1年以上遺棄している事実があれば改めて資格認定することとなる。
12　父が1年以上拘禁されていることを理由に昭和40年6月から児童扶養手当の支給をうけていた世帯について42年4月子が出生したため、手当額の改訂請求が同年5月提出されたが、当該児童にかかる手当額改訂はいつから行なうべきか。	42年6月分の手当から行なうこととされたい。
13　妻子のある男が妻子を遺棄し、A女と同居し子供が出来た場合（認知していない）、妻子には遺棄として手当を支給し、A女とその子には男が同居しているにもかかわらず母が婚姻によらないで懐胎した児童として手当を支給することになり不合理と思われるがどうか。	A女と同居している男は、A女の実質上の配偶者（届出はしないが事実上婚姻関係と同様の事情にある者）に該当するので法第4条第2項第4号の規定により、A女には手当は支給されない。 なお、妻子については事実関係を調査のうえ遺棄に該当するか否か判断されたい。
14　母が内縁の夫との間に児童を出生した（認知はしていない）。その後母の子（長女）と母の内縁の夫が結	母と内縁の夫との間の子に係る手当については、内縁の夫が母の実質上の配偶者（届出はしないが事実上婚姻関

婚し子供が生まれた（母と長女夫婦は別居）。しかし、その男は妻子を遺棄し、再び母と同棲している。この場合、母と内縁の夫との子には婚姻によらないで懐胎した児童として、又長女とその子には遺棄としていずれにも手当を支給してよいか。	係と同様の事情にある者）に該当するので法第４条第２項第４号の規定により手当は支給されない。 なお、長女の子に係る手当については、事実関係を調査のうえ遺棄に該当するか否か判断されたい。
15　母が男をつくり家出し、夫に離婚を迫ったが解決しないままその男との間の子供が出生した（離婚していないのでその子は夫婦の子として入籍している）。その後その男が死亡した場合遺棄されているとして手当を支給してよろしいか。	母と男との間には事実婚が成立していると考えられるので、男が死亡した場合には、「父母が婚姻を解消した児童」として手当の支給対象となる。
16　削除	
17　結婚している男が他に居住し、収入のほとんどを遊蕩に消費し、妻子には生活費の一部分しか仕送りをしていない。このような場合遺棄として手当を支給してよいか。	夫からの仕送りが定期的にあることは、子を監護しているものと考える材料となり得るが、夫が監護義務をまったく放棄しており、夫の監護意思及び監護事実が客観的に認められない場合など、夫による現実の扶養を期待することができないと判断される場合には、遺棄に該当するものとするなど、事実関係を総合的に勘案のうえ判断されたい。
18　父から遺棄されていて手当受給中、当該父が拘禁された場合継続支給となり、拘禁されていた父が出所したが帰宅せず行方不明となった場合資格喪失となる。 要件としては大体同一と思われるが如何。	拘禁されていた父が出所した場合には、母子のもとに帰宅するのが一般的であるので、出所した日において、資格喪失の処分を行なわれたい。
19　法第４条第１項の各号のうち、拘禁については、「１年以上引続き…」と規定されている。従って拘禁中出生した児童についても出生の日から１年を経過したとき手当支給の問題が生ずるものと思うが如何。	父が１年以上拘禁されている場合には、児童が出生後１年を経過しなくとも手当を支給して差し支えない。
20　先妻の子と後妻(B)の折合いが悪く（とくに後妻の子(C)が暴力をうける)、後妻は別居して生活保護を受けている。夫(A)は病弱で稼働能力が	ただ単に別居したことのみでは遺棄とはならない。父が遺棄しているかどうかの認定が必要である。

なく先妻の子に扶養されている状態にあり、生活の安定などから妻と同居の意志が認められないものの取扱をいかにすべきか。夫は障害ではない。	
21　児童の父は、45年12月7日から家出し、児童を遺棄しているが、児童の出生は46年2月5日である。この場合いつ請求すればよいか。	父の家出後出生した児童については、父の家出当時遺棄されたものとみなされ、46年12月7日以降に請求してよい。
22　父の遺棄により手当の支給を受けている母親が遺棄している父親以外の子を出生した。この子は遺棄している父親の子として入籍されたが、手当はいつから支給してよいか。	同上の取扱いをされたい。
23　父が家出して生死不明の場合、支給理由は生死不明ではないのか。遺棄になる理由はなにか。	生死不明は、遠洋漁業の遭難や航空機事故等危難遭遇の場合のほか、格別の事由がある場合に「生死不明」として扱い、単に父が家出した場合は、父が児童の監護権を放棄しているので「遺棄」として取り扱う。
24　遺棄証明を福祉事務所長がするのは、何を根拠としているのか。これを市町村長にさせてはいけないか。	前段については、「児童扶養手当法の施行と関係機関の協力について」（昭和37年1月24日厚生省児童局長通知）を根拠としている。 後段については、原則的には福祉事務所長が証明するものであるが、福祉事務所長が行なえない場合は市町村長の証明でも差し支えないものであること。
25　父が拘禁されてから、1年以内に判決が確定し、1年以上の拘禁が確実となる場合がある。この場合法施行令第1条の2第3号の規定により、当該児童について、手当を支給することができるか。	判決が確定しても必ずしも引き続き1年以上拘禁されるとは限らない（仮出獄、恩赦等）ので、引き続き1年以上拘禁された時点から支給されるものである。
26　離婚した母(B)が、子ども(C)を連れて再婚し、母の配偶者(A)と養子縁組をしたが、その後、母が家出し行方不明となった。残された連れ子は家を出て（理由不明）、母方の祖母(D)のもとに同居し、祖母に養育されている。この間養父からは音信や仕送	本件の如く養父と実父とが共に存在する場合には、まず養父(A)との関係で受給資格をみるべきであるが、本件については、養父の所在が判明していると思われるので、遺棄の認定は実態を十分調査のうえ慎重に行われたい。

りもなく、１年以上経過している。 この場合、父に遺棄されている状態とみて手当を支給してよいか。	
27　婚姻によらないで生れた児童(C)の母(B)が婚姻し、Ｃは母の配偶者(A)と養子縁組をしているが、その直後から祖母(D)が養育しており、Ａからは２年位何らの援助も受けていない。 この場合、祖母から認定請求があった場合は、「父（養父）に１年以上遺棄されている児童」として認定すべきか。また、養父は、母の配偶者であり父でないので「婚姻によらないで生れた児童」として認定すべきか。	養父は実父と同じ取り扱いなので、養父(A)が存在する以上「婚姻によらないで生まれた児童」として認定することはできない。「父（養父）に１年以上遺棄されている児童」に該当するかどうかは、援助の有無ばかりでなく、他の要素（訪問、電話、手紙等の連絡、税法上の扶養親族の取り扱い等）についても調査のうえ判断されたい。
28　父(A)と母(B)が婚姻を解消し、その後児童(C)は、母方の祖父母（Ｄ、Ｅ）と養子縁組した。しかし実際は、離婚後引き続き実母(B)と生計を共にしており、この実母から児童扶養手当認定請求書の提出があった。 この場合、次のいずれによるべきか。 (1)　実父母婚姻を解消した児童として、ただちに母(B)に手当を支給すべきか。 (2)　養父から遺棄されて１年を経過してから母(B)に手当を支給すべきか。	養父と実父とが共にいる場合には、まず養父との関係で受給資格をみるべきであるので(2)によられたい。

第４　障害認定関係

問	答
1　医師の診断書に添附されたレントゲンフィルムは返付すべきか。	返付する取扱とされたい。
2　児童の父がらい療養所入所患者等で父の障害を理由に児童扶養手当を請求する場合及びその支給手続については、秘密保持等の観点から取扱いを異にすることが適当と考えられるので、昭和34年８月28日付年発第149号厚生省年金局長、公衆衛生局	らい療養所患者がすべて法別表の障害の状態に該当するとはいえず、また、福祉年金における特例措置は、受給者が入所患者の場合及び入所患者の親族でらい予防法の援護を受けている場合であり、児童扶養手当における場合とは趣を異にするので、現行法上は

長、医務局長連名通知及び昭和40年4月20日庁保発第14号厚生省公衆衛生局長、医務局長、社会保険庁年金保険部長通知の例により取扱ってよろしいか。 現行規定によれば、受給資格者から認定請求書に父の障害診断書を添付して請求し、その障害の状況が法別表に該当するか否かの認定を受けなければならないが、らい患者の場合には法別表に該当するものとみなしてらい療養所長の入所証明書をもって診断書にかえてよろしいか。また、戸籍抄本等の取扱いについていかなる配慮をするべきか。	一般の場合と同様の手続によらざるを得ない。ただし、その秘密保持についてらい予防法第26条の罰則の適用があることはいうまでもない。
3　特別児童扶養手当における障害認定に当っては、身体障害者福祉法による障害等級1～2級の手帳保持者は、手当の認定請求書に診断書の添付省略が認められているが、児童扶養手当においても身体障害者福祉法による障害等級の程度により診断書の省略が認められないか。 認められる場合　　その範囲 認められない場合　その理由	身体障害者手帳の交付を受けた者であって当該手帳に身体上の障害（視覚障害、聴覚障害又は肢体不自由（上肢障害の2級の3、4は除く。）に限る。）の程度が1級又は2級と記載されているものは、法別表の1号から8号のいずれかに該当するものであるので、これらの手帳保持者については、診断書の添付を省略して認定しても差しつかえないこと。
4　児童扶養手当法の障害診断書用紙について 「胃がん」、「胃かいよう」、「ひふ結核」等の疾患は様式第2号の(5)の診断書用紙を使用させてよろしいか。 様式第2号の(5)の診断書用紙では「胃がん」等の記載欄が少なく的確な認定は困難と思われるので、法第29条第2項の規定する再診を合併し、判定すべきか。	前段については貴見のとおり処理されたい。 後段については、認定に支障のないようでき得る限りくわしく記入することになっているので、適宜別紙をつけるなど支障のないようにされたい。
5　削除	
6　障害の父の行方不明となった次の場合の処置如何（喪失処分にするか、遺棄世帯として認定しなければならないのではないか。）。 (1)　入院中に無断退所して行方不明 (2)　福祉年金受給者で行方不明になった場合（遺棄したと認めた場合）	障害の状態は継続すると思われるので、継続支給して差し支えないが、(1)及び(2)の事由が発生した時から1年以上経過した場合には、遺棄世帯として扱ってもよい。

第５　身分、生計関係

問	答
１　実際は母子であるが、戸籍上姉妹となっている場合は、いずれにすべきか。	戸籍によられたい。
２　事実関係と住民票の記載とがくいちがっている場合はいずれによるべきか。	事実関係によられたい。
３　子を出産した未婚の女子が、世間体をはばかるあまり、その子を兄の子として就籍し、その後その女子の子とするため養子縁組を行なった。この場合戸籍は現在のままでも、当該女子に手当を支給することができるか。	例え、事実が戸籍の記載内容と異なることが明らかな場合であっても、法律上戸籍を無視して事実関係を認定することはできない。したがって、戸籍の訂正がない限り、当該児童を婚姻によらないで懐胎した児童と認定して、当該女子に手当を支給することはできない。
４　母である受給者が民法第877条第１項の規定による扶養義務者と同一世帯として住民票に記載されているのでその者と生計を同じくするものと認定し、請求を却下する処分を行なったところ、生計を同じくしていない旨の異議申立てがあった。この場合、同一住民票世帯であることだけをもって、生計同一であると決定してよいか。	住民票等において同一世帯として取扱われている場合は、十分生計同一関係を推定することができるので、異議申立て人から住民票等において同一世帯としているにもかかわらず生計同一関係にないことを明らかにする確実な証拠の提出がない限り、原処分を維持し、異議申立てを棄却してさしつかえない。
５　住民登録はしてあるが戸籍のない児童（棄児等）を他人が養育している場合、その確証は住民票のみでよいか、戸籍の記載を必要とするか。	棄子については、戸籍によらなければ、その児童が日本国民であることを証明することができない（国籍法第２条）ので、まず就籍させる必要がある。
６　昭和38年４月に離婚した母子世帯について児童扶養手当を支給していたが、昭和42年４月父が同世帯を訪問し、12日間滞在し、再び行方不明となった。その後９月に父が再度訪問したが、たまたま父がり病していたため、滞在のまま療養し現在にいたっている。この間生計費等を同世帯に父が出したような事実は認められないが、このような場合、「父と生計を同じくする」ことによって受	極く短期間の場合を除き同居していれば生計同一と推定すべきであるので、設例の場合は42年９月に資格喪失するものと認められる。

給資格を喪失させるべきか、また喪失させるとすればその時期はいつか。	
7　住民基本台帳が同一であっても、生活保護法において、長男を世帯分離家族としている場合（例えば、昼間勤務し、夜間高校在学中の長男を被保護家庭から除外している。）これをもって児童扶養手当の扶養義務者に該当しないと解してよいか。	世帯分離の場合、一般的には、生計を維持する扶養義務者とはいえない。
8　図の場合の生計維持の取扱い如何。 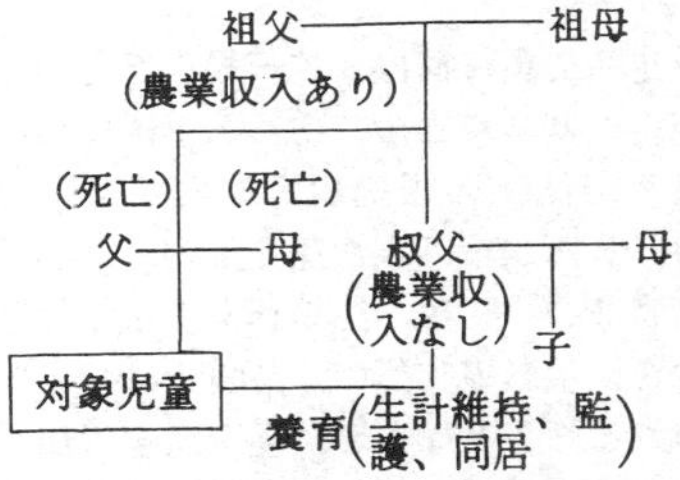 (注)1　農業収入の有無は課税台帳上 2　この世帯は同一世帯（同居）	祖父又は叔父と対象児童の生計維持関係は、具体的な事実（所得の状況、家計の実態等）に基づいて実質的に認定すべきである。 なお、生計維持のための資金は、必ずしも自分で稼いだものである必要はなく、他からの仕送りを受けたものでも生計維持が成り立つものと解される。
9　課税台帳上児童は祖父の扶養親族となっているが、実際は母が生計維持している場合、母が生計維持している児童として扱ってよいか。	生計維持の関係は実態に即応して扱うこととされたい。
10　父母が離婚し、住民票上、児童は父と同居するようになっているが、実際は母が監護している場合、民生委員の証明等監護の事実を証する書類があれば、母を受給者として認めてよいか。	母が児童を監護していることを示す民生委員等の証明書があれば、住民票の記載で父と同居することになっていても母を受給者として認定してよい。なお、住民票の訂正につき指導されたい。

第6　所得関係

問	答
1　所得税法上扶養親族となっている場合は、生計を同じくしているとみてよいか。	同居していなくとも所得税法上の扶養親族となっている場合は生計を同じくしているものとみることができる。
2　受給者が5月又は6月に死亡したときの現況届の提出義務者は誰か、	現行法令は、この場合についての規定を欠いているが、当該対象児童、受

また、それに関連する県の事務処理について。	給者の同居の親族、当該児童の法定代理人、当該児童を現に監護している者等が代って提出するよう御指導願いたい。なお、可能な場合は届出を待たず、県において、職権により調査し、処理することは、勿論さしつかえない。
3　農業世帯で児童が父から1年以上遺棄されていることを理由に請求があったが、この農業所得の申告者は遺棄している父の名義である場合、請求者である妻（児童の母）の所得は0としてよいか。	本制度においても、所得状況の認定は、課税公簿をもととして行なうものである以上お見込のとおりに処理してさしつかえない。
4　受給者が定時の現況届を提出しない場合における県の取扱いについて。	定時の現況届は、施行規則第4条の規定に基づくものであるので、児童扶養手当法上の根拠規定は第28条である。したがって現況届を提出しない受給者については、法第15条の規定に基づき、手当の支払の一時差止めが行なわれることとなるが、現況届を提出しないことを理由として受給資格喪失の処分を行なうことはできない。しかし、現況届未提出者の当該所得を職権により調査し、その所得額がそれぞれの支給制限額を超えること又は以上であることを確認した場合においては、受給資格喪失の処分を行なうことができるのはいうまでもない。 さらには、現況届を提出しない受給者については、法第4条に定める支給要件を充足していない疑いもあるので都道府県は法第29条の規定を活用し、受給者に対し期限を定めて、当該現況届とともに、監護又は養育の状態を明らかにする住民票、監護又は養育状況報告書等の提出を命じ、その期間内に当該現況届等を提出しない場合は法第14条の規定に基づき、手当の全部又は一部の不支給処分を行なうことも適当である。 なお、48年5月1日からは支払期月到来後2年を経過した場合には時効により受給権を失うこととなるので、定

時届未提出の場合は、毎年９月10日を経過した時点で当該年の２年前からの未提出者について、その受給権の時効が完成していくことになるので、その都度職権により処理されたい。

5　削除

6　現況届の未提出者の調査を行なったところ、住民基本台帳から職権で削除されていた。このような場合どのように取り扱えばよいか。

職権で削除された場合その理由を究明し、転出先がわかっている場合は新住所地の市町村又は都道府県と連絡をとり行なわれたい。

7　児童扶養手当法施行規則に基づいて、受給資格者が扶養親族でない児童の生計を維持した場合には、前年末において、当該児童の生計を維持したことを明らかにする書類を添付することになっているが、このことについては、現況届の調査欄の「⑯～⑳の欄及びその他の欄の記載事項」に記入することによって、市町村長の証明が得られる。したがって、これが、施行規則に定める添付書類に替るものとしての事務取扱をし、添付を省略することも差支えないものと思うがどうか。

当該受給者及び児童について証明し得る市町村長の証明であれば差支えない。

8　父が１年以上児童を遺棄している場合の父の前年の所得が法第10条に規定する額を越えるときは、手当は支給されないものと解すべきか、この場合父の生死が１年以上不明であるときとの関連はどうか。

所得制限は、受給者と経済的に何らかの関係を有する者についてみるのが建前となっているので、遺棄しているような場合は、一般的には所得制限の対象とならない。

9　遺棄している父の所得が課税台帳上把握できる場合、配偶者の所得制限は適用されるか。

遺棄している場合には母と生計を同じくしていないので法第10条の適用はない。

10　１月１日以降において夫が死亡した場合で妻が納税義務者とされているときの取り扱いは次の何れによるか。

(1)　所得者は亡夫であり、妻の所得ではないので、所得審査はしない。

(2)　妻が納税義務者となっているのであるから妻の所得として審査する。

所得は、夫について生じているので、(1)によられたい。

11　父が死亡のため外国から帰国した母子については、当該年度から支給できるか。 　なお、母の前年所得は外国で課税されることになっていた。	前段お見込みのとおりである。 　児童扶養手当法による所得の証明は課税台帳を元にしているので、外国の所得は適用されない。
12　削除	
13　収入金額や扶養親族数が本人申立と課税台帳とが異なる場合いずれによるか。	所得や扶養親族数は課税台帳によるものであること。
14　同居していた扶養義務者が本年4月からいなくなった場合、定時届にはどう書くのか。	配偶者や扶養義務者との身分関係や生計同一、生計維持関係の認定についてはそのときどきの異動の都度その時の実態に即して行なうべきものであるが、実務上は定時の現況届によって異動を把握してよいことになっている。 　従って、本年4月から居なくなった場合には、扶養義務者の所得は記入する必要がない。 　なお、定時届の審査欄にはその旨を記載しておくこと。

第7　公的年金関係

問	答
1　祖父母と孫の世帯において、主として祖父の実質収入によって祖母が孫の世話をしている場合、祖父が公的年金給付の受給者であるので祖母を受給資格者としてよいか。	実際に孫を養育している者が受給資格者であって、設問の場合には祖母を受給資格者とすべきでない。
2　法第4条第2項第4号の遺族補償には、自動車損害賠償保障法による損害賠償は含まれるか。	含まれない。手当との調整の対象となる遺族補償は、法第4条第2項第4号及び施行令第2条に定める法律に基づくものだけである。
3　母子福祉年金の受給者が父と死別した児童を引き取って養育している場合に、当該児童について手当は支給されるか。	支給されない。老齢福祉年金及び障害福祉年金以外の公的年金給付を受けることができるときは、法第4条第3項の規定により手当は支給されない。
4　次の場合は公的年金給付を受けることができるときに該当するか。 ㋐　保険料を滞納したために年金が支給されない場合	㋐　該当しない。 ㋑　該当する。死別の場合は、おおむね公的年金給付や遺族補償を受けることができると考えられるので、認

(イ) 請求すれば支給されるのにまだ請求していない場合	定請求書が提出されたときは、これを受理したうえで、公的年金、遺族補償の認（裁）定の結果をまって認定を行なうようにされたい。
5　労災保険未加入事業主が業務上死亡した被用者に葬祭料として、多額の金銭（20万円以上）を贈っている場合遺族補償費とみなされないか。	当該事業が労働基準法の適用対象事業であれば、労働基準法第79条の規定により遺族補償が行なわれることとされているので、当該遺族等は、現にその支払が行なわれていると否とを問わず、労働基準法の規定による遺族補償を受けることができるとき（法第４条第２項第４号）に該当する。
6　Ａ男はＢ子と同棲し、Ｃ男が生まれた。その後Ａ男はＣ男を認知し、引続き同棲していたが、41年２月死亡した。Ａ男の妻Ｄ子は、Ａ男を被保険者とする厚生年金の遺族年金を受給したが、その年金額中Ｃ男についての加給がある。この場合Ｂ子がＣ男を監護していることを示して児童扶養手当を請求したときは、受給資格ありとして認定してよろしいか。	児童扶養手当法においては原則として公的年金との併給を認めていないが、照会の場合には、Ｃ男は法第４条第２項の消極的支給要件に該当せず、またＢ子も公的年金を受給していないので、Ｂ子は受給資格を有する。 しかし、Ｄ子がＣ男の加給額を受給していることは、Ｄ子とＣ男との生計同一を前提としているので、Ｂ子がＣ男を監護しているか否かについては、特に慎重に判断されたい。
7　法第４条第２項第４号の遺族補償には自動車損害賠償法による遺族補償は含まれないことになっているが、この遺族補償により、労働者災害補償等給付の全額または一部が行なわれなくなった場合、この手当は支給されるものか。	労働者災害補償保険法に基づく災害補償については、41年の法改正により従来の一時給付である遺族補償費が年金化され、児童扶養手当法第３条第２項第16号に規定されている。従って、災害補償が一部支給されているときは、法第４条第２項第３号により手当は支給されない。
8　児童の父及び母が国民年金法に基づく障害年金を受給している場合同居している父、母以外の者を養育者として手当を支給してよろしいか。 また、この場合、父母と児童のみの場合、児童のうち一人を養育者として手当を支給してよろしいか。	母が障害年金を受ける程度の障害の状態にあってもかならずしも監護できないとはいえない。 したがって、設例の場合母が監護しているかどうかを認定する必要がある。
9　手当は、母又は養育者が公的年金を受けることが出来るときは支給しないことになっているが、対象児童が加算の対象となっている場合、その児童がいることによって受給権の	本手当は母子福祉年金を補完する一種の所得保障制度であるから公的年金が支給される場合は支給されないたてまえになっている。 ただし、母又は養育者が障害福祉年

発生する場合を除いては支給すべきものと考えるかどうか。	金及び老齢福祉年金を受給しているときは、手当は支給される。
10　国民年金法における老齢年金及び恩給法による普通扶助料等、児童扶養手当額を下廻る公的年金受給者に対し、手当の差額支給が認められない理由は何か。	児童扶養手当は、他の公的給付が受けられないものに対して給付するものであるので、その差額支給は現行法上認められない。
11　昭和43年1月9日父が死亡したので、昭和44年3月5日に児童扶養手当の請求があったが、調査したところ、昭和38年11月27日から生活保護法による生活扶助を受けていたので、国民年金の資格取得をしているか否かを問わず、国民年金法第89条の法律免除の規定に該当し、遡及して資格取得できるものと解し、同法第37条により母子年金が受給できることを理由に却下してよろしいか。	母子年金が受給できる場合には却下して差し支えない。
12　児童が祖父の死亡について支給される公的年金給付を受けることができるとき、当該児童について児童扶養手当を支給してよいか。	手当を支給してさしつかえない。
13　父障害により38年2月分から43年4月分までの手当を受領済であったが、障害の父が39年6月21日に死亡していた。46年1月に母子年金の受給資格のあることが判明し、特別処理により41年11月分から母子年金を受給した。 この場合、児童扶養手当の資格喪失期日は次のいずれによるか。 (ア)　39年6月21日とする。 (イ)　41年10月31日とする。	(ア)によられたい。
14　労働者災害補償保険法の一部改正により障害補償年金を受給している父に45年11月から就学援護費が支給されているが、これは法第4条第2項第5号に規定する「公的年金給付の額の加算の対象」に該当するか。	就学援護費は、障害年金の加算とは認められないので、公的年金給付の額の加算には該当しない。
15　労働者災害補償保険法に基づく年金たる補償を一時金として支給を受けた場合遺族補償年金は支給停止されているので、法第4条第3項第3	労災保険法に基づく遺族補償は原則として年金給付とされているが、41年2月から10年間は暫定措置として一時金が支給される場合がある。この場合

号に規定するただし書きにより手当を支給してよいか。	遺族補償年金は支給停止の扱いになるが、労災保険法改正法（昭和40年法第130号）附則第42条第6項の規定により法第4条第3項第3号のただし書きの規定は適用されないので手当は支給されない。
16　戸籍上の父(A)母(B)の間に子(C)があり、父が死亡のため労働者災害補償保険法に基づく遺族年金を母(B)が、受給できる子(C)には扶養加給がある。 ただし、子(C)は父(A)と女(D)との間の子であり、(C)の出生時から現在まで(D)が養育している。((A)から仕送りを受けていた) この場合、(D)から認定請求があった場合、(B)とは金銭的、物質的、精神的にも何ら関係がなく、(C)の扶養加給も(B)が受け取ったままという場合、法第4条第2項第3号該当により支給できないか。	設例の場合、法第4条第2項及び第3項の要件のいずれにも該当しないので、女(D)からの認定請求にもとづき支給してさしつかえない。 なお、父の死亡について、労働者災害補償保険法に基づく遺族年金を受けることができるのは、戸籍上の母(B)であり、この年金額算出上考慮されているにすぎず、母の分、子の分と分離できる性質のものではないので、当該年金の受給権者は母(B)であり、当該児童は何らの公的年金を受けてはいないのであるから、法第4条第2項第3号に該当することにはならない。
17　父が戦傷病者戦没者遺族等援護法に基づく障害年金を受けており、配偶者加算がなされている。この場合、母は「公的年金給付を受けている」に該当しないと解してよいか。	お見込みのとおりである。 なお、設例の場合は、児童が法第4条第2項第5号に該当する場合がある。
18　受給者である母が厚生年金の加算対象になっていても手当は受給できるが、児童が加算対象になっていると受給できない。法の趣旨の“公的年金制度の補完”からみて矛盾しないか。	手当は、他の公的年金において、児童の存在を考慮して給付がなされる場合には支給されない。一方養育者については、養育者自身が公的年金の受給権者としての立場において保障を受けている場合に限って除外しているものである。
19　公的年金の給付額が少ない場合でも手当は受給できないか。また、年金を辞退して手当を受けることはできないか。	老齢福祉年金及び障害福祉年金を除き公的年金を受給できるときは、金額の多少にかかわらず手当は支給されない。また、年金については辞退ということはあり得ない。
20　父が障害で厚生年金の障害年金を受給しているとき子の加算額を辞退して手当を受給することはできないか。 わずかな加算額があるために手当	年金における子の加算額は、客観的な事実関係に基づいて一律に支給されるものであり、受給者の意思によって左右されるものではない。従って、辞退ということはそもそもあり得ないも

が受給できないのは不公平ではないか。	のである。 児童扶養手当制度としては、公的年金の仕組みとして子の加算制度がある場合には、客観的な事実関係によって現実に児童が加算の対象となっていない場合を除き手当は支給されないものである。

第８　手続等

問	答
1　削除	
2　県（市町村）において、認定請求書を一応受付け又は受理した後、添付書類不備等により返戻した。その後添付書類等の補正に十分な期間を経過しても再提出しないとき。 (1)　県（市町村）より請求者に対して再び提出について照会し、提出しないときは「取下げ申請書」を徴し、受付処理簿を「取下げ」で完結してよいか。 (2)　県（市町村）より請求者に対して再び提出について照会したが応じないとき（行方不明等により）は受付処理簿の備考欄にその旨を記載して完結してよいか。	お示しの取扱いでは補正命令に際して、その補正の期限を明示していないので、(1)の場合のように申請者が当該申請を取下げた場合は問題がないが、(2)の取扱いは妥当ではない。 したがって、今後は補正を命ずるに当り、その期間を明示し、その期間内に所要の補正を行なわない場合には、当該申請を却下する旨を附記することとし、止むを得ない事由がないにもかかわらず当該期間内に補正しない場合には支給要件該当の事実を認定できないものとして申請を却下し、完結されたい。
3　認定請求書（又は定時の現況届）提出後請求者及び対象児童が住民登録はそのままにして行方不明となり、証書の交付ができない場合の取扱いについて。	第一に行方不明となった場合は、監護又は養育の事実を確認することができないので、その行方不明となった時点において、受給資格喪失の処分を行なうべきである。 第二に、行方不明についての確認が必要なので、当該市町村長に行方不明調書（市町村職員の行方不明調査書、民生委員の行方不明証明書等）の作成提出を求め、それを保管しておく必要がある。 第三に、証書交付及び資格喪失の処分の通知は、当該市町村長が公示送達の方法により行なうこととされたい。なお、証書保管の適正を期するため、

	この場合においても証書は、都道府県において保管することとされたい。
4　受給資格を認定したので、手当証書を交付しようとしたところ、当該受給資格者が、その受領を拒否した場合の扱いいかん。	まずできるだけ受領するよう勧める必要があるが、それでも受領を拒否する場合には、認定請求の取下げを行なわせられたい。なお、請求取下げにも応じない場合には、民生委員等の立会いを求めて調書を作成し、取下げとして処理されたい。 しかし、一応請求しながら証書の受領を拒否するような者については、精神異常の疑いもあるので、そのような疑いが強い場合には、その者についての診断書の提出を求める等の方法により、監護能力を判定し、監護能力がないと認められる場合には、その者についての認定の処分を取消す必要がある。このような場合においては、その児童の監護を行なっている者で受給資格を取得することができる者があるときには、その者から改めて請求するようにされたい。
5　児童扶養手当の受給者（養育者叔父）が死亡しているのに死亡届を提出せずその死亡後における月分の児童扶養手当を死亡者の名儀で叔母が受領した。その後叔母は認定請求書を提出した場合の取扱について。 ⑴　叔母が認定請求書を提出した月の翌月から支給開始と思うが、受給者（叔父）の死亡した翌月までそ及してもよいか。 ⑵　受給者（叔父）死亡後の過誤払となる児童扶養手当は債権管理しなければならないか、又は叔母に支給される児童扶養手当から減額支給の取扱いとして処理してもよいか。	⑴について、当該叔母につき受給資格が認定された場合の、当該手当の支給開始の月は、当該叔母に係る手当の認定請求の行なわれた日の属する月の翌月であって、前受給者たる叔父の死亡した日の属する月の翌月まで遡及させることはできない。 ⑵について、今後は法第31条の規定に基づく、いわゆる内払調整の処理を行なってさしつかえない。
6　受給者が行方不明のまま、定時届をしない内に、児童の資格が満18歳に達した場合、職権による喪失処分の可否について、見解を問う。	行方不明となった場合は、監護又は養育の事実を確認できないので、児童が満18歳に達した等により、明らかに受給資格が喪失した場合は、その時点で喪失処分を行なうべきである。

7　３月生まれの児童が満18歳に達したので、資格喪失届を役場へ提出し、同日母子とも県外へ転出をしたため、12月～３月までの手当の支払いに支障をきたしているが、この場合「未支払児童扶養手当支給に係る事務取り扱いについて」（昭38.７.16児企78の２）に準じ転出先の都道府県に手当証書の発行を依頼することは認められないか。	代理受領制度の活用等につき当該受給者に受領方法を指導されたい。
8　他県に転出した受給者で、住所変更等の届出をしないものに対する取扱いはどのようにすべきか。	都道府県が相互に連絡をとり新住所地の市町村を通じて住所変更を提出するよう受給者に通知されたい。
9　明らかに資格喪失となっているものが資格喪失届を提出しない場合、事務処理はどうしたらよろしいか。たとえば、支給対象児童死亡の場合資格喪失届を市町村長に作成させ、これに戸籍抄本（又は謄本）を添付することによって処理してよろしいか。	事実を証明する書類を市町村長等から寄せて職権で処理されたい。
10　職権で処分出来る範囲及び根拠如何。	支給要件に該当しない場合（受給者が所得制限に抵触する、児童が満18歳に達した、母が事実婚をしている、父が拘禁中ではない、父から遺棄されている実態にない、受給者が老齢福祉年金及び障害福祉年金以外の公的年金を受給している、等の場合）には事実確認のうえ職権により資格喪失処分を行うことができる。 職権処理の根拠については、支給要件に該当しない場合は、当然資格喪失となるのであって、申請に基づく資格喪失の場合と同様であり、法第４条に基づくものである。
11　氏名、住所、支払郵便局、印鑑の変更届証書の再交付申請書の様式は規則で定められていないが、任意の様式（県の施行細則で定める）でよいか。	氏名、住所、支払郵便局、印鑑の変更は変更の届書等を提出することになっているので、それぞれの施行規則に定められている内容が明らかにされているものであればどのようなものでもよいことになっている。県の施行細則で定めても差し支えない。
12　削除	

13　削除	
14　削除	
15　氏名変更の処理については、印鑑変更届等と同様に市町村で処理することとし、都道府県へは処理済の報告で充分でないか。	氏名の変更は、台帳、証書等の訂正を必要とするので、仮に市町村長あてとしても、かえって事務が複雑化するのみで実益はないと思われる。
16　他県から転入の母子家庭で、父から遺棄されているとの申立てであるが、福祉事務所長の遺棄証明はどうすればよいか。	旧住所の福祉事務所長から資料を徴するか、電話で聞く等により確認して福祉事務所長が証明する。 なお、生保ケースで移管されている場合は、ケース記録で明らかであるので照会する必要はない。
17　受給資格者が養育者の場合には、対象児童の父の戸籍又は除かれた戸籍の謄本又は抄本も添付することになっているが、例えば父母の離婚の場合等にも添付する必要があるか、あるとすればその理由。	母又は児童の戸籍により父母の離婚の事実が確認できれば省略して差し支えない。
18　法第27条により、当該市町村の条例の定めにより、戸籍に関し無料で証明を行なうことができるとあるが、これは戸籍の謄抄本、戸籍記載事項証明をさすものか。	法第27条の戸籍に関する無料証明の規定は、戸籍記載事項証明のみにかかるものであって、戸籍の謄抄本は、同条の適用外のものであること。
19　戸籍又は住民票の記載事項証明があれば、謄抄本の添付を必要としないか。	戸籍の謄抄本、住民票の写しは、認定請求の際添付することになっているが、当該受給資格者及び対象児童に係る戸籍又は住民票の謄抄本の記載事項のすべてが明らかにできる場合は、戸籍又は住民票の記載事項証明をもって代えて差し支えないこと。
20　他の都道府県より転入した者（移管手続きは完了していない）について調査したところ旧住所地在住時より事実婚があったことが判明した。この場合資格喪失、返納金等の手続きはどこで行なうべきか。	設例の場合は、旧住所地の都道府県で処理されたい。

第９　その他

問	答
1　手当証書に枝番号をつけたものの、年々更新による新手当証書の番	お見込みのとおりである。

号は枝番号をとうしゅうするか。

2　認定請求書に添附する戸籍謄本の有効期間はどの程度か。

添付すべき戸籍謄本等は、その本質上請求時の状態を明らかにできるものでなければならないので、できる限り直近のものであることを要するが、取扱としては、原則として謄本等の交付の日から1か月以内のものとされたい。

3　支払記録において受領証書整理経過表附表の要債権管理欄は次のいづれによるべきか。
(1)　支払記録において発見した誤払を記入する。
(2)　前記(1)及び支払記録以外の平常業務において発見した誤払いを記入する。

(1)によられたい。

4　児童扶養手当受給者が、証書末尾の掲記事項を知らなかったため、過誤払返納債権を生ずるにいたった場合「児童扶養手当法第23条に規定する不正受給の具体例について（昭和37年5月7日児企第89号）」第7号の不正受給に該当するか。

証書掲記事項を知らなかったという弁解は通用しないものであり、不正受給に該当すると解する。

5　昭和41年度の市町村監査の際、昭和38年4月11日に県で作成した本人未交付の児童扶養手当証書を発見した。当時役場担当者は具合が悪く、証書の受領にきた大部分の受給者には交付したが、再三督促したが受取りにこなかった受給者の分について未交付のまま休職した。復職後他課に転出したが、事務引継ぎのとき未交付の証書のあるのを失念して引継いだ。その後、昭和41年の事務指導のときこの証書を発見したが、この場合(1)この手当の分について時効は完成しているか。あるいは、責は証書を交付しなかった市町村にあり、受給者に証書が交付されていないので、時効が進行しないと解釈し、手当（37年9月期、38年1月期、38年5月期渡分）を支給してよろしいか。

(1)　お見込みのとおりである。
(2)　証書は再発行する取扱いとされたい。この場合、3頁の記事欄に再発行の趣旨を記載し、各頁の記載については、昭和41年8月5日児発第483号通知の別紙1「都道府県における児童扶養手当証書の記入要領」の第2の6「証書の再交付を行なう場合」によること。

(2)、(1)において支給する場合、38年4月11日発行の証書で現在受領することに疑義があるので、証書を再発行して支給することとなると思われるが、その場合各頁の記載はどうするか。なお、当時の知事もかわり、対象児童も卒業している。	
6　児童扶養手当法施行令（昭和36年政令第405号）第6条の規定により市町村長に行なわせる事務のうち「請求又は届出に係る事実についての審査に関する事務」の範囲は、市町村に備えつけている関係公簿により確認しうる範囲であって実態調査等は含まれないものと解すべきか。	必要に応じ民生児童委員、関係機関に対する照会、実態調査等を行われたい。
7　認定請求書④欄の「配偶者の有無」と㉒欄並びに現況届⑤欄の「配偶者」は、認定請求書⑮欄の「父の状況」が㋩㋥㋭㋬の場合であると考えてよいか。	認定請求書④欄及び㉒欄並びに現況届⑤欄の配偶者は、児童の父でない場合もあるので、認定請求書⑮欄の記載事項とは別個のものと考えられたい。
8　受給者が死亡したために手当の対象児童が新たな養育者に引きとられる等の事由により住所を変更した場合における未支払手当の支給事務について。 (1)　市町村から当該都道府県の区域内においての市町村の区域をこえる住所変更の場合の市町村及び都道府県の事務処理要領 (2)　市町村から当該都道府県の区域をこえる住所変更の場合の市町村及び都道府県の事務処理要領	受給者が死亡した場合における未支払の手当は、死亡した受給者の住所地の市町村及び都道府県において支払い手続が行なわれるのが建前であるが、受給者の住所に異動が生じたときは、受給者の便宜を勘案のうえ、次の取扱いを行なって差し支えない。 なお、この取扱いを行なうに当たっては、当該市町村に対して手続の徹底をはかり、遺憾のないよういたされたい。 おって、未支払の手当の請求は、死亡した受給者の地の市町村及び都道府県において受理するものであり、また、未支払の手当は当該証書を発行した都道府県の区域内に所在する郵便局において支払われ、当該都道府県において支払記録の事務処理が行なわれるものであることを念のため申し添える。 1　都道府県の区域内においての市町村の区域をこえる住所の異動の場合は、新住所地の市町村を経由して証書を交付する。この場合において、

証書に記載する住所名は新住所名とし、支払郵便局は死亡した受給者の支払郵便局と同一でなくとも差し支えない。

2　都道府県の区域をこえる住所の異動の場合は、新住所地の都道府県において証書を発行し、新住所地の市町村を経由してこれを交付する。この場合における事務処理手続は、おおむね、受給者の住所が異動した場合における移管の手続に準ずることとし、新旧住所地の都道府県は、相互に十分連絡のうえ、慎重な処理を行なわれたい。

9　削除

10　支払指定郵便局は、受給者の現住地を管轄する都道府県内になければならないこととされているが、他の都道府県に属する大都市の近郊地域を有する都道府県の地域においては、受給者が当該大都市に就業している場合が多く、就業地において手当を受給することが最も利便である場合がある。

かかる場合においては、指定郵便局を当該大都市を管轄する都道府県に所在地を有する郵便局とすることができ得れば受給者の利便を図る上で適切な措置と考えられるが如何。

設例の場合であっても他の都道府県に所在地を有する郵便局を支払指定郵便局とすることはできない。

なお、このような場合には、代理受領による受給制度を活用するよう指導されたい。

11　厚生省報告例第91「児童扶養手当受給者」の下表の表頭「死別母子世帯(3)」の記入要領では「法第４条第１項第２号（父が死亡した児童）に該当する児童を母が監護する世帯について計上すること」とあるが、法第４条第１項第２号（父が死亡した児童）の解釈は児童が母と死別して父と生計をともにしている場合に、その父が死亡し残された児童をいうとされていてくいちがっているがどうか。

また、この欄は法第４条第１項第１号（父母が婚姻を解消した児童）

父母が婚姻を解消した児童のうち父の死亡によるもの及び父子家庭で父が死亡した場合のいずれも父が死亡した児童として取り扱われたい。

のうち父母が死別した児童を計上するものであり法第４条第２項（父が死亡した児童）に該当する児童は「その他の世帯(7)」に計上すべきだと思うがどうか。	
12　市町村の職員は窓口で受給資格者に詳細な質問をすることもあるので受給資格調査員とすること如何。	市町村の担当職員は、申請者や受給者に対し、詳細な質問を行うことは当然であるが、法律上調査員制度を設けることは考えていない。
13　削除	
14　祖父と孫の２人の世帯において祖父が老齢年金を受給しながら児童扶養手当を受給したため返還を命じたが、債権管理手続中に祖父は死亡し、児童は知人に引取られ転出した。この場合の返済はどうするか。	当該祖父の相続人から返還させることになる。
15　父がない子として児童扶養手当を受給していた母が婚姻し児童は母の配偶者と養子縁組をしたため資格喪失したが、その後手当を受領していたので債権が発生した。過払分について返納するよう督促し、返納するといっていたが、住民票はそのままにして、両親が行方不明になり、児童は他人が養育している。児童が父に遺棄されて１年以上になり、他人ではあるが、児童を養育している者が手当を請求するようになった。この様な場合母に対する債権を養育者に支給する手当から調整してよいか、又全額支払をしたうえで話合いで返納させるか、それとも母の居所が判明するまでそのままにしておくべきか。	本件の場合、母の手当の受給資格は行方不明により消滅しており、養育者の受給資格は別個のものである。従って、内払調整はできないので、債権は母に対して請求することとされたい。
16　国民年金の福祉年金は受給者の利便を考慮し、45年度より簡易郵便局も払渡局に指定されているが、手当もこれに準じることはできないか。	福祉年金は歩行困難な老人や障害者を対象としているので簡易郵便局も利用することとしたものである。
17　時効完成の支払不要分についての処理方法如何。	手当証書を焼却し、支払記録欄には時効完成年月日及びその旨を記載すること。
18　父死亡で公的年金がないことを理由に37年１月から手当を受給してい	債権は、手当受領後５年間を経過した場合は時効により消滅するが、現在

たが、45年定時届の際父の死亡により認定当初から母子年金を受給していたことが判明した。 この場合、事由発生後5年を経過しているため時効により債権管理の発生ができないものと解してよいか。	時点より5年以内の債権については債権管理の対象となる。
19　児童が月の初日（例えば4月1日）から収容施設に入所した場合、当該月（4月）の手当は支給できるか。	4月1日から児童は施設の監護下にあり、母の監護又は養育者の養育は及んでいないと考えられるので、4月分の手当は支給しない取扱いとされたい。なお、特別児童扶養手当についても同様の取扱いとされたい。

特別児童扶養手当関係　削除

○児童扶養手当及び特別児童扶養手当関係法令上の疑義について

〔昭和五十五年六月二十三日　児企第二六号
各都道府県民生主管部(局)長宛　厚生省児童家庭局企画課長通知〕

〔改正経過〕

第一次改正　〔昭和五五年一二月一六日児企第四六号〕

標記については、昭和四十八年五月十六日児企第二八号をもって通知しているところであるが、今般別添のとおりその内容の一部を改めることとしたので、御了知のうえ、今後の事務取扱い上の参考とされたい。

なお、今回の主要な改正及び追加事項等は、左記のとおりである。

追って、昭和五十三年六月九日児企第二二号本職通知「児童扶養手当関係法令上の疑義について」は廃止する。

記

1　事実婚の範囲について

(1)　児童扶養手当は、母がいわゆる事実婚をしている場合には支給されない（児童扶養手当法第四条第二項第七号及び第三条第三項）。これは、母が事実婚をしている場合には実質上の父が存在し、児童はその者から扶養を受けることができるので、そもそも児童の養育費たる性格をもつ本手当を支給する必要性が存在しないからである。

従来事実婚の解釈については、いわゆる内縁関係にある場合であっても当事者の関係が民法に規定する重婚の禁止（第七百三十二条）、近親婚の制限（第七百三十四条）、直系姻族間の婚姻の禁止（第七百三十五条）又は養親子間の婚姻の禁止（第七百三十六条）のいずれかの規定に抵触する場合には、事実婚には該当しないものとして取扱い、手当を支給してきた。

しかしながら、児童扶養手当の趣旨、目的からみると、かかる場合には、実質上の父が存在し、手当を支給する必要性が存在しないばかりでなく、かかる場合に手当を支給することは、民法も禁止しているように社会一般の倫理観に反し、非倫理的な行動を助長しているとの批判を免れないところである。

例えば近年いわゆる未婚の母の受給者が増加しており、その中には妻子ある男性と同居している事例がかなり見受けられるところであるが、かかる場合には手当を支給する必要性は何等存在しないものである。

よって、今回、事実婚の解釈については、当事者間に社会通念上夫婦としての共同生活と認められる事実関係が存在しておれば、それ以外の要素については一切考慮することなく、事実婚が成立しているものとして取り扱うこととした。

また、事実婚は、原則として同居していることを要件とするが、ひんぱんに定期的な訪問があり、かつ、定期的に生計費の補助を受けている場合あるいは、母子が税法上の扶養親族としての取り扱いを受けている場合等の場合には、同居していなくとも事実婚は成立しているものとして取り扱うこととした。

(2) 今後、新規認定に当たって、事実婚の範囲については前記の解釈に従って取り扱うとともに、既に受給している者についても毎年の現況届、民生・児童委員等の報告等に基づき事実婚が発見された場合には受給資格喪失の処分を行うこと。

2 公的年金給付の児童加算について

(1) 児童扶養手当は、児童が父に支給される公的年金給付の額の加算の対象となっているときは支給されない（法第四条第二項第四号）。これは児童扶養手当が、公的年金制度を補完する制度として設けられたものであり、公的年金によって給付の対象となっている場合には二重給付となるので手当を支給する必要がないと考えられるからである。

(2) 他方年金における加算額は妻のものであろうと子のものであろうと客観的な事実関係によって一律に支給されるものであって、受給者の意思によって左右されるものではない。したがって、受給者が加算額を「辞退」するということはそもそもあり得ないものである。

(3) 児童の加算額に関する児童扶養手当制度の取扱いとしては、法第四条第二項第四号の規定の趣旨からみて公的年金の仕組みとして子の加算制度がある場合には、客観的な事実関係によって現実に児童が加算の対象となっていない場合を除くほか、児童扶養手当は支給されないものであるので、受給資格認定に当たっては十分留意すること。

3 月の初日において児童が児童福祉施設に入所した場合の取扱いについて

月の初日（例えば四月一日）に児童が児童福祉施設（収容施設）に入所した場合においては、当該月の初日から児童は施設の監護下にあり、母の監護又は養育者の養育は及んでいないと考えられるので、従来より当該月（四月）の児童扶養手当及び特別児童扶養手当は当該児童については支給しない取扱いとしてきたところであるが、この取扱いを再確認したこと。

別添　略

○児童扶養手当の取扱いに関する留意事項について

〔平成二十七年四月十七日　雇児福発〇四一七第一号
各都道府県民生主管部(局)長宛　厚生労働省雇用均等
・児童家庭局家庭福祉課長通知〕

児童扶養手当の事実婚の解釈については、「児童扶養手当及び特別児童扶養手当関係法令上の疑義について」（昭和四十八年五月十六日付け児企第二八号厚生省児童家庭局企画課長通知）において、「当事者間に社会通念上夫婦としての共同生活と認められる事実関係」が存在していれば、事実婚が成立しているものとして取り扱うこととされているところである。

事実婚に該当するか否かの判断に当たっては、個々の事案により受給資格者の事情が異なることから、形式要件により機械的に判断するのではなく、受給資格者の生活実態を確認した上で判断し、適正な支給手続を行っていただくようお願いする。

なお、いわゆるシェアハウスで居住する場合等における児童扶養手当の運用に関して疑義が生じていることから、生活実態の確認方法や具体的事例に則した考え方を別紙のとおりまとめたので、事務取扱上の参考とされたい。

あわせて、管内市（指定都市、中核市、特別区を含む。）町村に対する周知について、特段の配慮をお願いする。

児童扶養手当の取扱いに関する留意事項について

別紙

（問1）異性が入居しているシェアハウスなどに受給資格者が入居する場合、事実婚となるのか。また、事実婚か否かを判断するに当たって、具体的に何を確認すればよいのか。

（答）

いわゆるシェアハウスなど、リビングルーム、浴室、トイレ等の共有スペースと個室スペースで構成されており、不特定多数の世帯が入居することが可能となっている一つの建物に受給資格者が居住している場合においては、その居住形態は様々な形態が有り得る。

このため、「シェアハウス」など名称の如何を問わず、当該建物に入居している事実のみをもって資格喪失要件に該当すると判断するのではなく、受給資格者が特定の異性との間に社会通念上夫婦としての共同生活と認められる事実関係が存在しているかどうか、入居時の経緯や入居状況、生計同一関係等の事実関係を総合的に勘案の上、個別に判断されたい。

具体的には、

・　個室スペースに施錠が可能であり入居者同士が互いの個室スペースに自由に出入りできないようになっている、

・　入居者がそれぞれ別世帯であることが賃貸借契約書で確認できる、

・　光熱水費の使用料が按分されているなど生計を異にする事実があり、当該事実について客観的に確認できる書類がある、

・　入居者が多数存在する、

など、特定の異性との事実婚が疑われるような生活実態ではない場合には、社会通念上夫婦としての共同生活があると認められる事実関係が存在せず、資格喪失要件に該当しないと考えられる。

なお、居住形態や入居する他の者との関係で、特定の異性との事実婚の疑義が生じる場合には、受給資格者等に事実関係の確認や必要な書類等の提出を求める等した上で、適正な受給資格の認定を行われたい。

(問2) 受給資格者が、従兄弟などの婚姻が可能である親族と同居している場合、事実婚となるのか。叔父の住宅に転入してきた場合はどうか。

(答)

従兄弟・叔父等の親族と同居していることをもって事実婚と取り扱うのではなく、例えば、同居に至った経緯や理由、当事者以外の親族との同居の有無、生活状況や生計同一関係等を確認されたい。

(問3) 児童扶養手当を受給している母子と同一住所地に義理の姉(元夫の姉)及びその内縁の夫の住民票があり居住している。住民票の世帯分離はしており、受給資格者、義理の姉及び内縁の夫はそれぞれ住民票上は世帯主となっている。建物は普通の一軒家で二世帯住宅のような構造ではない。この場合、事実婚となるのか。

(答)

同居男性が義理の姉と内縁関係にあれば当該男性が受給資格者と

事実婚状態にあるとは考えにくいため、当該男性と義理の姉との内縁関係を確認されたい。

内縁関係については、例えば、住民票や賃貸借契約書上の記載、当事者間における婚姻の意思や親族・友人等からの証言、冠婚葬祭への出席、見合い・婚約・結納・挙式等婚姻儀礼の有無、妊娠・出産に関連する記録等を確認することが考えられる。

この他、同居に至る経緯や理由、家の間取りや生活状況、生計同一関係等を確認し、個別に判断されたい。

(問4) 離婚後、元夫は実際には居住していないが、住宅ローンの支払のために住民票を移動していない。また、住宅ローンは実際に元夫が負担している。この場合、事実婚となるのか。

(答)

現地調査や、元夫の住居に係る賃貸借契約書等により、元夫が受給資格者と同居していないことが確認できる場合には、事実婚状態にあるとは言えない。

なお、事実婚は、原則として同居していることを要件としているが、頻繁に定期的な訪問があり、かつ、定期的な生計費の補助を受けている場合には、同居していなくとも成立すると取り扱っていることに留意する必要がある。

(問5) 自営業の受給資格者宅に従業員が住込みで就業している場合、事実婚となるのか。

（答）
　自営業の受給資格者宅に従業員が住込みで就業していることのみをもって事実婚と取り扱うのではなく、例えば、従業員が住み込みで就業している経緯や理由、就業期間、家の間取りや生活状況、生計同一関係等を確認し、個別に判断されたい。

（問６）夫の死亡により児童扶養手当の支給対象となるが、夫の死亡前から義父（義母はすでに死亡し、単身異性となっている）と同居している。この場合、事実婚となるか。

（答）
　夫の死亡前から義父と同居しており、夫の死亡によって、義父のみと同居することとなった経緯が確認できる場合には、夫の死亡により事実婚が成立したとは言えないと考えられるが、必要に応じて、家の間取りや生活状況、生計同一関係等について確認を行われたい。

（問７）児童扶養手当受給中の母子世帯の住所に、高齢単身男性の住民登録があり、受給者に事情を聴くと、①訪問介護でお世話をしていた患者で現在入院中、②単身男性は住所を引き払ったが住民登録がなくなるため、受給者のところに一時的に住所を設定したとのこと。本人の申告のみで夫婦関係にないのか判断できず、夫婦関係でないことの客観的な証明は確認できないが、今後施設に入所したら、住民登録を動かすとの申立てがあった。この場合、事実婚となるか。

（答）
　本人の申告内容だけでなく、当該高齢単身男性が現在入院中であるかどうかなど、当該男性の居住実態を確認する必要がある。受給資格者と同居していないことが確認でき、また、頻繁に定期的な訪問及び定期的な生計費の補助がない場合には、事実婚には該当しないと考えられる。
　なお、夫婦関係にないことの客観的な証明が確認できないことをもって事実婚に該当するものではなく、同居に至る経緯や理由、生活状況や生計同一関係等、様々な事実関係を確認した上で、事実婚に該当するか否かを判断されたい。

（問８）受給資格者と前夫が同じマンション（部屋は別々）に住んでおり、対象児童が受給資格者と前夫の部屋を行き来している場合、事実婚となるか。

（答）
　受給者と前夫が同じマンションに住んでおり、それぞれの部屋を対象児童が行き来する事実だけでは事実婚が成立しているとは言えない。受給資格者・関係者からの聞き取りや現地調査等により、頻繁に定期的な訪問及び定期的な生計費の補助の有無について確認されたい。

○児童扶養手当及び特別児童扶養手当に関する疑義について

〔昭和五十五年七月九日　児企第二九号
各都道府県民生主管部（局）長宛　厚生省児童家庭局企画課長通知〕

〔改正経過〕
第一次改正〔昭和五七年一〇月一日児発第八二四号〕
第二次改正〔昭和六〇年一一月一六日児企第三七号〕
第三次改正〔平成二年五月二八日児企第三二号〕
第四次改正〔平成一四年七月二五日雇児福発第〇七二五〇〇一号〕
第五次改正〔平成二三年一〇月二〇日障企発一〇二〇第一号〕
第六次改正〔令和四年三月一八日子家発〇三一八第一号〕

標記について、今般疑義事項を回答を附したうえ、別紙のとおりまとめたので、事務取扱上の参考とされたい。

別紙

児童扶養手当関係

第一　婚姻解消関係

（問1）　父（A）母（B）が婚姻を解消した。子（C）は、祖父母（D、E）と養子縁組した。
Dが死亡した現在、BCEは同居している。
(1)　Dの死亡前に養子縁組した場合
(2)　Dの死亡後に養子縁組した場合
それぞれ受給資格はどうなるか。

（答）(1)　養父は実父と同じ取扱いなので、養父母の婚姻解消（Dの死亡）を理由として養母（E）が受給資格を有する。
(2)　養母（E）が児童を養育している実態があれば、「父母が婚姻を解消した児童」を養育していることを理由にEが受給資格を有する。また、実母（B）が児童を監護している実態があれば、婚姻解消を事由としてBが受給資格を有することになる。

（問2）　養子縁組をした後養父母は離婚した。（実父母は健在）支給要件に該当するか。

（答）　養父母は実父母と同じ取扱いなので、養母が離婚後児童を監護している実態があれば、児童は「父母が婚姻を解消した児童」に該当し、養母は受給資格を有する。

（問3）　実父母は離婚した後、児童AはB、Cと養子縁組をした。その後、B、Cは別居し、AはB、Cの実子とともに養母Cに監護されている。Cを受給者として認定する場合、次のどちらによるべきか。
(1)　父母が婚姻を解消した児童として、Aだけ直ちに認定する。
(2)　Bに遺棄されてから一年後に、実子とともに認定する。

（答）　養父母は実父母と同じ取り扱いであり、養父と実父とが共にいる場合にはまず養父との関係で受給資格をみるべきであるから(2)によられたい。

（問4）　実父母が離婚し、児童は養育者と養子縁組をした。その後生母が児童を監護し、生母から請求があった場合資格があるか。なお、養父母は健在。

（答）　養父は実父と同じ取扱いなので、養父が健在の場合、受給資格の認定に当たっては児童と養父との関係で審査すべきである。本件の場合、養父から遺棄されている事実があれば生母に受給資格が生じるが、養父母が健在であることから受給資格の認定は慎重に行われたい。

(問5) 実父母健在の子がA、B夫婦の養子となった。その後Aが死亡又は離婚した場合、子は支給要件に該当するか(実父健在)。

(答) 養父母は実父母と同じ取り扱いなので、養父が死亡し又は離婚した場合において養母が児童(C)を監護している実態があれば、実父が健在でも養母は受給資格を有する。

(問6) 離婚した母が子ども(A)を連れて再婚し、Aは母の配偶者と養子縁組したが、その後養父が死亡し、母から認定請求があった場合「父(養父)が死亡した児童」として認定すべきか、又実父母の離婚という事実にもとづいて「父母が離婚した児童」として認定すべきか。

(答) 養父は実父と同じ取り扱いなので、認定するとすれば父(養父)の死亡により養父母が婚姻を解消した児童として認定されたい。

(問7) A(父)、B(母)の間にC子が生まれたが、間もなくC子はD(養父)E(養母)の養女となった。現在C子は、Dの母に養育されている。Dは出稼ぎ、Eは死亡、ABは、その後離婚した。この場合A、Bの離婚ということで認定できるか。

(答) 養父は実父と同じ取扱いなので、養父が存在する以上A、Bの離婚を事由に認定することはできない。なお、養父(D)から遺棄されていることを事由に認定できる可能性はあるが、養父が単なる出稼ぎでは遺棄に該当しない。

(問8) 認知行為はなされていないが、父と思われる者から児童に養育費の仕送りが行われている。母子とは住民票上も、実態についても同居の状態はないが、月に一回程度訪ねてくる。この場合、事実婚の判断は可能か。

(答) 月一回程度の訪問では養育費の仕送りがあったとしても事実婚とは認められない。

(問9) 婚姻届を出していない場合で、県外地にて二年間事実上の婚姻関係があり、父親(韓国人)は、その期間に出来た子を認知した。

その後、夫婦間の折り合いが悪くなり話し合いの末別れることとなり、母子は県内の実家に帰り、父親は行方不明となった。この場合、父母が事実上婚姻を解消した児童として、取り扱ってよろしいか。

(答) 父親と母の間には事実婚が成立していると認められるので、貴見のとおり取り扱って差しつかえない。

(問10) 受給者A(支給要件……離婚)はB男性と同棲しているとの投書があり、調査してみると住民票は別々にしてあるが、実際には同居しており本人の申立によると経営者と従業員の関係で結婚する気は全くないとのことであった。

(1) この場合、同棲している事実を確認すれば、夫婦共同生活の合意がないとはいえないのではないか。

(2) また、本人が同棲していてもあくまで結婚する意志はないと言い張った場合、事実婚となりうるかどうかお伺いする。

(答) 男性と同棲しているのであれば、当人が何と言い張ろうと事実婚の成立が認められるので、法第四条第二項第七号の規定により

児童扶養手当及び特別児童扶養手当に関する疑義について

手当は支給されないので、職権により資格喪失処分を行われたい。

（問11）　受給者Ａ（支給要件……離婚）が、Ｂ男性の内縁の妻として報道されたため、調査したところ住民票上ＡはＢの未婚の妻と表示され、また事実上も対象児童と共にＢと同居していることが判明した場合の処理は次のいずれによるか。（なお、Ｂには重婚は成立しない）

(1)　住民票上の未婚の妻の表示及び事実上のＢとの同居により事実婚の成立を認め喪失の処理をする。

(2)　受給者に事実婚の趣旨を説明したうえで、

ア　事実婚を認めたら、喪失届を提出するように指導する。

イ　事実婚を認めなかったら、継続支給する。

(3)　受給者が事実婚を認めてもＢは児童との関係では扶養義務がないので継続支給する。

（答）　(1)によられたい。なお、住民票の記載とは関係なく、事実婚の存在が認められた場合には、職権により資格喪失処分を行われたい。

（問12）　最近、当県において、夫が行方不明の間に他の男と同棲、三人の子供を出生し、その子供を夫の戸籍に入籍して「遺棄」を理由に手当を申請したが、三人目の子供は、数か月前に生まれたばかりだったので遺棄とは認められないとして却下したケースがあった。この場合子供が出生して一年程度経過していれば事実関係にかかわりなく、戸籍によって認定せざるをえないが戸籍上の夫の申立書、住民票等であきらかに、事実に反していることが確認された場合は却下できないか。

（答）　妻が夫以外の男と同棲しているのであれば、事実婚が成立しているので、法第四条第二項第七号の規定により当該妻は手当の受給資格を有しない。

なお、事実婚の成立が認められない場合には、戸籍の記載の訂正を待つことなく、事実関係を確定することはできないので申請を却下することはできない。

（問13）　左図に示した事例について

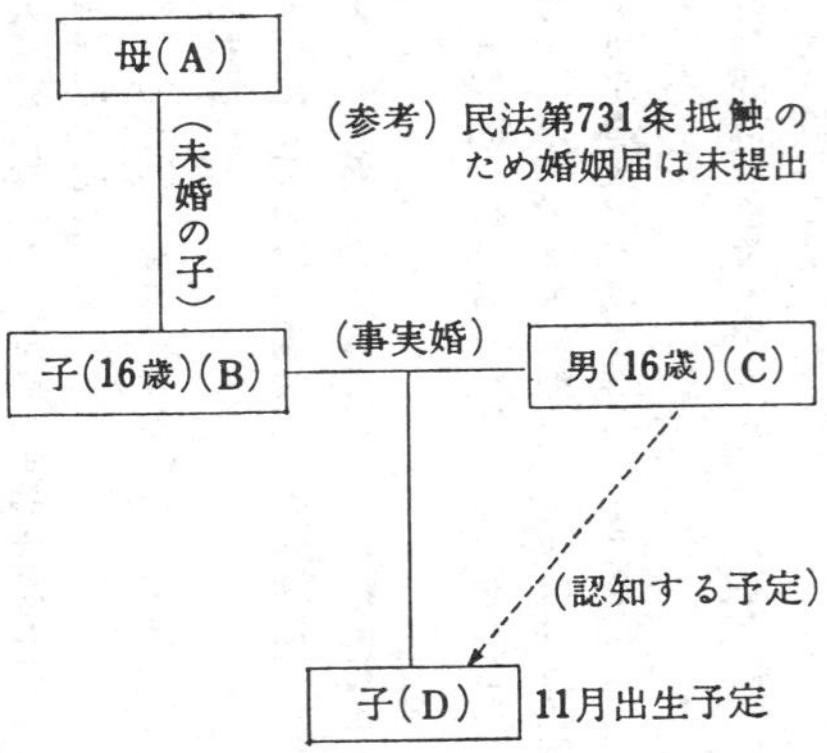

(1)　手当の支給対象児童が婚姻をしている場合は、民法第七百五

十三条の規定により成年に達したものとみなし、受給資格はないものと解してよろしいか。

(2) また、前記の取扱いをする場合、本件事例のような婚姻は、事実婚に含まれるか。

(3) 十一月に出生予定の児童の子については、事実婚の子である関係から男（父）が一年以上遺棄しない限り手当の対象とならないと解してよいか。

(答)(1) 貴見のとおり解する。

(2) たとえ結婚適齢期前の児童であっても、社会通念上当事者間に夫婦の共同生活と認められる事実関係が存在する場合には事実婚に該当する。

(3) 十一月出生予定の子（D）については、事実婚の解消又は男（C）からの遺棄を事由として認定することとなる。

(問14) 田舎に妻子がいる男と生活を共にしていて、子供が生まれたが認知されなかった。その後子の認知をしてくれたので資格がなくなるが、喪失の時期はいつか。

① 子の生まれた当初にさかのぼる。

② 認知届をした日

なお、認知した父親は現在も一緒に住んでいる。

(答) 児童の生まれた時から児童の母と男との間には事実婚が成立していると認められるので、児童の母は法第四条第二項第七号の規定によりそもそも手当の受給資格は有しない。従って、①のとおり解する。

(問15) 離婚後、東京へ出て来て勤めている所で知り合った人の子を生んだ。子の父は妻が死亡し、娘と生活はしているが、請求者とその子については援助をし時々訪ねる。結婚は娘が思春期なので、まだ出来ない。現在認知はしていない。同居はないが、子の父から援助を受けているので、却下してよろしいか。（父の氏名は判っている）

(答) 請求者と児童の父との間には事実婚が成立していると認められるので、法第四条第二項第七号の規定により請求者は手当の受給資格を有しない。

(問16) 当初離婚の児童として受給していたが五十三年十二月に親子関係不在で未婚の母の児童になった（離婚は五十年九月）。さらに、五十四年一月に二人目の子が生まれたので未婚の母の要件で五十四年三月に額改定請求が提出されたが、五十四年五月二十八日婚姻届がされ、二人目の子の父の欄には婚姻した男の名前が入った。ただし婚姻した男は拘禁中（刑二年八か月）である。その場合の取扱いとして、

① 額改定は五十四年四月から二か月間認定し、五月に婚姻したので受給資格喪失届を出させる。

② 子供の生まれる以前に事実婚があれば改定請求は却下し、今まで受給している子については婚姻した時に母の配偶者が出きたことで喪失する。

③ 喪失後、父の拘禁が一年以上になった時は再び請求させる。

(答) 母に配偶者がいる場合（事実婚による場合を含む。）には、児

童扶養手当は支給されない。本件については、二人目の子供が生まれる前に事実婚が成立していた可能性が強いので、十分調査のうえ、②及び③の方法により処理されたい。

（問17）　婚姻によらないで懐胎した児童で、認知されたものの、過去一年以上認知した父から遺棄されており、今後も養育費の送金等が見込まれず児童の扶養、監護の義務を果す意思の全く認められないものについて、認知された時点で資格喪失としないで、父から遺棄された児童として支給要件を移項し、手当を継続して支給できないか。

（答）　認知を受けた児童は、児童扶養手当法施行令第一条第三号かっこ書きの規定により支給対象とはならないので、認知された時点で資格喪失処分を行うべきであり、手当を継続して支給することはできない。なお、認知後一年以上遺棄されている実態があれば、遺棄を事由として受給資格を認定することとなる。

（問18）　未婚の女子という支給要件で手当を受給していた者が最近になり児童の父が判明し児童を認知した。

ただし、この場合児童を認知しただけであり仕送り等は一切行わず監護の義務を全く果していない。

この場合の取扱は如何。

⑴　ただ単に認知しただけであり、従来より仕送り等を一切行っていないので、支給要件変更届（未婚──→遺棄）を提出させ引き続き手当を支給する。

⑵　児童を認知したことにより児童の父が存在するので、一応児童の父が認知した時点で資格喪失とし、認知してから引き続き一年以上遺棄している状態が続けば再度請求させる。

（答）　認知された児童は手当の支給要件に該当しないので⑵によられたい。

（問19）　昭和五十一年一月二十四日　父母協議離婚

昭和五十一年三月三日　児童出生、親権者は母、父認知

昭和五十二年四月四日に父から引き続き一年以上遺棄されているとして、児童扶養手当認定請求書の提出があった。この場合、父の状況は離婚とすべきか遺棄とすべきか。

（答）　民法第七百七十二条の規定により婚姻解消の日から三〇〇日以内に生まれた子は婚姻中に懐胎したものと推定されることから離婚の取扱とされたい。

（問20）　離婚したが住居がないので従来どおり同一住居に住んでいる場合、母に児童扶養手当を支給できるか。

この場合生活形態を調べる必要があるか。（食事、家計、間仕切り等）

（答）　同一住居に離婚した父母が住んでいる場合は、児童は父と生計を同一にしている可能性が強いので、資格認定は実態を十分調査のうえ慎重に行われたい。

（問21）　手当の対象児童が少年鑑別所に送致された場合、母親の監護が及ばないものとして喪失処理をしてよろしいか。

（答）　児童が少年監別所、少年院へ送致された場合は、貴見のとおり資格喪失処分を行われたい。

(問22) 離婚している母が勤務の関係上前夫の両親と話し合いの結果、前夫の両親に子供を預け母から別居監護申立て書を添付した児童扶養手当の請求があった場合、すぐ離婚を該当事由として認定してもよいか。

なお、前夫は県外へ転出しており、転出先は判明しているが、仕送りなど監護の事実が認められない。

(答) まず、別居監護といえるのか、実際は夫の父母が養育しているのではないか、実態を調査すべきである。別居監護に該当する場合には、離婚を理由に手当の受給認定をして差しつかえない。

別居監護に該当しない場合には、父から遺棄された児童を養育していることを事由に前夫の両親に受給資格が生じる可能性があるので遺棄に該当するか否か実態を調査のうえ判断されたい。

(問23) 児童扶養手当受給中の母子家庭の一五歳の子(A)が、一七歳の高校生(B)との間に子(C)を出産した。懐妊中は母方の家族と同居したこともあったが、社会的、家庭的な事情や、両者の生活能力等から離別し、当該一五歳の未婚の母は実母(児扶受給中)(D)の監護のもとにある。

この場合、一五歳の母に対する児童扶養手当はどのように支給したらよいか。

また、両親に監護されている一五歳の未婚の母であった場合、児童扶養手当支給の対象となりうるか。

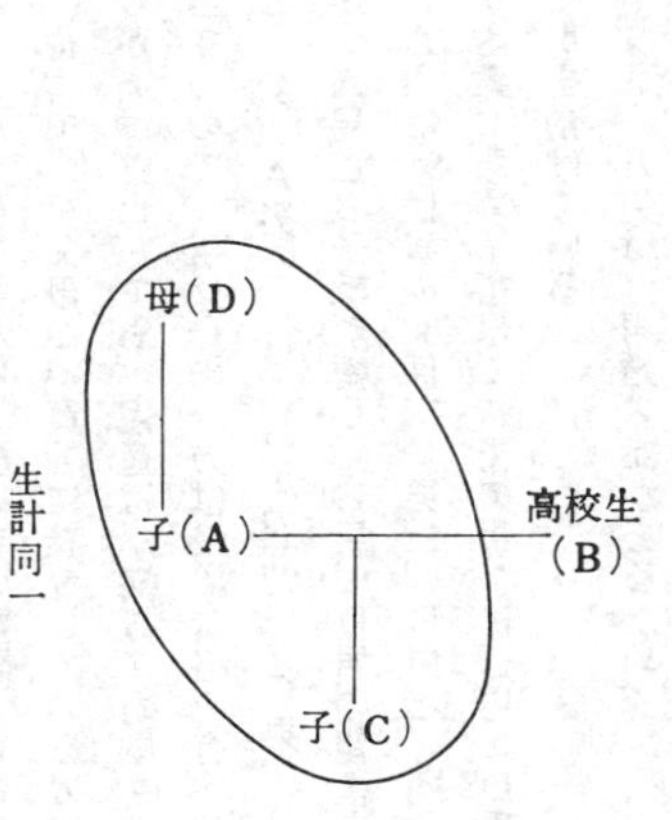

(答) 一五歳の子(A)は、母(D)の監護の下にあるので、Aを受給者とすることはできない。母(D)に対し、AとC二人分の手当を支給されたい。また、後段についても、両親に監護されている一五歳の未婚の母は受給者となり得ないので、当該未婚の母を監護している両親を受給者として手当を支給することとなる。

(問24) 離婚により手当を受けていたが、子の父(前夫)が失踪した為、前夫の母一人となった。

受給者は、それを不憫と思い、母と同居するようになった。その為住民票上は前夫と同居している形となっているが前夫は行方不明で、むろん金の援助も音信もない状態である。

その場合形式的には、同居の形となっている為手当を打ち切るべきか。それとも引き続き手当を支給してよいか。

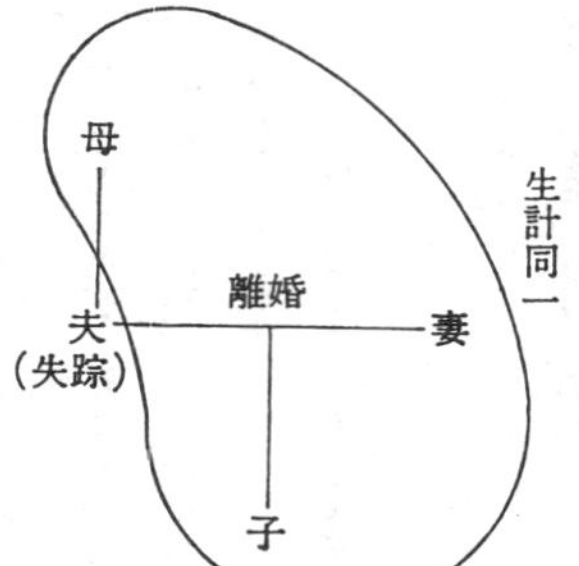

（答）　住民票上は前夫と同居となっていても実態が異なっておれば実態に従って判断すべきなので、手当は引き続き支給して差しつかえない。

第二　養育関係

（問1）　児童の父母が協議離婚後、祖母と同居し母が九歳の双子の児童を監護養育していた。その後母が再婚し祖母が監護している。祖母は老齢年金及び遺族年金で生活しているが、双子の児童の養育ができず別世帯として児童だけが生活保護を受けている。

　祖母は年金を受給しているので児童扶養手当の支給を受けられないが、双子の児童のうち一人が他の児童の監護をしているとして支給してよいか。

（答）　九歳の双子の兄弟の場合、一方が他を監護又は養育しているとは言い難く、実態は祖母が養育していると考えられる。

　この場合において祖母が遺族年金を受給しているのであれば、法第四条第三項の規定により祖母は受給資格を有しない。

（問2）　離婚した公務員である母が児童を祖父母にあずけ再婚した。祖父母と児童は母と別世帯であるが母の被扶養者であり毎月母から若干の仕送りがなされている。このたび祖母から児童を対象児として児童扶養手当の認定請求がなされた。この場合はつぎのいずれによるべきか。

　ちなみに児童と母の配偶者とは養子縁組はなされていない。

(1)　児童は母の配偶者にも監護されるので児童扶養手当は支給しない。

(2)　児童と母の配偶者とは養子縁組がなされていないので支給する。

（答）　児童は母と別世帯で、祖父母に養育されており、母の配偶者に養育されているのではない。また、母の配偶者と養子縁組がなされていないのであれば、配偶者の監護、養育責任も生じない。

　従って、祖父母が実質的に養育しているのであれば、母の仕送りがあったとしても、児童は「父母が婚姻を解消した児童」に該当するので、祖父母の一方は受給資格を有する。

（問3）　父、A男と、母、B子の間に、C男、D男の二児があったが、A男とB子は離婚し、C男、D男の親権者をA男とした。

　A男は、仕事の関係でC男と、D男と、同一に生計を営むことが困難なため、祖母（A男の母）にC男、D男（児童）の二人の子供を預けている。

　なお、A男は、再婚の話があるため、二人の子供を養護施設へ入所させたが、祖父母（父方）が心配のあまり、退所させて、現在、祖父母のもとで育てられている。

戸籍は、Ａ男に、住民票は、祖父母側にある。Ａ男は、東京都に、祖父母は、秋田県に、それぞれ在住している。

Ａ男からは、音信はあるものの、仕送り等は一切ない。

このような場合、祖父（父方、最多収入者）を受給資格者として認定請求できるか。

（答）父（Ａ男）が、児童（Ｃ男、Ｄ男）を引きとっており、児童を気づかう連絡があるので、父は児童を監護しているものと認められる。従って、児童は手当の支給要件のいずれにも該当しないので、たとえ祖父母が児童を養育している実態があるにしても手当の受給資格は生じない。

（問４）１　Ａ男とＢ子の間にＣ子、Ｄ男、Ｅ男がいた。四十六年にＡ男とＢ子は離婚、Ｂ子はＣ子を連れて実家に帰り、Ｄ男、Ｅ男はＡ男が養育、四十七年にＡ男はＦ子と婚姻した。そして五十二年三月にＡ男とＦ子は離婚、Ｆ子は離婚と同時にＤ男、Ｅ男を連れて離別し、五十二年四月にＤ男、Ｅ男を養子とする縁組をしている。

Ｆ子から父母の離婚を支給要件とする認定請求書が提出されたが、次のいずれと解すべきか。

(1) 児童は離婚後父と生計を同一にしていたものであり、法第四条第一項の支給要件に該当しない。

(2) 父と生計を同一にしていたのは、消極的支給要件にすぎないので、父母の離婚による児童として認定してよい。

２　前記に関連して、父母が離婚したが、父が若年等により養育能力がなく、父の実父母に養育されている児童（父と父の実父母は別居）について、どのように取り扱うか。

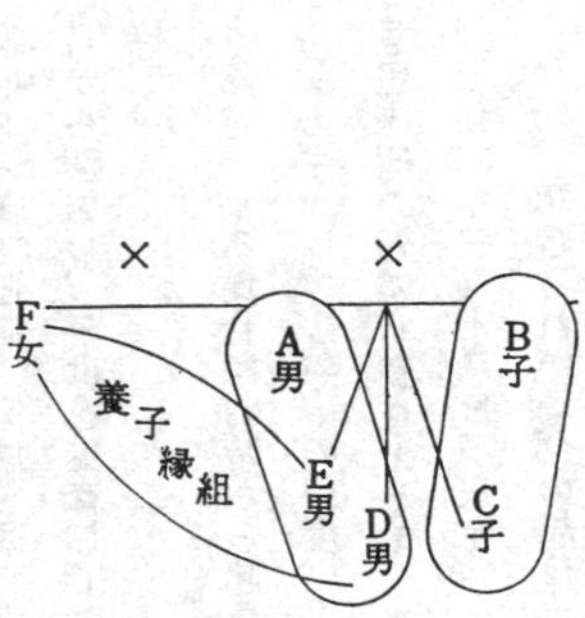

46.　Ａ、Ｂ離婚
47.　.Ａ、Ｆと婚姻
52.3 ＡとＦ離婚
52.4 Ｆ女、Ｄ、Ｅを養子とする

（答）１　四十六年から五十二年三月までは、Ｄ男及びＥ男は父（Ａ男）と生計を同じくしていたので手当の支給対象とはならないが、五十二年三月にＦ子はＡ男と離婚し、Ｄ男及びＥ男は父と生計を同じくせず、Ｆ子に養育されることになったので、「父母（Ａ、Ｂ）が婚姻を解消した児童」を養育していることを事由に五十二年三月からＦ子に受給資格が生じる。

２　離婚後父が児童を引きとったのであれば、父の実父母が児童を養育していても直ちに離婚を事由として資格認定することはできない。父から遺棄されている実態があれば実父母に受給資格が生じるが、父の所在が判明していると考えられるので遺棄の認定は慎重に行うべきである。

（問５）　養育者の別居監護は認められないか。

（答）　現行法上原則として認めていない。

ただし、進学の為養育者の近くの寄宿舎等に入舎するようになった場合であって、休日以外でも時々帰宅するような場合は認められる。

（問６）　祖母、母親、子供の家庭で児童扶養手当を受給していた母親が再婚し、祖母と子供になった場合祖母は直ちに認定請求出来るか。

（子供の親権者は母親、養子縁組なし、同市内等近距離に在住する。）

（答）　母が離婚等を理由に手当を受給していたのであれば母が再婚し、祖母が子供を養育するようになった時点において、祖母に受給資格が生じる。

（問７）　独身の女性が児童と養子縁組した場合受給資格はあるか。

（答）　単に養子縁組をし、児童を養育しているのみでは受給資格は生じない。当該児童が法に定める手当の支給要件に該当する場合（例えば実父母が離婚した場合）にはじめて受給資格が生じる。

（問８）　独身の女性に養子縁組後、実父母が離婚した場合は手当は支給できるか。

（答）　本件は、独身の女性が、「父母が婚姻を解消した児童」を養育しているので、養子縁組の有無と関係なく当該独身の女性は、実父母が離婚した時点で手当の受給資格を有する。

（問９）　祖父母が孫と養子縁組をしていたが、縁組を解消し同居している場合直ちに養育者として認定請求が可能と思うがどうか。

（答）　問題は孫が法に定める手当の支給要件に該当する児童であるか否かであり、縁組を解消すれば直ちに受給資格が生じるものではない。

第三　遺棄拘禁関係

（問１）　父が昭和五十三年三月一日から就労せずギャンブルに熱中し家財を入質する等、家族を返り見ないため、昭和五十三年十月一日から別居し、子供を養育している場合遺棄関係で認定出来るかどうか。

認定出来る場合は何時から起算するか。

（答）　父のギャンブル熱中の程度、母の離婚意思、母の離婚後の養育意思等他の要素も調査のうえ、遺棄に該当するか判断されたい。

（令和四年三月十八日子家発〇三一八第一号通知参照）

なお、認定された場合の起算点は別居した五十三年十月一日から一年を経過した日である。

（問２）　父母が離婚の際児童は父に引きとられていたがその後児童は父方の祖父母が監護している。この場合該当事由は遺棄と出来るか。

父の転出先は判明しているが、仕送り、扶養、監護の事実はない。

（答）　父から遺棄されていることを事由に認定できる可能性はあるが、父の転出先が判明しているので、遺棄の認定は慎重に行われたい。

（問3）遺棄されているとして請求があったが、遺棄証明書の文中に一年以上拘禁されている旨の記載があった。この場合拘禁証明書を添付させ遺棄ではなく拘禁の該当として支給して差支えないか。

（答）拘禁を事由として認定できる場合には支給事由は拘禁とすべきである。

（問4）次の場合に受給資格はあるか。

(1) 未婚の女子が私生児を生むと同時に兄夫婦の籍にその子を入籍させたが、実際は女子と子は生計同一同居し、監護している。

(2) 父死亡の母子世帯で子が他人と養子縁組をしたが、実際は生母と子は生計同一、同居、監護している。

（答）いずれの場合も戸籍上の実父又は養父から遺棄されている事実があれば受給資格があるが、実父又は養父の所在が判明していると考えられるので遺棄の認定は慎重に行われたい。

（問5）　父母が離婚し児童は父が親権者となり祖父母とともに児童を監護していたが、父が出稼ぎに出たまま音信不通となり一年を経過した時点で祖父より児童扶養手当及び特別児童扶養手当の認定請求がなされた。

この場合の認定事由は遺棄と出来るか。

（答）遺棄の実態があれば遺棄を事由として祖父の受給資格を認定することができる。

（問6）　削除

（問7）　父がS.53.3に行方不明（事故によるものでなく）ということで、S.54.6に遺棄（仕送り、連絡一切なし）の認定請求があった。そこで、遺棄になった状況を詳しく聞くために母（受給者）に電話をしたところS.53.8頃父から一度、児童の安否を気づかう電話があったが、それ以降は仕送り、電話、手紙など連絡は一切ないとのことであった。この場合監護の義務を果していると判断し、却下とするのか、又はこの程度のことでは義務を果しているとは判断せず認定するべきなのか。

（答）　児童の安否を気づかう内容の電話が過去に一度あったことのみをもって父の監護意志及び監護事実があると判断するのではなく、父による現実の扶養を期待することができるか、事実関係を総合的に勘案のうえ判断されたい。

（問8）　妻子ある男との間にできた子（認知有）が父との同居及び仕送りはないが、父から月一回程度安否を気づかう電話はある。ただし父が訪ねてきたり、外で会うようなことはない。この場合、仕送りがないことを重視して遺棄の判断を行ってよろしいか、又は監護の義務を果していると判断し却下するものか。

（答）　月一回程度安否を気づかう内容の電話があることのみをもって父の監護意志及び監護事実があると判断するのではなく、父による現実の扶養を期待することができるか、事実関係を総合的に勘案のうえ判断されたい。

（問9）　遺棄の申立書において「父が全く家庭を顧みないため母子が家出し離婚調停の申し立てを行った。別居後仕送り、音信等は一切ない。調停は父が応じないため開始されなかった。」との記載がなされているが、近隣の風評では母に男ができたことが別居の原因ということである（但し、当該地域を担当する民生委員は了知していない）場合、父に対して、別居当時の状況及びその原因並びに児童に対する扶養義務履行の意志及びその具体的方策について文書照会し、児童を扶養監護する意志表示の回答を得れば、具体的方策は示されていなくともそれを理由に却下して差しつかえないか。

　父の意志確認のみで却下ができないとするならば、却下処分を行うに必要かつ充分な事柄とは具体的にどのようなものか。

（答）　母が他に内縁関係ができた等の理由により子を連れて家出した場合は、一般的には遺棄に該当しないと考えられるが、母が子を連れて家出した後のある時点から、父の監護意思及び監護事実が客観的に認められなくなり、かつ、妻に離婚の意思がある場合には、遺棄に該当するものと考えられるので、事実関係を総合的に勘案のうえ判断されたい。

（問10）　母親が子供を連れて実家に帰って居り一年経過するも父親からは仕送りもなにもない場合、単に遺棄とは考えられないが、遺棄と認められる附加要件の実例があればお知らせ願いたい。

（答）　「児童扶養手当遺棄の認定基準について」（令和四年三月十八日子家発〇三一八第一号通知）によられたい。

（問11）　遺棄で受給中の者から事実婚を理由に、資格喪失届が出され、同時に母と前夫との間に生まれた児童が一緒に生活するのをいやがって母の従兄のもとで養育されているので、従兄を受給者にして新規で請求が出ている。どう取扱ったらよいか。

（答）　児童が母と同居中の男から養育されておらず、従兄から養育されており、また、戸籍上の父から遺棄されているのであれば、従兄を受給者として資格認定して差しつかえない。

（問12）　両親が離婚していない児童を、独身の女子が養子とし、且つその養母にその養子を養育する充分な力がある場合、通常実父母は、もはや養育又は、監護しなくなると考えられるが、そのような場合、一年以上実父の養育又は監護の事実がない旨の申立と福祉事務所長の証明があれば、遺棄として認定してよいか。

（答）　独身の女子が支給要件のいずれにも該当しない児童を養子としても手当の受給資格は生じない。独身の女子が父から遺棄されている児童を養育している場合は、養子縁組の有無にかかわらず手当の受給資格が生じるが、本件の場合は実父母の所在が判明していると思われるので、遺棄の認定に当たっては実父が監護している実態がないかどうか、十分調査のうえ慎重に行われたい。

（問13）　児童の実母は出産後間もなく死亡。児童の実父は病弱のため生まれて間もない実子の監護ができない。児童の義祖母（実父と別居）が引取り養育する。そこへ児童の伯母が帰県した。実父からは一年二か月間仕送りもなく、扶養、監護の義務を果す意思が全く認められなかった。義祖母が老齢のため養育の継続ができないので伯母が養子縁組をし手当の請求があった。父から遺棄された児童として認定してよいか。

(答) 本件については、父の障害を事由として資格認定することができないときには、遺棄を事由として認定できる余地があるが、父の所在が判明していることから遺棄の認定は、単に仕送りの有無ばかりでなく、他の要素（行き来、手紙や電話による連絡の有無等）についても調査のうえ慎重に行われたい。

(問14) 夫が暴力をふるうとか夫の職が定らず生活費を渡してくれない、或いは夫の両親と不和であるとの理由で妻が子供を連れて家を出てしまった場合、当然、児童の父親からは養育費等の送金はないのであるが、これを遺棄として認定してよいか。また、この場合、児童の父親の所在が判明しているので扶養、監護の意志の有無を照会する必要はあるか。妻からの一方的申立書のみでよいか指導願いたい。

(答) 妻からの一方的申し立てのみでは遺棄と認定することはできない。妻の家出の理由、妻に責任はなかったか、父に子を養育する意思がないのか、将来とも妻が子を養育する予定なのか、妻に離婚の意思があるのか等実態を十分調査のうえ判断すべきである。具体的には、令和四年三月十八日子家発〇三一八第一号通知「児童扶養手当遺棄の認定基準について」によって判断されたい。

(問15) 児童の実母が死亡後、実父の勤務の都合により児童は実父の妹（既婚）が養育していた。

その後、実父の妹は離婚し、児童と二人きりで生活するようになり、その後実父と養育者の話し合いにより児童は養育者と養子縁組を行い（昭和五十一年七月十日）、以来児童と実父との扶養関係は次第に途絶えがちとなり、昭和五十二年九月からは皆無となっている。

昭和五十三年十月十四日付けで養母から遺棄申立書を添付のうえ認定請求書が提出されたが、養子縁組を行った時点で実父の扶養義務は消滅したと解することなく遺棄と認めてよろしいか。

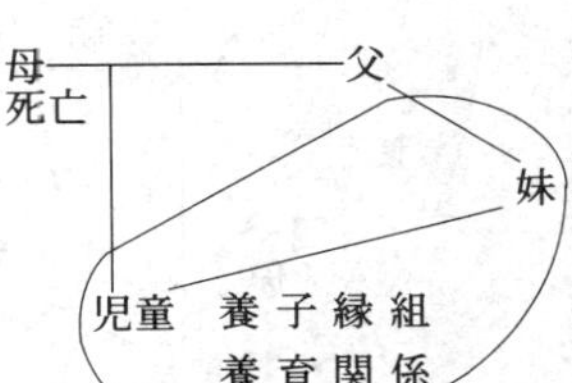

(答) 実父の扶養義務は養子縁組によって消滅するものではない。ま

た、本件については実父の所在が判明していると思われるので、遺棄の認定は、実態を十分調査のうえ慎重に行われたい。

（問16） 児童が認知の子で一年以上父子の交流がなくても認知の父より送金があった場合は、父の遺棄として該当しないが、この送金が裁判による決定事項であった場合は、父の監護意思がないものとして当該児童を支給対象としてよいか。

（答） 定期的な送金の事実がある場合は、監護しているものと考える材料となり得るが、父が監護義務をまったく放棄しており、父の監護意思及び監護事実が客観的に認められない場合など、父による現実の扶養を期待することができないと判断される場合には、遺棄に該当するものとするなど、事実関係を総合的に勘案のうえ判断されたい。

（問17） 児童はA子の未婚の子として出生したが、当該児童はA子の兄夫婦の三男として入籍し、A子は当該児童を養育してきたが、その後A子はB男と婚姻し、当該児童をA子の母に預け、そのA子の母が当該児童を現在まで養育している。そのA子の母は、児童の生母であるA子、又戸籍上の実父母とは往き来はあるものの生計面の援助がない場合、そのA子の母に当該児童が戸籍上の実父母から遺棄されてるとして手当の対象としてよいか、又A子からA子の母に仕送りがあった場合は当該児童はA子の配偶者に養育されていると解して手当の対象児童とはならないか。

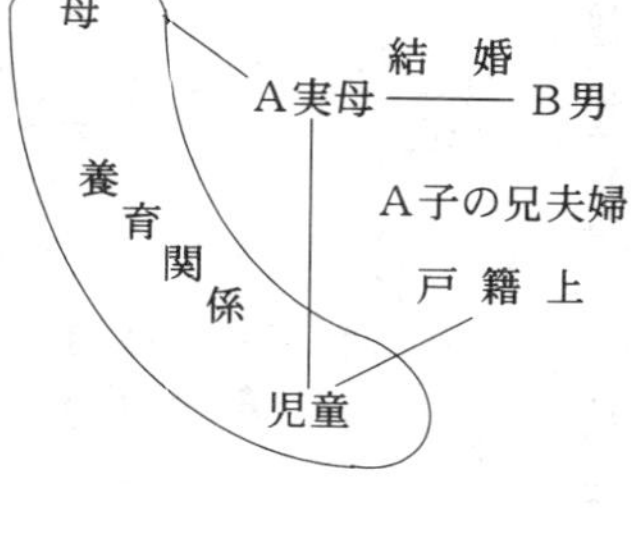

（答） 児童は戸籍上の父母から遺棄されていることを事由に手当の支給対象となり得る可能性はあるが、父母の所在が判明しており、かつ、A子の母と戸籍上の父母と行き来があるので遺棄の認定は慎重に行われたい。

なお、A子は戸籍上児童とは何等関係がないので、A子からA子の母に仕送りがあったとしても手当の支給とは関係ない。

第四　所得関係

（問1）1　現況届において、所得限度額以上の扶養義務者と生計を同じくしていたため支給停止を受けている受給資格者について、その後、この扶養義務者等が死亡したり、又はこの者と生計を異にするようになった場合、児童扶養手当支給停止の理由が消滅した旨の届けにより、その理由が発生した日の属する月の翌月から支給を再開することとしてよいか。

2 手当受給中の受給資格者が、次年度の現況届までの間に、限度額以上の前記扶養義務者等と生計を同じくするようになった場合、児童扶養手当支給停止の理由が発生した旨の届けにより、理由が発生した日の属する月の翌月から支給を停止することとしてよいか。また、この場合、支給を停止された期間にかかる手当で、既に受領済の分があれば返還の対象として扱ってよいか。

（答） いずれも貴見のとおり取り扱って差しつかえない。詳細については、昭和五十二年九月八日児企第三一号通知「児童扶養手当の支給停止関係について」を参照されたい。

（問2） 同居していた扶養義務者が本年四月からいなくなった場合、現況届上はどう書くか。

（答） 配偶者や扶養者との身分関係や生計同一、生計維持関係の認定については、そのときどきの異動の都度その時の実態に即して行うべきものであるが、実務上は定時の現況届によって異動を把握してよいことになっている。

従って、本年四月から居なくなった場合には、扶養義務者の所得は記入する必要がない。

（問3） 削除

（問4） 現況届について、税法上は障害者控除になっていないが、認定段階で障害者控除人員として認めてかまわないか。（税法上の障害者でなければいけないか。）

（答） 障害者控除の取扱いは、税法上の取扱いに従うべきである。

（問5） 別居している扶養義務者が受給者の生活費を出している場合、所得制限を適用してよろしいか。

（答） 受給者と扶養義務者とが別世帯にある場合は原則として両者の間に生計維持関係はないものと解する。

ただし、扶養義務者が出稼ぎ、勤務の関係上等、受給権者の住所地と異なる所に居所を設けている場合等形式的に両者が別世帯にあると思われる場合であっても、実体的に両者が同一世帯と認められる場合は生計を同じくするものとして扶養義務者の所得制限の適用を行うべきである。

第五 公的年金関係

（問1） 父が厚生年金の障害年金の一、二級を受給している場合、対象児童が過去に加算の対象となっていたが何らかの事由で加算の対象外となった場合や、又、障害年金を請求する際、加給年金額の請求をしなかったため加算の対象となっていない場合があるがどちらの場合も法第四条第二項第四号に該当しないとして手当を支給してよろしいか。

（答） 公的年金の子の加算額は客観的な事実関係によって一律の支給されるものであり、受給者の意思によって左右されるものではない。従って、公的年金制度の仕組みとして子の加算制度がある場合には、客観的な事実関係によって子の加算額が支給されていない場合を除き、そもそも手当は支給されない。本件については、子の加算額がいかなる理由により支給されていないのか、実態を調査し、客観的な事実関係により加算額が支給されていない場合は手当は支給されるが、そうでない場合（受給者の「辞退」あるいは請求忘れ等）には手当の受給資格はない。

（問2）　母以外の者が養育する場合にその養育する者がすでに六五歳を超えているが国民年金の老齢年金を受けていない場合「公的年金を受けることができるとき」に該当するか。

（答）　年金の受給資格を満たしていないため、六五歳に達しても受給できない場合には、「公的年金を受けることができるとき」に該当しない。しかし、年金の受給資格を有するにもかかわらず、本人が繰り下げ受給を希望しているときは、「公的年金を受けることができるとき」に該当すると解する。

なお、本人の希望により六五歳未満で繰り上げ受給をしている場合には、「公的年金を受けることができるとき」に該当する。

（問3）　母子年金、準母子年金においては、夫、父、男子たる子、祖父、又は被保険者もしくは、被保険者であった者を故意に死亡させた者には支給しない規定があるが児童扶養手当においては支給要件である法第四条に該当すれば故意に死亡させた（例えば保釈中の母）者が児童を監護するときでも支給されるかどうか。

（答）　児童扶養手当は保険原理に基づくものではないので、故意に死亡させた者であっても法に定める支給要件に該当すれば受給資格を有する。

（問4）　厚生年金保険（障害年金）申請者が児童扶養手当認定請求書を提出した時は、これを受付、裁定の結果をまって認定を行わなければならないが、障害年金は裁定されるのに時間がかかり、特に遅れているケースが三件（一年以上……二件、三年以上……一件）あり取扱いに苦慮しているので、これの処理についてお伺いする。

（答）　児童扶養手当は公的年金の補完制度であり、原則として公的年金を受給できない場合に支給されるものであるから、あくまで年金の裁定をまって手当の受給資格認定を行うべきである。

第六　手続

（問1）　認定請求時に添付書類（戸籍謄本、住民票等）が不足し再三督促（電話、手紙等）しても提出されない場合がある。このような場合、一定の期間をもって却下してよいか。

却下できる場合には、認定請求後どのくらいの期間を待ったらよいか。

却下の手段として特段の注意があったら御指導願いたい。

（答）　照会の事例のような場合には、文書でもって申請者に対し補正命令を出されたい。この場合、次の点に留意されたい。

① 期限を明示すること。この期限は、書類の不備の内容に応じて異なり、一定しているものではないが、常識的に考えて通常の場合であれば当然補正できると思われる期限であること。

② 前記の期限内に正当な理由がなく、補正がない場合には申請を却下する旨を附記すること。

前記の措置を講じたにもかかわらず、期限内に申請者から正当な理由なく補正がない場合には、申請を却下されたい。

(問2) 五十四年四月二十三日付で、五十二年十二月一日に婚姻したことにより資格喪失届を出してきた者がいる。調査したところ五十二年七月一日に婚姻相手の住民票に母子が入っていた。この場合、婚姻の日以前から同一世帯を形成していたのであるが、本人届出による婚姻の日をもって喪失すべきか、事実婚関係を調査し、場合によっては、遡及して喪失すべきか。

(答) 事実関係によって処理すべきであり、少なくとも五十二年七月一日に遡及して資格喪失処分を行われたい。

(問3) 削除

(問4) 受給者が児童を残して行方不明になった場合、同居の親族又は児童の後見人等が資格喪失届を代って記入し提出できるか。

(答) 貴見のとおり、取り扱って差しつかえない。また、受給者が死亡した時と同じく職権により調査し、処理しても差しつかえない。

(問5) 離婚により児童扶養手当を受けていた母が障害(身障者手帳一級)を有する男と再婚した場合、いったん資格喪失処分を行い、改めて「父の障害」で認定請求させるべきか。

(答) 貴見のとおり取り扱われたい。

(問6) 現況届の審査の時に公的年金受給や再婚などの実態が明らかに確認できた場合、資格喪失届の提出がなくても職権で喪失してもよいか、又債権が発生している場合も同様に扱ってよいか。

(答) いずれも貴見のとおり取り扱われたい。

(問7) 削除

(問8) 祖母、母、対象児童の世帯で、児童扶養手当を母が受給していたが、母が行方不明となり三か月たっても帰らずその間支払期が到来した。

(1) 母行方不明後、祖母が養育しているが、三か月過ぎて、祖母が新たに認定を受ける場合、母が行方不明になった時期に届出があればその時期まで遡り認定し、祖母に支給してよいと思うがどうか。

母が行方不明後、支給日が到来し祖母は年老いていることが多く、手続することを知らないため支給日に支給を受けられないことを知り手続に来ることが多い。

(2) この場合、法第十六条(未支払の手当)として、祖母が監護しているので三か月分を児童に支払ってよいか。

(答) 祖母は受給者ではなく、母があくまで受給者である。母は行方不明になった時点で監護の実態がなくなったのであるから受給資格は行方不明の時点で喪失している。

他方、手当は申請の翌月分から支給されるので、照会の事例については、三か月分を遡って祖母に支給することはできないと解する。

また、法第十六条は受給者が死亡した場合に適用されるものであり、本事例とは関係ない。

(問9) 認定請求書の添付書類である戸籍謄本(抄本)並びに住民基

本台帳の写については市町村長が確認し証明することにして、添付を省略できないか。

（答）　戸籍謄本（抄本）又は住民票の記載事項のすべてが明らかにできる場合には、市町村長の作成した戸籍又は住民票の記載事項証明をもって添付を省略しても差しつかえない。

第七　その他

（問1）　生活保護世帯に対し児童扶養手当を支給している場合、手当が収入認定され、その分生保の給付金が減額されるが、後に、児童扶養手当の支給要件に該当していなかったことが判って児童扶養手当を遡って返還させると、その分だけ当該受給者の実損となる。

このような生保世帯の受給者の場合

(1)　支給要件に該当しないのに支給された既往の児童扶養手当は、その分だけ生保が減額されたのであるから、国とその受給者との全体の関係で見れば、その受給者に不当利得があったとはいえず、これを返還させることは公平を失する。

(2)　遡って返還を要求されても生保世帯であるから、返還能力は皆無であり、本人が誠意に基づいて、返還するとすれば、生保の受給金から行うことになり、これは、社会福祉（生活保護）の理念に反する。

故に、このような場合については、認定の取消しの効果は、既往の支給額まで遡らせない取扱いとしてはどうか。

（答）　照会の事例については、手当の受給資格がないにもかかわらず、受給していたのであるから返還の手続をとられたい。なお、受給者に返還能力がない場合には、「国の債権の管理等に関する法律」の規定により、債権の内容の変更、免除又は消滅の方法がある。

（問2）　某県から転入し、所得状況届未提出により五十五年四月十日が時効完成の日であるが、五十五年三月住所変更届が提出され、時効が完成する日の四月十日以降に所得状況届が提出された場合、当該住所変更届をもって時効中断の効力があるものとみなせるか。

（答）　住所変更届の提出をもって時効中断とみなして差しつかえない。

（問3）　定時届が提出期限内に提出されず、その後、提出があった場合、当該期の所得制限内であれば、何年ぐらいまでさかのぼって支給できるか。

時効についてはどのように考えればよいか。

（答）　児童扶養手当の時効は、証書の交付を受けていると否とにかかわらず、手当の支払期日経過後二年間である。この場合の時効の起算日は、手当の支払期月の十一日であり、時効が完成するのは、当該支払期日の二年後の支払開始期日の前日が経過した時点である。例えば、昭和五十五年の四、五、六、七の各月分の手当については、支払開始期日である昭和五十五年八月十一日から時効が進行し、昭和五十七年八月十日が経過した時点で時効が完成する。（昭和四十七年八月二十五日児企第三三号通知参照）

（問４）　法第七条の「災害その他やむを得ない理由」には離婚が含まれるか。

（答）　「やむを得ない理由」とは、自然災害（風水害等）、火災のほか、急病、出産、死亡、交通事故等で、物理的にみて申請が不可能な場合に限定されるので、離婚の如く人為的な場合は、「やむを得ない理由」に含まれないと解する。

（問５）　五十一年四月適用開始をめどに、児童扶養手当、特別児童扶養手当の電算処理の作業を進めているが、その中に市町村で行う事務を県で行う方が事務の効率があがり、逆の場合も多い。事務費の配分はどうか。また、手当証書を、電算処理できると、かなりのメリットがあると思われるが、証書の電算処理はできないものか。

（答）　市町村と都道府県の事務の配分を変更することは当面考えていない。また、証書の電算機処理は事務の合理化、迅速化に寄与する限り望ましいことであると考えている。

（問６）　別居監護申立書に附する証明は母親（請求者）の居住地の民生委員の証明でよいか。（別居先の証明をとるには要領をえないし、日数がかかり不便）

（答）　別居監護の実態を母親の居住地の民生委員が知悉し、証明できる場合には差しつかえない。ただし、児童が学校へ通っている場合には、学校長又は寄宿舎の長の証明が望ましい。

特別児童扶養手当関係　削除

○児童扶養手当の受給資格認定に係る事務取扱いについて

〔昭和六十年十一月十六日　児企第三七号
各都道府県民生主管部(局)長宛　厚生省児童家庭局企画課長通知〕

〔改正経過〕

第一次改正　〔平成一三年七月三一日雇児福発第三四号・障企発第三九号〕

児童扶養手当受給資格申請の受理に際して、住民票上の住所地と現実の住所地とが異なっている場合の認定事務について、今般、従来の取扱いを次のとおり改めることとしたので、御了知の上、管内市区町村に対する周知につき、特段の配慮をお願いする。

なお、これに伴い、昭和五十五年七月九日付け児企第二九号本職通知「児童扶養手当及び特別児童扶養手当に関する疑義について」中第三の問6及び第六の問3を削除することとする。

1　申請の受理について

(1)　請求者の住民票上の住所地と現実の住所地とが異なっている場合、住民票を現実の住所地に移動させた後に、住所地の市区町村において受理することとしているが、父の暴力、酒乱等から逃れるために住所を移し、現住所が、当該父に知られると危害が加えられる虞が強い場合等住民票の移動ができないことに真にやむを得ない理由がある場合に限り、現実の住所地の市区町村において受理して差し支えないこととすること。

(2)　この場合、認定請求の際に必要とされる書類（住民票を含む。）に加えて申請者の申立書及び民生委員、福祉事務所長又は申請者が入所している母子寮の寮長等の証明書を添付させること。

(3)　(1)の場合においても、住民票の移動は、住民基本台帳法上住民に義務づけられているものであるため、住民票の移動ができない理由がなくなり次第速やかに移動を行うよう指導されたいこと。

2　認定の際の取扱い

(1)　1により、申請を受理した場合、都道府県は、申請者の住民票所在地の都道府県と連絡をとり、住民票の移動ができない理由について、事実関係を調査すること。その際、申請者の住所が父等に知られることのないよう十分に注意すること。

(2)　申請を受理した都道府県は、住民票所在地の都道府県と連絡をとり、児童扶養手当が二重支給とならないことを確認すること。

(3)　受給資格を認定した場合は、当該受給資格者に係る受給資格者台帳の写しを住民票所在地の都道府県に送付すること。

3　認定後の取扱い

(1)　2により認定した受給者（以下「受給者」という。）については、毎年提出される現況届にも1(2)の証明書を添付させるとともに、現況届に添付される住民票の記載地が変更していないことを確認すること。

(2)　受給者が、住所変更をした場合の住所変更届には、受給者が現に住所を変更した年月日を記載させること。

また、変更後の住所地の都道府県に提出する住所変更届には、1(2)の証明書を添付させること。

(3) 都道府県知事が児童扶養手当の支給主体となる受給者については、変更前の住所地の都道府県知事は、新住所に住所を変更した日の属する月分までの手当を支給し、変更後の住所地の都道府県知事は、その翌月分からの手当を支給すること。

(4) 2(3)により受給資格者台帳の写しの送付を受けた都道府県は、当該写しを別紙様式による他都道府県受給者総表とともに保管し、他の都道府県からの連絡、当該都道府県に対する申請に際して照合し、手当の二重支給の防止に努めること。

(別　紙)

受給者の氏名	児童扶養手当証書の記号・番号	対象児童名	認定年月日	住民票上の住所地	現実の住所地	備考

備考欄は、他の都道府県からの連絡等について記載すること。

〇児童扶養手当の疑義について

〔昭和六十一年六月二十七日　児企第三一号
各都道府県民生主管部(局)長宛　厚生省児童家庭局企画課長通知〕

標記について、別紙１による大阪府からの照会に対して別紙２のとおり回答したから参考とされたい。

別紙１

〔昭和六十一年六月十二日　児第四二〇号
厚生省児童家庭局企画課長宛　大阪府民生部長照会〕

標記について、昭和六十一年五月六日付け児企第一八号貴職通知による事務処理上の疑義について、ご教示下さい。

記

同通知４の取扱いについては、職権による処理としてよろしいか。

また、加算対象児と加算非対象児が混在する場合、手当対象児は、加算非対象児とすることとなっているが、加算非対象児が、年齢到達、又は母に監護されなくなった等非該当となった場合の取扱いについては、再度、国年法等改正法附則第三十三条の規定の適用対象となり、加算対象児に対して、児童扶養手当額と年金加算額の差額分を支給してよろしいか。

なお、この時も職権による処理としてよろしいか。

別紙２

〔昭和六十一年六月二十七日　児企第三〇号
大阪府民生部長宛　厚生省児童家庭局企画課長回答〕

昭和六十一年六月十二日付児第四二〇号をもって照会のあった標記については、貴見のとおり取扱われたい。

○児童扶養手当法令上の疑義について

〔昭和六十一年九月十六日　児企第四五号　各都道府県民生主管部（局）長宛　厚生省児童家庭局企画課長通知〕

標記について、別紙1による東京都からの照会に対して、別紙2のとおり回答したので参考とされたい。

〔改正経過〕

第一次改正〔平成一三年七月三一日雇児福発第三四号・障企発第三九号〕

別紙1

〔昭和六十一年九月二日　六一福児育第四四五号　厚生省児童家庭局企画課長宛　東京都福祉局児童部長照会〕

標記について、支給対象児童が、父に支給される公的年金給付の額の加算となっている場合で、次の事例はいかに取扱ったらよいか御教示願います。

1　父の所得が、公的年金の所得制限額を超えているため、年金額が全額支給停止になっている場合、手当は支給することができるか。

もし、支給できるとした場合、児童扶養手当法第四条第二項第四号には、全額支給停止の場合の規定がないが、どのように解するか。

2　国民年金法等の一部を改正する法律附則第三十三条に該当する場合で、父の年金額が全額支給停止となった場合の取扱いについては、次のいずれによるべきか。

①　手当額は、全額支給する。

②　手当額は、減額して支給する。

別紙2

〔昭和六十一年九月十六日　児企第四四号　東京都福祉局児童部長宛　厚生省児童家庭局企画課長回答〕

昭和六十一年九月二日六一福児育第四四五号をもって、照会のあった標記については次のとおり回答する。

1について

児童扶養手当は支給される。

児童扶養手当法第四条第二項第四号は、現に父に公的年金が支給されている場合に適用するものであり、公的年金が全額支給停止になることにより、公的年金の支給を受けて、なければ児童扶養手当法第四条第二項第四号に該当しない。

2について

①によられたい。

父に公的年金が支給されない場合には、国民年金法等の一部を改正する法律附則第三十三条に該当しなくなる。

○児童扶養手当及び特別児童扶養手当関係書類市町村審査要領について

〔昭和四十八年十月三十一日　児企第四八号　各都道府県民生主管部(局)長宛　厚生省児童家庭局企画課長通知〕

〔改正経過〕

第一次改正〔昭和五五年六月二三日児発第四八八号〕
第二次改正〔昭和五七年一〇月一日児発第八二四号〕
第三次改正〔平成二年五月二八日児企第三二号〕
第四次改正〔平成一三年七月三一日雇児福発第三四号・障企発第三九号〕
第五次改正〔平成二二年七月三〇日雇児福発〇七三〇第二号〕
第六次改正〔平成二四年八月二九日雇児福発〇八二九第一号〕
第七次改正〔平成二六年九月三〇日雇児福発〇九三〇第三号〕
第八次改正〔平成三〇年八月一日子家発〇八〇一第一号〕
第九次改正〔平成三〇年九月二八日子家発〇九二八第二号〕
第一〇次改正〔令和元年七月一日子家発〇七〇一第二号〕
第一一次改正〔令和三年二月三日子家発〇二〇三第一号〕

児童扶養手当関係書類の市町村における審査については、従来「児童扶養手当関係書類市町村審査要領について(昭和三十七年一月十二日児企第三号各都道府県民生主管部(局)長あて厚生省児童局企画課長通知)」により行われていたが、今後は別冊「児童扶養手当及び特別児童扶養手当関係書類市町村審査要領」により行うこととされたので、管内市町村(特別区を含む。)に対する周知につき、特段の配慮をお願いする。

別冊

児童扶養手当及び特別児童扶養手当関係書類市町村審査要領

第一　児童扶養手当関係書類

1　認定請求書の審査

児童扶養手当法施行規則(以下「規則」という。)第一条の規定により、市町村(特別区を含む。以下同じ。)に、児童扶養手当認定請求書(以下「認定請求書」という。)が提出された場合には、次の要領により審査を行うものとすること。

(1)　認定請求書に記載すべき事項で記載もれ又は誤記がないかどうかを審査すること。

(2)　認定請求書に次の書類が添付されているかどうかを審査すること(規則第一条)。

ア　受給資格者及びその者が監護し、かつ、生計を同じくする児童、その者が監護する児童又は養育する児童であって、児童扶養手当法(以下「法」という。)第四条に定める要件に該当する児童(以下「対象児童」という。)の戸籍の謄本又は抄本及びこれらの者の属する世帯全員の住民票の写し

なお、一通の謄本又は抄本でほかのことも明らかにわかるときは全部について同じ謄本又は抄本を添付する必要はないこと。

イ　受給資格者が父(母が当該児童を懐胎した当時婚姻の届出をしていないが、その母と事実上婚姻関係と同様の事情にあ

った者を含む。以下同じ。）である場合において、対象児童と一時的に同居しないでこれを監護し、かつ、生計を同じくしているときは、その事実を明らかにすることができる書類

この場合の書類とは、本人の申立書及び学校長、寄宿舎の長、民生委員、児童委員等の証明書であること。

ウ　受給資格者が母である場合において、対象児童と同居しないでこれを監護しているときは、その事実を明らかにすることができる書類

この場合の書類とは、本人の申立書及び学校長、寄宿舎の長、民生委員、児童委員等の証明書であること。

エ　受給資格者が養育者である場合には、対象児童の父及び母の戸籍又は除かれた戸籍の謄本又は抄本並びに受給資格者が対象児童を養育していることを明らかにすることができる書類

この場合の書類とは、本人の申立書及び民生委員、児童委員等の証明書であること。

オ　対象児童の父母が婚姻の届出をしていないが、事実上の婚姻関係と同様の事情であった場合であって、事実上の婚姻関係を解消したときは、その事実を明らかにすることができる書類

この場合の書類とは、「事実婚解消等調書」、本人の申立書、住民票の写し及び民生委員、児童委員等の証明書であること。

カ　対象児童の父又は母が障害の状態であることによって請求する場合には、次に掲げる書類等

(ア)　当該障害の状態に関する医師又は歯科医師の診断書

(イ)　当該障害が次の傷病に係るものであるときは、エックス線直接撮影写真

呼吸器系結核・肺えそ・肺のうよう・けい肺（これに類似するじん肺症を含む。）・じん臓結核・胃かいよう・胃がん・十二指腸かいよう・内臓下垂症・動脈りゅう・骨又は関節結核・骨ずい炎・骨又は関節損傷。その他認定又は審査に際し必要と認められるもの

キ　次のいずれかに該当することによって請求する場合には、その事実を明らかにすることができる書類

(ア)　対象児童の父又は母の生死が明らかでないこと。

この場合の書類とは、福祉事務所、警察署、その他の官公署、関係会社等の証明書であること。

(イ)　対象児童が父又は母から引続き一年以上遺棄されていること。

この場合の書類とは、本人の申立書及び原則として福祉事務所長の証明書であること。なお、この場合山間へき地、離島等で福祉事務所長の証明を受けることが困難な場合には、市町村長（特別区の区長を含む。以下同じ。）の証明書でも差し支えないこと。

(ウ)　対象児童の父又は母が配偶者からの暴力の防止及び被害

者の保護等に関する法律第十条第一項の規定による命令（それぞれ母又は父の申立てにより発せられたものに限る。）を受けたこと。

この場合の書類とは、保護命令決定書の謄本及び確定証明書であること。ただし、確定証明書に保護命令の発令の事実並びに申立人である証明申請者の氏名及び保護命令決定書上の住所が記載されている場合には、当該確定証明書の提出をもって足りること。

(エ) 対象児童の父又は母が法令により引続き一年以上拘禁されていること。

この場合の書類とは、刑務所、拘置所、その他の官公署等の証明書であること。

ク 対象児童が法第三条第一項に規定する障害の状態にあることによって請求する場合には、前記カの(ア)及び(イ)に掲げる書類等

(3) 認定請求書には、前年（一月から九月までの間に認定請求があった場合は前々年。以下同じ。）の所得の状況を記載することとなっているので所得に関する次の書類が添付されているかどうかを審査すること（規則第一条）。

ア 所得の額（児童扶養手当法施行令（以下「令」という。）第三条及び第四条の規定によって計算した所得の額をいう。以下同じ。）並びに法第九条に規定する扶養親族等の有無及び数並びに所得税法（昭和四十年法律第三十三号）に規定する同一生計配偶者（七〇歳以上の者に限る。）、老人扶養親族及び特定扶養親族の有無及び数についての市町村長の証明書（やむを得ない理由により同法に規定する同一生計配偶者の有無及び当該同一生計配偶者が七〇歳以上であるかの別についての市町村長の証明書を提出することができない場合には、当該事実を明らかにできる書類）

この場合の書類とは、本人の申立書及び当該同一生計配偶者の所得の額についての市町村長の証明書であること。

イ 令第四条第二項各号の規定に該当するとき（ウに該当するときを除く。）は、当該事実を明らかにすることができる市町村長の証明書

ウ 受給資格者が令第四条第二項第三号に規定する所得割の納税義務者であるときは、当該事実を明らかにすることができる書類

この場合の書類とは、受給資格者及びその者と生計を一にする子の戸籍の謄本又は抄本並びに当該子の所得の額についての市町村長の証明書であること。

エ 受給資格者が所得税法に規定する控除対象扶養親族（一九歳未満の者に限る。）を有するときは、次に掲げる書類

(ア) 当該控除対象扶養親族の数を明らかにすることができる書類

この場合の書類とは、本人の申立書であること。

(イ) 当該控除対象扶養親族が法第十条又は第十一条に規定す

る扶養義務者でない場合には、当該控除対象扶養親族の前年の所得の額についての市町村長の証明書

オ　受給資格者が前年の十二月三十一日においてその者の法第九条に規定する扶養親族等でない法第三条第一項に規定する児童の生計を維持したときは、次に掲げる書類等

(ア)　受給資格者が前年の十二月三十一日において児童の生計を維持したことを明らかにすることができる書類

この場合の書類とは、本人の申立書及び民生委員、児童委員等の証明書であること。

(イ)　児童が同日において障害の状態にあった場合には、当該障害に関する医師又は歯科医師の診断書

カ　受給資格者が法第十二条第一項の規定に該当するときは、児童扶養手当被災状況書及び市町村長の証明書

キ　配偶者がある受給資格者又は法第十条に規定する扶養義務者がある父若しくは母である受給資格者若しくは法第十一条に規定する扶養義務者がある養育者である受給資格者にあっては、当該配偶者又は当該扶養義務者の前年の所得につき前記ア、イ、ウ及びカと同様の書類

ク　前記ア及びイの市町村長の証明書を当該受給資格者の住所地の市町村長から受けるべきときは、証明書の添付を要しないものであること。

(4)　受給資格者又は対象児童が法第三条第二項に規定する公的年金給付（以下「公的年金給付」という。）若しくは法第十三条の二第一項第四号に規定する遺族補償等（以下「遺族補償等」という。）を受けることができる場合又は対象児童が公的年金給付の加算の対象となっている場合には、その給付を行う者の証明書が認定請求書に添付されているかどうかを審査すること（規則第一条）。

(5)　認定請求書の記載内容が添付書類のそれと一致しているかどうかを審査すること。

(6)　受給資格者又は対象児童の公的年金給付の受給状況については、市町村において請求者から聴き取って「公的年金調書」を作成すること。

(7)　以上の審査の結果、認定請求書に明白な誤りがあった場合においては、市町村で容易に補正できるものはこれを補正し、補正できないものについては、認定請求書を返戻し、又は関係書類を一部追完を行う等の措置をとること。

2　所得の状況に関する実質的審査

(1)　手当の受給資格についての認定に際し、市町村において実質的に審査を行わなければならない事項は、受給資格者、配偶者及び扶養義務者の所得の額並びに受給資格者及び児童の生計維持関係、その他であること。

(2)　所得の状況について審査を行う場合は、受給資格者が前年から引続いて同一市町村内に住所を有する場合等当該市町村において受給資格者の市町村民税の課税台帳、その他の公簿によって、これらの事項が明らかにされる場合であって、その事項に

関する市町村長の証明書が規則第二十六条第三項の規定により省略されている場合であること。

(3) 所得の状況の実質的な審査は、次によって行うものとすること。

ア 受給資格者、受給資格者の配偶者又は扶養義務者の所得額については、その者の前年の所得額が課税台帳等によって確認された所得と相違ないかどうか、相違があるときはその相違点を記入すること。

イ 扶養義務者については、受給資格者が父又は母である場合には、その父又は母と生計を同じくしている扶養義務者であり、受給資格者が父又は母以外の者である場合には、その者の生計を維持している扶養義務者であることに留意すること。この場合の生計同一関係については、課税台帳及び住民票その他の公簿等の同居関係によって確認すること。

なお、生計を維持するとは、直接又は間接にその者の生計費の全部又は大部分を負担していることをいうものであること。

ウ 同一生計配偶者及び扶養親族の有無及び数並びに同一生計配偶者（七〇歳以上の者に限る。）、老人扶養親族及び特定扶養親族の有無及び数が課税台帳等と相違ないかどうかを確認すること。

また、控除対象扶養親族（一九歳未満の者に限る。）の数については、控除対象扶養親族の数から、特定扶養親族の数及び老人扶養親族の数を控除した数の範囲内で、認定請求書に記載された控除対象扶養親族（一九歳未満の者に限る。）の数、前記1の(3)のエの(ア)に掲げる申立書に記載された控除対象扶養親族（一九歳未満の者に限る。）の数及び当該申立書に一九歳未満の控除対象扶養親族として記載された者の前年の所得により認定すること。

同一生計配偶者の有無及び当該同一生計配偶者が七〇歳以上であるかの別については、所得が一〇〇〇万円以下の者の場合は、課税台帳等において「控除対象配偶者」とあれば「同一生計配偶者」として、「老人控除対象配偶者」とあれば「七〇歳以上の同一生計配偶者」として認定し、所得が一〇〇〇万円超の者の場合は、認定請求書の㉘の欄に記載された同一生計配偶者又は七〇歳以上の同一生計配偶者の数及び前記1の(3)のアの申立書に同一生計配偶者として記載された者の前年の所得により認定すること。

エ 所得の範囲は、前年の所得のうち、地方税法に掲げる都道府県民税についての非課税所得を除いたものをいい、その額は地方税法第三十二条第一項に規定する総所得金額（母子及び父子並びに寡婦福祉法施行令（昭和三十九年政令第二百二十四号）第二十九条第一項に規定する母子家庭高等職業訓練修了支援給付金及び同令第三十一条の九第一項に規定する父子家庭高等職業訓練修了支援給付金に係るものを除き、所得税法第二十八条第一項に規定する給与所得又は同法第三十五条第三項に規定する公的年金等に係る所得を有する場合には、同法第二十八条第二項の規定により計算した金額及び同法第三十五条第二項第一号の規定により計算した額の合計額から一〇万円を控除して得た金額（当該金額が〇を下回る場合には、〇とする。）と同項第二号の規定により計算した金額とを合計した額を当該給与所得の金額及び同条第一項に規定する雑所得の金額の合計額として計算するものとする。）、退職所得金額及び山林所得金額、同法附則第三十三条の三第一項に規定する土地等に係る事業所得等の金額、同法附則第三十四条第一項に規定する長期譲渡所得の金額（租税特別措置法（昭和三十二年法律第二十六号）第三十三条の四第一項若しくは第二項、第三十四条第一項、第三十四条の二第一項、第三十四条の三第一項、第三十五条第一項、第三十五条の二第一項、第三十五条の三第一項又は第三十六条の規定の適用がある場合には、これらの規定により同法第三十一条第一項に規定する長期譲渡所得の金額から控除する金額を控除した金額）、同法附則第三十五条第一項に規定する短期譲渡所得の金額（租税特別措置法第三十三条の四第一項若しくは第二項、第三十四条第一項、第三十四条の二第一項、第三十四条の三第一項、第三十五条第一項又は第三十六条の規定の適用がある場合には、これらの規定の適用により同法第三十二条第一項に規定する短期譲渡所得の金額から控除する金額を控除した金額）、同法附則第三十五条の四第一項に規定する先物取引に係る雑所得等の金額、租税条約の実施に伴う所得税法、法人税法及び地方税法の特例に関する法律第三条の二の二第四項に規定する条約適用利子等の額並びに同条第六項に規定する条約適用配当等の額の合計額（総所得金額等合計額）から八万円を控除した額であるので課税台帳によって確認すること。

ただし、受給資格者が父又は母である場合には、総所得金額等合計額に以下の金額を合計した額から八万円を控除した額である。

(ア) 受給資格者が母の場合

その監護する児童が父から支払を受けたその児童の養育に必要な経費の金額及び母が当該児童の父から支払を受けた児童の養育に必要な経費の金額のそれぞれ八割に相当する金額

(イ) 受給資格者が父の場合

その監護し、かつこれと生計を同じくする児童が母から支払を受けた児童の養育に必要な経費の金額及び父が当該児童の母から支払を受けた児童の養育に必要な経費の金額のそれぞれ八割に相当する金額

なお、この場合の非課税所得とは、所得税法第九条で非課税所得としているものを地方税法で引用しているものであるので、恩給、年金、他人からの相続、贈与、仕送り等によるもののほか税法以外の各法令により非課税とされて

いる、たとえば児童扶養手当、国民年金法の給付等の所得も非課税とされているものである。

オ　受給資格者が法第十三条の二第三項の規定の適用を受ける場合には、以下の点について留意すること。

(ア)　前記エの所得の範囲に公的年金給付及び遺族補償等のうち非課税所得であるものが加わること。

(イ)　前記エの総所得金額の計算に当たっては、非課税公的年金給付等（公的年金給付又は遺族補償等であって、地方税法第四条第二項第一号に掲げる道府県民税についての同法その他の道府県民税に関する法令の規定による非課税所得に係るものをいう。）については、所得税法第三十五条第三項に規定する公的年金等とみなし、公的年金等控除等を適用して算定した額を他の収入に係る総所得金額に加算することとなること。

カ　その年の四月一日の属する年度分の都道府県民税につき、次の各号に該当する者については、当該各号に掲げる額を前記エの所得額からそれぞれ控除されるものであるので課税台帳と相違ないかどうかを確認すること。

(ア)　地方税法第三十四条第一項第一号（雑損控除）、第二号（医療費控除）、第四号（小規模企業共済等掛金控除）又は第十号の二（配偶者特別控除）に規定する控除を受けた者については、当該雑損控除額、医療費控除額、小規模企業共済等掛金控除額又は配偶者特別控除額に相当する額

(イ)　地方税法第三十四条第一項第六号（障害者控除）に規定する控除を受けた者については、その控除の対象となった障害者（特別障害者を含む。）一人につき、同項第八号（寡婦控除）に規定する控除を受けた者（母を除く。）、同項第八号の二（ひとり親控除）に規定する控除を受けた者（母及び父を除く。）、同項第九号（勤労学生控除）に規定する控除を受けた者については、それぞれ令第四条第二項第二号、三号、四号及び五号に規定する額

なお、ひとり親控除及び勤労学生控除の規定は控除対象配偶者及び扶養親族は適用されないものであるので留意されたいこと。

(ウ)　地方税法附則第六条第一項（肉用牛の売却による事業所得の免除）に規定する免除を受けた者については、当該免除に係る所得の額

キ　受給資格者、受給資格者の配偶者又は扶養義務者と児童との相互の身分関係、生計維持関係その他について、戸籍、住民票、課税台帳等によって審査のうえ、これに相違ないかどうか確認し、相違がない場合には審査欄に、相違なし等と記入すること。なお、町村（福祉事務所設置町村を除く。）は、相違がある場合にはその相違点その他都道府県の審査に関し参考となるべき事項を記入すること。

3　手当額改定請求書の審査

規則第二条の規定により、市町村に児童扶養手当額改定請求書

が提出された場合には、前記1の認定請求書の審査の例に準じて審査を行うものとすること。

この場合、児童扶養手当額改定請求書には、次の書類等が添付されているかどうか審査すること。

(1) 新たに手当を受ける対象となる児童の戸籍の抄本及びその児童の属する世帯全員の住民票の写し

なお、一通の抄本でほかのことも明らかにわかるときは、全部について同じ抄本を添付する必要はないこと。

(2) 前記1の(2)のイ、ウ、エ又はクに掲げる場合に該当するときは、それぞれイ、ウ、エ又はクに掲げる書類等

(3) 新たに手当を受ける対象となる児童の父又は母と従来から手当を受けている児童の父又は母と同じでなく、新たに手当を受ける対象となる児童の父が前記1の(2)のカ又はキに該当することによって請求する場合には、それぞれカ又はキに掲げる書類等

(4) 新たに支給対象となる児童が公的年金若しくは遺族補償を受けることができる場合又は対象児童が公的年金の加算の対象となっている場合には、1の(4)に掲げる書類

4 所得状況届の審査

規則第三条の五の規定により、市町村に児童扶養手当所得状況届が提出された場合には、前記1の(3)及び2の所得の状況に関する審査の例に準じて審査を行うものとすること。

5 定時の現況届の審査

規則第四条の規定により、市町村に児童扶養手当現況届が提出された場合には、前記1の(3)及び2の所得の状況に関する審査の例に準じて審査を行うものとすること。

第二 特別児童扶養手当関係書類

1 認定請求書の審査

特別児童扶養手当法施行規則（以下「規則」という。）第一条の規定より市町村に、特別児童扶養手当認定請求書（以下「認定請求書」という。）が提出された場合には、次の要領によって審査を行うものとすること。

(1) 認定請求書に記載すべき事項で記載もれ又は誤記がないかどうか審査すること。

(2) 認定請求書に次の書類が添付されているかどうか審査すること（規則第一条）。

ア 受給資格者及びその者が監護し又は養育する特別児童扶養手当法（以下「法」という。）第四条に定める要件に該当する児童（以下「支給対象児童」という。）の戸籍の謄本又は抄本及びこれらの者の属する世帯全員の住民票の写し。

なお、一通の謄本又は抄本でほかのことも明らかにわかるときは全部について同じ謄本又は抄本を添付する必要はないこと。

イ 支給対象児童が法第三条第一項に規定する状態にあることに関する医師又は歯科医師の診断書及び当該状態が次に定める傷病に係るものであるときは、エックス線直接撮影写真

呼吸器系結核・肺えそ・肺のうよう・けい肺（これに類似するじん肺症を含む。）・じん臓結核・胃かいよう・胃がん・十二指腸かいよう・内臓下垂症・動脈りゅう・骨又は関節結核・骨ずい炎・骨又は関節損傷・その他認定又は診査に際し、必要と認められるもの

ウ　受給資格者が父（母が支給対象児童を懐胎した当時婚姻の届出をしていないが、その母と事実上婚姻関係と同様の事情にあった者を含む。以下同じ。）又は母である場合において、母又は父も支給対象児童を監護するときは、その父又は母が法第四条第二項に規定する者であることを明らかにすることができる書類

この場合の書類とは、

(ア)　支給対象者特定の要件が生計維持である場合には、その事実を明らかにすることができる書類

この場合支給対象者の所得の状況によってその事実を明らかにすることができる場合は、書類の添付を必要としない。

(イ)　支給対象者特定の要件が介護である場合には、当該父又は母の申立書及びそれに相違ない旨の母又は父の証明書

エ　受給資格者が父又は母である場合において、支給対象児童と同居しないでこれを監護するときは、その事実を明らかにすることができる書類

この場合の書類とは、本人の申立書及び学校長、寄宿舎の長、民生委員、児童委員等の証明書であること。

オ　受給資格者が養育者である場合には、支給対象児童の父及び母の戸籍又は除かれた戸籍の謄本又は抄本並びに受給資格者が支給対象児童を養育していることを明らかにすることができる書類

この場合の書類とは、本人の申立書及び民生委員、児童委員等の証明書であること。

(3)　認定請求書には、所得の状況を記載することとなつているので第一児童扶養手当関係書類の1の(3)の例に準じて審査すること。

(4)　その他第一児童扶養手当関係書類の1の(4)、(5)及び(6)の例に準じて審査を行うこと。

2　所得の状況に関する実質的審査

第一児童扶養手当関係書類の2の所得の状況に関する実質的審査の例に準じて審査を行うものとすること。

3　手当額改定請求書に関する審査

規則第二条の規定により市町村に特別児童扶養手当改定請求書が提出された場合には、前記1の改定請求書の審査の例に準じて審査を行うものとすること。

この場合、特別児童扶養手当改定請求書には、次の書類等が添付されているかどうかを審査すること。

(1)　新たに手当を受ける対象となる児童の戸籍の謄本又は抄本及びその児童の属する世帯全員の住民票の写し

なお、一通の謄本又は抄本でほかのことも明らかにわかるときは、全部について同じ謄本又は抄本を添付する必要はないこと。

(2) 前記1の(2)のイに掲げる書類等

(3) 前記1の(2)のウ、エ又はオに掲げる場合に該当するときは、それぞれウ、エ又はオに掲げる書類等

4 定時の現況届の審査

規則第四条の規定により、市町村に現況届が提出された場合には前記1の(3)及び2の所得の状況に関する審査の例に準じて審査を行うものとすること。

前　文（第一一次改正）抄

〔前略〕令和三年三月一日から適用する。

○児童扶養手当法の施行と関係機関の協力について

〔昭和三十七年一月二十四日　児発第四三号
各都道府県知事宛　厚生省児童局長通知〕

〔改正経過〕

第一次改正　〔平成二二年七月三〇日雇児発〇七三〇第二号〕

本年一月から児童扶養手当法（昭和三十六年法律第二百三十八号）が施行されることとなったが、同法による児童扶養手当の支給は、本年四月一日以降は受給資格者の請求に基づいて、その請求のあった日の翌月から支給されることになっている。これらの手当は低所得者とか身体障害者等周知方の困難な世帯を対象としているので、受給資格者が本年三月末日までに洩れなく請求することができるよう同法の施行と周知方に関し福祉事務所、民生委員、児童委員その他の関係機関の協力について十分御配意ありたい。

なお、児童扶養手当認定請求書に添附しなければならない事実を明らかにすることができる書類で、これらの機関によって証明するものについては次によって行なうのでよろしく御配意願いたい。

(1)　父又は母以外の者が児童を養育している場合、その事実を明らかにすることができる書類とは、民生委員、児童委員の証明によるものとすること。

(2)　父又は母が児童を引き続き一年以上遺棄している場合、その事実を明らかにすることができる書類とは、請求者の申立書に基づく福祉事務所の証明によるものとすること。

なお、この場合、山間へき地、離島等で福祉事務所の証明を受けることが著しく困難な場合はこれに代る特例を設けても差し支えないこと。

前　文（第一次改正）抄

〔前略〕本年〔平成二十二年〕八月一日から適用する。

○児童扶養手当支給事務の実施上留意すべき事項について

〔昭和三十九年五月十一日 児企第四一号
各都道府県民生主管部(局)長宛 厚生省児童局企画課長通知〕

〔改正経過〕

第一次改正 〔昭和五五年六月二三日児発第四八八号〕
第二次改正 〔昭和五七年一〇月一日児発第八二四号〕

児童扶養手当支給事務については、法制定以来その適正かつ迅速な運営の確保のため、各都道府県及び市町村の格別の御配意、御努力を煩らわしているところであるが、最近若干の県及び市町における支給事務の実施状況を見たところ、未だ関係法令及び通知について十分理解していない等のため事務処理上、当をえない点が散見されたので、次の事項に御留意のうえさらにこの支給事務の適正な実施につき遺憾なきを期されたい。

なお、市町村(特別区を含む。以下同じ。)に関連のある事項については、管下市町村に対し十分指導されたい。

1 一般的事項

(1) 広報宣伝の実施について

若干の県及び市町村における本制度の広報宣伝の実施状況をみると、発足当初より相当努力されてきたものと思われるが、最近における市部と郡部との手当受給者数を比較すると相対的には市部における手当受給者数が少ないように見受けられる。このことは所得格差等種々の要因があるものと考えられるが、市部に対する広報宣伝が十分徹底していないことも一因となっているものと考えられるので、都道府県及び市においては今後市部に対して重点的に本制度の広報宣伝を実施するように努められたいこと。

(2) 市町村に対する指導監査の実施について

都道府県は、管下市町村における支給事務の実施状況について毎年度定期的に指導監査を行なうこととされているが、その指導監査を殆んど実施していない県が二、三みられた。この市町村に対する指導監査は当該都道府県の支給事務の迅速かつ適正なる実施を期することができるものであるから、従来当該指導監査に欠けるところのあった都道府県においては、今後かかることのないよう十分励行されたいこと。

(3) 障害認定医の設置について

父及び対象児童の障害の状態を審査するにあたり、二、三の県においては一つの診療科の疾病の診療に従事している医師を配置していたが、障害の状態は法別表の内容からみて相当複雑多岐に亘るものであるから少なくとも内科、外科及び精神科の疾病の診療に専門的に従事している医師がそれぞれ判定にたずさわることができる体制を確立しておくことが望ましいものであること。

2 事務処理について

児童扶養手当支給事務の実施上留意すべき事項について

(1) 認定事務及び支払記録事務の促進について認定事務及び支払記録事務の処理状況をみると、制度発足当初と今日の状況を比較すれば全般的に格段の改善の跡が見受けられるのであるが、二、三の県においては、市町村に対し照会したまま長期間放置しているケースがみられ、また、支払記録についても受給者台帳への記録が遅れているため支払の適否についての確認が遅れている等未処理のケースが散見された。今後都道府県及び市町村においてはかかることのないようさらに事務処理の促進に努められたいこと。

(2) 関係諸帳簿の整備について

都道府県事務取扱準則、市町村事務取扱準則及び支払記録事務処理要領等に定められている帳簿及び諸表の作成又は記入状況について、若干の県及び市町においては次のような点が見受けられたのであるが、これらの帳簿等は何れも支給事務の基礎的資料であるので、今後都道府県及び市町村においてはかかることのないよう留意されたいこと。

a 都道府県関係

ア 進達受付処理簿

① 各所定欄の記入洩れのもの

② 認定請求書以外の届書等について記入していないもの

イ 番号簿

① 決定年月日の記入洩れのもの

② 資格喪失の場合においてその事務処理をしていないもの

ウ 受給者台帳

① 受給者台帳の表面の証書交付欄、手当月額欄等の記入洩れのもの

② 受給者台帳の裏面の支払済年月日の記入洩れ、担当者の捺印洩れ等のもの

③ 処理済の受領証書の備考欄に台帳、記入済と記入されていたが当該受給者台帳には記入していないもの

④ 処理済の受領証書における支払金額と受給者台帳に記入されていた金額と符合しないもの

エ 支給廃止簿

受給資格喪失者及び他の都道府県の区域に住所を変更した受給者に係る当該台帳を編入していないもの

オ 受給者台帳索引簿

① 未作成

② 受給資格喪失のさいの未処理のもの

カ 手当証書保管証払出簿

未作成（これは手当証書保管証用紙を当該県で調達していないため）

キ 手当証書受払簿

手当証書の受払について一応記入されているものの保管責任者から手当係担当者に配布したこと、市町村に交付したことが混合していて実態と符合しないまま記入されているもの

ク 調査員証交付簿

児童扶養手当受給資格調査員証の交付または返納について、調査員証交付簿に記入していないもの

ケ　事故処理簿等

①　支払記録事務処理要領に定める受領証書事故処理簿及び受領証書事故処理経過表等の諸表の未作成

②　支払記録事務処理要領に定める受領証書支払月別集計表は、山形地方貯金局から月計通知書が送付されたときに作成し、当該支払月分に係る事故のあった受領証書がその後完結したさいはさらにその集計表をあらためて作るものであるが、その再作成をしていないもの

③　支払記録事務処理要領に定める受領証書受入証明書は、山形地方貯金局から受領証書送付書が都道府県に送付されたさい直ちにその送付書に同封された受領証書について形式的審査をしたのち折返し受領証書受入証明書を山形地方貯金局に送付するものであるが、その送付が相当遅延しているもの

b　市区町村関係

ア　受付処理簿

県の場合と同じ

イ　受給者名簿

所定欄の記入洩れのもの特に証書交付（返付）欄における年月日の記入洩れのもの及び受給者の受領印洩れのもの

ウ　手当証書保管証受払簿

児童扶養手当支給事務の実施上留意すべき事項について

①　受、払、残の記入洩れのもの

②　返納された保管証の実数と手当証書保管証受払簿の記入内容と一致しないもの

エ　手当証書保管証

①　発行が十分に行なわれていないもの

②　手当証書保管証を発行しても手当証書を返付するさい、手当証書保管証との引換を行なっていないもの

(3)　手当証書の取扱について

a　某県においては、手当証書の用紙を手当支給事務担当係で保管していたが、都道府県は事故防止を図るためその用紙を児童福祉主管課の課長補佐又は庶務係長に保管させられたいこと。

b　某県においては、手当証書を市町村に送付する場合にその送付を普通郵便をもって行なっていたが、手当の支払が無案内方式である性質上その取扱に慎重を期する必要があるので、都道府県はその送付を書留郵便又は手交等の方法により確実に行なわれたいこと。

(4)　手当証書保管証用紙について

某県においては、手当証書保管証用紙を市町村に調達させていたが、これは都道府県において調達のうえ市町村に配布されたいこと。

(5)　住所変更等の処理済報告書について

某県においては、管下市町村から住所、支払郵便局、印鑑変更届処理済報告書の送付を殆んど受けていなかったが、都道府県は

支給事務の適正を期するため管下市町村が住所変更等の届書について処理した場合には直ちにその報告書を提出するよう管下市町村を十分指導されたいこと。

(6) 手当証書の訂正記入上必要な印等について

某市においては、市町村における手当証書の訂正記入上必要な印及びスタンプ台を備えていなかったが、かかることのないよう都道府県は管下市町村を指導されたいこと。

(7) 報告書の提出について

都道府県は、当局に送付する昭和三十七年十月九日児企第一六〇号本職通知「児童扶養手当の支払状況等の報告について」、昭和三十八年六月六日児企第六〇号「児童扶養手当認定状況の報告について」に定める報告及びその他の提出書類についてその提出期日に遅延することのないよう留意されたいこと。

3 受給資格の認定等について

(1) 公的年金給付等の受給状況の確認について

a 認定請求又は改定請求等があった場合には、その請求者及び対象児童に係る公的年金給付又は遺族補償給付の受給状況を審査しなければならないが、若干の県においては次のような事例がみられた。

ア 公的年金等の受給状況の確認を管下市町村に全面的に委ねていたこと。

イ 認定請求書又は改定請求書に公的年金等を受けていると記載してある分についてのみ国民年金課の関係カードによって再確認していたこと。

ウ 公的年金等の関係法令をよく知っているとのことで請求のあった全ケースについて国民年金課の関係カードと照合していないこと。

b 前記aの事例は都道府県における受給資格の認定上当を得ないものであるから都道府県は次によって処理されたいこと。

ア 公的年金給付等の関係法令を十分理解しておくこと。(これについてはその参考資料を近く当局から都道府県に送付する予定であること。)

イ 認定請求又は改定請求等があった場合には、その請求者及び対象児童の公的年金給付の受給状況等をその全ケースについてまず国民年金課の関係カードにより確認すること。

ウ 公的年金給付等の受給資格を有することが予測される場合であって、国民年金課の関係カードで確認できないときは、社会保険事務所、関係共済組合、都道府県における遺族補償の主管課等において確認すること。(国民年金課はその関係カードを毎年七月から八月までの間に補正するので、その月の直後に公的年金給付等を受けるに至った場合には翌年の八月頃までは補正しないものであること。)

エ 前記ウによって関係機関に照会したとしても前年の七月から当該年の六月頃までに認定又は増額改定を行なったケースについては、毎年九月頃に再度国民年金課の補正後の関係カードと照合されたいこと。

(2) 現況届について

認定請求書に添附された現況届及び定時の現況届の記載内容をみると次のような事例があったが、都道府県はかかることのないよう留意するとともに管下市町村職員に対し所得制限関係の法令の規定及び通知等について十分理解するよう指導されたいこと。

ア 同居の⑤欄から⑧欄まで及び市町村審査欄における記載内容が不十分なもの

① ⑤欄から⑧欄までの金額が課税台帳の金額に符合していないもの（そのうちには見誤りもある。）

② ⑦欄及び⑧欄の控除欄の金額（社会保険料等）に誤りのあるもの

③ ⑤欄から⑧欄まで又は市町村審査欄に所要事項を記載していないもの

④ 市町村審査欄の記載があいまいなもの

イ 同届の⑤欄から⑧欄までの金額を課税台帳と照合しなかったもの

ウ 住民票に扶養義務者があるように記載されているが、現況届に記載されていないもの

(3) 受給資格の認定について

a 受給資格の認定状況をみると次のような事例があったが、都道府県はかかることのないよう認定の適正を期されたいこと。

ア 母と子が別居しているにもかかわらず母の遠隔監護の事実証明（申立書、民生委員の証明書）を徴することなく認定していたこと。

イ 戸籍謄本では父母が離婚と記載されているが、住民票では引き続き同居しているように記載されているにもかかわらずその実態を調査することなく認定していたこと。

ウ いわゆる未婚の母として認定請求があった場合にその認定請求書には父の氏名が記入されていたにもかかわらずその氏名を市町村で抹消しており、そのまま父の状況を調査することなく認定していたこと。

エ 独身の女子が児童を養子にしている場合にその児童が法第四条の規定に該当しているか否かを調査しないで認定していたこと。

オ 父が生死不明の場合にその事実の確認を警察署の捜索願届出済証明書のみで行なって認定していたこと。

カ 父から認知された児童を母が婚姻によらないで懐胎した児童として認定していたこと。

キ 父が死亡した日からすでに六年を経過しているにもかかわらず、父の死亡について労災補償保険法の規定による遺族補償費を受けているとの事由をもって認定請求を却下していたこと。

ク 認定請求書に添附された障害認定診断書によれば父の障害の状態が結核性疾患で安静度三度と記載され、また、その認定原議に当該県の障害認定医の所見が特に記載されていないまま認定していたこと。

ケ　認定請求書には戸籍謄本（抄本）を添附することになっているが、その代用として戸籍記載事項証明書を添附し、それに基づいて認定していたこと。

コ　障害認定にあたっては、当該障害のなかには医療等によって将来軽減され得ることが予測されるものもあり、そのような者については有期診断による再認定を行なわなければならないが、これを励行していないこと。

(4)　証明書等の様式について

某県においては、認定請求書等に添附する書類のうち法第四条の支給要件に係る請求者の申立書及び福祉事務所長、民生委員等の種々の証明書等について一定の様式を定めているが、その様式では具体的事情を記入することができないような内容になっているため、その認定又は却下の決定に疑義を生ずるものがあった。したがって、都道府県においてはこれらの申立書、証明書等の様式を統一して定めることは差し支えないが、具体的事情を記入することのできるよう工夫されたいこと。

4　債権管理について

手当の過誤払等に伴なう債権管理（郵政官署側のみの責に帰すべき事由により発生したものを除く。）については、都道府県において行なうこととされているが、この事務処理が遅れているところ、又は必要があるにもかかわらず全く行なっていないところもあったが、都道府県においてはこの債権管理の実施につき十分留意されたいこと。

5　事務取扱交付金について

(1)　経理について

事務取扱交付金の経理を行なうにあたっては、他の経費と区分して対象実支出額の内訳を明らかにしておかなければならないが、若干の県においてはこれを励行していなかった。今後都道府県及び市町村はかかることのないよう経理されたいこと。

(2)　市町村分の交付決定について

市町村分の概算払の交付決定については、当省から通知したさい直ちにその交付額の全額を当該市町村に通知して支出手続をとらなければならないが、某県においてはその交付額の一部を県に留めていたこと。

(3)　実績報告書等の作成について

昭和三十八年度における事務取扱交付金の都道府県分実績報告書及び市町村分の実績報告進達書を審査してみると、次のような点に不備が見受けられたので、今後かかることのないよう実績報告書等を作成されたいこと。

a　都道府県分実績報告書について

ア　精算額内訳明細書の算定額欄に記載されている事務費政令第一条第一号のイ及びロの件数が統計報告の数に符合していないもの

イ　精算額内訳明細書の算定額欄に記載すべき事務費政令第一条第一号のイ及びロの単価は、第四・四半期において最終的に決定された単価であるにもかかわらず、交付申請時の単価

又は事務費政令の基準単価としているもの
ウ　算定額の端数計算について誤りのあるもの
b　市町村分の実績報告進達書について
ア　精算額市町村別内訳書に記載されている件数に誤りのあるもの
イ　算定額の端数計算について誤りのあるもの

○地方分権の推進を図るための関係法律の整備等に関する法律等の施行に伴う児童扶養手当並びに特別児童扶養手当、障害児福祉手当、特別障害者手当及び経過的福祉手当に関する法定受託事務に係る処理基準について

（平成十三年七月三十一日　雇児発第五〇二号・障発第三二五号
各都道府県知事宛　厚生労働省雇用均等・児童家庭局長・社会・援護局障害保健福祉部長連名通知）

平成十一年七月十六日付けで地方分権の推進を図るための関係法律の整備等に関する法律（平成十一年法律第八十七号。以下「地方分権一括法」という。）が公布され、その内容及び趣旨については、平成十二年四月一日から施行されたところであり、平成十二年三月三十一日付け児発第三五〇号により厚生省児童家庭局長より、また、平成十二年十二月二十七日付け障第九八一号により厚生省障害保健福祉部長より通知したところである。

当該通知において、別途通知することとしていた従前の機関委任事務に係る通知の取扱いに関し、児童扶養手当並びに特別児童扶養手当、障害児福祉手当、特別障害者手当及び経過的福祉手当に係るものについて、別紙に掲げる通知を地方自治法（昭和二十二年法律第六十七号）第二百四十五条の九の規定に基づく法定受託事務に係る処理基準として位置付けることとしたので、これらの運用に遺漏なきよう留意するとともに、貴管内市町村をはじめとした関係者に対する周知につき、特段の御配慮をお願いしたい。

なお、別紙に掲げるもの以外は地方自治法第二百四十五条の四の規定に基づく技術的助言として位置付けられるとともに、これらの通知中、機関委任事務に係る指揮監督であることを前提とした文言等については、機関委任事務に係る指揮監督であることを前提としたものではない旨申し添える。

また、今回の取扱いの変更等を踏まえ、従前の通知について、左記のとおり改正する。

記

（別紙に掲げる通知全体における共通事項）　略

（児童扶養手当及び特別児童扶養手当関係）

「児童扶養手当及び特別児童扶養手当の振替預入について」（平成七年三月三十日児発第二九八号厚生省児童家庭局長通知）　略

（児童扶養手当関係）

1　「児童扶養手当の支払について」（昭和三十七年三月三日児発第二〇二号厚生省児童局長通知）　略

2　「児童扶養手当の支払記録事務の処理について」（昭和三十七年四月二十三日児発第四七八号厚生省児童局長通知）　略

3　「児童扶養手当の差額追給及び内払調整に基づく減額支給について」（昭和三十七年五月二十二日児発第五八二号厚生省児童局長通知）　略

4 「児童扶養手当都道府県事務取扱準則の改正について」（昭和六十年八月二十一日児発第七〇五号厚生省児童家庭局長通知） 略

5 「市町村における新様式による児童扶養手当証書の記載事項の訂正について」（昭和三十九年五月十六日児発第四二九号厚生省児童家庭局長通知） 略

（特別児童扶養手当関係）

1 「重度精神薄弱児扶養手当の支払記録事務の処理について」（昭和三十九年十二月十九日児発第一、〇四七号） 略

2 「特別児童扶養手当都道府県事務取扱準則について」（昭和五十年八月十三日児発第五三二号の二） 略

3 「特別児童扶養手当市町村事務取扱準則について」（昭和五十年八月十三日児発第五三二号の二） 略

4 「特別児童扶養手当等の支給に関する法律別表第一における障害の認定について」（昭和五十年九月五日児発第五七六号） 略

（特別障害者手当関係）

1 「特別障害者手当制度の創設等について」（昭和六十年十二月二十八日社更第一六〇号厚生省社会局長・児童家庭局長通知） 略

2 「障害児福祉手当及び特別障害者手当等事務取扱細則準則について」（昭和六十年十二月二十八日社更第一六一号厚生省社会局長通知） 略

3 「障害児福祉手当及び特別障害者手当の障害程度認定基準について」（昭和六十年十二月二十八日社更第一六二号厚生省社会局長通知） 略

別紙

法定受託事務に係る処理基準として位置付ける通知

（児童扶養手当関係）

・児童扶養手当法及び特別児童扶養手当法における有期認定の取扱いについて（昭和四十二年十二月十九日児発第七六五号厚生省児童家庭局長通知）（別紙を除く。）

・児童扶養手当法及び特別児童扶養手当の支払日の改正等について（平成四年十二月二十五日児発第一、〇七三号厚生省児童家庭局長通知）（1(2)及び2に限る。）

・児童扶養手当法及び特別児童扶養手当の振替預入について（平成七年三月三十日児発第二九八号厚生省児童家庭局長通知）

（児童扶養手当関係）

・児童扶養手当法等の施行について（昭和三十六年十二月二十一日児発第一、三五六号厚生省児童局長通知）

・児童扶養手当法（別表第二）における障害の認定要領について（昭和三十六年十二月二十一日児発第一、三七四号厚生省児童局長通知）

・児童扶養手当法における障害認定診断書の取扱いについて（昭和三十七年一月十一日児発第一三号厚生省児童局長通知）

・児童扶養手当法の施行と関係機関の協力について（昭和三十七年一月二十四日児発第四三号厚生省児童局長通知）

・未成年者の児童扶養手当の請求について（昭和三十七年二月五日児発第七四号厚生省児童局長通知）

・児童扶養手当の支払について（昭和三十七年三月三日児発第二〇二号厚生省児童局長通知）

地方分権一括法等の施行に伴う児童扶養手当並びに特別児童扶養手当、障害児福祉手当、特別障害者手当及び経過的福祉手当に関する法定受託事務に係る処理基準について

・児童扶養手当の支払記録事務の処理について（昭和三十七年四月二十三日児発第四七八号厚生省児童局長通知）
・児童扶養手当法施行規則の一部を改正する省令について（昭和三十七年五月十八日児発第五七四号厚生省児童局長通知）
・児童扶養手当の差額追給及び内払調整に基づく減額支給について（昭和三十七年五月二十二日児発第五八二号厚生省児童局長通知）
・児童扶養手当の障害認定に係る再診の取扱いについて（昭和三十七年七月九日児発第七五二号厚生省児童局長通知）
・市町村における新様式による児童扶養手当証書の記載事項の訂正について（昭和三十九年五月十六日児発第四二九号厚生省児童局長通知）
・児童扶養手当法の一部を改正する法律の施行について（昭和三十九年六月二十三日児発第五四七号厚生省児童局長通知）
・児童扶養手当法等の一部を改正する法律の施行について（昭和四十年六月十四日児発第四九九号厚生省児童家庭局長通知）
・都道府県における児童扶養手当証書の作成について（昭和四十一年八月五日児発第四八三号厚生省児童家庭局長通知）
・児童扶養手当法別表第一における障害の認定要領について（昭和四十九年八月十五日児発第五一八号厚生省児童家庭局長通知）
・児童扶養手当法施行規則の一部を改正する省令の施行について（通知）（昭和五十五年六月二十三日児発第四八八号厚生省児童家庭局長通知）
・児童扶養手当都道府県事務取扱準則の改正について（昭和六十年八月二十一日児発第七〇五号厚生省児童家庭局長通知）
・振替預入に係る児童扶養手当証書等の作成について（平成七年三月三十日児発第二九九号厚生省児童家庭局長通知）

（特別児童扶養手当関係）

・特別児童扶養手当の支払記録事務の処理について（昭和三十九年十二月十九日児発第一、〇四七号厚生省児童家庭局長通知）
・特別児童扶養手当都道府県事務取扱準則について（昭和五十年八月十三日児発第五三二号の二厚生省児童家庭局長通知）
・特別児童扶養手当市町村事務取扱準則について（昭和五十年八月十三日児発第五三二号の二厚生省児童家庭局長通知）
・特別児童扶養手当等の支給に関する法律施行令別表第三における障害の認定について（昭和五十年九月五日児発第五七六号厚生省児童家庭局長通知）

（特別障害者手当、障害児福祉手当及び経過的福祉手当関係）

・福祉手当制度の創設について（昭和五十年八月十三日社更第一一二号厚生省社会局長通知）（第三の2から4までに限る。）
・特別障害者手当制度の創設等について（昭和六十年十二月二十八日社更第一六〇号厚生省社会局長・児童家庭局長通知）（第二の3、第三の2並びに第四の2、4及び5に限る。）
・障害児福祉手当及び特別障害者手当等事務取扱細則準則について（昭和六十年十二月二十八日社更第一六一号厚生省社会局長通知）
・障害児福祉手当及び特別障害者手当の障害程度認定基準について（昭和六十年十二月二十八日社更第一六二号厚生省社会局長通知）

○地方分権の推進を図るための関係法律の整備等に関する法律等の施行に伴う児童扶養手当並びに特別児童扶養手当、障害児福祉手当、特別障害者手当及び経過的福祉手当に関する法定受託事務に係る処理基準（課長通知関係）について

〔平成十三年七月三十一日　雇児福発第三四号・障企発第三九号　各都道府県民生主管部（局）長宛　厚生労働省雇用均等・児童家庭局家庭福祉・社会・援護局障害保健福祉部企画課長連名通知〕

〔改正経過〕

第一次改正　〔令和四年三月一八日子家発〇三一八第一号〕

平成十一年七月十六日付けで地方分権の推進を図るための関係法律の整備等に関する法律（平成十一年法律第八十七号。以下「地方分権一括法」という。）が公布され、平成十二年四月一日から施行されたところであり、その内容及び趣旨については、平成十二年三月三十一日付け児発第三五〇号により厚生省児童家庭局長より、また、平成十二年十二月二十七日付け障第九八一号により厚生省障害保健福祉部長より通知したところである。

当該通知において、別途通知することとしていた従前の機関委任事務に係る通知のうち課長名により発出したものの取扱いに関し、児童扶養手当並びに特別児童扶養手当、障害児福祉手当、特別障害者手当及び経過的福祉手当に係るものについて、別紙に掲げる通知を地方自治法（昭和二十二年法律第六十七号）第二百四十五条の九の規定に基づく法定受託事務に係る処理基準として位置付けることとしたので、これらの運用に遺漏なきよう留意するとともに、貴管内市町村をはじめとした関係者に対する周知につき、特段の御配慮をお願いしたい。

なお、別紙に掲げるもの以外は地方自治法第二百四十五条の四の規定に基づく技術的助言として位置付けられるとともに、これらの通知中、機関委任事務に係る指揮監督であることを前提とした文言等については、機関委任事務に係る指揮監督であることを前提としたものではない旨申し添える。

また、今回の取扱いの変更等を踏まえ、従前の通知について、左記のとおり改正する。

なお、従前の機関委任事務に係る通知のうち局長名により発出したものの取扱いについては、本日付けで別途雇用均等・児童家庭局長及び社会・援護局障害保健福祉部長名で各都道府県知事あて通知するので、ご承知おき願いたい。

記

（別紙に掲げる通知全体における共通事項）　略

（児童扶養手当及び特別児童扶養手当関係）

1　「児童扶養手当及び特別児童扶養手当に係る時効の解釈及び取扱い等について」（昭和四十七年八月二十五日厚生省児童家庭局企画課長通知）　略

2　「児童扶養手当及び特別児童扶養手当関係書類市町村審査要領について」（昭和四十八年十月三十一日児企第四八号厚生省児童家庭局企画課長通知）　略

児童扶養手当等に関する法定受託事務に係る処理基準（課長通知関係）について

（児童扶養手当関係）

1　「児童扶養手当における公的年金の受給状況の審査について」（昭和四十七年九月十六日児企第三七号厚生省児童家庭局企画課長通知）　略

2　「児童扶養手当の受給資格認定に係る事務取扱いについて（通知）」（昭和六十年十一月十六日児企第三七号厚生省児童家庭局企画課長通知）　略

3　「児童扶養手当法施行令及び母子及び寡婦福祉法施行令の一部を改正する政令の施行に伴う留意事項について」（平成十年六月二十四日児家第三七号厚生省児童家庭局家庭福祉課長通知）　略

（特別児童扶養手当関係）

「特別児童扶養手当及び特別障害者手当等におけるヒト免疫不全ウイルス感染症に係る障害認定について」（平成十年三月二十七日障企第二四号）　略

（特別障害者手当、障害児福祉手当及び経過的福祉手当関係）

「厚生年金保険法等に基づく障害年金の受給に係る資料の提供等の依頼について」（昭和五十五年十二月十一日社更第二〇二号厚生省社会局更生課長通知）　略

「福祉手当の外国人適用に伴う事務取扱いについて」（昭和五十六年十一月二十一日社更第一八四号厚生省社会局更生課長通知）　略

別紙

法定受託事務に係る処理基準として位置付ける通知

（児童扶養手当及び特別児童扶養手当関係）

・児童扶養手当及び特別児童扶養手当支給事務関係書類の保存期間等について（昭和四十七年八月七日児企第三一号厚生省児童家庭局企画課長通知）

・児童扶養手当及び特別児童扶養手当に係る時効の解釈及び取扱い等について（昭和四十七年八月二十五日児企第三三号厚生省児童家庭局企画課長通知）（1(2)、2(1)及び別紙を除く。）

・児童扶養手当及び特別児童扶養手当関係法令上の疑義について（昭和四十八年五月十六日児企第二八号厚生省児童家庭局企画課長通知）

・児童扶養手当及び特別児童扶養手当関係書類市町村審査要領について（昭和四十八年十月三十一日児企第四八号厚生省児童家庭局企画課長通知）

・児童扶養手当及び特別児童扶養手当関係法令上の疑義について（昭和五十五年六月二十三日児企第二六号厚生省児童家庭局企画課長通知）

・児童扶養手当及び特別児童扶養手当に関する疑義について（昭和五十五年七月九日児企第二九号厚生省児童家庭局企画課長通知）

・児童扶養手当及び特別児童扶養手当の外国人適用に伴う事務取扱いについて（昭和五十六年十一月二十五日児企第四一号厚生省児童家庭局企画課長通知）

（児童扶養手当関係）

・児童扶養手当証書の保管について（昭和三十七年二月十九日児企第二七号厚生省児童局企画課長通知）

・児童扶養手当法第二十三条に規定する不正受給の具体例について（昭和三十七年五月七日児企第八九号厚生省児童局企画課長通知）

・未払児童扶養手当支給に係る事務取扱いについて（昭和三十八年七月十六日児企第七八号の二厚生省児童局企画課長通知）

・児童扶養手当における公的年金の受給状況の審査について（昭和四十七年九月十六日児企第三七号厚生省児童家庭局企画課長通知）

・児童扶養手当の認定について（昭和五十一年十月一日児企第三六号厚生省児童家庭局企画課長通知）

・児童扶養手当遺棄の認定基準について（令和四年三月十八日子家発〇三一八第一号厚生労働省子ども家庭局家庭福祉課長通知）

・児童扶養手当の事務運営上の留意事項について（昭和五十五年十二月十六日児企第四六号厚生省児童家庭局企画課長通知）

・児童扶養手当の受給資格認定に係る事務取扱いについて（通知）（昭和六十年十一月十六日児企第三七号厚生省児童家庭局企画課長通知）

・児童扶養手当の疑義について（通知）（昭和六十一年六月二十七日児企第三一号厚生省児童家庭局企画課長通知）

・児童扶養手当法令上の疑義について（昭和六十一年九月十六日児企第四五号厚生省児童家庭局企画課長通知）

・児童扶養手当法第六条第二項及び第三項に規定する認定の請求期限の取扱いについて（平成二年五月二十八日児企第三一号厚生省児童家庭局企画課長通知）

・一八歳に達する日以後の最初の三月三十一日が終了する児童の児童扶養手当支給事務の取扱い等について（平成八年三月一日児家第一〇号厚生省児童家庭局家庭福祉課長通知）

・児童扶養手当におけるヒト免疫不全ウイルス感染症に係る障害認定について（平成十年四月二十四日児家第一八号厚生省児童家庭局家庭福祉課長通知）

・児童扶養手当法施行令及び母子及び寡婦福祉法施行令の一部を改正する政令の施行に伴う留意事項について（平成十年六月二十四日児家第三七号厚生省児童家庭局家庭福祉課長通知）

（特別児童扶養手当関係）

・特別児童扶養手当における有期認定の障害認定診断書の取扱いについて（昭和五十四年七月三日児企第一八号の二厚生省児童家庭局企画課長通知）

・特別児童扶養手当及び特別障害者手当等におけるヒト免疫不全ウイルス感染症に係る障害認定について（平成十年三月二十七日障企第二四号厚生省大臣官房障害保健福祉部企画課長通知）

（特別障害者手当、障害児福祉手当及び経過的福祉手当関係）

・厚生年金保険法等に基づく障害年金の受給に係る資料の提供等の依頼について（昭和五十五年十二月十一日社更第二〇二号厚生省社会局更生課長通知）

・福祉手当の外国人適用に伴う事務取扱いについて（昭和五十六年十一月二十一日社更第一八四号厚生省社会局更生課長通知）

・特別障害者手当の所得制限に係る障害者補償年金前払一時金等の所得としての計算方法について（昭和六十一年七月十四日社更第一三〇号厚生省社会局更生課長通知）

○地方分権の推進を図るための関係法律の整備等に関する法律の施行前に発出された通知の取扱いについて

〔平成十三年八月十五日　雇児発第五四〇号
各都道府県知事・各指定都市市長・各中核市市長宛
厚生労働省雇用均等・児童家庭局長通知〕

地方分権の推進を図るための関係法律の整備等に関する法律（平成十一年法律第八十七号。以下「分権推進法」という。）が昨年四月一日に施行されたことに伴い、施行前に発出されていた分権推進法による改正前の地方自治法（昭和二十二年法律第六十七号）第百五十条の指揮監督権限に基づく、当局所管の通知については、左記に掲げる通知により分権推進法による改正後の地方自治法（以下単に「地方自治法」という。）第二百四十五条の九の規定に基づく法定受託事務に係る処理基準として位置づけられた通知を除いて、地方自治法第二百四十五条の四第一項の規定に基づく技術的助言として取り扱うこととしているので、その旨御留意されたい。

記

・　地方分権の推進を図るための関係法律の整備等に関する法律等の施行に伴う児童扶養手当並びに特別児童扶養手当、障害児福祉手当、特別障害者手当及び経過的福祉手当に関する法定受託事務に係る処理基準について（平成十三年七月三十一日厚生労働省雇用均等・児童家庭局長、社会・援護局障害保健福祉部長連名通知）

・　地方分権の推進を図るための関係法律の整備等に関する法律等の施行に伴う児童扶養手当並びに特別児童扶養手当、障害児福祉手当、特別障害者手当及び経過的福祉手当に関する法定受託事務に係る処理基準について（平成十三年七月三十一日厚生労働省雇用均等・児童家庭局家庭福祉課長、厚生労働省社会・援護局障害保健福祉部企画課長連名通知）

○児童扶養手当法第九条第一項及び第九条の二に規定する「受給資格者の扶養親族等でない児童で当該受給資格者が前年の十二月三十一日において生計を維持したもの」の取扱いについて

〔平成十五年七月三十一日　雇児福発第〇七三一〇〇一号
各都道府県民生主管部(局)長宛　厚生労働省雇用均等・
児童家庭局家庭福祉課長通知〕

〔改正経過〕

第一次改正　〔平成二二年七月三〇日雇児福発〇七三〇第二号〕
第二次改正　〔平成二四年七月五日雇児福発第〇七〇五第一号〕

児童扶養手当法第九条第一項及び第九条の二に規定する「受給資格者の扶養親族等でない児童で当該受給資格者が前年の十二月三十一日において生計を維持したもの」（以下「生計維持児童」という。）については、以下のとおり取り扱うこととするので留意されたい。

なお、認定等に際しては、実態について十分調査等を行い、制度の適正な執行に留意されたい。

この通知は、地方自治法（昭和二十二年法律第六十七号）第二百四十五条の九の規定に基づく法定受託事務に係る処理基準であることを申し添える。

児童扶養手当法に規定する「受給資格者の扶養親族等でない児童で当該受給資格者が前年の十二月三十一日において生計を維持したもの」の取扱いについて

記

1　受給資格者が「扶養親族等でない児童で当該受給資格者が前年の十二月三十一日において生計を維持したもの」を現実に監護している場合にあっては、前年の十二月三十一日において受給資格者が当該児童の生計を維持していたことを住民票、保険証等で確認した上で、当該児童を「生計維持児童」に該当するものとして取り扱って差し支えない。

2　なお、前記取扱いの運用に当たっては、次に掲げる場合について留意されたい。

(1)　所得税法上当該児童が、①受給資格者の配偶者の扶養親族、②受給資格者（父又は母）の扶養義務者で受給資格者（父又は母）と生計を同じくするものの扶養親族又は③受給資格者（養育者）の扶養義務者で受給資格者（養育者）の生計を維持するものの扶養親族である場合でも、前年の十二月三十一日において受給資格者が当該児童の生計を維持していたことを確認した場合には、当該児童を「生計維持児童」に該当するものとして取り扱って差し支えない。

(2)　所得税法上当該児童が、前年の十二月三十一日において父又は母の前妻又は前夫の扶養親族である場合でも、前年の十二月三十一日において受給資格者が当該児童の生計を維持していたことを確認した場合には、当該児童を「生計維持児童」に該当するものとして取り扱って差し支えない。

3　ただし、次に掲げる場合には「生計維持児童」に該当しないので

児童扶養手当法に規定する「受給資格者の扶養親族等でない児童で当該受給資格者が前年の十二月三十一日において生計を維持したもの」の取扱いについて

留意されたい。

(1) 所得税法で規定する当該児童自身の合計所得金額が扶養親族となる限度額を超えている場合には、当該児童は「生計維持児童」には該当しない。

(2) 今年離婚し、新規請求している場合であって、受給資格者が前年の十二月三十一日において当該児童の生計を維持していたとは言えないときは、当該児童は「生計維持児童」に該当しない。

前文（第二次改正）抄

〔前略〕平成二十四年八月一日から適用する。

第二節　児童扶養手当の支給に関する事項

（手当の請求等）

○未成年者の児童扶養手当の請求について

〔昭和三十七年二月五日　児発第七四号
各都道府県知事宛　厚生省児童局長通知〕

児童扶養手当の認定請求者は未成年者であっても差し支えないことは、昭和三十六年十二月二十一日児発第一、三五六号で通達したところであるが、これについては次の点に留意されたい。

1　児童扶養手当の支給の対象となる児童を養育している事実がある場合に限ること。

2　1の事実があれば意思能力があると認められるので、必ずしも法定代理人、指定受取人等をたてる必要はないこと。

○児童扶養手当の認定について

（昭和五十一年十月一日　児企第三六号
各都道府県民生主管部（局）長宛　厚生省児童家庭局企画課長通知）

〔改正経過〕

第一次改正　〔平成二二年七月三〇日雇児福発〇七三〇第二号〕
第二次改正　〔令和四年三月一八日子家発〇三一八第一号〕

昭和五十一年六月五日法律第六十三号として公布された厚生年金保険法等の一部を改正する法律により、児童扶養手当法の一部が改正され、支給対象児童の範囲が拡大されることとなったが、その実施については、左記の点に留意のうえ受給資格の認定の適正を期されたい。

なお、「児童扶養手当の認定事務の手続について」（昭和三十七年二月五日児企第二一号各都道府県民生主管部（局）長あて本職通知）は、廃止する。

記

1　支給対象児童の範囲について
児童が、就学しているか就職しているかは問わないこと。

2　「監護」の解釈について
(1)　精神面等から児童の生活に種々配慮していること。
(2)　同居しているか別居しているかを問わないこと。したがって、別居の場合にあっては、同一市区町村内であるか否かを問わないこと。

以上により、同居の場合は原則として監護していると考えられるが、別居の場合は、例えば、定期的な仕送りや訪問、手紙、電話等による連絡等があることは、監護しているものと考える材料となり得る。

3　監護の証明について（別居の場合）
監護の有無を証明するには、本人の申立書及び民生委員、児童委員、学校長、寄宿舎の長、雇用主等の証明書等を添付すること。

4　都道府県等における連絡協議について
(1)　父又は母（以下「父等」という。）が、他の市区町村に居住する児童を監護している（父においては、かつ生計を同じくしている）ものとして認定する場合には、あらかじめ当該児童の住所地の市区町村と連絡協議すること。
申請を受理した都道府県、市、福祉事務所設置町村（以下「都道府県等」という。）は、申請の請求者が父の場合は母、母の場合は父の住民票所在地の都道府県等と連絡をとり、当該地における手当の支給の有無について確認すること。
(2)　養育者が、児童を養育するものとして認定する場合であって、児童の父等が他の都道府県の区域内に居住している場合には、あらかじめ当該父等の住所地の都道府県と連絡協議すること。
申請を受理した都道府県等は、父等の住民票所在地の都道府県等と連絡をとり、当該地における手当の支給の有無について確認すること。

○児童扶養手当法施行令別表第一における障害の認定要領について

〔昭和四十九年八月十五日 児発第五一八号
各都道府県知事宛 厚生省児童家庭局長通知〕

〔改正経過〕

第一次改正〔昭和五〇年九月五日児発第五七六号〕
第二次改正〔平成二二年七月三〇日雇児発〇七三〇第二号〕
第三次改正〔令和四年二月九日子発〇二〇九第二号〕

先般、児童手当法等の一部を改正する法律（昭和四十九年六月二十二日法律第八十九号）により、児童扶養手当法の一部が改正され、児童扶養手当法上障害の状態にあることによって児童とされる者の範囲が本年九月一日から拡大されることになったことに伴い、新たに児童に係る障害の認定要領を別紙のとおり定めたので、その運用について遺憾のないようにされたい。

おって、「児童扶養手当法における障害の認定要領（昭和三十六年十二月二十一日児発第一、三七四号各都道府県知事あて厚生省児童局長通知の別冊）」の一部を次のように改正し、本年九月一日から適用する。〔次のよう　略〕

別紙

児童扶養手当法施行令別表第一における障害の認定要領

1　この要領は、児童扶養手当法施行令別表第一（以下「政令別表第一」という。）に該当する程度の障害の認定基準を定めたものであること。

2　障害の認定については、次によること。

(1)　児童扶養手当法（昭和三十六年法律第二百三十八号。）第三条にいう「障害の状態」とは、精神又は身体に政令別表第一に該当する程度の障害があり、障害の原因となった傷病がなおった状態又は症状が固定した状態をいうものであること。

なお、「傷病がなおった」については、器質的欠損若しくは変形又は後遺症を残していても、医学的にその傷病がなおれば、そのときをもって「なおった」ものとし、「症状が固定した」については、症状が安定するか若しくは回復する可能性が少なくなったとき又は傷病にかかわりなく障害の状態が固定したときをいうものであり、慢性疾患等で障害の原因となった傷病がなおらないものについては、その病状が安静を必要とし、当面医療効果が少なくなったときをいうものであること。

(2)　障害の程度は、政令別表第一に定めるとおりであり、国民年金法（昭和三十四年法律第百四十一号）による障害程度の一級及び二級並びに身体障害者福祉法（昭和二十四年法律第二百八十三号）による障害等級の一級、二級、三級及び四級の一部がこれに相当するものであること。

なお、特別児童扶養手当等の支給に関する法律施行令別表に定める障害の程度に該当するものは、当然に政令別表第一に定める障害の程度に該当するものであること。

(3)　内科的疾患に基づく身体の障害及び精神の障害の程度の判定に当たっては、現在の状態、医学的な原因及び経過、予後並びに日常生活能力等を十分勘案し総合的に認定を行うこと。

なお、日常生活能力については、日常生活が著しい制限を受けるか、又は日常生活に著しい制限を加えることを必要とする程度のものとされているが、この程度とは、家庭内で身のまわりの整理程度の行動はできるが、それ以上の行動はできないもの、又はしてはいけないもの、すなわち病院内の生活でいえば、行動範囲はおおむね病棟内に限られるものであり、家庭内の生活でいえば、行動範囲はおおむね家屋内に限られるものをいうものであること。

(4)　障害の認定は、児童扶養手当障害認定診断書（児童扶養手当法施行規則様式第二号）及び特定の傷病に係るエックス線直接撮影写真（以下「診断書等」という。）によって行うが、これらのみでは認定が困難な場合には、必要に応じ療養の経過若しくは日常生活状況等の調査又は必要な検診等を実施したうえ適正な認定を行うこと。

(5)　障害の程度について、その状態の変動することが予測されるものについては、その予測される状態を勘案して認定するものとすること。

(6)　各傷病についての障害の認定は、別添1、2、3及び4により行うこと。

3　障害の状態を審査する医師について

(1)　都道府県においては、政令別表第一に定める程度の障害の状態にある者（以下「障害児童」という。）の障害の状態を審査するために必要な医師を置くこと。

4　障害の認定に係る診断書等について

(1)　障害児童が、次に掲げる場合においては本制度による診断書等を添付させることに代えて、児童扶養手当認定請求書の備考欄に必要な事項を記入させ、これによって認定しても差し支えないこと。

なお、認定に当たって当該障害児童の障害の程度等を確認する際は、それぞれの関係主管部（局）と連けいを密にされたいこと。

ア　障害児童が特別児童扶養手当等の支給に関する法律第三条第一項に規定する状態にあることにより、特別児童扶養手当の支給の対象となっているとき。

イ　障害児童が身体障害者福祉法の規定による身体障害者手帳（障害の程度が同法施行規則別表第五「身体障害者障害程度等級表」に定める一級、二級又は三級と記載されているものに限る。）の交付を受けているとき。

ウ　障害児童が療育手帳制度要綱（昭和四十八年九月二十七日厚

生省発児第一五六号各都道府県知事、指定都市市長あて厚生事務次官通知の別紙）による療育手帳（障害の程度が「A」と記載されているものに限る。）の交付を受けているとき。

(2) 精神の障害に係る診断書は、できる限り精神衛生法に規定する精神衛生鑑定医又は精神科の診療に経験を有する医師の作成したものとするよう指導されたいこと。

別添1

前　文（第三次改正）抄

〔前略〕令和四年四月一日から適用する。

身体の各部位の障害についての障害の認定基準

身体の各部位の障害についての障害の認定は、次の基準によるものとする。

1　次に掲げる視覚障害

・両眼の視力がそれぞれ〇・〇八、他眼の視力が手動弁以下のもの

・一眼の視力が〇・〇七以下のもの

・ゴールドマン型視野計による測定の結果、両眼のⅠ／4視標による周辺視野角度の和がそれぞれ八〇度以下かつⅠ／2視標による両眼中心視野角度が五六度以下のもの

・自動視野計による測定の結果、両眼開放視認点数が七〇点以下かつ両眼中心視野視認点数が四〇点以下のもの

(1) 視力障害

イ　視力は、万国式試視力表又はそれと同一の原理に基づく試視力表により測定する。

ロ　視標面照度は五〇〇～一〇〇〇ルクス、視力検査室の明るさは五〇ルクス以上で視標面照度を上回らないこととし、試視力表から五ｍの距離で視標を判読することによって行う。

ハ　屈折異常のあるものについては、矯正視力により認定するが、この場合最良視力が得られる矯正レンズによって得られた視力を測定する。眼内レンズ挿入眼は裸眼と同様に扱い、屈折異常がある場合は適正に矯正した視力を測定する。

ニ　両眼の視力を別々に測定し、良い方の眼の視力と他方の眼の視力とで障害の程度を認定する。

ホ　屈折異常のあるものであっても次のいずれかに該当するものは、裸眼視力により認定する。

(イ) 矯正が不能のもの

(ロ) 矯正により不等像視を生じ、両眼視が困難となることが医学的に認められるもの

(ハ) 最良視力が得られる矯正レンズの装用が困難であると医学的に認められるもの

ヘ　視力が〇・〇一に満たないもののうち、明暗弁のもの又は手動弁のものは視力〇として計算し、指数弁のものは〇・〇一として計算する。

ト　「両眼の視力がそれぞれ〇・〇七以下のもの」とは、視力の良い方の眼の視力が〇・〇七以下のものをいう。

チ　「一眼の視力が〇・〇八、他眼の視力が手動弁以下のもの」とは、視力の良い方の眼の視力が〇・〇八かつ他方の眼の視力が手動弁以下のものをいう。

(2) 視野障害

イ　視野は、ゴールドマン型視野計又は自動視野計を用いて測定する。認定は、ゴールドマン型視野計又は自動視野計のどちらか一方の測定結果で行うこととし、両者の測定結果を混在させて認定することはできない。

ロ　ゴールドマン型視野計を用いる場合は、それぞれ以下によって測定した「周辺視野角度の和」、「両眼中心視野角度」、「求心性視野狭窄又は輪状暗点があるものについて、Ｉ／２の視標で両眼の視野がそれぞれ五度以内におさまるもの」に基づき、認定を行う。なお、傷病名と視野障害の整合性の確認が必要な場合又はＩ／４の視標で測定不能の場合は、Ｖ／４の視標を含めた視野を確認した上で総合的に認定する。

(イ)　「周辺視野角度の和」とは、Ｉ／４の視標による八方向（上・内上・内・内下・下・外下・外・外上の八方向）の周辺視野角度の和とする。八方向の周辺視野角度はＩ／４視標が視認できない部分を除いて算出するものとする。

　Ｉ／４の視標で、周辺にも視野が存在するが中心部の視野と連続しない部分は、中心部の視野のみで算出する。

　Ｉ／４の視標で、中心一〇度以内に視野が存在しない場合は、周辺視野角度の和が八〇度以下として取り扱う。

(ロ)　「両眼中心視野角度」とは、以下の手順に基づき算出したものをいう。

a　Ｉ／２の視標による八方向（上・内上・内・内下・下・外下・外・外上の八方向）の中心視野角度の和を左右眼それぞれ求める。八方向の中心視野角度はＩ／２視標が視認できない部分を除いて算出するものとする。

b　aで求めた左右眼の中心視野角度の和に基づき、次式により、両眼中心視野角度を計算する（小数点以下は四捨五入し、整数で表す）。

　両眼中心視野角度＝（３×中心視野角度の和が大きい方の眼の中心視野角度の和＋中心視野角度の和が小さい方の眼の中心視野角度の和）／４

c　なお、Ｉ／２の視標で中心一〇度以内に視野が存在しない場合は、中心視野角度の和は〇度として取り扱う。

(ハ)　「求心性視野狭窄又は輪状暗点があるものについて、Ｉ／２の視標で両眼の視野がそれぞれ五度以内におさまるもの」とは、求心性視野狭窄又は輪状暗点があるものについて、Ｉ／２の視標による視野の面積が、中心五度以内の視野の面積と同程度におさまるものをいう。なお、その際、面積は厳格に計算しなくてよい。

ハ　自動視野計を用いる場合は、それぞれ以下によって測定した「両眼開放視認点数」及び「両眼中心視野視認点数」に基づき、認定を行う。

(イ)　「両眼開放視認点数」とは、視標サイズⅢによる両眼開放エスターマンテスト（図1）で一二〇点測定し、算出したものをいう。

(ロ)　「両眼中心視野視認点数」とは、以下の手順に基づき算出したものをいう。

a　視標サイズⅢによる10—2プログラム（図2）で中心一〇度以内を二度間隔で六八点測定し、左右眼それぞれについて感度が二六dB以上の検査点数を数え、左右眼それぞれの中心視野視認点数を求める。なお、dBの計算は、背景輝度三一・五asbで、視標輝度一〇〇〇〇asbを〇dBとしたスケールで算出する。

b　aで求めた左右眼の中心視野視認点数に基づき、次式により、両眼中心視野視認点数を計算する（小数点以下は四捨五入し、整数で表す）。

両眼中心視野視認点数＝（3×中心視野視認点数が多い方の眼の中心視野視認点数＋中心視野視認点数が少ない方の眼の中心視野視認点数）／4

（図1）

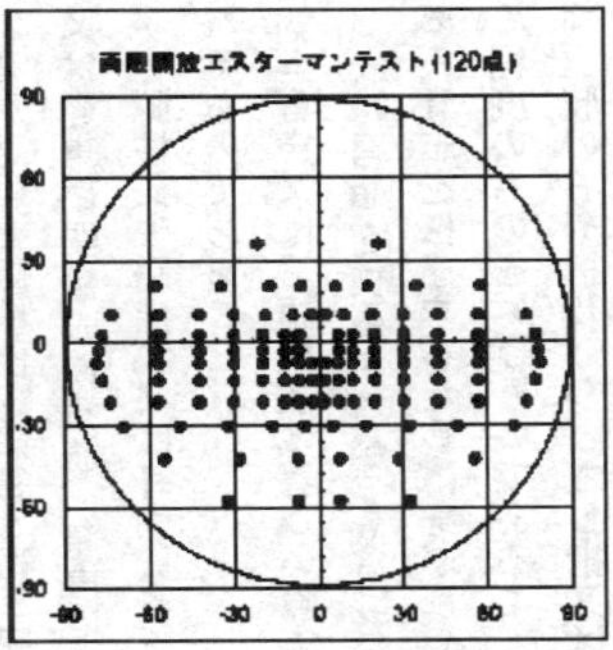

（図2）

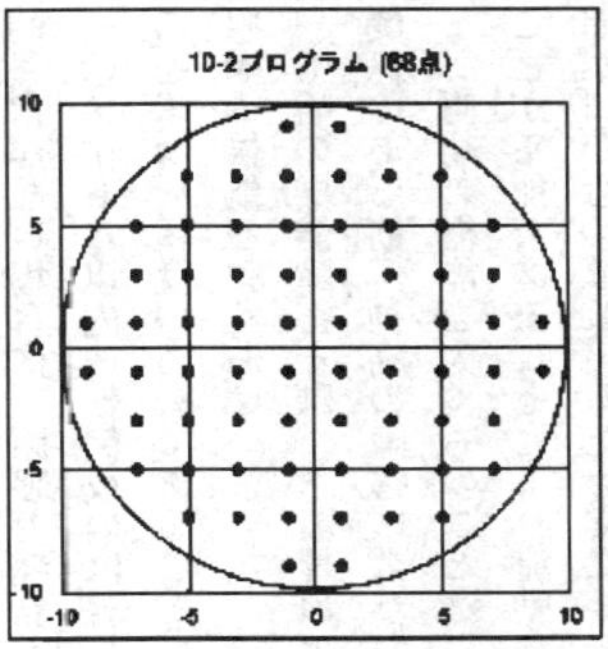

ニ　ゴールドマン型視野計では、中心三〇度内は適宜矯正レンズを使用し、三〇度外は矯正レンズを装用せずに測定する。
自動視野計では、10―2プログラムは適宜矯正レンズを使用し、両眼開放エスターマンテストは矯正眼鏡を装用せずに実施する。
ホ　自動視野計を用いて測定した場合において、認定上信頼性のある測定が困難な場合は、ゴールドマン型視野計で測定し、その測定結果により認定を行う。
ヘ　ゴールドマン型視野計又は自動視野計の結果は、診断書に添付する。
ト　「身体の機能の障害が前各号と同程度以上と認められる状態であって、日常生活が著しい制限を受けるか、又は日常生活に著しい制限を加えることを必要とする程度のもの」とは、求心性視野狭窄又は輪状暗点があるものについて、Ｉ／２の視標で両眼の視野がそれぞれ五度以内におさまるものをいう。

(3)　視力障害と視野障害が併存する場合には、併合認定の取扱いを行う。

2　両耳の聴力損失が九〇デシベル以上のもの
聴力の測定法については、「別表第二の認定要領」の別添１の２によること。

3　平衡機能に著しい障害を有するもの
(1)　平衡機能の障害とは、その原因が内耳性のもののみならず脳性のものも含まれるものであること。
(2)　「平衡機能の著しい障害を有するもの」とは、四肢体幹に器質的異常がない場合に、閉眼で起立不能又は開眼で直線を歩行中に一〇メートル以内に転倒或いは著しくよろめいて歩行を中断せざるを得ない程度のものであること。

4　咀嚼の機能を欠くもの
(1)　咀嚼の機能障害とは、下顎骨の欠損、顎関節の強直又は咀嚼に関係のある筋、神経の障害によりおこるものであること。
(2)　「咀嚼の機能を欠くもの」とは、歯を用いて食物をかみくだくことが不能であることにより流動食以外は摂取出来ないもの、食餌が口からこぼれ出るため常に手、器物等でそれを防がねばならないもの、又は咀嚼機能障害若しくは嚥下困難のため一日の大半を食事についやさなければならない程度のものであること。

5　音声又は言語機能に著しい障害を有するもの
(1)　音声又は言語機能の障害とは、喉頭の先天性異常、喉頭の外傷又は発声に関係のある筋、発声に関係ある神経の障害のみならず、脳性（失語症）又は耳性（ろうあ）の疾患によるものも含まれるものであること。
(2)　「音声又は言語機能に著しい障害を有するもの」とは、音声若しくは言語を喪失するか、又は音声若しくは言語機能障害のため、意志を伝達するために身ぶりや書字等の補助動作を必要とする程度のものをいうものであること。

6　両上肢のおや指及びひとさし指又は中指を欠くもの
(1)　指を欠くの意義については、「別表第二の認定要領」の別添１

の4によること。

(2)　「両上肢のおや指及びひとさし指又は中指を欠くもの」とは、少くとも必ず両上肢のおや指を欠き、それに加えて、両上肢のひとさし指又は中指を欠くものであること。

7　両上肢のおや指及びひとさし指又は中指の機能に著しい障害を有するもの

(1)　指の機能の著しい障害の意義については、「別表第二の認定要領」の別添1の5によること。

(2)　「両上肢のおや指及びひとさし指又は中指の機能に著しい障害を有するもの」とは、少なくとも必らず両上肢のおや指の機能に著しい障害があり、それに加えて両上肢のひとさし指又は中指の機能に著しい障害があり、そのため両手とも指間に物をはさむことはできても、一指を他指に対立させて物をつまむことができない程度であること。

8　一上肢の機能に著しい障害を有するもの

(1)　上肢の機能の著しい障害の意義については、「別表第二の認定要領」の別添1の3によること。

(2)　「一上肢の機能に著しい障害を有するもの」とは、一上肢は正常であり、他側上肢は肩、肘、手関節の障害により、日常生活は正常な一上肢のみで行われる程度のものであること。

9　一上肢の全ての指を欠くもの

(1)　指を欠くの意義については、「別表第二の認定要領」の別添1の4によること。

(2)　「一上肢の全ての指を欠くもの」とは、一上肢は正常で、他側の全ての手指を欠くものであり、把握する動作は正常な一上肢のみで可能であること。

10　一上肢の全ての指の機能に著しい障害を有するもの

(1)　指の機能の著しい障害の意義については、「別表第二の認定要領」の別添1の5によること。

(2)　「一上肢の全ての指の機能に著しい障害を有するもの」とは、それにより前記9の(2)に相当する機能障害を有するものであること。

11　両下肢の全ての指を欠くもの

(1)　「指を欠くもの」とは、リスフラン関節以下で足部を欠くものであること。

(2)　両下肢の全ての指を欠く場合には、補助具を使用しない状態で、日常生活において、下駄をはくことができず、スリッパ、サンダル等は使用しにくい程度のものであること。

12　一下肢の機能に著しい障害を有するもの

(1)　下肢の機能の著しい障害の意義については、「別表第二の認定要領」の別添1の6によること。

(2)　「一下肢の機能に著しい障害を有するもの」とは、一下肢は正常であり、他側下肢はその股、膝、足関節の障害により、日常生活は、正常な一下肢のみで片脚とび又は杖、松葉杖、下肢補装具等により移動ができる程度のものであること。

13　一下肢を足関節以上で欠くもの
(1)　足関節以上で欠くの意義については、「別表第二の認定要領」の別添1の7によること。
(2)　「一下肢を足関節以上で欠くもの」とは、一下肢は障害なく他側下肢はその尖足変形でそのままでは、体重加重が不能である程度のものであること。

14　体幹の機能に歩くことができない程度の障害を有するもの
(1)　体幹の障害をおこす原因及びその範囲については、「別表第二の認定要領」の別添1の8によること。
(2)　「歩くことができない程度」とは、室内においては、杖、松葉杖、その他の補助用具を必要とせず、起立移動が可能であるが、野外では、これらの補助用具の助けをかりる必要がある程度のものであること。

別添2

内科的疾患に基づく身体の障害についての認定基準

内科的疾患に基づく身体の障害についての認定は、次の基準によるものとする。

1　一般的事項
(1)　内科的疾患に基づく身体の障害の程度の判定に当たっては、一般状態、臨床症状等により「結核の治療指針」（昭和三十八年六月七日保発第一二号厚生省保険局長通知の別添）に掲げる安静度表（以下「安静度表」という。）の安静度を基準とする。
(2)　この基準によることが困難なものについては、日常生活能力を十分勘案して適正に認定すること。

2　結核性疾患
結核性疾患による症状の程度についての判定は、排菌状態、胸部エックス線所見、一般状態、理学的所見により、安静を必要とする程度が安静度表の四度までのものを政令別表第一の第十五号に該当するものとする。

3　呼吸器の機能障害
(1)　呼吸器の機能障害の程度についての判定は、％肺活量（肺活量実測値の予測値に対する割合）と一秒率（最大努力下の最初の一秒間の呼気量の肺活量実測値に対する割合）によるものとする。
(2)　％肺活量が三〇％以下で一秒率五六％以上のもの又は％肺活量が四五％以下で一秒率五五％以下のものを政令別表第一の第十五号に該当するものとする。

4　心機能障害
心機能障害の程度の判定は、呼吸困難、心悸亢進、チアノーゼ、浮腫等の臨床症状、レントゲン、心電図等の検査成績、一般状態、治療及び症状の経過等により、次の病状を有するものを政令別表第一の第十五号に該当するものとする。
(1)　身体活動を制限する必要のある心臓病患者
(2)　家庭内の極めて温和な活動では異常がないが、それ以上の活動では心不全症状又は狭心症症状がおこるもの

5　腎臓疾患
(1)　腎臓疾患による病状の程度についての判定は、臨床症状、腎機

能検査成績、一般状態、治療及び病状の経過等により、安静を必要とする程度が三か月以上にわたり安静度表の四度までのものを政令別表第一の第十五号に該当するものとする。

(2) 腎機能検査成績は、その性質上普通変動しやすいものであるため、腎臓疾患による病状の程度の判定に当たっては、診断書作成日前三か月内で一か月以上の間隔をおいた二回の検査成績に基づいて行うものとする。

(3) 慢性腎不全で人工透析療法を受けている場合は、次により判定するものとする。

ア 認定の時期

障害の程度を認定する時期は、慢性腎不全のため人工透析療法を受けている者については、はじめて当該療法を受けた日から起算して三か月を経過した日とする。

イ 障害の程度の認定

障害の程度の認定は、次によるものとする。

臨床所見又は腎機能検査成績が次表の右欄及び左欄に該当し、日常生活能力が次表の左欄に該当するものを政令別表第一の第十五号に該当するものとする。

表

区分	臨床所見	腎機能検査成績	日常生活能力
右欄	次のアからウまでのうち、いずれかに該当すること。 ア 尿毒症性心包炎 イ 尿毒症性出血傾向 ウ 尿毒症性中枢神経症状	次のうちア又はイのうち、いずれかに該当すること。 ア 内因性クレアチニン・クリアランス値が一〇ml／分未満 イ 血清クレアチニン濃度が八mg／dl以上	日常生活の用を弁ずることを不能ならしめる程度のもの。
左欄	次のアからケまでのうち、いずれか二以上に該当すること。 ア 腎不全に基づく末梢神経症 イ 腎不全に基づく消化器症状 ウ 水分電解質異常 エ 腎不全に基づく精神異常 オ X線上における骨異栄養症 カ 腎性貧血 キ 代謝性アチドーシス ク 重篤な高血圧症 ケ 腎疾患に直接関連するその他の症状	次のア又はイのうち、いずれかに該当すること。 ア 内因性クレアチニン・クリアランス値が一〇ml／分以上二〇ml／分未満 イ 血清クレアチニン濃度が五mg／dl以上八mg／dl未満	日常生活が著しい制限を受けるか、又は日常生活に著しい制限を加えることを必要とする程度のもの。

(注) 人工透析療法を受けているものにかかる腎機能検査成績は、当該療法の実施前の成績によるものとする。

6　肝臓疾患

(1)　肝臓疾患による病状の程度についての判定は、三か月以上にわたり黄だん、肝臓の腫大等の臨床症状が持続するもの、肝機能検査で異常が認められるもの等、一般状態、治療及び病状の経過等により、安静を必要とする程度が安静度表の四度までのものを政令別表第一の第十五号に該当するものとする。

(2)　肝機能検査成績は、その性質上普通変動しやすいものであるため、肝臓疾患による病状の判定に当たっては、診断書作成日前三か月内で一か月以上の間隔をおいた二回の検査成績に基づいて行うものとする。

7　血液疾患

(1)　血液疾患による病状の程度についての判定は、一般状態特に治療及び病状の経過に重点をおき、立ちくらみ、動悸、息切れ、出血傾向等の臨床症状、血液学的検査成績等により、安静を必要とする程度が安静度表の四度までのものを政令別表第一の第十五号に該当するものとする。

(2)　血液学的検査成績は、その性質上普通変動しやすいものであるため、血液疾患による病状の判定に当たっては、診断書作成日前三か月内で一か月以上の間隔をおいた二回の検査成績に基づいて行うものとする。

8　その他の障害

身体の各部位の障害及び前各項に掲げるもののほか、身体の機能障害又は長期にわたる安静を必要とする病状がある場合において、その状態が政令別表第一の第一号から第十四号までと同程度以上と認められるものであって、日常生活が著しい制限を受けるか、又は日常生活に著しい制限を加えることを必要とする程度のものであるときは、政令別表第一の第十五号に該当するものとする。

別添3

精神の障害についての認定基準

精神の障害についての認定は、次の基準によるものとする。

1　精神の障害の原因となる主な傷病名及び状態像は、統合失調症、そううつ病、非定型精神病、てんかん、中毒性精神病、器質性精神病、早期幼年自閉症及び知的障害であり、政令別表第一の第十六号に該当すると思われる症状等には、次のようなものがある。

(1)　統合失調症によるものにあっては、欠陥状態又は病状があるため、人格崩壊、思考障害、その他もう想、幻覚等の異常体験があるもの

(2)　そううつ病によるものにあっては、感情、欲動及び思考障害の病相期があり、かつ、これが持続したり又は頻繁にくりかえしたりするもの

(3)　非定型精神病によるものにあっては、欠陥状態又は病状が前記(1)、(2)に準ずるもの

(4)　てんかんによるものにあっては、頻繁にくりかえす発作又は認知症、性格変化その他精神神経症状があるもの

(5)　中毒性精神病によるものにあっては、認知症、性格変化及びその他持続する異常体験があるもの

(6) 器質性精神病によるものにあっては、認知症、人格崩壊、その他精神神経症状があるもの

(7) 早期幼年自閉症によるものにあっては、自閉、言語発達の遅滞、精神発達の遅滞及び異常行動のあるもの

(8) 知的障害によるものにあっては、精神の発達が遅滞しているもの

2 精神病質については、原則として政令別表第一に定める障害の状態に該当しないものとする。

3 精神の障害の程度の判定については、日常生活が著しい制限を受けるか、又は日常生活に著しい制限を加えることを必要とする程度のものを政令別表第一の第十六号に該当するものとする。

別添4 政令別表第一の第十七号による障害についての認定基準

身体の機能障害若しくは病状又は精神の障害が重複する場合の障害についての認定は、次の基準によるものとする。

機能障害又は病状が重複する場合の障害の程度の判定については、一般状態、医学的な原因及び経過等を総合的に勘案し、その状態が日常生活が著しい制限を受けるか、又は日常生活に著しい制限を加えることを必要とする程度のものを政令別表第一の第十七号に該当するものとする。

○児童扶養手当法施行令〔別表第二〕における障害の認定要領について

〔昭和三十六年十二月二十一日 児発第一、三七四号 各都道府県知事宛 厚生省児童局長通知〕

〔改正経過〕

第一次改正〔昭和四九年八月一五日児発第五一八号〕
第二次改正〔昭和五二年七月二九日児発第四九一号〕
第三次改正〔昭和五七年一〇月一日児発第八二四号〕
第四次改正〔平成二二年七月三〇日雇児発〇七三〇第二号〕
第五次改正〔令和四年二月九日子発〇二〇九第二号〕

標記要領を別冊のとおり定めたから、その運用に遺憾なきを期せられたく通達する。

〔別冊〕

児童扶養手当法施行令別表第二における障害の認定要領

1 児童扶養手当は、父又は母が児童扶養手当法施行令別表第二（以下「政令別表第二」という。）に定める程度の障害の状態にある児童を監護し、かつ、これと生計を同じくする父、監護する母及び養育する養育者に対しても支給されるが、この要領はそのときの障害の認定の要領を示すものであること。

2 障害の認定については次によること。

児童扶養手当法施行令〔別表第二〕における障害の認定要領について

(1) 政令別表第二第一号から第十号までは障害の原因となった傷病がなおった場合であり、第十一号は障害の原因となった傷病がなおらない場合であるが第十一号の場合は、その傷病につきはじめて医師の診療を受けた日から起算して一年六月を経過した日以後において第十一号に定める程度の障害の状態にある場合とするものであること。

なお、「傷病がなおった」については、器質的の欠損若しくは変形又は後遺症を残していても、医学的にその傷病がなおれば、そのときをもって「なおった」ものとし、また、慢性疾患においては、その病状が安定し長期にわたってその疾病の固定性が認められ、かつ、もはや、医療効果が期待できなくなったときは、そのときをもって「なおった」ものとして取扱うものとすること。

(2) 障害の程度は政令別表第二に定めるとおりであり、その状態は、傷病がなおったものにあっては一般的な労働能力を全く喪失し、かつ、常時の介護又は監視を必要とする程度のもの、傷病がなおらないものにあっては、一般的な労働能力を全く喪失し、かつ、長期にわたる高度の安静と常時の監視又は介護とを必要とする程度のものであって、国民年金法及び厚生年金保険法による障害等級の一級、身体障害者福祉法による障害等級の一級及び二級がほぼこれに相当するものであること。

(3) 国民年金の障害等級の一級に該当し、障害福祉年金を受けている者については、政令別表第二第一号から第九号までのいずれかに該当するものとして取り扱うこと。従って、前記の者については本制度による診断書の添付を省略することができるものとされていること。

(4) 障害の認定は診断書（児童扶養手当法施行規則様式第二号）及びレントゲンフイルムによって行なうが、それらのみでは認定が困難な場合には、必要に応じ療養の経過若しくは日常生活状況等の調査又は検診等を実施したうえで適正な認定を行なうこと。

(5) 適宜再認定を行ない、認定の正確を期すること。

(6) 各傷病についての障害の認定は次により行なうものとすること。

イ 身体の各部位の障害についての障害の認定は、別添1「身体の各部位の障害についての障害の認定基準」によること。

ロ 結核症による障害の認定は、別添2「結核症による障害の認定基準」によること。

ハ 心肺機能の障害についての障害の認定は、別添3「心肺機能障害についての障害の認定基準」によること。

ニ 高血圧症による障害の認定は、別添4「高血圧症による障害の認定基準」によること。

ホ 精神及び脳疾患による障害の認定は、別添5「精神及び脳疾患による障害認定基準」によること。

ヘ 政令別表第二第九号の障害の認定は、別添6「政令別表第二第九号の障害の認定基準」によること。

前　文（第五次改正）抄

〔前略〕令和四年四月一日から適用する。

別添1

身体の各部位の障害についての障害の認定基準

身体の各部位の障害についての障害の認定は次の基準によること。

1 次に掲げる視覚障害

イ 両眼の視力がそれぞれ〇・〇三以下のもの

ロ 一眼の視力が〇・〇四、他眼の視力が手動弁以下のもの

ハ ゴールドマン型視野計による測定の結果、両眼のI／4視標による周辺視野角度の和がそれぞれ八〇度以下かつI／2視標による両眼中心視野角度が二八度以下のもの

ニ 自動視野計による測定の結果、両眼開放視認点数が七〇点以下かつ両眼中心視野視認点数が二〇点以下のもの

(1) 視力障害

イ 視力は、万国式試視力表又はそれと同一の原理に基づく試視力表により測定する。

ロ 視標面照度は五〇〇～一〇〇〇ルクス、視力検査室の明るさは五〇ルクス以上で視標面照度を上回らないこととし、試視力表から五mの距離で視標を判読することによって行う。

ハ 屈折異常のあるものについては、矯正視力により認定するが、この場合最良視力が得られる矯正レンズによって得られた視力を測定する。眼内レンズ挿入眼は裸眼と同様に扱い、屈折異常がある場合は適正に矯正した視力を測定する。

ニ 両眼の視力を別々に測定し、良い方の眼の視力と他方の眼の視力とで障害の程度を認定する。

ホ 屈折異常のあるものであっても次のいずれかに該当するものは、裸眼視力により認定する。

(イ) 矯正が不能のもの

(ロ) 矯正により不等像視を生じ、両眼視が困難となることが医学的に認められるもの

(ハ) 最良視力が得られる矯正レンズの装用が困難であると医学的に認められるもの

ヘ 視力が〇・〇一に満たないもののうち、明暗弁のもの又は手動弁のものは視力〇として計算し、指数弁のものは〇・〇一として計算する。

ト 「両眼の視力がそれぞれ〇・〇三以下のもの」とは、視力の良い方の眼の視力が〇・〇三以下のものをいう。

チ 「一眼の視力が〇・〇四、他眼の視力が手動弁以下のもの」とは、視力の良い方の眼の視力が〇・〇四かつ他方の眼の視力が手動弁以下のものをいう。

(2) 視野障害

イ 視野は、ゴールドマン型視野計又は自動視野計を用いて測定する。認定は、ゴールドマン型視野計又は自動視野計のどちらか一方の測定結果で行うこととし、両者の測定結果を混在させて認定することはできない。

ロ ゴールドマン型視野計を用いる場合は、それぞれ以下によって測定した「周辺視野角度の和」、「両眼中心視野角度」に基づき、認定を行う。なお、傷病名と視野障害の整合性の確認が必

要な場合は、Ｖ／４の視標を含めた視野を確認した上で総合的に認定する。

(イ)「周辺視野角度の和」とは、Ｉ／４の視標による八方向（上・内上・内・内下・下・外下・外・外上の八方向）の周辺視野角度の和とする。八方向の周辺視野角度はＩ／４視標が視認できない部分を除いて算出するものとする。

Ｉ／４の視標で、周辺にも視野が存在するが中心部の視野と連続しない部分は、中心部の視野のみで算出する。

Ｉ／４の視標で、中心一〇度以内に視野が存在しない場合は、周辺視野角度の和が八〇度以下として取り扱う。

(ロ)「両眼中心視野角度」とは、以下の手順に基づき算出したものをいう。

ａ　Ｉ／２の視標による八方向（上・内上・内・内下・下・外下・外・外上の八方向）の中心視野角度の和を左右眼それぞれ求める。八方向の中心視野角度はＩ／２視標が視認できない部分を除いて算出するものとする。

ｂ　ａで求めた左右眼の中心視野角度の和に基づき、次式により、両眼中心視野角度を計算する（小数点以下は四捨五入し、整数で表す）。

両眼中心視野角度＝（３×中心視野角度の和が大きい方の眼の中心視野角度の和＋中心視野角度の和が小さい方の眼の中心視野角度の和）／４

ｃ　なお、Ｉ／２の視標で中心一〇度以内に視野が存在しない場合は、中心視野角度の和は〇度として取り扱う。

ハ　自動視野計を用いる場合は、それぞれ以下によって測定した「両眼開放視認点数」及び「両眼中心視野視認点数」に基づき、認定を行う。

(イ)「両眼開放視認点数」とは、視標サイズⅢによる両眼開放エスターマンテスト（図１）で一二〇点測定し、算出したものをいう。

(ロ)「両眼中心視野視認点数」とは、以下の手順に基づき算出したものをいう。

ａ　視標サイズⅢによる10―2プログラム（図２）で中心一〇度以内を二度間隔で六八点測定し、左右眼それぞれについて感度が二六dB以上の検査点数を数え、左右眼それぞれの中心視野視認点数を求める。なお、dBの計算は、背景輝度三一・五asbで、視標輝度一〇〇〇〇asbを〇dBとしたスケールで算出する。

ｂ　ａで求めた左右眼の中心視野視認点数に基づき、次式により、両眼中心視野視認点数を計算する（小数点以下は四捨五入し、整数で表す）。

両眼中心視野視認点数＝（３×中心視野視認点数が多い方の眼の中心視野視認点数＋中心視野視認点数が少ない方の眼の中心視野視認点数）／４

（図１）

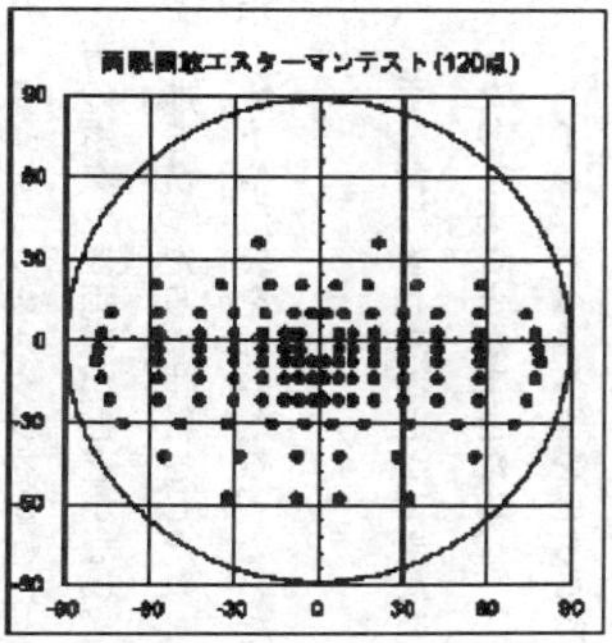

（図２）

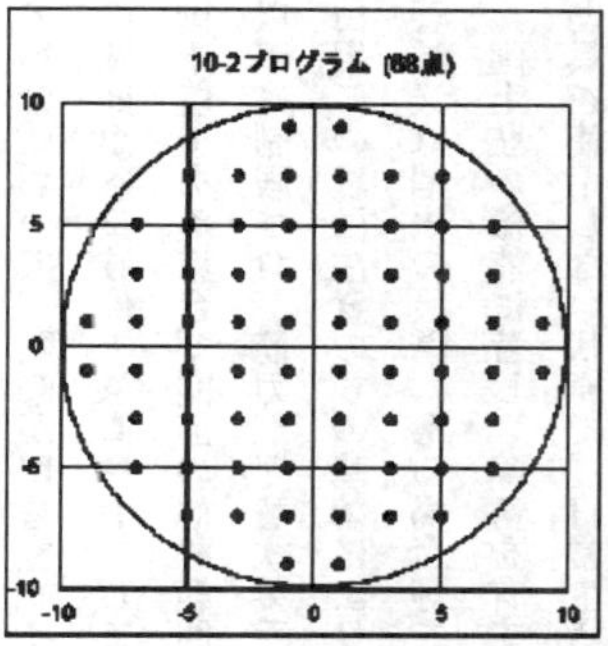

ニ　ゴールドマン型視野計では、中心三〇度内は適宜矯正レンズを使用し、三〇度外は矯正レンズを装用せずに測定する。

自動視野計では、10―2プログラムは適宜矯正レンズを使用し、両眼開放エスターマンテストは矯正眼鏡を装用せずに実施する。

ホ　自動視野計を用いて測定した場合において、認定上信頼性のある測定が困難な場合は、ゴールドマン型視野計で測定し、その測定結果により認定を行う。

ヘ　ゴールドマン型視野計又は自動視野計の結果は、診断書に添付する。

2　両耳の聴力損失が一〇〇デシベル以上のもの

(1)　聴力損失は、オージオメーター（ＪＩＳ規格又はこれに準ずる標準オージオメーター）及び言語音によって測定すること。その測定方法については、児童扶養手当障害認定診断書（聴力・平衡機能・咀嚼《そしゃく》機能・音声言語機能障害用）の裏面注意４及び５によること。

(2)　聴力の測定においては、偽病に注意して十分慎重に行なうこと。

3　両上肢の機能に著しい障害を有するもの

(1)　「両上肢の機能に著しい障害を有するもの」とはおおむね、両上肢のそれぞれについて肩、肘及び手の三大関節中いずれか二関節以上が全く用を廃する程度の障害を有するものをいうこと。この場合において、関節が用を廃する程度の障害を有するとは、その関節が不良肢位で強直をおこしている場合、関節運動の自動統御不能である場合、関節の他動範囲が生理的運動領域の二分の一以下に制限され、筋力が児童扶養手当障害認定診断書（肢体不自由用）の裏面注意の6の基準により半減以下である場合、筋力が著減又は消失の段階にある場合等をいうこと。

(2) 両上肢の機能に著しい障害を有する場合には、上肢装具等の補助具を使用しない状態で、日常生活において次のような動作を行なうことができないものであること。

イ　かぶりシャツをきたり、ぬいだりすることができない。
ロ　ネクタイを結ぶのに両手がとどかない。
ハ　ワイシャツのボタンをかけたり、はずしたりするのに、上の方のボタンに両手がとどかない。
ニ　顔を洗ったり、化粧をしたり、髪を洗うことができない。
ホ　靴下や足袋をはいたり、ぬいだりするのは、両手がとどかない。
ヘ　手を背にまわすことができないために、帯をしめたり、ほどいたりすることができない。
ト　トイレットペーパーをどちらの手でも使うことができない。

4　両上肢の全ての指を欠くもの

「両上肢の全ての指を欠くもの」とは、両上肢の各指とも基節骨の基部から欠き、その有効長が〇センチメートルのものをいうこと。

5　両上肢の全ての指の機能に著しい障害を有するもの

(1) 「両上肢の全ての指の機能に著しい障害を有するもの」とは、両上肢の全ての指について、指の著しい変形、麻痺による高度の脱力、関節の不良肢位強直、瘢痕による指の埋没又は不良肢位拘縮等により、指があってもそれがないものとほとんど同程度の機能障害があるものをいうこと。

(2) 両上肢の全ての指の機能に著しい障害が存する場合には、日常生活において次のような動作を行なうことができないものであること。

イ　新聞の両端を別々に持って開くことができない。
ロ　安全ピンをつけたりとったりすることができない。
ハ　ひもを結ぶことができない。
ニ　歯を磨くことができない。
ホ　はなをかむことができない。
ヘ　爪をきることができない。
ト　受話器をとって電話をかけることができない。
チ　お金を財布より出し入れすることができない。
リ　手紙を折りたたみ封筒に入れ、封をすることができない。

ヌ　匙で食事をすることができない。
ル　コップに水を入れて、呑むことができない。
ヲ　果物の皮をむけない。
ワ　マッチをすることができない。
カ　水道栓を開閉できない。
ヨ　南京錠や差しこみねじを開閉できない。
タ　鋸をひくことができない。
レ　金槌で釘をうつことができない。

6　両下肢の機能に著しい障害を有するもの

(1)　「両下肢の機能に著しい障害を有するもの」とは、おおむね、両下肢のそれぞれについて、股、膝、足の三大関節中いずれか二関節以上が全く用を廃する程度の障害を有するものをいうこと。ただし、膝関節のみが八〇度屈位の強直である場合のように、単に一関節が用を廃するにすぎない場合であっても、その下肢は歩行する場合に使用することができないため、その下肢の機能に著しい障害を有するものであり、また、一側下肢長が他側下肢長の四分の一以上短いようなときは、関節可動性又は筋力に異常がない場合であっても、その下肢の機能に著しい障害を有するものであること。

(2)　両下肢の機能に著しい障害を有する場合には、杖、松葉杖、下肢装具等の補助具を使用しない状態で、日常生活において次のような動作を行なうことができないものであること。

イ　立ちあがったり、しゃがみこむことができない。
ロ　静止して又はつづけて十分以上立っていることができない。
ハ　歩くことができない。
ニ　階段の昇降ができない。
ホ　両脚とも跳躍することができない。

7　両下肢を足関節以上で欠くもの

「両下肢を足関節以上で欠くもの」とは、両下肢のそれぞれについて、ショパール関節以上で欠くものをいうこと。

8　体幹の機能にすわっていることができない程度又は立ち上ることができない程度の障害を有するもの

(1)　体幹の機能障害は、高度体幹麻痺を後遺した脊髄性小児麻痺、脳性麻痺、脊髄損傷、強直性脊椎炎などによって生ずるが、四肢の機能障害を伴っている場合が多いので、両者を総合して障害の程度を判定する必要があること。

(2)　「すわっていることができない」とは、腰掛、正坐、あぐら、横すわりのいずれもができないものをいい、「立ち上ることができない」とは、臥位から坐位に自力のみでは立ち上れず、他人又は柱、杖その他の器物の介護又は補助によりはじめて立ち上ることができるものをいうこと。

別添2

結核症による障害の認定基準

結核症による障害の認定は次の基準によること。

1　政令別表第二に該当する結核症による障害は、「結核の治療指針」(昭和三十二年三月十九日保発第一六号の一厚生省保険局長通知)

の安静度表における安静度一度ないし二度程度の障害をうけているものとすること。

2　障害の程度は、次の各号を総合的に判断して認定すること。

(1)　疾病の現状

(2)　予後

3　呼吸器結核による障害の程度の認定

(1)　胸部外科療法を行なった患者について、なおったものと判定する時期は、病歴、病状、年齢、性別その他によって異なるが、一般的には直達療法の場合は手術後一年、虚脱療法の場合は手術後一年半を必要とすること。

(2)　疾病の現状は、次の各要素によって決定されるべきであること。なお、この決定に当っては、客観的な所見を尊重し、主観の混入し易い所見は参考程度として、厳正に行なわなければならないこと。

イ　一般状態及び理学的所見
　自覚症状、栄養状態、体温、脈搏、赤沈値

ロ　胸部エックス線所見
　病巣の性質、部位及び範囲、必要に応じて断層撮影、肺尖撮影等の特殊撮影所見等

ハ　排菌状態
　喀痰の塗沫、染色、必要に応じて喀痰の培養又は胃液培養による菌検索成績

ニ　治療及び病状の経過

ホ　年齢及び性別

ヘ　合併症

ト　心肺機能障害及び加療変形による肩胛関節の機能障害の程度

(3)　予後の判定は疾病の現状に基づいて、総合的に下すべきであるが、今後適当な治療を施すことによって得られると考えられる効果をも参考とすること。

(4)　呼吸器結核に他の結核又はその他の疾病が合併した場合は、その合併症の軽重、治療法、従来の経過をも勘案したうえ総合的に認定すること。

(5)　前(2)ないし(4)による判定の結果、身体の機能に障害を有するものとして認定するに当っては、特に主治医の意見にのみよることなく、具体的な病状から客観的に判断して認定すること。
　この場合において、疾患がなおったものについては、障害の程度を別表第二第九号に、なおらないものについては、別表第二第十一号に認定すること。

4　その他の結核による障害の程度の認定

(1)　呼吸器結核以外の結核による障害の認定は、一応前記による障害の認定に準じて行なうこととすること。

(2)　脊椎カリエスについての「なおったもの」と判定する時期は、その症状が鎮静期に入ってから、少くとも一年半を標準とすること。この場合の鎮静期とは、自然的疼痛がなくなり、膿瘍は消失して瘻孔が閉鎖することは勿論、全身的にも栄養恢復して体重が増加し、赤沈値正常を示し、また、エックス線所見上は骨破壊は

停止し、罹患骨の境界は明確となり、膿瘍の存在した所にはしばしば石灰沈着を生じ、時には上下の椎体が全く骨性にゆ合し、あるいは骨性橋梁（骨鎹）をもって連絡されるような状態となった時をいうこと。

脊椎カリエスによる障害は、罹患部の運動機能の障害が他の部分によって代償されて、外見上は殆んど運動障害を残さないような場合があるが、他の傷病による場合と異って、荷重機能に障害を残し、そのため労働に制限を受けるか又は労働に制限を加える必要があるので、運動障害の程度が極めて軽度であっても荷重制限を併せて考慮し、慎重に認定すること。

(3) 腎結核症で、一側の腎臓を切除した場合において残腎に障害の認められないときは政令別表第二に該当しないものとすること。

別添3

心肺機能障害についての障害の認定基準

1 心肺機能の障害についての障害の認定は次の基準によること。
政令別表第二に該当する心肺機能障害は、安静時に著名な呼吸困難、動脈血酸素飽和度の低下を認め、いかなる負荷にも耐え得ないと認められるものとすること。

2 心肺機能の測定は原則として、動脈血酸素飽和度の減少程度をもってする（備考1、2）が、設備その他の関係でこの方法により難い場合は、脈搏数及びその状態並びにその他の症状をもって認定を行なうこと。

3 前記の検査は、左記の肺活量予測値に対し、肺活量実測が五九%以下である者（じん肺にあっては全ての者）について実施すること。

男子〔28.15－（0.129×年齢）〕×身長（cm）cc
女子〔22.07－（0.149×年齢）〕×身長（cm）cc

（別表「肺活量を算出するノモグラム」参照のこと）

なお、肺活量の値については、単に診断書に記載されている一回のみの計測値によることなく、従来の経過をも参照すること。

備考

1 非観血的に動脈血酸素飽和度を測定する場合には、イヤーピスオキシメーターを使用すること。

2 観血的に動脈血酸素飽和度を測定する場合は、安静時並びに運動負荷終了直後に採血すること。

3 脈搏数により認定を行なう場合、若し頻脈があったら、その頻脈が風邪その他の一時的疾患によるものかどうかを十分検討した後に決定すること。

4 当分の間換気指数による測定（レスピロメーターによる。）は、行なわないこととすること。

別表

肺活量を算出するノモグラム

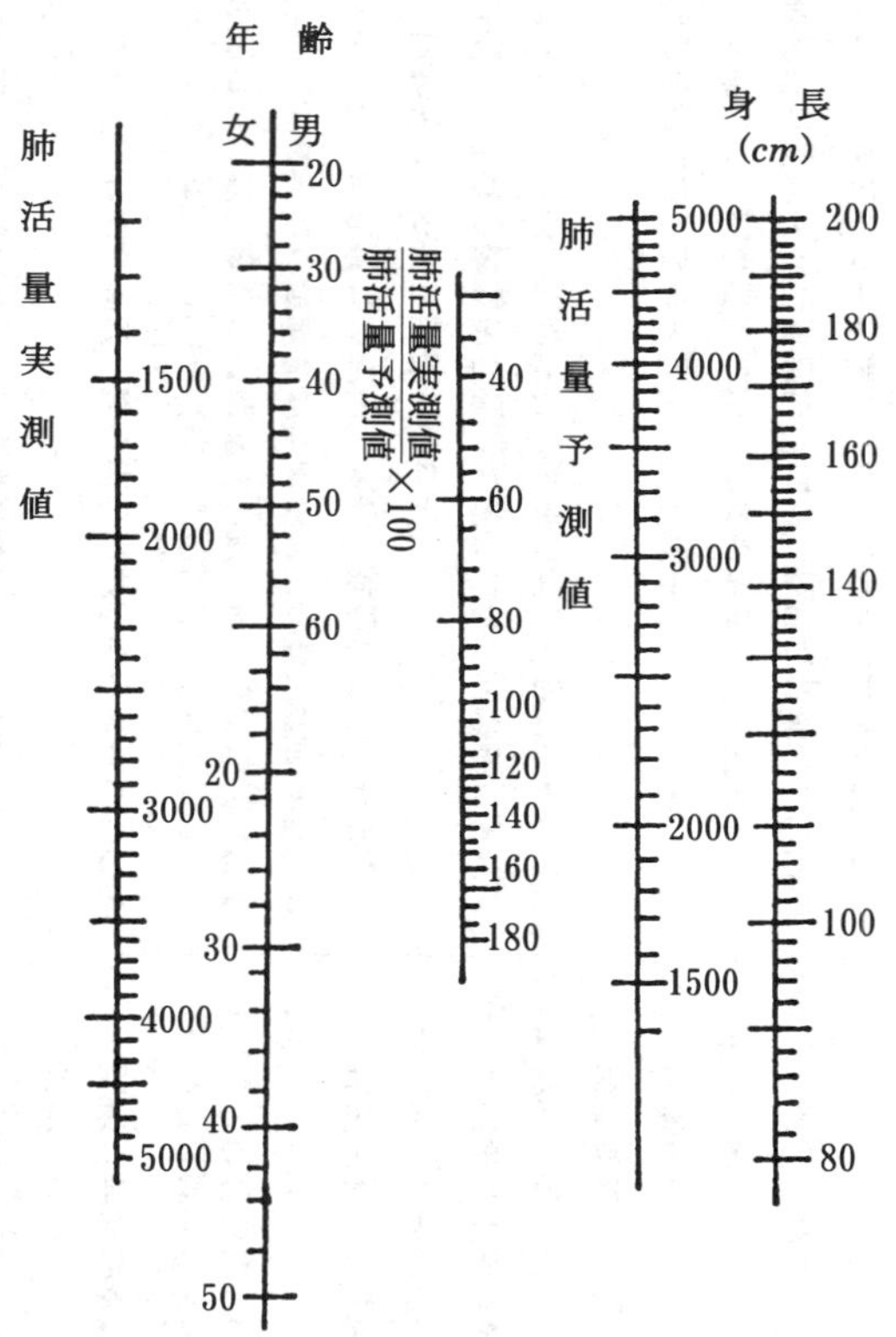

別添4

高血圧症による障害の認定基準

1　認定の基準は別表によるものとし、次の事項に留意すること。
ただし、高血圧症による脳の器質的障害の認定は「精神及び脳疾患による障害の認定基準」別表「器質的脳疾患」の「障害の状態」欄の二によること。

(1)　障害の状態が「臓器循環障害の状態」欄の脳、眼底変化、心臓及び腎臓の各欄のいずれか一項目に該当し、かつ、「安静の程度」欄の安静の程度が必要であると認めたときは、該当するものとすること。ただし、自覚症状のみ著明なときは、その症状が高血圧症に起因するものであるか否かについて特に留意すること。

(2)　悪性高血圧症を疑わしめるものは該当させることができること。

2　高血圧症の現状の判定については、次の各要素により決定すること。

(1)　臨床症状
臨床症状の観察にあたっては、特に脳、心臓及び腎臓の障害の有無に留意すること。

(2)　検査成績
必要に応じ、尿、眼底、X線、心電図及び腎機能等の検査を行なうこと。

(3)　治療及び症状の経過
治療は薬物療法のみならず、食餌療法及び一般生活状態も考慮すること。

(4)　年齢及び性別

(5)　原因（本態性、腎性、内分泌性）

(6)　遺伝及び体質

(7)　合併症

3　予後の判定は、現症のほか、従来行なわれた治療及びその効果、並びに今後適切な治療を行なうことによって得られると考えられる効果も参考とすること。

別表

安静の程度	臓器循環障害の程度			
	脳	眼底変化	心臓	腎臓
高度の安静（絶対安静又は常時臥床を必要とするもの）	1 脳卒中で脳症状のまだ固定しないもの 2 器質的脳疾患の一級の二に該当するもの	乳頭浮腫を伴なう高血圧性網膜症を有するもの	1 安静時にも心不全症状を有し、体動不能のもの 2 新鮮又は比較的新しい心筋梗塞を有するもの	1 尿毒症の症状を有するもの 2 腎不全により血中含窒素物質が増量しているもの

（注）「脳」の欄における「脳卒中」とは、脳出血、脳軟化、くも膜下出血、脳循環不全及び高血圧性脳症等急激な脳循環障害による症状をいう。

別添5

精神及び脳疾患による障害の認定基準

精神及び脳疾患で、三年以上にわたって治療をうけたがなおらないもの、又は三年未満のもので症状が固定し、増悪の傾向がないと認められるものを対象として、次の各号を総合的に判断して認定すること。

1　精神及び脳疾患の原因は多種であり、かつ、その症状は同一原因であっても多様である。したがって、障害の認定にあたっては、現状及び予後の判定を第一とし、次に原因及び経過を考慮して、別表により、決定すること。

2　この認定基準においては、別表を内因性精神病（統合失調症、そううつ病）及び器質的脳疾患に分類したが、覚醒アミン中毒、脱髄疾患、内分泌異常（バセドー氏病、粘液水腫等）、慢性酒精中毒、進行麻痺、退行期精神病、老年期精神病、脳炎後遺症及びてんかん性精神病等で、もう想、幻覚のあるもの並びに知的障害及び精神病質については、内因性精神病に準じて取扱うこと。

3　内因性精神病の予後の判定にあたっては、次の点を考慮のうえ慎重に行なうこと。

(1)　統合失調症は、一般に予後不良であり、政令別表第二に定める障害の状態に該当すると認められるものが多い。しかし、罹病後数年ないし十数年の経過中に予想以上の症状の好転を見ることもあり、またその反面急激に増悪の状態を持続することもある。したがって、統合失調症として障害の認定を行なったものに対しては、特に手当支給開始後も発病時よりの療養及び症状の経過を考慮して予後の判定に留意すること。

(2)　そううつ病は、本来症状の著名な時期と症状の消失する時期をくり返すものである。したがって、現状により認定することは不十分であり、症状の経過及びそれによる労働制限の状態等も考慮すること。

4　器質的脳疾患のうち、発病又は受傷後若しくは手術後一年を経過し、その症状が固定してもはや医療効果が期待できないと認められた場合には、その時期をもって、なおったものとすること。

5　神経症にあっては、その症状が長期間持続し、一見重篤なものであっても、原則として障害の状態と認定しないものとすること。

別表

傷病の種類	障害の状態
内因性精神病	1　人格の崩壊が高度で、全く疎通性を失い常時介護を必要とするもの。 2　思考障害が高度であり、かつ、もう想幻覚その他の異常体験が著明なため、精神病院に入院させなければ医療及び保護が困難なもの。
器質的脳疾患	1　極めて高度の認知症及び人格崩壊のため、常時介護を必要とするもの。 2　脳の器質的障害により、著しい中枢神経症状があって、常時介護を必要とするもの。 3　脳の器質的障害により、著しい高度の性格変化があり、公安上危険なため、精神病院に入院させなければ医療及び保護が困難なもの。 4　てんかん性発作に対する治療を必要とし、かつ、高度の認知症及び性格変化があり、常時介護を必要とするもの。

備考

器質的脳疾患は、主として脳に明らかな器質的変化が認め得るものであるが、その主なるものを列記すると次のとおりである。

認知症（プレスビオフレニー・アルツハイマー氏病及びビック氏病を含む。）、進行麻痺、脳梅毒、頭部外傷後遺症、てんかん及びその近縁疾患、脳腫瘍及びその手術後の障害、脳膜炎、脳炎後遺症、パーキンソン氏病、脳卒中、脳動脈硬化症、高血圧症、肝脳疾患、脱髄疾患、中毒（一酸化炭素、鉛、酒精その他）及び晩発性のティザックス病等による重度知的障害等。

別添6

政令別表第二第九号の障害の認定基準

政令別表第二第九号に該当するかどうかの認定はおおむね次によること。

1 障害福祉年金の障害程度一級の第九号は内科的疾患に基づく身体障害を除いているが、本号は内科的疾患による場合も含むものであること。

2 障害福祉年金の障害の程度一級の第九号に該当する場合は本号に該当するものとすること。

3 障害福祉年金の障害の程度二級に該当する程度の障害が二つ以上ある場合には、おおむね本号に該当するものとみなしうるものとすること。なお、障害の合併認定については、別紙1身体障害者福祉法、厚生年金保険法の合併認定の方法を参考とすること。

障害福祉年金の障害程度二級の障害の状態は次のとおりであり、また、その認定基準は別紙2に示されているとおりであること。

(1) 両眼の視力の和が〇・〇五以上〇・〇八以下のもの
(2) 両耳の聴力損失が八〇デシベル以上のもの
(3) 平衡機能に著しい障害を有するもの
(4) 咀嚼《そしやく》の機能を欠くもの
(5) 音声又は言語機能に著しい障害を有するもの
(6) 両上肢《し》のおや指及びひとさし指又は中指を欠くもの
(7) 両上肢《し》のおや指及びひとさし指又は中指の機能に著しい障害を有するもの
(8) 一上肢《し》の機能に著しい障害を有するもの
(9) 一上肢《し》のすべての指を欠くもの
(10) 一上肢《し》のすべての指の機能に著しい障害を有するもの
(11) 両下肢《し》のすべての指を欠くもの
(12) 一下肢《し》の機能に著しい障害を有するもの
(13) 一下肢《し》を足関節以上で欠くもの
(14) 体幹の機能に歩くことができない程度の障害を有するもの
(15) 前各号に掲げるもののほか、これらと同程度以上と認められる身体障害であって、日常生活に著しい制限を加えることを必要とする程度のもの（内科的疾患に基づく身体障害であって、前各号のいずれにも該当しないものを除く。）

備考 視力の測定は、万国式試視力表によるものとし、屈折異常があるものについては、矯正視力によって測定する。

別紙1

1　身体障害者福祉法

(1)　同一等級について二つの重複する障害がある場合は、一級うえの級とする。ただし、二つの重複する障害が特に身体障害者福祉法表中に指定されているものは、該当等級とする。

(2)　し体不自由においては、七級に該当する障害が二つ以上重複する場合は六級とする。

2　厚生年金保険法

1号	2	3	4	5	6	7	8	9	10	11	12	13
2	1級	1	1	1	2	2	2	2	2	2	2	2
3	1	1	1	1	2	2	2	2	2	2	2	2
4	1	1	1	2	2	2	2	2	2	2	2	2
5	1	1	2	2	2	2	3	3	3	3	3	3
6	2	2	2	2	2	2	3	3	3	3	3	3
7	2	2	2	2	2	3	3	3	3	3	3	3
8	2	2	2	3	3	3	3	3	3			
9	2	2	2	3	3	3	3					
10	2	2	2	3	3	3	3					
11	2	2	2	3	3	3	3					
12	2	2	2	3	3	3						
13	2	2	2	3	3	3						

3　労働者災害補償保険法

(1)　労働者災害補償保険法施行規則別表第一にかかげる身体障害が二つ以上ある場合には、重い方の身体障害の該当する等級とする。

(2)　次にかかげる場合には、等級を繰り上げることができる。

(イ)　第十三級以上に該当する身体障害が二つ以上あるときは、一級繰り上げる。

(ロ)　第八級以上に該当する身体障害が二つ以上あるときは、二級繰り上げる。

(ハ)　第五級以上に該当する身体障害が二つ以上あるときは、三級繰り上げる。

(3)　障害等級の繰り上げは障害の系列を異にする二つ以上の身体障害のうち重いもの二つについて行わなければならない。

4　恩給法

⑴　4肢機能障害綜合認定標準表（指趾を除く。）

	3項	4	5	6	7	1款	2	3	4
3項	1項								
4	1	2項							
5	2	2	3項						
6	2	3	3	4項					
7	3	3	4	4	5項				
1款	3	3	4	5	5	6項			
2		4	5	5	6	6	7項		
3			5	6	6	7	7	1款	
4				6	7	7	1款	1	2款

⑵　指趾機能障害綜合認定標準表

	5項	6	7	1款	2	3	4	1目	2	3	4
5	3項										
6	3	4項									
7	4	4	5項								
1款	5	5	5	6項							
2	5	5	6	7	7項						
3		6	7	7	7	1款					
4			7	1款	1款	2	2款				
1目				1	2	2	3	3款			
2					2	3	4	4	1目		
3							1目	1目	1	2目	
4											

⑶　両眼視力障害綜合認定標準表

	5項	6	7	1款	2	4	1目	3
5項	1項							
6	2項	2						
7	2項	3	4					
1款	3項	4	5	5	5			
2	4項	5	6	6	6			
4	5項	6	6	7	7	7		
1目	5項	6	7	1款	1	2	2	
3	5項	6	7	1款	2	3	3	1目

⑷　両耳聴力障害綜合認定標準表

	1款	2	3	1目	3
1款	2項				
2	3項	4			
3	4項	5	5		
1目	6項	6	1款	1	
3	1款	1	1	3	1目

別紙2

国民年金法における障害等級（二級）の認定基準

1　一般的事項

(1)　この認定基準は、国民年金法における別表二級（以下「法別表二級」という。）に該当する程度の障害の認定の基準を示すものであること。

(2)　法別表二級に相当する障害の状態（以下「二級障害」という。）とは、身体に法別表二級に該当する程度の障害があって、それが永続的に回復しない状態をいい、その認定は、障害の原因となった傷病のなおったとき、又はその症状が固定して、それまでとられたような治療では障害程度の軽減が期待できない状態に至ったときに行なわれるものであること。この場合において傷病がなおったとき、又は症状が固定したときの意義については、客年九月四日年発第一五七号各都道府県知事あて本職通達別紙「国民年金法における障害等級（一級）の認定基準」（以下「一級認定基準」という。）の一の（二）によること。

(3)　二級障害とは、日常生活に著しい制限を加えることを必要とする程度の障害、即ち、日常生活において高度の制約となる障害であって、他人の助けをかりる必要はないが、日常の生活は極めて困難で、労働によりその収入を得ることができない程度の障害をいうものであること。

なお、厚生年金保険法による障害等級の二級及び三級及び身体障害者福祉法による障害等級の三級及び四級がほぼ法別表二級に相当するものであること。

(4)　障害の範囲は、それが日常生活に著しい制限を加えることを必要とする程度のものであっても、法別表二級の第一号から第一五号までにかかげるいずれかに該当する外部的障害に限られ、内部的障害のみによって日常生活に著しい制限を加えることを必要とする程度のものは、含まれないものであること。

(5)　四肢又はその指を欠くもの等を除いては、障害の程度が法別表二級に該当するかどうかの認定が実際上極めて困難な場合も考えられるが、そのような場合には十分慎重に認定を行なうとともに、必要に応じて適宜その再認定を行なうようにすること。

2　両眼の視力の和が〇・〇五以上〇・〇八以下のもの

(1)　試視力表、試視力表の標準照度、屈折異常のある者及び「両眼視力の和」の取扱等については、一級認定基準の二によること。

(2)　視力の測定において、その障害程度が法別表一級程度か法別表二級程度かの認定は、実際上極めて困難な場合があるので、偽病に注意して十分慎重に行なうこと。

3　両耳の聴力損失が八〇デシベル以上のもの

(1)　聴力の測定法については、一級認定基準の3の(1)によること。

(2)　「両耳の聴力損失が八〇デシベル以上のもの」とは、耳もとで大声で人語が発せられた場合のみにおいて聴覚によって解することが可能であり、かつ、補聴器等の補聴手段は効果が少ない程度のものであること。

4　平衡機能に著しい障害を有するもの

(1) 平衡機能の障害とは、その原因が内耳性のもののみならず悩性のものも含まれるものであること。

(2) 平衡機能の著しい障害とは、四肢体幹に器質的異常なく、閉眼で起立不能又は開眼で直線を歩行中に一〇メートル以内に転倒或いは著しくよろめいて歩行を中断せざるを得ない程度のものであること。

5 咀嚼の機能を欠くもの

(1) 咀嚼の機能障害とは、下顎骨の欠損、顎関節の強直又は咀嚼に関係のある筋、神経の障害によりおこるものであること。

(2) 咀嚼の機能を欠くものとは、歯を用いて食物をかみくだくことが不能であることにより流動食以外は摂取出来ないもの、食餌が口からこぼれ出るため常に手、器物等でそれを防がねばならぬもの、又は咀嚼機能障害若しくは嚥下困難の程度が一日の大半を食事についやす程度のものであること。

6 音声又は言語機能に著しい障害を有するもの

(1) 音声又は言語機能の障害とは、喉頭の先天性異常の外傷又は発生に関係のある筋、神経の障害のみならず、脳性（失語症）又は耳性（ろうあ）の疾患により発生するものを含むものである。

(2) 「音声又は言語機能に著しい障害を有するもの」とは、音声若しくは言語をそう失するか、又は音声若しくは言語機能障害のため、身ぶりや書写等の補助動作を必要とする程度のものであること。

7 両上肢のおや指及びひとさし指又は中指を欠くもの

(1) 指を欠くの意義については、一級認定基準の五によること。

(2) 「両上肢のおや指及びひとさし指又は中指を欠くもの」とは、少くとも必ず両上肢のおや指を欠き、それに加えて、両上肢のひとさし指又は中指を欠くものであり、そのため、両手とも指間に物をはさむことはできても、一指を他指に対立させて物をつまむことはできないものであること。

8 両上肢のおや指及びひとさし指又は中指の機能に著しい障害を有するもの

(1) 指の機能の著しい障害の意義については、一級認定基準の六によること。

(2) 両上肢のおや指及びひとさし指又は中指の機能に著しい障害を有するものとは、それにより前記7の(2)に相当する機能障害を有するものであること。

9 一上肢の機能に著しい障害を有するもの

(1) 上肢の機能の著しい障害の意義については、一級認定基準の4の(1)によること。

(2) 「一上肢の機能に著しい障害を有するもの」とは、一上肢は正常であり、他側上肢は肩、肘、手関節の障害により、一級認定基準の4の(2)の諸動作が不能で日常生活は正常な一上肢のみで行なわれる程度のものをいうこと。

10 一上肢のすべての指を欠くもの

(1) 指を欠くの意義については、一級認定基準の5によること。

(2) 「一上肢のすべての指を欠くもの」とは、一上肢は正常で、他側のすべての手指を欠くものであり、把握する動作は正常な一上肢のみで可能であること。

11　一上肢のすべての指の機能に著しい障害を有するもの

(1)　「指の著しい障害」の意義については、一級認定基準の六によること。

(2)　「一上肢のすべての指の機能に著しい障害を有するもの」とは、それにより前記10の(2)に相当する機能障害を有するものであること。

12　両下肢のすべての指を欠くもの

(1)　「指を欠くもの」とは、リスフラン関節以下で足部を欠くものであること。

(2)　両下肢のすべての指を欠く場合には、補助具を使用しない状態で、日常生活において、下駄をはくことはできず、スリッパ、サンダル等は使用しにくい程度の障害であること。

13　一下肢の機能に著しい障害を有するもの

(1)　下肢の機能の著しい障害の意義については、一級認定基準の7の(1)によること。

(2)　「一下肢の機能に著しい障害を有するもの」とは、一下肢は正常であり、他側下肢はその股、膝、足関節の障害により、一級認定基準の7の(2)の諸動作が不能で日常生活は、正常な一下肢のみで片脚とび又は杖、松葉杖、下肢補装具等により移動ができる程度の障害であること。

14　一下肢を足関節以上で欠くもの

(1)　足関節以上で欠くの意義については、一級認定基準の8によること。

(2)　「一下肢を足関節以上で欠くもの」とは、一下肢は障害なく他側下肢はその尖足変形でそのままでは、体重加重が不能である程度の障害であること。

15　体幹の機能に歩くことができない程度の障害を有するもの

(1)　体幹の障害をおこす原因及びその範囲については、一級認定基準の9の(1)によること。

(2)　「歩くことができない程度」とは、室内においては、杖、松葉杖、その他の補助用具を必要とせず、起立移動が可能であるが、野外では、これらの補助用具の助けをかりる必要がある程度の障害であること。

16　前各号に掲げるもののほか、これらと同等以上と認められる身体障害であって、日常生活に著しい制限を加えることを必要とする程度のもの内科的疾患に基く身体障害であって、前各号のいずれにも該当しないものを除く。

(1)　これは、身体の一部分に法別表二級の第一号から第一四号までに該当するような障害がない場合であっても、総体的に身体に日常生活に著しい制限を加えることを必要とする程度の障害があるものをいうこと。

(2)　法別表二級の第一号から第一四号までに該当する場合と異なり、日常生活に著しい制限を加えることを必要とする程度の障害であっても、内科的疾患（精神的疾患を含む。）に基づくものはこれに該当しないこと。従って、たとえば、その原因が、心肺機能や消化器機能の障害によるものはこれに該当しないのであるが、その場合においても、長期の横床のため、その原因疾患が治癒した後に、二次的に日常生活に著しい制限を加えることを必要とする程度の関節可動制限、筋力消失等を後遺したときは、これに該当するものであること。

(3) 障害の程度が日常生活に著しい制限を加えることを必要とする程度のものであるかどうかは、実際に日常生活上の動作を行なわせて認定すべきであること。なお、この場合において一級認定基準の別紙1の日常生活動作能力認定基準（参考）によることが便利であり、その（A）の4及び（B）の1に掲げる程度の障害を有する場合には、日常生活に著しい制限を加えることを必要とする程度のものと認定しうるものであること。

○児童扶養手当におけるヒト免疫不全ウイルス感染症に係る障害認定について

〔平成十年四月二十四日　児家第一八号
各都道府県民生主管部(局)長宛　厚生省児童家庭局家庭福祉課長通知〕

〔改正経過〕
第一次改正　〔平成一三年七月三一日雇児福発第三四号・障企発第三九号〕
第二次改正　〔平成二二年七月三〇日雇児福発〇七三〇第二号〕

ヒト免疫不全ウイルス感染症に係る児童扶養手当の障害の認定について、別紙のとおり留意事項を定めたので、管内市町村及び関係機関に周知徹底を図るとともに、その運用に当たっては特段のご配慮を願いたい。

別紙

1　ヒト免疫不全ウイルス感染症に係る障害の認定について
　ヒト免疫不全ウイルス感染症に係る障害の認定については、従来どおり「児童扶養手当法別表第一における障害の認定要領について」(昭和四十九年八月十五日児発第五一八号通知。以下「別表一の認定要領」という。)及び「児童扶養手当法(別表第二)における障害の認定要領について」(昭和三十六年十二月二十一日児発第一、三七四号通知。以下「別表第二の認定要領」という。)によるものとする。

2　ヒト免疫不全ウイルス感染症による障害の範囲について
　ヒト免疫不全ウイルス感染症による障害認定の対象となる障害は、次のとおりである。
(1)　ヒト免疫不全ウイルス感染症とその続発症による日常生活上の障害
(2)　副作用等治療の結果として起こる日常生活上の障害

3　障害認定のあり方について
　続発症(ヒト免疫不全ウイルス消耗症候群、日和見感染症等)の有無及びその程度及びCD4値(注1)等の免疫機能の低下の状態を含む検査所見、治療及び症状の経過を十分考慮し、日常生活上の障害を総合的に認定すること。
(注1)　CD4値：血液中に含まれるリンパ球の一種で、免疫全体をつかさどる機能を持つリンパ球数のこと。

4　認定請求の際に添付する診断書について
　ヒト免疫不全ウイルス感染症に係る障害について児童扶養手当法第六条及び同法施行規則第一条の規定により、児童扶養手当の認定の請求をしようとする者が認定請求書に添付する診断書は、同法施行規則第一条第四号及び六号並びに規則様式第二号(5)によるものとするが、これのみでは認定が困難な場合には、必要に応じ療養の経過若しくは日常生活状況等の調査又は必要な検診等を実施したうえ適正な認定を行うこと。

5　障害の程度について

(1)　ヒト免疫不全ウイルス感染症による障害の程度は、基本的には次の障害の状態とすること。

①　その障害の状態にある者が児童の場合は、別表第一の認定要領の別添2内科的疾患に基づく身体の障害についての認定基準8その他の障害に掲げられている障害の状態であること。

なお、児童扶養手当法施行令（以下「令」という。）別表第一に相当すると認められるものを一部例示すると、エイズ指標疾患（注2）や免疫不全に起因する疾患又は症状が発生するか、その既往が存在する結果、治療又は再発防止療法が必要で、日常生活が著しく制限されるものをいう。

②　その障害の状態にある者が父又は母の場合は、別表第二の認定要領の2の(1)及び(2)に掲げられている障害の状態であること。

なお、令別表第二に相当すると認められるものを一部例示すると、回復困難なヒト免疫不全ウイルス感染症及びその合併症の結果、生活が室内に制限されるか日常生活に全面的な介助を要するものをいう。

（注2）　エイズ指標疾患（別添資料）：サーベランスのためのＡＩＤＳ診断基準における特徴的症状に該当する疾患

(2)　病状の程度については、一般状態が次表の一般状態区分表の2から4に該当するものは令別表第一に、同表の4に該当するものは令別表第二に概ね相当するので、認定の参考とすること。

区分	一般状態
0	無症状で社会活動ができ、制限を受けることなく、発病前と同等にふるまえる。
1	軽度の症状があり、肉体労働は制限を受けるが、歩行、軽労働や坐業はできる。例えば、軽い家事、事務など。
2	歩行や身のまわりのことはできるが、時に少し介助のいることもある。軽労働はできないが、日中の五〇％以上は起居している。
3	身のまわりのある程度のことはできるが、しばしば介助がいり、日中の五〇％以上は就床している。
4	身のまわりのこともできず、常に介助がいり、終日就床を必要としている。

6　検査所見及び臨床所見について

ヒト免疫不全ウイルス感染症による障害の程度について、以下の項目に留意し、認定を行うこと。

ア　疲労感、倦怠感、不明熱、体重減少、消化器症状の程度、出現頻度、持続時間

イ　日和見感染症、悪性腫瘍の種類、重症度、既往、出現頻度

ウ　ＣＤ4値、ヒト免疫不全ウイルス—ＲＮＡ定量値、白血球数、ヘモグロビン量、血小板数の状況

エ　治療の状況（治療薬剤、服薬状況、副作用の状況）

なお、現時点におけるエイズ治療の水準にかんがみ、ＣＤ４値が二〇〇未満の状態では、多くの感染者（児）において強い疲労感、倦怠感が認められており、また、この段階では、多数の日和見感染症等の発症の可能性が高まるために、抗エイズ薬等の多剤併用療法が実施され、重篤な副作用を生じる結果、日常生活が著しく制限される場合が多いことにも留意すること。

7　複数の外部障害、精神の障害等が存在する場合の認定について

ヒト免疫不全ウイルス感染症及びその続発症によるか、又はヒト免疫不全ウイルス感染症に対する治療の結果によるかの原因の如何を問わず、視機能障害、四肢麻痺、精神・神経障害等の不可逆的な障害は、原疾患との重複認定により認定すること。この場合、児童については、別表第一の認定要領別添4法別表第一の第十七号による障害についての認定基準を、父又は母については別表第二の認定要領別添6法別表第二第九号の障害の認定基準をもとに認定すること。

8　個人情報の保護及び申請手続きについて

ヒト免疫不全ウイルス感染者（児）に係る児童扶養手当の申請から支給までには、市町村及び都道府県の職員、嘱託医等が関わることになる。したがって、手当の受付、認定及び支給事務をとり行うに際しては、児童若しくは児童の父又は母の病名、病状等の個人情報の保護について十分留意すること。

特に、ヒト免疫不全ウイルス感染者（児）にあっては、諸般の事情により病名を明らかにできない場合もあることから、認定に際しては、ヒト免疫不全ウイルス感染症との記載がない場合であっても、何らかの形でヒト免疫不全ウイルス感染症であると認められる場合には、ヒト免疫不全ウイルス感染症として取扱い、認定を行われたい。

児童扶養手当の認定関係書類は、一元的に市町村において受付することとなっているが、この認定関係書類は、児童若しくは児童の父又は母の病名、病状等が記載された診断書等の添付を要するものであり、申請者保護の観点から、ヒト免疫不全ウイルス感染者（児）に係る当該認定関係書類においては本人に代わって関係のある者が提出することができるものとする。

またヒト免疫不全ウイルス感染者（児）に係る認定関係書類は、郵送により提出することとして差しつかえないこととし、この場合において記載又はその添付書類等の不備により、市町村が当該認定関係書類を返付する場合も受給資格者あてに郵送によることとして差しつかえないものとする。

前　文（第二次改正）抄

〔前略〕本年〔平成二十二年〕八月一日から適用する。

〔別添資料〕

サーベイランスのためのＨＩＶ感染症／ＡＩＤＳ診断基準
（厚生労働省エイズ動向委員会，2007）

我が国のエイズ動向委員会においては、下記の基準（平成18年３月８日健感発第0308001号厚生労働省健康局結核感染症課長通知「感染症の予防及び感染症の患者に対する医療に関する法律第12条第１項及び第14条第２項に基づく届出の基準等について」）によってＨＩＶ感染症／ＡＩＤＳと診断され、感染症の予防及び感染症の患者に対する医療に関する法律第12条第１項に基づき届け出がなされた報告の分析を行うこととする。この診断基準は、サーベイランスのための基準であり、治療の開始等の指標となるものではない。近年の治療の進歩により、一度指標疾患（Indicator Disease）が認められた後、治療によって軽快する場合もあるが、発生動向調査上は、報告し直す必要はない。

しかしながら、病状に変化が生じた場合（無症候性キャリア→ＡＩＤＳ、ＡＩＤＳ→死亡等）には、必ず届け出ることが、サーベイランス上重要である。

なお、報告票上の記載は、

1）　無症候性キャリアとは、Ⅰの基準を満たし、症状のないもの
2）　ＡＩＤＳとは、Ⅱの基準を満たすもの
3）　その他とは、Ⅰの基準を満たすが、Ⅱの基準を満たさない何らかの症状があるものを指すことになる。

Ⅰ　ＨＩＶ感染症の診断

1　ＨＩＶの抗体スクリーニング検査法（酵素抗体法（ＥＬＩＳＡ）、粒子凝集法（PA）、免疫クロマトグラフィー法（IC）等）の結果が陽性であって、以下のいずれかが陽性の場合にＨＩＶ感染症と診断する。
⑴　抗体確認検査（Western Blot法、蛍光抗体法（ＩＦＡ）等）
⑵　ＨＩＶ抗原検査、ウイルス分離及び核酸診断法（PCR等）等の病原体に関する検査（以下、「ＨＩＶ病原検査」という。）

2　ただし、周産期に母親がＨＩＶに感染していたと考えられる生後18か月未満の児の場合は少なくともＨＩＶの抗体スクリーニング法が陽性であり、以下のいずれかを満たす場合にＨＩＶ感染症と診断する。
⑴　ＨＩＶ病原検査が陽性
⑵　血清免疫グロブリンの高値に加え、リンパ球数の減少、ＣＤ４陽性Ｔリンパ球数の減少、ＣＤ４陽性Ｔリンパ球数／ＣＤ８陽性Ｔリンパ球数比の減少という免疫学的検査所見のいずれかを有する。

Ⅱ　ＡＩＤＳの診断

Ⅰの基準を満たし、Ⅲの指標疾患（Indicator Disease）の１つ以上が明らかに認められる場合にＡＩＤＳと診断する。

Ⅲ　指標疾患（Indicator Disease）

Ａ　真菌症

1　カンジダ症（食道、気管、気管支、肺）
2　クリプトコッカス症（肺以外）
3　コクシジオイデス症
1）　全身に播種したもの
2）　肺、頸部、肺門リンパ節以外の部位に起こったもの

4　ヒストプラズマ症
1)　全身に播種したもの
2)　肺、頸部、肺門リンパ節以外の部位に起こったもの
5　ニューモシスティス肺炎
B　原虫症
6　トキソプラズマ脳症（生後1か月以後）
7　クリプトスポリジウム症（1か月以上続く下痢を伴ったもの）
8　イソスポラ症（1か月以上続く下痢を伴ったもの）
C　細菌感染症
9　化膿性細菌感染症（13歳未満で、ヘモフィルス、連鎖球菌等の化膿性細菌により以下のいずれかが2年以内に、二つ以上多発あるいは繰り返して起こったもの）
1)　敗血症
2)　肺炎
3)　髄膜炎
4)　骨関節炎
5)　中耳・皮膚粘膜以外の部位や深在臓器の膿瘍
10　サルモネラ菌血症（再発を繰り返すもので、チフス菌によるものを除く）
11　活動性結核（肺結核又は肺外結核）
12　非結核性抗酸菌症
1)　全身に播種したもの
2)　肺、皮膚、頸部、肺門リンパ節以外の部位に起こったもの
D　ウイルス感染症
13　サイトメガロウイルス感染症（生後1か月以後で、肝、脾、リンパ節以外）
14　単純ヘルペスウイルス感染症
1)　1か月以上持続する粘膜、皮膚の潰瘍を呈するもの
2)　生後1か月以後で気管支炎、肺炎、食道炎を併発するもの
15　進行性多巣性白質脳症
E　腫瘍
16　カポジ肉腫
17　原発性脳リンパ腫
18　非ホジキンリンパ腫
ＬＳＧ分類により
1)　大細胞型
免疫芽球型
2)　Burkitt型
19　浸潤性子宮頸癌
F　その他
20　反復性肺炎
21　リンパ性間質性肺炎／肺リンパ過形成：ＬＩＰ／ＰＬＨ complex（13歳未満）
22　ＨＩＶ脳症（認知症又は亜急性脳炎）
23　ＨＩＶ消耗性症候群（全身衰弱又はスリム病）

※C11活動性結核のうち肺結核及びE19浸潤性子宮頸癌については、ＨＩＶによる免疫不全を示唆する症状又は所見がみられる場合に限る。

（付記）厚生労働省エイズ動向委員会によるＡＩＤＳ診断のための指標疾患の診断法

ここには基本的な診断方法を示すが、医師の判断により、より最新の診断法によって診断する場合もあり得る。

Ａ　真菌症

1　カンジダ症（食道、気管、気管支又は肺）

⑴　確定診断（いずれか一つに該当）

1)　内視鏡もしくは剖検による肉眼的観察によりカンジダ症を確認

2)　患部組織の顕微鏡検査によりカンジダを確認

⑵　臨床的診断

嚥下時に胸骨後部の疼痛があり、以下のいずれかが確認される場合

1)　肉眼的に確認（いずれか一つ）

＜Ａ＞　紅斑を伴う白い斑点

＜Ｂ＞　プラク（斑）

2)　粘膜擦過標本で真菌のミセル様繊維を顕微鏡検査で確認できる口腔カンジダ症が存在

2　クリプトコッカス症（肺以外）

⑴　確定診断（いずれか一つに該当）

1)　顕微鏡検査、2)　培養、3)　患部組織又はその浸出液

においてクリプトコッカスを検出。

3　コクシジオイデス症（肺、頸部もしくは肺門リンパ節以外に又はそれらの部位に加えて全身に播種したもの）

⑴　確定診断（いずれか一つに該当）

1)顕微鏡検査、2)培養、3)患部又はその浸出液

においてコクシジオイデスを検出。

4　ヒストプラズマ症（肺、頸部もしくは肺門リンパ節以外に又はそれらの部位に加えて全身に播種したもの）

⑴　確定診断（いずれか一つに該当）

1)顕微鏡検査、2)培養、3)患部又はその浸出液

においてヒストプラズマを検出。

5　ニューモシスティス肺炎

⑴　確定診断

顕微鏡検査又はＰＣＲ法により、Pneumocystis jiroveciを確認。

⑵　臨床的診断（すべてに該当）

1)　最近3か月以内に（いずれか一つの症状）

＜ａ＞　運動時の呼吸困難

＜ｂ＞　乾性咳嗽

2)　（いずれか一つに該当）

＜ａ＞　胸部Ｘ線又はＣＴでび漫性の両側間質像増強

＜ｂ＞　ガリウムスキャンでび漫性の両側の肺病変

3)　（いずれか一つに該当）

＜ａ＞　動脈血ガス分析で酸素分圧が70mmHg以下

＜ｂ＞　呼吸拡散能が80％以下に低下
＜ｃ＞　肺胞―動脈血の酸素分圧較差の増大
＜ｄ＞　酸素飽和度の低下
4)　細菌性肺炎を認めない又はβ―D―グルカン高値

B　原虫症

6　トキソプラズマ脳症（生後１か月以後）
⑴　確定診断
組織による病理診断又は髄液ＰＣＲ法により、トキソプラズマを確認
⑵　臨床的診断（すべてに該当）
1)＜ａ＞　頭蓋内疾患を示唆する局所の神経症状
又は、
＜ｂ＞　意識障害
2)＜ａ＞　ＣＴ、ＭＲＩなどの画像診断で病巣を認める
又は、
＜ｂ＞　コントラスト薬剤の使用により、病巣が確認できる
3)＜ａ＞　トキソプラズマに対する血清抗体を認める
又は、
＜ｂ＞　トキソプラズマ症の治療によく反応する

7　クリプトスポリジウム症（１か月以上続く下痢を伴ったもの）
⑴　確定診断
組織による病理診断又は一般検査により、クリプトスポリジウムを確認

8　イソスポラ症（１か月以上続く下痢を伴ったもの）
⑴　確定診断
組織による病理診断又は一般検査により、イソスポラを確認

C　細菌感染症

9　化膿性細菌感染症（13歳未満で、ヘモフィルス、連鎖球菌等の化膿性細菌により、
1)敗血症2)肺炎3)髄膜炎4)骨関節炎5)中耳・皮膚粘膜以外の部位や深在臓器の膿瘍のいずれかが、２年以内に、二つ以上多発あるいは繰り返して起こったもの）
⑴　確定診断
細菌学的培養により診断

10　サルモネラ菌血症（再発を繰り返すもので、チフス菌を除く）
⑴　確定診断
細菌学的培養により診断

11　活動性結核（肺結核又は肺外結核）
⑴　確定診断
細菌学的培養又はＰＣＲ法により診断
⑵　臨床的診断
培養により確認できない場合には、Ｘ線写真等により診断

12　非結核性抗酸菌症
⑴　確定診断
細菌学的培養又はＰＣＲ法により診断

(2)　臨床的診断

下記のいずれかにおいて、顕微鏡検査により、結核菌以外の抗酸菌を検出した場合は、非結核性抗酸菌症と診断。

＜ａ＞　糞便、汚染されていない体液

＜ｂ＞　肺、皮膚、頸部もしくは肺門リンパ節以外の組織

Ｄ　ウイルス感染症

13　サイトメガロウイルス感染症（生後１か月以後で、肝、脾、リンパ節以外）

(1)　確定診断

組織による病理診断による核内封入体を有する巨細胞の確認

(2)　臨床的診断

サイトメガロウイルス性網膜炎については、特徴的臨床症状で診断可。（眼底検査によって、網膜に鮮明な白斑が血管にそって遠心状に広がり、数か月にわたって進行し、しばしば網膜血管炎、出血又は壊死を伴い、急性期を過ぎると網膜の瘢皮形成、萎縮が起こり、色素上皮の斑点が残る。）

14　単純ヘルペスウイルス感染症（１か月以上継続する粘膜、皮膚の潰瘍を形成するもの、生後１か月以後で気管支炎、肺炎、食道炎を合併するもののいずれか）

(1)　確定診断

1)組織による病理診断、2)培養、3)患部組織又はその浸出液からウイルスを検出することにより診断。

15　進行性多巣性白質脳症

(1)　確定診断

組織による病理診断又は髄液ＰＣＲ法により、ＪＣウイルスを確認

(2)　臨床的診断

ＣＴ、ＭＲＩなどの画像診断法により診断

Ｅ　腫瘍

16　カポジ肉腫

(1)　確定診断

組織による病理診断

(2)　臨床的診断

肉眼的には皮膚又は粘膜に、下記のいずれかを認めること。

1)　特徴のある紅斑

2)　すみれ色の斑状の病変

ただし、これまでカポジ肉腫を見る機会の少なかった医師は推測で診断しない。

17　原発性脳リンパ腫

(1)　確定診断

組織による病理診断

(2)　臨床的診断

ＣＴ、ＭＲＩなどの画像診断法により診断

18　非ホジキンリンパ腫（ＬＳＧ分類による1)大細胞型、免疫芽球型、2)Burkitt型）

(1)　確定診断

組織による病理診断

19　浸潤性子宮頸癌

⑴　確定診断

組織による病理診断

F　その他

20　反復性肺炎

１年以内に２回以上の急性肺炎が臨床上又はＸ線写真上認められた場合に診断

21　リンパ性間質性肺炎／肺リンパ過形成：ＬＩＰ／ＰＬＨ complex（13歳未満）

⑴　確定診断

組織による病理診断

⑵　臨床的診断

胸部Ｘ線で、両側性の網状小結節様の間質性肺陰影が２か月以上認められ、病原体が検出されず、抗生物質療法が無効な場合。

22　ＨＩＶ脳症（認知症又は亜急性脳炎）

下記のいずれかの状態があり、1)脳脊髄液検査、2)脳のＣＴ、ＭＲＩなどの画像診断、3)病理解剖のいずれかによっても、ＨＩＶ感染以外にこれを説明できる疾病や状況がない場合。

＜ａ＞　就業もしくは日常生活活動に支障をきたす認識もしくは運動障害が臨床的に認められる場合

＜ｂ＞　子供の行動上の発達障害が数週から数か月にわたって進行

これらは確定的な診断法ではないがサーベイランスの目的のためには十分である。

23　ＨＩＶ消耗性症候群（全身衰弱又はスリム病）

以下のすべてに該当するもの

1)　通常の体重の10％を超える不自然な体重減少

2)　慢性の下痢（１日２回以上、30日以上の継続）又は慢性的な衰弱を伴う明らかな発熱（30日以上にわたる持続的もしくは間歇性発熱）

3)　ＨＩＶ感染以外にこれらの症状を説明できる病気や状況（癌、結核、クリプトスポリジウム症や他の特異的な腸炎など）がない。

これらは確定的な診断法ではないがサーベイランスの目的のためには十分である。

○児童扶養手当の支給停止関係について

〔昭和五十二年九月八日　児企第三一号　各都道府県民生主管部(局)長宛　厚生省児童家庭局企画課長通知〕

標記について、別紙1による山形県からの照会に対して別紙2のとおり回答したから参考とされたい。

〔別紙1〕

児童扶養手当の支給停止関係について（照会）

〔昭和五十二年二月一日　児第八九九号　厚生省児童家庭局企画課長宛　山形県生活福祉部長疑義照会〕

このことについて、左記のように取り扱ってよいか御教示願います。

記

所得状況届において、所得限度額以上の扶養義務者等と生計を同じくしていたため支給停止を受けている受給資格者について、その後、この扶養義務者等が死亡したり、又はこの者と生計を異にするようになった場合、児童扶養手当支給停止の理由が消滅した旨の届けにより、その理由が発生した日の属する月の翌月から支給を再開することとしてよいか。

また、手当受給資格者が、次年度の所得状況届までの間に限度額以上の前記扶養義務者と生計を同じくするようになった場合、児童扶養手当支給停止の理由が発生した旨の届けにより理由が発生した日の属する月の翌月から支給停止することとしてよいか。

〔別紙2〕

児童扶養手当の支給停止関係について

〔昭和五十二年九月八日　児企第三〇号　山形県生活福祉部長宛　厚生省児童家庭局企画課長回答〕

昭和五十二年二月一日児第八九九号をもって照会のあった標記については、次のとおり回答する。

記

法第十条及び第十一条に規定する配偶者又は扶養義務者の異動により支給停止の事由が消滅し、又は発生するときは、当該事実を認めることができる書類を添付した児童扶養手当支給停止関係届（別添参考）を受給資格者から提出させ、改めて法第十条及び第十一条に該当するか否かの認定を行い、異動の事実のあった月の翌月から支給停止解除等の措置をとられたい。

なお、特別児童扶養手当についても同様の取扱いとすることとされたい。

（参考）

経由 市区町村名		市区町村 受付年月日	平成　年　月　日
市区町村 進達	平成　年　月　日 第　号	市区町村 再進達	平成　年　月　日 第　号

児童扶養手当支給停止関係 発生／消滅 届

（ふりがな） 氏名		証書 記号・番号	第　号
住所			

提出理由	イ　所得の高い扶養義務者に扶養されるようになった。 ロ　所得の高い扶養義務者に扶養されなくなった。 ハ　その他（　　　　）
理由が発生した日	平成　年　月　日

上記のとおり、児童扶養手当支給停止 発生／消滅 届を出します。

平成　年　月　日

氏名　　　　㊞

知事殿

通知　平成　年　月　日

備考

◎記入押印に代えて署名することができます。

○児童扶養手当の事務運営上の留意事項について

〔昭和五十五年十二月十六日　児企第四六号
各都道府県民生主管部（局）長宛　厚生省児童家庭局企画課長通知〕

〔改正経過〕

第一次改正　〔平成一三年七月三一日雇児福発第三四号・障企発第三九号〕
第二次改正　〔令和四年三月一八日子家発〇三一八第一号〕

児童扶養手当の事務運営に当たっては、左記事項に留意するとともに管内市町村に対し、この趣旨を周知徹底願いたい。

記

1　児童扶養手当は、その支給要件が離婚、遺棄、拘禁、事実婚の解消、未婚の母、事実婚の不存在等個人の秘密に属する事項に係わるため、受給資格の認定に当たっては、プライバシーの問題に触れざるを得ないところであるが、必要以上にプライバシーの問題に立ち入らないよう事務運営に当たって配慮するとともに、職務上知りえた個人の秘密を漏らすことは、地方公務員法によっても禁止されているところなので、かかることのないよう十分留意されたい。

特に、遺棄調書（令和四年三月十八日子家発〇三一八第一号厚生労働省子ども家庭局家庭福祉課長通知）、事実婚解消等調書（平成二十二年七月三十日雇児福発〇七三〇第二号厚生労働省雇用均等・児童家庭局家庭福祉課長通知）の取扱いについては、プライバシーの保護に配慮するとともに、父の暴力を逃がれて家出した母子が、居所を知られたため父に暴力を受けるという事例もあるので、たとえ児童の父と言えども不用意に母子の居所等を漏らすことのないよう留意されたい。

2　児童扶養手当法上事実婚の解釈については、昭和五十五年六月二十三日児企第二六号本職通知をもって示したところであるが、本手当の趣旨に鑑み、同通知の記の1の⑴及び別添の第一の問九の答（新通知）中「ひんぱんに定期的な訪問がある場合」を「ひんぱんに定期的な訪問があり、かつ、定期的に生計費の補助を受けている場合」に改めることとしたので御了知願いたい。なお、「ひんぱんに定期的な訪問」の解釈については、事実関係を総合的に勘案のうえ、社会通念に照らし判断されたい。

○児童扶養手当の事務運営における留意事項について

〔令和三年七月二十一日　子家発〇七二一第一号
各都道府県民生主管部（局）長宛　厚生労働省子ども家庭局家庭福祉課長通知〕

児童扶養手当における「事実婚」の解釈については、「児童扶養手当及び特別児童扶養手当関係法令上の疑義について」（昭和五十五年十二月十六日付け児企第四六号厚生省児童家庭局企画課長通知による改正後の昭和五十五年六月二十三日付け児企第二六号厚生省児童家庭局企画課長通知）において、当事者間に社会通念上夫婦としての共同生活と認められる事実関係が存在していることを基本とし、原則として同居していることを要件とした上で、同居していなくとも、頻繁に定期的な訪問があり、かつ、定期的に生計費の補助を受けている場合等には、事実婚が成立しているものとして取り扱うこととしている。

事実婚に該当するか否かの判断に当たっては、「児童扶養手当の取扱いに関する留意事項について」（平成二十七年四月十七日付け雇児福発〇四一七第一号）において、「個々の事案により受給資格者の事情が異なることから、形式要件により機械的に判断するのではなく、受給資格者の生活実態を確認した上で判断し、適正な支給手続を行っていただく」必要があることについてお示ししているところであるが、現況届をはじめとする各種届出の対応において、事実婚への非該当性を確認するに当たって、厚生労働省令や国による通知では規定していない調書や申立書の提出を求め、このことが現況届等を提出する者の事務的、さらには精神的な負担となっているとの声が寄せられているところである。

ついては、改めて、児童扶養手当の各種届出の対応における事実婚等の支給要件の確認に際しては、以下の点を含め、受給資格者の負担軽減及びプライバシーの保護に十分配慮した事務運営を行うようお願いするとともに、窓口を担う職員への周知徹底をお願いする。

あわせて、管内市（指定都市、中核市、特別区を含む。）町村に対する周知について、特段の配慮をお願いする。

なお、この通知は、地方自治法（昭和二十二年法律第六十七号）第二百四十五条の四第一項の規定に基づく技術的な助言である。

記

1　支給要件に関し、受給資格者の生活実態の確認に際しては、厚生労働省令や国が定める通知で提出を求めている書類等と重複する内容や、必要以上にプライバシーの問題に立ち入る内容、さらには支給要件の確認には必ずしも必要とは考えにくい情報等の記載を求める独自の調書や申立書の提出は求めないなど、受給資格者の負担軽減とプライバシーの確保に十分配慮する必要があること。

【一律の提出は不要と考えられる独自の調書・申立書の例】

○　生計維持方法確認調書

・　生活保護の扶助費、預貯金額等について記載を求めるもの

児童扶養手当の事務運営における留意事項について

○ 家屋名義確認調書

・持ち家の一戸建て・マンションの区別、名義人の氏名・住所、ローンの有無、月々の返済額等について記載を求めるもの

○ 居住建物（賃貸借物件）に関する申立書

・家賃・共益費・駐車場代の内訳、連帯保証人の氏名・住所・続柄、物件所有者又は仲介業者の氏名（名称）・住所等について記載を求めるもの

○ 未婚であることの申立書

・児童の父又は母と出会った時期・場所・経緯、児童の父又は母の家族構成・勤務先、児童の出産費用の支払者、児童の父又は母と別れた時期等について記載を求めるもの

○ 妊娠の状況確認書

・相手の独身・既婚の別や生年月日、連絡（訪問を除く。）の頻度等について記載を求めるもの

【確認が不要な事項の例】

○ 養育費等に関する申告書

・養育費の支払者である前夫又は前妻が一人である場合に、当該支払者の氏名、現住所を確認すること

2 プライバシーに関わる事項についての確認は一律に行うのではなく、確認が必要と個別に判断した者に必要な事項についてのみ行うべきものであり、また、確認の必要性について理解が得られるよう、確認内容と児童扶養手当の支給要件との関係について十分に説明をした上で行うこと。

3 プライバシーに関する事項の聞き取りをする場合には、聞き取り専用の部屋において、衝立のあるブースを一定の間隔を空けて配置した上で、他の来庁者や隣接するブースに聞き取りの内容が聞こえないようにするなど、プライバシーの保護に配慮すること。

4 新型コロナウイルスの影響が長期化する中、困窮するひとり親世帯が増加している状況を踏まえ、その労苦をいたわる声かけやニーズを踏まえた支援策の紹介等、ひとり親の立場を踏まえた配慮を行うこと。

○未支払児童扶養手当支給に係る事務取扱いについて

〔昭和三十八年七月十六日　児企第七八号の二　各都道府県民生主管部（局）長宛　厚生省児童局企画課長通知〕

標記について、別紙1の北海道民生部長の照会に対し、別紙2のとおり回答したのでご了知ありたい。

なお、本件について疑義照会されている向にあっては、本通知をもって回答とされたい。

別紙1

未支払児童扶養手当支給に係る事務取扱いについて

（照会）

〔昭和三十八年六月二十一日　三八福第二、三九一号　厚生省児童局企画課長宛　北海道民生部長照会〕

受給者が死亡したために手当の対象児童が新たな養育者に引きとられる等の事由により住所を変更した場合における未支払手当の支給事務に関し左記の事項について御回報願います。

記

1　市町村から当該都道府県の区域内においての市町村の区域をこえる住所変更の場合の市町村及び都道府県の事務処理要領

未支払児童扶養手当支給に係る事務取扱いについて

2　市町村から当該都道府県の区域をこえる住所変更の場合の市町村及び都道府県の事務処理要領

別紙2

未支払児童扶養手当支給に係る事務取扱いについて

（回答）

〔昭和三十八年七月十六日　児企第七八号　北海道民生部長宛　厚生省児童局企画課長回答〕

昭和三十八年六月二十一日付三八福第二、三九一号で照会のあった標記については、次のとおり回答する。

受給者が死亡した場合における未支払の手当は、死亡した受給者の住所地の市町村及び都道府県において支払い手続が行なわれるのが建前であるが、受給者の住所に異動が生じたときは、受給者の便宜を勘案のうえ、次の取扱いを行なって差し支えない。

なお、この取扱いを行なうに当たっては、当該市町村に対して手続の徹底をはかり、遺憾のないよういたされたい。

おって、未支払の手当の請求は、死亡した受給者の地の市町村及び都道府県において受理するものであり、また、未支払の手当は当該証書を発行した都道府県の区域内に所在する郵便局において支払われ、当該都道府県において支払記録の事務処理が行なわれるものであることを念のため申し添える。

1　都道府県の区域内においての市町村の区域をこえる住所の異動の場合は、新住所地の市町村を経由して証書を交付する。この場合において、証書に記載する住所名は新住所名とし、支払郵便局は死亡した受給者の支払郵便局と同一でなくとも差し支えない。

2　都道府県の区域をこえる住所の異動の場合は、新住所地の都道府県において証書を発行し、新住所地の市町村を経由してこれを交付する。この場合における事務処理手続は、おおむね、受給者の住所が異動した場合における移管の手続に準ずることとし、新旧住所地の都道府県は、相互に十分連絡のうえ、慎重な処理を行なわれたい。

○国民年金法等の一部を改正する法律附則第三十三条の規定の取扱いについて

〔昭和六十一年五月六日　児企第一八号
各都道府県民生主管部(局)長宛　厚生省児童家庭局企画課長通知〕

標記については、昭和六十一年四月三十日付け厚生省社会局長及び児童家庭局長通知（児発第三八二号）により、通知されたところであるが、障害基礎年金又は障害年金の加算の対象とならない児童がいる場合の取扱いについては、左記事項を十分に御了知の上、所要の事務処理に遺憾なきを期されるとともに、管下市町村に対する御指導方よろしくお願いする。

記

1　国民年金法等の一部を改正する法律（昭和六十年法律第三十四号。以下「国年法等改正法」という。）附則第三十三条の規定により、昭和六十一年三月三十一日において児童扶養手当法（昭和三十六年法律第二百三十八号。以下「法」という。）第四条に規定する児童扶養手当（以下「手当」という。）の支給要件に該当している者であって、法第六条の認定を受け、又は認定の請求をしているもの（以下「既認定者」という。）については、児童が父に支給される障害基礎年金又は障害年金の加算の対象となった場合においても、法第五条本文に規定する額（又はこの額から一部支給制限の額を控除した額）から第一子に係る加算の額を控除した額を手当として支給することとしているが、この規定の趣旨は、今回、新たに父の年金に加算が付されることにより、手当が受けられなくなる者に対して、経過措置として手当額と加算額の差額分を補塡しようとするものであること。

2　前記の趣旨に鑑み、国年法等改正法附則第三十三条の規定は、既認定者が監護又は養育している児童のすべてが父の障害基礎年金又は障害年金の加算の対象となっている場合に適用されるものであり、父の障害基礎年金又は障害年金の加算の対象となる児童（以下「加算対象児」という。）の他に父の障害基礎年金又は障害年金の加算の対象とならない児童（例えば、母の連れ子等父の子でない児童がこれに該当する。以下「加算非対象児」という。）を監護又は養育している既認定者については、国年法等改正法附則第三十三条の規定の適用対象とはならないものである。したがって、法第四条第二項第四号の規定により、加算対象児については手当を支給しないものであり、加算非対象児について手当を支給するものであること。

3　前記の場合に支給する手当月額を例示すると次のとおりとなること。

加算対象児数（人）	加算非対象児数（人）	手当対象児数※（人）	手当月額（円）
一	一	一	三万三七〇〇
一	二	二	三万八七〇〇
二	一	一	三万三七〇〇
二	二	二	三万八七〇〇

※手当対象児数は加算非対象児数と同じ。

（参考）国年法等改正法附則第三十三条が適用される場合

加算対象児数（人）	加算非対象児数（人）	手当月額（円）
一	〇	一万八一三四
二	〇	一万八一三四

4　前記2及び3の取扱いの対象となる者については、本年四月分の月分の手当より支給対象児童数が減ずることとなるため、必要な額改定の手続を採られたいこと。

5　本年四月以降新たに加算非対象児を監護又は養育するに至った場合（例えば、本年四月一日以降において懐胎した児童が出生した場合。）も、前記2及び3と同様に取扱うこと。この場合、当該者に法第八条の額改定の請求をさせ、請求した日の属する月の翌月から改定後の額を給付すること。

〇一八歳に達する日以後の最初の三月三十一日が終了する児童の児童扶養手当支給事務の取扱い等について

〔平成八年三月一日　児家第一〇号
各都道府県民生主管部(局)長宛　厚生省児童家庭局家庭福祉課長通知〕

国民年金法等の一部を改正する法律（平成六年法律第九十五号）の施行により平成七年四月一日から支給対象となる児童の範囲が一八歳未満から一八歳に達する日以後の最初の三月三十一日までの間にある者とされたことにより、本年三月三十一日をもって、当該児童については児童扶養手当の支給を受けるべき事由が消滅することとなるが、これらの者に係る児童扶養手当の支給事務の取扱い等については、次の事項に留意されたい。

記

1　支給対象となる児童の範囲等

(1)　児童扶養手当（以下「手当」という。）の支給対象となる児童の範囲は、児童扶養手当法（以下「法」という。）第三条に規定する「一八歳に達する日以後の最初の三月三十一日までの間にある者又は二〇歳未満で政令で定める程度の障害の状態にある者」であることから、本年三月三十一日をもって手当を受けるべき事由が消滅する児童（「二〇歳未満で政令で定める程度の障害の状態にある者」を除く。）は、昭和五十二年四月二日以降昭和五十三年四月一日までに出生した児童であること。

(2)　前記(1)に該当する児童の母又は養育者（以下「受給資格者」という。）については、手当の支給事由の消滅による資格喪失又は手当の減額の改定が生ずるものであること。

2　資格喪失及び手当額改定の事務処理

(1)　資格喪失及び手当額改定の事務処理については、受給資格者からの資格喪失届または手当額改定届の提出がなくとも、公簿等によりその事由が明らかな場合には、職権に基づいてその処理を行うことができること。なお、職権に基づいた資格喪失及び手当額改定の通知を行う場合においては、児童扶養手当法施行規則第四条の二の規定による障害の状態の届出について附記し、該当する場合は一定の期間内に速やかに関係書類を提出するよう指導すること。

(2)　職権に基づいた資格喪失通知及び手当額改定通知を行った後、一定の期間内に障害の状態の届出があり、当該児童が政令で定める程度の障害の状態にある場合には、引き続き手当の支給を行うこと。

3　現況届未提出者に対する督促等

本年三月三十一日をもって一八歳に達する日以後の最初の三月三十一日が終了する児童の受給資格者のうち、現況届を提出していない者については、公簿等による受給資格の確認とともに速やかに現況届を提出する旨指導し、手当の支給を適正に進めること。

一八歳に達する日以後の最初の三月三十一日が終了する児童の児童扶養手当支給事務の取扱い等について

(1) 公簿等により明らかに法第四条の支給要件を充足していないことが確認された者については、法第二十九条の規定に基づき一定の期間を定め現況届の提出を命令するとともに、その期間内に現況届の提出がない場合には法第十四条の規定に基づき手当の全部又は一部を支給しないこととし、職権により資格喪失の処理を行うことができること。

(2) 公簿等により法第四条の支給要件を充足しているか否か確認できない者で、その者の児童が一八歳に達する日以後の最初の三月三十一日が終了するときまでに現況届を提出しない場合には、既に法第四条の支給要件を充足していないこともあり得るので、法第二十九条の規定に基づき一定の期間を定め現況届及び法第四条の支給要件を充足していたことを明らかにすることができる書類の提出を命令するとともに、その期間内に現況届等の提出がない場合には法第十四条の規定に基づき手当の全部又は一部を支給しないこととし、職権により資格喪失又は手当額改定の処理を行うことができること。

○養育費の取扱いについて

〔平成十四年七月二十六日　雇児発第〇七二六〇〇三号
各都道府県知事宛　厚生労働省雇用均等・児童家庭局長通知〕

〔改正経過〕

第一次改正〔平成一五年三月三一日雇児発第〇三三一〇〇九号
第二次改正〔平成二二年七月三〇日雇児発〇七三〇第二号
第三次改正〔平成三〇年九月二八日子発〇九二八第三号
第四次改正〔令和元年五月一〇日子発〇五一〇第二号
第五次改正〔令和二年一二月二五日子発一二二五第二号

今般、「児童扶養手当法施行令及び母子及び寡婦福祉法施行令の一部を改正する政令」（平成十四年政令第二百七号）及び「児童扶養手当法施行規則及び母子及び寡婦福祉法施行規則の一部を改正する省令」（平成十四年厚生労働省令第九十一号）が公布され、いずれも本年八月一日から施行されるが、今回の改正において、いわゆる養育費を児童扶養手当の支給を制限する場合の所得の範囲に算入することに伴い、認定請求書及び現況届書の添付書類として「養育費等に関する申告書」を追加したところである。

このため、養育費に関する取扱いを左記のとおり定めたので、御了知の上、その取扱いに遺漏のないようされるとともに、管内市町村長に対する周知方お願いする。

なお、この通知は、地方自治法（昭和二十二年法律第六十七号）第二百四十五条の四第一項の規定に基づく技術的な助言である。

記

第一　養育費の範囲について

改正後の児童扶養手当法施行令（昭和三十六年政令第四百五号）第三条第一項に規定する「児童扶養手当法（昭和三十年法律第二百三十八号。以下「法」という。）第九条に規定する受給資格者が母である場合（以下「母」という。）であってその監護する児童の父から、又は受給資格者が父である場合（以下「父」という。）であってその監護し、かつこれと生計を同じくする児童の母から当該児童の養育に必要な費用の支払として受ける金品その他の経済的な利益（当該児童の世話その他の役務の提供を内容とするものを除く。）に係る所得（いわゆる「養育費」。以下同じ。）」とは、以下のすべての要件を満たしているものであること。

1　金品等の支払いの名義人が、受給資格者が母である場合は児童の父、受給資格者が父である場合は児童の母であること

2　金品等の受取りの名義人が受給資格者が母である場合には母若しくは児童、又は受給資格者が父である場合には父若しくは児童であること

3　父から母若しくは児童に、又は母から父若しくは児童に給付されたものが金銭又は有価証券（小切手、手形、株券、商品券など。以下「現金等」という。）であること

4　父から母若しくは児童へ、又は母から父若しくは児童への現金等の給付が、手渡し（代理人を介した手渡しを含む。）、郵送、母、父名義又は児童名義の金融機関の口座への振込みであること

5　給付の名目が「養育費」、「仕送り」、「生活費」、「自宅などローンの肩代わり」、「家賃」、「光熱費」、「教育費」等、児童の養育に関係のある経費として支払われていること

第二　「養育費等に関する申告書」について

1　趣旨・目的等について

(1)　「養育費等に関する申告書」は、児童扶養手当の請求者又は受給資格者が法第九条に規定する受給資格者のうち母又は父に該当する場合、母が、監護している児童の父である前夫（以下「前夫」という。）から、又は父が監護し、かつ、これと生計を同じくしている児童の母親である前妻（以下「前妻」という。）から前年に養育費を母、父又は児童が受け取っているか否か、また受け取っている場合にはその額を申告するためのものであること。

当該申告書は、請求者又は受給資格者が母又は父である場合に認定請求書、所得状況届又は現況届の添付書類として提出を求めるものであり、請求者又は受給資格者が法第九条及び第九条の二に規定する受給資格者のうち「養育者」（以下「養育者」という。）に該当する場合には添付する必要はないが、請求者又は受給資格者が母又は父と養育者の両方の立場である場合には、添付する必要があること。

(2)　以上のように、原則として、母又は父である請求者又は受給資格者の全員が提出すべき書類であるが、その前年の所得（養育費を除く。）から明らかに全部支給停止である場合や、明らかに前夫又は前妻から養育費を受け取る可能性のない場合、例えば、父の死亡により児童扶養手当の受給資格を取得した場合や未婚の母として児童扶養手当の受給資格を取得した場合（児童の父から認知を受けている場合を除く。）などには、その提出を省略することができること。

2　内容・様式について

別添は、「養育費等に関する申告書」の雛型であり、養育費の額について申告できるものであれば、その内容・様式は各自治体の実情にあった内容・様式として差し支えないものであること。

3　「養育費等に関する申告書」についての説明等

「養育費等に関する申告書」を請求者又は受給資格者に交付し、記入を求める際には、その趣旨・目的及び記入要領についても併せて交付又は説明すること。

経過措置（第五次改正）

改正前の様式（以下「旧様式」という。）により使用されている書類は、当該改正後の様式によるものとみなすものとすること。

また、旧様式による用紙については、当分の間、これを取り繕って使用することができるものとすること。

別　添

養育費等に関する申告書

（表　面）

※　市区町村名

※　受付年月日　　令和　　年　　月　　日

○　前年（１月から12月までの１年間）に受け取った養育費について、裏面の記入要領に従い、受け取った月ごとに記入して下さい。

養育費を支払った者

受取人　　母又は父　・　児童

離婚した年月日など　　平成・令和　　年　　月　　日

養育費として受け取った額（平成・令和　　年分）

１月	円	７月	円
２月	円	８月	円
３月	円	９月	円
４月	円	10月	円
５月	円	11月	円
６月	円	12月	円

小計	円

養育費を支払った者

受取人　　母又は父　・　児童

離婚した年月日など　　平成・令和　　年　　月　　日

養育費として受け取った額（平成・令和　　年分）

１月	円	７月	円
２月	円	８月	円
３月	円	９月	円
４月	円	10月	円
５月	円	11月	円
６月	円	12月	円

小計	円

合計	母又は父	円
	児童	円

上記のとおり相違ありません。

令和　　年　　月　　日

氏　名

（注）１　認定請求の際に本申告書を提出する場合において、前年（１月から９月までの間に請求する者にあっては、前々年とする。）中に支給要件に該当するに至った場合は、その支給要件に該当するに至った日以降に受け取った額を記入して下さい。

２　上記の※の欄は、市区町村担当者が記入するので、記入する必要がありません。

３　記名・押印に代えて署名することができます。

（裏　面）

養育費等に関する申告書の記入要領

1　この申告書の目的・趣旨

・　この申告書は、前年に前夫又は前妻から養育費を受け取っているのかどうか、さらに受け取っている額を確認するためのものです。

2　養育費について

・　前夫（児童扶養手当の支給対象となっている児童の父。以下同じ。）又は前妻（児童扶養手当の支給対象となっている児童の母。以下同じ。）から前年（1月から12月までの1年間をいいます。ただし、1月から9月までの間に請求する人の場合には、前々年をいいます。）に、受給者（母若しくは父）又は児童が受け取った金品その他の経済的利益（以下「養育費」といいます。）がある場合には、その額を記入して下さい。

・　養育費は、児童扶養手当法施行令第3条により、児童扶養手当制度における所得となりますので、正確に申告して下さい。

・　養育費の合計額の欄に記入した額を、認定請求書の㉛の欄、所得状況届の⑪の欄又は現況届⑮の欄に記載して下さい。

・　養育費として含まれるのは、具体的には別紙で定めるものです。

・　前夫又は前妻が複数あり、それぞれから養育費を受け取った場合には分けて記入し、「養育費を支払った者」欄にその者の名前等を記入して下さい。前夫又は前妻が1人の場合には、「養育費を支払った者」欄は空欄で結構です。

・　「離婚した年月日」欄には、「養育費を支払った者」欄に記載した前夫又は前妻等と離婚した年月日等、支給要件に該当するに至った年月日を記載して下さい。

・　次の例を参考に記入して下さい。

養育費を支払った者　　○○　○○

受取人　　母又は父　・　（児童）

離婚した年月日など　　平成　30　年　5　月　1　日

養育費として受け取った額（平成30年分）

1月	円	7月	10,000円
2月	円	8月	10,000円
3月	円	9月	30,000円
4月	円	10月	10,000円
5月	10,000円	11月	10,000円
6月	10,000円	12月	10,000円

小計	100,000円

⋮

合計	母又は父	0円
	児童	100,000円

上記のとおり相違ありません。

令和　元年　10月　1日

氏　名　○○　○○

別　紙

「養育費」について

1　「養育費」とは、次の要件のすべてに当てはまるものをいいます。

①　児童扶養手当を受給している者が母親の場合には、監護している児童の父親が、児童手当を受給している者が父親の場合には、監護し、かつ生計を同じくしている児童の母が払ったものであること。

②　児童扶養手当を受給している者が母親の場合には、受け取った者が母親又は児童（母親又は児童の代理人も含まれます。以下同じ。）、児童扶養手当を受給している者が父親の場合には、受け取った者が父親又は児童（父親又は児童の代理人も含まれます。以下同じ。）であること。

③　父親から母親若しくは児童に支払われたもの、又は母親から父親若しくは児童に支払われたものが金銭又は有価証券（小切手、手形、株券、商品券など）であること。

④　父親から母親若しくは児童へ、又は母親から父親若しくは児童への支払方法が、手渡し（代理人を介した手渡しを含みます。）、郵送、母親、父親名義又は児童名義の銀行口座への振込みであること。

⑤　「養育費」、「仕送り」、「生活費」、「自宅などローンの肩代わり」、「家賃」、「光熱費」、「教育費」など児童の養育に関係のある経費として支払われていること。

2　したがって、次のようなものは「養育費」には含まれません。

①　児童扶養手当を受給している母親が監護している児童の父親以外の者から支払われたもの、又は父親が監護し、かつ、これと生計を同じくしている児童の母親以外の者から支払われたもの

②　母親、父親又は児童以外の者が受け取っている場合

③　支払われたものが、不動産（土地、建物等）、動産（車、家財道具等）の場合

④　支払方法が、母親、父親又は児童以外の者への手渡し、郵送、口座振込の場合

⑤　「慰謝料」、「財産分与」として支払われる場合

(注) 1　受給者が未婚の母親である場合

父親が児童を認知をしており、かつ、上記1に当てはまる場合、「養育費」に該当します。

2　自分の子だけではなく、他の子も養育している場合

自分の子の養育に必要な費用を受け取り、それが上記1に当てはまる場合、「養育費」に該当します。

◎　養育費かどうかわからない場合は、市役所、区役所又は町村役場の担当者にお尋ね下さい。

○児童扶養手当の認定等に関する事務の委譲等に伴う児童扶養手当の事務取扱いについて

〔平成十四年七月三十日　雇児福発第〇七三〇〇〇一号
各都道府県民生主管部(局)長宛　厚生労働省雇用均等
・児童家庭局家庭福祉課長通知〕

「地方分権の推進を図るための関係法律の整備等に関する法律、地方分権の推進を図るための関係法律の整備等に関する法律の施行に伴う厚生省関係政令の整備に関する政令及び児童扶養手当法施行規則の一部を改正する省令について（施行通知）」（平成十四年七月二十六日雇児発第〇七二六〇〇二号）のとおり、児童扶養手当法（昭和三十六年法律第二百三十八号。以下「改正法」という。）、児童扶養手当法施行令（昭和三十六年政令第四百五号）及び児童扶養手当法施行規則（昭和三十六年厚生省令第五十一号。以下「改正省令」という。）が改正され、平成十四年八月一日（以下「施行日」という。）から施行されること等に伴い、今般、児童扶養手当（以下「手当」という。）の事務取扱いにつき、左記のとおり定めたので、御了知の上、その取扱いに遺憾のないようされるとともに、管内の市町村に対する周知方お願いする。

なお、この通知は、地方自治法（昭和二十二年法律第六十七号）第二百四十五条の四第一項の規定に基づく技術的な助言である。

記

第一　請求書等の添付書類について

1　添付書類の省略

(1)　戸籍簿及び住民基本台帳については、市町村が保管していることから、手当の支給機関において戸籍謄本又は戸籍抄本（以下「戸籍謄（抄）本」という。）や住民票に記載される内容を確認することができる場合には、認定請求書、手当額改定請求書、現況届、氏名変更届及び住所変更届（以下「請求書等」という。）にこれらの書類の添付を省略させることができること。

なお、認定請求書及び手当額改定請求書（以下「認定請求書等」という。）については、戸籍謄（抄）本及び住民票の添付が必要であるが、手当の支給機関において戸籍謄（抄）本及び住民票の両方の記載内容を確認できる場合は、要件に全く該当しない者に係る認定請求書等を受理することを防止する観点から、どちらかの書類の記載内容を認定請求書等を受理する前に確認することができる場合に限り、両方の書類の添付を省略させることができること。

ア　手当の支給機関が都道府県知事である場合

請求書等は、町村長（福祉事務所を管理する町村長を除く。以下同じ。）経由により都道府県知事に提出されるが、町村長において戸籍謄（抄）本や住民票の記載内容を確認できる場合は、請求書等に戸籍謄（抄）本や住民票を添付することを省略させることができること。その際、町村長は請求書等に戸籍謄（抄）本又は住民票の記載内容を確認できた旨を記載すること。

イ　手当の支給機関が市長又は福祉事務所を管理する町村長である場合

市又は福祉事務所を管理する町村（以下「市等」という。）において、戸籍謄（抄）本や住民票の記載内容を確認できる場合は、請求書等に戸籍謄（抄）本や住民票を添付することを省略させることができること。

ウ　児童扶養手当法の一部を改正する法律（昭和六十年法律第四十八号）附則第五条に規定する既認定者等の場合

市町村長が戸籍謄（抄）本又は住民票の記載内容を確認できる場合は、請求書等に戸籍謄（抄）本や住民票を添付することを省略させることができること。その際、市町村長は、請求書等に戸籍謄（抄）本又は住民票の記載内容を確認できた旨を記載すること。

(2)　戸籍謄（抄）本又は住民票を省略できる場合は、手当の支給機関が戸籍謄（抄）本又は住民票の記載内容を確認できる場合に限られており、例えば、本籍地や住所地が異なる場合や受給資格者が転居した場合などにより手当の支給機関が記載内容を確認できない場合、従来どおり戸籍謄（抄）本や住民票の提出が必要であること。

(3)　手当の支給機関が住民票を確認する場合は、受給資格者について確認するのみならず、改正省令第一条第一号等に規定されているとおり、受給者及び対象児童の属する世帯の全員について確認する必要があること。

(4)　戸籍謄（抄）本又は住民票の添付を省略させた場合においても、後日、事実関係を確認する必要が生じることも考えられるため、確認した戸籍謄（抄）本や住民票の記載内容については、請求書等の保存期間（認定請求書等については五年間。現況届については三年間。氏名変更届及び住所変更届については一年間。）中は、再度確認できるよう、例えば請求書等とともに確認した内容を保管するなどの取扱いとすること。(1)のアの場合は、都道府県知事からの求めがあれば、町村長は確認した内容を保存期間中は、再度確認できるよう、例えば請求書等を経由する際に確認した内容を添付するなどの取扱いとすること。また、(1)のウの場合も、同様の取扱いとすること。

2　戸籍謄（抄）本の取扱いについて

改正省令第一条第一号により認定請求書には戸籍謄（抄）本の添付が必要であるが、戸籍に離婚の記載がされるまで時間がかかる場合には、戸籍謄（抄）本に代えて次の書類を添付することができるものとする。なお、後日、離婚が戸籍に記載された場合は、速やかに戸籍謄（抄）本を提出させること。

ア　戸籍法施行規則（昭和二十二年司法省令第九十四号）第六十六条第二項の規定に基づく離婚届受理証明書

イ　調停調書、審判書又は判決書の謄本（審判書及び判決書の謄本には、確定証明書を添付のこと。）

第二　市等における障害認定医の取扱い

今般の委譲に伴い、市等において障害の状態を審査するために必要な医師（以下「障害認定医」という。）を置くこととなるが、認定件数が極めて少数であること等の事情もあるので、次の取扱いとされたい。

1　市等においては、都道府県の障害認定医に依頼したり、地域の医師会等からの推薦を依頼するなどの方法により障害認定医の確保に努めること。

2　市等の障害認定医は都道府県の障害認定医との兼任が可能であること。

3　前記の方法においても、なお、障害認定医を確保することが困難である場合には、近隣の複数の市等で協力し障害認定医の確保に努めること。また、都道府県においても市等の障害認定医が円滑に確保されるよう協力されたい。

第三　施行日（平成十四年八月一日）をまたがる事務の取扱いについて

手当の支給、受給資格及び手当額の認定、不服申立て、不正利得の徴収、手当の受給資格等の調査、手当受給者に関する資料の提供等に係る事務が、都道府県から市等に委譲されることになるが、これに伴い生じる施行日をまたがる事務については、次のとおり取り扱われたい。

1　認定等に関する事務

施行日前に、認定請求が都道府県に対し行われているが、施行日において未だ認定等が行われていない場合には、認定請求は市等に対し行われたものとみなし、施行日以降、市等が認定等の処分を行うこと。なお、この取扱いは、手当額改定請求書、現況届、資格喪失届等においても同様とする。

2　手当の費用負担及び支払い事務

平成十四年七月以前の月分の手当の支給に要する費用については、従前どおり都道府県が負担し、手当を支給すること。このため、施行日以降に市等で認定された場合で、平成十四年七月以前の手当を支給する場合については、平成十四年七月以前の月分については都道府県が支給し、同年八月以降の月分については市等が支給すること。また、このような場合においては、市等とともに都道府県も改正法第二十九条に基づく調査権を有すること。

3　債権発生に関する事務

平成十四年七月以前の月分の手当について、施行日以降の処分によって債権が発生する場合は、支給を行った都道府県に対して債権が発生すること。例えば、改正法第十二条による災害特例を受けた場合の手当の返還や改正法第二十三条による不正利得の徴収などは、市等の処分を受けて、都道府県が行うこと。このため、施行日以降に、平成十四年七月以前の月分の手当に関し債権が発生する場合は、市等は速やかに都道府県に対しその旨を通知することとする。

4　不服申立てに関する事務

施行日の前に都道府県が処分を行い、施行日以降に当該処分に対し不服申立てを行う場合は、従来の手続により、都道府県知事に対し異議申立てを行うこと。なお、平成十四年八月以降の市等による処分についての不服申立ては、都道府県知事に対し審査請求を行うこと。

第四　証書の取扱いについて

改正省令により児童扶養手当証書（以下「証書」という。）の有効期限が一年と定められ、証書は四ページから二ページに短縮されたところであるが、次の点に留意すること。

1　証書の記載方法

手当月額の欄については、全部支給の場合は全部支給の額を、一部支給の場合は全部支給額から支給停止額を控除した額を記載すること。また、国民年金法等の一部を改正する法律（昭和六十年法律第三十四号）附則第三十三条により、障害基礎年金又は旧国民年金法による障害年金の加算の対象となる場合は、改正後の手当額から加給年金の額を控除した額を記載すること。

2　有効期限

証書の有効期限が一年間となったことから、例えば、対象児童が当該年度中に十八歳に到達する場合の有効期限は、当該年度の三月三十一日として差し支えないこと。

第五　認定等に際しての連携について

認定等に際しては、児童相談所、福祉事務所、社会保険事務所等と十分に連携を図るよう努めること。また、都道府県においては、市等の認定等に際し、関係機関との連携が円滑に図られるよう協力されたい。

○「養育費の算定表」について

〔平成十五年三月三十一日　雇児発第〇三三一〇二一号
各都道府県知事・各指定都市市長・各中核市市長宛
厚生労働省雇用均等・児童家庭局長通知〕

法律雑誌「判例タイムズ」（平成十五年四月一日号）に、「簡易迅速な養育費等の算定を目指して—養育費・婚姻費用の算定方式と算定表の提案」（東京・大阪養育費等研究会著）が掲載されることとなった。これは、現職の裁判官等から構成される「東京・大阪養育費研究会」が、これまでの家庭裁判所における実務の基本的な考え方を維持しつつ、簡易迅速な養育費の算定を可能とするような養育費算定方式と算定表を提案したものである。

その概要は左記のとおりであるが、この算定方式及び算定表は、今後、裁判所の実務に定着していくものと思われ、養育費の取り決めに当たっての有用な基準となると考えられるので、その内容を十分に理解した上、母子家庭の母に対する相談業務等に役立てていただくとともに、管内市町村長に対する周知を図られたく通知する。

なお、この通知は、地方自治法（昭和二十二年法律第六十七号）第二百四十五号の四第一項の規定に基づく技術的な助言である。

記

1　別添1の「簡易迅速な養育費等の算定を目指して—養育費・婚姻費用の算定方式と算定表の提案」は、現職の裁判官等から構成される「東京・大阪養育費等研究会」が、養育費等の算定の簡易化・迅速化を目指し、従前の家庭裁判所における実務について再検討を加える研究を行い、家庭裁判所における実務の基本的な考え方は維持しつつも、簡易迅速な算定が可能となるような新たな養育費算定方式とこれに基づく算定表（以下「養育費の算定表」という。別添2）を提案したものである。

2　この養育費の算定方式は、①養育費支払義務者及び養育費受給権利者の基礎収入（総収入から公租公課や経費などを差し引いたもの）を認定し、②次に子の生活費を認定し、③最後に養育費支払義務者と養育費受給権利者の基礎収入を比較し、基礎収入の多寡に応じて、②で認定した子の生活費を案分するという手法を採用している。

養育費の算定表は、この手法に基づき作成されたものである。

3　養育費の算定表は、表1から表9により構成されており、子の年齢と数によって以下のようになっている。

(1)　表1及び表2は、子が一人の場合の表であり、
①　表1は、〇歳から一四歳までの子が一人の場合の表
②　表2は、一五歳から一九歳までの子が一人の場合の表
となっていること。

(2)　表3から表5は、子が二人の場合の表であり、
①　表3は、〇歳から一四歳までの子が二人の場合の表
②　表4は、一五歳から一九歳までの子が一人、〇歳から一四歳までの子が一人の場合の表

③　表5は、一五歳から一九歳までの子が二人の場合の表となっていること。

(3)　表6から表9は、子が三人の場合の表であり、

①　表6は、子全員が〇歳から一四歳までの場合の表

②　表7は、一五歳から一九歳までの子が一人、〇歳から一四歳までの子が二人の場合の表

③　表8は、一五歳から一九歳までの子が二人、〇歳から一四歳までの子が一人の場合の表

④　表9は、子全員が一五歳から一九歳までの場合の表

となっている。

(4)　したがって、養育費の算定表を使用する場合には、子の人数と年齢に従って使用する表を選択することとなる。

4　養育費の算定表は、縦軸が養育費支払義務者（多くの場合は父親）の年収（給与所得者、自営業者別）となっており、横軸が養育費受給権利者（多くの場合は母親）の年収（給与所得者、自営業者別）となっており、養育費支払義務者の年収の欄を水平に伸ばした線と、養育費受給権利者の年収の欄を垂直に伸ばした線とが交差した欄の額が、標準的な養育費の額（月額）となる。

例えば、表1（子一人［〇～一四歳］）において、養育費支払義務者の給与年収が六〇〇万円、養育費受給権利者の年収が一三〇万円の場合には、養育費の額は「四～六万円」となる。

この標準的な額は一万円から二万円の幅があり、裁判所では、原則として、その範囲内で養育費の額が定められるものと予想される。

また、この養育費の額は、養育費支払義務者が養育費受給権利者に支払うべき総額である。したがって、例えば子三人の場合の表において「四～六万円」となった場合には、養育費支払義務者が支払うべき養育費は子三人分として「四～六万円」であり、これを三倍した「一二～一八万円」ではないので注意する必要がある。

5　年収（総収入）の認定について

(1)　給与所得者の年収

原則として源泉徴収票の「支払金額」が総収入となる。

(2)　自営業者の年収

原則として確定申告書の「課税される所得金額」が総収入となる。

(3)　年収の実額が不明な場合

厚生労働省大臣官房統計情報部の「賃金センサス」等を利用して推計する。この場合には、養育費の算定表上は、「給与所得者」として扱う。

(4)　養育費受給権利者の年収認定に当たっての留意点

養育費受給権利者の年収を認定するに当たっては、児童扶養手当や児童手当を加算してはならないこと。

6　養育費の算定表は、あくまで標準的な養育費を簡易迅速に算出することを目的とするものであり、最終的な養育費の額は、この算定表のみによって決定されるものではなく、裁判所において、各事案の個別的要素をも考慮して定まるものである。

（別添１）

※「判例タイムズ」掲載前の原稿のため、掲載されたものとは形式等において若干の相違がある。

簡易迅速な養育費等の算定を目指して
―養育費・婚姻費用の算定方式と算定表の提案―

東京・大阪養育費等研究会

研究員　三代川　俊一郎（東京高裁判事）
研究員　橋詰　均（大阪高裁判事）
研究員　小野　剛（東京地裁判事）
研究員　谷口　幸博（大阪地裁判事）
研究員　青木　晋（東京家裁判事）
研究員　濱谷　由紀（大阪家裁判事）
オブザーバー　石井　葉子（東京家裁次席家裁調査官）
オブザーバー　水口　冨美永（大阪家裁次席家裁調査官）

〈目次〉　頁

「養育費の算定表」について

第一　はじめに

当研究会は、養育費等の算定の簡易化・迅速化を目指し、従前の家庭裁判所における実務について再検討を加える研究を行い、このたび、家庭裁判所における実務の基本的な考え方は維持しつつも、簡易迅速な算定が可能になるような新たな養育費算定方式とこれに基づく算定表を提案することにした。また、あわせて婚姻費用についても提案をすることにした。本稿は、その提案の基本的な考え方や内容についての説明である。

当研究会としては、この提案に係る算定方式ないし算定表が速やかに実務に定着することを期待したい。

第二　養育費算定の実情

1　養育費の算定が必要となる場面

養育費とは、民法七百六十六条一項所定の「子の監護に必要な事項」として、裁判所が、非監護親から監護親に支払を命ずる未成熟子の養育に要する費用である。したがって、本稿において「義務者」とは「子を監護していない親」を、「権利者」とは「子を監護している親」を意味する。

実務においては、通常の場合、義務者は権利者よりも高収入であることが多いから、本稿においても、義務者が権利者よりも高収入であることを原則的形態として記述することとする。

協議で離婚する場合には、養育費についても取り決めをすることが少なくないが、養育費に関する取り決めをしないで協議離婚した場合には、権利者は、家庭裁判所に養育費の支払を命ずる家事審判を申し立てることができる（民法七百六十六条一項、家事審判法九条一項乙類四号）。

これとは別に、権利者は、地方裁判所に離婚訴訟とともに、これに附帯する申立てとして、離婚後の養育費の支払を命ずる裁判を求めることができる（民法七百七十一条、人事訴訟手続法十五条）（注1）。

いずれの場面でも、養育費の算定は非訟事項である。算定方式が法令で定められているわけではなく、裁判所は諸事情を総合考慮し、その合理的な判断（裁量的判断）によって適正額を定める責務を負うことになる。

（注1）　なお、別居後離婚までの期間における子の監護費用も含めた支払を命じた例として、最高裁判所平成九年四月十日判決民集五一巻四号一九七二頁参照。

2　家庭裁判所の実務

地方裁判所においては、訴訟に附帯して養育費の裁判が求められた場合、裁判官が証拠等から認定される一切の事情を考慮して、裁量による判断を行うが、養育費算定の方式には一定のものがあるわけではない。

他方で、家庭裁判所は、養育費の算定方法につき長年研究を重ね、ノウハウを蓄積し、一定の算定方式を確立してきた。当研究会の提案の下地となったのは、家庭裁判所においてこれまで実務上採用されてきた方式であるので、ここでまず、その基本的な考え方及び算定手法の概要を紹介する。

(1) 算定の目的
家庭裁判所の実務においては、扶養義務は「生活保持義務」と「生活扶助義務」に大別されている。「生活保持義務」とは「自分の生活を保持するのと同程度の生活を被扶養者にも保持させる義務」、「生活扶助義務」とは「自分の生活を犠牲にしない限度で、被扶養者の最低限の生活扶助を行う義務」ということができる。

そして、養育費や婚姻費用の支払義務は「生活保持義務」として、親族間の扶養義務は「生活扶助義務」として、それぞれ履行されるべきであると考えられている。

したがって、養育費の算定は、「生活保持義務」として適正妥当な金額を求めることを目的とするということになる。

(2) 算定の出発点
養育費の算定は、義務者・権利者双方の実際の収入金額を基礎として行う。養育費は、両親が収入に応じて分担すべきであるから、義務者のみならず権利者の収入も考慮される。

(3) 算定の基本的枠組み
子が義務者と同居していると仮定すれば、子のために費消されていたはずの生活費がいくらであるのかを計算し、これを義務者・権利者の収入の割合で按分し、義務者が支払うべき養育費の額を定める。ここでの大きな特徴は、実際の生活形態とは異なり、高収入の親（義務者）と子が同居している状態をいわば仮定し、子の生活費を計算するという考え方を採用していることである。これは、「生活保持義務」の考え方に由来するものと思われる。

(4) 算定に使用する概念
家庭裁判所における実務では、「基礎収入」「最低生活費」「職業費」「特別経費」という概念を使用している。

「基礎収入」とは、税込収入から公租公課、「職業費」及び「特別経費」を控除した金額であり、いわば「養育費を捻出する基礎となる収入」である。

「最低生活費」とは、生活保護法第三条が保障する最低限度の生活を維持するための費用である。

「職業費」は給与所得者についてだけ認められるものとされている。給与所得者として就労するために必要な出費（被服費、交通費、交際費等）である。

「特別経費」とは、家計費の中でも弾力性、伸縮性に乏しく、自己の意思で変更することが容易ではなく、生活様式を相当変更させなければその額を変えることができないものとされている。住居費や医療費などがこれに該当する。必然性がない出費を経費に算入すると養育費の分担額が不当に低額なものとなるため、必然性のある経費だけが「特別経費」として考慮されるのである。したがって、「特別経費」とは養育費の分担に先立って支出を余儀なくされるであろう費用の総称ということになるが、法令上の用語ではなく、何が「特別経費」に該当するのかは必ずしも明確ではない。

「養育費の算定表」について

(5) 具体的な算定手法

家庭裁判所の実務では、通常、次の①～⑤の五段階の認定・計算を経て養育費が算定されている。かなり複雑である。

① 義務者・権利者の基礎収入を認定する。

総収入の額、公租公課の額、「職業費」、「特別経費」をそれぞれ認定する作業である。このうち「職業費」は実費認定ではなく、総収入の一〇～二〇％という割合で推計処理される。それ以外は、全部、実額で認定を行う。

② 義務者・権利者及び子それぞれの最低生活費を認定する。

最低生活費は、厚生労働省が毎年告示する生活保護基準によって認定する。最低生活費の認定は、基準値、指数として使用するために認定しているだけであり、最低生活費をもって養育費の額とするわけではない。

③ 義務者・権利者の分担能力の有無を認定する。

義務者の収入が義務者の最低生活費を下回っている場合には、義務者に養育費の分担能力がないものとされ、養育費分担義務はないとされる場合がある。

④ 子に充てられるべき生活費を認定する。

子の生活費の認定は、義務者と子の同居を仮定し、義務者の基礎収入を、義務者・子それぞれの最低生活費（又は財団法人労働科学研究所の総合消費単位）の割合により按分計算して行う。

⑤ 子の生活費を義務者・権利者双方の基礎収入の割合で按分し、義務者が分担すべき養育費を算出する。

第三 問題の状況

1 家庭裁判所の算定方式の限界

(1) 家庭裁判所における実務が採用してきた算定方式は、合理的な考え方、公平な計算方法に基づき、当事者の生活実態に合致した養育費の算定を目指そうとする妥当なものである。当研究会も妥当性自体に異を唱えるものではない。

(2) ところが、前記のような算定方式が審判事件に長年定着しているものであるとしても、煩雑に過ぎるため、容易には運用できず、とりわけ当事者にとっては予めどの程度の養育費になるか予測できない面があることも事実である。

また、公租公課の額、「特別経費」をそれぞれ認定する作業は、全部、実額で認定を行っている。特に、「特別経費」という概念の外延は明確ではない。そのため、審判事件においては「特別経費」の費目及び金額を巡って主張や資料提出の応酬が繰り広げられ、裁判所は多数・多様な資料を集計し、「特別経費」に該当するかどうかを細かく検討しながら養育費を算定することになるため、養育費審判事件はしばしば審理が長期化するのが実情である。「特別経費」を実額で認定しようとすると、一面では個別の生活実態により近い精緻な養育費の算定が可能になるかもしれないが、その反面で、その認定のための審理に相当の時間がかかるという難点があることも否定できない。「特別経費」の実額認定はいわば諸刃の剣なのである。更に、実際問題として、算定額の低額化を生じさせることもあった。

(3) ひるがえって、養育費は、もともと未成熟子の養育に要する費用であって、その日々の生活に必要な費用であるから、より簡易迅速に算定され、確実に確保されることが要請されている。また、養育費については、当事者が自主的に取り決めをすることが多く、ある程度予測可能なものでなければならない。

養育費の確保の点については、これまでは、養育費分担義務者の不払の責任が余り問題にされない傾向にあったことが否定できないように思われる（注2）。また、養育費の支払を命ずる判決や審判（あるいは家事調停）に基づく強制執行は、既に弁済期を徒過した部分（既発生部分）についてしか許されず、手続が煩瑣で、費用倒れになりやすい面があった。しかし、この強制執行手続については、養育費等の少額定期給付債務に関し、弁済期到来前の差押えを許容する方向での法改正が予定されている（注3）。

養育費が実効性をもって確保され、真に子の福祉が実現されるためには、このような履行確保に向けた法改正のほかに、何よりもまず、養育費が迅速に算定されることが不可欠である。ところが、今日まで、「簡易迅速」で「予測可能」な算定方式が十分に検討されてこなかったように思われる。この点は、やはり、養育費算定に携わる実務法律家がこれまで見落としていた点であろう。したがって、養育費の簡易迅速な算定を可能にする方法を模索・検討し、実務に定着させる必要があるということができよう。

2 外国の事情

諸外国では、既に養育費等の算定基準が作成、公表されて、それが裁判実務の運用指針として定着している例があるので、そのうちドイツとアメリカの例を紹介する。

(1) ドイツの事情

ドイツでは、子の養育費や配偶者扶養料の算定は、実務上、簡易な算定表を用いて行われている（注4）。最も著名なものは、デュッセルドルフ高等裁判所家事部が作成したデュッセルドルフ表（Düsseldorfer Tabelle）である。このほかにも、各高等裁判所レベルでデュッセルドルフ表をそのまま採用し、あるいは若干修正した指針が公表されている。現在では、主に旧西ドイツ地区においてはデュッセルドルフ表を中心に、旧東ドイツ地区においてはベルリン表を中心に運用がされているようである。これらの算定表は、法律で定められたものではなく、裁判所の運用指針であるが、弁護士事務や青少年局における養育費支払証書作成業務等においても広く利用されている。

デュッセルドルフ表及びベルリン表では、子二名、配偶者の標準的な扶養義務を負担する場合における、扶養義務者の収入等級及び子の年齢層に応じた子の養育費基準額が一覧表形式で示されている。また、子の養育費及び配偶者の扶養料を算定するための算定要素、方法等が記載されている。

「養育費の算定表」について

その履行の確保については、扶養請求権等についての執行の場合には、弁済期の到来した請求権についての差押えと同時に、将来弁済期の到来する労働所得もまた、その当時に弁済期の到来する請求権についてこれを差し押さえて移付することができるとされている（ドイツ民事訴訟法八百五十条d第三項）（注5）。

(2)　アメリカの事情

アメリカでも、子の養育費の算定については、実務上簡易な算定表を用いている。この算定表は、いわゆる養育費算定ガイドライン（Child Support Guidelines）として、裁判所のホームページ等に掲載されるなど広く一般に知られているものである。

アメリカにおいては、離婚や未婚の母親の急増などの理由により、児童扶養のための公的援助が財政的に困難になってきたことから、支払義務者である親からの養育費の履行確保を確実なものとするとともに、義務者たる親の公平感を満足させ、簡易かつ迅速な大量の事件処理を統一的に行うものとして、養育費算定ガイドラインを各州の裁判所において作成し、それに従って運用している。

養育費ガイドラインの具体的な内容は各州において異なるものであるが、最も一般的な方式は、両親の収入を合算した金額に応じた養育費の基準額を示した上、その額を両親の収入額で按分し、義務者の支払額を算出するものであり、アリゾナ州、ニュージャージー州、ニューヨーク州など全米の三〇州以上で採用されている。この方式では、両親の収入の合算額及び子の人数に応じた養育費の基準額が一覧表形式で示されているが、ガイドラインで示された基準額については、裁判所の裁量により修正する余地も残されている。

その履行の確保については、雇用主が被用者である義務者の給与から養育費相当額を天引して送金するいわゆる給与天引制度が通常であるが、そのほかにも、義務者が連邦及び州の税金の還付を受ける際に優先的に養育費の支払に充てさせる制度や、不履行に対する制裁として、運転免許等の各種資格・免許の停止という重い制裁も用意している。このようにアメリカで採られている強制履行制度は、単に司法手続の枠内にとどまらず、労働行政や国の社会保障政策など広汎な政策論にも及ぶ性質を有している（注6）。

3　当研究会の提案の基本方針

前記のような状況を踏まえ、当研究会は、家庭裁判所の実務において採用されていた方式を基本としつつ、統計資料等の検討結果に基づき、その方式が実額認定（個別計算）としていた部分を一定割合や指数に置き換えることにより、養育費の簡易迅速な算定方式を検討した。その概要は第四において紹介することとする。

（注2）　養育費の支払状況について見ると、定められた額を「期限どおり全額受け取っている」のは約五〇％である（家庭

局「養育費支払の実情調査の結果について」（家月五四巻五号一六九頁参照）、http://www.courts.go.jp/）

（注3）　法制審議会の担保・執行法制の見直しに関する要綱においては、少額定期給付債務の履行確保として、弁済期到来前の差押え（予備差押え）の許容が示されている。その内容は、扶養等の義務に係る定期金債権についての強制執行においては、弁済期の到来した定期金についての差押えと同時に、弁済期の到来していない定期金についての差押えをすることができるものとする。ただし、弁済期の到来していない各定期金についての差押えの対象は、当該定期金の弁済期より後に到来するものに限るとされている。

（注4）　森勇・野沢紀雅「西ドイツにおける扶養料算定合理化の試み(1)(2)(3)」（家月三八巻三号一頁、三八巻四号二八頁、三八巻五号一頁）

菊池絵理「ドイツにおける離婚関係訴訟の実務（上）（下）」（家月五四巻三号一六頁、五四巻四号一七頁）

（注5）　中野貞一郎訳「ドイツ強制執行法」（法務資料一二六号五四頁）

（注6）　松嶋道夫「子の養育費の算定と履行確保」（家族〈社会と法〉九号一三九頁）

金子修「米国における家族関係訴訟の実情について（上）（下）」（家月五三巻一一号六〇頁、五三巻一二号七〇頁）

「養育費の算定表」について

近道暁郎「ミシガン州における養育費支払債務の強制履行手続」（判タ一一〇四号三九頁）

第四　提案する算定方式の説明

1　基本的な考え方

当研究会は、家庭裁判所の実務において採用されていた基本的な考え方は妥当なものとしてこれを踏襲することにした。すなわち、算定の目的（「生活保持義務」に相応しい養育費の算定を目的とする）、算定の出発点（義務者・権利者双方の総収入の金額の認定を出発点とする）、算定の基本的枠組み（義務者と子との同居を想定した上での按分方式）はそのまま維持し、「最低生活費」、「職業費」、「特別経費」、「基礎収入」という概念も、そのまま踏襲することにした。

2　基礎収入の認定について

従前、家庭裁判所においては、公租公課及び「特別経費」についてこれらを実額で認定していたが、当研究会は、これを改め、基礎収入を「税法等で理論的に算出された標準的な割合」と「統計資料に基づいて推計された標準的な割合」をもって推計することを相当と判断した。これに伴い、「職業費」についても「統計資料に基づいて推計された標準的な割合」となるよう見直した。

(1)　給与所得者の公租公課

公租公課（所得税、住民税、社会保険料）が総収入に占める割合は「税法等で理論的に算出された標準的な割合」（理論値）を採用した。所得税及び住民税は各税法所定の税率を用い、社会保険料については、健康保険料、厚生年金保険料、雇用保険料について各法所定の率を用いた（注7）。

その結果、総収入に占める公租公課の割合は、概ね総収入の一二％〜三一％（高額所得者の方が割合が大きい）となっている。

(2) 給与所得者の職業費の割合

収入を得るのに必要な経費（職業費）については、実務上、それに当たることが広く認められている被服費、交通・通信費、書籍費、諸雑費、交際費等とし、総務省統計局の「家計調査年報」第四表「年間収入階級別一世帯当たり年平均一か月間の収入と支出（勤労者世帯）」を集計した。その結果、過去五年の平均値を算出すると、給与所得者の総収入に占める職業費の割合は、概ね総収入の二〇％〜一九％（僅かであるが高額所得者の方が割合が小さい）となっている（資料1参照）。

(3) 給与所得者の特別経費の割合

特別経費については、実務上それに当たることが広く認められている住居に要する費用、保健医療費等とし、同じく「家計調査年報」によって集計した。その結果、過去五年の平均値を算出すると、給与所得者の総収入に占める特別経費の割合は、概ね総収入の二六％〜一六％（高額所得者の方が割合が小さい）となっている（注8）（資料2参照）。

(4) 給与所得者の基礎収入の割合（注9）

給与所得者の基礎収入は、総収入から前記(1)ないし(3)を控除したもの、つまり、概ね総収入の四二％〜三四％（高額所得者の方が割合が小さい）の範囲内となる。

(5) 自営業者の基礎収入の割合

自営業者の場合には、給与所得者の総収入に当たるいわゆる売上を総収入として扱うことは困難である（注10）。そこで、自営業者については、課税される所得金額を総収入としている。その結果、基礎収入は課税される所得金額から所得税、住民税、特別経費を控除した残額として求められる（注11）。総収入に対する所得税、住民税及び特別経費の割合を、給与所得者と同様に求めた結果、所得税及び住民税については総収入の概ね一五％〜三〇％（高額所得者の方が割合が大きい）、特別経費については総収入の概ね三三％〜二三％（高額所得者の方が割合が小さい）となる。

したがって、自営業者の基礎収入は、総収入の五二％〜四七％（高額所得者の方が割合が小さい）の範囲内となる。なお、「総収入」の概念は、第五で述べるとおり、給与所得者と自営業者で異なることに注意が必要である。

3 最低生活費の積算について

従前、家庭裁判所においては、義務者・権利者の世帯ごとに、生活保護基準に従った最低生活費を積算し、これを子の生活費の計算に用いる指数としていた（前記第二の2(5)④）。この作業は、非常に煩雑であるため、当研究会では、生活保護基準及び教育費に関する統計から導き出される「標準的な生活費指数」によって子の生活費を計算することにした。

生活費の指数化については、生活保護法第八条に基づき厚生労働省によって告示されている生活保護基準のうち「生活扶助基準」を利用して積算される最低生活費に教育費を加算し、成人との対比で標準指数を定めた。

「生活扶助基準」とは、衣食等の日常的な消費生活のために必要な経常的な費用の一か月当たりの最低必要水準を定めたもので、大別して一類費と二類費とから構成されている。一類費は、飲食物費、被服費等、個人単位で消費する費用に相当するもので、年齢別に金額が定められている。二類費は、光熱費（電気、ガス、水道等）、家具什器購入費等、世帯全体として消費する費用に相当するもので、世帯構成人員別に金額が定められている。生活扶助額（最低生活費）は、対象世帯の構成人員各人の一類費の合計にその世帯の二類費を加算して決められる。

親を「一〇〇」とした場合の子に充てられるべき生活費の割合は、親一人世帯の生活扶助額に対する子のみの生活扶助額（親子世帯の生活扶助額から親一人世帯の生活扶助額を控除した残額）の割合とした。この割合を求めるについては、具体的には、親については居宅第一類の二〇歳から五九歳までの平均基準額、子については〇歳から一四歳までの平均基準額、一五歳から一九歳までの平均基準額をそれぞれ利用し、親一人世帯の生活扶助額に対する子のみの生活扶助額の割合で求めた（注12）。

なお、生活扶助基準においては、教育費が考慮されていないが、実務上は、これを考慮することが広く承認され（注13）、一般的な生活実態にも沿っているものであるから、年齢〇歳から一四歳までについては公立中学校の子がいる世帯の年間平均収入に対する公立中学校の学校教育費相当額を、一五歳から一九歳までについては公立高等学校の子がいる世帯の年間平均収入に対する公立高等学校の学校教育費相当額を考慮することにより、子に充てられるべき生活費の割合を求めることとした（注14）（注15）。

その結果、子の標準的な生活費の指数は、親を「一〇〇」とした場合、年齢〇歳から一四歳までの子について「五五」、年齢一五歳から一九歳までの子について「九〇」とするのを相当と判断した（注16）。

4 義務者の養育費分担義務について

従前、家庭裁判所においては、義務者の基礎収入が最低生活費を下回る場合には、義務者は免責されていた例が少なくなかった（前記第二の2(5)③）。しかし、生活保持義務の考え方からすれば、「少ないパンでもわが子と分かち合うべき」であり、義務者の免責と生活保持義務の考え方とは矛盾を孕んでいたといえよう。また、義務者の免責を認めることにすると、最低生活費の算出が必要となるなど計算過程が複雑化することも避けられない。そこで、当研究会では、義務者の総収入が少ない場合でも養育費分担義務（必然的に金額は少ないが）を免れないものとした。

5 当研究会の提案の結論

以上1ないし4を整理すると、①の計算式のとおり義務者・権

「養育費の算定表」について

利者の基礎収入を認定し、②の計算式のとおり子の生活費を認定し、これを③の計算式で按分するという三段階の計算（左記参照）により、従前の家庭裁判所において実務上採用されてきた方式による場合と比較的近似した養育費支払債務の額を算定することができることになる。

当研究会は、この簡易計算法及びこれに基づく算定表（表1～9）による認定方法を標準的な養育費分担義務の認定方法として提案したい。

〈3段階の計算式〉

①基礎収入＝総収入×0.35～0.43（給与所得者の場合（高額所得者の方が割合が小さい））

　　　　　　総収入×0.49～0.54（自営業者の場合（高額所得者の方が割合が小さい））

②子の生活費＝義務者の基礎収入×$\dfrac{55\text{or}90\text{（子の指数）}}{100+55\text{or}90\text{（義務者の指数＋子の指数）}}$（注17）（注18）

③義務者の養育費分担額＝子の生活費×$\dfrac{\text{義務者の基礎収入}}{\text{義務者の基礎収入}+\text{権利者の基礎収入}}$（注19）（注20）（注21）

6　検証

当研究会では、東京家裁及び大阪家裁等の最近の審判事件の事例を今回の算定表に当てはめた。その結果、従来家庭裁判所において採用されてきた方式によって認定された結論の数字は、概ね算定表が定める認定幅の範囲内に収まることを確認することができた。

（注7）　所得税法、地方税法、健康保険法、厚生年金保険法、雇用保険法、労働保険の保険料の徴収等に関する法律その他関係法律所定の率による。

（注8）　従前は、「特別経費」の中に負債などを考慮する例もあったようである。しかしながら、総収入から標準的に控除すべきものとして負債を考慮することは、負債の返済が、その性質にかかわらず、子の扶養義務に優先することになる結果、相当性には疑問があるので、負債は「特別経費」には含めないものとした。

（注9）　権利者の基礎収入に児童扶養手当や児童手当を加算するかどうかが問題となるが、児童扶養手当等は、本来の意味合いにおいて、私的扶助が受けられない世帯に対する補充的な公的扶助であって、養育費分担義務を低減させるものとして考慮する（権利者の基礎収入に加算する）ことについては疑問があるので、加算しないこととした。なお、児童扶養手当については、今回の法改正（児童扶養手当法第九条第二項）によれば、手当の支給額及び額が、養育費額を前提として決められるから、従前のような定額給付を前提にすることは実際にも困難となる。

（注10）　事業の種類によって収入を得るに必要な経費が異なることによる。

（注11）　給与所得者の職業費に該当する費用及び社会保険料が既に控除されていることによる。

（注12）　生活扶助基準（平成十年～平成十四年）（一級地―一）によれば、〇歳～一四歳の居宅第一類の平均月額は三万二一三六円、一五歳～一九歳の居宅第一類の平均額は四万五六七七円、二〇歳～五九歳の居宅第一類の平均額は三万九五四七円、居宅第二類の平均月額は、世帯人数一人で四万三七九八円、二人で四万八四七六円、三人で五万三七四二円、四人で五万八四七〇円である。

（注13）　従前は、子の教育費についても権利者の「特別経費」として考慮する事例もあったようである。しかしながら、子の教育費については、子に充てられるべき生活費の内容として直接捉えることができることから、当研究会は、「特別経費」としてではなく、子の生活費指数として考慮することとした。

（注14）　「家計調査年報」第二一表「世帯属性・収入階級別世帯分布（勤労者世帯）」（平成十年～十四年）によれば、世帯人員分布のうち国公立中学校の子がいる世帯の平均年間収入は八二八万四三三二円、国公立高等学校の子がいる世帯の平均年間収入は八六四万四一五四円である（資料３参照）。

（注15）　文部科学省「子どもの学習費調査報告書」（平成八年、十年、十二年）によれば、公立中学校の学校教育費の平均は年額一三万四二一七円、公立高等学校の学校教育費の平均は年額三三万三八四四円である（資料４参照）。

（注16）　当研究会の提案する算定方式で得られる養育費は、理論上は、公立中学・公立高校に関する学校教育費を含むものであり、現実に私立学校に通う場合の学校教育費を考慮して算出されたものではない（しかし、義務者の収入が公立中学校・公立高等学校の子がいる世帯の平均収入を上回る場合には、結果として公立中学・公立高校の学校教育費以上の額が考慮されていることとなる。）。

（注17）　子が複数の場合には、例えば、

〈15歳未満の子が２人の場合〉

$$＝義務者の基礎収入\times\frac{55+55}{100+55+55}$$ か、

〈15歳以上の子が１人と15歳未満の子が２人の場合〉

$$\times\frac{90+55+55}{100+90+55+55}$$ などとなる。

（注18）　義務者が再婚し、配偶者や養子、実子という扶養家族が増えた事例については、当研究会の簡易化された算定方式による場合には、例えば、当該子と新たな配偶者や、養子、実子（異母兄弟）の全員が義務者と同居していると仮定し（新たな配偶者である成人の指数は生活保護基準によれば概ね55であり、一五歳未満の子と同様に計算することができる。）、当該子に充てられるべき生活費の額を算出することができ、これを当該子の父母で分担すれば良いので

はないかと思われる。ただ、他の計算方法も否定されるわけではない。

（注19）　子が複数の場合、最終的には、それぞれの子ごとに養育費分担義務を定めることになる。その場合にも、義務者の養育費分担額を子の生活費指数で按分（前記の例では55：55あるいは90：55：55で按分）するということになる。

（注20）　例外的に、権利者の方が高収入である場合には、子が権利者と同居している場合の子の生活費を基準とすべきであるが、この場合、権利者の収入が高くなればなるほど、義務者の養育費分担義務が増加していくことになって、義務者にとって極めて酷な状況が生じてしまう。そこで、権利者の方が高収入であるという例外的な場合については、権利者と義務者とが義務者の収入額で同一である場合に義務者が支払うべき費用をもって養育費の限度額とすることにした。

（注21）　従来、「基礎収入」から更に権利者及び義務者の最低生活費を控除した残額を余力とし、その余力によって按分していた例もあったようである。しかしながら、このような取扱いは、生活保持義務とされる子の養育義務よりもまず義務者の最低生活費を確保するという考え方を基盤とするものであって、必ずしも相当ではない場合があるので、採用しなかった。

第五　算定方式・算定表の使用に関する補足説明

1　総収入の認定

権利者と義務者の総収入が養育費算定の出発点であり、当事者が提出した証拠資料によって認定される。計算方法が簡易化されたとしても、総収入の額を事実認定する責任や手間が軽減されるわけではない。

当研究会が提案する新しい算定方式や算定表を利用するに際しては、以下のような事項に留意する必要がある。

⑴　給与所得者の総収入の認定

源泉徴収票が有力な認定資料となり、源泉徴収票の「支払金額」が総収入に当たる。給与明細書による認定の場合には、それが給与の月額であり、歩合給が多い場合などにはその変動が大きく、賞与・一時金が含まれていないことに留意する必要があろう。

⑵　自営業者の総収入の認定

確定申告書が有力な認定資料となり、確定申告書の「課税される所得金額」が総収入に当たる。自営業者の場合には、課税標準を計算する上での収入金額（売上金額）が養育費算定の総収入となるのではないことに注意すべきである。この点は従来の家庭裁判所の実務が採用してきたところと同じである（注22）。

⑶　総収入の実額が不明の場合

当事者が資料の提出をしない場合や提出資料の信頼性が乏しい場合には、厚生労働省統計情報部の賃金センサス等を利用して適宜推計することになる。賃金センサスで推計した場合には、当然のことながら、養育費の算定に関する限り給与所得者として取り扱うことになる。

権利者が十分稼働できる環境にあるのに稼働していない場合にも統計資料によって潜在的稼働能力（パート就労者としての総収入）の推計を行うこともある。ただし、子が幼い場合に、現実に稼働していない権利者の潜在的稼働能力を推計することについては現在の実務上は慎重な場合もあろう。

2　義務者が負担すべき養育費

子に充てられるべき生活費が義務者の収入に応じて際限なく増加するものなのかどうかという点については議論があろう。先に紹介したドイツやアメリカにおいては、一定限度を超える高額所得者については養育費の額は基準化されておらず各事案の事情によって定められている。また、わが国では、過去五年間の家庭裁判所の審判例を見ると、殆どが子一人当たり月額二〇万円以内に収まっているようである（注23）（資料5参照）。

この養育費の上限設定については、今後の議論に委ねることとした。

3　養育費算定表の使用方法

既に述べた簡易算定式に基づいて算定される養育費の額を義務者が極めて低収入の場合は一万円、それ以外の場合は二万円の幅をもたせて整理し、子の人数（一～三人）と年齢（〇～一四歳と一五～一九歳の二区分）に応じて表1～9を作成した。

「養育費の算定表」について

算定表の横軸には権利者の総収入（年収）が、縦軸には義務者の総収入（年収）がそれぞれ記載してある。子の人数と年齢に従って使用する表を選択し、その表の権利者及び義務者の収入欄を給与所得者か自営業者かの区別に従って選び出す。選んだ権利者の収入欄を上に、義務者の収入欄を右に伸ばし、両者が交差する欄の額が標準的な養育費の額を示している。

この算定表は、あくまで標準的な養育費を簡易迅速に算出することを目的とするものであり、最終的な養育費の額は、各事案の個別的要素をも考慮して定まるものである。

しかし、個別的事情といっても、通常の範囲のものは標準化するに当たって算定表の額の幅の中で既に考慮がされているのであり、この幅を超えるような額の算定を要する場合は、この算定表によることが著しく不公平となるような特別な事情がある場合に限られるものと思われる。

（注22）　この「課税される所得金額」は、税法上、種々の観点から控除がされた結果であり、その金額をそのまま当然に総収入と考えることが相当ではない場合がある。このような場合には、税法上控除されたもののうち、現実に支出されていない費用（例えば、青色申告控除、支払がされていない専従者給与など）を「課税される所得金額」に加算して総収入を認定する必要がある。

（注23）　唯一、月額二六万円の養育費の支払を命じた審判があるが、既に成人していて私立大学の医学部に在籍する子が同

「養育費の算定表」について

学部に進学することについて、開業医である義務者も了解していたことから、在学期間中の養育費の支払を認めた事案であり、やや特殊な事例ということができよう。

第六　婚姻費用の分担について

1　婚姻費用の意義

婚姻家庭が、その資産・収入・社会的地位等に応じた通常の社会生活を維持するために必要な費用であり、夫婦が互いに分担するものとされる（民法第七百六十条）。その分担義務は「生活保持義務」とされる。

婚姻費用の分担額をいくらとするのかはもっぱら家事審判事項であり（家事審判法九条一項乙類三号）、「一切の事情を考慮して」家事審判官が定めることになる。

2　家庭裁判所の実務

家庭裁判所では、養育費を算定する場合の「基礎収入」と同一の概念に基づいて婚姻費用の分担額を算定していた。婚姻費用の分担額とは、「基礎収入」が多い義務者配偶者から「基礎収入」の少ない権利者配偶者に支払われる金銭であると説明することができる。

家庭裁判所の実務では、これまで、義務者・権利者及び子供が同居しているものと仮定し、双方の基礎収入の合計額を世帯収入とし、その世帯収入を権利者グループの最低生活費と義務者グループの最低生活費で按分し、義務者が権利者に支払う婚姻費用の額を定めている。

従来の家庭裁判所の実務については、「特別経費」の認定を巡って主張・立証が繰り返され、審理が複雑化・長期化しやすいという問題があった（養育費の場合と同様）が、その基本的な考え方にはおそらく異論はないと思われるから、当研究会においても、養育費算定に準じて従前の実務の基本的な考え方を維持しつつ、簡易迅速な算定が可能になるように算定式を検討した。

3　新たな算定方法

例えば、義務者・権利者が別居し、権利者が二人の子（いずれも一五歳未満）と同居し、義務者が単身で生活しており、義務者の基礎収入（X）の方が権利者の基礎収入（Y）よりも大きいという場合、義務者が権利者に支払うべき婚姻費用の分担額は左記のとおりの計算式によって求めることができる（注24）。

① **権利者世帯に割り振られる婚姻費用**

$$(Z) = (X + Y) \times \frac{100+55+55}{100+100+55+55}$$

② **義務者から権利者に支払うべき婚姻費用の分担額＝Z－Y**

4　婚姻費用算定表について

簡易な算定式に基づいて算定される婚姻費用の分担額を二万円の幅をもたせて整理し、子の人数（〇～三人）と年齢（〇～一四歳と一五～一九歳の二区分）に応じて表10～19を作成した。

当研究会では、東京家裁及び大阪家裁等の最近の審判事件の事例を今回の算定表に当てはめた。その結果、従来家庭裁判所において採用されてきた方式によって認定された結論の数字は、概ね婚姻費用算定表が定める認定幅の範囲内に収まることを確認している。

算定表は、あくまで標準的な婚姻費用を簡易迅速に算出することを目的とするものであり、最終的な分担額は各事案の個別的要素をも考慮して定まるものである。

しかし、個別的事情といっても、通常の範囲のものは標準化するに当たって算定表の額の幅の中で既に考慮がされているのであり、この幅を超えるような額の算定を要する場合は、この算定表によることが著しく不公平となるような特別な事情がある場合に限られるものと思われる。

（注24） 義務者が、別居後も、権利者の特別経費に該当する権利者の住居費（A）を支払っている場合には、義務者から権利者に支払うべき婚姻費用の分担額は、「Z－Y－A」と計算されることになるであろう。

第七　おわりに

養育費等の個別具体的な算定の要請と簡易迅速な算定の要請とはもともと調整困難な課題であると考えられてきた。当研究会は、両方の要請を大きく損なうことがないよう、家庭裁判所において採用されてきた方式を考え方において踏襲し、むしろその延長線上にある近似方式を検討したものである。この妥当性については第四の6及び第六の4の検証によれば、実務での使用に耐え得る標準的な算定方式・算定表を提案できたものと考えている。もっとも、限られた時間内での検討であり、当然のことながら異論もあろうと思われる。今回の提案については、将来、統計資料上の数値や家計の消費傾向の変化があれば数値の見直しの必要があろう。

いずれにせよ、今回の提案がきっかけとなり、より優れた養育費等の算定方式が研究・公表され、それが実務に定着するならば、喜ばしい事態である（注25）。

（注25） 政府は、平成十四年二月、「母子家庭等自立支援対策大綱」をまとめた。その大綱の中で、別れた親の養育費分担義務の明確化、養育費分担義務の履行の確保を図ることが必要であるとされ、同時に、「養育費についての取り決めの促進」の一貫として「養育費のガイドライン作成」を行う必要があるとしている。今回、当研究会が取り組んだのは、あくまで裁判実務の中で養育費を簡易迅速に算定する方式の提案であって、養育費の取り決めの促進政策としてのガイドラインの策定を目指したものではない。しかし、取り決めをしなかった場合や取り決めができなかった場合には、裁判所の手続を利用することになることから、当研究会が提案した算定方式と算定表については、当事者が裁判外で取り決めを行う際にも十分参考となり得るものと思われる。その意味で、当研究会が提案した算定方式と算定表が社会においても広く利用されることになれば望外の喜びである。

（別添２）

表１　養育費・子１人表（子０～14歳）

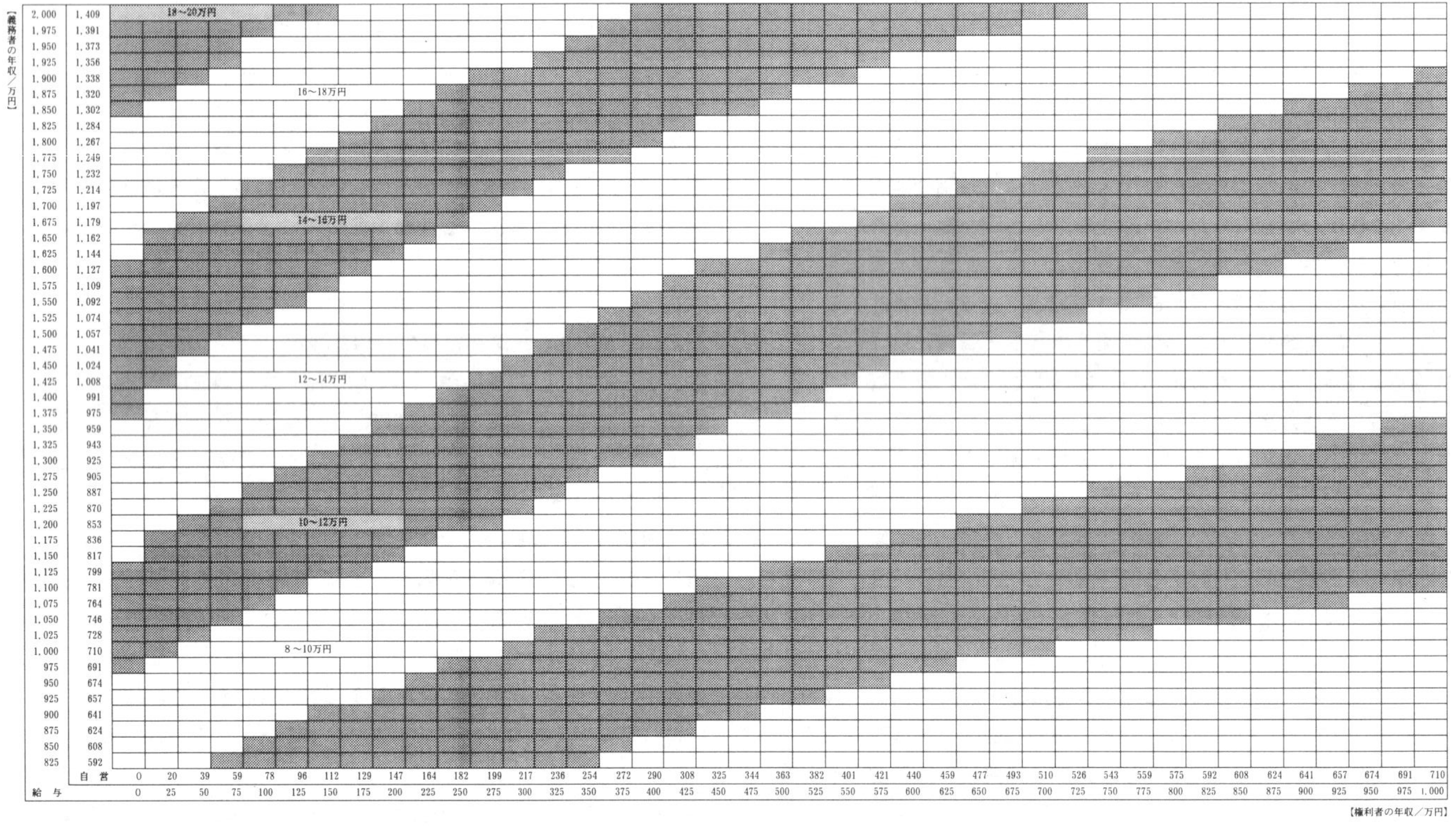

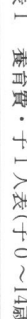

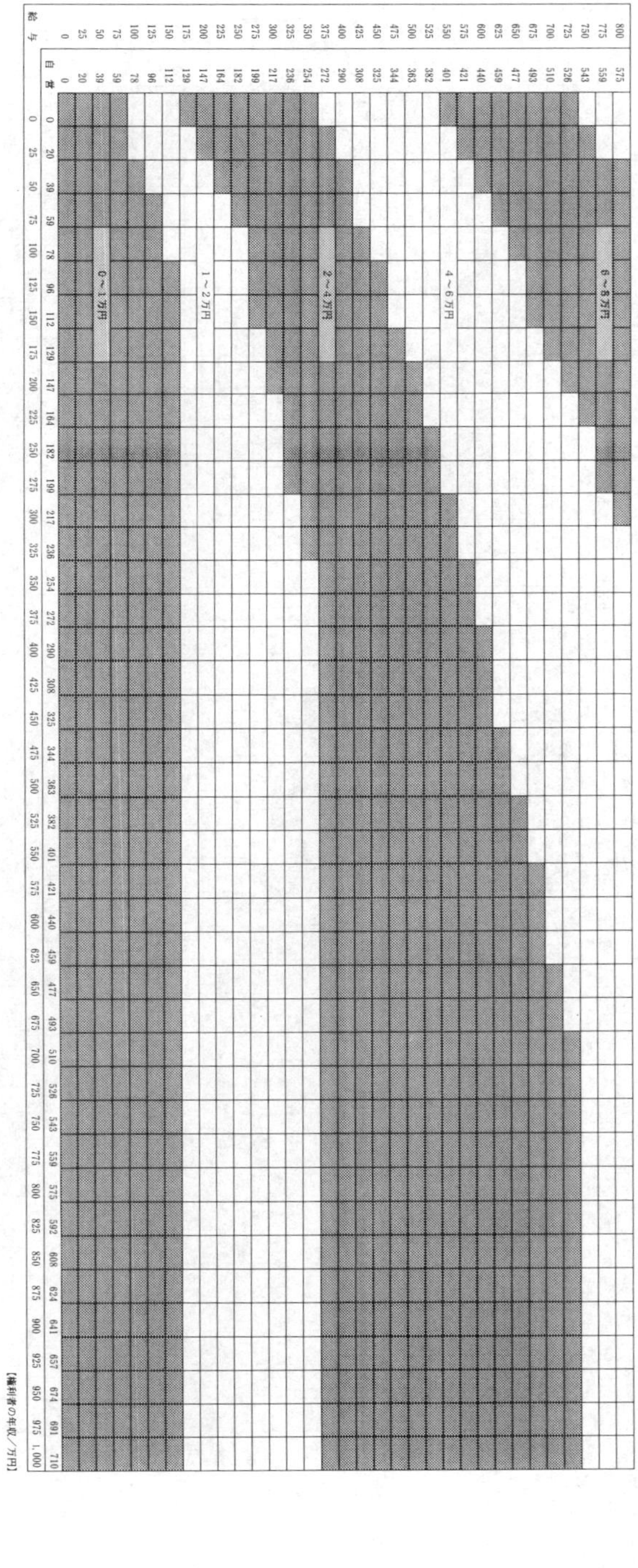
給与
自営
0 25 50 75 100 125 150 175 200 225 250 275 300 325 350 375 400 425 450 475 500 525 550 575 600 625 650 675 700 725 750 775 800
0 20 39 59 78 96 112 129 147 164 182 199 217 236 254 272 290 308 325 344 363 382 401 421 440 459 477 493 510 526 543 559 575
0 25 50 75 100 125 150 175 200 225 250 275 300 325 350 375 400 425 450 475 500 525 550 575 600 625 650 675 700 725 750 775 800 825 850 875 900 925 950 975 1,000
0 20 39 59 78 96 112 129 147 164 182 199 217 236 254 272 290 308 325 344 363 382 401 421 440 459 477 493 510 526 543 559 575 592 608 624 641 657 674 691 710
0～1万円
1～2万円
2～4万円
4～6万円
6～8万円
【権利者の年収／万円】

表２　養育費・子１人表（子15～19歳）

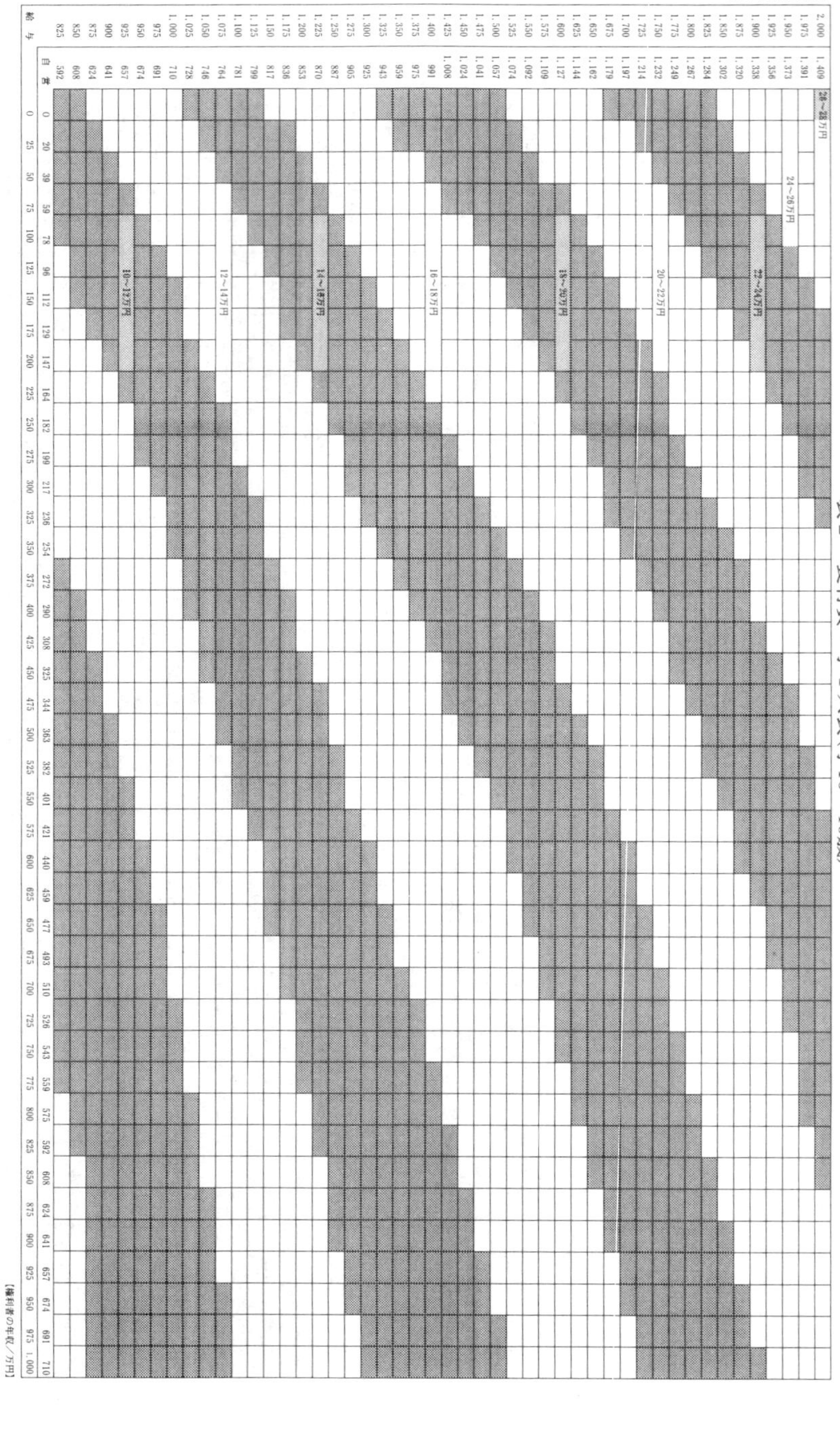

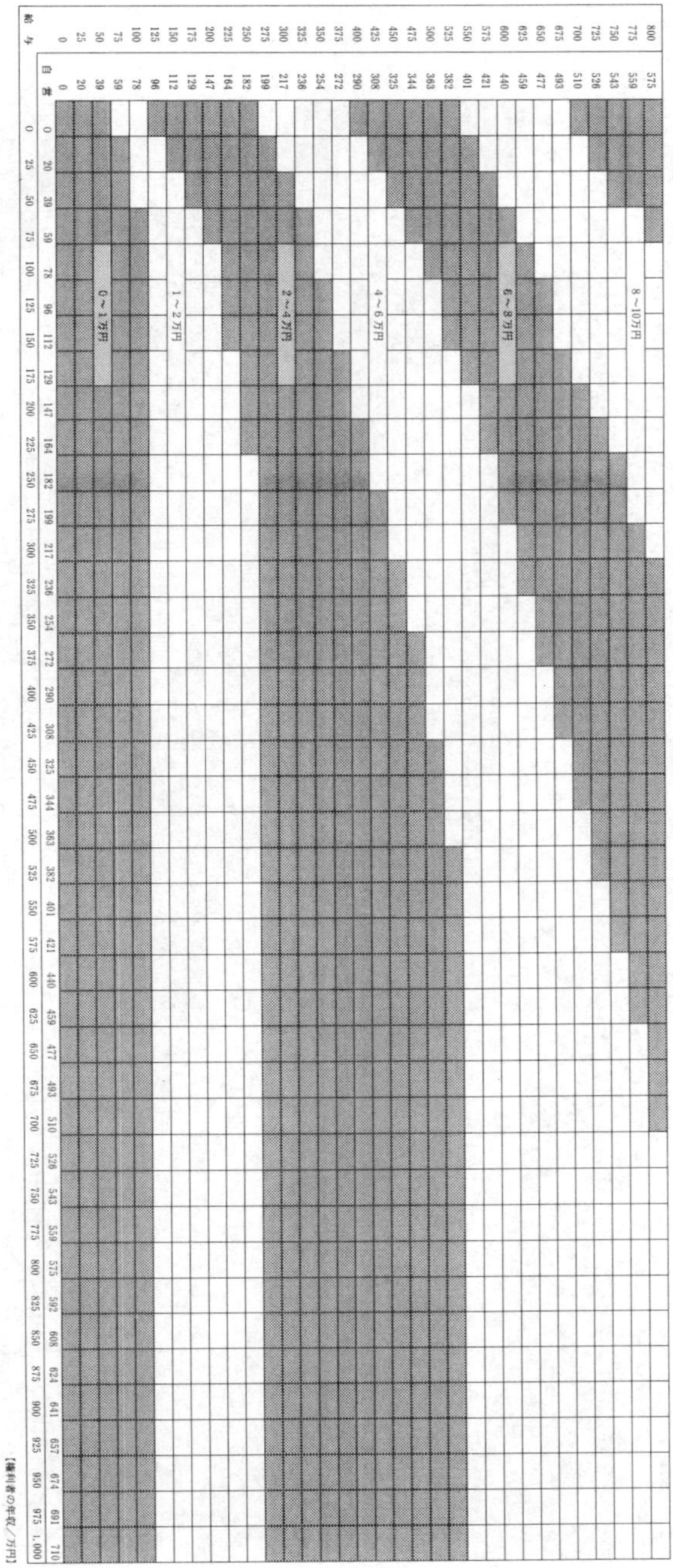
給与
自営
0～1万円
1～2万円
2～4万円
4～6万円
6～8万円
8～10万円
【権利者の年収／万円】

表3　養育費・子2人表(第1子及び第2子0～14歳)

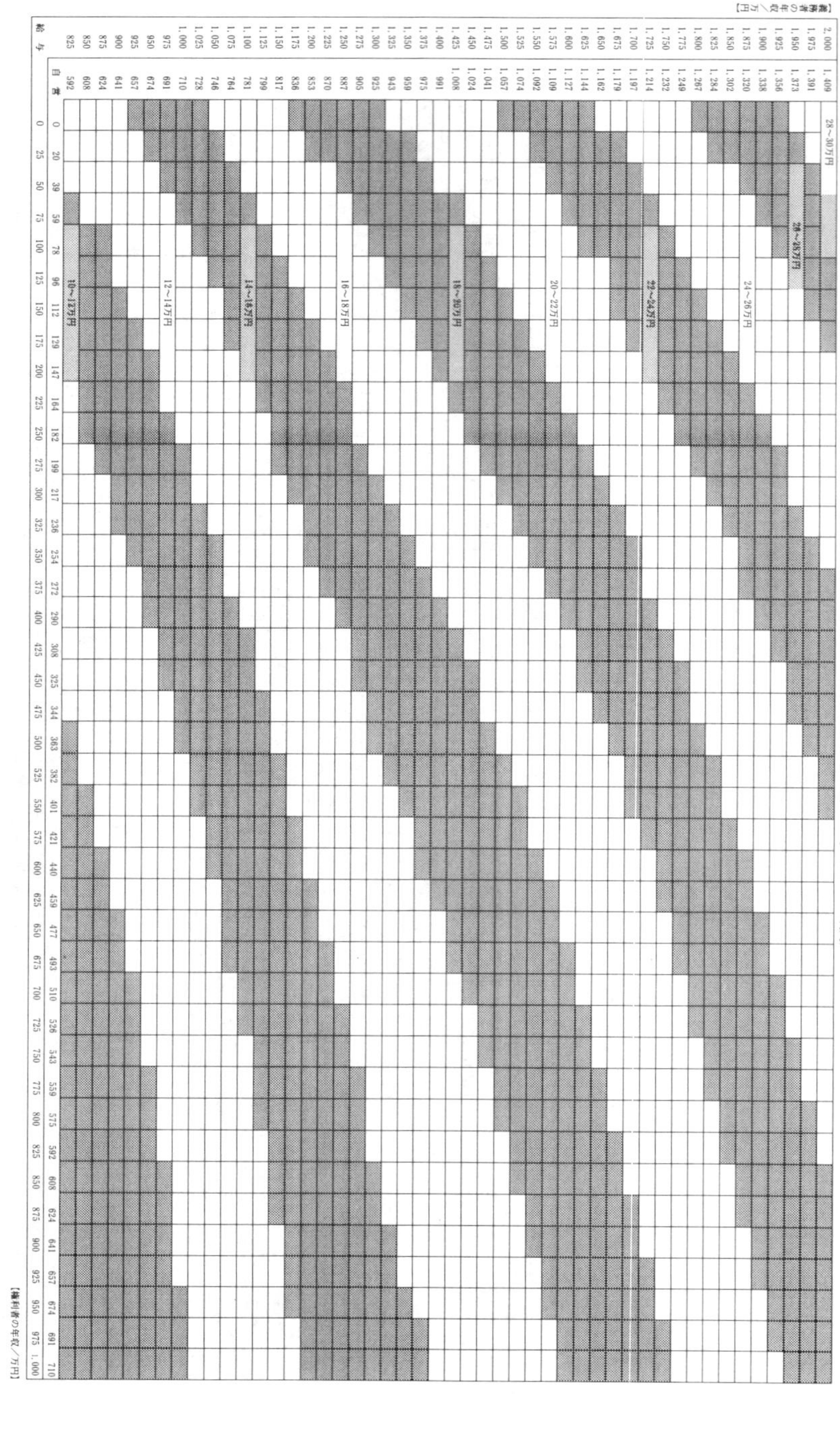

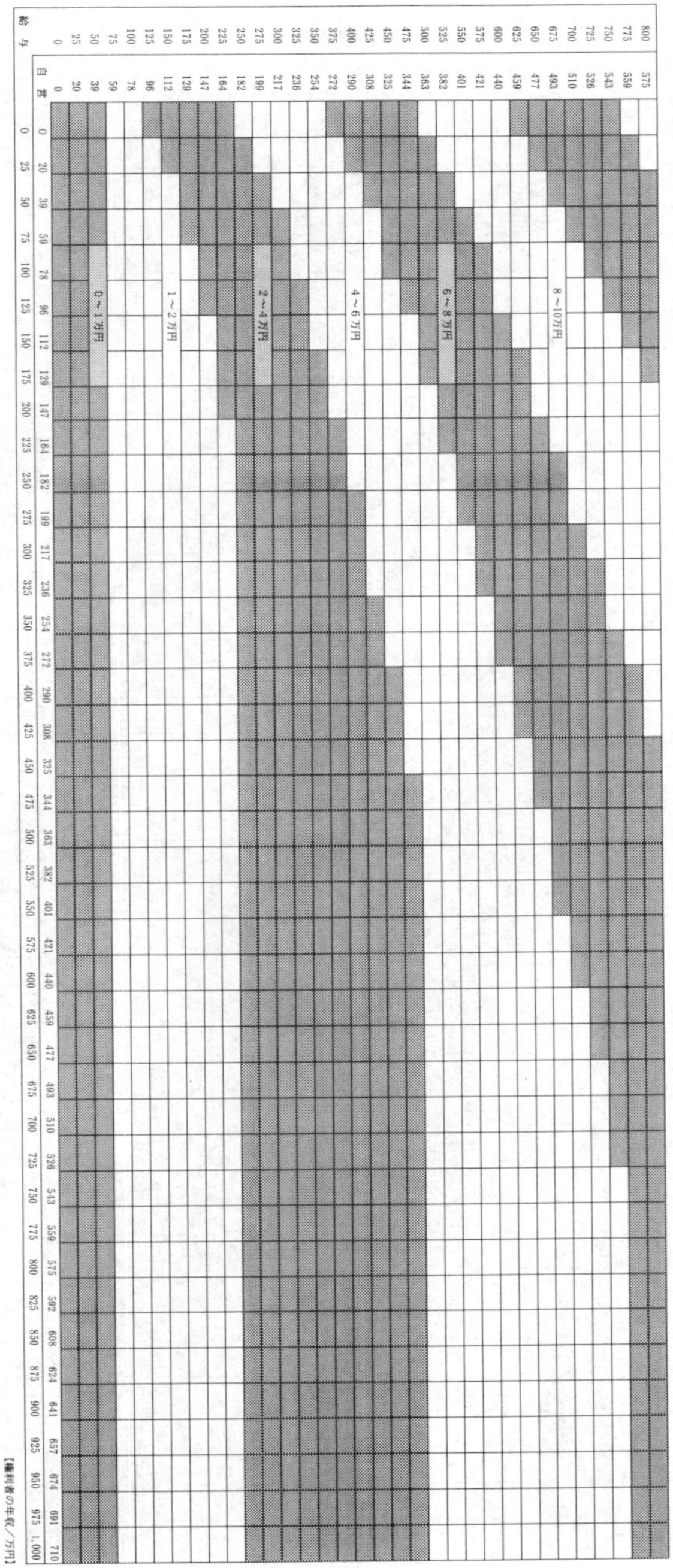
給与
自営
0～1万円
1～2万円
2～4万円
4～6万円
6～8万円
8～10万円
【権利者の年収／万円】

表4　養育費・子2人表(第1子15~19歳、第2子0~14歳)

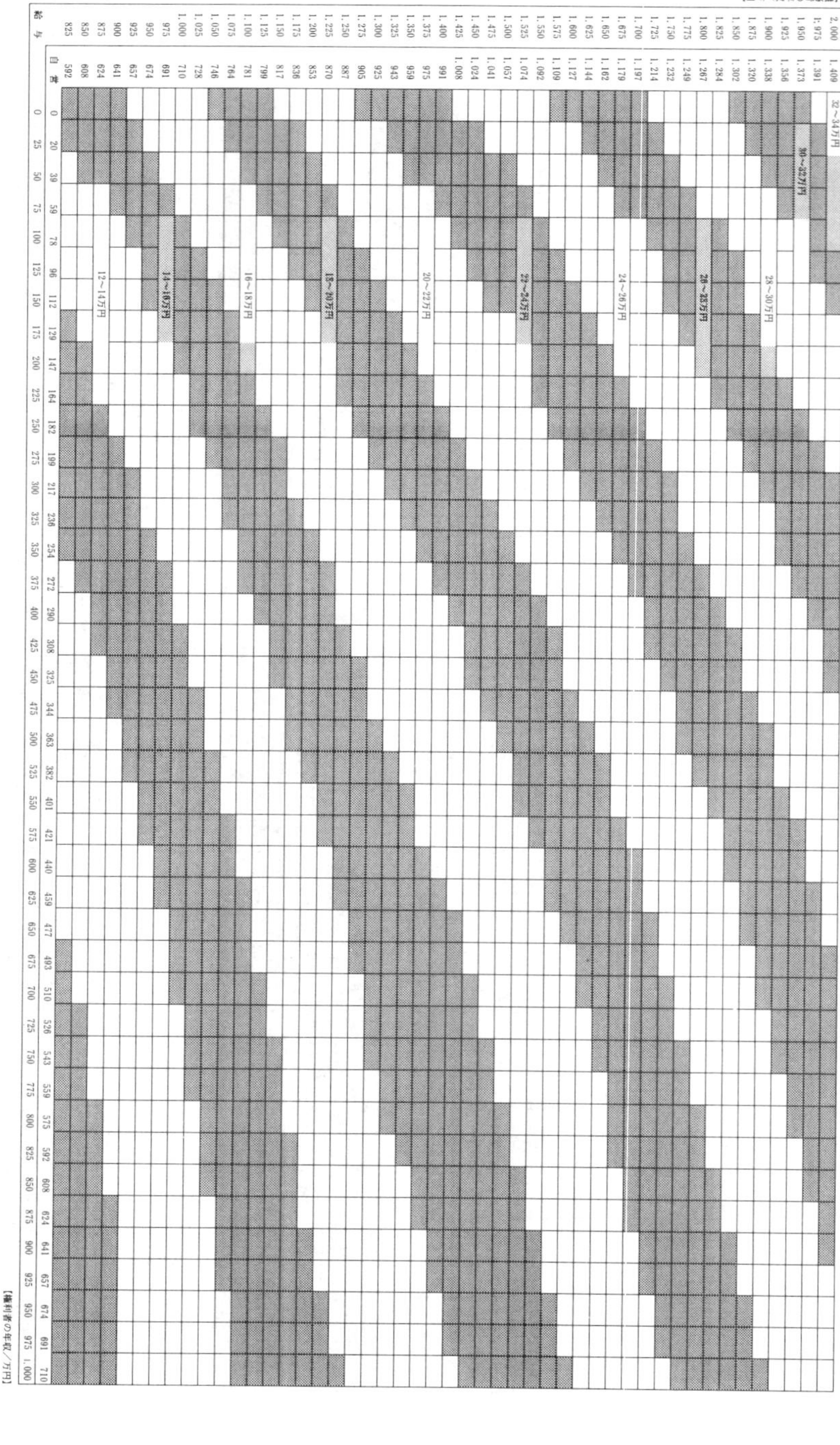

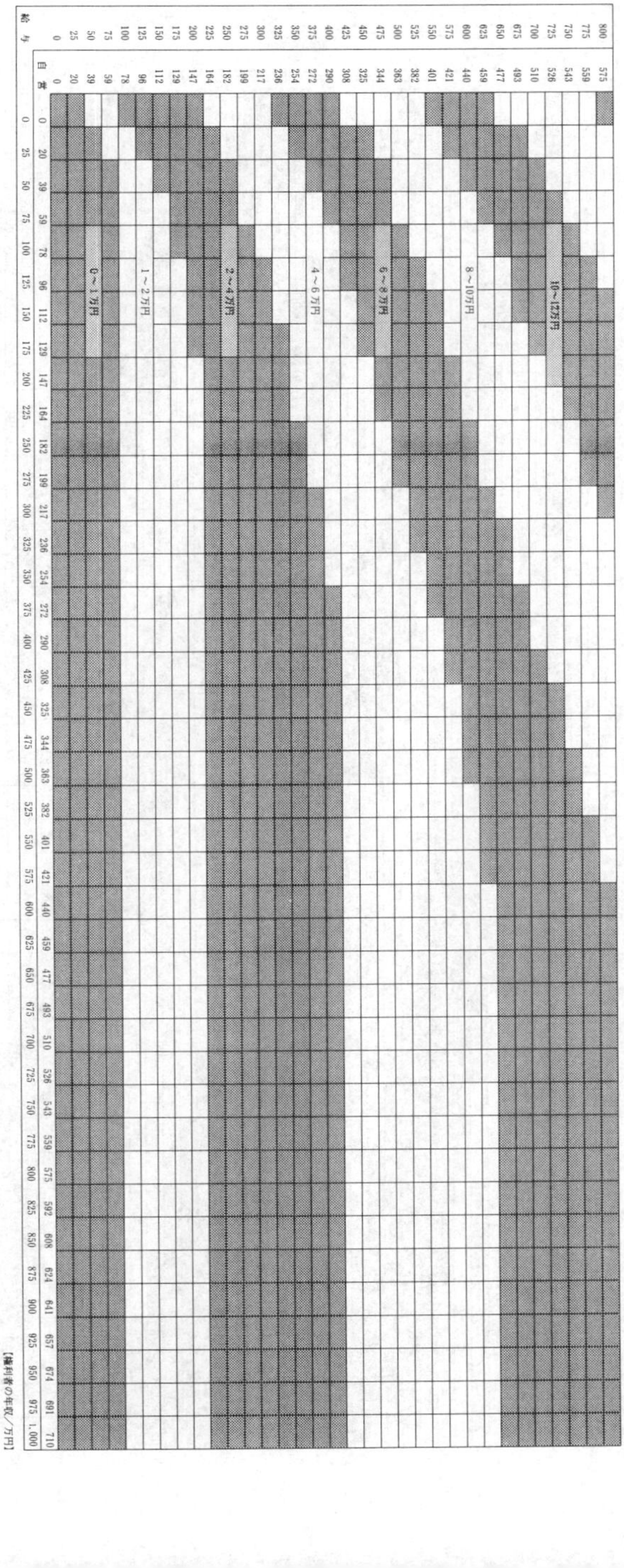
0～1万円
1～2万円
2～4万円
4～6万円
6～8万円
8～10万円
10～12万円
給与
自営
【権利者の年収／万円】

表5　養育費・子2人表（第1子及び第2子15～19歳）

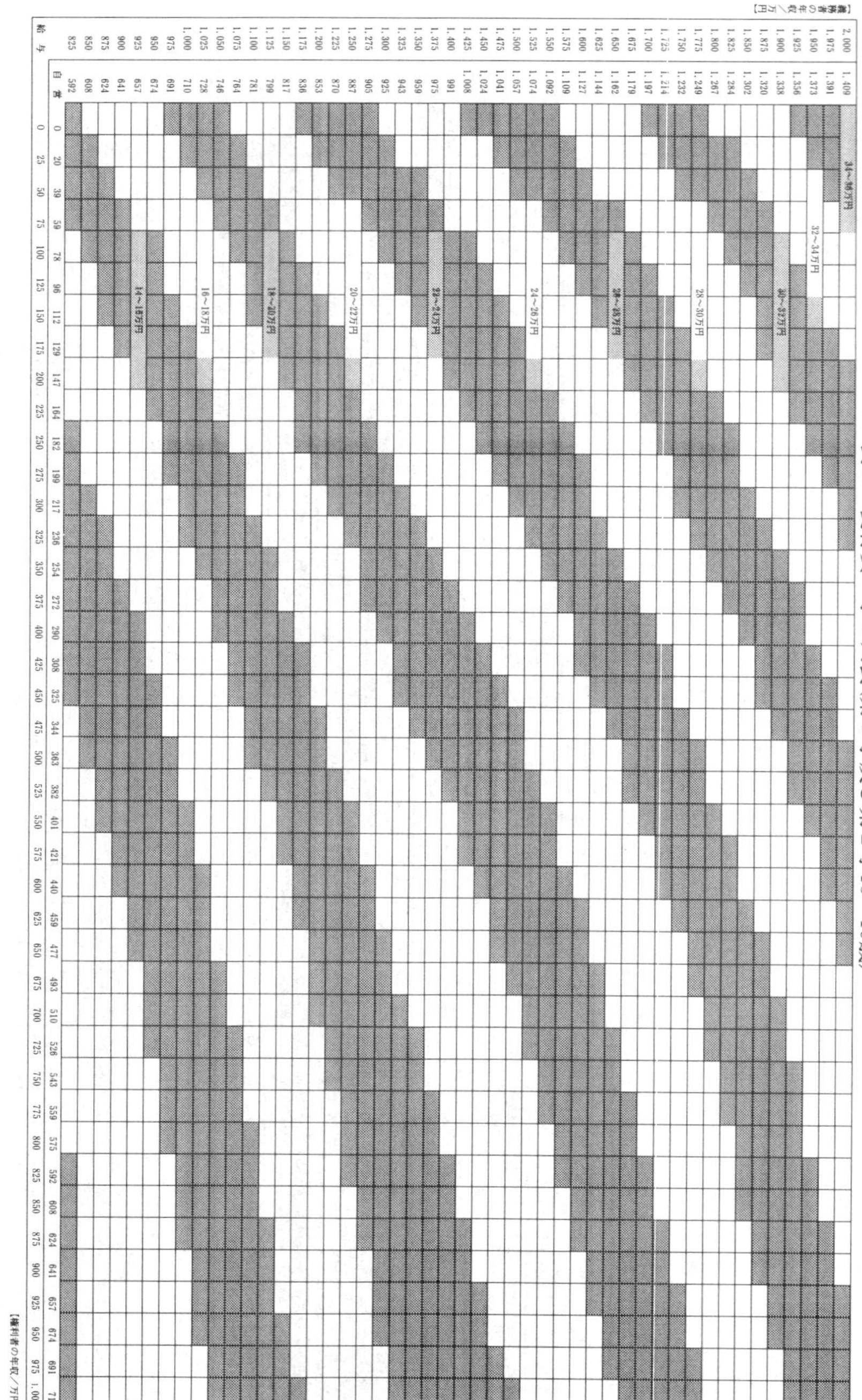

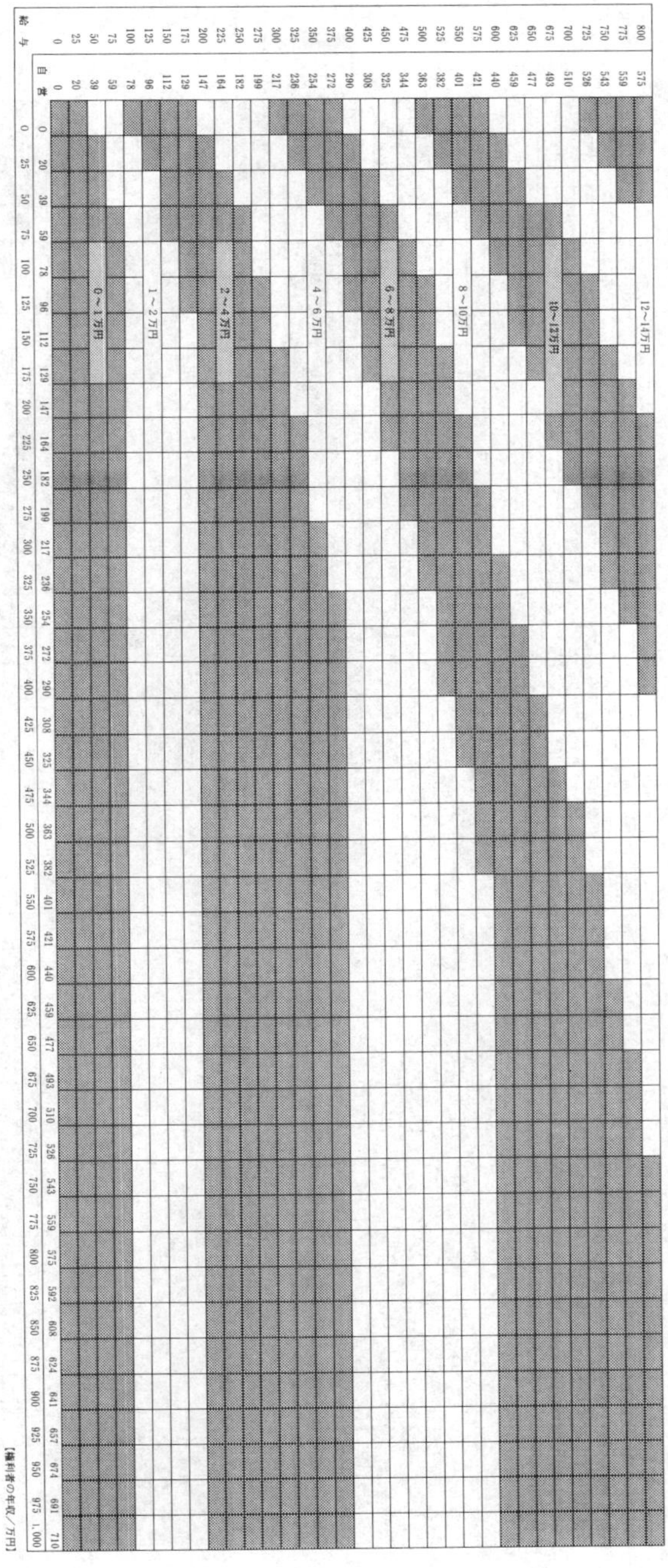
給与
自営
0 25 50 75 100 125 150 175 200 225 250 275 300 325 350 375 400 425 450 475 500 525 550 575 600 625 650 675 700 725 750 775 800
0 20 39 59 78 96 112 129 147 164 182 199 217 236 254 272 290 308 325 344 363 382 401 421 440 459 477 493 510 526 543 559 575
0～1万円
1～2万円
2～4万円
4～6万円
6～8万円
8～10万円
10～12万円
12～14万円
0 25 50 75 100 125 150 175 200 225 250 275 300 325 350 375 400 425 450 475 500 525 550 575 600 625 650 675 700 725 750 775 800 825 850 875 900 925 950 975 1,000
0 20 39 59 78 96 112 129 147 164 182 199 217 236 254 272 290 308 325 344 363 382 401 421 440 459 477 493 510 526 543 559 575 592 608 624 641 657 674 691 710
【権利者の年収／万円】

表6　養育費・子3人表(第1子、第2子及び第3子0～14歳)

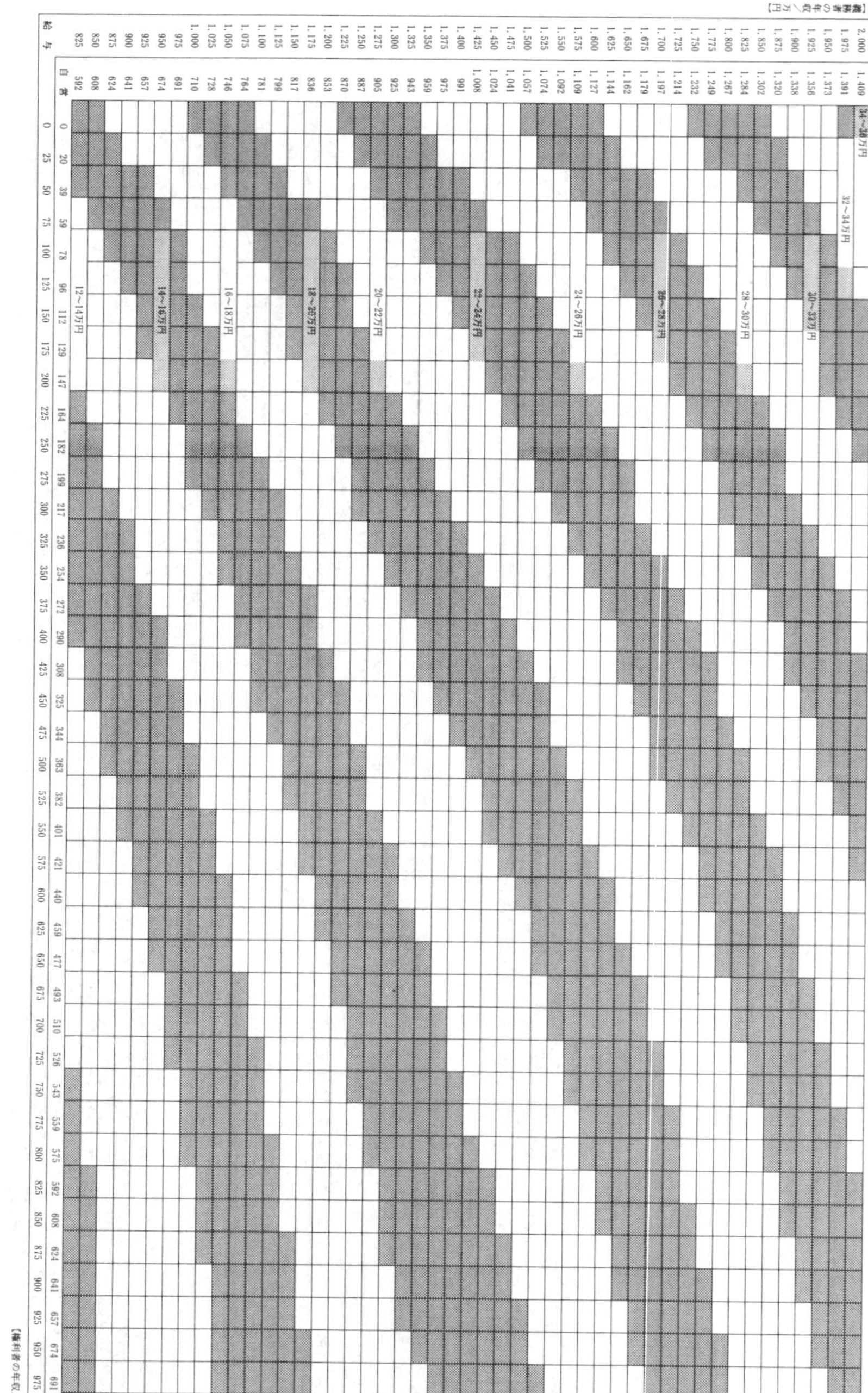

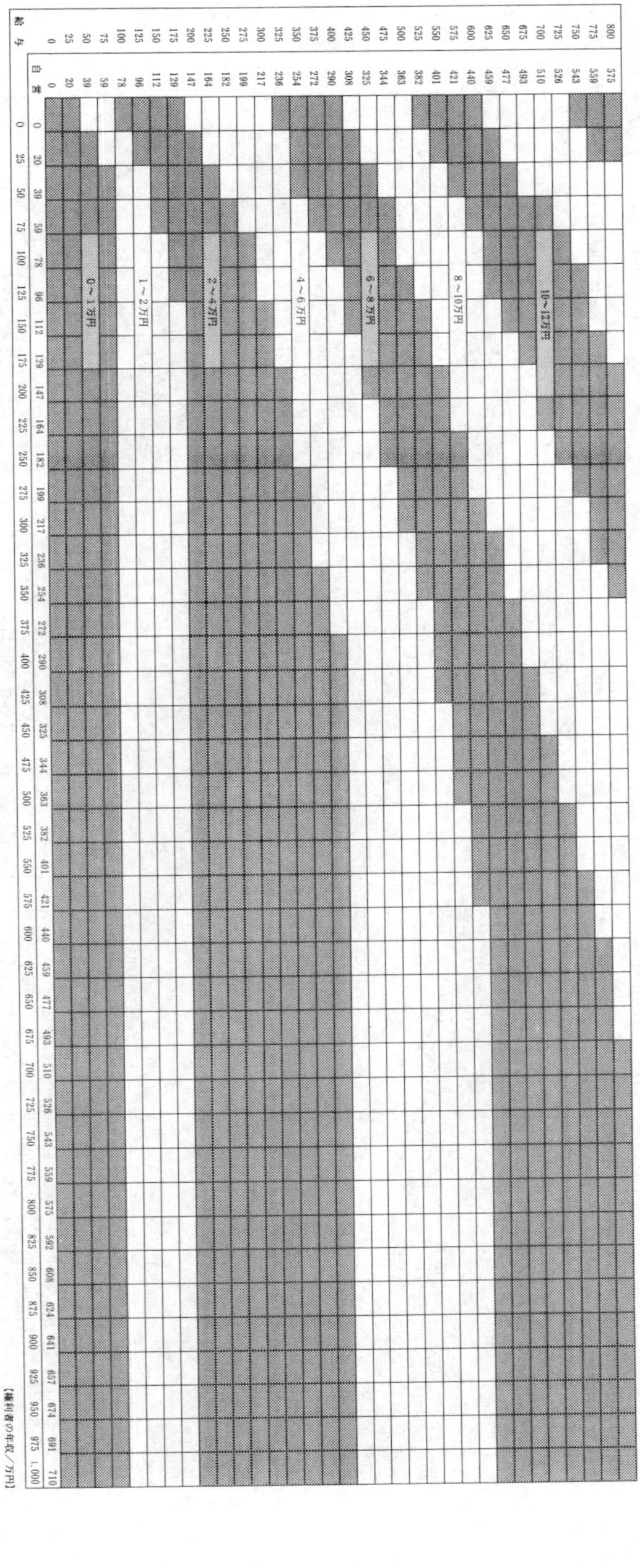
0～1万円
1～2万円
2～4万円
4～6万円
6～8万円
8～10万円
10～12万円
給与
自営
【権利者の年収／万円】

表７　養育費・子３人表(第１子15～19歳、第２子及び第３子０～14歳)

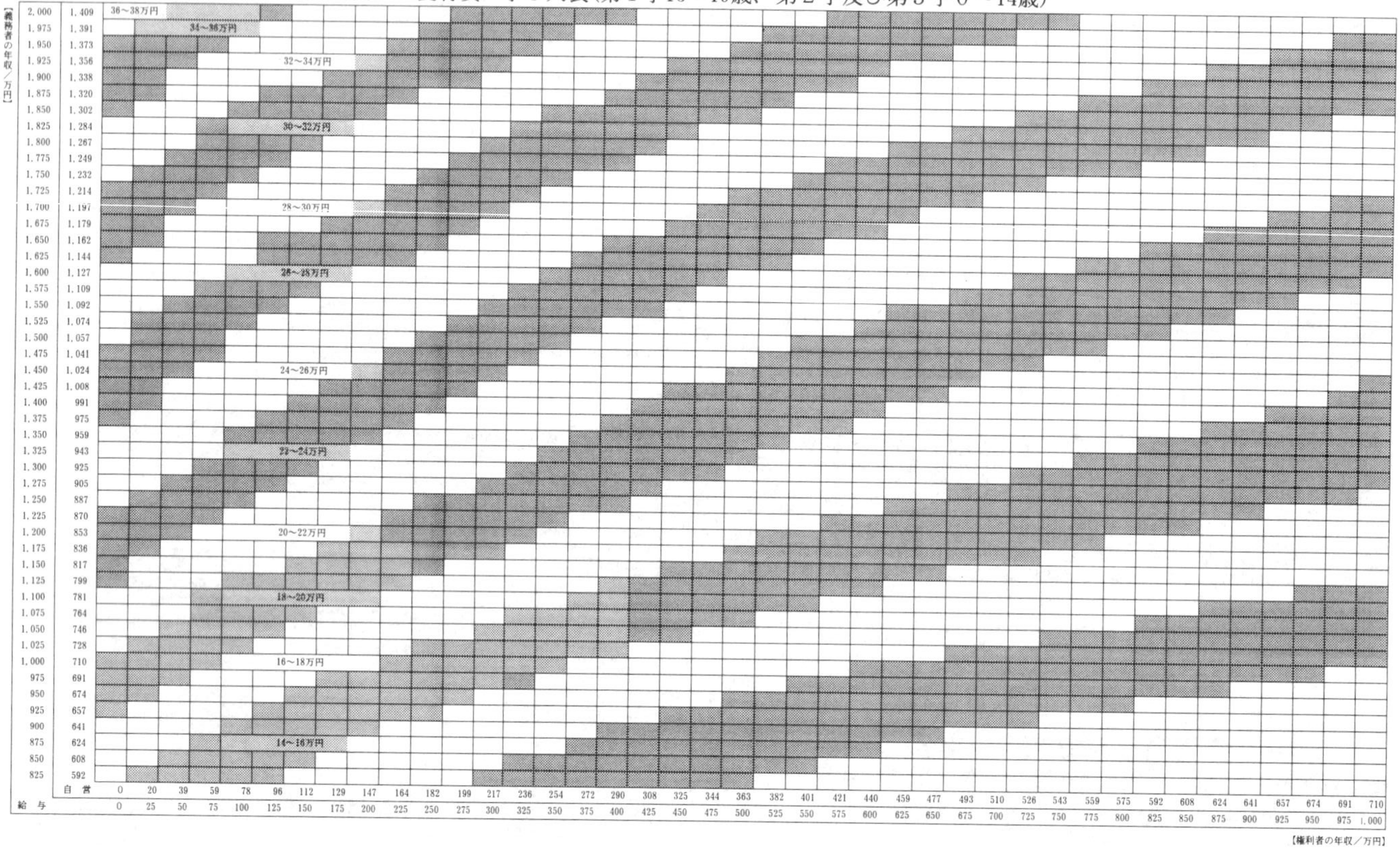

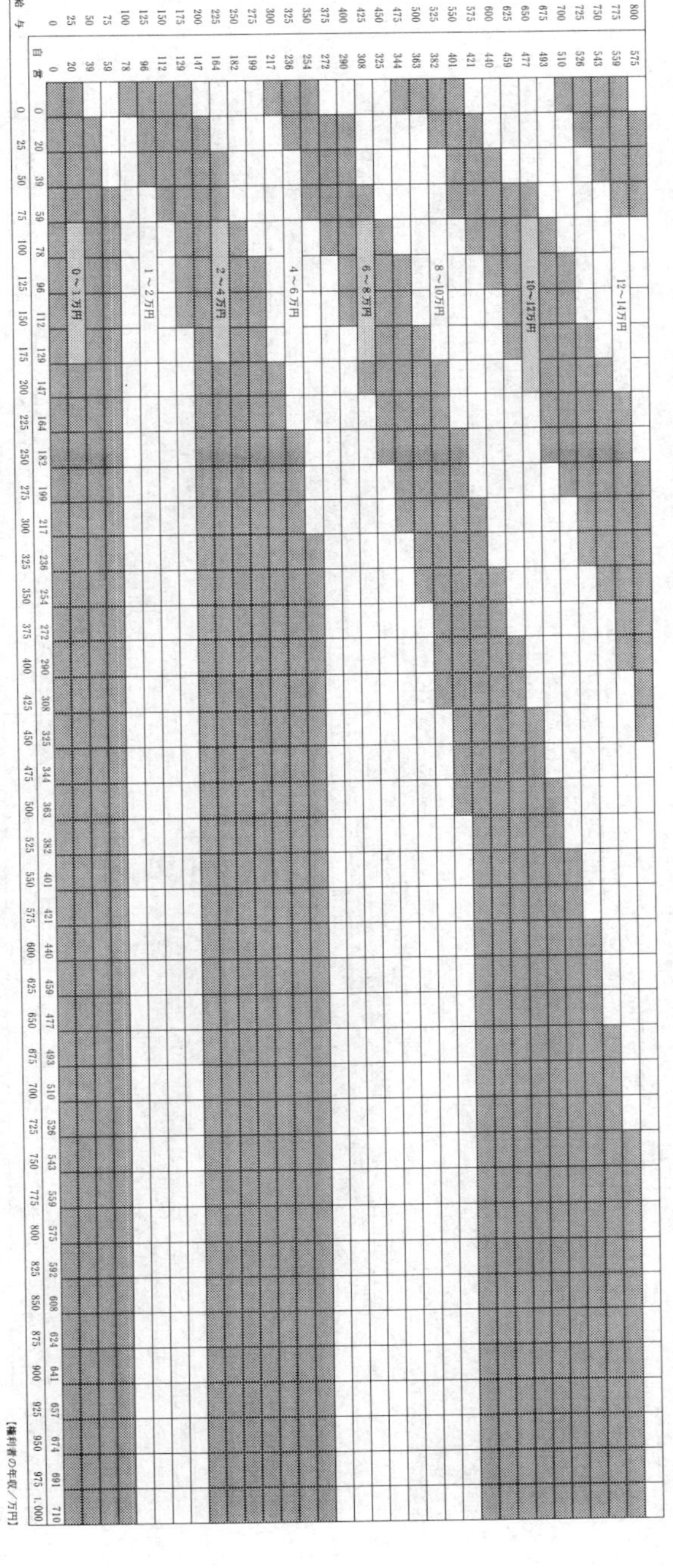
0〜1万円
1〜2万円
2〜4万円
4〜6万円
6〜8万円
8〜10万円
10〜12万円
12〜14万円
給与
自営
0 25 50 75 100 125 150 175 200 225 250 275 300 325 350 375 400 425 450 475 500 525 550 575 600 625 650 675 700 725 750 775 800
0 20 39 59 78 96 112 129 147 164 182 199 217 236 254 272 290 308 325 344 363 382 401 421 440 459 477 493 510 526 543 559 575
0 25 50 75 100 125 150 175 200 225 250 275 300 325 350 375 400 425 450 475 500 525 550 575 600 625 650 675 700 725 750 775 800 825 850 875 900 925 950 975 1,000
0 20 39 59 78 96 112 129 147 164 182 199 217 236 254 272 290 308 325 344 363 382 401 421 440 459 477 493 510 526 543 559 575 592 608 624 641 657 674 691 710
【権利者の年収／万円】

表8　養育費・子3人表(第1子及び第2子15~19歳、第3子0~14歳)

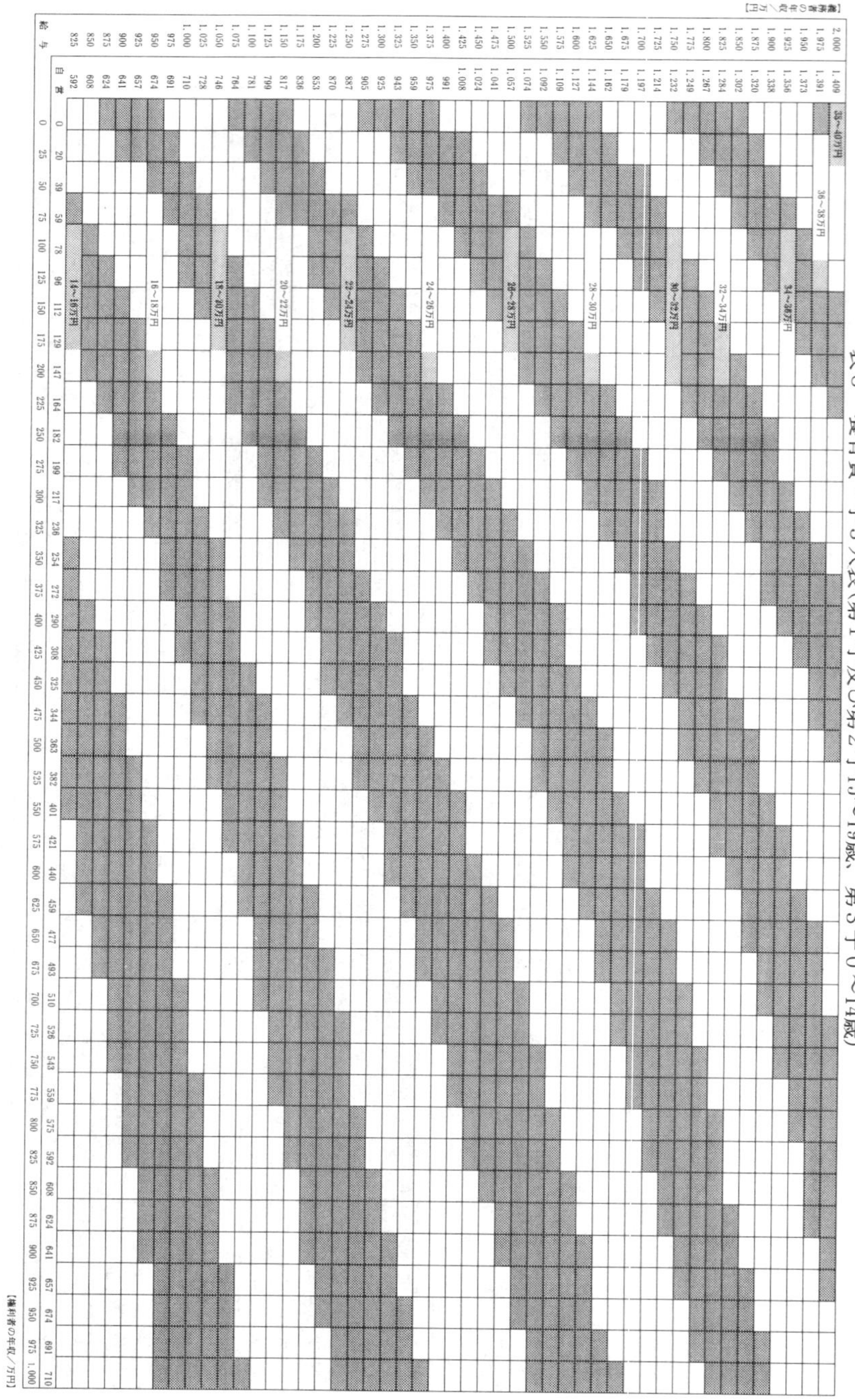

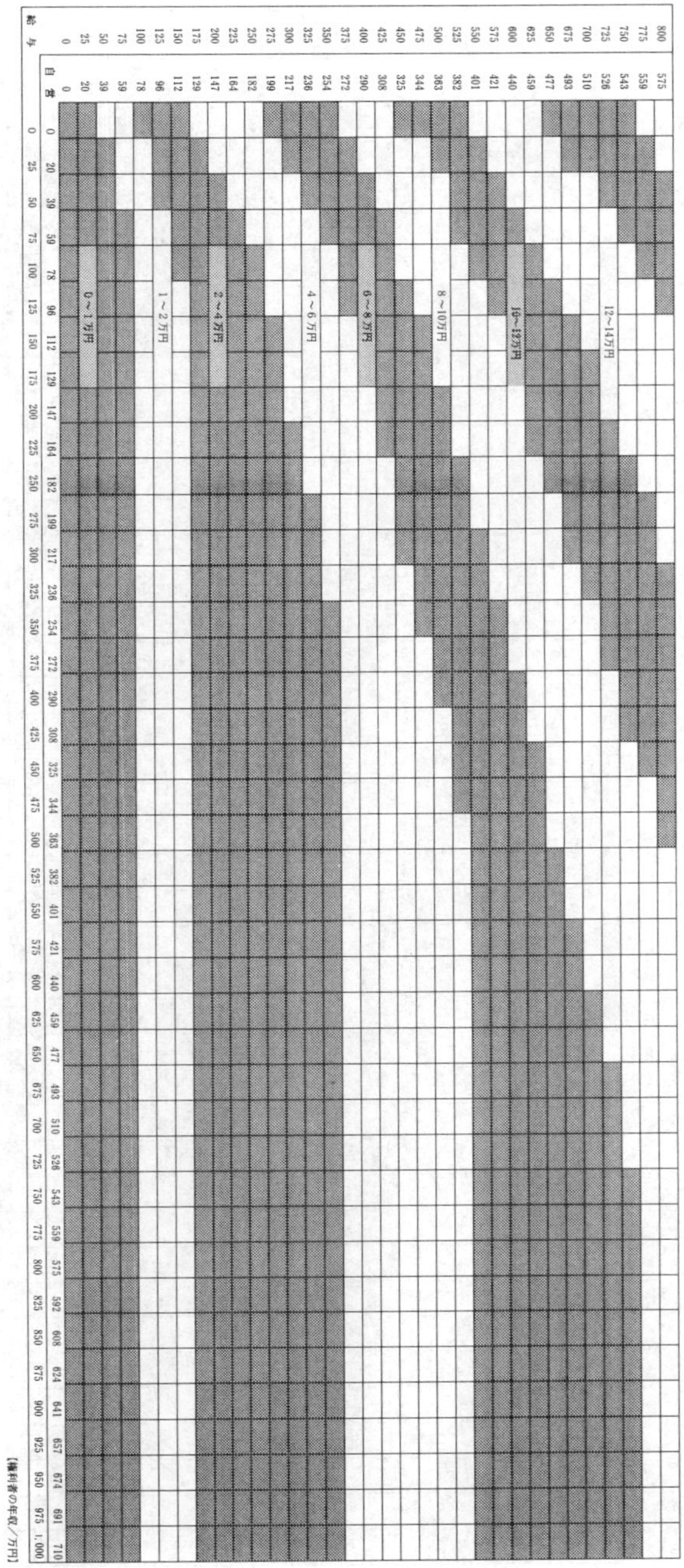
0～1万円
1～2万円
2～4万円
4～6万円
6～8万円
8～10万円
10～12万円
12～14万円
給与
自営
【権利者の年収／万円】

表9　養育費・子3人表(第1子、第2子及び第3子15～19歳)

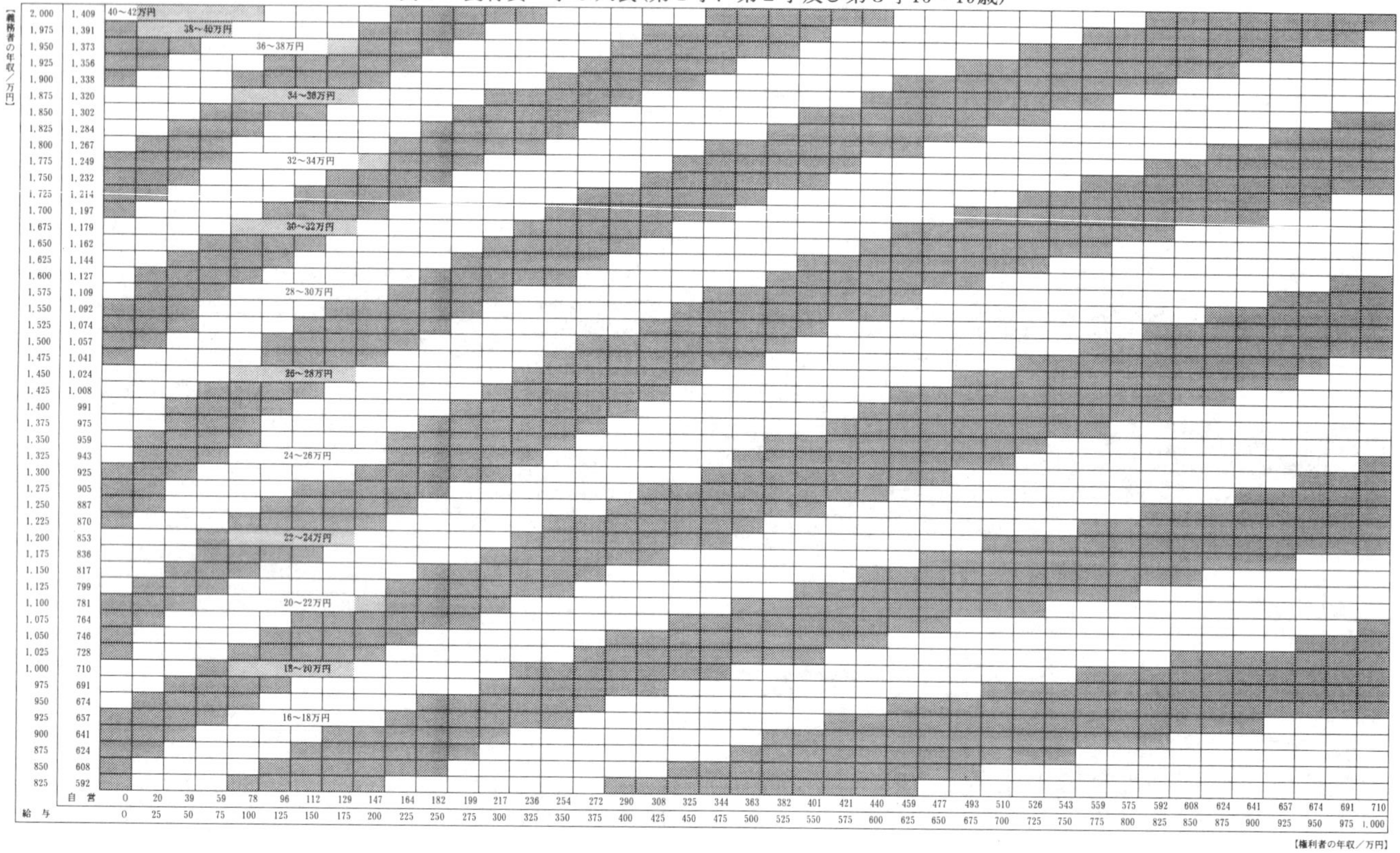

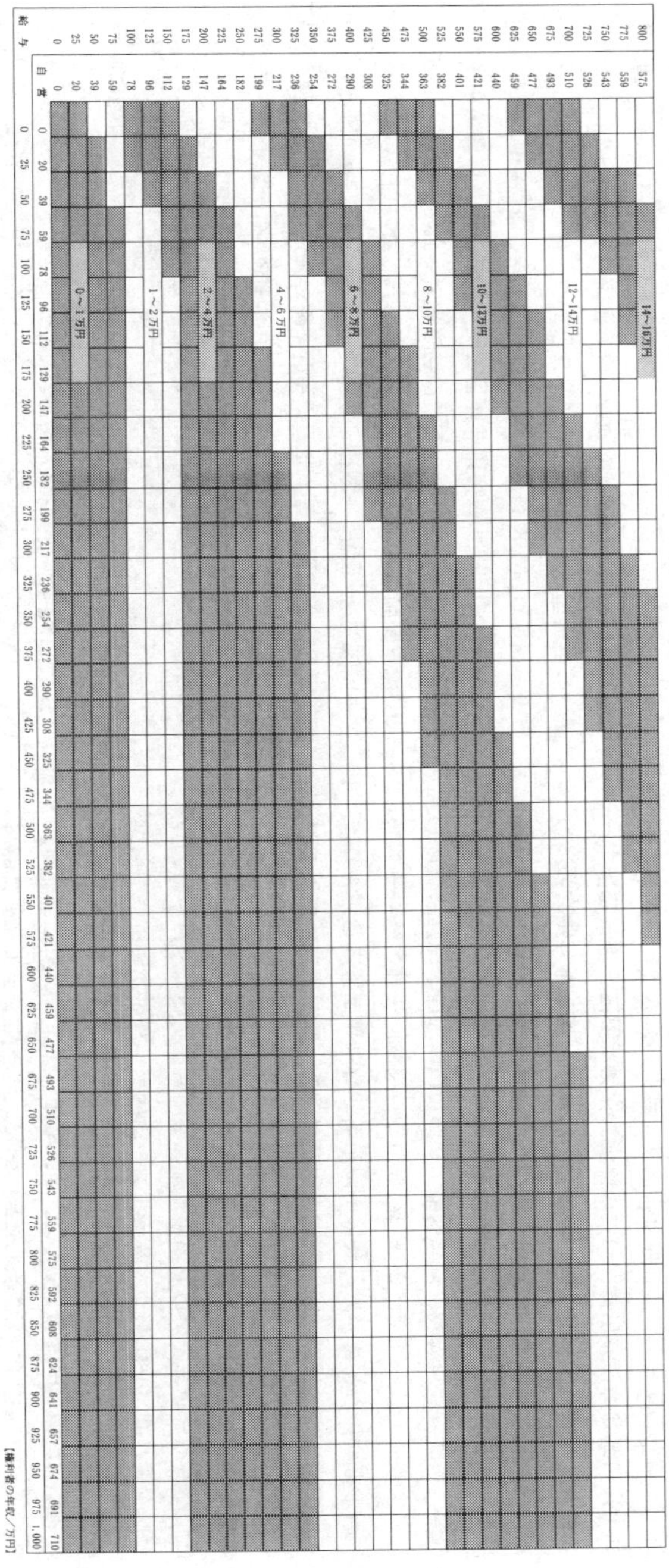
給与
自営
0～1万円
1～2万円
2～4万円
4～6万円
6～8万円
8～10万円
10～12万円
12～14万円
14～16万円
【権利者の年収／万円】

○児童扶養手当の認定請求、所得状況届及び現況届における一六歳以上一九歳未満の控除対象扶養親族の数の認定方法について

〔平成三十年九月二十八日　子家発〇九二八第三号
各都道府県民生主管部(局)長宛　厚生労働省子ども家庭局家庭福祉課長通知〕

〔改正経過〕

第一次改正〔令和元年五月二九日子家発〇五二九第一号〕
第二次改正〔令和元年七月一日子家発〇七〇一第三号〕
第三次改正〔令和二年一二月二五日子家発一二二五第一号〕
第四次改正〔令和三年一〇月二七日子家発一〇二七第一号〕

今般、「生活困窮者等の自立を促進するための生活困窮者自立支援法等の一部を改正する法律の施行に伴う厚生労働省関係省令の整備等に関する省令」（平成三十年厚生労働省令第百十七号）が平成三十年九月二十八日に公布され、順次施行されることに伴い、児童扶養手当の認定請求、所得状況届及び現況届における一六歳以上一九歳未満の控除対象扶養親族（所得税法（昭和四十年法律第三十三号）に規定する控除対象扶養親族をいう。以下同じ。）の数の認定について、その事務処理方法を左記のとおり定めたので、内容について御了知いただくとともに、その取扱いに遺漏のないよう管内市区町村あて周知方お願いする。

なお、「児童扶養手当の認定請求及び現況届における一六歳以上一九歳未満の控除対象扶養親族の数の認定方法について」（平成二十四年六月二十一日付事務連絡）は、平成三十年十月一日をもって廃止する。

記

⑴　一六歳以上一九歳未満の控除対象扶養親族を有する請求者又は受給者は、児童扶養手当認定請求書（以下「認定請求書」という。）、児童扶養手当所得状況届（以下「所得状況届」という。）又は児童扶養手当現況届（以下「現況届」という。）の所定の欄に、一六歳以上一九歳未満の控除対象扶養親族の数を記載するとともに、児童扶養手当法施行規則（昭和三十六年厚生省令第五十一号）第一条第七号ニ⑴に掲げる「当該控除対象扶養親族の数を明らかにすることができる書類」として、一六歳以上一九歳未満の控除対象扶養親族の氏名、個人番号、続柄、生年月日及び別居の場合の住所を記載した申立書（様式例は、別添参照）を提出する。なお、一六歳以上一九歳未満の控除対象扶養親族の数を公簿により確認できる場合は、当該申立書の提出を省略することができる。

⑵　公簿又は所得証明書における、控除対象扶養親族の数から、特定扶養親族の数及び老人扶養親族の数を控除した数の範囲内で、認定請求書、所得状況届又は現況届に記載された一六歳以上一九歳未満の控除対象扶養親族の数及び⑴の申立書と、当該申立書に一六歳以上一九歳未満の控除対象扶養親族として記載された者の前年（一月から九月までの請求は、前々年。以下同じ。）の所得により、一六

歳以上一九歳未満の控除対象扶養親族の数を認定する。この場合において、控除対象扶養親族の前年の所得については、所得税法に規定する合計所得金額が四八万円以下であることが必要である。

(3) (1)の申立書に一六歳以上一九歳未満の控除対象扶養親族として記載された者（以下「記載された者」という。）の前年の所得の額については、次の方法により確認する。

① 記載された者が前年に就労していた等により前年に収入がある場合は、公簿又は所得証明書により前年の所得の額を確認する。記載された者が未申告の場合は、申告義務がある者には申告を求め、申告義務のない者については、公簿又は所得証明書により前年の所得の額を確認できない場合は前年の所得がないものと取り扱うこととする。

② 記載された者が前年に就労していなかった等により前年に収入がない場合は、前年の所得がないものと取り扱うこととする。

（別　添）

申立書様式例

16歳以上19歳未満の控除対象扶養親族に関する申立書

（認定請求書・所得状況届・現況届用）

○　私の所得税法上の扶養親族のうち、前年（１月から９月までの間に認定請求書を提出する場合は、前々年）の12月31日において年齢が16歳以上19歳未満であった者について、以下のとおり申し立てます。

	16歳以上19歳未満の控除対象扶養親族				
	フリガナ 氏名	個人番号	続柄	生年月日	別居の場合の住所
1				平成・令和　　年 月　　日	
2				平成・令和　　年 月　　日	
3				平成・令和　　年 月　　日	
4				平成・令和　　年 月　　日	

（注意事項）

○　この申立書は、「児童扶養手当認定請求書」、「児童扶養手当所得状況届」又は「児童扶養手当現況届」を提出する方が、前年（１月から９月までの間に認定請求書を提出する場合は、前々年）の12月31日（年の途中で死亡した場合には、その死亡の日）において年齢が16歳以上19歳未満の所得税法上の扶養親族がある場合に、ご記入いただくものです。

（参考）平成30年12月31日において年齢が16歳以上19歳未満の方：平成12年１月２日から平成15年１月１日までの間に生まれた方

○　所得税法上の扶養親族とは、前年（１月から９月までの間に認定請求書を提出する場合は、前々年）の12月31日（年の途中で死亡した場合には、その死亡の日）において、次のいずれにも該当する方をいいます。

①　配偶者以外の親族（６親等内の血族及び３親等内の姻族）か、都道府県等から養育を委託された児童（いわゆる里子）である

②　あなたと生計を一にしている

③　前年（１月から９月までの間に認定請求書を提出する場合は、前々年）分の所得税法上の合計所得金額が48万円以下である

④　青色申告者の事業専従者として給与の支払を受けていない又は白色申告者の事業専従者でない

○　記入欄が足りない場合は、子の氏名等を複数枚の申立書に分けてご記入ください。

この申立書により申し出る16歳以上19歳未満の控除対象扶養親族の人数は、所得税及び住民税における内容と相違ありません。

令和　　年　　月　　日

住所＿＿＿＿＿＿＿＿＿＿＿＿＿＿＿＿

氏名＿＿＿＿＿＿＿＿＿＿＿＿＿＿＿＿

○児童扶養手当の認定請求、所得状況届及び現況届における同一生計配偶者の把握方法について

〔令和元年七月一日　子家発〇七〇一第一号
各都道府県民生主管部(局)長宛　厚生労働省子ども家庭局家庭福祉課長通知〕

〔改正経過〕
第一次改正　〔令和二年一二月二五日子家発一二二五第一号〕
第二次改正　〔令和三年一〇月二七日子家発一〇二七第一号〕

児童扶養手当に係る事務につきまして、日頃より御尽力賜り御礼申し上げます。

平成二十九年度税制改正において、配偶者控除及び配偶者特別控除の見直しが行われ、その中で「控除対象配偶者」の定義を改め、新たに「同一生計配偶者」の定義が置かれました。これに伴い、児童扶養手当の支給については、所得制限の判定に当たって「控除対象配偶者」ではなく「同一生計配偶者」を用いることとし、本年十一月以後の月分の児童扶養手当の支給の制限から適用されます。

今般、これらの改正に伴い、確定申告・住民税申告のいずれも提出がない者で合計所得金額一〇〇〇万円超の者（配偶者が障害者である場合を除く。）の同一生計配偶者の有無については、税務部局で把握をすることができない場合があるため、児童扶養手当の支給に当たって新たに確認を行う必要があります。ついては、「同一生計配偶者」の有無の確認に当たって、今後、特に御留意・御対応いただきたい点を左記に取りまとめるとともに、情報連携により確認を行う場合の対応についても、総務省より示された「平成三十一年以降のデータ標準レイアウト等における同一生計配偶者の取扱いについて」（平成三十年十二月二十七日付け総務省自治税務局市町村税課事務連絡）（別添1）を参考に、（別紙）に記載したので、各都道府県におかれましては、内容について御了知の上、管内市区町村へ周知していただくようお願いいたします。

記

児童扶養手当認定請求書、児童扶養手当所得状況届又は児童扶養手当現況届においては、以下を参考に、同一生計配偶者の有無を確認すること。

1　児童扶養手当法（昭和三十六年法律第二百三十八号。以下「法」という。）第九条又は第九条の二に規定する受給資格者の同一生計配偶者の有無について

(1)　受給資格者の前年（一月から九月までの間に請求する者については、前々年。以下同じ。）の所得（所得税法（昭和四十年法律第三十三号）上の合計所得金額をいう。以下同じ。）が一〇〇〇万円以下の場合

公簿等又は所得証明書において、「控除対象配偶者」とあれば「同一生計配偶者」が、また、「老人控除対象配偶者」とあれば「七〇歳以上の同一生計配偶者」が有ることを確認できる。

(2)　受給資格者の前年の所得が一〇〇〇万円超の場合

児童扶養手当の認定請求、所得状況届及び現況届における同一生計配偶者の把握方法について

受給資格者の配偶者について、受給資格者と民法上の婚姻関係にあること、生計を一にすること並びに前年の所得及び前年の十二月三十一日現在の年齢を確認し、以下の要件①のみを満たす場合は「同一生計配偶者」が、また、要件①及び②を満たす場合は「七〇歳以上の同一生計配偶者」が有ることを確認できる。なお、要件①を満たさない場合はいずれも該当なしとなる。

① 受給資格者と配偶者が民法上の婚姻関係にあり、生計を一にし、かつ配偶者の前年の所得が四八万円以下であること

② 配偶者の前年の十二月三十一日時点の年齢が七〇歳以上であること

(3) (2)において、配偶者の前年の所得の額については、次の方法により確認する。

① 当該者が前年に就労していた等により前年に収入がある場合は、公簿又は所得証明書により前年の所得の額を確認する。当該者が未申告の場合は、申告義務がある者には申告を求め、申告義務のない者については、公簿又は所得証明書により前年の所得の額を確認できない場合は前年の所得がないものと取り扱うこととする。

② 当該者が前年に就労していなかった等により前年に収入がない場合は、前年の所得がないものと取り扱うこととする。

2 法第十条又は第十一条に規定する配偶者又は扶養義務者の同一生計配偶者の有無について

「受給資格者」を「配偶者又は扶養義務者」と読み替え、1(1)、(2)①、(3)と同様の方法で確認すること。

(留意事項)

・ 公簿等又は所得証明書において「同一生計配偶者」の有無を直接確認することができる場合は、この限りではない。

・ 前記1(2)①②については、児童扶養手当法施行規則（昭和三十六年厚生省令第五十一号）第一条第七号イ及び第八号イに掲げる「やむを得ない理由により～当該事実を明らかにすることができる書類」として、申立書（別添2：様式例）を活用した上で、公簿等により内容を確認すること。

別添1 略

(別紙)

情報連携による同一生計配偶者の把握方法

1 児童扶養手当法（昭和三十六年法律第二百三十八号。以下「法」という。）第九条又は第九条の二に規定する受給資格者、法第十条又は第十一条に規定する配偶者又は扶養義務者（以下「受給資格者等」という。）のマイナンバーを元に、地方税部局に対して情報照会を行い、データ項目「配偶者控除等」のコード値を確認する。

2 1により確認したコード値に応じて、それぞれ以下のとおり処理をする。

(1) コード値が「0　初期値」である場合

① 受給資格者等のデータ項目「合計所得金額」を確認する。

イ 受給資格者等の前年（一月から九月までの間に請求する者については、前々年。以下同じ。）の合計所得金額が一〇〇

〇万円以下である場合、同一生計配偶者は無いことが確認できる。

ロ　受給資格者等の前年の合計所得金額が一〇〇〇万円超の場合、左記③について確認を行う。

②　受給資格者等の配偶者（以下「配偶者」という。）のマイナンバーを元に地方税部局に対して情報照会を行い、データ項目「合計所得金額」を確認する。

イ　配偶者の前年の合計所得金額が四八万円超の場合、同一生計配偶者は無いことが確認できる。

ロ　配偶者の前年の合計所得金額が四八万円以下又は所得情報なしである場合、さらに左記③について確認を行う。

③　必要に応じて申立書（別添２：様式例）を活用した上で、公簿等により、受給資格者等と配偶者が民法上の婚姻関係にあること、生計を一にすること及び配偶者の前年の十二月三十一日時点の年齢を確認する。

生計を一にし、七〇歳未満である場合には「同一生計配偶者」、七〇歳以上の場合は「同一生計配偶者（七〇歳以上に限る。）」が有ることを確認できる。

(2)　コード値が「1　一般の控除対象配偶者」である場合

受給資格者等に「同一生計配偶者」が有ることを確認できる。

(3)　コード値が「2　老人控除対象配偶者」である場合

受給資格者等に「同一生計配偶者（七〇歳以上に限る。）」が有ることを確認できる。

(4)　コード値が「3　控除対象配偶者を除く同一生計配偶者」である場合

公簿等又は申立書（様式例参照）により、配偶者の前年の十二月三十一日現在の年齢を確認し、七〇歳未満である場合には「同一生計配偶者」、七〇歳以上の場合は「同一生計配偶者（七〇歳以上に限る。）」が有ることを確認できる。

（別添２：様式例）

児童扶養手当における同一生計配偶者に関する申立書
（認定請求書・所得状況届・現況届用）

（申立先）
○○都道府県知事（福祉事務所長）
○○市町村長　　　（福祉事務所長）　殿

【申立人】（児童扶養手当の請求者）
氏　名

私は、前年（１月から９月までの間に認定請求書を提出する場合は、前々年）の12月31日時点における、所得税法（昭和40年法律第33号）に規定する同一生計配偶者に関する事項について、申し立てます。

記

１　同一生計配偶者を有する者について
（該当する番号をチェックしてください。）
□　①　申立人と同一
□　②　申立人の配偶者
氏名：＿＿＿＿＿＿＿＿＿＿＿＿
□　③　申立人の扶養義務者（注１）
氏名：＿＿＿＿＿＿＿＿＿＿＿＿
□　④　同一生計配偶者を有する者はいない（２の記入は不要です）

２　１の者の配偶者について
（１の②に該当する場合は、以下の記入を省略できます。）

氏名		性別	男・女
個人番号 （１の③に該当する場合のみ）		生年月日 （注２）	年　月　日生（　歳）
別居の場合の住所			

（注１）　民法（明治29年法律第89号）第877条第１項に定める扶養義務者で、届出者と生計を同じくするもの（父母、祖父母、子、孫などの直系血族と兄弟姉妹）をいいます。
（注２）　前年（１月から９月までの間に認定請求書を提出する場合は、前々年）の12月31日時点（当該年の途中で死亡した場合には、その死亡の日）の年齢を記入してください。

(注意事項)

○　この申立書は、「児童扶養手当認定請求書」、「児童扶養手当所得状況届」又は「児童扶養手当現況届」を提出する方、その方の配偶者、又はその方の扶養義務者の、前年（１月から９月までの間に認定請求書を提出する場合は、前々年）の12月31日（当該年の途中で死亡した場合には、その死亡の日）における同一生計配偶者の有無について、公簿等又は所得証明書で確認できない場合に、ご記入いただくものです。

○　所得税法に規定する同一生計配偶者とは、前年（１月から９月までの間に認定請求書を提出する場合は、前々年）の12月31日（当該年の途中で死亡した場合には、その死亡の日）において、次のいずれにも該当する方をいいます。

①　民法の規定による配偶者である（内縁関係の人は該当しません）

②　生計を一にしている

③　前年（１月から９月までの間に認定請求書を提出する場合は、前々年）分の所得税法上の合計所得金額が48万円以下である

④　青色申告者の事業専従者として給与の支払を受けていない又は白色申告者の事業専従者ではない

○児童扶養手当法第十三条の三の規定に基づく一部支給停止措置及び一部支給停止措置適用除外に係る事務について

〔平成二十年三月三十一日　雇児福発第〇三三一〇〇一号
各都道府県民生主管部(局)長宛　厚生労働省雇用均等・児童家庭局家庭福祉課長通知〕

〔改正経過〕

第一次改正〔平成二四年六月二〇日雇児福発〇六二〇第一号〕
第二次改正〔平成二六年九月三〇日雇児福発〇九三〇第三号〕
第三次改正〔平成二八年八月一日雇児福発〇八〇一第一号〕
第四次改正〔平成三〇年九月二八日子家発〇九二八第二号〕
第五次改正〔令和元年五月二九日子家発〇五二九第一号〕
第六次改正〔令和二年三月二四日子家発〇三二四第一号〕
第七次改正〔令和二年一二月二五日子家発一二二五第一号〕

児童扶養手当については、児童扶養手当法（昭和三十六年法律第二百三十八号。以下「法」という。）第十三条の三第一項の規定に基づき、児童扶養手当の支給開始月の初日から起算して五年又は手当の支給要件に該当するに至った日の属する月の初日から起算して七年を経過したとき（法第六条第一項の規定による認定の請求をした日において三歳未満の児童を監護する受給資格者にあっては、当該児童が三歳に達した日の属する月の翌月の初日から起算して五年を経過したとき）は、手当の一部を支給停止することとされている。

この一部支給停止措置に関しては、児童扶養手当法施行令の一部を改正する政令（平成二十年政令第二十三号）及び児童扶養手当法施行規則の一部を改正する省令（平成二十年厚生労働省令第十二号）が、それぞれ二月八日に公布・施行され、一部支給停止の額、一部支給停止措置が適用されない事由及びその具体的な手続き等が定められたところである。

今般、当該一部支給停止措置及び一部支給停止措置適用除外に係る事務の取扱いについて左記のとおり取りまとめたので、御了知の上、その運用に特段のご配意をお願いするとともに、都道府県においては、管内市（指定都市、中核市及び特別区を含む。）町村長に周知方お願いする。

記

Ⅰ　児童扶養手当（以下「手当」という。）の支給開始月の初日から起算して五年又は手当の支給要件に該当するに至った日の属する月の初日から起算して七年を経過（法第六条第一項の規定による認定の請求をした日において三歳未満の児童を監護する受給資格者にあっては、当該児童が三歳に達した日の属する月の翌月の初日から起算して五年を経過）する月（以下「五年等満了月」という。）を迎えると見込まれる受給資格者に係る事務について

1　五年等満了月を迎えると見込まれる受給資格者に対する一回目の事前通知

受給資格者（法第九条、第十条又は第十三条の二の規定に基づく全部支給停止が行われている受給資格者を除く。左記3の(8)を

除き、以下同じ。）は、五年等満了月の属する年（五年等満了月が一月から六月までであるときは、五年等満了月の属する年の前年とする。以下「五年等満了月の属する年又は前年」という。）の八月一日から三十一日までの間において、手当の支給機関（手当の支給機関が都道府県知事である場合は、受給資格者の住所地の町村長。以下「手当の支給機関等」という。）に来庁し、現況届と併せて、「児童扶養手当一部支給停止適用除外事由届出書」（児童扶養手当法施行規則（昭和三十六年厚生省令第五十一号。以下「規則」という。）様式第五号の三）（以下「適用除外事由届出書」という。）及び当該適用除外事由に該当することを明らかにする書類（以下「関係書類」という。）を提出することを基本とするものとする。

このため、手当の支給機関は、五年等満了月を迎えると見込まれる受給資格者に対し、五年等満了月の属する年又は前年の六月中に、「児童扶養手当の受給に関する重要なお知らせ」（様式例1の1）、適用除外事由届出書及び各種証明書類等の様式（様式例3から様式例8まで）を送付することにより、左記(1)から(4)までの内容を通知すること。

ただし、手当の支給機関が都道府県知事である場合は、受給資格者の住所地の町村長を経由すること。

なお、当該事前通知の文面については、「児童扶養手当の受給に関する重要なお知らせ」（様式例1の1）を参考にして、受給資格者に過度の不安を抱かせることのないよう配慮すること。（例えば、事前通知の標題や書き出しの文面において、一部支給停止になることが既に決まっているかのような印象を与える表現は避けられたい。）

(1)　受給資格者が平成○年○月（当該受給資格者が五年等満了月を迎えると見込まれる月を記載する。）に五年等満了月を迎える見込みであること。

(2)　五年等満了月の属する年又は前年の八月一日から三十一日までの間に、別紙1に記載する一部支給停止適用除外事由に該当する場合には、適用除外事由届出書及び関係書類を手当の支給機関等に現況届と併せて提出すること。

(3)　別紙1に記載する一部支給停止適用除外事由に該当しない場合には、五年等満了月の属する年又は前年の八月一日から三十一日までの間に、手当の支給機関等へ来庁し、その旨を申し出た上で、相談する必要があること。

(4)　前記(2)又は(3)のいずれの対応も行わない場合には、五年等満了月の翌月分より児童扶養手当の二分の一が支給停止となる可能性があること。

2　八月末日までに適用除外事由届出書及び関係書類が提出された場合の事務

前記1により事前通知を行った受給資格者のうち、五年等満了月の属する年又は前年の八月一日から三十一日までの間に適用除外事由届出書及び関係書類が提出された場合の事務は、次のとおりとする。

児童扶養手当法第十三条の三の規定に基づく一部支給停止措置及び一部支給停止措置適用除外に係る事務について

(1) 手当の支給機関等は、受給資格者が提出した適用除外事由届出書及び関係書類を受け付けること。

また、提出された書類の内容に誤りがあるとき又は著しい不備があるときは、受給資格者に対し電話等により連絡した上で、書類を返付し再提出を促すこと。

(2) 手当の支給機関でない町村長が受給資格者から書類の提出を受けた場合、当該町村長は前記(1)により書類の内容を確認後、手当の支給機関（都道府県知事）に提出すること。

(3) 手当の支給機関においては、五年等満了月の属する年又は前年の八月一日から三十一日までの間に提出された書類等により、別紙1に基づき一部支給停止の適用除外事由に該当するかどうかについて確認を行い、一部支給停止の適用除外事由に該当することを確認した場合には、五年等満了月の翌月から翌年の十月（五年等満了月が一月から六月までにある場合にあっては、その年の十月）まで一部支給停止の適用除外とすること。

また、一部支給停止の適用除外事由に該当することを確認できなかった場合には、受給資格者に対し電話等により連絡した上で、書類を返付し再提出を促すこと。

3 八月末日までに適用除外事由届出書及び関係書類が提出されない場合の事務

前記1により事前通知を行った受給資格者のうち、五年等満了月の属する年又は前年の八月一日から三十一日までの間に適用除外事由届出書及び関係書類が提出されない場合の事務は、次のとおりとする。

(1) 一部支給停止適用除外事由に該当しないため、適用除外事由届出書及び関係書類を提出することができない受給資格者については、五年等満了月の属する年又は前年の八月一日から三十一日までの間に、手当の支給機関等の児童扶養手当事務担当窓口に来庁し、書類を提出できない理由を申し出ること。

なお、八月末日間近となっても適用除外事由届出書及び関係書類が提出されておらず、来庁もしていない受給資格者については、手当の支給機関等は八月末日までに当該書類を提出するか又は来庁するよう当該受給資格者に促すこと。

(2) 前記(1)の申出を受けた場合には、児童扶養手当事務担当者等は、受給資格者に対し、別紙2に記載する就業に向けた指導等を行うこと。

(3) 受給資格者は、当該指導等を受け、別紙1の(1)又は(2)に記載する活動を行った場合は、当該活動に要する期間を勘案し、五年等満了月の属する年又は前年の九月末日までに、適用除外事由届出書及び関係書類を手当の支給機関等に提出すること。

手当の支給機関等は、受給資格者が提出した適用除外事由届出書及び関係書類を受け付けること。

また、提出された書類の内容に誤りがあるとき又は著しい不備があるときは、受給資格者に対し電話等により連絡した上で書類を返付し再提出を促すこと。

(4) 手当の支給機関ではない町村長が受給資格者から書類の提出

を受けた場合は、前記⑶により書類の内容を確認後、手当の支給機関（都道府県知事）に提出すること。

この場合における関係書類は、五年等満了月の属する年又は前年の九月末日までの間に別紙1の⑴又は⑵に記載する活動が行われていたことが明らかであるものであること。

⑸　手当の支給機関ではない町村長は、前記⑵により就業に向けた指導等を行い、又は書類の提出等を促したにもかかわらず九月末日までに書類が提出されない受給資格者について、手当の支給機関に報告すること。

⑹　一部支給停止の適用除外事由に該当することを確認した場合には、五年等満了月の翌月から翌年の十月（五年等満了月が一月から六月までにある場合にあっては、その年の十月）まで一部支給停止の適用除外とすること。

⑺　一部支給停止適用除外事由に該当するが、災害、病気、事故等のほか、別紙2に記載する就業に向けた指導等を受けた日や関係書類の取得日が八月末日であること等により、八月末日又は九月末日までに適用除外事由届出書及び関係書類を提出できないやむを得ない事情がある場合には、その事情が消滅してから速やかに提出すること。この場合、提出された書類は、八月末日又は九月末日までに提出されたものと同様に取り扱うこと。

また、やむを得ない事情に該当するか否かについては、個々の状況を勘案して適用除外事由届出書及び関係書類を提出できない相応の事情があると認められるか否かにより弾力的に判断すること。

⑻　全部支給停止が行われている受給資格者について、現況届の提出に伴い全部支給停止が全部支給又は一部支給となった場合には、受給資格者に対し、前記1に準じた通知を行い（この場合において、提出期間については、前記1に準じた通知を受けた後速やかに提出することとする。）、受給資格者は、速やかに適用除外事由届出書及び関係書類を提出すること。この場合、速やかに提出された書類は、八月末日又は九月末日までに提出されたものと同様に取り扱うこと。

また、当該受給資格者のうち、一部支給停止適用除外事由に該当しないため、適用除外事由届出書及び関係書類を提出することができない者については、前記⑴から⑸までに準じて事務処理を行うこと（この場合において、提出期間については、別紙1の⑴又は⑵に記載する活動を行った後速やかに提出することとする。）。この場合、速やかに提出された書類は、九月末日までに提出されたものと同様に取り扱うこと。

4　五年等満了月が近くなっても適用除外事由届出書及び関係書類が提出されない場合における受給資格者に対する二回目の事前通知

前記3の⑵により就業に向けた指導等を行い、又は書類の提出等を促したにもかかわらず九月末日までに適用除外事由届出書及び関係書類が提出されない場合であって、七月又は八月以外の五年等満了月が近くなっても（五年等満了月が九月であるときは、五年等満了月が経過しても）適用除外事由届出書及び関係書類が提出されないときは、手当の支給機関は、七月又は八月以外の五年等満了月を迎えると見込まれる受給資格者に対し、五年等満了月の前々月中に（五年等満了月が九月から十一月までであるときは、その年の十月中のできる限り早期に）、「児童扶養手当の受給に関する重要なお知らせ」（様式例1の2）、「児童扶養手当適用除外事由届出書及び各種証明書類等の様式（様式例3から様式例8まで）を送付することにより、左記(1)から(4)までの内容を通知すること。

ただし、手当の支給機関が都道府県知事である場合は、受給資格者の住所地の町村長を経由すること。

なお、当該事前通知の文面については、「児童扶養手当の受給に関する重要なお知らせ」（様式例1の2）を参考にして、受給資格者に過度の不安を抱かせることのないよう配慮すること。（例えば、事前通知の標題や書き出しの文面において、一部支給停止になることが既に決まっているかのような印象を与える表現は避けられたい。）

(1)　受給資格者が平成〇年〇月（当該受給資格者が五年等満了月を迎えると見込まれる月を記載する。）に五年等満了月を迎える見込みであること（五年等満了月が九月であるときは、受給資格者が平成〇年九月に五年等満了月を迎えたこと。）。

(2)　五年等満了月の末日までの間に（五年等満了月が九月であるときは、その年の十月中のできる限り早期に）、別紙1に記載する一部支給停止適用除外事由に該当する場合には、適用除外事由届出書及び関係書類を手当の支給機関等に郵送又は持参により提出する必要があること。

(3)　別紙1に記載する一部支給停止適用除外事由に該当しない場合には、五年等満了月の末日までに（五年等満了月が九月であるときは、その年の十月中のできる限り早期に）手当の支給機関等へ来庁し、その旨を申し出た上で、相談する必要があること。

(4)　前記(2)又は(3)のいずれの対応も行わない場合には、五年等満了月の翌月分より児童扶養手当の二分の一が支給停止となる可能性があること。

5　五年等満了月の末日までに適用除外事由届出書及び関係書類が提出された場合の事務

前記4により事前通知を行った受給資格者のうち、七月又は八月以外の五年等満了月の末日までに（五年等満了月が九月であるときは、その年の十月中のできる限り早期に）適用除外事由届出書及び関係書類が提出された場合の事務は、次のとおりとする。

(1)　手当の支給機関等は、受給資格者が郵送又は持参した適用除外事由届出書及び関係書類を受け付けること。

また、提出された書類の内容に誤りがあるとき又は著しい不備があるときは、受給資格者に対し電話等により連絡した上で、書類を返付し再提出を促すこと。

(2)　手当の支給機関でない町村長が受給資格者から書類の提出を

受けた場合、当該町村長は前記⑴により書類の内容を確認後、手当の支給機関（都道府県知事）に提出すること。

⑶　手当の支給機関においては、五年等満了月の末日までに（五年等満了月が九月であるときは、その年の十月中のできる限り早期に）提出された書類等により別紙1に基づき一部支給停止の適用除外事由に該当するかどうかについて確認を行い、一部支給停止の適用除外事由に該当することを確認した場合には、五年等満了月の翌月から翌年の十月（五年等満了月が一月から六月までにある場合にあっては、その年の十月）まで一部支給停止の適用除外とすること。

また、一部支給停止の適用除外事由に該当することを確認できなかった場合には、受給資格者に対し電話等により連絡した上で、書類を返付し再提出を促すこと。

6　五年等満了月の末日までに適用除外事由届出書及び関係書類が提出されない場合の事務

前記4により事前通知を行った受給資格者のうち、七月又は八月以外の五年等満了月の末日までに（五年等満了月が九月であるときは、その年の十月中のできる限り早期に）適用除外事由届出書及び関係書類が提出されない場合の事務は、次のとおりとする。

⑴　一部支給停止適用除外事由に該当しないため、適用除外事由届出書及び関係書類を提出することができない受給資格者については、前記4の「児童扶養手当の受給に関する重要なお知らせ」が到達した日から五年等満了月の末日までに（五年等満了月が九月であるときは、その年の十月中のできる限り早期に）手当の支給機関等の児童扶養手当事務担当窓口に来庁し、書類を提出できない理由を申し出ること。

なお、五年等満了月の末日（五年等満了月が九月であるときは、その年の十月中のできる限り早期の時期の終了）間近となっても適用除外事由届出書及び関係書類が提出されておらず、来庁もしていない受給資格者については、手当の支給機関等は五年等満了月の末日までに（五年等満了月が九月であるときは、その年の十月中のできる限り早期に）当該書類を提出するか又は来庁するよう当該受給資格者に促すこと。

⑵　前記⑴の申出を受けた場合には、児童扶養手当事務担当者等は、受給資格者に対し、別紙2に記載する就業に向けた指導等を行うこと。

⑶　受給資格者は、当該指導等を受け、別紙1の⑴又は⑵に記載する活動を五年等満了月の翌月までに行った場合は、当該活動に要する期間を勘案し、五年等満了月の翌月末日までに、適用除外事由届出書及び関係書類を手当の支給機関等に提出すること。この場合において、特に五年等満了月が九月である受給資格者については、左記⑺の適用に留意すること。手当の支給機関等は、受給資格者が郵送又は持参した適用除外事由届出書及び関係書類を受け付けること。

また、提出された書類の内容に誤りがあるとき又は著しい不備があるときは、受給資格者に対し電話等により連絡した上で書類を返付し再提出を促すこと。

(4) 手当の支給機関ではない町村長が受給資格者から書類の提出を受けた場合は、前記(3)により書類の内容を確認後、手当の支給機関（都道府県知事）に提出すること。

この場合における関係書類は、五年等満了月の翌月末日までの間に別紙1の(1)又は(2)に記載する活動が行われていたことが明らかであるものであること。

(5) 手当の支給機関ではない町村長は、前記(2)により就業に向けた指導等を行い、又は書類の提出等を促したにもかかわらず五年等満了月の翌月末日までに書類が提出されない受給資格者について、手当の支給機関に報告すること。

(6) 一部支給停止の適用除外事由に該当する旨を確認した場合には、五年等満了月の翌月から翌年の十月（五年等満了月が一月から六月までにある場合にあっては、その年の十月）まで一部支給停止の適用除外とすること。

(7) 一部支給停止適用除外事由に該当するが、災害、病気、事故等のほか、別紙2に記載する就業に向けた指導等を受けた日や関係書類の取得日が五年等満了月の末日であること等により、五年等満了月の末日又は翌月末日までに適用除外事由届出書及び関係書類を提出できないやむを得ない事情がある場合には、その事情が消滅してから速やかに提出すること。この場合、提出された書類は、五年等満了月の末日又は翌月末日までに提出されたものと同様に取り扱うこと。

また、やむを得ない事情に該当するか否かについては、個々の状況を勘案して適用除外事由届出書及び関係書類を提出できない相応の事情があると認められるか否かにより弾力的に判断すること。

7 手当を一部支給停止する場合の事務

前記1から6までの結果、別紙1に記載する一部支給停止の適用除外事由に該当しない受給資格者については、法第十三条の三第一項の規定により、五年等満了月の翌月から手当を一部支給停止するが、その事務の取扱いについては、次のとおりとする。

(1) 一部支給停止措置を決定した場合には、児童扶養手当支給停止通知（規則様式第十一号の三）を受給資格者に送付すること。

この場合、手当の支給機関が都道府県知事であるときは、受給資格者の住所地の町村長を経由すること。

(2) 一部支給停止する額は、当該一部支給停止措置を適用する月に係る手当の支給額（法第九条又は法第十三条の二の規定に基づく一部支給停止が行われている場合にあっては、当該一部支給停止後の額）の二分の一の金額（一〇円未満の端数がある場合には、これを切り捨てるものとする。）とすること。

ただし、当該停止額は五年等満了月の翌月に支払うべき手当額（法第九条、第十条又は法第十三条の二の規定に基づく全部又は一部支給停止が行われている場合にあっては、当該支給停止前の額）に二分の一を乗じて得た額を上限とすること。

(3)　一部支給停止措置の適用除外の対象となるかどうかについては、適用除外事由届出書及び関係書類により判断することとなっているが、提出期限を迎える時期になっても書類の提出等がない受給資格者については、児童扶養手当以外の支援が必要なことも想定されるため、あらかじめ受給資格者と連絡をとること、母子自立支援員や生活保護のケースワーカーなどの関係部署との連携を図ること等により、当該受給資格者の状況把握に努め、必要な支援等を行うこと。

したがって、当該受給資格者に対する必要な支援等を行わないまま、提出期限が到来したことのみをもって一部支給停止措置の適用を行うことのないよう留意されたい。

Ⅱ　二回目以降の現況届時に係る事務について

1　二回目以降の現況届時における受給資格者に対する事前通知

受給資格者は、五年等満了月の属する年の翌年（五年等満了月が一月から六月までであるときは、五年等満了月の属する年とする。）以降の毎年八月一日から三十一日までの間において、手当の支給機関等に来庁し、現況届と併せて、適用除外事由届出書及び関係書類を提出するものとする。

手当の支給機関は、その旨を六月中に当該受給資格者に対して、事前通知する。この場合、前記Ⅰの1に準じて、「児童扶養手当の受給に関する重要なお知らせ」（様式例2の1から2の3まで）、適用除外事由届出書及び各種証明書類等の様式（様式例3から様式例8まで）を郵送等により通知すること。

ただし、手当の支給機関が都道府県知事である場合は、受給資格者の住所地の町村長を経由すること。

2　八月末日までに適用除外事由届出書及び関係書類が提出された場合又は提出されない場合の事務

受給資格者が現況届と併せて八月一日から三十一日までの間に適用除外事由届出書及び関係書類を提出した場合には、前記Ⅰの2に準じ、また、受給資格者が同月末日までに当該書類を提出しない場合には、前記Ⅰの3に準じ、それぞれ事務処理を行うこと。

なお、前記Ⅰの5の五年等満了月の末日までに適用除外事由届出書及び関係書類が提出された場合であって、当該受給資格者の五年等満了月が五月又は六月であり、かつ、関係書類としてその年の六月又は七月において別紙1の(1)又は(2)に記載する活動を行っていることを明らかにする書類が手当の支給機関に提出されていたとき等、当該受給資格者が現況届と併せて手当の支給機関に提出すべき関係書類が既に当該手当の支給機関に提出されているときは、当該受給資格者は関係書類の提出を省略することができる。

前記事務処理の結果、一部支給停止の適用除外事由に該当することを確認したときは、十一月から翌年の十月まで一部支給停止の適用除外とすること。

なお、八月末日までに適用除外事由届出書及び関係書類が提出されず、以下のいずれかに該当する場合であって、手当の支給機関において一部支給停止の適用除外事由に該当することを確認したときは、その適用除外事由発生月から翌年の十月まで一部支給停止の適用除外とすること。

① 別紙2に記載する就業に向けた指導等を行い、又は書類の提出等を促したにもかかわらず九月末日までに当該書類が提出されなかったが、十月中に別紙1の(1)又は(2)に記載する活動を行い、同月中に当該書類を提出した場合

② 受給資格者が別紙2に記載する就業に向けた指導等を受けずに、九月中又は十月中に別紙1の(1)又は(2)に記載する活動を行い、九月中又は十月中に当該書類を提出した場合

3 手当を一部支給停止する場合の事務

前記1及び2の結果、別紙1に記載する一部支給停止の適用除外事由に該当しない受給資格者については、法第十三条の三第一項の規定に基づき、十一月分から手当を一部支給停止すること。

この場合の事務の取扱いについては、前記Iの7のとおりとすること。

Ⅲ 一部支給停止の適用となった後、一部支給停止の適用除外事由に該当するに至った受給資格者に係る事務について

一部支給停止の適用となった後、別紙1に記載する一部支給停止の適用除外事由に該当するに至った受給資格者に係る事務は、次のとおりとする。

1 適用除外事由届出書及び関係書類の提出方法

一部支給停止の適用除外事由に該当するに至った受給資格者は、該当するに至った月の末日（該当するに至った月が八月であるときは、九月三十日。以下このⅢにおいて同じ。）までに適用除外事由届出書及び関係書類を手当の支給機関等に郵送又は持参して提出すること。

また、災害、病気、事故等のほか、関係書類の取得日が適用除外事由に該当するに至った月の末日であること等により、該当するに至った月の末日までに適用除外事由届出書及び関係書類を提出できないやむを得ない事情がある場合には、その事情が消滅してから速やかに提出すること。この場合、提出された書類は該当するに至った月の末日までに提出されたものと同様に取り扱うこと。

なお、やむを得ない事情に該当するか否かについては、個々の状況を勘案して適用除外事由届出書及び関係書類を提出できない相応の事情があると認められるか否かにより弾力的に判断すること。

2 適用除外事由届出書及び関係書類が提出された場合の事務

手当の支給機関等は、郵送又は受給資格者が持参した適用除外事由届出書及び関係書類を受け付けること。

また、提出された書類の内容に誤りがあるとき又は著しい不備があるときは、受給資格者に対し電話等により連絡の上で、書類を返付し再提出を促すこと。

なお、手当の支給機関ではない町村長が受給資格者から書類の

提出を受けた場合、当該町村長は書類の内容を確認後、手当の支給機関（都道府県知事）に提出すること。

手当の支給機関においては、提出された書類等により別紙1に基づき、提出された月において一部支給停止の適用除外事由に該当することを確認した場合には、該当するに至った月から翌年の十月（該当するに至った月が一月から七月までにある場合にあっては、その年の十月）まで一部支給停止の適用除外とすること。

また、一部支給停止の適用除外事由に該当するに至った月の末日までに書類等が提出されず、提出できないやむを得ない事情がない場合において、その翌月以降に書類等が提出され、かつ、提出された書類等により別紙1に基づき、提出された月において一部支給停止の適用除外事由に該当することを確認したときには、当該提出された月（当該提出された月が九月である場合にあっては、その年の八月）から翌年の十月（当該提出された月が一月から七月までにある場合にあっては、その年の十月）まで一部支給停止の適用除外とすること。

Ⅳ　経過措置

1　平成二十四年八月の現況届から改正後の事務処理を実施できないやむを得ない理由があるときは、平成二十四年七月から平成二十五年六月までの五年等満了月の受給資格者に限り、改正前と同じ事務処理によることとする取扱いも可能とするものであること。

2　住所変更の場合においては、適用除外の有無や期間を引き継ぐことが必要であるが、転出元の手当の支給機関（以下「転出元」という。）が前記1により改正後の事務処理を未実施である場合には、転出元から転出者の適用除外の有無や期間のほか、未実施である旨を転出先の手当の支給機関（以下「転出先」という。）に通知すること。この場合において、五年等満了月が平成二十五年六月である受給資格者が転出元において同年七月から平成二十六年七月までの適用除外を受けているとき又は受ける見込みであるときは、転出先においても当該適用除外期間を引き継ぐものであること。

様式例　略

（別紙1）

児童扶養手当一部支給停止の適用除外であることを確認する方法等

○ 左記①から⑥までに掲げる期間（以下「確認期間」という。）内に提出された書類※により、受給資格者が当該確認期間内のいずれかの時点において、左記(1)から(5)までに掲げる一部支給停止適用除外事由のいずれかに該当することを確認した場合には、一部支給停止措置の適用除外とする。

※ 確認期間内に提出できないやむを得ない事情がある場合には、その事情が消滅してから速やかに提出された書類とする。

○ 左記(1)から(5)までに掲げる一部支給停止適用除外事由のいずれかに該当することを確認するための様式例として、様式例3から様式例8までを参照する事が可能である。

なお、受給資格者の所有する証明書等により、左記(1)から(5)までに掲げる一部支給停止適用除外事由のいずれかに該当することが確認できる場合は、これらの様式例による証明等は省略することができる。

【一部支給停止適用除外事由に該当するかどうかを確認する期間（確認期間）】

① 五年等満了月の属する年（五年等満了月が一月から六月までであるときは、五年等満了月の属する年の前年）の現況届提出月（八月）の前々月（六月）から当該現況届提出月（八月）までの期間

② 五年等満了月が七月又は八月以外の場合における五年等満了月の前々月から当該五年等満了月までの期間

③ 五年等満了月の属する年の翌年（五年等満了月が一月から六月までであるときは、五年等満了月の属する年）以降における現況届提出月（八月）の前々月（六月）から当該現況届提出月（八月）までの期間

④ 前記①から③までの確認期間内において、手当の支給機関等の児童扶養手当事務担当者等から受給資格者に対し、就業に向けた指導等を行ったこと等により、当該確認期間の翌月中に左記(1)又は(2)に掲げる活動を行ったことを明らかにすることができる書類が、受給資格者から当該確認期間の翌月末日までに提出された場合における当該確認期間の翌月

⑤ 一部支給停止の適用となった後、一部支給停止適用除外事由に該当するに至った場合であって、当該該当するに至った月に適用除外事由届出書を提出するときにおける当該該当するに至った月

⑥ その他規則第三条の四第一項第一号に規定する期間

【一部支給停止適用除外事由及び確認方法】

(1) 受給資格者が就業している場合

以下のいずれかに該当することを確認する。

ア 受給資格者が雇用されている場合

以下のいずれかの書類により確認する。

・ 雇用主等が受給資格者を雇用していることを証明した書類

・ 受給資格者に賃金が支払われていることを証明した書類の

写し（支払明細書の写し等）

・受給資格者が被保険者であることが明記された健康保険証等の写し

・受給資格者が厚生年金の加入者であることが確認できる書類

・その他受給資格者が雇用されていることが確認できる書類

イ　受給資格者が雇用されず、就業している場合（受給資格者が事業主である場合、在宅就業等である場合等）

受給資格者が事業を営んでいることその他就業していることを以下のいずれかの書類により確認する。

・委託契約を締結し、請負事業等を行っている場合には、当該契約書の写し

・その他受給資格者が就業していることが確認できる書類

(2)　受給資格者が求職活動その他自立に向けた活動を行っている場合

以下のいずれかに該当することを確認する。

ア　受給資格者が求職活動等就業するための活動を行っている場合

以下のいずれかの書類により確認する。

・福祉事務所等において母子・父子自立支援プログラムを策定することが予定されていること又は当該プログラムに基づいて支援を受けていることが確認できる書類（ただし、地方公共団体内の実施部署に直接確認できるときは不要。）

・母子家庭等就業・自立支援センターにおいて就業相談、講習会等を受けていることが確認できる書類（ただし、地方公共団体内の実施部署に直接確認できるときは不要。）

・公共職業安定所において求人情報の提供、職業相談、職業紹介、就職活動セミナーなど職業講習等が行われていることが確認できる書類（公共職業安定所により発行された「紹介状（本人控え）」又はその写し等）

・民間職業紹介事業所又は派遣事業所において、求職相談、職業紹介、就職セミナー、派遣労働者登録等が行われていることを確認できる書類

・求人者に採用選考を受けたこと等その他就業するための活動を行っていることを確認できる書類

・雇用保険法に規定する求職者給付（傷病手当を除く。）を受給していることが確認できる書類（受給資格者証の写し等）

・その他受給資格者が求職活動等就業するための活動を行っていることが確認できる書類

イ　職業能力の開発及び向上のために職業訓練校、専修学校その他養成機関に在学している場合

以下のいずれかの書類により確認する。

・公共職業訓練を受講中又は受講予定であることが確認できる書類（受講指示書の写し等）

・職業能力の開発及び向上のため専修学校その他の養成機関

に在学していることが確認できる書類（在学証明書等）

・その他受給資格者が職業訓練を受講中であるなど職業能力の開発及び向上を図っていることが確認できる書類

(3) 受給資格者が児童扶養手当法施行令別表第一に定める障害状態にある場合

以下のいずれかの書類等により確認する。

① 国民年金法及び厚生年金保険法による障害等級の一級又は二級に該当することが確認できる書類

② 身体障害者手帳一級、二級又は三級の写し

③ 療育手帳（A）の写し

④ 精神障害者保健福祉手帳一級又は二級の写し

⑤ 児童扶養手当法施行令別表第一に定める障害状態に関する医師の診断書及び特定の傷病に係るエックス線直接撮影写真

※ ①及び②は、手当の支給機関に既に提出したことがあり、障害状態が固定している等の場合や、地方公共団体内の実施部署に直接確認できるときは、省略することができる。

※ ③及び④は、地方公共団体内の実施部署に直接確認できるときは、省略することができる。

※ ⑤は、手当の支給機関に既に提出したことがあり、障害状態が固定している等の場合は、省略することができる。

(4) 受給資格者が疾病、負傷又は要介護状態にあることその他これに類する事由により就業することが困難である場合

以下のいずれかの書類等により確認する。

・特定疾患医療受給者証の写し

・特定医療費（指定難病）受給者証の写し

・特定疾病療養受療証の写し

・受給資格者が相当期間、負傷・疾病により療養等が必要であることを証する医師の診断書

※ 医師の診断書については、受給資格者に対して以下の点について周知を図ること。

・診断書は、かかりつけ医に作成してもらうこと。

・かかりつけ医がいない場合は、市町村の窓口に相談の上、必要に応じ、保健所などの公的な相談窓口に相談すること。

・その他受給資格者が疾病、負傷、又は要介護状態にあることその他これに類する事由により就業することが困難であることを明らかにする書類等

(5) 受給資格者の監護する児童又は受給資格者の親族が、障害の状態にあること、負傷・疾病、要介護状態にあることその他これに類する事由により、受給資格者がこれらの者の介護を行う必要があり就業することが困難である場合

以下のア及びイのいずれにも該当することを確認する。

ア 受給資格者の監護する児童又は受給資格者の親族が障害の状態にあること、又は、疾病、負傷若しくは要介護状態にあることその他これに類する状態にあること

以下のいずれかの書類等により確認する。

① 国民年金法及び厚生年金保険法による障害等級の一級又は二級に該当することが確認できる書類
② 身体障害者手帳一級、二級又は三級の写し
③ 療育手帳（A）の写し
④ 精神障害者保健福祉手帳一級又は二級の写し
⑤ 児童扶養手当法施行令別表第一に定める障害状態に関する医師の診断書及び特定の傷病に係るエックス線直接撮影写真

※ ①及び②は、手当の支給機関に既に提出したことがあり、障害状態が固定している等の場合や、地方公共団体内の実施部署に直接確認できるときは、省略することができる。

※ ③及び④は、地方公共団体内の実施部署に直接確認できるときは、省略することができる。

※ ⑤は、手当の支給機関に既に提出したことがあり、障害状態が固定している等の場合は、省略することができる。

・特定医療費（指定難病）受給者証の写し
・特定疾患医療受給者証の写し
・特定疾病療養受療証の写し
・当該児童又は親族が相当期間、負傷・疾病により療養等が必要であることを証する医師の診断書

※ この場合の医師の診断書については、受給資格者に対し以下の点について周知を図ること。
・診断書は、かかりつけ医に作成してもらうこと。
・かかりつけ医がいない場合は、市町村の相談の上、必要に応じ、保健所などの公的な相談窓口に相談すること。

・当該親族が要介護状態にあることが確認できる書類
・その他当該児童又は親族が障害の状態にあること、疾病、負傷若しくは要介護状態にあることとその他これに類する状態にあることにより介護が必要であること（受給資格者が就業することが困難である程度の状態にあること）が確認できる書類等

イ 受給資格者が介護を行う必要があること
以下の書類により確認する。
・受給資格者が当該児童又は親族の介護を行わなければならない事情を明らかにする書類（民生委員の証明等）

（別紙２）

受給資格者に対し、就業に向けた指導等を行う場合の手続き等

⑴　受給資格者に対し、母子・父子自立支援プログラム策定の利用申込みを促す。

⑵　母子・父子自立支援プログラム策定が必要でない場合や困難な場合等については、母子家庭等就業・自立支援センターの利用による求職活動など、自立を図るための活動を行うことを促す。

⑶　受給資格者は、五年等満了月の属する年（五年等満了月が一月から六月までであるときは、五年等満了月の属する年の前年）の九月末日※までに、求職活動を行ったこと又は就業していること等を証明する書類を郵送又は持参により手当の支給機関等に提出する。具体的に確認する書類は、別紙１の⑴又は⑵と同様とする。

※　七月又は八月以外の五年等満了月の翌月末日及び五年等満了月の属する年の翌年（五年等満了月が一月から六月までであるときは、五年等満了月の属する年）以降における毎年の現況届提出月の翌月（九月）末日を含む。

⑷　支給機関は、書類の提出により求職活動を行ったこと又は就業していること等を確認した場合には、一部支給停止の適用除外とする。

○「児童扶養手当法第十三条の三の規定に基づく一部支給停止措置及び一部支給停止措置適用除外に係る事務について」（平成二十年三月三十一日雇児福発第〇三三一〇〇一号）の一部改正等の留意事項について

〔平成二十八年八月一日　雇児福発〇八〇一第二号
各都道府県・各指定都市・各中核市民生主管部（局）長宛
厚生労働省雇用均等・児童家庭局家庭福祉課長通知〕

児童扶養手当制度の円滑な実施については、日頃から格別のご配慮を賜り、厚く御礼申し上げます。

さて、ひとり親家庭支援について昨年十二月二十一日に子どもの貧困対策会議において策定した「すくすくサポート・プロジェクト（すべての子どもの安心と希望の実現プロジェクト）」においては、児童扶養手当について、多子加算の拡充に併せて、自立のための活動促進の取組を行うこととされています。これを受け、今般、標記通知の一部改正により、児童扶養手当の受給期間が五年を超える場合等の一部支給停止措置に係る適用除外事由のうち、受給資格者が求職活動その他自立に向けた活動を行っている場合に該当することの確認方法を改めることにしました。

具体的には、受給者が求職活動支援機関等の利用状況を証明するに当たり、公共職業安定所等への求職登録等が有効であることに加え、実際に行った求職活動の年月日を二つ以上記入していただくこととしました。

この取組は、適用除外の要件を従来より厳しくするものではなく、受給者の自立のための支援に確実に繋げていただくことを趣旨としておりますので、最大限のご尽力をお願いします。

なお、この取組は、受給者への周知期間等を考慮し、本年八月からの適用ではなく、平成二十九年八月の現況届に併せて届出を行う受給者からの適用となりますのでご留意の程お願いします。

また、一部支給停止措置の事務を行うに当たっては、引き続き、左記の事項に十分留意の上、適切な執行をお願いします。

この通知は地方自治法（昭和二十二年法律第六十七号）第二百四十五条の四第一項の規定に基づく技術的な助言であることを申し添えます。

記

1　本来手当の全額を受給できる者が支給を停止されることのないよう、一部支給停止適用除外となる事由の証明に必要となる書類は、雇用主等が受給資格者を雇用していることを証明した書類だけではなく、健康保険証の写しや賃金支払明細書の写しなど、受給資格者が雇用されていることが確認できる書類であればよいことなど、受給者資格者に対して、一部支給適用除外となる事由や必要な届出等についての丁寧な説明を行うこと。

2　手当の受給要件を満たす者の受給漏れが生じないよう、窓口のワンストップサービス及びアウトリーチの強化等の取組を行うこと。

3　今般の多子加算の拡充により、すでに一部支給停止となっている受給者の支給停止額が支給停止上限額を超えることが想定されるが、以下の点に十分留意の上、適切な執行を行うこと。（（注）の具体例を参照されたい。）

①　一部支給停止は、五年等満了月の翌月から適用されること。

②　ただし、支給停止となる手当の額は、五年等満了月の翌月に支払うべき額（所得制限により手当の全部又は一部が支給停止されている場合は、所得制限により支給停止される前の額）の二分の一を超えないこと。

③　全部又は一部支給停止が行われている場合には、当該支給停止後の額に二分の一を乗じて得た額となること。

（注）　具体例

例１：全部支給の場合

○　子どもを三人有するひとり親家庭への児童扶養手当額は、本年六月時点で五万三三〇円（42, 330円＋5, 000円＋3, 000円）。

○　本年六月時点で、受給期間が五年等満了となり一部支給停止される場合、支給停止の上限額は五万三三〇円の二分の一の二万五一六〇円。

○　これは、本年八月以降、多子加算の拡充により、支給停止されない場合の額が五万八三三〇円（42, 330円＋10, 000円＋6, 000円）となっても、支給停止の上限額は二万五一六〇円のままで変更はない。（五万八三三〇円の二分の一の二万九一六〇円ではない。）

例２：所得制限による一部支給の場合

○　子どもを三人有するひとり親家庭への児童扶養手当額は、本年六月時点で三万円（22, 000円＋5, 000円＋3, 000円）。

○　本年六月時点で、受給期間が五年等満了となり一部支給停止される場合、支給停止の上限額は五万三三〇円の二分の一の二万五一六〇円。

○　本年八月以降、多子加算の拡充により、手当額が三万二九六〇円（22, 000円＋6, 850円＋4, 110円）となった場合、三万二九六〇円の二分の一の額は一万六四八〇円であり、上限額の二万五一六〇円よりも低いことから、支給停止される額は、一万六四八〇円となる。

○児童扶養手当一部支給停止措置適用除外に係る事務について

〔平成二十年八月一日　雇児福発第〇八〇一〇〇一号
各都道府県民生主管部（局）長宛　厚生労働省雇用均等
・児童家庭局家庭福祉課長通知〕

児童扶養手当法に基づく一部支給停止措置適用除外に係る事務については、種々ご尽力いただき、厚く御礼申し上げます。

同事務に関しては、適用除外事由に該当する受給資格者が手続未了等により一部支給停止となることがないよう、関係書類の提出も来庁もなく、連絡が取れない受給資格者については、郵送による連絡のみではなく、電話等による連絡や母子自立支援員等の協力を得るなど、本人との連絡にご尽力いただくよう、これまでにお願いしているところです。

八月の定時払までの日数もわずかとなりましたが、未だ連絡が取れていない受給資格者がいる場合、当該受給資格者の中には、手続について認識していない方がいることが懸念されています。適用除外事由に該当しているにもかかわらず、手続を認識していないために一部支給停止となる方が、生じることのないよう、最後まで、ご尽力をいただくようお願いします。

具体的には、電話等による連絡等のほか、母子自立支援員や生活保護のケースワーカーなど関係部署とも連携を図りながら、受給資格者の自宅を訪問する等あらゆる手段を尽くして、本人との連絡を取り、手続についての支援を徹底するよう、最大限のご尽力をお願いします。

その上で、本人との連絡が取れ、一部支給停止措置適用除外事由に該当すると認められた場合には、一部支給停止とならないよう適切な事務処理をお願いします。本人との連絡が取れ、一部支給停止適用除外事由に該当することが認められた時点で、八月の定時払の振込等に係る事務処理が終了していた場合でも、速やかに随時払で対応することやその支給時期について、受給資格者が理解しやすいように丁寧に説明するなど、受給資格者の立場に立ったきめ細かい対応を徹底するようお願いします。

以上、特段の御配意をお願いするとともに、都道府県においては、管内市（指定都市、中核市及び特別区を含む。）町村に速やかに周知方お願いします。

〇児童扶養手当における父母の事実婚解消及び母の婚姻によらない懐胎を支給事由とする場合の留意事項について

〔平成二十二年七月三十日　雇児福発〇七三〇第二号　各都道府県児童福祉主管部(局)長宛　厚生労働省雇用均等・児童家庭局家庭福祉課長通知〕

〔改正経過〕

第一次改正　〔令和元年五月二九日子家発〇五二九第一号〕
第二次改正　〔令和二年一二月二五日子家発一二二五第一号〕

今般、父母が婚姻の届出をしていないが、事実上婚姻と同様の事情を解消又は母の婚姻によらない懐胎を支給事由として児童扶養手当の認定請求をする場合における手続を、左記のとおり改めたので、今後の事務処理に当たって留意するとともに、管内市町村に対する指導徹底につき特段の御配慮を願いたい。

おって、平成十年六月二十四日付児家第三七号通知「児童扶養手当法施行令及び母子及び寡婦福祉法施行令の一部を改正する政令の施行に伴う留意事項について」は、廃止する。

なお、この通知は地方自治法（昭和二十二年法律第六十七号）第二百四十五条の四第一項の規定に基づく技術的な助言である。

記

1　父母の事実婚解消及び母の婚姻によらない懐胎を支給事由とする場合の申請手続について

(1)　父母の事実婚解消及び母の婚姻によらない懐胎を支給事由として児童扶養手当の認定請求があった場合には、市区町村においては、申請者に別添の調書に必要事項を記入させること。

(2)　この調書により支給要件について疑義がもたれたケースについては、民生・児童委員等関係機関に照会する等の方法により、事実関係の確認に努められたいこと。

2　留意事項

(1)　市区町村においては、事実婚状態にある者については、児童扶養手当の支給対象とならないことから、本調書は支給要件の確認に必要なものであることを、申請者に対し、十分説明すること。

(2)　調書の記載事項は、個人の秘密に係る事柄であるので、調書の取扱い等について、十分配慮すること。

(3)　なお、父母が婚姻（事実婚を含む。）を解消したこと又は母の婚姻によらない懐胎であることを事由として児童扶養手当を受給する場合については、児童の父又は母からの当該児童に対する養育費の送金又は児童と当該児童の父又は母との面接交渉があっても、それのみをもって受給資格に影響を与える事項には当たらないので、念のため申し添える。

経過措置（第二次改正）

改正前の様式（以下「旧様式」という。）により使用されている書類は、当該改正後の様式によるものとみなすものとすること。

また、旧様式による用紙については、合理的に必要と認められる範囲内で、当分の間、例えば、訂正印や手書きによる訂正等により、これを取り繕って使用することができるものとすること。

（別　添）

事実婚解消等調書

※　児童扶養手当は、あなたが現在いわゆる事実婚状態にある場合は支給されません。以下の項目は、この点を確認するために申告していただくものです。

項　　目	内　　容
児童の父又は母の状況	氏名
	住所
申請者に対する児童の父又は母からの定期的な生計の補助	1　あり　（月　万円程度） 2　なし
申請者と児童の父又は母との交流の状況	1　定期的な訪問がある　（月　回） 2　なし
その他参考事項	
※事実婚の解消を支給事由として申請される方は以下の欄も記入して下さい。	
同居の有無	1　あり （同居の期間　年　月から　年　月まで 同居時の住所） 2　なし
上記のとおり、相違ありません。 令和　年　月　日 氏　名	

受付年月日	令和　年　月　日	市町村担当者 氏　名　　　　印

○障害基礎年金の子の加算の運用の見直しに伴う児童扶養手当支給事務の取扱いについて

〔平成二十三年二月二十一日　雇児福発〇二二一第一号
各都道府県民生主管部(局)長宛　厚生労働省雇用均等・児童家庭局家庭福祉課長通知〕

これまで、障害基礎年金の子の加算については、受給権発生時に生計を維持している子がある場合に行うこととしていたが、「国民年金法等の一部を改正する法律」（平成二十二年法律第二十七号。以下「法」という。）及び「国民年金法等の一部を改正する法律の施行に伴う関係政令の整備及び経過措置に関する政令」（平成二十二年政令第百九十四号）が公布され、平成二十三年四月の法施行後、受給権発生後に子を持ち、その子との間で生計維持関係がある場合にも子の加算を行うこととされた。

また、児童扶養手当については、児童が父又は母に支給される公的年金給付の加算の対象となっているときには手当を支給しないこととなっており、当該加算が支給されることにより、これまで支給されていた児童扶養手当が支給されなくなることから、障害基礎年金の子の加算の支給要件とする生計維持について、年金局長通知（平成二十二年九月十四日年発〇九一四第一号）により、児童扶養手当の額が障害基礎年金の子の加算額を上回る場合においては、当該子と障害基礎年金の受給権者である父又は母との間には生計維持関係がないものと取り扱って差し支えないものとされた。

これを踏まえ、児童扶養手当と障害基礎年金の子の加算の支給事務の取扱いについては、左記のとおりとし、あわせて、事務処理要領を別添のとおり定めたので、内容について御了知いただくとともに、その取扱いに遺漏のないよう管内市区町村あて周知方よろしくお願いいたします。

なお、本取扱いについては、厚生労働省年金局と協議済であり、厚生労働省年金局事業管理課長から日本年金機構年金担当理事あて通知をしているので念のため申し添える。

記

1　障害基礎年金の子の加算の対象範囲の拡大

これまで、障害基礎年金の子の加算については、障害基礎年金の受給権発生時に生計を維持している子がある場合に加算額の対象としていたが、これに加え、受給権発生後に子を持ち、その子との間に生計維持関係がある場合にも、子の加算を行うこととする。

2　障害基礎年金の子の加算と児童扶養手当の支給関係について

児童扶養手当については、児童の父（又は母）が児童扶養手当法施行令に定める程度の障害の状態にあっても、当該児童が父（又は母）に支給される公的年金給付の額の加算の対象になっている場合には支給されないこととなっている。

このため、これまで児童扶養手当の支給対象となっていた児童について、障害基礎年金の子の加算対象となった場合には児童扶養手当が支給されないこととなるが、障害者の生活状況の変化に応じたきめ細かな対応を図り、障害者に対する所得保障の一層の充実を図るという法の趣旨に鑑みれば、障害者世帯の所得が減少するような取扱いとすることは適当ではないと考えられる。

また、昨年五月二十六日に成立した「児童扶養手当法の一部を改正する法律」（平成二十二年法律第四十号）の附帯決議においても、「障害基礎年金について、受給後に有した子に係る加算制度が設けられたことにより、これまで支給されていた児童扶養手当が支給されなくなる場合があること等を踏まえ、受給世帯に不利な取扱いとならないよう、運用の改善等適切な措置を講ずること」とされたところである。

3　障害基礎年金の子の加算の生計維持について

このため、児童扶養手当額（子を監護する母又は子を監護し、かつ生計を同じくする父等の所得に応じてその一部の支給が停止されている場合は、停止後の額。以下同じ。）が、当該子に係る父の障害基礎年金の子の加算額を上回る場合においては、当該子は児童扶養手当が支給される母によって生計を維持されており、当該子と障害基礎年金の受給権者である父との間には生計維持関係はないものと取り扱って差し支えないものとし、障害基礎年金の子の加算の対象とならないものとした。（母が障害基礎年金の受給権者で、父が児童扶養手当の受給権者である場合も同様。）

［子の加算＜児童扶養手当額の場合の取扱い］（今回の新たな取扱い）

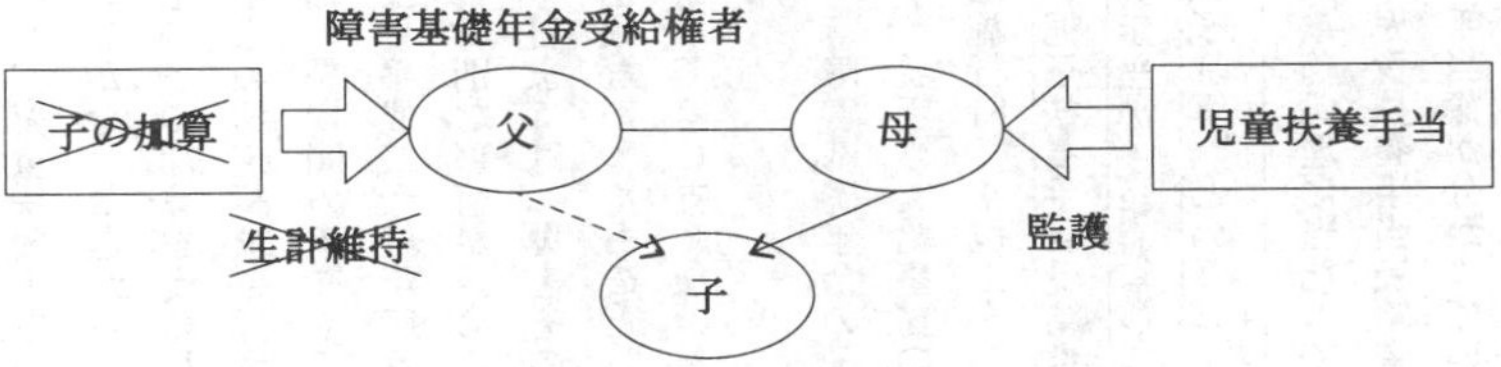

なお、障害基礎年金の子の加算額が児童扶養手当額を上回る場合には、従来どおりの取扱いとなる。

［子の加算＞児童扶養手当額の場合の取扱い］（従来と同じ）

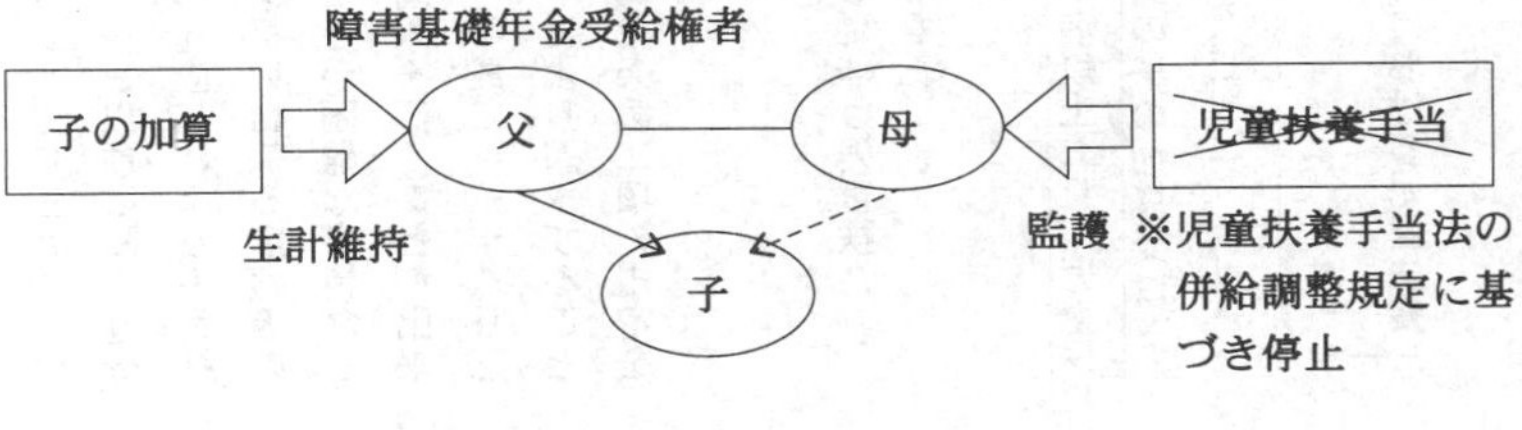

4　障害基礎年金の子の加算の運用の見直しに関係する児童扶養手当の範囲

今回の障害基礎年金の子の加算の運用の見直しについては、現に障害基礎年金の子の加算の対象となり、児童扶養手当を受給していない児童についても対象となるものである。すなわち、児童扶養手当額が障害基礎年金の子の加算額を上回る場合においては、児童扶養手当を受給することができることとなる。

5　障害基礎年金の子の加算の生計維持の認定の時期

児童扶養手当は所得額等に応じてその全部又は一部が停止されることから、障害基礎年金の子の加算の生計維持関係の認定については、児童扶養手当の停止額の変更等に応じて行うことができるものとなっている。

6　児童が複数いる場合の取扱い

児童扶養手当額及び障害基礎年金の子の加算額ともに、支給対象児童数に応じて支給額が決定されるところである。このため、児童が複数いる場合には児童ごとに児童扶養手当額と障害基礎年金の子の加算額の多寡を比較して生計維持関係を認定し、児童扶養手当と障害基礎年金の子の加算のいずれかを受給することとなる。

7　その他

障害基礎年金の子の加算の運用の見直しに伴う児童扶養手当の認定請求については、経過措置期間を設けておらず、平成二十三年四月から児童扶養手当を受給するためには、平成二十三年三月中の認定請求の受理が必要となることから、申請漏れがないよう積極的な広報等をお願いする。

なお、児童扶養手当の認定請求の期間が平成二十三年三月の一か月間しかないことから、平成二十三年三月三十一日以前は障害基礎年金の子の加算を受給しており、今般の運用の見直しにより児童扶養手当の認定請求を行う場合において、本件取扱いに係る広報等の不知、長期間の不在やその他認定請求を行うことが困難な事情などにより平成二十三年三月三十一日までに認定請求を行うことが出来ない特別な事情が認められる場合においては、平成二十三年八月三十一日までは〝災害その他やむを得ない理由〟により請求することが出来なかったものとして、児童扶養手当法第七条第二項の規定を適用して差し支えないものとする。

別添

障害基礎年金の子の加算の運用の見直しに伴う児童扶養手当支給事務の取扱いに係る事務処理要領

Ⅰ　法施行時（平成二十三年四月）の事務処理

1　児童扶養手当受給世帯について（児童が二名以上おり、児童扶養手当の支給対象児童の他に障害基礎年金の子の加算（以下、「子加算」という。）の対象児童がいる場合を含む。）

【事務処理に当たっての前提】
・児童扶養手当受給者は、平成二十三年四月における児童扶養手当額が分かっている。
・障害基礎年金においては、児童ごとに児童扶養手当額と子加算の額を比較し、児童扶養手当額が子加算の額を上回る場合には、当該児童については障害基礎年金の受給権者と生計維持関係がないものとして取り扱って差し支えないものと取り扱われるため、以下のような受給変更等が行われる可能性がある。

児童扶養手当額＞子加算額の場合

　子加算の対象とならないものとし、児童扶養手当を引き続き受給

児童扶養手当額＜子加算額の場合

　子加算の対象となるため、子加算に受給変更

・それぞれの支給月額は左表のとおりである。

	一人目	二人目	三人目以降
子加算	一万八九一六円	一万八九一六円	六三〇〇円
児童扶養手当	四万一五五〇円～九八一〇円	五〇〇〇円	三〇〇〇円

また、具体的な受給例は以下のとおり。

児童が三名で一人目の児童扶養手当月額が四万一五五〇円の場合（支給額の比較については、参考6を参照）

　一人目は、児童扶養手当額＞子加算額のため、児童扶養手当を受給

　二人目は、児童扶養手当２人目額＜子加算１人目額のため、子加算を受給

　三人目は、児童扶養手当２人目額＜子加算２人目額のため、子加算を受給

(1) 児童扶養手当から子加算に受給変更をする場合の事務処理の流れ（児童扶養手当額＜子加算額の場合）

① 年金事務所への届出

　平成二十三年四月一日以降、障害基礎年金受給者が子加算に受給変更をする児童に係る障害給付加算額・加給年金額加算開始事由該当届（以下、加算事由該当届。参考1）、子の加算請求に係る確認書（参考2）及び当該児童に係る児童扶養手当証書の写しを年金事務所へ提出。

② 年金事務所から加算事由該当届の写しを市区町村へ送付。

※ 市区町村において、児童扶養手当から子加算への受給変更を予定している者を把握し、過払い防止等の参考とする。

③ 支給額変更通知書の送付

　年金事務所・日本年金機構の審査等を経て、日本年金機構より障害年金受給者へ支給額変更通知書（参考3）を送付。

（加算事由該当届等の受付から支給額変更通知書を送付までの標準的な処理期間は二～三か月程度。）

※ 子加算の該当日は、①の手続が三月中に行われない場合であっても、四月一日（支給開始月四月）に遡及される。

④ 資格喪失届・額改定届の提出

・児童扶養手当の支給対象児童全員が子加算に受給変更をする場合

児童扶養手当受給者が資格喪失届及び支給額変更通知書の写しを市区町村へ提出。

・引き続き児童扶養手当の支給対象児童がいる場合

児童扶養手当受給者が額改定届及び支給額変更通知書の写しを市区町村へ提出。

※　加算事由該当届の標準的な処理期間を超えて、児童扶養手当受給者から資格喪失届等の提出がない場合には、当該児童扶養手当受給者に確認等を行うとともに、確認が取れない場合には年金事務所に対して障害年金の子の加算状況の照会（様式1）を行い加算状況の確認を行う。

⑤　資格喪失届・額改定届の処理

市区町村においては、提出された資格喪失届及び額改定届について、支給額変更通知書の写しの記載内容をもとに審査し、児童扶養手当市等事務取扱準則等（以下、事務取扱準則）に基づき資格喪失処理等を行う。

・資格喪失及び額改定の日付

子加算の該当日が四月一日（支給開始月四月）のため、資格喪失等の日付は三月三十一日となる。

(2)　年金事務所・日本年金機構における審査等の結果、加算事由該当届が不該当となった場合には、障害基礎年金受給者に年金事務所又は日本年金機構より加算額・加給年金額対象者加算開始事由不該当通知書（以下、加算事由不該当通知書。参考4）が送付されるので、市区町村は当該障害基礎年金受給者等からの当該通知書の写しの提出又は年金事務所への障害年金の子の加算状況の照会（様式1）により、子加算が不該当となったことを確認のうえ児童扶養手当を継続支給する。

(3)　子加算の額が児童扶養手当額を上回る場合において、子加算の受給手続を行わない場合には、年金事務所への届出がないため、障害基礎年金の受給権者と児童扶養手当を受給している児童については子加算の生計維持関係が確定されないことから、引き続き児童扶養手当を受給することとなる。

2　子加算のみ受給世帯について

【事務処理に当たっての前提】

・子加算のみ受給世帯は、平成二十三年四月における児童扶養手当の一人目手当額が分からないため、児童扶養手当の認定請求を行い、児童扶養手当額の確認をすることが必要。

・平成二十三年四月から児童扶養手当を受給するためには、原則として、平成二十三年三月の一か月の間に申請することが必要。

・障害基礎年金においては、児童ごとに児童扶養手当額と子加算の額を比較し、児童扶養手当額が子加算の額を上回る場合には、当該児童については障害基礎年金の受給権者と生計維持関係がないものとして取り扱って差し支えないものと取り扱われるため、以下のような受給変更等が行われる可能性がある。

子加算額＞児童扶養手当額の場合

　子加算の対象となるため、子加算を引き続き受給

子加算額＜児童扶養手当額の場合

　子加算の対象とならないものとし、児童扶養手当に受給変更

・児童扶養手当の二人目の加算が月額五〇〇〇円、三人目以降の加算が月額三〇〇〇円で、子加算の一～二人目が月額一万八九一六円、三人目以降の月額が六三〇〇円であることから、基本的には子加算から児童扶養手当への一人以上の受給変更はない。※具体的な比較の考え方はⅠ―1のポイントを参照

(1)　子加算から児童扶養手当に受給変更をする場合の事務処理の流れ（子加算額＜児童扶養手当額の場合）

①　児童扶養手当認定請求書の受理・審査

　事務取扱準則に基づき認定請求書の記載及びその添付書類に不備がないときは受理し審査を行う。

　支給対象児童は子加算の対象（年金証書等により確認）であるが、今般の取扱いは児童扶養手当額をもとに子加算の生計維持関係を確認するものであるため、認定請求書等を受理するものとする。

②　支給額の多寡による対応

　認定請求書等の受理時等に審査の結果、子加算が支給されない旨の確認を除いて支給要件に該当する場合等においては、児童扶養手当額と子加算の額の多寡に応じて、次の対応となることを説明すること。

・　児童扶養手当額＜子加算額の場合には、引き続き子加算を受給すること。

・　児童扶養手当額＞子加算額の場合には、児童扶養手当額調書（様式2）を交付し、④の年金事務所への加算額・加給年金額対象者不該当届（以下、加算額対象者不該当届。参考5）の届出及び⑤の市区町村への支給額変更通知書の写しの提出が必要となる旨の説明を行う。

なお、認定請求を行った支給対象児童が複数いる場合の児童扶養手当額調書は、児童扶養手当額＞子加算額となる支給対象児童について交付すること。

③　引き続き子加算を受給する場合の対応（支給対象児童全員）

　引き続き子加算を受給する場合には、児童扶養手当の支給要件に当たらないため、受理した認定請求書等を返付するものとする。

　なお、返付にあたっては、審査の結果得られた児童扶養手当額を明示すること。

④　年金事務所への届出

障害基礎年金受給者は平成二十三年四月以降に年金事務所へ届出することになり、②により児童扶養手当額調書の交付を受けた児童に係る加算額対象者不該当届を提出するとともに当該児童扶養手当額調書を提示する。

⑤　子加算の加算状況の確認

児童扶養手当受給資格者から、年金事務所・日本年金機構の審査等を経て日本年金機構より障害基礎年金受給者へ送付された支給額変更通知書の写しを市区町村に提出。

⑥　認定手続

児童扶養手当の認定に当たっては、⑤により提出のあった支給額変更通知書の写しの記載内容をもとに審査し、事務取扱準則に基づき認定処理を行う。

・　認定の日付

子加算の不該当日が三月三十一日のため、認定日は四月一日以降となる。

※　認定請求を行った支給対象児童が複数おり、児童扶養手当と子加算の受給に分かれた場合には、児童扶養手当を受給する児童について認定することとなり、子加算を引き続き受給する児童については、児童扶養手当認定通知書の備考欄等に子加算の受給により児童扶養手当の受給資格を有しない旨を記載すること。

(2)　子加算の額が児童扶養手当額を下回る場合において、児童扶養手当の受給手続を行わない場合には、年金事務所への届出がないため障害基礎年金受給者と子加算の対象児童とは引き続き生計維持関係があることとなる。

3　児童扶養手当及び子加算（障害基礎年金受給者で）の何れも受給していない世帯の場合

(1)　市区町村での対応

①　児童扶養手当認定請求書の受理・審査

事務取扱準則に基づき認定請求書の記載及びその添付書類に不備がないときは受理し、審査を行う。

②　支給額の多寡による対応

認定請求書等の受理時等に審査の結果、子加算が支給されない旨の確認を除いて支給要件に該当する場合等においては、児童扶養手当額と子加算の額の多寡に応じて次の対応となることを説明すること。

・　児童扶養手当額＞子加算額の場合には、児童扶養手当を受給すること。

・　児童扶養手当額＜子加算額の場合には、児童扶養手当額調書を交付し、④の年金事務所への加算事由該当届の届出及び⑤の市区町村への支給額変更通知書の写しの提出が必要となる旨の説明を行う。

なお、認定請求を行った支給対象児童が複数いる場合の児童扶養手当額調書は、児童扶養手当額＜子加算額となる支給対象児童について交付すること。

③ 子加算の加算状況の照会

年金事務所に対して、児童扶養手当支給対象児童に係る障害年金の子の加算状況の照会を行う。

④ 年金事務所への届出

障害基礎年金受給者は平成二十三年四月以降に年金事務所へ届出することになり、②により児童扶養手当額調書の交付を受けた児童に係る加算事由該当届、子の加算請求に係る確認書を提出するとともに当該児童扶養手当額調書を提示する。

⑤ 子加算の加算状況の確認

以下により、子加算の加算状況を確認する。

・年金事務所からの障害年金の子の加算状況の照会（③）に対する回答。

・児童扶養手当受給資格者から、年金事務所・日本年金機構の審査等を経て日本年金機構より障害基礎年金受給者へ送付された支給額変更通知書の写しの市区町村への提出。

※　加算事由該当届の標準的な処理期間を超えて、児童扶養手当受給資格者から支給額変更通知書の提出がない場合には、当該児童扶養手当受給資格者に確認等を行うとともに、確認が取れない場合には年金事務所に対して障害年金の子の加算状況の照会を行い加算状況の確認を行う。

⑥ 認定手続

児童扶養手当の認定に当たっては、障害年金の子の加算状況の照会に対する回答及び支給額変更通知書の写しの記載内容をもとに審査し、事務取扱準則に基づき認定又は却下処理を行う。

※　認定請求を行った支給対象児童が複数おり、児童扶養手当と子加算の受給に分かれた場合には、児童扶養手当を受給する児童については認定することとなり、子加算を受給する児童については、児童扶養手当認定通知書の備考欄等に子加算の受給により児童扶養手当の受給資格を有しない旨を記載すること。

(2) 年金事務所での対応

児童扶養手当及び子加算の何れも受給していない児童について、加算事由該当届の提出があった場合には、年金事務所では申請者が児童扶養手当を受給する場合の児童扶養手当額が分からず、子加算の生計維持関係の判断が出来ないことから、まずは住所地の市区町村へ児童扶養手当の申請を行うよう案内をする。併せて、子加算の受給を申請する場合、子加算の対象となる児童については、児童扶養手当を受給することができない旨の説明を行ったうえで、子の加算請求に係る確認書を徴し子加算の支給手続を行う。

II 現況届時における事務処理

1 児童扶養手当受給世帯について（児童が二名以上おり、児童扶養手当の支給対象児童の他に子加算の対象児童がいる場合を含

む）

【事務処理に当たっての前提】
・父（母）障害を支給事由とする児童扶養手当受給者のうち、児童扶養手当額＜子加算額となる者について、子加算への受給変更手続を行うことが可能な旨を案内する。
・障害基礎年金においては、児童ごとに児童扶養手当額と子加算の額を比較し、児童扶養手当額が子加算の額を上回る場合には、当該児童については障害基礎年金の受給権者と生計維持関係がないものとして取り扱って差し支えないものと取り扱われるため、以下のような受給変更等が行われる可能性がある。
児童扶養手当額＞子加算額の場合
　子加算の対象とならないものとし、児童扶養手当を引き続き受給
児童扶養手当額＜子加算額の場合
　子加算の対象となるため、子加算に受給変更
・支給額及び比較の具体的な考え方はⅠ―1のポイントを参照

(1)　児童扶養手当から子加算に受給変更をする場合の事務処理の流れ（児童扶養手当額＜子加算額の場合）

①　現況届の受理・審査
　事務取扱準則に基づき現況届の記載及びその添付書類に不備がないときは受理し審査を行う。

②　支給額の多寡による対応
　現況届の受理時等に審査の結果、子加算が支給されない旨の確認を除いて支給要件に該当する場合等においては、児童扶養手当額と子加算の額の多寡に応じて、次の対応となることを説明すること。
・　児童扶養手当額＞子加算額の場合には、引き続き児童扶養手当を受給すること。
・　児童扶養手当額＜子加算額の場合には、児童扶養手当額調書を交付し、④の年金事務所への加算事由該当届の届出及び⑥の市区町村への支給額変更通知書の写しの提出が必要となる旨の説明を行う。
　なお、現況届を行った支給対象児童が複数いる場合の児童扶養手当額調書は、児童扶養手当額＜子加算額となる支給対象児童について交付することとなる。

③　引き続き児童扶養手当を受給する場合の対応（支給対象児童全員）
　引き続き児童扶養手当を受給する場合には、事務取扱準則に基づき現況届の処理を行う。

④　年金事務所への届出
　障害基礎年金受給者は年金事務所へ、②により児童扶養手当額調書の交付を受けた児童に係る加算事由該当届及び子の加算請求に係る確認書を提出するとともに当該児童扶養手当額調書を提示する。

⑤　支給額変更通知書の送付
年金事務所・日本年金機構の審査等を経て、日本年金機構より障害基礎年金受給者へ支給額変更通知書を送付。
※　加算事由該当届等の受付から支給額変更通知書の送付までの標準的な処理期間は二〜三か月程度。
※　子加算の該当日は、④の手続が七月中に行われない場合であっても、七月三十一日（支給開始月八月）に遡及される。

⑥　資格喪失届・額改定届の提出
・　児童扶養手当の支給対象児童全員が子加算に移行する場合
児童扶養手当受給者が資格喪失届及び支給額変更通知書の写しを市区町村へ提出。
・　引き続き児童扶養手当の支給対象児童がいる場合
児童扶養手当受給者が額改定届及び支給額変更通知書の写しを市区町村へ提出。
※　加算事由該当届の標準的な処理期間を超えて、児童扶養手当受給者から資格喪失届等の提出がない場合には、当該児童扶養手当受給者に確認等を行うとともに、確認が取れない場合には年金事務所に対して障害年金の子の加算状況の照会を行い加算状況の確認を行う。

⑦　現況届等の処理
市区町村においては、提出された資格喪失届及び額改定届について、支給額変更通知書の写しの記載内容をもとに審査し、事務取扱準則に基づき資格喪失等の処理及び現況届の処理を行う。
・　資格喪失及び額改定の日付
子加算の該当日は七月三十一日（支給開始月八月）となるため、資格喪失等の日付は七月三十一日となる。
・　現況届の処理
資格喪失の場合：資格喪失処理を行うとともに、八月一日以降は受給資格がないため、現況届は返付の処理を行う。
額改定の場合：額改定処理を行うとともに、減員となった児童数を踏まえ、現況届の処理を行う。

(2)　日本年金機構における審査等の結果、加算事由該当届が不該当となった場合には、障害基礎年金受給者に日本年金機構より加算事由不該当通知書が送付されるので、市区町村は当該障害基礎年金受給者等からの当該通知書の写しの提出又は年金事務所への障害年金の子の加算状況の照会により子加算の加算状況を確認のうえ事務取扱準則に基づき現況届の処理を行う。

(3)　児童扶養手当額が子加算の額を上回る場合には、基本的には引き続き児童扶養手当を受給するものと考えられるが、児童扶養手当受給者から市区町村に、子加算受給の申し出があった場合には、子加算の生計維持関係にあるものと考えられることから、⑴の子加算への受給変更処理を行うものとする。

また、児童扶養手当額が子加算の額を下回る場合には、基本的には子加算を受給するものと考えられるが、児童扶養手当受給者から市区町村に、引き続き児童扶養手当を受給する旨の申し出があった場合には、年金事務所への届出がないため子加算の生計維持関係が確定しないことから、事務取扱準則に基づき現況届の処理を行う。

Ⅲ　新規認定時の事務処理

1　子の出生等により支給対象児童が増えた場合（障害基礎年金を有する方について）

当該児童は児童扶養手当及び子加算の何れも受給していないことから、「Ⅰ―3　児童扶養手当及び子加算の何れも受給していない場合」の手順で処理を行うものとする。

2　現に子加算を受給している世帯について、生計維持関係の変化等により児童扶養手当を申請する場合についても、新規の認定請求となる。

Ⅳ　町村分の取扱い

都道府県が認定を行っている場合の事務処理については、事務取扱準則に基づき町村で処理を行い都道府県に送付するものとし、児童扶養手当額調書については原則として都道府県から交付するものとする。また、年金事務所との照会等についても、原則として都道府県において行うものとする。

Ⅴ　事務処理上の留意点

1　法施行時における申請期間について

子加算の運用の見直しに伴う児童扶養手当の認定請求については、経過措置を設けておらず、平成二十三年四月から児童扶養手当を受給するためには、平成二十三年三月中の認定請求の受理が必要となる。このため、認定請求の期間が平成二十三年三月の一か月間しかないことから、平成二十三年三月三十一日以前は子加算を受給しており、今般の運用見直しにより児童扶養手当の認定請求を行う場合において、本件取扱いに係る広報等の不知、長期間の不在やその他認定請求を行うことが困難な事情などにより、平成二十三年三月三十一日までに認定請求を行うことができない特別な事情が認められる場合においては、平成二十三年八月三十一日までは〝災害その他やむを得ない理由〟により請求することが出来なかったものとし差し支えないものとした。また、併せて年金事務所に対しても、平成二十三年三月三十一日で子加算を不該当とする届出が必要となるため、認定手続に当たっては遺漏のないよう留意すること。

2　児童扶養手当から子加算に受給変更をした場合の対応

児童扶養手当から子加算へ受給変更をし、児童扶養手当が資格喪失となった場合には、次年度の現況届の対象とはならないことから、次年度の所得額で児童扶養手当を受給するためには、新たに認定請求を行うことが必要となる。

このため、児童扶養手当から子加算に受給変更をした者に対しては、次年度の七月中の認定請求が必要な旨を十分に説明すること。特に児童扶養手当額と子加算の額の差が僅少な場合には、手当額の多寡が変わりやすいので十分に留意すること。

3　児童扶養手当の支給対象児童が障害を有する場合の対応

子加算の支給対象年齢は、一八歳到達年度の末日を経過していない子となっており、児童扶養手当と同様の取扱いとなっているが、障害を有する子の場合は、二〇歳未満で障害等級一級又は二級の場合に限定され、児童扶養手当の範囲とは異なることから、児童扶養手当の支給対象児童が障害を有する場合には十分留意されたい。

4　児童扶養手当の支給対象児童が一八歳到達年度の末日の到来により資格喪失した場合の対応

一人目が児童扶養手当を受給し、二人目が子加算を受給している場合に、一人目が一八歳到達年度の末日が到来し資格喪失をした場合において、二人目が児童扶養手当を受給するためには、三月中の児童扶養手当の認定請求が必要となるため、手続について遺漏のないよう留意すること。

Ⅵ　その他

1　過払い防止

児童扶養手当の過払い防止のため、各事務処理段階において年金事務所と連携を密にするとともに、適宜、障害基礎年金の子の加算状況に係る照会等を行うこと。

なお、年金事務所においては、市区町村からの障害基礎年金の子の加算状況についての照会を、概ね二週間を目途に回答することとなっている。

2　子加算における生計維持関係の取扱い

平成二十二年九月十四日年発〇九一四第一号通知において、子加算における生計維持関係については「児童扶養手当の額が当該子を障害基礎年金の加算額の対象とした場合の当該加算額を上回る場合においては、（略）当該子と障害基礎年金の受給権者である父又は母との間には生計維持関係はないものと取り扱って差し支えないこととする」となっている。

このため、児童扶養手当額が子加算の額を上回った場合に、一律にその時点で公的年金給付の額の加算対象となっているときに該当するものではなく、受給資格者等からの年金事務所への加算事由該当届等の提出をもって該当するものである。

3　旧法の障害年金の子加算の取扱い

昭和六十年改正前の国民年金法や厚生年金保険法に基づく障害年金についても、これまで、昭和六十一年四月一日において生計維持している場合に加算を行うこととしていたが、これに加え、受給権発生後に子を持ち、その子との間で生計維持関係がある場合にも子の加算の対象となるものである。

参考1～6　略

様式1・2　略

○児童扶養手当における外国人に係る事務の取扱いについて

〔平成二十四年六月二十一日　雇児福発〇六二一第一号
各都道府県民生主管部(局)長宛　厚生労働省雇用均等
・児童家庭局家庭福祉課長通知〕

〔改正経過〕

第一次改正　〔令和二年一二月二五日子家発一二二五第一号〕

住民基本台帳法の一部を改正する法律（平成二十一年法律第七十七号。以下「改正住基法」という。）が平成二十一年七月十五日に公布され、住民基本台帳法の一部を改正する法律の施行期日を定める政令（平成二十四年政令第三号）により、平成二十四年七月九日（以下「改正住基法施行日」という。）より施行されることとなった。

改正住基法の施行に伴い、改正住基法施行日以後の児童扶養手当法（昭和三十六年法律第二百三十八号。以下「法」という。）における外国人に係る事務の取扱いについて、次によることとしたので、御了知の上、管内市町村（特別区を含む。以下同じ。）への周知をお願いする。

これに伴い、「児童扶養手当及び特別児童扶養手当の外国人適用に伴う事務取扱いについて」（昭和五十六年十一月二十五日児企発第四一号厚生省児童家庭局企画課長）のうち、児童扶養手当に係る部分は、改正住基法施行日をもって廃止する。

なお、この通知は、地方自治法（昭和二十二年法律第六十七号）第二百四十五条の四に規定する技術的な助言に当たるものである。

第一　受給資格者及び児童に関する事項

児童扶養手当は、法第四条第二項第一号及び第三項第一号の規定により、「日本国内に住所を有しないとき」に該当する場合は手当を支給しないこととされているが、外国人（日本国籍を有しない者をいう。以下同じ。）に係る受給資格の認定については、住民基本台帳に記録されている外国人を「日本国内に住所を有する」ものとして、手当の支給対象と取り扱うものであること。

第二　事務処理に関する事項

1　一般的事項

外国人に係る事務処理については、原則として日本人に対する取扱いと同様に行うものとすること。

2　受給資格の認定について

外国人に係る受給資格の認定は、当該外国人の住所地の都道府県知事、市長（特別区の区長を含む。）又は福祉事務所を管理する町村長が行うものであるが、その住所地は、住民基本台帳によるものとすること。

3　認定請求書等の添付書類について

認定請求書、現況届等の添付書類として、戸籍の謄本又は抄本を提出させることとされている場合には、これらに代えて、必要に応じ、本人の申立書、民生委員・児童委員の証明書等、受給資格等に係る事実を明らかにすることができる書類を添付させるものであること。

4　認定請求書、手当証書、各種届書、台帳等の記載要領について

外国人である受給資格者及び児童の氏名、生年月日、住所及び受給資格者と児童との続柄等の確認は、住民基本台帳をもって行うこと。

(1)　氏名

氏名は、本名により管理することとし、特に手当証書については、本名により作成することとするが、これら以外の認定請求書、各種届書等については受給資格者の日常生活が通称によって営まれている場合等事務処理上通称も管理することが適当な場合については、括弧書又は備考欄に通称を記載させることができること。

なお、氏名及び通称の記載に当たっては、本人の申立てによりそれぞれフリガナを付すものであること。

(2)　生年月日

生年月日は、受給資格者等が記載するに当たっては、西暦等によって差し支えないが、台帳等の生年月日欄は、元号により記載するものであること。

(3)　外国人表示

外国人の受給者については、受給資格者台帳の様式の欄外に㊇の朱印を押印し、外国人の受給者に係る分を分類整理すること。

5　住民基本台帳担当部門との連携強化について

児童扶養手当における外国人に係る事務の取扱いについて外国人に係る事務処理に当たっては、住民基本台帳と密接な関係があるので、市町村においては例えばあらかじめ外国人受給者一覧表等を住民基本台帳担当部門に提出し、外国人の受給者や児童の事実関係に変動があった場合には、速やかに、児童扶養手当の担当部門に通報する体制を確立する等、市町村における事務処理体制にあった方法により住民基本台帳担当部門との連携強化を図り、円滑・適正な事務処理に努めること。

第三　外国人が出国した場合の受給権に関する事項

1　基本的取扱い

外国人が生活の本拠を移して出国する場合には、住所地の市町村長に住民基本台帳法（昭和四十二年法律第八十一号）第二十四条に規定する転出届をすることが必要であることから、児童扶養手当の受給者又は児童である外国人が出国する場合には、当該外国人に係る住民票が消除された日をもって当該児童扶養手当の受給権を消滅させること。

2　外国人の住民票が消除されないまま出国している場合

(1)　再入国の許可を受けて出国している場合について

児童扶養手当の受給者である外国人が、出入国管理及び難民認定法（昭和二十六年政令第三百十九号）第二十六条に規定する再入国の許可（同法第二十六条の二の規定により再入国の許可を受けたものとみなされる場合を含む。以下同じ。）を受けて出国した場合は、当該外国人の受給権は消滅しないものであること。

児童扶養手当における外国人に係る事務の取扱いについて

ただし、当該外国人が再入国の許可の有効期間内に再入国しなかった場合には、当該外国人に係る住民票が消除された日をもって児童扶養手当の受給権を消滅させること。

なお、当該外国人の出国した日を把握した場合には、児童扶養手当の受給権は当該外国人が出国した日に遡及して消滅させ、手当の返還請求を行う取扱いとして差し支えないこと。

また、児童扶養手当に係る外国人である児童が、再入国の許可を受けて出国した場合は、当該児童については、他の支給要件を満たす限り、児童扶養手当に係る児童と取り扱うものであること。

ただし、当該児童が再入国の許可の有効期間内に再入国しなかった場合には、当該児童に係る住民票が消除された日をもって、当該児童について、児童扶養手当に係る児童でないものと取り扱うものであること。

なお、当該児童の出国した日を把握した場合には、当該児童が出国した日に遡及して児童扶養手当に係る児童でないものとする取扱いとして差し支えないこと。

(2) 再入国の許可を受けないで出国した場合について

児童扶養手当の受給者である外国人が再入国の許可を受けないで出国した場合は、当該外国人に係る住民票が消除された日をもって児童扶養手当の受給権は消滅するものであること。

また、児童扶養手当に係る外国人である児童が再入国の許可を受けないで出国した場合は、当該児童に係る住民票が消除された日をもって、当該児童について、児童扶養手当に係る児童でないものと取り扱うものであること。

3 外国人の出国に伴う児童扶養手当の過払の防止等について

児童扶養手当の受給者及び児童である外国人が本邦を出国することにより児童扶養手当の過払が行われることのないよう、現況届時の厳重なチェック、現況届後の実態の把握、外国人の在留状況の把握等、工夫するものであること。

第四 所得制限に関する事項

外国人に係る所得制限については、日本人の場合と同様その者の都道府県民税に係る前年（一月から七月までの月分については前々年）の所得の額を基礎として行うものであること。

〇父又は母が配偶者からの暴力の防止及び被害者の保護等に関する法律による保護命令を受けた児童に係る児童扶養手当の支給事務について

〔平成二十四年七月二十七日　雇児福発〇七二七第二号
各都道府県民生主管部(局)長宛　厚生労働省雇用均等
・児童家庭局家庭福祉課長通知〕

〔改正経過〕

第一次改正　〔平成二六年九月三〇日雇児福発〇九三〇第三号〕
第二次改正　〔令和元年五月二九日子家発〇五二九第一号〕

今般、児童扶養手当法施行令の一部を改正する政令（平成二十四年政令第百九十八号。以下「改正政令」という。）が平成二十四年八月一日から施行されることとなり、児童扶養手当（以下「手当」という。）の支給対象に、父又は母が配偶者からの暴力の防止及び被害者の保護等に関する法律（平成十三年法律第三十一号。以下「ＤＶ防止法」という。）第十条第一項の規定による命令（それぞれ母又は父の申立てにより発せられたものに限る。以下「保護命令」という。）を受けた児童を加えることとされたが、当該児童に係る手当の支給事務については左記のとおり取り扱うこととしたので、御了知いただくとともに、管内市町村（特別区を含む。）への周知をお願いする。

なお、この通知は、地方自治法（昭和二十二年法律第六十七号）第二百四十五条の九の規定に基づく法定受託事務に係る処理基準である

父又は母が配偶者からの暴力の防止及び被害者の保護等に関する法律による保護命令を受けた児童に係る児童扶養手当の支給事務について

ことを申し添える。

記

1　手当の認定請求又は手当額の改定請求における取扱いについて

(1)　当該児童が父又は母が保護命令を受けた児童に該当することについては、児童扶養手当認定請求書又は児童扶養手当額改定請求書にその事実を明らかにする書類として、保護命令決定書の謄本及び確定証明書（別紙1参照）（ＤＶ防止法第十九条の請求により交付される保護命令の確定証明書をいう。以下同じ。）（以下「保護命令決定書の謄本等」という。）の提出を受けて確認すること。

ただし、保護命令決定書の謄本等の代わりに、手当請求用確定証明書（別紙2参照）により、手当の認定請求又は手当額の改定請求をしようとする者には、手当請求用確定証明申請書（別紙3参照）を交付し、裁判所による証明を得ることを求めるものであること。なお、手当請求用確定証明書には保護命令の発令の事実及びその年月日並びに申立人である証明申請者の氏名及び保護命令決定書上の住所が記載されることから、保護命令決定書の謄本等は不要であること。

また、裁判所より交付された手当請求用確定証明書に、保護命令の確定の年月日又は申立人である証明申請者の保護命令決定書上の住所が記載されていない場合や、ＤＶ防止法第十条の項の指定がされていない場合でも、手当請求用確定証明書として受理して差し支えないこと。

(2)　父又は母が保護命令を受けた児童については、保護命令の有効

父又は母が配偶者からの暴力の防止及び被害者の保護等に関する法律による保護命令を受けた児童に係る児童扶養手当の支給事務について

期間（接近禁止命令は六月間、退去命令は二月間）が経過した場合やＤＶ防止法第十七条による保護命令の取消しが行われた場合でも、父又は母と生計を同じくしている等の手当の消極的要件に該当しない限り、手当の支給を継続する取扱いとすること。

ただし、ＤＶ防止法第十六条による即時抗告（以下「即時抗告」という。）により保護命令が取り消された場合には、最初から父又は母が保護命令を受けなかったものと解し、当該児童は最初から父又は母が保護命令を受けた児童に該当しないものとすること。

(3) 手当の認定請求又は手当額の改定請求の請求時点は、市町村において児童扶養手当法施行規則（昭和三十六年厚生省令第五十一号）上必要とされる添付書類及び請求書の記載に不備がないものとして請求書を受理した時点であるが、即時抗告又はその提起期間（裁判の告知を受けた日から一週間）により確定証明書又は手当請求用確定証明書の提出が遅れる場合には、保護命令決定書の謄本のみの提出により、請求書を受理して差し支えないこと。この場合、保護命令の確定の年月日が確定証明書又は手当請求用確定証明書に記載されるため、保護命令の確定が請求書の受理日より遅れたことについて、確定証明書又は手当請求用確定証明書が提出された際に確認すること。

(4) 父又は母が保護命令を受けた児童に該当するに至った日については、保護命令決定書の謄本又は手当請求用確定証明書における保護命令の決定の年月日であるので、改正政令附則第二項及び第三項並びに児童扶養手当法（昭和三十六年法律第二百三十八号）第十三条の三第一項の適用に留意されたいこと。

2 現況届における取扱いについて

現況届においては、保護命令決定書の謄本等又は手当請求用確定証明書の提出を受けて、父又は母が保護命令を受けたことを改めて確認することは要しないものであること。

なお、当該児童が支給対象児童に該当することについて、父又は母と生計を同じくしている等の疑義がもたれた事例については、支給要件の確認に努めること。

3 保護命令の支給要件での認定への変更について

父又は母が引き続き一年以上遺棄している児童については、同時に父又は母が保護命令を受けた児童に該当する場合が考えられるが、遺棄の支給要件での認定である限り、現況届においては、遺棄申立書等の提出が必要となる。一方、保護命令の支給要件での認定であれば、現況届において、父又は母が保護命令を受けたことを明らかにする書類を提出することを要しない。

このため、遺棄の支給要件での認定から保護命令の支給要件での認定への変更を、1(1)に定めるところにより当該児童が保護命令の支給要件に該当することを確認した上で、現況届の際等に行うことができること。

経過措置等（第二次改正）

改正前の様式（以下「旧様式」という。）により使用されている書類は、当該改正後の様式によるものとみなすものとすること。

また、旧様式による用紙については、合理的に必要と認められる範囲内で、当分の間、例えば、訂正印や手書きによる訂正等により、これを取り繕って使用することができるものとすること。

（別紙１）

事件番号　令和〇〇年（配チ）第〇〇〇〇〇号

申立人　□□　□□

相手方　□□　□□

令和〇〇年〇〇月〇〇日

確　定　証　明　申　請　書

□□地方裁判所　□□支部　　御中

申請者（申立人）氏名　　□□　□□　　　印

上記代理人弁護士　　□□　□□　　　印

御庁上記保護命令申立事件につき、令和〇〇年〇〇月〇〇日になされた決定が、令和〇〇年〇〇月〇〇日に確定したことを証明してください。

上記のとおり証明する。

令和〇〇年〇〇月〇〇日

□□地方裁判所　□□支部

裁判所書記官　□□　□□　　印

（別紙２）

事件番号　令和○○年（配チ）第○○○○○号

申立人　□□　□□

相手方　□□　□□

令和○○年○○月○○日

確　定　等　証　明　申　請　書

（児童扶養手当請求用）

□□地方裁判所　□□支部　　御中

申請者（申立人）　決定書記載の住所

□□県□□市□□　○—○—○

氏名　□□　□□　　印

上記代理人弁護士　□□　□□　　印

御庁上記保護命令申立事件につき、下記事項を証明してください。

記

1　令和○○年○○月○○日に、配偶者からの暴力の防止及び被害者の保護等に関する法律第10条第１項による保護命令がされたこと

2　１記載の保護命令が令和○○年○○月○○日に確定したこと

上記のとおり証明する。

令和○○年○○月○○日

□□地方裁判所　□□支部

裁判所書記官　□□　□□　　印

（別紙３）

事件番号　令和　　年（配チ）第　　　　号

申立人

相手方

令和　　年　　月　　日

確定等証明申請書

（児童扶養手当請求用）

地方裁判所　　支部　　御中

申請者（申立人）　決定書記載の住所

＿＿＿＿＿＿＿＿＿＿＿＿＿＿＿＿＿＿

氏名＿＿＿＿＿＿＿＿＿＿＿＿＿＿＿印

上記代理人弁護士　＿＿＿＿＿＿＿＿＿＿＿＿＿＿＿印

御庁上記保護命令申立事件につき、下記事項を証明してください。

記

1　令和　　年　　月　　日に、配偶者からの暴力の防止及び被害者の保護等に関する法律第10条第１項による保護命令がされたこと

2　１記載の保護命令が令和　　年　　月　　日に確定したこと

（注）1　事件番号、申立人、相手方、申請日、申請者（申立人）の氏名及び決定書記載の住所を記入すること。申立人本人が申請する場合は、代理人弁護士は空欄とすること。

2　１の必要事項を記載した申請書（２部）を、保護命令を発令した裁判所に提出すること。（即時抗告されている場合には、裁判所に問い合わせること。）

3　本人確認書類（運転免許証、健康保険証等）及び印鑑の持参が必要であること。

4　証明書の交付には収入印紙が必要であること。

○児童扶養手当証書の説明文について

〔平成二十五年六月二十八日　雇児福発〇六二八第一号
各都道府県民生主管部(局)長宛　厚生労働省雇用均等
・児童家庭局家庭福祉課長通知〕

〔改正経過〕

第一次改正　〔平成二六年九月三〇日雇児福発〇九三〇第三号〕
第二次改正　〔令和元年五月三〇日子家発〇五三〇第一号〕

標記については、「都道府県における児童扶養手当証書の説明文について」(平成二十年十月二十日付雇児福発第一〇二〇〇〇一号)により、既認定者等(昭和六十年七月三十一日において認定を受けている者及び同日において認定の請求をしている者であってその後認定を受けた者をいう。)に係る証書の末尾の説明文をお示しし、新規認定者(既認定者等を除く受給資格者をいう。以下同じ。)については、各都道府県等において、当該通知及び平成二十二年七月三十日付事務連絡を参考に末尾の説明文を作成いただいているところである。

今般、この説明文について、既認定者等及び新規認定者に係る標準的なものとして別添のとおり作成したので、今後、各都道府県等において証書を作成する場合の参考とされたい。

併せて、管内市(指定都市、中核市、特別区を含む)町村への周知方お願いしたい。

なお、これに伴い「都道府県における児童扶養手当証書の説明文について」(平成二十年十月二十日付雇児福発第一〇二〇〇〇一号)は廃止する。

〔別　添〕

証書をもっている方へ

(この証書はどういうものか)

1　この証書は、児童扶養手当を受ける資格があることを証する書類ですから、大切に保管してください。

(支払は、いつどこで受けられるか)

2　手当の支払は、届出をした金融機関の口座に振り込まれます。支払は、毎年一月、三月、五月、七月、九月及び十一月(各月とも十一日(その日が日曜日若しくは土曜日又は休日(以下「日曜日等」という。)に当たる場合は、その日の直前の日曜日等でない日))の六回に前月までの分が支払われます。

(現況届はいつ出さなければならないか)

3　手当を受けている人は、毎年八月一日から八月三十一日までの間に市区町村にある児童扶養手当現況届の用紙に必要なことを記入し、手当の受給要件に該当することを明らかにすることができる添付書類といっしょに市区町村の窓口に、この証書とともに提出してください。添付書類は、手当を受給している理由によって異なりますので、詳しくは市区町村の窓口で聞いてください。この届によって手当を引き続いて受ける資格があるかどうか審査し、引き続いて受ける資格があると認められた場合には、あらためて証書が交付され、手当の支払を受けることができます。したがって、現況届は手当を引き続き受けるためには絶対に必要な手続ですので必ず提出してください。現況届を提出しないと手当の支給が差し止めになります。

（手当の額が減額されるのはどういう場合か）

4 手当の支給の対象となっている児童が二人以上いる場合に児童のいずれかについて、

・手当を受けている人が児童の母の場合、又は児童の母若しくは父（母が児童を懐胎した当時、婚姻の届出をしていないが事実上婚姻関係と同様の事情（以下「事実婚」といいます。）にあった人を含み、戸籍上の父に限りません。以下、同じ。）以外の養育者の場合は次のイからチまでのどれかに該当するようになったとき、

・手当を受けている人が児童の父の場合は、次のイからヘまで又はリ、ヌのどれかに該当するようになったとき、には、手当の額を減額しなければなりませんので、そのときはすぐ市区町村にある用紙に必要なことを記入し、この証書といっしょに、市区町村の窓口に提出してください。届出をしないまま手当を受けていますと、受給資格がなくなった月の翌月から受給していた手当の総額をあとで返還していただくことになります。

イ 手当を受けている人との関係で、以下のいずれかに該当するようになった。

(イ) 手当を受けている母に監護されなくなった

(ロ) 手当を受けている父に監護され、かつ生計を同じくしなくなった

(ハ) 手当を受けている養育者に養育（児童と同居して監護し生計を維持することをいう。）されなくなった

ロ 死亡した。

ハ 日本国内に住所を有しなくなった。

ニ 満一八歳に達した日の属する年度が終了した。（児童扶養手当法施行令別表第一で定める程度の障害の状態にある児童については、満二〇歳に達したか又はそのような障害でなくなった。）

ホ 児童福祉法第二十七条第一項第三号に規定する里親に委託されるようになった。

ヘ 次の①から⑧までのどれにも該当しなくなった。（なお、児童のうち一人がこれらのどれにも該当しなくなった後に、その児童が新たにどれかに該当することとなった場合には、改めて支給額の改定の認定を申請してください。）

① 父と母が離婚（事実婚をやめた場合を含みます。）した児童

② 父又は母が死亡した児童

③ 父又は母が児童扶養手当法施行令別表第二で定める程度の障害である児童

④ 父又は母の生死が明らかでない児童

⑤ 父又は母から遺棄されている児童（該当しなくなったと

は、父又は母から連絡や仕送りがあった場合などをいいます。）

⑥　父又は母が拘禁されている児童

⑦　母が婚姻（事実婚を含みます。）によらないで懐胎した児童

⑧　棄児のように父と母があるかないかわからない児童

ト　父と生計を同じくするようになった。

チ　母が婚姻して、母の配偶者（事実婚による配偶者を含みます。）に養育されるようになった。

リ　母と生計を同じくするようになった。

ヌ　父が婚姻して、父の配偶者（事実婚による配偶者を含みます。）に養育されるようになった。

（手当の額が増額されるのはどういう場合か）

5　支給対象児童の数が増えたときは、手当の額が増額されますので、市区町村にある改定請求書に必要なことを記入し、この証書といっしょに、市区町村の窓口に提出してください。

（手当の支給が停止されるようになるのはどういう場合か）

6　手当を受けている人が所得の高い扶養義務者（父母、祖父母、子、孫などの直系血族と兄弟姉妹）に扶養されるようになったときや、所得の高い人と婚姻（事実婚も含みます。）したとき（受給資格がなくなる場合を除きます。）には、手当の全部を支給停止しなければならない場合がありますので、そのときはすぐに市区町村の窓口に問い合わせ、届出をする必要があれば、市区町村にある用紙に必要なことを記入し、この証書といっしょに、市区町村の窓口に提出してください。届出をしないまま手当を受けていますと、支給が停止される事由が発生した翌月から受給していた手当の総額をあとで返還していただくことになります。なお、現況届の審査で、受給資格者の所得が一定額以上の場合は、手当の全部又は一部が支給停止となります。

7　手当を受けている人又は手当の支給対象となっている児童が、公的年金若しくは遺族補償等を受けることができるようになった場合や、児童が公的年金の加算の対象となった場合には、手当の全部又は一部を支給停止しなければならない場合がありますので、そのときはすぐに市区町村の窓口に問い合わせ、届出をする必要があれば、市区町村にある用紙に必要なことを記入し、この証書といっしょに、市区町村の窓口に提出してください。届出をしないまま手当を受けていますと、手当の全部又は一部を返還していただくことになります。

8　手当を受け始めてから五年又は支給事由発生から七年（ただし、認定請求をした日において三歳未満の児童がいる場合は、当該児童が三歳に達してから五年）を経過する受給資格者（養育者を除く）は、当該年数が経過する年の六月（一月から六月までに当該年数が経過する場合はその前年の六月）に市区町村からお知らせが届きますので、当該年数が経過する年の八月一日から三十一日まで（一月から六月までに当該年数が経過する場合はその前年の八月一日から三十一日まで）に市区町村の窓口へ、現況届と併せて児童扶養手当

一部支給停止適用除外事由届出書及び次のイからホまでのどれかに該当していることを確認できる関係書類を提出してください。提出を行い、確認ができれば、これまでと同様に手当を受給できます。(所得の状況や家族の状況等に変化があった場合は、この限りではありません。)

イ　就業している。

ロ　求職活動等の自立を図るための活動をしている。

ハ　障害の状態にある。

ニ　疾病、負傷又は要介護状態にあることその他これに類する事由により就業することが困難である。

ホ　監護する児童又は親族が障害、疾病、負傷、要介護状態にあることその他これに類する事由により、あなたが介護する必要があるため、就業することが困難である。

関係書類の提出を行うことができない場合でも、市区町村の窓口に相談し、その上で求職活動等を行った場合は、これまでと同様に手当を受給できます。(所得の状況や家族の状況等に変化があった場合は、この限りではありません。)関係書類の提出や市区町村の窓口で助言等を受けて求職活動等を行わない場合、手当の二分の一の額について支給停止となる可能性があります。関係書類が提出できないときや届出の手続、関係書類等について分からないことがあるときは、必ず市区町村の窓口に問い合わせてください。

なお、五年等を経過し、初めて児童扶養手当一部支給停止適用除外事由届出書及び関係書類の提出等を行った後は、毎年八月の現況届を提出する際に、併せて児童扶養手当一部支給停止適用除外事由届出書及び関係書類の提出等を行ってください。

9　手当を受けている人が「孤児など」(父と母が、明らかでないこと、死亡したこと、生死不明であること又は法令により引き続き一年以上拘禁されていることのいずれかに該当する児童などをいいます。)の養育者であって、次のイからハまでのどれかに該当するようになったときは、手当の全部又は一部を支給停止しなければならない場合がありますので、そのときはすぐに市区町村の窓口に問い合わせ、届出をする必要があれば、市区町村にある用紙に必要なことを記入し、この証書といっしょに、市区町村の窓口に提出してください。届出をしないまま手当を受けていますと、支給が停止される事由が発生した翌月から受給していた手当をあとで返還していただくことになります。

イ「孤児など」と養子縁組をした。

ロ　養育している児童が、「孤児など」でなくなった。

ハ「孤児など」が、前に記した4のイからヌまでのどれかに該当するようになった。

(手当の支給の停止が解除されるのはどういう場合か)

10　手当を受けている人が「孤児など」を養育するようになったり、手当の支給の対象となっている児童が「孤児など」になったときには、手当の支給の停止が解除されますので、そのときはすぐに市区町村にある用紙に必要なことを記入し、この証書といっしょに、市区町村の窓口に提出してください。

（手当を受ける資格がなくなるのはどういう場合か）

11　手当を受ける資格がなくなる場合の主な例は次のとおりですので、そのときはすぐ市区町村にある用紙に必要なことを記入し、この証書といっしょに、市区町村の窓口に提出してください。届出をしないまま手当を受けていますと、受給資格がなくなった月の翌月から受給していた手当の総額をあとで返還していただくことになります。

イ　手当を受けている父又は母が婚姻した。（この婚姻には、事実婚、例えば生活を共にしている場合なども含みます。）

ロ　手当を受けている人が死亡した。

ハ　日本国内に住所を有しなくなった。

ニ　手当の支給要件に該当しなくなった。（なお、支給対象の児童のすべてが4のへの①から⑧のどれにも該当しなくなった後に、児童のうち一人でも新たにどれかに該当することとなった場合には、改めて認定を申請してください。）

（氏名・住所・支払金融機関等を変更したとき）

12　氏名や住所や支払金融機関を変更したいときには、この証書といっしょに、その旨を市区町村の窓口に届け出てください。

（証書をなくしたとき）

13　証書をなくしたときには、すぐに市区町村の窓口に届け出てください。新しい証書を渡します。その後なくした証書がでてきたときには、できるだけ早くその証書を市区町村の窓口に返してください。

（証書を破ったり、汚したりしたとき）

14　証書を破ったり、汚したりした場合には、新しい証書を渡しますので、市区町村の窓口に申請してください。

（証書を他人に譲り渡したり質に入れたりすることはできません）

15　証書を他人に譲り渡したり、質に入れたりすることはできません。また差押えを受けることはありません。

16　手当についてわからないことがありましたら、なんでも市区町村の窓口で聞いてください。市区町村の窓口でもわからない場合には、都道府県の児童福祉担当の課で聞いてください。

17　市区町村の窓口に届を出したり、問い合わせをするときは、証書を持参してください。

○公的年金給付又は遺族補償等の給付が行われる場合の児童扶養手当支給事務の取扱いについて

〔平成二十六年十月十七日　雇児福発一〇一七第一号
各都道府県民生主管部(局)長宛　厚生労働省雇用均等・児童家庭局家庭福祉課長通知〕

〔改正経過〕

第一次改正（平成二六年一一月二八日雇児福発一一二八第一号）
第二次改正（平成二九年三月七日雇児福発〇三〇七第三号）
第三次改正（平成三〇年九月二八日子家発〇九二八第二号）
第四次改正（令和元年五月二九日子家発〇五二九第一号）
第五次改正（令和二年九月二日子家発〇九〇二第一号）
第六次改正（令和三年二月三日子家発〇二〇三第一号）
第七次改正（令和三年二月二六日子家発〇二二六第一号）

「次代の社会を担う子どもの健全な育成を図るための次世代育成支援対策推進法等の一部を改正する法律」（平成二十六年法律第二十八号。以下「改正法」という。）については、本年四月十六日に成立し、四月二十三日に公布されたところである。あわせて、「次代の社会を担う子どもの健全な育成を図るための次世代育成支援対策推進法等の一部を改正する法律の施行に伴う関係政令の整備に関する政令」（平成二十六年政令第三百十三号）が同年九月二十五日に、「次代の社会を担う子どもの健全な育成を図るための次世代育成支援対策推進法等の一部を改正する法律の施行に伴う厚生労働省関係省令の整備に関する省令」（平成二十六年厚生労働省令第百十五号）が同月三十日にそれぞれ公布され、児童扶養手当と公的年金給付等との併給調整に係る改正部分については、平成二十六年十二月一日から施行されるところである。

これを踏まえ、公的年金給付又は遺族補償等の給付が行われる場合の児童扶養手当支給事務の取扱いについて、別添のとおり事務処理要領を定めたので、内容について御了知いただくとともに、その取扱いに遺漏のないよう管内市区町村あて周知方お願いする。

なお、平成二十六年十一月分以前の障害基礎年金の子の加算に係る児童扶養手当の支給事務の取扱いについては、「障害基礎年金の子の加算の運用の見直しに伴う児童扶養手当支給事務の取扱いについて」（平成二十三年二月二十一日雇児福発〇二二一第一号厚生労働省雇用均等・児童家庭局家庭福祉課長通知）によるものとする。

また、本取扱いについては、厚生労働省年金局事業管理課と協議済であることを念のため申し添える。

別添

公的年金給付又は遺族補償等の給付が行われる場合の児童扶養手当支給事務の取扱いに係る事務処理要領

I　受給資格者若しくは対象児童が公的年金給付等を受給できる又は対象児童が父若しくは母の公的年金給付の加算の対象となっている場合

1　認定請求時における事務処理

(1)　公的年金給付等の支給を行う者の証明書等について

公的年金給付又は遺族補償等の給付が行われる場合の児童扶養手当支給事務の取扱いについて

公的年金給付等（児童扶養手当法（以下「法」という。）第三条第二項に規定する公的年金給付及び第十三条の二に規定する遺族補償等をいう。以下同じ。）を受給できる者が児童扶養手当の認定請求を行う際に提出する公的年金給付等の支給を行う者の証明書は、「公的年金給付等受給証明書」（別紙様式1―1から1―4）（以下「証明書」という。）によることとするが、以下の点に留意する。

・ 公的年金給付等の関係書類（年金証書、年金決定通知書・支給額変更通知書、年金額改定通知書等）の写しにより、その受給状況を確認できるときは、当該書類をもって証明書に代えることができるものとする。この場合、都道府県、市及び福祉事務所設置町村（以下、「手当の支給機関」という。）から日本年金機構中央年金センター長等に対し、必要に応じてその受給状況を確認する。

・ 証明書は、原則として交付の日から概ね一か月以内のものとする。なお、当該証明が物価スライド等による支給額の改定前の時点における証明である場合には、その後、変更となっている可能性があることに留意する。

また、年金制度の機能強化のための国民年金法等の一部を改正する法律（令和二年法律第四十号）による改正後の法施行前の事前受付時においては、令和二年四月の物価スライド等による改定後の公的年金給付等の額が確認できる場合には証明書の交付の日から一か月を過ぎていても差し支えないものとする。

・ 証明書の発行に相当の期間を要する場合等には、当該公的年金給付等を受給していることが分かる書類の提出をもって受理して差し支えない。この場合、証明書が提出された後に認定を行い、受理した月の翌月以降分の手当を支給する。

・ 公的年金給付等を申請しているが裁定等の結果が出ていない者が手当の申請を行う場合には、証明書の添付がなくとも認定請求書を受理して差し支えない。この場合、原則として、裁定等が行われ証明書等が提出された後に認定を行い、認定請求書を受理した月の翌月以降分の手当を支給する。これは、裁定等が行われる前に認定を行った場合、裁定等の結果として公的年金給付等の支給期間と手当の支給済み期間が重複することが想定されるため、実務上これを避けるための運用上の取扱いである。

一方で、裁定等の結果が出るまでに期間を要することが見込まれる場合には、公的年金給付等及び手当のいずれもが支給されない状況となることから、あらかじめ、裁定等の結果として公的年金給付等の支給期間と手当の支給済み期間が重複することとなったときに当該重複期間に係る手当の返還手続が発生することとなる旨を十分に説明した上で、公的年金給付等の受給に伴う支給停止がなされない前提で算出した額により手当の認定を行い、支給することとして差し支えない。

・公的年金給付等の額が手当額を下回るか否か不明の場合には、申請者に対しその旨を十分に説明した上で対応する。

・なお、公的年金給付等の額について物価スライド等により毎年改定が行われる際に（「4　物価スライド等による公的年金給付等の額の改定に伴う事務処理」参照）、職権に基づいて手当額の改定を行う場合は、受給資格者に対してその同意を求め承諾を得る必要がある。

(2) 差額支給月額の計算方法等について

差額支給月額の計算方法等については、おおむね、次の流れとなる。

① 児童扶養手当の手当額の算出

法第九条第一項及び第九条の二から第十一条までの規定に基づく所得制限により算定された受給資格者に支給されるべき手当額（児童が二人以上である場合の加算額を含む）を算出する。

この結果、手当額が全部支給停止となる場合は、差額支給月額の計算は不要となる。

② 公的年金給付等の額の把握

差額計算の対象となる公的年金給付等の額については、以下の点に留意する。

ア 公的年金給付等の対象範囲について

・公的年金給付等に加算又は加給が行われた後の額（児童が加算の対象になっている父又は母が支給を受けている公的年金給付についてはその加算の額とし、受給資格者が受けている障害基礎年金等（法第十三条の二第三項に規定する障害基礎年金等をいう。以下同じ。）については子を有する者に係る加算の額とする。）を対象とする。

なお、障害基礎年金等とは、次の公的年金給付をいう。

(ア) 国民年金法（昭和三十四年法律第百四十一号）第三十条第一項の規定に基づく障害基礎年金

(イ) 同法第三十条の二第一項の規定に基づく障害基礎年金

(ウ) 同法第三十条の三第一項の規定に基づく障害基礎年金

(エ) 同法第三十条の四第一項の規定に基づく障害基礎年金

(オ) 国民年金法等の一部を改正する法律（昭和六十年法律第三十四号）附則第三十二条の規定によりなお従前の例によることとされた同法による改正前の国民年金法の規定に基づく障害年金

(カ) 国民年金法等の一部を改正する法律附則第七十八条第一項の規定によりなお従前の例によるものとされた同法第三条の規定による改正前の厚生年金保険法（昭和二十九年法律第百十五号）の規定に基づく障害年金

（障害の程度が同法別表第一に定める一級又は二級に該当する者に支給されるものに限る。）

(キ)　恩給法（大正十二年法律第四十八号）の規定（他の法律において準用する場合を含む。）に基づく増加恩給、傷病年金及び特別傷病恩給

(ク)　雇用保険法等の一部を改正する法律（平成十九年法律第三十号）附則第三十九条の規定によりなお従前の例によるものとされた同法第四条の規定による改正前の船員保険法（昭和十四年法律第七十三号）の規定に基づく障害年金

(ケ)　戦傷病者戦没者遺族等援護法（昭和二十七年法律第百二十七号）の規定に基づく障害年金

(コ)　未帰還者留守家族等援護法（昭和二十八年法律第百六十一号）の規定に基づく留守家族手当

(サ)　労働者災害補償保険法（昭和二十二年法律第五十号）の規定に基づく障害補償年金、傷病補償年金、複数事業労働者障害年金、複数事業労働者傷病年金、障害年金及び傷病年金

(シ)　国家公務員災害補償法（昭和二十六年法律第百九十一号）の規定（他の法律において準用する場合を含む。）に基づく傷病補償年金及び障害補償年金

(ス)　地方公務員災害補償法（昭和四十二年法律第百二十一号）の規定に基づく傷病補償年金及び障害補償年金並びに同法第六十九条第一項の規定に基づく条例の規定に基づく補償でこれらに相当するもの

(セ)　公立学校の学校医、学校歯科医及び学校薬剤師の公務災害補償に関する法律（昭和三十二年法律第百四十三号）第四条第一項の規定に基づく条例の規定に基づく傷病補償年金及び障害補償年金

(ソ)　被用者年金制度の一元化等を図るための厚生年金保険法等の一部を改正する法律（平成二十四年法律第六十三号。以下「平成二十四年一元化法」という。）附則第三十七条第一項の規定によりなおその効力を有するものとされた国家公務員等共済組合法等の一部を改正する法律（昭和六十年法律第百五号）第一条の規定による改正前の国家公務員等共済組合法（昭和三十三年法律第百二十八号。以下「旧国共済法」という。）の規定に基づく障害年金（障害の程度が旧国共済法別表第三に定める一級又は二級に該当する者に支給されるものに限る。）

(タ)　平成二十四年一元化法附則第六十一条第一項の規定によりなおその効力を有するものとされた地方公務員等共済組合法等の一部を改正する法律（昭和六十年法律第百八号）第一条の規定による改正前の地方公務員等共済組合法（昭和三十七年法律第百五十二号）の規定に基づく障害年金（障害の程度が同法別表第三に定

める一級又は二級に該当する者に支給されるものに限る。）

(チ) 平成二十四年一元化法附則第七十九条の規定によりなおその効力を有するものとされた私立学校教職員共済組合法等の一部を改正する法律（昭和六十年法律第百六号）第一条の規定による改正前の私立学校教職員共済組合法（昭和二十八年法律第二百四十五号）の規定に基づく障害年金（障害の程度が同法第二十五条第一項において準用する旧国共済法別表第三に定める一級又は二級に該当する者に支給されるものに限る。）

(ツ) 国会議員互助年金法を廃止する法律（平成十八年法律第一号）附則第二条第一項の規定によりなおその効力を有するものとされた同法による廃止前の国会議員互助年金法（昭和三十三年法律第七十号）第二条第一項の互助年金のうち公務傷病年金及び国会議員互助年金法を廃止する法律附則第十一条第一項の公務傷病年金

(テ) 執行官法の一部を改正する法律（平成十九年法律第十八号）による改正前の執行官法（昭和四十一年法律第百十一号）附則第十三条の規定に基づく年金たる給付のうち増加恩給

・ 二人以上の受給権者が共同して公的年金給付等を受給できる場合には、その給付の額を受給権者の数で除して得た額を対象とする（その額に一円未満の端数があるときは、これを切り捨てるものとする）。

・ 公的年金給付等の支給において、過払いが発生し内払調整が行われている場合には、内払調整前の額を対象とする。

・ 障害（厚生・基礎）年金又は遺族（厚生・基礎）年金の受給により労働者災害補償保険制度の年金の額が減額され支給されている場合等、公的年金給付等の額が他の公的年金給付等との併給調整により減額されている場合は、減額後の公的年金給付等の額を対象とする。

イ 在職老齢年金について

・ 在職老齢年金による支給停止後の額を対象とする。また、次に掲げる雇用保険法等に基づく給付により老齢厚生年金の支給停止が行われる場合も同様の取扱いとする。

(ア) 雇用保険法による基本手当

(イ) 船員保険法による失業保険金

(ウ) 雇用保険法による高年齢雇用継続基本給付金・高年齢再就職給付金

(エ) 船員保険法による高齢雇用継続基本給付金・高齢再就職給付金

ウ 労働者災害補償保険制度の年金等に係る前払一時金について

・前払一時金の支払を受けている場合には、「別紙様式1—3」により、証明日現在の給付額及び前払一時金の支給額等を確認する。

・児童扶養手当法施行規則第二十四条の四第一項ただし書、第二項ただし書及び第三項ただし書における「同表の第二欄に掲げる給付の額を、第四欄に掲げる法定利率にその経過年数（当該年数に一年未満の端数を生じたときは、これを切り捨てた年数）を乗じて得た数に一を加えた数で除して得た額」は、以下により算出し、その額に一円未満の端数があるときは、それぞれこれを切り捨てるものとする。

(ア) 証明日現在の給付額（年額）÷12月

(イ) (ア)で算出した額×前払一時金に係る調整係数（別紙3）

エ　厚生年金基金又は企業年金連合会（以下「厚生年金基金等」という。）が支給する年金について

・厚生年金基金等が支給する年金については、独自の給付部分は公的年金給付に該当せず、代行部分相当額についてのみ公的年金給付に該当する。

・厚生年金基金等が支給する年金を受給できる場合には、「別紙様式1—1」に加え、「別紙様式1—4(1)」又は「別紙様式1—4(2)」の提出が必要となる。

・代行部分相当額は、「別紙様式1—4(1)」又は「別紙様式1—4(2)」の証明事項に基づき次により算定する。

・代行部分相当額は、「公的年金制度の健全性及び信頼性の確保のための厚生年金保険法等の一部を改正する法律」（平成二十五年法律第六十三号）附則第五条第一項の規定によりなおその効力を有するものとされた改正前の厚生年金保険法第百三十二条第二項に規定する額として、以下により算出した額とする。ただし、厚生年金基金等が各々の規約において、基本年金額（企業年金連合会が支給する年金においては代行部分を含み、加算部分を除いた年金額）について支給停止を行っている場合には、算出した額から当該支給停止額を控除した額とする。

(ア) 基準標準給与額（平成15年3月以前）×加入期間（平成15年3月以前）×厚生年金基金等が支給する代行部分相当額を算出するための乗率表(1)に掲げる数値（別紙4—1）

(イ) 基準標準給与額（平成15年4月以降）×加入期間（平成15年4月以降）×厚生年金基金等が支給する代行部分相当額を算出するための乗率表(2)に掲げる数値（別紙4—2）

(ウ) (ア)及び(イ)を合算し、その額に一円未満の端数があるときは、これを四捨五入する。

オ　その他の年金について

・国民年金法による付加年金、国民年金基金は公的年金給付に該当しない。

③ 公的年金給付等の月額相当額の算出

②で把握した公的年金給付等の額が年額である場合、その額を一二（遺族補償等については給付総額を七二）で除し、公的年金給付等の月額相当額を算出する（その額に一円未満の端数があるときは、これを切り捨てるものとする）。

また、差額計算は月を単位として行い、公的年金給付等の額の対象月は、児童扶養手当の支給対象月に対応する月とする。ただし、証明書等における公的年金給付等の額が証明日現在の支給年額である場合、当該額をもって児童扶養手当の支給開始月以降の支給年額として取り扱う。

なお、児童扶養手当の支給対象期間の途中において公的年金給付等の額等の変更が予定されている場合においても、証明書における証明日現在の公的年金給付等の支給年額をもって児童扶養手当の支給開始月以降の支給年額として取り扱う。この場合、公的年金給付等の額等が変更された時点において「公的年金給付等受給状況届」（以下、「受給状況届」という。）及び証明書の提出が必要となる。

④ 差額支給月額の決定

〈公的年金給付等と児童扶養手当との具体的な差額の計算方法〉

法第十三条の二各項の適用状況別の計算方法は以下のとおりである。

ア　支給要件該当児童（以下「児童」という。）のみが公的年金給付等を受給できる又は父若しくは母の公的年金給付の加算対象となっている場合（法第十三条の二第一項のみ適用がある場合）

(ア) それぞれの児童に係る当該児童又は父若しくは母の公的年金給付等の月額相当額について計算する。それぞれの児童が二以上の公的年金給付等を受給できる又は父若しくは母の公的年金給付の加算対象となっている場合は、それぞれの児童ごとに、その額を合計する。

(イ) (ア)の額が最も低い児童一人（〇円の者を含み、最も低い児童が二人以上いるときは、そのうちの一人）については、(ア)の額を支給停止額とする。

(ウ) 次に、(ア)の額が(イ)の児童を除いて最も低い児童一人（〇円の者を含み、最も低い児童が二人以上いるときは、そのうちの一人）については、(ア)の額が五〇〇〇円以上の場合は五〇〇〇円を、五〇〇〇円未満の場合は(ア)の額を支給停止額とする。

(エ) (イ)、(ウ)で比較を行った以外の児童については、(ア)の額が三〇〇〇円以上の場合は三〇〇〇円を、三〇〇〇円未満の場合は(ア)の額を支給停止額とする。

(オ) (イ)～(エ)の額を合計する。

(カ) (オ)の額に五円未満の端数があるときは、これを切り捨て、五円以上一〇円未満の端数があるときは、これを一〇円に切り上げる。

(キ)　(カ)の額と①の額とで比較を行い、(カ)の額が①の額以上の場合は、①の額を支給停止額とし、(カ)の額が①の額未満の場合は、(カ)の額を支給停止額とする。

(ク)　①の額から(キ)の額を差し引き、手当の差額支給月額を算出する。

イ　受給資格者のみが障害基礎年金等を除く公的年金給付等のみを受給できる場合（法第十三条の二第二項のみ適用がある場合）

(ア)　受給資格者の障害基礎年金等を除く公的年金給付等の月額相当額について計算する。受給資格者が二以上の公的年金給付等を受給できる場合は、その額を合計する。

(イ)　(ア)の額に五円未満の端数があるときは、これを切り捨て、五円以上一〇円未満の端数があるときはこれを一〇円に切り上げる。

(ウ)　(イ)の額と①の額とで比較を行い、(イ)の額が①の額以上の場合は、①の額を支給停止額とし、(イ)の額が①の額未満の場合は、(イ)の額を支給停止額とする。

(エ)　①の額から(ウ)の額を差し引き、手当の差額支給月額を算出する。

ウ　受給資格者が障害基礎年金等を除く公的年金給付等のみを受給できる場合であって、児童が公的年金給付等を受給できる又は父若しくは母の公的年金給付の加算対象となっている場合（法第十三条の二第一項及び第二項の適用がある場合）

(ア)　それぞれの児童に係る当該児童又は父若しくは母の公的年金給付等の月額相当額について計算する。それぞれの児童が二以上の公的年金給付等を受給できる又は父若しくは母の公的年金給付の加算対象となっている場合は、それぞれの児童ごとに、その額を合計する。

(イ)　(ア)の額が最も低い児童一人（〇円の者を含み、最も低い児童が二人以上いるときは、そのうちの一人）については、(ア)の額を支給停止額とする。

(ウ)　次に、(ア)の額が(イ)の児童を除いて最も低い児童一人（〇円の者を含み、最も低い児童が二人以上いるときは、そのうちの一人）については、(ア)の額が五〇〇〇円以上の場合は五〇〇〇円を、五〇〇〇円未満の場合は(ア)の額を支給停止額とする。

(エ)　(イ)、(ウ)で比較を行った以外の児童については、(ア)の額が三〇〇〇円以上の場合は三〇〇〇円を、三〇〇〇円未満の場合は(ア)の額を支給停止額とする。

(オ)　(イ)～(エ)の額を合計する。

(カ)　(オ)の額に五円未満の端数があるときは、これを切り捨て、五円以上一〇円未満の端数があるときは、これを一〇円に切り上げる。

(キ)　(カ)の額と①の額とで比較を行い、(カ)の額が①の額以上の場合は、①の額を支給停止額とし、(カ)の額が①の額未満の場合は、(カ)の額を支給停止額とする。

(ク)　①の額から(キ)の額を差し引き、差引後の手当額を算出する。

(ケ)　受給資格者の障害基礎年金等を除く公的年金給付等の月額相当額について計算する。受給資格者が二以上の公的年金給付等を受給できる場合は、その額を合計する。

(コ)　(ケ)の額に五円未満の端数があるときは、これを切り捨て、五円以上一〇円未満の端数があるときはこれを一〇円に切り上げる。

(サ)　(コ)の額と(ク)の額とで比較を行い、(コ)の額が(ク)の額以上の場合は、(ク)の額を支給停止額とし、(コ)の額が(ク)の額未満の場合は、(コ)の額を支給停止額とする。

(シ)　(ク)の額から(サ)の額を差し引き、手当の差額支給月額を算出する。

エ　受給資格者が障害基礎年金等のみを受給できる場合（法第十三条の二第三項のみ適用がある場合）

(ア)　それぞれの児童に係る受給資格者の障害基礎年金等（子を有する者に係る加算に係る部分に限る。）の月額相当額について計算する。なお、障害基礎年金等に子を有する者に係る加算がない場合には、〇円とする。

(イ)　(ア)の額が最も低い児童一人（〇円の者を含み、最も低い児童が二人以上いるときは、そのうちの一人）については、(ア)の額を支給停止額とする。

(ウ)　次に、(ア)の額が(イ)の児童を除いて最も低い児童一人（〇円の者を含み、最も低い児童が二人以上いるときは、そのうちの一人）については、(ア)の額が五〇〇〇円以上の場合は五〇〇〇円を、五〇〇〇円未満の場合は(ア)の額を支給停止額とする。

(エ)　(イ)、(ウ)で比較を行った以外の児童については、(ア)の額が三〇〇〇円以上の場合は三〇〇〇円を、三〇〇〇円未満の場合は(ア)の額を支給停止額とする。

(オ)　(イ)～(エ)の額を合計する。

(カ)　(オ)の額に五円未満の端数があるときは、これを切り捨て、五円以上一〇円未満の端数があるときは、これを一〇円に切り上げる。

(キ)　(カ)の額と①の額とで比較を行い、(カ)の額が①の額以上の場合は、①の額を支給停止額とし、(カ)の額が①の額未満の場合は、(カ)の額を支給停止額とする。

(ク)　①の額から(キ)の額を差し引き、手当の差額支給月額を算出する。

オ　受給資格者が障害基礎年金等のみを受給できる場合であって、児童が公的年金給付等を受給できる又は父若しくは母の公的年金給付の加算対象となっている場合（法第十三条の二第一項及び第三項の適用がある場合）

(ア) それぞれの児童に係る当該児童又は父若しくは母の公的年金給付等の月額相当額について計算する。それぞれの児童が二以上の公的年金給付等を受給できる又は父若しくは母の公的年金給付の加算対象となっている場合は、その額を合計する。

(イ) (ア)の額が最も低い児童一人（〇円の者を含み、最も低い児童が二人以上いるときは、そのうちの一人）については、(ア)の額を支給停止額とする。

(ウ) 次に、(ア)の額が(イ)の児童を除いて最も低い児童一人（〇円の者を含み、最も低い児童が二人以上いるときは、そのうちの一人）については、(ア)の額が五〇〇〇円以上の場合は五〇〇〇円を、五〇〇〇円未満の場合は(ア)の額を支給停止額とする。

(エ) (イ)、(ウ)で比較を行った以外の児童については、(ア)の額が三〇〇〇円以上の場合は三〇〇〇円を、三〇〇〇円未満の場合は(ア)の額を支給停止額とする。

(オ) (イ)～(エ)の額を合計する。

(カ) (オ)の額に五円未満の端数があるときは、これを切り捨て、五円以上一〇円未満の端数があるときは、これを一〇円に切り上げる。

(キ) (カ)の額と①の額とで比較を行い、(カ)の額が①の額以上の場合は、①の額を支給停止額とし、(カ)の額が①の額未満の場合は、(カ)の額を支給停止額とする。

(ク) ①の額から(カ)の額を差し引き、差引後の手当額を算出する。

(ケ) それぞれの児童に係る受給資格者の障害基礎年金等（子を有する者に係る加算に係る部分に限る。）の月額相当額について計算する。なお、障害基礎年金等に子を有する者に係る加算がない場合には、〇円とする。

(コ) (ケ)の額が最も低い児童一人（〇円の者を含み、最も低い児童が二人以上いるときは、そのうちの一人）については、(オ)の額を支給停止額とする。

(サ) 次に、(ケ)の額が(コ)の児童を除いて最も低い児童一人（〇円の者を含み、最も低い児童が二人以上いるときは、そのうちの一人）については、(ケ)の額が五〇〇〇円以上の場合は五〇〇〇円を、五〇〇〇円未満の場合は(ケ)の額を支給停止額とする。

(シ) (コ)、(サ)で比較を行った以外の児童については、(ケ)の額が三〇〇〇円以上の場合は三〇〇〇円を、三〇〇〇円未満の場合は(ケ)の額を支給停止額とする。

(ス) (コ)～(シ)の額を合計する。

(セ) (ス)の額に五円未満の端数があるときは、これを切り捨て、五円以上一〇円未満の端数があるときは、これを一〇円に切り上げる。

(ソ) (セ)の額と(ク)の額とで比較を行い、(セ)の額が(ク)の額以上の場合は、(ク)の額を支給停止額とし、(セ)の額が(ク)の額未満の場合は、(セ)の額を支給停止額とする。

(タ) (ク)の額から(ソ)の額を差し引き、手当の差額支給月額を算出する。

カ 受給資格者が障害基礎年金等を除く公的年金給付等及び障害基礎年金等を受給できる場合（法第十三条の二第二項及び第三項の適用がある場合）

(ア) それぞれの児童に係る受給資格者の障害基礎年金等を除く公的年金給付等（子を有する者に係る加算に係る部分に限る。）の月額相当額について計算する。なお、遺族補償等の給付の額は〇円とし、また、障害基礎年金等を除く公的年金給付等に子を有する者に係る加算がない場合には、〇円とする。

(イ) (ア)の額が最も低い児童一人（〇円の者を含み、最も低い児童が二人以上いるときは、そのうちの一人）については、(ア)の額を支給停止額とする。

(ウ) 次に、(ア)の額が(イ)の児童を除いて最も低い児童一人（〇円の者を含み、最も低い児童が二人以上いるときは、そのうちの一人）については、(ア)の額が五〇〇〇円以上の場合は五〇〇〇円を、五〇〇〇円未満の場合は(ア)の額を支給停止額とする。

(エ) (イ)、(ウ)で比較を行った以外の児童については、(ア)の額が三〇〇〇円以上の場合は三〇〇〇円を、三〇〇〇円未満の場合は(ア)の額を支給停止額とする。

(オ) (イ)～(エ)の額を合計する。

(カ) (オ)の額に五円未満の端数があるときは、これを切り捨て、五円以上一〇円未満の端数があるときは、これを一〇円に切り上げる。

(キ) (カ)の額と①の額とで比較を行い、(カ)の額が①の額以上の場合は、①の額を支給停止額とし、(カ)の額が①の額未満の場合は、(カ)の額を支給停止額とする。

(ク) ①の額から(キ)の額を差し引き、差引後の手当額を算出する。

(ケ) それぞれの児童に係る受給資格者の障害基礎年金等（子を有する者に係る加算に係る部分に限る。）の月額相当額について計算する。なお、障害基礎年金等に子を有する者に係る加算がない場合には、〇円とする。

(コ) (ケ)の額が最も低い児童一人（〇円の者を含み、最も低い児童が二人以上いるときは、そのうちの一人）については、(ケ)の額を支給停止額とする。

(サ) 次に、(ケ)の額が(コ)の児童を除いて最も低い児童一人（〇円の者を含み、最も低い児童が二人以上いるときは、そのうちの一人）については、(ケ)の額が五〇〇〇円以上の場合は五〇〇〇円を、五〇〇〇円未満の場合は(ケ)の額を支給停止額とする。

(シ) (コ)、(サ)で比較を行った以外の児童については、(ケ)の額が三〇〇〇円以上の場合は三〇〇〇円を、三〇〇〇円未満の場合は(ケ)の額を支給停止額とする。

(ス)　(コ)～(シ)の額を合計する。

(セ)　(ス)の額に五円未満の端数があるときは、これを切り捨て、五円以上一〇円未満の端数があるときは、これを一〇円に切り上げる。

(ソ)　(セ)の額と(ク)の額とで比較を行い、(セ)の額が(ク)の額以上の場合は、(ク)の額を支給停止額とし、(セ)の額が(ク)の額未満の場合は、(セ)の額を支給停止額とする。

(タ)　(ク)の額から(ソ)の額を差し引き、手当の差額支給月額を算出する。

キ　受給資格者が障害基礎年金等を除く公的年金給付等及び障害基礎年金等を受給できる場合であって、児童が公的年金給付等を受給できる又は父若しくは母の公的年金給付の加算対象となっている場合（法第十三条の三第一項から第三項までの適用がある場合）

(ア)　それぞれの児童に係る当該児童又は父若しくは母の公的年金給付等の月額相当額について計算する。それぞれの児童が二以上の公的年金給付等を受給できる又は父若しくは母の公的年金給付の加算対象となっている場合は、その額を合計する。

(イ)　(ア)の額が最も低い児童一人（〇円の者を含み、最も低い児童が二人以上いるときは、そのうちの一人）については、(ア)の額を支給停止額とする。

(ウ)　次に、(ア)の額が(イ)の児童を除いて最も低い児童一人（〇円の者を含み、最も低い児童が二人以上いるときは、そのうちの一人）については、(ア)の額が五〇〇〇円以上の場合は五〇〇〇円を、五〇〇〇円未満の場合は(ア)の額を支給停止額とする。

(エ)　(イ)、(ウ)で比較を行った以外の児童については、(ア)の額が三〇〇〇円以上の場合は三〇〇〇円を、三〇〇〇円未満の場合は(ア)の額を支給停止額とする。

(オ)　(イ)～(エ)の額を合計する。

(カ)　(オ)の額に五円未満の端数があるときは、これを切り捨て、五円以上一〇円未満の端数があるときは、これを一〇円に切り上げる。

(キ)　(カ)の額と①の額とで比較を行い、(カ)の額が①の額以上の場合は、①の額を支給停止額とし、(カ)の額が①の額未満の場合は、(カ)の額を支給停止額とする。

(ク)　①の額から(カ)の額を差し引き、差引後の手当額を算出する。

(ケ)　それぞれの児童に係る受給資格者の障害基礎年金等を除く公的年金給付等（子を有する者に係る加算に係る部分に限る。）の月額相当額について計算する。なお、遺族補償等の給付の額は〇円とし、また、障害基礎年金等を除く公的年金給付等に子を有する者に係る加算がない場合には、〇円とする。

(コ)　(ケ)の額が最も低い児童一人（〇円の者を含み、最も低い児童が二人以上いるときは、そのうちの一人）については、(ケ)の額を支給停止額とする。

(サ)　次に、(ケ)の額が(コ)の児童を除いて最も低い児童一人（〇円の者を含み、最も低い児童が二人以上いるときは、そのうちの一人）については、(ケ)の額が五〇〇〇円以上の場合は五〇〇〇円を、五〇〇〇円未満の場合は(ケ)の額を支給停止額とする。

(シ)　(コ)、(サ)で比較を行った以外の児童については、(ケ)の額が三〇〇〇円以上の場合は三〇〇〇円を、三〇〇〇円未満の場合は(ケ)の額を支給停止額とする。

(ス)　(コ)～(シ)の額を合計する。

(セ)　(ス)の額に五円未満の端数があるときは、これを切り捨て、五円以上一〇円未満の端数があるときは、これを一〇円に切り上げる。

(ソ)　(セ)の額と(ク)の額とで比較を行い、(セ)の額が(ク)の額以上の場合は、(ク)の額を支給停止額とし、(セ)の額が(ク)の額未満の場合は、(セ)の額を支給停止額とする。

(タ)　(ク)の額から(ソ)の額を差し引き、差引後の手当額を算出する。

(チ)　それぞれの児童に係る受給資格者の障害基礎年金等（子を有する者に係る加算に係る部分に限る。）の月額相当額について計算する。なお、障害基礎年金等に子を有する者に係る加算がない場合には、〇円とする。

(ツ)　(チ)の額が最も低い児童一人（〇円の者を含み、最も低い児童が二人以上いるときは、そのうちの一人）については、(チ)の額を支給停止額とする。

(テ)　次に、(チ)の額が(ツ)の児童を除いて最も低い児童一人（〇円の者を含み、最も低い児童が二人以上いるときは、そのうちの一人）については、(チ)の額が五〇〇〇円以上の場合は五〇〇〇円を、五〇〇〇円未満の場合は(チ)の額を支給停止額とする。

(ト)　(ツ)、(テ)で比較を行った以外の児童については、(チ)の額が三〇〇〇円以上の場合は三〇〇〇円を、三〇〇〇円未満の場合は(チ)の額を支給停止額とする。

(ナ)　(ツ)～(ト)の額を合計する。

(ニ)　(ナ)の額に五円未満の端数があるときは、これを切り捨て、五円以上一〇円未満の端数があるときは、これを一〇円に切り上げる。

(ヌ)　(ニ)の額と(タ)の額とで比較を行い、(ニ)の額が(タ)の額以上の場合は、(タ)の額を支給停止額とし、(ニ)の額が(タ)の額未満の場合は、(ニ)の額を支給停止額とする。

(ネ)　(タ)の額から(ヌ)の額を差し引き、手当の差額支給月額を算出する。

＜差額支給月額の決定に際する留意事項＞

・　請求月の翌月から翌年の十月（請求月が一月から九月

の場合は、その年の十月）までの差額支給月額を決定する。

・　法第十三条の三の規定による一部支給停止については、差額支給月額に対して行う。なお、平成二十六年十二月一日時点において新たに受給資格を有することとなった公的年金給付等を受給できる者の「手当の支給要件に該当するに至った日の属する月の初日から起算して七年」の起算日は、平成二十六年十二月一日とする。また、障害基礎年金等を受けることができる受給資格者であって、令和三年六月三十日までの間に手当の認定を請求し、同年三月分から手当の支給を受けることとなった者の「手当の支給要件に該当するに至った日の属する月の初日から起算して七年」の起算日は、令和三年三月一日とする。

⑤　差額支給月額の決定後の事務処理

差額支給月額の決定後、受給資格者への通知や証書の発行、受給資格者台帳への記載など、児童扶養手当市等事務取扱準則等に基づき必要な事務処理を行う。

2　額改定請求時における事務処理

基本的に「1　認定請求時における事務処理」に準じて事務処理を行うこととなるが、以下の点に留意する。

・　額改定請求時に必要な添付書類は、新たに児童となる者に係る公的年金給付等の受給状況についての証明書であること。

・　受給者が受給できる公的年金給付等に変更があった場合には、併せて受給状況届及び当該受給者に係る公的年金給付等の受給状況についての証明書の提出が必要となること。

3　届出時における事務処理

認定後に、事情の変更等により公的年金給付等の額が変更となった場合（新たに公的年金給付等を受給できるようになった又は公的年金給付等を受給できなくなった場合を含む）には、受給状況届及び証明書の提出が必要となり、基本的に「1　認定請求時における事務処理」に準じて事務処理を行うこととなる。

この場合、公的年金給付等が既に支給され、その支給開始月が証明書における証明日現在の年金額（年額）の開始月よりも前であるため、証明書では公的年金給付等の額の変更内容が確認できない場合には、公的年金給付等の額が変更となった後の期間における給付額が確認できる書類（公的年金給付等の支給機関により証明されたもの。様式任意。）を添付させ、当該給付額に基づき、必要な事務処理を行う。

また、公的年金給付等の額が遡って変更（受給資格の発生及び消滅を含む）となった場合には、当該期間における本来支払われるべき給付額が確認できる書類（公的年金給付等の支給機関により証明されたもの。様式任意。）を添付させ、当該給付額に基づき、必要な事務処理を行う。

4　物価スライド等による公的年金給付等の額の改定に伴う事務処理

公的年金給付等は、毎年四月などに物価スライド等により給付額の改定が行われるため、その額の変更が生じることに伴い受給状況届等の提出が必要となるが、その際の事務処理については以下のとおり取り扱う。

(1) 認定請求時、現況届時及び物価スライド等による改定が行われる時期などにおいて、主として以下の点を案内する。

・毎年の物価スライド等による公的年金給付等の額の改定が行われた場合には、受給状況届及び証明書の提出が必要であること。届出がない場合には、手当の支給が一時差し止めとなる可能性があること。

・届出に必要な添付書類は、証明書又は年金事務所等から発行される改定後の給付額が分かる書類（年金額改定通知書の写しなど）であること。

(2) 物価スライド等による給付額の改定に係る受給者への書類交付時期（日本年金機構においては六月上旬（労働者災害補償保険制度においては八月中~下旬））が到来しているにも関わらず届出がない場合には、受給者に対して連絡・督促等を行う。

(3) 改定後の給付額に基づき「3　届出時における事務処理」に準じて必要な事務処理を行い、手当額の改定を行う。

(4) 当該事務処理に際しては、以下の点に留意する。

・当該届出は郵送による提出でも差し支えないこと。

・添付書類は、年金事務所等から発行される改定後の給付額が分かる書類（年金額改定通知書の写しなど）を基本とし、当該書類が提出された場合は、当該書類の交付時期から一か月を超えていても日本年金機構中央年金センター等に対し改めて照会する必要はない。なお、日本年金機構中央年金センター等への照会によりその受給状況が確認できるときは、当該書類を省略させることができる。また、手当の支給機関が労働者災害補償保険制度の年金について労働基準監督署に照会する場合、日本私立学校振興・共済事業団の年金について照会する場合及び厚生年金基金等の年金について照会する場合には、本人の同意書が必要とされている。

・受給者が在職老齢年金又は雇用保険法等に基づく給付を受給している場合には、物価スライド等による給付額の改定の確認に加え、支給停止額が定期的に改定される毎年九月以降に改定後の給付額を確認する必要がある。

・前回確認時の公的年金給付等の額と比較し、物価スライド等による給付額の改定以外の変更がないかどうかを確認する。確認の結果、物価スライド等による給付額の改定以外の変更があった場合には、その内容を確認した上で必要な事務処理を行う。また、当該受給者が資格喪失となる場合にも同様の確認を行う。

・児童扶養手当の額についても、毎年四月に物価スライドにより額の改定が行われることに留意する。

(5) 当該届出は受給者から提出してもらうことを原則とするが、個人番号による情報提供ネットワークシステムを用いた情報連携によりその受給状況を確認できるとき、又は「公的年金給付等の受給状況確認依頼様式」（別紙様式２―１～２―４）等により日本年金機構中央年金センター等に対し、まとめて照会を行い、その受給状況を確認できるときは職権に基づいて手当額の改定を行っても差し支えない。

この場合、認定請求時や毎年の現況届時等において、物価スライド等による公的年金給付等の額の改定年度ごとに、事前に受給資格者に対してその同意を求め承諾を得る必要がある。承諾を得た上で職権に基づいて手当額の改定を行った場合には、当該届出があったものとみなす。

なお、日本年金機構中央年金センター等に対し照会を行う場合は、誤った送付先に送付されないよう留意するとともに、可能な限り、返信用封筒を同封すること。

5　現況届時における事務処理

現況届時については、受給状況届及び証明書の提出は不要とする。また、現況届に記載された前年の所得等に応じて手当額が変更となることから、「1(2)　差額支給月額の計算方法等について」に準じて、差額支給月額の決定を行うこととなる。なお、物価スライド等による公的年金給付等の額の改定に伴う事務処理において職権に基づいて手当額の改定を行う場合は、受給者に対してその同意を求め承諾を得る必要がある。

Ⅱ　その他

1　認定請求手続及び支給開始月の特例等

手当の認定の請求に関し、次の経過措置が設けられているため、事務処理に当たっては留意すること。

(1)　令和三年三月一日から同年六月三十日までの間に認定請求の手続をとった者が、令和三年三月一日において現に支給要件を満たしていたとき（同日において支給要件に該当するに至った場合を除く。）は、同年三月分から支給するものとする。

(2)　令和三年三月一日から同年六月三十日までの間に認定請求の手続をとった者が、同年二月二十八日において支給要件を満たしておらず、同年六月三十日までの間に支給要件を満たしたときは、支給要件を満たした月の翌月分から支給するものとする。

(3)　省令様式については、改正後、当分の間は既存の様式を取り繕って使用することができるものとする。

2　福祉事務所未設置町村分の取扱い

都道府県が行っている場合の一部の事務処理については、事務処理準則に基づき福祉事務所未設置町村で処理を行い都道府県に送付することとなっているが、日本年金機構中央年金センター等への照会等については、原則として都道府県において行う。

3　公的年金給付等を受給できる者以外に関する事務処理

公的年金給付等を受給できる者以外に関する事務処理については、従前どおり取り扱う。

（別紙様式１―１）　　　　　　（表　面）

公的年金給付等受給証明書（児童扶養手当用）

【本人記入欄】

日本年金機構　殿

右の者に係る下記事項について証明をお願いします。
（〇〇市町村経由）
令和　　年　　月　　日

公的年金の受給権者
住所
氏名
電話番号

代理人
公的年金の受給権者との続柄（　　　　）
住所
氏名
電話番号

□本人が公的年金を受給
本人氏名（フリガナ）　（　　　　）
基礎年金番号（10桁）　―
生年月日・性別　昭和・平成　年　月　日　男・女
住所
※左記と同じであれば記載不要

□児童が公的年金を受給
児童氏名（フリガナ）　（　　　　）
基礎年金番号（10桁）　―
生年月日・性別　平成・令和　年　月　日　男・女
住所
※左記と同じであれば記載不要

□児童が障害基礎年金の子の加算対象
障害基礎年金受給者氏名（フリガナ）　（　　　　）
基礎年金番号（10桁）　―
受給者生年月日・性別　昭和・平成　年　月　日　男・女
受給者住所
※左記と同じであれば記載不要
児童氏名（フリガナ）　（　　　　）
児童生年月日　平成・令和　年　月　日

【機構記入欄】

本人が公的年金を受給	①氏名		②基礎年金番号・年金コード	― ―		
	③公的年金の種類		④受給権発生月	昭和・平成・令和　年　月		
	⑤証明日現在の年金額（年額）※付加年金を除いた額	円	⑥左記の対象期間	平成・令和　年　月～		
	⑦付加年金（加入記録の有無及び額）	有・無	（付加年金相当額）　円	⑧厚生年金基金等の加入記録	有・無	
	⑨支給停止の状況（有無及びその内容）	有・無	（内容）			
児童が公的年金を受給	⑩児童氏名		⑪基礎年金番号・年金コード	― ―		
	⑫公的年金の種類		⑬受給権発生月	平成・令和　年　月		
	⑭証明日現在の年金額（年額）	円	⑮左記の対象期間	平成・令和　年　月～		
	⑯支給停止の状況（有無及びその内容）	有・無	（内容）			
児童が障害基礎年金等の子の加算対象	障害基礎年金受給者（児童の父又は母）について					
	⑰氏名		⑱基礎年金番号・年金コード	― ―		
	⑲受給権発生月	平成・令和　年　月				
	⑳支給停止の状況（有無及びその内容）	有・無	（内容）			
	子の加算対象となっている児童について					
	㉑子加算対象児童氏名(1)		子加算対象児童氏名(2)		子加算対象児童氏名(3)	
	㉒子加算の対象となった月	平成・令和　年　月	子加算の対象となった月	平成・令和　年　月	子加算の対象となった月	平成・令和　年　月
	㉓証明日現在の子加算額（年額）	円	証明日現在の子加算額（年額）	円	証明日現在の子加算額（年額）	円
	㉔上記の対象期間	年　月　～	上記の対象期間	年　月　～	上記の対象期間	年　月　～

上記のとおり相違ありません。

令和　　年　　月　　日　　日本年金機構　中央年金センター長（公印省略）

備考	

※本様式は日本年金機構に対して公的年金給付等の受給状況を照会する場合に使用してください。また、児童扶養手当の窓口において、受給者本人に対し本様式を交付する際には、証明が必要な事項等を説明してください。

（裏　面）

注意

【本人記入欄】について

1　「本人記入欄」のみ記入してください。「機構記入欄」は、日本年金機構において記入する箇所ですので、空欄にしておいてください。

2　「公的年金の受給権者」欄は、「本人が公的年金を受給」の場合は本人の住所、氏名、電話番号を、「児童が公的年金を受給」の場合は児童の住所、氏名、電話番号を、「児童が障害基礎年金等の子の加算対象」の場合は、障害基礎年金等受給権者の住所、氏名、電話番号を記入してください。

3　「代理人」欄は、「公的年金の受給権者」欄に記入した方以外の方がその受給状況について証明依頼をする場合に、代理人の住所、氏名、電話番号及び公的年金受給権者との続柄を記入してください。この場合、運転免許証等、代理人自身の本人確認書類及び委任状（代理人が親権者である場合は、それを証明できる戸籍全部事項証明書に代えることが可能）が必要となります。また、年金受給権者が委任状を記載できない場合であって、代理人が年金受給権者の未成年後見人である場合は、それを証明できる戸籍全部事項証明書が必要となります。詳細につきましては年金事務所にご確認ください。

4　公的年金の受給状況に関する証明が必要な項目（「本人が公的年金を受給」、「児童が公的年金を受給」、「児童が障害基礎年金等の子の加算対象」）のチェック欄に☑を記入し、それぞれ対象となる者の「氏名（フリガナ）」、「基礎年金番号（10桁）」、「生年月日・性別」及び「住所」を記入してください。なお、「本人」とは児童扶養手当の申請者（又は受給者）をいい、「児童」とは児童扶養手当の対象児童をいいます。また、「住所」欄については、「公的年金の受給権者」欄に記載の住所と同様であれば、記載は不要です。

5　「公的年金を受給」とは、公的年金を受けることができることをいい、現に受けているとき、申請中であるとき又は申請すれば受けることができる状態にあるときをいいます。

6　「児童が障害基礎年金の子の加算対象」とは、児童が本人に支給される障害基礎年金等の子の加算の対象となっているとき、本人が児童の母若しくは養育者であって、児童が父に支給される障害基礎年金の子の加算の対象となっているとき、又は本人が児童の父であって、児童が母に支給される障害基礎年金の子の加算の対象となっているときをいいます。

【機構記入欄】について

1　③及び⑫の欄の「公的年金の種類」は、年金コードに対応する年金の種類（老齢基礎・老齢厚生年金、障害基礎・障害厚生年金、遺族基礎・遺族厚生年金等）を記入してください。

2　④、⑬及び⑲の欄の「受給権発生月」は、裁定請求を行った場合に当該受給権が発生した月をいい、その翌月分から年金が支給されます。

3　⑤、⑭及び㉓の欄の「証明日現在の年金（子加算）額（年額）」は、支給停止が行われている場合は支給停止後の額を記入してください。また、以下にご留意ください。

（1）　公的年金給付等の支給において、過払いが発生し内払調整が行われている場合には、内払調整前の額を記入してください。

（2）　在職老齢年金及び雇用保険法等に基づく給付（※）による支給停止が行われている場合は、支給停止後の額を記入してください。

（※）　雇用保険法等に基づく給付
イ　雇用保険法による基本手当
ロ　船員保険法による失業保険金
ハ　雇用保険法による高年齢雇用継続基本給付金・高年齢再就職給付金
ニ　船員保険法による高齢雇用継続基本給付金・高齢再就職給付金

（3）　付加年金相当額を除いた額を記入してください。

4　⑥、⑮及び㉔の欄の「左記（上記）の対象期間」は、証明日現在の年金額（年額）の支給が開始された月を記入してください。

5　⑦の欄の「付加年金（加入記録の有無及び額）」は、付加年金の加入記録の有無及び付加年金相当額を記入してください。

6　⑧の欄の「厚生年金基金等の加入記録」は、厚生年金基金又は企業年金連合会の加入記録の有無を記入してください。

7　⑨、⑯及び⑳の欄の「支給停止の状況（有無及びその内容）」は、支給停止の有無を記入してください。また、その内容（支給停止の事由、支給停止額、支給停止期間等）について記入してください。

8　㉑～㉔の欄については、障害基礎年金等の子の加算対象となっている各児童ごとの状況を記入してください。

9　備考欄は、年度の途中で年金額等が変更となることが予定されている場合等に、その旨及びその内容を記入してください。

（別紙様式１―２）　　　　　　　　　　（表面）

公的年金給付等受給証明書（児童扶養手当用）

【本人記入欄】

公的年金給付等の支給機関の長　殿

右の者に係る下記事項について証明をお願いします。

令和　　年　　月　　日

公的年金給付等の受給権者

住所

氏名

電話番号

（代理人

公的年金給付等の受給権者との続柄　（　　　）

住所

氏名

電話番号　）

□本人が公的年金給付等を受給

本人氏名

受給者番号

基礎年金番号（10桁）　　―

□児童が公的年金給付等を受給

児童氏名

受給者番号

基礎年金番号（10桁）　　―

【公的年金給付等の支給機関記入欄】

本人が公的年金給付等を受給	①氏名		②受給者番号		
	③公的年金給付等の種類		④支給開始月（受給権発生月）	昭和・平成・令和　年　月 （昭和・平成・令和　年　月）	
	⑤証明日現在の給付額（年額）	円	⑥左記の対象期間	平成・令和　年　月～	
	⑦支給停止の状況（有無及びその内容）	有・無	（内容）		
児童が公的年金給付等を受給	⑧児童氏名		⑨受給者番号		
	⑩公的年金給付等の種類		⑪支給開始月（受給権発生月）	平成・令和　年　月 （平成・令和　年　月）	
	⑫証明日現在の給付額（年額）	円	⑬左記の対象期間	平成・令和　年　月～	
	⑭支給停止の状況（有無及びその内容）	有・無	（内容）		

上記のとおり相違ありません。

令和　　年　　月　　日　公的年金給付等の支給機関の長　　　　印

備考	

※本様式は日本年金機構以外の公的年金給付等の支給機関（裏面の別表３に掲げる前払一時金の規定により支払を受けている場合を除く）に対してその受給状況を照会する場合に、適宜加工の上、使用してください。また、児童扶養手当の窓口において、受給者本人に対し本様式を交付する際には、証明が必要な事項等を説明してください。なお、労働者災害補償保険制度の年金については労働基準監督署の長による証明となります。

（裏面）

注意

【本人記入欄】について

1　「本人記入欄」のみ記入してください。「公的年金給付等の支給機関記入欄」は、公的年金給付等の支給機関において記入する箇所ですので、空欄としておいてください。

2　「公的年金給付等の受給権者」欄は、「本人が公的年金給付等を受給」の場合は本人の住所、氏名、電話番号を、「児童が公的年金給付等を受給」の場合は児童の住所、氏名、電話番号を記入してください。

3　「代理人」欄は、「公的年金給付等の受給権者」欄に記入した方以外の方がその受給状況について証明依頼をする場合に、代理人の住所、氏名、電話番号及び公的年金給付等の受給権者との続柄を記入してください。この場合、運転免許証等、代理人自身の本人確認書類及び委任状等が必要となります。詳細につきましては公的年金給付等の支給機関にご確認ください。

4　公的年金給付等の受給状況に関する証明が必要な項目（「本人が公的年金給付等を受給」、「児童が公的年金給付等を受給」）のチェック欄に☑を記入し、それぞれ対象となる者の「氏名」及び各制度における「受給者番号」に相当する記号番号を記入してください。また、公的年金給付等が共済年金である場合には、あわせて「基礎年金番号」を記入してください。労働者災害補償保険制度の年金である場合には、「受給者番号」欄には「年金証書番号（11桁）」を記入してください。なお、「本人」とは児童扶養手当の申請者（又は受給者）をいい、「児童」とは児童扶養手当の対象児童をいいます。

5　「公的年金給付等」とは、別表1に掲げる「公的年金」及び「遺族補償」をいいます。

6　「公的年金給付等を受給」とは、公的年金については公的年金を受けることができることをいい、現に受けているとき、申請中であるとき又は申請すれば受けることができる状態にあるときをいいます。遺族補償については遺族補償の給付事由が発生した日から6年を経過していないときをいいます。

【公的年金給付等の支給機関記入欄】について

1　③及び⑩の欄の「公的年金給付等の種類」は、別表1の「公的年金の種類」又は「遺族補償の種類」から該当する事項を選び、その符号を記入してください。

2　④及び⑪の欄の「支給開始月」とは、公的年金給付等の支給が開始された月をいいます。また、「受給権発生月」は請求を行った場合に当該受給権が発生した月をいい、その翌月分から公的年金給付等が支給されます。

3　⑤及び⑫の欄の「証明日現在の給付額（年額）」は、支給停止が行われている場合は支給停止後の額を記入してください。また、以下にご留意ください。

⑴　公的年金給付等の支給において、過払いが発生し内払調整が行われている場合には、内払調整前の額を記入してください。

⑵　他の公的年金給付等との併給調整により減額されている場合は、減額後の公的年金給付等の額を記入してください。

⑶　在職及び別表2の雇用保険法等に基づく給付による支給停止が行われている場合は、支給停止後の額を記入してください。

⑷　遺族補償を受給している場合は、給付総額を記入してください。

4　⑥及び⑬の欄の「左記の対象期間」は、証明日現在の給付額（年額）の支給が開始された月を記入してください。

5　⑦及び⑭の欄の「支給停止の状況（有無及びその内容）」は、支給停止の有無を記入してください。また、その内容（支給停止の事由、支給停止額、支給停止期間等）について記入してください。

6　備考欄は、年度の途中で給付額等が変更となることが予定されている場合等に、その旨及びその内容を記入してください。

（別表１）

公的年金の種類	イ　老齢福祉年金 ロ　イ以外の国民年金 ハ　厚生年金保険の年金 ニ　船員保険の年金 ホ　恩給 ヘ　国家公務員共済組合の年金 ト　条例による地方公務員の年金 チ　地方公務員共済組合、地方議会議員共済会、地方団体関係団体職員共済組合又は旧市町村職員共済組合の年金 リ　日本私立学校振興・共済事業団の年金 ヌ　農林漁業団体職員共済組合の年金 ル　国会議員互助年金 ヲ　日本製鉄八幡共済組合の年金 ワ　執行官の恩給 カ　旧令による共済組合等からの年金受給者のために国家公務員共済組合連合会が支給する年金 ヨ　戦傷病者、戦没者遺族の年金又は給与金 タ　未帰還者の留守家族手当又は特別手当 レ　労働者災害補償保険の年金 ソ　国家公務員災害補償制度の年金 ツ　公立学校の学校医、学校歯科医及び学校薬剤師の公務災害補償制度の年金 ネ　地方公務員災害補償制度の年金
遺族補償の種類	ナ　労働基準法による遺族補償 ラ　国会職員法による災害補償 ム　船員法による遺族手当 ウ　災害救助法による遺族扶助金 ヰ　労働基準法等の施行に伴う政府職員に係る給与の応急措置に関する法律による遺族補償 ノ　警察官の職務に協力援助した者の災害給付に関する法律による遺族給付 オ　海上保安官に協力援助した者等の災害給付に関する法律による遺族給付 ク　証人等の被害についての給付に関する法律による遺族給付

（別表２）

基づく給付 雇用保険法等に	イ　雇用保険法による基本手当 ロ　船員保険法による失業保険金 ハ　雇用保険法による高年齢雇用継続基本給付金・高年齢再就職給付金 ニ　船員保険法による高齢雇用継続基本給付金・高齢再就職給付金

（別表３）

前払一時金の規定	イ　船員保険法（昭和14年法律第73号）附則第５条第４項に規定する障害前払一時金及び遺族前払一時金 ロ　労働者災害補償保険法（昭和22年法律第50号）附則第59条第３項に規定する障害補償年金前払一時金、第60条第３項に規定する遺族補償年金前払一時金、第60条の３第３項に規定する複数事業労働者障害年金前払一時金又は第60条の４第４項に規定する複数事業労働者遺族年金前払一時金 ハ　国家公務員災害補償法（昭和26年法律第191号）附則第10項に規定する障害補償年金前払一時金又は第14項に規定する遺族補償年金前払一時金 ニ　地方公務員災害補償法（昭和42年法律第121号）附則第５条の３第３項に規定する障害補償年金前払一時金又は第６条第３項に規定する遺族補償年金前払一時金 ホ　公立学校の学校医、学校歯科医及び学校薬剤師の公務災害補償の基準を定める政令（昭和32年政令第283号）附則第１条の３第５項に規定する障害補償年金前払一時金又は第２条第４項において準用する同令附則第１条の３第５項に規定する遺族補償年金前払一時金

（別紙様式１―３）　　　　　　　　　　（表面）

公的年金給付等受給証明書（児童扶養手当用）

【本人記入欄】

公的年金給付等の支給機関の長　殿 右の者に係る下記事項について証明をお願いします。 令和　　年　　月　　日 公的年金給付等の受給権者 住所 氏名 電話番号 代理人 公的年金給付等の 受給権者との続柄　（　　） 住所 氏名 電話番号	□本人が公的年金給付等を受給 本人氏名 受給者番号 □児童が公的年金給付等を受給 児童氏名 受給者番号

【公的年金給付等の支給機関記入欄】

本人が公的年金給付等を受給	①氏名		②受給者番号			
	③公的年金給付等の種類		④支給開始月（受給権発生月）	昭和・平成・令和　年　月 （昭和・平成・令和　年　月）		
	⑤証明日現在の給付額（年額）	円	⑥左記の対象期間	平成・令和　年　月～		
	⑦前払一時金の支給状況	前払一時金の支給額（給付基礎日額）	円 （　　円）	前払一時金の支給月	平成・令和　年　月	
	⑧⑦以外による支給停止の状況（有無及びその内容）	有・無	（内容）			
児童が公的年金給付等を受給	⑨児童氏名		⑩受給者番号			
	⑪公的年金給付等の種類		⑫支給開始月（受給権発生月）	平成・令和　年　月 （平成・令和　年　月）		
	⑬証明日現在の給付額（年額）	円	⑭左記の対象期間	平成・令和　年　月～		
	⑮前払一時金の支給状況等	前払一時金の支給額（給付基礎日額）	円 （　　円）	前払一時金の支給月	平成・令和　年　月	
	⑯⑮以外による支給停止の状況（有無及びその内容）	有・無	（内容）			
上記のとおり相違ありません。 令和　　年　　月　　日　公的年金給付等の支給機関の長　　　　印						
備考						

※本様式は裏面の別表２に掲げる前払一時金の規定により支払を受けている場合で、その受給状況を照会する場合に、適宜加工の上、使用してください。また、児童扶養手当の窓口において、受給者本人に対し本様式を交付する際には、証明が必要な事項等を説明してください。なお、労働者災害補償保険制度の年金については労働基準監督署の長による証明となります。

（裏面）

注意

【本人記入欄】について

1　「本人記入欄」のみ記入してください。「公的年金給付等の支給機関記入欄」は、公的年金給付等の支給機関において記入する箇所ですので、空欄としておいてください。

2　「公的年金給付等の受給権者」欄は、「本人が公的年金給付等を受給」の場合は本人の住所、氏名、電話番号を、「児童が公的年金給付等を受給」の場合は児童の住所、氏名、電話番号を記入してください。

3　「代理人」欄は、「公的年金給付等の受給権者」欄に記入した方以外の方がその受給状況について証明依頼をする場合に、代理人の住所、氏名、電話番号及び公的年金給付等の受給権者との続柄を記入してください。この場合、運転免許証等、代理人自身の本人確認書類及び委任状等が必要となります。詳細につきましては公的年金給付等の支給機関にご確認ください。

4　公的年金給付等の受給状況に関する証明が必要な項目（「本人が公的年金給付等を受給」、「児童が公的年金給付等を受給」）のチェック欄に☑を記入し、それぞれ対象となる者の「氏名」及び各制度における「受給者番号」に相当する記号番号を記入してください。なお、労働者災害補償保険制度の年金である場合には、「受給者番号」欄には「年金証書番号（11桁）」を記入してください。また、「本人」とは児童扶養手当の申請者（又は受給者）をいい、「児童」とは児童扶養手当の対象児童をいいます。

5　「公的年金給付等を受給」とは、公的年金については公的年金を受けることができることをいい、現に受けているとき、申請中であるとき又は申請すれば受けることができる状態にあるときをいいます。

【公的年金給付等の支給機関記入欄】について

1　③及び⑪の欄の「公的年金給付等の種類」は、別表1の「公的年金の種類」から該当する事項を選び、その符号を記入してください。

2　④及び⑫の欄の「支給開始月」とは、公的年金給付等の支給が開始された月をいいます。また、「受給権発生月」は請求を行った場合に当該受給権が発生した月をいい、その翌月分から公的年金給付等が支給されます。

3　⑤及び⑬の欄の「証明日現在の給付額（年額）」は、以下にご留意ください。

⑴　別表2に掲げる前払一時金の支払いが行われたときは、その年金の支給は停止されていないものとみなすことから、停止前の額（年額）を記入してください。

⑵　公的年金給付等の支給において、過払いが発生し内払調整が行われている場合には、内払調整前の額を記入してください。

⑶　他の公的年金給付等との併給調整により減額されている場合は、減額後の公的年金給付等の額を記入してください。

4　⑥及び⑭の欄の「左記の対象期間」は、証明日現在の給付額（年額）の支給が開始された月を記入してください。

5　⑦及び⑮の欄の「前払一時金の支給状況等」は、それぞれ「前払一時金の支給額（給付基礎日額）」、「前払一時金の支給月」を記入してください。

6　⑧及び⑯の欄の「支給停止の状況（有無及びその内容）」は、⑦及び⑮以外による支給停止の有無を記入してください。また、その内容（支給停止の事由、支給停止額、支給停止期間等）について記入してください。

7　備考欄は、年度の途中で給付額等が変更となることが予定されている場合等に、その旨及びその内容を記入してください。

(別表１)

公的年金の種類	イ　船員保険の年金 ロ　労働者災害補償保険の年金 ハ　国家公務員災害補償制度の年金 ニ　公立学校の学校医、学校歯科医及び学校薬剤師の公務災害補償制度の年金 ホ　地方公務員災害補償制度の年金

(別表２)

前払一時金の規定	イ　船員保険法（昭和14年法律第73号）附則第５条第４項に規定する障害前払一時金及び遺族前払一時金 ロ　労働者災害補償保険法（昭和22年法律第50号）附則第59条第３項に規定する障害補償年金前払一時金、第60条第３項に規定する遺族補償年金前払一時金、第60条の３第３項に規定する複数事業労働者障害年金前払一時金又は第60条の４第４項に規定する複数事業労働者遺族年金前払一時金 ハ　国家公務員災害補償法（昭和26年法律第191号）附則第10項に規定する障害補償年金前払一時金又は第14項に規定する遺族補償年金前払一時金 ニ　地方公務員災害補償法（昭和42年法律第121号）附則第５条の３第３項に規定する障害補償年金前払一時金又は第６条第３項に規定する遺族補償年金前払一時金 ホ　公立学校の学校医、学校歯科医及び学校薬剤師の公務災害補償の基準を定める政令（昭和32年政令第283号）附則第１条の３第５項に規定する障害補償年金前払一時金又は第２条第４項において準用する同令附則第１条の３第５項に規定する遺族補償年金前払一時金

（別紙様式１―４(1)）

（表面）

公的年金給付等受給証明書（児童扶養手当用）

【本人記入欄】

○○厚生年金基金　理事長　殿

右の者に係る下記事項について証明をお願いします。

令和　　年　　月　　日

住所	基礎年金番号（10桁）　―
ふりがな 氏名	性別　男・女
電話番号	生年月日　　年　　月　　日

【厚生年金基金記入欄】

本人が年金を受給	①氏名			②基礎年金番号	
	③基準標準給与額	（平成15年3月以前）	円	（平成15年4月以降）	円
	④加入期間	（平成15年3月以前）	（昭和・平成　年　月～）　月	（平成15年4月以降）	（～平成・令和　年　月）　月
	⑤受給権発生月		昭和・平成・令和　年　月		
	⑥証明日現在の年金額（年額）		円	⑦左記の対象期間	平成・令和　年　月　～
	⑧基本年金額に係る支給停止の状況（有無、対象期間及びその額）		有・無	平成・令和　年　月　～	円

上記のとおり相違ありません。

令和　　年　　月　　日　　　○○厚生年金基金　理事長　　印

備考	

※本様式は厚生年金基金に対して公的年金給付等の受給状況を照会する場合に使用してください。

（裏面）

注意

【本人記入欄】について

1　「本人記入欄」のみ記入してください。「厚生年金基金記入欄」は、厚生年金基金において記入する箇所ですので、空欄にしておいてください。

2　対象となる者の「住所」、「氏名（ふりがな）」、「電話番号」、「性別」、「生年月日」及び「基礎年金番号（10桁）」を記入してください。なお、「本人」とは児童扶養手当の申請者（又は受給者）をいいます。

3　「公的年金を受給」とは、公的年金を受けることができることをいい、現に受けているとき、申請中であるとき又は申請すれば受けることができる状態にあるときをいいます。

【厚生年金基金記入欄】について

1　③の欄の「基準標準給与額」は、老齢年金給付の額の算定の基礎となる標準給与の額をいいます。

2　④の欄の「加入期間」は、「平成15年３月以前」、「平成15年４月以降」におけるそれぞれの厚生年金基金における加入員期間（証明日現在の年金額の算定の基礎となった加入員期間）を記入してください。

3　⑤の欄の「受給権発生月」は、裁定請求を行った場合に当該受給権が発生した月をいい、その翌月分から年金が支給されます。（例：平成26年３月に裁定請求により受給権が発生し、平成27年３月に年金額改定が行われるような場合には「平成26年３月」と記載してください。）

4　⑥の欄の「証明日現在の年金額（年額）」は、証明日現在の厚生年金基金が支給する年金額（基本年金額を含む総額）を記入してください。また、支給停止が行われている場合は支給停止後の額を記入してください。公的年金給付等の支給において、過払いが発生し内払調整が行われている場合には、内払調整前の額を記入してください。なお、児童扶養手当との差額計算は当該欄の年金額を対象に行うものではありません。

5　⑦の欄の「左記の対象期間」は、証明日現在の年金額（年額）の支給が開始された月を記入してください。

（例：平成26年３月に受給権が発生し、４月及び５月分を６月に支払う場合は「平成26年４月」と記載してください。）

6　⑧の欄の「基本年金額に係る支給停止の状況（有無、対象期間及びその額）」は、厚生年金基金規約における基本年金額についての支給停止の状況について記載してください。

7　備考欄は、年度の途中で年金額等が変更となることが予定されている場合等に、その旨及びその内容を記入してください。

（別紙様式１―４(2)）

（表面）

公的年金給付等受給証明書の申請書（児童扶養手当用）

企業年金連合会　理事長　殿 右の者に係る下記事項について証明をお願いします。 令和　　年　　月　　日 住所　　　　　　　　　　　　基礎年金番号（10桁）　― ふりがな 氏名　　　　　　　　　　　　性別　男・女 電話番号　　　　　　　　　　生年月日　　年　　月　　日

―――――――――――― 切り取り線 ――――――――――――

公的年金給付等受給証明書（児童扶養手当用）

本人が年金を受給	①氏名			②基礎年金番号		
	③基準標準給与額	（平成15年3月以前）	円	（平成15年4月以降）	円	
	④加入期間	（平成15年3月以前）	月 （昭和・平成　年　月～）	（平成15年4月以降）	月 （～平成・令和　年　月）	
	⑤受給権発生月		昭和・平成・令和　年　月			
	⑥証明日現在の年金額（年額）		円	⑦左記の対象期間	平成・令和　年　月　～	
	⑧加算部分以外の年金額に係る支給停止の状況（有無、対象期間及びその額）		有・無	平成・令和　年　月　～　　円		
上記のとおり相違ありません。 令和　　年　　月　　日　　　企業年金連合会　理事長　　印						
備考						

※本様式は企業年金連合会に対して公的年金給付等の受給状況の照会する場合に使用してください。

（裏面）

注意

1　「公的年金給付等受給証明書の申請書」欄のみ記入してください。切り取り線以下の「公的年金給付等受給証明書」欄は、企業年金連合会において記入する箇所ですので、空欄にしておいてください。また、切り取り線は切り取らずに証明の申請をして下さい。

2　対象となる者の「住所」、「氏名（ふりがな）」、「電話番号」、「性別」、「生年月日」及び「基礎年金番号（10桁）」を記入してください。なお、「本人」とは児童扶養手当の申請者（又は受給者）をいいます。

3　「公的年金を受給」とは、公的年金を受けることができることをいい、現に受けているとき、申請中であるとき又は申請すれば受けることができる状態にあるときをいいます。

切り取り線

注意

1　③の欄の「基準標準給与額」は、老齢年金給付の額の算定の基礎となる標準給与の額をいいます。

2　④の欄の「加入期間」は、「平成15年３月以前」、「平成15年４月以降」におけるそれぞれの厚生年金基金における加入員期間（証明日現在の年金額の算定の基礎となった加入員期間）を記入してください。

3　⑤の欄の「受給権発生月」は、裁定請求を行った場合に当該受給権が発生した月をいい、その翌月分から年金が支給されます。（例：平成26年３月に裁定請求により受給権が発生し、平成27年３月に年金額改定が行われるような場合には「平成26年３月」と記載してください。）

4　⑥の欄の「証明日現在の年金額（年額）」は、証明日現在の企業年金連合会が支給する年金額（代行部分を含み、加算部分を除いた年金額）を記入してください。また、支給停止が行われている場合は支給停止後の額を記入してください。公的年金給付等の支給において、過払いが発生し内払調整が行われている場合には、内払調整前の額を記入してください。なお、児童扶養手当との差額計算は当該欄の年金額を対象に行うものではありません。

5　⑦の欄の「左記の対象期間」は、証明日現在の年金額（年額）の支給が開始された月を記入してください。
（例：平成26年３月に受給権が発生し、４月及び５月分を６月に支払う場合は「平成26年４月」と記載してください。）

6　⑧の欄の「加算部分以外の年金額に係る支給停止の状況（有無、対象期間及びその額）」は、企業年金連合会が支給する年金額（代行部分を含み、加算部分を除いた年金額）の支給停止の状況について記載してください。

7　備考欄は、年度の途中で年金額等が変更となることが予定されている場合等に、その旨及びその内容を記入してください。

（別紙様式２―１）

第　　　　　　号
令和　　年　　月　　日

日本年金機構中央年金センター長　殿

都道府県、市等の担当課名

児童扶養手当法第30条に基づく資料等の提供について

児童扶養手当の支給に関し調査の必要がありますので、児童扶養手当法第30条の規定に基づき、別紙の者について、ご回答願います。

【担当】
担当課名：
担当：
住所：

※　本様式は日本年金機構以外に対して公的年金給付等の受給状況を照会する場合は、適宜加工の上、使用してください。

(別紙様式２－２)

令和　　年　　月　　日

日本年金機構　御中

都道府県、市等の担当課長名

公的年金の受給状況確認　依頼・回答様式
(児童扶養手当の受給者本人が公的年金受給の場合)

児童扶養手当の支給に関し調査の必要がありますので、児童扶養手当法第30条の規定に基づき、下記の者について、ご回答願います。

項番	(フリガナ)氏名	基礎年金番号（10桁）及び年金コード	生年月日（和暦）	性別	住所	証明日現在の年金額（年額）	(フリガナ)児童氏名	児童生年月日（和暦）	証明日現在の子加算額（年額）	左記の対象期間	備考
		―　―				円			円	平成・令和　年　月～	
		―　―				円			円	平成・令和　年　月～	
		―　―				円			円	平成・令和　年　月～	
		―　―				円			円	平成・令和　年　月～	
		―　―				円			円	平成・令和　年　月～	
		―　―				円			円	平成・令和　年　月～	
		―　―				円			円	平成・令和　年　月～	

上記のとおり回答いたします。

令和　　年　　月　　日

日本年金機構　中央年金センター長　（公印省略）

注１）　あらかじめ、児童扶養手当受給資格者本人の氏名（フリガナ）、基礎年金番号（10桁）及び年金コード（４桁）を記入して日本年金機構中央年金センターに照会すること。

注２）　基礎年金番号が不明の場合は、児童扶養手当受給資格者本人の生年月日（和暦）、性別、住所を記入すること。

注３）　児童扶養手当受給資格者本人が障害基礎年金等を受給している場合には、児童氏名（フリガナ）及び児童生年月日（和暦）を記入すること。

※　本様式は日本年金機構以外に対して公的年金給付等の受給状況を照会する場合は、適宜加工の上、使用してください。

（別紙様式２―３）

令和　　年　　月　　日

日本年金機構　御中

都道府県、市等の担当課長名

公的年金の受給状況確認　依頼・回答様式
（児童扶養手当の支給対象児童が公的年金受給の場合）

児童扶養手当の支給に関し調査の必要がありますので、児童扶養手当法第30条の規定に基づき、下記の者について、ご回答願います。

項番	（フリガナ） 氏名	基礎年金番号（10桁）及び年金コード	生年月日 （和暦）	性別	住所	証明日現在の年金額（年額）	左記の対象期間	備考
		―　―				円	平成・令和　年　月～	
		―　―				円	平成・令和　年　月～	
		―　―				円	平成・令和　年　月～	
		―　―				円	平成・令和　年　月～	
		―　―				円	平成・令和　年　月～	
		―　―				円	平成・令和　年　月～	
		―　―				円	平成・令和　年　月～	

上記のとおり回答いたします。

令和　　年　　月　　日

日本年金機構　中央年金センター長　（公印省略）

注１）　あらかじめ、児童扶養手当の支給対象児童の氏名（フリガナ）、基礎年金番号（10桁）及び年金コード（４桁）を記入して日本年金機構中央年金センターに照会すること。

注２）　基礎年金番号が不明の場合は、児童扶養手当の支給対象児童の生年月日（和暦）、性別、住所を記入すること。

※　本様式は日本年金機構以外に対して公的年金給付等の受給状況を照会する場合は、適宜加工の上、使用してください。

（別紙様式２—４）

令和　　年　　月　　日

日本年金機構　御中

都道府県、市等の担当課長名

公的年金の受給状況確認　依頼・回答様式

（児童扶養手当の支給対象児童が公的年金の子の加算対象の場合）

児童扶養手当の支給に関し調査の必要がありますので、児童扶養手当法第30条の規定に基づき、下記の者について、ご回答願います。

項番	（フリガナ）氏名	基礎年金番号（10桁）及び年金コード	生年月日（和暦）	性別	住所	（フリガナ）児童氏名	児童生年月日（和暦）	証明日現在の子加算額（年額）	左記の対象期間	備考
		—　—						円	平成・令和　年　月～	
		—　—						円	平成・令和　年　月～	
		—　—						円	平成・令和　年　月～	
		—　—						円	平成・令和　年　月～	
		—　—						円	平成・令和　年　月～	
		—　—						円	平成・令和　年　月～	
		—　—						円	平成・令和　年　月～	

上記のとおり回答いたします。

令和　　年　　月　　日

日本年金機構　中央年金センター長　（公印省略）

注１）　あらかじめ、児童扶養手当受給資格者の配偶者の氏名（フリガナ）、基礎年金番号（10桁）及び年金コード（４桁）、児童扶養手当の支給対象児童の氏名（フリガナ）、生年月日（和暦）を記入して日本年金機構中央年金センターに照会すること。

注２）　基礎年金番号が不明の場合は、児童扶養手当受給資格者の配偶者の生年月日（和暦）、性別、住所を記入すること。

※　本様式は日本年金機構以外に対して公的年金給付等の受給状況を照会する場合は、適宜加工の上、使用してください。

（別紙3）

前払一時金に係る調整係数表

適用期間		調整係数
前払一時金が支給された月後最初の年金の支払期月から1年を経過するまでの期間 （例えば、前払一時金の支給月が平成26年11月の場合、前払一時金が支給された月後最初の年金の支払期月は平成26年12月（※1）となり、当該支払期月から1年を経過するまでの期間は平成27年12月支払期月（平成27年10月、11月分（※2））までとなる。）		$\frac{1}{1+\left[\frac{3}{100}\times \mathrm{n}\right]}$
	n＝0（※3）	1.000
その後1年間	n＝1	0.971
〃	n＝2	0.944
〃	n＝3	0.918
〃	n＝4	0.893
〃	n＝5	0.870
〃	n＝6	0.848
〃	n＝7	0.827
〃	n＝8	0.807
〃	n＝9	0.788
〃	n＝10	0.770

※1　労働者災害補償保険制度の年金は偶数月にそれぞれ前2か月分の年金が支払われる。

※2　例示の場合、平成27年12月分以降の年金については調整係数（0.953）を乗じた額となる。

※3　「n」については、前払一時金を支給した月後、最初の年金の支払期月からの経過年数。

※4　調整係数は、小数点以下4位を切り上げた数値。

※5　前払一時金による支給停止の最終月は、前払一時金の支給月後最初の年金の支払期月から1年を経過するまでの期間における月額相当額、及び1年を経過した期間における調整後の月額相当額の累積額が、前払一時金の支給額を上回った月となることに留意する。

（別紙４―１）

厚生年金基金等が支給する代行部分相当額を算出するための乗率表(1)

生年月日	乗率
昭和２年４月１日までに生まれた者	1000分の10.0
昭和２年４月２日から昭和３年４月１日までの間に生まれた者	1000分の9.86
昭和３年４月２日から昭和４年４月１日までの間に生まれた者	1000分の9.72
昭和４年４月２日から昭和５年４月１日までの間に生まれた者	1000分の9.58
昭和５年４月２日から昭和６年４月１日までの間に生まれた者	1000分の9.44
昭和６年４月２日から昭和７年４月１日までの間に生まれた者	1000分の9.31
昭和７年４月２日から昭和８年４月１日までの間に生まれた者	1000分の9.17
昭和８年４月２日から昭和９年４月１日までの間に生まれた者	1000分の9.04
昭和９年４月２日から昭和10年４月１日までの間に生まれた者	1000分の8.91
昭和10年４月２日から昭和11年４月１日までの間に生まれた者	1000分の8.79
昭和11年４月２日から昭和12年４月１日までの間に生まれた者	1000分の8.66
昭和12年４月２日から昭和13年４月１日までの間に生まれた者	1000分の8.54
昭和13年４月２日から昭和14年４月１日までの間に生まれた者	1000分の8.41
昭和14年４月２日から昭和15年４月１日までの間に生まれた者	1000分の8.29
昭和15年４月２日から昭和16年４月１日までの間に生まれた者	1000分の7.771
昭和16年４月２日から昭和17年４月１日までの間に生まれた者	1000分の7.657
昭和17年４月２日から昭和18年４月１日までの間に生まれた者	1000分の7.543
昭和18年４月２日から昭和19年４月１日までの間に生まれた者	1000分の7.439
昭和19年４月２日から昭和20年４月１日までの間に生まれた者	1000分の7.334
昭和20年４月２日から昭和21年４月１日までの間に生まれた者	1000分の7.230
昭和21年４月２日以降に生まれた者	1000分の7.125

※　平成15年３月以前の加入期間について適用すること

（別紙４―２）

厚生年金基金等が支給する代行部分相当額を算出するための乗率表(2)

生年月日	乗率
昭和２年４月１日までに生まれた者	1000分の7.692
昭和２年４月２日から昭和３年４月１日までの間に生まれた者	1000分の7.585
昭和３年４月２日から昭和４年４月１日までの間に生まれた者	1000分の7.477
昭和４年４月２日から昭和５年４月１日までの間に生まれた者	1000分の7.369
昭和５年４月２日から昭和６年４月１日までの間に生まれた者	1000分の7.262
昭和６年４月２日から昭和７年４月１日までの間に生まれた者	1000分の7.162
昭和７年４月２日から昭和８年４月１日までの間に生まれた者	1000分の7.054
昭和８年４月２日から昭和９年４月１日までの間に生まれた者	1000分の6.954
昭和９年４月２日から昭和10年４月１日までの間に生まれた者	1000分の6.854
昭和10年４月２日から昭和11年４月１日までの間に生まれた者	1000分の6.762
昭和11年４月２日から昭和12年４月１日までの間に生まれた者	1000分の6.662
昭和12年４月２日から昭和13年４月１日までの間に生まれた者	1000分の6.569
昭和13年４月２日から昭和14年４月１日までの間に生まれた者	1000分の6.469
昭和14年４月２日から昭和15年４月１日までの間に生まれた者	1000分の6.377
昭和15年４月２日から昭和16年４月１日までの間に生まれた者	1000分の5.978
昭和16年４月２日から昭和17年４月１日までの間に生まれた者	1000分の5.890
昭和17年４月２日から昭和18年４月１日までの間に生まれた者	1000分の5.802
昭和18年４月２日から昭和19年４月１日までの間に生まれた者	1000分の5.722
昭和19年４月２日から昭和20年４月１日までの間に生まれた者	1000分の5.642
昭和20年４月２日から昭和21年４月１日までの間に生まれた者	1000分の5.562
昭和21年４月２日以降に生まれた者	1000分の5.481

※　平成15年４月以降の加入期間について適用すること

○児童扶養手当における公的年金の受給状況の審査等について

〔平成二十六年十一月二十八日　雇児福発一一二八第二号
各都道府県民生主管部(局)長宛　厚生労働省雇用均等・児童家庭局家庭福祉課長通知〕

〔改正経過〕

第一次改正（平成二九年三月七日雇児福発〇三〇七第四号）
第二次改正（令和元年五月二九日子家発〇五二九第一号）
第三次改正（令和三年二月三日子家発〇二〇三第一号）

標記については、「児童扶養手当における公的年金の受給状況の審査について」（昭和四十七年九月十六日児企第三七号厚生省児童家庭局企画課長通知。以下「昭和四十七年通知」という。）により、認定請求の際の公的年金等の確認審査をお願いするほか、「児童扶養手当支給要件確認のための公的年金の受給状況の把握について」（平成十四年七月二十三日雇児福発第〇七二三〇〇一号厚生労働省雇用均等・児童家庭局家庭福祉課長通知。以下「平成十四年通知」という。）により、都道府県等が公的年金の受給状況を日本年金機構中央年金センターに照会する際の依頼書の様式を定めることにより公的年金の受給状況の把握をお願いしてきたところである。

今般、児童扶養手当法の一部が改正され、平成二十六年十二月一日より、同法第十三条の二により受給資格者又は支給対象児童が公的年金給付等を受けることができる場合等については、手当の全部又は一部の支給が停止されることとなったが、引き続き、「公的年金調書」（別添1）により公的年金の受給状況の的確な審査に努められるとともに、公的年金の受給状況の確認のために日本年金機構中央年金センターに照会する場合は「児童扶養手当法第三十条に基づく資料等の提供について（依頼）」（別添2）により実施されるようお願いしたい。

都道府県においては、管内の市町村（特別区を含む。以下同じ）に対する周知につき、特段の配慮をお願いしたい。

なお、昭和四十七年通知及び平成十四年通知は、平成二十六年十二月一日をもって廃止する。

1　「公的年金調書」（別添1）の作成上の留意事項

(1)　この調書は、児童扶養手当の支給要件に該当する者（以下「請求者」という。）及び支給対象児童に係る公的年金給付の受給状況を的確に把握し、その認定事務を適正かつ円滑に行なうとともに、公的年金受給による過誤払に係る債権の発生を未然に防止することを目的とするものであること。

(2)　この調書は、請求者から認定の請求があったときに作成するものとする。

(3)　この調書は、市町村の担当者が請求者から聴き取って作成し、市町村における国民年金主管課に確認すること。なお、町村（福祉事務所を設置する町村を除く。以下同じ。）においては、国民年金主管課に確認した旨を認定請求書に記録し、都道府県に提出すること。

(4)　この調書によって、公的年金受給状況の確認等を町村に対し全面的に委ねているものではないので、都道府県においては、関係機関との連携を密にし、公的年金受給状況を的確に把握されたいこと。

(5)　公的年金には、種々の制度があり、これらの制度の概要を理解しておかなければ公的年金給付の受給状況を的確に把握することが困難であるので、公的年金の関係法令等を十分理解しておくよう市町村を指導されたいこと。

(6)　公的年金の受給状況の審査の結果、児童若しくは請求者が公的年金を受けることができる場合又は児童が加算の対象となっている場合には、その給付を行う者の証明書を認定請求書に添付する必要があること。

2　「児童扶養手当法第三十条に基づく資料等の提供について（依頼）」（別添２）の作成上の留意事項

(1)　公的年金の受給状況の確認は、個人番号による情報提供ネットワークシステムを用いた情報連携によることも可能であるが、文書による照会を行う際は、あらかじめ、市町村担当者記入欄を記載して日本年金機構中央年金センターへ照会すること。

(2)　公的年金の受給状況については、特に老齢年金や障害年金において年齢や障害状態の変化や、受給者が新たに障害を有することなどにより変更しうることから、児童扶養手当の申請時等だけでなく、国民年金主管課とも連携を図りながら、適宜、個人番号による情報提供ネットワークシステムを用いた情報連携又は日本年金機構中央年金センターへの文書による照会を行うこと。

(3)　個人番号による情報提供ネットワークシステムを用いた情報連携又は日本年金機構中央年金センターへの文書による照会を通じて、公的年金の受給状況の確認の徹底を図ること。

(4)　日本年金機構中央年金センターへの文書による照会を行う場合は、誤った送付先に送付しないよう留意するとともに、可能な限り、返信用封筒を同封すること。

前　文（第三次改正）抄

〔前略〕令和三年三月一日から適用する。

（別添１）

□児童の父死亡
□児童の母死亡
□児童の父又は母障害
□請求者の夫又は妻死亡
□その他

公 的 年 金 調 書

請求者	①氏　　名	（　歳）
	②年金の加入状況	ア　加入している イ　加入していない 種類 ／ 資格取得年月日：昭和・平成・令和　年　月　日 ／ 証書の記号番号 保険料の納付（免除）状況
	③年金の受給状況	ア　受けている（種類:記号番号:昭和・平成・令和　年　月　日から） イ　申請中である　（種類:　平成・令和　年　月　日申請） ウ　全額支給停止されている （種類：昭和・平成・令和　年　月　日から　年　月　日まで） エ　受けていない
	④生活保護法による生活扶助の受給状況	ア　受けている　（昭和・平成・令和　年　月　日から） イ　申請中である（昭和・平成・令和　年　月　日申請） ウ　受けていない
死亡者	⑤氏　　名	ア　児童との続柄　イ　請求者との続柄
	⑥死亡の原因	ア　業務上　イ　病死　ウ　その他（　　）
	⑦死亡した日	大正 昭和 平成 令和　年　月　日
	⑧年金の加入状況	ア　加入していた（種類：　記号番号　） イ　加入していなかった　ウ　不明
	⑨死亡前の勤務状況	（死亡前５年間について記入すること）

勤務期間	勤務先の名称	所　在　地	電　話
年　月～年　月			
年　月～年　月			
年　月～年　月			
年　月～年　月			

障害者	⑩氏　　名	（　歳）
	⑪障害の原因又は誘因	ア　先天性 イ　後天性（病気・不慮災・労災・戦傷災・その他）
	⑫年金の受給状況	ア　受けている（種類：　記号番号　） → 児童扶養手当の対象児童が年金の加算対象に〔aなっている　bなっていない〕 イ　申請中である　（種類：　平成・令和　年　月　日申請） ウ　全額支給停止されている （種類：　昭和・平成・令和　年　月　日から　年　月　日まで） エ　受けていない
児童	⑬氏　　名	
	⑭父又は母の死亡により児童が受けることができる公的年金、遺族補償の受給状況	ア　受けている （種類：公的年金　遺族補償　平成・令和　年　月　日から） イ　申請中である　（種類：　平成・令和　年　月　日申請） ウ　全額支給停止されている （種類：　平成・令和　年　月　日から　年　月　日まで） エ　受けていない
⑮その他参考事項		

作成年月日	令和　年　月　日	市町村作成担当者氏名	㊞

（別添２）

第　　　　　　号
令和　　年　　月　　日

日本年金機構中央年金センター長　殿

都道府県、市等の担当課名

児童扶養手当法第30条に基づく資料等の提供について（依頼）

児童扶養手当の支給に関し調査の必要がありますので、児童扶養手当法第30条の規定に基づき、別紙の者について、ご回答願います。

【担当】
担当課名：
担当：
住所：
電話番号：

（別紙）

（表　面）

公的年金受給状況調査書（児童扶養手当用）

【市町村担当者記入欄】

右の者に係る下記事項について証明をお願いします。 （○○市町村経由） 令和　　年　　月　　日 公的年金の受給権者 住所＿＿＿＿＿＿＿＿ 氏名（フリガナ）＿＿（　）	□本人が公的年金を受給 基礎年金番号（10桁）＿＿＿＿―＿＿＿＿ 生年月日・性別　昭和・平成　年　月　日 男・女 □児童が公的年金を受給 児童氏名（フリガナ）＿＿＿＿（　　） 基礎年金番号（10桁）＿＿＿＿―＿＿＿＿ 生年月日・性別　平成・令和　年　月　日 男・女 住所＿＿＿＿＿＿＿＿ ※左記と同じであれば記載不要 □児童が障害基礎年金の子の加算対象 障害基礎年金受給者氏名（フリガナ） ＿＿＿＿（　　） 基礎年金番号（10桁）＿＿＿＿―＿＿＿＿ 生年月日・性別　昭和・平成　年　月　日 男・女 受給者住所＿＿＿＿＿＿＿＿ ※左記と同じであれば記載不要 児童氏名（フリガナ）＿＿＿＿（　　） 児童生年月日＿＿平成・令和　年　月　日

【機構記入欄】

本人が公的年金を受給	①氏名		②基礎年金番号・年金コード	－ －		
	③受給の有無	有・無	④受給無の場合			
	⑤公的年金の種類		⑥受給権発生月	昭和・平成・令和 年 月		
	⑦証明日現在の年金額（年額）※付加年金を除いた額	円	⑧左記の対象期間	平成・令和 年 月～		
	⑨付加年金（加入記録の有無及び額）	有・無	（付加年金相当額） 円	⑩厚生年金基金の加入記録	有・無	
	⑪支給停止の状況（有無及びその内容）	有・無	（内容）			
児童が公的年金を受給	⑫児童氏名		⑬基礎年金番号・年金コード	－ －		
	⑭受給の有無	有・無	⑮受給無の場合			
	⑯公的年金の種類		⑰受給権発生月	平成・令和 年 月		
	⑱証明日現在の年金額（年額）	円	⑲左記の対象期間	平成・令和 年 月～		
	⑳支給停止の状況（有無及びその内容）	有・無	（内容）			
児童が障害基礎年金等の子の加算対象	障害基礎年金受給者（児童の父又は母）について					
	㉑氏名		㉒基礎年金番号・年金コード	－ －		
	㉓受給の有無	有・無	㉔受給無の場合			
	㉕受給権発生月	平成・令和 年 月				
	㉖支給停止の状況（有無及びその内容）	有・無	（内容）			
	子の加算対象となっている児童について					
	㉗子加算対象児童氏名(1)		子加算対象児童氏名(2)		子加算対象児童氏名(3)	
	㉘子加算の有無	有・無	子加算の有無	有・無	子加算の有無	有・無
	㉙子加算受給無の場合		子加算の受給無の場合		子加算の受給無の場合	
	㉚子加算の対象となった月	平成・令和 年 月	子加算の対象となった月	平成・令和 年 月	子加算の対象となった月	平成・令和 年 月

	㉛証明日現在の子加算額（年額）	円	証明日現在の子加算額（年額）	円	証明日現在の子加算額（年額）	円
	㉜上記の対象期間	年　月～	上記の対象期間	年　月～	上記の対象期間	年　月～
上記のとおり相違ありません。 令和　　年　　月　　日　　日本年金機構中央年金センター長　（公印省略）						
備考						

※本様式は日本年金機構に対して公的年金給付等の受給状況を照会する場合に使用してください。

（裏　面）

注意

【市町村担当者記入欄】について

1　「市町村担当者記入欄」のみ記入してください。「機構記入欄」は、日本年金機構において記入する箇所ですので、空欄にしておいてください。

2　公的年金の受給状況に関する証明が必要な項目（「本人が公的年金を受給」、「児童が公的年金を受給」、「児童が障害基礎年金の子の加算対象」）のチェック欄に☑を記入し、それぞれ対象となる者の「氏名（フリガナ）」、「基礎年金番号（10桁）」、「生年月日・性別」及び「住所」を記入してください。また、「住所」欄については、「公的年金の受給権者」欄に記載の住所と同様であれば、記載は不要です。

3　「本人（児童）が公的年金を受給」とは、公的年金を受けることができることをいい、現に受けているとき、申請中であるとき又は申請すれば受けることができる状態にあるときをいいます。

4　「児童が障害基礎年金の子の加算対象」とは、児童が本人に支給される障害基礎年金等の子の加算の対象となっているとき、本人が児童の母若しくは養育者であって、児童が父に支給される障害基礎年金の子の加算の対象となっているとき、又は本人が児童の父であって、児童が母に支給される障害基礎年金の子の加算の対象となっているときをいいます。

【機構記入欄】について

1　③、⑭、㉓及び㉘の欄の「（子加算）受給の有無」については、現に受けているとき、申請中であるとき又は申請すれば受けることができる状態にあるときは、「有」を選択してください。

2　④、⑮、㉔、㉙の欄の「受給無の場合」は、加入月数や年齢等から年金の受給要件を満たしていると考えられるが、受給していない場合に○を記載して下さい。なお、年金の受給要件を満たしていないと考えられる場合は、以降の記載は不要です。

3　⑤及び⑯の欄の「公的年金の種類」は、年金コードに対応する年金の種類（老齢基礎・老齢厚生年金、障害基礎・障害厚生年金、遺族基礎・遺族厚生年金等）を記入してください。

4　⑥、⑰及び㉕の欄の「受給権発生月」は、裁定請求を行った場合に当該受給権発生月の翌月分から年金が支給される月をいいます。

5　⑦、⑱、㉛の欄の「証明日現在の年金（子加算額）額（年額）」は、支給停止が行われている場合は支給停止後の額を記入してください。また、以下にご留意ください。

⑴　公的年金給付等の支給において、過払いが発生し内払調整が行われている場合には、内払調整前の額を記入してください。

⑵　在職老齢年金及び雇用保険法等に基づく給付（※）による支給停止が行われている場合は、支給停止後の額を記入してください。

※　雇用保険法等に基づく給付

イ　雇用保険法による基本手当

ロ　船員保険法による失業保険金

ハ　雇用保険法による高年齢雇用継続基本給付金・高年齢再就職給付金

ニ　船員保険法による高齢雇用継続基本給付金・高齢再就職給付金

⑶　付加年金相当額を除いた額を記入してください。

6　⑧、⑲及び㉜の欄の「左記（上記）の対象期間」は、証明日現在の年金額（年額）の支給が開始された月を記入してください。

7　⑨の欄の「付加年金（加入記録の有無及び額）」は、付加年金の加入記録の有無及び付加年金相当額を記入してください。

8　⑩の欄の「厚生年金基金の加入記録」は、厚生年金基金の加入記録の有無を記入してください。

9　⑪、⑳及び㉖の欄の「支給停止の状況（有無及びその内容）」は、支給停止の有無を記入してください。また、その内容（支給停止の事由、支給停止額、支給停止期間等）について記入してください。

10　㉗～㉜の欄については、障害基礎年金等の子の加算対象となっている各児童ごとの状況を記入してください。

11　備考欄は、年度の途中で年金額等が変更となることが予定されている場合等に、その旨及びその内容を記入してください。

○児童扶養手当遺棄の認定基準について

〔令和四年三月十八日　子家発〇三一八第一号
各都道府県児童福祉主管部（局）長宛　厚生労働省子ども家庭局家庭福祉課長通知〕

児童扶養手当の支給事由の一つである遺棄の認定基準については、従来、「児童扶養手当遺棄の認定基準について」（昭和五十五年六月二十日児企第二五号厚生省児童家庭局企画課長通知）において示してきたところであるが、適切な認定の実施を確保するため、今般、遺棄の認定基準を別紙のとおり新たに定めたので、その取扱いに遺漏のないよう、管内市（指定都市、中核市、特別区を含む。）町村に対する周知について、特段の配慮をお願いする。

なお、これに伴い、「児童扶養手当遺棄の認定基準について」（昭和五十五年六月二十日児企第二五号厚生省児童家庭局企画課長通知）については廃止する。

別　紙

「遺棄」の認定基準について

第一　基準

父又は母が児童を遺棄している場合とは、父又は母が監護義務をまったく放棄しており、父又は母の監護意思及び監護事実が客観的に認められない場合など、父又は母による現実の扶養を期待することができない場合をいうものである。

第二　解説

Ⅰ　監護について

1　監護とは、金銭面、精神面等から児童の生活について種々配慮していることをいい、同居しているか別居しているかは問わない。

同居の場合には、基本的には監護していると考えられる。

また、父による定期的な仕送りや訪問、手紙、電話等による連絡等があることは、監護しているものと考える材料となり得る。

Ⅱ　遺棄について

1　父の居住が、警察、親類等を通じて捜索したにもかかわらず発見できず不明である場合は、通常遺棄に該当すると考えられる。

しかし、父の居所が判明している場合であっても遺棄に該当する場合が考えられる。すなわち、父の問題行動（アルコール依存、ギャンブル依存、薬物依存その他の依存症、暴力行為、不貞行為、犯罪行為、多重債務等）のため、母が子を連れて家出した場合、又は、父に問題行動はないが、父の監護意思及び監護事実が客観的に認められない場合であって、かつ、母に離婚の意思（将来意思を含む。以下同じ。）がある場合には、遺棄に該当すると考えられる。

なお、前記の「監護意思及び監護事実が客観的に認められない場合」には、父が監護意思の表明をするのみで、実態として監護している事実が客観的に認められない場合を含むものである。

2　遺棄のケースは、これらにとどまらず種々のケースがあると考えられるので、遺棄の認定に当たっては、離婚調停や審判の係争中で婚姻関係が継続している場合であっても、父又は母による現実の扶養を期待することができないと判断される場合には、遺棄に該当するものとするなど、事実関係を総合的に勘案のうえ判断されたい。

3　父が母及び児童と同居している場合は、明らかに遺棄に該当すると判断できる個別の事実関係がある場合であって、母に離婚の意思がある場合を除き、監護しているものと考えられ、遺棄に該当しない。

　別居している場合であっても、出かせぎ、入院等特定又は不特定の期間、就労、事業、療養等のため別居しているが、目的達成後帰来することが予定されている場合には遺棄に該当しない。

4　父の監護意思及び監護事実が客観的に認められる状況において、母が性格の不一致又は他に内縁関係ができた等の理由により子を連れて家出した場合は、一般的には遺棄に該当しないと考えられるが、前記に該当する母が子を連れて家出した後のある時点から、父の監護意思及び監護事実が客観的に認められなくなり、かつ、母に離婚の意思がある場合には、遺棄に該当すると考えられるので、事実関係を総合的に勘案のうえ判断されたい。

5　母子が税法上の扶養親族の取扱いを受けているか否かは遺棄の認定に当たって判断の材料となるものであり、父が家出し行方が判明している場合、母子が扶養親族の取扱いを受けていれば、一般的には父の扶養意思を推定する材料となり得るが、たとえ税法上扶養親族の取扱いを受けているとしても、父の監護意思及び監護事実が客観的に認められず、かつ、母に離婚の意思がある場合には、遺棄に該当すると考えられるので、事実関係を総合的に勘案のうえ判断されたい。

　なお、生活保護を受給しているか否かについても、受給中の場合には父から遺棄されている可能性が高いと思われるので遺棄の認定に当たって一つの判断材料となり得る。

6　1～5の規定は、児童を監護する母の児童扶養手当法（昭和三十六年法律第二百三十八号。）第四条第一項第一号ホ及び児童扶養手当法施行令（昭和三十六年政令第百四十五号。）第一条の二第一号の規定に基づく支給要件への該当性を判断するためのものであるが、児童を監護する父の同法第四条第二号ホ及び同令第二条第一号の規定に基づく支給要件への該当性を判断する場合に準用する。この場合において、「父」は「母」と、「母」は「父」と読み替えることとする。

第三　事務処理

1　市町村の事務担当者は、遺棄を理由とする手当の請求があった場合には、別添の遺棄調書を請求者に記入させること。なお、町村（福祉事務所を設置する町村及び特別区を除く。）の事務担当者は、これを認定請求書に添付して都道府県に提出すること。

2　遺棄を事由として手当を受給中の者で第一及び第二に述べた遺棄の認定基準に明らかに該当しないと認められるものについては、職権でもって受給資格の喪失処分を行うこと。

別添

遺　棄　調　書

項　　目	内　　容
父親又は母親と対象児童との関係	1　実父・実母　2　養父・養母　3　認知した父
区分	1　父親が家出　2　母親が家出
別居の時期	平成・令和　年　月から
父親又は母親の住民登録	1　有り　抹消予定(令和　年 月 日)　2　無し
仕送り	1　有り(平成・令和　年　月頃まで)　2　無し
子どもの安否を気遣う電話、手紙等の連絡	1　有り(平成・令和　年　月頃まで)　2　無し
警察・親類等への捜索依頼	1　有り(平成・令和　年　月頃まで)　2　無し
父親又は母親の行方の状況	1　不明　　2　判明（住所：　　電話：　　）
父親又は母親がアルコール依存	1　である　2　でない
父親又は母親がギャンブル依存	1　である　2　でない
父親又は母親が薬物依存	1　である　2　でない
父親又は母親がその他の依存症	1　である　2　でない
父親又は母親の暴力行為	1　有り　　2　無し
父親又は母親に不貞行為	1　有り　　2　無し
父親又は母親に犯罪行為	1　有り　　2　無し
父親又は母親に多重債務	1　有り　　2　無し
その他、父親又は母親が子どもを監護しない背景として特筆すべき事項	
請求者の離婚の意志	1　有り　　2　無し　3　現在はないが将来は考えたい
離婚後の子どもの監護	1　母親　　2　父親
離婚調停や審判の係争中の有無	1　有り　　2　無し
生活保護	1　受給中　2　申請中　3　受給していない

上記のとおり、相違ありません。

令和　　年　　月　　日

氏　名

受付年月日	令和　年　月　日	市町村担当者氏名	印

○児童扶養手当法における障害認定診断書の取扱いについて

〔昭和三十七年一月十一日　児発第一三号
各都道府県知事宛　厚生省児童局長通知〕

〔改正経過〕
第一次改正　〔昭和五七年一〇月一日児発第八二四号

標記については、受給資格者の請求手続の簡素化及び負担軽減を図るため次により行なうこととしたので、その実施につき遺憾のないようせられたい。

1　障害の認定及び診断書の省略について
国民年金法による障害等級の一級に該当し、障害福祉年金を受けている者については、児童扶養手当法別表第一号から第九号までのいずれかに該当するものとして取扱うこととし、従ってこの場合は、本制度による診断書の添付を省略することができるものとすること。

2　診断書の無料又は低額交付について
本制度による診断書作成のための初診料、検査料及び文書料としての診断書料を負担することが困難であるか又は負担することができない者については、次の点に留意し無料又は低額な費用によって診断書の交付を受けることができるよう配慮されたいこと。

(1)　国立病院、国立療養所、都道府県立若しくは市町村立病院診療所、厚生（医療）農業協同組合連合会が経営する病院診療所、社会福祉法人、民法第三十四条による公益法人等が経営する社会福祉事業法第二条第三項に規定する生計困難者のために無料若しくは低額な料金で診療を行なう施設、日本赤十字社が経営する診療施設、健康保険病院診療所、日雇労働者健康保険病院診療所、厚生年金病院、船員保険病院診療所又は国民健康保険診療施設においては、本診断書を交付する場合に必要な初診料及び検査料は健康保険の診療報酬以下の額により、文書料としての診断書料は無料又は一〇〇円以下の額によることとされるよう別紙写のとおりそれぞれ関係局長より通達がなされているものであること。

(2)　身体障害者更生相談所及びその巡回相談において、感覚機能障害又は運動機能障害に関して本診断書の交付の求めがあった場合、並びに精神薄弱者更生相談所及びその巡回相談において、精神薄弱に関して本診断書の交付の求めがあった場合には、その交付する診断書料は無料とするよう取り計らわれたい旨別紙写のとおり通達がなされているものであること。

(3)　保健所においては、その診断能力の範囲内において、減免の取扱により又は実費程度で本診断書が交付されるよう別紙写のとおり通達がなされているものであること。

(4)　児童福祉法によるし体不自由児施設においては、その入所児童の福祉に支障を来さない範囲内で協力するものとし、初診料及び文書料としての診断書料は無料とせられたいこと。なお、検査等のため特に材料を使用した場合にその実費を徴収することは差し支えないこと。

3　生活保護法の被保護世帯についての本診断書の費用について

生活保護法の被保護世帯については、無料又はできる限り低額で本診断書の交付を受けることができるよう配慮せられたいが、本診断書の交付を受けるために費用を負担した場合においては、生活保護法の運用上児童扶養手当の受給のための必要経費として収入から控除されるものであること。

○児童扶養手当の障害認定に係る再診の取扱いについて

〔昭和三十七年七月九日　児発第七五二号
各都道府県知事宛　厚生省児童局長通知〕

〔改正経過〕

第一次改正　〔昭和五七年一〇月一日児発第八二四号〕

都道府県は、対象児童の父その他の者が児童扶養手当法別表に定める障害の状態にあることにより手当の受給資格の認定請求があったときは、当初当該都道府県の医師が提出された診断書等によってその障害の状態を審査することとされているが、その提出書類の記載事項のみでは認定の可否を決定することが不可能な場合には、児童扶養手当法第二十九条第二項の規定によりあらためて当該都道府県知事が指定した医師の受診を命じ、その再診の結果をまって認定の可否を決定しなければならないので、その再診の取扱いについては、次によって適正に処理されたい。

1　再診を要する場合について

児童扶養手当障害認定診断書に所要事項がすべて記載されているが、その記載のみでは障害の程度及び状態を的確に認定することが困難な場合であること。

2　再診を委託する医療機関について

再診を委託する医療機関は、官公立病院（療養所）又はこれに準ずる医療機関であって障害の診断に必要な諸検査の設備が完備されているものであること。

3　再診の取扱いについて

再診を要すると認めた場合は、次によること。

(1)　要再診者に再診を受けるべき旨の通知書（別紙様式第1号）を送付すること。

(2)　当該医療機関に再診を依頼する旨の通知書（別紙様式第2号）を送付すること。この場合あらかじめ当該医療機関と連絡のうえ、再診が円滑に実施されるよう留意すること。

(3)　要再診者が重症等の理由によって、指定した日時に当該医療機関に出頭できない場合には、受診可能日を報告させ、これに基づいて再診日時を変更したうえであらためて前二号の措置をとること。

(4)　再診により作成された診断書は、当該医療機関から都道府県児童福祉主管課に直送させること。

4　再診に要する費用について

再診を行なった医療機関に対する費用は、次により支出されたいこと。なお、毎年度、その再診費は同年度において必ず支出できるよう措置されたいこと。

(1)　初診料　　健康保険診療報酬並みの額

(2)　診断書料　　当該医療機関からの請求金額（原則として一〇〇円を基準とする。）

(3)　諸検査料　　健康保険診療報酬並みの額

5　医療機関との再診委託について

(1)　再診を委託しようとするときは、あらかじめ当該医療機関に対し、委託の内容、手続及び費用の支払方法等を明らかにした文書でその承諾を求めること。

(2)　当該医療機関からの再診に要した費用の請求は、再診終了後速かに行なわれて、苟くも年度をまたがることのないようあらかじめ依頼しておくこと。なお、その請求にあたっては、請求内訳書（別紙様式第3号）を添附させるものとし、都道府県はこれを五年間保存しておくものであること。

別紙様式第１号

番　　　　号
年　　月　　日

（要再診者）　殿

都道府県児童福祉主管課長　印

再　診　の　お　知　ら　せ

児童扶養手当の請求に当って、あなたから提出されました診断書では児童扶養手当を支給すべきかどうかを認定できませんので、次により再診を受け、その結果に基づいて認定することとなりましたので、この通知書と同封の児童扶養手当障害認定診断書用紙を持参のうえ、御足労願います。

そのさい、再診に要する初診料、診断書料及び諸検査料はいりません。

なお、どうしても指定の日時に出向くことができない場合には、その理由と再診を受けることができる日時を至急にお知らせ下さい。

１　日　時　　　　年　　月　　日　午前　　時～午前　　時
　　　　　　　　　　　　　　　　　午後　　時～午後　　時

２　場　所　〔医療機関所在地〕

３　名　称　〔医療機関名及び外来診療科名〕

別紙様式第２号

番　　　　号
年　　月　　日

（医療機関管理者）　殿

都道府県児童福祉主管課長　印

児童扶養手当の受給資格者の診断依頼について

児童扶養手当法による手当の受給資格者の障害の状態の診断につき（再診委託契約）に基づき、次により依頼いたします。

なお、診断のうえは、受診者の持参した診断書用紙に所定事項を記入して、これを直接当課へお送り願います。

１　受診者の氏名及び住所

２　受診日時

３　診断書において特に明らかにされたい事項

別紙様式第３号

児童扶養手当障害認定再診費請求内訳書

診断年月日	受診者氏名	診断料				備考（検査料内訳）
		初診料	文書料	検査料	計	
		円	円	円	円	

○児童扶養手当における有期認定の取扱いについて

〔令和元年五月三十一日　子発〇五三一第二号
各都道府県知事宛　厚生労働省子ども家庭局長通知〕

今般、児童扶養手当法施行規則（昭和三十六年厚生省令第五十一号）による障害認定診断書等に基づき、都道府県知事、市長（特別区の区長を含む。）及び福祉事務所を管理する町村長（以下「都道府県知事等」という。）が受給資格者に対し、期間を定めて手当の受給資格を認定した場合の取扱いについて、次のとおり定めたので、遺漏のないようお取り計らいいただくとともに、管内市町村（指定都市、中核市及び特別区を含む）への周知方お願いいたしたい。

なお、「児童扶養手当法及び特別児童扶養手当法における有期認定の取扱いについて」（昭和四十二年十二月十九日児発第七六五号厚生省児童家庭局長通知）は廃止する。

1　認定期間の終期の月は、当該受給者の手当受領等の便宜上、二月、四月、六月、八月、十月又は十二月のいずれかとして認定すること。

2　次に掲げる事項を記載した通知書を当該受給者に対し、交付すること。

(1)　受給資格の認定期間

(2)　認定期間後も引き続いて手当を受けようとする場合の手続き

(3)　その他必要な事項

3　通知書作成上の注意事項

(1)　受給資格の認定期間

認定の始期及び終期の月を記載すること。

(2)　認定期間後も引き続いて手当を受けようとする場合の手続き

(ア)　障害認定診断書の提出期限（認定の終期の月）を記載して、その提出を求めること。

(イ)　障害認定診断書提出の提出先を明示すること。

(ウ)　障害認定診断書の診断年月日は、原則として提出期限の月又はその前月中のものであること。

なお、受給者に交付する通知書の例文を別紙のとおり添付するので参考とされたい。

別　紙

障　害　認　定　通　知　書

年　　月　　日

○　○　○　○　殿

都道府県知事等　印

あなたの児童扶養手当の受給資格は、　　○年○月から、　　○年○月までとなっております。それ以後引き続き手当を受けようとするときは、あなた ○○さんの障害の状態について　　○年○月又は○月中に専門医の診断を受け、所定の様式による障害認定診断書を作成してもらい、これに児童扶養手当証書を添えて　　○年○月中に○○市役所、区役所又は町村役場へご提出下さい。

第三節　不服申立てに関する事項

○児童扶養手当法上の処分に関する行政不服審査について

〔昭和三十九年五月十一日　児発第四二三号
各都道府県知事宛　厚生省児童局長通知〕

行政不服審査法（昭和三十七年法律第百六十号）の施行に伴う当省関係法令に基づく行政処分に係る行政上の不服審査に関する一般的な留意事項については、昭和三十七年十二月二十四日厚生省総発第五八号をもって、当省事務次官から貴職あて通知されているところであるが、児童扶養手当法上の処分に係る行政上の不服申立ての取扱いについて、多少の疑問をもたれるむきもあるので、次の諸点に御留意のうえ、その処理に遺憾なきを期せられたい。

1　児童扶養手当法の不服申立てに関する規定と行政不服審査法との関係

行政不服審査法は、行政庁の処分その他公権力の行使に当たる行

為に関する不服申立てについては、他の法律に特別の定めがある場合を除くほか、この法律の定めるところによる（第一条第二項）ものとしているので、児童扶養手当法の関係規定によって特別の定めがなされている事項、即ち、都道府県知事のした処分についての都道府県知事に対する異議申立ての許容（第十七条、行政不服審査法第六条参照）、都道府県知事が当該異議申立てについて決定をなすべき期間又は市町村長（特別区の区長を含む。以下同じ。）のした処分についての審査請求について裁決をなすべき期間（第十八条第一項、第三項）及び都道府県知事が当該期間内に決定又は裁決を行なわなかった場合の効果（第十八条第二項、第三項）に関する事項を除いては、行政不服審査法の関係規定が全面的に適用されるものであること。

2　児童扶養手当法上の処分についての行政上の不服申立ての種類

児童扶養手当法上の処分についての行政上の不服申立てとしては、次の四種のものがあること。

ア　市町村長のした処分についての都道府県知事に対する審査請求

イ　都道府県知事のした処分についての当該都道府県知事に対する異議申立て

ウ　都道府県知事のした処分についての厚生大臣に対する審査請求

エ　都道府県知事が相当の期間内に手当の認定請求又は改定請求について何らの処分もしなかったことについての、当該都道府県知事に対する異議申立て、又は厚生大臣に対する審査請求

なお、「処分」には、人の収容又は物の留置その他その内容が継続的性質を有する行政庁の事実上の行為も含まれるものとされ

ている（行政不服審査法第二条第一項）ので、市町村長が認定請求書又は諸届を進達しない場合、認定の処分をしたにもかかわらず証書の交付を行なわない場合、諸届に添えて提出された証書を返付しない場合等においても、それぞれアからウまでの不服申立てを行なうことができるものであること。

3　処分についての異議申立てと審査請求との関係

都道府県知事のした児童扶養手当法上の処分については、当該都道府県知事に対する異議申立てと、厚生大臣に対する審査請求とを行なうことができるものである（児童扶養手当法第十七条、行政不服審査法第五条、第六条）が、行政不服審査法第二十条の規定により、厚生大臣に対する審査請求は当該都道府県知事に対する異議申立てについてのその決定を経た後でなければすることができないものとされていること。ただし、当該都道府県知事がその不服申立ての対象となる処分につき異議申立てをすることができる旨を教示しなかったとき（行政不服審査法第二十条第一号）異議申立てをした日の翌日から起算して六〇日以内に当該都道府県知事がその異議申立てについて決定を行なわないとき（児童扶養手当法第十八条第二項、行政不服審査法第二十条第二号参照）及びその他異議申立てについての決定を経ないことにつき正当の理由があるとき（行政不服審査法第二十条第三号）には、異議申立てについての当該都道府県知事の決定を経ないでも、厚生大臣に対する審査請求を行なうことができるものとされていること（行政不服審査法第二十条）。

なお、都道府県知事が、当該手当にかかる認定請求又は改定請求について相当の期間内に何らの処分も行なわなかった場合には、前記の場合と異なり、当該処分請求者の選択により、当該都道府県知事の不作為につき、当該都道府県知事に対する異議申立てと厚生大臣に対する審査請求とのいずれかをすることができるものであること（行政不服審査法第七条）。

4　不服申立てをすることができる期間

不服申立てをすることができる期間については、行政不服審査法の関係規定が全面的に適用されるものであること。即ち、

(1)　前記2のア及びイの不服申立てにあっては、原則として、当該処分のあったことを知った日の翌日から起算して六〇日以内（第十四条第一項本文第四十五条）又は処分のあった日の翌日から起算して一年以内（第十四条第三項本文、第四十八条の規定による第十四条第三項本文の準用）のいずれか早い日まで（なお、例外については第十四条第一項ただし書、同条第二項、同条第三項ただし書及び第四十八条参照）

(2)　前記2のウの不服申立てにあっては、当該処分に係る異議申立てについての当該都道府県知事の決定があったことを知った日の翌日から起算して三〇日（行政不服審査法第二十条第一号又は第三号の規定により異議申立てについての決定を経ないで審査請求を行なう場合には六〇日）以内（第十四条第一項本文）又は決定があった日の翌日から起算して一年以内（第十四条第三項本文）のいずれか早い日まで（なお、例外については第十四条第一項ただし書、同条第二項、同条第三項参照）とされている。なお、前記2のエの不服申立てについては、事の性質上格別の期間の制限はない。

第四節　雑則に関する事項

（費用負担）

○児童扶養手当給付費の国庫負担について

〔令和五年四月二十一日　こ支家第四三号
各都道府県知事宛　こども家庭庁長官通知〕

児童扶養手当法（昭和三十六年法律第二百三十八号）第二十一条に基づく国庫負担金の交付については、別紙「児童扶養手当給付費国庫負担金交付要綱」（以下「交付要綱」という。）により行うこととされ、令和五年四月一日から適用することとされたので、通知する。

なお、昭和六十年十月二日厚生省発児第一五〇号「児童扶養手当給付費の国庫負担について」は廃止する。

ただし、令和四年度以前の取り扱いについては、なお従前の例によるものとする。

別紙

児童扶養手当給付費国庫負担金交付要綱

（通則）

1　児童扶養手当法（昭和三十六年法律第二百三十八号）第二十一条に基づく国庫負担金の交付については、児童扶養手当法、補助金等に係る予算の執行の適正化に関する法律（昭和三十年法律第百七十九号。以下「適正化法」という。）、補助金等に係る予算の執行の適正化に関する法律施行令（昭和三十年政令第二百五十五号）及びこども家庭庁の所掌に属する補助金等交付規則（令和五年内閣府令第四十一号）の規定によるほか、この交付要綱の定めるところによる。

（交付の対象）

2　この負担金は、児童扶養手当法に基づき都道府県並びに市（特別区を含む。）及び福祉事務所を設置する町村（以下「市等」という。）が支給する児童扶養手当に要する費用を交付の対象とする。

（交付額の算定方法）

3　この負担金の交付額は、都道府県及び市等が支弁した額から事業に係る寄付金その他の収入額を控除した額に三分の一を乗じて得た額とする。

（交付の条件）

4　この負担金の交付の決定には、次の条件が付されるものとする。

負担金と事業に係る予算及び決算との関係を明らかにした様式第1号による調書を作成し、これを事業完了後五年間保管しておかなければならない。

（申請手続）

5　この負担金の交付の申請は、次により行うものとする。

(1)　適正化法第二十六条第二項に基づき、補助金等の交付に関する事務の一部を都道府県が行う場合

ア　市等の長は、様式第2号による申請書に関係書類を添えて、都道府県知事が定める日までに都道府県知事に提出して行うものとする。

イ　都道府県知事は、アの申請書を受理したときは、これを審査し、とりまとめのうえ、様式第3号に関係書類を添えて、毎年度開始前の二月末日までに当該都道府県の区域を管轄する地方厚生局長（徳島県、香川県、愛媛県及び高知県にあっては四国厚生支局長、以下「地方厚生（支）局長」という。）に提出して行うものとする。

なお、令和五年度にかかる交付の申請については、令和五年四月二十六日までに行うものとする。

(2)　(1)以外の場合

様式第2号による申請書に関係書類を添えて、毎年度開始前の二月末日までに地方厚生（支）局長に提出して行うものとする。

（変更申請の手続）

6　この負担金の交付決定後の事情の変更により申請の内容を変更して、追加交付申請等を行う場合には、次により行うものとする。

(1)　適正化法第二十六条第二項に基づき、補助金等の交付に関する事務の一部を都道府県が行う場合

ア　市等の長は、様式第4号による申請書に関係書類を添えて、都道府県知事が定める日までに都道府県知事に提出して行うものとする。

イ　都道府県知事は、アの申請書を受理したときは、これを審査し、とりまとめのうえ、様式第5号に関係書類を添えて、毎年度の一月末日までに地方厚生（支）局長に提出して行うものとする。

(2)　(1)以外の場合

様式第4号による申請書に関係書類を添えて、毎年度の一月末日までに地方厚生（支）局長に提出して行うものとする。

（交付決定までの標準的期間）

7　この負担金の交付の決定までの標準的期間は次により行うものとする。

(1)　適正化法第二十六条第二項に基づき、補助金等の交付に関する事務の一部を都道府県が行う場合

都道府県知事は、5又は6による申請書が到達した日から起算して原則として一月以内に地方厚生（支）局長に提出するものとし、地方厚生（支）局長は都道府県知事から申請書が到達した日から起算して原則として二月以内に交付の決定（決定の変更を含む。(2)において同じ。）を行うものとする。

(2)　(1)以外の場合

地方厚生（支）局長は5又は6による申請書が到達した日から

起算して原則として二月以内に交付の決定を行うものとする。

(交付決定の通知)

8　適正化法第二十六条第二項に基づき、補助金等の交付に関する事務の一部を都道府県が行う場合、都道府県知事は、市等に係る負担金について地方厚生(支)局長の交付決定通知又は変更交付決定通知があったときは市等の長に対し様式第6号又は様式第7号により速やかに交付決定の通知を行うものとする。

(国庫負担金の概算払)

9　国は、必要があると認める場合においては、国の支払計画承認額の範囲内において概算払することができるものであること。

(実績報告手続)

10　この負担金の事業実績報告は、次により行うものとする。

(1)　適正化法第二十六条第二項に基づき、補助金等の交付に関する事務の一部を都道府県が行う場合

ア　市等の長は、当該年度の事業が完了したときは、様式第8号による報告書に関係書類を添えて都道府県知事が定める日までに都道府県知事に提出して行うものとする。

イ　都道府県知事は、アの報告書を受理したときは、これを審査し、とりまとめのうえ、様式第9号に関係書類を添えて、翌年度六月十五日までに地方厚生(支)局長に提出して行うものとする。

(2)　(1)以外の場合

当該年度の事業が完了したときは、様式第8号による報告書に関係書類を添えて、翌年度六月十五日までに地方厚生(支)局長に提出して行うものとする。

(額の確定の通知)

11　適正化法第二十六条第二項に基づき、補助金等の交付に関する事務の一部を都道府県が行う場合、都道府県知事は、市等に係る負担金について地方厚生(支)局長の交付額の確定があったときは、市等の長に対し様式第10号により、速やかに確定の通知を行うものとする。

(その他)

12　特別の事情により、5、6及び10に定める手続によることができない場合には、あらかじめ地方厚生(支)局長の承認を受けて、その定めるところによるものとする。

様式第１号

国 庫 負 担 金 調 書

令和　年度
○○厚生局所管

（地方公共団体）

国			地方公共団体										備考
			歳入			歳出							
歳出予算科目	交付決定の額	負担率	科目	予算現額	収入済額	科目	予算現額	うち国庫負担金相当額	支出済額	うち国庫負担金相当額	翌年度繰越額	うち国庫負担金相当額	

（作成要領）

1　「国」の「歳出予算科目」は、項及び目（交付決定が目の細分において行われる場合は目の細分まで）を記載すること。
2　「地方公共団体」の「科目」は、歳入にあっては款、項、節を、歳出にあっては款、項、目をそれぞれ記載すること。
3　「予算現額」は、歳入にあっては当初予算額、補正予算額等の区分を、歳出にあっては当初予算額、補正予算額、予備費、支出額、流用等増減額等の区分を明らかにして記載すること。
4　「備考」は、参考となるべき事項を適宜記載すること。

様式第２号

番　　　　号
年　　月　　日

○○厚生（支）局長　　殿

都道府県知事
市　等　の　長

令和　　年度児童扶養手当給付費国庫負担金の交付申請について

標記について、次のとおり国庫負担金を交付されるよう関係書類を添えて申請する。

1　申請額　　金　　　　　　　円

2　添付書類

⑴　令和　　年度児童扶養手当給付費国庫負担金所要額調書
（様式第２号―付表１、付表２）

⑵　令和　　年度歳入歳出予算書（又は見込書）抄本

様式第２号―付表１

令和　　年度児童扶養手当給付費国庫負担金所要額調書

都道府県名
市等名

区　　分	支出予定額 (A)	寄付金その他の収入額 (B)	差　引　額 （A－B） ＝(C)	国庫負担基本額 (C)＝(D)	国庫負担所要額 (D)×１／３ ＝(E)
児童扶養手当給付費	円	円	円	円	円

（記入注意）
「支出予定額」欄には、様式第２号―付表２の「計」欄の「合計」の額を記入すること。

様式第２号—付表２

都道府県名
市等名

受給者（父・母・養育者）

所要額算定基礎

区分	令和　年１月末日現在数	各支払期別支出予定額												計	
		５　月		７　月		９　月		11　月		１　月		３　月			
		延月人数	支出予定額	延月人数	支出予定額	延月人数	支出予定額	延月人数	支出予定額	延月人数	支出予定額	延月人数	支出予定額	延月人数	支出予定額
全部支給者	人	人	円	人	円	人	円	人	円	人	円	人	円	人	円
一部停止者															
加算額　２子加算															
加算額　３子以降加算															
13条の２															
13条の３															
13条の２かつ13条の３															
合　　計															

（記入注意）

1　「全部支給者」及び「一部停止者」欄には、該当する受給者数を、「加算額」欄には、該当する支給対象児童数をそれぞれ記入すること。（ただし、２、３、４に該当する者は除く。）

2　「13条の２」欄には、児童扶養手当法第13条の２による支給制限を受けた受給者数を記入すること。

3　「13条の３」欄には、児童扶養手当法第13条の３による支給制限を受けた受給者数を記入すること。

4　「13条の２かつ13条の３」欄には、児童扶養手当法第13条の２、第13条の３による支給制限を受けた受給者数を記入すること。

5　「支出予定額」欄には、「延月人数」に手当月額（加算額）を乗じた額を記入すること。

6　この表は、受給者別にそれぞれ作成し、「受給者」欄の該当箇所を○で囲むこと。

様式第３号

番　　　　号
年　　月　　日

○○厚生（支）局長　　殿

都道府県知事

令和　　年度児童扶養手当給付費国庫負担金の交付申請について

標記について、次のとおり国庫負担金を交付されるよう関係書類を添えて申請する。

なお、管内の市等の長から「令和　　年度児童扶養手当給付費国庫負担金交付申請について」の提出があり、これを審査した結果、適正と認めたので、とりまとめて提出する。

１　申請額　　金　　　　　　　円

内訳

区　　分	金　　額
都道府県分	円
市等分	円
計	円

２　添付書類

⑴　令和　　年度児童扶養手当給付費都道府県分国庫負担金所要額調書
（様式第３号―付表１、付表２）

⑵　令和　　年度児童扶養手当給付費市等分国庫負担金所要額市等別内訳書
（様式第３号―付表３）

⑶　令和　　年度都道府県分歳入歳出予算書（又は見込書）抄本

様式第３号―付表１

令和　　年度児童扶養手当給付費都道府県分国庫負担金所要額調書

都道府県名

区　　分	支出予定額 ⑷	寄付金その他の収入額 ⑻	差引額（Ａ－Ｂ）＝⒞	国庫負担基本額 ⒞＝⒟	国庫負担所要額 ⒟×１／３＝⒠
児童扶養手当給付費	円	円	円	円	円

（記入注意）

「支出予定額」欄には、様式第３号―付表２の「計」欄の「合計」の額を記入すること。

様式第３号—付表２

都道府県名

受給者（父・母・養育者）

所要額算定基礎

区分	令和　年１月末日現在数	各支払期別支出予定額												計	
		５　月		７　月		９　月		11　月		１　月		３　月			
		延月人数	支出予定額	延月人数	支出予定額	延月人数	支出予定額	延月人数	支出予定額	延月人数	支出予定額	延月人数	支出予定額	延月人数	支出予定額
全部支給者	人	人	円	人	円	人	円	人	円	人	円	人	円	人	円
一部停止者															
加算額　２子加算															
加算額　３子以降加算															
13条の２															
13条の３															
13条の２かつ13条の３															
合計															

（記入注意）

1　「全部支給者」及び「一部停止者」欄には、該当する受給者数を、「加算額」欄には、該当する支給対象児童数をそれぞれ記入すること。（ただし、２、３、４に該当する者は除く。）

2　「13条の２」欄には、児童扶養手当法第13条の２による支給制限を受けた受給者数を記入すること。

3　「13条の３」欄には、児童扶養手当法第13条の３による支給制限を受けた受給者数を記入すること。

4　「13条の２かつ13条の３」欄には、児童扶養手当法第13条の２、第13条の３による支給制限を受けた受給者数を記入すること。

5　「支出予定額」欄には、「延月人数」に手当月額（加算額）を乗じた額を記入すること。

6　この表は、受給者別にそれぞれ作成し、「受給者」欄の該当箇所を○で囲むこと。

様式第３号―付表３

都道府県名

令和　　年度児童扶養手当給付費市等分国庫負担金所要額市等別内訳書

区　　分	支払予定額 (A)	寄付金その他の収入額 (B)	差　引　額 (A)－(B)＝(C)	国庫負担基本額 (C)＝(D)	国庫負担所要額 (D)× 1/3 ＝(E)
○○市	円	円	円	円	円
○○市					
○○町村					
合　計 〔○○市等〕					

（記載上の注意）

1　この表は、市等の長から提出された様式第２号―付表１による所要額に基づいて作成すること。

2　「合計」欄の「(○○市等)」については、申請のあった市等数を必ず記入すること。

様式第４号

番　　　号
年　月　日

〇〇厚生（支）局長　　殿

都道府県知事
市 等 の 長

令和　　年度児童扶養手当給付費国庫負担金の変更交付申請について

標記について、令和　　年　　月　　日第　　号により提出し、令和　　年　　月　　日第　　号をもって交付決定されたところであるが、その後の事情変更により交付額を次のとおり変更されたく申請する。

1　今回追加（減額）交付申請額　　金　　　　　　円
2　変更を必要とする理由（具体的に記入すること）
3　添付書類
　⑴　令和　　年度児童扶養手当給付費国庫負担金変更所要額調書
　　（様式第４号―付表１、付表２）
　⑵　令和　　年度歳入歳出予算書（又は見込書）抄本

様式第４号―付表１

令和　　年度児童扶養手当給付費国庫負担金変更所要額調書

都道府県名
市等名

区　分	支出予定額 (A)	寄付金その他の収入額 (B)	差引額 (A)－(B)＝(C)	変更後国庫負担基本額 (C)＝(D)	変更後国庫負担所要額 (D) × 1/3＝(E)	既交付決定額 (F)	差引変更所要額 (E)－(F)＝(G)
児童扶養手当給付費	円	円	円	円	円	円	円

（記入注意）

「支出予定額」欄には、様式第４号―付表２の「計」欄の「合計」の額を記入すること。

様式第４号―付表２

都道府県名
市等名

所要額算定基礎

受給者（父・母・養育者）

区　分		４月～12月		１月～３月		計	
		延月人数	支出済額	延月人数	支出予定額	延月人数	支出予定額
全部支給者		人	円	人	円	人	円
一部停止者							
加算額	２子加算						
	３子以降加算						
13条の２							
13条の３							
13条の２かつ13条の３							
合　計							

（記入注意）

1　「全部支給者」及び「一部停止者」欄には、該当する受給者数を、「加算額」欄には、該当する支給対象児童数をそれぞれ記入すること。（ただし、２、３、４に該当する者は除く。）

2　「13条の２」欄には、児童扶養手当法第13条の２による支給制限を受けた受給者数を記入すること。

3　「13条の３」欄には、児童扶養手当法第13条の３による支給制限を受けた受給者数を記入すること。

4　「13条の２かつ13条の３」欄には、児童扶養手当法第13条の２、第13条の３による支給制限を受けた受給者数を記入すること。

5　「支出予定額」欄には、「延月人数」に手当月額（加算額）を乗じた額を記入すること。

6　この表は、受給者別にそれぞれ作成し、「受給者」欄の該当箇所を○で囲むこと。

様式第５号

番　　　号
年　月　日

○○厚生（支）局長　　殿

都道府県知事

令和　　年度児童扶養手当給付費国庫負担金の変更交付申請について

標記について、令和　　年　　月　　日第　　号により提出し、令和　　年　　月　　日第　　号をもって交付決定されたところであるが、その後の事情変更により交付額を次のとおり変更されたく申請する。

なお、管内の市等の長から「令和　　年度児童扶養手当給付費国庫負担金変更交付申請について」の提出があり、これを審査した結果、適正と認めたので、とりまとめて提出する。

1　今回追加（減額）交付申請額　　金　　　　　円

内訳

区　分	変更後国庫負担所要額	既交付決定額	差引所要額
都道府県分	円	円	円
市等分	円	円	円
計	円	円	円

2　変更を必要とする理由（具体的に記入すること）

3　添付書類

(1)　令和　　年度児童扶養手当給付費都道府県分国庫負担金変更所要額調書
（様式第５号―付表１、付表２）

(2)　令和　　年度児童扶養手当給付費市等分負担金変更所要額市等別内訳書
（様式第５号―付表３）

(3)　令和　　年度歳入歳出予算書（又は見込書）抄本

様式第５号―付表１

令和　　年度児童扶養手当給付費都道府県分国庫負担金変更所要額調書

都道府県名

区　分	支出予定額 (A)	寄付金その他の収入額 (B)	差引額 (A)－(B)＝(C)	変更後国庫負担基本額 (C)＝(D)	変更後国庫負担所要額 (D)×1/3＝(E)	既交付決定額 (F)	差引変更所要額 (E)－(F)＝(G)
児童扶養手当給付費	円	円	円	円	円	円	円

（記入注意）

「支出予定額」欄には、様式第５号―付表２の「計」欄の「合計」の額を記入すること。

様式第５号―付表２

都道府県名

所要額算定基礎

受給者（父・母・養育者）

区分		４月～12月		１月～３月		計	
		延月人数	支出済額	延月人数	支出予定額	延月人数	支出予定額
全部支給者		人	円	人	円	人	円
一部停止者							
加算額	２子加算						
	３子以降加算						
13条の２							
13条の３							
13条の２かつ13条の３							
合計							

（記入注意）

1　「全部支給者」及び「一部停止者」欄には、該当する受給者数を、「加算額」欄には、該当する支給対象児童数をそれぞれ記入すること。（ただし、２、３、４に該当する者は除く。）

2　「13条の２」欄には、児童扶養手当法第13条の２による支給制限を受けた受給者数を記入すること。

3　「13条の３」欄には、児童扶養手当法第13条の３による支給制限を受けた受給者数を記入すること。

4　「13条の２かつ13条の３」欄には、児童扶養手当法第13条の２、第13条の３による支給制限を受けた受給者数を記入すること。

5　「支出予定額」欄には、「延月人数」に手当月額（加算額）を乗じた額を記入すること。

6　この表は、受給者別にそれぞれ作成し、「受給者」欄の該当箇所を○で囲むこと。

様式第5号―付表3

都道府県名＿＿＿＿＿＿

令和　　年度児童扶養手当給付費市等分国庫負担金変更所要額市等別内訳書

区　分	支払予定額 (A)	寄付金その他の収入額 (B)	差引額 (A)−(B)＝(C)	変更後国庫負担基本額 (C)＝(D)	変更後国庫負担所要額 (D)×1/3＝(E)	既交付決定額 (F)	差引変更所要額 (E)−(F)＝(G)
○○市	円	円	円	円	円	円	円
○○市							
○○町村							
合　計 〔○○市等〕							

（記載上の注意）

1　この表は、市等の長から提出された様式第4号―付表1による所要額に基づいて作成すること。

2　「合計」欄の「（○○市等）」については、申請のあった市等数を必ず記入すること。

様式第６号

番　　　号

令和　年度児童扶養手当給付費国庫負担金交付決定通知書

市 等 名

令和　　年　　月　　日第　　号で申請のあった令和　　年度児童扶養手当給付費国庫負担金については、補助金等に係る予算の執行の適正化に関する法律（昭和30年法律第179号）第６条｛第１項の規定により、／第３項の規定により、修正のうえ｝令和　　年　　月　　日第　　号をもって、次のとおり交付することに決定されたので、同法第８条の規定により通知する。

令和　　年　　月　　日

都道府県知事

1　負担金の交付の対象となる事業（以下「事業」という。）は、令和５年４月21日こ支家第43号こども家庭庁長官通知の別紙「児童扶養手当給付費国庫負担金交付要綱」（以下「交付要綱」という。）の２に定める事業であり、その内容は、｛令和　　年　　月　　日申請書記載のとおり／次のとおり｝である。

2　事業に要する経費及び負担金の額は次のとおりである。ただし、事業の内容が変更された場合において、事業に要する経費又は負担金の額が変更されるときは、別に通知するところによるものとする。

事業に要する経費　金　　　　円

負 担 金 の 額　金　　　　円

3　負担金の額の確定は、交付要綱の３に定める交付額の算定方法により行うものである。

4　この負担金は、交付要綱の４に掲げる事項を条件として交付するものである。

5　事業に係る事業実績報告は、交付要綱の10に定めるところにより行わなければならない。

6　この交付の決定の内容又は条件に不服がある場合における補助金等に係る予算の執行の適正化に関する法律第９条第１項の規定による申請の取下げをすることができる期限は、令和　　年　　月　　日とする。

様式第７号

番　　　　号

令和　年度児童扶養手当給付費国庫負担金変更交付決定通知書

市　等　名

令和　　年　　月　　日第　　号で交付決定された令和　　年度児童扶養手当給付費国庫負担金については、令和　　年　　月　　日第　　号申請に基づき決定の内容の一部を次のとおり変更することに決定されたので通知する。

令和　　年　　月　　日

都道府県知事

1　負担金の交付の対象となる事業（以下「事業」という。）は、令和５年４月21日こ支家第43号こども家庭庁長官通知の別紙「児童扶養手当給付費国庫負担金交付要綱」の２に定める事業であり、その内容は、
{令和　　年　　月　　日申請書記載のとおり／次のとおり} である。

2　事業に要する経費及び負担金の額は、次のとおりである。

事業に要する経費　金　　　　円
内今回増加額　金　　　　円
（今回減少額　金　　　　円）
負担金の額　金　　　　円
内今回追加交付額　金　　　　円
（今回減少額　金　　　　円）

3　この交付の決定の内容又は条件に不服がある場合における補助金等に係る予算の執行の適正化に関する法律（昭和30年法律第179号）第９条第１項の規定による申請の取下げをすることができる期限は、令和　　年　　月　　日とする。

様式第８号

番　　　　号
年　　月　　日

○○厚生（支）局長　殿

都道府県知事
市　等　の　長

令和　　年度児童扶養手当給付費国庫負担金に係る
事業実績報告について

標記について、令和　　年　　月　　日第　　号により交付決定を受けた標記負担金に係る事業の実績について、次の関係書類を添えて報告する。

1　令和　　年度児童扶養手当給付費負担金精算書
　（様式第８号—付表１から付表５）

2　令和　　年度歳入歳出決算書（又は見込書）抄本

様式第８号—付表１

令和　　年度児童扶養手当給付費負担金精算書

都道府県名
市等名

区分	対象経費の実支出額 (A)	寄付金その他の収入額 (B)	差引額 (A)－(B)＝(C)	国庫負担基本額 (C)＝(D)	国庫負担所要額 (D)×１/３＝(E)	国庫負担交付決定額 (F)	国庫負担金受入済額 (G)	差引過不足額 (G)－(E)＝(H)	
								超過額	不足額
児童扶養手当給付費	円	円	円	円	円	円	円	円	円

（記入注意）

1　「対象経費の実支出額」欄には、様式第８号—付表２の「差引額(C)」欄の「計」の額を記入すること。

2　「寄付金その他の収入額」欄には、様式第８号—付表２の「過年度分支払取消額」欄の「計」の額に、寄付金の額を加えた額を記入すること。

様式第８号―付表２

都道府県名
市等名

対象経費の実支出額及び過年度分支払取消額算定表

受給者（父・母・養育者）

区分	対象経費の実支出額						過年度分支払取消額		備考
	支出済額(A)		現年度分支払取消にかかる歳出戻入未済額(B)		差引額 (A)－(B)＝(C)				
	延月人数	支出額	延月人数	戻入未済額	延月人数	対象経費の実支出額	延月人数	取消額	
全部支給者	人	円	人	円	人	円	人	円	一部停止者については受給者別、対象児童別の手当額の内訳を添付すること。
一部停止者									
加算額　２子加算									
加算額　３子以降加算									
13条の２									
13条の３									
13条の２かつ13条の３									
合計									

（記入注意）

1　「支出済額」欄は、様式第８号―付表３及び付表４により記入すること。

2　「現年度分支払取消にかかる歳出戻入未済額」欄は、様式第８号―付表５により記入すること。

3　「過年度分支払取消額」欄は、過年度における支払済額のうち、現年度において取消しをした額を記入すること。

4　「全部支給者」及び「一部停止者」欄には、該当する受給者数を、「加算額」欄には、該当する支給対象児童数をそれぞれ記入すること。（ただし、５、６、７に該当する者は除く。）

5　「13条の２」欄には、児童扶養手当法第13条の２による支給制限を受けた受給者数を記入すること。

6　「13条の３」欄には、児童扶養手当法第13条の３による支給制限を受けた受給者数を記入すること。

7　「13条の２かつ13条の３」欄には、児童扶養手当法第13条の２、第13条の３による支給制限を受けた受給者数を記入すること。

8　この表は、受給者別にそれぞれ作成し、「受給者」欄の該当箇所を○で囲むこと。

様式第８号—付表３

都道府県名
市等名

受給者（父・母・養育者）

受 給 者 等 の 月 別 状 況

区　　分	全部支給者	一部停止者	加 算 児 童 数		13条の２	13条の３	13条の２かつ13条の３	備　　考
			２子加算	３子以降加算				
年３月								
４月								
５月								
６月								
７月								
８月								
９月								
10月								
11月								
12月								
年１月								
２月								
３月								
計								

（記入注意）

1　後段の３月は資格喪失等に伴う随時払分を記入すること。

2　「全部支給者」及び「一部停止者」欄には、該当する受給者数を、「加算児童数」欄には、該当する支給対象児童数をそれぞれ記入すること。（ただし、３、４、５に該当する者は除く。）

3　「13条の２」欄には、児童扶養手当法第13条の２による支給制限を受けた受給者数を記入すること。

4　「13条の３」欄には、児童扶養手当法第13条の３による支給制限を受けた受給者数を記入すること。

5　「13条の２かつ13条の３」欄には、児童扶養手当法第13条の２、第13条の３による支給制限を受けた受給者数を記入すること。

6　この表は、受給者別にそれぞれ作成し、「受給者」欄の該当箇所を○で囲むこと。

様式第８号─付表４

都道府県名
市等名

支　払　調　整					受給者（父・母・養育者）
区　分		現年度分	過年度分	計	内　訳
全部支給者	追加	円	円	円	
	減額	△	△	△	
	計				
一部停止者	追加				
	減額	△	△	△	
	計				
加算額　２子加算	追加				
	減額	△	△	△	
	計				
加算額　３子以降加算	追加				
	減額	△	△	△	
	計				
13条の２	追加				
	減額	△	△	△	
	計				
13条の３	追加				
	減額	△	△	△	
	計				
13条の２かつ13条の３	追加				
	減額	△	△	△	
	計				
合　計					

（記入注意）

1　「内訳」欄には、件数、単価、理由を適宜記入すること。

2　「全部支給者」、「一部停止者」及び「加算額」欄には、該当する受給者分を記入すること。（ただし、３、４、５に該当する者は除く。）

3　「13条の２」欄には、児童扶養手当法第13条の２による支給制限を受けた受給者分を記入すること。

4　「13条の３」欄には、児童扶養手当法第13条の３による支給制限を受けた受給者分を記入すること。

5　「13条の２かつ13条の３」欄には、児童扶養手当法第13条の２、第13条の３による支給制限を受けた受給者数を記入すること。

6　この表は、受給者別にそれぞれ作成し、「受給者」欄の該当箇所を○で囲むこと。

様式第８号―付表５

都道府県名
市等名

受給者（父・母・養育者）

現年度分支払取消額内訳

区分		支払取消額(A)		歳出戻入額(B)		差引歳出戻入未済額		備考
		延月人数	取消額	延月人数	戻入済額	延月人数	戻入未済額	
全部支給者		人	円	人	円	人	円	
一部停止者								
加算額	２子加算							
	３子以降加算							
13条の２								
13条の３								
13条の２かつ13条の３								
合計								

（記入注意）

1　「全部支給者」及び「一部停止者」欄には、該当する受給者数を「加算額」欄には、該当する支給対象児童数をそれぞれ記入すること。（ただし、２、３、４に該当する者は除く。）

2　「13条の２」欄には、児童扶養手当法第13条の２による支給制限を受けた受給者数を記入すること。

3　「13条の３」欄には、児童扶養手当法第13条の３による支給制限を受けた受給者数を記入すること。

4　「13条の２かつ13条の３」欄には、児童扶養手当法第13条の２、第13条の３による支給制限を受けた受給者数を記入すること。

5　この表は、現年度において支出した額のうち、現年度中に取消しをした額について記入すること。

6　この表は、受給者別にそれぞれ作成し、「受給者」欄の該当箇所を○で囲むこと。

様式第９号

番　　　　号
年　　月　　日

○○厚生（支）局長　殿

都道府県知事

令和　　年度児童扶養手当給付費国庫負担金に係る事業実績報告について

標記について、令和　　年　　月　　日第　　号により交付決定を受けた標記負担金に係る事業の実績について、次の関係書類を添えて報告する。

なお、管内の市等の長から「令和　　年度児童扶養手当給付費国庫負担金に係る事業報告について」の提出があり、これを審査した結果、適正と認めたので、とりまとめて提出する。

1　令和　　年度児童扶養手当給付費負担金精算書（都道府県分）
　（様式第９号―付表１から付表５）

2　令和　　年度児童扶養手当給付費市等分国庫負担金所要額市等分別内訳書
　（様式第９号―付表６から付表10）

3　令和　　年度歳入歳出決算書（又は見込書）抄本

様式第９号—付表１

令和　　年度児童扶養手当給付費負担金精算書（都道府県分）

都道府県名

区分	対象経費の実支出額 (A)	寄付金その他の収入額 (B)	差引額 (A)−(B)＝(C)	国庫負担基本額 (C)＝(D)	国庫負担所要額 (D)×１／３＝(E)	国庫負担交付決定額 (F)	国庫負担金受入済額 (G)	差引過不足額 (G)−(E)＝(H) 超過額	差引過不足額 (G)−(E)＝(H) 不足額
児童扶養手当給付費	円	円	円	円	円	円	円	円	円

（記入注意）

1　「対象経費の実支出額」欄には、様式第９号—付表２の「差引額(C)」欄の「計」の額を記入すること。

2　「寄付金その他の収入額」欄には、様式第９号—付表２の「過年度分支払取消額」欄の「計」の額に、寄付金の額を加えた額を記入すること。

様式第９号―付表２

都道府県名

対象経費の実支出額及び過年度分支払取消額算定表（都道府県分）

受給者（父・母・養育者）

区分	対象経費の実支出額						過年度分支払取消額		備考
	支出済額(A)		現年度分支払取消にかかる歳出戻入未済額(B)		差引額 (A)－(B)＝(C)				
	延月人数	支出額	延月人数	戻入未済額	延月人数	対象経費の実支出額	延月人数	取消額	
全部支給者	人	円	人	円	人	円	人	円	
一部停止者									一部停止者については受給者別、対象児童別の手当額の内訳を添付すること。
加算額 ２子加算									
加算額 ３子以降加算									
13条の２									
13条の３									
13条の２かつ13条の３									
合計	／		／		／		／		

（記入注意）

1　「支出済額」欄は、様式第９号―付表３及び付表４により記入すること。

2　「現年度分支払取消にかかる歳出戻入未済額」欄は、様式第９号―付表５により記入すること。

3　「過年度分支払取消額」欄は、過年度における支払済額のうち、現年度において取消しをした額を記入すること。

4　「全部支給者」及び「一部停止者」欄には、該当する受給者数を、「加算額」欄には、該当する支給対象児童数をそれぞれ記入すること。（ただし、５、６、７に該当する者は除く。）

5　「13条の２」欄には、児童扶養手当法第13条の２による支給制限を受けた受給者数を記入すること。

6　「13条の３」欄には、児童扶養手当法第13条の３による支給制限を受けた受給者数を記入すること。

7　「13条の２かつ13条の３」欄には、児童扶養手当法第13条の２、第13条の３による支給制限を受けた受給者数を記入すること。

8　この表は、受給者別にそれぞれ作成し、「受給者」欄の該当箇所を○で囲むこと。

様式第９号—付表３

都道府県名

受給者（父・母・養育者）

受給者等の月別状況（都道府県分）

区分	全部支給者	一部停止者	加算児童数		13条の２	13条の３	13条の２かつ13条の３	備考
			２子加算	３子以降加算				
年３月								
４月								
５月								
６月								
７月								
８月								
９月								
10月								
11月								
12月								
年１月								
２月								
３月								
計								

（記入注意）

1　後段の３月は資格喪失等に伴う随時払分を記入すること。

2　「全部支給者」及び「一部停止者」欄には、該当する受給者数を、「加算児童数」欄には、該当する支給対象児童数をそれぞれ記入すること。（ただし、３、４、５に該当する者は除く。）

3　「13条の２」欄には、児童扶養手当法第13条の２による支給制限を受けた受給者数を記入すること。

4　「13条の３」欄には、児童扶養手当法第13条の３による支給制限を受けた受給者数を記入すること。

5　「13条の２かつ13条の３」欄には、児童扶養手当法第13条の２、第13条の３による支給制限を受けた受給者数を記入すること。

6　この表は、受給者別にそれぞれ作成し、「受給者」欄の該当箇所を○で囲むこと。

様式第９号―付表４

都道府県名＿＿＿＿＿＿

支　払　調　整　（都　道　府　県　分）

受　給　者（父・母・養育者）

区　分			現年度分	過年度分	計	内　訳
全部支給者		追加	円	円	円	
		減額	△	△	△	
		計				
一部停止者		追加				
		減額	△	△	△	
		計				
加算額	２子加算	追加				
		減額	△	△	△	
		計				
	３子以降加算	追加				
		減額	△	△	△	
		計				
13条の２		追加				
		減額	△	△	△	
		計				
13条の３		追加				
		減額	△	△	△	
		計				
13条の２かつ13条の３		追加				
		減額	△	△	△	
		計				
合　計						

（記入注意）

1　「内訳」欄には、件数、単価、理由を適宜記入すること。

2　「全部支給者」、「一部停止者」及び「加算額」欄には、該当する受給者分を記入すること。（ただし、３、４、５に該当する者は除く。）

3　「13条の２」欄には、児童扶養手当法第13条の２による支給制限を受けた受給者分を記入すること。

4　「13条の３」欄には、児童扶養手当法第13条の３による支給制限を受けた受給者分を記入すること。

5　「13条の２かつ13条の３」欄には、児童扶養手当法第13条の２、第13条の３による支給制限を受けた受給者数を記入すること。

6　この表は、受給者別にそれぞれ作成し、「受給者」欄の該当箇所を○で囲むこと。

様式第９号―付表５

都道府県名＿＿＿＿＿＿＿＿

現年度分支払取消額内訳（都道府県分）

受給者（父・母・養育者）

区分		支払取消額(A)		歳出戻入額(B)		差引歳出戻入未済額		備考
		延月人数	取消額	延月人数	戻入済額	延月人数	戻入未済額	
全部支給者		人	円	人	円	人	円	
一部停止者								
加算額	２子加算							
	３子以降加算							
13条の２								
13条の３								
13条の２かつ13条の３								
合計								

（記入注意）

1　「全部支給者」及び「一部停止者」欄には、該当する受給者数を「加算額」欄には、該当する支給対象児童数をそれぞれ記入すること。（ただし、２、３、４に該当する者は除く。）

2　「13条の２」欄には、児童扶養手当法第13条の２による支給制限を受けた受給者数を記入すること。

3　「13条の３」欄には、児童扶養手当法第13条の３による支給制限を受けた受給者数を記入すること。

4　「13条の２かつ13条の３」欄には、児童扶養手当法第13条の２、第13条の３による支給制限を受けた受給者数を記入すること。

5　この表は、現年度において支出した額のうち、現年度中に取消しをした額について記入すること。

6　この表は、受給者別にそれぞれ作成し、「受給者」欄の該当箇所を○で囲むこと。

様式第９号―付表６

都道府県名＿＿＿＿＿＿

令和　年度児童扶養手当給付費市等分国庫負担金所要額市等別内訳書

区　分	対象経費の実支出額 (A)	寄付金その他の収入額 (B)	差引額 (A)－(B)＝(C)	国庫負担基本額 (C)＝(D)	国庫負担所要額 (D)×１／３＝(E)	国庫負担交付決定額 (F)	国庫負担金受入済額 (E)－(F)＝(G)	差引過不足額 (G)－(E)＝(H) 超過額	差引過不足額 (G)－(E)＝(H) 不足額
○○市	円	円	円	円	円	円	円	円	円
○○市									
○○町村									
合計〔○○市等〕									

（記載上の注意）
1　この表は、市等の長から提出された様式第８号―付表１による所要額に基づいて作成すること。
2　「合計」欄の「(○○市等)」については、申請のあった市等数を必ず記入すること。

様式第９号—付表７

都道府県名

対象経費の実支出額及び過年度分支払取消額算定表（市等分）

受給者（父・母・養育者）

区分		対象経費の実支出額						過年度分支払取消額		備考
		支出済額(A)		現年度分支払取消にかかる歳出戻入未済額(B)		差引額 (A)−(B)＝(C)				
		延月人数	支出額	延月人数	戻入未済額	延月人数	対象経費の実支出額	延月人数	取消額	
全部支給者		人	円	人	円	人	円	人	円	一部停止者については受給者別、対象児童別の手当額の内訳を添付すること。
一部停止者										
加算額	２子加算									
	３子以降加算									
13条の２										
13条の３										
13条の２かつ13条の３										
合計										

（記入注意）

1　「支出済額」欄は、様式第９号—付表８及び付表９により記入すること。

2　「現年度分支払取消にかかる歳出戻入未済額」欄は、様式第９号—付表10により記入すること。

3　「過年度分支払取消額」欄は、過年度における支払済額のうち、現年度において取消しをした額を記入すること。

4　「全部支給者」及び「一部停止者」欄には、該当する受給者数を、「加算額」欄には、該当する支給対象児童数をそれぞれ記入すること。（ただし、５、６、７に該当する者は除く。）

5　「13条の２」欄には、児童扶養手当法第13条の２による支給制限を受けた受給者数を記入すること。

6　「13条の３」欄には、児童扶養手当法第13条の３による支給制限を受けた受給者数を記入すること。

7　「13条の２かつ13条の３」欄には、児童扶養手当法第13条の２、第13条の３による支給制限を受けた受給者数を記入すること。

8　この表は、受給者別にそれぞれ作成し、「受給者」欄の該当箇所を○で囲むこと。

様式第９号―付表８

都道府県名

受給者等の月別状況（市等分）

区分	全部支給者	一部停止者	加算児童数		13条の２	13条の３	13条の２かつ13条の３	受給者（父・母・養育者）備考
			２子加算	３子以降加算				
年３月								
４月								
５月								
６月								
７月								
８月								
９月								
10月								
11月								
12月								
年１月								
２月								
３月								
計								

（記入注意）

1　後段の３月は資格喪失等に伴う随時払分を記入すること。

2　「全部支給者」及び「一部停止者」欄には、該当する受給者数を、「加算児童数」欄には、該当する支給対象児童数をそれぞれ記入すること。（ただし、３、４、５に該当する者は除く。）

3　「13条の２」欄には、児童扶養手当法第13条の２による支給制限を受けた受給者数を記入すること。

4　「13条の３」欄には、児童扶養手当法第13条の３による支給制限を受けた受給者数を記入すること。

5　「13条の２かつ13条の３」欄には、児童扶養手当法第13条の２、第13条の３による支給制限を受けた受給者数を記入すること。

6　この表は、受給者別にそれぞれ作成し、「受給者」欄の該当箇所を○で囲むこと。

様式第９号—付表９

都道府県名＿＿＿＿＿＿＿＿

受給者（父・母・養育者）

支　払　調　整　（市　等　分）

区分			現年度分	過年度分	計	内訳
全部支給者		追加	円	円	円	
		減額	△	△	△	
		計				
一部停止者		追加				
		減額	△	△	△	
		計				
加算額	２子加算	追加				
		減額	△	△	△	
		計				
	３子以降加算	追加				
		減額	△	△	△	
		計				
13条の２		追加				
		減額	△	△	△	
		計				
13条の３		追加				
		減額	△	△	△	
		計				
13条の２かつ13条の３		追加				
		減額	△	△	△	
		計				
合計						

（記入注意）

1　「内訳」欄には、件数、単価、理由を適宜記入すること。

2　「全部支給者」、「一部停止者」及び「加算額」欄には、該当する受給者分を記入すること。（ただし、３、４、５に該当する者は除く。）

3　「13条の２」欄には、児童扶養手当法第13条の２による支給制限を受けた受給者分を記入すること。

4　「13条の３」欄には、児童扶養手当法第13条の３による支給制限を受けた受給者分を記入すること。

5　「13条の２かつ13条の３」欄には、児童扶養手当法第13条の２、第13条の３による支給制限を受けた受給者数を記入すること。

6　この表は、受給者別にそれぞれ作成し、「受給者」欄の該当箇所を○で囲むこと。

様式第９号―付表10

都道府県名

現年度分支払取消額内訳（市等分）

受給者（父・母・養育者）

区分		支払取消額(A)		歳出戻入額(B)		差引歳出戻入未済額		備考
		延月人数	取消額	延月人数	戻入済額	延月人数	戻入未済額	
全部支給者		人	円	人	円	人	円	
一部停止者								
加算額	２子加算							
	３子以降加算							
13条の２								
13条の３								
13条の２かつ13条の３								
合計		／		／		／		

（記入注意）

1 「全部支給者」及び「一部停止者」欄には、該当する受給者数を「加算額」欄には、該当する支給対象児童数をそれぞれ記入すること。（ただし、２、３、４に該当する者は除く。）

2 「13条の２」欄には、児童扶養手当法第13条の２による支給制限を受けた受給者数を記入すること。

3 「13条の３」欄には、児童扶養手当法第13条の３による支給制限を受けた受給者数を記入すること。

4 「13条の２かつ13条の３」欄には、児童扶養手当法第13条の２、第13条の３による支給制限を受けた受給者数を記入すること。

5 この表は、現年度において支出した額のうち、現年度中に取消しをした額について記入すること。

6 この表は、受給者別にそれぞれ作成し、「受給者」欄の該当箇所を○で囲むこと。

様式第10号

第　　　号

令和　　年度児童扶養手当給付費国庫負担金交付額確定通知書

市　等　名

令和　　年　　月　　日第　　号をもって交付決定された令和　　年度児童扶養手当給付費国庫負担金については、令和　　年　　月　　日第　　号事業実績報告に基づき令和　　年　　月　　日第　　号をもって交付額が次のとおり確定されたので通知する。

確　定　額　　金　　　円

「なお、確定の結果不足となる金　　　　円を追加交付することとしたので通知する。」

（なお、超過交付となった金　　　　円については、補助金等に係る予算の執行の適正化に関する法律（昭和30年法律第179号）第18条第２項の規定により令和　　年　　月　　日までに返還することとなったので通知する。）

令和　　年　　月　　日

都道府県知事

（施行注意）

超過交付を生じた市町村にあっては「　」内の字句にかえて（　）内の字句を挿入する。

（そ　の　他）

○児童扶養手当の現況届等について

〔平成二十八年六月十六日　雇児福発〇六一六第一号
各都道府県・各指定都市・各中核市民生主管部（局）長宛
厚生労働省雇用均等・児童家庭局家庭福祉課長通知〕

〔改正経過〕

第一次改正　〔平成二九年四月二八日雇児福発〇四二八第二号〕

児童扶養手当制度の円滑な実施については、日頃から格別のご配慮を賜り、厚く御礼申し上げます。

さて、ひとり親家庭支援については、昨年十二月二十一日に子どもの貧困対策会議において、ひとり親家庭への総合的な支援の充実策をまとめた「すくすくサポート・プロジェクト（すべての子どもの安心と希望の実現プロジェクト）」（以下「プロジェクト」という。）を策定したところです。

プロジェクトにおいては、支援を必要とするひとり親が行政の相談窓口に確実につながるよう、分かりやすい情報提供や相談窓口への誘導の強化を行いつつ、ひとり親家庭の相談窓口において、ワンストップで寄り添い型支援を行うことができる体制を整備することを盛り込んでいます。

また、毎年八月の児童扶養手当の現況届の時期等を集中相談期間として設定し、子育て・生活、就業、養育費の確保など、ひとり親が抱える様々な課題をまとめて相談できる体制（集中相談体制）を構築することにより、自治体が集中相談期間以降もひとり親家庭を継続的にフォローしていくことを盛り込んでいます。

ついては、プロジェクトを踏まえ、ひとり親家庭の支援の充実につなげていただくよう、次の事項に十分留意の上、児童扶養手当支給事務の適切な執行をお願いするとともに、管内市町村に周知方お願いします。

なお、この通知は地方自治法（昭和二十二年法律第六十七号）第二百四十五条の四第一項の規定に基づく技術的な助言であることを申し添えます。

1　児童扶養手当の現況届については、現在においても特段の事情（※）がない場合には対面による手続きを行っていただいているところですが、現況届時の集中相談期間の設定の趣旨も踏まえ、対面による手続きのより一層の徹底をお願いします。

なお、所得による全部支給停止は特段の事情には当たりませんが、全部支給停止者であって、既にひとり親や児童に対する支援が十分に行き届いており、かつ、受給資格の変更や支給停止の解除の検討に必要な情報が不要であり、対面の必要性がないと判断した場合は、対面によらない手続きを行っても差し支えありません。

※　受給者の傷病等や居住地が離島であることなど来庁することが著しく困難な場合

2　プロジェクトにおいては、児童扶養手当の多子加算の拡充に併せて、不正受給防止対策の取組を行うこととされています。このため、「児童扶養手当事務処理マニュアル（平成二十二年八月）」により示している第四章その他留意事項の「Ⅺ　適正受給」及び参考資料の「児童扶養手当の適正受給のための取組について」を引き続き参考にしていただき、新規認定や現況届時などの書類の確認については、市等の職員、民生委員等が協力して実態調査や現地調査を実施することについて、一層の徹底をお願いします。

なお、不正受給防止対策の実施に当たっては、子育てと生計を一人で担い、生活上の様々な困難を抱えているひとり親家庭の実情に鑑み、児童扶養手当の受給に伴う確認等の手続きが過度な負担とならないよう十分な配慮をお願いします。

○児童扶養手当の事務運営におけるプライバシーの保護に配慮した事実婚の支給要件の確認方法に関する留意事項について

〔令和元年九月三十日　子家発〇九三〇第一号
各都道府県民生主管部（局）長宛　厚生労働省子ども家庭局家庭福祉課長通知〕

児童扶養手当における「事実婚」の解釈については、「児童扶養手当及び特別児童扶養手当関係法令上の疑義について」（昭和五十五年六月二十三日付け児企第二六号厚生省児童家庭局企画課長通知）において、社会通念上夫婦としての共同生活と認められる事実関係が存在しているかということを基本とし、原則として同居していることを要件とした上で、同居していなくとも、ひんぱんに定期的な訪問があり、かつ、定期的に生計費の補助を受けている場合等には、事実婚が成立しているものとして取り扱うこととしている。

事実婚に該当するか否かの判断に当たっては、「児童扶養手当の取扱いに関する留意事項について」（平成二十七年四月十七日付け雇児福発〇四一七第一号）においてお示ししているとおり、「個々の事案により受給資格者の事情が異なることから、形式要件により機械的に判断するのではなく、受給資格者の生活実態を確認した上で判断し、適正な支給手続を行っていただく」必要がある。併せて、受給資格の認定に当たっては、必要以上にプライバシーの問題に立ち入らないよう十分な配慮が必要であることについて、全国児童福祉主管課長会議や事務連絡等において、お願いしてきたところである。

他方、現況届をはじめとする各種届出の窓口対応において、十分な説明がないままに異性との交際関係について質問されたなどの声が、依然として寄せられているところである。

ついては、改めて、児童扶養手当の事実婚等の支給要件の確認に際しては、以下の点を含め、プライバシーの保護に配慮した事務運営を行うよう、確認をお願いするとともに、窓口を担う職員への周知徹底をお願いする。

あわせて、管内市（指定都市、中核市、特別区を含む。）町村に対する周知について、特段の配慮をお願いする。

なお、この通知は、地方自治法（昭和二十二年法律第六十七号）第二百四十五条の四第一項の規定に基づく技術的な助言である。

記

1　支給要件に関し、受給資格者の生活実態の確認に際しては、必要以上にプライバシーの問題に立ち入らないよう十分配慮する必要があり、これらについて確認を行う場合は、一律に確認を行うのではなく、確認が必要と個別に判断した者に限るべきであること。

2　異性との交際関係など、プライバシーに関わる事項について確認が必要な場合には、確認の必要性について理解が得られるよう、児童扶養手当の支給要件との関係について十分に説明を行うこと。

3　プライバシーに関する聞き取りをする場合には、個室や衝立のあるコーナーで行うなど、できる限りプライバシーの保護に配慮すること。

4　「すぐすくサポート・プロジェクト（すべての子どもの安心と希望の実現プロジェクト）」（平成二十七年十二月二十一日子どもの貧困対策会議決定）に基づき、窓口のワンストップ化を進めるとともに、窓口での相談を躊躇せず、支援を必要とするひとり親が行政の窓口に確実につながるように留意すること。

○児童扶養手当の事務運営における調査の適正な実施について

〔令和元年九月三十日　子家発〇九三〇第二号
各都道府県民生主管部（局）長宛　厚生労働省子ども家
庭局家庭福祉課長通知〕

児童扶養手当法（以下「法」という。）第二十九条の規定に基づく調査については、受給資格の有無及び手当額の決定のために必要な事項に関する書類その他の物件の提出を命ずること、職員が受給資格者、児童その他の関係人に質問をすること、児童や児童の父母に医師の診断を受けさせること等が職権で行使できる旨が規定されているが、受給資格者の自宅等へ立ち入って調査を行う権限は含まれていない。

このため、自宅内を含めた調査で必要な場合には、同条に基づく調査でなく、受給資格者の同意を得て行う必要がある。調査に当たっては、真に確認が必要か必要性について慎重に個別判断するとともに、必要と判断した場合においては、必ず丁寧に調査の趣旨を説明し、受給資格者の同意を得た上で、調査される側の状況や立場を考慮し調査担当者や調査日時を設定するなど、プライバシーに十分配慮し、対応する必要がある。

なお、受給資格者が自宅内等への調査に応じないことのみをもって、法第十四条の規定に基づく支給停止を行うことは不適当である。

児童扶養手当の事務運営における調査の適正な実施についてついては、児童扶養手当の事務運営における調査に際しては、この点に留意をお願いするとともに、調査を担う職員への周知徹底をお願いする。

あわせて、管内市（指定都市、中核市、特別区を含む。）町村に対する周知について、特段の配慮をお願いする。

なお、この通知は、地方自治法（昭和二十二年法律第六十七号）第二百四十五条の四第一項の規定に基づく技術的な助言である。

○児童扶養手当法第二十三条に規定する不正受給の具体例について

〔昭和三十七年五月七日　児企第八九号
各都道府県民生主管部(局)長宛　厚生省児童局企画課長通知〕

〔改正経過〕

第一次改正　〔昭和五七年一〇月一日児発第八二四号〕

児童扶養手当の過誤払等による返納金債権の取扱いについては、本年四月二十五日児発第四八九号各都道府県知事あて厚生省児童局長通達「児童扶養手当の過誤払等による返納金債権の取扱いについて」により通達したところであるが、同通達の3でいう児童扶養手当法第二十三条に規定する偽りその他不正の手段により手当の支給を受けた場合の取扱いの対象となるものは、児童扶養手当受給資格者が積極的に不正を行なった場合にはもちろんのこと、消極的に真実を歪曲し、又はかくすことによって不正を行ない手当の支給を受けた場合をいうものであって、その例をあげれば次のような場合が考えられるので、これが取扱いについて遺憾のないようされたい。

なお、都道府県側の事務処理上の過誤に基づく誤認定等については、不正受給には該当しないものであるから留意されたい。

1　受給資格を偽って認定を受けた場合

2　他人の名義を盗用して認定請求を行なったことにより手当の支給を受けた場合

3　認定請求書に添附すべき戸籍抄本、住民票等を偽造し、又は記載事項を改変した場合

4　医師に不実の申立てをして、障害認定診断書に不実の記載をなさしめた場合

5　所得、身分関係及び生計維持関係等の事実に関する市町村長等の証明書を偽造し、若しくはその内容を改変し、又は市町村長等の印鑑を偽造し、若しくは不正に使用した場合

6　児童扶養手当証書を偽造し、若しくはその内容を改変し、又は拾得・窃盗・横領等の証書によって手当の支払を受けた場合

7　受給資格の喪失又は手当額改定の事由に該当することを知っているにもかかわらず届出をしないで手当の支給を受けた場合

○児童扶養手当の過誤払等による返納金債権の取扱いについて

〔昭和三十七年四月二十五日　児発第四八九号
各都道府県知事宛　厚生省児童局長通知〕

児童扶養手当法に基づく児童扶養手当の過誤払等に係る債権の管理及び徴収に関する事務は、各都道府県出納長において取り扱われるものであり、別添のとおり通達したところであるが、貴職においては次の事項に御留意のうえ、標記について遺憾のないよう取り計らわれたい。

なお、郵政省（支払郵便局）側のみの責に帰すべき事由により発生した過誤払等に係る債権の管理に関する事務は、郵政省において行なうものである。

1　債権発生の通知義務者は、国の債権の管理等に関する法律（以下「債権管理法」という。）第十二条第一号の規定により都道府県知事であること。

なお、債権発生の通知は、別紙様式による債権発生通知書に債権又はその担保に係る事項の立証に供すべき書類の写その他の関係物件を添えて債権管理官に送付することによって行なうものであること。

2　返納金は、当該年度であってもこれを戻入することなく、すべて歳入金に係る債権として取り扱うものとし、債権管理事務取扱規則（以下「規則」という。）第十一条第二項の規定により債権の種類は、返納金については、「部」雑収入、「款」諸収入、「項」弁償及び返納金、「目」返納金債権とし、延滞金については、「部」雑収入、「款」諸収入、「項」雑入、「目」延滞金債権とすること。

3　偽りその他不正の手段により手当の支給を受けたことによる返納金（以下「不正受給による返納金」という。）に係る延滞金については、児童扶養手当法第二十三条第二項において準用する国民年金法第九十七条に規定するところによるものとし、その他の返納金に係る延滞金については、民法第四百四条の規定により年五分の割合で徴収するものとすること。

ただし、後者については、債権管理法第三十三条第三項の規定により弁済金額の合計額が当該債権の金額の全部に相当する金額に達することとなった場合には、その全額又は一部を免除することができる取扱いとされていること。

4　不正受給による返納金は、児童扶養手当法第二十三条第一項の規定により国税徴収の例により徴収することができることとされており、弁済の充当の順序は先ず元本に充当し、ついで延滞金に充当することとし、それ以外の返納金についても規則第十三条第四項の規定により先ず元本に充当し、ついで延滞金に充当すること。

別　紙

年　　月　　日

都道府県知事　　印

債権管理官

都道府県出納長　　殿

次のとおり、債権が発生したので、国の債権の管理等に関する法律第12条の規定により通知する。

発生年度	会計名	部	款	項	目
年度	一般会計	雑収入	諸収入	弁償及び返納金	返納金

債権金額	¥＿＿＿＿＿＿	債務者の住所氏名	
発生原因			

履行期限	年　月　日	債権の種類	返納金債権

特記事項	(1) 利率その他利息に関する事項 (2) 延滞金に関する事項 (3) 債務者の資産又は業務に関する事項 (4) 弁済の充当の順序 (5) その他の事項
備考	

別　添

児童扶養手当の過誤払等による返納金債権の取扱いについて

〔昭和三十七年四月二十五日　児発第四八八号・会発第四〇三号
各都道府県出納長宛　厚生省児童局・厚生大臣官房会計課長連名通知〕

児童扶養手当法に基づく児童扶養手当の過誤払等に係る債権の管理及び徴収に関する事務は、厚生省所管債権管理事務取扱規程第三条及び厚生省所管会計事務取扱規程第五条の規定により貴職において取り扱うこととなるがよろしくお取計い願いたい。

なお、当該事務については、昭和三十二年二月九日会発第九三号「債権の管理に関する事務の取扱について」及び昭和三十四年十一月二十四日会発第一、四五〇号「債権管理事務取扱規則の一部を改正する省令の施行について」の通達等によるほか、次の事項に御留意のうえ、遺憾のないよう取り扱われたい。

おって、郵政省（支払郵便局）側のみの責に帰すべき事由により発生した過誤払等に係る債権の管理に関する事務は、郵政省において行なうものである。

1　債権管理事務について

(1)　債権発生に関する通知義務者は、国の債権の管理等に関する法律（以下「債権管理法」という。）第十二条第一号の規定により都道府県知事であること。

(2)　債権管理法第十一条第一項の規定による調査確認事項については、次の事項に留意すること。

ア　返納金は、当該年度であってもこれを戻入することなく、すべて歳入金に係る債権として取り扱うものとし、債権の種類は、債権管理事務取扱規則（以下「規則」という。）第十一条第二項の規定により返納金については、「部」雑収入、「款」諸収入、「項」弁償及び返納金、「目」返納金債権とし、延滞金については、「部」雑収入、「款」諸収入、「項」雑入、「目」延滞金債権とすること。

イ　偽りその他不正の手段により手当の支給を受けたことによる返納金（以下「不正受給による返納金」という。）に係る延滞金については、児童扶養手当法第二十三条第二項において準用する国民年金法第九十七条に規定するところによるものとし、その他の返納金に係る延滞金については、民法第四百四条の規定により年五分の割合で徴収するものとすること。ただし、後者については、債権管理法第三十三条第三項の規定により弁済金額の合計額が当該債権の金額の全部に相当する金額に達することとなった場合には、その全額又は一部を免除することができること。

ウ　不正受給による返納金は、児童扶養手当法第二十三条第一項の規定により国税徴収の例により徴収することができることとされており、弁済の充当の順序は先ず元本に充当し、ついで延滞金に充当することとし、それ以外の返納金についても規則第十三条第四項の規定により先ず元本に充当し、ついで延滞金に充当すること。

エ　債権管理法第十一条の規定によって行なう調査確認は、前記会発第九三号「債権の管理に関する事務の取扱について」別紙第二号書式（その一）によること。

(3) 債権管理簿の様式は、規則の別紙第一〇号書式（その一）によること。

2 歳入徴収事務について

(1) 調査決定決議は、債権管理官が行なう調査確認と併せ行なうこと。

(2) 歳入科目は、返納金については「部」雑収入、「款」諸収入、「項」弁償及び返納金、「目」返納金とし、延滞金については、「部」雑収入、「款」諸収入、「項」雑入、「目」雑収とすること。

(3) 納付場所は、日本銀行本店、支店、代理店及び歳入代理店（都道府県において収入官吏が任命されたときは当該収入官吏）とすること。

(4) 納入の告知は、歳入徴収官事務規程の別紙第一号書式により行なうこと。

(5) 不正受給による返納金の督促は、児童扶養手当法第二十三条第二項において準用する国民年金法第九十六条第一項に基づき、厚生省令で定める様式の督促状をもって遅滞なく行なうこととし、それ以外の返納金の督促は、歳入徴収官事務規程第二十一条により同規程別紙第三号書式による督促状をもって遅滞なく行なうこと。

3 現金収納事務について

現金収納事務を行なう収入官吏の任命については、厚生省所管会計事務取扱規程第十一条の規定により厚生大臣官房会計課長が任命することとなっているから、各都道府県において収入官吏を任命する必要が生じた場合は、児童局あて連絡されたいこと。

○児童扶養手当返納金債権の管理の事務処理について

〔昭和六十一年十二月五日　児企第六〇号
各都道府県民生主管部(局)長宛　厚生省児童家庭局企画課長通知〕

〔改正経過〕

第一次改正　〔令和元年五月二九日子家発〇五二九第一号〕

児童扶養手当法に基づき児童扶養手当の過誤払等に係る返納金債権(以下「返納金債権」という。)の管理及び徴収に関する事務は、各都道府県出納長において取扱われているところであり、貴職においては「児童扶養手当の過誤払等による返納金債権の取扱いについて」(昭和三十七年四月二十五日児発第四八九号各都道府県知事あて厚生省児童局長通知)により債権発生通知等の事務が行われているところである。

近年、返納金債権の収納未済歳入額が著しく増嵩を来し、その回収率が低下の傾向にあり、更に、先般来会計検査院の各都道府県における会計実地検査の結果、債権管理上の措置等が不適切である旨の指摘を同院から受けたところである。

このような状況に鑑み、今般、返納金債権に係る一層の事務の適正化を期するため別添のとおり各都道府県出納長あて通達されたところであるが、貴職においては、左記の事項に特に留意の上、標記について遺憾のないよう取り計らわれたい。

なお、特別児童扶養手当についても同様の取扱いにより行うものであるので、併せて宜しくお取り計らい願いたい。

児童扶養手当返納金債権の管理の事務処理について

記

1　債権の発生通知について

債権発生通知義務者(都道府県知事)は、過誤払等により返納金債権が発生することとなった場合には、債権発生通知書に債権又はその担保に係る事項の立証に供すべき書類の写その他の関係物件を添えて歳入徴収官に通知することとなっているが、これについては遅滞なく行なうよう特に留意するものとすること。

2　債権発生通知義務者と歳入徴収官との連携及び協力体制の強化について

返納金債権の適切な保全及び効率的な回収を図るため、歳入徴収官の行う事務処理の外、貴職においては債権者の現況を把握する等歳入徴収官との連携及び協力が必要であるので、これについて特段の配意をするものとすること。

3　返納金債権に係る証拠書類等の保存について

児童扶養手当等の支給事務関係書類の保存期間については、昭和四十七年八月二十五日児企第三三号本職通知により取扱われているところであるが、特に返納金債権に係る関係書類については、散逸、紛失等が生じることのないよう適切な保存に努めるものとすること。

なお、返納金債権に係る関係書類の保存期間は、当該債権の消滅した日の属する年度の末日から一年間となっており、これを経過する場合においては、遅滞することなく歳入徴収官に引継ぐものとすること。

〔別　添〕

児童扶養手当返納金債権の管理の事務処理について

（昭和六十一年十二月五日　会発第九一九号・児発第九二〇号
各都道府県出納長宛　厚生省大臣官房会計課長・児童家庭局長連名通知）

児童扶養手当法に基づく児童扶養手当の過誤払等による返納金債権（以下「返納金債権」という。）の管理及び徴収に関する事務については、格別の御配意、御協力を煩わしているところである。

しかしながら、近年、返納金債権の収納未済歳入額が著しく増嵩を来しているとともに、その回収率が低下の傾向にあり、更に先般来の会計検査院の各都道府県における会計実地検査の結果、債権管理上必要な督促、時効の中断措置、分割納付の措置等が適切でない旨の指摘を受けたところである。

ついては、このような状況に鑑み、今後は、返納金債権の管理の事務処理については、「厚生省所管債権管理事務取扱規程」（昭和三十二年厚生省訓令第三号）及び「児童扶養手当の過誤払等による返納金債権の取扱いについて」（昭和三十七年四月二十五日児発第四八八号・会発第四〇三号）の通達等によるほか、次の事項について十分留意のうえ、適正な債権管理が行われるよう、よろしく取り計らわれたい。

1　督促について

(1)　督促の励行

歳入徴収官都道府県出納長（以下「歳入徴収官」という。）は、返納金債権の全部又は一部が履行期限を経過してもなお履行されない場合には、債権者に対してその履行の督促をしなければならないが、当該督促が十分に行われていないところが見受けられるので、今後は、債権管理の基本である督促を励行すること。

(2)　督促の時期等

督促は、返納金債権の履行期限の経過後速やかに行うこととし、なおかつ収納とならない場合には、数次の督促を行うこと。

(3)　督促の方法

ア　文書督促

(ア)　歳入徴収官事務規程（昭和二十七年大蔵省令第百四十一号。以下「規程」という。）第二十一条に定める第三号書式による督促状（督促文については、別添(1)を参照）を送付すること。

(イ)　督促状を送付するに当たっては、督促状発行伺（別添(2)を参照）により決裁をとること。

イ　口頭督促

訪問又は電話等による督促を行うこと。

(4)　督促後の事務処理

督促を行ったときは、債権管理簿又は督促整理簿（別添(3)を参照）にそのてん末等を詳細に記入しておくこと。

2　時効の中断措置について

返納金債権は、公法上の債権であり、会計法（昭和二十二年法律第三十五号）第三十条の規定により、五年間その権利を行使しないときは、時効により消滅することとなっている。当該返納金債権については、時効の中断措置がとられていないことが見受けられるので債権保全のため時効完成前に次のような時効の中断措置をとること。

なお、督促状の送付は、時効の中断とはならないので注意すること。

(1) 債務承認

返納金債権の債務者が、債務の存在を承認するような行為をすることによって時効の中断が成立するので、次のような措置をとること。

ア 債務承認書の徴取

返納金債権が時効によって消滅するおそれがあるときは債務者から債務承認書（別添(4)を参照）を提出させ、債務の承認を行わせること。

イ 一部弁済

(ア) 債務者が返納金債権の一部としての弁済であることを認めて弁済すれば、残額についての債務承認となりこれが時効の中断の効力を有することになること。

(イ) 債務者から納入告知書又は納付書に記載された納付金額の一部について、直接に現金の納付の申出があったときには、収納機関である収入官吏又は出納員でなければ収納できないこととなっているので、各都道府県において、収入官吏及び出納員を設置する必要が生じた場合は、児童家庭局を経由のうえ、大臣官房会計課長にその旨を申出ること。

(ウ) 収入官吏及び出納員を設置した場合で、納入告知書又は納付書の金額の一部につき納付があった場合には規程第九条に定める領収証書を交付することなく、収入官吏又は出納員の官職氏名を記載した一部弁済に係る領収証書（別添(5)を参照）を交付すること。

ウ 履行延期の特約等

履行延期の特約等を行った場合は、債務者の債務承認となるので、時効の中断の効力を有するものであること。

(2) 請求及び差押等

ア 請求

債務者に対して納入告知を行った返納金債権で、履行期限を経過したものについて数次にわたる督促を行ったのち、なお相当の期間を経過しても、その全部又は一部が履行されない場合には、訴訟による当該返納金債権に係る裁判上の請求は時効の中断の効力を有するものであること。

なお、裁判上の請求を行う場合には、債権管理総括機関大臣官房会計課長（以下「債権管理総括機関」という。）に協議すること。

イ 差押、仮差押、仮処分

差押、仮差押及び仮処分も時効の中断の効力を有するものであること。

3 履行延期の特約等について

(1) 債務者が無資力又はこれに近い状態にあるときなどには、履行延期の特約等を認めることができることとなっているので、返納金債権の債務者についてこれに該当するものがある場合には、履行延期の特約等による分割納付の措置を積極的に行い、当該返納金債権の効率的な回収を図ること。

なお、履行延期の特約等を行う場合は、債権管理事務取扱規則（昭和三十一年大蔵省令第八十六号。以下「規則」という。）第三十四条に定める書式によること。

(2) 申請及び承認に当たっての留意事項

ア 資格調書の作成

履行延期の特約等を行う場合に歳入徴収官は、資格調書（別添(6)を参照）（資格調書を作成できないときは、その事実を証するに足りる調書）を必ず作成すること。

イ 公正証書の作成又は債務証書の提出

履行延期の特約等を行う場合は、債務名義を取得するための公正証書を作成しなければならないこと。ただし、債務者が無資力であるときなどには、公正証書の作成を要さないこととなっており、履行延期の特約等をした後に、規則第三十六条に定める債務証書を提出させることとなっているので、十分留意すること。

(3) 履行延期の特約等を行った場合の事務処理

ア 履行延期の特約等を行った場合は、債権管理簿を債務者ごとに別に作成すること。

イ 当該特約等に係る徴収決定済額を直ちに減額整理（徴収決定取消）をすること。この場合は、履行期限の到来するごとに当該履行期に係る返納金債権について改めて調査決定を行い、再度納入告知書を作成のうえ債務者に送付すること。この場合の消滅時効は、当該各納入告知書が債務者に到達した日の翌日から進行することとなるので注意すること。

(4) その他

正規の手続きによらないで、現在分割納付の措置をとっているものについては、速やかに正規の手続きにより履行延期の特約等の措置をとること。

4 債務者の現況把握及び債権の引継等について

(1) 債務者の資産状況等の把握

返納金債権の適正な管理を図るため、児童扶養手当担当課等と協力連携のうえ、債務者の資産及び所得の状況、家族構成等の把握に努め督促整理簿等に記入しておくこと。

(2) 債務者の住所変更に伴う届出

債務者が住所を変更する場合は、あらかじめ住所変更届を提出させ、現況の把握に努めること。（別紙(7)を参照）

(3) 債務者の住所不明に伴う追跡調査

債務者が住所不明となった場合は、その不明になる直前に居住していた市町村、本籍地市町村、親族、縁者、知人、転居先市町村及び推定居住地区を管轄する警察署に照会を行い、転居先住所の追跡調査に努めること。（別添(8)及び(9)を参照）

(4) 債権の引継

債務者が他の都道府県に住所を移転した場合において、他の歳入徴収官に返納金債権を引継ぎ、以後その歳入徴収官において当該返納金債権を管理することが効率的であると認められる場合には、債権管理総括機関に申出て、その指示を受けること。（別紙⑽を参照）

(5)　返納金債権に係る証拠書類等の保存

返納金債権の立証に供すべき証拠書類（例えば、資格喪失にかかる決議関係書類、認定請求書又は現況届、山形地方貯金局から送付される児童扶養手当支払済通知書等）及び関係書類の引継ぎ、保存に当たって歳入徴収官は、児童扶養手当担当課と緊密な連携を図り、当該証拠書類等の散逸、紛失等が生じることがないよう適切な保存に努めること。

なお、完済等により消滅した返納金債権に係る当該証拠書類等の保存期間は、歳入徴収官にあっては、当該返納金債権の消滅した日の属する年度の末日から五年間とする。また、児童扶養手当担当課においては、当該関係書類の保存期間の一年を経過する時点でこれを歳入徴収官に引継ぐものとし、歳入徴収官は更に四年間これを保存するものとすること。

(6)　報告書の徴取

返納金債権に係る現況把握のための報告書を、別途徴取する予定としていること。

5　歳入徴収官と児童扶養手当担当課等との連携及び協力体制の強化について

返納金債権の適切な保全及び効率的な回収を図るため、納入告知書及び督促状の送付、訪問督促、債務者の住所及び所得の状況の把握等の債権管理及び歳入徴収の事務については、歳入徴収官と児童扶養手当担当課等との連携・協力を更に一層密にし、適正な債権管理及び歳入徴収の事務処理に万全を期すこと。

6　その他

以上1～5の事項については、特別児童扶養手当返納金債権にかかる債権管理に当たっても、同様に取り扱うこと。

経過措置等（第一次改正）

改正前の様式（以下「旧様式」という。）により使用されている書類は、当該改正後の様式によるものとみなすものとすること。

また、旧様式による用紙については、合理的に必要と認められる範囲内で、当分の間、例えば、訂正印や手書きによる訂正等により、これを取り繕って使用することができるものとすること。

別添(1)

別紙第３号書式

裏　面

第　　号				督　促　状
（年度区分）	（部）	（款）	（項）	（目）
（会 計 名）	金			万　千　百　十　円
（主管又は所 管 名）	納付目的			

さきに貴殿に対して納入の告知をした上記の金額は、納付期日（　年　月　日）までに完納されておりませんので、すでに送付済の納入告知書又は納付書により至急納付して下さい。

なお、納入告知書又は納付書を紛失した場合は、再発行いたしますので御連絡下さい。

また、その返納方法についても相談をお受けいたします。

（この督促状の到着前に納入の場合は、行き違いですからご了承下さい。）

※連絡先　都道府県名　電話

担　当　○○課（国費担当）係（内線　　）氏名

○○課（児童扶養手当担当）係（内線　　）氏名

別添(2)

督　促　状　発　行　伺

歳入徴収官	係（課）長	主任(係長)	担当者

起　案	年　月　日	
決　定	年　月　日	

督　促　状　発　行　伺

○○○○他○○名に係る児童扶養手当返納金債権については、下記のとおり履行期限が経過したので、各債務者に対し督促状を発行してよろしいか。

記

氏名　　　　債権金額　　　　履行期限

備考	
債権管理簿記入	年　月　日　㊞

別添(3)

（表　面）

督　促　整　理　簿

債権の種類					
債務者の氏名又は名称		住所		その他	
債務者の資産又は業務の状況					
参考事項		債務者及び保証人の住所略図			
保証人に関する事項	氏名又は名称		債務者との関係		
	住所		職業		
備考					

（参考）

○　厚生省所管債権管理事務取扱規定（昭和32年厚生省訓令第３号）第９条

○　債権の管理に関する事務の取扱について（昭和32年２月９日会発第93号）別紙第４

（裏　面）

	係　長	年月日	摘　要	金　額	て ん 末	担当者印

別添(4)

債務承認書

一金〇〇〇〇円也

但し、児童扶養手当返納金

弁済期　　年　　月　　日

わたくしは国に対して前記の債務を負担していることを承認いたします。

年　　月　　日

債務者

住所

氏名　　　　㊞

電話

歳入徴収官
都道府県出納長　殿

別添(5)

現 金 領 収 証 書

第一片

領 収 証 書

<table>
<tr><td rowspan="4">(住　　所)
(氏　　名)

殿</td><td>(年　　度)</td><td>(番　　号)</td></tr>
<tr><td>(会　　計)</td><td>(主管又は
所　　管)</td></tr>
<tr><td colspan="2">(項)</td></tr>
<tr><td colspan="2">(目)</td></tr>
</table>

納付金額	千	百	十	万	千	百	十	円

年　月　日領収しました。

(収入官吏、収入官吏代理、分任収入官吏又は分任収入官吏代理官職氏名㊞) 又は (領収者名の表示のある領収日付印)

第二片

領収済報告書

<table>
<tr><td rowspan="4">(住　　所)
(氏　　名)

殿</td><td>(年　　度)</td><td>(番　　号)</td></tr>
<tr><td>(会　　計)</td><td>(主管又は
所　　管)</td></tr>
<tr><td colspan="2">(項)</td></tr>
<tr><td colspan="2">(目)</td></tr>
</table>

納付金額	千	百	十	万	千	百	十	円

年　月　日　領　収

(収入官吏、収入官吏代理、分任収入官吏又は分任収入官吏代理官職氏名㊞) 又は (領収者名の表示のある領収日付印)

あ　て　先

(歳入徴収官、歳入徴収官代理、分任歳入徴収官又は分任歳入徴収官代理官職氏名)

第三片

原　　　符

（住　　所） （氏　　名） 殿	（年　　度）	（番　　号）
	（会　　計）	（主管又は 所　　管）
	（項）	
	（目）	

納付金額		千	百	十	万	千	百	十	円

年　月　日　領　収

（収入官吏、収入官吏代理、分任収入官吏又は分任収入官吏代理官職氏名㊞）　又は　（領収者名の表示のある領収日付印）

（収入官吏検印）

（参考）

国の会計帳簿及び書類の様式等に関する省令（大正11年大蔵省令第20号）別表第15号書式

資格調書

本籍地

現住所

氏　名

生年月日

一　資産の状況

1　不動産　土地（自己所有及び借地の別及び宅地、田、畑、山林等の別により記載のこと。）……平方メートル

家屋（自己所有、借家、社宅等の別により記載のこと。）……平方メートル

2　主な動産　何々……

二　収入の状況（ない場合は、その事由を明記すること。）

1　不動産、動産によるもの……円

2　事業によるもの……円

3　勤労によるもの……円

4　その他によるもの……円

三　課税の状況（賦課されていない場合は、その事由を明記すること。）

1　国　税……円

2　地方税……円

3　その他……円

四　負債の状況

五　生計の状況

1　家族（氏名、年齢、続柄、職業、収入等を区分して記載のこと。）

2　生活程度

3　生活保護法の適用の有無（適用がある場合は、扶助の種類、金額及び期間）

六　その他参考となる事項

歳入徴収官等

所属部局

官　職

氏　名　㊞

（参考）○　厚生省所管債権管理事務取扱規程（昭和32年厚生省訓令第３号）第10条

○　徴収停止又は履行期限を延長する特約若しくは処分をする場合の基準について（昭和34年10月７日会発第1,233号）１の(1)

別添(7)

住　所　変　更　届

今般、下記のとおり住所を変更いたします（ました）ので、お届けします。

記

新　住　所

変更（予定）年月日

電　話

歳入徴収官

都 道 府 県 出 納 長 殿

年　　月　　日

住　所

氏　名　　　　　　㊞

電　話

※　納入告知書を送付する際に同封のこと。

別添(8)（市（区）町村あて）

（照　会）

番　　　　　号
年　　月　　日

○○○市（区）町村長　殿

歳入徴収官
都道府県出納長　　印

居住の有無並びに転居先等の照会について

国の債権の管理のため、下記の債務者の住所を確認する必要がありますので、御多忙中恐縮ですが、別紙について御調査のうえ、回答下さるようお願いいたします。

記

1　氏　名
2　生年月日
3　本籍地
4　住　所
5　その他参考となる事項

（別紙）

（回　答）

番　　　　　　号
年　　月　　日

歳入徴収官
　都道府県出納長　殿

〇〇〇市（区）町村長　　㊞

現住所及び転居先照会について（回答）

　　年　月　日番　号をもって照会のあった標記について、下記のとおり回答いたします。

記

1　氏　名
2　生年月日
3　本籍地
4　現在まで居住した有無　　　有　無
　(1)　現住所転入年月日
　(2)　〃　転出　〃
　(3)　転出先住所
5　その他参考となる事項

別添(9)（警察署あて）

（表　面）

（照　会）

年　　月　　日
第　　　　号

○○警察署長　殿

歳入徴収官
都道府県出納長　　　印

国の債権に係る債務者に関する住所の照会について

国の債権の管理のため下記の債務者の住所を確認する必要があるので、下記事項を参考として御調査の上、貴署管内における該当者の有無及び該当者がある場合は、その住所を御回報願います。

記

債務者氏名		男・女	大正 昭和 平成 令和　年　月　日生	歳位
指定居住地				
本　籍　地				
備　　　考				

（裏　面）

（回　答）

年　　月　　日

歳入徴収官

　都道府県出納長　殿

○○警察署長　　　㊞

同上件名

　上記のことについて、下記のように回答します。

記

該当者	有　　　　　無
住　所	
参考事項	

（参　考）

　国の債権に係る債務者の住所を調査するため警察署に対し照会をする場合の方法について（昭和38年４月１日会発第275号）

別添⑽

番　　　号

年　月　日

厚生省大臣官房会計課長　殿

歳入徴収官

都道府県出納長　㊞

債権管理事務の引継ぎについて（協議）

標記について、下記のとおり引継ぎをいたしたいので協議します。

記

1　引受歳入徴収官名

2　引継ぎの理由

3　引継ぎ予定年月日

4　引継ぐ債権の内容

⑴　債務者の住所

旧

新

⑵　氏　名

⑶　債権発生年度

⑷　債権金額

⑸　履行期限

5　その他参考となる事項

（参考）　債権の管理に関する事務の取扱について（昭和32年2月9日会発第93号）別紙第1

○児童扶養手当の差額追給及び内払調整に基づく減額支給について

〔昭和三十七年五月二十二日　児発第五八二号〕
〔各都道府県知事宛　厚生省児童局長通知〕

〔改正経過〕

第一次改正　〔平成一三年七月三一日雇児発第五〇二号・障発第三三五号〕

児童扶養手当（以下「手当」という。）の支払いが行なわれた後、誤認定、児童扶養手当証書（以下「手当証書」という。）の誤作成等の事由により手当の支払額が不足又は過剰であることが判明し、その不足分又は過剰分につき、追加支給又は児童扶養手当法（以下「法」という。）第三十一条の規定による内払調整の措置をとるときは、次により遺憾のないよう致されたい。

なお、かかる措置をとることは、都道府県、市町村及び郵政官署における事務が複雑化し、さらに事故を誘発するおそれもあるので、かかる措置を必要とする事態を発生せしめないよう努められたい。

第一　差額追給

1　差額追給を必要とする事例

不足分の追加支給を必要とするに至る場合を例示すれば次のとおりであること。

(1)　支給開始年月を正当年月より後の年月と誤認した場合

(2)　支給対象児童の数を少なく誤認した場合

(3)　一期支払額を少なく誤算した場合

(4)　誤まって減額改定した場合

(5)　支給対象児童が義務教育を終了するとの予測で一期支払額を算出したが、当該児童は義務教育を終了しなかった場合

(6)　手当証書の児童扶養手当支払通知書兼受領証書及び児童扶養手当支払原符（以下「受領証書等」という。）に誤まって正当支払金額未満の金額を記入した場合

2　受給者の手続

受給者は適宜の様式による児童扶養手当証書特別再発行申請書（以下「申請書」という。）にすでに支払いを受けた手当証書を添えて、これを市町村（特別区を含む。以下同じ。）を経由して都道府県に提出すること。

なお、前記1の(5)の場合においては、引き続き中学校等に在学していることを明らかにすることができる書類を申請書に添附すること。

3　市町村における事務処理

市町村において申請書の提出を受けたときは、児童扶養手当市町村事務取扱準則の第五の2及び7の児童扶養手当証書再交付申請書の取扱手続に準じて処理すること。

4　都道府県における事務処理

市町村から申請書の提出を受けたときは、児童扶養手当都道府

県事務取扱準則第九の児童扶養手当再交付申請書の取扱手続に準じて処理するとともに、次により処理すること。

(1) 処分の是正等

受給資格及び手当の額を誤認定した場合は、その処分を取り消して是正し、又は新規の処分を行なうこと。

(2) 手当証書の特別再発行

手当証書を特別再発行するときは、特に次の点に留意すること。

ア 新たな手当証書の番号は、従前の手当証書の番号を使用することとし、枝番号を使用しないこと。

イ 手当証書の表紙に「特別再発行」と記入すること。

ウ 新たな証書の当該支払期月分の受領証書等の支払金額欄に追加支給すべき金額を記入すること。たとえば、昭和三十七年三月期において三六〇〇円に記入すべきところ、二四〇〇円と誤記したため、一二〇〇円の不足払が生じた場合は、昭和三十七年三月期分の受領証書等の支払金額欄に「一二〇〇円」と記入すること。

エ 手当証書一ページの都道府県知事名の前記の年月日は、新たな手当証書を作成した年月日を記入すること。

オ 支払済の支払期月分の受領証書等は切り取り、手当証書二ページの当該期月分の支払日附印欄に「支払済」と記入すること。

カ 表紙の裏面に追加支給の内容を略記すること。

児童扶養手当の差額追給及び内払調整に基づく減額支給について

（例）

昭和三十七年三月期分二、四〇〇円　昭和三十七年三月二十五日支払済追給額一、二〇〇円

キ 従前の手当証書は、無効の取扱いをするものであるが、これを廃棄することなく、新たな手当証書を作成した日から三年間証拠書類として保存すること。

(3) 児童扶養手当受給者台帳の記載

ア 児童扶養手当受給者台帳（以下「台帳」という。）の証書欄には、手当証書を特別再発行して市町村へ送付した年月日及びその旨を「三十七年五月十日（特別再交付）」の如く赤書をもって記入すること。

イ 台帳の記載事項を訂正する必要があるときは、赤書をもって行なうこと。

5 その他

(1) 手当証書の特別再発行は、受給者からの申請をまたずして職権をもって行なって差し支えないが、この場合においては、従前の手当証書を提出せしめて行なうこと。

(2) 手当証書の特別再発行による追加支給の手当の支払いは、法第七条第三項の規定によりいつでも行なわれるものであること。

第二 減額支給

1 減額支給を必要とする事例

手当が正当支払金額より多く支払われた場合は、法第三十一条

の規定により、その後支払われるべき手当の内払とみなし、次期以降の支払期月の支払額を減額調整して差し支えないものであるが、かかる場合を例示すれば次のとおりであること。

(1) 支給開始年月を正当年月より前の年月と誤認した場合

(2) 支給対象児童の数を多く誤認した場合

(3) 一期支払額を多く誤算した場合

(4) 減額改定の事由が発生したにもかかわらず、受給者が児童扶養手当額改定届を提出しなかったため、手当額の改定が行なわれなかった場合

(5) 手当証書の受領証書等に誤まって正当支払金額をこえる金額を記入した場合

2 都道府県における事務処理

減額調整の措置をとる場合は、都道府県においては、児童扶養手当都道府県事務取扱準則第三のⅡの職権による手当額の減額改定における取扱手続に準じて処理する（児童扶養手当改定通知書に相当する通知書は、左記(1)の場合を除き必要としない。）とともに、次により処理すること。

(1) 処分の是正等

受給資格及び手当の額を誤認定した場合はその処分を取り消して是正し、又は新たな処分を行なうこと。

(2) 手当証書の特別再発行

手当証書を特別再発行するときは、特に次の点に留意すること。

ア 新たな手当証書の番号は、従前の手当証書の番号を使用するものとし、枝番号を使用しないこと。

イ 手当証書の受領証書等の支払金額欄は、次により記入すること。

(ア) 内払とみなして減額調整すべき額（以下「減額調整額」という。）が次期支払額に満たないときは、その差額を次期支払期月の支払額（以下「調整支払額」という。）とすること。

(イ) 減額調整額が次期支払額と同額であるときは、調整支払額は零となるから次期支払期月分の受領証書等は切り取り、手当証書二ページの支払日附印欄の当該支払期月分に「支払済」と記入すること（この場合においては、新たな手当証書を発行せず、従前の手当証書を使用しても差し支えないが、表紙に特別再発行と記入する等新たな手当証書を発行した場合と同様の取り扱いを行なうこと。）。

(ウ) 減額調整額が次期支払額をこえるときは、次期支払額については(イ)、次期の次の支払期月における支払額については(ア)によること。

エ 手当証書一ページの都道府県知事名の前記の年月日は、新たな手当証書を作成した年月日を記入すること。

オ 手当証書二ページの支払日附印欄は、従前の手当証書により支払済みである支払期月分に「支払済」と記入すること（イの(イ)の場合において、従前の手当証書を使用したとき

は、この限りでない。)

カ　手当証書の表紙の裏面に減額支給の内容を略記すること。

(例　支給対象児童が一人であるべきところ二人と誤認定していた場合)

昭和三十七年三月期分三、六〇〇円　昭和三十七年四月三日支払済　減額調整額　一、二〇〇円

昭和三十七年五月期調整支払額　〇円

昭和三十七年九月期調整支払額　二、八〇〇円

キ　従前の手当証書は、無効の取扱いをするものであるが、これを廃棄することなく、新たな手当証書を作成した日から三時間証拠書類として保存すること。

(3) 台帳の記載

第一の差額追給の場合に準ずること。

3　その他

減額支給の措置は、原則として児童扶養手当額改定届等の提出をまたずに職権をもって行なうべきものであること。

○児童扶養手当及び特別児童扶養手当支給事務関係書類の保存期間等について

〔昭和四十七年八月七日　児企第三一号
各都道府県民生主管部（局）長宛　厚生省児童家庭局企画課長通知〕

〔改正経過〕

第一次改正　〔昭和五一年九月二八日児企第三五号
第二次改正　〔昭和五五年六月二三日児発第四八八号
第三次改正　〔昭和五七年一〇月一日児発第八二四号
第四次改正　〔平成一三年七月三一日雇児福発第三四号・障企発第三九号

標記については、従来昭和三十九年五月十一日児企第四二号各都道府県民生主管部（局）長あて本職通知「児童扶養手当支給事務関係書類の保存期間等について」により定められていたが、今後、次に定めるところによることとされたので了知されたい。

なお、この通知中市町村（特別区を含む。以下同じ。）に関する部分については、貴職から管内市町村に対し通知されたい。

おって、前記の本職通知は廃止する。

1　都道府県又は市町村における児童扶養手当及び特別児童扶養手当支給事務関係書類の保存期間は、別表1又は2の区分表に定めることとするが、当該都道府県又は当該市町村において特別の事情がある場合には、その期間を延長しても差支えないものであること。

2　別表の保存期間は、同表の特別の定めがある場合を除き、その書類を完結した日の属する年度の翌年度から起算するものであること。

3　関係書類の保存期間が満了したときは、別紙様式による「児童扶養手当及び特別児童扶養手当支給事務関係書類処理簿」を作成整理し、関係書類の廃棄処分を行なうものとすること。

別　紙

児童扶養手当及び特別児童扶養手当
支給事務関係書類処理簿

関　係　書　類　名	廃棄処分年月日	主管課長印	備　　　　考

別表１

都道府県における児童扶養手当及び特別児童
扶養手当支給事務関係書類の保存期間区分表

関　　係　　書　　類　　名	保　存　期　間
１　施行規則及び事務取扱準則関係	
(1)　請求書及び届書等	
ア　認定請求書、手当額改定請求書及びその決定に係る書類	５年
イ　定時の現況届、被災状況書、手当額改定届、資格喪失届、死亡届、未支払手当請求書及び児童扶養手当施行規則第４条の２に規定する在学証明書又は障害診断書並びにその決定に係る書類	３年
ウ　その他氏名、住所、支払郵便局、印鑑等の変更届及び市町村からの処理済報告書等	１年
(2)　帳簿等	
ア　受給資格者台帳番号簿、受給資格者台帳及び支給廃止簿	５年
イ　その他の帳簿等	３年
２　支払記録関係	
支払記録事務処理要綱関係書類	昭和37年４月23日児

	発第478号児童局長通知「児童扶養手当支払記録事務処理要領」による
3　不服申立関係 　異議申立書又は審査請求書及びその決定に係る書類	10年
4　返納金に係る債権管理関係 　過誤払等（郵政官署側のみの責に帰すべき事由によるものを除く。）による返納金債権通知関係書類	債権の消滅した日の属する年度の末日から１年
5　事務取扱交付金関係 　事務取扱交付金の交付申請書、実績報告書（市町村分を含む。）、市町村分の交付申請又は実績報告に係る進達書等及びその決定に係る書類	５年
6　手当証書関係 ⑴　手当の支払が一度でも行なわれた無効の手当証書 ア　手当の差額追給又は減額支給を行なった場合の従前の無効の手当証書	差額追給又は減額支給の支払が完了した日の属する年度の末日から１年
イ　過誤払等による債権管理に係る無効の手当証書	債権が消滅した日の属する年度の末日から１年
ウ　ア、イ以外で支払が行なわれた後の従前の無効の手当証書	最終の支払をうけた日の属する年度の末日から１年
⑵　手当の支払が一度も行なわれていない無効の手当証書	昭和37年２月19日児企第27号本職通知により、処理後ただちに焼却
7　その他 ⑴　当省からの支給事務関係通知（市町村に通知したものを含む。）	永久 ただし照会文書等簡易なものについては当該都道府県における文書取扱いの例による
⑵　その他の支給事務関係書類	当該都道府県における文書取扱いの例による

別表２

市町村における児童扶養手当及び特別児童扶養手当支給事務関係書類の保存期間区分表

関　係　書　類　名	保　存　期　間
1　関係書類提出受付処理簿	2年
2　受給資格者名簿	5年
3　住所、支払郵便局、印鑑の変更届及びその処理に係る書類	1年
4　都道府県から送付された住所変更に伴う移管通知書及び手当証書送付書	1年
5　事務取扱交付金関係書類	5年
6　都道府県からの支給事務関係通知	永久 ただし照会文書等簡易なものについては、当該市町村における文書取扱いの例による
9　その他の支給事務関係書類	当該市町村における文書取扱の例による

○児童扶養手当証書の保管について

〔昭和三十七年二月十九日　児企第二七号
各都道府県民生主管部(局)長宛　厚生省児童局企画課
長通知〕

児童扶養手当証書については、この程印刷を完了したので近日中に貴都道府県宛送付することとなったが、児童扶養手当は支払方法が無案内方式（都道府県が受給者に対する支払につき、そのつど個々に支払郵便局へ通知しないで、受給者が児童扶養手当証書を直接支払郵便局に提示して受給する方式）であるため、児童扶養手当証書の保管上の取扱については、次の事項に御留意のうえ関係職員に対して特段の御指導方御配意願いたい。

1　未記入の児童扶養手当証書の保管は、事故防止のため児童福祉主管課における課長補佐、課長補佐がおかれていない場合は庶務係長（以下「保管責任者」という。）がその掌に当るものとし、児童扶養手当支給事務担当係においては行なわないこと。

2　児童扶養手当証書が貴都道府県に到着したさいは、保管責任者が児童扶養手当証書の個々につき点検するとともに当課からの送付書に記載されている部数と突合し、符合している場合には直ちに同封されている児童扶養手当証書受領書を当課あて送付すること。

3　2により確認された児童扶養手当証書については、保管責任者が厳重にこれを保管庫等に保管するとともに、直ちに児童扶養手当都道府県事務取扱準則に定める児童扶養手当証書受払簿にその部数を記入し、児童扶養手当支給事務担当係が児童扶養手当証書を作成するためその払出を請求した場合は、必らずこれが受払についての補助簿を設け、かつ、その受領印を徴する等常時これが適確なる部数の把握に努めること。

4　児童扶養手当支給事務担当係においては、当該払出を受けた児童扶養手当証書につき完成分、未完成分に明確に区分整理して厳重に保管するとともに、その状況については毎日これを保管責任者に報告する等遺漏のないようにすること。なお、児童扶養手当証書の完成分を市町村に送付する場合にはその旨を保管責任者に報告し、保管責任者はこれを児童扶養手当証書受払簿及び補助簿に記録するものであること。

5　児童扶養手当証書受払簿における払出数及び現在数については、適宜保管責任者をして、補助簿、認定決裁伺原議、受給者台帳、番号簿、児童扶養手当証書送付書等に照合点検するとともに、当該払出数が実際に払出している数と一致している旨及び現在数に過誤がない旨を確認させること。

6　落丁、書損または手当額改定等のため児童扶養手当証書として使用することができないものについては、保管責任者をして焼却せしめ、その旨を児童扶養手当証書受払簿及び補助簿に記録させること。

○児童扶養手当及び特別児童扶養手当に係る時効の解釈及び取扱い等について

〔昭和四十七年八月二十五日　児企第三三号　各都道府県民生主管部（局）長宛　厚生省児童家庭局企画課長通知〕

〔改正経過〕

第一次改正　〔平成一三年七月三一日雇児福発第三四号・障企発第三九号〕

今般、児童扶養手当及び特別児童扶養手当に係る時効について、従来より行なわれてきた解釈を改めることとし、これに伴い、所得状況届未提出者の取扱いを変更することとしたので、次の事項を了知のうえ、慎重かつ適切に事務処理を行なうよう努めるとともに、管内市町村（特別区を含む。）に対する周知につき、特段の配慮をお願いする。

1　時効の解釈の変更について

(1)　児童扶養手当法（以下「法」という。）第二十二条に規定する児童扶養手当（以下「手当」という。）の時効について、従来は、法第六条に規定する認定を受けた者（以下「受給者」という。）が、児童扶養手当証書（以下「証書」という。）の交付を受け、手当の支払期月が到来することによって、手当の支払いを受けることができることとなり、その時点から手当の支給を受ける権利（以下「受給権」という。）の時効が進行するものとしていた。

しかし、手当の支払期月が到来すれば受給者は、法上手当の支払いを受けることができるものであって、証書の交付を受けることは、郵便局の窓口において支払いを受けるために必要な手続きにすぎないものであり、今後は、受給者が証書の交付を受けているか否かにかかわらず、受給者が手当の支払期月の手当の支払いを請求しなければすべて時効が進行するものとしたこと。

この場合の時効の起算日は、児童扶養手当及び特別児童扶養手当の支払に関する規則（昭和三十九年郵政省令第十五号）に定める支払開始期日である当該手当の支払期月の十一日であり、時効が完成するのは、当該支払開始期日の二年後の支払開始期日の前日が経過した時点であること。

なお、時効によって受給権が消滅した場合には、当該消滅した受給権に係る月分の手当の債権も同時に消滅するものであること。

(2)　本通知で示した新しい時効の解釈は昭和四十八年五月一日をもって統一的に行なうこととし、昭和四十八年四月三十日まではなお従前の例によられたいこと。

なお、これに伴い、昭和四十八年五月一日をもって、「児童扶養手当関係法令上の疑義について」（昭和三十九年五月八日児企第三九号、各都道府県民生主管部（局）長あて本職回答）の（問25）中「また時効の起算日について。」及び（問25）の（答）中「時効については、時効は、現に手当の支払を受けることができることとなった時点から進行することとなるので、所得状況届未提出のため、その支払が差し止められている（証書が交付されていない）限りは、時効の問題を生ぜず、証書の交付が行なわれたときに、すでに支払期日の到来している月分の手当がある場合においては、その月分の手当についてこの時効は、証書が当該受給者に交付された日から起算されることとなる。」を削ることとすること。

2 所得状況届未提出者の取扱いについて

(1) 所得状況届未提出者（以下「未提出者」という。）は、証書の交付を受けていないため、従来は時効の問題を起こりえず、その受給権は他に特別の受給資格消滅事由が発生しないかぎりそのまま存続するものとされてきたのであるが、今回の時効の解釈の変更により昭和四十八年五月一日以降は支払期月到来後二年を経過した場合には時効により受給権を失なうこととなること。

(2) 未提出者の権利をできる限り保全するため、次の事項に十分留意し、必要な事務処理を確実に行なわれたいこと。

ア 未提出者の名簿を作成し、かつ、それに基づいて未提出者の追跡調査を行なうことにより、できうるかぎりその把握に努めること。

なお、昭和四十六年度の児童扶養手当及び特別児童扶養手当担当者地区別打合会における指示に基づいて追跡調査を完全に実施し、すでに住所不明等が明らかになっている未提出者については、はがき等により一応の確認を行なったうえエに示す手続きを行なってもさしつかえないこと。

イ 昭和四十七年十一月末日（沖縄県にあっては、昭和四十八年一月末日）までに、昭和四十六年以前の年（沖縄県にあっては、昭和四十六年度以前の年度）の所得に関する所得状況届（昭和四十七年六月（沖縄県にあっては同年九月）に提出すべき所得状況届までのもの）の未提出者に対して法第二十九条第一項又は特別児童扶養手当法第二十四条第一項の規定に基づいて所得状況届の提出を命ずること。

ウ 所得状況届提出命令は別紙様式による命令書を未提出者に配達証明により郵送することによって行なうこと。

また、管内市区町村に対して当該提出命令をかけた未提出者名を連絡しておくこと。

エ 住所不明等の理由により、未提出者に当該命令書が到達しない場合には、民法第九十七条の二の規定に基づく公示送達の方法をとること。

オ 所得状況届の提出を命じた未提出者から昭和四十八年四月三十日までに所得状況届が提出されなかった場合には、すみやかに法第十四条又は特別児童扶養手当法第十三条の規定に基づいて昭和四十八年四月までの月分の手当について、その全額につき不支給処分を行なうこと。

不支給処分を行なった場合には、その旨を受給者台帳に記載しておくこと。

(3) 昭和四十八年五月一日以降は本通知に示す時効の解釈及び取扱いに基づいて未提出者についても処理することとする。

従って、昭和四十五年六月（沖縄県にあっては同年九月）に提出すべき所得状況届（昭和四十四年（度）の所得が記載されるべきもの）が未提出である受給者については、昭和四十八年五月一日以降は時効が完成していることとなるので、前記２の(2)のオに示す事務処理を行なったうえ、職権により受給資格消滅の処理を行ない、その後においては、毎年九月十日を経過した時点で当該年の二年前からの未提出者についてその受給権の時効が完成していくこととなるのでその都度職権により処理されたいこと。

(4)　その他次の事項に留意されたいこと。

ア　受給者に対しては、今後もできうるかぎり所得状況届の提出を励行するよう指導するとともに事務処理上もそれに応じた体制をととのえ、未提出者についていやしくも、安易に時効による受給資格の消滅を待つことのないよう努められたいこと。

イ　厚生省報告例（昭和二十六年厚生省訓令第五号）による第九十一「児童扶養手当受給者」及び第九十「特別児童扶養手当受給者異動状況」の報告においては、時効の完成により受給資格を喪失した者は、それぞれ「喪失」の欄中「その他」に含めること。

（別　紙）

番　　　号

（特別）児童扶養手当所得状況届提出命令書

○　○　○　○　殿

あなたは、昭和　　年度から昭和47年度までの分の（特別）児童扶養手当所得状況届を提出していませんので、昭和48年４月30日までに最寄りの市区町村を経由して提出するよう｛児童扶養手当法第29条第１項／特別児童扶養手当法第24条第１項｝の規定に基づいて命令します。

なお、昭和48年４月30日までに上記の所得状況届を提出しなかった場合には、｛児童扶養手当法第14条／特別児童扶養手当法第13条｝の規定に基づいて昭和48年４月までの月分の（特別）児童扶養手当についてその全額を支給しないこととしますのでご了知ください。

年　　月　　日

○○○知事　　　　　　㊞

（注）　児童扶養手当に係るもの又は特別児童扶養手当に係るもののちがいに応じて、不要な字句を抹消すること。

○児童扶養手当及び特別児童扶養手当の支払日の改正等について

〔平成四年十二月二十五日　児発第一、〇七三号
各都道府県知事宛　厚生省児童家庭局長通知〕

本日、児童扶養手当及び特別児童扶養手当の支払に関する規則の一部を改正する省令（平成四年十二月二十五日郵政省令第七十七号）が、別添のとおり公布されたが、その改正内容並びにこれに伴う児童扶養手当及び特別児童扶養手当の支払日に係る取扱いについては、次のとおりであるので、留意のうえ遺憾のないように取り計らわれたい。

記

1　児童扶養手当及び特別児童扶養手当の支払に関する規則（昭和三十九年郵政省令第十五号）の一部改正の内容について

(1)　児童扶養手当（昭和六十年七月三十一日以前に認定を受けた者及び同日において認定の請求をしていた者であってその後認定を受けた者（以下「既認定者」という。）に係るものに限る。）及び特別児童扶養手当の支払日について、支払期月の十一日が、日曜日若しくは土曜日又は休日（以下「日曜日等」という。）に当たる場合は、その日の直前の日曜日等でない日とされること。

(2)　この改正は、公布の日から施行されること。従って、平成五年四月十一日が日曜日等に当たるため、直前の日曜日等でない日である同月九日が、支払日となるものであること。

2　既認定者等以外の者に係る支払日について

既認定者等以外の者に係る児童扶養手当の支払日については、都道府県知事が定めることとなっているところであるが、これについても、既認定者等に係る児童扶養手当の支払日との均衡を考慮した取扱とするよう配慮されたいこと。

3　関係通知の改正について

(1)　児童扶養手当の支払について（昭和三十七年三月三日児発第二〇二号厚生省児童家庭局長通知）の1中「十一日」の下に「（その日が日曜日若しくは土曜日又は休日（以下「日曜日等」という。）に当たる場合は、その日の直前の日曜日等でない日）」を加え、同通知の2中「日曜祭日」を「日曜日等」に改める。

(2)　児童扶養手当の一部を改正する法律等の施行について（昭和六十年七月三十一日児発第六六二号厚生省児童家庭局長通知）のIの第五の2中「支払期月の十一日」の下に「（その日が日曜日若しくは土曜日又は休日（以下「日曜日等」という。）に当たる場合は、その日の直前の日曜日等でない日）」を加える。

別添　略

○東北地方太平洋沖地震による被災者に対する児童扶養手当等の取扱いについて

〔平成二十三年三月十六日　雇児福発〇三一六第一号
各都道府県・各指定都市・各中核市民生主管部(局)長宛
厚生労働省雇用均等・児童家庭局家庭福祉課長通知〕

東北地方太平洋沖地震による被災者に対する児童扶養手当及び母子寡婦福祉貸付金の対象者への対応等については、左記に御留意の上、特段の御配慮をお願いします。

記

1　児童扶養手当について

都道府県におかれては、次の取扱いについて、管内市区町村に周知をお願いしたい。

(1)　四月の定時支払い

児童扶養手当は四月が定時の支払期月に当たるが、今回の災害に当たって支払事務に遅延が生じる場合であって、次の支払期月より前に支払いが可能となった場合には、随時払い（定時の支払期月である四月、八月、十二月以外の月での支払い）により対応する。

なお、旧法分（昭和六十年七月三十一日以前の既認定者等）の支払いについては、既に平成二十三年三月十八日（金）までに対象者データの郵送をお願いしているところであるが、提出期限までに提出できない場合には、扶養手当係までご相談願いたい。

(2)　災害等に係る特例措置

今回の災害に関して、災害その他やむを得ない理由による認定請求の取扱い（児童扶養手当法第七条第二項）及び災害により住宅・家財等の財産についてその価格のおおむね二分の一以上の損害を受けた場合の所得制限の特例措置（同法第十二条）の適用について、十分配慮する。

なお、同法第十二条の規定により所得制限の特例措置を講じるためには、当該事由が生じた日から一四日以内に児童扶養手当被災状況書を提出することが必要（児童扶養手当法施行規則第三条の二第三項）となっているが、被災状況書が一四日以内に提出されなくても、特別な事情がある場合等、被災者の個々の状況に応じて社会通念上許される範囲の期間内に提出されれば、同法第十二条による所得制限の特例措置が行えるものとして取り扱う。

(3)　特例措置に係る添付書類の省略等

被災地から転入してきた者からの認定請求等の受理に当たっては、児童扶養手当法施行規則第二十六条第四項の規定により「非常災害に際して特に必要があると認めるときは、第一章の規定により請求書又は届書に添えなければならない書類を省略させ、又はこれに代わるべき他の書類を添えて提出させることができる」

とされているので、各自治体においてこれを踏まえて適切な処理を行う。

また、この取扱いにより添付書類の省略等が行われた場合には、後日その書類の提出を求める等、認定事務等の適切な処理を行う。

2　母子寡婦福祉貸付金について

(1)　被災した母子家庭及び寡婦に対しては、次の趣旨をご理解の上、その利用について周知をお願いしたい。

①　各種資金について、貸付けを受けた者が、災害により支払期日に償還を行うことが著しく困難になった場合には、その支払いを猶予する。この場合、一年以内の支払い猶予期間を設けることができる。また、この猶予期間中は、利子が課せられない。(母子及び寡婦福祉法施行令第十九条)

②　住宅に被害を受けた者について、被災後一年以内に貸し付けられる住宅資金、事業開始資金及び事業継続資金の措置期間を、二年を超えない範囲内において延長することができる。

(母子及び寡婦福祉法施行令第八条第五項)

③　子を扶養していない寡婦の所得制限限度額の適用については、災害等により生活の状態が著しく窮迫していると認められる事情にある者に対し、所得制限の適用の対象としない。(母子及び寡婦福祉法第三十二条第二項ただし書き)

(2)　「平成二十三年東北地方太平洋沖地震による災害についての激甚災害及びこれに対し適用すべき措置の指定に関する政令」(平成二十三年政令第十八号)により、母子及び寡婦福祉法による国の貸付けの特例として、特定地方公共団体である都道府県(指定都市及び中核市を含む。)が被災者に対する福祉資金貸付金の財源として国が都道府県に貸し付ける金額が引き上げられている

(通常三分の二→四分の三)。

3　子育て短期支援事業の短期入所生活援助(ショートステイ)事業

次世代育成支援対策交付金の交付対象事業である子育て短期支援事業のうち、短期入所生活援助(ショートステイ)事業については、次のとおり対応することとし、都道府県におかれては管内の市区町村や児童養護施設等の実施施設に周知をお願いしたい。

(1)　この事業の対象者について、被災したことにより一時的に養護を必要とする家庭を対象に含める。

(2)　利用日数等については、災害復旧等の状況を勘案して実情に即して、弾力的な取扱いを行う。

○災害により父又は母の生死が明らかでない場合等の児童扶養手当の取扱いについて

〔平成二十三年四月十四日　雇児福発〇四一四第一号
各都道府県民生主管部（局）長宛　厚生労働省雇用均等・児童家庭局家庭福祉課長通知〕

標記については、左記のとおり取扱いを明確化しますので、特段の御配慮をお願いします。

記

1　認定請求書等の受理について

父又は母の生死が明らかでない児童の母若しくは父又は養育者からの認定請求については、「児童扶養手当法等の施行について（昭和三十六年十二月二十一日児発第一、三五六号）」において、「沈没した船舶に乗っていた場合その他死亡の原因となるべき危難に遭遇し、その危難が去った後三か月以上生死が明らかでない場合」を児童扶養手当法第四条第一項第一号ニ等に規定する「生死が明らかでない」場合として取り扱うこととしているが、認定請求書等の受理については、三か月経過を待たずに随時受理して差し支えない。

2　特例措置に係る添付書類の省略等について

「東北地方太平洋沖地震による被災者に対する児童扶養手当等の取扱いについて（平成二十三年三月十六日雇児福発〇三一六第一号）」の1の⑶のとおり、児童扶養手当法施行規則第二十六条第四項の規定により「非常災害に際して特に必要があると認めるときは、第一章の規定により請求書又は届書に添えなければならない書類を省略させ、又はこれに代わるべき他の書類を添えて提出させることができる」とされているので、認定請求書等の受理に当たり、「児童扶養手当及び特別児童扶養手当関係書類市町村審査要領について」（昭和四十八年十月三十一日児企第四八号）の第一の1の⑵のカの(ア)の「福祉事務所、警察署、その他の官公署、関係会社等の証明書」は省略し、死亡の原因となるべき危難が去った後三か月経過後にその書類の提出を求める等、認定事務等の適切な処理を行う。

3　災害その他やむを得ない理由による認定請求の取扱いについて

児童扶養手当法第七条第二項において、「受給資格者が災害その他やむを得ない理由により前条の規定による認定の請求をすることができなかった場合において、その理由がやんだ後一五日以内にその請求をしたときは、やむを得ない理由により認定の請求をすることができなくなった日の属する月の翌月から支給を始める」旨規定されている。

この「やむを得ない理由」については、行政窓口の閉鎖、受給資格者の避難所等における生活、交通機関の途絶など様々なケースが考えられるところであり、個々の状況に応じて柔軟かつ適切に判断願いたい。

4　公的年金等との併給調整について

児童扶養手当支給要件の確認にあたっては、公的年金等の受給状況の確認を適切に行う。

○平成二十八年（二〇一六年）熊本地震による被災者に対する児童扶養手当等の取扱いについて

〔平成二十八年四月十五日　雇児福発〇四一五第一号
各都道府県・各指定都市・各中核市民生主管部（局）長宛
厚生労働省雇用均等・児童家庭局家庭福祉課長通知〕

平成二十八年（二〇一六年）熊本地震による被災者に対する児童扶養手当及び母子父子寡婦福祉貸付金の対象者への対応等については、左記に御留意の上、特段の御配慮をお願いします。

記

1　児童扶養手当について

都道府県におかれては、次の取扱いについて、管内市区町村に周知をお願いしたい。

(1)　災害等に係る特例措置

今回の災害に関して、災害その他やむを得ない理由による認定請求の取扱い（児童扶養手当法第七条第二項）及び災害により住宅・家財等の財産についてその価格のおおむね二分の一以上の損害を受けた場合の所得制限の特例措置（同法第十二条）の適用について、十分配慮する。

なお、同法第十二条の規定により所得制限の特例措置を講じるためには、当該事由が生じた日から一四日以内に児童扶養手当被災状況書を提出することが必要（児童扶養手当法施行規則第三条の二第三項）となっているが、被災状況書が一四日以内に提出されなくても、特別な事情がある場合等、被災者の個々の状況に応じて社会通念上許される範囲の期間内に提出されれば、同法第十二条による所得制限の特例措置が行えるものとして取り扱う。

(2)　特例措置に係る添付書類の省略等

被災地から転入してきた者からの認定請求等の受理に当たっては、児童扶養手当法施行規則第二十六条第四項の規定により「非常災害に際して特に必要があると認めるときは、第一章の規定により請求書又は届書に添えなければならない書類を省略させ、又はこれに代わるべき他の書類を添えて提出させることができる」とされているので、各自治体においてこれを踏まえて適切な処理を行う。

また、この取扱いにより添付書類の省略等が行われた場合には、後日その書類の提出を求める等、認定事務等の適切な処理を行う。

2　母子父子寡婦福祉資金貸付金について

(1)　被災した母子家庭及び父子家庭並びに寡婦に対しては、次の趣旨をご理解の上、その利用について周知をお願いしたい。

①　各種資金について、貸付けを受けた者が、災害により支払期日に償還を行うことが著しく困難になった場合には、その支払

いを猶予する。この場合、一年以内の支払い猶予期間を設けることができる。また、この猶予期間中は、利子が課せられない。（母子及び父子並びに寡婦福祉法施行令第十九条）

② 住宅に被害を受けた者について、被災後一年以内に貸し付けられる住宅資金、事業開始資金及び事業継続資金の据置期間を、二年を超えない範囲内において延長することができる。（母子及び父子並びに寡婦福祉法施行令第八条第五項）

③ 子を扶養していない寡婦の所得制限限度額の適用については、災害等により生活の状態が著しく窮迫していると認められる事情にある者に対し、所得制限の適用の対象としない。（母子及び父子並びに寡婦福祉法第三十二条第三項ただし書き）

3 子育て短期支援事業の短期入所生活援助（ショートステイ）事業

子ども・子育て支援交付金の交付対象事業である子育て短期支援事業のうち、短期入所生活援助（ショートステイ）事業については、次のとおり対応することとし、都道府県におかれては管内の市区町村や児童養護施設等の実施施設に周知をお願いしたい。

⑴ この事業の対象者について、被災したことにより一時的に養護を必要とする家庭が対象に含まれている。

⑵ 利用日数等については、災害復旧等の状況を勘案して実情に即して、弾力的な取扱いを行う。

○特定非常災害の被害者の権利利益の保全等を図るための特別措置に関する法律第三条第二項の規定に基づき同条第一項の特定権利利益に係る期間の延長に関し当該延長後の満了日を平成二十八年九月三十日とする措置を指定する件等について

〔平成二十八年五月十二日　雇児発〇五一二第二号
各都道府県知事・各指定都市市長・各中核市市長宛
厚生労働省雇用均等・児童家庭局長通知〕

「平成二十八年熊本地震による災害についての特定非常災害及びこれに対し適用すべき措置の指定に関する政令（平成二十八年政令第二百十三号）」が、別添1のとおり、平成二十八年五月二日に公布され、同日から施行されたことにより、「特定非常災害の被害者の権利利益の保全等を図るための特別措置に関する法律（平成八年法律第八十五号）」（以下「法」という。）（別添2）の規定の一部が、平成二十八年熊本地震による災害に適用されることとなった。

具体的には、法第二条第一項の特定非常災害に平成二十八年熊本地震による災害が指定され、その被災者等について、行政上の権利利益の保全等のための期間の満了日の延長や、法令上の義務が期限内に履行されなかった場合の責任の免除等の措置が行われるものである。

これを受けて、「特定非常災害の被害者の権利利益の保全等を図るための特別措置に関する法律第三条第二項の規定に基づき同条第一項の特定権利利益に係る期間の延長に関し当該延長後の満了日を平成二十八年九月三十日とする措置を指定する件（平成二十八年厚生労働省告示第二百二十一号）」（以下「告示」という。）が、別添3のとおり、平成二十八年五月六日に公布された。

この告示により、児童福祉法（昭和二十二年法律第百六十四号）第六条の四第二項の規定に基づく養育里親名簿への登録等に関し、平成二十八年熊本地震に際し災害救助法（昭和二十二年法律第百十八号）が適用された市町村の区域（以下「特定被災区域」という。）内に居住地を有する者等について、有効期間等を延長し、その満了日を平成二十八年九月三十日とすること等とされた。

これらに伴う当局所管の法令の運用における留意点等は左記のとおりであるので、御了知の上、適切な対応方御配意いただくとともに、都道府県におかれては管内市町村に周知されるようお願いする。

記

第一　行政上の権利利益の保全等のための期間の満了日の延長について

1　告示により有効期間等の満了日を延長した許可等のうち、当局所管の法令の規定に基づくものは、次のとおりである。

○ 特定被災区域内に居住地を有する者に係る児童福祉法第六条の四第二項の規定に基づく養育里親名簿への登録

2 告示により指定された措置のほか、法第三条第一項に規定する行政庁又は行政機関は、平成二十八年熊本地震による災害の被害者であって、理由を記載した書面によりその特定権利利益（法第三条第一項）に係る満了日の延長の申出を行ったものについて、平成二十八年九月三十日までの期日を指定してその満了日を延長することができる（法第三条第三項）。

第二 法令上の義務が期限内に履行されなかった場合の責任の免除について

1 法令に基づき平成二十八年四月十四日から同年七月二十八日までの間に履行期限が到来する義務が平成二十八年熊本地震により履行されなかった場合において、当該義務が同月二十九日までに履行されたときには、当該義務が履行されなかったことについて、行政上及び刑事上の責任（過料に係るものを含む。）は問われない。（法第四条第二項）

2 当局所管の法令に基づく届出等のうち、法第四条第二項の規定の適用を受ける届出等の例は、次のとおりである。

(1) 児童福祉法関係

○ 一時預かり事業の開始、変更、廃止及び休止の届出（第三十四条の十二）

○ 病児保育事業の開始、変更、廃止及び休止の届出（第三十四条の十八）

○ 認可外保育施設の事業の開始、変更、廃止及び休止の届出（第五十九条の二）

(2) 母体保護法（昭和二十三年法律第百五十六号）関係

○ 不妊手術又は人工妊娠中絶の実施の届出（第二十五条）

(3) 児童扶養手当法（昭和三十六年法律第二百三十八号）関係

○ 児童扶養手当の支給を受けている者が死亡したときの届出（第二十八条第二項）

別添1～3 略

○特定者に対する日本国有鉄道の通勤定期乗車券の特別割引制度について

〔昭和四十三年三月三十日　社保第八四号・児発第一七二号
各都道府県知事・各指定都市市長宛　厚生省社会局長・児童家庭局長連名通知〕

昭和四十三年四月一日より日本国有鉄道（以下「国鉄」という。）の通勤定期乗車券の料金改定が実施されることとなったが、生活保護法による被保護世帯又は、母子福祉年金、準母子福祉年金若しくは児童扶養手当の支給を受けている世帯に属する者に対して、その負担の軽減を図るため、同日以後においても従前の割引率をもって特定者用の通勤定期乗車券の発売が行なわれることとなり、その購入に関する手続等については、次によることとしたので、貴管下市区町村及び保護の実施機関に対して十分周知徹底を図り遺憾のないよう配意されたい。

なお、この割引制度については、国鉄は、「特定者用定期乗車券発売規則」（昭和四十三年三月二十九日、日本国有鉄道公示第百十二号。以下「特定定期券発売規則」という。）を昭和四十三年四月一日より実施することとし、その管下機関にその運用に関する通知を発することとしているので申し添える。

第一　対象者

特定者用の通勤定期乗車券（以下「特定定期券」という。）の発売の対象となる者は、次に掲げる者（以下「特定者」という。）であること。

(1)　生活保護法（昭和二十五年法律第百四十四号）による保護を受けている世帯に属する者。ただし、同法第十九条第一項第二号に該当する者を除く。

(2)　国民年金法（昭和三十四年法律第百四十一号）による母子福祉年金又は準母子福祉年金の支給を受けている世帯に属する者

(3)　児童扶養手当法（昭和三十六年法律第二百三十八号）による児童扶養手当の支給を受けている世帯に属する者

第二　割引措置

特定者に対し、国鉄は、通勤定期乗車券を、本年四月一日の運賃改正前の鉄道の二等通勤定期旅客運賃と同額で発売し、その取扱区間は、国鉄の鉄道の各駅相互間とし、取扱等級は二等とするものであること。

第三　被保護世帯員に関する定期券購入手続等

1　特定定期券購入の手続き

(1)　第一の(1)に掲げる者（以下「被保護世帯員」という。）が特定定期券を購入しようとするときは、特定定期券発売規則別表第三の様式による特定者資格証明書交付申請書に本人の写真（最近六箇月以内に撮影した縦四cm、横三cmの正面上半身のもの。）を添えて、福祉事務所長に対し申請し、同規則別表第二の様式による特定者資格証明書の交付を受け、特定定期券購入及び使用の際に携帯し、係員の請求があったときは、これを呈示するものであること。

(2) (1)により特定者資格証明書の交付を受けたうえ、特定定期券購入のつど、福祉事務所長から前記規則別表第四の様式による特定者用定期乗車券購入証明書の交付を受け、これを定期券発売窓口に提出すること。

(3) その他、特定者資格証明書及び特定者用定期乗車券購入証明書の交付については、特定定期券発売規則に定めるところによって処理すること。

2 事務処理上の留意点

(1) この制度の活用に際し、被保護者に関する秘密の保持については十分留意すること。

(2) 特定者資格証明書に添付する写真撮影の費用、各種証明書受領のための交通費等が必要な場合は、その実費を通勤費として、昭和三十六年四月一日発社第一二三号厚生事務次官通知第七の3の(1)のアの(イ)によって取扱うものであること。

第四 母子福祉年金等受給世帯員に関する定期券購入手続

(1) 第一の(2)又は(3)に掲げる者（以下「母子福祉年金等受給世帯員」という。）が特定定期券を購入しようとするときは、特定者資格証明書交付申請書に国民年金証書又は児童扶養手当証書及び本人の写真（最近六箇月以内に撮影した縦四㎝、横三㎝の正面上半身のものとする。）を添えて、市区町村長に対し申請し、特定者資格証明書の交付を受け、特定定期券購入及び使用の際に携帯し、係員の請求があったときは、これを呈示するものであること。

(2) (1)により特定者資格証明書の交付を受けたうえ、特定定期券購入のつど、市区町村長から特定者用定期乗車券購入証明書の交付を受け、これを定期券発売窓口に提出すること。

(3) その他、特定者資格証明書及び特定者用定期乗車券購入証明書の交付については、特定定期券発売規則に定めるところによって処理すること。

第五 その他

特定者用定期乗車券購入証明用紙は、国鉄において調整し、厚生省を経て市区町村及び福祉事務所に配布するものであること。

○特定者に対する旅客鉄道株式会社の通勤定期乗車券の特別割引制度について

〔平成二十二年七月三十日　雇児福発〇七三〇第一号
各都道府県・各指定都市・各中核市民生主管部(局)長宛
厚生労働省雇用均等・児童家庭局家庭福祉課長通知〕

標記については、「児童扶養手当法の一部を改正する法律（平成二十二年法律第四十号）」により、父子家庭の父にも児童扶養手当の支給対象が拡大されたことを踏まえ、各旅客鉄道株式会社より国土交通省に対し、特定者割引の範囲について、鉄道事業法（昭和六十一年法律第九十二号）第十六条第三項及び同法施行規則（昭和六十二年運輸省令第六号）第三十三条に基づく旅客運賃等の変更の届出がされたところであり、その取扱いは左記のとおりであるので、管内市町村への周知徹底につき、特段の御配慮をお願いしたい。

記

1　標記割引制度の対象者は、生活保護法又は児童扶養手当法の定めによる生活保護世帯又は児童扶養手当受給世帯の世帯員であり、平成二十二年八月一日より、児童扶養手当を受給する父子世帯も対象となること。

2　割引措置の内容及び乗車券購入手続は、従来と同様であること。

○児童扶養手当支給事務指導監査実施状況報告書の提出について

〔平成十三年四月十七日　雇児福発第二一号
各都道府県民生主管部(局)長宛　雇用均等・児童家庭局家庭福祉課長通知〕

〔改正経過〕
第一次改正　〔平成二一年四月一日雇児福発第〇四〇一〇〇一号〕
第二次改正　〔令和元年五月二九日子家発〇五二九第一号〕

児童扶養手当支給事務指導監査の実施については、かねてより格段の御配意をいただいているところでありますが、標記について、指導監査の実施状況を把握するため、別紙様式を定めたので、次の事項を留意の上、提出について協力願います。

なお、毎年、監査結果がまとまり次第、各都道府県へお示しする予定にしております。

留意事項

1　提出〆切　毎年六月末日

2　指摘状況の指摘事項は基本的に様式どおりとし、該当する指摘事項がない場合は「その他」の欄に記入すること。

経過措置等（第二次改正）

改正前の様式（以下「旧様式」という。）により使用されている書類は、当該改正後の様式によるものとみなすものとすること。

また、旧様式による用紙については、合理的に必要と認められる範囲内で、当分の間、例えば、訂正印や手書きによる訂正等により、これを取り繕って使用することができるものとすること。

(別紙様式)

(都道府県名)

令和　　年度児童扶養手当支給事務指導監査実施状況報告書

1　指導監査の基本方針及び重点項目(既存資料の添付で可)

2　指導監査担当部局名

⑴　監査専管部局名(　　　　　　　　　　　　内線　　　直通　　　)

⑵　事業課　　　　(　　　　　　　　　　　　内線　　　直通　　　)

3　年間指導監査実施表

区　　分	対象数 A	監査計画数 B	監査実施数 C	Cに対する文書指摘数 D	監査実施率 C／A％	文書指摘率 D／C％
市町村(区)						
郡部福祉事務所						

4　指摘状況

指　　摘　　事　　項	文書指摘件数	口頭指摘件数
1　主管課の業務体制の状況		
2　関係機関等との連携の状況		
⑴　関係機関との連携の状況		
⑵　関係部課との連携の状況		
⑶　その他		
3　広報の状況		
⑴　広報の時期、内容		
⑵　広報媒体の状況		
⑶　その他		
4　規則に定める諸様式用紙等の作成、記入、整理及び保管状況		
⑴　諸様式用紙の整理及び保管の状況		
⑵　諸帳簿の作成、記入、整理及び保管状況		
⑶　その他		

指　摘　事　項	文書指摘件数	口頭指摘件数
5　認定請求書受理の状況		
(1)　認定請求書受理の状況		
(2)　認定請求書についての受給者等に対する記入要領及び診断書、申立書その他必要な添付書類の作成指導の状況		
(3)　認定請求書記載事項の補正の取扱い状況		
(4)　公的年金受給権の確認の状況		
(5)　身体障害者手帳、療育手帳の確認の状況		
(6)　その他		
6　認定請求書の審査及び提出の状況		
(1)　配偶者、子、扶養義務者との相互の身分関係及び生計維持関係についての確認（戸籍、住民票との照合）の状況		
(2)　受給資格者の所得、配偶者及び扶養義務者の所得についての確認（課税台帳等との照合）の状況		
(3)　提出書類の審査、決裁の状況		
(4)　受付から提出までの事務処理時間の状況		
(5)　その他		
7　現況届の処理状況		
(1)　現況届受理の状況		
(2)　課税台帳等の照合の状況		
(3)　審査、決裁の状況		
(4)　受付から提出までの事務処理期間の状況		
(5)　未提出者に対する調査及び提出の指導状況		
(6)　受給資格が喪失していることが公簿等により確認されている者の取扱いの状況		
(7)　その他		
8　一部支給停止措置及び一部支給停止適用除外に係る事務処理の状況		
(1)　受給資格者への事前通知の状況		

指　摘　事　項	文書指摘件数	口頭指摘件数
(2)　適用除外届出書等の受理の状況		
(3)　審査、決裁の状況		
(4)　未提出者に対する連絡・相談などの手続の支援状況		
(5)　その他		
9　受給資格喪失者に係る事務処理状況		
(1)　資格喪失届の提出指導及び受理の状況		
(2)　審査及び提出の状況		
(3)　職権による事務処理の状況		
(4)　資格喪失者に係る受給資格者名簿の処理、その保管の状況		
(5)　その他		
10　その他		
合　　計		

第二章　特別児童扶養手当等

〔法　律〕

◉特別児童扶養手当等の支給に関する法律

〔昭和三十九年七月二日
法律第百三十四号〕

（総理・法務・大蔵・厚生・郵政・自治大臣署名）

〔一部改正経過〕

第一次〔昭和三九年七月六日法律第一五二号「地方公務員共済組合法等の一部を改正する法律」附則第三三条による改正〕
第二次〔昭和四〇年三月三一日法律第三六号「所得税法及び法人税法の施行に伴う関係法令の整備等に関する法律」第六五・六六条による改正〕
第三次〔昭和四〇年五月三一日法律第九三号「国民年金法等の一部を改正する法律」第三条による改正〕
第四次〔昭和四〇年六月一一日法律第一三〇号「労働者災害補償保険法の一部を改正する法律」附則第三八条による改正〕
第五次〔昭和四一年五月九日法律第六七号「国家公務員災害補償法の一部を改正する法律」附則第三一条による改正〕
第六次〔昭和四一年七月一五日法律第一二八号「重度精神薄弱児扶養手当法の一部を改正する法律」による改正〕
第七次〔昭和四一年七月一日法律第一一一号「執行官法」附則第二六条による改正〕
第八次〔昭和四二年七月二九日法律第九五号「児童扶養手当法及び特別児童扶養手当法の一部を改正する法律」第二条による改正〕
第九次〔昭和四二年八月一七日法律第一三六号「公立学校の学校医、学校歯科医及び学校薬剤師の公務災害補償に関する法律等の一部を改正する法律」第六条による改正〕
第一〇次〔昭和四二年八月一日法律第一二一号「地方公務員災害補償法」附則第二六条による改正〕
第一一次〔昭和四三年五月二八日法律第六九号「国民年金法等の一部を改正する法律」第三条による改正〕
第一二次〔昭和四四年一二月一〇日法律第八七号「児童扶養手当法及び特別児童扶養手当法の一部を改正する法律」第二条による改正〕
第一三次〔昭和四五年六月四日法律第一一四号「国民年金法等の一部を改正する法律」第三条による改正〕
第一四次〔昭和四六年三月三〇日法律第一三号「国民年金法等の一部を改正する法律」第三条による改正〕
第一五次〔昭和四七年六月二三日法律第九七号「国民年金法等の一部を改正する法律」第三条による改正〕
第一六次〔昭和四八年九月二六日法律第九三号「児童扶養手当法及び特別児童扶養手当法の一部を改正する法律」第三条・附則第五・六・八条による改正〕
第一七次〔昭和四九年六月二一日法律第八九号「児童手当法等の一部を改正する法律」第三条による改正〕
第一八次〔昭和五〇年六月二七日法律第四七号「特別児童扶養手当等の支給に関する法律等の一部を改正する法律」第一条による改正〕
第一九次〔昭和五一年六月五日法律第六三号「厚生年金保険法等の一部を改正する法律」第九条による改正〕
第二〇次〔昭和五二年五月二七日法律第四八号「国民年金法等の一部を改正する法律」第四条による改正〕
第二一次〔昭和五三年五月一六日法律第四六号「国民年金法等の一部を改正する法律」第七条による改正〕
第二二次〔昭和五四年五月二九日法律第三六号「国民年金法等の一部を改正する法律」第七条による改正〕
第二三次〔昭和五五年一〇月三一日法律第八二号「厚生年金保険法等の一部を改正する法律」第一一条による改正〕
第二四次〔昭和五六年五月二五日法律第五〇号「国民年金法等の一部を改正する法律」第四条による改正〕
第二五次〔昭和五六年六月一二日法律第八六号「難民の地位に関する条約等への加入に伴う出入国管理令その他関係法律の整備に関する法律」第四条による改正〕
第二六次〔昭和五七年八月一三日法律第七九号「国民年金法等の一部を改正する法律」第四条による改正〕
第二七次〔昭和五七年七月一六日法律第六六号「障害に関する用語の整理に関する法律」第七九条による改正〕
第二八次〔昭和五九年一二月二五日法律第八四号「国民年金法及び特別児童扶養手当等の支給に関する法律の一部を改正する法律」第二条による改正〕
第二九次〔昭和六〇年五月一八日法律第三七号「国の補助金等の整理及び合理化並びに臨時特例等に関する法律」第二八条による改正〕
第三〇次〔昭和六〇年六月一八日法律第六八号「国民年金法及び特別児童扶養手当等の支給に関する法律の一部を改正する法律」第二条による改正〕
第三一次〔昭和六〇年六月七日法律第四八号「児童扶養手当法の一部を改正する法律」附則第一一条（平成二年六月法律第四〇号により一部改正）による改正〕
第三二次〔昭和六〇年五月一日法律第三四号「国民年金法等の一部を改正する法律」第七条・附則第一四三条による改正〕

第三三次　昭和六一年四月三〇日法律第四〇号「児童扶養手当法及び特別児童扶養手当等の支給に関する法律の一部を改正する法律」第二条による改正
第三四次　昭和六一年五月八日法律第四六号「国の補助金等の臨時特例等に関する法律」第二六・二九条による改正
第三五次　昭和六二年六月二日法律第四四号「児童扶養手当法等の一部を改正する法律」第二条による改正
第三六次　昭和六三年五月二四日法律第五六号「児童扶養手当法等の一部を改正する法律」第二条による改正
第三七次　平成元年四月一〇日法律第二二号「国の補助金等の整理及び合理化並びに臨時特例等に関する法律」第二六・二八条による改正
第三八次　平成元年一二月二二日法律第八六号「国民年金法等の一部を改正する法律」第四・七条による改正
第三九次　平成六年一一月九日法律第九五号「国民年金法等の一部を改正する法律」第一八条による改正
第四〇次　平成六年六月二九日法律第四九号「地方自治法の一部を改正する法律の施行に伴う関係法律の整備に関する法律」第五九条による改正
第四一次　平成一一年七月一六日法律第八七号「地方分権の推進を図るための関係法律の整備等に関する法律」第二一一・二二八条による改正
第四二次　平成一二年六月七日法律第一一一号「社会福祉の増進のための社会福祉事業法等の一部を改正する等の法律」附則第三〇条による改正
第四三次　平成一一年一二月二二日法律第一六〇号「中央省庁等改革関係法施行法」第六七七条による改正
第四四次　平成一四年七月三一日法律第九八号「日本郵政公社法施行法」第一四八条による改正
第四五次　平成一七年一一月七日法律第一二三号「障害者自立支援法」附則第七五条（平成二二年一二月法律第七一号により一部改正）による改正
第四六次　平成一七年一〇月二一日法律第一〇二号「郵政民営化法等の施行に伴う関係法律の整備等に関する法律」第七七条による改正
第四七次　平成二二年六月二日法律第四〇号「児童扶養手当法の一部を改正する法律」附則第七条による改正
第四八次　平成二二年一二月一〇日法律第七一号「障がい者制度改革推進本部等における検討を踏まえて障害保健福祉施策を見直すまでの間において障害者等の地域生活を支援するための関係法律の整備に関する法律」附則第五九条（平成二三年五月法律第三七・四〇号により一部改正）による改正
第四九次　平成二四年九月五日法律第七二号「地方自治法の一部を改正する法律」附則第一二条による改正
第五〇次　平成二四年六月二七日法律第五一号「地域社会における共生の実現に向けて新たな障害保健福祉施策を講ずるための関係法律の整備に関する法律」附則第一一条による改正
第五一次　平成二六年六月一一日法律第六四号「政府管掌年金事業等の運営の改善のための国民年金法等の一部を改正する法律」第九条による改正
第五二次　平成二六年六月四日法律第五一号「地域の自主性及び自立性を高めるための改革の推進を図るための関係法律の整備に関する法律」第二四条（平成二七年七月法律第五六号により一部改正）による改正
第五三次　平成二六年五月三〇日法律第四二号「地方自治法の一部を改正する法律」附則第三九条による改正
第五四次　平成二六年六月一三日法律第六九号「行政不服審査法の施行に伴う関係法律の整備等に関する法律」第一五〇条による改正
第五五次　平成二八年五月一三日法律第三七号「児童扶養手当法の一部を改正する法律」附則第四・五条による改正
第五六次　平成二九年三月三一日法律第四号「所得税法等の一部を改正する等の法律」附則第一二二条（平成三〇年三月法律第七号により一部改正）による改正
第五七次　平成二九年六月二日法律第四五号「民法の一部を改正する法律の施行に伴う関係法律の整備等に関する法律」第一九五条による改正
第五八次　令和二年三月三一日法律第八号「所得税法等の一部を改正する法律」第二九条・附則第一四九条（令和三年三月法律第一一号により一部改正）による改正

注　令和四年六月一七日法律第六八号「刑法等の一部を改正する法律の施行に伴う関係法律の整理等に関する法律」第二二一条（令和五年五月法律第二八号により一部改正）による改正は未施行につき〔参考〕として一三四四頁以降に収載（令和七年六月一日施行）

特別児童扶養手当等の支給に関する法律

題名＝改正（第六・一七次改正）

目次

第一章　総則

（この法律の目的）

第一条　この法律は、精神又は身体に障害を有する児童について特別児童扶養手当を支給し、精神又は身体に重度の障害を有する児童に障害児福祉手当を支給するとともに、精神又は身体に著しく重度の障害を有する者に特別障害者手当を支給することにより、これらの者の福祉の増進を図ることを目的とする。

〔**改正**〕

一部改正（第六・一七・一八・三二次改正）

〔**参照条文**〕

「特別児童扶養手当」＝法三～一六　「障害児福祉手当」＝法一七～二六　「特別障害者手当」＝法二六の二～の五

（用語の定義）

第二条　この法律において「障害児」とは、二十歳未満であつて、第五項に規定する障害等級に該当する程度の障害の状態にある者をいう。

2　この法律において「重度障害児」とは、障害児のうち、政令で定める程度の重度の障害の状態にあるため、日常生活において常時の介護を必要とする者をいう。

3　この法律において「特別障害者」とは、二十歳以上であつて、政令で定める程度の著しく重度の障害の状態にあるため、日常生活において常時特別の介護を必要とする者をいう。

4　この法律にいう「配偶者」には、婚姻の届出をしていないが、事実上婚姻関係と同様の事情にある者を含み、「父」には、母が障害児を懐胎した当時婚姻の届出をしていないが、その母と事実上婚姻関係と同様の事情にあつた者を含むものとする。

5　障害等級は、障害の程度に応じて重度のものから一級及び二級とし、各級の障害の状態は、政令で定める。

〔**改正**〕

一部改正（第一・四～七・九・一〇・一五～一八・二七・三二次改正）、旧第二条を削り、旧第三条を本条に繰上（第一八次改正）

〔**委任**〕

第二項「政令」＝令一Ⅰ
第三項「政令」＝令一Ⅱ
第五項「政令」＝令一Ⅲ

第二章　特別児童扶養手当

章名＝改正（第六・一七・一八次改正）

（支給要件）

第三条　国は、障害児の父若しくは母がその障害児を監護するとき、又は父母がないか若しくは父母が監護しない場合において、当該障害児の父母以外の者がその障害児を養育する（その障害児と同居して、これを監護し、かつ、その生計を維持することをいう。以下同じ。）ときは、その父若しくは母又はその養育者に対し、特別児童扶養手当（以下この章において「手当」という。）を支給する。

2　前項の場合において、当該障害児を父及び母が監護するときは、当該父又は母のうち、主として当該障害児の生計を維持する者（当該父及び母がいずれも当該障害児の生計を維持しないものであるときは、当該父又は母のうち、主として当該障害児を介護する者）に支給するものとする。

3　第一項の規定にかかわらず、手当は、障害児が次の各号のいずれかに該当するときは、当該障害児については、支給しない。

一　日本国内に住所を有しないとき。

二　障害を支給事由とする年金たる給付で政令で定めるものを受けることができるとき。ただし、その全額につきその支給が停止されているときを除く。

4　第一項の規定にかかわらず、手当は、父母に対する手当にあつては当該父母が、養育者に対する手当にあつては当該養育者が、日本国内に住所を有しないときは、支給しない。

5　手当の支給を受けた者は、手当が障害児の生活の向上に寄与するために支給されるものである趣旨にかんがみ、これをその趣旨に従つて用いなければならない。

〔改正〕

一部改正（第四〜六・一六〜一八・二五・二七次改正）、旧第四条を本条に繰上（第一八次改正）

〔委任〕

第三項　第二号の「政令」＝令一の二

〔参照条文〕

第五項　「障害児」＝法二Ⅰ

（手当額）

第四条　手当は、月を単位として支給するものとし、その月額は、障害児一人につき三万三千三百円（障害の程度が第二条第五項に規定する障害等級の一級に該当する障害児にあつては、五万円）とする。

〔改正〕

追加（第一八次改正）、一部改正（第一九〜二四・二六〜二八・三〇・三二・三三・三五・三六・三八・三九次改正）

〔参照条文〕

「手当」＝法三Ⅰ　「障害児」＝法二Ⅰ　手当額の改定＝法一六、令五の二

（認定）

第五条　手当の支給要件に該当する者（以下この章において「受給資格者」という。）は、手当の支給を受けようとするときは、その受給資格及び手当の額について、都道府県知事（地方自治法（昭和二十二年法律第六十七号）第二百五十二条の十九第一項の指定都市（以下「指定都市」という。）の区域内に住所を有する受給資格者については、当該指定都市の長）の認定を受けなければならない。

2　前項の認定を受けた者が、手当の支給要件に該当しなくなつた後再びその要件に該当するに至つた場合において、その該当するに至つた後の期間に係る手当の支給を受けようとするときも、同項と同様とする。

〔改正〕

一部改正（第一八・五二次改正）、旧第五条を削り、旧第六条を本条に繰上（第一八次改正）

〔参照条文〕

「認定」の請求＝規則一　「認定」の通知等＝規則一七・一八

（支給期間及び支払期月）

第五条の二　手当の支給は、受給資格者が前条の規定による認定の請求をした日の属する月の翌月から始め、手当を支給すべき事由が消滅した日の属する月で終わる。

2　受給資格者が災害その他やむを得ない理由により前条の規定による認定の請求をすることができなかつた場合において、その理由がやんだ後十五日以内にその請求をしたときは、手当の支給は、前項の規定にかかわらず、受給資格者がやむを得ない理由により認定の請求をすることができなくなつた日の属する月の翌月から始める。

3　手当は、毎年四月、八月及び十二月の三期に、それぞれの前月までの分を支払う。ただし、前支払期月に支払うべきであつた手当又は支給すべき事由が消滅した場合におけるその期の手当は、その支

払期月でない月であつても、支払うものとする。

4　前項本文の規定により十二月に支払うべき手当は、手当の支給を受けている者の請求があつたときは、同項本文の規定にかかわらず、その前月に支払うものとする。

〔改正〕

追加（第三一次改正）

（支給の制限）

第六条　手当は、受給資格者の前年の所得が、その者の所得税法（昭和四十年法律第三十三号）に規定する同一生計配偶者及び扶養親族（以下「扶養親族等」という。）並びに当該受給資格者の扶養親族等でない児童扶養手当法（昭和三十六年法律第二百三十八号）第三条第一項に規定する者で当該受給資格者が前年の十二月三十一日において生計を維持したものの有無及び数に応じて、政令で定める額以上であるときは、その年の八月から翌年の七月までは、支給しない。

〔改正〕

旧第七条の全部改正（第一二次改正）、一部改正（第一三・一六・一八・二〇・五六次改正）、本条に繰上（第一八次改正）

〔委任〕

「政令」＝令二Ⅰ

〔参照条文〕

「受給資格者」＝法五　認定の請求＝規則一

第七条　父又は母に対する手当は、その父若しくは母の配偶者の前年の所得又はその父若しくは母の民法（明治二十九年法律第八十九号）第八百七十七条第一項に定める扶養義務者でその父若しくは母と生計を同じくするものの前年の所得が、その者の扶養親族等の有無及び数に応じて、政令で定める額以上であるときは、その年の八月から翌年の七月までは、支給しない。

〔改正〕

一部改正（第六・一二・一三・一五・二〇次改正）、旧第八条を削り、旧第九条を本条に繰上（第一八次改正）

〔委任〕

「政令」＝令二Ⅱ

第八条　養育者に対する手当は、その養育者の前年の所得又はその養育者の民法第八百七十七条第一項に定める扶養義務者でその養育者の生計を維持するものの前年の所得が、その者の扶養親族等の有無及び数に応じて、前条に規定する政令で定める額以上であるときは、その年の八月から翌年の七月までは、支給しない。

〔改正〕

一部改正（第六・一二・一三・一五・二〇次改正）、旧第一〇条を本条に繰上（第一八次改正）

〔参照条文〕

「養育者」＝法三Ⅰ

第九条　震災、風水害、火災その他これらに類する災害により、自己又は所得税法に規定する同一生計配偶者若しくは扶養親族の所有に係る住宅、家財又は政令で定めるその他の財産につき被害金額（保険金、損害賠償金等により補充された金額を除く。）がその価格のおおむね二分の一以上である損害を受けた者（以下「被災者」という。）がある場合においては、その損害を受けた日から翌年の七月までの手当については、その損害を受けた年の前年又は前前年における当該被災者の所有に関しては、前三条の規定を適用しない。

2　前項の規定により同項に規定する期間に係る手当が支給された場合において、次の各号に該当するときは、その支給を受けた者は、それぞれ当該各号に規定する手当で同項に規定する期間に係るものに相当する金額を国に返還しなければならない。

一　当該被災者の当該損害を受けた年の所得が、当該被災者の扶養親族等及び当該被災者の扶養親族等でない児童扶養手当法第三条第一項に規定する者で当該被災者がその年の十二月三十一日において生計を維持したものの有無及び数に応じて、第六条に規定する政令で定める額以上であること。当該被災者に支給された手当

二　当該被災者の当該損害を受けた年の所得が、当該被災者の扶養親族等の有無及び数に応じて、第七条に規定する政令で定める額以上であること。当該被災者を配偶者又は扶養義務者とする者に支給された手当

〔**改正**〕

一部改正（第二・六・一二・一三・一五・一八・五六次改正）、旧第一一条を本条に繰上（第一八次改正）

〔**委任**〕

第一項「政令」＝令三

第十条　第六条から第八条まで及び前条第二項各号に規定する所得の範囲及びその額の計算方法は、政令で定める。

〔**改正**〕

一部改正（第六・一二・一八次改正）、旧第一二条を本条に繰上（第一八次改正）

〔**委任**〕

「政令」＝令四・五、平成二三年七月政令第二四四号「平成二十二年四月以降において発生が確認された口蹄疫に起因して生じた事態に対処するための手当金等についての健康保険法施行令等の臨時特例に関する政令」一四

第十一条　手当は、次の各号のいずれかに該当する場合においては、その額の全部又は一部を支給しないことができる。

一　受給資格者が、正当な理由がなくて、第三十六条第一項の規定による命令に従わず、又は同項の規定による当該職員の質問に応じなかつたとき。

二　障害児が、正当な理由がなくて、第三十六条第二項の規定による命令に従わず、又は同項の規定による当該職員の診断を拒んだとき。

三　受給資格者が、当該障害児の監護又は養育を著しく怠つているとき。

〔**改正**〕

一部改正（第六・一七・一八次改正）、旧第一三条を本条に繰上（第一八次改正）

〔**参照条文**〕

第一・三号の「受給資格者」＝法五Ⅰ　第二・三号の「障害児」＝法二Ⅰ

第十二条　手当の支給を受けている者が、正当な理由がなくて、第三十五条第一項の規定による届出をせず、又は書類その他の物件を提出しないときは、手当の支払を一時差し止めることができる。

〔**改正**〕

旧第一四条を一部改正し、本条に繰上（第一八次改正）

（未支払の手当）

第十三条　手当の受給資格者が死亡した場合において、その死亡した者に支払うべき手当で、まだその者に支払つていなかつたものがあるときは、その者が監護し又は養育していた第三条第三項各号に該

当しない障害児にその未支払の手当を支払うことができる。

〔**改正**〕

一部改正（第六・一七・一八次改正）、旧第一五条を本条に繰上（第一八次改正）

〔**参照条文**〕

「未支払の手当」の請求＝規則一三

（事務費の交付）

第十四条　国は、政令の定めるところにより、都道府県及び市町村（特別区を含む。以下同じ。）に対し、都道府県知事及び市町村長（特別区の区長を含む。以下同じ。）がこの法律又はこの法律に基づく命令の規定によつて行う手当に係る事務の処理に必要な費用を交付する。

〔**改正**〕

追加（第一八次改正）

〔**委任**〕

「政令」＝昭和四〇年八月政令第二七〇号「特別児童扶養手当等の支給に関する法律に基づき都道府県及び市町村に交付する事務費に関する政令」

第十五条　削除（第四六次改正）

（児童扶養手当法の準用）

第十六条　児童扶養手当法第五条の二第一項及び第三項、第八条、第二十二条から第二十五条まで並びに第三十一条の規定は、手当について準用する。この場合において、同法第五条の二第一項中「基本額」とあるのは「特別児童扶養手当の額」と、同条第三項中「前二項」とあるのは「第一項」と、同法第八条第一項中「監護等児童があるに至つた場合」とあるのは「監護し若しくは養育する障害児があるに至つた場合又はその監護し若しくは養育する障害児の障害の程度が増進した場合」と、同条第三項中「監護等児童の数が減じ」とあるのは「その監護し若しくは養育する障害児の数が減じ、又はその障害児の障害の程度が低下し」と、「その減じ」とあるのは「その減じ、又は低下し」と、同法第二十三条第一項中「都道府県知事」とあるのは「厚生労働大臣」と、同法第三十一条中「第十二条第二項」とあるのは「特別児童扶養手当等の支給に関する法律第九条第二項」と、「金額の全部又は一部」とあるのは「金額」と読み替えるものとする。

準用及び読み替え後該当条文【**児童扶養手当法**】

（手当額の自動改定）

第五条の二　特別児童扶養手当の額については、総務省において作成する年平均の全国消費者物価指数（以下「物価指数」という。）が平成五年（この項の規定による基本額の改定の措置が講じられたときは、直近の当該措置が講じられた年の前年）の物価指数を超え、又は下るに至つた場合においては、その上昇し、又は低下した比率を基準として、その翌年の四月以降の基本額を改定する。

2　前項の規定は、加算額について準用する。この場合において、同項中「平成五年」とあるのは、「平成二十七年」と読み替えるものとする。

3　第一項の規定による手当の額の改定の措置は、政令で定める。

（手当の額の改定時期）

第八条　手当の支給を受けている者につき、新たに監護し若しくは養育する障害児があるに至つた場合又はその監護し若しくは養育する障害児の障害の程度が増進した場合における手当の額の改定は、その者がその改定後の額につき認定の請求をした日の属する月の翌月から行う。

2　前条第二項の規定は、前項の改定について準用する。

3　手当の支給を受けている者につき、その監護し若しくは養育する障害児の数が減じ、又はその障害児の障害の程度が低下した場合における手当の額の改定は、その減じ、又は低下した日の属する月の翌月から行う。

（時効）

第二十二条　手当の支給を受ける権利は、これを行使することができる時から二年を経過したときは、時効によつて消滅する。

（不正利得の徴収）

第二十三条　偽りその他不正の手段により手当の支給を受けた者があるときは、厚生労働大臣等は、国税徴収の例により、受給額に相当する金額の全部又は一部をその者から徴収することができる。

2　国民年金法第九十六条第一項から第五項まで、第九十七条及び第九十八条の規定は、前項の規定による徴収金の徴収について準用する。この場合において、同法第九十七条第一項中「年十四・六パーセント（当該督促が保険料に係るものであるときは、当該納期限の翌日から三月を経過する日までの期間については、年七・三パーセント）」とあるのは、「年十四・六パーセント」と読み替えるものとする。

準用及び読み替え後該当条文【国民年金法】

（督促及び滞納処分）

第九十六条　保険料その他この法律の規定による徴収金を滞納する者があるときは、厚生労働大臣は、期限を指定して、これを督促することができる。

2　前項の規定によつて督促をしようとするときは、厚生労働大臣は、納付義務者に対して、督促状を発する。

3　前項の督促状により指定する期限は、督促状を発する日から起算して十日以上を経過した日でなければならない。

4　厚生労働大臣は、第一項の規定による督促を受けた者がその指定の期限までに保険料その他この法律の規定による徴収金を納付しないときは、国税滞納処分の例によつてこれを処分し、又は滞納者の居住地若しくはその者の財産所在地の市町村に対して、その処分を請求することができる。

5　市町村は、前項の規定による処分の請求を受けたときは、市町村税の例によつてこれを処分することができる。この場合においては、厚生労働大臣は、徴収金の百分の四に相当する額を当該市町村に交付しなければならない。

（延滞金）

第九十七条　前条第一項の規定によつて督促をしたときは、厚生労働大臣は、徴収金額に、納期限の翌日から徴収金完納又は財産差押の日の前日までの期間の日数に応じ、年十四・六パーセントの割合を乗じて計算した延滞金を徴収する。ただし、徴収金額が五百円未満であるとき、又は滞納につきやむを得ない事情があると認められるときは、この限りでない。

2　前項の場合において、徴収金額の一部につき納付があつたときは、その納付の日以後の期間に係る延滞金の計算の基礎となる徴収金は、その納付のあつた徴収金額を控除した金額による。

3　延滞金を計算するに当り、徴収金額に五百円未満の端数があるときは、その端数は、切り捨てる。

4　督促状に指定した期限までに徴収金を完納したとき、又は前三項の規定によつて計算した金額が五十円未満であるときは、延滞金は、徴収しない。

5　延滞金の金額に五十円未満の端数があるときは、その端数は、切り捨てる。

（先取特権）

第九十八条　保険料その他この法律の規定による徴収金の先取特権の順位は、国税及び地方税に次ぐものとする。

（受給権の保護）

第二十四条　手当の支給を受ける権利は、譲り渡し、担保に供し、又は差し押えることができない。

（公課の禁止）

第二十五条　租税その他の公課は、手当として支給を受けた金銭を標準として、課することができない。

（手当の支払の調整）

第三十一条　手当を支給すべきでないにもかかわらず、手当の支給としての支払が行なわれたときは、その支払われた手当は、その後に支払うべき手当の内払とみなすことができる。特別児童扶養手当等の支給に関する法律第九条第二項の規定によりすでに支給を受けた手当に相当する金額を返還すべき場合におけるその返還すべき金額及び手当の額を減額して改定すべき事由が生じたにもかかわらず、その事由が生じた日の属する月の翌月以降の分として減額しない額の手当が支払われた場合における当該手当の当該減額すべきであつた部分についても、同様とする。

〔改正〕

全部改正（第一八次改正）、一部改正（第二七・三二・三八・四三・四七・五五次改正）

〔参照条文〕

「養育」＝法三　「障害児」＝法二Ⅰ

第三章　障害児福祉手当

章名＝改正（第三二次改正）
本章＝旧第三・四章を削り、追加（第一八次改正）

（支給要件）

第十七条　都道府県知事、市長（特別区の区長を含む。以下同じ。）及び福祉事務所（社会福祉法（昭和二十六年法律第四十五号）に定める福祉に関する事務所をいう。以下同じ。）を管理する町村長は、その管理に属する福祉事務所の所管区域内に住所を有する重度障害児に対し、障害児福祉手当（以下この章において「手当」という。）を支給する。ただし、その者が次の各号のいずれかに該当するときは、この限りでない。

一　障害を支給事由とする給付で政令で定めるものを受けることができるとき。ただし、その全額につきその支給が停止されているときを除く。

二　児童福祉法（昭和二十二年法律第百六十四号）に規定する障害児入所施設その他これに類する施設で厚生労働省令で定めるものに収容されているとき。

〔**改正**〕

一部改正（第二五・二七・三二・四二・四三・四八次改正）

〔**委任**〕

第一号の「政令」＝令六　第二号の「厚生労働省令」＝昭和五〇年八月厚令第三四号「障害児福祉手当及び特別障害者手当の支給に関する省令」一

〔**参照条文**〕

支給要件に該当しなくなったときの措置＝昭和五〇年八月厚令第三四号「障害児福祉手当及び特別障害者手当の支給に関する省令」九

（手当額）

第十八条　手当は、月を単位として支給するものとし、その月額は、一万四千百七十円とする。

〔**改正**〕

一部改正（第一九〜二四・二六・二八・三〇・三三・三五・三六・三八・三九次改正）

〔**参照条文**〕

手当額の改定＝法二六、昭和三六年一一月法律第二三八号「児童扶養手当法」五の二、令九の二

（認定）

第十九条　手当の支給要件に該当する者（以下この章において「受給資格者」という。）は、手当の支給を受けようとするときは、その受給資格について、都道府県知事、市長又は福祉事務所を管理する町村長の認定を受けなければならない。

〔**参照条文**〕

「認定」の請求＝昭和五〇年八月厚令第三四号「障害児福祉手当及び特別障害者手当の支給に関する省令」二　「認定」の通知等＝昭和五〇年八月厚令第三四号「障害児福祉手当及び特別障害者手当の支給に関する省令」三・四

（支払期月）

第十九条の二　手当は、毎年二月、五月、八月及び十一月の四期に、それぞれの前月までの分を支払う。ただし、前支払期月に支払うべきであつた手当又は支給すべき事由が消滅した場合におけるその期の手当は、その支払期月でない月であつても、支払うものとする。

〔**改正**〕

追加（第三二次改正）

（支給の制限）

第二十条　手当は、受給資格者の前年の所得が、その者の扶養親族等の有無及び数に応じて、政令で定める額を超えるときは、その年の八月から翌年の七月までは、支給しない。

〔**改正**〕

一部改正（第二〇次改正）

〔**委任**〕

「政令」＝令七

〔**参照条文**〕

手当を支給しないときの措置＝昭和五〇年八月厚令第三四号「障害児福祉手当及び特別障害者手当の支給に関する省令」三Ⅱ・六　「手当」＝法一七

第二十一条　手当は、受給資格者の配偶者の前年の所得又は受給資格者の民法第八百七十七条第一項に定める扶養義務者で当該受給資格者の生計を維持するものの前年の所得が、その者の扶養親族等の有

無及び数に応じて、政令で定める額以上であるときは、その年の八月から翌年の七月までは、支給しない。

〔**改正**〕

一部改正（第二〇次改正）

〔**委任**〕

「政令」＝令八ⅠⅡⅣ

〔**参照条文**〕

「受給資格者」＝法一九　手当を支給しないときの措置＝昭和五〇年八月厚令第三四号「障害児福祉手当及び特別障害者手当の支給に関する省令」三Ⅱ・六

第二十二条　被災者がある場合においては、その損害を受けた月から翌年の七月までの手当については、その損害を受けた年の前年又は前前年における当該被災者の所得に関しては、前二条の規定を適用しない。

2　前項の規定により同項に規定する期間に係る手当が支給された場合において、次の各号に該当するときは、その支給を受けた者は、それぞれ当該各号に規定する手当で同項に規定する期間に係るものに相当する金額を都道府県、市（特別区を含む。以下同じ。）又は福祉事務所を設置する町村に返還しなければならない。

一　当該被災者の当該損害を受けた年の所得が、当該被災者の扶養親族等の有無及び数に応じて、第二十条に規定する政令で定める額を超えること。　当該被災者に支給された手当

二　当該被災者の当該損害を受けた年の所得が、当該被災者の扶養親族等の有無及び数に応じて、前条に規定する政令で定める額以上であること。　当該被災者を配偶者又は扶養義務者とする者に支給された手当

〔**改正**〕

一部改正（第二〇次改正）

〔**参照条文**〕

「被災者」＝法九Ⅰ

第二十三条　第二十条、第二十一条及び前条第二項各号に規定する所得の範囲及びその額の計算方法は、政令で定める。

〔**委任**〕

「政令」＝令七・八、平成二三年七月政令第二四四号「平成二十二年四月以降において発生が確認された口蹄疫に起因して生じた事態に対処するための手当金等についての健康保険法施行令等の臨時特例に関する政令」一四

（不正利得の徴収）

第二十四条　都道府県知事、市長又は福祉事務所を管理する町村長は、偽りその他不正の手段により手当の支給を受けた者があるときは、国税徴収の例により、その者から、その支給を受けた額に相当する金額の全部又は一部を徴収することができる。

2　前項の規定による徴収金の先取特権の順位は、国税及び地方税に次ぐものとする。

（費用の負担）

第二十五条　手当の支給に要する費用は、その四分の三に相当する額を国が負担し、その四分の一に相当する額を都道府県、市又は福祉事務所を設置する町村が負担する。

〔**改正**〕

一部改正（第三七次改正）

〔**参照条文**〕

国の負担＝令九

（準用）

第二十六条　第五条第二項、第五条の二第一項及び第二項、第十一条（第三号を除く。）、第十二条並びに第十六条の規定は、手当について準用する。この場合において、同条中「第八条、第二十二条から第二十五条まで」とあるのは「第二十二条、第二十四条、第二十五条」と、「第九条第二項」とあるのは「第二十二条第二項」と読み替えるものとする。

〔改正〕

一部改正（第三一・三三次改正）

第三章の二　特別障害者手当

本章＝追加（第三三次改正）

（支給要件）

第二十六条の二　都道府県知事、市長及び福祉事務所を管理する町村長は、その管理に属する福祉事務所の所管区域内に住所を有する特別障害者に対し、特別障害者手当（以下この章において「手当」という。）を支給する。ただし、その者が次の各号のいずれかに該当するときは、この限りでない。

一　障害者の日常生活及び社会生活を総合的に支援するための法律（平成十七年法律第百二十三号）に規定する障害者支援施設（次号において「障害者支援施設」という。）に入所しているとき（同法に規定する生活介護（次号において「生活介護」という。）を受けている場合に限る。）。

二　障害者支援施設（生活介護を行うものに限る。）に類する施設で厚生労働省令で定めるものに入所しているとき。

三　病院又は診療所（前号に規定する施設を除く。）に継続して三月を超えて入院するに至つたとき。

〔改正〕

一部改正（第四三・四五・五〇次改正）

〔委任〕

第二号の「厚生労働省令」＝昭和五〇年八月厚令第三四号「障害児福祉手当及び特別障害者手当の支給に関する省令」一四

（手当額）

第二十六条の三　手当は、月を単位として支給するものとし、その月額は、二万六千五百円とする。

〔改正〕

一部改正（第三三・三五・三六・三八・三九次改正）

〔参照条文〕

手当額の改定＝法二六の五、令一〇の二

（支給の調整）

第二十六条の四　手当は、手当の支給要件に該当する者が、障害を支給事由とする給付であつて、手当に相当するものとして政令で定めるものを受けることができるときは、その価額の限度で支給しない。ただし、その全額につきその支給が停止されているときは、この限りでない。

〔委任〕

「政令」＝令一〇

（準用）

第二十六条の五　第五条第二項、第五条の二第一項及び第二項、第十一条（第三号を除く。）、第十二条、第十六条並びに第十九条から第二十五条までの規定は、手当について準用する。この場合において、第十六条中「第八条、第二十二条から第二十五条まで」とあるのは「第二十二条、第二十四条、第二十五条」と、「第九条第二項」とあるのは「第二十六条の五において準用する第二十二条第二項」と読み替えるものとする。

〔参照条文〕

「準用」＝令一一・一二

第四章　不服申立て

本章＝追加（第一八次改正）

（審査請求）

第二十七条　都道府県知事のした特別児童扶養手当、障害児福祉手当又は特別障害者手当（以下「手当」という。）の支給に関する処分に不服がある者は、都道府県知事に審査請求をすることができる。

〔改正〕

一部改正（第三二・五四次改正）

〔参照条文〕

手当の「支給に関する処分」＝法五～九・一二・一六・一九～二二・二四・二六・二六の四・の五・三七

（審査庁）

第二十八条　第三十八条第二項の規定により市長又は福祉事務所を管理する町村長が障害児福祉手当又は特別障害者手当の支給に関する事務の全部又は一部をその管理に属する行政機関の長に委任した場合における当該事務に関する処分についての審査請求は、都道府県知事に対してするものとする。

〔改正〕

一部改正（第三二次改正）

（裁決をすべき期間）

第二十九条　都道府県知事又は指定都市の長は、手当の支給に関する処分についての審査請求がされたときは、当該審査請求がされた日（行政不服審査法（平成二十六年法律第六十八号）第二十三条の規定により不備を補正すべきことを命じた場合にあつては、当該不備が補正された日）から次の各号に掲げる場合の区分に応じそれぞれ当該各号に定める期間内に、当該審査請求に対する裁決をしなければならない。

一　行政不服審査法第四十三条第一項の規定による諮問をする場合　八十日

二　前号に掲げる場合以外の場合　六十日

2　審査請求人は、審査請求をした日（行政不服審査法第二十三条の規定により不備を補正すべきことを命じられた場合にあつては、当該不備を補正した日。第一号において同じ。）から次の各号に掲げる場合の区分に応じそれぞれ当該各号に定める期間内に裁決がないときは、都道府県知事又は指定都市の長が当該審査請求を棄却したものとみなすことができる。

一　当該審査請求をした日から六十日以内に行政不服審査法第四十三条第三項の規定により通知を受けた場合　八十日

二　前号に掲げる場合以外の場合　六十日

3　第一項（各号を除く。）及び前項（各号を除く。）の規定は、次条第二項に規定する再審査請求について準用する。この場合において、これらの規定中「第二十三条」とあるのは「第六十六条第一項において読み替えて準用する同法第二十三条」と、「次の各号に掲げる場合の区分に応じそれぞれ当該各号に定める期間内」とあるのは「六十日以内」と、前項中「補正した日。第一号において同じ。」とあるのは「補正した日」と読み替えるものとする。

〔**改正**〕

一部改正（第五二・五四次改正）

（不服申立て）

第三十条　手当の支給に関する処分に係る審査請求についての都道府県知事の裁決に不服がある者は、厚生労働大臣に対して再審査請求をすることができる。

2　指定都市の長が特別児童扶養手当の支給に関する処分をする権限をその補助機関である職員又はその管理に属する行政機関の長に委任した場合において、委任を受けた職員又は行政機関の長がその委任に基づいてした処分につき、地方自治法第二百五十五条の二第二項の再審査請求の裁決があつたときは、当該裁決に不服がある者は、同法第二百五十二条の十七の四第五項から第七項までの規定の例により、厚生労働大臣に対して再々審査請求をすることができる。

〔**改正**〕

一部改正（第三二・四三・五二・五四次改正）

（時効の完成猶予及び更新）

第三十一条　手当の支給に関する処分についての不服申立ては、時効の完成猶予及び更新に関しては、裁判上の請求とみなす。

〔**改正**〕

一部改正（第五七次改正）

〔**参照条文**〕

「不服申立て」＝法二七・二九・三〇

第三十二条　削除（第五四次改正）

第五章　雑則

本章＝追加（第一八次改正）

（期間の計算）

第三十三条　この法律又はこの法律に基づく命令に規定する期間の計算については、民法の期間に関する規定を準用する。

準用該当条文【民法】

第六章　期間の計算

（期間の計算の通則）

第百三十八条　期間の計算方法は、法令若しくは裁判上の命令に特別の定めがある場合又は法律行為に別段の定めがある場合を除き、この章の規定に従う。

（期間の起算）

第百三十九条　時間によって期間を定めたときは、その期間は、即時から起算する。

第百四十条　日、週、月又は年によって期間を定めたときは、期間の初日は、算入しない。ただし、その期間が午前零時から始まるときは、この限りでない。

（期間の満了）

第百四十一条　前条の場合には、期間は、その末日の終了をもって満了する。

第百四十二条　期間の末日が日曜日、国民の祝日に関する法律（昭和二十三年法律第百七十八号）に規定する休日その他の休日に当たるときは、その日に取引をしない慣習がある場合に限り、期間は、その翌日に満了する。

（暦による期間の計算）

第百四十三条　週、月又は年によって期間を定めたときは、その期間は、暦に従って計算する。

2　週、月又は年の初めから期間を起算しないときは、その期間は、最後の週、月又は年においてその起算日に応当する日の前日に満了する。ただし、月又は年によって期間を定めた場合において、最後の月に応当する日がないときは、その月の末日に満了する。

（戸籍事項の無料証明）

第三十四条　市町村長（指定都市においては、区長又は総合区長とする。）は、行政庁（特別児童扶養手当については都道府県知事又は指定都市の長をいい、障害児福祉手当及び特別障害者手当については都道府県知事、市長又は福祉事務所を管理する町村長をいう。以下同じ。）又は手当の支給要件に該当する者（以下「受給資格者」という。）に対して、当該市町村の条例の定めるところにより、受給資格者又はその監護し若しくは養育する障害児の戸籍に関し、無料で証明を行うことができる。

〔改正〕

一部改正（第三二・五二・五三次改正）

〔参照条文〕

「受給資格者」＝法五Ⅰ・一九

（届出）

第三十五条　手当の支給を受けている者は、厚生労働省令の定めるところにより、行政庁に対し、厚生労働省令で定める事項を届け出、かつ、厚生労働省令で定める書類その他の物件を提出しなければならない。

2　手当の支給を受けている者が死亡したときは、戸籍法（昭和二十二年法律第二百二十四号）の規定による死亡の届出義務者は、厚生労働省令の定めるところにより、その旨を行政庁に届け出なければならない。

〔改正〕

一部改正（第四三次改正）

〔委任〕

第一項　「厚生労働省令」＝規則二〜一一、昭和五〇年八月厚令第三四号「障害児福祉手当及び特別障害者手当の支給に関する省令」五・七〜九

第二項　「厚生労働省令」＝規則一二、昭和五〇年八月厚令第三四号「障害児福祉手当及び特別障害者手当の支給に関する省令」一〇

〔参照条文〕

第二項　罰則＝法四二

（調査）

第三十六条　行政庁は、必要があると認めるときは、受給資格者に対

して、受給資格の有無若しくは手当の額の決定のために必要な事項に関する書類その他の物件を提出すべきことを命じ、又は当該職員をしてこれらの事項に関し受給資格者その他の関係者に質問させることができる。

2 行政庁は、必要があると認めるときは、障害児、重度障害児若しくは特別障害者に対して、その指定する医師若しくは歯科医師の診断を受けるべきことを命じ、又は当該職員をしてこれらの者の障害の状態を診断させることができる。

3 前二項の規定によつて質問又は診断を行う当該職員は、その身分を示す証明書を携帯し、かつ、関係者の請求があるときは、これを提示しなければならない。

〔改正〕

一部改正（第二七・三二次改正）

〔参照条文〕

第一項「受給資格者」＝法五Ⅰ・一九
第二項「障害児」＝法二Ⅰ　「重度障害児」＝法二Ⅱ　「特別障害者」＝法二Ⅲ
第三項「身分を示す証明書」＝規則三一

（資料の提供等）

第三十七条 行政庁は、手当の支給に関する処分に関し必要があると認めるときは、受給資格者、受給資格者の配偶者若しくは扶養義務者若しくは障害児の資産若しくは収入の状況又は障害児に対する第三条第三項第二号に規定する年金たる給付、重度障害児に対する第十七条第一号に規定する給付若しくは特別障害者に対する第二十六条の四に規定する給付の支給状況につき、官公署に対し、必要な書類の閲覧若しくは資料の提供を求め、又は銀行、信託会社その他の機関若しくは受給資格者の雇用主その他の関係者に対し、必要な事項の報告を求めることができる。

〔改正〕

一部改正（第三二・四六次改正）

〔参照条文〕

「手当の支給に関する処分」＝法五～九・一二・一六・一九～二二・二四・二六・二七　「受給資格者」＝法五Ⅰ・一九　「障害児」＝法二Ⅰ　「重度障害児」＝法二Ⅱ　「特別障害者」＝法二Ⅲ

（市町村長が行う事務等）

第三十八条 特別児童扶養手当の支給に関する事務の一部は、政令で定めるところにより、市町村長が行うこととすることができる。

2 都道府県知事、市長又は福祉事務所を管理する町村長は、障害児福祉手当又は特別障害者手当の支給に関する事務の全部又は一部を、その管理に属する行政機関の長に限り、委任することができる。

〔改正〕

一部改正（第三二・四一次改正）

〔委任〕

第一項「政令」＝令一三

（町村の一部事務組合等）

第三十九条 町村が一部事務組合又は広域連合を設けて福祉事務所を設置した場合には、この法律の規定の適用については、その一部事務組合又は広域連合を福祉事務所を設置する町村とみなし、その一部事務組合の管理者（地方自治法第二百八十七条の三第二項の規定により管理者に代えて理事会を置く同法第二百八十五条の一部事務組合にあつては、理事会）又は広域連合の長（同法第二百九十一条の十三において準用する同法第二百八十七条の三第二項の規定により長に代えて理事会を置く広域連合にあつては、理事会）を福祉事務所を管理する町村長とみなす。

〔改正〕

一部改正（第四〇・四九次改正）

（事務の区分）

第三十九条の二　この法律（第二十二条第二項及び第二十五条（第二十六条の五においてこれらの規定を準用する場合を含む。）を除く。）の規定により都道府県、市又は福祉事務所を管理する町村が処理することとされている事務は、地方自治法第二条第九項第一号に規定する第一号法定受託事務とする。

〔改正〕

追加（第四一次改正）

（経過措置）

第三十九条の三　この法律に基づき政令を制定し、又は改廃する場合においては、政令で、その制定又は改廃に伴い合理的に必要と判断される範囲内において、所要の経過措置を定めることができる。

〔改正〕

旧第三九条の二として追加（第三二次改正）、本条に繰下（第四一次改正）

（実施命令）

第四十条　この法律に特別の規定があるものを除くほか、この法律の実施のための手続その他その執行について必要な細則は、厚生労働省令、総務省令・厚生労働省令又は総務省令で定める。

〔改正〕

一部改正（第四三次改正）

〔委任〕

「厚生労働省令」＝昭和三九年八月厚令第三八号「特別児童扶養手当等の支給に関する法律施行規則」、平成一五年三月厚労令第五三号「特別児童扶養手当証書の様式を定める省令」「総務省令・厚生労働省令」＝昭和五〇年八月厚令第三四号「障害児福祉手当及び特別障害者手当の支給に関する省令」

（罰則）

第四十一条　偽りその他不正の手段により手当を受けた者は、三年以下の懲役又は三十万円以下の罰金に処する。ただし、刑法（明治四十年法律第四十五号）に正条があるときは、刑法による。

〔改正〕

一部改正（第三二次改正）

第四十二条　第三十五条第二項の規定に違反して届出をしなかつた戸籍法の規定による死亡の届出義務者は、十万円以下の過料に処する。

〔改正〕

一部改正（第三二次改正）

附　則

（施行期日）

1　この法律は、昭和三十九年九月一日から施行する。ただし、附則第二項の規定は、公布の日（昭和三十九年七月二日）から施行する。

（認定の請求に関する経過措置）

2　昭和三十九年九月一日において手当の支給要件に該当すべき者は、同日前においても、同日にその要件に該当することを条件として、当該手当について第六条第一項の認定の請求の手続をとることができる。

（手当の支給に関する経過措置）

3　前項の手続をとつた者が、この法律の施行の際手当の支給要件に該当しているときは、その者に対する手当の支給は、第十六条において準用する児童扶養手当法第七条第一項の規定にかかわらず、昭和三十九年九月から始める。

4　この法律の施行の際現に手当の支給要件に該当している者又はこの法律の施行後昭和三十九年十月三十一日までの間に手当の支給要件に該当するに至つた者が、同年十一月三十日までの間に第六条第一項の認定の請求をしたときは、その者に対する手当の支給は、第十六条において準用する児童扶養手当法第七条第一項の規定にかかわらず、同年九月又はその者が手当の支給要件に該当するに至つた日の属する月の翌月から始める。

5　昭和三十八年分の所得につき、第八条から第十条までの規定を適用する場合においては、第八条及び第九条（第十条の規定を適用する場合及び第十一条第二項において例による場合を含む。）中「所得税法第十一条の九」とあるのは「所得税法の一部を改正する法律（昭和三十九年法律第二十号）による改正前の所得税法第十一条の八」と、「所得税法第十一条の十」とあるのは「所得税法の一部を改正する法律（昭和三十九年法律第二十号）による改正前の所得税法第十一条の九」と、それぞれ読み替えるものとし、昭和三十九年の所得につき、第九条（第十条の規定を適用する場合及び第十一条第二項において例による場合を含む。）の規定を適用する場合においては、第九条第三号ロ中「同号ロに規定する控除額」とあるのは、「三万八千八百円」と読み替えるものとする。

（昭和六十年度から昭和六十三年度までの特例）

6　第二十五条（第二十六条の五において準用する場合を含む。）の規定の昭和六十年度から昭和六十三年度までの各年度における適用については、同条中「十分の八」とあるのは「十分の七」と、「十分の二」とあるのは「十分の三」とする。

〔改正〕

全部改正（第二九次改正）、一部改正（第三四次改正）

（不正利得の徴収の特例）

7　第十六条において準用する児童扶養手当法第二十三条第二項において読み替えて準用する国民年金法（昭和三十四年法律第百四十一号）第九十七条第一項の規定の適用については、当分の間、同項の規定にかかわらず、各年の延滞税特例基準割合（租税特別措置法（昭和三十二年法律第二十六号）第九十四条第一項に規定する延滞税特例基準割合をいう。）が年七・三パーセントの割合に満たない場合には、その年中においては、第十六条において準用する児童扶養手当法第二十三条第二項において読み替えて準用する国民年金法第九十七条第一項中「年十四・六パーセントの割合」とあるのは、

「租税特別措置法（昭和三十二年法律第二十六号）第九十四条第一項に規定する延滞税特例基準割合に年七・三パーセントの割合を加算した割合」とする。

〔改正〕

全部改正（第五一次改正）、一部改正（第五八次改正）

（厚生省設置法の一部改正）

8　厚生省設置法（昭和二十四年法律第百五十一号）の一部を次のように改正する。

第十三条第五号の二の次に次の一号を加える。

五の三　重度精神薄弱児扶養手当法（昭和三十九年法律第百三十四号）を施行すること。

附　則（第一次改正）抄

（施行期日）

第一条　この法律は、昭和三十九年十月一日（以下「施行日」という。）から施行する。〔以下略〕

附　則（第二次改正）抄

（施行期日）

第一条　この法律は、昭和四十年四月一日から施行する。ただし、第五十九条、第六十二条及び第六十六条の規定は、昭和四十一年一月一日から施行する。

（重度精神薄弱児扶養手当法の一部改正に伴う経過規定）

第十三条　第六十六条の規定による改正後の重度精神薄弱児扶養手当法第八条（同法第十一条第二項第二号において例による場合を含む。）、第九条（同法第十条の規定を適用する場合及び同法第十一条第二項第三号において例による場合を含む。）及び第十二条第二項の規定は、昭和四十年以後の年の所得による重度精神薄弱児扶養手当の支給の制限及び重度精神薄弱児扶養手当に相当する金額の返還について適用し、昭和三十九年以前の年の所得による当該支給の制限及び返還については、なお従前の例による。

附　則（第三次改正）抄

（施行期日）

第一条　この法律は、公布の日〔昭和四十年五月三十一日〕から施行する。〔以下略〕

（重度精神薄弱児扶養手当の額に関する経過措置）

第十三条　この法律による改正後の重度精神薄弱児扶養手当法（以下「手当法」という。）第五条の規定は、昭和四十年九月以降の月分の重度精神薄弱児扶養手当（以下「手当」という。）について適用し、同年八月以前の月分の手当については、なお従前の例による。

（重度精神薄弱児扶養手当の支給の制限等に関する経過措置）

第十四条　手当法第七条の規定による手当の支給の制限及び同法第十一条第二項の規定による手当に相当する金額の返還については、この法律による改正後の児童扶養手当法第三条第一項の規定は、昭和四十年九月以降の月分の手当について適用し、同年八月以前の月分の手当については、なお従前の例による。

2　この法律による改正後の手当法第七条、第九条（同法第十条の規定を適用する場合及び同法第十一条第二項第三号において例による場合を含む。）及び同法第十一条第二項の規定は、昭和三十九年以降の年の所得による支給の制限及び手当に相当する金額の返還について適用し、昭和三十八年以前の年の所得による支給の制限及び手当に相当する金額の返還については、なお従前の例による。

（重度精神薄弱児扶養手当の支給に関する特例）

第十五条　手当法に規定する重度精神薄弱児が、昭和四十年八月一日において、附則第三条、附則第四条、附則第六条第二項又は附則第九条の規定により、新たに国民年金法の規定による母子年金、準母子年金、母子福祉年金又は準母子福祉年金（以下「母子年金等」という。）の支給の要件となり、又はその額の加算の対象となつた場合において、次項第一号イの額が同号ロの額をこえるときは、当該重度精神薄弱児を監護し、又は養育する者が引き続き当該重度精神薄弱児を監護し、又は養育する間、その者に対する同年九月以降の月分の手当の支給については、当該重度精神薄弱児は、手当法第四条第三項第五号に該当しないものとみなし、当該母子年金等のうち母子年金又は準母子年金は、同条第四項第三号に規定する公的年金給付でないものとみなす。ただし、当該母子年金等の支給が引き続き行なわれる間に限る。

2　前項の規定の適用により重度精神薄弱児を監護し、又は養育する者に支給する手当の額は、手当法第五条の規定にかかわらず、第一号に掲げる額と第二号に掲げる額とを合算した額とする。

一　イの額からロの額を控除した額

イ　この法律による国民年金法及び手当法の改正がないものとした場合において、昭和四十年九月分として支払われることとなる当該母子年金等の額と同月分として支払われることとなる当該手当の額との合算額

ロ　昭和四十年九月分として支払われることとなる当該母子年金等の額と重度精神薄弱児（当該重度精神薄弱児を除く。）の数に応じて、この法律による改正後の手当法の規定により計算して得た同月分の手当の額とを合算した額

二　重度精神薄弱児（当該重度精神薄弱児を除く。）の数に応じて、この法律による改正後の手当法の規定により計算して得た昭和四十年九月分の手当の額

3　前項第一号に規定する額の計算の基礎となる者が減少したときは、その減少した日の属する月の翌月から、同項の規定による手当の額を、昭和四十年八月三十一日においてその減少があつたものとみなして同項の規定の例により計算した額に改正する。

4　第二項第一号に規定する額の計算の基礎となる者が減少した場合において、昭和四十年八月三十一日においてその減少があつたものとみなして同項第一号イの例により計算した額が同号ロの例により計算した額に等しいか、又は満たなくなつたときは、その減少した日の属する月の翌月以降の月分の手当については、第一項の規定を適用しない。

5　第二項の規定による額の手当の支給を受ける者について、手当の額の計算の基礎となる重度精神薄弱児が生じたときは、その生じた日の属する月の翌日から、その手当の額を、その重度精神薄弱児を

同項第二号に規定する額の計算の基礎に加えて同項の規定の例により計算した額に改定する。

6　前項に規定する重度精神薄弱児が手当の額の計算の基礎とならなくなつたときは、その計算の基礎とならなくなつた日の属する月の翌月から、前項の規定による手当の額を、その重度精神薄弱児を第二項第二号に規定する額の計算の基礎に入れないで同項の規定の例により計算した額に改定する。

附　則（第四次改正）抄

（施行期日）

第一条　この法律は、昭和四十年八月一日から施行する。ただし、第二条及び附則第十三条の規定は、昭和四十年十一月一日から、第三条並びに附則第十四条から附則第四十三条まで及び附則第四十五条の規定は昭和四十一年二月一日から施行する。

（重度精神薄弱児扶養手当法の一部改正に伴う経過措置）

第三十九条　前条の規定による改正後の重度精神薄弱児扶養手当法第三条第二項第十七号の規定にかかわらず、昭和四十一年二月一日において現に同法の規定による重度精神薄弱児扶養手当の支給を受けている者に対して附則第十五条第一項の規定により支給される障害補償年金又は長期傷病補償給付たる年金は、同法第四条第四項第三号の規定の適用については、その者が当該重度精神薄弱児を引き続き監護し、又は養育している間は、公的年金給付としない。

附　則（第五次改正）抄

（施行期日）

第一条　この法律は、昭和四十一年七月一日から施行する。

附　則（第六次改正）抄

（施行期日）

第一条　この法律中第七条から第十二条までの改正規定及び附則第三条の規定は公布の日（昭和四十一年七月十五日）から、第五条中「千二百円」を「千四百円」に改める改正規定以外のその他の規定は昭和四十一年八月一日から、第五条中「千二百円」を「千四百円」に改める改正規定は昭和四十二年一月一日から施行する。

（特別児童扶養手当の額に関する経過措置）

第二条　この法律による改正後の第五条の特別児童扶養手当の額に係る規定は、昭和四十二年一月以降の月分の特別児童扶養手当について適用し、昭和四十一年十二月以前の月分の特別児童扶養手当（昭和四十一年八月以前の月分にあつては、重度精神薄弱児扶養手当）については、なお従前の例による。

（重度精神薄弱児扶養手当の支給の制限等に関する経過措置）

第三条　この法律による改正後の第七条、第九条（第十条の規定を適用する場合及び第十一条第二項第二号において例による場合を含む。）及び第十一条第二項の規定は、昭和四十年以降の年の所得による支給の制限及び重度精神薄弱児扶養手当（昭和四十一年九月以降の月分にあつては、特別児童扶養手当）に相当する金額の返還について適用し、昭和三十九年以前の年の所得による支給の制限及び重度精神薄弱児扶養手当に相当する金額の返還については、なお従前の例による。

2　前項の場合において、この法律による改正後の第九条第三号ロ（第十条の規定を適用する場合及び第十一条第二項において例による場合を含む。）中「所得税法第七十八条第一項に規定する控除額に相当する額」とあるのは、当該所得が昭和四十年の所得であるときは「五万二千五百円」と、当該所得が昭和四十一年の所得であるときは「五万八千七百五十円」と、それぞれ読み替えるものとする。

（準用規定）

第四条　児童扶養手当法の一部を改正する法律（昭和四十一年法律第百二十七号）附則第三条第一項の規定は、特別児童扶養手当（昭和四十一年八月以前の月分にあつては、重度精神薄弱児扶養手当）の支給の制限及びその額に相当する金額の返還について準用する。この場合において、同項中「第九条」とあるのは「特別児童扶養手当法第七条」と、「この法律による改正後の第十二条第二項」とあるのは「特別児童扶養手当法第十一条第二項」と、それぞれ読み替えるものとする。

（特別児童扶養手当の支給に関する経過措置）

第五条　昭和四十一年七月三十一日において、現に国民年金法等の一部を改正する法律（昭和四十年法律第九十三号）附則第十五条第一項の規定の適用を受ける者の昭和四十一年八月一日以降における特別児童扶養手当の支給については、同条中「重度精神薄弱児」とあるのは、「特別児童扶養手当法第三条第一項に規定する児童」とする。

第六条　昭和四十一年七月三十一日において、現に労働者災害補償保険法の一部を改正する法律（昭和四十年法律第百三十号）附則第三十九条の規定の適用を受ける者の昭和四十一年八月一日以降における特別児童扶養手当の支給については、同条中「当該重度精神薄弱児」とあるのは、「特別児童扶養手当法第三条第一項に規定する児童」とする。

附　則（第七次改正）抄

（施行期日）

第一条　この法律は、公布の日〔昭和四十一年七月一日〕から起算して六月をこえない範囲内において政令で定める日〔昭和四十一年十二月三十一日〕から施行する。

〔**委任**〕

「政令で定める」＝昭和四一年一二月政令第三八〇号「執行官法の施行期日を定める政令」

（国民年金法等の一部改正に関する経過措置）

第二十七条　旧執達吏規則に基づく年金たる給付は、国民年金法、国民年金法等の一部を改正する法律（昭和六十年法律第三十四号。以下「昭和六十年法律第三十四号」という。）附則第二条第二項の規定によりなおその効力を有するものとされた同条第一項の規定による廃止前の通算年金通則法、昭和六十年法律第三十四号附則及び児童扶養手当法の適用については、附則第十三条の規定に基づく年金たる給付とみなす。

〔**改正**〕

一部改正（第一六・三二次改正）

附　則（第八次改正）抄

（施行期日）

第一条　この法律は、公布の日〔昭和四十二年七月二十九日〕から施行する。ただし、〔中略〕第二条中特別児童扶養手当法第五条の改正規定は、昭和四十三年一月一日から施行する。

（特別児童扶養手当法の一部改正に伴う経過措置）

第三条　この法律による改正後の特別児童扶養手当法第五条の規定は、昭和四十三年一月以降の月分の特別児童扶養手当について適用し、昭和四十二年十二月以前の月分の特別児童扶養手当（昭和四十一年八月以前の月分にあつては、重度精神薄弱児扶養手当）については、なお従前の例による。

2　この法律による改正後の特別児童扶養手当法第七条、第九条（同法第十条の規定を適用する場合及び同法第十一条第二項第二号において例による場合を含む。）及び第十一条第二項の規定は、昭和四十一年以降の年の所得による支給の制限及び特別児童扶養手当に相当する金額の返還について適用し、昭和四十年以前の年の所得による支給の制限及び特別児童扶養手当（昭和四十一年八月以前の月分にあつては、重度精神薄弱児扶養手当）に相当する金額の返還については、なお従前の例による。

3　前項の場合において、当該所得が昭和四十一年の所得であるときは、この法律による改正後の特別児童扶養手当法第九条（同法第十条の規定を適用する場合及び同法第十一条第二項第二号において例による場合を含む。）中「所得税法第八十三条第一項」とあるのは「所得税法の一部を改正する法律（昭和四十二年法律第二十号）による改正前の所得税法第七十七条第一項」と、「所得税法第八十四条第一項に規定する控除額に相当する額」とあるのは「五万八千七百五十円」と、それぞれ読み替えるものとする。

附　則（第九次改正）抄

（施行期日）

1　この法律は、公布の日〔昭和四十二年八月十七日〕から施行する。

附　則（第一〇次改正）抄

（施行期日）

第一条　この法律は、昭和四十二年十二月一日（以下「施行日」という。）から施行する。〔以下略〕

附　則（第一一次改正）抄

（施行期日）

第一条　この法律は、公布の日〔昭和四十三年五月二十八日〕から施行する。ただし、〔中略〕第三条中特別児童扶養手当法第五条の改正規定は、昭和四十三年十月一日から施行する。

（特別児童扶養手当法の一部改正に伴う経過措置）

第四条　この法律による改正後の特別児童扶養手当法第五条の規定は、昭和四十三年十月以降の月分の特別児童扶養手当について適用し、同年九月以前の月分の特別児童扶養手当（昭和四十一年八月以前の月分にあつては、重度精神薄弱児扶養手当）については、なお従前の例による。

2　この法律による改正後の特別児童扶養手当法第七条、第九条（同法第十条の規定を適用する場合及び同法第十一条第二項第二号において例による場合を含む。）及び第十一条第二項の規定は、昭和四十二年以降の年の所得による支給の制限及び特別児童扶養手当に相当する金額の返還について適用し、昭和四十一年以前の年の所得による支給の制限及び特別児童扶養手当（同年八月以前の月分にあつては、重度精神薄弱児扶養手当）に相当する金額の返還については、なお従前の例による。

附　則（第一二次改正）抄

（施行期日）

第一条　この法律は、公布の日〔昭和四十四年十二月十日〕から施行する。

（特別児童扶養手当法の一部改正に伴う経過措置）

第三条　この法律による改正後の特別児童扶養手当法第五条の規定は、昭和四十四年十月以降の月分の特別児童扶養手当について適用し、同年九月以前の月分の特別児童扶養手当については、なお従前の例による。

2　この法律による改正後の特別児童扶養手当法第七条、第九条、第十条及び第十一条第二項の規定は、昭和四十三年以降の年の所得による支給の制限及び特別児童扶養手当に相当する金額の返還について適用し、昭和四十二年以前の年の所得による支給の制限及び特別児童扶養手当に相当する金額の返還については、なお従前の例による。

附　則（第一三次改正）抄

（施行期日）

第一条　この法律は、公布の日〔昭和四十五年六月四日〕から施行する。ただし、〔中略〕第三条中特別児童扶養手当法第五条の改正規定は同年九月一日から施行する。

（特別児童扶養手当法の一部改正に伴う経過措置）

第四条　この法律による改正後の特別児童扶養手当法第五条の規定は、昭和四十五年九月以降の月分の特別児童扶養手当について適用し、同年八月以前の月分の特別児童扶養手当については、なお従前の例による。

2　前項の場合において、昭和四十五年九月の月分の特別児童扶養手当については、この法律による改正後の特別児童扶養手当法第五条中「二千六百円」とあるのは、「二千四百円」と読み替えるものとする。

3　この法律による改正後の特別児童扶養手当法第七条、第九条、第十条及び第十一条第二項の規定は、昭和四十四年以降の年の所得による支給の制限及び特別児童扶養手当に相当する金額の返還について適用し、昭和四十三年以前の年の所得による支給の制限及び特別児童扶養手当に相当する金額の返還については、なお従前の例による。

附　則（第一四次改正）抄

（施行期日）

第一条　この法律は、昭和四十六年十一月一日から施行する。〔以下

略〕

（特別児童扶養手当法の一部改正に伴う経過措置）

第十条　この法律による改正後の特別児童扶養手当法第五条の規定は、昭和四十六年十一月以降の月分の特別児童扶養手当について適用し、同年十月以前の月分の特別児童扶養手当については、なお従前の例による。

附　則（第一五次改正）抄

第一条　この法律は、昭和四十七年十月一日から施行する。ただし、〔中略〕第三条中特別児童扶養手当法第九条、第十条及び第十一条第二項第二号の改正規定〔中略〕及び附則第四条第二項の規定は公布の日から〔中略〕施行する。

2　〔前略〕この法律による改正後の特別児童扶養手当法第九条、第十条及び第十一条第二項第二号の規定は、昭和四十七年五月一日から適用する。

（特別児童扶養手当法の一部改正に伴う経過措置）

第四条　昭和四十七年九月以前の月分の特別児童扶養手当の額については、なお従前の例による。

2　昭和四十五年以前の年の所得による特別児童扶養手当の支給の制限及び特別児童扶養手当に相当する金額の返還については、なお従前の例による。

3　この法律による特別児童扶養手当法の改正により新たに同法第三条第一項に規定する児童とされた者を昭和四十七年十月一日において現に監護し、又は養育している者が、同月中にした同法第六条第一項又は同法第十六条において準用する児童扶養手当法第八条第一項の認定の請求についてその認定を受けたときは、その者に対する特別児童扶養手当の支給又はその額の改定は、特別児童扶養手当法第十六条において準用する児童扶養手当法第七条第一項又は第八条第一項の規定にかかわらず、同月から行なう。

附　則（第一六次改正）抄

（施行期日）

第一条　この法律は、昭和四十八年十月一日から施行する。〔以下略〕

（特別児童扶養手当法の一部改正に伴う経過措置）

第三条　昭和四十八年九月以前の月分の特別児童扶養手当の額については、なお従前の例による。

2　この法律の施行の際現にこの法律による改正前の特別児童扶養手当法の規定による特別児童扶養手当の支給要件に該当していない者であつて、この法律による改正後の同法の規定による特別児童扶養手当の支給要件に該当するものが、昭和四十八年十月三十一日までに同法第六条第一項の認定の請求をしたときは、その者に対する特別児童扶養手当の支給は、同法第十六条において準用する児童扶養手当法第七条第一項の規定にかかわらず、同月から始める。

3　この法律の施行の際現に特別児童扶養手当の支給を受けている者であつて、この法律による改正前の特別児童扶養手当法第四条第三項第三号から第六号までのいずれかに該当する児童（この法律による改正後の同法第四条第三項各号に該当する児童を除く。）を監護し、又は養育しているものが、昭和四十八年十月三十一日までに、同法第十六条において準用する児童扶養手当法第八条第一項の認定の請求をしたときは、その者に対する特別児童扶養手当の額の改定は、同項の規定にかかわらず、同月から行なう。

附　則（第一七次改正）抄

（施行期日）

第一条　この法律は、昭和四十九年九月一日から施行する。ただし、附則第四条第二項の規定は公布の日〔昭和四十九年六月二十二日〕から施行する。

〔中略〕

（特別児童扶養手当法の一部改正に伴う経過措置）

第四条　昭和四十九年八月以前の月分の特別児童扶養手当の額については、なお従前の例による。

2　昭和四十九年九月一日において特別福祉手当の支給要件に該当すべき者は、同日前においても、同日にその要件に該当することを条件として、当該特別福祉手当について特別児童扶養手当等の支給に関する法律第六条第一項の認定の請求の手続を採ることができる。

3　前項の手続を採つた者が、昭和四十九年九月一日において特別福祉手当の支給要件に該当しているとき、又は同日において現に特別福祉手当の支給要件に該当している者が、同月中に特別児童扶養手当等の支給に関する法律第六条第一項の認定の請求をしたときは、これらの者に対する特別福祉手当の支給は、同法第十六条において準用する児童扶養手当法第七条第一項の規定にかかわらず、同月から始める。

（児童扶養手当等の支払に関する経過措置）

第五条　昭和四十九年九月における児童扶養手当、特別児童扶養手当又は特別福祉手当の支払については、児童扶養手当法第七条第三項本文（特別児童扶養手当等の支給に関する法律第十六条の規定により準用する場合を含む。）の規定にかかわらず、同月までの分を支払うものとする。

附　則（第一八次改正）抄

（施行期日）

第一条　この法律は、昭和五十年十月一日から施行する。ただし、次条第三項の規定は、公布の日〔昭和五十年六月二十七日〕から施行する。

（特別児童扶養手当等の支給に関する法律の一部改正に伴う経過措置）

第二条　昭和五十年九月以前の月分の特別児童扶養手当の額については、なお従前の例による。

2　この法律による特別児童扶養手当等の支給に関する法律の改正により新たにこの法律による改正後の特別児童扶養手当等の支給に関する法律（以下「新法」という。）第二条第一項に規定する障害児とされた者又はこの法律による改正前の特別児童扶養手当等の支給に関する法律（以下「旧法」という。）第四条第三項第一号に該当する障害児をこの法律の施行の際現に監護し、又は養育している者が、昭和五十年十月三十一日までにした新法第五条第一項又は新法第十六条において準用する児童扶養手当法第八条第一項の認定の請求についてその認定を受けたときは、その者に対する特別児童扶養手当の支給又はその額の改定は、新法第十六条において準用する児童扶養手当法第七条第一項又は第八条第一項の規定にかかわらず、同月から行う。

3　昭和五十年十月一日において福祉手当の支給要件に該当すべき者は、同日前においても、同日にその要件に該当することを条件として、当該福祉手当について新法第十九条の認定の請求の手続をとることができる。

4　前項の手続をとつた者がこの法律の施行の際現に福祉手当の支給要件に該当しているとき、又はこの法律の施行の際現に福祉手当の支給要件に該当している者が昭和五十年十月三十一日までに新法第十九条の認定の請求をしたときは、これらの者に対する福祉手当の支給は、新法第二十六条において準用する新法第十六条において準用する児童扶養手当法第七条第一項の規定にかかわらず、同月から始める。

5　昭和五十年九月以前の月分の旧法による特別福祉手当については、なお従前の例による。

6　この法律の施行前にした行為及び前項の規定によりなお従前の例によることとされる場合におけるこの法律の施行後にした行為に対する罰則の適用については、なお従前の例による。

附　則（第一九次改正）抄

（施行期日）

第一条　この法律の規定は、次の各号に掲げる区分に従い、それぞれ当該各号に定める日から施行する。

三　〔前略〕第九条、〔中略〕附則第九条から附則第十一条までの規定　昭和五十一年十月一日

（第九条の規定の施行に伴う経過措置）

第十一条　昭和五十一年九月以前の月分の特別児童扶養手当及び福祉手当の額については、なお従前の例による。

附　則（第二〇次改正）抄

（施行期日）

第一条　この法律は、昭和五十二年八月一日から施行する。〔以下略〕

（特別児童扶養手当等の支給に関する法律の一部改正に伴う経過措置）

第六条　昭和五十二年七月以前の月分の特別児童扶養手当及び福祉手当の額については、なお従前の例による。

第七条　昭和五十二年七月以前の月分の特別児童扶養手当及び福祉手当の支給の制限については、なお従前の例による。

附　則（第二一次改正）抄

（施行期日）

第一条　この法律の規定は、次の各号に掲げる区分に従い、それぞれ当該各号に定める日から施行する。

一　第三条及び第五条の規定並びに第八条中児童手当法第二十九条の次に一条を加える改正規定並びに附則第十三条の規定　公布の日〔昭和五十三年五月十六日〕

二　第二条、第四条、附則第五条、附則第六条及び附則第十条から附則第十二条までの規定　昭和五十三年六月一日

三　附則第四条の規定　昭和五十三年七月一日

四　前三号並びに次号及び第六号に掲げる規定以外の規定　昭和五十三年八月一日

五　第八条中児童手当法第六条第一項の改正規定及び附則第九条の規定　昭和五十三年十月一日

六　第一条中国民年金法第八十七条第三項の改正規定及び附則第三条の規定　昭和五十四年四月一日

（特別児童扶養手当等の支給に関する法律の一部改正に伴う経過措置）

第八条　昭和五十三年七月以前の月分の特別児童扶養手当及び福祉手当の額については、なお従前の例による。

附　則（第二二次改正）抄

（施行期日）

第一条　この法律の規定は、次の各号に掲げる区分に従い、それぞれ当該各号に定める日から施行する。

一　第三条中厚生年金保険法等の一部を改正する法律（昭和四十八年法律第九十二号。以下「法律第九十二号」という。）附則第二十二条の二の改正規定及び附則第八条の規定　公布の日〔昭和五十四年五月二十九日〕

二　第四条、第五条、附則第三条、附則第四条及び附則第九条から附則第十一条までの規定　昭和五十四年六月一日

三　前二号及び次号に掲げる規定以外の規定　昭和五十四年八月一日

四　第八条及び附則第七条の規定　昭和五十四年十月一日

（特別児童扶養手当等の支給に関する法律の一部改正に伴う経過措置）

第六条　昭和五十四年七月以前の月分の特別児童扶養手当及び福祉手当の額については、なお従前の例による。

附　則（第二三次改正）抄

（施行期日等）

第一条　この法律は、公布の日〔昭和五十五年十月三十一日〕から施行する。〔以下略〕

2　次の各号に掲げる規定は、当該各号に定める日から適用する。

三　〔前略〕第十一条の規定による改正後の特別児童扶養手当等の支給に関する法律第四条及び第十八条の規定〔中略〕附則第五十五条の規定　昭和五十五年八月一日

（第十一条の規定の施行に伴う経過措置）

第五十五条　昭和五十五年七月以前の月分の特別児童扶養手当及び福祉手当の額については、なお従前の例による。

附　則（第二四次改正）抄

（施行期日）

第一条　この法律は、昭和五十六年八月一日から施行する。〔以下略〕

（特別児童扶養手当等の支給に関する法律の一部改正に伴う経過措

置）

第五条　昭和五十六年七月以前の月分の特別児童扶養手当及び福祉手当の額については、なお従前の例による。

附　則（第二五次改正）抄

（施行期日）

1　この法律は、難民の地位に関する条約又は難民の地位に関する議定書が日本国について効力を生ずる日〔昭和五十七年一月一日〕から施行する。

注　「効力を生ずる日」＝昭和五六年一〇月外告第三五九号（難民の地位に関する条約への日本国の加入に関する件）、昭和五七年一月外告第一号（難民の地位に関する議定書への日本国の加入に関する件）

附　則（第二六次改正）抄

（施行期日等）

第一条　この法律は、昭和五十七年九月一日から施行する。〔以下略〕

（特別児童扶養手当等の支給に関する法律の一部改正に伴う経過措置）

第四条　昭和五十七年八月以前の月分の特別児童扶養手当及び福祉手当の額については、なお従前の例による。

附　則（第二七次改正）

この法律は、昭和五十七年十月一日から施行する。

附　則（第二八次改正）抄

（施行期日等）

第一条　この法律は、公布の日〔昭和五十九年十二月二十五日〕から施行し、〔中略〕第二条の規定による改正後の特別児童扶養手当等の支給に関する法律第四条及び第十八条の規定並びに〔中略〕附則第三条の規定は同年六月一日から適用する。

（特別児童扶養手当等の支給に関する法律の一部改正に伴う経過措置）

第三条　昭和五十九年五月以前の月分の特別児童扶養手当及び福祉手当の額については、なお従前の例による。

附　則（第二九次改正）抄

（施行期日等）

1　この法律は、公布の日〔昭和六十年五月十八日〕から施行する。

3　この法律による改正後の法律の昭和六十年度の特例に係る規定は、同年度の予算に係る国の負担又は補助（昭和五十九年度以前の年度における事務又は事業の実施により昭和六十年度に支出される国の負担又は補助及び昭和五十九年度以前の年度の国庫債務負担行為に基づき昭和六十年度に支出すべきものとされた国の負担又は補助を除く。）並びに同年度における事務又は事業の実施により昭和六十一年度以降の年度に支出される国の負担又は補助、昭和六十年度の国庫債務負担行為に基づき昭和六十一年度以降の年度に支出すべきものとされる国の負担又は補助及び昭和六十年度の歳出予算に係る国の負担又は補助で昭和六十一年度以降の年度に繰り越されるものについて適用し、昭和五十九年度以前の年度における事務又は事業の実施により昭和六十年度に支出される国の負担又は補助、昭和五十九年度以前の年度の国庫債務負担行為に基づき昭和六十年度に支出すべきものとされた国の負担又は補助及び昭和五十九年度以前の年度の歳出予算に係る国の負担又は補助で昭和六十年度に繰り越されたものについては、なお従前の例による。

注　第八章は第二九次改正の本則中の条文

第八章　地方公共団体に対する財政金融上の措置

（地方公共団体に対する財政金融上の措置）

第六十条　国は、この法律の規定（第十一条の規定を除く。）による改正後の法律の規定により昭和六十年度予算に係る国の負担又は補助の割合の引下げ措置の対象となる地方公共団体に対し、その事務又は事業の執行及び財政運営に支障を生ずることのないよう財政金融上の措置を講ずるものとする。

附　則（第三〇次改正）抄

（施行期日等）

第一条　この法律は、公布の日〔昭和六十年六月十八日〕から施行する。

2　〔前略〕第二条の規定による改正後の特別児童扶養手当等の支給に関する法律の規定〔中略〕及び附則第三条の規定は同年六月一日から適用する。

（特別児童扶養手当等の支給に関する法律の一部改正に伴う経過措置）

第三条　昭和六十年五月以前の月分の特別児童扶養手当及び福祉手当の額については、なお従前の例による。

附　則（第三一次改正）抄

（施行期日等）

第一条　この法律は、昭和六十年八月一日から施行する。〔以下略〕

附　則（第三二次改正）抄

（施行期日）

第一条　この法律は、昭和六十一年四月一日（以下「施行日」という。）から施行する。ただし、次の各号に掲げる規定は、それぞれ当該各号に定める日から施行する。

三　附則第九十六条第一項の規定　昭和六十一年一月一日

（第七条の規定の施行に伴う経過措置）

第九十五条　昭和六十一年四月分の障害児福祉手当については、第七条の規定による改正後の特別児童扶養手当等の支給に関する法律（以下この条から附則第九十九条までにおいて「新法」という。）第十九条の二の規定にかかわらず、同年八月に支払うものとする。

第九十六条　昭和六十一年四月一日において特別障害者手当の支給要件に該当すべき者は、同日前においても、同日にその要件に該当することを条件として、当該特別障害者手当について新法第二十六条の五において準用する新法第十九条の認定の請求の手続をとることができる。

2　前項の手続をとつた者が施行日において現に特別障害者手当の支給要件に該当しているとき、又は同日において現に特別障害者手当の支給要件に該当している者が昭和六十一年四月三十日までに新法第二十六条の五において準用する新法第十九条の認定の請求をしたときは、これらの者に対する特別障害者手当の支給は、新法第二十六条の五において準用する新法第五条の二第一項の規定にかかわらず、同月から始める。

3　前条の規定は、前項の規定により支給される昭和六十一年四月分の特別障害者手当について準用する。

第九十七条　施行日の前日において二十歳以上であり、かつ、施行日において現に第七条の規定による改正前の特別児童扶養手当等の支給に関する法律（以下この条から附則第九十九条の三までにおいて「旧法」という。）第十七条に規定する福祉手当の支給要件に該当している者であつて、旧法第十九条の認定を受け、又は同条の認定の請求をしているものには、引き続き当該支給要件に該当する間に限つて、附則第九十九条の規定を適用する場合及び次項に定める事項を除き、なお従前の例により旧法による福祉手当を支給する。

2　附則第九十五条並びに児童扶養手当法第五条の二第一項及び第三項並びに特別児童扶養手当等の支給に関する法律第十七条ただし書（労働者災害補償保険法（昭和二十二年法律第五十号）第五十九条第六項、国家公務員災害補償法（昭和二十六年法律第百九十一号）附則第十一項及び地方公務員災害補償法（昭和四十二年法律第百二十一号）附則第五条の三第四項において適用される場合を含む。）、附則第十八条、第十九条の二、第二十条から第二十三条まで及び第二十五条の規定は、前項の規定により支給する旧法による福祉手当について準用する。この場合において、児童扶養手当法第五条の二第一項中「基本額」とあるのは「福祉手当の額」と、同条第三項中「前二項」とあるのは「第一項」と読み替えるものとする。

〔改正〕

一部改正（第三四・三七・三八・四一・五五次改正）

第九十八条　昭和六十一年三月以前の月分の旧法による福祉手当については、次条の規定を適用する場合を除き、なお従前の例による。

特別児童扶養手当等の支給に関する法律

第九十九条　附則第九十七条第一項又は前条に規定する旧法による福祉手当の支給を受けている者が施行日以後に死亡した場合における新法第三十五条第二項の規定の適用については、その者は、同項に規定する手当の支給を受けている者とみなし、施行日以後の行為に対する新法第四十一条の規定の適用については、当該福祉手当は、同条に規定する手当とみなす。

第九十九条の二　附則第九十七条第一項又は附則第九十八条の規定によりなお従前の例によることとされる旧法による福祉手当の昭和六十一年度から昭和六十三年度までの各年度における支給に要する費用については、旧法第二十五条中「十分の八」とあるのは「十分の七」と、「十分の二」とあるのは「十分の三」とする。

〔改正〕

追加（第三四次改正）

（事務の区分）

第九十九条の三　附則第九十七条第一項の規定により都道府県、市（特別区を含む。）及び福祉事務所を管理する町村が処理することとされている旧法による福祉手当の支給に関する事務は、地方自治法（昭和二十二年法律第六十七号）第二条第九項第一号に規定する第一号法定受託事務とする。

〔改正〕

追加（第四一次改正）

（罰則に関する経過措置）

第百条　施行日前にした行為に対する罰則の適用については、なお従前の例による。

（その他の経過措置の政令への委任）

第百一条　この附則に規定するもののほか、この法律の施行に伴い必要な経過措置は、政令で定める。

附　則（第三三次改正）抄

（施行期日等）

第一条　この法律は、公布の日〔昭和六十一年四月三十日〕から施行する。

2　〔前略〕第二条の規定による改正後の特別児童扶養手当等の支給に関する法律第四条、第十八条（国民年金法等の一部を改正する法律（昭和六十年法律第三十四号）附則第九十七条第二項において準用する場合を含む。）及び第二十六条の三の規定〔中略〕及び附則第三条の規定は、昭和六十一年四月一日から適用する。

（特別児童扶養手当等の支給に関する法律の一部改正に伴う経過措置）

第三条　昭和六十一年三月以前の月分の特別児童扶養手当及び国民年金法等の一部を改正する法律第七条の規定による改正前の特別児童扶養手当等の支給に関する法律による福祉手当の額については、なお従前の例による。

附　則（第三四次改正）抄

1　この法律は、公布の日〔昭和六十一年五月八日〕から施行する。

2　この法律（第十一条、第十二条及び第三十四条の規定を除く。）による改正後の法律の昭和六十一年度から昭和六十三年度までの各年度の特例に係る規定並びに昭和六十一年度及び昭和六十二年度の特例に係る規定は、昭和六十一年度から昭和六十三年度までの各年度（昭和六十一年度及び昭和六十二年度の特例に係るものにあつては、昭和六十一年度及び昭和六十二年度。以下この項において同じ。）の予算に係る国の負担（当該国の負担に係る都道府県又は市町村の負担を含む。以下この項において同じ。）又は補助（昭和六十年度以前の年度における事務又は事業の実施により昭和六十一年度以降の年度に支出される国の負担又は補助及び昭和六十年度以前の年度の国庫債務負担行為に基づき昭和六十一年度以降の年度に支出すべきものとされた国の負担又は補助を除く。）並びに昭和六十一年度から昭和六十三年度までの各年度における事務又は事業の実施により昭和六十四年度（昭和六十一年度及び昭和六十二年度の特例に係るものにあつては、昭和六十三年度。以下この項において同じ。）以降の年度に支出される国の負担又は補助、昭和六十一年度から昭和六十三年度までの各年度の国庫債務負担行為に基づき昭和六十四年度以降の年度に支出すべきものとされる国の負担又は補助及び昭和六十一年度から昭和六十三年度までの各年度の歳出予算に係る国の負担又は補助で昭和六十四年度以降の年度に繰り越されるものについて適用し、昭和六十年度以前の年度における事務又は事業の実施により昭和六十一年度以前の年度に支出される国の負担又は補助、昭和六十年度以前の年度の国庫債務負担行為に基づき昭和六十一年度以降の年度に支出すべきものとされた国の負担又は補助及び昭和六十年度以前の年度の歳出予算に係る国の負担又は補助で昭和六十一年度以降の年度に繰り越されたものについては、なお従前の例による。

注　第九章は第三四次改正の本則中の条文

第九章　地方公共団体に対する財政金融上の措置

（地方公共団体に対する財政金融上の措置）

第四十九条　国は、この法律の規定による改正後の法律の規定により昭和六十一年度から昭和六十三年度までの各年度の予算に係る国の負担又は補助の割合の引下げ措置の対象となる地方公共団体に対し、その事務又は事業の執行及び財政運営に支障を生ずることのないよう財政金融上の措置を講ずるものとする。

附　則（第三五次改正）抄

（施行期日等）

第一条　この法律は、公布の日〔昭和六十二年六月二日〕から施行する。ただし、第三条の規定（国民年金法等の一部を改正する法律（昭和六十年法律第三十四号。以下「法律第三十四号」という。）附則第三十二条第二項の改正規定を除く。）は、昭和六十三年一月一日から施行する。

2　〔前略〕第二条の規定による改正後の特別児童扶養手当等の支給に関する法律第四条、第十八条（法律第三十四号附則第九十七条第二項において準用する場合を含む。）及び第二十六条の三の規定〔中略〕は、昭和六十二年四月一日から適用する。

（特別児童扶養手当等の支給に関する法律の一部改正に伴う経過措置）

第三条　昭和六十二年三月以前の月分の特別児童扶養手当、障害児福祉手当、特別障害者手当及び法律第三十四号附則第九十七条第一項の規定による福祉手当の額については、なお従前の例による。

附　則（第三六次改正）抄

（施行期日等）

第一条　この法律は、公布の日〔昭和六十三年五月二十四日〕から施行する。〔以下略〕

2　〔前略〕第二条の規定による改正後の特別児童扶養手当等の支給に関する法律第四条、第十八条（法律第三十四号附則第九十七条第二項において準用する場合を含む。）及び第二十六条の三の規定〔中略〕は、昭和六十三年四月一日から適用する。

（特別児童扶養手当等の支給に関する法律の一部改正に伴う経過措置）

第三条　昭和六十三年三月以前の月分の特別児童扶養手当、障害児福祉手当、特別障害者手当及び法律第三十四号附則第九十七条第一項の規定による福祉手当の額については、なお従前の例による。

附　則（第三七次改正）抄

（施行期日等）

1　この法律は、公布の日〔平成元年四月十日〕から施行する。

3　第十三条（義務教育費国庫負担法第二条の改正規定に限る。）、第十四条（公立養護学校整備特別措置法第五条の改正規定に限る。）、第十六条から第二十八条までの規定による改正後の法律の規定は、平成元年度以降の年度の予算に係る国の負担又は補助（昭和六十三年度以前の年度における事務又は事業の実施により平成元年度以降の年度に支出される国の負担又は補助を除く。）について適用し、昭和六十三年度以前の年度における事務又は事業の実施により平成元年度以降の年度に支出される国の負担又は補助及び昭和六十三年度以前の年度の歳出予算に係る国の負担又は補助で平成元年度以降の年度に繰り越されたものについては、なお従前の例による。

附　則（第三八次改正）抄

（施行期日等）

第一条　この法律は、公布の日〔平成元年十二月二十二日〕から施行する。〔以下略〕

2　次の各号に掲げる規定は、それぞれ当該各号に定める日から適用する。

一　〔前略〕第四条の規定による改正後の国民年金法等の一部を改正する法律〔中略〕附則第九十七条の規定、〔中略〕第七条の規定による改正後の特別児童扶養手当等の支給に関する法律第四条、第十六条、第十八条（第四条の規定による改正後の国民年金法等の一部を改正する法律附則第九十七条第二項において準用する場合を含む。）及び第二十六条の三の規定〔中略〕　平成元年四月一日

（第七条の規定の施行に伴う経過措置）

第十二条　平成元年三月以前の月分の特別児童扶養手当、障害児福祉手当、特別障害者手当及び昭和六十年改正法附則第九十七条第一項

の規定による福祉手当の額については、なお従前の例による。

附　則（第三九次改正）抄

（施行期日等）

第一条　この法律は、公布の日〔平成六年十一月九日〕から施行する。〔以下略〕

2　次の各号に掲げる規定は、それぞれ当該各号に定める日から適用する。

一　〔前略〕第十八条の規定による改正後の特別児童扶養手当等の支給に関する法律第四条、第十八条及び第二十六条の三の規定〔中略〕　平成六年十月一日

（第十八条の規定の施行に伴う経過措置）

第三十七条　平成六年九月以前の月分の特別児童扶養手当、障害児福祉手当、特別障害者手当及び昭和六十年改正法附則第九十七条第一項の規定による福祉手当の額については、なお従前の例による。

附　則（第四〇次改正）抄

（施行期日）

1　この法律中、〔中略〕第二章の規定は地方自治法の一部を改正する法律〔平成六年法律第四十八号〕中地方自治法第三編第三章の改正規定の施行の日〔平成七年六月十五日〕から施行する。

附　則（第四一次改正）抄

（施行期日）

第一条　この法律は、平成十二年四月一日から施行する。ただし、次の各号に掲げる規定は、当該各号に定める日から施行する。

一　（前略）附則第百六十条、第百六十三条、第百六十四条（中略）の規定　公布の日〔平成十一年七月十六日〕

（国等の事務）

第百五十九条　この法律による改正前のそれぞれの法律に規定するもののほか、この法律の施行前において、地方公共団体の機関が法律又はこれに基づく政令により管理し又は執行する国、他の地方公共団体その他公共団体の事務（附則第百六十一条において「国等の事務」という。）は、この法律の施行後は、地方公共団体が法律又はこれに基づく政令により当該地方公共団体の事務として処理するものとする。

（処分、申請等に関する経過措置）

第百六十条　この法律（附則第一条各号に掲げる規定については、当該各規定。以下この条及び附則第百六十三条において同じ。）の施行前に改正前のそれぞれの法律の規定によりされた許可等の処分その他の行為（以下この条において「処分等の行為」という。）又はこの法律の施行の際現に改正前のそれぞれの法律の規定によりされている許可等の申請その他の行為（以下この条において「申請等の行為」という。）で、この法律の施行の日においてこれらの行為に係る行政事務を行うべき者が異なることとなるものは、附則第二条から前条までの規定又は改正後のそれぞれの法律（これに基づく命令を含む。）の経過措置に関する規定に定めるものを除き、この法律の施行の日以後における改正後のそれぞれの法律の適用については、改正後のそれぞれの法律の相当規定によりされた処分等の行為又は申請等の行為とみなす。

2　この法律の施行前に改正前のそれぞれの法律の規定により国又は地方公共団体の機関に対し報告、届出、提出その他の手続をしなければならない事項で、この法律の施行の日前にその手続がされていないものについては、この法律及びこれに基づく政令に別段の定めがあるもののほか、これを、改正後のそれぞれの法律の相当規定により国又は地方公共団体の相当の機関に対して報告、届出、提出その他の手続をしなければならない事項についてその手続がされていないものとみなして、この法律による改正後のそれぞれの法律の規定を適用する。

（不服申立てに関する経過措置）

第百六十一条　施行日前にされた国等の事務に係る処分であって、当該処分をした行政庁（以下この条において「処分庁」という。）に施行日前に行政不服審査法に規定する上級行政庁（以下この条において「上級行政庁」という。）があったものについての同法による不服申立てについては、施行日以後においても、当該処分庁に引き続き上級行政庁があるものとみなして、行政不服審査法の規定を適用する。この場合において、当該処分庁の上級行政庁とみなされる行政庁は、施行日前に当該処分庁の上級行政庁であった行政庁とする。

2　前項の場合において、上級行政庁とみなされる行政庁が地方公共団体の機関であるときは、当該機関が行政不服審査法の規定により処理することとされる事務は、新地方自治法第二条第九項第一号に規定する第一号法定受託事務とする。

（罰則に関する経過措置）

第百六十三条　この法律の施行前にした行為に対する罰則の適用については、なお従前の例による。

（その他の経過措置の政令への委任）

第百六十四条　この附則に規定するもののほか、この法律の施行に伴い必要な経過措置（罰則に関する経過措置を含む。）は、政令で定める。

附　則（第四二次改正）抄

（施行期日）

第一条　この法律は、公布の日〔平成十二年六月七日〕から施行する。〔以下略〕

附　則（第四三次改正）抄

（施行期日）

第一条　この法律（第二条及び第三条を除く。）は、平成十三年一月六日から施行する。ただし、次の各号に掲げる規定は、当該各号に定める日から施行する。

一　〔前略〕第千三百四十四条の規定　公布の日〔平成十一年十二月二十二日〕

注　第一六章は第四三次改正の本則中の条文

第十六章　経過措置等

（処分、申請等に関する経過措置）

第千三百一条　中央省庁等改革関係法及びこの法律（以下「改革関係法等」と総称する。）の施行前に法令の規定により従前の国の機関がした免許、許可、認可、承認、指定その他の処分又は通知その他の行為は、法令に別段の定めがあるもののほか、改革関係法等の施行後は、改革関係法等の施行後の法令の相当規定に基づいて、相当の国の機関がした免許、許可、認可、承認、指定その他の処分又は通知その他の行為とみなす。

2　改革関係法等の施行の際現に法令の規定により従前の国の機関に対してされている申請、届出その他の行為は、法令に別段の定めがあるもののほか、改革関係法等の施行後は、改革関係法等の施行後の法令の相当規定に基づいて、相当の国の機関に対してされた申請、届出その他の行為とみなす。

3　改革関係法等の施行前に法令の規定により従前の国の機関に対し報告、届出、提出その他の手続をしなければならないとされている事項で、改革関係法等の施行の日前にその手続がされていないものについては、法令に別段の定めがあるもののほか、改革関係法等の施行後は、これを、改革関係法等の施行後の法令の相当規定により相当の国の機関に対して報告、届出、提出その他の手続をしなければならないとされた事項についてその手続がされていないものとみなして、改革関係法等の施行後の法令の規定を適用する。

（従前の例による処分等に関する経過措置）

第千三百二条　なお従前の例によることとする法令の規定により、従前の国の機関がすべき免許、許可、認可、承認、指定その他の処分若しくは通知その他の行為又は従前の国の機関に対してすべき申請、届出その他の行為については、法令に別段の定めがあるもののほか、改革関係法等の施行後は、改革関係法等の施行後の法令の規定に基づくその任務及び所掌事務の区分に応じ、それぞれ、相当の国の機関がすべきものとし、又は相当の国の機関に対してすべきものとする。

（罰則に関する経過措置）

第千三百三条　改革関係法等の施行前にした行為に対する罰則の適用については、なお従前の例による。

（命令の効力に関する経過措置）

第千三百四条　改革関係法等の施行前に法令の規定により発せられた国家行政組織法の一部を改正する法律による改正前の国家行政組織法（昭和二十三年法律第百二十号。次項において「旧国家行政組織法」という。）第十二条第一項の総理府令又は省令は、法令に別段の定めがあるもののほか、改革関係法等の施行後は、改革関係法等の施行後の法令の相当規定に基づいて発せられた相当の内閣府設置法第七条第三項の内閣府令又は国家行政組織法の一部を改正する法律による改正後の国家行政組織法（次項及び次条第一項において「新国家行政組織法」という。）第十二条第一項の省令としての効力を有するものとする。

（政令への委任）

第千三百四十四条　第七十一条から第七十六条まで及び第千三百一条から前条まで並びに中央省庁等改革関係法に定めるもののほか、改革関係法等の施行に関し必要な経過措置（罰則に関する経過措置を含む。）は、政令で定める。

附　則（第四四次改正）抄

（施行期日）

第一条　この法律は、公社法（日本郵政公社法（平成十四年法律第九十七号））の施行の日〔平成十五年四月一日〕から施行する。ただし、次の各号に掲げる規定は、当該各号に定める日から施行する。

一　〔前略〕附則第三十九条の規定　公布の日〔平成十四年七月三十一日〕

（その他の経過措置の政令への委任）

第三十九条　この法律に規定するもののほか、公社法及びこの法律の施行に関し必要な経過措置（罰則に関する経過措置を含む。）は、政令で定める。

附　則（第四五次改正）抄

（施行期日）

第一条　この法律は、平成十八年四月一日から施行する。ただし、次の各号に掲げる規定は、当該各号に定める日から施行する。

一　〔前略〕附則第百二十二条の規定　公布の日〔平成十七年十一月七日〕

二　〔前略〕附則第七十二条から第七十七条まで〔中略〕の規定　平成十八年十月一日

（罰則の適用に関する経過措置）

第百二十一条　この法律の施行前にした行為及びこの附則の規定によりなお従前の例によることとされる場合におけるこの法律の施行後

にした行為に対する罰則の適用については、なお従前の例による。

（その他の経過措置の政令への委任）

第百二十二条　この附則に規定するもののほか、この法律の施行に伴い必要な経過措置は、政令で定める。

附　則（第四六次改正）抄

（施行期日）

第一条　この法律は、郵政民営化法（平成十七年法律第九十七号）の施行の日〔平成十九年十月一日〕から施行する。〔以下略〕

（罰則に関する経過措置）

第百十七条　この法律の施行前にした行為、この附則の規定によりなお従前の例によることとされる場合におけるこの法律の施行後にした行為、この法律の施行後附則第九条第一項の規定によりなおその効力を有するものとされる旧郵便為替法第三十八条の八（第二号及び第三号に係る部分に限る。）の規定の失効前にした行為、この法律の施行後附則第十三条第一項の規定によりなおその効力を有するものとされる旧郵便振替法第七十条（第二号及び第三号に係る部分に限る。）の規定の失効前にした行為、この法律の施行後附則第二十七条第一項の規定によりなおその効力を有するものとされる旧郵便振替預り金寄附委託法第八条（第二号に係る部分に限る。）の規定の失効前にした行為、この法律の施行後附則第三十九条第二項の規定によりなおその効力を有するものとされる旧公社法第七十条（第二号に係る部分に限る。）の規定の失効前にした行為、この法律の施行後附則第四十二条第一項の規定によりなおその効力を有するものとされる旧公社法第七十一条及び第七十二条（第十五号に係る部分に限る。）の規定の失効前にした行為並びに附則第二条第二項の規定の適用がある場合における郵政民営化法第百四条に規定する郵便貯金銀行に係る特定日前にした行為に対する罰則の適用については、なお従前の例による。

附　則（第四七次改正）抄

（施行期日）

第一条　この法律は、平成二十二年八月一日から施行する。〔以下略〕

附　則（第四八次改正）抄

（施行期日）

第一条　この法律は、平成二十四年四月一日から施行する。〔以下略〕

附　則（第四九次改正）抄

（施行期日）

第一条　この法律は、公布の日から施行する。ただし、〔中略〕附則第十条から第十四条までの規定〔中略〕は、公布の日から起算して六月を超えない範囲内において政令で定める日〔平成二十五年三月一日〕から施行する。

〔**委任**〕

ただし書の「政令」＝平成二五年二月政令第二七号「地方自治法の一部を改正する法律の一部の施行期日を定める政令」

附　則（第五〇次改正）抄

（施行期日）

第一条　この法律は、平成二十五年四月一日から施行する。〔以下略〕

附　則（第五一次改正）抄

（施行期日）

第一条　この法律は、平成二十六年十月一日から施行する。ただし、次の各号に掲げる規定は、当該各号に定める日から施行する。

一　〔前略〕附則第十九条の規定　公布の日〔平成二十六年六月十一日〕

二　〔前略〕第六条から第十二条までの規定、〔中略〕附則第十七条の規定　平成二十七年一月一日

（延滞金の割合の特例等に関する経過措置）

第十七条　次の各号に掲げる規定は、当該各号に定める規定に規定する延滞金（第十五号にあっては、加算金。以下この条において同じ。）のうち平成二十七年一月一日以後の期間に対応するものについて適用し、当該延滞金のうち同日前の期間に対応するものについては、なお従前の例による。

十一　第九条の規定による改正後の特別児童扶養手当等の支給に関する法律附則第七項　特別児童扶養手当等の支給に関する法律第十六条において準用する児童扶養手当法〔昭和三十六年法律第二百三十八号〕第二十三条第二項において読み替えて準用する国民年金法〔昭和三十四年法律第百四十一号〕第九十七条第一項

（その他の経過措置の政令への委任）

第十九条　この附則に規定するもののほか、この法律の施行に伴い必要な経過措置は、政令で定める。

附　則（第五二次改正）抄

（施行期日）

第一条　この法律は、平成二十七年四月一日から施行する。〔以下略〕

（処分、申請等に関する経過措置）

第七条　この法律（附則第一条各号に掲げる規定については、当該各規定。以下この条及び次条において同じ。）の施行前にこの法律による改正前のそれぞれの法律の規定によりされた許可等の処分その他の行為（以下この項において「処分等の行為」という。）又はこの法律の施行の際現にこの法律による改正前のそれぞれの法律の規定によりされている許可等の申請その他の行為（以下この項において「申請等の行為」という。）で、この法律の施行の日においてこれらの行為に係る行政事務を行うべき者が異なることとなるものは、附則第二条から前条までの規定又はこの法律による改正後のそれぞれの法律（これに基づく命令を含む。）の経過措置に関する規定に定めるものを除き、この法律の施行の日以後におけるこの法律による改正後のそれぞれの法律の適用については、この法律による改正後のそれぞれの法律の相当規定によりされた処分等の行為又は申請等の行為とみなす。

2　この法律の施行前にこの法律による改正前のそれぞれの法律の規定により国又は地方公共団体の機関に対し報告、届出、提出その他の手続をしなければならない事項で、この法律の施行の日前にその

手続がされていないものについては、この法律及びこれに基づく政令に別段の定めがあるもののほか、これを、この法律による改正後のそれぞれの法律の相当規定により国又は地方公共団体の相当の機関に対して報告、届出、提出その他の手続をしなければならない事項についてその手続がされていないものとみなして、この法律による改正後のそれぞれの法律の規定を適用する。

（政令への委任）

第九条　附則第二条から前条までに規定するもののほか、この法律の施行に関し必要な経過措置（罰則に関する経過措置を含む。）は、政令で定める。

附　則（第五三次改正）抄

（施行期日）

第一条　この法律は、公布の日から起算して二年を超えない範囲内において政令で定める日〔平成二十八年四月一日〕から施行する。

〔**委任**〕

「政令」＝平成二七年一月政令第二九号「地方自治法の一部を改正する法律の施行期日を定める政令」

〔以下略〕

附　則（第五四次改正）抄

（施行期日）

第一条　この法律は、行政不服審査法（平成二十六年法律第六十八号）の施行の日〔平成二十八年四月一日〕から施行する。

（経過措置の原則）

第五条　行政庁の処分その他の行為又は不作為についての不服申立てであってこの法律の施行前にされた行政庁の処分その他の行為又はこの法律の施行前にされた申請に係る行政庁の不作為に係るものについては、この附則に特別の定めがある場合を除き、なお従前の例による。

（訴訟に関する経過措置）

第六条　この法律による改正前の法律の規定により不服申立てに対する行政庁の裁決、決定その他の行為を経た後でなければ訴えを提起できないこととされる事項であって、当該不服申立てを提起しないでこの法律の施行前にこれを提起すべき期間を経過したもの（当該不服申立てが他の不服申立てに対する行政庁の裁決、決定その他の行為を経た後でなければ提起できないとされる場合にあっては、当該他の不服申立てを提起しないでこの法律の施行前にこれを提起すべき期間を経過したものを含む。）の訴えの提起については、なお従前の例による。

2　この法律の規定による改正前の法律の規定（前条の規定によりなお従前の例によることとされる場合を含む。）により異議申立てが提起された処分その他の行為であって、この法律の規定による改正後の法律の規定により審査請求に対する裁決を経た後でなければ取消しの訴えを提起することができないこととされるものの取消しの訴えの提起については、なお従前の例による。

3　不服申立てに対する行政庁の裁決、決定その他の行為の取消しの訴えであって、この法律の施行前に提起されたものについては、なお従前の例による。

（その他の経過措置の政令への委任）

第十条　附則第五条から前条までに定めるもののほか、この法律の施行に関し必要な経過措置（罰則に関する経過措置を含む。）は、政令で定める。

附　則（第五五次改正）抄

（施行期日）

第一条　この法律は、平成二十八年八月一日から施行する。〔以下略〕

附　則（第五六次改正）抄

（施行期日）

第一条　この法律は、平成二十九年四月一日から施行する。ただし、次の各号に掲げる規定は、当該各号に定める日から施行する。

四　次に掲げる規定　平成三十年一月一日

イ　〔前略〕附則第百二十二条及び第百二十三条の規定

（国民年金法等の一部改正に伴う経過措置）

第百二十三条

2　前条（第二号に係る部分に限る。）の規定による改正後の児童扶養手当法第九条第一項、前条（第三号に係る部分に限る。）の規定による改正後の特別児童扶養手当等の支給に関する法律第六条及び前条（第六号に係る部分に限る。）の規定による改正後の特定障害者に対する特別障害給付金の支給に関する法律第九条の規定は、それぞれ令和元年八月以後の月分の児童扶養手当法の規定による児童扶養手当、特別児童扶養手当等の支給に関する法律の規定による特別児童扶養手当及び特定障害者に対する特別障害給付金の支給に関する法律の規定による特別障害給付金（以下この項において「児童扶養手当等」という。）の支給の制限について適用し、同年七月以前の月分の児童扶養手当等の支給の制限については、なお従前の例による。

〔改正〕

一部改正（第五八次改正）

（政令への委任）

第百四十一条　この附則に規定するもののほか、この法律の施行に関し必要な経過措置は、政令で定める。

附　則（第五七次改正）抄

この法律は、民法改正法（民法の一部を改正する法律（平成二十九年法律第四十四号））の施行の日〔令和二年四月一日〕から施行する。ただし、〔中略〕第三百六十二条の規定は、公布の日〔平成二十九年六月二日〕から施行する。

注　第八・一四章は第五七次改正の本則中の条文

第八章　厚生労働省関係

（特別児童扶養手当等の支給に関する法律の一部改正に伴う経過措置）

第百九十六条　施行日前に前条の規定による改正前の特別児童扶養手当等の支給に関する法律第三十一条に規定する時効の中断の事由が生じた場合におけるその事由の効力については、なお従前の例による。

第十四章　罰則に関する経過措置及び政令への委任

（政令への委任）

第三百六十二条　この法律に定めるもののほか、この法律の施行に伴い必要な経過措置は、政令で定める。

附　則（第五八次改正）抄

（施行期日）

第一条　この法律は、令和二年四月一日から施行する。ただし、次の各号に掲げる規定は、当該各号に定める日から施行する。

二　次に掲げる規定　令和三年一月一日

ハ　〔前略〕附則第百四十九条の規定

（政令への委任）

第百七十二条　この附則に規定するもののほか、この法律の施行に関し必要な経過措置は、政令で定める。

〔参　考〕

◉刑法等の一部を改正する法律の施行に伴う関係法律の整理等に関する法律（抄）

〔令和四年六月十七日　法律第六十八号〕

注　令和五年五月一七日法律第二八号「刑事訴訟法等の一部を改正する法律」附則第三六条により一部改正

第一編　関係法律の一部改正

第十一章　厚生労働省関係

（船員保険法等の一部改正）

第二百二十一条　次に掲げる法律の規定中「懲役」を「拘禁刑」に改める。

三十二　特別児童扶養手当等の支給に関する法律（昭和三十九年法律第百三十四号）第四十一条

第二編　経過措置

第一章　通則

（罰則の適用等に関する経過措置）

第四百四十一条　刑法等の一部を改正する法律（令和四年法律第六十七号。以下「刑法等一部改正法」という。）及びこの法律（以下「刑法等一部改正法等」という。）の施行前にした行為の処罰については、次章に別段の定めがあるもののほか、なお従前の例による。

2　刑法等一部改正法等の施行後にした行為に対して、他の法律の規定によりなお従前の例によることとされ、なお効力を有することとされ又は改正前若しくは廃止前の法律の規定の例によることとされる罰則を適用する場合において、当該罰則に定める刑（刑法施行法第十九条第一項の規定又は第八十二条の規定による改正後の沖縄の復帰に伴う特別措置に関する法律第二十五条第四項の規定の適用後のものを含む。）に刑法等一部改正法第二条の規定による改正前の刑法（明治四十年法律第四十五号。以下この項において「旧刑法」という。）第十二条に規定する懲役（以下「懲役」という。）、旧刑法第十三条に規定する禁錮（以下「禁錮」という。）又は旧刑法第十六条に規定する拘留（以下「旧拘留」という。）が含まれるときは、当該刑のうち無期の懲役又は禁錮はそれぞれ無期拘禁刑と、有期の懲役又は禁錮はそれぞれその刑と長期及び短期（刑法施行法第二十条の規定の適用後のものを含む。）を同じくする有期拘禁刑と、旧拘留は長期及び短期（刑法施行法第二十条の規定の適用後のものを含む。）を同じくする拘留とする。

（裁判の効力とその執行に関する経過措置）

第四百四十二条　懲役、禁錮及び旧拘留の確定裁判の効力並びにその執行については、次章に別段の定めがあるもののほか、なお従前の例による。

第四章　その他

（経過措置の政令への委任）

第五百九条　この編に定めるもののほか、刑法等一部改正法等の施行に伴い必要な経過措置は、政令で定める。

附　則　抄

（施行期日）

1　この法律は、刑法等一部改正法施行日〔令和七年六月一日〕から施行する。ただし、次の各号に掲げる規定は、当該各号に定める日から施行する。

一　第五百九条の規定　公布の日

〔政　令〕

◉特別児童扶養手当等の支給に関する法律施行令

〔昭和五十年七月四日
政令第二百七号〕

（厚生・自治大臣署名）

〔一部改正経過〕

第一次　〔昭和五一年四月三〇日政令第七六号「児童扶養手当法施行令及び特別児童扶養手当等の支給に関する法律施行令の一部を改正する政令」第二条による改正〕
第二次　〔昭和五二年四月二六日政令第一一四号「児童扶養手当法施行令及び特別児童扶養手当等の支給に関する法律施行令の一部を改正する政令」第二条による改正〕
第三次　〔昭和五三年六月三〇日政令第二六六号「児童扶養手当法施行令等の一部を改正する政令」第二条（昭和五四年五月政令第一五五号第三条により一部改正）による改正〕
第四次　〔昭和五四年五月二九日政令第一五五号「児童扶養手当法施行令等の一部を改正する政令」第二条による改正〕
第五次　〔昭和五五年七月二九日政令第一九九号「国民年金法施行令等の一部を改正する政令」第三条による改正〕
第六次　〔昭和五六年七月三〇日政令第二六二号「国民年金法施行令等の一部を改正する政令」第三条による改正〕
第七次　〔昭和五七年五月三一日政令第一五三号「国民年金法施行令及び特別児童扶養手当等の支給に関する法律施行令の一部を改正する政令」第二条による改正〕
第八次　〔昭和五七年八月三一日政令第二三六号「障害に関する用語の整理のための厚生省関係政令の整理に関する政令」第八条による改正〕
第九次　〔昭和五八年五月二七日政令第一一五号「国民年金法施行令等の一部を改正する政令」第二条による改正〕
第一〇次　〔昭和五九年三月一七日政令第三五号「国家公務員及び公共企業体職員に係る共済組合制度の統合等を図るための国家公務員共済組合法等の一部を改正する法律の施行に伴う関係政令の整備等に関する政令」第四二条による改正〕
第一一次　〔昭和五九年五月二五日政令第一五七号「国民年金法施行令等の一部を改正する政令」第二条による改正〕
第一二次　〔昭和六〇年五月一八日政令第一二七号「児童福祉法施行令等の一部を改正する政令」第七条による改正〕
第一三次　〔昭和六〇年五月二八日政令第一五一号「国民年金法施行令等の一部を改正する政令」第二条による改正〕
第一四次　〔昭和六〇年一二月二四日政令第三二三号「特別児童扶養手当等の支給に関する法律施行令の一部を改正する政令」による改正〕
第一五次　〔昭和六一年三月二八日政令第五五号「国家公務員等共済組合法施行令等の一部を改正する等の政令」附則第一四条による改正〕
第一六次　〔昭和六一年三月二八日政令第五七号「地方公務員等共済組合法施行令の一部を改正する等の政令」附則第九条による改正〕
第一七次　〔昭和六一年三月三一日政令第六六号「私立学校教職員共済組合法施行令等の一部を改正する等の政令」附則第三一項による改正〕
第一八次　〔昭和六一年三月三一日政令第六七号「農林漁業団体職員共済組合法施行令等の一部を改正する等の政令」附則第六一条による改正〕
第一九次　〔昭和六一年七月二二日政令第二六一号「児童扶養手当法施行令及び特別児童扶養手当等の支給に関する法律施行令の一部を改正する政令」第二条による改正〕
第二〇次　〔昭和六二年五月二九日政令第一八三号「国民年金法施行令等の一部を改正する政令」第四条による改正〕
第二一次　〔昭和六三年五月三一日政令第一七三号「児童扶養手当法施行令等の一部を改正する政令」第二条による改正〕
第二二次　〔平成元年五月三一日政令第一六二号「国民年金法施行令等の一部を改正する政令」第四条による改正〕
第二三次　〔平成二年三月二〇日政令第四二号「特別児童扶養手当等の支給に関する法律施行令等の一部を改正する政令」による改正〕
第二四次　〔平成二年七月二〇日政令第二一九号「児童扶養手当法施行令及び特別児童扶養手当等の支給に関する法律施行令の一部を改正する政令」第二条による改正〕
第二五次　〔平成三年三月二九日政令第六三号「特別児童扶養手当等の支給に関する法律施行令等の一部を改正する政令」による改正〕
第二六次　〔平成三年六月七日政令第二〇〇号「国民年金法施行令等の一部を改正する政令」第四条による改正〕
第二七次　〔平成三年七月三一日政令第二四九号「特別児童扶養手当等の支給に関する法律施行令の一部を改正する政令」による改正〕
第二八次　〔平成四年三月三一日政令第四〇号「特別児童扶養手当等の支給に関する法律施行令等の一部を改正する政令」による改正〕
第二九次　〔平成四年六月一二日政令第一九五号「国民年金法施行令等の一部を改正する政令」第四条による改正〕
第三〇次　〔平成五年三月二四日政令第五二号「特別児童扶養手当等の支給に関する法律施行令等の一部を改正する政令」による改正〕
第三一次　〔平成五年六月一六日政令第一九二号「国民年金法施行令等の一部を改正する政令」第四条による改正〕
第三二次　〔平成六年三月一八日政令第五五号「特別児童扶養手当等の支給に関する法律施行令の一部を改正する政令」による改正〕
第三三次　〔平成六年七月一五日政令第二三五号「国民年金法施行令等の一部を改正する政令」第四条による改正〕

第三四次　〔平成六年一一月九日政令第三四七号「国民年金法施行令等の一部を改正する等の政令」第一一・一二条による改正〕
第三五次　〔平成七年三月一七日政令第六〇号「特別児童扶養手当等の支給に関する法律施行令等の一部を改正する政令」による改正〕
第三六次　〔平成七年二月一七日政令第二六号「原子爆弾被爆者に対する援護に関する法律施行令」附則第二〇・二一条による改正〕
第三七次　〔平成七年六月三〇日政令第二七六号「国民年金法施行令等の一部を改正する政令」第四条による改正〕
第三八次　〔平成八年七月二四日政令第二二六号「国民年金法施行令等の一部を改正する政令」第四条による改正〕
第三九次　〔平成九年三月二八日政令第八四号「厚生年金保険法施行令等の一部を改正する等の政令」第五五条による改正〕
第四〇次　〔平成九年七月二日政令第二二九号「国民年金法施行令等の一部を改正する政令」第四条による改正〕
第四一次　〔平成九年一二月一〇日政令第三五五号「日本私立学校振興・共済事業団法の施行に伴う関係政令の整備に関する政令」第三三条による改正〕
第四二次　〔平成一〇年三月一八日政令第四二号「児童扶養手当法施行令等の一部を改正する政令」第二・三条による改正〕
第四三次　〔平成一〇年七月一七日政令第二五五号「国民年金法施行令等の一部を改正する政令」第三条による改正〕
第四四次　〔平成一一年三月一九日政令第四六号「児童扶養手当法施行令等の一部を改正する政令」第二・三条による改正〕
第四五次　〔平成一一年五月二八日政令第一六二号「国民年金法施行令等の一部を改正する政令」第七条による改正〕
第四六次　〔平成一一年一二月八日政令第三九三号「地方分権の推進を図るための関係法律の整備等に関する法律の施行に伴う厚生省関係政令の整備等に関する政令」第六七条による改正〕
第四七次　〔平成一二年六月七日政令第三三四号「社会福祉の増進のための社会福祉事業法等の一部を改正する等の法律の施行に伴う関係政令の整備等に関する政令」第一〇条による改正〕
第四八次　〔平成一二年六月三〇日政令第三七〇号「国民年金法施行令等の一部を改正する政令」第三条による改正〕
第四九次　〔平成一二年六月七日政令第三〇九号「中央省庁等改革のための厚生労働省関係政令等の整備に関する政令」第一〇五条による改正〕
第五〇次　〔平成一三年七月四日政令第二三四号「国民年金法施行令等の一部を改正する政令」第四条による改正〕
第五一次　〔平成一三年一二月二一日政令第四二三号「厚生年金基金令等の一部を改正する政令」第三条による改正〕
第五二次　〔平成一四年三月一三日政令第四三号「厚生年金保険制度及び農林漁業団体職員共済組合制度の統合を図るための農林漁業団体職員共済組合法等を廃止する等の法律の施行に伴う関係政令の整備等に関する政令」第三一条による改正〕
第五三次　〔平成一四年五月二四日政令第一八二号「国民年金法施行令等の一部を改正する政令」第七条による改正〕
第五四次　〔平成一六年九月二九日政令第二九七号「国民年金法施行令等の一部を改正する政令」第一一条による改正〕
第五五次　〔平成一七年三月一八日政令第五六号「特定障害者に対する特別障害給付金の支給に関する法律施行令」附則第五条による改正〕
第五六次　〔平成一七年三月三〇日政令第九〇号「児童扶養手当法施行令等の一部を改正する政令」第二・三条による改正〕
第五七次　〔平成一七年六月一日政令第一九七号「健康保険法施行令等の一部を改正する政令」第五条による改正〕
第五八次　〔平成一六年一二月三日政令第三八三号「厚生年金基金令等の一部を改正する政令」第七条による改正〕
第五九次　〔平成一八年三月二九日政令第七三号「国会議員互助年金法施行令を廃止する等の政令」第六条による改正〕
第六〇次　〔平成一八年三月三〇日政令第一一二号「児童扶養手当法施行令等の一部を改正する政令」第二・三条による改正〕
第六一次　〔平成一八年三月三一日政令第一三四号「租税条約の実施に伴う所得税法、法人税法及び地方税法の特例等に関する法律施行令の一部を改正する政令」附則第六条による改正〕
第六二次　〔平成一九年三月三一日政令第一一九号「執行官法の一部を改正する法律の施行に伴う関係政令の整備等に関する政令」第四条による改正〕
第六三次　〔平成一九年四月一日政令第一五四号「児童扶養手当法施行令等の一部を改正する政令」第二・三条による改正〕
第六四次　〔平成一九年八月三日政令第二三五号「郵政民営化法等の施行に伴う関係政令の整備等に関する政令」第四四条による改正〕
第六五次　〔平成二一年三月三一日政令第八九号「児童扶養手当法施行令等の一部を改正する政令」第二・三条による改正〕
第六六次　〔平成二二年四月一日政令第一〇四号「児童扶養手当法施行令等の一部を改正する政令」第二・三条による改正〕
第六七次　〔平成二二年三月三一日政令第五七号「租税条約の実施に伴う所得税法、法人税法及び地方税法の特例等に関する法律施行令の一部を改正する政令」附則第三条による改正〕
第六八次　〔平成二三年三月三一日政令第八〇号「児童扶養手当法施行令等の一部を改正する政令」第二・三条による改正〕
第六九次　〔平成二四年三月三〇日政令第九四号「児童扶養手当法施行令等の一部を改正する政令」第二・三条による改正〕
第七〇次　〔平成二三年一二月二八日政令第四三〇号「国民健康保険法施行令等の一部を改正する政令」第一二条による改正〕
第七一次　〔平成二六年三月二四日政令第七三号「公的年金制度の健全性及び信頼性の確保のための厚生年金保険法等の一部を改正する法律の施行に伴う関係政令の整備等に関する政令」第二五条による改正〕
第七二次　〔平成二六年三月三一日政令第一一三号「児童扶養手当法施行令等の一部を改正する政令」第二・三条による改正〕
第七三次　〔平成二七年三月三一日政令第一三七号「児童扶養手当法施行令等の一部を改正する政令」第二・三条による改正〕
第七四次　〔平成二七年九月三〇日政令第三四二号「被用者年金制度の一元化等を図るための厚生年金保険法等の一部を改正する法律の施行に伴う厚生労働省関係政令等の整備に関する政令」第一七条による改正〕
第七五次　〔平成二八年三月三一日政令第一七五号「児童扶養手当法施行令等の一部を改正する政令」第二・三条による改正〕

第七六次〔平成二八年五月二五日政令第二二六号「外国人等の国際運輸業に係る所得に対する相互主義による所得税等の非課税に関する法律施行令等の一部を改正する政令」附則第一一条による改正〕
第七七次〔平成二九年三月三一日政令第九六号「児童扶養手当法施行令等の一部を改正する政令」第二・三条による改正〕
第七八次〔平成二九年一一月二九日政令第二九四号「国民年金法施行令等の一部を改正する政令」第三条による改正〕
第七九次〔平成三〇年三月三〇日政令第一〇八号「児童扶養手当法施行令等の一部を改正する政令」第二・三条による改正〕
第八〇次〔平成三〇年七月二七日政令第二三二号「児童扶養手当法施行令等の一部を改正する政令」第三条による改正〕
第八一次〔平成三一年二月八日政令第二一号「生活困窮者自立支援法施行令及び国民年金法施行令等の一部を改正する政令の一部を改正する政令」第二条による改正〕
第八二次〔平成三一年三月二九日政令第一一六号「児童扶養手当法施行令等の一部を改正する政令」第二・三条による改正〕
第八三次〔平成三一年四月五日政令第一四六号「厚生年金保険制度及び農林漁業団体職員共済組合制度の統合を図るための農林漁業団体職員共済組合法等を廃止する等の法律の一部を改正する法律の施行に伴う関係政令の整備及び経過措置に関する政令」第六条（令和二年三月政令第一三八号により一部改正）による改正〕
第八四次〔令和二年三月三〇日政令第九六号「児童扶養手当法施行令等の一部を改正する政令」第二・三条による改正〕
第八五次〔令和二年三月三〇日政令第一〇一号「国民年金法施行令等の一部を改正する政令」附則第九条による改正〕
第八六次〔令和二年七月八日政令第二一九号「雇用保険法等の一部を改正する法律の一部の施行に伴う関係政令の整備に関する政令」第七条による改正〕
第八七次〔令和二年九月四日政令第二七〇号「国民健康保険法施行令等の一部を改正する政令」第五条による改正〕
第八八次〔令和二年一二月二四日政令第三八一号「健康保険法施行令等の一部を改正する政令」第六条による改正〕
第八九次〔令和三年一二月二四日政令第三四八号「児童扶養手当法施行令及び特別児童扶養手当等の支給に関する法律施行令の一部を改正する政令」第二条による改正〕
第九〇次〔令和四年三月二五日政令第一〇九号「児童扶養手当法施行令等の一部を改正する政令」第二・三条による改正〕
第九一次〔令和五年三月三〇日政令第一一三号「児童扶養手当法施行令等の一部を改正する政令」第二・三条による改正〕

注 令和五年一一月六日政令第三一七号「特別児童扶養手当等の支給に関する法律施行令の一部を改正する政令」による改正は未施行につき〔参考〕として一三七六頁に収載（令和六年七月一日施行）

特別児童扶養手当等の支給に関する法律施行令

内閣は、特別児童扶養手当等の支給に関する法律（昭和三十九年法律第百三十四号）第三条第三項第二号、第六条、第七条、第九条第一項、第十条、第十七条第二号、第二十条、第二十一条、第二十三条及び第三十八条第一項の規定に基づき、特別児童扶養手当等の支給に関する法律施行令（昭和三十九年政令第二百六十一号）の全部を改正するこの政令を制定する。

（法第二条第二項、第三項及び第五項の政令で定める程度の障害の状態）

第一条 特別児童扶養手当等の支給に関する法律（以下「法」という。）第二条第二項に規定する政令で定める程度の重度の障害の状態は、別表第一に定めるとおりとする。

2 法第二条第三項に規定する政令で定める程度の著しく重度の障害の状態は、次に定めるとおりとする。

一 身体の機能の障害若しくは病状又は精神の障害（以下この項において「身体機能の障害等」という。）が別表第二各号の一に該当し、かつ、当該身体機能の障害等以外の身体機能の障害等がその他の同表各号の一に該当するもの

二 前号に定めるもののほか、身体機能の障害等が重複する場合（別表第二各号の一に該当する身体機能の障害等があるときに限る。）における障害の状態であつて、これにより日常生活において必要とされる介護の程度が前号に定める障害の状態によるものと同程度以上であるもの

三　身体機能の障害等が別表第一各号（第十号を除く。）の一に該当し、かつ、当該身体機能の障害等が前号と同程度以上と認められる程度のもの

3　法第二条第五項に規定する障害等級の各級の障害の状態は、別表第三に定めるとおりとする。

〔改正〕

追加（第一四次改正）

（法第三条第三項第二号の政令で定める給付）

第一条の二　法第三条第三項第二号に規定する障害を支給事由とする年金たる給付で政令で定めるものは、次のとおりとする。

一　国民年金法（昭和三十四年法律第百四十一号）に基づく障害基礎年金

一の二　厚生年金保険法（昭和二十九年法律第百十五号）に基づく障害厚生年金及び国民年金法等の一部を改正する法律（昭和六十年法律第三十四号。以下「法律第三十四号」という。）第三条の規定による改正前の厚生年金保険法に基づく障害年金

二　船員保険法（昭和十四年法律第七十三号）に基づく障害年金及び法律第三十四号第五条の規定による改正前の船員保険法に基づく障害年金

三　被用者年金制度の一元化等を図るための厚生年金保険法等の一部を改正する法律（平成二十四年法律第六十三号。以下「平成二十四年一元化法」という。）附則第三十六条第五項に規定する改正前国共済法による職域加算額のうち障害を給付事由とするもの及び平成二十四年一元化法附則第三十七条第一項に規定する給付のうち障害を給付事由とするもの

三の二　平成二十四年一元化法附則第四十一条第一項の規定による障害共済年金

四　平成二十四年一元化法附則第六十条第五項に規定する改正前地共済法による職域加算額のうち障害を給付事由とするもの及び平成二十四年一元化法附則第六十一条第一項に規定する給付のうち障害を給付事由とするもの

四の二　平成二十四年一元化法附則第六十五条第一項の規定による障害共済年金

五　平成二十四年一元化法附則第七十八条第三項に規定する給付のうち障害を給付事由とするもの及び平成二十四年一元化法附則第七十九条に規定する給付のうち障害を給付事由とするもの

六　移行農林共済年金（厚生年金保険制度及び農林漁業団体職員共済組合制度の統合を図るための農林漁業団体職員共済組合法等を廃止する等の法律（平成十三年法律第百一号）附則第十六条第四項に規定する移行農林共済年金をいう。第十一条第九号において同じ。）のうち障害共済年金及び移行農林年金（同法附則第十六条第六項に規定する移行農林年金をいう。同号において同じ。）のうち障害年金

七　労働者災害補償保険法（昭和二十二年法律第五十号）に基づく障害補償年金、複数事業労働者障害年金及び障害年金

八　国家公務員災害補償法（昭和二十六年法律第百九十一号。他の

法律において準用する場合を含む。）に基づく障害補償年金

九　地方公務員災害補償法（昭和四十二年法律第百二十一号）に基づく障害補償年金及び同法に基づく条例の規定に基づく年金たる補償で障害を支給事由とするもの

〔改正〕

一部改正（第八・一〇・一四〜一八・三九・四一・五二・五四・七四・八三・八六次改正）、旧第一条を本条に繰下（第一四次改正）

（法第六条及び第七条の政令で定める額）

第二条　法第六条に規定する政令で定める額は、同条に規定する扶養親族等及び児童扶養手当法（昭和三十六年法律第二百三十八号）第三条第一項に規定する者がいないときは、四百五十九万六千円とし、これらの者があるときは、四百五十九万六千円にこれらの者一人につき三十八万円（当該扶養親族等が所得税法（昭和四十年法律第三十三号）に規定する同一生計配偶者（七十歳以上の者に限る。以下この項及び第七条において同じ。）又は老人扶養親族であるときは、当該同一生計配偶者又は老人扶養親族一人につき四十八万円とし、当該扶養親族等が特定扶養親族等（同法に規定する特定扶養親族又は控除対象扶養親族（十九歳未満の者に限る。）をいう。以下同じ。）であるときは、当該特定扶養親族等一人につき六十三万円とする。）を加算した額とする。

2　法第七条に規定する政令で定める額は、同条に規定する扶養親族等がないときは、六百二十八万七千円とし、扶養親族等があるときは、当該扶養親族等の数に応じて、それぞれ次の表の下欄に定めるとおりとする。

扶養親族等の数	金額
一人	六、五三六、〇〇〇円
二人以上	六、五三六、〇〇〇円に扶養親族等のうち一人を除いた扶養親族等一人につき二一三、〇〇〇円を加算した額（所得税法に規定する老人扶養親族があるときは、その額に当該老人扶養親族一人につき（当該老人扶養親族のほかに扶養親族等がないときは、当該老人扶養親族のうち一人を除いた老人扶養親族一人につき）六〇、〇〇〇円を加算した額）

〔改正〕

一部改正（第一〜七・九・一一・一三・一九〜二二・二四・二六・二九・三一・三三・三七・三八・四〇・四三・四五・四八・七〇・七八次改正）

（法第九条第一項の政令で定める財産）

第三条　法第九条第一項に規定する政令で定める財産は、主たる生業の維持に供する田畑、宅地、家屋又は厚生労働大臣が定めるその他の財産とする。

〔改正〕

一部改正（第四九次改正）

〔委任〕

「厚生労働大臣が定める」＝昭和五〇年八月厚告第二五八号（特別児童扶養手当等の支給に関する法律施行令第三条に規定する主たる生業の維持に供するその他の財産）

（特別児童扶養手当の支給を制限する場合の所得の範囲）

第四条　法第六条から第八条まで及び第九条第二項各号に規定する所得は、地方税法（昭和二十五年法律第二百二十六号）第四条第二項第一号に掲げる道府県民税（都が同法第一条第二項の規定によつて

課する同法第四条第二項第一号に掲げる税を含む。以下同じ。）についての同法その他の道府県民税に関する法令の規定による非課税所得以外の所得とする。

（特別児童扶養手当の支給を制限する場合の所得の額の計算方法）

第五条　法第六条から第八条まで及び第九条第二項各号に規定する所得の額は、その所得が生じた年の翌年の四月一日の属する年度分の道府県民税に係る地方税法第三十二条第一項に規定する総所得金額（所得税法第二十八条第一項に規定する給与所得又は同法第三十五条第三項に規定する公的年金等に係る所得を有する場合には、同法第二十八条第二項の規定により計算した金額及び同法第三十五条第二項第一号の規定により計算した金額の合計額から十万円を控除して得た金額（当該金額が零を下回る場合には、零とする。）と同項第二号の規定により計算した金額とを合算した額を当該給与所得の金額及び同条第一項に規定する雑所得の金額の合計額として計算するものとする。）、退職所得金額及び山林所得金額、地方税法附則第三十三条の三第一項に規定する土地等に係る事業所得等の金額、同法附則第三十四条第一項に規定する長期譲渡所得の金額（租税特別措置法（昭和三十二年法律第二十六号）第三十三条の四第一項若しくは第二項、第三十四条第一項、第三十四条の二第一項、第三十四条の三第一項、第三十五条第一項、第三十五条の二第一項、第三十五条の三第一項又は第三十六条の規定の適用がある場合には、これらの規定の適用により同法第三十一条第一項に規定する長期譲渡所得の金額から控除する金額を控除した金額）、地方税法附則第三十五条第一項に規定する短期譲渡所得の金額（租税特別措置法第三十三条の四第一項若しくは第二項、第三十四条第一項、第三十四条の二第一項、第三十四条の三第一項、第三十五条第一項又は第三十六条の規定の適用がある場合には、これらの規定の適用により同法第三十二条第一項に規定する短期譲渡所得の金額から控除する金額を控除した金額）、地方税法附則第三十五条の四第一項に規定する先物取引に係る雑所得等の金額、外国居住者等の所得に対する相互主義による所得税等の非課税等に関する法律（昭和三十七年法律第百四十四号）第八条第二項（同法第十二条第五項及び第十六条第二項において準用する場合を含む。）に規定する特例適用利子等の額、同法第八条第四項（同法第十二条第六項及び第十六条第三項において準用する場合を含む。）に規定する特例適用配当等の額、租税条約等の実施に伴う所得税法、法人税法及び地方税法の特例等に関する法律（昭和四十四年法律第四十六号）第三条の二の二第四項に規定する条約適用利子等の額並びに同条第六項に規定する条約適用配当等の額の合計額から八万円を控除した額とする。

2　次の各号に該当する者については、当該各号に掲げる額を前項の規定によつて計算した額からそれぞれ控除するものとする。

一　前項に規定する道府県民税につき、地方税法第三十四条第一項第一号、第二号、第四号又は第十号の二に規定する控除を受けた者については、当該雑損控除額、医療費控除額、小規模企業共済等掛金控除額又は配偶者特別控除額に相当する額

二　前項に規定する道府県民税につき、地方税法第三十四条第一項

第六号に規定する控除を受けた者については、その控除の対象となつた障害者一人につき二十七万円（当該障害者が同号に規定する特別障害者であるときは、四十万円）

三　前項に規定する道府県民税につき、地方税法第三十四条第一項第八号に規定する控除を受けた者については、二十七万円

四　前項に規定する道府県民税につき、地方税法第三十四条第一項第八号の二に規定する控除を受けた者については、三十五万円

五　前項に規定する道府県民税につき、地方税法第三十四条第一項第九号に規定する控除を受けた者については、二十七万円

六　前項に規定する道府県民税につき、地方税法附則第六条第一項に規定する免除を受けた者については、当該免除に係る所得の額

〔改正〕

一部改正（第一・三・一三・二一・二二・二四・三二・三八・四五・五〇・五三・五七・六〇・六一・六七・七六・八〇・八七・八八次改正）

（特別児童扶養手当の額の改定）

第五条の二　令和五年四月以降の月分の特別児童扶養手当については、法第四条中「三万三千三百円」とあるのは「三万五千七百六十円」と、「五万円」とあるのは「五万三千七百円」と読み替えて、法の規定を適用する。

〔改正〕

追加（第三五次改正）、一部改正（第四二・四四・五六・六〇・六三・六五・六六・六八・六九・七二・七三・七五・七七・七九・八二・八四・九〇・九一次改正）

（法第十七条第一号の政令で定める給付）

第六条　法第十七条第一号に規定する障害を支給事由とする給付で政令で定めるものは、第一条の二各号に掲げる給付とする。

〔改正〕

全部改正（第一四次改正）

（法第二十条の政令で定める額）

第七条　法第二十条に規定する政令で定める額は、同条に規定する扶養親族等がないときは、三百六十万四千円とし、扶養親族等があるときは、三百六十万四千円に当該扶養親族等一人につき三十八万円（当該扶養親族等が所得税法に規定する同一生計配偶者又は老人扶養親族であるときは、当該同一生計配偶者又は老人扶養親族一人につき四十八万円とし、当該扶養親族等が特定扶養親族等であるときは、当該特定扶養親族等一人につき六十三万円とする。）を加算した額とする。

〔改正〕

全部改正（第六次改正）、一部改正（第七・九・一一・一三・一九〜二二・二四・二六・二九・三一・三三・三七・三八・四〇・四三・四五・四八・五〇・五三・七〇・七八次改正）

（特別児童扶養手当に関する規定の準用）

第八条　第二条第二項の規定は、法第二十一条に規定する所得の額について準用する。

2　第四条の規定は、法第二十条、第二十一条及び第二十二条第二項各号に規定する所得の範囲について準用する。

3　第五条の規定は、法第二十条及び第二十二条第二項第一号に規定する所得の額の計算方法について準用する。この場合において、第五条第一項中「合計額から八万円を控除した額」とあるのは「合計額」と、同条第二項第一号中「、第二号、第四号」とあるのは「か

ら第四号まで」と、「医療費控除額」とあるのは「医療費控除額、社会保険料控除額」と、同項第二号中「第三十四条第一項第六号に規定する控除」とあるのは「第三十四条第一項第六号に規定する控除（同法に規定する同一生計配偶者又は扶養親族である障害者に係るものに限る。）」と読み替えるものとする。

4　第五条の規定は、法第二十一条及び第二十二条第二項第二号に規定する所得の額の計算方法について準用する。

〔改正〕

一部改正（第一・一四・二一・七八次改正）

（国の費用の負担）

第九条　法第二十五条の規定による国の負担は、各年度において、都道府県、市（特別区を含む。）及び福祉事務所（社会福祉法（昭和二十六年法律第四十五号）に定める福祉に関する事務所をいう。）を設置する町村が障害児福祉手当の支給のために支出した費用の額から、法第二十二条第二項の規定による返還金、法第二十四条第一項の規定による徴収金その他の費用のための収入の額を控除した額について行う。

〔改正〕

追加（第一二次改正）、一部改正（第一四・四七次改正）

（障害児福祉手当の額の改定）

第九条の二　令和五年四月以降の月分の障害児福祉手当については、法第十八条中「一万四千百七十円」とあるのは、「一万五千二百二十円」と読み替えて、法の規定を適用する。

〔改正〕

追加（第三五次改正）、一部改正（第四二・四四・五六・六〇・六三・六五・六六・六八・六九・七二・七三・七五・七七・七九・八二・八四・九〇・九一次改正）

（法第二十六条の四の政令で定める給付）

第十条　法第二十六条の四に規定する障害を支給事由とする給付であつて、手当に相当するものとして政令で定めるものは、原子爆弾被爆者に対する援護に関する法律（平成六年法律第百十七号）に基づく介護手当とする。

〔改正〕

追加（第一四次改正）、一部改正（第三六次改正）

（特別障害者手当の額の改定）

第十条の二　令和五年四月以降の月分の特別障害者手当については、法第二十六条の三中「二万六千五十円」とあるのは、「二万七千九百八十円」と読み替えて、法の規定を適用する。

〔改正〕

追加（第三五次改正）、一部改正（第四二・四四・五六・六〇・六三・六五・六六・六八・六九・七二・七三・七五・七七・七九・八二・八四・九〇・九一次改正）

（特別障害者手当の支給を制限する場合の所得の範囲）

第十一条　法第二十六条の五において準用する法第二十条及び第二十二条第二項第一号に規定する所得は、地方税法第四条第二項第一号に掲げる道府県民税についての同法その他の道府県民税に関する法令の規定による非課税所得以外の所得及び次に掲げる給付であるその他の所得とする。

一　国民年金法に基づく年金たる給付

二　厚生年金保険法に基づく年金たる給付（公的年金制度の健全性及び信頼性の確保のための厚生年金保険法等の一部を改正する法

律（平成二十五年法律第六十三号。以下この号において「平成二十五年厚生年金等改正法」という。）附則第五条第一項の規定によりなおその効力を有するものとされた平成二十五年厚生年金等改正法第一条の規定による改正前の厚生年金保険法第百三十条第三項の規定に基づき平成二十五年厚生年金等改正法附則第三条第十一号に規定する存続厚生年金基金が加入員又は加入員であった者の障害に関し支給する年金たる給付及び平成二十五年厚生年金等改正法附則第四十条第三項第二号の規定に基づき平成二十五年厚生年金等改正法附則第三条第十三号に規定する存続連合会が障害を支給理由として行う年金たる給付を除き、厚生年金保険法附則第二十八条に規定する共済組合が支給する年金たる給付を含む。）

三　船員保険法に基づく年金たる給付

四　恩給法（大正十二年法律第四十八号。他の法律において準用する場合を含む。）に基づく年金たる給付

五　平成二十四年一元化法附則第三十六条第五項に規定する改正前国共済法による職域加算額及び平成二十四年一元化法附則第三十七条第一項に規定する給付

五の二　平成二十四年一元化法附則第四十一条第一項の規定による退職共済年金、障害共済年金及び遺族共済年金

六　地方公務員の退職年金に関する条例に基づく年金たる給付

七　平成二十四年一元化法附則第六十条第五項に規定する改正前地共済法による職域加算額及び平成二十四年一元化法附則第六十一条第一項に規定する給付

七の二　平成二十四年一元化法附則第六十五条第一項の規定による退職共済年金、障害共済年金及び遺族共済年金

八　平成二十四年一元化法附則第七十八条第三項に規定する給付及び平成二十四年一元化法附則第七十九条に規定する給付

九　移行農林共済年金及び移行農林年金

十　国会議員互助年金法を廃止する法律（平成十八年法律第一号）附則第二条第一項の規定によりなおその効力を有することとされる旧国会議員互助年金法（昭和三十三年法律第七十号）第二条第一項の互助年金並びに国会議員互助年金法を廃止する法律附則第七条第一項の普通退職年金、同法附則第十一条第一項の公務傷病年金及び同法附則第十二条第一項の遺族扶助年金

十一　執行官法の一部を改正する法律（平成十九年法律第十八号）による改正前の執行官法（昭和四十一年法律第百十一号）附則第十三条の規定に基づく年金たる給付

十二　旧令による共済組合等からの年金受給者のための特別措置法（昭和二十五年法律第二百五十六号）に基づいて国家公務員共済組合連合会が支給する年金たる給付

十三　戦傷病者戦没者遺族等援護法（昭和二十七年法律第百二十七号）に基づく年金たる給付

十四　未帰還者留守家族等援護法（昭和二十八年法律第百六十一号）に基づく留守家族手当（同法附則第四十五項に規定する手当を含む。）

十五　労働者災害補償保険法に基づく年金たる給付

十六　国家公務員災害補償法（他の法律において準用する場合を含

む。）に基づく年金たる補償

十七　公立学校の学校医、学校歯科医及び学校薬剤師の公務災害補償に関する法律（昭和三十二年法律第百四十三号）に基づく条例の規定に基づく年金たる補償

十八　地方公務員災害補償法及び同法に基づく条例の規定に基づく年金たる補償

〔改正〕　一部改正（第一四・三九・四一・五一・五二・五八・五九・六二・七一・七四・八三次改正）

（障害児福祉手当等に関する規定の準用）

第十二条　第七条の規定は、法第二十六条の五において準用する法第二十条に規定する所得の額について準用する。

2　第二条第二項の規定は、法第二十六条の五において準用する法第二十一条に規定する所得の額について準用する。

3　第四条の規定は、法第二十六条の五において準用する法第二十一条及び第二十二条第二項第二号に規定する所得の範囲について準用する。

4　第五条の規定は、法第二十六条の五において準用する法第二十条及び第二十二条第二項第一号に規定する所得の額の計算方法について準用する。この場合において、第五条第一項中「公的年金等」とあるのは「公的年金等若しくは第十一条に規定する給付（同項に規定する公的年金等に該当するものを除く。以下この項において同じ。）」と、「同法第三十五条第二項第一号」とあるのは「第十一条に規定する給付についても同法第三十五条第三項に規定する公的年金等とみなして同条第二項第一号」と、「合計額から八万円を控除した額」とあるのは「合計額」と、同条第二項第一号中「、第二号、第四号」とあるのは「から第四号まで」と、「医療費控除額」とあるのは「医療費控除額、社会保険料控除額」と、同項第二号中「第三十四条第一項第六号に規定する控除」とあるのは「第三十四条第一項第六号に規定する控除（同法に規定する同一生計配偶者又は扶養親族である障害者に係るものに限る。）」と読み替えるものとする。

5　第五条の規定は、法第二十六条の五において準用する法第二十一条及び第二十二条第二項第二号に規定する所得の額の計算方法について準用する。

6　第九条の規定は、法第二十六条の五において準用する法第二十五条の規定による国の負担について準用する。

〔改正〕　追加（第一四次改正）、一部改正（第二一・二二・二七・三一・五七・七八・八七次改正）

（市町村長が行う事務）

第十三条　法第三十八条第一項の規定により、次に掲げる事務は、市町村長（特別区の区長を含む。）が行うものとする。

一　法第五条に規定する認定の請求の受理及びその請求に係る事実についての審査に関する事務

二　法第十六条において準用する児童扶養手当法第八条第一項に規定する認定の請求の受理及びその請求に係る事実についての審査に関する事務

三　法第三十五条に規定する届出等の受理及びその届出に係る事実についての審査に関する事務

四　特別児童扶養手当に関する証書の交付に関する事務

五　同一都道府県の区域内における住所又は支払方法の変更に係る特別児童扶養手当に関する証書の記載事項の訂正に関する事務

〔改正〕

一部改正（第四六・六四次改正）、旧第九条を旧第一〇条に繰下（第一二次改正）、本条に繰下（第一四次改正）

附　則

（施行期日）

1　この政令は、昭和五十年十月一日から施行する。

（非常勤消防団員等に係る損害補償の基準を定める政令及び消防団員等公務災害補償等共済基金法施行令の一部を改正する政令の一部改正）

2　非常勤消防団員等に係る損害補償の基準を定める政令及び消防団員等公務災害補償等共済基金法施行令の一部を改正する政令（昭和四十一年政令第百八号）の一部を次のように改正する。

附則第六条第二項中「又は障害補償年金」を「、障害補償年金」に、「若しくは特別福祉手当」を「を受ける場合又は障害補償年金を受ける権利を有する者が同法の規定による福祉手当」に改める。

（厚生省組織令の一部改正）

3　厚生省組織令（昭和二十七年政令第三百八十八号）の一部を次のように改正する。

第四十二条中第十二号を第十三号とし、第六号から第十一号までを一号ずつ繰り下げ、第五号の次に次の一号を加える。

六　特別児童扶養手当等の支給に関する法律（昭和三十九年法律第百三十四号）の施行に関する事務のうち、福祉手当に関すること。ただし、監査指導課の主管に属するものを除く。

第四十四条の四に次の一号を加える。

三　特別児童扶養手当等の支給に関する法律に基づく都道府県知事及び市町村長が行う福祉手当の支給に関する事務についての監査及びこれに伴う指導に関すること。

第四十六条第十号中「（昭和三十九年法律第百三十四号）」を削り、「施行に関すること」の下に「（福祉手当に関することを除く。）」を加える。

附　則（第一次改正）

1　この政令は、昭和五十一年五月一日から施行する。

2　昭和五十一年四月以前の月分の児童扶養手当、特別児童扶養手当及び福祉手当の支給の制限並びに同月以前の月分の児童扶養手当、特別児童扶養手当及び福祉手当に相当する金額の返還については、なお従前の例による。

附　則（第二次改正）

1　この政令は、昭和五十二年五月一日から施行する。

2　昭和五十二年四月以前の月分の児童扶養手当、特別児童扶養手当及び福祉手当の支給の制限並びに同月以前の月分の児童扶養手当、特別児童扶養手当及び福祉手当に相当する金額の返還については、なお従前の例による。

附　則（第三次改正）抄

1　この政令は、昭和五十三年八月一日から施行する。

2　昭和五十三年七月以前の月分の児童扶養手当、特別児童扶養手当及び福祉手当の支給の制限並びに同月以前の月分の児童扶養手当、

なお従前の例による。

附　則（第四次改正）

1　この政令は、昭和五十四年八月一日から施行する。ただし、第三条の規定は、公布の日〔昭和五十四年五月二十九日〕から施行する。

2　昭和五十四年七月以前の月分の児童扶養手当、特別児童扶養手当及び福祉手当の支給の制限並びに同月以前の月分の児童扶養手当、特別児童扶養手当及び福祉手当に相当する金額の返還については、なお従前の例による。

附　則（第五次改正）抄

1　この政令は、昭和五十五年八月一日から施行する。〔以下略〕

3　昭和五十五年七月以前の月分の児童扶養手当、特別児童扶養手当及び福祉手当の支給の制限並びに同月以前の月分の児童扶養手当、特別児童扶養手当及び福祉手当に相当する金額の返還については、なお従前の例による。

附　則（第六次改正）抄

1　この政令は、昭和五十六年八月一日から施行する。

3　昭和五十六年七月以前の月分の児童扶養手当、特別児童扶養手当及び福祉手当の支給の制限並びに同月以前の月分の児童扶養手当、特別児童扶養手当及び福祉手当に相当する金額の返還については、なお従前の例による。

附　則（第七次改正）抄

1　この政令は、昭和五十七年八月一日から施行する。ただし、〔中略〕第二条中特別児童扶養手当等の支給に関する法律施行令第六条の改正規定は、公布の日〔昭和五十七年五月三十一日〕から施行する。

3　昭和五十七年七月以前の月分の特別児童扶養手当及び福祉手当の支給の制限並びに同月以前の月分の特別児童扶養手当及び福祉手当に相当する金額の返還については、なお従前の例による。

附　則（第八次改正）

この政令は、昭和五十七年十月一日から施行する。

附　則（第九次改正）抄

1　この政令は、昭和五十八年八月一日から施行する。〔以下略〕

3　昭和五十八年七月以前の月分の特別児童扶養手当及び福祉手当の支給の制限並びに同月以前の月分の特別児童扶養手当及び福祉手当に相当する金額の返還については、なお従前の例による。

附　則（第一〇次改正）抄

（施行期日）

第一条　この政令は、国家公務員及び公共企業体職員に係る共済組合制度の統合等を図るための国家公務員共済組合法等の一部を改正する法律の施行の日（昭和五十九年四月一日）から施行する。

附　則（第一一次改正）抄

1　この政令は、昭和五十九年八月一日から施行する。〔以下略〕

3　昭和五十九年七月以前の月分の特別児童扶養手当及び福祉手当の支給の制限並びに同月以前の月分の特別児童扶養手当及び福祉手当に相当する金額の返還については、なお従前の例による。

附　則（第一二次改正）抄

1　この政令は、公布の日〔昭和六十年五月十八日〕から施行する。

附　則（第一三次改正）抄

1　この政令は、昭和六十年八月一日から施行する。〔以下略〕

3　昭和六十年七月以前の月分の特別児童扶養手当及び福祉手当の支給の制限並びに同月以前の月分の特別児童扶養手当及び福祉手当に相当する金額の返還については、なお従前の例による。

附　則（第一四次改正）抄

（施行期日）

第一条　この政令は、昭和六十一年四月一日から施行する。

（障害児福祉手当の支給に関する経過措置）

第二条　この政令の施行の日（以下「施行日」という。）の前日において、二十歳未満であり、かつ、国民年金法等の一部を改正する法律（以下「法律第三十四号」という。）第七条の規定による改正前の特別児童扶養手当等の支給に関する法律（以下この条において「旧法」という。）第十七条に規定する福祉手当の支給要件に該当している者であつて、旧法第十九条の認定を受け、又は同条の認定を請求しているもののうち、施行日において法律第三十四号第七条の規定による改正後の特別児童扶養手当等の支給に関する法律（以下この条において「新法」という。）第十七条に規定する障害児福祉手当の支給要件に該当する者については、新法第十九条の認定を受けたものとみなし、その者に対する障害児福祉手当の支給は、昭和六十一年四月から始める。

（福祉手当の支給に関する経過措置）

第二条の二　令和五年四月以降の月分の法律第三十四号附則第九十七条第一項の規定による福祉手当（以下「福祉手当」という。）については、同条第二項において準用する特別児童扶養手当等の支給に関する法律（以下「法」という。）第十八条中「二万四千百七十円」とあるのは、「二万五千二百二十円」と読み替えて、同項において準用する同条の規定（附則第五条第二項第一号において引用する場合を含む。）を適用する。

〔**改正**〕

追加（第三五次改正）、一部改正（第四二・四四・五六・六〇・六三・六五・六六・六八・六九・七二・七三・七五・七七・七九・八二・八四・九〇・九一次改正）

第三条　法律第三十四号附則第九十七条第二項において準用する法第十七条第一号に規定する障害を支給事由とする給付で政令で定めるものは、次のとおりとする。

一　特別児童扶養手当等の支給に関する法律施行令（以下「令」という。）第十一条各号（第十四号を除く。）に掲げる給付で障害を支給事由とするもの

二　原子爆弾被爆者に対する援護に関する法律（平成六年法律第百十七号）に基づく介護手当

三　法に基づく特別障害者手当

四　特定障害者に対する特別障害給付金の支給に関する法律（平成十六年法律第百六十六号）に基づく特別障害給付金

〔**改正**〕

一部改正（第二三・二四〜二六・五五次改正）

第四条　令第七条及び第八条の規定は、福祉手当の支給を制限する場合の所得の額及び範囲並びにその額の計算方法について準用する。

〔**改正**〕

一部改正（第二三・二四・二五次改正）

第五条　施行日の前日において児童扶養手当法（昭和三十六年法律第二百三十八号）第四条に規定する児童扶養手当の支給要件（以下「児童扶養手当の支給要件」という。）に該当している者（その監護し、又は養育する児童（同条第二項各号に該当する児童を除く。）が一人である場合に限る。）であつて、同法第六条の認定を受け、又は同条の認定の請求をしているもの（施行日の前日の属する月の月分の児童扶養手当の全部又は一部が支給を制限されている者を除く。）に対する昭和六十一年四月以降の月分の福祉手当の支給については、その者が法律第三十四号附則第二十五条の規定による障害基礎年金（以下「障害基礎年金」という。）の支給を受けることができる場合における当該支給に係る障害基礎年金は、附則第三条第一号に掲げる給付に該当しないものとみなす。ただし、その者が児童扶養手当の支給要件に該当しなくなつたとき（障害基礎年金の支給を受けることができることにより児童扶養手当の支給要件に該当しなくなつたときを除く。）は、当該該当しなくなつた日の属する月の翌月以降の月分の当該福祉手当の支給については、この限りでない。

2　前項本文の場合における福祉手当の額は、法律第三十四号附則第九十七条第二項において準用する法第十八条の規定にかかわらず、第一号に掲げる額から第二号に掲げる額を減じた額とする。

一　児童扶養手当法第五条第一項に規定する額、法律第三十四号附則第九十七条第二項において準用する法第十八条に規定する額及び法律第三十四号第一条の規定による改正前の国民年金法（昭和三十四年法律第百四十一号）第五十八条に規定する障害の程度が一級の者に支給する障害福祉年金の額を十二で除して得た額の合算額

二　障害の程度が障害等級の一級に該当する者に支給する障害基礎年金の額（国民年金法第三十三条の二の規定により加算する額を除く。）及び同条の規定により子が一人あるときに加算する額の合算額を十二で除して得た額（その額に一円未満の端数があるときは、これを切り捨てるものとする。）

〔改正〕

一部改正（第二三次改正）

附　則（第一五次改正）抄

（施行期日）

第一条　この政令は、昭和六十一年四月一日から施行する。

附　則（第一六次改正）抄

（施行期日）

第一条　この政令は、昭和六十一年四月一日から施行する。

附　則（第一七次改正）抄

（施行期日）

1　この政令は、昭和六十一年四月一日から施行する。

附　則（第一八次改正）抄

（施行期日）

第一条　この政令は、昭和六十一年四月一日から施行する。

附　則（第一九次改正）

1　この政令は、昭和六十一年八月一日から施行する。
2　昭和六十一年七月以前の月分の児童扶養手当、特別障害者手当及び国民年金法等の一部を改正する法律附則第九十七条第一項の規定による福祉手当（以下「福祉手当」という。）の支給の制限並びに同月以前の月分の児童扶養手当、特別児童扶養手当、障害児福祉手当、特別障害者手当及び福祉手当に相当する金額の返還については、なお従前の例による。

附　則（第二〇次改正）抄

1　この政令は、昭和六十二年八月一日から施行する。〔以下略〕
3　昭和六十二年七月以前の月分の児童扶養手当、特別児童扶養手当、障害児福祉手当、特別障害者手当及び国民年金法等の一部を改正する法律附則第九十七条第一項の規定による福祉手当（以下「福祉手当」という。）の支給の制限並びに同月以前の月分の児童扶養手当、特別児童扶養手当、障害児福祉手当、特別障害者手当及び福祉手当に相当する金額の返還については、なお従前の例による。

附　則（第二一次改正）抄

1　この政令は、昭和六十三年八月一日から施行する。〔以下略〕
2　昭和六十三年七月以前の月分の児童扶養手当、特別児童扶養手当、障害児福祉手当、特別障害者手当及び国民年金法等の一部を改正する法律（昭和六十年法律第三十四号）附則第九十七条第一項の規定による福祉手当（以下「福祉手当」という。）の支給の制限並びに同月以前の月分の児童扶養手当、特別児童扶養手当、障害児福祉手当、特別障害者手当及び福祉手当に相当する金額の返還については、なお従前の例による。

附　則（第二二次改正）抄

1　この政令は、平成元年八月一日から施行する。〔以下略〕
3　平成元年七月以前の月分の児童扶養手当、特別児童扶養手当、障害児福祉手当、特別障害者手当及び国民年金法等の一部を改正する法律附則第九十七条第一項の規定による福祉手当（以下「福祉手当」という。）の支給の制限並びに同月以前の月分の児童扶養手当、特別児童扶養手当、障害児福祉手当、特別障害者手当及び福祉手当に相当する金額の返還については、なお従前の例による。

附　則（第二三次改正）

この政令は、平成二年四月一日から施行する。

附　則（第二四次改正）

1　この政令は、平成二年八月一日から施行する。
2　平成二年七月以前の月分の児童扶養手当、特別児童扶養手当、障害児福祉手当、特別障害者手当及び国民年金法等の一部を改正する法律（昭和六十年法律第三十四号）附則第九十七条第一項の規定による福祉手当（以下「福祉手当」という。）の支給の制限並びに同月以前の月分の児童扶養手当、特別児童扶養手当、障害児福祉手当、特別障害者手当及び福祉手当に相当する金額の返還については、なお従前の例による。

附　則（第二五次改正）

1　この政令は、平成三年四月一日から施行する。
2　平成三年三月以前の月分の特別児童扶養手当、障害児福祉手当、

特別障害者手当及び国民年金法等の一部を改正する法律附則第九十七条第一項の規定による福祉手当の額については、なお従前の例による。

附　則（第二六次改正）抄

1　この政令は、平成三年八月一日から施行する。

3　平成三年七月以前の月分の児童扶養手当、特別児童扶養手当、障害児福祉手当、特別障害者手当及び国民年金法等の一部を改正する法律附則第九十七条第一項の規定による福祉手当（以下「福祉手当」という。）の支給の制限並びに同月以前の月分の児童扶養手当、特別児童扶養手当、障害児福祉手当、特別障害者手当及び福祉手当に相当する金額の返還については、なお従前の例による。

附　則（第二七次改正）

1　この政令は、公布の日（平成三年七月三十一日）から施行する。ただし、第二条の規定は、平成三年八月一日から施行する。

2　第一条の規定による改正後の特別児童扶養手当等の支給に関する法律施行令第十二条の規定は、平成二年四月一日から適用する。

附　則（第二八次改正）

1　この政令は、平成四年四月一日から施行する。

2　平成四年三月以前の月分の特別児童扶養手当、障害児福祉手当、特別障害者手当及び国民年金法等の一部を改正する法律附則第九十七条第一項の規定による福祉手当の額については、なお従前の例による。

附　則（第二九次改正）抄

1　この政令は、平成四年八月一日から施行する。

3　平成四年七月以前の月分の児童扶養手当、特別児童扶養手当、障害児福祉手当、特別障害者手当及び国民年金法等の一部を改正する法律附則第九十七条第一項の規定による福祉手当（以下「福祉手当」という。）の支給の制限並びに同月以前の月分の児童扶養手当、特別児童扶養手当、障害児福祉手当、特別障害者手当及び福祉手当に相当する金額の返還については、なお従前の例による。

附　則（第三〇次改正）

1　この政令は、平成五年四月一日から施行する。

2　平成五年三月以前の月分の特別児童扶養手当、障害児福祉手当、特別障害者手当及び国民年金法等の一部を改正する法律附則第九十七条第一項の規定による福祉手当の額については、なお従前の例による。

附　則（第三一次改正）抄

1　この政令は、平成五年八月一日から施行する。ただし、〔中略〕第四条中特別児童扶養手当等の支給に関する法律施行令第五条第一項及び第十二条第四項の改正規定並びに附則第四項から第九項までの規定は、平成六年四月一日から施行する。

3　平成五年七月以前の月分の児童扶養手当、特別児童扶養手当、障害児福祉手当、特別障害者手当及び国民年金法等の一部を改正する法律附則第九十七条第一項の規定による福祉手当（以下「福祉手当」という。）の支給の制限並びに同月以前の月分の児童扶養手当、特別児童扶養手当、障害児福祉手当、特別障害者手当及び福祉手当に相当する金額の返還については、なお従前の例による。

8　平成六年七月以前の月分の特別児童扶養手当、障害児福祉手当及び福祉手当の支給の制限について第四条の規定による改正後の特別児童扶養手当等の支給に関する法律施行令第五条第一項（同令第八条第三項（特別児童扶養手当等の支給に関する法律施行令の一部を改正する政令（昭和六十年政令第三百二十三号）附則第四条において準用する場合を含む。）において読み替えて準用する場合を含む。）の規定が適用される場合においては、第四条の規定による改正後の特別児童扶養手当等の支給に関する法律施行令第五条第一項中「総所得金額」とあるのは、「総所得金額（地方税法の一部を改正する法律（平成四年法律第五号）による改正前の地方税法附則第三十三条の二の規定の適用を受ける者については、その者が当該規定の適用を受ける者でないものとして算定した同法第三十二条第一項に規定する総所得金額）」とする。

9　平成六年七月以前の月分の特別障害者手当の支給の制限について第四条の規定による改正後の特別児童扶養手当等の支給に関する法律施行令第十二条第四項の規定が適用される場合においては、同項中「所得税法」とあるのは、「地方税法の一部を改正する法律（平成四年法律第五号）による改正前の地方税法附則第三十三条の二の規定の適用を受ける者については、その者が当該規定の適用を受ける者でないものとして算定した総所得金額とし、所得税法」とする。

附　則（第三二次改正）

1　この政令は、平成六年四月一日から施行する。

2　平成六年三月以前の月分の特別児童扶養手当、障害児福祉手当、特別障害者手当及び国民年金法等の一部を改正する法律附則第九十七条第一項の規定による福祉手当の額については、なお従前の例による。

附　則（第三三次改正）抄

1　この政令は、平成六年八月一日から施行する。

3　平成六年七月以前の月分の児童扶養手当、特別児童扶養手当、障害児福祉手当、特別障害者手当及び国民年金法等の一部を改正する法律附則第九十七条第一項の規定による福祉手当（以下「福祉手当」という。）の支給の制限並びに同月以前の月分の児童扶養手当、特別児童扶養手当、障害児福祉手当、特別障害者手当及び福祉手当に相当する金額の返還については、なお従前の例による。

附　則（第三四次改正）抄

（施行期日等）

第一条　この政令は、公布の日〔平成六年十一月九日〕から施行する。〔以下略〕

2　次の各号に掲げる規定は、それぞれ当該各号に定める日から適用する。

一　〔前略〕第十一条の規定、第十二条の規定による改正後の特別児童扶養手当等の支給に関する法律施行令の一部を改正する政令の規定〔中略〕　平成六年十月一日

附　則（第三五次改正）

特別児童扶養手当等の支給に関する法律施行令

この政令は、平成七年四月一日から施行する。

附　則（第三六次改正）抄

（施行期日）

第一条　この政令は、平成七年七月一日（以下「施行日」という。）から施行する。

附　則（第三七次改正）抄

1　この政令は、平成七年八月一日から施行する。

3　平成七年七月以前の月分の児童扶養手当、特別児童扶養手当、障害児福祉手当、特別障害者手当及び国民年金法等の一部を改正する法律附則第九十七条第一項の規定による福祉手当（以下「福祉手当」という。）の支給の制限並びに同月以前の月分の児童扶養手当、特別児童扶養手当、障害児福祉手当、特別障害者手当及び福祉手当に相当する金額の返還については、なお従前の例による。

附　則（第三八次改正）抄

（施行期日）

1　この政令は、平成八年八月一日から施行する。

（経過措置）

3　平成八年七月以前の月分の児童扶養手当、特別児童扶養手当、障害児福祉手当、特別障害者手当及び国民年金法等の一部を改正する法律附則第九十七条第一項の規定による福祉手当（以下「福祉手当」という。）の支給の制限並びに同月以前の月分の児童扶養手当、特別児童扶養手当、障害児福祉手当、特別障害者手当及び福祉手当に相当する金額の返還については、なお従前の例による。

附　則（第三九次改正）抄

（施行期日）

第一条　この政令は、平成九年四月一日から施行する。

附　則（第四〇次改正）抄

（施行期日）

1　この政令は、平成九年八月一日から施行する。

（経過措置）

3　平成九年七月以前の月分の児童扶養手当、特別児童扶養手当、障害児福祉手当、特別障害者手当及び国民年金法等の一部を改正する法律附則第九十七条第一項の規定による福祉手当（以下「福祉手当」という。）の支給の制限並びに同月以前の月分の児童扶養手当、特別児童扶養手当、障害児福祉手当、特別障害者手当及び福祉手当に相当する金額の返還については、なお従前の例による。

附　則（第四一次改正）抄

（施行期日）

第一条　この政令は、平成十年一月一日から施行する。

附　則（第四二次改正）抄

（施行期日）

1　この政令は、平成十年四月一日から施行する。

（経過措置）

2　平成十年三月以前の月分の児童扶養手当、特別児童扶養手当、障害児福祉手当、特別障害者手当及び国民年金法等の一部を改正する法律附則第九十七条第一項の規定による福祉手当の額については、なお従前の例による。

附　則（第四三次改正）抄

（施行期日）

1　この政令は、平成十年八月一日から施行する。

（経過措置）

3　平成十年七月以前の月分の特別児童扶養手当、障害児福祉手当、特別障害者手当及び国民年金法等の一部を改正する法律附則第九十七条第一項の規定による福祉手当（以下「福祉手当」という。）の支給の制限並びに同月以前の月分の特別児童扶養手当、障害児福祉手当、特別障害者手当及び福祉手当に相当する金額の返還については、なお従前の例による。

附　則（第四四次改正）抄

（施行期日）

1　この政令は、平成十一年四月一日から施行する。

（経過措置）

2　平成十一年三月以前の月分の児童扶養手当、特別児童扶養手当、障害児福祉手当、特別障害者手当及び国民年金法等の一部を改正する法律附則第九十七条第一項の規定による福祉手当の額については、なお従前の例による。

附　則（第四五次改正）抄

（施行期日）

1　この政令は、平成十一年六月一日から施行する。ただし、〔中略〕第七条並びに次項及び附則第四項の規定は、平成十一年八月一日から施行する。

（経過措置）

4　平成十一年七月以前の月分の特別児童扶養手当、障害児福祉手当、特別障害者手当及び昭和六十年改正法附則第九十七条第一項の規定による福祉手当（以下「福祉手当」という。）の支給の制限並びに同月以前の月分の特別児童扶養手当、障害児福祉手当、特別障害者手当及び福祉手当に相当する金額の返還については、なお従前の例による。

附　則（第四六次改正）抄

（施行期日）

第一条　この政令は、平成十二年四月一日から施行する。〔以下略〕

附　則（第四七次改正）

この政令は、公布の日〔平成十二年六月七日〕から施行する。

附　則（第四八次改正）抄

（施行期日）

1　この政令は、平成十二年八月一日から施行する。

（経過措置）

3　平成十二年七月以前の月分の特別児童扶養手当、障害児福祉手当、特別障害者手当及び国民年金法等の一部を改正する法律附則第九十七条第一項の規定による福祉手当（以下「福祉手当」という。）の支給の制限並びに同月以前の月分の特別児童扶養手当、障害児福祉手当、特別障害者手当及び福祉手当に相当する金額の返還については、なお従前の例による。

附　則（第四九次改正）抄

（施行期日）

1　この政令は、内閣法の一部を改正する法律（平成十一年法律第八十八号）の施行の日（平成十三年一月六日）から施行する。〔以下略〕

附　則（第五〇次改正）抄

（施行期日）

1　この政令は、平成十三年八月一日から施行する。

（経過措置）

3　平成十三年七月以前の月分の児童扶養手当、特別児童扶養手当、障害児福祉手当、特別障害者手当及び国民年金法等の一部を改正する法律附則第九十七条第一項の規定による福祉手当（以下「福祉手当」という。）の支給の制限並びに同月以前の月分の児童扶養手当、特別児童扶養手当、障害児福祉手当、特別障害者手当及び福祉手当に相当する金額の返還については、なお従前の例による。

附　則（第五一次改正）

この政令は、平成十四年四月一日から施行する。

附　則（第五二次改正）抄

（施行期日）

第一条　この政令は、平成十四年四月一日から施行する。

附　則（第五三次改正）抄

（施行期日）

1　この政令は、平成十四年六月一日から施行する。ただし、〔中略〕第七条〔中略〕の規定は、平成十四年八月一日から施行する。

附　則（第五四次改正）抄

（施行期日）

第一条　この政令は、平成十六年十月一日から施行する。

附　則（第五五次改正）抄

（施行期日）

第一条　この政令は、平成十七年四月一日から施行する。

附　則（第五六次改正）抄

（施行期日）

第一条　この政令は、平成十七年四月一日から施行する。

附　則（第五七次改正）抄

（施行期日）

第一条　この政令は、公布の日〔平成十七年六月一日〕から施行する。

（特別児童扶養手当等の支給に関する法律施行令の一部改正に伴う経過措置）

第七条　第五条の規定による改正後の特別児童扶養手当等の支給に関する法律施行令第五条第一項（特別児童扶養手当等の支給に関する法律施行令の一部を改正する政令（昭和六十年政令第三百二十三号）附則第四条において準用する特別児童扶養手当等の支給に関する法律施行令第八条第三項において準用する場合を含む。）の規定は、平成十七年八月以後の月分の特別児童扶養手当、障害児福祉手当、特別障害者手当及び国民年金法等の一部を改正する法律附則第九十七条第一項の規定による福祉手当（以下「福祉手当」という。）の支給の制限並びに同月以後の月分の特別児童扶養手当、障害児福祉手当、特別障害者手当及び福祉手当に相当する金額の返還について適用し、同年七月以前の月分の特別児童扶養手当、障害児福祉手当、特別障害者手当及び福祉手当の支給の制限並びに同月以前の月分の特別児童扶養手当、障害児福祉手当、特別障害者手当及び福祉手当に相当する金額の返還については、なお従前の例による。

2　第五条の規定による改正後の特別児童扶養手当等の支給に関する法律施行令第十二条第四項の規定は、平成十八年八月以後の月分の特別障害者手当の支給の制限及び同月以後の月分の特別障害者手当に相当する金額の返還について適用し、同年七月以前の月分の特別障害者手当の支給の制限及び同月以前の月分の特別障害者手当に相当する金額の返還については、なお従前の例による。

附　則（第五八次改正）抄

（施行期日）

第一条　この政令は、国民年金法等の一部を改正する法律（平成十六年法律第百四号）（次条において「平成十六年改正法」という。）附則第一条第二号に掲げる規定の施行の日（平成十七年十月一日）から施行する。

附　則（第五九次改正）抄

（施行期日）

1　この政令は、平成十八年四月一日から施行する。

附　則（第六〇次改正）抄

（施行期日）

第一条　この政令は、平成十八年四月一日から施行する。

（特別児童扶養手当等の支給に関する法律施行令の一部改正に伴う経過措置）

第五条　第二条の規定による改正後の特別児童扶養手当等の支給に関する法律施行令第五条第二項（特別児童扶養手当等の支給に関する法律施行令の一部を改正する政令附則第四条において準用する特別児童扶養手当等の支給に関する法律施行令第八条第三項において準用する場合を含む。）の規定は、平成十八年八月以後の月分の特別児童扶養手当、障害児福祉手当、特別障害者手当及び国民年金法等の一部を改正する法律附則第九十七条第一項の規定による福祉手当（以下「福祉手当」という。）の支給の制限並びに同月以後の月分の特別児童扶養手当、障害児福祉手当、特別障害者手当及び福祉手当に相当する金額の返還について適用し、同年七月以前の月分の特別児童扶養手当、障害児福祉手当、特別障害者手当及び福祉手当の支給の制限並びに同月以前の月分の特別児童扶養手当、障害児福祉手当、特別障害者手当及び福祉手当に相当する金額の返還については、なお従前の例による。

附　則（第六一次改正）抄

（施行期日）

第一条　この政令は、平成十八年四月一日から施行する。〔以下略〕

附　則（第六二次改正）

この政令は、平成十九年四月一日から施行する。

附　則（第六三次改正）抄

（施行期日）

第一条　この政令は、公布の日（平成十九年四月一日）から施行する。

附　則（第六四次改正）抄

（施行期日）

第一条　この政令は、平成十九年十月一日から施行する。〔以下略〕

附　則（第六五次改正）抄

（施行期日）

第一条　この政令は、平成二十一年四月一日から施行する。

附　則（第六六次改正）抄

（施行期日）

第一条　この政令は、公布の日〔平成二十二年四月一日〕から施行する。

附　則（第六七次改正）抄

（施行期日）

第一条　この政令は、平成二十二年六月一日から施行する。〔以下略〕

附　則（第六八次改正）抄

（施行期日）

第一条　この政令は、平成二十三年四月一日から施行する。

附　則（第六九次改正）抄

（施行期日）

1　この政令は、平成二十四年四月一日から施行する。

附　則（第七〇次改正）抄

（施行期日）

第一条　この政令は、平成二十四年四月一日から施行する。ただし、次の各号に掲げる規定は、それぞれ当該各号に定める日から施行する。

二　〔前略〕第九条から第十二条までの規定並びに〔中略〕附則第五条から第十一条までの規定　平成二十四年八月一日

（特別児童扶養手当等の支給に関する法律施行令の一部改正に伴う経過措置）

第十一条　第十二条の規定による改正後の特別児童扶養手当等の支給に関する法律施行令第二条第一項及び第七条（同令第十二条第一項及び特別児童扶養手当等の支給に関する法律施行令の一部を改正する政令（昭和六十年政令第三百二十三号）附則第四条において準用する場合を含む。）の規定は、平成二十三年以後の年の所得による特別児童扶養手当、障害児福祉手当、特別障害者手当及び昭和六十年国民年金等改正法〔国民年金法等の一部を改正する法律（昭和六十年法律第三十四号）〕附則第九十七条第一項の規定による福祉手当（以下「福祉手当」という。）の支給の制限並びに平成二十三年以後の年の所得による特別児童扶養手当、障害児福祉手当、特別障害者手当及び福祉手当に相当する金額の返還について適用し、平成二十二年以前の年の所得による支給の制限及び返還については、なお従前の例による。

附　則（第七一次改正）抄

（施行期日）

第一条　この政令は、公的年金制度の健全性及び信頼性の確保のための厚生年金保険法等の一部を改正する法律（以下「平成二十五年改正法」という。）の施行の日（平成二十六年四月一日）から施行する。

附　則（第七二次改正）抄

（施行期日）

1　この政令は、平成二十六年四月一日から施行する。

（経過措置）

2　平成二十六年三月以前の月分の児童扶養手当法（昭和三十六年法律第二百三十八号）による児童扶養手当、特別児童扶養手当等の支給に関する法律（昭和三十九年法律第百三十四号）による特別児童扶養手当、障害児福祉手当及び特別障害者手当、国民年金法等の一部を改正する法律（昭和六十年法律第三十四号）附則第九十七条第一項の規定による福祉手当並びに原子爆弾被爆者に対する援護に関する法律（平成六年法律第百十七号）による医療特別手当、特別手当、原子爆弾小頭症手当、健康管理手当及び保健手当については、なお従前の例による。

附　則（第七三次改正）抄

（施行期日）

1　この政令は、平成二十七年四月一日から施行する。

（経過措置）

2　平成二十七年三月以前の月分の児童扶養手当法（昭和三十六年法律第二百三十八号）による児童扶養手当、特別児童扶養手当等の支給に関する法律（昭和三十九年法律第百三十四号）による特別児童扶養手当、障害児福祉手当及び特別障害者手当並びに国民年金法等の一部を改正する法律（昭和六十年法律第三十四号）附則第九十七条第一項の規定による福祉手当については、なお従前の例による。

附　則（第七四次改正）抄

（施行期日）

第一条　この政令は、平成二十七年十月一日から施行する。

附　則（第七五次改正）抄

（施行期日）

1　この政令は、平成二十八年四月一日から施行する。

（経過措置）

2　平成二十八年三月以前の月分の児童扶養手当法（昭和三十六年法律第二百三十八号）による児童扶養手当、特別児童扶養手当等の支給に関する法律（昭和三十九年法律第百三十四号）による特別児童扶養手当、障害児福祉手当及び特別障害者手当並びに国民年金法等の一部を改正する法律（昭和六十年法律第三十四号）附則第九十七条第一項の規定による福祉手当については、なお従前の例による。

附　則（第七六次改正）抄

（施行期日）

第一条　この政令は、所得税法等の一部を改正する法律（平成二十八年法律第十五号。次条第二項及び附則第四条第二項において「改正法」という。）附則第一条第五号に掲げる規定の施行の日（平成二十九年一月一日）から施行する。〔以下略〕

附　則（第七七次改正）抄

（施行期日）

1　この政令は、平成二十九年四月一日から施行する。

（経過措置）

2　平成二十九年三月以前の月分の児童扶養手当法による児童扶養手当、特別児童扶養手当等の支給に関する法律による特別児童扶養手当、障害児福祉手当及び特別障害者手当並びに国民年金法等の一部を改正する法律附則第九十七条第一項の規定による福祉手当については、なお従前の例による。

附　則（第七八次改正）抄

（施行期日）

第一条　この政令は、平成三十年一月一日から施行する。ただし、第三条中特別児童扶養手当等の支給に関する法律施行令第八条第三項及び第十二条第四項の改正規定は、平成三十一年一月一日から施行する。

（経過措置）

第二条

4　第三条の規定による改正後の特別児童扶養手当等の支給に関する法律施行令第二条第一項、第七条（同令第十二条第一項及び特別児童扶養手当等の支給に関する法律施行令の一部を改正する政令（昭和六十年政令第三百二十三号。以下この項において「昭和六十年改正政令」という。）附則第四条において準用する場合を含む。）、第八条第三項（昭和六十年改正政令附則第四条において準用する場合を含む。）及び第十二条第四項の規定は、それぞれ令和元年八月以後の月分の特別児童扶養手当等の支給に関する法律の規定による特別児童扶養手当、障害児福祉手当及び特別障害者手当並びに昭和六十年改正法（国民年金法等の一部を改正する法律（昭和六十年法律第三十四号））附則第九十七条第一項の規定による福祉手当（以下この項において「特別児童扶養手当等」という。）の支給の制限について適用し、同年七月以前の月分の特別児童扶養手当等の支給の制限については、なお従前の例による。

〔**改正**〕

一部改正（第八一・八五次改正）

附　則（第七九次改正）抄

（施行期日）

1　この政令は、平成三十年四月一日から施行する。

（経過措置）

2　平成三十年三月以前の月分の児童扶養手当法（昭和三十六年法律第二百三十八号）による児童扶養手当、特別児童扶養手当等の支給に関する法律（昭和三十九年法律第百三十四号）による特別児童扶養手当、障害児福祉手当及び特別障害者手当並びに国民年金法等の一部を改正する法律（昭和六十年法律第三十四号）附則第九十七条第一項の規定による福祉手当については、なお従前の例による。

附　則（第八〇次改正）抄

（施行期日）

第一条　この政令は、平成三十年八月一日から施行する。

（特別児童扶養手当等の支給に関する法律施行令の一部改正に伴う経過措置）

第四条　第三条の規定による改正後の特別児童扶養手当等の支給に関する法律施行令第五条（特別児童扶養手当等の支給に関する法律施行令の一部を改正する政令（昭和六十年政令第三百二十三号）附則第四条において準用する特別児童扶養手当等の支給に関する法律施行令第八条第三項及び第四項において準用する場合を含む。）の規定は、平成三十年八月以後の月分の特別児童扶養手当等（特別児童扶養手当、障害児福祉手当、特別障害者手当及び国民年金法等の一部を改正する法律〔昭和六十年法律第三十四号〕附則第九十七条第一項の規定による福祉手当をいう。以下この条において同じ。）の支給の制限及び同月以後の月分の特別児童扶養手当等に相当する金額の返還について適用し、同年七月以前の月分の特別児童扶養手当等の支給の制限及び同月以前の月分の特別児童扶養手当等に相当する金額の返還については、なお従前の例による。

附　則（第八一次改正）

この政令は、平成三十一年四月一日から施行する。

附　則（第八二次改正）抄

（施行期日）

1　この政令は、平成三十一年四月一日から施行する。

（経過措置）

2　平成三十一年三月以前の月分の児童扶養手当法による児童扶養手当、特別児童扶養手当等の支給に関する法律による特別児童扶養手当、障害児福祉手当及び特別障害者手当並びに国民年金法等の一部を改正する法律〔昭和六十年法律第三十四号〕附則第九十七条第一項の規定による福祉手当については、なお従前の例による。

附　則（第八三次改正）抄

（施行期日）

第一条　この政令は、平成三十年改正法の施行の日（令和二年四月一日）から施行する。

（特別児童扶養手当等の支給に関する法律施行令の一部改正に伴う経過措置）

第五条　第六条の規定による改正後の特別児童扶養手当等の支給に関する法律施行令第十一条（第九号に係る部分に限る。）の規定は、平成三十三年以後の年の所得による特別障害者手当の支給の制限及び平成三十三年以後の年の所得による特別障害者手当に相当する金額の返還について適用し、平成三十二年以前の年の所得による支給の制限及び返還については、なお従前の例による。

附　則（第八四次改正）抄

（施行期日）

1　この政令は、令和二年四月一日から施行する。

（経過措置）

2　令和二年三月以前の月分の児童扶養手当法による児童扶養手当、特別児童扶養手当等の支給に関する法律による特別児童扶養手当、障害児福祉手当及び特別障害者手当並びに国民年金法等の一部を改正する法律〔昭和六十年法律第三十四号〕附則第九十七条第一項の規定による福祉手当については、なお従前の例による。

附　則（第八五次改正）抄

（施行期日）

第一条　この政令は、令和二年四月一日から施行する。

附　則（第八六次改正）抄

この政令は、雇用保険法等の一部を改正する法律附則第一条第三号に掲げる規定の施行の日（令和二年九月一日）から施行する。〔以下略〕

附　則（第八七次改正）抄

（施行期日）

第一条　この政令は、令和三年一月一日から施行する。

（特別児童扶養手当等の支給に関する法律施行令の一部改正に伴う経過措置）

第六条　第五条の規定による改正後の特別児童扶養手当等の支給に関する法律施行令第五条第一項（特別児童扶養手当等の支給に関する法律施行令第八条第三項及び第四項（これらの規定を特別児童扶養手当等の支給に関する法律施行令の一部を改正する政令（昭和六十年政令第三百二十三号）附則第四条において準用する場合を含む。）並びに第十二条第五項並びに第五条の規定による改正後の特別児童扶養手当等の支給に関する法律施行令第十二条第四項において準用する場合を含む。）の規定は、令和二年以後の年の所得による特別児童扶養手当、障害児福祉手当、特別障害者手当及び国民年金法等の一部を改正する法律（昭和六十年法律第三十四号）附則第九十七条第一項の規定による福祉手当（以下この条において「特別児童扶養手当等」という。）の支給の制限並びに特別児童扶養手当等に相当する金額の返還について適用し、令和元年以前の年の所得による当該支給の制限及び返還については、なお従前の例による。

附　則（第八八次改正）抄

（施行期日）

第一条　この政令は、令和三年一月一日から施行する。〔以下略〕

（特別児童扶養手当等の支給に関する法律施行令の一部改正に伴う経過措置）

第十条　第六条の規定による改正後の特別児童扶養手当等の支給に関する法律施行令第五条（特別児童扶養手当等の支給に関する法律施行令第八条第三項及び第四項（これらの規定を特別児童扶養手当等の支給に関する法律施行令の一部を改正する政令（昭和六十年政令第三百二十三号）附則第四条において準用する場合を含む。）並びに第十二条第四項及び第五項において準用する場合を含む。）の規定は、令和二年以後の年の所得による特別児童扶養手当、障害児福祉手当、特別障害者手当及び国民年金法等の一部を改正する法律（昭和六十年法律第三十四号）附則第九十七条第一項の規定による福祉手当（以下この条において「特別児童扶養手当等」という。）の支給の制限並びに特別児童扶養手当等に相当する金額の返還について適用し、令和元年以前の年の所得による当該支給の制限及び返還については、なお従前の例による。

附　則（第八九次改正）抄

（施行期日）

1　この政令は、令和四年四月一日から施行する。

（特別児童扶養手当の額の改定に関する経過措置）

3　この政令の施行の日前に特別児童扶養手当の支給の認定を受けた者（当該支給に係る障害児の障害の程度が第二条の規定による改正前の特別児童扶養手当等の支給に関する法律施行令別表第三に定める二級の障害の状態に該当する者に限る。）であって、この政令の施行によりその障害児の障害の程度が第二条の規定による改正後の特別児童扶養手当等の支給に関する法律施行令別表第三に定める一級の障害の状態に該当することとなつたものは、その障害児の障害の程度が増進したものとみなして、特別児童扶養手当等の支給に関する法律第十六条において読み替えて準用する児童扶養手当法第八条第一項の規定を適用する。

附　則（第九〇次改正）抄

（施行期日）

1　この政令は、令和四年四月一日から施行する。

（経過措置）

2　令和四年三月以前の月分の児童扶養手当法による児童扶養手当、特別児童扶養手当等の支給に関する法律による特別児童扶養手当、障害児福祉手当及び特別障害者手当並びに国民年金法等の一部を改正する法律附則第九十七条第一項の規定による福祉手当については、なお従前の例による。

附　則（第九一次改正）抄

（施行期日）

1　この政令は、令和五年四月一日から施行する。

（経過措置）

2　令和五年三月以前の月分の児童扶養手当法による児童扶養手当、特別児童扶養手当等の支給に関する法律による特別児童扶養手当、障害児福祉手当及び特別障害者手当並びに国民年金法等の一部を改正する法律附則第九十七条第一項の規定による福祉手当については、なお従前の例による。

別表第一（第一条関係）

一　両眼の視力がそれぞれ〇・〇二以下のもの

二　両耳の聴力が補聴器を用いても音声を識別することができない程度のもの

三　両上肢の機能に著しい障害を有するもの

四　両上肢の全ての指を欠くもの

五　両下肢の用を全く廃したもの

六　両大腿《たい》を二分の一以上失つたもの

七　体幹の機能に座つていることができない程度の障害を有するもの

八　前各号に掲げるもののほか、身体の機能の障害又は長期にわたる安静を必要とする病状が前各号と同程度以上と認められる状態であつて、日常生活の用を弁ずることを不能ならしめる程度のもの

九　精神の障害であつて、前各号と同程度以上と認められる程度のもの

十　身体の機能の障害若しくは病状又は精神の障害が重複する場合であつて、その状態が前各号と同程度以上と認められる程度のもの

（備考）　視力の測定は、万国式試視力表によるものとし、屈折異常があるものについては、矯正視力によつて測定する。

〔改正〕

追加（第一四次改正）、一部改正（第八九次改正）

別表第二（第一条関係）

一　次に掲げる視覚障害

イ　両眼の視力がそれぞれ〇・〇三以下のもの

ロ　一眼の視力が〇・〇四、他眼の視力が手動弁以下のもの

ハ　ゴールドマン型視野計による測定の結果、両眼のI／四視標による周辺視野角度の和がそれぞれ八〇度以下かつI／二視標による両眼中心視野角度が二八度以下のもの

ニ　自動視野計による測定の結果、両眼開放視認点数が七〇点以下かつ両眼中心視野視認点数が二〇点以下のもの

二　両耳の聴力レベルが一〇〇デシベル以上のもの

三　両上肢の機能に著しい障害を有するもの又は両上肢の全ての指を欠くもの若しくは両上肢の全ての指の機能に著しい障害を有するもの

四　両下肢の機能に著しい障害を有するもの又は両下肢を足関節以上で欠くもの

五　体幹の機能に座つていることができない程度又は立ち上がることができない程度の障害を有するもの

六　前各号に掲げるもののほか、身体の機能の障害又は長期にわたる安静を必要とする病状が前各号と同程度以上と認められる状態であつて、日常生活の用を弁ずることを不能ならしめる程度のもの

七　精神の障害であつて、前各号と同程度以上と認められる程度のもの

（備考）　別表第一の備考と同じ。

〔改正〕

追加（第一四次改正）、一部改正（第八九次改正）

別表第三（第一条関係）

一級	
一	次に掲げる視覚障害 イ　両眼の視力がそれぞれ〇・〇三以下のもの ロ　一眼の視力が〇・〇四、他眼の視力が手動弁以下のもの ハ　ゴールドマン型視野計による測定の結果、両眼のＩ／四視標による周辺視野角度の和がそれぞれ八〇度以下かつＩ／二視標による両眼中心視野角度が二八度以下のもの ニ　自動視野計による測定の結果、両眼開放視認点数が七〇点以下かつ両眼中心視野視認点数が二〇点以下のもの
二	両耳の聴力レベルが一〇〇デシベル以上のもの
三	両上肢の機能に著しい障害を有するもの
四	両上肢の全ての指を欠くもの
五	両上肢の全ての指の機能に著しい障害を有するもの
六	両下肢の機能に著しい障害を有するもの
七	両下肢を足関節以上で欠くもの
八	体幹の機能に座つていることができない程度又は立ち上がることができない程度の障害を有するもの
九	前各号に掲げるもののほか、身体の機能の障害又は長期にわたる安静を必要とする病状が前各号と同程度以上と認められる状態であつて、日常生活の用を弁ずることを不能ならしめる程度のもの
十	精神の障害であつて、前各号と同程度以上と認められる程度のもの
十一	身体の機能の障害若しくは病状又は精神の障害が重複する場合であつて、その状態が前各号と同程度以上と認められる程度のもの

二級	
一	次に掲げる視覚障害 イ　両眼の視力がそれぞれ〇・〇七以下のもの ロ　一眼の視力が〇・〇八、他眼の視力が手動弁以下のもの ハ　ゴールドマン型視野計による測定の結果、両眼のＩ／四視標による周辺視野角度の和がそれぞれ八〇度以下かつＩ／二視標による両眼中心視野角度が五六度以下のもの ニ　自動視野計による測定の結果、両眼開放視認点数が七〇点以下かつ両眼中心視野視認点数が四〇点以下のもの
二	両耳の聴力レベルが九〇デシベル以上のもの
三	平衡機能に著しい障害を有するもの
四	そしやくの機能を欠くもの
五	音声又は言語機能に著しい障害を有するもの
六	両上肢のおや指及びひとさし指又は中指を欠くもの
七	両上肢のおや指及びひとさし指又は中指の機能に著しい障害を有するもの
八	一上肢の機能に著しい障害を有するもの
九	一上肢の全ての指を欠くもの
十	一上肢の全ての指の機能に著しい障害を有するもの
十一	両下肢の全ての指を欠くもの
十二	一下肢の機能に著しい障害を有するもの
十三	一下肢を足関節以上で欠くもの
十四	体幹の機能に歩くことができない程度の障害を有するもの
十五	前各号に掲げるもののほか、身体の機能の障害又は長期にわたる安静を必要とする病状が前各号と同程

二級		度以上と認められる状態であつて、日常生活が著しい制限を受けるか、又は日常生活に著しい制限を加えることを必要とする程度のもの
	十六	精神の障害であつて、前各号と同程度以上と認められる程度のもの
	十七	身体の機能の障害若しくは病状又は精神の障害が重複する場合であつて、その状態が前各号と同程度以上と認められる程度のもの

備考　別表第一の備考と同じ。

〔改正〕

追加（第一四次改正）、一部改正（第八九次改正）

〔参　考〕

◉特別児童扶養手当等の支給に関する法律施行令の一部を改正する政令

〔令和五年十一月六日
政令第三百十七号〕

特別児童扶養手当等の支給に関する法律施行令（昭和五十年政令第二百七号）の一部を次のように改正する。

第十三条第四号及び第五号を削る。

附　則

この政令は、令和六年七月一日から施行する。

◉特別児童扶養手当等の支給に関する法律に基づき都道府県及び市町村に交付する事務費に関する政令

〔昭和四十年八月十日 政令第二百七十号〕

（大蔵・厚生大臣署名）

〔一部改正経過〕

第一次　〔昭和四一年三月七日政令第二八号「児童扶養手当法に基づき都道府県及び市町村に交付する事務費に関する政令及び重度精神薄弱児扶養手当法に基づき都道府県及び市町村に交付する事務費に関する政令の一部を改正する政令」第二条による改正〕

第二次　〔昭和四一年七月一五日政令第二五〇号「児童扶養手当法に基づき都道府県及び市町村に交付する事務費に関する政令及び重度精神薄弱児扶養手当法に基づき都道府県及び市町村に交付する事務費に関する政令の一部を改正する政令」第二条による改正〕

第三次　〔昭和四一年七月一五日政令第二五一号「重度精神薄弱児扶養手当法施行令及び重度精神薄弱児扶養手当法に基づき都道府県及び市町村に交付する事務費に関する政令の一部を改正する政令」第二条による改正〕

第四次　〔昭和四二年八月八日政令第二四四号「児童扶養手当法に基づき都道府県及び市町村に交付する事務費に関する政令及び特別児童扶養手当法に基づき都道府県及び市町村に交付する事務費に関する政令」第二条による改正〕

第五次　〔昭和四三年七月二日政令第二五二号「児童扶養手当法に基づき都道府県及び市町村に交付する事務費に関する政令及び特別児童扶養手当法に基づき都道府県及び市町村に交付する事務費に関する政令の一部を改正する政令」第二条による改正〕

第六次　〔昭和四四年八月一九日政令第二二四号「児童扶養手当法に基づき都道府県及び市町村に交付する事務費に関する政令及び特別児童扶養手当法に基づき都道府県及び市町村に交付する事務費に関する政令の一部を改正する政令」第二条による改正〕

第七次　〔昭和四五年八月一七日政令第二四七号「児童扶養手当法に基づき都道府県及び市町村に交付する事務費に関する政令及び特別児童扶養手当法に基づき都道府県及び市町村に交付する事務費に関する政令の一部を改正する政令」第二条による改正〕

第八次　〔昭和四六年一一月五日政令第三三七号「児童扶養手当法に基づき都道府県及び市町村に交付する事務費に関する政令及び特別児童扶養手当法に基づき都道府県及び市町村に交付する事務費に関する政令の一部を改正する政令」第二条による改正〕

第九次　〔昭和四七年九月一一日政令第三三〇号「児童扶養手当法に基づき都道府県及び市町村に交付する事務費に関する政令及び特別児童扶養手当法に基づき都道府県及び市町村に交付する事務費に関する政令の一部を改正する政令」第二条による改正〕

第一〇次　〔昭和四九年二月二六日政令第三五号「児童扶養手当法に基づき都道府県及び市町村に交付する事務費に関する政令及び特別児童扶養手当法に基づき都道府県及び市町村に交付する事務費に関する政令の一部を改正する政令」第二条による改正〕

第一一次　〔昭和四九年六月二一日政令第二一七号「特別児童扶養手当法施行令及び特別児童扶養手当法に基づき都道府県及び市町村に交付する事務費に関する政令の一部を改正する政令」第二条による改正〕

第一二次　〔昭和五〇年二月二五日政令第二〇号「児童扶養手当法に基づき都道府県及び市町村に交付する事務費に関する政令及び特別児童扶養手当等の支給に関する法律に基づき都道府県及び市町村に交付する事務費に関する政令の一部を改正する政令」第二条による改正〕

第一三次　〔昭和五〇年九月二九日政令第二八四号「特別児童扶養手当等の支給に関する法律に基づき都道府県及び市町村に交付する事務費に関する政令の一部を改正する政令」による改正〕

第一四次　〔昭和五〇年九月三〇日政令第二九〇号「特別児童扶養手当等の支給に関する法律の施行に伴う関係政令の整理に関する政令」第一条による改正〕

第一五次　〔昭和五〇年一二月二四日政令第三六六号「児童扶養手当法に基づき都道府県及び市町村に交付する事務費に関する政令及び特別児童扶養手当等の支給に関する法律に基づき都道府県及び市町村に交付する事務費に関する政令の一部を改正する政令」第二条による改正〕

第一六次　〔昭和五一年三月一八日政令第三〇号「児童扶養手当法に基づき都道府県及び市町村に交付する事務費に関する政令及び特別児童扶養手当等の支給に関する法律に基づき都道府県及び市町村に交付する事務費に関する政令の一部を改正する政令」第二条による改正〕

特別児童扶養手当等の支給に関する法律に基づき都道府県及び市町村に交付する事務費に関する政令

第一七次　〔昭和五三年一月一八日政令第八号「児童扶養手当法に基づき都道府県及び市町村に交付する事務費に関する政令及び特別児童扶養手当等の支給に関する法律に基づき都道府県及び市町村に交付する事務費に関する政令の一部を改正する政令」第二条による改正〕

第一八次　〔昭和五三年一二月二五日政令第三九九号「児童扶養手当法に基づき都道府県及び市町村に交付する事務費に関する政令及び特別児童扶養手当等の支給に関する法律に基づき都道府県及び市町村に交付する事務費に関する政令の一部を改正する政令」第二条による改正〕

第一九次　〔昭和五五年三月一八日政令第二〇号「国民健康保険の国庫負担金等の算定に関する政令等の一部を改正する政令」第四条による改正〕

第二〇次　〔昭和五六年三月一七日政令第二八号「国民健康保険の国庫負担金等の算定に関する政令等の一部を改正する政令」第四条による改正〕

第二一次　〔昭和五七年三月一二日政令第二六号「国民健康保険の国庫負担金等の算定に関する政令等の一部を改正する政令」第四条による改正〕

第二二次　〔昭和五七年八月三一日政令第二三六号「障害に関する用語の整理のための厚生省関係政令の整理に関する政令」第九条による改正〕

第二三次　〔昭和五八年三月一八日政令第二三号「国民健康保険の国庫負担金等の算定に関する政令等の一部を改正する政令」第四条による改正〕

第二四次　〔昭和五九年三月一六日政令第三三号「国民年金法に基づき市町村に交付する事務費に関する政令等の一部を改正する政令」第三条による改正〕

第二五次　〔昭和六〇年三月一五日政令第二九号「国民年金法に基づき市町村に交付する事務費に関する政令等の一部を改正する政令」第三条による改正〕

第二六次　〔昭和六一年三月二五日政令第三四号「国民年金法に基づき市町村に交付する事務費に関する政令等の一部を改正する政令」第三条による改正〕

第二七次　〔昭和六二年三月二七日政令第七〇号「国民年金法に基づき市町村に交付する事務費に関する政令等の一部を改正する政令」第三条による改正〕

第二八次　〔昭和六三年三月二三日政令第四四号「国民年金法に基づき市町村に交付する事務費に関する政令等の一部を改正する政令」第三条による改正〕

第二九次　〔平成元年三月二九日政令第七八号「国民年金法に基づき市町村に交付する事務費に関する政令等の一部を改正する政令」第三条による改正〕

第三〇次　〔平成二年三月三〇日政令第七二号「国民年金法に基づき市町村に交付する事務費に関する政令等の一部を改正する政令」第三条による改正〕

第三一次　〔平成三年三月二九日政令第七〇号「国民年金法に基づき市町村に交付する事務費に関する政令等の一部を改正する政令」第三条による改正〕

第三二次　〔平成四年三月一一日政令第四二号「国民年金法に基づき市町村に交付する事務費に関する政令等の一部を改正する政令」第三条による改正〕

第三三次　〔平成五年三月二六日政令第六一号「国民年金法に基づき市町村に交付する事務費に関する政令等の一部を改正する政令」第三条による改正〕

第三四次　〔平成六年三月二四日政令第六八号「国民年金法に基づき市町村に交付する事務費に関する政令等の一部を改正する政令」第三条による改正〕

第三五次　〔平成七年三月二三日政令第七五号「国民年金法に基づき市町村に交付する事務費に関する政令及び特別児童扶養手当等の支給に関する法律に基づき都道府県及び市町村に交付する事務費に関する政令の一部を改正する政令」第二条による改正〕

第三六次　〔平成八年三月二一日政令第三二号「国民年金法に基づき市町村に交付する事務費に関する政令等の一部を改正する政令」第二条による改正〕

第三七次　〔平成九年三月一九日政令第四〇号「国民年金法に基づき市町村に交付する事務費に関する政令等の一部を改正する政令」第二条による改正〕

第三八次　〔平成一〇年三月二〇日政令第四七号「国民年金法に基づき市町村に交付する事務費に関する政令等の一部を改正する政令」第三条による改正〕

第三九次　〔平成一一年三月二五日政令第五九号「国民年金法に基づき市町村に交付する事務費に関する政令等の一部を改正する政令」第二条による改正〕

第四〇次　〔平成一二年三月一七日政令第七二号「国民年金法に基づき市町村に交付する事務費に関する政令等の一部を改正する政令」第二条による改正〕

第四一次　〔平成一二年六月七日政令第三〇九号「中央省庁等改革のための厚生労働省関係政令等の整備に関する政令」第七六条による改正〕

第四二次　〔平成一三年三月二八日政令第八二号「国民健康保険の国庫負担金及び被用者保険等保険者拠出金等の算定等に関する政令等の一部を改正する政令」第三条による改正〕

第四三次　〔平成一五年三月二四日政令第六九号「国民健康保険の国庫負担金及び被用者保険等保険者拠出金等の算定等に関する政令等の一部を改正する政令」第三条による改正〕

第四四次　〔平成一六年三月二四日政令第六〇号「国民健康保険の国庫負担金及び被用者保険等保険者拠出金等の算定等に関する政令等の一部を改正する政令」第三条による改正〕

第四五次　〔平成一七年三月二四日政令第六六号「国民健康保険の国庫負担金及び被用者保険等保険者拠出金等の算定等に関する政令等の一部を改正する政令」第三条による改正〕

第四六次　〔平成一八年三月二七日政令第七二号「国民健康保険の国庫負担金及び被用者保険等保険者拠出金等の算定等に関する政令等の一部を改正する政令」第三条による改正〕

第四七次　〔平成一九年三月二六日政令第六二号「国民健康保険の国庫負担金及び被用者保険等保険者拠出金等の算定等に関する政令等の一部を改正する政令」第二条による改正〕

第四八次　〔平成二〇年三月一九日政令第五三号「国民健康保険の国庫負担金及び被用者保険等保険者拠出金等の算定等に関する政令等の一部を改正する政令」第三条による改正〕

第四九次　〔平成二一年三月二三日政令第五一号「国民健康保険の国庫負担金等の算定に関する政令等の一部を改正する政令」第三条による改正〕

第五〇次　〔平成二二年三月一〇日政令第二四号「国民健康保険の国庫負担金等の算定に関する政令等の一部を改正する政令」第三条による改正〕

第五一次　〔平成二三年三月二五日政令第三六号「国民年金法に基づき市町村に交付する事務費に関する政令及び特別児童扶養手当等の支給に関する法律に基づき都道府県及び市町村に交付する事務費に関する政令の一部を改正する政令」第二条による改正〕

第五二次　〔平成二四年三月二八日政令第七五号「国民健康保険の国庫負担金等の算定に関する政令等の一部を改正する政令」第三条による改正〕

第五三次　〔平成二五年三月二一日政令第六九号「特別児童扶養手当等の支給に関する法律に基づき都道府県及び市町村に交付する事務費に関する政令の一部を改正する政令」による改正〕

第五四次　〔平成二六年三月一九日政令第六九号「国民健康保険の国庫負担金等の算定に関する政令等の一部を改正する政令」第三条による改正〕

第五五次　〔平成二七年三月二五日政令第九四号「国民年金法に基づき市町村に交付する事務費に関する政令等の一部を改正する政令」第二条による改正〕

第五六次　平成二七年三月三一日政令第一二八号「地域の自主性及び自立性を高めるための改革の推進を図るための関係法律の整備に関する法律の施行に伴う厚生労働省関係政令等の整備等に関する政令」第一七条による改正

第五七次　平成二八年三月二四日政令第七六号「国民健康保険の国庫負担金等の算定に関する政令等の一部を改正する政令」第三条による改正

第五八次　平成二七年一一月二六日政令第三九二号「行政不服審査法及び行政不服審査法の施行に伴う関係法律の整備等に関する法律の施行に伴う関係政令の整備に関する政令」第四五条による改正

第五九次　平成二八年三月二四日政令第七五号「特別児童扶養手当等の支給に関する法律に基づき都道府県及び市町村に交付する事務費に関する政令の一部を改正する政令」による改正

第六〇次　平成二九年三月二四日政令第五三号「国民健康保険の国庫負担金等の算定に関する政令等の一部を改正する政令」第三条による改正

第六一次　平成三〇年三月二二日政令第五八号「国民健康保険の国庫負担金等の算定に関する政令等の一部を改正する政令」第三条による改正

第六二次　平成三一年三月二〇日政令第五二号「国民年金法に基づき市町村に交付する事務費に関する政令等の一部を改正する政令」第二条による改正

第六三次　令和二年三月六日政令第三七号「国民年金法に基づき市町村に交付する事務費に関する政令等の一部を改正する政令」第二条による改正

第六四次　令和三年三月五日政令第四二号「国民健康保険の国庫負担金等の算定に関する政令等の一部を改正する政令」第三条による改正

第六五次　令和五年三月一五日政令第五二号「国民年金法に基づき市町村に交付する事務費に関する政令等の一部を改正する政令」第二条による改正

特別児童扶養手当等の支給に関する法律に基づき都道府県及び市町村に交付する事務費に関する政令

題名＝改正（第三・一二次改正）

内閣は、重度精神薄弱児扶養手当法（昭和三十九年法律第百三十四号）第二十一条の規定に基づき、この政令を制定する。

（都道府県に交付する事務費の額）

第一条　特別児童扶養手当等の支給に関する法律（以下「法」という。）第十四条の規定により毎年度国が各都道府県に交付する事務費の額は、次の各号に定める額の合計額とする。ただし、当該年度において現に要した費用の額を超えることができない。

一　千八百九十五円を基準として厚生労働大臣が都道府県の区域（地方自治法（昭和二十二年法律第六十七号）第二百五十二条の十九第一項の指定都市（以下「指定都市」という。）の区域を除く。以下この条において同じ。）を勘案して定める額に、当該年度の十二月三十一日において当該都道府県の区域内に住所を有し、かつ、法第五条に規定する認定を受けている者の数を乗じて得た額

二　法第二条第一項に規定する障害児の障害の状態の判定又は診断に必要な費用として、厚生労働大臣が、前年度末において当該都道府県の区域内に住所を有し、かつ、特別児童扶養手当の支給を受けていた者の数、当該年度において市町村長（指定都市の長を除き、特別区の区長を含む。）から当該都道府県知事に対して進達された法第五条に規定する認定に関する請求書の数等を勘案して定める額

三　職員旅費として厚生労働大臣が当該都道府県の区域内の市町村（指定都市を除き、特別区を含む。以下同じ。）の数等を勘案して定める額

四　法第二十九条第一項の規定による特別児童扶養手当の支給に関する処分についての審査請求（当該都道府県知事又は指定都市の長の行った特別児童扶養手当の支給に関する処分についてのものに限る。）又は再審査請求に対する裁決をするために行政不服審査法（平成二十六年法律第六十八号）第三十四条の規定（同法第六十六条第一項において準用する場合を含む。）により審理員（同法第十一条第二項に規定する審理員をいう。）が当該年度において陳述を求め、又は鑑定を求めた参考人の旅費、日当及び宿泊料について、当該都道府県の条例の定めるところにより算定した額

〔改正〕

一部改正（第一・三〜五八・六〇〜六五次改正）

（指定都市に交付する事務費の額）

第二条　前条（第四号を除く。）の規定は、法第十四条の規定により毎年度国が各指定都市に交付する事務費の額について準用する。この場合において、前条第一号中「千八百九十五円」とあるのは「三千七百三十九円」と、「都道府県の区域（地方自治法（昭和二十二年法律第六十七号）第二百五十二条の十九第一項の指定都市（以下「指定都市」という。）の区域を除く。以下この条において同じ。）」とあるのは「地方自治法（昭和二十二年法律第六十七号）第二百五十二条の十九第一項の指定都市（以下「指定都市」という。）の区域」と、「当該都道府県」とあるのは「当該指定都市」と、同条第二号中「当該都道府県の」とあるのは「当該指定都市の」と、「市町村長（指定都市の長を除き、特別区の区長を含む。）から当該都道府県知事に対して進達」とあるのは「指定都市の長に対して請求」と、同条第三号中「都道府県の区域内の市町村（指定都市を除き、特別区を含む。以下同じ。）」とあるのは「指定都市の区（地方自治法第二百五十二条の二十に規定する区及び同法第二百五十二条の二十の二に規定する総合区をいう。）」と読み替えるものとする。

〔改正〕

追加（第五六次改正）、一部改正（第五七・五九〜六五次改正）

（市町村に交付する事務費の額）

第三条　法第十四条の規定により毎年度国が各市町村（指定都市を除く。）に交付する事務費の額は、千八百四十四円を基準として厚生労働大臣が定める額に、当該年度の十二月三十一日において当該市町村の区域内に住所を有し、かつ、法第五条に規定する認定を受けている者の数を乗じて得た額とする。ただし、当該年度において現に要した費用の額を超えることができない。

〔改正〕

旧第二条の全部改正（第四次改正）、一部改正（第五〜一〇・一二〜二一・二三〜四五・四七〜五七・六〇〜六五次改正）、本条に繰下（第五六次改正）

附　則

この政令は、公布の日〔昭和四十年八月十日〕から施行し、昭和四十年度分の重度精神薄弱児扶養手当事務費交付金から適用する。

附　則（第一次改正）抄

この政令は、公布の日〔昭和四十一年三月七日〕から施行し、〔中略〕この政令による改正後の重度精神薄弱児扶養手当法に基づき都道府県及び市町村に交付する事務費に関する政令第一条の規定は同年〔昭和四十年〕度分の重度精神薄弱児扶養手当事務費交付金から、適用する。

附　則（第二次改正）抄

この政令は、公布の日〔昭和四十一年七月十五日〕から施行し、〔中略〕この政令による改正後の重度精神薄弱児扶養手当法に基づき都道府県及び市町村に交付する事務費に関する政令第二条の規定は同年〔昭和四十一年〕度分の重度精神薄弱児扶養手当事務費交付金から、適用する。

附　則（第三次改正）抄

（施行期日）

1　この政令は、昭和四十一年八月一日から施行する。〔以下略〕

（特別児童扶養手当事務費交付金に関する経過措置）

2　昭和四十一年度分の特別児童扶養手当事務費交付金についてこの政令による改正後の特別児童扶養手当法に基づき都道府県及び市町村に交付する事務費に関する政令の規定を適用する場合においては、同令第一条第二号中「特別児童扶養手当の支給を受けていた者」とあるのは「重度精神薄弱児扶養手当の支給を受けていた者」と、「特別児童扶養手当の支給要件」とあるのは「特別児童扶養手当（昭和四十一年八月一日前にあつては重度精神薄弱児扶養手当）の支給要件」と、同条第三号中「特別児童扶養手当」とあるのは「重度精神薄弱児扶養手当」と、同令第二条中「特別児童扶養手当」とあるのは「特別児童扶養手当（昭和四十一年八月一日前にあつては重度精神薄弱児扶養手当）」と、それぞれ読み替えるものとする。

附　則（第四次改正）抄

この政令は、公布の日〔昭和四十二年八月八日〕から施行し、〔中略〕この政令による改正後の特別児童扶養手当法に基づき都道府県及び市町村に交付する事務費に関する政令の規定は同年〔昭和四十二年〕度分の特別児童扶養手当事務費交付金から、適用する。

附　則（第五次改正）抄

この政令は、公布の日〔昭和四十三年七月二十二日〕から施行し、〔中略〕この政令による改正後の特別児童扶養手当法に基づき都道府県及び市町村に交付する事務費に関する政令第一条及び第二条の規定は同年〔昭和四十三年〕度分の特別児童扶養手当事務費交付金から、適用する。

附　則（第六次改正）抄

この政令は、公布の日〔昭和四十四年八月十九日〕から施行し、〔中略〕この政令による改正後の特別児童扶養手当法に基づき都道府県及び市町村に交付する事務費に関する政令第一条及び第二条の規定は同年〔昭和四十四年〕度分の特別児童扶養手当事務費交付金から適用する。

附　則（第七次改正）抄

この政令は、公布の日〔昭和四十五年八月十七日〕から施行し、

〔中略〕改正後の特別児童扶養手当法に基づき都道府県及び市町村に交付する事務費に関する政令第一条及び第二条の規定は同年〔昭和四十五年〕度分の特別児童扶養手当事務費交付金から、適用する。

附　則（第八次改正）抄

この政令は、公布の日〔昭和四十六年十一月五日〕から施行し、〔中略〕改正後の特別児童扶養手当法に基づき都道府県及び市町村に交付する事務費に関する政令第一条及び第二条の規定は同年〔昭和四十六年〕度分の特別児童扶養手当事務費交付金から、適用する。

附　則（第九次改正）抄

1　この政令は、公布の日〔昭和四十七年九月十一日〕から施行し、〔中略〕改正後の特別児童扶養手当法に基づき都道府県及び市町村に交付する事務費に関する政令第一条及び第二条の規定は同年〔昭和四十七年〕度分の特別児童扶養手当事務費交付金から、適用する。

2　昭和四十七年度分の〔中略〕特別児童扶養手当事務費交付金で沖縄県及び沖縄県の区域内の市町村に交付するものについては、〔中略〕改正後の特別児童扶養手当法に基づき都道府県及び市町村に交付する事務費に関する政令第一条第一号及び第二条中「定める額」とあるのは「定める額の八分の七に相当する額」とする。

附　則（第一〇次改正）抄

この政令は、公布の日〔昭和四十九年二月二十六日〕から施行し、〔中略〕改正後の特別児童扶養手当法に基づき都道府県及び市町村に交付する事務費に関する政令第一条及び第二条の規定は同年〔昭和四十八年〕度分の特別児童扶養手当事務費交付金から、適用する。

附　則（第一一次改正）抄

（施行期日）

1　この政令は、昭和四十九年九月一日から施行する。

附　則（第一二次改正）抄

この政令は、公布の日〔昭和五十年二月二十五日〕から施行し、〔中略〕改正後の特別児童扶養手当等の支給に関する法律に基づき都道府県及び市町村に交付する事務費に関する政令第一条及び第二条の規定は、昭和四十九年度分の交付金から適用する。

附　則（第一三次改正）

この政令は、公布の日〔昭和五十年九月二十九日〕から施行し、改正後の第一条及び第二条の規定は、昭和五十年度分の交付金から適用する。

附　則（第一四次改正）

1　この政令は、昭和五十年十月一日から施行する。

2　特別児童扶養手当等の支給に関する法律等の一部を改正する法律による改正前の特別児童扶養手当等の支給に関する法律又は同法に基づく命令によつて行う事務の処理に必要な費用のうち特別福祉手当に係るものの交付については、なお従前の例による。ただし、改正前の特別児童扶養手当等の支給に関する法律に基づき都道府県及び市町村に交付する事務費に関する政令第一条第一号及び第二条中「十二月三十一日」とあるのは、「九月三十日」とする。

附　則（第一五次改正）抄

この政令は、公布の日（昭和五十年十二月二十四日）から施行し、〔中略〕改正後の特別児童扶養手当等の支給に関する法律に基づき都道府県及び市町村に交付する事務費に関する政令第一条及び第二条の規定は、昭和五十年度分の交付金から適用する。

附　則（第一六次改正）抄

この政令は、公布の日（昭和五十二年三月十八日）から施行し、〔中略〕改正後の特別児童扶養手当等の支給に関する法律に基づき都道府県及び市町村に交付する事務費に関する政令第一条及び第二条の規定は、昭和五十一年度分の交付金から適用する。

附　則（第一七次改正）抄

この政令は、公布の日（昭和五十三年一月十八日）から施行し、〔中略〕改正後の特別児童扶養手当等の支給に関する法律に基づき都道府県及び市町村に交付する事務費に関する政令第一条及び第二条の規定は、昭和五十二年度分の交付金から適用する。

附　則（第一八次改正）抄

この政令は、公布の日（昭和五十三年十二月二十五日）から施行し、〔中略〕改正後の特別児童扶養手当等の支給に関する法律に基づき都道府県及び市町村に交付する事務費に関する政令第一条及び第二条の規定は、昭和五十三年度分の交付金から適用する。

附　則（第一九次改正）抄

この政令は、公布の日（昭和五十五年三月十八日）から施行し、改正後の次の各号に掲げる規定は、それぞれ昭和五十四年度分の当該各号に定める負担金又は交付金から適用する。

四　特別児童扶養手当等の支給に関する法律に基づき都道府県及び市町村に交付する事務費に関する政令第一条及び第二条　特別児童扶養手当事務費交付金

附　則（第二〇次改正）抄

この政令は、公布の日（昭和五十六年三月十七日）から施行し、改正後の次の各号に掲げる規定は、それぞれ昭和五十五年度分の当該各号に定める負担金又は交付金から適用する。

四　特別児童扶養手当等の支給に関する法律に基づき都道府県及び市町村に交付する事務費に関する政令第一条及び第二条　特別児童扶養手当事務費交付金

附　則（第二一次改正）抄

この政令は、公布の日（昭和五十七年三月十二日）から施行し、改正後の次の各号に掲げる規定は、それぞれ昭和五十六年度分の当該各号に定める負担金又は交付金から適用する。

四　特別児童扶養手当等の支給に関する法律に基づき都道府県及び市町村に交付する事務費に関する政令第一条及び第二条　特別児童扶養手当事務費交付金

附　則（第二二次改正）

この政令は、昭和五十七年十月一日から施行する。

附　則（第二三次改正）抄

この政令は、公布の日（昭和五十八年三月十八日）から施行し、改正後の次の各号に掲げる規定は、それぞれ昭和五十七年度における当該各号に定める負担金又は交付金から適用する。

四　特別児童扶養手当等の支給に関する法律に基づき都道府県及び市町村に交付する事務費に関する政令第一条及び第二条　特別児童扶養手当事務費交付金

附　則（第二四次改正）抄

この政令は、公布の日〔昭和五十九年三月十六日〕から施行し、改正後の次の各号に掲げる規定は、それぞれ昭和五十八年度における当該各号に定める交付金から適用する。

三　特別児童扶養手当等の支給に関する法律に基づき都道府県及び市町村に交付する事務費に関する政令第一条及び第二条　特別児童扶養手当事務費交付金

附　則（第二五次改正）抄

この政令は、公布の日〔昭和六十年三月十五日〕から施行し、改正後の次の各号に掲げる規定は、それぞれ昭和五十九年度における当該各号に定める交付金から適用する。

三　特別児童扶養手当等の支給に関する法律に基づき都道府県及び市町村に交付する事務費に関する政令第一条及び第二条　特別児童扶養手当事務費交付金

附　則（第二六次改正）抄

（施行期日等）

第一条　この政令は、公布の日〔昭和六十一年三月二十五日〕から施行し、次の各号に掲げる規定は、それぞれ昭和六十年度分の当該各号に定める交付金から適用する。

三　第三条の規定による改正後の特別児童扶養手当等の支給に関する法律に基づき都道府県及び市町村に交付する事務費に関する政令第一条及び第二条　特別児童扶養手当事務費交付金

附　則（第二七次改正）抄

（施行期日等）

第一条　この政令は、公布の日〔昭和六十二年三月二十七日〕から施行し、次の各号に掲げる規定は、それぞれ昭和六十一年度分の当該各号に定める交付金から適用する。

三　第三条の規定による改正後の特別児童扶養手当等の支給に関する法律に基づき都道府県及び市町村に交付する事務費に関する政令第一条及び第二条　特別児童扶養手当事務費交付金

附　則（第二八次改正）抄

（施行期日等）

第一条　この政令は、公布の日〔昭和六十三年三月二十三日〕から施行し、次の各号に掲げる規定は、それぞれ昭和六十二年度分の当該各号に定める交付金から適用する。

三　第三条の規定による改正後の特別児童扶養手当等の支給に関する法律に基づき都道府県及び市町村に交付する事務費に関する政令第一条及び第二条　特別児童扶養手当事務費交付金

附　則（第二九次改正）抄

（施行期日等）

第一条　この政令は、公布の日〔平成元年三月二十九日〕から施行し、次の各号に掲げる規定は、それぞれ昭和六十三年度分の当該各号に定める交付金から適用する。

三　第三条の規定による改正後の特別児童扶養手当等の支給に関する法律に基づき都道府県及び市町村に交付する事務費に関する政令（以下「新特別児童扶養手当事務費政令」という。）第一条及び第二条　特別児童扶養手当事務費交付金

（昭和六十三年度分の都道府県に交付する特別児童扶養手当事務費交付金の額の特例）

第四条　昭和六十三年度分の新特別児童扶養手当事務費政令第一条に規定する国が各都道府県に交付する事務費の額は、同条の規定にかかわらず、次の各号に掲げる額の合計額とする。

一　新特別児童扶養手当事務費政令第一条の規定によつて算定した額

二　都道府県長期給付負担額の一部として厚生大臣が特例適用期間の各年度の十二月三十一日において当該都道府県の区域内に住所を有し、かつ、特別児童扶養手当等の支給に関する法律第五条に規定する認定を受けている者の数を基準として定める額

附　則（第三〇次改正）抄

この政令は、公布の日（平成二年三月三十日）から施行し、次の各号に掲げる規定は、それぞれ平成元年度分の当該各号に定める交付金から適用する。

三　第三条の規定による改正後の特別児童扶養手当等の支給に関する法律に基づき都道府県及び市町村に交付する事務費に関する政令第一条及び第二条　特別児童扶養手当事務費交付金

附　則（第三一次改正）抄

この政令は、公布の日（平成三年三月二十九日）から施行し、次の各号に掲げる規定は、それぞれ平成二年度分の当該各号に定める交付金から適用する。

三　第三条の規定による改正後の特別児童扶養手当等の支給に関する法律に基づき都道府県及び市町村に交付する事務費に関する政令第一条及び第二条　特別児童扶養手当事務費交付金

附　則（第三二次改正）抄

この政令は、公布の日（平成四年三月二十一日）から施行し、次の各号に掲げる規定は、それぞれ平成三年度分の当該各号に定める交付金から適用する。

三　第三条の規定による改正後の特別児童扶養手当等の支給に関する法律に基づき都道府県及び市町村に交付する事務費に関する政令第一条及び第二条　特別児童扶養手当事務費交付金

附　則（第三三次改正）抄

この政令は、公布の日（平成五年三月二十六日）から施行し、次の各号に掲げる規定は、それぞれ平成四年度分の当該各号に定める交付金から適用する。

三　第三条の規定による改正後の特別児童扶養手当等の支給に関する法律に基づき都道府県及び市町村に交付する事務費に関する政令第一条及び第二条　特別児童扶養手当事務費交付金

附　則（第三四次改正）抄

この政令は、公布の日（平成六年三月二十四日）から施行し、次の各号に掲げる規定は、それぞれ平成五年度分の当該各号に定める交付

金から適用する。

三　第三条の規定による改正後の特別児童扶養手当等の支給に関する法律に基づき都道府県及び市町村に交付する事務費に関する政令第一条及び第二条　特別児童扶養手当事務費交付金

附　則（第三五次改正）抄

この政令は、公布の日〔平成七年三月二十三日〕から施行し、次の各号に掲げる規定は、それぞれ平成六年度分の当該各号に定める交付金から適用する。

二　第二条の規定による改正後の特別児童扶養手当等の支給に関する法律に基づき都道府県及び市町村に交付する事務費に関する政令第一条及び第二条　特別児童扶養手当事務費交付金

附　則（第三六次改正）抄

この政令は、公布の日〔平成八年三月二十一日〕から施行し、次の各号に掲げる規定は、それぞれ平成七年度分の当該各号に定める交付金から適用する。

二　第二条の規定による改正後の特別児童扶養手当等の支給に関する法律に基づき都道府県及び市町村に交付する事務費に関する政令第一条及び第二条　特別児童扶養手当事務費交付金

附　則（第三七次改正）抄

この政令は、公布の日〔平成九年三月十九日〕から施行し、次の各号に掲げる規定は、それぞれ平成八年度分の当該各号に定める交付金から適用する。

二　第二条の規定による改正後の特別児童扶養手当等の支給に関する法律に基づき都道府県及び市町村に交付する事務費に関する政令第一条及び第二条　特別児童扶養手当事務費交付金

附　則（第三八次改正）抄

この政令は、公布の日〔平成十年三月二十日〕から施行し、次の各号に掲げる規定は、それぞれ平成九年度分の当該各号に定める交付金から適用する。

三　第三条の規定による改正後の特別児童扶養手当等の支給に関する法律に基づき都道府県及び市町村に交付する事務費に関する政令第一条及び第二条　特別児童扶養手当事務費交付金

附　則（第三九次改正）抄

この政令は、公布の日〔平成十一年三月二十五日〕から施行し、次の各号に掲げる規定は、それぞれ平成十年度分の当該各号に定める交付金から適用する。

二　第二条の規定による改正後の特別児童扶養手当等の支給に関する法律に基づき都道府県及び市町村に交付する事務費に関する政令第一条及び第二条　特別児童扶養手当事務費交付金

附　則（第四〇次改正）抄

この政令は、公布の日〔平成十二年三月十七日〕から施行し、次の各号に掲げる規定は、それぞれ平成十一年度分の当該各号に定める交付金から適用する。

二　第二条の規定による改正後の特別児童扶養手当等の支給に関する法律に基づき都道府県及び市町村に交付する事務費に関する政令第一条及び第二条　特別児童扶養手当事務費交付金

附　則（第四一次改正）抄

（施行期日）

1　この政令は、内閣法の一部を改正する法律（平成十一年法律第八十八号）の施行の日（平成十三年一月六日）から施行する。〔以下略〕

附　則（第四二次改正）抄

この政令は、公布の日〔平成十三年三月二十八日〕から施行し、改正後の次の各号に掲げる規定は、それぞれ当該各号に定める負担金、交付金又は補助金から適用する。

四　特別児童扶養手当等の支給に関する法律に基づき都道府県及び市町村に交付する事務費に関する政令第一条及び第二条　平成十二年度分の事務費交付金

附　則（第四三次改正）抄

（施行期日等）

第一条　この政令は、公布の日〔平成十五年三月二十四日〕から施行し、改正後の次の各号に掲げる規定は、それぞれ当該各号に定める負担金、交付金又は補助金から適用する。

四　特別児童扶養手当等の支給に関する法律に基づき都道府県及び市町村に交付する事務費に関する政令第一条及び第二条　平成十四年度分の事務費交付金

附　則（第四四次改正）抄

この政令は、公布の日〔平成十六年三月二十四日〕から施行し、改正後の次の各号に掲げる規定は、それぞれ当該各号に定める負担金、補助金又は交付金から適用する。

五　特別児童扶養手当等の支給に関する法律に基づき都道府県及び市町村に交付する事務費に関する政令第一条及び第二条　平成十五年度分の事務費交付金

附　則（第四五次改正）抄

この政令は、公布の日〔平成十七年三月二十四日〕から施行し、改正後の次の各号に掲げる規定は、それぞれ当該各号に定める負担金、補助金又は交付金から適用する。

四　特別児童扶養手当等の支給に関する法律に基づき都道府県及び市町村に交付する事務費に関する政令第一条及び第二条　平成十六年度分の事務費交付金

附　則（第四六次改正）抄

この政令は、公布の日〔平成十八年三月二十七日〕から施行し、この政令による改正後の次の各号に掲げる規定は、それぞれ当該各号に定める負担金、補助金又は交付金から適用する。〔以下略〕

四　特別児童扶養手当等の支給に関する法律に基づき都道府県及び市町村に交付する事務費に関する政令第一条及び第二条　平成十七年度分の事務費交付金

附　則（第四七次改正）抄

この政令は、公布の日〔平成十九年三月二十六日〕から施行し、この政令による改正後の次の各号に掲げる規定は、それぞれ当該各号に定める負担金、補助金又は交付金から適用する。

三　特別児童扶養手当等の支給に関する法律に基づき都道府県及び市町村に交付する事務費に

市町村に交付する事務費に関する政令第一条及び第二条　平成十八年度分の事務費交付金

附　則（第四八次改正）抄

この政令は、公布の日（平成二十年三月十九日）から施行し、この政令による改正後の次の各号に掲げる規定は、それぞれ当該各号に定める負担金、補助金又は交付金から適用する。

四　特別児童扶養手当等の支給に関する法律に基づき都道府県及び市町村に交付する事務費に関する政令第一条及び第二条　平成十九年度分の事務費交付金

附　則（第四九次改正）抄

この政令は、公布の日（平成二十一年三月二十三日）から施行し、この政令による改正後の次の各号に掲げる政令の規定は、それぞれ当該各号に定める負担金、補助金又は交付金から適用する。

四　特別児童扶養手当等の支給に関する法律に基づき都道府県及び市町村に交付する事務費に関する政令第一条及び第二条　平成二十年度分の事務費交付金

附　則（第五〇次改正）抄

この政令は、公布の日（平成二十二年三月十日）から施行し、この政令による改正後の次の各号に掲げる政令の規定は、それぞれ当該各号に定める負担金、補助金又は交付金から適用する。

四　特別児童扶養手当等の支給に関する法律に基づき都道府県及び市町村に交付する事務費に関する政令第一条及び第二条　平成二十一年度分の事務費交付金

附　則（第五一次改正）

この政令は、公布の日（平成二十三年三月二十五日）から施行し、この政令による改正後の国民年金法に基づき市町村に交付する事務費に関する政令第一条並びに特別児童扶養手当等の支給に関する法律に基づき都道府県及び市町村に交付する事務費に関する政令第一条及び第二条の規定は、平成二十二年度分の事務費交付金から適用する。

附　則（第五二次改正）抄

この政令は、公布の日（平成二十四年三月二十八日）から施行し、この政令による改正後の次の各号に掲げる規定は、それぞれ当該各号に定める負担金、補助金又は交付金から適用する。

四　特別児童扶養手当等の支給に関する法律に基づき都道府県及び市町村に交付する事務費に関する政令第一条及び第二条　平成二十三年度分の事務費交付金

附　則（第五三次改正）

この政令は、公布の日（平成二十五年三月二十一日）から施行し、改正後の規定は、平成二十四年度分の事務費交付金から適用する。

附　則（第五四次改正）抄

この政令は、公布の日（平成二十六年三月十九日）から施行し、次の各号に掲げる規定は、それぞれ当該各号に定める負担金、補助金又は交付金から適用する。

四　第三条の規定による改正後の特別児童扶養手当等の支給に関する法律に基づき都道府県及び市町村に交付する事務費に関する政令第一条及び第二条　平成二十五年度分の事務費交付金

附　則（第五五次改正）抄

この政令は、公布の日〔平成二十七年三月二十五日〕から施行し、次の各号に掲げる規定は、それぞれ当該各号に定める交付金から適用する。

二　第二条の規定による改正後の特別児童扶養手当等の支給に関する法律に基づき都道府県及び市町村に交付する事務費に関する政令第一条及び第二条　平成二十六年度分の事務費交付金

附　則（第五六次改正）抄

（施行期日）

第一条　この政令は、平成二十七年四月一日から施行する。〔以下略〕

附　則（第五七次改正）抄

この政令は、公布の日〔平成二十八年三月二十四日〕から施行し、次の各号に掲げる規定は、それぞれ当該各号に定める負担金、補助金又は交付金から適用する。

四　第三条の規定による改正後の特別児童扶養手当等の支給に関する法律に基づき都道府県及び市町村に交付する事務費に関する政令第一条から第三条まで　平成二十七年度分の事務費交付金

附　則（第五八次改正）抄

（施行期日）

第一条　この政令は、行政不服審査法の施行の日（平成二十八年四月一日）から施行する。

（経過措置の原則）

第二条　行政庁の処分その他の行為又は不作為についての不服申立てであってこの政令の施行前にされた行政庁の処分その他の行為又はこの政令の施行前にされた申請に係る行政庁の不作為に係るものについては、この附則に特別の定めがある場合を除き、なお従前の例による。

附　則（第五九次改正）

この政令は、地方自治法の一部を改正する法律の施行の日（平成二十八年四月一日）から施行する。

附　則（第六〇次改正）抄

この政令は、公布の日〔平成二十九年三月二十四日〕から施行し、次の各号に掲げる規定は、それぞれ当該各号に定める負担金、補助金又は交付金から適用する。

四　第三条の規定による改正後の特別児童扶養手当等の支給に関する法律に基づき都道府県及び市町村に交付する事務費に関する政令第一条から第三条まで　平成二十八年度分の事務費交付金

附　則（第六一次改正）抄

この政令は、公布の日〔平成三十年三月二十二日〕から施行し、次の各号に掲げる規定は、それぞれ当該各号に定める負担金、補助金又は交付金から適用する。

四　第三条の規定による改正後の特別児童扶養手当等の支給に関する法律に基づき都道府県及び市町村に交付する事務費に関する政令第一条から第三条まで　平成二十九年度分の事務費交付金

附　則（第六二次改正）抄

この政令は、公布の日〔平成三十一年三月二十日〕から施行し、次の各号に掲げる規定は、それぞれ当該各号に定める交付金又は事務費から適用する。

二　第二条の規定による改正後の特別児童扶養手当等の支給に関する法律に基づき都道府県及び市町村に交付する事務費に関する政令第一条から第三条まで　平成三十年度分として交付する事務費

附　則（第六三次改正）抄

この政令は、公布の日〔令和二年三月六日〕から施行し、次の各号に掲げる規定は、当該各号に定める交付金又は事務費から適用する。

二　第二条の規定による改正後の特別児童扶養手当等の支給に関する法律に基づき都道府県及び市町村に交付する事務費に関する政令第一条から第三条まで　令和元年度分として交付する事務費

附　則（第六四次改正）抄

この政令は、公布の日〔令和三年三月五日〕から施行し、次の各号に掲げる規定は、当該各号に定める負担金、交付金又は事務費から適用する。

三　第三条の規定による改正後の特別児童扶養手当等の支給に関する法律に基づき都道府県及び市町村に交付する事務費に関する政令第一条から第三条まで　令和二年度分として交付する事務費

附　則（第六五次改正）抄

この政令は、公布の日〔令和五年三月十五日〕から施行し、次の各号に掲げる規定は、当該各号に定める交付金又は事務費から適用する。

二　第二条の規定による改正後の特別児童扶養手当等の支給に関する法律に基づき都道府県及び市町村に交付する事務費に関する政令第一条から第三条まで　令和四年度分として交付する事務費

〔省　令〕

◉特別児童扶養手当等の支給に関する法律施行規則

〔昭和三十九年八月二十八日　厚生省令第三十八号〕

〔一部改正経過〕

第一次〔昭和四〇年五月三一日厚生省令第二六号「重度精神薄弱児扶養手当法施行規則の一部を改正する省令」による改正〕
第二次〔昭和四一年八月一日厚生省令第二九号「重度精神薄弱児扶養手当法施行規則の一部を改正する省令」による改正〕
第三次〔昭和四二年八月三一日厚生省令第三二号「児童扶養手当法施行規則及び特別児童扶養手当法施行規則の一部を改正する省令」第二条による改正〕
第四次〔昭和四二年一一月一〇日厚生省令第四八号「日雇労働者健康保険法施行規則等の一部を改正する省令」第八号による改正〕
第五次〔昭和四二年一二月二五日厚生省令第五八号「児童扶養手当法施行規則及び特別児童扶養手当法施行規則の一部を改正する省令」第二条による改正〕
第六次〔昭和四三年七月四日厚生省令第二八号「児童扶養手当法施行規則及び特別児童扶養手当法施行規則の一部を改正する省令」第二条による改正〕
第七次〔昭和四四年七月一日厚生省令第一七号「児童福祉法施行規則等の一部を改正する省令」第一八条による改正〕
第八次〔昭和四四年八月二五日厚生省令第二六号「児童扶養手当法施行規則及び特別児童扶養手当法施行規則の一部を改正する省令」第二条による改正〕
第九次〔昭和四四年一二月一〇日厚生省令第三九号「児童扶養手当法施行規則及び特別児童扶養手当法施行規則の一部を改正する省令」第二条による改正〕
第一〇次〔昭和四五年六月一七日厚生省令第三一号「児童扶養手当法施行規則及び特別児童扶養手当法施行規則の一部を改正する省令」第二条による改正〕
第一一次〔昭和四七年九月一六日厚生省令第四九号「児童扶養手当法施行規則及び特別児童扶養手当法施行規則の一部を改正する省令」第二条による改正〕
第一二次〔昭和四八年九月二八日厚生省令第三八号「児童扶養手当法施行規則及び特別児童扶養手当法施行規則の一部を改正する省令」第二条による改正〕
第一三次〔昭和四九年六月二〇日厚生省令第二一号「児童扶養手当法施行規則及び特別児童扶養手当法施行規則の一部を改正する省令」第二条による改正〕
第一四次〔昭和四九年六月二二日厚生省令第二二号「児童扶養手当法施行規則及び特別児童扶養手当法施行規則の一部を改正する省令」第二条による改正〕
第一五次〔昭和五〇年八月一三日厚生省令第三三号「特別児童扶養手当等の支給に関する法律施行規則及び児童扶養手当法施行規則の一部を改正する省令」第一条による改正〕
第一六次〔昭和五一年一〇月一日厚生省令第四六号「児童扶養手当法施行規則等の一部を改正する省令」第二条による改正〕
第一七次〔昭和五二年一〇月一日厚生省令第四四号「児童扶養手当法施行規則等の一部を改正する省令」第二条による改正〕
第一八次〔昭和五三年四月一日厚生省令第一六号「児童扶養手当法施行規則及び特別児童扶養手当等の支給に関する法律施行規則の一部を改正する省令」第二条による改正〕
第一九次〔昭和五三年五月二七日厚生省令第三四号「児童扶養手当法施行規則等の一部を改正する省令」第二条による改正〕
第二〇次〔昭和五六年七月三〇日厚生省令第五六号「児童扶養手当法施行規則及び特別児童扶養手当等の支給に関する法律施行規則の一部を改正する省令」第二条による改正〕
第二一次〔昭和五六年一二月一九日厚生省令第六九号「児童扶養手当法施行規則及び特別児童扶養手当等の支給に関する法律施行規則の一部を改正する省令」第二条による改正〕
第二二次〔昭和五七年六月九日厚生省令第二六号「特別児童扶養手当等の支給に関する法律施行規則の一部を改正する省令」による改正〕
第二三次〔昭和五七年八月一四日厚生省令第三五号「福祉年金支給規則等の一部を改正する省令」第四条による改正〕
第二四次〔昭和五七年八月三一日厚生省令第四〇号「船員保険法施行規則等の一部を改正する省令」第一〇条による改正〕
第二五次〔昭和六〇年一二月二八日厚生省令第四九号「福祉手当の支給に関する省令の一部を改正する省令」附則第八条による改正〕
第二六次〔昭和六一年三月二九日厚生省令第一七号「国民年金法施行規則等の一部を改正する等の省令」第一七条による改正〕
第二七次〔昭和六三年五月三一日厚生省令第三九号「児童扶養手当法施行規則等の一部を改正する省令」第二条による改正〕
第二八次〔平成元年三月二四日厚生省令第一〇号「人口動態調査令施行細則等の一部を改正する省令」第五四条による改正〕
第二九次〔平成二年七月二〇日厚生省令第四二号「児童扶養手当法施行規則及び特別児童扶養手当等の支給に関する法律施行規則の一部を改正する省令」第二条による改正〕
第三〇次〔平成五年六月一六日厚生省令第二八号「老齢福祉年金支給規則等の一部を改正する省令」第四条による改正〕
第三一次〔平成六年二月二八日厚生省令第六号「厚生省関係研究交流促進法施行規則等の一部を改正する省令」第三七条による改正〕
第三二次〔平成六年七月二七日厚生省令第四八号「老齢福祉年金支給規則等の一部を改正する省令」第四条による改正〕
第三三次〔平成七年三月三〇日厚生省令第二一号「児童扶養手当法施行規則等の一部を改正する省令」第二条による改正〕
第三四次〔平成一一年一月一一日厚生省令第一号「特別児童扶養手当等の支給に関する法律施行規則等の一部を改正する省令」第一条による改正〕

第三五次〔平成一一年三月八日厚生省令第一五号「精神薄弱の用語の整理のための厚生省関係省令の一部を改正する省令」第五条による改正〕
第三六次〔平成一一年五月二八日厚生省令第六〇号「老齢福祉年金支給規則等の一部を改正する省令」第四条による改正〕
第三七次〔平成一二年一〇月二〇日厚生省令第一二七号「中央省庁等改革のための健康保険法施行規則等の一部を改正する等の省令」第七八条による改正〕
第三八次〔平成一三年七月三一日厚生労働省令第一七八号「特別児童扶養手当等の支給に関する法律施行規則の一部を改正する省令」による改正〕
第三九次〔平成一四年五月二四日厚生労働省令第七〇号「老齢福祉年金支給規則等の一部を改正する省令」第三条による改正〕
第四〇次〔平成一四年八月五日厚生労働省令第一〇三号「特別児童扶養手当等の支給に関する法律施行規則の一部を改正する省令」による改正〕
第四一次〔平成一七年三月二五日厚生労働省令第四五号「特別児童扶養手当等の支給に関する法律施行規則の一部を改正する省令」による改正〕
第四二次〔平成一八年七月二八日厚生労働省令第一四四号「児童扶養手当法施行規則等の一部を改正する省令」第二条による改正〕
第四三次〔平成一九年九月二五日厚生労働省令第一一二号「郵政民営化法等の施行に伴う厚生労働省関係省令の整理に関する省令」第二三条による改正〕
第四四次〔平成二四年六月二八日厚生労働省令第九九号「特別児童扶養手当等の支給に関する法律施行規則及び特別障害者手当等の支給に関する省令の一部を改正する省令」第一条による改正〕
第四五次〔平成二七年三月三一日厚生労働省令第五五号「地域の自主性及び自立性を高めるための改革の推進を図るための関係法律の整備に関する法律の施行に伴う厚生労働省関係省令の整備に関する省令」第一三条による改正〕
第四六次〔平成二七年九月二九日厚生労働省令第一五〇号「行政手続における特定の個人を識別するための番号の利用等に関する法律及び行政手続における特定の個人を識別するための番号の利用等に関する法律の施行に伴う関係法律の整備等に関する法律の施行に伴う厚生労働省関係省令の整備に関する省令」第二二条（平成二八年一二月厚生労働省令第一八七号により一部改正）による改正〕
第四七次〔平成二八年二月二五日厚生労働省令第二五号「行政不服審査法及び行政不服審査法の施行に伴う関係法律の整備等に関する法律の施行に伴う厚生労働省関係省令の整備に関する省令」第一一条による改正〕
第四八次〔平成二八年五月二三日厚生労働省令第一〇一号「特別児童扶養手当等の支給に関する法律施行規則等の一部を改正する省令」第一条による改正〕
第四九次〔平成三〇年八月一日厚生労働省令第一〇一号「児童扶養手当法施行規則等の一部を改正する省令」第三条による改正〕
第五〇次〔令和元年五月七日厚生労働省令第一号「元号の表記の整理のための厚生労働省関係省令の一部を改正する省令」第三一条による改正〕
第五一次〔令和元年六月二八日厚生労働省令第二〇号「不正競争防止法等の一部を改正する法律の施行に伴う厚生労働省関係省令の整備に関する省令」第一条による改正〕
第五二次〔令和元年六月二八日厚生労働省令第二二号「児童扶養手当法施行規則等の一部を改正する省令」第三条による改正〕
第五三次〔令和二年一二月二五日厚生労働省令第二〇八号「押印を求める手続の見直し等のための厚生労働省関係省令の一部を改正する省令」第四三条による改正〕
第五四次〔令和二年一二月二八日厚生労働省令第二一二号「児童福祉法施行規則等の一部を改正する省令」第三条による改正〕
第五五次〔令和三年五月六日厚生労働省令第九四号「特別児童扶養手当等の支給に関する法律施行規則及び特別障害者手当等の支給に関する省令の一部を改正する省令」第一条による改正〕
第五六次〔令和三年一〇月二二日厚生労働省令第一七五号「厚生労働省の所管する法律又は政令の規定に基づく立入検査等の際に携帯する職員の身分を示す証明書の様式の特例に関する省令」附則第七条による改正〕
第五七次〔令和四年九月八日厚生労働省令第一二六号「公的給付の支給等の迅速かつ確実な実施のための預貯金口座の登録等に関する法律の一部の施行に伴う厚生労働省関係省令の整備に関する省令」第八条による改正〕

重度精神薄弱児扶養手当法（昭和三十九年法律第百三十四号）第二十三条及び第二十八条の規定に基づき、重度精神薄弱児扶養手当法施行規則を次のように定める。

特別児童扶養手当等の支給に関する法律施行規則

題名＝改正（第二・一四次改正）

目次

第一章　認定の請求及び届出等

（認定の請求）

第一条　特別児童扶養手当等の支給に関する法律（昭和三十九年法律第百三十四号。以下「法」という。）第五条の規定による特別児童扶養手当（以下「手当」という。）の受給資格及びその額についての認定の請求は、特別児童扶養手当認定請求書（様式第一号）に、次に掲げる書類等を添えて、これを都道府県知事（地方自治法（昭和二十二年法律第六十七号）第二百五十二条の十九第一項の指定都市（以下「指定都市」という。）の区域内に住所を有する受給資格者については、当該指定都市の長。第十条第二項、第十五条、第十六条、第二十五条、第二十六条、第二十八条第二項及び第二十九条を除き、以下同じ。）に提出することによつて行わなければならない。

一　受給資格者及びその者が監護し又は養育する法第三条に定める要件に該当する障害児（以下「支給対象障害児」という。）の戸籍の謄本又は抄本及びこれらの者の属する世帯の全員の住民票の写し

二　支給対象障害児が法第二条第一項に規定する状態にあることに関する医師又は歯科医師の診断書及び当該状態が別表に定める傷病に係るものであるときはエツクス線直接撮影写真

三　受給資格者が父（母が支給対象障害児を懐胎した当時婚姻の届出をしていないが、その母と事実上婚姻関係と同様の事情にあつた者を含む。以下同じ。）又は母である場合において、母又は父も支給対象障害児を監護するときは、その父又は母が法第三条第二項に規定する者であることを明らかにすることができる書類

四　受給資格者が父又は母である場合において、支給対象障害児と同居しないでこれを監護するときは、その事実を明らかにすることができる書類

五　受給資格者が養育者である場合には、支給対象障害児の父及び母の戸籍又は除かれた戸籍の謄本又は抄本並びに受給資格者が支給対象障害児を養育することを明らかにすることができる書類

六　受給資格者の前年（一月から六月までの間に請求する者にあつては、前々年とする。この条において同じ。）の所得につき、次に掲げる書類等

イ　所得の額（特別児童扶養手当等の支給に関する法律施行令（昭和五十年政令第二百七号。以下「令」という。）第四条及び第五条の規定によつて計算した所得の額をいう。以下同じ。）並びに法第六条に規定する扶養親族等の有無及び数並びに所得税法（昭和四十年法律第三十三号）に規定する同一生計配偶者（七十歳以上の者に限る。）、老人扶養親族及び特定扶養親族の有無及び数についての市町村長（特別区の区長を含む。以下同じ。）の証明書（やむを得ない理由により同法に規定する同一生計配偶者の有無及び当該同一生計配偶者が七十歳以上であるかの別についての市町村長の証明書を提出することができない場合には、当該事実を明らかにできる書類）

ロ　受給資格者が令第五条第二項各号に該当するときは、当該事実を明らかにすることができる市町村長の証明書

ハ　受給資格者が所得税法に規定する控除対象扶養親族（十九歳未満の者に限る。）を有するときは、次に掲げる書類

(1)　当該控除対象扶養親族の数を明らかにすることができる書類

(2)　当該控除対象扶養親族が法第七条又は第八条に規定する扶養義務者でない場合には、当該控除対象扶養親族の前年の所得の額についての市町村長の証明書

ニ　受給資格者が前年の十二月三十一日においてその者の法第六条に規定する扶養親族等でない児童扶養手当法（昭和三十六年法律第二百三十八号）第三条第一項に規定する児童の生計を維持したときは、次に掲げる書類等

(1)　当該児童の数及び受給資格者が前年の十二月三十一日において当該児童の生計を維持したことを明らかにすることができる書類

(2)　当該児童（前年の十二月三十一日において十八歳に達する日以後の最初の三月三十一日までの間にある者を除く。）が同日において児童扶養手当法施行令（昭和三十六年政令第四百五号）別表第一に定める程度の障害の状態にあつた場合には、児童扶養手当法施行規則（昭和三十六年厚生省令第五十一号）第一条第七号に掲げる書類等

ホ　受給資格者が法第九条第一項の規定に該当するときは、特別児童扶養手当被災状況書（様式第三号）

七　配偶者（婚姻の届出をしていないが、事実上婚姻関係と同様の事情にある者を含む。以下同じ。）がある受給資格者又は法第七条に規定する扶養義務者がある父若しくは母である受給資格者若しくは法第八条に規定する扶養義務者がある養育者である受給資格者にあつては、当該配偶者又は当該扶養義務者の前年の所得につき、次に掲げる書類

イ　所得の額並びに法第七条に規定する扶養親族等の有無及び数並びに所得税法に規定する老人扶養親族の有無及び数についての市町村長の証明書（やむを得ない理由により同法に規定する同一生計配偶者の有無についての市町村長の証明書を提出することができない場合には、当該事実を明らかにできる書類）

ロ　当該配偶者又は当該扶養義務者が令第五条第二項各号に該当するときは、当該事実を明らかにすることができる市町村長の証明書

ハ　当該配偶者又は当該扶養義務者が法第九条第一項の規定に該当するときは、特別児童扶養手当被災状況書

〔改正〕

一部改正（第一～四・六・八～一二・一四～一六・一八～二〇・二四・二六・二九・三二・三三・三八・三九・四四・四五・四九・五二・五四次改正）

（手当額の改定の請求及び届出）

第二条　法第十六条において準用する児童扶養手当法第八条第一項の規定による手当の額の改定の請求は、特別児童扶養手当額改定請求書（様式第四号）に、新たな支給対象障害児があるに至つた場合に

あつては、当該支給対象障害児に係る第一号から第三号までに掲げる書類等を、支給対象障害児の障害の程度が増進した場合にあつては、第二号に掲げる書類等を添えて、これを都道府県知事に提出することによつて行わなければならない。

一 戸籍の謄本又は抄本及び当該障害児の属する世帯の全員の住民票の写し

二 前条第二号に掲げる書類等

三 前条第三号から第五号までに該当する場合には、それぞれ当該各号に掲げる書類

〔改正〕

一部改正（第二・四・一一・一四・一五・二四次改正）

第三条 手当の支給を受けている者（以下「受給者」という。）は、法第十六条において準用する児童扶養手当法第八条第三項の規定による手当の額の改定を行うべき事由が生じたときは、速やかに、特別児童扶養手当額改定届（様式第五号）を都道府県知事に提出しなければならない。

〔改正〕

一部改正（第二・一一・一四・一五次改正）

（所得状況の届出）

第四条 受給者は、特別児童扶養手当所得状況届（様式第六号）に第一条第六号及び第七号に掲げる書類等を添えて、毎年八月十二日から九月十一日までの間に、これを都道府県知事に提出しなければならない。ただし、特別児童扶養手当認定請求書に前年の所得状況が既に記載されているときは、この限りでない。

〔改正〕

一部改正（第二・一一・一四・一五・一九・四八次改正）

（氏名変更の届出）

第五条 受給者は、氏名を変更したときは、次の各号に掲げる事項を記載した届書に戸籍の抄本を添えて、十四日以内に、これを都道府県知事に提出しなければならない。

一 個人番号（行政手続における特定の個人を識別するための番号の利用等に関する法律（平成二十五年法律第二十七号）第二条第五項に規定する個人番号をいう。以下同じ。）

二 変更前及び変更後の氏名

三 特別児童扶養手当証書の記号番号

〔改正〕

一部改正（第一・二・七・一四・一五・四八次改正）

（住所変更の届出）

第六条 受給者は、住所を変更したときは、十四日以内に、次の各号に掲げる事項を記載した届書を都道府県知事に提出しなければならない。

一 個人番号

二 変更前及び変更後の住所

三 特別児童扶養手当証書の記号番号

〔改正〕

一部改正（第一・二・七・一四・一五・四八次改正）

（支払方法変更の届出）

第七条　受給者は、支払方法を変更しようとするとき（現に公的給付の支給等の迅速かつ確実な実施のための預貯金口座の登録等に関する法律（令和三年法律第三十八号。以下「口座登録法」という。）第三条第一項、第四条第一項及び第五条第二項の規定による登録に係る預金口座（以下「公金受取口座」という。）を利用している場合であつて口座登録法第四条第一項又は第五条第二項の規定により当該公金受取口座を変更したときを含む。）は、次の各号に掲げる事項を記載した届書を都道府県知事に提出しなければならない。ただし、第十六条に規定する審査を行う市町村は、現に公金受取口座を利用している受給者について、口座登録法第五条第一項第二号に規定する公的給付支給等口座情報により、当該届書に関する事項を確認することができるときは、当該届書を省略させることができる。

一　個人番号

二　変更前及び変更後の支払方法

三　特別児童扶養手当証書の記号番号

〔**改正**〕

一部改正（第一・二・一四・一五・四三・四八・五七次改正）

第八条　削除（第四三次改正）

（証書の再交付の申請）

第九条　受給者は、特別児童扶養手当証書を破り、又は汚したときは、特別児童扶養手当証書の再交付を都道府県知事に申請することができる。

2　前項の申請をするには、個人番号及び特別児童扶養手当証書の記号番号を記載した申請書を都道府県知事に提出しなければならない。この場合においては、破り、又は汚した特別児童扶養手当証書を申請書に添えなければならない。

〔**改正**〕

一部改正（第二・一四・一五・四八次改正）

（証書の亡失の届出等）

第十条　受給者は、特別児童扶養手当証書を失つたときは、直ちに、特別児童扶養手当証書亡失届（様式第八号）を都道府県知事に提出しなければならない。

2　受給者は、前項の届出をした後、失つた特別児童扶養手当証書を発見したときは、速やかに、住所地の市町村長を経由して（当該受給者が指定都市の区域内に住所を有するときは、直接）、これを都道府県知事に返納しなければならない。

〔**改正**〕

一部改正（第二・一四・一五・四五次改正）

（受給資格喪失の届出）

第十一条　受給者は、法第三条に定める支給要件に該当しなくなつたときは、速やかに、特別児童扶養手当資格喪失届（様式第九号）を都道府県知事に提出しなければならない。

〔**改正**〕

一部改正（第二・一四・一五次改正）

（死亡の届出）

第十二条　受給者が死亡したときは、戸籍法（昭和二十二年法律第二百二十四号）の規定による死亡の届出義務者は、次の各号に掲げる事項を記載した届書に、その死亡を証する書類を添えて、十四日以内に、これを都道府県知事に提出しなければならない。

一　氏名

二　死亡した年月日

三　特別児童扶養手当証書の記号番号

〔改正〕

一部改正（第二・一四・一五・四八・五四次改正）

（届書等の記載事項）

第十二条の二　第五条から第九条まで及び前条の届書又は申請書には、届出人又は申請者の氏名及び住所並びに届出又は申請の年月日を記載しなければならない。

〔改正〕

追加（第二次改正）、一部改正（第三四・五三次改正）

（準用）

第十二条の三　第三条から前条まで及び第十五条の規定は、受給資格の認定を受けた者であつて法第六条から第八条までの規定により特別児童扶養手当の支給を受けていないもの（以下「支給停止者」という。）について準用する。この場合において、第四条中「特別児童扶養手当認定請求書に前年の所得状況が既に記載されているとき」とあるのは「特別児童扶養手当認定請求書に前年の所得状況が既に記載されているとき、又は法第六条から第八条までの規定によりその年の七月まで手当が支給されていない場合であつて当該支給停止の事由がなお継続するとき」と読み替えるものとする。

〔改正〕

追加（第一五次改正）、一部改正（第一八次改正）

（未支払の手当の請求）

第十三条　法第十三条に規定する未支払の手当を受けようとする者は、未支払特別児童扶養手当請求書（様式第十号）を都道府県知事に提出しなければならない。

〔改正〕

一部改正（第二・一四・一五次改正）

（証書の添附）

第十四条　第二条から第七条まで、第十一条及び第十二条並びに第十二条の三において準用する第三条から第七条まで、第十一条及び第十二条の規定によつて請求書又は届書を都道府県知事に提出する場合においては、その請求書又は届書に、特別児童扶養手当証書を添えなければならない。ただし、支給停止者が既に特別児童扶養手当証書を都道府県知事に提出している場合又は特別児童扶養手当証書の交付を受けていない場合にあつては、この限りでない。

〔改正〕

一部改正（第二・一四・一五・四三次改正）

（市町村長の経由）

第十五条　この章の規定によつて請求書、届書又は申請書を都道府県知事に提出する場合においては、当該受給資格者又は受給者の住所地の市町村長を経由しなければならない。

第二章　認定及び支給等

（認定の請求書及び届書の受理及び提出）

第十六条　市町村長は、前条の規定により市町村長を経由して都道府県知事に提出しなければならないこととされている請求書、届書又は申請書を受理したときは、請求書、届書又は申請書の所定事項について必要な審査を行い、これを都道府県知事に提出しなければならない。

2　前項の場合において、提出された届書が同一都道府県の区域内における住所又は支払方法の変更に係るものであるときは、同項の規定にかかわらず、市町村長は、これらの届書に添えて提出された特別児童扶養手当証書の所定欄に住所又は支払方法の変更に関する所要事項を記載し、かつ、当該証書を受給者に返付した旨の報告をもつて同項の提出に代えるものとする。

3　第一項の場合において、提出された届書が氏名の変更又は住所若しくは支払方法の変更（同一都道府県の区域内における住所又は支払方法の変更を除く。）に係るものであるときは、同項の規定にかかわらず、市町村長は、これらの届書に記載された事項を記載した書類を送付することによつて同項の提出に代えることができる。この場合において、提出された届書に特別児童扶養手当証書が添付されているときは、特別児童扶養手当証書を添えなければならない。

〔**改正**〕

一部改正（第一・二・六・一四・一五・三九・四三次改正）

（認定の通知等）

第十七条　都道府県知事は、認定の請求があつた場合において、受給資格の認定をしたときは、特別児童扶養手当認定通知書（様式第十一号）及び特別児童扶養手当証書を当該受給資格者に交付しなければならない。

2　都道府県知事は、前項の場合において、法第六条から第八条までの規定により手当を支給しないときは、特別児童扶養手当支給停止通知書（様式第十一号の二）を当該支給停止者に交付しなければならない。この場合において、前項の規定にかかわらず、特別児童扶養手当証書を当該支給停止者に交付しないことができる。

〔**改正**〕

全部改正（第一五次改正）

（認定請求の却下通知）

第十八条　都道府県知事は、認定の請求があつた場合において、受給資格がないと認めたときは、特別児童扶養手当認定請求却下通知書（様式第十二号）を請求者に交付しなければならない。

〔**改正**〕

一部改正（第二・一四・一五次改正）

（手当額の改定の通知等）

第十九条　都道府県知事は、手当の額を改定したときは、特別児童扶養手当額改定通知書（様式第十三号）を受給者に交付しなければならない。

2　都道府県知事は、前項の通知をする場合において、第十四条の規定によつて特別児童扶養手当証書が提出されているときは、当該特別児童扶養手当証書に当該改定に関する所要事項を記載し、又は新たに特別児童扶養手当証書を作成し、これを受給者に返付し、又は交付しなければならない。

3　都道府県知事は、第一項の通知をする場合において、特別児童扶養手当証書が提出されていないときは、受給者に対して、特別児童扶養手当証書の提出を命じなければならない。

4　第二項の規定は、前項の命令によつて特別児童扶養手当証書が提出された場合に準用する。

5　第二項（前項において準用する場合を含む。）の規定により新たな特別児童扶養手当証書が交付されたときは、従前の特別児童扶養手当証書は、その効力を失うものとする。

6　都道府県知事は、手当の額の改定の請求があつた場合において、改定すべき事由がないと認めたときは、特別児童扶養手当額改定請求却下通知書（様式第十四号）を受給者に交付しなければならない。

〔**改正**〕

一部改正（第二・一四・一五次改正）

（証書の訂正）

第二十条　都道府県知事は、氏名の変更の届書、住所若しくは支払方法の変更の届書（第十六条第二項に係る届書並びに他の都道府県の区域からの住所及び支払方法の変更に係る届書を除く。）又は同条第三項の書類を受理したときは、これらの届書又は書類に添えて提出された特別児童扶養手当証書の当該事項を訂正して、これを受給者に返付しなければならない。

2　前項の規定は、市町村長が住所又は支払方法の変更の届書（第十六条第二項に係る届書に限る。）を受理した場合に準用する。

〔**改正**〕

全部改正（第一次改正）、一部改正（第二・一四・一五・四三次改正）

（証書の再交付等）

第二十一条　都道府県知事は、特別児童扶養手当証書の再交付の申請書若しくは特別児童扶養手当証書亡失届又は他の都道府県の区域からの住所及び支払方法の変更に係る届書（第十六条第三項の書類を含む。）を受理したときは、新たに特別児童扶養手当証書を作成し、これを受給者に交付しなければならない。

2　第十九条第五項の規定は、前項の規定により新たな特別児童扶養手当証書が交付された場合に準用する。

〔**改正**〕

一部改正（第一・二・一四・一五・四三次改正）

（証書の更新、支給停止の通知等）

第二十二条　都道府県知事は、第四条（第十二条の三において準用する場合を含む。）の規定により提出された特別児童扶養手当所得状況届を受理した場合において、法第六条から第八条までの規定に該当しないと認めたときは、当該届書に添えて提出された特別児童扶養手当証書に所要事項を記載し、又は新たに特別児童扶養手当証書を作成し、これを当該受給者に返付し、又は交付しなければならない。

2 都道府県知事は、前項の届書を受理した場合において、法第六条から第八条までの規定により手当を支給しないときは、特別児童扶養手当支給停止通知書を当該支給停止者に交付しなければならない。

3 都道府県知事は、前項の通知をする場合において、特別児童扶養手当証書が提出されていないときは、当該支給停止者に対して、特別児童扶養手当証書の提出を命ずることができる。

〔改正〕

全部改正（第一五次改正）

（未支払の手当の支払通知）

第二十三条 都道府県知事は、未支払特別児童扶養手当請求書を受理したときは、特別児童扶養手当支払通知書を作成し、これを請求者に交付しなければならない。

〔改正〕

一部改正（第一一・一四・一五次改正）

（受給資格喪失の通知）

第二十四条 都道府県知事は、受給者の受給資格が消滅したときは、特別児童扶養手当資格喪失通知書（様式第十五号）をその者（その者が死亡した場合にあつては、戸籍法の規定による死亡の届出義務者とする。）に交付しなければならない。

2 都道府県知事は、前項の通知をする場合において、特別児童扶養手当証書が提出されていないときは、同項に定める者に対して、特別児童扶養手当証書の提出を命じなければならない。

〔改正〕

一部改正（第一一・一四・一五次改正）

（経由）

第二十五条 都道府県知事は、この章の規定によつて、通知書を交付し、特別児童扶養手当証書を交付し、若しくは返付し、又は特別児童扶養手当証書の提出を命ずるときは、当該受給者の住所地の市町村長を経由しなければならない。

〔改正〕

一部改正（第一一・一四・一五次改正）

（証書の交付等の停止）

第二十六条 市町村長は、前条の規定によつて当該受給者に対して特別児童扶養手当証書を交付し、又は返付する場合において、受給資格が消滅していることが明らかに認められるときは、特別児童扶養手当証書の交付又は返付を停止し、その旨を都道府県知事に報告しなければならない。

〔改正〕

一部改正（第一一・一四・一五次改正）

（準用）

第二十六条の二 第十六条、第十九条から第二十一条まで及び第二十四条から前条までの規定は、支給停止者に関する請求書、届書、申請書、通知書及び特別児童扶養手当証書について準用する。

〔改正〕
追加（第一五次改正）

第三章　雑則

（口頭による請求）

第二十七条　市町村長は、第一章に規定する請求書、届書又は申請書を作成することができない特別の事情があると認めるときは、当該請求者、届出者又は申請者の口頭による陳述を当該職員に聴取させたうえで、必要な措置をとることによつて、同章に規定する請求書、届書又は申請書の受理にかえることができる。

2　前項の陳述を聴取した当該職員は、陳述事項に基づいて所定の請求書、届書又は申請書の様式に従つて聴取書を作成し、これを陳述者に読み聞かせたうえで、陳述者とともに氏名を記載しなければならない。

〔改正〕
一部改正（第五三次改正）

（添附書類の省略等）

第二十八条　都道府県知事は、法第二条第一項に規定する障害児又は児童扶養手当法施行令別表第一に定める程度の障害の状態にある児童について、既に当該障害児又は当該児童の状態に関する診断書又はエツクス線直接撮影写真（以下「診断書等」という。）の提出を受けたことがある場合において、当該障害児又は当該児童の状態が固定している等の事情により当該状態に関する診断書等を添える必要がないと認めるときは、第一章の規定により請求書又は届書に添えなければならない当該状態に関する診断書等を省略させることができる。

2　都道府県知事は、第一条の特別児童扶養手当認定請求書及び第四条（第十二条の三において準用する場合を含む。）の特別児童扶養手当所得状況届に添えるべき第一条第六号イ及びロ並びに第七号イ及びロに規定する市町村長の証明書を当該受給資格者又は受給者若しくは支給停止者の住所地の市町村長から受けるべきときは、これを添えることを要しないものとすることができ、また、指定都市の長は、市町村長証明書を添えることを省略させることができる。この場合において、市町村長は、証明すべき事実につき課税台帳その他の公簿によつて審査した旨を当該届書に記載しなければならない。

3　都道府県知事は、非常災害に際して特に必要があると認めるときは、第一章の規定により請求書又は届書に添えなければならない書類等を省略させ、又はこれにかわるべき他の書類等を添えて提出させることができる。

4　第一章の規定により請求書又は届書に戸籍の謄本若しくは抄本若しくは住民票の写し、身分関係若しくは生計関係を明らかにすることができる書類又は診断書等を添えて提出しなければならない場合において、一通又は二通以上の戸籍の謄本若しくは抄本若しくは住民票の写し、身分関係若しくは生計関係を明らかにすることができる書類又は診断書等を添えることにより当該関係事項のすべてを明らかにすることができるときは、その明らかにすることができる書類等を、当該請求書又は届書に添えることをもつて足りるものとする。

5　都道府県知事は、第一章の規定により請求書又は届書に添えて提出する書類等により証明すべき事実を公簿によつて確認することができるときは、当該書類等を省略させることができる。

〔改正〕

一部改正（第二・四・一〇・一一・一四・一五・二四・二六・四〇・四五次改正）

（経由の省略）

第二十九条　都道府県知事は、特別の事情があると認めるときは、第十五条（第十二条の三において準用する場合を含む。）の規定にかかわらず、第一章に規定する請求書、届書又は申請書を市町村長を経由しないで提出させることができる。特別児童扶養手当証書の経由についても、同様とする。

2　都道府県知事は、特別の事情があると認めるときは、第二十五条（第二十六条の二において準用する場合を含む。）の規定にかかわらず、前章に規定する通知書を市町村長を経由しないで交付することができる。特別児童扶養手当証書の経由についても、同様とする。

〔改正〕

一部改正（第二・一四・一五次改正）

（督促状）

第三十条　法第十六条において準用する児童扶養手当法第二十三条第二項において準用する国民年金法（昭和三十四年法律第百四十一号）第九十六条第二項の規定によつて発する督促状は、様式第十六号による。

〔改正〕

一部改正（第一五次改正）

（身分を示す証明書）

第三十一条　法第三十六条第三項の規定によつて当該職員が携帯すべき身分を示す証明書は、様式第十七号による。

〔改正〕

一部改正（第一五次改正）

（障害児福祉手当及び特別障害者手当の支給の手続等）

第三十二条　障害児福祉手当及び特別障害者手当の支給に関する手続その他必要な事項については、障害児福祉手当及び特別障害者手当の支給に関する省令（昭和五十年厚生省令第三十四号）の定めるところによる。

〔改正〕

追加（第一五次改正）、一部改正（第二五次改正）

附　則

この省令は、昭和三十九年九月一日から施行する。ただし、法附則第二項の規定によつてなされる手続に関しては、公布の日〔昭和三十九年八月二十八日〕から施行する。

附　則（第一次改正）

この省令は、公布の日〔昭和四十年五月三十一日〕から施行する。ただし、第一条の改正規定中同条第二項第二号イの改正に係る部分並びに様式第三号の改正規定（同様式注意の11のイ及びロ中「20万円」を「22万円」に改める部分を除く。）は、昭和四十年八月一日から施行する。

附　則（第二次改正）

1　この省令は、公布の日〔昭和四十一年八月一日〕から施行する。ただし、様式第三号の改正規定中注意の5及び10のロの㈭の改正に係る部分は、昭和四十一年十二月一日から施行する。

2　この省令による改正後の特別児童扶養手当所得状況届及びこれに添えなければならない書類等に関する規定（様式第三号の注意の5及び10のロの㈭を除く。）は、昭和四十年以降の年の所得による特別児童扶養手当（昭和四十一年八月一日前は重度精神薄弱児扶養手当）の支給の制限に関する手続について適用する。

3　前項の規定により同項に規定する規定を重度精神薄弱児扶養手当の支給の制限に関する手続について適用する場合においては、当該規定中「特別児童扶養手当所得状況届」とあるのは「所得状況届」と、「特別児童扶養手当被災状況書」とあるのは「被災状況書」と、それぞれ読み替えるものとする。

4　この省令の施行の際現にあるこの省令による改正前の様式による請求書、診断書、届書及び通知書の用紙は、当分の間、これを取り繕つて使用することができる。

附　則（第三次改正）

1　この省令は、公布の日〔昭和四十二年八月三十一日〕から施行する。

2　昭和四十年以前の年の所得に係る児童扶養手当所得状況届及び特別児童扶養手当所得状況届並びにこれらに添えるべき書類等については、なお従前の例による。

附　則（第四次改正）

この省令は、公布の日〔昭和四十二年十一月十日〕から施行する。

附　則（第五次改正）

この省令は、公布の日〔昭和四十二年十二月二十五日〕から施行する。

附　則（第六次改正）

1　この省令は、公布の日〔昭和四十三年七月四日〕から施行する。

2　昭和四十一年以前の年の所得に係る児童扶養手当所得状況届及び特別児童扶養手当所得状況届については、なお従前の例による。

附　則（第七次改正）抄

1　この省令は、公布の日〔昭和四十四年七月一日〕から施行する。

〔以下略〕

附　則（第八次改正）

1　この省令は、公布の日〔昭和四十四年八月二十五日〕から施行する。

2　昭和四十二年以前の年の所得に係る児童扶養手当所得状況届及び特別児童扶養手当所得状況届については、なお従前の例による。

附　則（第九次改正）

この省令は、公布の日〔昭和四十四年十二月十日〕から施行する。

附　則（第一〇次改正）

1　この省令は公布の日〔昭和四十五年六月十七日〕から施行する。
2　昭和四十三年以前の年の所得に係る児童扶養手当所得状況届及び特別児童扶養手当所得状況届並びにこれらに添えるべき書類等の提出については、なお従前の例による。

附　則（第一一次改正）

この省令は、昭和四十七年十月一日から施行する。

附　則（第一二次改正）

1　この省令は、昭和四十八年十月一日から施行する。
2　昭和四十六年以前の年の所得に係る児童扶養手当所得状況届及び特別児童扶養手当所得状況届並びにこれらに添えるべき証明書については、なお、従前の例による。

附　則（第一三次改正）

1　この省令は、公布の日〔昭和四十九年六月二十日〕から施行する。
2　昭和四十七年以前の年の所得に係る児童扶養手当所得状況届及び特別児童扶養手当所得状況届並びにこれらに添えるべき証明書については、なお、従前の例による。

附　則（第一四次改正）

1　この省令は、昭和四十九年九月一日から施行する。ただし、附則第二項の規定及び児童手当法等の一部を改正する法律（昭和四十九年法律第八十九号。以下「改正法」という。）附則第四条第二項の規定によつてなされる手続に関しては、公布の日〔昭和四十九年六月二十二日〕から施行する。
2　改正法附則第四条第二項の規定によりなされる手続に係る手当認定請求書及びこれに添えるべき診断書等については、なお、従前の例によることができる。

附　則（第一五次改正）

この省令は、昭和五十年十月一日から施行する。

附　則（第一六次改正）

この省令は、公布の日〔昭和五十一年十月一日〕から施行する。

附　則（第一七次改正）

この省令は、公布の日〔昭和五十二年十月一日〕から施行する。

附　則（第一八次改正）

この省令は、公布の日〔昭和五十三年四月一日〕から施行する。

附　則（第一九次改正）抄

1　この省令は、公布の日〔昭和五十三年五月二十七日〕から施行する。
3　昭和五十三年四月期渡分の特別児童扶養手当の支払を受けることができる者（既に支払を受けている者を含む。）であつて、同年八月期渡分の特別児童扶養手当の支払を受けることができるもの（同年六月又は七月に受給資格を喪失する者を除く。）に対する改正後の特別児童扶養手当等の支給に関する法律施行規則第四条の適用については、昭和五十三年六月一日から同年九月十日までの間は、同条中「毎年八月十一日から九月十日」とあるのは、「昭和五十三年六月一日から同月三十日」と、様式第六号（表面）の⑯の欄中「8月1日」とあるのは「6月1日」と、同様式（裏面）の注意の1中

「毎年8月11日から9月10日までの間」とあるのは「昭和53年6月中」とする。

附　則（第二〇次改正）

1　この省令は、昭和五十六年八月一日から施行する。

2　昭和五十四年以前の年の所得に係る児童扶養手当現況届及び特別児童扶養手当所得状況届並びにこれらに添えるべき証明書については、なお従前の例による。

附　則（第二一次改正）

この省令は、難民の地位に関する条約等への加入に伴う出入国管理令その他関係法律の整備に関する法律（昭和五十六年法律第八十六号）の施行の日（昭和五十七年一月一日）から施行する。

附　則（第二二次改正）

この省令は、昭和五十七年七月一日から施行する。

附　則（第二三次改正）

この省令は、公布の日（昭和五十七年八月十四日）から施行する。

附　則（第二四次改正）

この省令は、昭和五十七年十月一日から施行する。

附　則（第二五次改正）抄

（施行期日）

第一条　この省令は、昭和六十一年四月一日から施行する。〔以下略〕

附　則（第二六次改正）抄

（施行期日）

第一条　この省令は、昭和六十一年四月一日（以下「施行日」という。）から施行する。

附　則（第二七次改正）抄

（施行期日）

1　この省令は、昭和六十三年七月一日から施行する。〔以下略〕

（様式に関する経過措置）

2　第一条、第二条及び第四条の規定の施行の際現にあるこれらの規定による改正前の様式による請求書及び届の用紙は、当分の間、これを取り繕つて使用することができる。

（所得の額の計算方法に関する特例）

4　昭和六十三年八月一日前における児童扶養手当法施行規則第一条、特別児童扶養手当等の支給に関する法律施行規則第一条並びに障害児福祉手当及び特別障害者手当の支給に関する省令第二条及び第十五条の規定の適用については、これらの規定中「計算した所得の額」とあるのは「計算した所得の額と昭和六十三年度分の道府県民税（都が地方税法（昭和二十五年法律第二百二十六号）第一条第二項の規定によつて課する同法第四条第二項第一号に掲げる税を含む。以下同じ。）に係る同法附則第三十三条の四第一項に規定する超短期所有土地等に係る事業所得等の金額とを合算した額」と、「第三号までの規定に該当するとき」とあるのは「第三号までの規定に該当するとき又は昭和六十三年度分の道府県民税につき地方税法第三十四条第一項第十号の二に規定する控除を受けたとき」とする。

附　則（第二八次改正）抄

1　この省令は、公布の日〔平成元年三月二十四日〕から施行する。

2　この省令の施行の際この省令による改正前の様式（以下「旧様式」という。）により使用されている書類は、この省令による改正後の様式によるものとみなす。

3　この省令の施行の際現にある旧様式による用紙及び板については、当分の間、これを取り繕つて使用することができる。

4　この省令による改正後の省令の規定にかかわらず、この省令により改正された規定であつて改正後の様式により記載することが適当でないものについては、当分の間、なお従前の例による。

附　則（第二九次改正）

1　この省令は、公布の日〔平成二年七月二十日〕から施行する。

2　第一条及び第二条の規定の施行の際現にあるこれらの規定による改正前の様式による請求書及び届の用紙は、当分の間、これを取り繕って使用することができる。

附　則（第三〇次改正）抄

1　この省令は、平成五年八月一日から施行する。ただし、次の各号に掲げる規定は、当該各号に定める日から施行する。

二　〔前略〕第四条及び附則第三項から第七項までの規定　平成六年四月一日

6　平成六年七月以前の月分の特別児童扶養手当の受給資格及びその額についての認定の請求について第四条による改正後の特別児童扶養手当等の支給に関する法律施行規則様式第一号（裏面）の規定が適用される場合においては、同令様式第一号（裏面）中

「7　㉑の欄は、前年（1月から6月までの間に請求する人の場合には、前々年をいいます。）の所得について都道府県民税の総所得金額、退職所得金額、山林所得金額、土地等に係る事業所得等の金額、超短期所有土地等に係る事業所得等の金額及び長期・短期譲渡所得金額の合計額を記入してください。」

とあるのは、

「7　㉑の欄は、前年（1月から6月までの間に請求する人の場合には、前々年をいいます。）の所得について都道府県民税の総所得金額、退職所得金額、山林所得金額、土地等に係る事業所得等の金額、超短期所有土地等に係る事業所得等の金額及び長期・短期譲渡所得金額の合計額を記入してください。なお、みなし法人課税を選択している場合は、その旨を申し出てください。」

とする。

7　第三条及び第四条の規定の施行の際、現にあるこれらの規定による改正前の様式による請求書及び届の用紙は、当分の間、これを取り繕って使用することができる。

附　則（第三一次改正）

1　この省令は、平成六年四月一日から施行する。

2　この省令の施行の際現にあるこの省令による改正前の様式による用紙については、当分の間、これを使用することができる。

附　則（第三二次改正）抄

1　この省令は、平成六年八月一日から施行する。〔以下略〕

3　第一条、第三条及び第四条の規定の施行の際現にあるこれらの規定による改正前の様式による請求書及び届の用紙については、当分の間、これを取り繕って使用することができる。

附　則（第三三次改正）抄

1　この省令は、平成七年四月一日から施行する。ただし、第二条中様式第一号（表面）の改正規定、同様式（裏面）の改正規定中注意の1に係る部分、様式第八号の（表面）の改正規定、様式第十号の改正規定及び様式第十一号（表面）の改正規定〔中略〕は平成七年四月三日から、〔中略〕第二条中特別児童扶養手当等の支給に関する法律施行規則第一条第六号二⑵の改正規定、様式第一号（裏面）の改正規定中注意の6に係る部分及び様式第六号（裏面）の改正規定は平成七年七月一日から施行する。

2　この省令の施行の際この省令による改正前の様式（以下「旧様式」という。）により使用されている書類は、この省令による改正後の様式によるものとみなす。

3　この省令の施行の際現にある旧様式による用紙は、当分の間、これを取り繕って使用することができる。

附　則（第三四次改正）

（施行期日）

1　この省令は、公布の日（平成十一年一月十一日）から施行する。

（経過措置）

2　この省令の施行の際現にあるこの省令による改正前の様式による用紙については、当分の間、これを取り繕って使用することができる。

附　則（第三五次改正）

1　この省令は、平成十一年四月一日から施行する。

2　この省令の施行の際現にあるこの省令による改正前の様式による用紙については、当分の間、これを取り繕って使用することができる。

附　則（第三六次改正）抄

（施行期日）

1　この省令は、平成十一年七月一日から施行する。〔以下略〕

（経過措置）

3　第一条から第四条まで及び第六条の規定の施行の際現にあるこれらの規定による改正前の様式による請求書及び届の用紙は、当分の間、これを取り繕って使用することができる。

附　則（第三七次改正）抄

（施行期日）

1　この省令は、内閣法の一部を改正する法律（平成十一年法律第八十八号）の施行の日（平成十三年一月六日）から施行する。

（様式に関する経過措置）

3　この省令の施行の際現にあるこの省令による改正前の様式（次項において「旧様式」という。）により使用されている書類は、この省令による改正後の様式によるものとみなす。

4　この省令の施行の際現にある旧様式による用紙については、当分の間、これを取り繕って使用することができる。

附　則（第三八次改正）

この省令は、平成十三年八月一日から施行する。

附　則（第三九次改正）抄

（施行期日等）

1　この省令は、次の各号に掲げる区分に応じ、当該各号に定める日から施行する。

二　第三条〔中略〕及び附則第四項の規定　平成十四年八月一日

（経過措置）

4　第三条及び第五条の規定の施行の際現にあるこれらの規定による改正前の様式による用紙については、当分の間、これを取り繕って使用することができる。

附　則（第四〇次改正）

この省令は、公布の日〔平成十四年八月五日〕から施行する。

附　則（第四一次改正）

（施行期日）

1　この省令は、平成十七年四月一日から施行する。

（経過措置）

2　この省令の施行の際現にこの省令による改正前の様式（次項において「旧様式」という。）により使用されている書類は、この省令による改正後の様式によるものとみなす。

3　この省令の施行の際現にある旧様式による用紙については、当分の間、これを取り繕って使用することができる。

附　則（第四二次改正）抄

（施行期日）

第一条　この省令は、平成十八年八月一日から施行する。

（特別児童扶養手当等の支給に関する法律施行規則の一部改正に伴う経過措置）

第三条　この省令の施行の際現にある第二条の規定による改正前の特別児童扶養手当等の支給に関する法律施行規則の様式により使用されている書類は、同条の規定による改正後の特別児童扶養手当等の支給に関する法律施行規則の様式によるものとみなす。

2　この省令の施行の際現にある第二条の規定による改正前の特別児童扶養手当等の支給に関する法律施行規則の様式による用紙については、当分の間、これを取り繕って使用することができる。

附　則（第四三次改正）抄

（施行期日）

第一条　この省令は、平成十九年十月一日から施行する。

（特別児童扶養手当等の支給に関する法律施行規則の一部改正に伴う経過措置）

第八条　この省令の施行の際現にある第十三条の規定による改正前の特別児童扶養手当等の支給に関する法律施行規則の様式により使用されている書類は、同条による改正後の同令の様式によるものとみなす。

2　この省令の施行の際現にある第十三条の規定による改正前の特別児童扶養手当等の支給に関する法律施行規則の様式による用紙については、当分の間、これを取り繕って使用することができる。

附　則（第四四次改正）抄

（施行期日）

第一条　この省令は、平成二十四年七月一日から施行する。

（特別児童扶養手当等の支給に関する法律施行規則の一部改正に伴う経過措置）

第二条　平成二十二年以前の年の所得に係る特別児童扶養手当認定請求書及び特別児童扶養手当所得状況届並びにこれらに添えるべき書類については、なお従前の例による。

第三条　この省令の施行の際現にある第一条の規定による改正前の様式による特別児童扶養手当認定請求書及び特別児童扶養手当所得状況届の用紙については、当分の間、これを取り繕って使用することができる。

附　則（第四五次改正）抄

（施行期日）

1　この省令は、平成二十七年四月一日から施行する。

附　則（第四六次改正）抄

（施行期日）

第一条　この省令は、行政手続における特定の個人を識別するための番号の利用等に関する法律（以下「番号利用法」という。）の施行の日（平成二十七年十月五日）から施行する。ただし、次の各号に掲げる規定は、当該各号に定める日から施行する。

一　〔前略〕第十九条から第二十九条まで〔中略〕の規定　番号利用法附則第一条第四号に掲げる規定の施行の日（平成二十八年一月一日）

（特別児童扶養手当等の支給に関する法律施行規則の一部改正に伴う経過措置）

第八条　この省令の施行の際現に提出されている第二十二条の規定による改正前の特別児童扶養手当等の支給に関する法律施行規則の様式（次項において「旧様式」という。）により使用されている書類は、同条の規定による改正後の特別児童扶養手当等の支給に関する法律施行規則の様式によるものとみなす。

2　この省令の施行の際現にある旧様式については、当分の間、これを取り繕って使用することができる。

附　則（第四七次改正）抄

（施行期日）

1　この省令は、行政不服審査法（平成二十六年法律第六十八号）の施行の日（平成二十八年四月一日）から施行する。

附　則（第四八次改正）抄

（施行期日）

1　この省令は、平成二十八年六月一日から施行する。

（特別児童扶養手当等の支給に関する法律施行規則の一部改正に伴う経過措置）

2　この省令の施行の際現にある第一条の規定による改正前の特別児童扶養手当等の支給に関する法律施行規則の様式については、当分の間、これを取り繕って使用することができる。

附　則（第四九次改正）

（施行期日）

1　この省令は、平成三十年八月一日から施行する。

（経過措置）

2　この省令の施行の際現にあるこの省令による改正前の様式（次項において「旧様式」という。）により使用されている書類は、この省令による改正後の様式によるものとみなす。

3　この省令の施行の際現にある旧様式による用紙については、当分の間、これを取り繕って使用することができる。

附　則（第五〇次改正）抄

（施行期日）

第一条　この省令は、公布の日〔令和元年五月七日〕から施行する。

（経過措置）

第二条　この省令による改正前のそれぞれの省令で定める様式（次項において「旧様式」という。）により使用されている書類は、この省令による改正後のそれぞれの省令で定める様式によるものとみなす。

2　旧様式による用紙については、合理的に必要と認められる範囲内で、当分の間、これを取り繕って使用することができる。

附　則（第五一次改正）抄

（施行期日）

第一条　この省令は、不正競争防止法等の一部を改正する法律の施行の日（令和元年七月一日）から施行する。

（様式に関する経過措置）

第二条　この省令の施行の際現にあるこの省令による改正前の様式（次項において「旧様式」という。）により使用されている書類は、この省令による改正後の様式によるものとみなす。

2　この省令の施行の際現にある旧様式による用紙については、当分の間、これを取り繕って使用することができる。

附　則（第五二次改正）抄

（施行期日）

第一条　この省令は、令和元年七月一日から施行する。ただし、次の各号に掲げる規定は、当該各号に定める日から施行する。

二　第三条中特別児童扶養手当等の支給に関する法律施行規則様式第六号の改正規定　令和元年八月十二日

（経過措置）

第三条　この省令の施行の際現にあるこの省令による改正前の様式（次項において「旧様式」という。）により使用されている書類は、この省令による改正後の様式によるものとみなす。

2　この省令の施行の際現にある旧様式による用紙については、当分の間、これを取り繕って使用することができる。

附　則（第五三次改正）抄

（施行期日）

第一条　この省令は、公布の日〔令和二年十二月二十五日〕から施行する。

（経過措置）

第二条　この省令の施行の際現にあるこの省令による改正前の様式（次項において「旧様式」という。）により使用されている書類は、この省令による改正後の様式によるものとみなす。

2　この省令の施行の際現にある旧様式による用紙については、当分の間、これを取り繕って使用することができる。

附　則（第五四次改正）抄

（施行期日）

第一条　この省令は、令和三年一月一日から施行する。

（児童扶養手当法施行規則、特別児童扶養手当等の支給に関する法律施行規則及び障害児福祉手当及び特別障害者手当の支給に関する省令の一部改正に伴う経過措置）

第三条　令和元年以前の年の所得に係る児童扶養手当認定請求書、児童扶養手当所得状況届、児童扶養手当現況届、特別児童扶養手当認定請求書、特別児童扶養手当所得状況届、障害児福祉手当認定請求書、障害児福祉手当所得状況届、特別障害者手当認定請求書及び特別障害者手当所得状況届並びにこれらに添えるべき書類については、なお従前の例による。

2　この省令の施行の際現にある第二条から第四条までの規定による改正前の様式（次項において「旧様式」という。）により使用されている書類は、第二条から第四条までの規定による改正後の様式によるものとみなす。

3　この省令の施行の際現にある旧様式による用紙については、当分の間、これを取り繕って使用することができる。

附　則（第五五次改正）抄

（施行期日）

第一条　この省令は、公布の日〔令和三年五月六日〕から施行する。

（経過措置）

第三条　この省令の施行の際現にあるこの省令による改正前の様式（次項において「旧様式」という。）により使用されている書類は、この省令による改正後の様式によるものとみなす。

2　この省令の施行の際現にある旧様式による用紙については、当分の間、これを取り繕って使用することができる。

附　則（第五六次改正）抄

（施行期日）

第一条　この省令は、公布の日〔令和三年十月二十二日〕から施行する。

（経過措置）

第十二条　この省令の施行の際現にあるこの省令による改正前の様式（次項において「旧様式」という。）により使用されている書類は、この省令による改正後の様式によるものとみなす。

2　この省令の施行の際現にある旧様式による用紙については、当分の間、これを取り繕って使用することができる。

附　則（第五七次改正）

（施行期日）

第一条　この省令は、令和四年十月一日から施行する。

（様式に関する経過措置）

第二条　この省令の施行の日（次項において「施行日」という。）において現に提出され、又は交付されているこの省令による改正前の様式（次項において「旧様式」という。）により使用されている書類は、この省令による改正後の様式によるものとみなす。

2　施行日において現にある旧様式による用紙については、当分の間、これを取り繕って使用することができる。

別表

一　呼吸器系結核
二　肺えそ
三　肺のうよう
四　けい肺（これに類似するじん肺症を含む。）
五　じん臓結核
六　胃かいよう
七　胃がん
八　十二指腸かいよう
九　内臓下垂症
十　動脈りゅう
十一　骨又は関節結核
十二　骨ずい炎
十三　骨又は関節損傷
十四　その他認定又は診査に際し必要と認められるもの

〔改正〕

追加（第二次改正）、一部改正（第一一次改正）

面）

あなたと、あなたの配偶者・同居している扶養義務者の所得について								
⑰　令和　年分所得	⑱ 請求者		⑲ 配偶者		⑳ 扶養義務者			
氏名								
㉑個人番号								
㉒同一生計配偶者及び扶養親族の合計数（うち老人扶養親族の数（請求者については、㋑ 70 歳以上の同一生計配偶者及び老人扶養親族の合計数㋺特定扶養親族の数㋩16 歳以上 19 歳未満の控除対象扶養親族の数））	人 (㋑　人) (㋺　人) (㋩　人)		人 (　人)		人 (　人)		人 (　人)	
㉓㉒以外で前年の 12 月 31 日において請求者によって生計を維持していた児童	人							
㉔ 所得額	円	※円	円	※円	円	※円	円	※円
控除　㉕障害者（特別障害者を除く。）である同一生計配偶者及び扶養親族の数	人	円	人	円	人	円	人	円
控除　㉖特別障害者である同一生計配偶者及び扶養親族の数	人	円	人	円	人	円	人	円
控除　㉗障害者・特別障害者・寡婦・ひとり親・勤労学生の別	障・特障・寡・ひとり・勤	円	障・特障・勤	円	障・特障・寡・ひとり・勤	円	障・特障・寡・ひとり・勤	円
控除　㉘	円	円	円	円	円	円	円	円
控除　㉘	円	円	円	円	円	円	円	円
控除　㉙ 社会保険料等相当額		円		円		円		円
㉚ 控除後の所得額	円		円		円		円	

関係書類を添えて、特別児童扶養手当の受給資格の認定を請求します。

令和　年　月　日

氏　名

知事
　　殿
市長

※審査	
事　項	
	上記のとおり相違ありません。 令和　年　月　日 市町村長　㊞
※添付書類	戸籍、住民票、診断書・X 線フイルム、前住地の所得証明書、養育申立書・証明、別居監護申立書・証明、介護申立書、その他（　　　　）
※備考	

（A 列 4 番）

てください。

様式第一号（第一条関係）

（表

※※ 第　　号		
※市区町村 受付年月日　令和　・　・	※市区町村　令和　・　・ 提　出　第　号	※市区町村　令和　・　・ 再提出　第　号

特別児童扶養手当認定請求書

あなたのことについて							
	① ふりがな 氏名・性別	男・女	② 生年月日	明治 大正 昭和 平成 令和　・　・	③ 個人番号	④ 配偶者の有無	ある・ない
	⑤ 住所	TEL（　　）	⑥支払希望金融機関	名称	口座番号	□公金受取口座を利用します	
	⑦ 職業又は勤務先名	TEL（　　）	⑧ 勤務先所在地				

障害児のことについて			
	⑨支給対象障害児の氏名（生年月日）	平成 令和〔　年　月　日生〕	平成 令和〔　年　月　日生〕
	⑩個人番号		
	⑪請求者との続柄（同居・別居の別）	（同　居・別　居）	（同　居・別　居）
	⑫父の氏名		
	⑬母の氏名		
	⑭障害による年金の受給状況	支給されている 支給停止 申請中 支給されない　種類（　　）	支給されている 支給停止 申請中 支給されない　種類（　　）
	⑮身体障害者手帳の番号及び障害等級		
	⑯障害名		

※※ 認定（支給停止）・却下	支給開始年月	対象障害児数	手当月額	支払期別金額		証書番号
		（1級）　人	円	12月	円	第　号
			月から　円	4月	円	
		（2級）　人	月から　円	8月	円	

◎ 裏面の注意をよく読んでから記入してください。※、※※の欄は記入する必要がありません。字は楷《かい》書ではっきり書い

（裏　　面）

注意

1　⑥の欄は、支払を受けるのに最も便利な金融機関を選んで、その正しい名称及び口座番号を記入してください。手当の受取口座として、国に事前に登録した公金受取口座（※）を利用する場合は、「□公金受取口座を利用します」のチェックボックスにチェックしてください。

なお、公金受取口座を利用する場合は、口座情報の記載や通帳の写しの添付等は不要です。

（※）公的給付の支給等の迅速かつ確実な実施のための預貯金口座の登録等に関する法律（令和３年法律第38号）第３条第１項、第４条第１項及び第５条第２項の規定による登録に係る口座である公金受取口座をいいます。

2　⑫及び⑬の欄は、それぞれの父又は母が同じ場合は「同左」と記入して差し支えありません。

3　⑭の欄は、支給対象障害児の障害による年金の受給について、該当する文字を○で囲んでください。

なお、「障害による年金」とは、厚生年金保険の障害厚生年金又は障害年金、各種共済組合の障害共済年金又は障害年金、労働者災害補償保険の障害補償年金等をいいます。

4　⑳の欄は、あなたと生計を同じくしている（又はあなたが養育者である場合はあなたの生計を維持している）あなたの父母、祖父母、子、孫等の直系血族と兄弟姉妹があるときに記入してください。

5　㉒の欄は、地方税法に定める同一生計配偶者、扶養親族の合計数を記入してください。

なお、70歳以上の同法に定める同一生計配偶者、老人扶養親族及び特定扶養親族並びに16歳以上19歳未満の同法に定める控除対象扶養親族があるときは、その人数を次により（　）内に再掲してください。

⑴　請求者については、㋑に70歳以上の同一生計配偶者及び老人扶養親族の合計数を、㋺に特定扶養親族の数を、㋩に16歳以上19歳未満の控除対象扶養親族の数を記入してください。

⑵　配偶者及び扶養義務者については、老人扶養親族の数を記入してください。

6　㉓の欄にいう「児童」とは、地方税法に定める扶養親族以外の者（18歳に達する日以後の最初の３月31日までの間にある者をいいます。）又は障害の状態にある20歳未満の者をいいます。

7　㉔の欄は、前年（１月から６月までの間に請求をする人の場合には、前々年をいいます。）の所得について都道府県民税の総所得金額（給与所得又は公的年金等がある場合には、給与所得及び公的年金等の合計額から10万円を控除した額)、退職所得金額、山林所得金額、土地等に係る事業所得等の金額、長期・短期譲渡所得金額（譲渡所得に係る特別控除を受けた場合は、その額を控除した額）及び商品先物取引に係る雑所得等の金額の合計額を記入してください。

8 ㉗の欄は、⑱、⑲又は⑳の欄に掲げる者が、地方税法上に定める特別障害者以外の障害者若しくは特別障害者、寡婦、ひとり親又は勤労学生であるときは、該当するものを○で囲んでください。

9 ㉘の欄は、前年の所得についての地方税法に定める雑損控除、医療費控除、小規模企業共済等掛金控除又は配偶者特別控除等を受けたときに、それぞれその項目及び当該控除額等を記入してください。

10 この請求書に添えなければならない書類は、次のとおりです。

(1) あなたと支給対象障害児の戸籍の謄本又は抄本とこれらの者の属する世帯全員の住民票の写し

(2) 請求者が父又は母である場合であって、請求者以外の父又は母も支給対象障害児を監護しているときは、その請求者が主としてその障害児の生計を維持していること、又は主としてその障害児を介護していることを明らかにすることができる書類

(3) 請求者が父又は母である場合であって、支給対象障害児と同居しないでこれを監護しているときは、その事実を明らかにすることができる書類

(4) 請求者が父母以外の者である場合は、支給対象障害児の父及び母の戸籍又は除かれた戸籍の謄本又は抄本と請求者がその障害児を養育していることを明らかにすることができる書類

(5) 支給対象障害児についての医師又は歯科医師の診断書、次の傷病によるときには、エックス線直接撮影写真

呼吸器系結核・肺えそ・肺のうよう・けい肺・じん臓結核・胃かいよう・胃がん・十二指腸かいよう・内臓下垂症・動脈りゅう・骨又は関節結核・骨ずい炎・骨又は関節損傷・その他

(6) 本年1月2日以後現住所に転入された方は、㉒から㉘までの欄に記入した事項について、前の住所地の市区町村長の証明書

11 この請求書について分からないことがありましたら、市役所、区役所又は町村役場の人によく聞いてください。

〔改正〕

全部改正（第57次改正）

様式第二号 削除（第39次改正）

様式第三号（第一条関係）

（表　面）

※※　第　　号			
※経由市区町村名		※市区町村受付年月日	令和　年　月　日
※市区町村提出	令和　年　月　日 第　号	※市区町村 再提出	令和　年　月　日 令和　年　月　日 令和　年　月　日

特別児童扶養手当被災状況書

①提出者	氏名		証書記号・番号	第　号
	個人番号			
	住所			
②被災者	氏名		提出者との続柄	
	被災当時の住所又は居所		職業	
③災害	災害の種類			
	被災年月日	令和　年　月　日		

④被災状況	財産の種類	被災前の財産の概要とその価格	損害の程度とその金額
	住宅		
	家財		
	田畑		
	宅地		
	住宅でない建物		
	その他の財産		

⑤保険金又は損害賠償金の受給状況	受けた 受けることができない 受けていない　種類（　）	金額	円

上記のとおり、被災状況を申し立てます。

令和　年　月　日

氏名

知事
市長　殿

※審査	
	上記のとおり、相違ありません。 令和　年　月　日 市区町村長　（印）

◎　裏面の注意をよく読んでから記入してください。※、※※の欄は記入する必要がありません。（B列4番）

◎　字は楷《かい》書ではっきり書いて下さい。

（裏　　　面）

注意

1　①の欄の「証書記号・番号」は、まだ受給資格の認定を受けていない人は記入する必要はありません。

2　②の欄の「被災者」とは、手当を受けることができる人、その配偶者又は扶養義務者（父母、祖父母、子、孫、兄弟姉妹など）で震災、風水害、火災などの災害により、住宅、家財その他の財産（自分の所有するもののほか、所得税法に定める同一生計配偶者又は扶養親族の所有する財産を含みます。）について、その価格のおおむね２分の１以上の損害を受けた人をいいます。

3　③の欄の「災害の種類」は、震災、水害、火災などの別のほか○○台風などのように、なるべくくわしく記入して下さい。

4　④の欄の記入については、次の事柄に留意して下さい。

(1)　被災前の財産の概要とその価格

財産は、被災者又はその同一生計配偶者若しくは扶養親族の名義のものでなければなりません。また、財産は住宅、家財又は主たる生計のために使用している田畑、宅地、住宅でない建物その他の財産のうち、最も被害の大きかつたものについてのみ記入すれば十分です。住宅について被害を受けたときは、当然家財に被害を受けますが、その場合には住宅についてのみ記入すればよく、その住宅が被災者又はその同一生計配偶者若しくは扶養親族の名義のものでないときは、家財について記入して下さい。

イ　「住宅」については、その規模、構造、延面積、価格等を記入して下さい。

（例　木造平家建60平方メートル約50万円）

ロ　「家財」については、家財の主な種類、名称、価格の総額等を記入するとともに、あわせて住宅の規模、構造、延面積などを記入して下さい。

ハ　「田畑」については、田、畑別及びその総面積、価格等を記入して下さい。

ニ　「宅地」については、その総面積、価格等を記入して下さい。

ホ　「住宅でない建物」については、店舗、工場、倉庫、納屋などの名称ごとの規模、構造、延面積、価格等を記入して下さい。

ヘ　「その他の財産」については、機械、器具、荷車、漁船、牛馬、水車等事業用の資産などの種類、名称、数量、価格等を記入して下さい。

(2)　損害の程度とその価格

イ　損害の程度は、「住宅」及び「住宅でない建物」については、流失、全壊、半壊、土砂流入、軒下浸水、床上○○メートル浸水、全焼、半焼、一部焼失等のように記入して下さい。

「家財」については、その家財の存した住宅の被害の状況を記入して下さい。

「田畑」及び「宅地」については、流出、冠水、○○センチメートル土砂（泥土、砂礫）堆積等の別及びその被害面積を記入して下さい。

「その他の財産」については、財産の種類に応じて具体的に記入して下さい。

ロ　損害の金額は、時価○○万円のように記入して下さい。

5　この被災状況書についてわからないところがありましたら、市役所、区役所又は町村役場の人によく聞いて下さい。

〔**改正**〕

全部改正（第45次改正）、一部改正（第48・50～53次改正）

様式第四号（第二条関係）

（表　　面）

※※ 第　　号	
※経　　由 市町村名	※市区町村 受付年月日　令和　・　・
※市区町村 提　　出　令和　・　・ 第　　号	※市区町村 再提出　令和　・　・ 第　　号

特別児童扶養手当額改定請求書

あなたのことについて	①(ふりがな) 氏　　名		②証書の 記号・番号	第　　号
	③住　　所		④個人番号	

障害児のことについて	⑤　支給対象障害児の氏名 （生　年　月　日）	平成 令和　年　月　日生	平成 令和　年　月　日生
	⑥　個　人　番　号		
	⑦　請求者との続柄 （同居・別居の別）		
	⑧　父　の　氏　名		
	⑨　母　の　氏　名		
	⑩　障害による年金の受給状況	支給されている 支給停止 申請中 支給されていない 種類（　）	支給されている 支給停止 申請中 支給されていない 種類（　）
	⑪　身体障害者手帳の番号及び障害等級		
	⑫　障　害　名		

関係書類を添えて、特別児童扶養手当の受給資格の認定を請求します。

令和　　年　　月　　日

氏　名

知　事
市　長　　　　殿

※※ 改定・却下	改定年月	対象障害児数	証書	作成・改訂	令和　・　・ 第　　号
	年　月	（１級）　人 （２級）　人			

◎裏面の注意をよく読んでから記入してください。※、※※の欄は記入する必要がありません。字は楷《かい》書ではつきり書いてください。

（Ａ列４番）

（裏　　面）

注意

1　⑧及び⑨の欄は、それぞれの父又は母が同じ場合は「同左」と記入してさしつかえありません。

2　⑩の欄は、支給対象障害児の障害による年金の受給について、該当する文字を○で囲んでください。

なお、「障害による年金」とは、厚生年金保険の障害厚生年金又は障害年金、各種共済組合の障害共済年金又は障害年金、労働者災害補償保険の障害補償年金等をいいます。

3　この請求書に添えなければならない書類は、次のとおりです。ただし、既に特別児童扶養手当の支給が行われている障害児の障害の程度が増進したことにより特別児童扶養手当の額の改定の請求を行うときは、(1)から(4)までの書類は添える必要がありません。

(1)　支給対象障害児の戸籍の謄本又は抄本とその障害児の属する世帯全員の住民票の写し

(2)　請求者が父又は母である場合であつて、請求者以外の父又は母も支給対象障害児を監護しているときは、その請求者が主としてその障害児の生計を維持していること、又は主としてその障害児を介護していることを明らかにすることができる書類

(3)　請求者が父又は母であつて、支給対象障害児と同居しないでこれを監護しているときは、その事実を明らかにすることができる書類

(4)　請求者が父母以外の者である場合は、支給対象障害児の父及び母の戸籍又は除かれた戸籍の謄本又は抄本と請求者がその障害児を養育していることを明らかにすることができる書類

(5)　支給対象障害児についての医師又は歯科医師の診断書、次の傷病にあるときは、エツクス線直接撮影写真

呼吸器系結核・肺えそ・肺のうよう・けい肺・じん臓結核・胃かいよう・胃がん・十二指腸かいよう・内臓下垂症・動脈りゆう・骨又は関節結核・骨ずい炎・骨又は関節損傷・その他

(6)　特別児童扶養手当証書

4　この請求書についてわからないことがありましたら、市役所、区役所又は町村役場の人によく聞いて下さい。

〔改正〕

全部改正（第46次改正）、一部改正（第50・51・53次改正）

様式第五号（第三条関係）

※※ 第　　号	（表　面）			
※経由市区町村名			※市区町村受付年月日	令和　・　・
※市区町村提出	令和　・　・ 第　　号		※市区町村再提出	令和　・　・ 第　　号

特別児童扶養手当額改定届

（ふりがな） 受給者の氏名		証書の記号・番号	第　　号
受給者の住所		個人番号	

支給対象障害児でなくなつた障害児又は障害の程度が低下した支給対象障害児の氏名・生年月日	改定の理由	理由の発生した年月日
（平成／令和）　年　月　日生	イ　ロ　ハ　ニ　ホ ヘ　ト　チ　リ	令和　年　月　日
（平成／令和）　年　月　日生	イ　ロ　ハ　ニ　ホ ヘ　ト　チ　リ	令和　年　月　日

上記のとおり、特別児童扶養手当の額の改定について届け出ます。

令和　年　月　日

氏名

知事
市長　　殿

改定年月	対象障害児数	証書作成・改訂
※※ 年　月	（１級）　人 （２級）　人	令和　・　・ 第　　号

◎　裏面の注意をよく読んでから記入してください。※、※※の欄は記入する必要がありません。

◎　字は楷《かい》書ではつきり書いてください。

（Ａ列４番）

（裏　　面）

注意

1　「改定の理由」の欄は、次に掲げるところにより該当する文字を○で囲んでください。

イ　受給者が支給対象障害児の父又は母である場合であつて、その父又は母に監護されなくなつた。

ロ　父及び母が支給対象障害児を監護している場合において、受給者である父又は母に主として生計を維持されることがなくなつた、又は主として介護されなくなつた。

ハ　受給者が養育者（父母以外の者）である場合であつて、その養育者に養育（同居、監護、生計維持）されなくなつた。

ニ　死亡した。

ホ　日本国内に住所を有しなくなつた。

ヘ　20歳に達した。

ト　障害による年金を受けることができるようになつた。

チ　特別児童扶養手当等の支給に関する法律施行令別表第３に定める程度の障害の状態に該当しなくなつた。

リ　特別児童扶養手当等の支給に関する法律施行令別表第３に定める１級に該当する障害の状態から２級に該当する障害の状態に低下した。

2　この届には、特別児童扶養手当証書を添えて出して下さい。

3　すべての支給対象障害児が１のイからチまでのどれかに該当するようになつたときは、手当を受ける資格がなくなりますので、手当資格喪失届を出して下さい。

〔改正〕

全部改正（第45次改正）、一部改正（第48・50・51・53次改正）

様式第六号（第四条関係）

（表　面）

※※整理番号　第　　号		※市区町村受付年月日　令和　・　・				※市区町村提出　令和　・　・		
特別児童扶養手当所得状況届　（令和　年分）								
①証書記号・番号第　号		②氏名				③住所		
④個人番号		⑤受給者		⑥配偶者		⑦扶養義務者		
氏名								
⑧個人番号								
⑨同一生計配偶者及び扶養親族の合計数（うち老人扶養親族の数（受給者については、㋑70歳以上の同一生計配偶者及び老人扶養親族の合計数、㋺特定扶養親族の数、㋩16歳以上19歳未満の控除対象扶養親族の数））		人 （㋑　人） （㋺　人） （㋩　人）		人 （　人）		人 （　人）		人 （　人）
⑩⑨以外で前年の12月31日において受給者によって生計を維持していた児童		人						
⑪所得額		円	※円	円	※円	円	※円	円 ※円
控除	⑫障害者（特別障害者を除く。）である同一生計配偶者及び扶養親族の数	人	円	人	円	人	円	人 円
	⑬特別障害者である同一生計配偶者及び扶養親族の数	人	円	人	円	人	円	人 円
	⑭障害者・特別障害者・寡婦・ひとり親・勤労学生の別	障・特障・寡・ひとり・勤	円	障・特障・勤	円	障・特障・寡・ひとり・勤	円	障・特障・寡・ひとり・勤 円
	⑮	円	円	円	円	円	円	円 円
		円	円	円	円	円	円	円 円
	⑯社会保険料等相当額		円		円		円	円
⑰控除後の所得額			円		円		円	円

⑱本年8月1日における支給対象障害児の状況	障害児氏名	続柄	個人番号	生年月日	同居別居の別	在学学校名	学年
				平成・令和　・　・	同居 別居		
				平成・令和　・　・	同居 別居		
				平成・令和　・　・	同居 別居		
				平成・令和　・　・	同居 別居		
				平成・令和　・　・	同居 別居		

上記のとおり、所得状況を届け出ます。
令和　年　月　日
知事
市長　殿　　　　氏名

※審査	⑤～⑰欄の記載事項		⑱の欄及びその他の欄の記載事項	
	上記のとおり、相違ありません。 令和　年　月　日 市区町村長　㊞			
※※　所得制限額　以上・未満				

◎裏面の注意をよく読んでから記入してください。※、※※の欄は記入する必要がありません。

（A列4番）

（裏面）

注意

1　この届は、毎年８月12日から９月11日までの間に出してください。この期間中に出さないと手当の支払が差し止められることがあります。

なお、本年７月以降に認定請求書を出している方は、出す必要がありません。

2　⑦の欄は、あなたと生計を同じくしている（又はあなたが養育者である場合はあなたの生計を維持している）あなたの父母、祖父母、子、孫等の直系血族と兄弟姉妹があるときに記入してください。

3　⑨の欄は、地方税法に定める同一生計配偶者、扶養親族（以下「扶養親族等」といいます。）の合計数を記入してください。

なお、70歳以上の同法に定める同一生計配偶者、老人扶養親族及び特定扶養親族並びに16歳以上19歳未満の同法に定める控除対象扶養親族があるときは、その人数を次により（　）内に再掲してください。

⑴　受給者については、㋑に70歳以上の同一生計配偶者及び老人扶養親族の合計数を、㋺に特定扶養親族の数を、㋩に16歳以上19歳未満の控除対象扶養親族の数を記入してください。

⑵　配偶者及び扶養義務者については、老人扶養親族の数を記入してください。

4　⑩の欄の「児童」とは、地方税法に定める扶養親族以外の者（18歳に達する日以後の最初の３月31日までの間にある者をいいます。）又は障害の状態にある20歳未満の者をいいます。

5　⑪の欄は、前年の所得について、都道府県民税の総所得金額（給与所得又は公的年金等に係る所得がある場合には、給与所得及び公的年金等に係る所得の合計額から10万円を控除した額）、退職所得金額、山林所得金額、土地等に係る事業所得等の金額、長期・短期譲渡所得金額（譲渡所得に係る特別控除を受けた場合は、その額を控除した額）及び商品先物取引に係る雑所得等の金額の合計額を記入してください。

6　⑫及び⑬の欄は、扶養親族等について該当する人の数を記入してください。

7　⑭の欄は、⑤、⑥又は⑦の欄に掲げる者が、地方税法上に定める特別障害者以外の障害者若しくは特別障害者、寡婦、ひとり親又は勤労学生であるときは、該当するものを○で囲んでください。

8　⑮の欄は、前年の所得について、地方税法に定める雑損控除、医療費控除、小規模企業共済等掛金控除又は配偶者特別控除等を受けたときに、それぞれその項目及び当該控除額等を記入してください。

9　本年１月２日以後現住所に転入された方は、⑨から⑮の欄に記入した事項について、前の住所地の市区町村長の証明書を添えて出してください。

10　この届について分からないことがありましたら、市役所、区役所又は町村役場の人によく聞いてください。

〔改正〕

全部改正（第54次改正）

様式第七号　削除（第１次改正）

様式第八号（第十条関係）

<table>
<tr><td colspan="2">※※第　　　号</td><td colspan="2">（表　面）</td></tr>
<tr><td colspan="2">※経　由
市区町村名</td><td colspan="2">※市区町村
受付年月日　令和　年　月　日</td></tr>
<tr><td colspan="2">※市区町村　令和　年　月　日
提　出　第　号</td><td colspan="2">※市区町村
再提出　令和　年　月　日
令和　年　月　日
令和　年　月　日</td></tr>
<tr><td colspan="4">特別児童扶養手当証書亡失届</td></tr>
<tr><td>①(ふりがな)
氏　名</td><td></td><td>②
証書の
記号・番号</td><td>第　　　号</td></tr>
<tr><td>③住　所</td><td></td><td>④個人番号</td><td></td></tr>
<tr><td>⑤証書を失つた日</td><td colspan="3"></td></tr>
<tr><td>⑥証書を失つたときの事情</td><td colspan="3"></td></tr>
<tr><td colspan="4">上記のとおり、特別児童扶養手当証書を失つたので届け出ます。
令和　年　月　日
氏　名
知事
　　　殿
市長</td></tr>
<tr><td colspan="4">※※証書作成　令和　年　月　日</td></tr>
</table>

◎　裏面の注意をよく読んでから記入してください。※、※※の欄は記入する必要がありません。

◎　字は楷《かい》書ではつきり書いて下さい。

（A列４番）

（裏　　面）

注意

1　証書の記号・番号がわからないときは、市役所、区役所又は町村役場で聞いて下さい。

2　証書を失つたときは、すぐ、この届書を作成し、住所地の市役所、区役所又は町村役場に提出して下さい。

〔**改正**〕

全部改正（第45次改正）、一部改正（第48・50・51・53次改正）

様式第九号（第十一条関係）

※※ 第　　　号	（表　面）

※経　　由 市区町村名		※市区町村 受付年月日	令和　・　・
※市区町村 提　　出	令和　年　月　日 第　　号	※市区町村 再提出	令和　・　・ 第　　号

特別児童扶養手当資格喪失届

（ふりがな） 受給者の氏名		証書の記号・番号	第　　　号
受給者の住所		個人番号	
受給資格がなくなつた理由	イ　ロ　ハ　ニ　ホ　ヘ　ト チ　リ		
理由が発生した日	令和　　年　　月　　日		

上記のとおり、特別児童扶養手当を受ける資格がなくなりましたので届け出ます。

令和　年　月　日

氏　名

知　事
市　長　　殿

※※ 通　知　　令和　・　・　第　　号

◎　裏面の注意をよく読んでから記入してください。※、※※の欄は記入する必要がありません。

◎　字は楷《かい》書ではつきり書いて下さい。

（Ａ列４番）

（裏　　面）

注意

1　「受給資格がなくなつた理由」の欄は、次に掲げるところにより該当する文字を○で囲んでください。

イ　受給者が日本国内に住所を有しなくなつた。

ロ　受給者が支給対象障害児の父又は母である場合であつて、支給対象障害児がその父又は母に監護されなくなつた。

ハ　父及び母が支給対象障害児を監護している場合において、支給対象障害児が受給者である父又は母に主として生計を維持されることがなくなつた、又は主として介護されなくなつた。

ニ　受給者が養育者（父母以外の者）である場合であつて、支給対象障害児がその養育者に養育（同居、監護、生計維持）されなくなつた。

ホ　支給対象障害児が死亡した。

ヘ　支給対象障害児が日本国内に住所を有しなくなつた。

ト　支給対象障害児が20歳に達した。

チ　支給対象障害児が、特別児童扶養手当等の支給に関する法律施行令別表第３に定める障害の状態に該当しなくなつた。

リ　支給対象障害児が、障害による年金を受けることができるようになつた。

2　この届けには、特別児童扶養手当証書を添えて出してください。

3　受給者が死亡したときは、この届けではなく、戸籍の届出をしなければならない人に、受給者の死亡の届書を出してもらうことになります。

〔改正〕

全部改正（第45次改正）、一部改正（第48・50・51・53次改正）

様式第十号（第十三条関係）

（表　　面）

※※第　　　　号	

※経　　由 市区町村名		※市区町村 受付年月日	令和　年　月　日
※市区町村 提　　出	令和　年　月　日 第　　　　号	※市区町村 再提出	令和　年　月　日 令和　年　月　日 令和　年　月　日

未支払特別児童扶養手当請求書

①死亡者	（ふりがな） 氏　　名		証　　書 記号・番号	第　　　　号
	個人番号			
	住所		死亡した日	令和　年　月　日

②請求者である障害児	（ふりがな） 氏　　名		支払希望金融機関	名称	口座番号
	個人番号				
				□公金受取口座を利用します	
	住所				
備考					

特別児童扶養手当等の支給に関する法律に基づき、上記のとおり請求します。

令和　年　月　日

請求者氏名

知事
　　殿
市長

※※　資格喪失　令和　年　月　日 通　知　第　　　　号	※※未支払手当 支給通知　令和　年　月　日

◎　裏面の注意をよく読んでから記入してください。※、※※の欄は記入する必要がありません。

◎　字は楷《かい》書ではっきり書いて下さい。

（A列4番）

（裏　　面）

注意

1　②の欄の「支払希望金融機関」の欄は、支払を受けるのに最も便利な金融機関をえらんで、その正しい名称及び口座番号を記入して下さい。手当の受取口座として、国に事前に登録した公金受取口座（※）を利用する場合は、「□公金受取口座を利用します」のチェックボックスにチェックしてください。

なお、公金受取口座を利用する場合は、口座情報の記載や通帳の写しの添付等は不要です。

（※）公的給付の支給等の迅速かつ確実な実施のための預貯金口座の登録等に関する法律（令和３年法律第38号）第３条第１項、第４条第１項及び第５条第２項の規定による登録に係る口座である公金受取口座をいいます。

2　請求者である障害児に代わつて支払金融機関で未支払の手当を受けとる人があるときは、備考欄にその人の氏名、住所及び請求者である障害児との続柄その他の関係を記入して下さい。

〔改正〕

全部改正（第57次改正）

様式第十一号（第十七条関係）

（表　　面）

<table>
<tr><td colspan="5">第　　　号

特別児童扶養手当認定通知書</td></tr>
<tr><td>受給者氏名</td><td colspan="2"></td><td>受給者住所</td><td></td></tr>
<tr><td rowspan="3">支給対象障害児の氏名</td><td colspan="2">（1級
2級）</td><td colspan="2">（1級
2級）</td></tr>
<tr><td colspan="2">（1級
2級）</td><td colspan="2">（1級
2級）</td></tr>
<tr><td colspan="2">（1級
2級）</td><td colspan="2">（1級
2級）</td></tr>
<tr><td rowspan="2">支給対象障害児数</td><td>（1級）</td><td>人</td><td rowspan="2">支給手当月額</td><td rowspan="2">円</td></tr>
<tr><td>（2級）</td><td>人</td></tr>
<tr><td>支給開始年月</td><td colspan="2">令和　　年　　月分から</td><td>証書記号番号</td><td>第　　　　　　号</td></tr>
<tr><td>備考</td><td colspan="4"></td></tr>
<tr><td colspan="5">令和　　年　　月　　日付けで請求のありました特別児童扶養手当については、上記のとおり認定しましたので通知します。

令和　　年　　月　　日

知事
　　　　（印）
市長

殿</td></tr>
</table>

◎　裏面の注意をよく読んで下さい。

（A列4番）

（裏　　面）

注意

1　特別児童扶養手当認定通知書を受けた方の特別児童扶養手当は特別児童扶養手当証書に記載されている金融機関の口座への振り込み又は郵便局への送金により受けることになっています。

なお、特別児童扶養手当を郵便局への送金により受ける場合は、特別児童扶養手当送金通知書及び証書とともに、印鑑証明書、身分証明書、預貯金通帳等の正当な受取人又はその代理人であることを証する書面を支払郵便局へ持参することにより受けることになっています。

2　この認定に不服があるときは、この通知書を受けた日の翌日から起算して３か月以内に、書面で、都道府県知事に対して審査請求をすることができます。

なお、この通知書を受けた日の翌日から起算して３か月以内であっても、この処分の日の翌日から起算して１年を経過したときは、審査請求をすることができません。

3　この処分の取消しを求める訴え（取消訴訟）は、この通知書を受けた日の翌日から起算して６か月以内に、都道府県（政令指定都市の場合は市）を被告として（訴訟において都道府県を代表する者は都道府県知事となり、政令指定都市を代表する者は市長となります。）、提起することができます。

なお、この通知書を受けた日の翌日から起算して６か月以内であっても、この処分の日の翌日から起算して１年を経過したときは、取消訴訟を提起することができません。

〔改正〕

全部改正（第47次改正）、一部改正（第50・51次改正）

様式第十一号の二（第十七条関係）

（表　　面）

第　　　号

特別児童扶養手当支給停止通知書

受給資格者 氏　　名		受給資格者 住　　所	
支給停止の 期　　間	令和　　年　　月から 令和　　年　　月まで	証　　書 記号・番号	第　　　号
備　　考			

あなたは、特別児童扶養手当等の支給に関する法律（第６条、第７条、第８条）の規定により、上記のとおり支給停止となりましたので通知します。

令和　　年　　月　　日

知事
市長　　　　　　（印）

殿

◎　裏面の注意をよく読んで下さい。

（A列４番）

（裏　　面）

注意

1　特別児童扶養手当所得状況届は毎年８月12日から９月11日までの間に出して下さい。この届を出さないと支給停止の期間の経過後も手当の支払がされません。

なお、本年７月以降に認定請求書を出している方又は支給停止の事由が継続している方は、本年の所得状況届は出す必要がありません。

2　支給停止中の期間内に、あなた又はあなたの配偶者、扶養義務者（父母、祖父母、子、孫、兄弟姉妹など）で震災、風水害、火災などの災害により、住宅、家財その他の財産についてその価格のおおむね２分の１以上の損害を受けた場合には、支給停止が解除されることがありますので、市役所、区役所又は町村役場の人によく聞いて下さい。

3　この支給停止に不服があるときは、この通知書を受けた日の翌日から起算して３か月以内に、書面で、都道府県知事に対して審査請求をすることができます。

なお、この通知書を受けた日の翌日から起算して３か月以内であっても、この処分の日の翌日から起算して１年を経過したときは、審査請求をすることができません。

4　この処分の取消しを求める訴え（取消訴訟）は、この通知書を受けた日の翌日から起算して6か月以内に、都道府県（政令指定都市の場合は市）を被告として（訴訟において都道府県を代表する者は都道府県知事となり、政令指定都市を代表する者は市長となります。）、提起することができます。

なお、この通知書を受けた日の翌日から起算して6か月以内であっても、この処分の日の翌日から起算して１年を経過したときは、取消訴訟を提起することができません。

〔改正〕

全部改正（第47次改正）、一部改正（第48・50・51次改正）

様式第十二号（第十八条関係）

<table>
<tr><td colspan="2">第　　　号

特別児童扶養手当認定請求却下通知書</td></tr>
<tr><td>氏　　　名</td><td></td></tr>
<tr><td>住　　　所</td><td></td></tr>
<tr><td>却下した理由</td><td></td></tr>
<tr><td colspan="2">令和　　年　　月　　日付けで特別児童扶養手当の認定の請求がありましたが、上記のとおり却下しましたので通知します。
これに不服があるときは、この通知書を受けた日の翌日から起算して３か月以内に、書面で、都道府県知事に対して審査請求をすることができます。
なお、この通知書を受けた日の翌日から起算して３か月以内であっても、この処分の日の翌日から起算して１年を経過したときは、審査請求をすることができません。
また、この処分の取消しを求める訴え（取消訴訟）は、この通知書を受けた日の翌日から起算して６か月以内に、都道府県（政令指定都市の場合は市）を被告として（訴訟において都道府県を代表する者は都道府県知事となり、政令指定都市を代表する者は市長となります。）、提起することができます。
なお、この通知書を受けた日の翌日から起算して６か月以内であっても、この処分の日の翌日から起算して１年を経過したときは、取消訴訟を提起することができません。

令和　　年　　月　　日

知事
　　　　　印
市長

殿</td></tr>
</table>

（Ａ列４番）

〔**改正**〕

全部改正（第47次改正）、一部改正（第50・51次改正）

様式第十三号（第十九条関係）

（表　　面）

<table>
<tr><td colspan="6">第　　　号

特別児童扶養手当額改定通知書</td></tr>
<tr><td rowspan="2">受給者</td><td>氏　　名</td><td colspan="2"></td><td>証書記号・番号</td><td>第　　　号</td></tr>
<tr><td>住　　所</td><td colspan="4"></td></tr>
<tr><td colspan="2">新たに対象となる障害児名</td><td colspan="2">（1）</td><td colspan="2">（2）</td></tr>
<tr><td rowspan="2">改定前</td><td>支給対象障害児数</td><td>（1級）　　人
（2級）　　人</td><td rowspan="2">改定後</td><td>支給対象障害児数</td><td>（1級）　　人
（2級）　　人</td></tr>
<tr><td>手当月額</td><td>円</td><td>手当月額</td><td>円</td></tr>
<tr><td colspan="2">改定年月</td><td colspan="4">令和　　年　　月分から</td></tr>
<tr><td colspan="2">備　　考</td><td colspan="4"></td></tr>
<tr><td colspan="6">上記のとおり、特別児童扶養手当の額を改定しましたので通知します。
令和　　年　　月　　日
知事
　　　　　　　　　印
市長
殿</td></tr>
</table>

（A列4番）

注意

1　これに不服があるときは、この通知書を受けた日の翌日から起算して3か月以内に、書面で、都道府県知事に対して審査請求をすることができます。

なお、この通知書を受けた日の翌日から起算して3か月以内であっても、この処分の日の翌日から起算して1年を経過したときは、審査請求をすることができません。

2　この処分の取消しを求める訴え（取消訴訟）は、この通知書を受けた日の翌日から起算して6か月以内に、都道府県（政令指定都市の場合は市）を被告として（訴訟において都道府県を代表する者は都道府県知事となり、政令指定都市を代表する者は市長となります。）、提起することができます。

なお、この通知書を受けた日の翌日から起算して6か月以内であっても、この処分の日の翌日から起算して1年を経過したときは、取消訴訟を提起することができません。

〔改正〕

全部改正（第47次改正）、一部改正（第50・51次改正）

様式第十四号（第十九条関係）

<table>
<tr><td colspan="4">第　　　号

特別児童扶養手当額改定請求却下通知書</td></tr>
<tr><td>請求者氏名</td><td></td><td>証　　書
記号・番号</td><td>第　　　号</td></tr>
<tr><td>請求者住所</td><td colspan="3"></td></tr>
<tr><td>却下した理由</td><td colspan="3"></td></tr>
<tr><td colspan="4">令和　　年　　月　　日付けで特別児童扶養手当の額の改定請求がありましたが、上記のとおり却下しましたので通知します。
これに不服があるときは、この通知書を受けた日の翌日から起算して３か月以内に、書面で、都道府県知事に対して審査請求をすることができます。
なお、この通知書を受けた日の翌日から起算して３か月以内であっても、この処分の日の翌日から起算して１年を経過したときは、審査請求をすることができません。
また、この処分の取消しを求める訴え（取消訴訟）は、この通知書を受けた日の翌日から起算して６か月以内に、都道府県（政令指定都市の場合は市）を被告として（訴訟において都道府県を代表する者は都道府県知事となり、政令指定都市を代表する者は市長となります。）、提起することができます。
なお、この通知書を受けた日の翌日から起算して６か月以内であっても、この処分の日の翌日から起算して１年を経過したときは、取消訴訟を提起することができません。

令和　　年　　月　　日

知事
　　　　　　　印
市長

殿</td></tr>
</table>

（Ａ列４番）

〔**改正**〕

全部改正（第47次改正）、一部改正（第50・51次改正）

様式第十五号（第二十四条関係）

<table>
<tr><td colspan="4">第　　　号

特別児童扶養手当資格喪失通知書</td></tr>
<tr><td>氏　　　名</td><td></td><td>証　　書
記号・番号</td><td>第　　　号</td></tr>
<tr><td>住　　　所</td><td colspan="3"></td></tr>
<tr><td>受給資格がなくなった理由</td><td colspan="3"></td></tr>
<tr><td>受給資格がなくなった日</td><td colspan="3">令和　　年　　月　　日</td></tr>
<tr><td colspan="4">上記のとおり、受給者は特別児童扶養手当の受給資格がなくなりましたので通知します。
これに不服があるときは、この通知書を受けた日の翌日から起算して３か月以内に、書面で、都道府県知事に対して審査請求をすることができます。
なお、この通知書を受けた日の翌日から起算して３か月以内であっても、この処分の日の翌日から起算して１年を経過したときは、審査請求をすることができません。
また、この処分の取消しを求める訴え（取消訴訟）は、この通知書を受けた日の翌日から起算して６か月以内に、都道府県（政令指定都市の場合は市）を被告として（訴訟において都道府県を代表する者は都道府県知事となり、政令指定都市を代表する者は市長となります。）、提起することができます。
なお、この通知書を受けた日の翌日から起算して６か月以内であっても、この処分の日の翌日から起算して１年を経過したときは、取消訴訟を提起することができません。

令和　　年　　月　　日

知事
　　　　　　印
市長

殿</td></tr>
</table>

（Ａ列４番）

〔**改正**〕

全部改正（第47次改正）、一部改正（第50・51次改正）

様式第十六号（第三十条関係）

第　　号 督　　促　　状	
令和　　年度　｜　厚生労働省所管	一　般　会　計
昭和 平成　年　月分から 令和 昭和 平成　年　月分まで 令和 特別児童扶養手当 返　納　金	円

指定期限　　令和　年　月　日限り

納付場所

上記のとおり納付して下さい。

指定期限までに完納されないときは、納期限（令和　年　月　日）の翌日から、法律に定める金額の延滞金を加算して徴収します。

指定期限を過ぎても完納されないときは、財産差押えの処分をすることがあります。

令和　年　月　日

歳入徴収官の官職氏名　　（印）

用紙の大きさは、はがき大とすること。

〔**改正**〕

全部改正（第50次改正）

様式第十七号（第三十一条関係）

（表面）

特別児童扶養手当受給資格調査員証

第　　　　　号

写

真

官　　職
又は職名

氏　　名

生年月日

特別児童扶養手当等の支給に関する法律第36条に定める当該職員であることを証する。

年　　月　　日交付
年　　月　　日限り有効

印

都道府県知事
政令指定都市市長

（裏面）

特別児童扶養手当等の支給に関する法律（抄）

（支給の制限）
第11条　手当は、次の各号のいずれかに該当する場合においては、その額の全部又は一部を支給しないことができる。
1　受給資格者が、正当な理由がなくて、第36条第1項の規定による命令に従わず、又は同項の規定による当該職員の質問に応じなかつたとき。
2　障害児が、正当な理由がなくて、第36条第2項の規定による命令に従わず、又は同項の規定による当該職員の診断を拒んだとき。
3　受給資格者が、当該障害児の監護又は養育を著しく怠つているとき。

（調査）
第36条　行政庁は、必要があると認めるときは、受給資格者に対して、受給資格の有無若しくは手当の額の決定のために必要な事項に関する書類その他の物件を提出すべきことを命じ、又は当該職員をしてこれらの事項に関し受給資格者その他の関係者に質問させることができる。
2　行政庁は、必要があると認めるときは、障害児、重度障害児若しくは特別障害者に対して、その指定する医師若しくは歯科医師の診断を受けるべきことを命じ、又は当該職員をしてこれらの者の障害の状態を診断させることができる。
3　前2項の規定によつて質問又は診断を行う当該職員は、その身分を示す証明書を携帯し、かつ、関係者の請求があるときは、これを提示しなければならない。

注意
1　この調査員証は、他人に貸与し、又は譲渡してはならない。
2　この調査員証は、有効期間が経過し、又は不要になつたときは、速やかに、返還しなければならない。

1．厚紙その他の材料を用い、使用に十分耐えうるものとする。

2．大きさは、縦54ミリメートル、横86ミリメートルとする。

〔改正〕

全部改正（第45次改正）、一部改正（第50・56次改正）

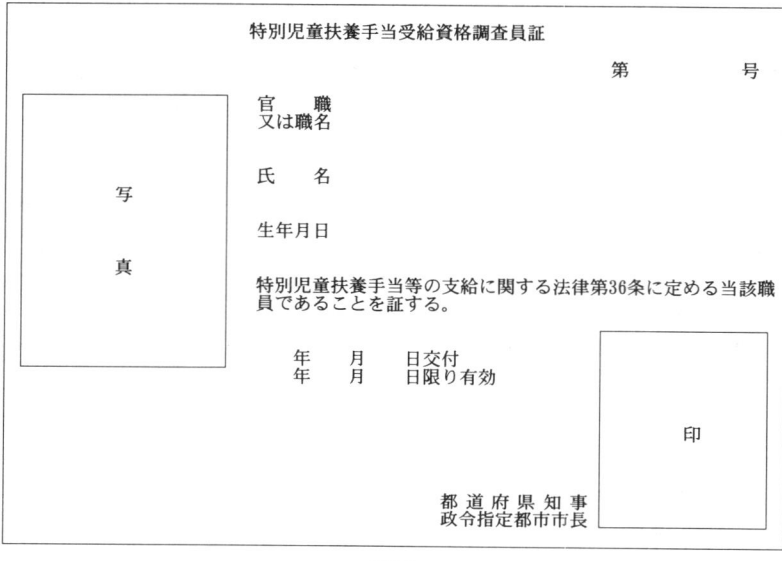

◉障害児福祉手当及び特別障害者手当の支給に関する省令

〔昭和五十年八月十三日 厚生省令第三十四号〕

〔一部改正経過〕

第一次〔昭和五一年一〇月一日厚生省令第四六号「児童扶養手当法施行規則等の一部を改正する省令」第三条による改正〕
第二次〔昭和五二年一〇月一日厚生省令第四四号「児童扶養手当法施行規則等の一部を改正する省令」第三条による改正〕
第三次〔昭和五三年五月二七日厚生省令第三四号「児童扶養手当法施行規則等の一部を改正する省令」第三条による改正〕
第四次〔昭和五四年九月一日厚生省令第三五号「福祉手当の支給に関する省令の一部を改正する省令」による改正〕
第五次〔昭和五六年七月三〇日厚生省令第五七号「福祉手当の支給に関する省令の一部を改正する省令」による改正〕
第六次〔昭和五六年一二月一九日厚生省令第七〇号「福祉手当の支給に関する省令の一部を改正する省令」による改正〕
第七次〔昭和五七年六月一六日厚生省令第二八号「福祉手当の支給に関する省令の一部を改正する省令」による改正〕
第八次〔昭和五七年八月一四日厚生省令第三五号「福祉年金支給規則等の一部を改正する省令」第六条による改正〕
第九次〔昭和五七年八月三一日厚生省令第四〇号「船員保険法施行規則等の一部を改正する省令」第一三条による改正〕
第一〇次〔昭和五九年六月二七日厚生省令第三一号「理容師法施行規則等の一部を改正する省令」第六条による改正〕
第一一次〔昭和六〇年一二月二八日厚生省令第四九号「福祉手当の支給に関する省令の一部を改正する省令」による改正〕
第一二次〔昭和六三年五月三一日厚生省令第三九号「児童扶養手当法施行規則等の一部を改正する省令」第四条による改正〕
第一三次〔平成元年三月二四日厚生省令第一〇号「人口動態調査令施行細則等の一部を改正する省令」第四九条による改正〕
第一四次〔平成元年五月三一日厚生省令第三〇号「障害児福祉手当及び特別障害者手当の支給に関する省令の一部を改正する省令」による改正〕
第一五次〔平成二年七月二〇日厚生省令第四三号「障害児福祉手当及び特別障害者手当の支給に関する省令の一部を改正する省令」による改正〕
第一六次〔平成六年二月二八日厚生省令第六号「厚生省関係研究交流促進法施行規則等の一部を改正する省令」第三四条による改正〕
第一七次〔平成六年七月二七日厚生省令第四八号「老齢福祉年金支給規則等の一部を改正する省令」第五条による改正〕
第一八次〔平成七年六月一四日厚生省令第三六号「身体障害者福祉法施行規則等の一部を改正する省令」第三条による改正〕
第一九次〔平成七年五月一五日厚生省令第三三号「原子爆弾被爆者に対する援護に関する法律施行規則」附則第三〇条による改正〕
第二〇次〔平成九年三月二八日厚生省令第三一号「厚生年金保険法施行規則等の一部を改正する等の省令」第一四条による改正〕
第二一次〔平成一〇年一月一三日厚生省令第一号「精神保健及び精神障害者福祉に関する法律施行規則及び障害児福祉手当及び特別障害者手当の支給に関する省令の一部を改正する省令」第二条による改正〕
第二二次〔平成九年九月二五日厚生省令第七二号「児童福祉法施行規則等の一部を改正する省令」第三条による改正〕
第二三次〔平成一一年一月一一日厚生省令第一号「特別児童扶養手当等の支給に関する法律施行規則等の一部を改正する省令」第二条による改正〕
第二四次〔平成一一年三月八日厚生省令第一五号「精神薄弱の用語の整理のための厚生省関係省令の一部を改正する省令」第六条による改正〕
第二五次〔平成一一年五月二八日厚生省令第六〇号「老齢福祉年金支給規則等の一部を改正する省令」第六条による改正〕
第二六次〔平成一二年六月七日厚生省令第一〇〇号「社会福祉の増進のための社会福祉事業法等の一部を改正する等の法律の施行に伴う厚生省関係省令の整備等に関する省令」第九・一二条による改正〕
第二七次〔平成一二年一〇月二〇日厚生省令第一二七号「中央省庁等改革のための健康保険法施行規則等の一部を改正する等の省令」第九八・一一九条による改正〕
第二八次〔平成一三年七月三一日厚生労働省令第一七九号「障害児福祉手当及び特別障害者手当の支給に関する省令の一部を改正する省令」による改正〕
第二九次〔平成一四年五月二四日厚生労働省令第七〇号「老齢福祉年金支給規則等の一部を改正する省令」第五条による改正〕
第三〇次〔平成一五年九月三〇日厚生労働省令第一四九号「独立行政法人国立重度知的障害者総合施設のぞみの園の業務運営並びに財務及び会計に関する省令」附則第五条による改正〕
第三一次〔平成一六年三月三一日厚生労働省令第七七号「独立行政法人国立病院機構の業務運営並びに財務及び会計に関する省令」附則第一三条による改正〕
第三二次〔平成一八年七月三一日厚生労働省令第一四六号「障害児福祉手当及び特別障害者手当の支給に関する省令の一部を改正する省令」による改正〕
第三三次〔平成一八年九月二九日厚生労働省令第一六九号「障害者自立支援法の一部の施行に伴う厚生労働省関係省令の整備等に関する省令」第一四条による改正〕
第三四次〔平成二〇年三月三一日厚生労働省令第八〇号「中国残留邦人等の円滑な帰国の促進及び永住帰国後の自立の支援に関する法律施行規則等の一部を改正する省令」第五条による改正〕
第三五次〔平成二二年四月一日厚生労働省令第五八号「厚生労働省組織規則の一部を改正する省令」附則第五条による改正〕
第三六次〔平成二三年八月三一日厚生労働省令第一〇八号「障害児福祉手当及び特別障害者手当の支給に関する省令の一部を改正する省令」による改正〕

第三七次 〔平成二四年三月二八日厚生労働省令第四〇号「障がい者制度改革推進本部等における検討を踏まえて障害保健福祉施策を見直すまでの間において障害者等の地域生活を支援するための関係法律の整備に関する法律の施行に伴う関係省令の整備等及び経過措置に関する省令」第一三条による改正〕

第三八次 〔平成二四年六月二九日厚生労働省令第九九号「特別児童扶養手当等の支給に関する法律施行規則及び特別児童福祉手当及び特別障害者手当の支給に関する省令の一部を改正する省令」第二条による改正〕

第三九次 〔平成二五年一月一八日厚生労働省令第四号「地域社会における共生の実現に向けて新たな障害保健福祉施策を講ずるための関係法律の整備に関する法律の施行に伴う関係省令の整備等に関する省令」第三条による改正〕

第四〇次 〔平成二六年九月九日厚生労働省令第一〇四号「中国残留邦人等の円滑な帰国の促進及び永住帰国後の自立の支援に関する法律の一部を改正する法律の施行に伴う厚生労働省関係省令の整備に関する省令」第三条による改正〕

第四一次 〔平成二六年一一月一三日厚生労働省令第一二二号「児童福祉法施行規則の一部を改正する省令」附則第四条による改正〕

第四二次 〔平成二七年九月二九日厚生労働省令第一五〇号「行政手続における特定の個人を識別するための番号の利用等に関する法律及び行政手続における特定の個人を識別するための番号の利用等に関する法律の施行に伴う関係法律の整備等に関する法律の施行に伴う厚生労働省関係省令の整備に関する省令」第二八条（平成二八年一二月厚生労働省令第一八七号により一部改正）による改正〕

第四三次 〔平成二八年五月二三日厚生労働省令第一〇一号「特別児童扶養手当等の支給に関する法律施行規則等の一部を改正する省令」第二条による改正〕

第四四次 〔平成三〇年八月一日厚生労働省令第一〇一号「児童扶養手当法施行規則等の一部を改正する省令」第四条による改正〕

第四五次 〔令和元年五月七日厚生労働省令第一号「元号の表記の整理のための厚生労働省関係省令の一部を改正する省令」第五三条による改正〕

第四六次 〔令和元年六月二八日厚生労働省令第二〇号「不正競争防止法等の一部を改正する法律の施行に伴う厚生労働省関係省令の整備に関する省令」第一条による改正〕

第四七次 〔令和元年六月二八日厚生労働省令第二二号「児童扶養手当法施行規則等の一部を改正する省令」第四条による改正〕

第四八次 〔令和二年一二月二五日厚生労働省令第二〇八号「押印を求める手続の見直し等のための厚生労働省関係省令の一部を改正する省令」第六九条による改正〕

第四九次 〔令和二年一二月二八日厚生労働省令第二一二号「児童福祉法施行規則等の一部を改正する省令」第四条による改正〕

第五〇次 〔令和三年五月六日厚生労働省令第九四号「特別児童扶養手当等の支給に関する法律施行規則及び障害児福祉手当及び特別障害者手当の支給に関する省令の一部を改正する省令」第二条による改正〕

第五一次 〔令和三年一〇月二二日厚生労働省令第一七五号「厚生労働省の所管する法律又は政令の規定に基づく立入検査等の際に携帯する職員の身分を示す証明書の様式の特例に関する省令」附則第七条による改正〕

第五二次 〔令和四年九月八日厚生労働省令第一二六号「公的給付の支給等の迅速かつ確実な実施のための預貯金口座の登録等に関する法律の一部の施行に伴う厚生労働省関係省令の整備に関する省令」第一〇条による改正〕

特別児童扶養手当等の支給に関する法律（昭和三十九年法律第百三十四号）第十七条第三号、第三十五条及び第四十条の規定に基づき、福祉手当の支給に関する省令を次のように定める。

障害児福祉手当及び特別障害者手当の支給に関する省令

題名＝改正（第一一次改正）

目次 頁

第一章　障害児福祉手当

章名＝追加（第一一次改正）

（法第十七条第二号の厚生労働省令で定める施設）

第一条　特別児童扶養手当等の支給に関する法律（昭和三十九年法律第百三十四号。以下「法」という。）第十七条第二号の厚生労働省令で定める施設は、次のとおりとする。

一　児童福祉法（昭和二十二年法律第百六十四号）に規定する乳児院又は児童養護施設

二　児童福祉法に規定する医療型障害児入所施設におけると同様な治療等を行う同法に規定する指定発達支援医療機関

三　障害者の日常生活及び社会生活を総合的に支援するための法律（平成十七年法律第百二十三号）に規定する療養介護を行う病院（療養介護を行う病床に限る。）又は障害者支援施設

四　独立行政法人国立重度知的障害者総合施設のぞみの園法（平成十四年法律第百六十七号）の規定により独立行政法人国立重度知的障害者総合施設のぞみの園が設置する施設

五　削除

六　独立行政法人国立病院機構の設置する医療機関又は社会福祉法（昭和二十六年法律第四十五号）第二条第三項第九号に規定する事業を行う施設であつて、進行性筋萎縮症者を収容し、必要な治療、訓練及び生活指導を行うもの

七　厚生労働省組織規則（平成十三年厚生労働省令第一号）に基づく国立保養所

八　生活保護法（昭和二十五年法律第百四十四号。中国残留邦人等の円滑な帰国の促進並びに永住帰国した中国残留邦人等及び特定配偶者の自立の支援に関する法律（平成六年法律第三十号）第十四条第四項（中国残留邦人等の円滑な帰国の促進及び永住帰国後の自立の支援に関する法律の一部を改正する法律（平成十九年法律第百二十七号）附則第四条第二項において準用する場合を含む。）においてその例による場合を含む。）に規定する救護施設又は更生施設

九　医療法（昭和二十三年法律第二百五号）に規定する病院又は診療所であつて、法令の規定に基づく命令（命令に準ずる措置を含む。）により入院し、又は入所した者について治療等を行うもの

〔改正〕
一部改正（第四・六・一〇・一一・二二・二四・二六・二七・三〇・三一・三三～三五・三七・三九～四一次改正）

（認定の請求）

第二条　法第十九条の規定による障害児福祉手当の受給資格についての認定の請求は、障害児福祉手当認定請求書（様式第一号）に、次に掲げる書類等を添えて、住所地を管轄する福祉事務所（社会福祉法に定める福祉に関する事務所をいう。以下同じ。）を管理する都道府県知事、市長（特別区の区長を含む。）又は町村長（以下「手当の支給機関」という。）に提出することによつて行わなければならない。

一　受給資格者の戸籍の謄本又は抄本及び受給資格者の属する世帯の全員の住民票の写し

二　受給資格者が法第二条第二項に規定する者であることに関する医師の診断書及びその者の障害の状態が別表に定める傷病に係るものであるときはエックス線直接撮影写真

三　障害児福祉手当所得状況届（様式第三号）

四　受給資格者の前年（一月から六月までの間に請求する者にあつては、前々年とする。以下この条及び第十五条において同じ。）の所得につき、次に掲げる書類

イ　所得の額（特別児童扶養手当等の支給に関する法律施行令（昭和五十年政令第二百七号。以下「令」という。）第八条において準用する令第四条及び第五条の規定によつて計算した所得の額をいう。以下この条において同じ。）並びに法第二十条に規定する扶養親族等の有無及び数並びに所得税法（昭和四十年法律第三十三号）に規定する同一生計配偶者（七十歳以上の

者に限る。）、老人扶養親族及び特定扶養親族の有無及び数についての市町村長（特別区の区長を含む。以下同じ。）の証明書（やむを得ない理由により同法に規定する同一生計配偶者の有無及び当該同一生計配偶者が七十歳以上であるかの別についての市町村長の証明書を提出することができない場合には、当該事実を明らかにできる書類）

ロ　受給資格者が所得税法に規定する控除対象扶養親族（十九歳未満の者に限る。）を有するときは、次に掲げる書類

(1)　当該控除対象扶養親族の数を明らかにすることができる書類

(2)　当該控除対象扶養親族が法第二十一条に規定する扶養義務者でない場合には、当該控除対象扶養親族の前年の所得の額についての市町村長の証明書

ハ　受給資格者が令第八条第三項において準用する令第五条第二項各号に該当するときは、当該事実を明らかにすることができる市町村長の証明書

ニ　受給資格者が法第二十二条第一項の規定に該当するときは、障害児福祉手当被災状況書（様式第四号）

五　配偶者（婚姻の届出をしていないが、事実上婚姻関係と同様の事情にある者を含む。以下同じ。）又は法第二十一条に規定する扶養義務者がある受給資格者にあつては、当該配偶者又は当該扶養義務者の前年の所得につき、次に掲げる書類

イ　所得の額並びに法第二十一条に規定する扶養親族等の有無及び数並びに所得税法に規定する老人扶養親族の有無及び数についての市町村長の証明書（やむを得ない理由により同法に規定する同一生計配偶者の有無についての市町村長の証明書を提出することができない場合には、当該事実を明らかにできる書類）

ロ　当該配偶者又は当該扶養義務者が令第八条第四項において準用する令第五条第二項各号に該当するときは、当該事実を明らかにすることができる市町村長の証明書

ハ　当該配偶者又は当該扶養義務者が法第二十二条第一項の規定に該当するときは、障害児福祉手当被災状況書

〔改正〕

一部改正（第一・三・五・九・一一・一五・一七・二六・二八・三六・三八・四四・四七・四九次改正）

（認定の通知）

第三条　手当の支給機関は、認定の請求があつた場合において、受給資格の認定をしたときは、当該受給資格者に、文書でその旨を通知しなければならない。

2　手当の支給機関は、前項の場合において、法第二十条又は第二十一条の規定により障害児福祉手当を支給しないときは、当該受給資格者に、文書でその旨を通知しなければならない。

〔改正〕

一部改正（第一一次改正）

（認定請求の却下通知）

第四条　手当の支給機関は、認定の請求があつた場合において、受給

資格がないと認めたときは、請求者に、文書でその旨を通知しなければならない。

（現況の届出）

第五条　障害児福祉手当の支給を受けている者（以下「受給者」という。）は、障害児福祉手当所得状況届に第二条第四号及び第五号に掲げる書類を添えて、毎年八月十二日から九月十一日までの間に、これを手当の支給機関に提出しなければならない。ただし、障害児福祉手当認定請求書に添えて前年の所得に関する障害児福祉手当所得状況届が既に提出されているときは、この限りでない。

〔**改正**〕

一部改正（第三・一一・四三次改正）

（支給停止の通知）

第六条　手当の支給機関は、前条の規定により提出された障害児福祉手当所得状況届を受理した場合において、法第二十条又は第二十一条の規定により障害児福祉手当を支給しないときは、当該受給資格者に、文書でその旨を通知しなければならない。

〔**改正**〕

一部改正（第一一次改正）

（氏名変更の届出）

第七条　受給者は、氏名を変更したときは、個人番号（行政手続における特定の個人を識別するための番号の利用等に関する法律（平成二十五年法律第二十七号）第二条第五項に規定する個人番号をいう。以下同じ。）並びに変更前及び変更後の氏名を記載した届書に戸籍の抄本を添えて、十四日以内に、これを手当の支給機関に提出しなければならない。

〔**改正**〕

一部改正（第四三次改正）

（住所変更の届出）

第八条　受給者は、住所を変更したときは、十四日以内に、個人番号並びに変更前及び変更後の住所を記載した届書を手当の支給機関に提出しなければならない。

〔**改正**〕

一部改正（第一一・四三次改正）

（受給資格喪失の届出）

第九条　受給者は、法第十七条に定める支給要件に該当しなくなつたときは、速やかに、個人番号、支給要件に該当しなくなつた理由及び該当しなくなつた年月日を記載した届書を手当の支給機関に提出しなければならない。

〔**改正**〕

一部改正（第四三次改正）

（死亡の届出）

第十条　受給者が死亡したときは、戸籍法（昭和二十二年法律第二百二十四号）の規定による死亡の届出義務者は、当該受給者の氏名及び死亡した年月日を記載した届書にその死亡を証する書類を添えて、十四日以内に、これを手当の支給機関に提出しなければならない。

〔改正〕

一部改正（第四三・四九次改正）

（受給資格喪失の通知）

第十一条　手当の支給機関は、受給者の受給資格が消滅したときは、その者（その者が死亡した場合にあつては、前条に規定する死亡の届出義務者とする。）に、文書でその旨を通知しなければならない。

（届書の記載事項）

第十二条　第七条から第十条までの届書には、届出者の氏名及び住所並びに届出の年月日を記載しなければならない。

〔改正〕

一部改正（第二三・四八次改正）

（準用）

第十三条　第五条、第七条から第十条まで及び前条の規定は、受給資格の認定を受けた者であつて法第二十条又は第二十一条の規定により障害児福祉手当の支給を受けていないものについて準用する。この場合において、第五条中「既に提出されているとき」とあるのは「既に提出されているとき、又は法第二十条若しくは第二十一条の規定によつてその年の七月まで障害児福祉手当が支給されていない場合であつて、当該支給停止の事由がなお継続するとき」と読み替えるものとする。

2　第六条及び第十一条の規定は、前項に規定する者に関する通知について準用する。

〔改正〕

一部改正（第三・一一次改正）

第二章　特別障害者手当

本章＝追加（第一一次改正）

（法第二十六条の二第二号の厚生労働省令で定める施設）

第十四条　法第二十六条の二第二号の厚生労働省令で定める施設は、次のとおりとする。

一　第一条各号（第一号、第二号及び第九号を除く。）に掲げる施設

二　削除

三　老人福祉法（昭和三十八年法律第百三十三号）に規定する養護老人ホーム又は特別養護老人ホーム

〔改正〕

一部改正（第二七・三三・三七次改正）

（認定の請求）

第十五条　法第二十六条の五において準用する法第十九条の規定による特別障害者手当の受給資格についての認定の請求は、特別障害者手当認定請求書（様式第五号）に、次に掲げる書類等を添えて、手当の支給機関に提出することによつて行わなければならない。

一　受給資格者の戸籍の謄本又は抄本及び受給資格者の属する世帯の全員の住民票の写し

二　受給資格者が法第二条第三項に規定する者であることに関する医師の診断書及びその者の障害の状態が別表に定める傷病に係るものであるときはエックス線直接撮影写真

三　特別障害者手当所得状況届（様式第七号）

四　受給資格者の前年の所得につき、次に掲げる書類

イ　所得の額（令第十一条及び令第十二条第四項において準用する令第五条の規定によつて計算した所得の額をいう。）並びに法第二十六条の五において準用する法第二十条に規定する同一生計配偶者及び扶養親族等の有無及び数並びに所得税法に規定する同一生計配偶者（七十歳以上の者に限る。）、老人扶養親族及び特定扶養親族の有無及び数についての市町村長の証明書（やむを得ない理由により同法に規定する同一生計配偶者の有無及び当該同一生計配偶者が七十歳以上であるかの別についての市町村長の証明書を提出することができない場合には、当該事実を明らかにできる書類）

ロ　受給資格者が所得税法に規定する控除対象扶養親族（十九歳未満の者に限る。）を有するときは、次に掲げる書類

(1)　当該控除対象扶養親族の数を明らかにすることができる書類

(2)　当該控除対象扶養親族が法第二十六条の五において準用する法第二十一条に規定する扶養義務者でない場合には、当該控除対象扶養親族の前年の所得の額についての市町村長の証明書

ハ　受給資格者が令第十一条に規定する給付の支給を受けるときは、当該事実及び給付の額を明らかにすることができる証明書

ニ　受給資格者が令第十二条第四項において準用する令第五条第二項各号に該当するときは、当該事実を明らかにすることができる市町村長の証明書

ホ　受給資格者が法第二十六条の五において準用する法第二十二条第一項の規定に該当するときは、特別障害者手当被災状況書（様式第四号）

五　配偶者又は法第二十六条の五において準用する法第二十一条に規定する扶養義務者がある受給資格者にあつては、当該配偶者又は当該扶養義務者の前年の所得につき、次に掲げる書類

イ　所得の額（令第十二条第三項において準用する令第四条及び令第十二条第五項において準用する令第五条の規定によつて計算した所得の額をいう。）並びに法第二十六条の五において準用する法第二十一条に規定する扶養親族等の有無及び数並びに所得税法に規定する老人扶養親族の有無及び数についての市町村長の証明書（やむを得ない理由により同法に規定する同一生計配偶者の有無についての市町村長の証明書を提出することができない場合には、当該事実を明らかにできる書類）

ロ　当該配偶者又は当該扶養義務者が令第十二条第五項において準用する令第五条第二項各号に該当するときは、当該事実を明らかにすることができる市町村長の証明書

ハ　当該配偶者又は当該扶養義務者が法第二十六条の五において準用する法第二十二条第一項の規定に該当するときは、特別障害者手当被災状況書

〔**改正**〕

一部改正（第一五・一七・二八・三六・三八・四四・四七・四九次改正）

（準用）

第十六条　第三条から第十三条までの規定は、特別障害者手当について準用する。この場合において、第三条第二項中「法第二十条又は第二十一条の規定により障害児福祉手当」とあるのは「法第二十六条の五において準用する法第二十条又は第二十一条の規定により特別障害者手当」と、第五条中「障害児福祉手当所得状況届」とあるのは「特別障害者手当所得状況届」と、「障害児福祉手当認定請求書」とあるのは「特別障害者手当認定請求書」と、第六条中「障害児福祉手当所得状況届」とあるのは「特別障害者手当所得状況届」と、「法第二十条又は第二十一条の規定により障害児福祉手当」とあるのは「法第二十六条の五において準用する法第二十条又は第二十一条の規定により特別障害者手当」と、第九条中「法第十七条」とあるのは「法第二十六条の二」と、第十三条中「法第二十条又は第二十一条の規定により障害児福祉手当」とあるのは「法第二十六条の五において準用する法第二十条又は第二十一条により特別障害者手当」と、「法第二十条若しくは第二十一条」とあるのは「法第二十六条の五において準用する法第二十条若しくは第二十一条」と読み替えるものとする。

第三章　雑則

章名＝追加（第一一次改正）

（口頭による請求）

第十七条　手当の支給機関は、この省令に規定する請求書又は届書を作成することができない特別の事情があると認めるときは、当該請求者又は届出者の口頭による陳述を当該職員に聴取させた上で、必要な措置を採ることによつて、当該請求書又は届書の受理に代えることができる。

2　前項の陳述を聴取した当該職員は、陳述事項に基づいて所定の請求書又は届書の様式に従つて聴取書を作成し、これを陳述者に読み聞かせた上で、陳述者とともに氏名を記載しなければならない。

〔**改正**〕

一部改正（第四八次改正）、旧第一四条を本条に繰下（第一一次改正）

（添附書類の省略等）

第十八条　手当の支給機関は、この省令の規定により請求書又は届書に添えて提出する書類等により証明すべき事実を公簿等によつて確認することができるときは、当該書類等を省略させることができる。

2　手当の支給機関は、非常災害に際して特に必要があると認めるときは、この省令の規定により請求書又は届書に添えなければならない書類等を省略させ、又はこれに代わるべき他の書類等を添えて提出させることができる。

〔**改正**〕

旧第一五条を本条に繰下（第一一次改正）

（身分を示す証明書）

第十九条　法第三十六条第三項の規定によつて当該職員が携帯すべき身分を示す証明書は、様式第八号による。

〔改正〕

旧第一六条を一部改正し、本条に繰下（第一一次改正）

（町村の一部事務組合等）

第二十条 町村が一部事務組合又は広域連合を設けて福祉事務所を設置した場合には、この省令の規定（第二条第四号イ及びロ、同条第五号イ及びロ、第十五条第四号イ及びロ並びに同条第五号イ及びロの規定を除く。）の適用については、その一部事務組合又は広域連合を福祉事務所を設置する町村とみなし、その一部事務組合の管理者又は広域連合の長を福祉事務所を管理する町村長とみなす。

〔改正〕

一部改正（第一一・一八次改正）、旧第一七条を本条に繰下（第一一次改正）

附　則

（施行期日）

1 この省令は、昭和五十年十月一日から施行する。ただし、特別児童扶養手当等の支給に関する法律等の一部を改正する法律（昭和五十年法律第四十七号）附則第二条第三項の規定によつてなされる手続に関しては、公布の日（昭和五十年八月十三日）から施行する。

（厚生省組織規程の一部改正）

2 厚生省組織規程（昭和二十七年厚生省令第四十一号）の一部を次のように改正する。

第一条の十三第三項中「第三号の措置」の下に「並びに特別児童扶養手当等の支給に関する法律（昭和三十九年法律第百三十四号）による福祉手当の支給」を加える。

附　則（第一次改正）

この省令は、公布の日（昭和五十一年十月一日）から施行する。

附　則（第二次改正）

この省令は、公布の日（昭和五十二年十月一日）から施行する。

附　則（第三次改正）抄

1 この省令は、公布の日（昭和五十三年五月二十七日）から施行する。

附　則（第四次改正）

1 この省令は、公布の日（昭和五十四年九月一日）から施行する。

2 この省令の施行の際現にあるこの省令による改正前の様式による診断書の用紙は、当分の間、これを取り繕つて使用することができる。

附　則（第五次改正）

1 この省令は、昭和五十六年八月一日から施行する。

2 昭和五十四年以前の年の所得に係る福祉手当所得状況届及びこれに添えるべき証明書については、なお従前の例による。

附　則（第六次改正）

この省令は、難民の地位に関する条約等への加入に伴う出入国管理令その他関係法律の整備に関する法律（昭和五十六年法律第八十六号）の施行の日（昭和五十七年一月一日）から施行する。

附　則（第七次改正）

この省令は、昭和五十七年七月一日から施行する。

附　則（第八次改正）

この省令は、公布の日〔昭和五十七年八月十四日〕から施行する。

附　則（第九次改正）

この省令は、昭和五十七年十月一日から施行する。

附　則（第一〇次改正）抄

（施行期日）

第一条　この省令は、公布の日〔昭和五十九年六月二十七日〕から施行する。

附　則（第一一次改正）抄

（施行期日）

第一条　この省令は、昭和六十一年四月一日から施行する。ただし、第十七条の改正規定、同条を第二十条とする改正規定、第十六条の改正規定、同条を第十九条とし、第十五条を第十八条とし、第十四条を第十七条とし、同条の前に次の一章及び章名を加える改正規定（第十四条及び第十六条に係る部分を除く。）並びに様式第四号の改正規定、様式第五号の改正規定及び同様式を様式第八号とし、様式第四号の次に次の十様式を加える改正規定は、同年一月一日から施行する。

（経過措置）

第二条　国民年金法等の一部を改正する法律（以下「法律第三十四号」という。）附則第九十七条第二項において準用する特別児童扶養手当等の支給に関する法律（以下「法」という。）第十七条第二号の厚生労働省令で定める施設は、次のとおりとする。

一　この省令による改正後の第一条各号に掲げる施設

二　児童福祉法（昭和二十二年法律第百六十四号）に規定する肢体不自由児施設

三　老人福祉法（昭和三十八年法律第百三十三号）に規定する養護老人ホーム又は特別養護老人ホーム

〔改正〕

一部改正（第二七次改正）

第三条　特別児童扶養手当等の支給に関する法律施行令の一部を改正する政令（昭和六十年政令第三百二十三号）附則第五条第一項の規定に基づき福祉手当の支給を受ける者が、次条第一項において準用するこの省令による改正後の第五条の規定による現況の届出を行うときは、同条に規定する所得状況届及び書類に児童扶養手当法施行規則（昭和三十六年厚生省令第五十一号）第四条に規定する児童扶養手当現況届及び同条各号に掲げる書類を添えて、当該福祉手当の支給を受ける者の住所地を管轄する福祉事務所（社会福祉法（昭和二十六年法律第四十五号）に定める福祉に関する事務所をいう。）を管理する都道府県知事、市長（特別区の区長を含む。）又は町村長に提出しなければならない。

〔改正〕

一部改正（第二六次改正）

第四条　法律第三十四号附則第九十七条第一項の規定による福祉手当に関し現況の届出を行う場合には、この省令による改正後の第五条の規定を準用する。

2　前項の福祉手当に関し法第三十六条第一項及び第二項の規定によ

り質問又は診断を行う当該職員が携帯すべき身分を示す証明書については、この省令による改正後の様式第八号によるものとする。

〔改正〕

一部改正（第三六次改正）

第五条 昭和六十一年一月一日において現にあるこの省令による改正前の様式第四号及び第五号による福祉手当被災状況書及び福祉手当受給資格調査員証は、同年三月三十一日までの間、これを使用することができる。

第六条 この省令の施行前にこの省令による改正前の福祉手当の支給に関する省令の規定により行つた請求、届出その他の行為は、この省令による改正後の規定により行つた請求、届出その他の行為とみなす。

附　則（第一二次改正）抄

（施行期日）

1 この省令は、昭和六十三年七月一日から施行する。〔以下略〕

（様式に関する経過措置）

2 第一条、第二条及び第四条の規定の施行の際現にあるこれらの規定による改正前の様式による請求書及び届の用紙は、当分の間、これを取り繕つて使用することができる。

（所得の額の計算方法に関する特例）

4 昭和六十三年八月一日前における児童扶養手当法施行規則第一条、特別児童扶養手当等の支給に関する法律施行規則第一条並びに障害児福祉手当及び特別障害者手当の支給に関する省令第二条及び第十五条の規定の適用については、これらの規定中「計算した所得の額」とあるのは「計算した所得の額と昭和六十三年度分の道府県民税（都が地方税法（昭和二十五年法律第二百二十六号）第一条第二項の規定によつて課する同法第四条第二項第一号に掲げる税を含む。以下同じ。）に係る同法附則第三十三条の四第一項に規定する超短期所有土地等に係る事業所得等の金額とを合算した額」と、「第三号までの規定に該当するとき」とあるのは「第三号までの規定に該当するとき又は昭和六十三年度分の道府県民税につき地方税法第三十四条第一項第十号の二に規定する控除を受けたとき」とする。

附　則（第一三次改正）抄

1 この省令は、公布の日〔平成元年三月二十四日〕から施行する。

2 この省令の施行の際この省令による改正前の様式（以下「旧様式」という。）により使用されている書類は、この省令による改正後の様式によるものとみなす。

3 この省令の施行の際現にある旧様式による用紙及び板については、当分の間、これを取り繕つて使用することができる。

4 この省令による改正後の省令の規定にかかわらず、この省令により改正された規定であつて改正後の様式により記載することが適当でないものについては、当分の間、なお従前の例による。

附　則（第一四次改正）

この省令は、平成元年七月一日から施行する。

附　則（第一五次改正）

1　この省令は、公布の日〔平成二年七月二十日〕から施行する。
2　この省令の施行の際現にある改正前の様式による届の用紙は、当分の間、これを取り繕って使用することができる。

附　則（第一六次改正）

1　この省令は、平成六年四月一日から施行する。
2　この省令の施行の際現にあるこの省令による改正前の様式による用紙については、当分の間、これを使用することができる。

附　則（第一七次改正）抄

1　この省令は、平成六年八月一日から施行する。〔以下略〕

附　則（第一八次改正）

この省令は、平成七年六月十五日から施行する。

附　則（第一九次改正）抄

（施行期日）
第一条　この省令は、平成七年七月一日（以下「施行日」という。）から施行する。

附　則（第二〇次改正）抄

（施行期日）
第一条　この省令は、平成九年四月一日から施行する。
（障害児福祉手当及び特別障害者手当の支給に関する省令の一部改正に伴う経過措置）
第十三条　この省令の施行の際現にある第十四条の規定による改正前の様式による請求書の用紙については、当分の間、これを取り繕って使用することができる。

附　則（第二一次改正）

1　この省令は、公布の日〔平成十年一月十三日〕から施行する。
2　この省令の施行の際現にある第二条の規定による改正前の様式による請求書の用紙については、当分の間、これを取り繕って使用することができる。

附　則（第二二次改正）抄

（施行期日）
1　この省令は、平成十年四月一日から施行する。

附　則（第二三次改正）

（施行期日）
1　この省令は、公布の日〔平成十一年一月十一日〕から施行する。
（経過措置）
2　この省令の施行の際現にあるこの省令による改正前の様式による用紙については、当分の間、これを取り繕って使用することができる。

附　則（第二四次改正）

1　この省令は、平成十一年四月一日から施行する。
2　この省令の施行の際現にあるこの省令による改正前の様式による用紙については、当分の間、これを取り繕って使用することができる。

附　則（第二五次改正）抄

（施行期日）
1　この省令は、平成十一年七月一日から施行する。〔以下略〕

（経過措置）
3　第一条から第四条まで及び第六条の規定の施行の際現にあるこれらの規定による改正前の様式による請求書及び届の用紙は、当分の間、これを取り繕って使用することができる。

附　則（第二六次改正）抄
（施行期日）
1　この省令は、公布の日〔平成十二年六月七日〕から施行する。

附　則（第二七次改正）抄
（施行期日）
1　この省令は、内閣法の一部を改正する法律（平成十一年法律第八十八号）の施行の日（平成十三年一月六日）から施行する。
（様式に関する経過措置）
3　この省令の施行の際現にあるこの省令による改正前の様式（次項において「旧様式」という。）により使用されている書類は、この省令による改正後の様式によるものとみなす。
4　この省令の施行の際現にある旧様式による用紙については、当分の間、これを取り繕って使用することができる。

附　則（第二八次改正）
この省令は、平成十三年八月一日から施行する。

附　則（第二九次改正）抄
（施行期日等）
1　この省令は、次の各号に掲げる区分に応じ、当該各号に定める日から施行する。
二　〔前略〕第五条及び附則第四項の規定　平成十四年八月一日
（経過措置）
4　第三条及び第五条の規定の施行の際現にあるこれらの規定による改正前の様式による用紙については、当分の間、これを取り繕って使用することができる。

附　則（第三〇次改正）抄
（施行期日）
第一条　この省令は、公布の日から施行する。ただし、附則第二条から第七条までの規定は、平成十五年十月一日から施行する。

附　則（第三一次改正）抄
（施行期日）
第一条　この省令は、公布の日から施行する。ただし、附則第八条から第十八条までの規定は、平成十六年四月一日から施行する。

附　則（第三二次改正）
（施行期日）
第一条　この省令は、平成十八年八月一日から施行する。
（経過措置）
第二条　この省令の施行の際この省令による改正前の様式（以下「旧様式」という。）により使用されている書類は、この省令による改正後の様式によるものとみなす。
2　この省令の施行の際現にある旧様式による用紙については、当分の間、これを取り繕って使用することができる。

附　則（第三三次改正）

この省令は、平成十八年十月一日から施行する。

（障害児福祉手当及び特別障害者手当の支給に関する省令の一部改正に伴う経過措置）

注　第一五条は第三三次改正の本則中の条文

第十五条　施行日〔平成十八年十月一日〕から法〔障害者自立支援法（平成十七年法律第百二十三号）〕附則第一条第三号に掲げる規定の施行の日〔平成二十四年四月一日〕の前日までの間は、前条の規定による改正後の障害児福祉手当及び特別障害者手当の支給に関する省令第一条第三号中「又は障害者支援施設」とあるのは、「、障害者支援施設又は同法附則第四十一条第一項若しくは第五十八条第一項の規定によりなお従前の例により運営をすることができることとされた同法附則第四十一条第一項に規定する身体障害者更生援護施設若しくは同法附則第五十八条第一項に規定する知的障害者援護施設」とする。

附　則（第三四次改正）抄

（施行期日）

第一条　この省令は、平成二十年四月一日から施行する。

附　則（第三五次改正）抄

（施行期日）

第一条　この省令は、公布の日〔平成二十二年四月一日〕から施行する。

附　則（第三六次改正）抄

（施行期日）

第一条　この省令は、平成二十三年九月一日から施行する。

附　則（第三七次改正）抄

（施行期日）

第一条　この省令は、平成二十四年四月一日から施行する。〔以下略〕

附　則（第三八次改正）抄

（施行期日）

第一条　この省令は、平成二十四年七月一日から施行する。

（障害児福祉手当及び特別障害者手当の支給に関する省令の一部改正に伴う経過措置）

第四条　平成二十二年以前の年の所得に係る障害児福祉手当所得状況届及び特別障害者手当所得状況届並びにこれらに添えるべき書類については、なお従前の例による。

第五条　この省令の施行の際現にある第二条の規定による改正前の様式による障害児福祉手当所得状況届及び特別障害者手当所得状況届の用紙については、当分の間、これを取り繕って使用することができる。

附　則（第三九次改正）

この省令は、平成二十五年四月一日から施行する。

附　則（第四〇次改正）抄

（施行期日）

第一条　この省令は、平成二十六年十月一日から施行する。

附　則（第四一次改正）抄

（施行期日）
第一条　この省令は、平成二十七年一月一日から施行する。

附　則（第四二次改正）抄

（施行期日）
第一条　この省令は、行政手続における特定の個人を識別するための番号の利用等に関する法律（以下「番号利用法」という。）の施行の日（平成二十七年十月五日）から施行する。ただし、次の各号に掲げる規定は、当該各号に定める日から施行する。
一　〔前略〕第十九条から第二十九条まで〔中略〕の規定　番号利用法附則第一条第四号に掲げる規定の施行の日（平成二十八年一月一日）

（障害児福祉手当及び特別障害者手当の支給に関する省令の一部改正に伴う経過措置）
第十二条　この省令の施行の際現に提出されている第二十八条の規定による改正前の障害児福祉手当及び特別障害者手当の支給に関する省令の様式（次項において「旧様式」という。）により使用されている書類は、同条の規定による改正後の障害児福祉手当及び特別障害者手当の支給に関する省令の様式によるものとみなす。
2　この省令の施行の際現にある旧様式については、当分の間、これを取り繕って使用することができる。

附　則（第四三次改正）抄

（施行期日）
1　この省令は、平成二十八年六月一日から施行する。

（障害児福祉手当及び特別障害者手当の支給に関する省令の一部改正に伴う経過措置）
3　この省令の施行の際現にある第二条の規定による改正前の障害児福祉手当及び特別障害者手当の支給に関する省令の様式については、当分の間、これを取り繕って使用することができる。

附　則（第四四次改正）

（施行期日）
1　この省令は、平成三十年八月一日から施行する。

（経過措置）
2　この省令の施行の際現にあるこの省令による改正前の様式（次項において「旧様式」という。）により使用されている書類は、この省令による改正後の様式によるものとみなす。
3　この省令の施行の際現にある旧様式による用紙については、当分の間、これを取り繕って使用することができる。

附　則（第四五次改正）抄

（施行期日）
第一条　この省令は、公布の日〔令和元年五月七日〕から施行する。

（経過措置）
第二条　この省令による改正前のそれぞれの省令で定める様式（次項において「旧様式」という。）により使用されている書類は、この省令による改正後のそれぞれの省令で定める様式によるものとみなす。
2　旧様式による用紙については、合理的に必要と認められる範囲内で、当分の間、これを取り繕って使用することができる。

附　則（第四六次改正）抄

（施行期日）

第一条　この省令は、不正競争防止法等の一部を改正する法律の施行の日（令和元年七月一日）から施行する。

（様式に関する経過措置）

第二条　この省令の施行の際現にあるこの省令による改正前の様式（次項において「旧様式」という。）により使用されている書類は、この省令による改正後の様式によるものとみなす。

2　この省令の施行の際現にある旧様式による用紙については、当分の間、これを取り繕って使用することができる。

附　則（第四七次改正）抄

（施行期日）

第一条　この省令は、令和元年七月一日から施行する。〔以下略〕

（経過措置）

第三条　この省令の施行の際現にあるこの省令による改正前の様式（次項において「旧様式」という。）により使用されている書類は、この省令による改正後の様式によるものとみなす。

2　この省令の施行の際現にある旧様式による用紙については、当分の間、これを取り繕って使用することができる。

附　則（第四八次改正）抄

（施行期日）

第一条　この省令は、公布の日〔令和二年十二月二十五日〕から施行する。

（経過措置）

第二条　この省令の施行の際現にあるこの省令による改正前の様式（次項において「旧様式」という。）により使用されている書類は、この省令による改正後の様式によるものとみなす。

2　この省令の施行の際現にある旧様式による用紙については、当分の間、これを取り繕って使用することができる。

附　則（第四九次改正）抄

（施行期日）

第一条　この省令は、令和三年一月一日から施行する。

（児童扶養手当法施行規則、特別児童扶養手当等の支給に関する法律施行規則及び障害児福祉手当及び特別障害者手当の支給に関する省令の一部改正に伴う経過措置）

第三条　令和元年以前の年の所得に係る児童扶養手当認定請求書、児童扶養手当所得状況届、児童扶養手当現況届、特別児童扶養手当認定請求書、特別児童扶養手当所得状況届、障害児福祉手当認定請求書、障害児福祉手当所得状況届、特別障害者手当認定請求書及び特別障害者手当所得状況届並びにこれらに添えるべき書類については、なお従前の例による。

2　この省令の施行の際現にある第二条から第四条までの規定による改正前の様式（次項において「旧様式」という。）により使用されている書類は、第二条から第四条までの規定による改正後の様式によるものとみなす。

3　この省令の施行の際現にある旧様式による用紙については、当分の間、これを取り繕って使用することができる。

附　則（第五〇次改正）

（施行期日）

第一条　この省令は、公布の日（令和三年五月六日）から施行する。

（経過措置）

第二条　令和元年以前の年の所得に係る特別障害者手当所得状況届及びこれに添えるべき書類については、なお従前の例による。

第三条　この省令の施行の際現にあるこの省令による改正前の様式（次項において「旧様式」という。）により使用されている書類は、この省令による改正後の様式によるものとみなす。

2　この省令の施行の際現にある旧様式による用紙については、当分の間、これを取り繕って使用することができる。

附　則（第五一次改正）抄

（施行期日）

第一条　この省令は、公布の日（令和三年十月二十二日）から施行する。

（経過措置）

第十二条　この省令の施行の際現にあるこの省令による改正前の様式（次項において「旧様式」という。）により使用されている書類は、この省令による改正後の様式によるものとみなす。

2　この省令の施行の際現にある旧様式による用紙については、当分の間、これを取り繕って使用することができる。

附　則（第五二次改正）

（施行期日）

第一条　この省令は、令和四年十月一日から施行する。

（様式に関する経過措置）

第二条　この省令の施行の日（次項において「施行日」という。）において現に提出され、又は交付されているこの省令による改正前の様式（次項において「旧様式」という。）により使用されている書類は、この省令による改正後の様式によるものとみなす。

2　施行日において現にある旧様式による用紙については、当分の間、これを取り繕って使用することができる。

別表

一　呼吸器系結核
二　肺えそ
三　肺のうよう
四　けい肺（これに類似するじん肺症を含む。）
五　心臓疾患
六　その他認定又は診査に際し必要と認められるもの

様式第一号（第二条関係）

（表　面）

※受付　　年　　月　　日

障害児福祉手当認定請求書			
認定を受けようとする者	①(ふりがな) 氏　名・性　別		男・女
	②生年月日	明治 大正 昭和 平成 令和　　年　　月　　日	満　　歳
	③住所		④個人番号
他制度の適用状況	⑤障害基礎年金・特別児童扶養手当等の受給状況	1　受給している 2　支給停止されている 3　申請中 4　受給していない	年金等の種類 （　　　） 証書記号番号 （　　　）
	⑥身体障害者手帳の所有状況	1　あり　番　号（　　　） 等　級（　　　級） 障害名（　　　）	2　なし
⑦　施設への入所状況		1　収容されている（　　　）　2　されていない	
⑧　そ　の　他			
⑨支払希望金融機関		銀行 信用金庫 （　）　本店 支店 出張所　普通 当座 （　）	口座番号
		ゆうちょ銀行　記号	番号
		口座名義人 カナ	
		□公金受取口座を利用します	

関係書類を添えて、障害児福祉手当の受給資格の認定を請求します。

令和　　年　　月　　日

氏名

殿

※ 認　定 却　下	年　　月　　日 （支給開始　　年　　月）	※ 備　考	

◎裏面の注意をよく読んでから記入してください。

◎字は楷《かい》書ではっきり書いてください。

◎※の欄は記入しないでください。

（A列4番）

（裏　面）

注意

1　⑤の欄は、障害基礎年金、特別児童扶養手当等他の制度による障害を支給事由とする年金等の受給状況について、該当するものを○で囲んでください。

　なお、1から3までのいずれかに該当するときは、(　) 内に具体的に記入してください。

2　⑥の欄は、身体障害者手帳の所持の有無について、該当するものを○で囲んでください。

3　⑦の欄は、障害児入所施設等の施設に収容されているかどうかについて、該当するものを○で囲んでください。

　なお、収容されているときは、(　) 内に施設の種類を記入してください。

4　⑨の欄は、支払を受けるのに最も便利な金融機関を選んで、その正しい名称及び口座番号を記入してください。手当の受取口座として、公金受取口座（※）を利用する場合は、「□公金受取口座を利用します」のチェックボックスにチェックしてください。なお、公金受取口座を利用する場合は、口座情報の記載や通帳の写しの添付等は不要です。

（※）公的給付の支給等の迅速かつ確実な実施のための預貯金口座の登録等に関する法律（令和3年法律第38号）第3条第1項、第4条第1項及び第5条第2項の規定による登録に係る口座である公金受取口座をいいます。

〔改正〕

全部改正（第52次改正）

様式第二号　削除（第36次改正）

様式第三号（第二条・第五条関係）

（表　面）

※受付	年　月　日	番号	

障害児福祉手当（福祉手当）所得状況届

①　受給資格者	（ふりがな）			個人番号	
	氏　名				
	住　所				
②　配　偶　者	氏名		個人番号	住　所	
③　扶養義務者	氏名		個人番号	住　所	
	受給資格者との続柄				

④　令和　　年所得		⑤　受給資格者		⑥　配　偶　者		⑦　扶養義務者	
⑧	同一生計配偶者及び扶養親族の合計数（うち老人扶養親族の数（受給者については、㋐70歳以上の同一生計配偶者及び老人扶養親族の合計数、㋑特定扶養親族の数、㋒16歳以上19歳未満の控除対象扶養親族の数））	人 （㋐　　人） （㋑　　人） （㋒　　人）		人 （　　人）		人 （　　人）	
⑨	所　得　額	円	※㋐　円	円	※㋑　円	円	※㋒　円
控除	⑩　障害者（特別障害者を除く。）である同一生計配偶者及び扶養親族の数	人	円	人	円	人	円
	⑪　特別障害者である同一生計配偶者及び扶養親族の数	人	円	人	円	人	円
	⑫　障害者・特別障害者・寡婦・ひとり親・勤労学生の別	寡・ひとり・勤	円	障・特障・勤	円	障・特障・寡・ひとり・勤	円
	⑬	円	円	円	円	円	円
		円	円	円	円	円	円
	⑭　社会保険料等相当額	円	円		円		円
⑮	控除後の所得額		円		円		円

上記のとおり、相違ありません。

令和　　年　　月　　日

氏名

殿

※審査	

◎　裏面の注意をよく読んでから記入してください。

◎　字は楷《かい》書ではっきり書いてください。

◎　※の欄は記入しないでください。

（A列４番）

（裏　面）

注意

1　③の欄は、あなたの子、父、母、孫、祖父母、その他の直系血族又は兄弟姉妹のうち、あなたの生計を維持している人について記入してください。

2　⑧の欄は、地方税法に定める同一生計配偶者、扶養親族（以下「扶養親族等」という。）の合計数を記入してください。

なお、70歳以上の同法に定める同一生計配偶者、老人扶養親族及び特定扶養親族並びに16歳以上19歳未満の同法に定める控除対象扶養親族があるときは、その人数を次により（　）内に再掲してください。

1　受給者については、㋐に70歳以上の同一生計配偶者及び老人扶養親族の合計数を、㋑に特定扶養親族の数を、㋒に16歳以上19歳未満の控除対象扶養親族の数を記入してください。

2　配偶者及び扶養義務者については、老人扶養親族の数を記入してください。

3　⑨の欄は、前年（1月から6月までの間に認定を請求する人の場合は、前々年をいいます。）の所得について、都道府県民税の総所得金額（給与所得又は公的年金等に係る所得がある場合には、給与所得及び公的年金等に係る所得の合計額から10万円を控除した額）、退職所得金額、山林所得金額、土地の譲渡等に係る事業所得等の金額、長期・短期譲渡所得金額（譲渡所得に係る特別控除額を受けた場合は、その額を控除した額）及び商品先物取引に係る雑所得等の金額の合計額を記入してください。所得がない場合は、「なし」と記入してください。

4　⑩の欄は、⑧の欄の同一生計配偶者及び扶養親族のうち、地方税法に定める特別障害者以外の障害者である人の数を記入してください。

5　⑪の欄は、⑧の欄の同一生計配偶者及び扶養親族のうち、地方税法に定める特別障害者である人の数を記入してください。

6　⑫の欄は、⑤、⑥又は⑦の欄に掲げる者が、地方税法に定める特別障害者以外の障害者若しくは特別障害者、寡婦、ひとり親又は勤労学生であるときは、該当するものを○で囲んでください。

7　⑬の欄は、前年の所得について地方税法に定める雑損控除、医療費控除、小規模企業共済等掛金控除又は配偶者特別控除等を受けたときに、それぞれその項目及び当該控除額を記入してください。

8　⑭の欄は、受給資格者が地方税法に定める社会保険料控除を受けたときに当該控除額を記入してください。

この所得状況届には、次の書類を添えて出してください。

1　⑨の欄の所得額について、市区町村長の証明書

2　⑩から⑬までの欄に記入した事項について、市区町村長の証明書

〔改正〕

全部改正（第49次改正）

様式第四号（第二条、第十五条関係）

（表　面）

<table>
<tr><td colspan="6">障害児福祉手当（福祉手当）
特　別　障　害　者　手　当　被災状況書</td></tr>
<tr><td rowspan="2">①提出者</td><td>氏　　　名</td><td></td><td rowspan="2">住　　所</td><td colspan="2" rowspan="2"></td></tr>
<tr><td>個　人　番　号</td><td></td></tr>
<tr><td rowspan="3">②被災者</td><td>氏　　　名</td><td></td><td rowspan="2">被災当時の住所又は居所</td><td colspan="2" rowspan="2"></td></tr>
<tr><td>個　人　番　号</td><td></td></tr>
<tr><td>提出者との続柄</td><td></td><td>職　　業</td><td colspan="2"></td></tr>
<tr><td>③災害</td><td>災害の種類</td><td></td><td>被　災
年月日</td><td colspan="2">令和　　年　　月　　日</td></tr>
<tr><td rowspan="8">④被災状況</td><td>財産の種類</td><td colspan="2">被災前の財産の概要とその価格</td><td colspan="2">損害の程度とその金額</td></tr>
<tr><td>住　　　宅</td><td colspan="2"></td><td colspan="2"></td></tr>
<tr><td>家　　　財</td><td colspan="2"></td><td colspan="2"></td></tr>
<tr><td>田　　　畑</td><td colspan="2"></td><td colspan="2"></td></tr>
<tr><td>宅　　　地</td><td colspan="2"></td><td colspan="2"></td></tr>
<tr><td>住宅でない建物</td><td colspan="2"></td><td colspan="2"></td></tr>
<tr><td>その他の財産</td><td colspan="2"></td><td colspan="2"></td></tr>
<tr><td></td><td colspan="2"></td><td colspan="2"></td></tr>
<tr><td colspan="2">⑤保険金又は損害賠償金の受給状況</td><td colspan="2">1　受けた（種類　　　　　　　）
2　受けることができる
3　受けていない</td><td>金額</td><td>円</td></tr>
<tr><td colspan="6">上記のとおり、被災状況を申し立てます。
令和　　年　　月　　日
氏名
殿</td></tr>
<tr><td>※審査</td><td colspan="5"></td></tr>
</table>

◎　裏面の注意をよく読んでから記入してください。

◎　字は楷《かい》書ではっきり書いてください。

◎　※の欄は記入しないでください。

（裏　面）

注意

1　２の欄の「被災者」とは、手当を受けることができる人、その配偶者又は扶養義務者（父母、祖父母、子、孫、兄弟姉妹など）で震災、風水害、火災などの災害により、住宅、家財その他の財産（自分の所有するもののほか、所得税法に定める同一生計配偶者又は扶養親族の所有する財産を含みます。）について、その価格のおおむね２分の１以上の損害を受けた人をいいます。

2　③の欄の「災害の種類」は、震災、水害、火災などの別のほか○○台風などのように、なるべく詳しく記入してください。

3　④の欄に記入するときは、次の事柄に留意してください。

⑴　被災前の財産の概要とその価格

財産は、被災者又はその同一生計配偶者若しくは扶養親族の名義のものでなければなりません。また、財産は、住宅、家財又は主たる生計のために使用している田畑、宅地、住宅でない建物その他の財産のうち、最も被害の大きかつたものについてのみ記入すれば十分です。住宅について被害を受けたときは、当然家財にも被害を受けますが、その場合には住宅についてのみ記入すればよく、その住宅が被災者又はその同一生計配偶者若しくは扶養親族の名義のものでないときは、家財について記入してください。

イ　「住宅」については、その規模、構造、延面積、価格等を記入してください。

（例、木造平屋建60平方メートル約50万円）

ロ　「家財」については、家財の主な種類、名称、価格の総額等を記入するとともに、併せて住宅の規模、構造、延面積などを記入してください。

ハ　「田畑」については、田、畑別及びその総面積などを記入してください。

ニ　「宅地」については、その総面積、価格等を記入してください。

ホ　「住宅でない建物」については、店舗、工場、倉庫、納屋などの名称ごとの規模、構造、延面積、価格等を記入してください。

ヘ　「その他の財産」については、機械、器具、荷車、漁船、牛馬等事業用の資産などの種類、名称、数量、価格等を記入してください。

⑵　損害の程度とその価格

イ　損害の程度は、「住宅」及び「住宅でない建物」については、流失、全壊、半壊、土砂流入、軒下浸水、床上○○メートル浸水、全焼、半焼、一部焼失等のように記入してください。「家財」については、その家財の存した住宅の被害の状況を記入してください。「田畑」及び「宅地」については、流水、冠水○○メートル土砂堆《たい》積等の別及びその被害面積を記入してください。

「その他の財産」については、財産の種類に応じて具体的に記入してください。

ロ　損害の金額は、時価○○万円のように記入してください。

〔改正〕

一部改正（第11・13・23・43・45・47・48次改正）

様式第五号（第十五条関係）

（表　面）

※受付　　年　　月　　日

特　別　障　害　者　手　当　認　定　請　求　書

認定を受けようとする	①（ふりがな） 氏名・性別		男・女
	②生年月日	明治 大正 昭和 平成 令和　　年　　月　　日　満　　歳	
	③住所		④個人番号
他制度の適用状況	⑤障害基礎年金・老齢年金、遺族年金等の受給状況	1　受給している 2　支給停止されている 3　申請中 4　受給していない	年金等の種類（　　） 証書記号番号（　　） 年金等の種類（　　） 証書記号番号（　　）
	⑥身体障害者手帳の所有状況	1　あり　番　号（　　） 等　級（　　級） 障害名（　　）	2　なし
⑦　施設への入所状況		1　収容されている（　　）　2　されていない	
⑧　病院等への入院状況		1　入院している（　年　月　日から）　2　していない	
⑨　そ　の　他			

⑩支払希望金融機関	銀行 信用金庫 （　）	本店 支店 出張所	普通 当座 （　）	口座番号
	ゆうちょ銀行	記号	番号	
	口座名義人 カナ			
	□公金受取口座を利用します			

関係書類を添えて、特別障害者手当の受給資格の認定を請求します。

令和　　年　　月　　日

氏名

殿

※ 認　定　却 下	年　　月　　日 （支給開始　　年　　月）	※ 備　　考	

◎裏面の注意をよく読んでから記入してください。

◎字は楷《かい》書ではっきり書いてください。

◎※の欄は記入しないでください。

（A列4番）

（裏　面）

注意

1　⑤の欄は、障害年金、老齢年金、遺族年金等他制度による公的年金等の受給状況について、該当するものを○で囲んでください。

なお、１から３までのいずれかに該当するときは、（　）内に「公的年金等」から該当する記号を記入し、その年金の種類（障害基礎年金、福祉手当、老齢年金、遺族年金等）を具体的に記入してください。「公的年金等」を２つ以上受けているときは、それぞれ記入してください。

2　⑥の欄は、身体障害者手帳の所持の有無について、該当するものを○で囲んでください。

なお、手帳を持っているときは、（　）内にその内容を記入してください。

3　⑦の欄は、障害者支援施設、特別養護老人ホーム等の施設に収容されているかどうかについて、該当するものを○で囲んでください。

なお、収容されているときは、（　）内に施設の種類を記入してください。

4　⑧の欄は、病院又は診療所に入院しているかどうかについて、該当するものを○で囲んでください。

なお、入院しているときは、（　）内に入院した年月日を記入してください。

5　⑩の欄は、支払を受けるのに最も便利な金融機関を選んで、その正しい名称及び口座番号を記入してください。手当の受取口座として、国に事前に登録した公金受取口座（※）を利用する場合は、「□公金受取口座を利用します」のチェックボックスにチェックしてください。

なお、公金受取口座を利用する場合は、口座情報の記載や通帳の写しの添付等は不要です。

（※）公的給付の支給等の迅速かつ確実な実施のための預貯金口座の登録等に関する法律（令和３年法律第38号）第３条第１項、第４条第１項及び第５条第２項の規定による登録に係る口座である公金受取口座をいいます。

公的年金等

イ　福祉手当
ロ　国民年金
ハ　厚生年金保険の年金
ニ　船員保険の年金
ホ　恩給
ヘ　国家公務員共済組合の年金
ト　条例による地方公務員の年金
チ　地方公務員共済組合、地方団体関係団体職員共済組合、地方議会議員共済会又は旧市町村職員共済組合の年金
リ　日本私立学校振興・共済事業団の年金
ヌ　農林漁業団体職員共済組合の年金
ル　国会議員互助年金
ヲ　日本製鉄八幡共済組合の年金
ワ　執行官の恩給
カ　旧令による共済組合等からの年金受給者のために国家公務員共済組合連合会が支給する年金
ヨ　戦傷病者、戦没者遺族の年金又は給与金
タ　未帰還者の留守家族手当
レ　労働者災害補償制度の年金
ソ　国家公務員災害補償制度の年金
ツ　公立学校の学校医、学校歯科医及び学校薬剤師の公務災害補償制度の年金
ネ　地方公務員災害補償制度の年金
ナ　原子爆弾被爆者に対する援護に関する法律に基づく介護手当

〔改正〕

全部改正（第52次改正）

様式第六号　削除（第36次改正）

様式第七号（第十五条関係）

（表　面）

※受付　年　月　日　番号

特別障害者手当所得状況届

① 受給資格者	（ふりがな） 氏名		個人番号	
	住所			
② 配偶者	氏名	個人番号	住所	
③ 扶養義務者	氏名	個人番号	住所	
	（受給資格者との続柄）			

④ 令和　年所得	⑤ 受給資格者		⑥ 配偶者		⑦ 扶養義務者	
⑧ 同一生計配偶者及び扶養親族の合計数（うち老人扶養親族の数（受給資格者については、㋐70歳以上の同一生計配偶者及び老人扶養親族の合計数、㋑特定扶養親族の数、㋒16歳以上19歳未満の控除対象扶養親族の数））	人 ㋐　人） ㋑　人） ㋒　人）		人 （　人）		人 （　人）	
⑨ 受給資格者に係る所得額（欄外の記入要領参照）	円	※ア　円				
⑩ 配偶者・扶養義務者に係る所得額			円	※イ　円	円	※ウ　円
控除 ⑪ 障害者（特別障害者を除く。）である同一生計配偶者及び扶養親族の数	人	円	人	円	人	円
控除 ⑫ 特別障害者である同一生計配偶者及び扶養親族の数	人	円	人	円	人	円
控除 ⑬ 障害者・特別障害者・寡婦・ひとり親・勤労学生の別	寡・ひとり・勤	円	障・特障・勤	円	障・特障・寡・ひとり・勤	円
控除 ⑭	円	円	円	円	円	円
控除 ⑭	円	円	円	円	円	円
控除 ⑮ 社会保険料等相当額	円	円		円		円
⑯ 控除後の所得額		円		円		円

上記のとおり、相違ありません。

令和　年　月　日

氏名

殿

※審査	

（注）⑨欄の記入要領

1　裏面の公的年金等を受給していない人は、都道府県民税に係る前年（1月から6月までの間に認定を請求する人の場合は前々年）の課税所得（給与所得がある場合には、給与所得の金額から10万円を控除した額）を記入してください。

2　裏面の公的年金等を受給している人は、右により計算した所得額（Gの欄の額）を記入してください。

公的年金等の収入額 （種類　・　） （種類　・　）	A	円	※　円
Aの金額の65歳未満である者に係る公的年金等控除後の金額	B	円	円
給与所得控除後の給与所得額	C	円	円
特別児童扶養手当等の支給に関する法律施行令第5条第1項による控除（10万円）	D	円	円
公的年金等以外の雑所得金額	E	円	円
雑所得及び給与所得以外のすべての所得額	F	円	円
所得額（B＋C−D＋E＋F）	G	円	円

◎　裏面の注意をよく読んでから記入してください。

◎　字は楷書ではっきり書いてください。

◎　※の欄は記入しないでください。

（A列4番）

（裏　面）

注意

1　③の欄は、あなたの子、父、母、孫、祖父母、その他の直系血族又は兄弟姉妹のうち、あなたの生計を維持している人について記入してください。

2　⑧の欄は、地方税法に定める同一生計配偶者、扶養親族の合計数を記入してください。

なお、70歳以上の同法に定める同一生計配偶者、老人扶養親族及び特定扶養親族並びに16歳以上19歳未満の同法に定める控除対象扶養親族があるときは、その人数を次により（　）内に再掲してください。

⑴　受給者については、㋐に70歳以上の同一生計配偶者及び老人扶養親族の合計数を、㋑に特定扶養親族の数を、㋒に16歳以上19歳未満の控除対象扶養親族の数を記入してください。

⑵　配偶者及び扶養義務者については、老人扶養親族の数を記入してください。

3　⑨の欄は、所得がない場合は「なし」と記入してください。

4　⑩の欄は、前年（1月から6月までの間に認定を請求する人の場合は、前々年をいいます。）の所得について、都道府県民税の総所得金額（給与所得又は公的年金等に係る所得がある場合には、給与所得及び公的年金等に係る所得の合計額から10万円を控除した額）、退職所得金額、山林所得金額、土地の譲渡等に係る事業所得等の金額、長期・短期譲渡所得金額（譲渡所得に係る特別控除を受けた場合は、その額を控除した額）及び商品先物取引に係る雑所得等の金額の合計額を記入してください。所得がない場合は、「なし」と記入してください。

5　⑪の欄は、⑧の欄の同一生計配偶者及び扶養親族のうち、地方税法に定める特別障害者以外の障害者である人の数を記入してください。

6　⑫の欄は、⑧の欄の同一生計配偶者及び扶養親族のうち、地方税法に定める特別障害者である人の数を記入してください。

7　⑬の欄は、⑤、⑥又は⑦の欄に掲げる者が、地方税法に定める特別障害者以外の障害者若しくは特別障害者、寡婦、ひとり親又は勤労学生であるときは、該当するものを○で囲んでください。

8　⑭の欄は、前年の所得について地方税法に定める雑損控除、医療費控除、小規模企業共済等掛金控除又は配偶者特別控除等を受けたときに、それぞれその項目及び当該控除額を記入してください。

9　⑮の欄は、受給資格者が地方税法に定める社会保険料控除を受けたときに当該控除額を記入してください。

10　（注）の表中

ア　Aの欄は、下表に掲げる公的年金等（課税対象年金・恩給を含む。）のすべての収入金額を記入してください。また、（　）内に「公的年金等」から該当する記号（ネについては、これに加え、当該公的年金等の名称）を記入し、その年金の種類（障害基礎年金、老齢年金等）を具体的に記入してください。「公的年金等」を２つ以上受けているときはそれぞれ記入してください。

イ　Bの欄は、Aの欄の金額から所得税法第35条第４項の年齢65歳未満である者に係る公的年金等控除額に相当する額を控除した後の金額を記入してください。

ウ　Eの欄は、「公的年金等」以外の雑所得の金額（所得税法第35条第２項第２号に掲げる金額）を記入してください。

エ　Fの欄は、都道府県民税の対象となった、雑所得及び給与所得以外の総所得金額、退職所得金額、山林所得金額、土地の譲渡等に係る事業所得等の金額、超短期所有土地等に係る事業所得等の金額、長期・短期譲渡所得金額（譲渡所得に係る特別控除を受けた場合は、その額を控除した額）及び商品先物取引に係る雑所得等の金額の合計を記入してください。

この所得状況届には、次の書類を添えて出してください。

⑴　公的年金等を除く所得額について、市区町村長の証明書

⑵　公的年金等の収入金額について明らかにすることのできる証明書（年金証書等の写）

⑶　⑪から⑭までの欄に記入した事項について、市区町村長の証明書

公　的　年　金　等

イ　国民年金
ロ　厚生年金保険の年金
ハ　船員保険の年金
ニ　恩給
ホ　国家公務員等共済組合の年金
ヘ　条例による地方公務員の年金
ト　地方公務員共済組合、地方団体関係団体職員共済組合、地方議会議員共済会又は旧市町村職員共済組合の年金
チ　日本私立学校振興・共済事業団の年金
リ　農林漁業団体職員共済組合の年金
ヌ　国会議員互助年金
ル　日本製鉄八幡共済組合の年金
ヲ　執行官の恩給
ワ　旧令による共済組合等からの年金受給者のために国家公務員等共済組合連合会が支給する年金
カ　戦傷病者、戦没者遺族の年金又は給与金
ヨ　未帰還者の留守家族手当
タ　労働者災害補償制度の年金
レ　国家公務員災害補償制度の年金
ソ　公立学校の学校医、学校歯科医及び学校薬剤師の公務災害補償制度の年金
ツ　地方公務員災害補償制度の年金
ネ　所得税法第35条第２項に規定する公的年金等で上記イ～ツに該当しない課税対象年金

〔改正〕

全部改正（第50次改正）

様式第八号（第十九条関係）

（表面）

障害児福祉手当（福祉手当）・特別障害者手当受給資格調査員証	
	第　　　　号
写 真	官　　職 又は職名 氏　　名 生年月日 特別児童扶養手当等の支給に関する法律第36条に定める当該職員であることを証する。
	年　　月　　日交付 年　　月　　日限り有効 都道府県知事 市（区）町村長　　　　　印

（裏面）

特別児童扶養手当等の支給に関する法律（抄）

（調査）

第36条　行政庁は、必要があると認めるときは、受給資格者に対して、受給資格の有無若しくは手当の額の決定のために必要な事項に関する書類その他の物件を提出すべきことを命じ、又は当該職員をしてこれらの事項に関し受給資格者その他の関係者に質問させることができる。

2　行政庁は、必要があると認めるときは、障害児、重度障害児若しくは特別障害者に対して、その指定する医師若しくは歯科医師の診断を受けるべきことを命じ、又は当該職員をしてこれらの者の障害の状態を診断させることができる。

3　前2項の規定によつて質問又は診断を行う当該職員は、その身分を示す証明書を携帯し、かつ、関係者の請求があるときは、これを提示しなければならない。

注意

1　この調査員証は、他人に貸与し、又は譲渡してはならない。

2　この調査員証は、有効期間が経過し、又は不要になつたときは、速やかに、返還しなければならない。

1　厚紙その他の材料を用い、使用に十分耐えうるものとする。

2　大きさは、縦54ミリメートル、横86ミリメートルとする。

〔**改正**〕

全部改正（第32次改正）、一部改正（第45・51次改正）

◉特別児童扶養手当証書の様式を定める省令

〔平成十五年三月二十六日 厚生労働省令第五十三号〕

〔一部改正経過〕

第一次〔平成一九年九月二五日厚生労働省令第一一二号「郵政民営化法等の施行に伴う厚生労働省関係省令の整理に関する省令」第三七条による改正〕
第二次〔平成二七年三月三一日厚生労働省令第五五号「地域の自主性及び自立性を高めるための改革の推進を図るための関係法律の整備に関する法律の施行に伴う厚生労働省関係省令の整備に関する省令」第二九条による改正〕
第三次〔令和元年五月七日厚生労働省令第一号「元号の表記の整理のための厚生労働省関係省令の一部を改正する省令」第七九条による改正〕
第四次〔令和元年六月二八日厚生労働省令第二〇号「不正競争防止法等の一部を改正する法律の施行に伴う厚生労働省関係省令の整備に関する省令」第一条による改正〕

特別児童扶養手当等の支給に関する法律（昭和三十九年法律第百三十四号）第四十条の規定に基づき、特別児童扶養手当証書の様式を定める省令を次のように定める。

特別児童扶養手当証書の様式を定める省令

特別児童扶養手当の支給に関する法律（昭和三十九年法律第百三十四号）に基づく特別児童扶養手当の支給を受けることができる者に交付する特別児童扶養手当証書の様式を次のとおり定める。

特別児童扶養手当証書の様式を定める省令

附　則

（施行期日）

1　この省令は、平成十五年四月一日から施行する。

（経過措置）

2　この省令の施行の際現に交付されている特別児童扶養手当証書は、この省令による特別児童扶養手当証書とみなす。

附　則（第一次改正）抄

（施行期日）

第一条　この省令は、平成十九年十月一日から施行する。

（特別児童扶養手当証書の様式を定める省令の一部改正に伴う経過措置）

第十三条　この省令の施行前に交付された第三十七条の規定による改正前の特別児童扶養手当証書の様式を定める省令の様式による特別児童扶養手当証書は、同条による改正後の同令の様式によるものとみなす。

2　この省令の施行の際現にある第三十七条の規定による改正前の特別児童扶養手当証書の様式を定める省令の様式による特別児童扶養手当証書については、当分の間、これを取り繕って使用することができる。

附　則（第二次改正）抄

（施行期日）

1　この省令は、平成二十七年四月一日から施行する。

附　則（第三次改正）抄

（施行期日）

第一条　この省令は、公布の日〔令和元年五月七日〕から施行する。

（経過措置）

第二条　この省令による改正前のそれぞれの省令で定める様式（次項において「旧様式」という。）により使用されている書類は、この省令による改正後のそれぞれの省令で定める様式によるものとみなす。

2　旧様式による用紙については、合理的に必要と認められる範囲内で、当分の間、これを取り繕って使用することができる。

附　則（第四次改正）抄

（施行期日）

第一条　この省令は、不正競争防止法等の一部を改正する法律の施行の日（令和元年七月一日）から施行する。

（様式に関する経過措置）

第二条　この省令の施行の際現にあるこの省令による改正前の様式（次項において「旧様式」という。）により使用されている書類は、この省令による改正後の様式によるものとみなす。

2　この省令の施行の際現にある旧様式による用紙については、当分の間、これを取り繕って使用することができる。

様式

（表紙）

特 別 児 童 扶 養 手 当 証 書

厚 生 労 働 省

（A列６番）

（２ページ）

記 号　　　第　　　号

特 別 児 童 扶 養 手 当

受給者氏名		生年月日	明治 大正 昭和　　年　　月　　日 平成 令和
個人番号			

支給開始年月	令和　　年　　月　　日

手当月額	障害児数	改定年月	改定理由
円	（１級）　　人 （２級）　　人		
円	（１級）　　人 （２級）　　人	令和　　年　　月	
円	（１級）　　人 （２級）　　人	令和　　年　　月	
円	（１級）　　人 （２級）　　人	令和　　年　　月	
円	（１級）　　人 （２級）　　人	令和　　年　　月	
円	（１級）　　人 （２級）　　人	令和　　年　　月	

上記のとおり、特別児童扶養手当等の支給に関する法律によって支給します。

令和　　年　　月　　日

知　事
市　長　　㊞

（３ページ）

支払金融機関

支払方法	支払金融機関名	口座番号
口座振替		
送　　金		
口座振替		
送　　金	（令和　　年　　月　　日変更）	
口座振替		
送　　金	（令和　　年　　月　　日変更）	
口座振替		
送　　金	（令和　　年　　月　　日変更）	

住　　所

〒　　　—
〒　　　—　　（令和　　年　　月　　日変更）
〒　　　—　　（令和　　年　　月　　日変更）
〒　　　—　　（令和　　年　　月　　日変更）

記　　事

〔改正〕

全部改正（第３次改正）、一部改正（第４次改正）

〔告　示〕

◉特別児童扶養手当等の支給に関する法律施行令第三条に規定する主たる生業の維持に供するその他の財産

〔昭和五十年八月十三日　厚生省告示第二百五十八号〕

特別児童扶養手当等の支給に関する法律施行令（昭和五十年政令第二百七号）第三条に規定する主たる生業の維持に供するその他の財産として次の財産を定める。

機械、器具その他事業の用に供する固定資産（鉱業権、漁業権その他の無形減価償却資産を除く。）

◉補助金等に係る予算の執行の適正化に関する法律第二十六条第一項等の規定に基づく地方厚生局及び四国厚生支局が行う補助金等の交付に関する事務

〔平成十五年五月六日　厚生労働省告示第二百二号〕

補助金等に係る予算の執行の適正化に関する法律（昭和三十年法律第百七十九号）第二十六条第一項及び補助金等に係る予算の執行の適正化に関する法律施行令（昭和三十年政令第二百五十五号）第十六条第一項の規定に基づき、次の表の上欄に掲げる補助金等の交付に関する同表の下欄に掲げる事務（同条第二項の規定により都道府県が行うこととされたものを除く。）を、平成十五年度の予算に係る補助金等の交付に関するものから地方厚生局長及び四国厚生支局長に委任したので、同条第四項の規定に基づき告示する。

補助金等に係る予算の執行の適正化に関する法律第二十六条第一項等の規定に基づく地方厚生局及び四国厚生支局が行う補助金等の交付に関する事務

補助金等の名称	地方厚生局及び四国厚生支局が行う事務の内容
(項)特別児童扶養手当等給付諸費 (目)特別障害者手当等給付費負担金	一 補助金等に係る予算の執行の適正化に関する法律(以下「法」という。)第五条の規定による補助金等の交付の申請の受理 二 法第六条第一項及び第三項の規定による補助金等の交付の決定 三 法第七条第一項から第三項までの規定による補助金等の交付の条件の附加 四 法第七条第一項第一号の規定による補助事業等に要する経費の配分の変更の承認、同項第三号の規定による補助事業等の内容の変更の承認、同項第四号の規定による補助事業等の中止又は廃止の承認並びに同項第五号の規定による補助事業等が予定の期間内に完了しない場合又は補助事業等の遂行が困難となった場合における報告の受理及び指示 五 法第七条第二項の規定による補助金等の全部又は一部に相当する金額の納付命令 六 法第八条(法第十条第四項及び法第十七条第四項において準用する場合を含む。)の規定による通知 七 法第九条第一項の規定による申請の取下げの受理 八 法第十条第一項の規定による補助金等の交付の決定の全部若しくは一部の取消し又は決定の内容若しくはこれに附した条件の変更 九 法第十条第三項の規定による補助金等の交付 十 法第十二条の規定による状況報告の受理 十一 法第十三条第一項の規定による補助事業等の遂行の命令 十二 法第十三条第二項の規定による補助事業等の遂行の一時停止の命令 十三 法第十四条(法第十六条第二項において準用する場合を含む。)の規定による実績報告の受理 十四 法第十五条の規定による補助事業等の成果の調査並びに補助金等の額の確定及び通知 十五 法第十六条第一項の規定による是正のための措置の命令 十六 法第十七条第一項又は第二項の規定による補助金等の交付の決定の全部又は一部の取消し 十七 法第十八条第一項又は第二項の規定による補助金等の返還の命令 十八 法第二十条の規定による他の補助金等の一時停止又は当該補助金と未納額との相殺 十九 法第二十一条第一項の規定による徴収 二十 法第二十一条の二の規定による理由の提示 二十一 法第二十二条の規定による補助事業等により取得し、又は効用の増加した財産の処分の承認 二十二 法第二十三条第一項の規定による報告命令、職員による立入検査及び関係者に対する質問の実施 二十三 法第二十五条第一項の規定による不服の申出の受理 二十四 法第二十五条第二項の規定による申出に係る必要な措置及び通知

〔通　知〕

第一節　特別児童扶養手当に関する事項

（施行通知）

○重度精神薄弱児扶養手当法等の施行について

〔昭和三十九年八月三十一日　厚生省発児第一八一号
各都道府県知事宛　厚生事務次官通知〕

重度精神薄弱児扶養手当法（昭和三十九年法律第百三十四号）は本年七月二日公布され、これに伴い重度精神薄弱児扶養手当法施行令（昭和三十九年政令第二百六十一号）及び昭和三十九年度において重度精神薄弱児扶養手当法に基づき都道府県及び市町村に交付する事務費に関する政令（昭和三十九年政令第二百六十二号）は七月二十七日、また、重度精神薄弱児扶養手当法施行規則（昭和三十九年厚生省令第三十八号）は八月二十八日、それぞれ公布され、これらの法令のうち、重度精神薄弱児扶養手当の受給資格及び手当の額の認定に関する規定は公布の日から、その他の規定は本年九月一日から施行されることとなった。

精神薄弱の状態にある者については、すでに児童福祉法又は精神薄弱者福祉法に基づき、精神薄弱児施設又は精神薄弱者援護施設を利用して行なう施設保護を中核として、種々福祉援護の施策が講ぜられているところであるが、精神薄弱児施設及び精神薄弱者援護施設、なかんずく重度の精神薄弱の状態にある者のための施設は、いちじるしく不足している状態にあることに鑑み、この重度精神薄弱児扶養手当制度は、重度精神薄弱児の福祉の増進を図る制度として、とりわけ重要な意義をもつものと考えられる。

この制度の大綱と特に留意すべき事項は、次のとおりであるので、関係事務処理の円滑かつ適確な実施に努めるとともに、広くこの制度の趣旨の周知徹底を図り、目的達成に万遺憾なきを期せられたく、命によって通達する。

1　目的

この法律は、家庭において介護されている重度精神薄弱児について、その生活の向上に寄与することを趣旨とした重度精神薄弱児扶養手当（以下「手当」という。）を支給することにより、その福祉の増進を図ることを目的として制定されたものであること。

2　重度精神薄弱児の定義

この法律上の重度精神薄弱児とは、もっぱら精神の発達遅滞という障害が原因となって、日常生活において常時の介護を必要とする状態にある二〇歳未満の者をいうものであること。

3　支給要件

この手当の原則的な支給対象者は、重度精神薄弱児を監護するその父又は母であって、父母がないか、又は父母のいずれもが重度精神薄弱児を監護しないときは、その重度精神薄弱児を養育する父母以外の者が支給対象者となること。

父母又は養育者が、重度精神薄弱児につき、監護又は養育という手当の積極的支給要件を充足している場合であっても、重度精神薄弱児扶養手当は、当該重度精神薄弱児が所定の消極的要件に該当するときは、その重度精神薄弱児については支給されず、また、支給対象者たる父母又は養育者が所定の消極的要件に該当するときは、その父母又は養育者には支給されないこと。これらの消極的支給要件のなかには、それぞれ所定の範囲の公的年金又は遺族補償の給付を受けることのできることがとり入れられているので、児童扶養手当の場合と同様、関係機関との連絡を密にし、受給資格認定の適正を期せられたいこと。

4　支給制限

所得による手当の支給制限は、支給対象者本人の所得による支給の制限につき、当該支給所得限度額の算定に際して義務教育終了後二〇歳未満の重度精神薄弱をも三万円加算の対象としていること以外は、児童扶養手当の場合と同様であること。

また、所得による支給制限を行なう場合の所得の範囲及びその額の計算方法も、児童扶養手当の場合のそれと同様であること。

5　手当額

手当の額は、支給対象者が監護し又は養育する支給対象重度精神薄弱児一人あたり、一月につき、一〇〇〇円であること。

6　支給期間及び支払期月

手当の支給期間及び支払期月は、児童扶養手当の場合と同様であること。

7　請求手続等

受給資格及び手当の額の認定請求手続、手当支給事務処理機構等は児童扶養手当の場合の例によっており、また、不服申立て制度、受給権の保護、手当として支給された金銭に対する公課の禁止等は、児童扶養手当についてと同様であること。

○重度精神薄弱児扶養手当関係法令の施行について

〔昭和三十九年八月三十一日　児発第七七一号
各都道府県知事宛　厚生省児童家庭局長通知〕

標記については、本年八月三十一日厚生省発児第一八一号をもって厚生事務官から貴職あて通達されたところであるが、関係事務の処理にあたっては、同通達によるほか、次の諸点に留意のうえ、本制度の円滑かつ適正な運営を図られたい。

なお、この通知においては、先般の事務担当者地区別打合会において係官から説明させた内容と若干相違する点があるので、特に御留意ありたい。

1 児童扶養手当制度との異同について

重度精神薄弱児扶養手当制度とは、児童扶養手当制度とは、その目的及び趣旨を異にし、したがって支給要件、手当額及び支給対象者本人の所得による支給制限について相違を生じているが、その他の事項は、すべて児童扶養手当制度の例によっていること。

2 支給要件について

(1) 積極的支給要件について

手当支給の積極的要件は、父母については、重度精神薄弱児を監護することであり、父母以外の者については、重度精神薄弱児を養育することであるが、支給対象者の決定にあたっては、次の点に注意すること。

i 父母以外の者が支給対象者となるのは、重度精神薄弱児に父母がないか、又は父母があってもそのいずれもが監護しない場合に限られること（法第四条第一項）。

ii 父母がともに監護するときは、当該父母のうち重度精神薄弱児の生計を維持する者があれば、その生計を維持する父又は母が、生計を維持する父母がない場合には、重度精神薄弱児を主として介護する父又は母が支給対象者となること（法第四条第二項）。

(2) 重度精神薄弱児に関する消極的支給要件について

法第四条第三項第一号から第四号まで及び第六号に規定する消極的支給要件は、児童扶養手当法第四条第二項第一号から第四号まで及び第六号に規定する要件と、同文、同内容であること。

法第四条第三項第五号は、当該重度精神薄弱児を年金（手当）額算定の基礎とする公的年金給付が、当該重度精神薄弱児以外の者に支給されている場合には、当該重度精神薄弱児については、本手当を支給しないこととしている規定であって、当該重度精神薄弱児について、その母等に母子（福祉）年金、準母子（福祉）年金又は児童扶養手当が支給されている場合、その父母等に加給年金額を加算した厚生年金保険、船員保険等の老齢年金、障害年金又は遺族年金が支給されている場合などがこれに該当すること。

(3) 父母又は養育者に関する消極的支給要件について

法第四条第四項第一号及び第二号に規定する消極的支給要件は、児童扶養手当法第四条第三項第一号及び第二号に規定する要件と同一であること。

法第四条第四項第三号の規定により、本制度においては、児童扶養手当制度の場合と異なり、父母又は養育者が公的年金給付を受けることができる場合であっても、当該公的年金給付が国民年金法に基づく障害福祉年金、母子福祉年金、準母子福祉年金、老齢福祉年金又は児童扶養手当である場合には、本手当も支給されること。なお、父母がこれらの福祉年金とともにその他の公的年金給付を受給している場合には、本手当は支給されず、また、積極的支給要件を充足する父母又は養育者が、父母又は養育者に関する消極的支給要件に該当しない場合であっても、当該父母又は養育者が監護し、又は養育する重度精神薄弱児のすべてが法第四条第三項に規定する消極的要件に該当する場合には、本手当の支給が行なわれないこともいうまでもないこと。したがって、たとえば、母子福祉年金、準母子福祉年金又は児童扶養手当を受給している母等が重度精神薄弱児を監護し、又は養育している場合であっても、当該重度精神薄弱児が義務教育終了前であれば、一般には、法第四条第三項第五号の規定に該当することとなるので、本手当は支給されず、これらの母等については、これらの母等が義務教育終了後の重度精神薄弱児を監護し、又は養育している場合に、当該重度精神薄弱児について、本手当支給の問題を生ずること。また、児童扶養手当の支給要件と重度精神薄弱児扶養手当の支給要件とをともに充足する重度精神薄弱児を有する母等については、その母等の選択により、当該重度精神薄弱児については、児童扶養手当と本手当のいずれかを支給してさしつかえないこと。したがって、たとえば、義務教育終了前の重度精神薄弱児のみを二人監護している母については、その母が認定請求を行なえば児童扶養手当を受給できる場合であっても、その母の選択により本手当を支給してさしつかえないこと。

3 認定請求書及び手当額改定請求書の添附書類について

(1) 重度精神薄弱児認定診断書について

認定請求又は手当額改定請求を行なう場合には、当該請求書に、当該重度精神薄弱児についての診断書の添附を要するものとされているが（施行規則第一条第一項第二号、第二条第二号）、この診断書は、できる限り児童相談所、精神薄弱者更生相談所若しくは精神衛生相談所の医師又は精神衛生鑑定医若しくは精神科の診療に経験を有する医師の作成したものとするよう指導すること。

また、請求時においてこれらの医師の作成した診断書を添附することが困難な場合には、診断書の添附を省略して請求させ、当分の間児童相談所の巡回相談等を活用して、児童相談所の医師に当該重度精神薄弱児の診断書を作成させることにより、請求手続を補完する等の措置を講ずること。

(2) 父母がともに監護する場合において当該父又は母が支給対象者たることを示す証明書について

父母がともに重度精神薄弱児を監護する場合には、施行規則第一条第一項第三号又は第二条第三号の規定により、当該請求を行なう父又は母が法第四条第二項に規定する者であることを明らかにすることができる書類の添附が必要であるが、この場合において、支給対象者特定の要件が、生計維持であれば、所得状況届がその事実を明らかにすることができる限りにおいて、格別の書類を必要とせず、また、介護によって特定される場合は、当該父又は母のその旨の申立てと、それに相違ない旨の母又は父の証明からなる書類で十分であること。

4 事務機構等について

(1) 主管課（係）について

都道府県本庁における重度精神薄弱児扶養手当支給事務は、事務の性格、内容及び対象件数等からみて、児童福祉主管課の児童扶養手当支給事務を担当している係において実施させられたく、また、早い機会に両手当支給事務を専管する係を設置するよう配意されたいこと。

なお、市町村（特別区を含む。）においてもこの支給事務は、児童扶養手当支給事務を担当している課（係）で所掌するよう指導されたいこと。

(2) 児童相談所について

児童相談所においては、同所の医師が臨床心理判定員等の協力を得て重度精神薄弱児についての診断を行なうものとし、都道府県は、当該児童相談所の業務量を勘案して所要の精神科の診療に多年の経験を有する医師、臨床心理判定員等の非常勤職員を配置するための必要な措置を講ぜられたいこと。

なお、地方自治法第二百五十二条の十九第一項の指定都市のある府県においては、この診断業務について指定都市が設置した児童相談所の協力を得るため当該指定都市とこれに関する委託契約を結ぶこと。

(3) 重度精神薄弱児の認定について

認定請求又は手当額改定請求のあった児童について法第三条第一項に定める重度精神薄弱児に該当するか否かの認定については、原則として、都道府県本庁の主管課又は都道府県の設置した中央児童相談所に精神科の診療に多年の経験を有する医師等の非常勤職員を配置して、統一的な認定業務を行なわせられたいこと。

5 事務処理上の配意について

父母や養育者のなかには、当該児童が精神薄弱の状態にある事実を第三者に知られることについて、苦痛を感ずるむきも少なくないので、本制度において使用される証書、請求書及び届書の名称中に精神薄弱という文字を使用しないこととしているが、貴職においても、関係職員に職務上、知り得た請求者等の秘密を厳守させることは勿論、諸様式の交付受付等の関係事務の処理にあたっても、当該請求者又は受給者が精神薄弱児扶養手当受給のための手続を行なっていることが他人にもれることのないよう注意するよう十分指導されたいこと。

6 本制度の周知徹底について

この法律の施行に伴って認定請求のもれがないよう民生委員、児童委員、関係団体を通じる等種々の方法によって、本制度の周知徹底を図られたいこと。

7 その他

この支給事務の執行に要する費用その他の関係事項については、別に近く通知する予定であること。

○特別児童扶養手当等の支給に関する法律等の一部を改正する法律等の施行について

〔昭和五十年八月十三日　児発第五三一号
各都道府県知事宛　厚生省児童家庭局長通知〕

〔改正経過〕

第一次改正　〔昭和五七年一〇月一日児発第八二四号〕

今般次の法律等が公布された。

1　特別児童扶養手当等の支給に関する法律等の一部を改正する法律（昭和五十年六月二十七日法律第四十七号。以下「改正法」という。）

2　特別児童扶養手当等の支給に関する法律施行令（昭和五十年七月四日政令第二百七号）

3　特別児童扶養手当等の支給に関する法律施行規則及び児童扶養手当法施行規則の一部を改正する省令（昭和五十年八月十三日厚生省令第三十三号）

4　手当証書の様式を定める省令の一部を改正する省令（昭和五十年八月十三日厚生省・郵政省令第一号）

5　特別児童扶養手当等の支給に関する法律施行令第三条に規定する主たる生業の維持に供するその他の財産（昭和五十年八月十三日厚生省告示第二百五十八号）

改正の内容は次のとおりであるので、よろしく御了知のうえ、所要の事務処理に遺憾なきを期せられたい。

なお、福祉手当については別途社会局長から通知される予定であるので申し添える。

第一　特別児童扶養手当等の支給に関する法律等の一部改正

一　改正の趣旨

今回の改正は、特別児童扶養手当についてその支給対象障害児の範囲の拡大及びその額の引き上げを行うとともに、心身に重度の障害を有する者に対して新たに福祉手当を支給することとし、あわせて児童扶養手当及び児童手当の額を引き上げることにより、これら手当制度を整備し、もって心身障害者及び児童の福祉の向上を図ろうとするものであること。

二　改正の内容

1　特別児童扶養手当等の支給に関する法律に関する事項

ア　手当額の引き上げ

特別児童扶養手当の額を、昭和五十年十月から、障害の程度が法別表第一に定める一級に該当する障害児一人につき月額一万一三〇〇円から一万八〇〇〇円に引き上げること。

（法第四条）

イ　支給対象障害児の範囲の拡大

①　障害の程度が、別表第一中、二級（中程度の障害）に該

当する障害児を新たに特別児童扶養手当の支給対象障害児とし、一人につき月額一万二〇〇〇円を支給すること。(法第二条及び第四条)

② この支給対象障害児の範囲の拡大に伴い、新たに支給対象となる障害児を昭和五十年十月一日において現に監護又は養育している者が、同月中に認定の請求をし、認定を受けた場合には、特別措置として同月分の特別児童扶養手当から支給すること。(改正法附則第二条第二項)

ウ 支給対象障害児の国籍要件の撤廃

① 支給対象障害児の国籍要件を撤廃したことに伴い、日本国民である父母又は養育者が日本国民でない障害児を監護又は養育している場合にも特別児童扶養手当を支給すること。(法第三条第三項)

② この要件の撤廃に伴い、新たに支給対象となる障害児を昭和五十年十月一日において現に監護又は養育している者が、同月中に認定の請求をし、認定を受けた場合には特別措置として同月分の特別児童扶養手当から支給すること。(改正法附則第二条第二項)

エ 特別福祉手当の廃止等

改正法により、心身に重度の障害を有するため常時の介護を要する者に対する福祉手当が新設されたことに伴い、特別福祉手当は、事実上これに発展的に吸収されたものとして、昭和五十年九月分限りで廃止すること及びこれに伴う所要の条文整理を行ったこと。なお、特別福祉手当の支給対象障害者は障害の程度から判断して、今回新設された福祉手当の受給の対象となるので、すみやかに、福祉手当の支給申請手続をとるよう指導されたいこと。

2 児童扶養手当法に関する事項

ア 手当額の引き上げ

児童扶養手当の額を、昭和五十年十月から、児童一人の場合月額九八〇〇円から一万五六〇〇円に引き上げること。(法第五条)

イ 支給対象児童の国籍要件の撤廃

① 特別児童扶養手当と同様支給対象児童の国籍要件を撤廃したことに伴い、日本国民である父母又は養育者が日本国民でない児童を監護又は養育している場合にも児童扶養手当を支給すること。(法第四条第二項)

② この要件の撤廃に伴い、新たに支給対象となる児童を昭和五十年十月一日において現に監護又は養育している者が、同月中に認定の請求をし、認定を受けた場合には特別措置として同月分の児童扶養手当から支給すること。(改正法附則第三条第二項)

3 児童手当法に関する事項

手当額の引き上げ

児童手当の額を昭和五十年十月より、児童一人につき、月額四〇〇〇円から五〇〇〇円に引き上げること。(法第六条)

三　施行期日

昭和五十年十月一日から施行すること。

第二　特別児童扶養手当等の支給に関する法律施行令の全面改正

一　改正の趣旨

改正法により、福祉手当が創設されたことに伴い、従来の特別児童扶養手当等の支給に関する法律施行令の全面改正を行い、特別児童扶養手当について、障害児が障害を支給事由とする年金たる給付を受けることができることにより支給が制限される場合の当該年金たる給付の範囲、所得により支給が制限される場合の基準額及びその算定方法等を従来と同様に定めようとするものであること。

二　改正の内容

1　特別児童扶養手当を支給しないこととなる場合の年金給付の範囲

改正法により、福祉手当が独立の章として新設されたため、二〇歳以上の者を支給対象とする国民年金法による障害年金は、二〇歳未満の児童を支給対象とする特別児童扶養手当と重複して支給される可能性がなくなったことにより、特別児童扶養手当の支給が制限される場合の当該年金たる給付の範囲から「国民年金法（昭和三十四年法律第百四十一号）に基づく障害年金（障害福祉年金を除く。）」を削除したこと。（施行令第一条）

2　所得による特別児童扶養手当の支給制限

所得により支給が制限される場合の基礎額、その算定方法等に関する規定は、従来児童扶養手当法施行令（昭和三十六年政令第四百五号）の規定を引用する等により定めていたが、今回、同様の規定を独立にこの政令において定めることとしたこと。（施行令第二条乃至第五条）

3　その他

特別福祉手当の廃止に伴う条文の規定の所要の整理を行うこと。

4　施行期日

昭和五十年十月一日から施行することとしたこと。

第三　特別児童扶養手当等の支給に関する法律施行規則及び児童扶養手当法施行規則の一部改正

一　特別児童扶養手当等の支給に関する法律施行規則に関する事項

1　様式中の名称等の改正

改正法により、特別福祉手当が昭和五十年九月分限りで廃止されることに伴い、特別福祉手当に関する条文の規定を整理し、「障害者」を「障害児」に、「支給対象障害者」を「支給対象障害児」に改めるとともに、請求書、診断書、届書、通知書の様式中、名称等の改正を行うこと。

2　支給対象障害児の範囲の拡大に伴う改正

改正法により、障害の程度が法別表第一に定める二級に該当する障害児を新たに特別児童扶養手当の支給対象障害児としたことに伴い、障害が増進した場合等の手続を定めるとともに請求書、届書、通知書の様式について所要の改正を行うこと。

3 支給対象障害児の国籍要件の撤廃に伴う改正

改正法により支給対象障害児が日本国民であることの要件を撤廃することに伴い手当額改定届、手当資格喪失届について所要の改正を行うこと。

4 特別児童扶養手当支給停止通知書の新設等

法第六条（所得による支給制限）の規定により、手当の支給が停止されることとなる場合に用いられる「特別児童扶養手当支給停止通知書」の様式を定めたこと。

なお、支給停止者の届出の義務等については、原則として受給者（現に支給を受けている者）と同様の取扱いであるが、特別児童扶養手当証書の交付は行わないことができるものとすること。

5 診断書の様式の改正

様式第二号の㈢の裏面（認定診断書記入の際の8肢角度の図り方の図）及び同号の㈤の裏面人工腎臓透析療法を実施している場合の取扱いの改正を行うこと。

二 児童扶養手当法施行規則に関する事項

1 支給対象児童の国籍要件の撤廃に伴う改正

第三の一の3（特別児童扶養手当の場合）と同様の改正を行うこと。

2 児童扶養手当支払停止通知書の新設等

第三の一の4と同様であること。

3 診断書の様式の改正

第三の一の5と同様の改正を行うこと。

三 施行期日等

1 昭和五十年十月一日から施行すること。

2 この省令の施行の際、現に使用中の改正前の様式による請求書、診断書、届書及び通知書の用紙は、当分の間これを取り繕って使用することができること。

第四 手当証書の様式を定める省令の一部改正

一 改正の内容

1 特別福祉手当が廃止されることになったことに伴い、証書の様式の名称を特別児童扶養手当証書に改めたこと。

2 障害の程度が法別表第一に定める二級に該当する障害児を新たに特別児童扶養手当の支給対象としたことに伴い、証書の様式の二ページの記載事項について、従来のものを一級とし新たに二級の欄を設ける等の改正を行ったこと。

二 施行期日等

1 昭和五十年十月一日から施行すること。

2 昭和五十年十月一日において、現に交付されている特別児童扶養手当証書及び手当証書は、改正後の様式によるものとみなすこと。

3 昭和五十年九月以前の月分の特別福祉手当に係る手当証書の様式については、なお従前の例によること。

昭和五十一年一月及び同年五月の支払期月の二回のみに係る

特別児童扶養手当の支給を受けることができる者に交付する手当証書については、四ページの支払日付印欄及び五ページ以降の奇数のページの特別児童扶養手当支払通知書兼受領証書及び特別児童扶養手当支払原付がそれぞれ当該支払期月分のみとなること。

なお、従前の手当証書の用紙は昭和五十一年五月期支払月まで使用できるように作成されているので、昭和五十一年一月及び五十一年五月の支払期月に係る特別児童扶養手当の支払を受けることのできる者が使用する証書は、三種類の証書のうちどれか一つであること。

三　特別児童扶養手当証書の記載要綱については、別途通知する予定であること。

第五　特別児童扶養手当等の支給に関する法律施行令第三条により、特別児童扶養手当の所得による支給制限に係る主たる生業の維持に供するその他の財産の範囲を定める厚生省告示

告示の内容

当告示の内容は、従来児童扶養手当について定められていたものと同一であり、実質上何らの変化も生じないこと。

○特別児童扶養手当等の支給に関する法律施行令の一部改正について

〔昭和五十七年六月九日 児発第四八八号
各都道府県知事宛 厚生省社会・児童家庭局長連名通知〕

今般、国民年金法施行令の一部を改正する政令（昭和五十七年五月三十一日政令第百五十三号、別添）により、特別児童扶養手当等の支給に関する法律施行令の一部が改正されたところであるが、改正の内容は次のとおりであるので、御了知の上、所要の事務処理に遺憾なきを期されるとともに、管下市町村長に対する周知徹底を図られたく通知する。

1　特別児童扶養手当及び福祉手当の受給資格者本人の所得により支給を制限する場合の基準額をそれぞれ引き上げ、次の表のとおりとしたこと。

（単位：円）

扶養親族等の数	特別児童扶養手当		福祉手当	
	改正前	改正後	改正前	改正後
○人	二、二八四、〇〇〇	二、五四三、〇〇〇	一、六六〇、〇〇〇	一、七六〇、〇〇〇
一人	二、五七四、〇〇〇	二、八三三、〇〇〇	一、九五〇、〇〇〇	二、〇五〇、〇〇〇
二人	二、八六四、〇〇〇	三、一二三、〇〇〇	二、二四〇、〇〇〇	二、三六〇、〇〇〇
三人	三、一五四、〇〇〇	三、四一三、〇〇〇	二、五三〇、〇〇〇	二、六五〇、〇〇〇
四人	三、四四四、〇〇〇	三、七〇三、〇〇〇	二、八二〇、〇〇〇	二、九四〇、〇〇〇
五人	三、七三四、〇〇〇	三、九九三、〇〇〇	三、一一〇、〇〇〇	三、二三〇、〇〇〇

注1)　扶養親族等が老人控除対象配偶者又は老人扶養親族であるときは、表の額に当該老人控除対象配偶者又は老人扶養親族一人につき六万円を加算した額とする。

2)　扶養親族等が六人以上の場合は、一人につき二九万円（扶養親族等が老人控除対象配偶者又は老人扶養親族であるときは三五万円）を加算した額とする。

3)　この改正は、昭和五十七年八月以降の月分の手当の所得による支給の制限について適用し、同年七月以前の手当の所得による支給の制限については、なお従前の例による。

2　難民条約の加入に伴い、昭和五十六年六月十二日法律第八十六号により特別児童扶養手当等の支給に関する法律中福祉手当の国籍要件を定める第十七条第一号が削除され、同条第二号が第一号に繰り上げられたため、特別児童扶養手当等の支給に関する法律施行令第六条（見出しを含む。）に引用する「第十七条第二号」を「第十七条第一号」に改めることとしたこと。

別添　略

○「特別児童扶養手当等の支給に関する法律施行規則等の一部を改正する省令」の施行について

〔平成十一年一月十一日　障第七六〇号
各都道府県知事・各指定都市市長・各中核市市長宛
厚生省大臣官房障害保健福祉部長通知〕

「特別児童扶養手当等の支給に関する法律施行規則等の一部を改正する省令」が平成十一年一月十一日省令第一号をもって公布されたが、今回改正の概要は左記のとおりであるので了知されるとともに、その運用に遺漏なきを期するよう貴管下関係機関及び市町村に対する周知徹底及び指導方よろしくお願いしたい。

記

1　改正の趣旨

申請・届出に伴う行政手続きを簡素化し国民負担を軽減するため、「押印見直しガイドライン」（平成九年七月三日事務次官等会議申合せ）に基づき、特別児童扶養手当等に係る申請書等について、押印の義務付けを廃止するもの。

2　改正の内容

特別児童扶養手当等に係る申請書等の様式の氏名欄の記載について、次のとおり、

(1)　記名のみでよい

(2)　記名押印又は自筆による署名の選択制

のいずれかとする。

(1)　記名のみでよいとする様式

身体障害者福祉法施行規則（昭和二十五年厚生省令第十五号）中別表第六号及び別表第十一号

(2)　記名押印又は自筆による署名の選択制とする様式

①　身体障害者福祉法施行規則（昭和二十五年厚生省令第十五号）中別表第二号

②　特別児童扶養手当等の支給に関する法律施行規則（昭和三十九年厚生省令第三十八号）中第五条の氏名変更届、第六条の住所変更届、第七条の支払郵便局変更届、第八条の印鑑変更届、第九条の証書再交付申請書、第十二条の死亡届、様式第一号、様式第三号、様式第四号、様式第五号、様式第六号、様式第八号、様式第九号及び様式第十号

③　障害児福祉手当及び特別障害者手当の支給に関する省令（昭和五十年厚生省令第三十四号）中第七条の氏名変更届、第八条の住所変更届、第十条の死亡届、様式第一号、様式第三号、様式第四号、様式第五号及び様式第七号

3　施行期日

この省令は公布の日から施行する。なお、現存する改正前の様式による申請書等の用紙については、当分の間、これを使用することができることとする。

4　その他

現在、「精神薄弱」という用語を「知的障害」に改めるため、精

神薄弱の用語の整理のための関係省令の一部を改正する省令（仮称）の公布（平成十一年四月一日施行予定）に向けて準備を進めているところであるが、今回改正された障害児福祉手当及び特別障害者手当の支給に関する省令（昭和五十年厚生省令第三十四号）中様式第一号及び様式第五号については、精神薄弱の用語の整理のための関係省令の一部を改正する省令（仮称）による改正の対象となるので留意されたい。

○平成十五年度における国民年金法による年金の額等の改定の特例に関する法律に基づく厚生労働省関係法令による年金の額の改定等に関する政令の制定について（施行通知）

〔平成十五年三月三十一日　障発第〇三三一〇三二号
各都道府県知事宛　厚生労働省社会・援護局障害保健福祉部長通知〕

標記については、平成十五年度における国民年金法による年金の額等の改定の特例に関する法律に基づく厚生労働省関係法令による年金の額の改定等に関する政令（平成十五年政令第百六十号）が、別添のとおり公布されたところであるが、そのうち、特別児童扶養手当等に係る内容（第十条及び第十一条）は、左記のとおりであるので、御了知の上、事務処理に遺漏のないようにされるとともに、管内市町村及び福祉事務所に対する周知方をお願いする。

なお、受給者に対しては、今回の内容について理解が得られるよう、広報手段の活用等により、周知徹底を図るとともに、管内市町村においても適切な対応が図られるよう指導方重ねてお願いしたい。

記

1　趣旨

平成十二年四月から平成十五年三月までの月分の特別児童扶養手当等の額については、特例措置として、特別児童扶養手当等の支給に関する法律（昭和三十九年法律第百三十四号）第十六条等において準用する児童扶養手当法（昭和三十六年法律第二百三十八号）第五条の二による変更を行わなかったところであるが、現下の社会経済情勢にかんがみ、平成十五年四月から平成十六年三月までの月分の手当額について、平成十三年の年平均の全国消費者物価指数に対する平成十四年の年平均の全国消費者物価指数の比率を基準として改定することとしたこと。

2　特別児童扶養手当に関する事項

平成十五年四月から平成十六年三月までの月分の特別児童扶養手当の額を、障害児一人について、二級の場合月額三万四〇三〇円に、一級の場合月額五万一一〇〇円としたこと。

3　障害児福祉手当に関する事項

平成十五年四月から平成十六年三月までの月分の障害児福祉手当の額を、月額一万四四八〇円としたこと。

4　特別障害者手当に関する事項

平成十五年四月から平成十六年三月までの月分の特別障害者手当の額を、月額二万六六二〇円としたこと。

5　福祉手当（経過措置分）に関する事項

平成十五年四月から平成十六年三月までの月分の国民年金法等の一部を改正する法律（昭和六十年法律第三十四号）附則第九十七条の規定により経過的に支給される福祉手当の額を、月額一万四四八〇円としたこと。

6　施行期日

本政令は、平成十五年四月一日から施行されること。

別添　略

○特別児童扶養手当等の支給に関する法律に基づき都道府県及び市町村に交付する事務費に関する政令の一部改正について（施行通知）

〔平成二十三年三月二十五日　障発〇三二五第一号
各都道府県知事宛　厚生労働省社会・援護局障害保健福祉部長通知〕

標記については、「国民年金法に基づき市町村に交付する事務費に関する政令及び特別児童扶養手当等の支給に関する法律に基づき都道府県及び市町村に交付する事務費に関する政令の一部を改正する政令」（平成二十三年政令第三十六号）が、別添のとおり公布されたところですが、その改正内容は左記のとおりとなりますので、管内市町村に対し周知をお願いするとともに、その運用について遺憾のないようお取り計らい願います。

記

特別児童扶養手当等の支給に関する法律に基づき都道府県及び市町村に交付する事務費に関する政令（昭和四十年政令第二百七十号）の一部改正関係

1　都道府県に交付する特別児童扶養手当事務費交付金の算定基礎となる認定を受けた受給資格者一人当たりの基準額を二三四六円から二三三九円に改める。

2　市町村に交付する特別児童扶養手当事務費交付金の算定基礎となる認定を受けた受給資格者一人当たりの費用の基準額を一四四七円から一四四二円に改める。

3　この政令は、公布の日から施行し、平成二十二年度における特別児童扶養手当事務費交付金から適用する。

別添　略

○「平成二十二年四月以降において発生が確認された口蹄疫に起因して生じた事態に対処するための手当金等についての健康保険法施行令等の臨時特例に関する政令」の施行（特別児童扶養手当等の支給に関する法律施行令の特例に係る部分に限る。）について

〔平成二十三年七月二十九日　障発〇七二九第四号
各都道府県知事宛　厚生労働省社会・援護局障害保健福祉部長通知〕

「平成二十二年四月以降において発生が確認された口蹄疫に起因して生じた事態に対処するための手当金等についての健康保険法施行令等の臨時特例に関する政令」（平成二十三年政令第二百四十四号）が本日公布され、平成二十三年八月一日より施行されるところであるが、その内容は左記のとおりであるので、御了知の上、適切かつ円滑に実施されるとともに管内市町村及び福祉事務所に対する周知方をお願いする。

なお、この通知は、地方自治法（昭和二十二年法律第六十七号）第二百四十五条の四第一項の規定に基づく技術的助言に当たるものである。

記

1　特別児童扶養手当等の支給に関する法律施行令の特例の内容

特別児童扶養手当等の支給に関する法律（昭和三十九年法律第百三十四号）に基づく特別児童扶養手当等の支給については所得制限が設けられているが、平成二十二年四月以降に発生が確認された口蹄疫に関して、家畜伝染病予防法（昭和二十六年法律第百六十六号）等による手当金等の交付を受けた者について、その所得の額が増加することにより、特別児童扶養手当等の支給停止とならないよう、特別児童扶養手当等の支給に関する法律施行令（昭和五十年政令第二百七号）の特例として、手当金等の交付により生じた所得の額を特別児童扶養手当等の支給に関する法律第六条から第八条まで、第九条第二項各号並びに第二十条、第二十一条及び第二十二条第二項各号（これらの規定を同法第二十六条の五及び昭和六十年国民年金等改正法附則第九十七条第二項において準用する場合を含む。）に規定する所得の額の算定から控除することとすること。

2　本政令の施行期日等

本政令は、平成二十三年八月一日から施行し、平成二十二年以後の特別児童扶養手当等の支給に関する法律第六条から第八条まで、第九条第二項各号並びに第二十条、第二十一条及び第二十二条第二項各号（これらの規定を同法第二十六条の五及び昭和六十年国民年金等改正法附則第九十七条第二項において準用する場合を含む。）に規定する所得の額の算定について適用すること。

○特別児童扶養手当等の支給に関する法律施行令の一部改正について

〔平成二十四年一月五日　事務連絡
各都道府県障害福祉主管課(室)宛　厚生労働省社会・援護局障害保健福祉部企画課〕

障害福祉行政の推進につきましては、日頃より御尽力いただき、厚く御礼申し上げます。

さて、平成二十二年度税制改正大綱において、年少扶養控除及び一六歳以上一九歳未満の特定扶養控除の上乗せ部分が廃止されたことにより、社会保険制度に関する負担に影響が生じることになるため、廃止前と同様の負担となるよう所要の対応を行うこととされておりました。

このことにつきまして、平成二十三年十二月二十八日公布されました「国民健康保険法施行令等の一部を改正する政令」(平成二十三年政令第四百三十号)により、特別児童扶養手当等の支給に関する法律施行令(昭和五十年政令第二百七号)についても一部改正がなされ、特別児童扶養手当、障害児福祉手当、特別障害者手当及び経過的福祉手当における所得制限限度額の算定に当たり、一六歳以上一九歳未満の扶養親族について、廃止前と同様に加算できることとしたところです。

なお、特別児童扶養手当等の支給に関する法律施行令の一部改正に係る施行日については、平成二十四年八月一日となっております。

以上のことにつき、十分御了知の上、管内市町村等に対し、周知徹底をお願いいたします。

別添　略

○特別児童扶養手当等の支給に関する法律施行規則及び障害児福祉手当及び特別障害者手当の支給に関する省令の一部を改正する省令の施行について

〔平成二十四年六月二十九日　障発〇六二九第一号
各都道府県知事宛　厚生労働省社会・援護局障害保健福祉部長通知〕

特別児童扶養手当等の支給に関する法律施行規則及び障害児福祉手当及び特別障害者手当の支給に関する省令（平成二十四年厚生労働省令第九十九号）については、本日公布され、平成二十四年七月一日から施行することとされている。

今般の改正の趣旨及び内容については左記のとおりであるので、御了知の上、管内市町村（特別区を含む。）を始め、関係者、関係団体等に対し、その周知徹底を図るとともに、その運用に遺漏のないようにされたい。

記

第一　改正の趣旨について

特別児童扶養手当、障害児福祉手当、特別障害者手当及び福祉手当の所得制限限度額については、扶養親族等がある場合には、当該扶養親族等に応じた額を加算することとしている。

平成二十四年度分の住民税から、特定扶養親族の定義が、扶養親族のうち一六歳以上二三歳未満の者から、一九歳以上二三歳未満の者に変更されることとなっている。この変更により、特定扶養親族ではなくなる一六歳以上一九歳未満の控除対象扶養親族がある者の限度額が引き下げられることとならないよう、国民健康保険法施行令等の一部を改正する政令（平成二十三年政令第四百三十号）によって、特定扶養親族がある場合と同じ額の加算を行うこととしたところである。

これに伴い、今般、手当受給者等が認定請求時等に提出することとされる用紙の様式等について、所要の改正を行うこととしたものである。

第二　改正内容について

第１　特別児童扶養手当等の支給に関する法律施行規則の一部改正

特別児童扶養手当の認定請求及び所得状況届において、特定扶養親族の数に加え、一六歳以上一九歳未満の控除対象扶養親族の数を把握するため、これらの手続について、以下の改正を行う。

○　特別児童扶養手当の認定請求書及び所得状況届の様式に、特定扶養親族の数に加え、一六歳以上一九歳未満の控除対象扶養親族の数を記載することにする。

○　特別児童扶養手当の認定請求及び所得状況届において、一六歳以上一九歳未満の控除対象扶養親族の数を明らかにすることができる書類及びその所得についての証明書を添付書類として提出することとする。

第2　障害児福祉手当及び特別障害者手当の支給に関する省令の一部改正

障害児福祉手当、特別障害者手当及び福祉手当（以下「障害児福祉手当等」という。）についても、第1と同様に、所得制限限度額に係る手続について、以下の改正を行う。

○　障害児福祉手当等の所得状況届の様式に、特定扶養親族の数に加え、一六歳以上一九歳未満の控除対象扶養親族の数を記載することにする。

○　障害児福祉手当及び特別障害者手当の認定請求並びに障害児福祉手当等の所得状況届において、一六歳以上一九歳未満の控除対象扶養親族の数を明らかにすることができる書類及びその所得についての証明書を添付書類として提出することとする。

第三　施行期日

平成二十四年七月一日

○特別児童扶養手当等の支給に関する法律に基づき都道府県及び市町村に交付する事務費に関する政令の一部改正について（施行通知）

〔平成二十七年三月二十五日　障発〇三二五第二号
各都道府県知事宛　厚生労働省社会・援護局障害保健福祉部長通知〕

標記については、「国民年金法に基づき市町村に交付する事務費に関する政令等の一部を改正する政令」（平成二十七年政令第九十四号）が、別添のとおり公布されたところですが、その改正内容は左記のとおりとなりますので、管内市町村に対し周知をお願いするとともに、その運用について遺憾のないようお取り計らい願います。

記

特別児童扶養手当等の支給に関する法律に基づき都道府県及び市町村に交付する事務費に関する政令（昭和四十年政令第二百七十号）の一部改正関係

1　都道府県に交付する特別児童扶養手当事務費交付金の算定基礎となる認定を受けた受給資格者一人当たりの基準額を二二四五円から一八七〇円に改める。

2　市町村に交付する特別児童扶養手当事務費交付金の算定基礎となる認定を受けた受給資格者一人当たりの基準額を一三八九円から一八二五円に改める。

3　この政令は、公布の日から施行し、平成二十六年度における特別児童扶養手当事務費交付金から適用する。

別添　略

○地域の自主性及び自立性を高めるための改革の推進を図るための関係法律の整備に関する法律の施行に伴う厚生労働省関係政令等の整備等に関する政令及び地域の自主性及び自立性を高めるための改革の推進を図るための関係法律の整備に関する法律の施行に伴う厚生労働省関係省令の整備に関する省令の施行について

〔平成二十七年四月一日　障発〇三三一第一三号
各都道府県知事・各指定都市市長・各児童相談所設置市
市長宛　厚生労働省社会・援護局障害保健福祉部長通知〕

平素より障害保健福祉行政の推進にご尽力いただき厚く御礼申し上げます。

今般、地域の自主性及び自立性を高めるための改革の推進を図るための関係法律の整備に関する法律（平成二十六年法律第五十一号。以下「第四次分権一括法」）が平成二十七年四月一日から施行されることに伴い、地域の自主性及び自立性を高めるための改革の推進を図るための関係法律の整備に関する法律の施行に伴う厚生労働省関係政令等の整備等に関する政令（平成二十七年政令第百二十八号。以下「整備政令」という。）及び地域の自主性及び自立性を高めるための改革の推進を図るための関係法律の整備に関する法律の施行に伴う厚生労働省関係省令の整備に関する省令（平成二十七年厚生労働省令第五十五号。以下「整備省令」という。）が、平成二十七年三月三十一日に公布され、同年四月一日から施行されることとなりました。

整備政令及び整備省令につきましては、改正の内容は左記のとおりです。公布が遅れ大変申し訳ございませんが、移譲された事務・権限が円滑に実施されるよう、万全の支援を行って参りますので、御了知の上、事務処理に遺漏のないようにしてください。

なお、この通知は、地方自治法（昭和二十二年法律第六十七号）第二百四十五条の四第一項の規定に基づく技術的な助言です。

記

第一　整備政令について

(1)　児童福祉法施行令（昭和二十三年厚生省令第十一号）の改正

○　全ての事業所が一の指定都市の区域に所在する指定障害児通所支援事業者の業務管理体制の整備に関する事務の根拠が指定都市の長へ移譲されることに伴い、指定障害児入所施設等について、業務管理体制の整備等の規定を準用している児童福祉法第二十四条の十九の二に基づく読替規定について、所要の整備を行う。（第二十七条の十二）

○　指定都市が行うこととした業務管理体制の整備に関する事務

に係る規定について、児童相談所設置市にも適用されることとし、併せて規定の整備を行う。（第四十五条の三）

(2) 特別児童扶養手当等の支給に関する法律に基づき都道府県知事及び市町村に公布する事務費に関する政令（昭和四十年政令第二百七十号。以下「事務費政令」という。）の改正

○ 指定都市の区域内に住所を有する受給資格者に対する特別児童扶養手当の受給資格の認定に関する権限を、都道府県知事から指定都市の長に移譲することに伴い、指定都市に対して支給する事務費（受給者一人当たりの単価は三六九五円）について規定する。（第二条）

(3) 地方自治法施行令（昭和二十二年政令第十六号）の改正

○ 第四次分権一括法による児童福祉法の改正により、全ての事業所が一の指定都市の区域に所在する指定障害児通所支援事業者の業務管理体制の整備に関する事務の根拠が指定都市の長に移譲されることに伴い、読替規定の整備を行う。（第百七十四条の二十六第七項）

○ 身体障害者福祉司の養成施設の指定権限が厚生労働大臣から都道府県知事に移譲されることに伴い、大都市特例の対象から除外する事務に身体障害者福祉司の養成施設の指定に関する事務を追加する。（第百七十四条の二十八、第百七十四条の四十九の四）

○ 知的障害者福祉司の養成施設の指定権限が厚生労働大臣から都道府県知事に移譲されることに伴い、大都市特例の対象から除外する事務に知的障害者福祉司の養成施設の指定に関する事務を追加する。（第百七十四条の三十の三、第百七十四条の四十九の八）

○ 第四次分権一括法による障害者の日常生活及び社会生活を総合的に支援するための法律（平成十七年法律第百二十三号）の改正により、全ての事業所が一の指定都市の区域に所在する指定事業者等及び指定一般相談支援事業者の業務管理体制の整備に関する事務の根拠が指定都市の長に移譲されることに伴い、読替規定の整備等を行う。（第百七十四条の三十二）

第二 整備省令について

(1) 児童福祉法施行規則（昭和二十三年厚生省令第十一号）の改正

○ 全ての事業所が一の指定都市の区域に所在する指定障害児通所支援事業者の業務管理体制の整備に関する事務の根拠が指定都市の長に移譲されることに伴い、業務管理体制の整備に関する届出書の届出先に指定都市を加える。（第十八条の三十八、第二十五条の二十三の二）

○ 大都市特例の規定により児童相談所設置市が児童福祉に関する事務を処理する場合の読替規定を整備する。（第五十条の二）

(2) 身体障害者福祉法施行規則（昭和二十三年厚生省令第十一号）の改正

○ 身体障害者福祉司の養成施設の指定権限が厚生労働大臣から都道府県知事に移譲されることに伴い、厚生労働大臣の権限を

地方厚生局長に委任する規定を削除する。（第二十条）

(3) 精神保健及び精神障害者福祉に関する法律施行規則（昭和二十五年厚生省令第三十一号）の改正

○ 事務・権限の移譲等に関する見直し方針について（平成二十五年十二月二十日閣議決定）に基づき、精神保健指定医の指定の申請、精神保健指定医証の交付、指定医証変更の申請、指定取消しによる指定医証の返納、研修受講義務の特例に関する書類の提出に関する事務を厚生労働大臣（地方厚生局長）から都道府県知事に移譲するため、厚生労働大臣の権限を地方厚生局長に委任する規定を削除する。（第四十一条）

(4) 知的障害者福祉法施行規則（昭和三十五年厚生省令第十六号）の改正

○ 知的障害者福祉司の養成施設の指定権限が厚生労働大臣から都道府県知事に移譲されることに伴い、厚生労働大臣の権限を地方厚生局長に委任する規定を削除する。（第四条）

(5) 特別児童扶養手当等の支給に関する法律施行規則（昭和三十九年厚生省令第三十八号）の改正

○ 特別児童扶養手当等の支給に関する法律（昭和三十九年法律第百三十四号）の改正において、指定都市の区域内に住所を有する受給資格者に対する特別児童扶養手当の受給資格の認定に関する権限を都道府県知事から指定都市の長に移譲することに伴い、以下の改正を行う。

・ 認定請求書の提出先に指定都市を加える。（第一条）

・ 特別児童扶養手当証書亡失の届出後に証書を発見したときの届出に関する規定の整備を行う。（第十条）

・ 指定都市の長が市町村長証明書を受けるべき場合の提出の省略を規定。（第二十八条）

・ 認定の請求先等に市長を追加する等の様式の改正を行う。（様式第一号、第三号～第六号、第八号～第十五号、第十七号）

(6) 精神保健福祉士法施行規則（平成十年厚生省令第十一号）の改正

○ 第四次分権一括法における保健師助産師看護師法（昭和二十三年法律第二百三号）及び理学療法士及び作業療法士法（昭和四十年法律第百三十七号）の改正により、看護師養成所及び作業療法士養成施設の指定権限が都道府県知事に移譲されたことに伴い、規定の整備を行う。（第一条第六項第二号、第三号）

(7) 精神保健福祉士短期養成施設等及び精神保健福祉士一般養成施設等指定規則（平成十年厚生省令第十二号）の改正

○ 精神保健福祉士短期養成施設及び精神保健福祉士一般養成施設の指定権限が都道府県知事に移譲されることに伴い、以下の改正を行う。

・ 指定の申請先等に都道府県知事を追加する。（第三条第一項、第四条第一項、第八条、第十条）

・ 指定養成施設等の設置者が、変更があった際に厚生労働大臣又は都道府県知事に届け出なければならない事項として、教員の氏名等を加える。（第四条第二項）

・　厚生労働大臣又は都道府県知事が指定養成施設等の指定を取り消すことができる場合として、指定取消の申請があったときを加える。（第九条）

・　国の設置する学校に係る読替規定を整備する。（第十一条、第十二条第一項）

・　都道府県の設置する養成施設についての適用除外規定を新設する。（第十一条の二）

(8)　特別児童扶養手当証書の様式を定める省令（平成十五年厚生労働省令第五十三号）の改正

○　指定都市の区域内に住所を有する受給資格者に対する特別児童扶養手当の受給資格の認定権限を、都道府県知事から指定都市の長に移譲することに伴い、証書の届出先に市長を加える。（様式）

(9)　障害者の日常生活及び社会生活を総合的に支援するための法律施行規則（平成十八年厚生労働省令第十九号）の改正

○　全ての事業所が一の指定都市の区域に所在する指定事業者等及び指定一般相談支援事業者の業務管理体制の整備に関する事項の届出先が指定都市の長とされることから、業務管理体制の整備に関する届出書の届出先に指定都市を加える。（第三十四条の二十八、第三十四条の六十二）

○　大都市特例により、指定都市が事務を処理する場合の読替規定を整備する。（第七十条）

第三　施行期日

いずれも、平成二十七年四月一日から施行する。

○児童扶養手当法施行令等の一部を改正する政令及び児童扶養手当法施行規則等の一部を改正する省令の施行について（特別児童扶養手当等の支給に関する施行令並びに特別児童扶養手当等の支給に関する法律施行規則及び障害児福祉手当及び特別障害者手当の支給に関する省令関係）

〔平成三十年八月一日　障発〇八〇一第一号　厚生労働省社会
各都道府県知事・各指定都市市長宛
・援護局障害保健福祉部長通知〕

児童扶養手当法施行令等の一部を改正する政令（平成三十年政令第二百三十二号。以下「改正政令」という。）が平成三十年七月二十七日に公布され、また、児童扶養手当法施行規則等の一部を改正する省令（平成三十年厚生労働省令第百一号。以下「改正省令」という。）が同年八月一日に公布され、いずれも同日から施行されることとなった。

改正政令及び改正省令の内容は左記のとおりであるので、御了知の上、事務処理に遺漏のないようにされるとともに、管内市町村（特別区を含む。）に対する周知方をお願いする。

なお、この通知は、地方自治法（昭和二十二年法律第六十七号）第二百四十五条の四第一項に基づく技術的な助言である。

記

第一　改正の趣旨

特別児童扶養手当、障害児福祉手当、特別障害者手当及び経過的福祉手当（以下「特別児童扶養手当等」という。）の所得制限の判定に係る所得について、租税特別措置法（昭和三十二年法律第二十六号）に規定される長期譲渡所得及び短期譲渡所得に係る特別控除額を控除することとするよう、所要の改正を行うこととした。

また、児童扶養手当法の一部を改正する法律（平成二十八年法律第三十七号）に対する参議院厚生労働委員会の附帯決議を踏まえ、特別児童扶養手当等の所得制限の判定に係る所得の計算方法について、未婚の母又は未婚の父（以下「未婚のひとり親」という。）に対し寡婦（夫）控除をみなし適用するよう、所要の改正を行うこととした。

このほか、これらの改正に必要となる様式の改正や添付書類の追加を行うこととする。

第二　改正の内容

1　特別児童扶養手当等の支給に関する法律施行令（昭和五十年政令第二百七号）の一部改正

(1)　公共用地取得による土地代金等の特別控除（第五条第一項関係）

特別児童扶養手当等の支給額の判定に係る所得については、地方税法の規定による総所得金額等の合計額から、長期譲渡所得又は短期譲渡所得に係る以下の特別控除額を控除して得た額を用いるものとする。

(i) 収用交換などのために土地等を譲渡した場合の五〇〇〇万円

(ii) 特定土地区画整理事業などのために土地等を譲渡した場合の二〇〇〇万円

(iii) 特定住宅地造成事業などのために土地等を譲渡した場合の一五〇〇万円

(iv) 農地保有の合理化などのために農地等を売却した場合の八〇〇万円

(v) マイホーム(居住用財産)を譲渡した場合の三〇〇〇万円

(vi) 特定の土地を譲渡した場合の一〇〇〇万円

(vii) 前記の(i)～(vi)のうち二つ以上の適用を受ける場合の最高限度額五〇〇〇万円

(2) 寡婦(夫)控除等のみなし適用(第五条第二項関係)

特別児童扶養手当等に係る所得の算定において、寡婦(夫)控除が適用されない未婚のひとり親のうち、以下の(i)又は(ii)のいずれかに該当する者(以下「みなし適用対象者」という。)については、寡婦(夫)と同様、二七万円((i)のうち、扶養親族である子を有し、かつ、前年の合計所得金額が五〇〇万円以下である者にあっては三五万円)を控除するものとする。

なお、(i)又は(ii)に該当するか否かについては、地方税法上の寡婦又は寡夫であることの判断と同様、前年の十二月三十一日時点の状況により判断するものとする。

(i) 婚姻によらないで母となった女子であって、現に婚姻をしていないもののうち、扶養親族その他その者と生計を一にする子(他の者の控除対象配偶者又は扶養親族とされている者を除き、前年の総所得金額等が三八万円以下の者)を有するもの。

(ii) 婚姻によらないで父となった男子であって、現に婚姻をしていないもののうち、その者と生計を一にする子(他の者の控除対象配偶者又は扶養親族とされている者を除き、前年の総所得金額等が三八万円以下の者)を有し、かつ、前年の合計所得金額が五〇〇万円以下であるもの。

※なお、「現に婚姻をしていないもの」の「婚姻」には、届出をしていないが、事実上婚姻関係と同様の事情にある場合を含む。

2 特別児童扶養手当等の支給に関する法律施行規則(昭和三十九年厚生省令第三十八号)の一部改正

(1) 特別児童扶養手当に係る認定請求書及び所得状況届の提出の際の添付書類の追加(第一条第六号ハ及び第七号ハ関係)

寡婦(夫)控除が適用されない未婚のひとり親のうち、みなし適用対象者については、特別児童扶養手当に係る認定請求書及び所得状況届の提出に際し、当該事実を明らかにすることができる書類を添付すること。なお、当該事実を明らかにすることができる書類とは、特別児童扶養手当における寡婦(夫)控除のみなし適用申請書等であるものとする。

(2) 認定請求書及び所得状況届の様式について（様式第一号及び様式第六号関係）

特別児童扶養手当認定請求書（様式第一号）及び特別児童扶養手当所得状況届（様式第六号）について、改正政令の施行に伴い、所要の改正を行うものとする。

3 障害児福祉手当及び特別障害者手当の支給に関する省令（昭和五十年厚生省令第三十四号）の一部改正

(1) 特別障害者手当等に係る認定請求書及び所得状況届の提出の際の添付書類の追加（第二条第四号ニ、第五号ハ、第十五条第四号ホ及び第五号ハ関係）

寡婦（夫）控除が適用されない未婚のひとり親のうち、みなし適用対象者については、障害児福祉手当、特別障害者手当及び経過的福祉手当（以下「特別障害者手当等」という。）に係る認定請求書及び所得状況届の提出に際し、当該事実を明らかにすることができる書類を添付するものとする。なお、当該事実を明らかにすることができる書類とは、特別障害者手当等における寡婦（夫）控除のみなし適用申請書等であるものとする。

(2) 認定請求書及び所得状況届の様式について（様式第三号、様式第七号関係）

障害児福祉手当（福祉手当）所得状況届（様式第三号）及び特別障害者手当所得状況届（様式第七号）について、改正政令の施行に伴い、所要の改正を行うものとする。

第三 施行期日等

1 施行期日

平成三十年八月一日から施行する。

2 経過措置

改正政令による改正後の特別児童扶養手当等の支給に関する法律施行令（昭和五十年政令第二百七号）の規定は、平成三十年八月以後の月分の特別児童扶養手当等の支給の制限及び同月以後の月分の特別児童扶養手当等に相当する金額の返還について適用し、同年七月以前の月分の特別児童扶養手当等の支給の制限及び同月以前の月分の特別児童扶養手当等に相当する金額の返還については、なお従前の例によるものとする。

また、改正省令の施行の際現にある改正省令による改正前の様式（以下「旧様式」という。）により使用されている書類は、この省令による改正後の様式によるものとみなすものとする。

なお、この省令の施行の際現にある旧様式による用紙については、当分の間、これを取り繕って使用することができるものとする。

○元号の表記の整理のための厚生労働省関係省令の一部を改正する省令及び元号の表記の整理のための厚生労働省関係告示の一部を改正する告示の施行について

〔令和元年五月七日　障発〇五〇七第三号
各都道府県知事宛　厚生労働省社会・援護局障害保健福祉部長通知〕

元号の表記の整理のための厚生労働省関係省令の一部を改正する省令（令和元年厚生労働省令第一号。以下「改正省令」という。）及び元号の表記の整理のための厚生労働省関係告示の一部を改正する告示（令和元年厚生労働省告示第二号。以下「改正告示」という。）が五月七日付け公布・施行されました。

このうち、当部所管の省令・告示の改正の概要について左記のとおりお示ししますので、御了知の上、管内市町村（特別区を含む。）を始め、関係者、関係団体等に対し、その周知徹底を図るとともに、適切に対応方御配慮いただきますようお願いいたします。

記

第一　改正省令の概要

改元に伴い、次に掲げる厚生省令及び厚生労働省令により定められた様式中の「平成」を「令和」に改める等必要な改正を行った。

○　身体障害者福祉法施行規則（昭和二十五年厚生省令第十五号）

○　精神保健及び精神障害者福祉に関する法律施行規則（昭和二十五年厚生省令第三十一号）

○　特別児童扶養手当等の支給に関する法律施行規則（昭和三十九年厚生省令第三十八号）

○　障害児福祉手当及び特別障害者手当の支給に関する省令（昭和五十年厚生省令第三十四号）

○　精神保健福祉士法施行規則（平成十年厚生省令第十一号）

○　身体障害者補助犬法施行規則（平成十四年厚生労働省令第百二十七号）

○　特別児童扶養手当証書の様式を定める省令（平成十五年厚生労働省令第五十三号）

○　介護給付費等の請求に関する省令（平成十八年厚生労働省令第百七十号）

○　障害者の日常生活及び社会生活を総合的に支援するための法律施行規則（平成十八年厚生労働省令第十九号）

○　障害児通所給付費等の請求に関する省令（平成十八年厚生労働省令第百七十九号）

第二　改正告示の概要

改元に伴い、次に掲げる厚生労働省告示により定められた様式中の「平成」を「令和」に改める等必要な改正を行った。

○　精神保健福祉士短期養成施設等及び精神保健福祉士一般養成施設等指定規則第五条第一号ヲ及び精神障害者の保健及び福祉に関する科目を定める省令第一条第八項に規定する厚生労働大臣が別

に定める基準（平成二十三年厚生労働省告示第二百七十九号）

○　精神保健福祉士短期養成施設等及び精神保健福祉士一般養成施設等指定規則第五条第一号ト⑷及び精神障害者の保健及び福祉に関する科目を定める省令第一条第三項第四号に規定する厚生労働大臣が別に定める基準（平成二十三年厚生労働省告示第二百八十一号）

以上

○押印を求める手続の見直し等のための厚生労働省関係省令の一部を改正する省令の施行について

〔令和二年十二月二十五日　障発一二二五第三号
各都道府県知事・各指定都市市長・各中核市市長宛
厚生労働省障害保健福祉部長通知〕

押印を求める手続の見直し等のための厚生労働省関係省令の一部を改正する省令（令和二年厚生労働省令第二百八号）が本日公布・施行されました。

このうち、当部所管省令の改正の内容は左記のとおりですので、御了知の上、管内市町村（特別区含む。）を始め、関係者、関係団体等に対し、その周知徹底を図るとともに、適切に対応方御配慮いただきますようお願いいたします。

記

1　次に掲げる省令において、国民等に対して押印を求めている手続について、国民等の押印等を不要とする改正を行う。

・身体障害者福祉法施行規則（昭和二十五年厚生省令第十五号）
・特別児童扶養手当等の支給に関する法律施行規則（昭和三十九年厚生省令第三十八号）
・障害児福祉手当及び特別障害者手当の支給に関する省令（昭和五十年厚生省令第三十四号）
・精神保健福祉士法施行規則（平成十年厚生省令第十一号）
・性同一性障害者の性別の取扱いの特例に関する法律第三条第二項に規定する医師の診断書の記載事項を定める省令（平成十六年厚生労働省令第九十九号）

2　改正前の様式（以下「旧様式」という。）により使用されている書類は当該改正後の様式によるものとみなすものとすること。

また、旧様式による用紙については、合理的に必要と認められる範囲内で、当分の間、例えば、手書きによる訂正等により、これを取り繕って使用することができるものとすること。

（準　則　等）

○特別児童扶養手当都道府県事務取扱準則について

〔平成二十三年四月一日　障発〇四〇一第四号
各都道府県知事宛　厚生労働省社会・援護局障害保健福祉部長通知〕

〔改正経過〕

第一次改正（平成二七年四月一日障発〇四〇一第五号）
第二次改正（平成二七年一一月一二日障発一一一二第七号）
第三次改正（令和元年五月七日障発〇五〇七第四号）
第四次改正（令和元年七月一日障発〇七〇一第二号）
第五次改正（令和四年一〇月二四日障発一〇二四第一号）

今般、特別児童扶養手当都道府県事務取扱準則について、別添のとおり定めたので通知する。

また、昭和四十九年七月二十九日児発第四八三号厚生省児童家庭局長通知「特別児童扶養手当都道府県事務取扱準則について」は「特別児童扶養手当都道府県事務取扱準則の廃止について」（平成二十三年三月三十一日雇児発〇三三一第五号厚生労働省雇用・均等児童家庭局長通知）において廃止されたので併せて通知する。

なお、本通知の施行に際して、当分の間は、従前の様式による諸帳簿等の用紙を取り繕って使用することができる。

この準則は、地方自治法（昭和二十二年法律第六十七号）第二百四十五条の九の規定に基づく法定受託事務に係る処理基準である。

別添

特別児童扶養手当都道府県事務取扱準則

第一　帳簿等について

都道府県においては、特別児童扶養手当（以下「手当」という。）の支給事務を実施するに当たり、次の帳簿等を備えるものとする。

1　特別児童扶養手当関係書類提出受付処理簿（様式第1号。以下「受付処理簿」という。）

この帳簿は、特別児童扶養手当認定請求書関係、定時の特別児童扶養手当所得状況届（以下「所得状況届」という。）関係及びその他の届書、申請書関係等に分冊して作成するものであること。

2　特別児童扶養手当受給資格者台帳番号簿（様式第2号。以下「番号簿」という。）

この帳簿は、受給資格者の番号を決定した場合に、その番号順によって受給資格者氏名を整理するものであること。

3　特別児童扶養手当受給資格者台帳（様式第3号。以下「受給資格者台帳」という。）

この台帳は、受給資格者の番号順に配列し整理するものであること。

4　特別児童扶養手当支給廃止簿（以下「支給廃止簿」という。）

この簿冊は、受給資格を失なった者及び他の都道府県又は指定都市の区域に住所を変更した受給資格者に係る受給資格者台帳を編入し、整理するものであること。

5　特別児童扶養手当受給資格者台帳索引票（様式第4号。以下「台帳索引票」という。）

この索引票は、索引に便利なように受給資格者の氏名の五十音順等に整理し、簿冊にとりまとめるものであること。

6　特別児童扶養手当住所・支払金融機関変更届処理済報告書綴

この綴は、市町村から提出された特別児童扶養手当住所・支払金融機関変更届処理済報告書（以下「住所等変更処理済報告書」という。）を綴り込むものであること。

7　知的障害に係る診断依頼書（様式第5号。以下「診断依頼書」という。）

この診断依頼書は、障害児の知的障害の状態についての診断書の作成を児童相談所に依頼するときに、児童相談所に送付するものであること。

8　知的障害に係る診断書送付書（以下「診断書送付書」という。）綴

この綴は、都道府県の主管課が児童相談所から特別児童扶養手当認定診断書の送付を受けた場合の診断書に添付してある診断書送付書を綴り込むものであること。

9　特別児童扶養手当証書提出命令書（様式第6号。以下「証書提出命令書」という。）

この命令書は、受給資格者から特別児童扶養手当証書（以下「証書」という。）を提出させる必要があるときに、市町村を経由して受給資格者に送付するものであること。

10　特別児童扶養手当受給資格者移管通知書（様式第7号。以下「移管通知書」という。）

この通知書は、都道府県又は指定都市を異にした住所変更の届書を処理した際、新旧市町村に送付するものであること。

11　特別児童扶養手当支給停止解除通知書（様式第8号。以下「支給停止解除通知書」という。）

この通知書は、受給資格者であって支給停止をうけていた者についてその解除を決定したときに、当該受給資格者に通知するものである。

12　前記の帳簿のうち、番号簿、受給資格者台帳、支給廃止簿、台帳索引票については、これらに記載すべき事項を電算システムにより確実に記録し、これを適正に管理及び利用することによって、事務を支障なく行い得る都道府県については、これらの作成を省略することができる。

第二　認定について

市町村から特別児童扶養手当認定請求書（以下「認定請求書」という。）の提出を受けたときは、おおむね、次の手続をとるものとする。

1　受付処理簿の件名（氏名）欄及び受付（再提出）欄に件名、氏名及び受付年月日を記入し、認定請求書の記載及びその添付書類等に不備がないかどうか、市町村の審査が適当であるかどうかを検討すること。

なお、認定請求書に知的障害に係る認定診断書が添付されていない場合には、その障害児が特別児童扶養手当等の支給に関する法律施行令（昭和五十年政令第二百七号）別表第三に該当するか否かの事項を除いて、他の支給要件等について一応審査のうえ、診断依頼書により当該障害児の住所地を管轄する児童相談所に認定診断書の作成を依頼し、児童相談所から認定診断書が送付されてきたときは、その認定診断書を審査のうえ、受給資格及び手当額を決定すること。

2　認定請求書の記載に容易に補正ができない程度の誤りがあるとき、若しくは添付書類等に著しい不備があるとき、又は市町村の審査が適当でないときは、認定請求書を市町村に返戻し、受付処理簿の返戻欄に返戻年月日及び返戻事由を記入すること。

3　市町村が返戻された認定請求書を再提出したときは、受付処理簿の受付（再提出）欄に再提出受付年月日を記入すること。

4　認定請求書の記載及びその添付書類等に不備がなく、市町村の審査が適当であるときは、受付処理簿の受理欄に受理年月日を記入して、認定請求書の記載とその添付書類の内容とを照合し、審査すること。

なお、請求に係る事実を明確にするため、特に必要があると認めるときは、特別児童扶養手当等の支給に関する法律（以下「法」という。）第三十六条の規定による調査を行い、又は、法第三十七条に規定する措置をとること。

5　審査の結果、受給資格があるものと決定したときは、次によること。

(1)　受付処理簿の審査結果欄に認定の旨を記入すること。

(2)　当該受給資格者についての番号を認定順に決定し、番号簿に当該所定事項を記入すること。

(3)　当該受給資格者につき、受給資格者台帳を作成すること。

(4)　当該受給資格者につき、台帳索引票を作成し、台帳索引簿を整理すること。

(5)　当該受給資格者につき、証書を作成すること。

(6)　特別児童扶養手当認定通知書（以下「認定通知書」という。）及び証書を市町村に送付し、受給資格者台帳の証書欄に証書送付年月日を記入すること。

(7)　受付処理簿の処理経過欄に処理済年月日を記入すること。

6　審査の結果、受給資格があると認定した者であって、手当を支給停止とする決定をしたときは、前記5によるほか、次によること。

(1)　受付処理簿の審査結果欄に認定及び手当を支給停止とする旨を記入すること。

(2)　認定通知書及び特別児童扶養手当支給停止通知書（以下「支給停止通知書」という。）並びに証書を市町村に送付し、受給資格者台帳の証書欄に証書送付年月日を記入すること。ただし、特別児童扶養手当等の支給に関する法律施行規則（昭和三十九年厚生省令第三十八号。以下「規則」という。）第十七条第二項の規定に基づき受給資格者に証書を交付しない場合には、受給資格者台帳の証書欄に未交付の旨を記入し、前記5の(5)の手続は必要ないこと。

(3) 支給停止者については、証書は作成しないこと。

7 審査の結果、受給資格がないものと決定したときは、次によること。

(1) 受付処理簿の審査結果欄に却下の旨を記入すること。

(2) 特別児童扶養手当認定請求却下通知書を市町村に送付すること。

(3) 受付処理簿の処理経過欄に処理済年月日を記入すること。

第三 手当額改定について

I 市町村から特別児童扶養手当額改定請求書又は特別児童扶養手当額改定届（以下「手当額改定請求書等」という。）の提出を受けたときは、おおむね、次の手続をとるものとする。

1 受付処理簿の件名（氏名）欄及び受付（再提出）欄に件名、氏名及び受付年月日を記入し、手当額改定請求書等の記載及びその添付書類等に不備がないかどうかを検討すること。

なお、手当額改定請求書等に知的障害に係る認定診断書が添付されていない場合には、前記第二の1の手続に準じて処理すること。

2 手当額改定請求書等の記載に容易に補正ができない程度の誤りがあるとき、又は手当額改定請求書等の添付書類等に著しい不備があるときは、手当額改定請求書等を市町村に返戻し、受付処理簿の返戻欄に返戻年月日及び返戻事由を記入すること。

3 市町村が返戻された手当額改定請求書等を再提出したときは、受付処理簿の受付（再提出）欄に再提出受付年月日を記入すること。

4 手当額改定請求書等の記載及びその添付書類等に不備がないときは、受付処理簿の受理欄に受理年月日を記入して、手当額改定請求書等の記載とその添付書類等の内容とを照合し、審査すること。

なお、請求又は届出に係る事実を明確にするため、特に必要があると認めるときは、法第三十六条の規定による調査を行い、又は法第三十七条に規定する措置をとること。

5 審査の結果、手当の額を改定すべきものと決定したときは、次によること。

(1) 受付処理簿の審査結果欄に改定の旨を記入すること。

(2) 受給資格者台帳につき所要の事項を記入すること。

(3) 手当額改定請求書等に添えられた証書にその改定に関する所要事項を記載し、又は新たな証書を作成すること。ただし、規則第十七条第二項の規定に基づき証書を交付しなかった者（以下「証書未交付者」という。）に係る証書についてはこの限りでない。

(4) 新たな証書を作成したときは、従前の証書を廃棄すること。

(5) 特別児童扶養手当額改定通知書（以下「手当額改定通知書」という。）及び(3)による証書を市町村に送付し、受給資格者台帳の証書欄に証書送付年月日を記入すること。ただし、証書未交付者に係る証書の送付及び受給資格者台帳の記入についてはこの限りでない。

(6) 受付処理簿の処理経過欄に処理済年月日を記入すること。

6 審査の結果、請求に基づく手当の額の改定をしないものと決定したときは、次によること。

(1) 受付処理簿の審査結果欄に却下の旨を記入すること。

(2) 特別児童扶養手当額改定請求却下通知書（以下「手当額改定請求却下通知書」という。）及び従前の証書を市町村に送付し、受給資格者台帳の証書欄に証書返付年月日を記入すること。ただし、証書未交付者に係る証書の送付及び受給資格者台帳の記入についてはこの限りでない。

(3) 受付処理簿の処理経過欄に処理済年月日を記入すること。

Ⅱ 職権に基づいて手当の額の減額の改定を決定したときは、おおむね、次の手続をとるものとする。

1 受給資格者台帳につき所要の事項を記入すること。

2 手当額改定通知書を市町村に送付し、受給資格者台帳の備考欄に手当額改定通知書送付年月日を記入すること。証書を提出させる必要がある場合には、証書提出命令書も併せて市町村に送付すること。

3 証書提出命令書に基づき、市町村から証書の送付を受けたときは、次によること。

(1) 証書提出命令書に基づき提出された証書にその改定に関する所要事項を記載し、又は新たな証書を作成すること。

(2) 新たな証書を作成したときは、従前の証書を廃棄すること。

(3) (1)による証書を市町村に送付し、受給資格者台帳の証書欄に証書送付年月日を記入すること。

第四 定時の所得状況届について

Ⅰ 規則第四条の規定によって、市町村から定時の所得状況届の提出を受けたときは、おおむね、次の手続をとるものとする。

1 受付処理簿の件名（氏名）欄及び受付（再提出）欄に件名、氏名及び受付年月日を記入し、所得状況届の記載及びその添付書類等に不備がないかどうか、並びに所得状況届における所定事項についての市町村の審査が適当であるかどうかを検討すること。

所得状況届に知的障害に係る認定診断書を添付する必要があるにもかかわらず、添付されていないときは、前記第二の1の手続に準じて処理すること。

2 所得状況届の記載に容易に補正ができない程度の誤りがあるとき、若しくはその添付書類等に著しい不備があるとき、又は市町村の審査が適当でないときは、所得状況届を市町村に返戻し、受付処理簿の返戻欄に返戻年月日及び返戻事由を記入すること。

3 市町村が返戻された所得状況届を再提出したときは、受付処理簿の受付（再提出）欄に再提出受付年月日を記入すること。

4 所得状況届の記載及びその添付書類等に不備がなく、市町村の審査が適当であるときは、受付処理簿の受理欄に受理年月日を記入して、所得状況届の記載とその添付書類等の内容とを照合し、審査すること。

なお、届出に係る事実を明確にするため、特に必要があると認めるときは、法第三十六条の規定による調査を行い、又は法第三十七条に規定する措置をとること。

5　審査の結果、引き続いて手当の支給を行うものと決定したときは、次によること。

(1)　受付処理簿の審査結果欄に継続支給の旨を記入すること。

(2)　受給資格者台帳の区分欄に所得の年を記入し、届出の有無欄の「有」・「所得状況届」の文字及び該・非欄の「非」の文字を○で囲み、所得欄に必要な事項を記入すること。

(3)　当該受給者につき新たな証書を作成すること。

(4)　(3)による証書を市町村に送付し、受給資格者台帳の証書欄に証書送付年月日を記入すること。

(5)　受付処理簿の処理経過欄に処理済年月日を記入すること。

6　審査の結果、手当の支給停止を受けていた者について手当を支給することと決定したときは、次によること。

(1)　受付処理簿の審査結果欄に支給停止解除の旨を記入すること。

(2)　受給資格者台帳の区分欄に所得の年を記入し、届出の有無欄の「有」の文字及び該・非欄の「非」の文字を○で囲み、所得欄に必要な事項を記入すること。

(3)　当該受給者につき新たな証書を作成すること。

(4)　前記5の(4)及び(5)の手続を準用すること。なお、支給停止解除通知書を市町村に送付すること。

7　審査の結果、手当を支給停止とすることと決定したときは、次によること。

(1)　受付処理簿の審査結果欄に手当を支給停止とする旨を記入すること。

(2)　受給資格者台帳の区分欄に所得の年を記入し、届出の有無欄の「有」の文字及び所得制限の該当・非該当の別欄の「該」の文字を○で囲み、所得欄に必要な事項を記入すること。

(3)　支給停止通知書を市町村に送付し、受給資格者台帳の証書欄に未交付の旨記入すること。

(4)　受付処理簿の処理経過欄に処理済年月日を記入すること。

Ⅱ　職権に基づいて手当を支給停止とすることと決定したときは、おおむね、次の手続をとるものとする。

1　受給資格者台帳につき所要の事項を記入すること。

2　支給停止通知書を市町村に送付し、受給資格者台帳の備考欄に支給停止通知書送付年月日を記入すること。

3　支給停止者については、証書は作成しないこと。

Ⅲ　届出を要しない者の取扱い

規則第十二条の三で読み替えて準用する第四条ただし書きによる所得状況届の提出を要しない者（法第六条から第八条までの規定によりその年の七月まで手当が支給されていない場合であって当該支給停止の事由がなお継続するとき）の取扱いは、次によること。

1　市町村から所得状況が記載された書類の提出を受けたときは、前記Ⅰの手続に準じて処理すること。

2　所得状況届及び診断書の提出が省略されたときは、次によること。

(1)　受給資格者台帳の区分欄に所得の年を記入し、届出の有無欄の「無」の文字及び所得制限の該当・非該当の別欄の「該」の文字を○で囲み、備考欄に必要な事項を記入すること。

(2)　支給停止通知書を市町村に送付し、受給資格者台帳の証書欄に未交付の旨記入すること。

(3)　支給停止が解除されるときは、前記Iの6(2)から(4)までの手続きを準用すること。

第五　受給資格喪失等について

I　市町村から特別児童扶養手当資格喪失届（以下「資格喪失届」という。）又は受給資格者の死亡の届書（以下「受給資格者死亡届」という。）の提出を受けたときは、おおむね、次の手続をとるものとする。

1　受付処理簿の件名（氏名）欄及び受付（再提出）欄に件名、氏名及び受付年月日を記入し、資格喪失届の記載（特に資格喪失年月日）又は受給資格者死亡届の記載及びその添付書類等に不備がないかどうかを検討すること。

2　資格喪失届の記載又は受給資格者死亡届の記載及びその添付書類等に不備がないときは、受付処理簿の受理欄に受理年月日を記入して、資格喪失届又は受給資格者死亡届の記載とその添付書類等の内容とを照合し、審査すること。

なお、届出に係る事実を明確にするため、特に必要があると認めるときは、法第三十六条の規定による調査を行い、又は法第三十七条に規定する措置をとること。

3　番号簿の当該備考欄に受給資格喪失の旨を記入し、当該部分の全体に斜線（赤書）を付すること。

4　受給資格者台帳の受給資格喪失欄に当該所定事項を記入し、これを支給廃止簿に編入すること。

5　当該台帳索引票の備考欄に受給資格喪失の旨を記入し、これを台帳索引簿から除去すること。

6　資格喪失届又は受給資格者死亡届に添えられた証書について所定の手続をとること。

7　資格喪失通知書を市町村に送付すること。

8　受付処理簿の処理経過欄に処理済年月日を記入すること。

II　職権に基づいて受給資格が消滅したものと決定したときは、おおむね、次の手続をとるものとする。市町村から証書交付停止報告書又は証書返付停止報告書の提出があったときは、これに準ずるものとする。

1　番号簿の当該備考欄に受給資格喪失の旨を記入し、当該部分の全体に斜線（赤書）を付すること。

2　受給資格者台帳の受給資格喪失欄に当該所定事項を記入し、これを支給廃止簿に編入すること。

3　当該台帳索引票の備考欄に受給資格喪失の旨を記入し、これを台帳索引簿から除去すること。

4　資格喪失通知書を市町村に送付し、受給資格者台帳の備考欄に資格喪失通知書送付年月日を記入すること。証書を提出させる必要がある場合には、証書提出命令書も併せて市町村に送付すること。

5　証書提出命令書に基づき、市町村から証書の送付を受けたときは、当該証書につき、前記Ⅰの6及び8に準じて必要な手続をとること。

Ⅲ　市町村から未支払特別児童扶養手当請求書（以下「未支払手当請求書」という。）の提出を受けたときは、おおむね、次の手続をとるものとする。

1　受付処理簿の件名（氏名）欄及び受付（再提出）欄に件名、氏名及び受付年月日を記入し、未支払手当請求書の記載が不備でないかどうかを検討すること。

2　未支払手当請求書の記載に不備がないときは、受付処理簿の受理欄に受理年月日を記入すること。

3　支給廃止簿に編入されている受給資格者台帳の記号及び番号欄に「第　号の2」のごとき枝番号を追記すること。

4　当該請求書につき、特別児童扶養手当支払通知書を作成すること。

5　4によって作成した特別児童扶養手当支払通知書を市町村に送付し、支給廃止簿に編入されている受給資格者台帳の備考欄に特別児童扶養手当支払通知書送付年月日を記入すること。

6　受付処理簿の処理経過欄に処理済年月日を記入すること。

第六　氏名変更について

市町村から氏名変更の届書（以下「氏名変更届」という。）の提出を受けたときは、おおむね次の手続をとるものとする。

1　受付処理簿の件名（氏名）欄及び受付（再提出）欄に件名、氏名及び受付年月日を記入し、氏名変更届及びその添付書類等に不備がないかどうかを検討すること。

2　氏名変更届の記載及びその添付書類等に不備がないときは、受付処理簿の受理欄に受理年月日を記入して、氏名変更届の記載とその添付書類等の内容とを照合し、審査すること。

3　番号簿の氏名欄を訂正し、備考欄に訂正年月日を記入すること。

4　受給資格者台帳及び台帳索引票の氏名欄を訂正すること。

5　証書の氏名欄を訂正すること。

6　5によって訂正した証書を市町村に送付し、受給資格者台帳の証書欄に証書返付年月日を記入すること。

7　受付処理簿の処理経過欄に処理済年月日を記入すること。

第七　住所変更及び支払金融機関変更について

1　市町村から当該都道府県の区域内における住所又は支払金融機関の変更に係る住所等変更済報告書の提出を受けたときは、当該受給資格者台帳の住所欄又は支払金融機関欄を訂正するものとする。

2　他の都道府県又は指定都市の区域からの住所及び支払金融機関の変更に係る住所等変更済報告書の提出を市町村から受けたときは、おおむね、次の手続をとるものとする。

(1) 受付処理簿の件名（氏名）欄及び受付（再提出）欄に件名、氏名及び受付年月日を記入し、住所等変更済報告書の記載に不備がないかどうかを検討すること。

(2) 住所等変更済報告書及びその添付書類等に不備がないときは、受付処理簿の受理欄に受理年月日を記入して、住所変更届の記載とその添付書類等の内容とを照合するなどの審査をすること。

(3) 旧住所地の都道府県又は指定都市に対して当該受給資格者の受給資格者台帳の写しの送付を求めるとともに、受給資格者については、変更前後の住所・証書の番号・転入年月日並びに新たな支払金融機関を通知すること。

(4) 住所等変更済報告書に添えられた従前の証書を廃棄するとともに、旧住所地の都道府県又は指定都市に返付し、受付処理簿の備考欄に証書返付年月日を記入すること。

(5) 受給資格者台帳の写しの送付を受けたときは、当該受給資格者についての当該都道府県の番号を決定し、番号簿に当該所定事項を記入すること。

(6) 当該受給資格者について、当該都道府県の受給資格者台帳を作成すること。この場合において、備考欄に旧住所地から移管された旨を記入すること。

(7) 当該受給資格者について、台帳索引票を作成し、台帳索引簿を整理すること。

(8) 当該受給資格者について、当該都道府県の証書を作成すること。

(9) 移管通知書に、当該都道府県の受給資格者台帳の写し及び(8)によって作成した証書を添えて、これを新住所地の市町村に送付し、当該都道府県の受給資格者台帳の証書欄に当該証書送付年月日を記入すること。

(10) 受付処理簿の処理経過欄に処理済年月日を記入すること。

3 受給資格者について、他の都道府県等の区域への住所の変更に係る住所変更届の提出を市町村から受けたときは、おおむね、次の手続をとるものとする。

(1) 受付処理簿の件名（氏名）欄及び受付（再提出）欄に件名、氏名及び受付年月日を記入し、住所変更届の記載に不備がないかどうかを検討すること。

(2) 住所変更届の記載に不備がないときは、受付処理簿の受理欄に受理年月日を記入して、住所変更届を審査すること。

(3) 受給資格者台帳の備考欄に転出予定の旨を記入すること。

(4) 新住所地の都道府県等から、当該受給資格者が新住所地へ転居した旨の通知があるまでは、手当の支払いを行わないこと。

4 2の(3)によって受給資格者台帳の写しの送付を求められた旧住所地の都道府県は、おおむね、次の手続をとるものとする。

(1) 当該受給資格者台帳の写しを新住所地の都道府県又は指定都市に送付し、その旨を受給資格者台帳の備考欄に記入すること。

(2) 2の(4)によって証書の返付を受けたときは、番号簿の当該備考欄に移管の旨を記入し、当該部分の全体に斜線（赤書）を付することと。

(3) 受給資格者台帳の証書欄に証書の返付を受けた年月日を、備考欄に移管の旨をそれぞれ記入しこれを支給廃止簿に編入すること。

(4) 当該台帳索引票の備考欄に移管の旨を記入し、これを台帳索引簿から除去すること。

(5) 移管通知書を旧住所地の市町村に送付すること。

第八　証書再交付について

市町村から証書の再交付の申請書（以下「証書再交付申請書」という。）又は特別児童扶養手当証書亡失届（以下「証書亡失届」という。）の提出を受けたときは、おおむね、次の手続をとるものとする。

1　受付処理簿の件名（氏名）欄及び受付（再提出）欄に件名、氏名及び受付年月日を記入し、証書再交付申請書又は証書亡失届の記載に不備がないかどうかを検討すること。

2　証書再交付申請書又は証書亡失届の記載に不備がないときは、受付処理簿の受理欄に受理年月日を記入して、証書再交付申請書又は証書亡失届を審査すること。

3　証書亡失届の場合には、番号簿、受給資格者台帳及び台帳索引票の証書の番号の欄に「第　号の2」のごとき枝番号を追記すること。

4　当該受給者につき、新たに証書を作成すること。

5　証書再交付申請書に添えられた証書を廃棄すること。

6　4によって作成した証書を市町村に送付し、受給資格者台帳の証書欄に証書送付年月日を記入すること。

7　番号簿の備考欄に再交付年月日を記入すること。

8　受付処理簿の処理経過欄に処理済年月日を記入すること。

第九　受給資格者台帳の記載について

手当が受給者に支払われた場合には、支払済年月日及び支払金額等を確認し、受給資格者台帳に記載すること。なお、新規認定者については、都道府県の区域を越えて住所を変更した場合には、随時払いを行う場合が生じるが、この随時払いについての受給資格者台帳への記載も他と同様に行うこと。

第一〇　証書に附す記号

受給資格者台帳及び証書に附す記号は、次の表によること。

都道府県名	記号	都道府県名	記号	都道府県名	記号
北海道	北特	石川	石特	岡山	岡特
青森	青特	福井	井特	広島	広特
岩手	岩特	山梨	梨特	山口	山特
宮城	城特	長野	長特	徳島	徳特
秋田	秋特	岐阜	岐特	香川	香特
山形	形特	静岡	静特	愛媛	媛特
福島	島特	愛知	愛特	高知	高特
茨城	茨特	三重	三特	福岡	福特
栃木	栃特	滋賀	滋特	佐賀	佐特
群馬	群特	京都	京特	長崎	崎特

埼玉	玉特	大阪	阪特	熊本	熊特
千葉	千特	兵庫	兵特	大分	分特
東京	東特	奈良	奈特	宮崎	宮特
神奈川	神特	和歌山	和特	鹿児島	鹿特
新潟	新特	鳥取	鳥特	沖縄	沖特
富山	富特	島根	根特		

前　文（第五次改正）抄

〔前略〕令和四年十月一日より適用する。

なお、本通知の施行に際して、当分の間は、従前の様式による諸帳簿等の用紙を取り繕って使用することができるものとする。

様式第１号

特別児童扶養手当関係書類提出受付処理簿

整理番号	件名（氏名）	受付（再提出）年月日	返戻 年月日	返戻 事由	受理年月日	処理経過	審査結果	備考
		・　・	・　・		・　・			
		・　・	・　・		・　・			
	（　　　）	・　・	・　・		・　・			
		・　・	・　・		・　・			
		・　・	・　・		・　・			
	（　　　）	・　・	・　・		・　・			
		・　・	・　・		・　・			
		・　・	・　・		・　・			
	（　　　）	・　・	・　・		・　・			
		・　・	・　・		・　・			
		・　・	・　・		・　・			
	（　　　）	・　・	・　・		・　・			

（Ａ列４番）

様式第2号

特別児童扶養手当受給資格者台帳番号簿

番号	受給資格者氏名	決定年月日	備考	番号	受給資格者氏名	決定年月日	備考
		・　・　・				・　・　・	
		・　・　・				・　・　・	
		・　・　・				・　・　・	
		・　・　・				・　・　・	
		・　・　・				・　・　・	
		・　・　・				・　・　・	
		・　・　・				・　・　・	
		・　・　・				・　・　・	
		・　・　・				・　・　・	
		・　・　・				・　・　・	
		・　・　・				・　・　・	
		・　・　・				・　・　・	

（A列4番）

様式第３号

（表　面）

特別児童扶養手当受給資格者台帳

整理番号		令和　　年　　月　　日認定	都道府県名（　　　　）

氏名	（ふりがな）	住所		支払金融機関	名　称	口座番号等	公的給付支給等口座
							有・無
	（ふりがな）		（　.　.　変更）				有・無
					（　.　.　変更）		
生年月日	明・大・昭・平・令　　.　　.		（　.　.　変更）				有・無
					（　.　.　変更）		

証書	記号・番号	第		号	手当月額		
	.　.（　）	.　.（　）	.　.（　）	.　.（　）		.　.	円（　　）
	.　.（　）	.　.（　）	.　.（　）	.　.（　）		.　.	円（　　）
	.　.（　）	.　.（　）	.　.（　）	.　.（　）		.　.	円（　　）
						.　.	円（　　）

支給対象障害児	等級	氏　名	個人番号	続柄	生年月日	該当年月日	有期診断日等	非該当予定年月日	非該当年月日	非該当事由
	１級				.　.	.　.		.　.	.　.	
					.　.	.　.		.　.	.　.	
	２級				.　.	.　.		.　.	.　.	
					.　.	.　.		.　.	.　.	

所得状況届	区　分	令和　　年	令和　　年	令和　　年	令和　　年
	届出の有無	有・無	有・無	有・無	有・無
	所得制限の該当・非該当の別	該・非（災）	該・非（災）	該・非（災）	該・非（災）
	所得額・扶養人数・控除（障・特障・老・勤）	円　　人	円　　人	円　　人	円　　人
支給停止		令和　年　月から 令和　年　月まで	令和　年　月から 令和　年　月まで	令和　年　月から 令和　年　月まで	令和　年　月から 令和　年　月まで

受給資格喪失	喪失年月日	令和　.　.	喪失事由	
備　考				

（Ａ列４番）

（裏　面）

整理番号		氏　名			証書の記号・番号	第　　　　号			
特別児童扶養手当支払記録									
区分		令和　　年		令和　　年		令和　　年		令和　　年	
		①	②	①	②	①	②	①	②
12月渡	8月分	円		円		円		円	
	9月分	円		円		円		円	
	10月分	円		円		円		円	
	11月分	円		円		円		円	
	計	円		円		円		円	
	支払済年月日	・　・		・　・		・　・		・　・	
4月渡	12月分	円		円		円		円	
	1月分	円		円		円		円	
	2月分	円		円		円		円	
	3月分	円		円		円		円	
	計	円		円		円		円	
	支払済年月日	・　・		・　・		・　・		・　・	
8月渡	4月分	円		円		円		円	
	5月分	円		円		円		円	
	6月分	円		円		円		円	
	7月分	円		円		円		円	
	計	円		円		円		円	
	支払済年月日	・　・		・　・		・　・		・　・	

（A列4番）

様式第４号

特別児童扶養手当受給資格者台帳索引票

(ふりがな) 氏　　名	生　年　月　日	受給資格者名簿 整　理　番　号	備　　考
	明・大・昭・平・令　　．　　．　　生		

3㎝

15㎝

様式第５号

知的障害に係る診断依頼書

第　　　　　号
令和　　年　　月　　日

児童相談所長　殿

都道府県障害福祉主管課長　　印

知的障害に係る診断依頼について

次の障害児の知的障害の状態について、貴所の職員の診断を依頼するから、所定の様式による認定診断書を作成させ、これを送付されたい。

番号	父・母・養育者		支給対象障害児		備考
	氏　　名	住　　所	氏名・生年月日	続柄	
			(平成・令和　．　．　生)		
			(平成・令和　．　．　生)		
			(平成・令和　．　．　生)		
			(平成・令和　．　．　生)		
			(平成・令和　．　．　生)		
			(平成・令和　．　．　生)		
			(平成・令和　．　．　生)		
			(平成・令和　．　．　生)		
			(平成・令和　．　．　生)		

様式第６号

特別児童扶養手当証書提出命令書

証書の記号・番号	第　　　　　　　　号
受給資格者氏名	
住所	
提出を要する理由	

上記の特別児童扶養手当証書を令和　　年　　月　　日までに市町村の特別児童扶養手当支給事務担当者係に提出して下さい。

令和　　年　　月　　日

都道府県知事　　㊞

殿

備考　この用紙ははがき大とすること。

様式第７号

第　　　　号
令和　　年　　月　　日

市 町 村 長　殿

都道府県知事　㊞

特別児童扶養手当受給資格者移管通知書

下記の受給資格者につき　　　　　　　市町村長に移管されたから
　　　　　　　　　　　　　　　　　　市町村に移管するから
特別児童扶養手当受給資格者名簿を整備されたい。

手当証書の記号・番号	旧都道府県	第　　　　号
	新都道府県	第　　　　号
受給資格者氏名		
住　所	変更前	
	変更後	
旧住所地市町村への移管通知年月日		令和　　年　　月　　日
新住所地市町村への移管通知年月日		令和　　年　　月　　日
備考		

（A列４番）

様式第８号

第　　　　　号

特別児童扶養手当支給停止解除通知書

証書の記号・番号	
受給資格者氏名	
受給資格者住所	
解　除　年　月	
解　除　の　理　由	

あなたは、特別児童扶養手当等の支給に関する法律の規定（第６条、第７条、第８条）により、支給停止となっておりましたが、この度これが解除されましたので通知します。

令和　　年　　月　　日

都道府県知事　　印

殿

注意
1　この通知を受け取った方は、証書を市町村役場で交付しますから、できるだけ早く、この通知を持参の上、市町村役場へ取りにきて下さい。

（A列４番）

○特別児童扶養手当市町村事務取扱準則について

〔平成二十三年四月一日　障発〇四〇一第五号
各都道府県知事宛　厚生労働省社会・援護局障害保健福祉部長通知〕

〔改正経過〕

第一次改正（平成二七年一一月一二日障発一一一二第七号）
第二次改正（令和元年五月七日障発〇五〇七第四号）
第三次改正（令和元年七月一日障発〇七〇一第二号）
第四次改正（令和三年二月一六日障発〇二一六第四号）
第五次改正（令和四年一〇月二四日障発一〇二四第一号）

今般、特別児童扶養手当市町村事務取扱準則について、別添のとおり定めたので管内市町村及び関係機関に対して周知徹底を図るとともに、その運用に当たっては特段の配慮をお願いする。

また、昭和三十九年十月十三日児発第八九五号厚生省児童家庭局長通知「特別児童扶養手当市町村事務取扱準則について」は「特別児童扶養手当市町村事務取扱準則の廃止について」（平成二十三年三月三十一日雇児発〇三三一第五号厚生労働省雇用・均等児童家庭局長通知）において廃止されたので併せて通知する。

なお、本通知の施行に際して、当分の間は、従前の様式による諸帳簿等の用紙を取り繕って使用することができる。

この準則は、地方自治法（昭和二十二年法律第六十七号）第二百四十五条の九の規定に基づく法定受託事務に係る処理基準である。

別添

特別児童扶養手当市町村事務取扱準則

第一　帳簿等について

市町村（特別区を含む。以下同じ。）は、特別児童扶養手当の支給事務を実施するに当たり、次の帳簿を備えて処理するものとする。

1　特別児童扶養手当関係書類提出受付処理簿（様式第1号。以下「受付処理簿」という。）

この帳簿は、特別児童扶養手当（以下「手当」という。）に関する請求書、届書及び申請書等の受付順に整理して記入するものであるが、その受付件数が多数になる見込みがある場合には、この帳簿を、特別児童扶養手当認定請求書（以下「認定請求書」という。）関係、定時の特別児童扶養手当所得状況届（以下「所得状況届」という。）関係及びその他の届書、申請書関係等に分冊して作成するものであること。

2　特別児童扶養手当受給資格者名簿（以下「受給資格者名簿」という。）

この帳簿は、特別児童扶養手当証書（以下「証書」という。）の番号順に整理するものであること。

3　特別児童扶養手当受給資格者名簿索引票（様式第3号。以下「名簿索引票」という。）

この索引票は、索引に便利なように受給資格者の氏名の五十音順等に整理するものであるが、受給資格者の少ない市町村にあっては、これを省略して差し支えないこと。

4　特別児童扶養手当関係書類提出（再提出）書（以下「提出（再提出）書」という。）

この提出（再提出）書は、請求書、届書又は申請書を都道府県に提出又は再提出するときに、その申請書等に添付するものであること。

5　特別児童扶養手当証書受領書（以下「証書受領書」という。）

この受領書は、都道府県から特別児童扶養手当証書の送付があったときに当該市町村がその特別児童扶養手当証書を受領したことを明らかにするため、都道府県に送付するものであること。

6　特別児童扶養手当証書交付（返付）停止報告書（様式第6号。以下「証書交付（返付）停止報告書」という。）

この停止報告書は、都道府県から送付された証書を、受給資格者が死亡している等のため受給資格が喪失している場合において、その証書の交付又は返付を停止する必要があるときに、この停止報告書に証書を添付して都道府県に送付するものであること。

7　特別児童扶養手当住所・支払金融機関変更届処理済報告書

この報告書は、受給資格者から提出された当該都道府県の区域内における住所又は支払金融機関の変更に係る住所変更の届書又は支払金融機関変更の届書を市町村において処理したときに、都道府県に送付するものであること。

8　特別児童扶養手当住所・支払金融機関変更届綴

この綴は、受給資格者から提出された当該都道府県の区域内における住所又は支払金融機関の変更に係る住所変更の届書又は支払金融機関変更の届書を綴り込むものであること。

9　前記の帳簿のうち、受付処理簿、受給資格者名簿、名簿索引票については、これらに記載すべき事項を電算システムにより確実に記録し、これを適正に管理及び利用することによって、事務を支障なく行い得る市町村については、これらの作成を省略することができる。

10　前記の帳簿等のうち、様式の定めがないものについては、障害者福祉システム標準仕様書に定める帳票レイアウトのとおりとする。

第二　認定請求について

1　認定請求書等の受理及び提出

特別児童扶養手当等の支給に関する法律施行規則（昭和三十九年厚生省令第三十八号。以下「規則」という。）第一条に規定する特別児童扶養手当認定請求書（以下「認定請求書」という。）の提出を受けたときは、おおむね、次によって処理するものとする。

(1)　受付処理簿の件名（氏名）欄及び受付（再提出）欄に件名、氏名及び受付年月日を、それぞれ記入すること。

(2)　認定請求書の記載及びその添付書類等に不備がないかどうかを検討し、規則第二十八条の規定により添付書類等が省略されているときは、認定請求書の余白に省略された書類の名称を記入すること。

なお、認定請求書の提出を受けたときは、規則第二十八条に規定する場合を除き、知的障害の状態に関する医師の診断書が添付されていないときは、その旨及び後日児童相談所の職員の診断を受ける際の診断を行う場合についての希望等について、認定請求書等の「※備考」欄に付記するものとすること。

(3) 認定請求書に市町村において容易に補正することができない程度の誤りがあるとき又はその添付書類等に著しい不備があるときは、認定請求書を請求者に返付すること。

(4) (3)によって認定請求書を返付するときは、受付処理簿の返付欄に返付年月日を記入すること。

(5) 請求者が返付された認定請求書を補正して再提出したときは、受付処理簿の受付（再提出）欄に再提出受付年月日を記入すること。

(6) 認定請求書の記載及びその添付書類等に不備がないときは、受付処理簿の受理欄及び認定請求書の市町村受付年月日欄に受理年月日を記入するとともに、請求者に認定請求書の請求年月日を記入させること。

(7) 認定請求書の記載及びその添付書類等の内容を審査し、審査欄等に所要事項を記入し、受付処理簿の処理経過欄に審査済年月日を記入すること。

(8) 認定請求書の提出欄に提出年月日及び受付処理簿の整理番号を、それぞれ記入すること。

(9) 提出書に認定請求書を添えて、これを都道府県に送付するとともに、受付処理簿の処理経過欄に提出年月日を記入すること。

2 認定請求書の補正及び再提出認定請求書の記載又はその添付書類等に著しい不備があるため、都道府県から認定請求書が返戻されたときは、おおむね、次によって処理するものとする。

(1) 受付処理簿の処理経過欄に返戻年月日を記入すること。

(2) 認定請求書の記載又はその添付書類等の不備が、市町村において容易に補正することができるものは、これを補正し、補正できないものは、これを請求者に返すること。

(3) (2)によって認定請求書を返付するときは、受付処理簿の返付欄に返付年月日を記入すること。

(4) 請求者が返付された認定請求書を補正して再提出したときは、受付処理簿の受付（再提出）欄に再提出受付年月日を記入すること。

(5) 認定請求書の再提出欄に再提出年月日を記入し、提出書に認定請求書を添えて、それを都道府県に送付するとともに、受付処理簿の処理経過欄に再提出年月日を記入すること。

3 認定請求書の再審査等認定請求書の審査が適当でないため、都道府県から認定請求書が返戻されるときは、おおむね、次によって処理するものとする。

(1) 受付処理簿の処理経過欄に返戻年月日を記入すること。

(2) 当該指摘事項について再審査を行うこと。

(3) 再審査の結果が当初の審査と異なるときは、認定請求書の指摘された所を赤書で訂正し、当初の審査と異ならないときは、認定請求書の余白にその旨を赤書で記入すること。

(4) 受付処理簿の処理経過欄に再審査済年月日を記入すること。

(5) 認定請求書の再提出欄に再提出年月日を記入し、提出書に認定請求書を添えて、これを都道府県に送付するとともに、受付処理簿の処理経過欄に再提出年月日を記入すること。

4 認定通知書等の交付

都道府県から特別児童扶養手当認定通知書（以下「認定通知書」という。）、特別児童扶養手当支給停止通知書（以下「支給停止通知書」という。）及び証書が送付されたときは、おおむね、次によって処理するものとする。

(1) 認定通知書を交付するときは、次によること。

イ 証書送付書と認定通知書及び証書とを照合し、これらに相違があるときは、直ちに都道府県へ照会すること。

ロ 認定通知書及び証書を受理したときは、証書受領書を都道府県に送付すること。

ハ 受付処理簿の都道府県における審査結果欄に認定の旨を記入すること。

ニ 受給資格者名簿に記入すること。

ホ 名簿索引票を作成、整理すること。

ヘ 認定通知書を受給資格者に交付すること。

ト 受付処理簿の処理経過欄に認定通知書交付年月日を記入すること。

(2) 認定通知書及び支給停止通知書を交付するときは、次によること。

イ 証書送付書と認定通知書、支給停止通知書及び証書と照合し、これらに相違があるときは、直ちに都道府県へ照会すること。

ロ 認定通知書、支給停止通知書及び証書を受理したとき、証書受領書を都道府県に送付すること。

ハ 受付処理簿の都道府県における審査結果欄に認定及び支給停止の旨を記入すること。

ニ 受給資格者名簿に記入すること。

ホ 名簿索引票を作成、整理すること。

ヘ 認定通知書及び支給停止通知書を受給資格者に交付すること。

ト 受付処理簿の処理経過欄に認定通知書及び支給停止通知書交付年月日を記入すること。

(3) 証書を交付するときは、次によること。

イ 証書を受給資格者に交付すること。

ロ 受給資格者名簿の証書交付（返付）欄に証書交付年月日を記入すること。

(4) 受給資格者の死亡等によって受給資格が消滅していることが明らかに認められ証書の交付を停止する必要があるときは、次によること。

イ　証書交付停止報告書（様式第6号）に証書を添えて、これを都道府県に送付すること。

ロ　受給資格者名簿の備考欄に交付停止年月日を記入すること。

5　認定請求却下通知書の交付

都道府県から特別児童扶養手当認定請求却下通知書（以下「認定請求却下通知」という。）が送付されたときは、おおむね、次によって処理するものとする。

(1)　受付処理簿の都道府県における審査結果欄に却下の旨を記入すること。

(2)　認定請求却下通知書を請求者に交付すること。

(3)　受付処理簿の処理経過欄に認定請求却下通知書交付年月日を記入すること。

第三　手当額改定について

1　手当額改定請求書等の受理及び提出

規則第二条の規定による特別児童扶養手当額改定請求書又は規則第三条の規定による特別児童扶養手当額改定届（以下「手当額改定請求書等」という。）の提出を受けたときは、おおむね、次によって処理するものとする。

(1)　受付処理簿の件名（氏名）欄及び受付（再提出）欄に件名、氏名及び受付年月日を、それぞれ記入すること。

(2)　手当額改定請求書等の記載及びその添付書類等に不備がないかどうかを検討、規則第二十八条の規定により添付書類等が省略されているときは、認定請求書の「※備考」欄に省略された書類の名称及び理由を記入すること。

なお、額改定請求書の提出を受けたときは、規則第二十八条に規定する場合を除き、知的障害の状態に関する医師の診断書が添付されていないときは、その旨及び後日児童相談所の職員の診断を受ける際の診断を行う場合についての希望等について、認定請求書等の「※備考」欄に付記するものとすること。

(3)　手当額改定請求書等に市町村において容易に補正することができない程度の誤りがあるとき、又はその添付書類等に著しい不備があるときは、手当額改定請求等を受給資格者に返付すること。

(4)　(3)によって手当額改定請求書等を返付するときは、受付処理簿の返付欄に返付年月日を記入すること。

(5)　受給資格者が返付された手当額改定請求書等を補正して再提出したときは、受付処理簿の受付（再提出）欄に再提出受付年月日を記入すること。

(6)　手当額改定請求書等の記載及びその添付書類等に不備がないときは、受付処理簿の受理欄及び手当額改定請求書等の市町村受付年月日欄に受付年月日を記入するとともに、請求者等に手当額改定請求書等の請求年月日又は届出年月日を記入させ、その内容を審査すること。

(7)　手当額改定請求書等の経由市町村名欄に当該市町村名を、提出欄に提出年月日及び受付処理簿の整理番号を、それぞれ記入すること。

(8) 提出書に手当額改定請求書等を添えて、これを都道府県に送付するとともに、受付処理簿の処理経過欄に提出年月日を記入すること。

2 手当額改定請求書等の補正及び再提出

手当額改定請求書等の記載又はその添付書類等に著しい不備があるため、都道府県から手当額改定請求書等が返戻されたときは、おおむね、次によって処理するものとする。

(1) 受付処理簿の処理経過欄に返戻年月日を記入すること。

(2) 手当額改定請求書等の記載又はその添付書類等の不備が、市町村において容易に補正することができるものは、これを補正し、補正できないものは、これを受給資格者に返付すること。

(3) (2)によって手当額改定請求書等を返付するときは、受付処理簿返付欄に返付年月日を記入すること。

(4) 受給資格者が返付された手当額改定請求書等を補正して再提出したときは、受付処理簿の受付（再提出）欄に再提出受付年月日を記入すること。

(5) 手当額改定請求書等の再提出欄に再提出年月日を記入し、提出書に手当額改定請求書等を添えて、これを都道府県に送付するとともに、提出受付処理簿の処分経過欄に再提出年月日を記入すること。

3 手当額改定通知書等の交付等

都道府県から特別児童扶養手当額改定通知書（以下「手当額改定通知書」という。）及び証書が送付されたときは、おおむね、次によって処理するものとする。

(1) 手当額改定通知書を交付するときは、次によること。

イ 証書送付書と手当額改定通知書及び証書とを照合し、これらに相違があるときは、直ちに都道府県へ照会すること。

ロ 手当額改定通知書及び証書を受理したときは、証書受理書を都道府県に送付すること。

ハ 受付処理簿の都道府県における審査結果欄に改定の旨を記入すること。

ニ 受給資格者名簿につき、所要の事項を記入すること。

ホ 手当額改定通知書を受給資格者に交付すること。

ヘ 受付処理簿の処理経過欄に手当額改定通知書交付年月日を記入すること。

ト 規則第十七条第二項の規定に基づき受給資格者に証書を交付（返付）しない場合には、イの証書に係る照合及び都道府県への照会は不要であること。

(2) 証書を返付し、又は交付するときは、次によること。

イ 受給資格者に証書を返付し、又は交付すること。

ロ 受給資格者名簿の証書交付（返付）欄に返付又は交付年月

日を記入すること。

(3) 受給資格者の死亡等によって受給資格が消滅していることが明らかに認められ証書の返付又は交付を停止する必要があるときは、次によること。

イ 証書交付（返付）停止報告書に証書を添えて、これを都道府県に送付すること。

ロ 受給資格者名簿の備考欄に交付・返付停止年月日を記入すること。

4 職権に基づく手当額改定通知書等の交付等

(1) 職権に基づいて都道府県から減額の手当額改定通知書が送付されたときは、おおむね、次によって処理するものとする。

イ 受給資格者名簿につき所要の事項を記入すること。

ロ 手当額改定通知書を受給資格者に交付すること。

ハ 受給資格者名簿の備考欄に手当額改定通知書交付年月日を記入すること。

(2) 職権に基づいて都道府県から減額の手当額改定通知書とともに特別児童扶養手当証書提出命令書（以下「証書提出命令書」という。）が送付されたときは、(1)の手続によるほか更に次によって処理するものとする。

イ 証書提出命令書を受給資格者に交付すること。

ロ 受給資格者名簿の備考欄に手当額改定通知書及び証書提出命令書の交付年月日を記入すること。

ハ 証書を都道府県に送付すること。

ニ 受給資格者名簿の備考欄に証書送付年月日を記入すること。

ホ 証書提出命令書に基づき証書が提出されることにより、都道府県から所要事項を記載した当該証書又は新たな証書の受付を受けた場合における手続については、前記3に準ずること。

5 手当額改定請求却下通知書の交付等

都道府県から特別児童扶養手当額改定請求却下通知書（以下「手当額改定請求却下通知書」という。）及び証書が送付されたときは、おおむね、次によって処理するものとする。

(1) 受付処理簿の都道府県における審査結果欄に却下の旨を記入すること。

(2) 手当額改定請求却下通知書を受給資格者に交付すること。

(3) 受付処理簿の処理経過欄に手当額改定請求却下通知書交付年月日を記入すること。

(4) 証書の受給資格者への返付等の手続については、前記3に準ずること。

第四 定時の所得状況届について

1 定時の所得状況届の受理及び提出

規則第四条の規定によって定時の所得状況届の提出を受けたときは、おおむね、次によって処理するものとする。

(1) 受付処理簿の件名（氏名）欄及び受付（再提出）欄に件名、氏名及び受付年月日を、それぞれ記入すること。

(2) 所得状況届の記載及びその添付書類等に不備がないかどうかを検討し、規則第二十八条の規定により添付書類等が省略されているときは、所得状況届の余白に省略された書類の名称を記入すること。

なお、所得状況届の提出を受けたときは、規則第二十八条に規定する場合を除き、知的障害の状態に関する医師の診断書が添付されていないときは、その旨及び後日児童相談所の職員の診断を受ける際の診断を行う場合についての希望等について、所得状況届の「⑯の欄及びその他の記載事項」欄に付記するものとすること。

(3) 所得状況届の記載に市町村において容易に補正することができない程度の誤りがあるとき、又はその添付書類等に著しい不備があるときは、所得状況届を受給資格者に送付すること。

(4) (3)によって所得状況届を返付するときは、受付処理簿の返付欄に返付年月日を記入すること。

(5) 受給資格者が返付された所得状況届を補正して再提出したときは、受付処理簿の受付（再提出）欄に再提出受付年月日を記入すること。

(6) 所得状況届の記載及びその添付書類等に不備がないときは、受付処理簿の受理欄及び所得状況届の市町村受付年月日欄に受理年月日を記入するとともに、受給資格者に所得状況届の届出年月日を記入させること。

(7) 所得状況届の記載及びその添付書類等の内容を審査し、審査欄等に所要事項を記入し、受付処理簿の処理経過欄に審査済年月日を記入すること。

(8) 所得状況届の提出欄に提出年月日を記入すること。

(9) 提出書に所得状況届を添えて、これを都道府県に送付するとともに、受付処理簿の処理経過欄に提出年月日を記入すること。

2 所得状況届の補正及び再提出

所得状況届の記載又はその添付書類等に著しい不備があるため、都道府県から所得状況届が返戻されたときは、おおむね、次によって処理するものとする。

(1) 受付処理簿の処理経過欄に返戻年月日を記入すること。

(2) 所得状況届の記載又はその添付書類等の不備が、市町村において容易に補正することができるものは、これを補正し、補正できないものは、これを受給資格者に返付すること。

(3) (2)によって所得状況届を返付するときは、受付処理簿の返付欄に返付年月日を記入すること。

(4) 受給資格者が返付された所得状況届を補正して再提出したときは、受付処理簿の受付（再提出）欄に再提出受付年月日を記入すること。

(5) 所得状況届の余白に再提出年月日を記入し、提出書に所得状況届を添えて、これを都道府県に送付するとともに、受付処理簿の処理経過欄に再提出年月日を記入すること。

3 所得状況届の再審査等

所得状況届の審査が適当でないため、都道府県から所得状況届が返戻されたときは、おおむね、次によって処理するものとする。

(1) 受付処理簿の処理経過欄に返戻年月日を記入すること。

(2) 当該指摘事項について再審査を行うこと。

(3) 再審査の結果が当初の審査と異なるときは、所得状況届の指摘された個所を赤書で訂正し、当初の審査と異ならないときは、所得状況届の余白にその旨を赤書で記入すること。

(4) 受付処理簿の処理経過欄に再審査済年月日を記入すること。

(5) 所得状況届の余白に再提出年月日を記入し、提出書に所得状況届を添えて、これを都道府県に送付するとともに、受付処理簿の処理経過欄に再提出年月日を記入すること。

4 証書の返付又は交付等

(1) 都道府県から手当の継続支給を受ける者について証書が送付されたとき、又は手当の支給停止を受けていた者について支給停止解除通知書及び証書が送付されたときは、おおむね、次によって処理するものとする。

イ 受付処理簿の都道府県における審査結果欄に継続支給又は支給停止解除の旨を記入すること。

(2) 都道府県から手当の支給停止を受ける者について支給停止通知書及び証書が送付されたときは、おおむね、次によって処理するものとする。

イ 受付処理簿の都道府県における審査結果欄に手当を支給停止とされた旨を記入すること。

ロ 証書の受給資格者への返付等の手続については、前記第三の3に準ずること。

5 職権に基づく支給停止通知書の交付等

(1) 職権に基づいて都道府県から支給停止通知書が送付されたときは、おおむね、次によって処理するものとする。

イ 受給資格者名簿につき所要の事項を記入すること。

ロ 手当額改定通知書を受給資格者に交付すること。

ハ 受給資格者名簿の備考欄に手当額改定通知書交付年月日を記入すること。

6 届出を要しない者の取り扱い

規則第十二条の三で読み替えて準用する第四条ただし書きによる所得状況届の提出を要しない者（特別児童扶養手当等の支給に関する法律（昭和三十九年法律第百三十四号）法第六条から第八条までの規定によりその年の七月まで手当が支給されていない場合であって当該支給停止の事由がなお継続するとき）の取扱い

(1) 所得については、課税台帳等の公簿等により確認し、所得状況届の用紙又は連名簿等に所得額等の所用事項を記載し都道府県に送付するものとする。診断書が省略された場合には所得状況届等の余白にその旨を記入すること。

(2) 都道府県から支給停止通知書が送付されたときは、おおむね、次によって処理するものとする。
イ　受給資格者名簿につき所要の事項を記入すること。
ロ　支給停止通知書を受給資格者に交付すること。
ハ　受給資格者名簿の備考欄に手当額改定通知書交付年月日を記入すること。

第五　氏名変更届等について

1　氏名変更等の届出の受理及び提出

規則第五条の規定による氏名変更の届書（以下「氏名変更届」という。）、規則第九条の規定による証書の再交付の申請書（以下「証書再交付申請書」という。）、規則第十条の規定による証書亡失届書（以下「証書亡失届」という。）又は規則第十一条の規定による児童扶養手当資格喪失届（以下「資格喪失届」という。）の提出を受けたときは、おおむね、次によって処理するものとする。

(1)　受付処理簿の件名（氏名）欄及び受付（再提出）欄に件名、氏名及び受付年月日を、それぞれ記入すること。

(2)　氏名変更届、証書再交付申請書、証書亡失届又は資格喪失届の記載及びその添付書類等に不備がないかどうかを検討すること。

(3)　氏名変更届、証書再交付申請書、証書亡失届又は資格喪失届の記載に市町村において容易に補正することができない程度の誤りがあるとき、又はその添付書類に著しい不備があるときは、氏名変更届、証書再交付申請書、証書亡失届又は資格喪失届を受給資格者に返付すること。

(4)　(3)によって氏名変更届、証書再交付申請書、証書亡失届又は資格喪失届を返付するときは、受付処理簿の返付欄に返付年月日を記入すること。

(5)　受給資格者が返付された氏名変更届、証書再交付申請書、証書亡失届又は資格喪失届を補正して再提出したときは、受付処理簿の受付（再提出）に再提出受付年月日を記入すること。

(6)　氏名変更届、証書再交付申請書、証書亡失届又は資格喪失届の記載及びその添付書類等に不備がないときは、受付処理簿の受理欄及び氏名変更、証書再交付申請書、証書亡失届又は資格喪失届の市町村受付年月日欄に受理年月日を記入するとともに、受給資格者に氏名変更届、証書再交付申請書、証書亡失届又は資格喪失届の届出年月日を記入させ、その内容を審査すること。

(7)　氏名変更届、証書再交付申請書、証書亡失届又は資格喪失届の経由市町村名欄に当該市町村名を、提出欄に提出年月日及び受付処理簿の整理番号を、それぞれ記入すること。

(8)　提出書に氏名変更届、証書再交付申請書、証書亡失届又は資格喪失届を添えて、これを都道府県に送付するとともに、受付処理簿の処理経過欄に提出年月日を記入すること。

(9)　受給資格者名簿及び名簿索引票の氏名欄を訂正すること。

2　受給資格者死亡届等の受理及び提出

規則第十二条の規定による受給資格者の死亡の届書（以下「受

給資格者死亡届」という。）又は規則第十三条の規定による未支払特別児童扶養手当請求（以下「支払手当請求書」という。）の提出を受けたときは、おおむね、次によって受理するものとする。

⑴　受付処理簿の件名（氏名）欄及び受付（再提出）欄に件名、氏名及び受付年月日を、それぞれ記入すること。

⑵　受給資格者死亡届の記載及びその添付書類等又は未支払手当請求書の記載に不備がないかどうかを検討すること。

⑶　受給資格者死亡届又は未支払手当請求書の記載に市町村において容易に補正することができない程度の誤りがあるとき、又は受給資格者死亡届の添付書類等に著しい不備があるときは、受給資格者死亡届又は未支払手当請求書を届出者又は請求者に返付すること。

⑷　⑶によって受給資格者死亡届又は未支払手当請求書を返付するとき、受付処理簿の返付欄に返付年月日を記入すること。

⑸　届出者又は請求者が返付された受給資格者死亡届又は未支払手当請求を補正して再提出したときは、受付処理簿の受付（再提出）欄に再提出受付年月日を記入すること。

⑹　受給資格者死亡届の記載及びその添付書類等又は未支払手当請求書の記載に不備がないときは、受付処理簿の受理欄及び受給資格者死亡届又は支払手当請求書の市町村受付年月日欄に受理年月日を記入するとともに、届出者又は請求者に受給資格者死亡届又は未支払手当請求書の届出年月日又は請求年月日を記入させ、その内容を審査すること。

⑺　受給資格者死亡届又は未支払手当請求書の経由市町村名欄に当該市町村名を、提出欄に提出年月日及び受付処理簿の整理番号を、それぞれ記入すること。

⑻　提出書に受給資格者死亡届又は未支払手当請求書を添えて、これを都道府県に送付するとともに、受付処理簿の処理経過欄に提出年月日を記入すること。

3　氏名変更に伴う証書の返付

都道府県から氏名変更届に基づき訂正された証書が送付されたときは、おおむね、次によって処理するものとする。

⑴　受付処理簿の都道府県における審査結果欄に証書訂正の旨を記入すること。

⑵　受給資格者名簿及び名簿索引票の氏名欄を整理すること。

⑶　証書の受給資格者への返付等の手続については、前記第二の3に準ずること。

4　特別児童扶養手当資格喪失通知書の交付

⑴　都道府県から資格喪失届又は受給資格者死亡届に基づいて特別児童扶養手当資格喪失通知書（以下「資格喪失通知書」という。）が送付されたときは、おおむね、次によって処理するものとする。

イ　受付処理簿の都道府県における審査結果欄に資格喪失の旨を記入すること。

ロ　受給資格者名簿の備考欄に資格喪失又は死亡の旨を記入

し、全体にわたって斜線（赤書）を交互に付すること。
ハ　名簿索引票を取り除くこと。
ニ　資格喪失通知書を受給資格者等に交付すること。
ホ　受付処理簿の処理経過欄に資格喪失通知書交付年月日を記入すること。
(2)　都道府県から職権に基づいて資格喪失通知書が送付されたときは、(1)のイからホまでの手続をとるとともに、あわせて証書提出命令書の送付があったときは、更に前記第三の4の(2)に準じて処理するものとする。
5　証書の再交付等
(1)　都道府県から証書再交付申請書又は証書亡失届に基づいて証書が送付されたときは、おおむね、次によって処理するものとする。
イ　受付処理簿の都道府県における審査結果欄に再交付の旨を記入すること。
ロ　証書の再交付が証書亡失届に基づく場合には、受給資格者名簿及び名簿索引票の証書番号欄を整理すること。
ハ　証書の受給資格者への交付等の手続については、前記第三の3に準ずること。
(2)　都道府県から2により提出した障害診断書に基づいて証書等が送付されたときは、おおむね、次によって処理するものとする。
イ　証書のみが送付されたときは、4の(1)の手続に準ずること。
ロ　手当額改定通知書が併せて送付されたときは、前記第三の3の手続に準ずること。
ハ　資格喪失通知書が併せて送付されたときは、前記5の(1)の手続に準ずること。

第六　住所変更及び支払金融機関変更について
1　同一市町村内における住所の変更
当該市町村の区域内における住所の変更に係る住所変更の届書（以下「住所変更届」という。）の提出を受けたときは、おおむね、次によって処理するものとする。
(1)　受付処理簿の件名（氏名）欄及び受付（再提出）欄に件名、氏名及び受付年月日を、それぞれ記入すること。
(2)　住所変更届の記載に不備がないかどうかを検討すること。
(3)　住所変更届の記載に市町村において容易に補正することができない程度の誤りがあるときは、住所変更届を受給資格者に返付すること。
(4)　(3)によって住所変更届を返付するときは、受付処理簿の返付欄に返付年月日を記入すること。
(5)　受給資格者が返付された住所変更届を補正して再提出したときは、受付処理簿の受付（再提出）欄に再提出受付年月日を記入すること。
(6)　住所変更届の記載に不備がないときは、受付処理簿の受理欄に受付年月を記入し、その内容を審査すること。

(7) 証書の住所欄を訂正すること。
(8) 住所変更届の証書訂正（作成）欄に訂正年月日を記入すること。
(9) 受給資格者名簿の住所欄を訂正すること。
(10) 特別児童扶養手当住所・支払金融機関変更届処理済報告書を作成し、都道府県に送付すること。
(11) 受付処理簿の処理経過欄及び都道府県における審査結果欄に、処理済年月日及び処理済報告の旨をそれぞれ記入すること。
(12) 証書の受給資格者への返付及び返付の停止の手続については、前記第三の3の(2)及び(3)に準ずること。

2 当該都道府県内の他の市町村からの住所の変更

当該都道府県の区域内の他の市町村からの住所の変更に係る住所変更届の提出を受けたときは、前記1の手続に準じて処理するほか、1の(6)と(7)の間に、次の事務処理を行うこと。
(1) 旧住所地の市町村に対して住所変更の届出があった旨を明らかにして当該受給資格者名簿の写しの送付を求めること。
(2) 受給資格者名簿の写しの送付を受けたときは、当該受給資格者につき、受給資格者名簿を作成すること。この場合において、備考欄に旧住所地から移管された旨を記入すること。
(3) 当該受給資格者につき名簿索引票を作成し、整理すること。

3 他の都道府県又は当該都道府県内の他の市等からの住所及び支払金融機関の変更

他の都道府県の区域又は当該都道府県内の他の市等の区域からの住所及び支払金融機関の変更に係る住所変更届及び支払金融機関変更の届書（以下「支払金融機関変更届」という。）の提出を受けたときは、おおむね、次によって処理するものとする。
(1) 前記第六の1の手続きに準じて受給資格者から提出された住所変更届及び支払い金融機関変更届を都道府県に送付すること。
(2) 都道府県から住所変更届及び支払金融機関変更届に基づいて特別児童扶養手当移管通知書（以下「移管通知書」という。）の送付を受けたときは、次の手続をとるものとする。

イ 受付処理簿の都道府県における審査結果欄に、移管の旨を記入すること。
ロ 移管通知書とともに送付された受給資格者台帳の写しに基づいて受給資格者名簿を作成すること。
ハ 名簿索引票を作成し、整理すること。
ニ 都道府県から移管通知書とともに送付された証書の受給資格者への交付等の手続については、前記第三の3に準ずること。

4 他の都道府県又は当該都道府県内の他の市町村への住所の変更
(1) 新規認定者について、他の都道府県への住所の変更に係る住所変更届の提出を受けたときは、前記第六の1の手続に準じて受給資格者から提出された住所変更届を都道府県に送付すること。なお、この届には、証書は添付されないものであること。

⑵　都道府県から当該都道府県の区域外に受給資格者の住所が変更した旨の移管通知書の送付を受けたとき又は当該都道府県の区域内の他の市町村からの⑴によって当該受給資格者名簿の写しの送付を求められ、送付したときは、次の手続をとるものとする。

イ　当該受給資格者名簿の備考欄に住所変更の旨を記入し、全体にわたって斜線（赤書）を交互に付すること。

ロ　名簿索引票を取り除くこと。

5　職権による住所変更処理

市町村において受給資格者が公簿により住所変更したことを確認した場合で、前記による住所変更届が転出先市町村に行われていないことを確認した場合には、当該市町村は、当該転出者にかかる住所変更届に準じた書類を作成し、転出先市町村に届け出ることができる。

この場合、職権による住所変更に準じた書類の送付を受けた市町村は、当該書類を住所変更届とみなし前記の手続きにより処理するものとする。

6　同一都道府県内における支払金融機関の変更

同一都道府県内における支払金融機関変更届の提出を受けたときは、前記3の手続きに準じて処理するものとする。

第七　連名表について

二件以上の認定請求書等を同時に都道府県に提出又は再提出する場合においては、提出書又は再提出書に受給資格者等の氏名を連記した書類を添えるものとする。

前　文（第五次改正）抄

〔前略〕令和四年十月一日より適用する。

なお、本通知の施行に際して、当分の間は、従前の様式による諸帳簿等の用紙を取り繕って使用することができるものとする。

様式第1号

特別児童扶養手当関係書類提出受付処理簿

整理番号	件名（氏名）	受付（再提出）	返付	受理	処理経過	都道府県における審査結果	備考
		（・・）	・・	・・			
		（・・）	・・	・・			
		（・・）	・・	・・			
		（・・）	・・	・・			
		（・・）	・・	・・			
		（・・）	・・	・・			
		（・・）	・・	・・			
		（・・）	・・	・・			
		（・・）	・・	・・			
		（・・）	・・	・・			
		（・・）	・・	・・			
		（・・）	・・	・・			

（A列4番）

様式第２号（削除）

様式第３号

特別児童扶養手当受給資格者名簿索引票

(ふりがな) 氏　　名	生　年　月　日	受給資格者名簿 整理番号	備　考
	明・大・昭・平・令　　・　　・　　生		

（縦 3cm、横 15cm）

様式第４・５号（削除）

様式第６号

第　　　　号
令和　　年　　月　　日

都道府県知事　殿

市　町　村　長　　㊞

特別児童扶養手当証書交付（返付）停止報告書

証　書　の　記　号　・　番　号	第　　　　　　　号
受　給　資　格　者　氏　名	
証書の交付又は返付を停止した事由	
備　　　　　　　　考	

（Ａ列４番）

様式第７号（削除）

○特別児童扶養手当指定都市事務取扱準則について

〔平成二十七年四月一日　障発〇四〇一第一〇号
各指定都市市長宛　厚生労働省社会・援護局障害保健福祉部長通知〕

〔改正経過〕

第一次改正〔平成二七年一一月一二日障発一一一二第七号〕
第二次改正〔令和元年五月七日障発〇五〇七第四号〕
第三次改正〔令和元年七月一日障発〇七〇一第二号〕
第四次改正〔令和三年二月一六日障発〇二一六第四号〕
第五次改正〔令和四年一〇月二四日障発一〇二四第一号〕

今般、特別児童扶養手当指定都市事務取扱準則について、別添のとおり定めたので通知する。

なお、本通知の施行に際して、当分の間は、従前の様式（特別児童扶養手当市町村事務取扱準則）による諸帳簿等の用紙を取り繕って使用することができるものとする。

この準則は、地方自治法（昭和二十二年法律第六十七号）第二百四十五条の九の規定に基づく法定受託事務に係る処理基準である。

別　添

特別児童扶養手当指定都市事務取扱準則

第一　帳簿等について

指定都市においては、特別児童扶養手当（以下「手当」という。）の支給事務を実施するに当たり、次の帳簿等を備えるものとする。

1　特別児童扶養手当関係書類提出受付処理簿（様式第1号。以下「受付処理簿」という。）

この帳簿は、特別児童扶養手当認定請求書関係、定時の特別児童扶養手当所得状況届（以下「所得状況届」という。）関係及びその他の届書、申請書関係等に分冊して作成するものであること。

2　特別児童扶養手当受給資格者台帳番号簿（様式第2号。以下「番号簿」という。）

この帳簿は、受給資格者の番号を決定した場合に、その番号順によって受給資格者氏名を整理するものであること。

3　特別児童扶養手当受給資格者台帳（以下「受給資格者台帳」という。）

この台帳は、受給資格者の番号順に配列し整理するものであること。

4　特別児童扶養手当支給廃止簿（以下「支給廃止簿」という。）

この簿冊は、受給資格を失なった者及び他の都道府県又は指定都市の区域に住所を変更した受給資格者に係る受給資格者台帳を編入し、整理するものであること。

5　特別児童扶養手当受給資格者台帳索引票（様式第4号。以下「台帳索引票」という。）

この索引票は、索引に便利なように受給資格者の氏名の五十音順等に整理し、簿冊にとりまとめるものであること。

6　特別児童扶養手当住所・支払金融機関変更届綴

特別児童扶養手当指定都市事務取扱準則について

この綴は、受給資格者から提出された当該指定都市の区域内における住所又は支払金融機関の変更に係る住所変更の届書又は支払金融機関変更の届書を綴り込むものであること。

7 知的障害に係る診断依頼書（様式第5号。以下「診断依頼書」という。）

この診断依頼書は、障害児の知的障害の状態についての診断書の作成を児童相談所に依頼するときに、児童相談所に送付するものであること。

8 知的障害に係る診断書送付書（以下「診断書送付書」という。）綴

この綴は、指定都市の主管課が児童相談所から特別児童扶養手当認定診断書の送付を受けた場合の診断書に添付してある診断書送付書を綴り込むものであること。

9 特別児童扶養手当証書提出命令書（様式第6号。以下「証書提出命令書」という。）

この命令書は、受給資格者から特別児童扶養手当証書（以下「証書」という。）を提出させる必要があるときに、受給資格者に送付するものであること。

10 特別児童扶養手当支給停止解除通知書（以下「支給停止解除通知書」という。）

この通知書は、受給資格者であって支給停止をうけていた者についてその解除を決定したときに、当該受給資格者に通知するものである。

11 前記の帳簿のうち、番号簿、受給資格者台帳、支給廃止簿、台帳索引票については、これらに記載すべき事項を電算システムにより確実に記録し、これを適正に管理及び利用することによって、事務を支障なく行い得る指定都市については、これらの作成を省略することができる。

12 前記の帳簿等のうち、様式の定めがないものについては、障害者福祉システム標準仕様書に定める帳票レイアウトのとおりとする。

第二 認定について

1 認定請求書等の受理

特別児童扶養手当等の支給に関する法律施行規則（昭和三十九年厚生省令第三十八号。以下「規則」という。）第一条に規定する特別児童扶養手当認定請求書（以下「認定請求書」という。）の提出を受けたときは、おおむね、次によって処理するものとする。

(1) 受付処理簿の件名（氏名）欄及び受付（再提出）欄に件名、氏名及び受付年月日を、それぞれ記入すること。

(2) 認定請求書の記載及びその添付書類等に不備がないかどうかを検討し、規則第二十八条の規定により添付書類等が省略されているときは、認定請求書の余白に省略された書類の名称を記入すること。

なお、認定請求書の提出を受けたときは、規則第二十八条に規定する場合を除き、知的障害の状態に関する医師の診断書が

添付されていないときは、その旨及び後日児童相談所の職員の診断を受ける際の診断を行う場合についての希望等について、認定請求書等の「※備考」欄に付記すること。

(3) 認定請求書に知的障害に係る認定診断書が添付されていない場合には、その障害児が特別児童扶養手当等の支給に関する法律施行令（昭和五十年政令第二百七号）別表第三に該当するか否かの事項を除いて、他の支給要件等について一応審査のうえ、診断依頼書により当該障害児の住所地を管轄する児童相談所に認定診断書の作成を依頼し、児童相談所から認定診断書が送付されてきたときは、その認定診断書を審査のうえ、受給資格及び手当額を決定すること。

(4) 認定請求書に容易に補正することができない程度の誤りがあるとき又はその添付書類等に著しい不備があるときは、認定請求書を請求者に返付すること。

(5) (4)によって認定請求書を返付するときは、受付処理簿の返付欄に返付年月日を記入すること。

(6) 請求者が返付された認定請求書を補正して再提出したときは、受付処理簿の受付（再提出）欄に再提出受付年月日を記入すること。

(7) 認定請求書の記載及びその添付書類等に不備がないときは、受付処理簿の受理欄及び認定請求書の市町村受付年月日欄に受理年月日を記入するとともに、請求者に認定請求書の請求年月日を記入させること。

(8) 認定請求書の記載とその添付書類の内容を審査し、審査欄等に所要事項を記入し、受付処理簿の処理経過欄に審査済年月日を記入すること。

なお、請求に係る事実を明確にするため、特に必要があると認めるときは、特別児童扶養手当等の支給に関する法律（昭和三十九年法律第百三十四号。以下「法」という。）第三十六条の規定による調査を行い、又は、法第三十七条の規定による措置をとること。

(9) 受付処理簿の整理番号を記入すること。

2 審査の結果、受給資格があるものと決定したときは、次によること。

(1) 受付処理簿の審査結果欄に認定の旨を記入すること。

(2) 当該受給資格者についての番号を認定順に決定し、番号簿に当該所定事項を記入すること。

(3) 当該受給資格者につき、受給資格者台帳を作成すること。

(4) 当該受給資格者につき、台帳索引票を作成し、台帳索引簿を整理すること。

(5) 当該受給資格者につき、証書を作成すること。

(6) 特別児童扶養手当認定通知書（以下「認定通知書」という。）及び証書を受給資格者に交付し、受給資格者台帳の証書（交付・返付）欄に証書交付年月日を記入すること。

(7) 受付処理簿の処理経過欄に処理済年月日を記入すること。

3 審査の結果、受給資格があると認定した者であって、手当を支給停止とする決定をしたときは、前記2によるほか、次によること。

(1) 受付処理簿の審査結果欄に認定及び手当を支給停止とする旨を記入すること。

(2) 認定通知書及び特別児童扶養手当支給停止通知書（以下「支給停止通知書」という。）並びに証書を受給資格者に交付し、受給資格者台帳の証書（交付・返付）欄に証書交付年月日を記入すること。ただし、規則第十七条第二項の規定に基づき受給資格者に証書を交付しない場合には、受給資格者台帳の証書（交付・返付）欄に未交付の旨を記入し、前記2の(5)の手続は必要ないこと。

(3) 支給停止者については、証書は作成しないこと。

4 審査の結果、受給資格がないものと決定したときは、次によること。

(1) 受付処理簿の審査結果欄に却下の旨を記入すること。

(2) 特別児童扶養手当認定請求却下通知書を請求者に交付すること。

(3) 受付処理簿の処理経過欄に処理済年月日を記入すること。

第三 手当額改定について

1 手当額改定請求書等の受理

規則第二条の規定による特別児童扶養手当額改定請求書又は規則第三条の規定による特別児童扶養手当額改定届（以下「手当額改定請求書等」という。）の提出を受けたときは、おおむね、次によって処理するものとする。

(1) 受付処理簿の件名（氏名）欄及び受付（再提出）欄に件名、氏名及び受付年月日を記入し、手当額改定請求書等の記載及びその添付書類等に不備がないかどうかを検討し、規則第二十八条の規定により添付書類等が省略されているときは、認定請求書等の「※備考」欄に省略された書類の名称及び理由を記入すること。

なお、手当額改定請求書等の提出を受けたときは、規則第二十八条に規定する場合を除き、知的障害の状態に関する医師の診断書が添付されていないときは、その旨及び後日児童相談所の職員の診断を受ける際の診断を行う場合についての希望等について、認定請求書等の「※備考」欄に付記するものとすること。

(2) 手当額改定請求書等に知的障害に係る認定診断書が添付されていない場合には、前記第二の1の(3)の手続に準じて処理すること。

(3) 手当額改定請求書等に容易に補正することができない程度の誤りがあるとき、又はその添付書類等に著しい不備があるときは、手当額改定請求等を受給資格者に返付すること。

(4) (3)によって手当額改定請求書等を返付するときは、受付処理簿の返付欄に返付年月日及び返付事由を記入すること。

(5) 受給資格者が返付された手当額改定請求書等を補正して再提出したときは、受付処理簿の受付（再提出）欄に再提出受付年月日を記入すること。

(6) 手当額改定請求書等の記載及びその添付書類等に不備がない

ときは、受付処理簿の受理欄及び手当額改定請求書等の市町村受付年月日欄に受理年月日を記入するとともに、請求者等に手当額改定請求書等の請求年月日又は届出年月日を記入させ、その内容を審査すること。

なお、請求又は届出に係る事実を明確にするため、特に必要があると認めるときは、法第三十六条の規定による調査を行い、又は法第三十七条の規定による措置をとること。

2 審査の結果、手当の額を改定すべきものと決定したときは、次によること。

(1) 受付処理簿の審査結果欄に改定の旨を記入すること。

(2) 受給資格者台帳につき所要の事項を記入すること。

(3) 手当額改定請求書等に添えられた証書にその改定に関する所要事項を記載し、又は新たな証書を作成すること。ただし、規則第十七条第二項の規定に基づき証書を交付しなかった者（以下「証書未交付者」という。）に係る証書についてはこの限りでない。

(4) 新たな証書を作成したときは、従前の証書を廃棄すること。

(5) 特別児童扶養手当額改定通知書（以下「手当額改定通知書」という。）及び(3)による証書を受給資格者に交付し、受給資格者台帳の証書（交付・返付）欄に証書返付年月日又は証書交付年月日を記入すること。ただし、証書未交付者に係る証書の返付又は交付及び受給資格者台帳の記入についてはこの限りでない。

(6) 受付処理簿の処理経過欄に処理済年月日を記入すること。

3 審査の結果、請求に基づく手当の額の改定をしないものと決定したときは、次によること。

(1) 受付処理簿の審査結果欄に却下の旨を記入すること。

(2) 特別児童扶養手当額改定請求却下通知書（以下「手当額改定請求却下通知書」という。）及び従前の証書を受給資格者に交付し、受給資格者台帳の証書（交付・返付）欄に証書返付年月日を記入すること。ただし、証書未交付者に係る証書の返付及び受給資格者台帳の記入についてはこの限りでない。

(3) 受付処理簿の処理経過欄に処理済年月日を記入すること。

4 職権に基づいて手当の額の減額の改定を決定したときは、おおむね、次の手続をとるものとする。

(1) 受給資格者台帳につき所要の事項を記入すること。

(2) 手当額改定通知書を受給資格者に交付し、受給資格者台帳の備考欄に手当額改定通知書交付年月日を記入すること。証書を提出させる必要がある場合には、証書提出命令書も併せて受給資格者に交付すること。

(3) 証書提出命令書に基づき、受給資格者から証書の提出を受けたときは、次によること。

ア 証書提出命令書に基づき提出された証書にその改定に関する所要事項を記載し、又は新たな証書を作成すること。

イ 新たな証書を作成したときは、従前の証書を廃棄すること。

ウ　アによる証書を受給資格者に交付し、受給資格者台帳の証書（交付・返付）欄に証書返付年月日又は証書交付年月日を記入すること。

第四　定時の所得状況届について

1　定時の所得状況届の受理

規則第四条の規定によって定時の所得状況届の提出を受けたときは、おおむね、次によって処理するものとする。

(1)　受付処理簿の件名（氏名）欄及び受付（再提出）欄に件名、氏名及び受付年月日を、それぞれ記入すること。

(2)　所得状況届の記載及びその添付書類等に不備がないかどうかを検討し、規則第二十八条の規定により添付書類等が省略されているときは、所得状況届の余白に省略された書類の名称を記入すること。

なお、所得状況届の提出を受けたときは、規則第二十八条に規定する場合を除き、知的障害の状態に関する医師の診断書が添付されていないときは、その旨及び後日児童相談所の職員の診断を受ける際の診断を行う場合についての希望等について、所得状況届の「⑯の欄及びその他の記載事項」欄に付記するものとすること。

(3)　所得状況届に知的障害に係る認定診断書を添付する必要があるにもかかわらず、添付されていないときは、前記第二の1の(3)の手続に準じて処理すること。

(4)　所得状況届の記載に容易に補正することができない程度の誤りがあるとき、又はその添付書類等に著しい不備があるときは、所得状況届を受給資格者に返付し、受付処理簿の返付欄に返付年月日を記入すること。

(5)　受給資格者が返付された所得状況届を補正して再提出したときは、受付処理簿の受付（再提出）欄に再提出年月日を記入すること。

(6)　所得状況届の記載及びその添付書類等に不備がないときは、受付処理簿の受理欄及び所得状況届の市町村受付年月日欄に受理年月日を記入するとともに、受給資格者に所得状況届の届出年月日を記入させ、その内容を審査すること。

なお、届出に係る事実を明確にするため、特に必要があると認めるときは、法第三十六条の規定による調査を行い、又は法第三十七条の規定による措置をとること。

2　審査の結果、引き続いて手当の支給を行うものと決定したときは、次によること。

(1)　受付処理簿の審査結果欄に継続支給の旨を記入すること。

(2)　受給資格者台帳の区分欄に所得の年を記入し、届出の有無欄の「有」の文字及び所得制限の該当・非該当の別欄の「非」の文字を○で囲み、所得欄に必要な事項を記入すること。

(3)　当該受給者につき新たな証書を作成すること。

(4)　(3)による証書を受給資格者に交付し、受給資格者台帳の証書（交付・返付）欄に証書交付年月日を記入すること。

(5)　受付処理簿の処理経過欄に処理済年月日を記入すること。

(6) 証書の受給資格者への交付等の手続については、前記第二の2に準ずること。

3 審査の結果、手当の支給停止を受けていた者について手当を支給することと決定したときは、次によること。

(1) 受付処理簿の審査結果欄に支給停止解除の旨を記入すること。

(2) 受給資格者台帳の区分欄に所得の年を記入し、届出の有無欄の「有」の文字及び所得制限の該当・非該当の別欄の「非」の文字を○で囲み、所得欄に必要な事項を記入すること。

(3) 当該受給者につき新たな証書を作成すること。

(4) 前記2の(4)から(6)までの手続を準用すること。なお、支給停止解除通知書を受給資格者に交付すること。

4 審査の結果、手当を支給停止とすることと決定したときは、次によること。

(1) 受付処理簿の審査結果欄に手当を支給停止とする旨を記入すること。

(2) 受給資格者台帳の区分欄に所得の年を記入し、届出の有無欄の「有」の文字及び所得制限の該当・非該当の別欄の「該」の文字を○で囲み、所得欄に必要な事項を記入すること。

(3) 支給停止通知書を受給資格者に交付し、受給資格者台帳の証書（交付・返付）欄に未交付の旨記入すること。

(4) 受付処理簿の処理経過欄に処理済年月日を記入すること。

5 職権に基づいて手当を支給停止とすることと決定したときは、おおむね、次の手続をとるものとする。

(1) 受給資格者台帳につき所要の事項を記入すること。

(2) 支給停止通知書を受給資格者に交付し、受給資格者台帳の備考欄に支給停止通知書交付年月日を記入すること。

(3) 支給停止者については、証書は作成しないこと。

6 届出を要しない者の取扱い

規則第十二条の三で読み替えて準用する第四条ただし書きによる所得状況届の提出を要しない者（法第六条から第八条までの規定によりその年の七月まで手当が支給されていない場合であって当該支給停止の事由がなお継続するとき）の取扱いは、次によること。

(1) 受給資格者から所得状況が記載された書類の提出を受けたときは、前記1から4までの手続に準じて処理すること。

(2) 所得状況届及び診断書の提出が省略されたときは、次によること。

ア 受給資格者台帳の区分欄に所得の年を記入し、届出の有無欄の「無」の文字及び所得制限の該当・非該当の別欄の「該」の文字を○で囲み、備考欄に必要な事項を記入すること。

イ 支給停止通知書を受給資格者に交付し、受給資格者台帳の証書（交付・返付）欄に未交付の旨記入すること。

ウ 支給停止が解除されるときは、前記3の(2)から(4)までの手続を準用すること。

第五　受給資格喪失等について

1　規則第十一条の規定による特別児童扶養手当資格喪失届（以下「資格喪失届」という。）又は規則第十二条による受給資格者の死亡の届書（以下「受給資格者死亡届」という。）の提出を受けたときは、おおむね、次の手続をとるものとする。

(1)　受付処理簿の件名（氏名）欄及び受付（再提出）欄に件名、氏名及び受付年月日を記入し、資格喪失届の記載（特に資格喪失年月日）又は受給資格者死亡届の記載及びその添付書類等に不備がないかどうかを検討すること。

(2)　資格喪失届又は受給資格者死亡届の記載に容易に補正することができない程度の誤りがあるとき、又はその添付書類に著しい不備があるときは、資格喪失届又は受給資格者死亡届を受給資格者に返付すること。

(3)　(2)によって資格喪失届又は受給資格者死亡届を返付するときは、受付処理簿の返付欄に返付年月日を記入すること。

(4)　受給資格者が返付された資格喪失届又は受給資格者死亡届を補正して再提出したときは、受付処理簿の受付（再提出）に再提出受付年月日を記入すること。

(5)　資格喪失届の記載又は受給資格者死亡届の記載及びその添付書類等に不備がないときは、受付処理簿の受理欄及び資格喪失届又は受給資格者死亡届の市町村受付欄に受理年月日を記入するとともに、受給資格者又は届出者に資格喪失届又は受給資格者死亡届の届出年月日を記入させ、その内容を審査すること。

なお、届出に係る事実を明確にするため、特に必要があると認めるときは、法第三十六条の規定による調査を行い、又は法第三十七条の規定による措置をとること。

(6)　番号簿の当該備考欄に受給資格喪失の旨を記入し、当該部分の全体に斜線（赤書）を付すること。

(7)　受給資格者台帳の受給資格喪失欄に当該所定事項を記入し、これを支給廃止簿に編入すること。

(8)　当該台帳索引票の備考欄に受給資格喪失の旨を記入し、これを台帳索引簿から除去すること。

(9)　資格喪失届又は受給資格者死亡届に添えられた証書について所定の手続をとること。

(10)　資格喪失通知書を受給資格喪失者に交付すること。

(11)　受付処理簿の処理経過欄に処理済年月日を記入すること。

2　職権に基づいて受給資格が消滅したものと決定したときは、おおむね、次の手続をとるものとする。

(1)　番号簿の当該備考欄に受給資格喪失の旨を記入し、当該部分の全体に斜線（赤書）を付すること。

(2)　受給資格者台帳の受給資格喪失欄に当該所定事項を記入し、これを支給廃止簿に編入すること。

(3)　当該台帳索引票の備考欄に受給資格喪失の旨を記入し、これを台帳索引簿から除去すること。

(4)　資格喪失通知書を受給資格喪失者に交付し、受給資格者台帳の備考欄に資格喪失通知書交付年月日を記入すること。証書を提出させる必要がある場合には、証書提出命令書も併せて受給資格喪失者に交付すること。

(5) 証書提出命令書に基づき、受給資格喪失者から証書の提出を受けたときは、当該証書につき、前記1の(9)及び(11)に準じて必要な手続をとること。

3 規則第十三条の規定による未支払特別児童扶養手当請求書（以下「未支払手当請求書」という。）の提出を受けたときは、おおむね、次の手続をとるものとする。

(1) 受付処理簿の件名（氏名）欄及び受付（再提出）欄に件名、氏名及び受付年月日を記入し、未支払手当請求書の記載に不備がないかどうかを検討すること。

(2) 未支払手当請求書の記載に容易に補正することができない程度の誤りがあるときは、未支払手当請求書を請求者に返付すること。

(3) (2)によって未支払手当請求書を返付するとき、受付処理簿の返付欄に返付年月日を記入すること。

(4) 請求者が返付された未支払手当請求を補正して再提出したときは、受付処理簿の受付（再提出）欄に再提出受付年月日を記入すること。

(5) 未支払手当請求書の記載に不備がないときは、受付処理簿の受理欄に受理年月日を記入するとともに、請求者に受給資格者未支払手当請求書の請求年月日を記入させ、その内容を審査すること。

(6) 支給廃止簿に編入されている受給資格者台帳の記号及び番号欄に「第　号の2」のごとき枝番号を追記すること。

(7) 当該請求書につき、特別児童扶養手当支払通知書を作成すること。

(8) (7)によって作成した特別児童扶養手当支払通知書を請求者に交付し、支給廃止簿に編入されている受給資格者台帳の備考欄に特別児童扶養手当支払通知書交付年月日を記入すること。

(9) 受付処理簿の処理経過欄に処理済年月日を記入すること。

第六 氏名変更について

1 規則第五条の規定による氏名変更の届書（以下「氏名変更届」という。）の提出を受けたときは、おおむね次の手続をとるものとする。

(1) 受付処理簿の件名（氏名）欄及び受付（再提出）欄に件名、氏名及び受付年月日を、それぞれ記入すること。

(2) 氏名変更届の記載及びその添付書類等に不備がないかどうかを検討すること。

(3) 氏名変更届の記載に容易に補正することができない程度の誤りがあるとき、又はその添付書類に著しい不備があるときは、氏名変更届を受給資格者に返付すること。

(4) (3)によって氏名変更届を返付するときは、受付処理簿の返付欄に返付年月日を記入すること。

(5) 受給資格者が返付された氏名変更届を補正して再提出したときは、受付処理簿の受付（再提出）に再提出受付年月日を記入すること。

(6) 氏名変更届の記載及びその添付書類等に不備がないときは、受付処理簿の受理欄及び氏名変更届の市町村受付年月日に受理年月日を記入するとともに、受給資格者に氏名変更届の届出年月日を記入させ、その内容を審査すること。

(7) 番号簿の氏名欄を訂正し、備考欄に訂正年月日を記入すること。

(8) 受給資格者台帳及び台帳索引票の氏名欄を訂正すること。

(9) 証書の氏名欄を訂正すること。

(10) (9)によって訂正した証書を受給資格者に返付し、受給資格者台帳の証書（交付・返付）欄に証書返付年月日を記入すること。

(11) 受付処理簿の処理経過欄に処理済年月日を記入すること。

第七　住所変更及び支払金融機関変更について

1　当該指定都市の区域内における住所の変更に係る住所変更の届書又は支払金融機関の変更に係る支払金融機関変更の届書（以下「住所変更届等」という。）の提出を受けたときは、おおむね、次によって処理するものとする。

(1) 受付処理簿の件名（氏名）欄及び受付（再提出）欄に件名、氏名及び受付年月日を、それぞれ記入すること。

(2) 住所変更届等の記載に不備がないかどうかを検討すること。

(3) 住所変更届等の記載に容易に補正することができない程度の誤りがあるときは、住所変更届等を受給資格者に返付すること。

(4) (3)によって住所変更届等を返付するときは、受付処理簿の返付欄に返付年月日を記入すること。

(5) 受給資格者が返付された住所変更届等を補正して再提出したときは、受付処理簿の受付（再提出）欄に再提出受付年月日を記入すること。

(6) 住所変更届等の記載に不備がないときは、受付処理簿の受理欄に受付年月を記入し、その内容を審査すること。

(7) 証書の住所欄又は支払金融機関欄を訂正すること。

(8) 住所変更届等の証書訂正（作成）欄に訂正年月日を記入すること。

(9) 受給資格者台帳の住所欄又は支払金融機関欄を訂正し、証書を返付すること。

(10) 受付処理簿の処理経過欄に処理済年月日を記入すること。

2　他の市町村からの住所変更届の提出を受けたときは、おおむね、次によって処理するものとする。

(1) 受付処理簿の件名（氏名）欄及び受付（再提出）欄に件名、氏名及び受付年月日を記入し、住所変更届の記載に不備がないかどうかを検討すること。

(2) 住所変更届の記載に容易に補正することができない程度の誤りがあるときは、住所変更届を受給資格者に返付すること。

(3) (2)によって住所変更届を返付するときは、受付処理簿の返付欄に返付年月日を記入すること。

(4)　受給資格者が返付された住所変更届を補正して再提出したときは、受付処理簿の受付（再提出）欄に再提出受付年月日を記入すること。

(5)　住所変更届の記載に不備がないときは、受付処理簿の受理欄に受理年月日を記入し、その内容を審査すること。

(6)　旧住所地の都道府県又は指定都市に対して当該受給資格者の受給資格者台帳の写しの送付を求めるとともに、受給資格者については、変更前後の住所・証書の番号・転入年月日並びに同時に支払金融機関の変更が行われる場合には、新たな支払金融機関を通知すること。

(7)　従前の証書を廃棄するとともに、旧住所地の都道府県又は指定都市に返付し、受付処理簿の備考欄に証書返付年月日を記入すること。

(8)　受給資格者台帳の写しの送付を受けたときは、当該受給資格者についての当該指定都市の番号を決定し、番号簿に当該所定事項を記入すること。

(9)　当該受給資格者について、当該指定都市の受給資格者台帳を作成すること。この場合において、備考欄に旧住所地から移管された旨を記入すること。

(10)　当該受給資格者について、台帳索引票を作成し、台帳索引簿を整理すること。

(11)　当該受給資格者について、当該指定都市の証書を作成すること。

(12)　受給資格者に(11)によって作成した証書を交付すること。受給資格者への交付等の手続については、前記第二の2に準ずること。

(13)　受付処理簿の処理経過欄に処理済年月日を記入すること。

3　受給資格者について、他の市町村の区域への住所の変更に係る住所変更届の提出を受けたときは、おおむね、次の手続をとるものとする。

(1)　受付処理簿の件名（氏名）欄及び受付（再提出）欄に件名、氏名及び受付年月日を記入し、住所変更届の記載に不備がないかどうかを検討すること。

(2)　住所変更届の記載に容易に補正することができない程度の誤りがあるときは、住所変更届を受給資格者に返付すること。

(3)　(2)によって住所変更届を返付するときは、受付処理簿の返付欄に返付年月日を記入すること。

(4)　受給資格者が返付された住所変更届を補正して再提出したときは、受付処理簿の受付（再提出）欄に再提出受付年月日を記入すること。

(5)　住所変更届の記載に不備がないときは、受付処理簿の受理欄に受理年月日を記入して、住所変更届を審査すること。

(6)　受給資格者台帳の備考欄に転出予定の旨を記入すること。

(7)　新住所地の都道府県又は指定都市等から、当該受給資格者が新住所地へ転居した旨の通知があるまでは、手当の支払いを行わないこと。

4　2の(6)によって受給資格者台帳の写しの送付を求められた旧住所地の指定都市は、おおむね、次の手続をとるものとする。

(1)　当該受給資格者台帳の写しを新住所地の都道府県又は指定都市に送付し、その旨を受給資格者台帳の備考欄に記入すること。

(2)　2の(7)によって証書の返付を受けたときは、番号簿の当該備考欄に移管の旨を記入し、当該部分の全体に斜線（赤書）を付すること。

(3)　受給資格者台帳の証書（交付・返付）欄に証書の返付を受けた年月日を、備考欄に移管の旨をそれぞれ記入しこれを支給廃止簿に編入すること。

(4)　当該台帳索引票の備考欄に移管の旨を記入し、これを台帳索引簿から除去すること。

5　職権による住所変更処理

指定都市において受給資格者が公簿により住所変更したことを確認した場合で、前記による住所変更届が転出先市町村に行われていないことを確認した場合には、当該指定都市は、当該転出者にかかる住所変更届に準じた書類を作成し、転出先市町村に届け出ることができる。

この場合、職権による住所変更届に準じた書類の送付を受けた市町村は、当該書類を住所変更届とみなし前記の手続により処理するものとする。

第八　証書再交付について

規則第九条の規定による証書の再交付の申請書（以下「証書再交付申請書」という。）又は規則第十条の規定による証書亡失届書（以下「証書亡失届」という。）の提出を受けたときは、おおむね、次によって処理するものとする。

1　受付処理簿の件名（氏名）欄及び受付（再提出）欄に件名、氏名及び受付年月日を記入し、証書再交付申請書又は証書亡失届の記載に不備がないかどうかを検討すること。

2　証書再交付申請書又は証書亡失届の記載に容易に補正することができない程度の誤りがあるとき又はその添付書類に著しい不備があるときは、受給資格者へ返付すること。

3　2によって返付するときは、受付処理簿の返付欄に返付年月日を記入すること。

4　受給資格者が返付された証書再交付申請書又は証書亡失届を補正して再提出したときは、受付処理簿の受付（再提出）に再提出受付年月日を記入すること。

5　証書再交付申請書又は証書亡失届の記載に不備がないときは、受付処理簿の受理欄及び証書再交付申請書又は証書亡失届の市町村受付年月日欄に受理年月日を記入するとともに、受給資格者に証書再交付申請書又は証書亡失届の届出年月日を記入させ、証書再交付申請書又は証書亡失届を審査すること。

6　証書亡失届の場合には、番号簿、受給資格者台帳及び台帳索引票の証書の番号の欄に「第　号の2」のごとき枝番号を追記すること。

7　当該受給者につき、新たに証書を作成すること。
8　証書再交付申請書に添えられた証書を廃棄すること。
9　7によって作成した証書を受給資格者に交付すること。証書の受給資格者への交付等の手続については、前記第二の2に準ずること。
10　番号簿の備考欄に再交付年月日を記入すること。
11　受付処理簿の処理経過欄に処理済年月日を記入すること。

第九　受給資格者台帳の記載について

手当が受給者に支払われた場合には、支払済年月日及び支払金額等を確認し、受給資格者台帳に記載すること。なお、新規認定者については、指定都市の区域を越えて住所を変更した場合には、随時払いを行う場合が生じるが、この随時払いについての受給資格者台帳への記載も他と同様に行うこと。

第一〇　証書に附す記号

受給資格者台帳及び証書に附す記号は、次の表によること。

指定都市名	記号	指定都市名	記号	指定都市名	記号
札幌市	札特	新潟市	潟特	神戸市	戸特
仙台市	仙特	静岡市	し特	岡山市	お特
さいたま市	さ特	浜松市	浜特	広島市	ひ特
千葉市	葉特	名古屋市	名特	北九州市	九特
横浜市	横特	京都市	都特	福岡市	ふ特
川崎市	川特	大阪市	大特	熊本市	本特
相模原市	相特	堺市	堺特		

前　文（第五次改正）抄

〔前略〕令和四年十月一日より適用する。

なお、本通知の施行に際して、当分の間は、従前の様式による諸帳簿等の用紙を取り繕って使用することができるものとする。

様式第１号

特別児童扶養手当関係書類提出受付処理簿

整理番号	件名（氏名）	受付（再提出）年月日	返付 年月日	返付 事由	受理年月日	処理経過	審査結果	備考
		・　・	・　・		・　・			
		・　・	・　・		・　・			
	（　　　）	・　・	・　・		・　・			
		・　・	・　・		・　・			
		・　・	・　・		・　・			
	（　　　）	・　・	・　・		・　・			
		・　・	・　・		・　・			
		・　・	・　・		・　・			
	（　　　）	・　・	・　・		・　・			
		・　・	・　・		・　・			
		・　・	・　・		・　・			
	（　　　）	・　・	・　・		・　・			

（Ａ列４番）

様式第2号

特別児童扶養手当受給資格者台帳番号簿

番号	受給資格者氏名	決定年月日	備考	番号	受給資格者氏名	決定年月日	備考
		・・・				・・・	
		・・・				・・・	
		・・・				・・・	
		・・・				・・・	
		・・・				・・・	
		・・・				・・・	
		・・・				・・・	
		・・・				・・・	
		・・・				・・・	
		・・・				・・・	
		・・・				・・・	
		・・・				・・・	
		・・・				・・・	

（A列4番）

様式第３号（削除）

様式第４号

特別児童扶養手当受給資格者台帳索引票

(ふりがな) 氏　　　名	生　年　月　日	受給資格者名簿 整　理　番　号	備　考
	明・大・昭・平・令　.　.　生		

3㎝

15㎝

様式第５号

知的障害に係る診断依頼書

第　　　　号

令和　　年　　月　　日

児童相談所長　殿

指定都市障害福祉主管課長　印

知的障害に係る診断依頼について

次の障害児の知的障害の状態について、貴所の職員の診断を依頼するから、所定の様式による認定診断書を作成させ、これを送付されたい。

番号	父・母・養育者		支給対象障害児		備考
	氏　名	住　所	氏名・生年月日	続柄	
			(平成・令和　．．生)		
			(平成・令和　．．生)		
			(平成・令和　．．生)		
			(平成・令和　．．生)		
			(平成・令和　．．生)		
			(平成・令和　．．生)		
			(平成・令和　．．生)		
			(平成・令和　．．生)		
			(平成・令和　．．生)		

(Ａ列４番)

様式第６号

特別児童扶養手当証書提出命令書

証書の記号・番号	第　　　　　　号
受給資格者氏名	
住所	
提出を要する理由	

上記の特別児童扶養手当証書を令和　　年　　月　　日までに特別児童扶養手当支給事務担当者係に提出して下さい。

令和　　年　　月　　日

指定都市市長　印

殿

備考　この用紙ははがき大とすること。

様式第７号（削除）

○特別児童扶養手当証書の作成等について

〔昭和五十年八月十三日　児発第五三二号の一
各都道府県知事宛　厚生省児童家庭局長通知〕

〔改正経過〕

第一次改正　（平成二七年四月一日障発〇四〇一第八号

今般、手当証書の様式を定める省令の一部を改正する省令（昭和五十年八月十三日厚生省・郵政省令第一号）が公布され、本年十月一日から施行されることに伴い、「手当証書の作成等について」（昭和四十九年七月二十九日児発第四八四号各都道府県知事あて本職通知）等を別紙のとおり改正することとしたので、その取扱いに遺憾のないようにするとともに管下市町村（特別区を含む）に対して通知し、よろしく指導願いたい。

都道府県又は指定都市における特別児童扶養証書（以下「証書」という。）の記入要領について証書の作成にあたっては、次の事項を除き、昭和四十一年八月五日児発第四八三号各都道府県知事あて本職通知「都道府県における児童扶養手当証書の作成について」の別紙1「都道府県における児童扶養手当証書の記入要領」及び別紙2「都道府県における児童扶養手当証書作成上必要な物品の規格及び寸法」に準じて行うこと。

(1)　証書に付する記号の文字等について

記号の文字は、特別児童扶養手当都道府県事務取扱準則又は特別児童扶養手当指定都市事務取扱準則に定める記号とすること。

(2)　二ページの記載事項について

障害児数の欄は、特別児童扶養手当等の支給に関する法律（昭和三十九年法律第百三十四号）第二条第五項に定める一級又は二級に該当する障害児の数を記入し、手当月額欄は、その障害児の数にそれぞれの手当月額を乗じて得た合計額を記入すること。

前　文（第一次改正）抄

〔前略〕平成二十七年四月一日から適用する。

別紙　略

（認定に関する事項）

○特別児童扶養手当等の支給に関する法律施行令別表第三における障害の認定について

〔昭和五十年九月五日　児発第五七六号
各都道府県知事宛　厚生省児童家庭局長通知〕

〔改正経過〕
第一次改正　〔昭和五七年一〇月一日児発第八二四号
第二次改正　〔平成一一年三月三一日障第二一六号
第三次改正　〔平成一三年七月三一日雇児発第五〇二号・障発第三三二五号
第四次改正　〔平成一四年三月二八日障発第〇三二八〇〇九号
第五次改正　〔平成一五年八月二七日障発第〇八二七〇〇九号
第六次改正　〔平成二二年一一月二二日障発一一二二第二号
第七次改正　〔平成二三年八月九日障発〇八〇九第二号
第八次改正　〔平成二四年八月九日障発〇八〇九第三号
第九次改正　〔平成二五年五月一〇日障発〇五一〇第二号
第一〇次改正　〔平成二六年五月二〇日障発〇五二〇第二号
第一一次改正　〔平成二七年四月一日障発〇四〇一第九号
第一二次改正　〔平成二七年六月一九日障発〇六一九第四号
第一三次改正　〔平成二八年四月一四日障発〇四一四第一号
第一四次改正　〔平成二九年一二月二一日障発一二二一第一号
第一五次改正　〔令和元年五月七日障発〇五〇七第四号
第一六次改正　〔令和元年五月三一日障発〇五三一第四号
第一七次改正　〔令和二年一二月二五日障発一二二五第一号
第一八次改正　〔令和三年一二月二四日障発一二二四第二号

今般、特別児童扶養手当等の支給に関する法律等の一部を改正する法律が公布され、昭和五十年十月一日から障害の程度が特別児童扶養手当等の支給に関する法律（昭和三十九年七月二日法律第百三十四号。以下「法」という。）別表第一に定める二級に該当する障害児を新たに特別児童扶養手当の支給対象障害児としたことに伴い、標記の認定要領等を別紙のとおり改正し、昭和五十年十月一日から適用することとしたので、この取扱いについて遺憾のないようにされたい。

なお、「重度精神薄弱児扶養手当支給事務に係る児童相談所における判定について」（昭和三十九年九月八日児発第七九四号各都道府県知事あて本職通知）及び「重度精神薄弱児扶養手当法に定める重度精神薄弱児の判定について」（昭和三十九年九月八日児発第七九三号各指定都市の市長あて本職通知）は、昭和五十年九月三十日限りで廃止する。

おって、管内市町村に対し、周知方お願いする。

別　紙

特別児童扶養手当等の支給に関する法律施行令別表第三における障害の認定要領

1　この要領は、特別児童扶養手当等の支給に関する法律施行令（昭和五十年七月四日政令第二百七号。以下「令」という。）別表第三に該当する程度の障害の認定基準を定めたものであること。

2　障害の認定については、次によること。

(1)　法第二条第一項にいう「障害の状態」とは、精神又は身体に令別表第三に該当する程度の障害があり、障害の原因となった傷病がなおった状態又は症状が固定した状態をいうものであること。

なお、「傷病がなおった」については、器質的欠損若しくは変形又は後遺症を残していても、医学的にその傷病がなおれば、そのときをもって「なおった」ものとし、「症状が固定した」については、症状が安定するか若しくは回復する可能性が少なくなったとき又は傷病にかかわりなく障害の状態が固定したときをいうものであり、慢性疾患等で障害の原因となった傷病がなおらないものについては、その症状が安静を必要とし、当面医療効果が少なくなったときをいうものであること。

(2) 障害の程度は、令別表第三に定めるとおりであり、国民年金法(昭和三十四年法律第百四十一号)による障害程度の一級及び二級に相当するものであること。

(3) 内科的疾患に基づく身体の障害及び精神の障害の程度の判定にあたっては、現在の状態、医学的な原因及び経過、予後等並びに日常生活の用を弁ずることを不能ならしめる程度等を十分勘案し、総合的に認定を行うこと。

ア 一級

令別表第三に定める「日常生活の用を弁ずることを不能ならしめる程度」とは、精神上若しくは身体上の能力が欠けているか又は未発達であるため、日常生活において常に他人の介助、保護を受けなければほとんど自己の用を弁ずることができない程度のものをいうものであること。

例えば、身のまわりのことはかろうじてできるが、それ以上の活動はできないもの又は行ってはいけないもの、すなわち、病院内の生活でいえば、活動の範囲がおおむねベッド周辺に限られるものであり、家庭内の生活でいえば、活動の範囲が就床病室内に限られるものであること。

イ 二級

令別表第三に定める「日常生活が著しい制限を受けるか又は日常生活に著しい制限を加えることを必要とする程度」とは、他人の助けをかりる必要はないが、日常生活は極めて困難であるものをいうものであること。

例えば、家庭内の極めて温和な活動はできるが、それ以上の活動はできないもの又は行ってはいけないもの、すなわち、病院内の生活でいえば、活動の範囲がおおむね病棟内に限られるものであり、家庭内の生活でいえば、活動の範囲がおおむね家屋内に限られるものである。

(4) 障害の認定は、特別児童扶養手当等の支給に関する法律施行規則に定める様式第二号)及び特定の傷病に係るエックス線直接撮影写真(以下「診断書等」という。)によって行うが、これらのみでは認定が困難な場合には必要に応じ療養の経過若しくは日常生活状況等の調査又は必要な検診等を実施したうえ適正な認定を行うこと。

(5) 障害の程度について、その認定の適正を期するため、必要な場合には期間を定めて認定を行うこと。

ア 障害の程度について、その状態の変動することが予測されるものについては、その予測される状態を勘案して認定を行うこと。

イ 精神疾患(知的障害を含む)、慢性疾患等で障害の原因となった傷病がなおらないものについては、原則として当該認定を行った日からおおむね二年後に再認定を行うこと。

ウ　その他必要な場合には、イにかかわらず適宜必要な期間を定め再認定を行うこと。

なお、この場合は、過去の判定経歴、年齢、育成医療等の受療状況など、障害程度の変動の可能性等を十分に勘案して再認定期間を定めること。

エ　再認定を行う場合は、令和元年五月三十一日障発〇五三一第四号厚生労働省社会・援護局障害保健福祉部長通知「特別児童扶養手当における有期認定の取扱いについて」により行うこと。

(6)　各傷病についての障害の認定は、別添1「障害程度認定基準」により行うこと。

なお、ヒト免疫不全ウイルス感染症に係る障害認定については、「特別児童扶養手当及び特別障害者手当等におけるヒト免疫不全ウイルス感染症に係る障害認定について」（平成十年三月二十七日障企第二四号通知）に定める事項に留意して認定を行うこと。

3　障害の状態を審査する医師について

(1)　都道府県又は指定都市においては、児童の障害の状態を審査するために必要な医師を置くこと。

(2)　障害児の廃疾の状態は、令別表第三の内容からみて、複雑多岐にわたるものであるので、障害の状態を審査する医師には、少なくとも内科、小児科、整形外科及び精神科の診療を担当する医師を加えること。

なお、内科、整形外科及び精神科の診療を担当する医師は、児童扶養手当制度における児童又は児童の父の障害の状態を審査する医師に兼務させても差しつかえないものであること。

4　障害の認定に係る診断書等について

(1)　各傷病についての特別児童扶養手当認定請求書に添付する診断書は、別添2「特別児童扶養手当認定診断書」によること。

(2)　障害児が身体障害者福祉法第十五条第四項の規定により身体障害者手帳（以下「手帳」という。）の交付を受けているときは、当該手帳に記載されている障害名及び等級表による級別によって障害の程度が令別表第三の各号のいずれかに該当することが明らかと判定できる場合は、診断書を添付させることに代えて、特別児童扶養手当認定請求書に手帳に記載されている障害名及び等級表による級別並びに手帳番号を記入せしめ、これによって認定しても差しつかえないものであること。

なお、認定にあたって障害の内容等について承知する必要がある場合には、都道府県又は指定都市の手帳関係事務主管課で保管する「身体障害者診断書」によること。

(3)　障害児が療育手帳制度要綱（昭和四十八年九月二十七日厚生省発児第一五六号各都道府県知事、指定都市市長あて厚生事務次官通知の別紙）による療育手帳の交付を受けているときの取扱いについては、障害の程度が「A」と記載されているものは令別表第三の一級に該当するものとして認定してさしつかえないこと。

また、療育手帳に「A」の記載がない場合においても、診断書を作成する医師は、診断書に記載すべき項目の一部が療育手帳取得の際に児童相談所の長が判定に用いた資料（以下「療育手帳取得の際の資料」という。）により明らかである場合は、当該療育手帳取得の際の資料を当該診断書に添付することをもって当該診断書の該当項目の記載を省略することができる。

なお、これらの場合には、特別児童扶養手当認定請求書の備考欄にその旨記入すること。

(4)　提出された診断書等だけでは、認定の可否を決定することができないため、法第三十六条第二項による再診を必要とする場合には、昭和三十七年七月九日児発第七五二号各都道府県知事あて本職通知「児童扶養手当の障害認定にかかる再診の取扱いについて」に準じて行うこと。

(5)　精神の障害に係る認定診断書は、できる限り精神保健及び精神障害者福祉に関する法律に規定する精神保健指定医、精神保健福祉センターの医師、児童相談所若しくは知的障害者更生相談所の医師又は精神科の診療に経験を有する医師の作成したものとするよう指導されたいこと。

前　文（第一八次改正）抄

〔前略〕令和四年四月一日から適用する。

別添1

特別児童扶養手当　障害程度認定基準

第1節　眼の障害

眼の障害による障害の程度は、次により認定する。

1　認定基準

施行令別表第三に定める障害の程度は、次のとおりである。

障害の程度	障　害　の　状　態
1級	両眼の視力がそれぞれ0.03以下のもの
	一眼の視力が0.04、他眼の視力が手動弁以下のもの
	ゴールドマン型視野計による測定の結果、両眼のI／4視標による周辺視野角度の和がそれぞれ80度以下かつI／2視標による両眼中心視野角度が28度以下のもの
	自動視野計による測定の結果、両眼開放視認点数が70点以下かつ両眼中心視野視認点数が20点以下のもの
	両眼の視力がそれぞれ0.07以下のもの
	一眼の視力が0.08、他眼の視力が手動弁以下のもの

２級	ゴールドマン型視野計による測定の結果、両眼のＩ／４視標による周辺視野角度の和がそれぞれ80度以下かつＩ／２視標による両眼中心視野角度が56度以下のもの
	自動視野計による測定の結果、両眼開放視認点数が70点以下かつ両眼中心視野視認点数が40点以下のもの
	身体の機能の障害が前各号と同程度以上と認められる状態であって、日常生活が著しい制限を受けるか、又は日常生活に著しい制限を加えることを必要とする程度のもの

２　認定要領

眼の障害は、視力障害と視野障害に区分する。

(1)　視力障害

ア　視力は、万国式試視力表又はそれと同一の原理に基づく試視力表により測定する。

イ　視標面照度は500～1,000ルクス、視力検査室の明るさは50ルクス以上で視標面照度を上回らないこととし、試視力表から５ｍの距離で視標を判読することによって行う。

ウ　屈折異常のあるものについては、矯正視力により認定するが、この場合最良視力が得られる矯正レンズによって得られた視力を測定する。眼内レンズ挿入眼は裸眼と同様に扱い、屈折異常がある場合は適正に矯正した視力を測定する。

エ　両眼の視力を別々に測定し、良い方の眼の視力と他方の眼の視力とで障害の程度を認定する。

オ　屈折異常のあるものであっても次のいずれかに該当するものは、裸眼視力により認定する。

(ア)　矯正が不能のもの

(イ)　矯正により不等像視を生じ、両眼視が困難となることが医学的に認められるもの

(ウ)　最良視力が得られる矯正レンズの装用が困難であると医学的に認められるもの

カ　視力が0.01に満たないもののうち、明暗弁のもの又は手動弁のものは視力０として計算し、指数弁のものは0.01として計算する。

キ　「両眼の視力がそれぞれ0.03以下のもの」とは、視力の良い方の眼の視力が0.03以下のものをいう。

ク　「一眼の視力が0.04、他眼の視力が手動弁以下のもの」とは、視力の良い方の眼の視力が0.04かつ他方の眼の視力が手動弁以下のものをいう。

ケ　「両眼の視力がそれぞれ0.07以下のもの」とは、視力の良い方の眼の視力が0.07以下のものをいう。

コ　「一眼の視力が0.08、他眼の視力が手動弁以下のもの」とは、視力の良い方の眼の視力が0.08かつ他方の眼の視力が手動弁以下のものをいう。

⑵　視野障害

ア　視野は、ゴールドマン型視野計又は自動視野計を用いて測定する。認定は、ゴールドマン型視野計又は自動視野計のどちらか一方の測定結果で行うこととし、両者の測定結果を混在させて認定することはできない。

イ　ゴールドマン型視野計を用いる場合は、それぞれ以下によって測定した「周辺視野角度の和」、「両眼中心視野角度」、「求心性視野狭窄又は輪状暗点があるものについて、Ｉ／２の視標で両眼の視野がそれぞれ５度以内におさまるもの」に基づき、認定を行う。なお、傷病名と視野障害の整合性の確認が必要な場合又はＩ／４の視標で測定不能の場合は、Ｖ／４の視標を含めた視野を確認した上で総合的に認定する。

㈠　「周辺視野角度の和」とは、Ｉ／４の視標による８方向（上・内上・内・内下・下・外下・外・外上の８方向）の周辺視野角度の和とする。８方向の周辺視野角度はＩ／４視標が視認できない部分を除いて算出するものとする。

Ｉ／４の視標で、周辺にも視野が存在するが中心部の視野と連続しない部分は、中心部の視野のみで算出する。

Ｉ／４の視標で、中心10度以内に視野が存在しない場合は、周辺視野角度の和が80度以下として取り扱う。

㈡　「両眼中心視野角度」とは、以下の手順に基づき算出したものをいう。

a　Ｉ／２の視標による８方向（上・内上・内・内下・下・外下・外・外上の８方向）の中心視野角度の和を左右眼それぞれ求める。８方向の中心視野角度はＩ／２視標が視認できない部分を除いて算出するものとする。

b　aで求めた左右眼の中心視野角度の和に基づき、次式により、両眼中心視野角度を計算する（小数点以下は四捨五入し、整数で表す）。

両眼中心視野角度＝（３×中心視野角度の和が大きい方の眼の中心視野角度の和＋中心視野角度の和が小さい方の眼の中心視野角度の和）／４

c　なお、Ｉ／２の視標で中心10度以内に視野が存在しない場合は、中心視野角度の和は０度として取り扱う。

㈢　「求心性視野狭窄又は輪状暗点があるものについて、Ｉ／２の視標で両眼の視野がそれぞれ５度以内におさまるもの」とは、求心性視野狭窄又は輪状暗点があるものについて、Ｉ／２の視標による視野の面積が、中心５度以内の視野の面積と同程度におさまるものをいう。なお、その際、面積は厳格に計算しなくてよい。

ウ　自動視野計を用いる場合は、それぞれ以下によって測定した「両眼開放視認点数」及び「両眼中心視野視認点数」に基づき、認定を行う。

(ア)　「両眼開放視認点数」とは、視標サイズⅢによる両眼開放エスターマンテスト（図１）で120点測定し、算出したものをいう。

(イ)　「両眼中心視野視認点数」とは、以下の手順に基づき算出したものをいう。

a　視標サイズⅢによる10―２プログラム（図２）で中心10度以内を２度間隔で68点測定し、左右眼それぞれについて感度が26dB以上の検査点数を数え、左右眼それぞれの中心視野視認点数を求める。なお、dBの計算は、背景輝度31.5asbで、視標輝度10,000asbを０dBとしたスケールで算出する。

b　aで求めた左右眼の中心視野視認点数に基づき、次式により、両眼中心視野視認点数を計算する（小数点以下は四捨五入し、整数で表す）。

両眼中心視野視認点数＝（３×中心視野視認点数が多い方の眼の中心視野視認点数＋中心視野視認点数が少ない方の眼の中心視野視認点数）／４

（図１）

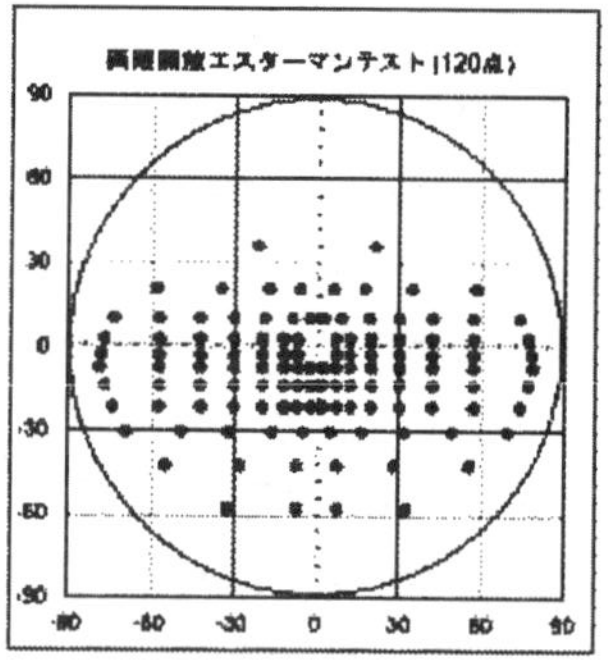

（図２）

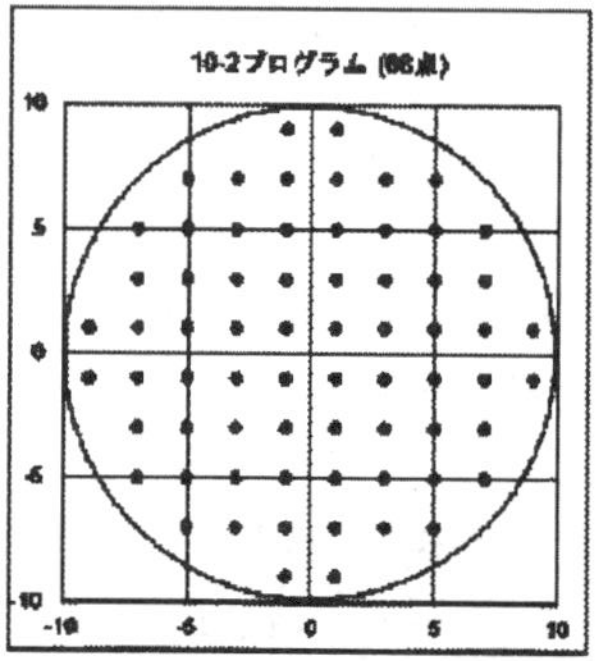

エ　ゴールドマン型視野計では、中心30度内は適宜矯正レンズを使用し、30度外は矯正レンズを装用せずに測定する。

自動視野計では、10―2プログラムは適宜矯正レンズを使用し、両眼開放エスターマンテストは矯正眼鏡を装用せずに実施する。

オ　自動視野計を用いて測定した場合において、認定上信頼性のある測定が困難な場合は、ゴールドマン型視野計で測定し、その測定結果により認定を行う。

カ　ゴールドマン型視野計又は自動視野計の結果は、診断書に添付する。

キ　「身体の機能の障害が前各号と同程度以上と認められる状態であって、日常生活が著しい制限を受けるか、又は日常生活に著しい制限を加えることを必要とする程度のもの」とは、求心性視野狭窄又は輪状暗点があるものについて、Ｉ／２の視標で両眼の視野がそれぞれ５度以内におさまるものをいう。

(3)　視力障害と視野障害が併存する場合には、併合認定の取扱いを行う。

第２節　聴覚の障害

聴覚の障害による障害の程度は、次により認定する。

1　認定基準

施行令別表第三に定める障害の程度は、次のとおりである。

障害の程度	障　害　の　状　態
１級	両耳の聴力レベルが100デシベル以上のもの
２級	両耳の聴力レベルが90デシベル以上のもの
	身体の機能の障害が前各号と同程度以上と認められる状態であって、日常生活が著しい制限を受けるか、又は日常生活に著しい制限を加えることを必要とする程度のもの

2　認定要領

聴覚の障害による障害の程度は、純音による聴力レベル値（純音聴力レベル値）及び語音による聴力検査値（語音明瞭度）により認定する。

(1)　聴力レベルは、オージオメータ（ＪＩＳ規格又はこれに準ずる標準オージオメータ）によって測定するものとする。

ただし、聴覚の障害により特別児童扶養手当を受給しておらず、かつ、身体障害者手帳を取得していない障害児に対し、１級に該当する診断を行う場合には、オージオメータによる検査に加えて、ＡＢＲ検査（聴性脳幹反応検査）等の他覚的聴力検査又はそれに相当する検査を実施する。また、その結果（実施した検査方法及び検査所見）を診断書に記載し、記録データのコピー等を提出（添付）するものとする。

(2)　聴力レベルのデシベル値は、話声域すなわち周波数500、1000、2000ヘルツにおける純音の各デシベル値をａ、ｂ、ｃとした場合、次式により算出する。

$$平均純音聴力レベル値 = \frac{a + 2b + c}{4}$$

なお、この算式により得た値が境界値に近い場合には

$\frac{a + 2b + 2c + d}{6}$ の算式により得た値を参考とする。

a：周波数500ヘルツの音に対する純音聴力レベル値
b：周波数1000ヘルツの音に対する純音聴力レベル値
c：周波数2000ヘルツの音に対する純音聴力レベル値
d：周波数4000ヘルツの音に対する純音聴力レベル値

(注)　聴力が純音聴力損失値によって算出されているときは、10デシベルを加算した数値を聴力デシベルにおけるデシベル値として認定する。

(3)　最良語音明瞭度の算出は、次によるものとする。

ア　検査は、録音器又はマイク付オージオメータにより、通常の会話の強さで発声し、オージオメータの音量を適当に強めたり、弱めたりして最も適した状態で行う。

イ　検査語は、語音弁別能力測定用語音集により、２秒から３秒に１語の割合で発声し語音明瞭度を検査する。

なお、語音聴力表は、「57ｓ式語表」あるいは「67ｓ式語表」とする。

ウ　語音明瞭度は、次式により算出し、語音明瞭度の最も高い値を最良語音明瞭度（語音弁別能）とする。

$$語音明瞭度 = \frac{正答語音数}{検査語数} \times 100\ (\%)$$

(4)　「身体の機能の障害が前各号と同程度以上と認められる状態であって、日常生活が著しい制限を受けるか、又は日常生活に著しい制限を加えることを必要とする程度のもの」とは、両耳の平均純音聴力レベル値が80デシベル以上で、かつ、最良語音明瞭度が30％以下のものをいう。

(5)　聴覚の障害により特別児童扶養手当を受給しておらず、かつ、身体障害者手帳を取得していない障害児の障害の状態が１級に該当する場合は、オージオメータによる検査結果のほか、ＡＢＲ検査（聴性脳幹反応検査）等の他覚的聴力検査又はそれに相当する検査結果を把握して、総合的に認定する。

(6)　オージオメータにより聴力レベルを測定できない乳幼児の聴力の障害による認定については、ＡＢＲ検査（聴性脳幹反応検査）又はＡＳＳＲ検査（聴性定常反応検査）及びＣＯＲ検査（条件詮索反応検査）を組み合わせて実施するものとする。

ア　ＡＢＲ検査（聴性脳幹反応検査）又はＡＳＳＲ検査（聴性定常反応検査）の聴力レベルのデシベル値が両耳とも100デシベル以上、ＣＯＲ検査（条件詮索反応検査）の聴力レベルのデシベル値が100デシベル以上の場合は１級と認定する。

イ　ＡＢＲ検査（聴性脳幹反応検査）又はＡＳＳＲ検査（聴性定常反応検査）の聴力レベルのデシベル値が両耳とも90デシベル以上、ＣＯＲ検査（条件詮索反応検査）の聴力レベルのデシベル値が90デシベル以上の場合は２級と認定する。

なお、ア及びイにより認定した場合は、原則として当該認定を行った日からおおむね２年後に再認定を行うこととする。

第３節　平衡機能の障害

平衡機能の障害による障害の程度は、次により認定する。

1　認定基準

施行令別表第三に定める障害の程度は、次のとおりである。

障害の程度	障　害　の　状　態
２級	平衡機能に著しい障害を有するもの

2　認定要領

(1)　平衡機能の障害には、その原因が内耳性のもののみならず、脳性のものも含まれる。

(2)　「平衡機能に著しい障害を有するもの」とは、四肢体幹に器質的異常がない場合に閉眼で起立・立位保持が不能又は開眼で直線を歩行中に10メートル以内に転倒あるいは著しくよろめいて歩行を中断せざるを得ない程度のものをいう。

第４節　そしゃく・嚥下機能の障害

そしゃく機能・嚥下機能の障害による障害の程度は、次により認定する。

1　認定基準

施行令別表第三に定める障害の程度は、次のとおりである。

障害の程度	障　害　の　状　態
２級	そしゃくの機能を欠くもの

2　認定要領

(1)　そしゃく・嚥下機能の障害は、歯、顎（顎関節も含む。）、口腔（舌、口唇、硬口蓋、頬、そしゃく筋等）咽頭、喉頭、食道等の器質的、機能的障害（外傷や手術による変形、障害も含む）により食物の摂取が困難なもの、あるいは誤嚥の危険が大きいものである。

(2)　そしゃく・嚥下機能の障害の程度は、摂取できる食物の内容、摂取方法によって次のように区分するが、関与する器官、臓器の形態・機能、栄養状態等も十分考慮して総合的に認定する。

ア　「そしゃく・嚥下の機能を欠くもの」とは、流動食以外は摂取できないもの、経口的に食物を摂取することができないもの、及び経口的に食物を摂取することが極めて困難なもの（食餌が口からこぼれ出るため常に手、器物等でそれを防がなければならないもの、または１日の大半を食事に費やさなければならない程度のもの）をいう。

(3)　そしゃく機能の障害と嚥下機能の障害は、併合認定の取扱いを行わない。

第５節　音声又は言語機能の障害

音声又は言語機能の障害による障害の程度は、次により認定する。

1　認定基準

施行令別表第三に定める障害の程度は、次のとおりである。

障害の程度	障　害　の　状　態
２級	音声又は言語機能に著しい障害を有するもの

2　認定要領

(1)　音声又は言語機能の障害とは、発音に関わる機能又は音声言語の理解と表出に関わる機能の障害をいい、構音障害又は音声障害、失語症及び聴覚障害による障害が含まれる。

ア　構音障害又は音声障害

歯、顎、口腔（舌、口唇、口蓋等）、咽頭、喉頭、気管等の発声器官の形態異常や運動機能障害により、発音に関わる機能に障害が生じた状態のものをいう。

イ　失語症

大脳の言語野の後天性脳損傷（脳血管障害、脳腫瘍、頭部外傷や脳炎など）により、一旦獲得された言語機能に障害が生じた状態のものをいう。

ウ　聴覚障害による障害

先天的な聴覚障害により音声言語の表出ができないものや、中途の聴覚障害によって発音に障害が生じた状態のものをいう。

(2)　「音声又は言語機能に著しい障害を有するもの」とは、発音に関わる機能を喪失するか、話すことや聞いて理解することのどちらか又は両方がほとんどできないため、日常会話が誰とも成立しないものをいう。

(3)　構音障害、音声障害又は聴覚障害による障害については、発音不能な語音を評価の参考とする。発音不能な語音は、次の４種について確認するほか、語音発語明瞭度検査等が行われた場合はその結果を確認する。

ア　口唇音（ま行音、ぱ行音、ば行音等）

イ　歯音、歯茎音（さ行、た行、ら行等）

ウ　歯茎硬口蓋音（しゃ、ちゃ、じゃ等）

エ　軟口蓋音（か行音、が行音等）

(4)　失語症については、失語症の障害の程度を評価の参考とする。失語症の障害の程度は、音声言語の表出及び理解の程度について確認するほか、標準失語症検査等が行われた場合はその結果を確認する。

(5)　失語症が、音声言語の障害の程度と比較して、文字言語（読み書き）の障害の程度が重い場合には、その症状も勘案し、総合的に認定する。

(6)　喉頭全摘出手術を施した結果、発音に関わる機能を喪失したものについては、２級と認定する。

(7)　歯のみの障害による場合は、補綴等の治療を行った結果により認定を行う。

(8)　音声又は言語機能の障害（特に構音障害）とそしゃく・嚥下機能の障害とは併存することが多いが、この場合には、併合認定の取扱いを行う。また、音声又は言語機能の障害（特に失語症）と肢体の障害又は精神の障害とは併存することが多いが、この場合についても、併合認定の取扱いを行う。

第６節　肢体の障害

肢体の障害による障害の程度は、上肢の障害、下肢の障害、体幹の障害及び肢体の機能の障害に区分し、次により認定する。

第１　上肢の障害

1　認定基準

上肢の障害については、次のとおりである。

障害の程度	障　害　の　状　態
１級	両上肢の機能に著しい障害を有するもの

	両上肢の全ての指を欠くもの
	両上肢の全ての指の機能に著しい障害を有するもの
２級	両上肢のおや指及びひとさし指又は中指を欠くもの
	両上肢のおや指及びひとさし指又は中指の機能に著しい障害を有するもの
	一上肢の機能に著しい障害を有するもの
	一上肢の全ての指を欠くもの
	一上肢の全ての指の機能に著しい障害を有するもの
	身体の機能の障害又は長期にわたる安静を必要とする病状が前各号と同程度以上と認められる状態であって、日常生活が著しい制限を受けるか、又は日常生活に著しい制限を加えることを必要とするもの

２　認定要領

上肢の障害は、機能障害、欠損障害に区分する。

(1)　機能障害

ア　「両上肢の機能に著しい障害を有するもの」すなわち「両上肢の用を全く廃したもの」とは、両上肢の３大関節中それぞれ２関節以上の関節が全く用を廃したもの、すなわち、次のいずれかに該当する程度のものをいう。

(ｱ)　不良肢位で強直しているもの

(ｲ)　関節の他動可動域が、別紙「肢体の障害関係の測定方法」による参考可動域の２分の１以下に制限され、かつ、筋力が半減しているもの

(ｳ)　筋力が著減又は消失しているもの

なお、認定に当たっては、一上肢のみに障害がある場合に比して日常生活における動作に制約が加わることから、その動作を考慮して総合的に認定する。

イ　「一上肢の機能に著しい障害を有するもの」すなわち「一上肢の用を全く廃したもの」とは、一上肢の３大関節中いずれか２関節以上の関節が全く用を廃したもの、すなわち、次のいずれかに該当する程度のものをいう。

(ｱ)　不良肢位で強直しているもの

(ｲ)　関節の最大他動可動域が、健側の他動可動域の２分の１以下に制限され、かつ、筋力が半減しているもの

(ｳ)　筋力が著減又は消失しているもの

ウ　「身体の機能の障害又は長期にわたる安静を必要とする病状が前各号と同程度以上と認められる状態であって、日常生活が著しい制限を受けるか、又は日常生活に著しい制限を加えることを必要とする程度のもの」とは、両上肢の機能に相当程度の障害を残すもの（例えば、両上肢の３大関節中それぞれ１関節の他動可動域が、別紙「肢体の障害関係の測定方法」による参考可動域の２分の１以下に制限され、かつ、筋力が半減しているもの）をいう。

なお、認定に当たっては、一上肢のみに障害がある場合に

比して日常生活における動作に制約が加わることから、その動作を考慮して総合的に認定する。

エ　「上肢の指の機能に著しい障害を有するもの」すなわち「上肢の指の用を全く廃したもの」とは、指の著しい変形、麻痺による高度の脱力、関節の不良肢位強直、瘢痕による指の埋没又は不良肢位拘縮等により、指があってもそれがないのとほとんど同程度の機能障害があるものをいう。

オ　「両上肢のおや指及びひとさし指又は中指の機能に著しい障害を有するもの」すなわち「両上肢のおや指及びひとさし指又は中指の用を全く廃したもの」とは、両上肢のおや指の用を全く廃した程度の障害があり、それに加えて、両上肢のひとさし指又は中指の用を全く廃した程度の障害があり、そのため両手とも指間に物をはさむことはできても、一指を他指に対立させて物をつまむことができない程度の障害をいう。

カ　「指の用を廃したもの」とは、次のいずれかに該当するものをいう。

(ア)　指の末節骨の長さの２分の１以上を欠くもの

(イ)　中手指関節（ＭＰ）又は近位指節間関節（ＰＩＰ）（おや指にあっては、指節間関節（ＩＰ）に著しい運動障害（他動可動域が健側の他動可動域の２分の１以下に制限されたもの）を残すもの

キ　日常生活における動作は、おおむね次のとおりである。

(ア)　さじで食事をする

(イ)　顔を洗う（顔に手のひらをつける）

(ウ)　用便の処置をする（ズボンの前のところに手をやる）

(エ)　用便の処置をする（尻のところに手をやる）

(オ)　上衣の着脱（かぶりシャツを着て脱ぐ）

(カ)　上衣の着脱（ワイシャツを着てボタンをとめる）

(2)　欠損障害

ア　「上肢の指を欠くもの」とは、基節骨の基部から欠き、その有効長が０のものをいう。

「両上肢のおや指及びひとさし指又は中指を欠くもの」とは、必ず両上肢のおや指を基部から欠き、それに加えて、両上肢のひとさし指又は中指を基部から欠くものである。

イ　「指を失ったもの」とは、おや指については指節間関節（ＩＰ）、その他の指については、近位指節間関節（ＰＩＰ）以上で欠くものをいう。

(3)　関節可動域の測定方法、関節の運動及び関節可動域等の評価測定方法については、別紙「肢体の障害関係の測定方法」による。

ア　関節の運動に関する評価については、各関節の主要な運動を重視し、他の運動については、参考とする。

なお、各関節の主要な運動は次のとおりである。

部　　位	主要な運動

肩関節	屈曲・外転
肘関節	屈曲・伸展
手関節	背屈・掌屈
前腕	回内・回外
手指	屈曲・伸展

イ　関節可動域の評価は、原則として、健側の関節可動域と比較して患側の障害の程度を評価する。

ただし、両側に障害を有する場合にあっては、別紙「肢体の障害関係の測定方法」による参考可動域を参考とする。

ウ　各関節の評価に当たっては、単に関節可動域のみでなく、次の諸点を考慮した上で評価する。

(ア)　筋力　(イ)　巧緻性　(ウ)　速さ　(エ)　耐久性

なお、他動可動域による評価が適切ではないもの（例えば、末梢神経損傷を原因として関節を可動させる筋が弛緩性の麻痺となっているもの）については、上記諸点を考慮し、日常生活における動作の状態から上肢の障害を総合的に認定する。

(4)　人工骨頭又は人工関節をそう入置換したものは、そう入置換した状態で認定を行うものとする。

第２　下肢の障害

1　認定基準

下肢の障害については、次のとおりである。

障害の程度	障害の状態
1級	両下肢の機能に著しい障害を有するもの
	両下肢を足関節以上で欠くもの
2級	両下肢の全ての指を欠くもの
	一下肢の機能に著しい障害を有するもの
	一下肢を足関節以上で欠くもの
	身体の機能の障害又は長期にわたる安静を必要とする病状が前各号と同程度以上と認められる状態であって、日常生活が著しい制限を受けるか、又は日常生活に著しい制限を加えることを必要とする程度のもの

2　認定要領

下肢の障害は、機能障害、欠損障害に区分する。

(1)　機能障害

ア　「両下肢の機能に著しい障害を有するもの」すなわち「両下肢の用を全く廃したもの」とは、両下肢の3大関節中それぞれ2関節以上の関節が全く用を廃したもの、すなわち、次のいずれかに該当する程度のものをいう。

(ア)　不良肢位で強直しているもの

(イ)　関節の他動可動域が、別紙「肢体の障害関係の測定方法」による参考可動域の2分の1以下に制限され、かつ、

筋力が半減しているもの

(ウ)　筋力が著減又は消失しているもの

ただし、両下肢それぞれの膝関節のみが100度屈曲位の強直である場合のように、両下肢の３大関節中単に１関節の用を全く廃するにすぎない場合であっても、その両下肢を歩行時に使用することができない場合には、「両下肢の用を全く廃したもの」と認定する。

なお、認定に当たっては、一下肢のみに障害がある場合に比して日常生活における動作に制約が加わることから、その動作を考慮して総合的に認定する。

イ　「一下肢の機能に著しい障害を有するもの」すなわち「一下肢の用を全く廃したもの」とは、一下肢の３大関節中いずれか２関節以上の関節が全く用を廃したもの、すなわち、次のいずれかに該当する程度のものをいう。

(ア)　不良肢位で強直しているもの

(イ)　関節の最大他動可動域が、健側の他動可動域の２分の１以下に制限され、かつ、筋力が半減しているもの

(ウ)　筋力が著減又は消失しているもの

ただし、膝関節のみが100度屈曲位の強直である場合のように、単に１関節の用を全く廃するにすぎない場合であっても、その下肢を歩行時に使用することができない場合には、「一下肢の用を全く廃したもの」と認定する。

ウ　「身体の機能の障害又は長期にわたる安静を必要とする病状が前各号と同程度以上と認められる状態であって、日常生活が著しい制限を受けるか、又は日常生活に著しい制限を加えることを必要とする程度のもの」とは、両下肢の機能に相当程度の障害を残すもの（例えば、両下肢の３大関節中それぞれ１関節の他動可動域が、別紙「肢体の障害関係の測定方法」による参考可動域の２分の１以下に制限され、かつ、筋力が半減しているもの）をいう。

なお、認定に当たっては、一下肢のみに障害がある場合に比して日常生活における動作に制約が加わることから、その動作を考慮して総合的に認定する。

エ　「関節の用を廃したもの」とは、関節の他動可動域が健側の他動可動域の２分の１以下に制限されたもの又はこれと同程度の障害を残すもの（例えば、常時（起床より就寝まで）固定装具を必要とする程度の動揺関節）をいう。

オ　日常生活における動作は、おおむね次のとおりである。

(ア)　片足で立つ

(イ)　歩く（屋内）

(ウ)　歩く（屋外）

(エ)　立ち上がる

(オ)　階段を上る

(カ)　階段を下りる

(2)　欠損障害

ア　「足関節以上で欠くもの」とは、ショパール関節以上で欠

くものをいう。

イ　「趾を欠くもの」とは、中足趾節関節（ＭＰ）から欠くものをいう。

(3)　関節可動域の測定方法、関節の運動及び関節可動域等の評価測定方法については、別紙「肢体の障害関係の測定方法」による。

ア　関節の運動に関する評価については、各関節の主要な運動を重視し、他の運動については、参考とする。

なお、各関節の主要な運動は次のとおりである。

部　　位	主要な運動
股　関　節	屈曲・伸展
膝　関　節	屈曲・伸展
足　関　節	背屈・底屈
足　　指	屈曲・伸展

イ　関節可動域の評価は、原則として、健側の関節可動域と比較して患側の障害の程度を評価する。

ただし、両側に障害を有する場合にあっては、別紙「肢体の障害関係の測定方法」による参考可動域を参考とする。

ウ　各関節の評価に当たっては、単に関節可動域のみでなく、次の諸点を考慮した上で評価する。

(ア)　筋力　(イ)　巧緻性　(ウ)　速さ　(エ)　耐久性

なお、他動可動域による評価が適切ではないもの（例えば、末梢神経損傷を原因として関節を可動させる筋が弛緩性の麻痺となっているもの）については、上記諸点を考慮し、日常生活における動作の状態から下肢の障害を総合的に認定する。

(4)　人工骨頭又は人工関節をそう入置換したものは、そう入置換した状態で認定を行うものとする。

第３　体幹の障害

1　認定基準

体幹の障害については、次のとおりである。

障害の程度	障　害　の　状　態
1級	体幹の機能に座っていることができない程度又は立ち上がることができない程度の障害を有するもの
	身体の機能の障害又は長期にわたる安静を必要とする病状が前各号と同程度以上と認められる状態であって、日常生活の用を弁ずることを不能ならしめる程度のもの
2級	体幹の機能に歩くことができない程度の障害を有するもの
	身体の機能の障害又は長期にわたる安静を必要とする病状が前各号と同程度以上と認められる状態であって、日常生活が著しい制限を受けるか、又は日常生活に著しい制限を加えることを必要とす

る程度のもの

2 認定要領

(1) 体幹の障害

体幹の機能障害は、高度体幹麻痺を後遺した脊髄性小児麻痺、脳性麻痺などによって生じるものである。

ア 「体幹の機能に座っていることができない程度の障害を有するもの」とは、腰掛、正座、あぐら、横すわりのいずれもができないものをいい、「体幹の機能に立ち上ることができない程度の障害を有するもの」とは、臥位又は坐位から自力のみで立ち上れず、他人、柱、杖、その他の器物の介護又は補助によりはじめて立ち上ることができる程度の障害をいう。

イ 「体幹の機能に歩くことができない程度の障害を有するもの」とは、室内においては、杖、松葉杖、その他の補助用具を必要とせず、起立移動が可能であるが、野外ではこれらの補助用具の助けをかりる必要がある程度の障害をいう。

第4 肢体の機能の障害

1 認定基準

肢体の機能の障害については、次のとおりである。

障害の程度	障害の状態
1級	身体の機能の障害又は長期にわたる安静を必要とする病状が前各号と同程度以上と認められる状態であって、日常生活の用を弁ずることを不能ならしめる程度のもの
2級	身体の機能の障害又は長期にわたる安静を必要とする病状が前各号と同程度以上と認められる状態であって、日常生活が著しい制限を受けるか、又は日常生活に著しい制限を加えることを必要とする程度のもの

2 認定要領

(1) 肢体の障害が上肢及び下肢などの広範囲にわたる障害（脳血管障害、脊髄損傷等の脊髄の器質障害、進行性筋ジストロフィー等）の場合には、本節「第1 上肢の障害」、「第2 下肢の障害」及び「第3 体幹の障害」に示したそれぞれの認定基準と認定要領によらず、「第4 肢体の機能の障害」として認定する。

(2) 肢体の機能の障害の程度は、関節可動域、筋力、巧緻性、速さ、耐久性を考慮し、日常生活における動作の状態から身体機能を総合的に認定する。

なお、他動可動域による評価が適切ではないもの（例えば、末梢神経損傷を原因として関節を可動させる筋が弛緩性の麻痺となっているもの）については、筋力、巧緻性、速さ、耐久性を考慮し、日常生活における動作の状態から身体機能を総合的に認定する。

(3) 各等級に相当すると認められるものを一部例示すると次のとおりである。

障害の程度	障　害　の　状　態
１級	1　一上肢及び一下肢の用を全く廃したもの 2　四肢の機能に相当程度の障害を残すもの
２級	1　一上肢及び一下肢の機能に相当程度の障害を残すもの 2　四肢に機能障害を残すもの

（注）　肢体の機能の障害が両上肢、一上肢、両下肢、一下肢、体幹の範囲内に限られている場合には、それぞれの認定基準と認定要領によって認定すること。

なお、肢体の機能の障害が上肢及び下肢の広範囲にわたる場合であって、上肢と下肢の障害の状態が相違する場合には、障害の重い肢で障害の程度を判断し、認定すること。

(4)　日常生活における動作と身体機能との関連は、厳密に区別することができないが、おおむね次のとおりである。

ア　手指の機能

(ア)　つまむ（新聞紙が引き抜けない程度）

(イ)　握る（丸めた週刊誌が引き抜けない程度）

(ウ)　タオルを絞る（水をきれる程度）

(エ)　ひもを結ぶ

イ　上肢の機能

(ア)　さじで食事をする

(イ)　顔を洗う（顔に手のひらをつける）

(ウ)　用便の処置をする（ズボンの前のところに手をやる）

(エ)　用便の処置をする（尻のところに手をやる）

(オ)　上衣の着脱（かぶりシャツを着て脱ぐ）

(カ)　上衣の着脱（ワイシャツを着てボタンをとめる）

ウ　下肢の機能

(ア)　片足で立つ

(イ)　歩く（屋内）

(ウ)　歩く（屋外）

(エ)　立ち上がる

(オ)　階段を上る

(カ)　階段を下りる

なお、手指の機能と上肢の機能とは、切り離して評価することなく、手指の機能は、上肢の機能の一部として取り扱う。

(5)　身体機能の障害の程度と日常生活における動作の障害との関係を参考として示すと、次のとおりである。

ア　「用を全く廃したもの」とは、日常生活における動作のすべてが「１人で全くできない場合」又はこれに近い状態をいう。

イ　「機能に相当程度の障害を残すもの」とは、日常生活における動作の多くが「１人で全くできない場合」又は日常生活における動作のほとんどが「１人でできるが非常に不自由な場合」をいう。

ウ　「機能障害を残すもの」とは、日常生活における動作の一部が「1人で全くできない場合」又はほとんどが「1人でできてもやや不自由な場合」をいう。

第7節　精神の障害

精神の障害による障害の程度は、次により認定する。

1　認定基準

精神の障害については、次のとおりである。

障害の程度	障　害　の　状　態
1級	精神の障害であって、前各号と同程度以上と認められる程度のもの
2級	精神の障害であって、前各号と同程度以上と認められる程度のもの

精神の障害の程度は、その原因、諸症状、治療及びその病状の経過、具体的な日常生活状況等により、総合的に認定するものとし、日常生活の用を弁ずることを不能ならしめる程度のものを1級に、日常生活が著しい制限を受けるか又は日常生活に著しい制限を加えることを必要とする程度のものを2級に該当するものと認定する。

精神の障害は、多種であり、かつ、その症状は同一原因であっても多様である。

したがって、認定に当たっては具体的な日常生活状況等の生活上の困難を判断するとともに、その原因及び経過を考慮する。

2　認定要領

精神の障害は、「統合失調症、統合失調症型障害及び妄想性障害」、「気分（感情）障害」、「症状性を含む器質性精神障害」、「てんかん」、「知的障害」、「発達障害」に区分する。

症状性を含む器質性精神障害、てんかんであって、妄想、幻覚等のあるものについては、「A　統合失調症、統合失調症型障害及び妄想性障害並びに気分（感情）障害」に準じて取り扱う。

A　統合失調症、統合失調症型障害及び妄想性障害並びに気分（感情）障害

(1)　各等級に相当すると認められるものを一部例示すると次のとおりである。

障害の程度	障　害　の　状　態
1級	1　統合失調症によるものにあっては、高度の残遺状態又は高度の病状があるため高度の人格変化、思考障害、その他妄想・幻覚等の異常体験が著明なため、常時の援助が必要なもの 2　気分（感情）障害によるものにあっては、高度の気分、意欲・行動の障害及び高度の思考障害の病相期があり、かつ、これが持続したり、ひんぱんに繰り返したりするため、常時の援助が必要なもの
2級	1　統合失調症によるものにあっては、残遺状

	態又は病状があるため人格変化、思考障害、その他妄想・幻覚等の異常体験があるため、日常生活が著しい制限を受けるもの 2　気分（感情）障害によるものにあっては、気分、意欲・行動の障害及び思考障害の病相期があり、かつ、これが持続したり又はひんぱんに繰り返したりするため、日常生活が著しい制限を受けるもの

(2)　統合失調症、統合失調症型障害及び妄想性障害並びに気分（感情）障害の認定に当たっては、次の点を考慮のうえ慎重に行う。

ア　統合失調症は、予後不良の場合もあり、施行令別表第三に定める障害の状態に該当すると認められるものが多い。しかし、罹病後数年ないし十数年の経過中に症状の好転を見ることもあり、また、その反面急激に増悪し、その状態を持続することもある。したがって、統合失調症として認定を行うものに対しては、発病時からの療養及び症状の経過を十分考慮する。

イ　気分（感情）障害は、本来、症状の著明な時期と症状の消失する時期を繰り返すものである。したがって、現症のみによって認定することは不十分であり、症状の経過及びそれによる日常生活活動等の状態を十分考慮する。

また、統合失調症等とその他認定の対象となる精神疾患が併存しているときは、併合認定の取扱いは行わず、諸症状を総合的に判断して認定する。

(3)　日常生活能力等の判定に当たっては、身体的機能及び精神的機能を考慮の上、社会的な適応性の程度によって判断するよう努める。

(4)　人格障害は、原則として認定の対象とならない。

(5)　神経症にあっては、その症状が長期間持続し、一見重症なものであっても、障害の状態とは評価しない。（その臨床症状から判断して精神病の病態を示しているものについては、統合失調症又は気分（感情）障害に準じて取り扱う。）

なお、認定に当たっては、精神病の病態がＩＣＤ―10による病態区分のどの区分に属す病態であるかを考慮し判断すること。

B　症状性を含む器質性精神障害

(1)　症状性を含む器質性精神障害（高次脳機能障害を含む。）とは、先天異常、頭部外傷、変性疾患、新生物、中枢神経等の器質障害を原因として生じる精神障害に、膠原病や内分泌疾患を含む全身疾患による中枢神経障害等を原因として生じる症状性の精神障害を含むものである。

なお、アルコール、薬物等の精神作用物質の使用による精神及び行動の障害（以下「精神作用物質使用による精神障害」という。）についてもこの項に含める。

また、症状性を含む器質性精神障害とその他認定の対象となる精神疾患が併存しているときは、併合認定の取扱いは行わず、諸症状を総合的に判断して認定する。

(2)　各等級に相当すると認められるものを一部例示すると次のとおりである。

障害の程度	障害の状態
1級	高度の認知障害、高度の人格変化、その他の高度の精神神経症状が著明なため、常時の援助が必要なもの
2級	認知障害、人格変化、その他の精神神経症状が著明なため、日常生活が著しい制限を受けるもの

(3)　脳の器質障害については、精神障害と神経障害を区分して考えることは、その多岐にわたる臨床症状から不能であり、原則としてそれらの諸症状を総合して、全体像から総合的に判断して認定する。

(4)　精神作用物質使用による精神障害

ア　アルコール、薬物等の精神作用物質の使用により生じる精神障害について認定するものであって、精神病性障害を示さない急性中毒及び明らかな身体依存の見られないものは、認定の対象とならない。

イ　精神作用物質使用による精神障害は、その原因に留意し、発病時からの療養及び症状の経過を十分考慮する。

(5)　高次脳機能障害とは、脳損傷に起因する認知障害全般を指し、日常生活又は社会生活に制約があるものが認定の対象となる。その障害の主な症状としては、失語、失行、失認のほか記憶障害、注意障害、遂行機能障害、社会的行動障害などがある。

なお、障害の状態は、代償機能やリハビリテーションにより好転も見られることから療養及び症状の経過を十分考慮する。

また、失語の障害については、「第５節　言語機能の障害」の認定要領により認定する。

(6)　日常生活能力等の判定に当たっては、身体的機能及び精神的機能を考慮の上、社会的な適応性の程度によって判断するよう努める。

C　てんかん

(1)　てんかん発作は、部分発作、全般発作、未分類てんかん発作などに分類されるが、具体的に出現する臨床症状は多彩である。

また、発作頻度に関しても、薬物療法によって完全に消失するものから、難治性てんかんと呼ばれる発作の抑制できないものまで様々である。

さらに、てんかん発作は、その重症度や発作頻度以外に、発作間欠期においても、それに起因する様々な程度の精神神経症状や認知障害などが、稀ならず出現することに留意する必要がある。

(2) 各等級に相当すると認められるものを一部例示すると次のとおりである。

障害の程度	障　害　の　状　態
1級	十分な治療にかかわらず、てんかん性発作を極めてひんぱんに繰り返すため、常時の援助が必要なもの
2級	十分な治療にかかわらず、てんかん性発作をひんぱんに繰り返すため、日常生活が著しい制限を受けるもの

(注) てんかんは、発作と精神神経症状及び認知障害が相まって出現することに留意が必要。また、精神神経症状及び認知障害については、前記「B　症状性を含む器質性精神障害」に準じて認定すること。

(3) てんかんの認定に当たっては、発作のみに着眼することなく、てんかんの諸症状、社会適応能力、具体的な日常生活状況等の他の要因を含め、全体像から総合的に判断して認定する。

様々なタイプのてんかん発作が出現し、発作間欠期に精神神経症状や認知障害を有する場合には、治療及び病状の経過、日常生活状況等によっては、さらに上位等級に認定する。

また、てんかんとその他認定の対象となる精神疾患が併存しているときは、併合認定の取扱いは行わず、諸症状を総合的に判断して認定する。

(4) てんかん発作については、抗てんかん薬の服用や、外科的治療によって抑制される場合にあっては、原則として認定の対象にならないものである。

(5) 日常生活能力等の判定に当たっては、身体的機能及び精神的機能を考慮の上、社会的な適応性の程度によって判断するよう努める。

D　知的障害

(1) 知的障害とは、知的機能の障害が発達期（おおむね18歳まで）にあらわれ、日常生活に持続的な支障が生じているため、何らかの特別な援助を必要とする状態にあるものをいう。

(2) 各等級に相当すると認められるものを一部例示すると次のとおりである。

障害の程度	障　害　の　状　態
1級	知的障害があり、食事や身のまわりのことを行うのに全面的な援助が必要であって、かつ、会話による意思の疎通が不可能か著しく困難であるため、日常生活が困難で常時援助を必要とするもの
2級	知的障害があり、食事や身のまわりのことなどの基本的な行為を行うのに援助が必要であって、かつ、会話による意思の疎通が簡単なものに限られるため、日常生活にあたって援助が必

	要なもの

なお、この場合における１級と２級の程度を例示すれば、標準化された知能検査による知能指数がおおむね35以下のものが１級に、おおむね50以下のものが２級に相当すると考えられる。

(3) 知的障害の認定に当たっては、知能指数のみに着眼することなく、日常生活のさまざまな場面における援助の必要度を勘案して総合的に判断する。

また、知的障害とその他認定の対象となる精神疾患が併存しているときは、併合認定の取扱いは行わず、諸症状を総合的に判断して認定する。

(4) 日常生活能力等の判定に当たっては、身体的機能及び精神的機能を考慮の上、社会的な適応性の程度によって判断するよう努める。

E　発達障害

(1) 発達障害とは、自閉症、アスペルガー症候群その他の広汎性発達障害、学習障害、注意欠陥多動性障害その他これに類する脳機能の障害であってその症状が通常低年齢において発現するものをいう。

(2) 発達障害については、たとえ知能指数が高くても社会行動やコミュニケーション能力の障害により対人関係や意思疎通を円滑に行うことができないために日常生活に著しい制限を受けることに着目して認定を行う。

また、発達障害とその他認定の対象となる精神疾患が併存しているときは、併合認定の取扱いは行わず、諸症状を総合的に判断して認定する。

(3) 各等級に相当すると認められるものを一部例示すると次のとおりである。

障害の程度	障　害　の　状　態
１級	発達障害があり、社会性やコミュニケーション能力が欠如しており、かつ、著しく不適応な行動が見られるため、日常生活への適応が困難で常時援助を必要とするもの
２級	発達障害があり、社会性やコミュニケーション能力が乏しく、かつ、不適応な行動が見られるため、日常生活への適応にあたって援助が必要なもの

(4) 日常生活能力等の判定に当たっては、身体的機能及び精神的機能を考慮の上、社会的な適応性の程度によって判断するよう努める。

第８節　神経系統の障害

神経系統の障害による障害の程度は、次により認定する。

1　認定基準

神経系統の障害については、次のとおりである。

障害の程度	障　害　の　状　態
１級	身体の機能の障害又は長期にわたる安静を必要とす

	る病状が前各号と同程度以上と認められる状態であって、日常生活の用を弁ずることを不能ならしめる程度のもの
２級	身体の機能の障害又は長期にわたる安静を必要とする病状が前各号と同程度以上と認められる状態であって、日常生活が著しい制限を受けるか、又は日常生活に著しい制限を加えることを必要とする程度のもの

2　認定要領

(1)　肢体の障害の認定は、本章「第６節　肢体の障害」に示した認定要領に基づいて認定を行う。

(2)　脳の器質障害については、神経障害と精神障害を区別して考えることは、その多岐にわたる臨床症状から不能であり、原則としてそれらの諸症状を総合し、全体像から総合的に判断して認定する。

第９節　呼吸器疾患

呼吸器疾患による障害の程度は、次により認定する。

1　認定基準

呼吸器疾患の障害については、次のとおりである。

障害の程度	障　害　の　状　態
１級	身体の機能の障害又は長期にわたる安静を必要とする病状が前各号と同程度以上と認められる状態であって、日常生活の用を弁ずることを不能ならしめる程度のもの
２級	身体の機能の障害又は長期にわたる安静を必要とする病状が前各号と同程度以上と認められる状態であって、日常生活が著しい制限を受けるか、又は日常生活に著しい制限を加えることを必要とする程度のもの

呼吸器疾患の障害の程度は、自覚症状、他覚所見、検査成績（胸部Ｘ線所見、動脈血ガス分析値等）、一般状態、治療及び病状の経過、年齢、合併症の有無及び程度、具体的な日常生活状況等により総合的に認定するものとし、当該疾病の認定の時期以後少なくとも１年以上の療養を必要とするものであって、長期にわたり安静を必要とする病状が、日常生活の用を弁ずることを不能ならしめる程度のものを１級に、日常生活が著しい制限を受けるか又は日常生活に著しい制限を加えることを必要とする程度のものを２級に該当するものと認定する。

また、呼吸器疾患による障害の認定の対象は、そのほとんどが慢性呼吸不全によるものであり、特別な取扱いを要する呼吸器疾患として肺結核・気管支喘息があげられる。

2　認定要領

呼吸器疾患は、肺結核と呼吸不全に区分する。

A　肺結核

(1)　肺結核による障害の程度は、病状判定及び機能判定により認定する。

(2) 肺結核の病状による障害の程度は、自覚症状、他覚所見、検査成績（胸部Ｘ線所見、動脈血ガス分析値等）、排菌状態（喀痰等の塗抹、培養検査等）、一般状態、治療及び病状の経過、年齢、合併症の有無及び程度、具体的な日常生活状況等により総合的に認定する。

(3) 病状判定により各等級に相当すると認められるものを一部例示すると次のとおりである。

障害の程度	障　害　の　状　態
１級	認定の時期前６か月以内に常時排菌があり、胸部Ｘ線所見が日本結核病学会病型分類（以下「学会分類」という。）のⅠ型（広汎空洞型）又はⅡ型（非広汎空洞型）、Ⅲ型（不安定非空洞型）で病巣の拡がりが３（大）であるもので、かつ、長期にわたる高度の安静と常時の介助を必要とするもの
２級	１　認定の時期前６か月以内に排菌がなく、学会分類のⅠ型若しくはⅡ型又はⅢ型で病巣の拡がりが３（大）であるもので、かつ、日常生活が著しい制限を受けるか又は日常生活に著しい制限を加えることを必要とするもの ２　認定の時期前６か月以内に排菌があり、学会分類のⅢ型で病巣の拡がりが１（小）又は２（中）であるもので、かつ、日常生活が著しい制限を受けるか又は日常生活に著しい制限を加えることを必要とするもの

(4) 肺結核に他の結核又は他の疾病が合併している場合は、その合併症の軽重、治療法、従来の経過等を勘案した上、具体的な日常生活状況等を十分考慮して、総合的に認定する。

(5) 肺結核及び肺結核後遺症の機能判定による障害の程度は、「Ｂ　呼吸不全」の認定要領によって認定する。

Ｂ　呼吸不全

(1) 呼吸不全とは、原因のいかんを問わず、動脈血ガス分析値、特に動脈血O_2分圧と動脈血CO_2分圧が異常で、そのために生体が正常な機能を営み得なくなった状態をいう。

認定の対象となる病態は、主に慢性呼吸不全である。

慢性呼吸不全を生ずる疾患は、閉塞性換気障害（肺気腫、気管支喘息、慢性気管支炎等）、拘束性換気障害（間質性肺炎、肺結核後遺症、じん肺等）、心血管系異常、神経・筋疾患、中枢神経系異常等多岐にわたり、肺疾患のみが対象疾患ではない。

(2) 呼吸不全の主要症状としては、咳、痰、喘鳴、胸痛、労作時の息切れ等の自覚症状、チアノーゼ、呼吸促迫、低酸素血症等の他覚所見がある。

(3) 検査成績としては、動脈血ガス分析値、予測肺活量１秒率及び必要に応じて行う運動負荷肺機能検査等がある。

(4) 動脈血ガス分析値及び予測肺活量１秒率の異常の程度を参考として示すと次のとおりである。

なお、動脈血ガス分析値の測定に当たっては、安静時室内空気下により行うものとする。

A表　動脈血ガス分析値

区分	検査項目	単位	中等度異常	高度異常
1	動脈血O_2分圧	Torr	60〜56	55以下
2	動脈血CO_2分圧	Torr	51〜59	60以上

（注）　病状判定に際しては、動脈血O_2分圧値を重視する。

B表　予測肺活量１秒率

検査項目	単位	中等度異常	高度異常
予測肺活量１秒率	%	30〜21	20以下

(5)　呼吸不全による障害の程度を一般状態区分表で示すと次のとおりである。

一般状態区分表

区分	一　般　状　態
ア	歩行や身のまわりのことはできるが、時に少し介助のいることもあり、軽い運動はできないが、日中の50%以上は起居しているもの
イ	身のまわりのある程度のことはできるが、しばしば介助がいり、日中の50%以上は就床しており、自力では屋外への外出等がほぼ不可能となったもの
ウ	身のまわりのこともできず、常に介助がいり、終日就床を必要としており、活動の範囲がおおむねベッド周辺に限られるもの

(6)　呼吸不全による各等級に相当すると認められるものを一部例示すると次のとおりである。

障害の程度	障　害　の　状　態
１級	前記４のA表及びB表の検査成績が高度異常を示すもので、かつ、一般状態区分表のウに該当するもの
２級	前記４のA表及びB表の検査成績が中等度異常を示すもので、かつ、一般状態区分表のイ又はアに該当するもの

なお、呼吸不全の障害の程度の判定は、A表の動脈血ガス分析値を優先するが、その他の検査成績等も参考とし、認定時の具体的な日常生活状況等を把握して、総合的に認定する。

(7)　慢性気管支喘息については、症状が安定している時期においての症状の程度、使用する薬剤、酸素療法の有無、検査所見、具体的な日常生活状況などを把握して、総合的に認定することとし、各等級に相当すると認められるものを一部例示すると次のとおりである。

障害の程度	障　害　の　状　態
１級	最大限の薬物療法を行っても発作強度が大発作となり、無症状の期間がなく一般状態区分表のウに該当する場合であって、予測肺活量１秒率が高度異常（測定不能を含む）、かつ、動脈血

	ガス分析値が高度異常で常に在宅酸素療法を必要とするもの
2級	呼吸困難を常に認める。常時とは限らないが、酸素療法を必要とし、一般状態区分表のイ又はアに該当する場合であって、経口ステロイド薬の連用を必要とするもの

（注1）　上記表中の症状は、的確な喘息治療を行い、なおも、その症状を示すものであること。

（注2）　喘息は疾患の性質上、肺機能や血液ガスだけで重症度を弁別することには無理がある。このため、臨床症状、治療内容を含めて総合的に判定する必要がある。

（注3）　「喘息＋肺気腫（ＣＯＰＤ）」あるいは、「喘息＋肺腺維症」については、呼吸不全の基準で認定する。

(8)　常時（24時間）の在宅酸素療法を施行中のものについては、原則として2級と認定する。

(9)　原発性肺高血圧症や慢性肺血栓塞栓症等の肺血管疾患については、前記(4)のＡ表及び認定時の具体的な日常生活状況等によって、総合的に認定する。

第10節　心疾患

心疾患による障害の程度は、次により認定する。

1　認定基準

心疾患については、次のとおりである。

障害の程度	障害の状態
1級	身体の機能の障害又は長期にわたる安静を必要とする病状が前各号と同程度以上と認められる状態であって、日常生活の用を弁ずることを不能ならしめる程度のもの
2級	身体の機能の障害又は長期にわたる安静を必要とする病状が前各号と同程度以上と認められる状態であって、日常生活が著しい制限を受けるか、又は日常生活に著しい制限を加えることを必要とする程度のもの

心疾患による障害の程度は、呼吸困難、心悸亢進、尿量減少、夜間多尿、チアノーゼ浮腫等の臨床症状、Ｘ線、心電図等の検査成績、一般状態、治療及び病状の経過等により、総合的に認定するものとし、当該疾病の認定の時期以後少なくとも1年以上の療養を必要とするものであって、長期にわたる安静を必要とする病状が、日常生活の用を弁ずることを不能ならしめる程度のものを1級に、日常生活が著しい制限を受けるか又は日常生活に著しい制限を加えることを必要とする程度のものを2級に該当するものと認定する。

2　認定要領

(1)　この節に述べる心疾患とは、心臓だけではなく、血管を含む循環器疾患を指すものである。

心疾患による障害は、先天性心疾患、心筋・心膜疾患、後天性弁疾患、難治性不整脈、虚血性心疾患（心筋梗塞、狭心症）に区分する。

(2) 心疾患の障害等級の認定は、最終的には心臓機能が慢性的に障害された慢性心不全の状態及び低酸素状態（チアノーゼ）を評価することである。この状態は先天性心疾患や後天性弁疾患、心筋・心膜疾患などのあらゆる心疾患の終末像である。この末期像には手術後も含まれる。

慢性心不全とは、心臓のポンプ機能の障害により、体の末梢組織への血液供給が不十分となった状態を意味する。左心室、右心室双方の障害を考慮に入れなければならない。左心室系の障害により、動悸や息切れ、肺うっ血による呼吸困難、咳・痰、チアノーゼなどが、右心室系の障害により、全身倦怠感や浮腫、尿量減少、頸静脈怒張などの症状が出現する。

先天性心疾患では、これらに加え、単心室機能障害、右左短絡による低酸素状態、フォンタン循環による慢性心不全などが加わる。

(3) 心疾患の主要症状としては、胸痛、動悸、呼吸困難、失神等の自覚症状、浮腫、チアノーゼ、持続する咳嗽、喘鳴、低酸素（チアノーゼ）発作等の他覚所見がある。

臨床所見には、自覚症状（心不全に基づく）と他覚所見があるが、後者は医師の診察により得られた客観的症状なので常に自覚症状と連動しているか否かに留意する必要がある（以下、各心疾患に同じ）。

ただし、乳幼児の場合、精神発達遅滞が併存する場合は、この限りではない。重症度は、心電図、心エコー図・カテーテル検査、動脈血ガス分析値（酸素飽和度は経皮酸素飽和度での代用可能）も参考とする。

(4) 検査成績としては、血液検査（ＢＮＰ値）、心電図、心エコー図、胸部Ｘ線写真、Ｘ線ＣＴ、ＭＲＩ等、核医学検査、循環動態検査、心カテーテル検査（心カテーテル法、心血管造影法、冠動脈造影法等）等がある。

(5) 肺血栓塞栓症、肺動脈性肺高血圧症は、心疾患による障害として認定する。

(6) 心血管疾患が重複している場合には、客観的所見に基づいた日常生活能力等の程度を十分考慮して総合的に認定する。

(7) 心疾患の検査での異常検査所見を一部示すと、次のとおりである。

区分	異常検査所見
ア	LevineⅢ度以上の器質的雑音が認められるもの
イ	安静時の心電図において、0.2㎷以上のＳＴの低下もしくは年齢に見合わない異常陰性Ｔ波の所見のあるもの
ウ	負荷心電図などで明らかな心筋虚血所見があるもの
エ	胸部Ｘ線上で心胸郭係数60％以上又は明らかな肺静脈性うっ血所見や間質性肺水腫のあるもの

オ	心電図で明らかな右室肥大、左室肥大または両室肥大所見があるもの
カ	心電図で、重症な頻脈性又は徐脈性不整脈所見のあるもの
キ	体心室（体血圧を維持する心室）の駆出率（ＥＦ）40％以下のもの
ク	ＢＮＰ（脳性ナトリウム利尿ペプチド）が200pg／mL相当を超えるもの
ケ	重症冠動脈狭窄病変で左主幹部又は右冠動脈（Ｓ１から３）に50％以上の狭窄、あるいは、３本の主要冠動脈に75％以上の狭窄を認めるもの
コ	心電図で陳旧性心筋梗塞所見があり、かつ、今日まで狭心症状を有するもの
サ	経皮酸素飽和度が90％以下であるもの

（注１）　原則として、異常検査所見があるもの全てについて、それに該当する心電図等を提出（添付）させること。

（注２）　「キ」についての補足

心不全の原因には、収縮機能不全と拡張機能不全とがある。

近年、心不全症例の約40％はＥＦ値が保持されており、このような例での心不全は左室拡張不全機能障害によるものとされている。しかしながら、現時点において拡張機能不全を簡便に判断する検査法は確立されていない。左室拡張末期圧基準値（5-12mmHg）をかなり超える場合、パルスドプラ法による左室流入血流速度波形を用いる方法が一般的である。この血流速度波形は急速流入期血流速度波形（Ｅ波）と心房収縮期血流速度波形（Ａ波）からなり、Ｅ／Ａ比が1.5以上の場合は、重度の拡張機能障害といえる。ただし、15歳未満はこれを適応しない。

（注３）　「ケ」についての補足

すでに冠動脈血行再建が完了している場合を除く。

(8)　心疾患による障害の程度を一般状態区分表で示すと次のとおりである。

一般状態区分

区分	一　般　状　態
ア	歩行や身のまわりのことはできるが、時に少し介助のいることもあり、軽い運動はできないが、日中の50％以上は起居しているもの
イ	身のまわりのある程度のことはできるが、しばしば介助がいり、日中の50％以上は就床しており、自力では屋外への外出がほぼ不可能となったもの
ウ	身のまわりのこともできず、常に介助がいり、終日就床を必要としており、活動の範囲がおおむねベッド周辺に限られるもの

(9) 前記(7)のいずれか２つ以上の異常検査所見があり、かつ、一般状態区分表のウに該当するもの、又は乳児で著しい体重増加の障害（標準体重の80％以下のもの）を１級と、(7)のいずれか１つの異常検査所見があり、かつ、一般状態区分表のイ又はアに該当するものを２級と認定する。

(10) 各疾患によって用いられる検査が異なっており、また、特殊検査も多いため、診断書上に適切に症状をあらわしていると思われる検査成績が記載されているときは、その検査成績も参考とし、認定時の具体的な日常生活状況等を把握して、総合的に認定する。

第11節　腎疾患

腎疾患による障害の程度は、次により認定する。

1　認定基準

腎疾患については、次のとおりである。

障害の程度	障害の状態
１級	身体の機能の障害又は長期にわたる安静を必要とする病状が前各号と同程度以上と認められる状態であって、日常生活の用を弁ずることを不能ならしめる程度のもの
２級	身体の機能の障害又は長期にわたる安静を必要とする病状が前各号と同程度以上と認められる状態であって、日常生活が著しい制限を受けるか、又は日常生活に著しい制限を加えることを必要とする程度のもの

腎疾患による障害の程度は、自覚症状、他覚所見、検査成績、一般状態、治療及び病状の経過、人工透析療法の実施状況、具体的な日常生活状況等により、総合的に認定するものとし、当該疾病の認定の時期以後少なくとも１年以上の療養を必要とするものであって、長期にわたる安静を必要とする病状が、日常生活の用を弁ずることを不能ならしめる程度のものを１級に、日常生活が著しい制限を受けるか又は日常生活に著しい制限を加えることを必要とする程度のものを２級に該当するものと認定する。

2　認定要領

(1) 腎疾患による障害の認定の対象はそのほとんどが、慢性腎不全に対する認定である。

慢性腎不全とは、慢性腎疾患によって腎機能障害が持続的に徐々に進行し、生体が正常に維持できなくなった状態をいう。

すべての腎疾患は、長期に経過すれば腎不全に至る可能性がある。その原因となる腎疾患の中で最も多いものは、先天性腎尿路奇形、遺伝性腎障害であるが、他にも巣状糸球体硬化症、先天性ネフローゼ症候群、多発性嚢胞腎、慢性腎炎、糖尿病性腎症、膠原病、急性腎障害後の慢性腎不全等がある。

(2) 腎疾患の主要症状としては、悪心、嘔吐、食欲不振、頭痛等の自覚症状、浮腫、貧血、アシドーシス、発育障害等の他覚所見がある。

(3) 検査としては、尿検査、血球算定検査、血液生化学検査（血清尿素窒素、血清クレアチニン、血清電解質、血清シスタチンＣ等）、血液ガス分析、推算糸球体濾過値（ｅＧＦＲ）、腎生検等がある。

⑷　病態別に検査項目及び異常値の一部を示すと次のとおりである。

①　慢性腎不全

区分	検査項目	単位	中等度異常	高度異常
ア	内因性クレアチニンクリアランス	ml／分	15以上30未満	15未満
イ	ｅＧＦＲ	ml／分	15以上30未満	15未満

(注)　小児において血清クレアチニン基準値が低く、年齢や性別でも基準値が異なることから、日本小児腎臓病学会による日本人小児のｅＧＦＲ計算法を用いてｅＧＦＲを算出すること。

内因性クレアチニンクリアランスは、最も正確な測定法であるイヌリンクリアランスによる糸球体濾過値（ＧＦＲ）よりも高値に出てしまう傾向があるため、イが30未満の時には中等度異常と取り扱うことも可能とする。

②　ネフローゼ症候群

区分	検査項目	単位	異常
ア	血清アルブミン	g／dl	2.5以下
イ	早朝尿蛋白量／クレアチニン比	g／gクレアチニン	2.0以上
ウ	夜間尿蓄尿蛋白量	mg／hr／㎡	40以上

⑸　腎疾患による障害の程度を一般状態区分表で示すと次のとおりである。

一般状態区分表

区分	一　般　状　態
ア	歩行や身のまわりのことはできるが、時に少し介助のいることもあり、軽い運動はできないが、日中の50％以上は起居しているもの
イ	身のまわりのある程度のことはできるが、しばしば介助がいり、日中の50％以上は就床しており、自力では屋外への外出等がほぼ不可能となったもの
ウ	身のまわりのこともできず、常に介助がいり、終日就床を必要としており、活動の範囲がおおむねベッド周辺に限られるもの

⑹　各等級に相当すると認められるものを一部例示すると次のとおりである。

障害の程度	障　害　の　状　態
１級	１　前記⑷①の検査成績が高度異常を１つ以上示すもので、かつ一般状態区分表のウに該当するもの ２　前記⑷②の検査成績のうちアが異常を示し、かつ、イ又はウのいずれかが異常を示すもので、かつ、一般状態区分表のウに該当するもの
２級	１　前記⑷①の検査成績が中等度又は高度の異常を１つ以上示すもので、かつ、一般状態区分表のイ又はアに該当するもの

	2　前記⑷②の検査成績のうちアが異常を示し、かつ、イ又はウのいずれかが異常を示すもので、かつ、一般状態区分表のイ又はアに該当するもの 3　人工透析療法施行中のもの

⑺　人工透析療法施行中のものについては、原則として２級と認定する。

なお、主要症状、人工透析療法施行中の検査成績、長期透析による合併症の有無とその程度、具体的な日常生活状況等によっては、さらに上位等級に認定する。

⑻　検査成績は、その性質上変動しやすいものであるので、腎疾患の経過中において最も適切に病状をあらわしていると思われる検査成績に基づいて認定を行うものとする。

⑼　糸球体腎炎（ネフローゼ症候群を含む。）、多発性嚢胞腎、腎盂腎炎、先天性腎尿路奇形、遺伝性腎障害、巣状糸球体硬化症、先天性ネフローゼ症候群、急性腎障害等に罹患し、その後慢性腎不全を生じたものは、両者の期間が長いものであっても、相当因果関係があるものと認められる。

⑽　腎疾患は、その原因疾患が多岐にわたり、それによって生じる臨床所見、検査所見も、また様々なので、前記⑷の検査成績によるほか、合併症の有無とその程度、他の一般検査及び特殊検査の検査成績、治療及び病状の経過等も参考として、認定時の具体的な日常生活状況等を把握して総合的に認定する。

⑾　腎臓移植の取扱い

ア　腎臓移植を受けたものに係る障害認定に当たっては、術後の症状、治療経過、検査成績及び予後等を十分に考慮して総合的に認定する。

イ　特別児童扶養手当を支給されている児童が腎臓移植を受けた場合は、臓器が生着し、安定的に機能するまでの間を考慮して術後１年間は従前の等級とする。

第12節　肝疾患

肝疾患による障害の程度は、次により認定する。

1　認定基準

肝疾患については、次のとおりである。

障害の程度	障　害　の　状　態
１級	身体の機能の障害又は長期にわたる安静を必要とする病状が前各号と同程度以上と認められる状態であって、日常生活の用を弁ずることを不能ならしめる程度のもの
２級	身体の機能の障害又は長期にわたる安静を必要とする病状が前各号と同程度以上と認められる状態であって、日常生活が著しい制限を受けるか、又は日常生活に著しい制限を加えることを必要とする程度のもの

肝疾患による障害の程度は、自覚症状、他覚所見、検査成績、一般状態、治療及び病状の経過、具体的な日常生活状況等により、総

合的に認定するものとし、当該疾病の認定の時期以後少なくとも１年以上の療養を必要とするものであって、長期にわたる安静を必要とする病状が、日常生活の用を弁ずることを不能ならしめる程度のものを１級に、日常生活が著しい制限を受けるか又は日常生活に著しい制限を加えることを必要とする程度のものを２級に該当するものと認定する。

2　認定要領

(1)　肝疾患による障害の認定の対象は、慢性肝炎と慢性かつびまん性の肝疾患の結果生じた肝硬変症及びそれに付随する病態（食道・胃などの静脈瘤、特発性細菌性腹膜炎、肝がんを含む。）である。

肝硬変では、一般に肝は萎縮し肝全体が高度の線維化のため硬化してくる。

肝硬変の原因として、Ｂ型肝炎ウイルスあるいはＣ型肝炎ウイルスによるウイルス性慢性肝炎やその他自己免疫性肝炎による肝硬変、胆道閉鎖症及びその手術後が原因となった胆汁うっ滞型肝硬変、代謝性肝硬変（ウイルソン病、ヘモクロマトーシス）等がある。

(2)　肝疾患の主要症状としては、易疲労感、全身倦怠感、腹部膨満感、発熱、食欲不振、悪心、嘔吐、皮膚そう痒感、吐血、下血、有痛性筋痙攣等の自覚症状、肝萎縮、脾腫大、浮腫、腹水、黄疸、腹壁静脈怒張、食道・胃静脈瘤、肝性脳症、出血傾向等の他覚所見がある。

(3)　検査としては、まず、血球算定検査、血液生化学検査が行われるが、さらに、血液凝固系検査、免疫学的検査、超音波検査、ＣＴ・ＭＲＩ検査、腹腔鏡検査、肝生検、上部消化管内視鏡検査等が行われる。

(4)　肝疾患での重症度判定の検査項目及び臨床所見並びに異常値の一部を示すと次のとおりである。

検査項目／臨床所見	基準値	中等度の異常	高度異常
血清総ビリルビン（mg／dl）	0.3～1.2	2.0以上 3.0以下	3.0超
血清アルブミン（g／dl）（ＢＣＧ法）	4.2～5.1	3.0以上 3.5以下	3.0未満
血小板数（万／μl）	13～35	５以上 10未満	５未満
プロトロンビン時間（ＰＴ）（％）	70超～130	40以上 70以下	40未満
腹水	—	腹水あり	難治性腹水あり
脳症（表１）	—	Ⅰ度	Ⅱ度以上

表１　昏睡度分類

昏睡度	精神症状	参考事項
Ⅰ	睡眠—覚醒リズムの逆転 多幸気分ときに抑うつ状態	あとでふり返ってみて判定できる

	だらしなく、気にとめない態度	
Ⅱ	指南力（時、場所）障害、物をとり違える（confusion） 異常行動 ときに傾眠状態（普通のよびかけで開眼し会話ができる） 無礼な言動があったりするが、他人の指示に従う態度をみせる	興奮状態がない 尿便失禁がない 羽ばたき振戦あり
Ⅲ	しばしば興奮状態またはせん妄状態を伴い、反抗的態度をみせる 嗜眠状態（ほとんど眠っている） 外的刺激で開眼しうるが、他人の指示に従わない、または従えない（簡単な命令には応じえる）	羽ばたき振戦あり（患者の協力がえられる場合） 指南力は高度に障害
Ⅳ	昏睡（完全な意識の消失） 痛み刺激に反応する	刺激に対して、払いのける動作、顔をしかめるなどがみられる
Ⅴ	深昏睡 痛み刺激にも全く反応しない	

(5)　肝疾患による障害の程度を一般状態区分表で示すと次のとおりである。

一般状態区分表

区分	一　般　状　態
ア	歩行や身のまわりのことはできるが、時に少し介助が必要なこともあり軽い運動はできないが、日中の50％以上は起居しているもの
イ	身のまわりのある程度のことはできるが、しばしば介助が必要で、日中の50％以上は就床しており、自力では屋外への外出等がほぼ不可能となったもの
ウ	身のまわりのこともできず、常に介助を必要とし、終日就床を強いられ、活動の範囲がおおむねベッド周辺に限られるもの

(6)　各等級に相当すると認められるものを一部例示すると次のとおりである。

障害の程度	障　害　の　状　態
1級	前記(4)の検査成績及び臨床所見のうち高度異常を3つ以上示すもの又は高度異常を2つ及び中等度の異常を2つ以上示すもので、かつ、一般状態区分表のウに該当するもの
2級	前記(4)の検査成績及び臨床所見のうち中等度又は高度の異常を3つ以上示すもので、かつ、一般状態区分表のイ又はアに該当するもの

なお、障害の程度の判定に当たっては、前記(4)の検査成績及び臨床所見によるほか、他覚所見他の一般検査及び特殊検査の検査成績、治療及び病状の経過等も参考とし、認定時の具体的な日常生活状況等を把握して、総合的に認定する。

(7)　検査成績は、その性質上変動しやすいので、肝疾患の経過中において、最も適切に病状をあらわしていると思われる検査成績に基づいて認定を行うものとする。

(8)　食道・胃などの静脈瘤については、吐血・下血の既往、治療歴の有無及びその頻度、治療効果を参考とし、(4)に掲げる検査項目及び臨床所見の異常に加えて、総合的に認定する。特発性細菌性腹膜炎についても、同様とする。

(9)　肝がんについては、(4)に掲げる検査項目及び臨床所見の異常に加えて肝がんによる障害を考慮し、本節及び「第15節／悪性新生物」の認定要領により認定する。ただし、(4)に掲げる検査項目及び臨床所見の異常がない場合は、第15節の認定要領により認定する。

(10)　肝臓移植の取扱い

ア　肝臓移植を受けたものに係る障害認定に当たっては、術後の症状、治療経過、検査成績及び予後等を十分に考慮して総合的に認定する。

イ　特別児童扶養手当を支給されていた児童が、肝臓移植を受けた場合は、臓器が生着し、安定的に機能するまでの間を考慮して術後1年間は従前の等級とする。

第13節　血液・造血器疾患

血液・造血器疾患による障害の程度は、次により認定する。

1　認定基準

血液・造血器疾患については、次のとおりである。

障害の程度	障　害　の　状　態
1級	身体の機能の障害又は長期にわたる安静を必要とする病状が前各号と同程度以上と認められる状態であって、日常生活の用を弁ずることを不能ならしめる程度のもの
2級	身体の機能の障害又は長期にわたる安静を必要とする病状が前各号と同程度以上と認められる状態であって、日常生活が著しい制限を受けるか、又は日常生活に著しい制限を加えることを必要とする程度のもの

血液・造血器疾患による障害の程度は、自覚症状、他覚所見、検査成績、一般状態、治療及び症状の経過等（薬物療法による症状の消長の他、薬物療法に伴う合併症等）、具体的な日常生活状況等により、総合的に認定するものとし、当該疾病の認定の時期以後少なくとも1年以上の療養を必要とするものであって、長期にわたる安静を必要とする病状が、日常生活の用を弁ずることを不能ならしめる程度のものを1級に、日常生活が著しい制限を受けるか又は日常生活に著しい制限を加えることを必要とする程度のものを2級に該当するものと認定する。

2　認定要領

(1) 血液・造血器疾患は、臨床像から血液・造血器疾患を次のように大別する。

ア 赤血球系・造血不全疾患（再生不良性貧血、溶血性貧血等）

イ 血栓・止血疾患（血小板減少性紫斑病、凝固因子欠乏症等）

ウ 白血球系・造血器腫瘍疾患（白血病、悪性リンパ腫、組織球症等）

(2) 血液・造血器疾患の主要症状としては、顔面蒼白、易疲労感、動悸、息切れ、発熱、頭痛、めまい、知覚異常、紫斑、月経過多、骨痛、関節痛等の自覚症状、黄疸、心雑音、舌の異常、易感染性、出血傾向、血栓傾向、リンパ節腫脹、肝腫、脾腫、成長・発達の障害等の他覚所見がある。

(3) 検査としては、血球算定検査、血液生化学検査、免疫学的検査、鉄代謝検査、骨髄穿刺、リンパ節生検、骨髄生検、凝固系検査、染色体検査、遺伝子検査、細胞表面抗原検査、画像検査（CT検査・超音波検査、MRI検査など）等がある。

(4) 血液・造血器疾患による障害の程度を一般状態区分表で示すと次のとおりである。

一般状態区分表

区分	一　般　状　態
ア	歩行や身のまわりのことはできるが、時に少し介助のいることもあり軽い運動はできないが、日中の50％以上は起居しているもの
イ	身のまわりのある程度のことはできるが、しばしば介助がいり、日中の50％以上は就床しており、自力では屋外への外出等がほぼ不可能となったもの
ウ	身のまわりのこともできず、常に介助がいり、終日就床を必要としており、活動の範囲がおおむねベッド周辺に限られるもの

(5) 各等級に相当すると認められるものを一部例示すると次のとおりである。

障害の程度	障　害　の　状　態
1級	A表Ⅰ欄に掲げるうち、いずれか1つ以上の所見があり、B表Ⅰ欄に掲げるうち、いずれか1つ以上の所見があるもので、かつ、一般状態区分表のウに該当するもの
2級	A表Ⅱ欄に掲げるうち、いずれか1つ以上の所見があり、B表Ⅱ欄に掲げるうち、いずれか1つ以上の所見があるもので、かつ、一般状態区分表のイ又はアに該当するもの

ア 赤血球系・造血不全疾患（再生不良性貧血、溶血性貧血等）

A表

区分	臨　床　所　見
Ⅰ	1 高度の貧血、出血傾向、易感染性を示すもの 2 輸血をひんぱんに必要とするもの

Ⅱ	1　中度の貧血、出血傾向、易感染性を示すもの 2　輸血を時々必要とするもの

B表

区分	検査所見
Ⅰ	1　末梢血液中の赤血球像で、次のいずれかに該当するもの ⑴　ヘモグロビン濃度が7.0ｇ／dL未満のもの ⑵　網赤血球数が２万／μL未満のもの 2　末梢血液中の白血球像で、次のいずれかに該当するもの ⑴　白血球数が1,000／μL未満のもの ⑵　好中球数が500／μL未満のもの 3　末梢血液中の血小板数が２万／μL未満のもの
Ⅱ	1　末梢血液中の赤血球像で、次のいずれかに該当するもの ⑴　ヘモグロビン濃度が7.0ｇ／dL以上9.0ｇ／dL未満のもの ⑵　網赤血球数が２万／μL以上６万／μL未満のもの 2　末梢血液中の白血球像で、次のいずれかに該当するもの ⑴　白血球数が1,000／μL以上3,000／μL未満のもの ⑵　好中球数が500／μL以上1,000／μL未満のもの 3　末梢血液中の血小板数が２万／μL以上５万／μL未満のもの

イ　血栓・止血疾患（血小板減少性紫斑病、凝固因子欠乏症等）

A表

区分	臨床所見
Ⅰ	1　高度の出血傾向、血栓傾向又は関節症状のあるもの 2　補充療法をひんぱんに行っているもの
Ⅱ	1　中度の出血傾向、血栓傾向又は関節症状のあるもの 2　補充療法を時々行っているもの

（注）　補充療法は、凝固因子製剤（代替医薬品やインヒビター治療薬の投与を含む。）の輸注、血小板の輸血、新鮮凍結血漿の投与などを対象にする。

B表

区分	検査所見
Ⅰ	1　ＡＰＴＴ又はＰＴが基準値の３倍以上のもの 2　血小板数が２万／μL未満のもの 3　凝固因子活性が１％未満のもの
Ⅱ	1　ＡＰＴＴ又はＰＴが基準値の２倍以上３倍未満のもの

	2　血小板数が２万／μL以上５万／μL未満のもの 3　凝固因子活性が１％以上５％未満のもの

(注１)　凝固因子活性は、凝固第〔Ⅱ・Ⅴ・Ⅶ・Ⅷ・Ⅸ・Ⅹ・ⅩⅠ・ⅩⅢ〕因子とフォンヴィレブランド因子のうち、最も数値の低い一因子を対象にする。

(注２)　血栓疾患、凝固因子欠乏症でインヒビターが出現している状態及び凝固第Ⅰ因子（フィブリノゲン）が欠乏している状態の場合は、Ｂ表（検査所見）によらず、Ａ表（臨床所見）、治療及び病状の経過、具体的な日常生活状況等を十分考慮し、総合的に認定する。

ウ　白血球系・造血器腫瘍疾患（白血病、悪性リンパ腫、組織球症等）

Ａ表

区分	臨　床　所　見
Ⅰ	1　発熱、骨・関節痛、るい痩、貧血、出血傾向、リンパ節腫脹、易感染性、肝脾腫等の著しいもの 2　輸血をひんぱんに必要とするもの 3　治療に反応せず進行するもの
Ⅱ	1　発熱、骨・関節痛、るい痩、貧血、出血傾向、リンパ節腫脹、易感染性、肝脾腫等のあるもの 2　輸血を時々必要とするもの 3　継続的な治療が必要なもの

(注１)　Ａ表に掲げる治療とは、疾病に対する治療であり、輸血などの主要な症状を軽減するための治療（対症療法）は含まない。

(注２)　Ａ表に掲げる治療に伴う副作用による障害がある場合は、その程度に応じて、Ａ表の区分を判断すること。

Ｂ表

区分	検　査　所　見
Ⅰ	1　末梢血液中のヘモグロビン濃度が7.0ｇ／dL未満のもの 2　末梢血液中の血小板数が２万／μL未満のもの 3　末梢血液中の正常好中球数が500／μL未満のもの 4　末梢血液中の正常リンパ球数が300／μL未満のもの
Ⅱ	1　末梢血液中のヘモグロビン濃度が7.0ｇ／dL以上9.0ｇ／dL未満のもの 2　末梢血液中の血小板数が２万／μL以上５万／μL未満のもの 3　末梢血液中の正常好中球数が500／μL以上1,000／μL未満のもの 4　末梢血液中の正常リンパ球数が300／μL以上600／μL未満のもの

(6)　検査成績は、その性質上変動しやすいものであるので、血液・造血器疾患による障害の程度の判定に当たっては、最も適切に病

状をあらわしていると思われる検査成績に基づいて行うものとする。

特に、輸血や補充療法により検査数値が一時的に改善する場合は、治療前の検査成績に基づいて行うものとする。

(7) 血液・造血器疾患の病態は、各疾患による差異に加え、個人差も大きく現れ、病態によって生じる臨床所見、検査所見も、また様々なので、認定に当たっては前記(5)のＡ表及びＢ表によるほか、他の一般検査、特殊検査及び画像診断等の検査成績、病理組織及び細胞所見、合併症の有無とその程度、治療及び病状の経過等を参考とし、認定時の具体的な日常生活状況等を把握して、総合的に認定する。

(8) 造血幹細胞移植の取扱い

ア　造血幹細胞移植を受けたものに係る障害認定に当たっては、術後の症状、移植片対宿主病（ＧＶＨＤ）の有無及びその程度、治療経過、検査成績及び予後等を十分に考慮して総合的に認定する。

イ　慢性ＧＶＨＤについては、日本造血細胞移植学会（ガイドライン委員会）において作成された「造血細胞移植ガイドライン」における慢性ＧＶＨＤの臓器別スコア及び重症度分類を参考にして、認定時の具体的な日常生活状況を把握し、併合（加重）認定の取扱いは行わず、諸症状を総合的に認定する。

ウ　特別児童扶養手当の支給対象となっている障害児が造血幹細胞移植を受けた場合は、移植片が生着し、安定的に機能するまでの間を考慮して術後１年間は従前の等級とする。

＜参考＞「造血細胞移植ガイドライン」より抜粋

表６　慢性ＧＶＨＤの臓器別スコア

	スコア０	スコア１	スコア２	スコア３
皮膚	無症状	＜18％ＢＳＡ、硬化病変なし	19～50％ＢＳＡあるいは浅在性硬化病変（つまみあげられる）	＞50％ＢＳＡあるいは深在性硬化病変（つまみあげられない）
口腔	無症状	軽症、経口摂取に影響なし	中等症、経口摂取が軽度障害される	高度障害、経口摂取が高度に障害される
眼	無症状	軽度dry eye。日常生活に支障なし（点眼１日３回まで）、無症状の角結膜炎	中等度dry eye。日常生活に軽度支障あり（点眼１日４回以上）、視力障害なし	高度dry eye。日常生活に高度支障あり、眼症状のため労働不可、視力障害
消化管	無症状	嚥下困難、食欲低下、嘔気、嘔吐、腹痛、下痢、５％以上の体重減少を伴わない。	５～15％の体重減少を伴う消化器症状	15％以上の体重減少を伴う消化器症状あるいは食道拡張
肝	無症状	Ｂｉｌ、ＡＬＰ、ＡＳＴ、ＡＬＴの正常上限の２倍以内の上昇	Ｂｉｌ＞３mg／dLあるいはＢｉｌ、他の酵素の正常上限の２～５倍の上昇	Ｂｉｌ、他の酵素の正常上限の５倍以上の上昇
肺	無症状 FEV_1[*1]＞80％or LFS[*2]＝２	階段昇降時息切れ FEV_1：60～79％or LFS：３～５	歩行時息切れ FEV_1：40～59％or LFS：６～９	安静時息切れ FEV_1＜39％or LFS：10～12
関節・筋膜	無症状	日常生活に影響しない軽度の拘縮、	日常生活に支障のある拘縮、可動制	日常生活に高度支障をきたす拘縮、

		可動制限	限、筋膜炎による紅斑	可動制限（靴紐結び、ボタンがけ、着衣など不能）
性器	無症状	内診で軽度異常あるが軽度不快程度で性交痛なし	内診で中等度異常あり、不快あり	内診で高度異常あり、内診不応、性交痛あり

*1 FEV_1：% predicted、*2 LFS：Lung Function Score；FEV score＋DLCO score、
FEV score、DLCO scoreはともに＞80％＝1、70～79％＝2、60～69％＝3、50～59％＝4、40～49％＝5、30～39％＝6

慢性ＧＶＨＤの重症度は、各臓器別にスコアリングを行い、決定する。

慢性ＧＶＨＤ（移植片対宿主病）の全般的重症度（NIH）

● 軽症

１か所あるいは２か所の臓器障害で各臓器スコアが１を超えない、かつ肺病変を認めない。

● 中等症

① ３か所以上の臓器障害を認めるが、各臓器スコアは１を超えない。
② 肺以外の１臓器以上でスコア２の障害を認める。
③ スコア１の肺病変

のいずれか

● 重症

① 少なくとも１つの臓器でスコア３の臓器障害を認める。
② スコア２あるいは３の肺病変

のいずれか

付記

皮膚：スコア２以上の皮膚病変を認める場合に全般的重症度に換算される。
肺：FEV_1を全般的重症度の換算に用いる。
はっきりとしたＧＶＨＤ以外の原因による臓器障害がある場合には、その臓器は換算しない。
ＧＶＨＤを含む複数の原因による臓器障害である場合は、そのまま換算する。

第14節　代謝疾患

代謝疾患による障害の程度は、次により認定する。

1　認定基準

代謝疾患については、次のとおりである。

障害の程度	障　害　の　状　態
１級	身体の機能の障害又は長期にわたる安静を必要とする病状が前各号と同程度以上と認められる状態であって、日常生活の用を弁ずることを不能ならしめる程度のもの
２級	身体の機能の障害又は長期にわたる安静を必要とする病状が前各号と同程度以上と認められる状態であって、日常生活が著しい制限を受けるか、又は日常生活に著しい制限を加えることを必要とする程度のもの

代謝疾患による障害の程度は、合併症の有無及びその程度、代謝のコントロール状態治療及び症状の経過、具体的な日常生活状況等を十分考慮し、総合的に認定するものとし、当該疾病の認定の時期以後少なくとも１年以上の療養を必要とするものであって、長期にわたる安静を必要とする病状が、日常生活の用を弁ずることを不能ならしめる程度のものを１級に、日常生活が著しい制限を受けるか又は日常生活に著しい制限を加えることを必要とする程度のものを２級に該当するものと認定する。

2　認定要領

(1)　代謝疾患は、糖代謝、脂質代謝、蛋白代謝、尿酸代謝、その他の代謝の異常に分けられる。

(2)　糖尿病による障害の程度は、合併症の有無及びその程度、代謝のコントロール状態治療及び症状の経過、具体的な日常生活状況等を十分考慮し、総合的に認定する。

(3)　糖尿病は、血糖が治療、一般生活状態の規制等によりコントロールされている場合には認定の対象とならない。

但し、インスリン療法の自己管理が出来ない場合は血糖のコントロール不良と認定する。

(4)　代謝疾患による障害の程度を一般状態区分表で示すと次のとおりである。

一般状態区分表

区分	一般状態
ア	歩行や身のまわりのことはできるが、時に少し介助のいることもあり、軽い運動はできないが、日中の50％以上は起居しているもの
イ	身のまわりのある程度のことはできるが、しばしば介助がいり、日中の50％以上は就床しており、自力では屋外への外出等がほぼ不可能となったもの
ウ	身のまわりのこともできず、常に介助がいり、終日就床を必要としており、活動の範囲がおおむねベッド周辺に限られるもの

(5)　その他の代謝疾患は、合併症の有無及びその程度、治療及び症状の経過、一般検査及び特殊検査の検査成績、認定時の具体的な日常生活状況等を十分考慮して、総合的に認定する。

第15節　悪性新生物

悪性新生物による障害の程度は、次により認定する。

1　認定基準

悪性新生物については、次のとおりである。

障害の程度	障害の状態
1級	身体の機能の障害又は長期にわたる安静を必要とする病状が前各号と同程度以上と認められる状態であって、日常生活の用を弁ずることを不能ならしめる程度のもの
2級	身体の機能の障害又は長期にわたる安静を必要とする病状が前各号と同程度以上と認められる状態であって、日常生活が著しい制限を受けるか、又は日常生活に著しい制限を加えることを必要とする程度のもの

悪性新生物による障害の程度は、組織所見とその悪性度、一般検査及び特殊検査、画像検査等の検査成績、転移の有無、病状の経過と治療効果等を参考にして、具体的な日常生活状況等により、総合的に認定するものとし、当該疾病の認定の時期以後少なくとも1年以上の療養を必要とするものであって、長期にわたる安静を必要とする病状が、日常生活の用を弁ずることを不能ならしめる程度のものを1級に、日常生活が著しい制限を受けるか又は日常生活に著しい制限を加えることを必要とする程度のものを2級に該当するものと認定する。

2　認定要領

(1) 悪性新生物は、全身のほとんどの臓器に発生するため、現れる病状は様々であり、それによる障害も様々である。

(2) 悪性新生物の検査には、一般検査の他に、組織診断検査、腫瘍マーカー検査、超音波検査、X線CT検査、MRI検査、血管造影検査、内視鏡検査等がある。

(3) 悪性新生物による障害は、次のように区分する。

ア 悪性新生物そのもの（原発巣、転移巣を含む。）によって生ずる局所の障害

イ 悪性新生物そのもの（原発巣、転移巣を含む。）による全身の衰弱又は機能の障害

ウ 悪性新生物に対する治療の結果として起こる全身衰弱又は機能の障害

(4) 悪性新生物による障害の程度を一般状態区分表で示すと次のとおりである。

一般状態区分表

区分	一　般　状　態
ア	歩行や身のまわりのことはできるが、時に少し介助のいることもあり、軽い運動はできないが、日中の50％以上は起居しているもの
イ	身のまわりのある程度のことはできるが、しばしば介助がいり、日中の50％以上は就床しており、自力では屋外への外出等がほぼ不可能となったもの
ウ	身のまわりのこともできず、常に介助がいり、終日就床を必要としており、活動の範囲がおおむねベッド周辺に限られるもの

(5) 悪性新生物による障害の程度は、基本的には認定基準に掲げられている障害の状態を考慮するものであるが、各等級に相当すると認められるものを一部例示すると次のとおりである。

障害の程度	障　害　の　状　態
1級	著しい衰弱又は障害のため、一般状態区分表のウに該当するもの
2級	衰弱又は障害のため、一般状態区分表のイ又はアに該当するもの

(6) 悪性新生物そのものによるか又は悪性新生物に対する治療の結果として起こる障害の程度は、本章各節の認定要領により認定する。

(7) 悪性新生物による障害の程度の認定例は、(5)に示したとおりであるが、全身衰弱と機能障害とを区別して考えることは、悪性新生物という疾患の本質から、本来不自然なことが多く、認定に当たっては組織所見とその悪性度、一般検査及び特殊検査、画像診断等の検査成績、転移の有無、病状の経過と治療効果などを参考とし、認定時の具体的な日常生活状況等を把握して、総合的に認定する。

(8) 転移性悪性新生物は、原発とされるものと組織上一致するか否か、転移であることを確認できたものは、相当因果関係があるものと認められる。

第16節　その他の障害

その他の疾患による障害の程度は、次により認定する。

1　認定基準

その他の疾患については、次のとおりである。

障害の程度	障　害　の　状　態
1級	身体の機能の障害又は長期にわたる安静を必要とする病状が前各号と同程度以上と認められる状態であって、日常生活の用を弁ずることを不能ならしめる程度のもの
2級	身体の機能の障害又は長期にわたる安静を必要とする病状が前各号と同程度以上と認められる状態であって、日常生活が著しい制限を受けるか、又は日常生活に著しい制限を加えることを必要とする程度のもの

その他の障害の程度は、全身状態、栄養状態、年齢、術後の経過、予後、原疾患の性質、進行状況等、具体的な日常生活状況等を考慮し、総合的に認定するものとし、身体の機能の障害又は長期にわたる安静を必要とする病状があり、日常生活の用を弁ずることを不能ならしめる程度のものを1級に、日常生活が著しい制限を受けるか又は日常生活に著しい制限を加えることを必要とする程度のものを2級に該当するものと認定する。

2　認定要領

(1)　その他の疾患は、「第1節　眼の障害」から「第15節　悪性新生物」において取り扱われていない疾患を指すものであるが、本節においては、腹部臓器・骨盤臓器の術後後遺症、人工肛門・新膀胱、遷延性植物状態、いわゆる難病及び臓器移植の取扱いを定める。

(2)　腹部臓器・骨盤臓器の術後後遺症

ア　腹部臓器・骨盤臓器の術後後遺症とは、胃切除によるダンピング症候群等、短絡的腸吻合術による盲管症候群、虫垂切除等による癒着性腸閉塞又は癒着性腹膜炎、短腸症候群、腸ろう等をいう。

イ　腹部臓器・骨盤臓器の術後後遺症の障害の程度は、全身状態、栄養状態、年齢、術後の経過、予後、原疾患の性質、進行状況、具体的な日常生活状況等を考慮し、総合的に認定するものとする。

(3)　人工肛門・新膀胱

次のものは2級と認定する。

ア　人工肛門を造設し、かつ、新膀胱を造設したもの又は尿路変更術を施したもの

イ　人工肛門を造設し、かつ、完全排尿障害（カテーテル留置又は自己導尿の常時施行を必要とする）状態にあるもの

なお、全身状態、術後の経過及び予後、原疾患の性質、進行状況等により総合的に判断し、さらに上位等級に認定する。

(4)　遷延性植物状態については、次により取り扱う。

ア　遷延性植物状態については、日常生活の用を弁ずることができない状態であると認められるため、1級と認定する。

イ　障害の程度を認定する時期は、その障害の状態に至った日から起算して３月を経過した日以後に、医学的観点から、機能回復がほとんど望めないと認められるときとする。

(5)　いわゆる難病については、その発病の時期が不定、不詳であり、かつ、発病は緩徐であり、ほとんどの疾患は、臨床症状が複雑多岐にわたっているため、その認定に当たっては、客観的所見に基づいた日常生活能力等の程度を十分考慮して総合的に認定するものとする。

なお、厚生労働省研究班や関係学会で定めた診断基準、治療基準があり、それに該当するものは、病状の経過、治療効果等を参考とし、認定時の具体的な日常生活状況等を把握して、総合的に認定する。

(6)　臓器移植の取扱い

ア　臓器移植を受けたものに係る障害認定に当たっては、術後の症状、治療経過及び検査成績等を十分に考慮して総合的に認定する。

イ　障害等級に該当するものが、臓器移植を受けた場合は、臓器が生着し、安定的に機能するまでの間、少なくとも１年間は従前の等級とする。

(7)　障害の程度は、一般状態が次表の一般状態区分表のウに該当するものは１級に、同表のイ又はアに該当するものは２級におおむね相当するので、認定に当たっては、参考とする。

一般状態区分表

区分	一　般　状　態
ア	歩行や身のまわりのことはできるが、時に少し介助のいることもあり、軽い運動はできないが、日中の50％以上は起居しているもの
イ	身のまわりのある程度のことはできるが、しばしば介助がいり、日中の50％以上は就床しており、自力では屋外への外出等がほぼ不可能となったもの
ウ	身のまわりのこともできず、常に介助がいり、終日就床を必要としており、活動の範囲がおおむねベッド周辺に限られるもの

(8)　「第１節　眼の障害」から「第15節　悪性新生物」及び本節に示されていない障害及び障害の程度については、その障害によって生じる障害の程度を医学的に判断し、最も近似している認定基準の障害の程度に準じて認定する。

第17節　重複障害

身体の機能の障害若しくは病状又は精神の障害が重複する場合の障害の程度は、次により認定する。

1　認定基準

障害の程度	障　害　の　状　態
１級	身体の機能の障害若しくは病状又は精神の障害が重複する場合であって、その状態が前各号と同程度以上と認められる程度のもの

２級	身体の機能の障害若しくは病状又は精神の障害が重複する場合であって、その状態が前各号と同程度以上と認められる程度のもの

2　認定要領

⑴　施行令別表第三の２級に該当する程度の機能障害が２以上あるときは、施行令別表第三の１級に該当するものとする。

⑵　病状と機能障害が重複する場合又は病状が重複する場合には、その状態が、日常生活の用を弁ずることを不能ならしめるときは、施行令別表第三の１級に該当するものとする。

⑶　機能障害又は病状が重複する場合（前記１の場合を除く。）において、その状態が日常生活が著しい制限を受けるか又は日常生活に著しい制限を加えることを必要とする程度のものであるときは、施行令別表第三の２級に該当するものとする。

なお、障害の併合認定については、「国民年金・厚生年金保険障害認定基準」の第２章「併合等認定基準」及び「身体障害者福祉法の合併認定」を参考とするものとする。

別添２

様式第１号

（表　　面）

特別児童扶養手当認定診断書

（眼の障害用）

（ふりがな） 氏　　名		生年月日	平成・令和　年　月　日生（　歳）	性別	男・女
住　　所	住所地の郵便番号 （　―　）	都道府県	郡市区		
① 障害の原因となった傷病名		② 傷病の発生年月日	平成 令和　年　月　日	・診療録で確認 ・本人の申立	
		③ ①のため初めて医師の診断を受けた日	平成 令和　年　月　日	・診療録で確認 ・本人の申立	
④ 傷病の原因又は誘因	・先天性 ・後天性（疾病・不慮災・その他） 初診年月日（平成・令和　年　月　日）	⑤ 既存障害		⑥ 既往症	

⑦ 傷病が治った（症状が固定して治療の効果が期待できない状態を含む。）かどうか。	傷病が治っている場合 …………	治った日　平成・令和　年　月　日　確認 推定
	傷病が治っていない場合 ………	症状のよくなる見込　有・無・不明
⑧ 診断書作成医療機関における初診時所見 初診年月日 （平成・令和　年　月　日）		
⑨ 現在までの治療の内容、期間、経過、その他参考となる事項		診療回数　年間　回、月平均　回
		手術歴　部位　左・右 眼球摘出・その他の手術 手術名（　） 手術年月日（　年　月　日）

⑩　障　害　の　状　態　（令和　年　月　日現症）

(1) 視力

	裸眼	矯正視力
右		×　D ⌒ cyl　D Ax　°
左		×　D ⌒ cyl　D Ax　°

(3) 所見

	右	左
前眼部		
中間透光体		
眼底		

(2) 視　野　　※ 視野図のコピーを添付してください。

・ ゴールドマン型視野計を用いた視野図を添付する場合には、どのイソプタがⅠ／４の視標によるものか、Ⅰ／２の視標によるものかを明確に区別できるように記載してください。

・ 自動視野計を用いた場合は、両眼開放エスターマンテストの検査結果及び10-2プログラムの検査結果がわかるものを添付してください。

① ゴールドマン型視野計

（どちらかに記入してください。）

(ア) 周辺視野の評価（Ⅰ／４）

周辺視野の角度

	上	内上	内	内下	下	外下	外	外上	合計
右									度
左									度

(イ) 中心視野の評価（Ⅰ／２）

中心視野の角度

	上	内上	内	内下	下	外下	外	外上	合計
右									a　度
左									b　度

両眼中心視野角度（Ⅰ／２）　（□(aとbのうち大きい方)×３＋□(aとbのうち小さい方)）／４　＝　□度

② 自動視野計

(ア) 周辺視野の評価

両眼開放エスターマンテスト　両眼開放視認点数　□点

(イ) 中心視野の評価（10-2プログラム）

右	c	点（≧26dB）
左	d	点（≧26dB）

両眼中心視野視認点数（Ⅰ／２）　（□(cとdのうち大きい方)×３＋□(cとdのうち小さい方)）／４　＝　□点

⑪ 現症時の日常生活活動能力 (必ず記入してください。)	
⑫ 予　後 (必ず記入してください。)	
⑬ 備　考	(本人の状態について特記すべきことがあれば記入してください(例えば、視力や視野についての検査を補完し、障害の状態を客観的に証明できる他覚的所見等(網膜電位、視覚誘発電位等))。)

本人の障害の程度及び状態に無関係な欄には記入する必要はありません。(無関係な欄は、斜線により抹消してください。)

上記のとおり、診断します。　　　　令和　　年　　月　　日

病院又は診療所の名称　　　　診療担当科名

所　在　地　　　　医師氏名

注　意

1　この診断書は、特別児童扶養手当の受給資格を認定するための資料の一つです。
この診断書は障害者の障害の状態を証明するために使用されますが、記入事項に不明な点がありますと認定が遅くなることがありますので、詳しく記入してください。

2　○・×で答えられる欄は、該当するものを○で囲んでください。記入しきれない場合は、別に紙片をはり付けて記入してください。

3　③の欄は、この診断書を作成するための診断日ではなく障害者が障害の原因となった傷病については初めて医師の診断を受けた日を記入してください。前に他の医師が診断している場合は、障害者本人又はその父母等の申立てによって記入してください。
また、それが不明な場合には、その旨を記入してください。

4　⑨の欄の「診療回数」は、現症日前1年間における診療回数を記入してください。(なお、入院日数1日は、診療回数1回として計算してください。)

5　「障害の状態」の欄は、次のことに留意して記入してください。
(1)　本人の障害の程度及び状態に無関係な欄には記入する必要がありません。(無関係な欄は斜線により抹消してください。)
なお、該当欄に記入しきれない場合は、別に紙片をはりつけてそれに記入してください。
(2)　⑩の欄の「(1)　視力」の測定結果は、過去3ヶ月間において複数回の測定を行っている場合は、それぞれ記入してください。

6　⑩の欄の「(1)視力の「矯正視力」の欄は、最良視力が得られる矯正レンズによって得られた視力を記入してください。
なお、眼内レンズ挿入眼は裸眼と同様に扱い、屈折異常がある場合は適正に矯正した視力を測定してください。

7　視野は、ゴールドマン型視野計又は自動視野計を用いて測定してください。
ゴールドマン型視野計を用いる場合、中心視野の測定にはⅠ／2の視野を用い、周辺視野の測定にはⅠ／4の視標を用いてください。自動視野計を用いる場合、両眼開放視認点数は視標サイズⅢによる両眼開放エスターマンテストで測定し、両眼中心視野視認点数は視標サイズⅢによる10-2プログラムで測定してください。

8　⑩の欄の(2)①(ア)「周辺視野の角度」は、Ⅰ／4の視標を用いて左右眼ごとに8方向の視野の角度(Ⅰ／4の視標が視認できない部分を除いて算出)を該当する方向の欄に記入し、8方向の角度を合算した数値を「合計」の欄に記入してください。

9　⑩の欄の(2)①(イ)「中心視野の角度」は、Ⅰ／2の視標を用いて左右眼ごとに8方向の視野の角度(Ⅰ／2の視標が視認できない部分を除いて算出)を該当する方向の欄に記入し、8方向の角度を合算した数値を「合計」の欄に記入してください。

様式第２号

（表　　面）

特別児童扶養手当認定診断書

（聴覚・平衡機能・そしゃく・嚥下機能・音声又は言語機能障害用）

（ふりがな） 氏　　名		生年月日	平成・令和　　年　　月　　日生（　　歳）	性別	男・女
住　　所	住所地の郵便番号 （　　－　　）	都道 府県	郡市 区		

① 障害の原因 となった 傷病名		② 傷病の発生年月日	平成 令和　　年　　月　　日　診療録で確認 本人の申立て
		③ ①のため初めて医師の診断を受けた日	平成 令和　　年　　月　　日　診療録で確認 本人の申立て

④ 傷病の原因又は誘因		⑤ 既存障害		⑥ 既往歴	

⑦ 傷病が治った（症状が固定して治療の効果が期待できない状態を含む。）かどうか。	傷病が治っている場合　……治った日　平成・令和　　年　　月　　日（推定・確認） 傷病が治っていない場合……症状のよくなる見込み　　有　・　無　・　不明
⑧ 診断書作成医療機関における初診時所見 初診年月日 （平成・令和　　年　　月　　日）	
⑨ 現在までの治療の内容、期間、経過、その他参考となる事項	診療回数　年間　　回、月平均　　回 手術歴　喉頭全摘・その他の手術 手術名（　　　　） 手術年月日（　　年　　月　　日）

⑩ 障害の状態（令和　　年　　月　　日現症）

(1) 聴覚の障害

		聴力レベル
検査名及び検査年月日	オージオメータ 年　月　日	右　　dB　　左　　dB
	（　　） 年　月　日	右　　dB　　左　　dB
	（　　） 年　月　日	右　　dB　　左　　dB
		最良語音明瞭度
年　月　日		右　　%　　左　　%

オージオグラム

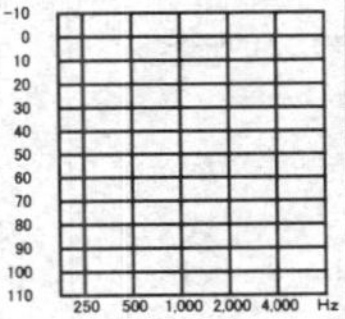

語音明瞭度曲線

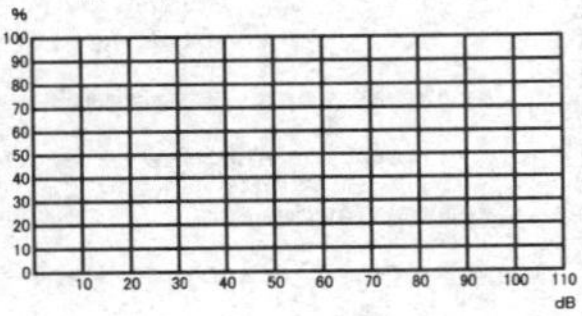

所見

(2) 平衡機能の障害

ア　閉眼での起立・立位保持の状態
1　可能である
2　不安定である
3　不可能である

イ　開眼での直線の10mの歩行の状態
1　まっすぐ歩き通す。
2　多少転倒しそうになったりよろめいたりするが、どうにか歩き通す。
3　転倒あるいは著しくよろめいて、歩行を中断せざるを得ない。

ウ　自覚症状・他覚所見及び検査所見

(3) そしゃく・嚥下機能の障害

ア　機能障害

イ　栄養状態
1 良　　2 中　　3 不良
（　身長　　cm、　体重　　kg）

ウ　食事内容
1　食事内容に制限がない
2　ある程度の常食は摂取できるが、そしゃく・嚥下が十分でないため食事が制限される。
3　全粥、軟菜以外は摂取できない
4　経口摂取のみでは十分な栄養ができないためにゾンデ栄養の併用が必要である。
5　流動食以外は摂取できない。
6　経口的に食物を摂取することが極めて困難である。
7　経口的に食物を摂取することができない。
8　その他（　　　　）

（4）音声又は言語機能の障害

ア　会話による意思疎通の程度（該当するものを選んでどれか1つを○で囲んでください。）

1　患者は、話すことや話を理解することにほとんど制限がなく、日常会話が誰とでも成立する。

2　患者は、話すことや聞いて理解することのどちらか又はその両方に一定の制限があるものの、日常会話が、互いに確認することなどで、ある程度成り立つ。

3　患者は、話すことや聞いて理解することのどちらか又はその両方に多くの制限があるため、日常会話が、互いに内容を推論したり、たずねたり、見当をつけることなどで部分的に成り立つ。

4　患者は、発音に関わる機能を喪失するか、話すことや聞いて理解することのどちらか又は両方がほとんどできないため、日常会話が誰とも成立しない。

イ　発音不能な語音（構音障害、音声障害又は聴覚障害による障害がある場合に、記入してください。）

Ⅰ　4種の語音（該当するものにチェックをつけてください。）

口唇音（ま行音、ぱ行音、ば行音等）

1　全て発音できる　　2　一部発音できる　　3　発音不能

歯音、歯茎音（さ行音、た行音、ら行音等）

1　全て発音できる　　2　一部発音できる　　3　発音不能

歯茎硬口蓋音（しゃ、ちゃ、じゃ等）

1　全て発音できる　　2　一部発音できる　　3　発音不能

軟口蓋音（か行音、が行音等）

1　全て発音できる　　2　一部発音できる　　3　発音不能

Ⅱ　発音に関する検査結果（語音発語明瞭度検査など）

（　　　　　　　　）

ウ　失語症の障害の程度（失語症がある場合に、記入してください。）

Ⅰ　音声言語の表出及び理解の程度（該当するものにチェックをつけてください。）

単語の呼称（単語の例：家、靴下、自動車、電話、水）

1　できる　　2　おおむねできる　　3　あまりできない　　4　できない

短文の発話（2～3文節程度、例：女の子が本を読んでいる）

1　できる　　2　おおむねできる　　3　あまりできない　　4　できない

長文の発話（4～6文節程度、例：私の家に田舎から大きな小包が届いた）

1　できる　　2　おおむねできる　　3　あまりできない　　4　できない

単語の理解（例：単語の呼称と同じ）

1　できる　　2　おおむねできる　　3　あまりできない　　4　できない

短文の理解（例：短文の発話と同じ）

1　できる　　2　おおむねできる　　3　あまりできない　　4　できない

長文の理解（例：長文の発話と同じ）

1　できる　　2　おおむねできる　　3　あまりできない　　4　できない

Ⅱ　失語症に関する検査結果（標準失語症検査など）

（　　　　　　　　）

⑪　現症時の日常生活活動能力（必ず記入してください。）	
⑫　予　後（必ず記入してください。）	
⑬　備　考	

本人の障害の程度及び状態に無関係な欄には記入する必要はありません。（無関係な欄は、斜線により抹消してください。）

上記のとおり、診断します。　　令和　　年　　月　　日

病院又は診療所の名称　　診療担当科名

所　在　地　　医師氏名

（裏　　面）

注　意

1　この診断書は、特別児童扶養手当の受給資格を認定するための資料の一つです。
この診断書は障害者の障害の状態を証明するために使用されますが、記入事項に不明な点がありますと認定が遅くなることがありますので、詳しく記入してください。

2　○・×で答えられる欄は、該当するものを○で囲んでください。記入しきれない場合は、別に紙片をはりつけて記入してください。

3　③の欄は、この診断書を作成するための診断日ではなく障害者が障害の原因となった傷病については初めて医師の診断を受けた日を記入してください。前に他の医師が診断している場合は、障害者本人又はその父母等の申立てによって記入してください。
また、それが不明な場合には、その旨を記入してください。

4　「障害の状態」の欄は、次によってください。

（1）　本人の障害の程度及び状態に無関係な欄には記入する必要がありません。（無関係な欄は斜線により抹消してください。）
なお、該当欄に記入しきれない場合は、別に紙片をはりつけてそれに記入してください。

（2）　⑩の欄の「（1）聴覚の障害」の測定結果は、過去3ヶ月間において複数回の測定を行っている場合は、最良の値を示したものを記入してください。

（3）　⑩の欄の（1）聴覚の障害欄中の「聴力レベル」は、昭和57年改正後のJIS規格によるオージオメータで測定した測定値です。
＊「聴力レベル」の算出方法は、次によってください。
①「聴力レベル値」（デシベル）は、オージオメータにより測定してください。
②「聴力レベル値」（デシベル）は、$\frac{a+2b+c}{4}$ により算出してください。
a：周波数500ヘルツの音に対する純音聴力レベル値
b：周波数1，000ヘルツの音に対する純音聴力レベル値
c：周波数2，000ヘルツの音に対する純音聴力レベル値
なお、ABR検査（聴性脳幹反応検査）、ASSR検査（聴性定常反応検査）、COR検査（条件詮索反応検査）等を行った場合は、検査名及び検査年月日を記入の上、測定結果を記載してください。

（4）　⑩の（1）の欄の「最良語音明瞭度」は、「聴力レベル」が90デシベルに満たない場合についてのみ検査成績を記入してください。
なお、最良語音明瞭度の検査は、オージオロジー学会で定めた方法によってください。

（5）　⑩の（1）の欄の「所見」は、聴覚の障害により特別児童扶養手当を受給しておらず、かつ、身体障害者手帳を取得していない障害児に対し、両耳の聴力レベルが100dB以上の診断を行う場合には、オージオメータによる検査に加えて、聴性脳幹反応検査（ABR）等の他覚的聴力検査又はそれに相当する検査を実施し、その結果（検査方法及び検査所見）を記入してください。
また、オージオメータにより聴力レベルを測定できない乳幼児の場合、ABR検査又はASSR検査（聴性定常反応検査）と、COR検査（条件詮索反応検査）を組み合わせて実施し、その結果（検査方法及び検査所見）を記入して下さい。
また、この診断書のほかに、その記録データのコピー等を必ず添えてください。

（6）　⑩の（4）の欄の「イ　発音不能な語音」は、構音障害、音声障害又は聴覚障害による障害がある場合に記入してください。発音に関する検査を行った場合は、その検査結果を「Ⅱ　発音に関する検査結果」欄に記入してください。

（7）　⑩の（4）の欄の「ウ　失語症の障害の程度」は、失語症がある場合に記入してください。失語症に関する検査を行った場合は、その検査結果を「Ⅱ　失語症に関する検査結果」欄に記入してください。必要に応じて失語症検査の結果表を添えてください。

様式第３号

（表　　面）

特別児童扶養手当認定診断書

（肢体不自由用）

（ふりがな） 氏　　名		生年月日	平成・令和　　年　月　日生（　　歳）	性別	男・女
住　　所	住所地の郵便番号 （　　－　　）	都道 府県	郡市 区		

① 障害の原因となった傷病名		② 傷病発生年月日	平成・令和　年　月　日　・診療録で確認　・本人の申立て
		③ ①のため初めて医師の診療を受けた日	平成・令和　年　月　日　・診療録で確認　・本人の申立て
④ 傷病の原因又は誘因	初診年月日（平成・令和　年　月　日）	⑤既存障害		⑥ 既往症	

⑦ 傷病が治った（症状が固定して治療の効果が期待できない状態を含む。）かどうか。	傷病が治っている場合　…………　治った日　平成・令和　年　月　日	確定　推定
	傷病が治っていない場合　…………　症状のよくなる見込　有・無・不明	
⑧ 診断書作成医療機関における初診時所見 初診年月日 （平成・令和　年　月　日）		
⑨ 現在までの治療の内容、期間、経過、その他参考となる事項		診療回数　年間　回　月平均　回
⑩ 計　測（令和　年　月　日計測）	身長　cm 体重　kg	血圧　最高　mmHg　最低　mmHg

障害の状態（令和　年　月　日現症）

⑪ 切断又は離断・変形・麻痺

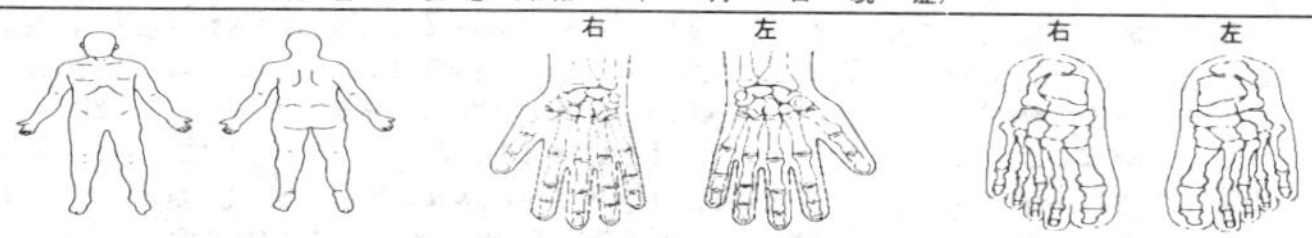

切断又は離断日　平成・令和　年　月　日　■ 切断　離断　× 変形　感覚麻痺　運動麻痺
創面治ゆ日　平成・令和　年　月　日

切断又は離断の場合の神経・運動障害	断端の痛み　有・無　すぐ上の関節の異常　有・無　（有の場合は⑯に記入してください。）							
外　　観	弛緩性・痙直性・不随意運動性・失調性・強剛性・しんせん性							
起因部位	脳性・脊髄性・末梢神経性・筋性・その他（心因性ものと思われる場合は、その旨記載してください。）							
種類及びその程度	知覚麻痺（脱失・鈍麻・過敏・異常）　運動麻痺							
反　　射	右				左			
	上肢	下肢	バビンスキー反射	その他の病的反射	上肢	下肢	バビンスキー反射	その他の病的反射
その他	排尿障害　有・無　排便障害　有・無　褥創又はその瘢痕　有・無							

⑫ 脊柱の障害

部位	前屈	後屈	右側屈	左側屈	右廻旋	左廻旋
頸部						
胸腰部						

（脊柱の可動域）　随伴する脊髄・根症状などの臨床症状

⑬ 人工骨頭・人工関節の装着の状態	部　位 手術日　令和　年　月　日	⑭ 握力	右　kg　左　kg

⑮ 手（足）指関節の他動可動域

部位		母指 屈曲	母指 伸展	示指 屈曲	示指 伸展	中指 屈曲	中指 伸展	環指 屈曲	環指 伸展	小指 屈曲	小指 伸展
中手（足）指節間関節（MP）	右										
	左										
近位指節間関節（PIP）（母指では指節間関節）	右										
	左										

本人の障害の程度及び状態に無関係な欄には記入する必要はありません。（無関係な欄は、斜線により抹消してください。）

障害の状態（令和　　年　　月　　日現症）

⑯ 関節可動域及び筋力

部位	運動の種類	右 関節可動域（角度） 強直肢位	他動可動域	筋力 正常	やや減	半減	著減	消失	左 関節可動域（角度） 強直肢位	他動可動域	筋力 正常	やや減	半減	著減	消失
肩関節	屈曲														
	伸展														
	内転														
	外転														
肘関節	屈曲														
	伸展														
前腕	回内														
	回外														
手関節	背屈														
	掌屈														
股関節	屈曲														
	伸展														
	内転														
	外転														
膝関節	屈曲														
	伸展														
足関節	背屈														
	底屈														

⑰ 四肢長及び四肢囲

	右 上肢長	上腕囲	前腕囲	下肢長	大腿囲	下腿囲	左 上肢長	上腕囲	前腕囲	下肢長	大腿囲	下腿囲
四肢長及び四肢囲	cm	cm	cm	cm	cm	cm	cm	cm	cm	cm	cm	cm

⑱ 日常生活における動作の障害程度

補助用具を使用しない状態で判断してください。

一人でうまくできる場合には……………………「○」
一人でできてもやや不自由な場合には……　「○△」
一人でできるが非常に不自由な場合には………「△×」
一人では全くできない場合には……………………「×」

該当する記号を下欄に記入又は記号を○で囲んでください。

日常生活における動作	右	左	日常生活における動作	右	左
つまむ　（新聞紙が引き抜けない程度）			片足で立つ		
握る　（丸めた週刊誌が引き抜けない程度）			座る（正座、横すわり、あぐら、脚なげだし）（このような姿勢を持続する）		
タオルを絞る　（水をきれる程度）	両手		深くおじぎ（最敬礼）をする		
ひもを結ぶ	両手		歩く（屋内）		
さじで食事をする			歩く（屋外）		
顔に手のひらをつける					
用便の処置をする（ズボンの前のところに手をやる）			立ち上がる	ア 支持なしでできる　イ 支持があればできるがやや不自由　ウ 支持があればできるが非常に不自由　エ 支持があってもできない	
用便の処置をする　（尻のところに手をやる）					
上衣の着脱　（かぶりシャツを着て脱ぐ）	両手		階段を上る	ア 支持なしでできる　イ 支持があればできるがやや不自由　ウ 支持があればできるが非常に不自由　エ 支持があってもできない	
上衣の着脱（ワイシャツを着てボタンをとめる）	両手				
ズボンの着脱　（どのような姿勢でもよい）	両手		階段を下りる	ア 支持なしでできる　イ 支持があればできるがやや不自由　ウ 支持があればできるが非常に不自由　エ 支持があってもできない	
靴下を履く　（どのような姿勢でもよい）	両手				

⑲ 補助用具使用状況

該当する数字を○で囲み、右のア・イのいずれかの使用状況を選び、［　］内に記載してください。

1［　］上肢補装具　2［　］下肢補装具（左・右）
3［　］杖（　　）　4［　］松葉杖（左・右）
5［　］車椅子　6［　］歩行車
7［　］その他（具体的に　　　　）
8 補助用具は使用していない

ア 常時（起床より就寝まで）使用
イ 常時ではないが使用

左記の使用状況について、詳しく記入してください。

⑳ その他の精神・身体の障害の状態

㉑ 現症時の日常生活活動能力（必ず記入してください。）
（補助用具を使用しない状態で判断してください。）

㉒ 予後（必ず記入してください。）

㉓ 備考

上記のとおり診断します。　　　令和　　年　　月　　日

病院又は診療所の名称　　　　診療担当科名

所在地　　　　医師氏名

◎ 裏面の注意をよく読んでから記入してください。障害者の障害の程度及び障害の認定に無関係な欄は記入する必要がありません。

◎ 字は楷〈かい〉書ではっきりと書いてください。

（裏　　面）

注　意

1　この診断書は、特別児童扶養手当の受給資格を認定するための資料の一つです。
この診断書は障害者の障害の状態を証明するために使用されますが、記入事項に不明な点がありますと認定が遅くなることがありますので、詳しく記入してください。

2　○・×で答えられる欄は、該当するものを○で囲んでください。記入しきれない場合は、別に紙片をはり付けて記入してください。

3　③の欄は、この診断書を作成するための診断日ではなく障害者が障害の原因となった傷病については初めて医師の診断を受けた日を記入してください。前に他の医師が診断している場合は、障害者本人又はその父母等の申立てによって記入してください。
また、それが不明な場合には、その旨を記入してください。

4　⑨の欄の「診療回数」は、現症日前1年間における診療回数を記入してください。なお、入院日数1日は、診療回数1回として計算してください。

5　「障害の状態」の欄は、次によってください。

（1）　本人の障害の程度及び状態に無関係な欄には記入する必要がありません。（無関係な欄は斜線により抹消してください。）
なお、該当欄に記入しきれない場合は、別に紙片をはりつけてそれに記入してください。

（2）　⑫の欄の「脊柱の可動域」、⑮の欄の「手（足）指関節の他動可動域」及び⑯の欄の「関節可動域」の測定は、日本整形外科学会及び日本リハビリテーション医学会で定めた方法によって下さい。

（3）　⑯の欄の「筋力」の程度を表す具体的な「程度」は、次のとおりです。

正　常……検者が手で加える十分な抵抗を排して自動可能な場合
やや減……検者が手を置いた程度の抵抗を排して自動可能な場合
半　減……検者の加える抵抗には抗し得ないが、自分の体部分の重さに抗して自動可能な場合
著　減……自分の体部分の重さに抗し得ないが、それを排するような肢位では自動可能な場合
消　失……いかなる肢位でも関節の自動が不能な場合

（4）　⑰の欄の上肢長は、肩峰尖端より橈骨茎上突起尖端まで、下肢長は前上腸骨棘より内果尖端、までの距離を測ってください。
また、上腕囲、前腕囲、下腿囲は最大周囲径を、大腿囲は膝蓋上縁上10センチメートルの周囲径を図ってください。

（関節可動域測定参考図）

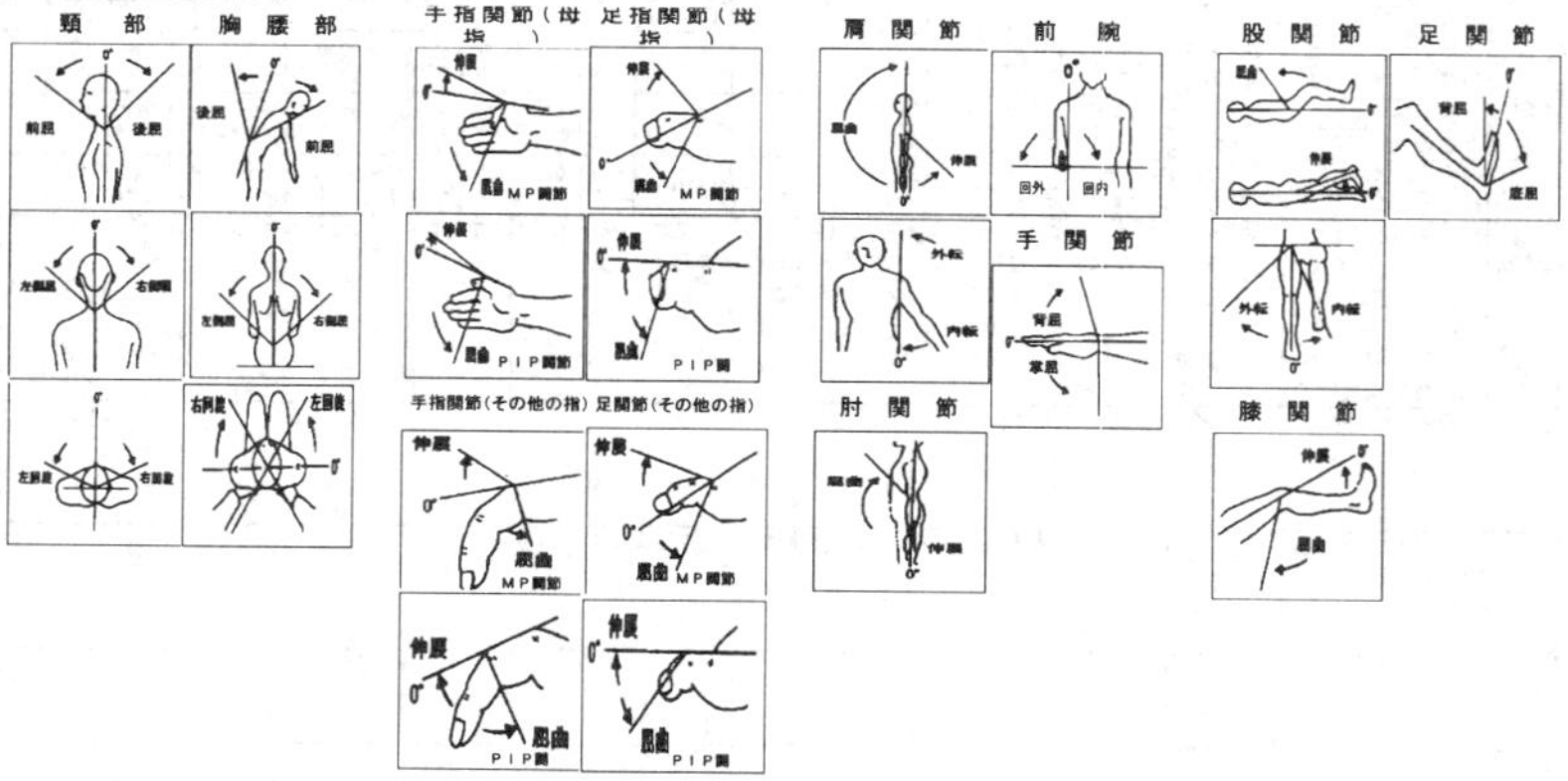

様式第４号

（表　　面）

特別児童扶養手当認定診断書

（知的障害・精神の障害用）

（ふりがな） 氏　　名		生年月日	平成・令和　年　月　日生（　歳）	性別	男・女
住　　所	住所地の郵便番号 （　ー　）	都道 府県	郡市 区		
①　障害の原因となった傷病名			ICD－10コード（　　　）		

②　傷病発生　年　月	主な精神障害　平成／令和　年　月 合併精神障害　平成／令和　年　月 合併身体障害　平成／令和　年　月 ・診療録で確認 ・本人の申立て	③　合　併　症	精神障害 身体障害
		④　①のため初めて医師の診断を受けた日	平成・令和　年　月　日 ・診療録で確認 ・本人の申立て

⑤　現病歴（陳述者より聴取）　　陳述者の氏　名　　　患者との続　柄

ア　発病以来の病状と経過

イ　発病以来の治療歴

	（病院名）	（治療期間）	（入院・外来別）	（病名）	（主な療法）	（転帰）
（ア）		年　月　～　年　月	入・外			
（イ）		年　月　～　年　月	入・外			
（ウ）		年　月　～　年　月	入・外			
（エ）		年　月　～　年　月	入・外			

⑥ これまでの発育・養育歴等（出生から発育の状況や教育歴を陳述者より聴取の上、できるだけ詳しく記入してください。）	ア　発育・養育歴	イ　教育歴 乳児期 不就学　・　就学猶予 小学校（ 普通学級 ・ 特別支援学級 ・ 特別支援学校 ） 中学校（ 普通学級 ・ 特別支援学級 ・ 特別支援学校 ） 高　校（ 普通学級 ・ 特別支援学校 ） その他

障害の状態（令和　年　月　日現症）

		現在の病状又は状態像	左記の状態について、その程度・症状・処方薬等を具体的に記載してください。
現症	⑦　知能障害等	1　知的障害 知能指数又は発達指数（ IQ・DQ　　） テスト方式（　　　）テスト不能 判　定（ 最重度、重度、中度、軽度 ） 判定年月日（令和　年　月　日） 2　高次脳機能障害　ア 失行　イ 失認 ウ 記憶障害　エ 注意障害 オ 遂行機能障害　カ 社会的行動障害 3　学習障害　ア 読み　イ 書き　ウ 算数 エ その他（　　　） 4　その他（　　　）	
	⑧　発達障害関連症状	1　相互的な社会関係の質的障害 2　言語コミュニケーションの障害 3　限定した常同的で反復的な関心と行動 4　その他（　　　）	
	⑨　意識障害・てんかん	1　意識混濁　2（夜間）せん妄 3　もうろう　4　錯乱　5　てんかん発作 6　不機嫌症　7　その他（　　　） ・　てんかん発作のタイプ（　　　　） ・　てんかん発作の頻度（（年間 ・ 月 ・ 週）　回程度）	
	⑩　精神症状	1幻覚　2妄想　3自閉　4無為　5感情の平板化　6不安 7恐怖　8強迫行為　9思考障害　10心気症　11中毒嗜《し》癖 12うつ状態　13そう状態　14その他（　　　）	
	⑪　問題行動及び習癖	1興奮　2暴行　3多動　4拒絶　5自殺企画　6自傷 7破衣　8不潔　9放火・弄《ろう》火　10器物破壊　11徘徊《はいかい》・浮浪 12盗み　13性的逸脱行動 14排泄《せつ》の問題（尿失禁、便失禁、便こね、その他） 15食事の問題（拒食、異食、大食、小食、偏食、その他） 16その他（　　　）	
	⑫　性格特徴		

（裏　　面）

現症	⑬ 日常生活能力の程度 （必ず記入してください）	1 食事 （全介助 ・ 半介助 ・ 自立） 2 洗面 （全介助 ・ 半介助 ・ 自立） 3 排泄《せつ》 ｛おむつ必要 ・ おむつ不要 / 全介助 ・ 半介助 ・ 自立｝ 4 衣服 ｛脱げない ・ 着れない ・ / ボタン不能 ・ 自立｝	5 入浴 （全介助 ・ 半介助 ・ 自立） 6 危険物 ｛全くわからない ・ 特定の物、 / 場所はわかる ・大体わかる｝ 7 睡眠 ｛夜眠らず騒ぐ ・ 時々不眠 / 寝ぼける ・ 問題なし｝
		上記の内容を具体的に記載して下さい。	
	⑭ 要注意度	1 常に厳重な注意を必要とする　2 随時一応の注意を必要とする　3 ほとんど必要ない	
⑮ 医学的総合判定 （必ず記入してください）			
⑯ 備考			

本人の障害の程度及び状態に無関係な欄には記入する必要はありません。（無関係な欄は、斜線により抹消してください。）

上記のとおり、診断します。　　　　令和　　年　　月　　日

病院又は診療所の名称　　　　診療担当科名

所　在　地　　　　医師氏名

記入上の注意

1　この診断書は、特別児童扶養手当の受給資格を認定するための資料の一つです。
この診断書は障害者の障害の状態を証明するために使用されますが、記入事項に不明な点がありますと認定が遅くなることがありますので、詳しく記入してください。

2　○・×で答えられる欄は、該当するものを○で囲んでください。記入しきれない場合は、別に紙片をはり付けて記入してください。

3　④の欄は、この診断書を作成するための診断日ではなく障害者が障害の原因となった傷病については初めて医師の診断を受けた日を記入してください。前に他の医師が診断している場合は、障害者本人又はその父母等の申立てによって記入してください。
また、それが不明な場合には、その旨を記入してください。

4　⑦から⑪までの欄には、それぞれの欄の症状又は行動について該当するものを○で囲んでください。

5　知的障害の場合は、知能指数又は発達指数及び検査方式を⑦の欄に記入してください。

6　高次脳機能障害による失語障害があるときは、「言語機能の障害用」の診断書が必要となります。

7　⑭の欄は、⑦から⑬までの欄に記載する注意を要する症状の有無、程度及び頻度に応じて該当するものを○で囲んでください。

8　診断医が、「精神保健指定医」である場合には、氏名の上にその旨を記載してください。また、診断医が精神保健福祉センター、児童相談所又は知的障害者更生相談所の医師である場合には、「病院又は診療所」のところに、その精神保健福祉センター、児童相談所又は知的障害者更生相談所の名称を記入するだけで、「所在地」、「診療担当科目名」は記入する必要はありません。

様式第５号

（表　　面）

特別児童扶養手当認定診断書

（呼吸機能障害用）

（ふりがな） 氏　　名		平成 令和　　年　　月　　日生（　　歳）		男・女
住　　所	住所地の郵便番号 （　　－　　）	郡市 区　　町区 村		
①　障害の原因となった傷病名		②　傷病の発生年月日	平成 令和　　年　　月　　日	診療録で確認 本人の申立て
		③　①のため初めて医師の診断を受けた日	平成 令和　　年　　月　　日	診療録で確認 本人の申立て
④　傷病の原因又は誘因		⑤　既存障害		⑥　既往歴
⑦　傷病が治った（症状が固定して治療の効果が期待できない状態を含む。）かどうか。	傷病が治っている場合　……治った日　平成・令和　　年　　月　　日（推定・確認）			
	傷病が治っていない場合　……症状の良くなる見込　　有　・　無　・　不明			
⑧　診断書作成医療機関における初診時所見 初診年月日 （平成・令和　　年　　月　　日）				
⑨　現在までの治療の内容、期間、経過、その他参考となる事項 （抗結核科学療法を行った場合は、使用薬剤名及び使用期間を明記してください。）		診療回数　年間　　回、月平均　　回		
		手術歴　手術名（　　　）		
		手術年月日（　　年　　月　　日）		

障　　害　　の　　状　　態

⑩　共　通　項　目　（この欄は、必ず記入してください。）　（３については、該当するものを選んでどれか一つを○で囲んでください。）

1　身体計測（令和　　年　　月　　日）

身長　　　cm　：　体重　　　kg

2　胸部X線所見（A）　　　　　　（A図）

（1）	胸膜癒着	なし・軽・中・高
（2）	気腫化	なし・軽・中・高
（3）	線維化	なし・軽・中・高
（4）	不透明肺	なし・軽・中・高
（5）	胸郭変形	なし・軽・中・高
（6）	心縦隔の変形	なし・軽・中・高
（7）	蜂巣肺	なし・軽・中・高

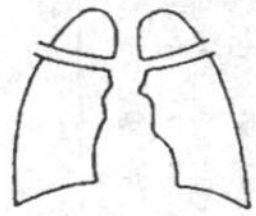

撮影年月日（令和　　年　　月　　日）

3　一般状態区分表　（令和　　年　　月　　日）

（該当するものを選んでどれか一つを○で囲んでください。）

（但し、乳幼児では、掲げた内容に相当すると考えられる状態とする）

Ⅰ　無症状で社会活動ができ、制限を受けることなく、発病前と同等にふるまえるもの

Ⅱ　軽度の症状があり、強い運動は制限を受けるが、歩行、軽い運動や座業はできるもの

Ⅲ　歩行や身のまわりのことはできるが、時に少し介助のいることもあり、軽い運動はできないが、日中の50%以上は起居しているもの

Ⅳ　身のまわりのある程度のことはできるが、しばしば介助がいり、日中の50%以上は就床しており、自力では屋外への外出等がほぼ不可能となったもの

Ⅴ　身のまわりのこともできず、常に介助がいり、終日就床を必要としており、活動の範囲がおおむねベット周辺に限られるもの

4　臨　床　所　見

（1）自覚症状

咳　（無・有・著）

痰　（無・有・著）

胸痛　（無・有・著）

呼吸困難

安静時（無・有・著）

体動時（無・有・著）

喘鳴　（無・有・著）

（2）他覚所見

肺性心所見（無・有）

チアノーゼ（無・有）

ばち状指（無・有）

栄養状態（良・中・不良）

ラ　音（有・一部・広範囲）

（3）その他の所見

5　換気機能　（令和　　年　　月　　日）

（1）肺活量実測値（VC）　　ml

（2）予測肺活量　　ml

（3）努力性肺活量（FVC）　　ml

（4）1　秒　量　（FEV1.0）

（5）努力性肺活量1秒率（FEV1%）　　（4）／（3）×100

（6）予測肺活量1秒率　　（4）／（2）×100

6　動脈血ガス分析（酸素吸入をしないで）及び経皮酸素飽和度

（令和　　年　　月　　日）

（1）動脈血 O_2 分圧　　Torr

（2）動脈血 CO_2 分圧　　Torr

（3）動脈血 pH

（4）経皮酸素飽和度　　%

7　在宅酸素療法

（1）無・有（令和　年　月　日開始）

施行時期（　　時間／日・常時）

酸素吸入量　　ℓ／分

（2）酸素療法中の動脈血ガス分析

①動脈血 O_2 分圧　　Torr

②動脈血 CO_2 分圧　　Torr

8　その他の所見

本人の障害の程度及び状態に無関係な欄には記入する必要はありません。（無関係な欄は、斜線により抹消してください。）

⑪ 肺結核症（令和　年　月　日現症）

1　胸部X線所見(B)

初診時(平成・令和　年　月　日)

前頁のA図のX線所見の日本結核病学会分類を記入してください。

⇩

日本結核病学会分類										
病側	右	左	両			右	左	両		
病巣の拡がり	1	2	3			1	2	3		
病型	Ⅰ	Ⅱ	Ⅲ	Ⅳ	Ⅴ	Ⅰ	Ⅱ	Ⅲ	Ⅳ	Ⅴ

2　結核菌検査成績

（現在陰性のときはその旨と最終陽性時期を併記してください。）

検査材料（たん、喉頭粘液、気管支洗滌液、胃液、穿刺液）

	塗抹	培養
令和　年　月　日	ー＋（ガフキー　号）	ー＋（　コロニー）
令和　年　月　日	ー＋（ガフキー　号）	ー＋（　コロニー）

3　その他の所見

（結核予防法による公費負担医療適用の有無　有・無

4　安静を要する程度

1度　絶対安静

2度　ベット上の安静

3度　必要時のみ室内歩行(30分以内)

4度　室内歩行はよい(1時間以内)

5度　一定時間内の屋外歩行はよい(1.5時間以内)

6度　健康な人の2分の1程度の運動はよい

7度　軽い運動はよいが強い運動は禁ずる。ただし、休憩時間を多くとる。

8度　疲れない程度の普通の生活

⑫ 気管支喘息（令和　年　月　日現症）

1　時間の経過と病状

（1）喘息症状の間に無症状の期間がある。

（2）持続する喘息症状のために無症状の期間がない。

2　ピークフロー値（PEFR）

最近(1ヶ月程度の期間)の

最高値　　L／分、最低値　　L／分、平均　　L／分

（但し慢性安定期であることを前提とし、発作時の成績は除く）

3　発作の強度

（1）大発作：苦しくて動けなく、会話も困難

（2）中発作：苦しくて横になれなく、会話も苦しい

（3）小発作：苦しいが横になれる、会話はほぼ普通

（4）その他　①　喘鳴のみ

②　急ぐと苦しい

③　急いでも苦しくない

4　発作の頻度

（1）　1週に　5日以上

（2）　1週に　3 ～ 4日

（3）　1週に　1 ～ 2日

（4）　その他

5　入院歴

入院歴　　有・無

（過去2年間に喘息のために入院した場合は、その期間を記入）

6　治療

（治療で使用している薬剤に○をつけ必要事項を記入してください。）

（1）経口ステロイド薬

発作時のみ

連　用　　（投与量　　／日

（2）吸入ステロイド薬

薬剤名（　　　）、（投与量　　／日

（3）その他の薬剤

長時間作用性β2刺激剤薬

ロイコトリエン受容体拮抗薬

抗アレルギー薬

テオフィリン徐放製薬

その他（

⑬ その他の障害又は症状の所見等（令和　年　月　日現症）	
⑭ 現症時の日常生活活動能力（必ず記入してください）	
⑮ 予　後（必ず記入してください）	
⑯ 備　考	

本人の障害の程度及び状態に無関係な欄には記入する必要はありません。（無関係な欄は、斜線により抹消してください。）

上記のとおり、診断します。　　令和　年　月　日

病院又は診療所の名称　　診療担当科名

所　在　地　　医師氏名

（裏　　　面）

注　意

1　この診断書は、特別児童扶養手当の受給資格を認定するための資料の一つです。
　この診断書は障害者の障害の状態を証明するために使用されますが、記入事項に不明な点がありますと認定が遅くなることがありますので、詳しく記入してください。

2　○・×で答えられる欄は、該当するものを○で囲んでください。記入しきれない場合は、別に紙片をはり付けて記入してください。

3　③の欄は、この診断書を作成するための診断日ではなく障害者が障害の原因となった傷病については初めて医師の診断を受けた日を記入してください。前に他の医師が診断している場合は、障害者本人又はその父母等の申立てによって記入してください。
　また、それが不明な場合には、その旨を記入してください。

4　⑨の欄の「診療回数」は、現症日前1年間における診療回数を記入してください。（なお、入院日数1日は、診療回数1回として計算してください。）

5　「障害の状態」の欄は、本人の障害の程度及び状態に無関係な欄には記入する必要がありません。（無関係な欄は斜線により末梢してください。）なお、該当欄に記入しきれない場合は、別に紙片をはりつけてそれに記入してください。

6　胸部X線所見のあるものは、この診断書の外に、胸部X線フィルムを添えてください。

様式第6号

（表　面）

特別児童扶養手当認定診断書

（循環器疾患の障害用）

（ふりがな） 氏　名		生年月日	平成・令和　年　月　日生（　歳）	性別	男・女
住　所	住所地の郵便番号 （　－　）	都道府県　郡市区			
① 障害の原因となった傷病名		② 傷病の発生年月日	平成 令和　年　月　日	診療録で確認 本人の申立て	
		③ ①のため初めて医師の診断を受けた日	平成 令和　年　月　日	診療録で確認 本人の申立て	
④ 傷病の原因又は誘因	初診年月日（平成・令和　年　月　日）	⑤ 既存障害		⑥ 既往歴	
⑦ 傷病が治った（症状が固定して治療の効果が期待できない状態を含む。）かどうか。	傷病が治っている場合……治った日　平成・令和　年　月　日（推定・確				
	傷病が治っていない場合……症状の良くなる見込　有・無・不明				
⑧ 診断書作成医療機関における初診時所見 初診年月日 （平成・令和　年　月　日）					
⑨ 現在までの治療の内容、期間、経過、その他参考となる事項		診療回数	年間　回、月平均　回		
		手術歴	手術名（　） 手術年月日（　年　月　日）		
⑩ 計測 （令和　年　月　日計測）	身長　cm 体重　kg	脈拍　回／分	血圧　最大　mmHg 最小　mmHg	血管拡張剤・降圧剤 無・有	

障　害　の　状　態

⑪　循　環　器　疾　患（令和　年　月　日現症）

1　臨　床　所　見

（1）自覚症状

動　悸（無・有・著）
呼吸困難（無・有・著）
胸　痛（無・有・著）
失　神（無・有）
階段昇困難（無・有・著）

（2）他覚所見

チアノーゼ（無・有・著）
浮　腫（無・有・著）
ばち状指（無・有）
尿量減少（無・有）
体重増加不良（無・有・著）
Ⅱ音亢進（無・有・著）
器質的雑音（無・有）
（Levine ＿＿＿＿度）

2　一般状態区分表（令和　年　月　日）

（該当するものを選んでどれか一つを○で囲んでください。）
（但し、乳幼児では、掲げた内容に相当すると考えられる状態とする）

Ⅰ　無症状で社会活動ができ、制限を受けることなく、発病前と同等にふるまえるもの
Ⅱ　軽度の症状があり、強い運動は制限を受けるが、歩行、軽い運動や座業はできるもの
Ⅲ　歩行や身のまわりのことはできるが、時に少し介助のいることもあり、軽い運動はできないが、日中の50%以上は起居しているもの
Ⅳ　身のまわりのある程度のことはできるが、しばしば介助がいり、日中の50%以上は就床しており、自力では屋外への外出等がほぼ不可能となったもの
Ⅴ　身のまわりのこともできず、常に介助がいり、終日就床を必要としており、活動の範囲がおおむねベット周辺に限られるもの

3　検　査　所　見

（1）心電図所見
（心電図所見のあるものは、必ず心電図（コピー）を添付してください。）

①　安静時心電図（令和　年　月　日）
心室性期外収縮（無・有）　完全房室ブロック（無・有）
心房細動・粗動（無・有）　MobitzⅡ型房室ブロック（無・有）
完全左脚ブロック（無・有）　0.2mV以上のST低下（無・有）
左室肥大（無・有）　右室肥大（無・有）
陳旧性心筋梗塞（無・有）
年齢に見合わない異常陰性T波（無・有（　mV））
その他（　）

②　負荷心電図（無・有）（令和　年　月　日）
（陰性・擬陽性・陽性）＿＿＿＿METs
（注）負荷で重症不整脈（心室頻拍、心室細動）が誘発される場合は陽性とする。

③　ホルター心電図（無・有）（令和　年　月　日）
（所見　）

（2）胸部X線所見（令和　年　月　日）
心胸郭比（　%）
肺静脈うっ血（無・有・著）
肺血流増加又は減少（無・有・著）

（3）動脈血ガス分析又は経皮酸素飽和度（令和　年　月　日）
動脈血 O_2 分圧＿＿＿＿Torr
動脈血 CO_2 分圧＿＿＿＿Torr
経皮酸素飽和度＿＿＿＿%

（4）心カテーテル検査（令和　年　月　日）
体心室（体血圧を維持する心室）駆出率　EF　%）
左主幹部又は右冠動脈（S1から3）に50%以上の狭窄（無・有）
3本の主要冠動脈に75%以上の狭窄（無・有）
巨大冠動脈瘤（無・有）
重度の弁逆流（無・有）
収縮期圧較差50mmHg以上の半月弁狭窄（無・有）
所見

（5）心エコー検査（令和　年　月　日）
体心室（体血圧を維持する心室）駆出率　EF＿＿＿＿%）
所見（重度の房室弁逆流等）

（6）血液検査（令和　年　月　日）
BNP値（脳性ナトリウム利尿ペプチド）＿＿＿＿pg/mL
NT-proBNP値（脳性ナトリウム利尿ペプチド前駆体N端フラグメント）
＿＿＿＿pg/mL

4　その他の所見（心臓MRI結果含む）（令和　年　月　日）

本人の障害の程度及び状態に無関係な欄には記入する必要はありません。（無関係な欄は、斜線により抹消してください。）

障　害　の　状　態

⑫　疾　患　別　所　見　（令和　　年　　月　　日現症）　　　　（該当する疾患について記入してください。）

1　先天性心疾患 ・ 後天性心疾患

（1）　症状について
　　症状の出現時期　（令和　　年　　月　　日）
　　小学生以上の場合
　　学校生活管理指導表の指導区分（ A ・ B ・ C ・ D ・ E ・ 管理不要 ）
（2）　弁疾患の場合
　　原因疾患
　　発病時期　（令和　　年　　月　　日）
（3）　循環状態
　　①肺高血圧　　無 ・ 有
　　②アイゼンメンジャー症候群　　無 ・ 有
　　③フォンタン循環不全　　無 ・ 有
（4）　人工弁置換術　　無 ・ 有
　　（手術名　　　　　　（令和　　年　　月　　日）
（5）　その他の手術　　無 ・ 有
　　（手術名　　　　　　（令和　　年　　月　　日）
（6）　その他（　　　　　　）
（7）　後天性心疾患の場合
　　手術　　無 ・ 有 （手術名　　　　　　）
　　その他（　　　　　　）

2　心筋・心膜疾患

（1）　肥大型心筋症　　無 ・ 有
（2）　拡張型心筋症　　無 ・ 有
（3）　その他の心筋症　　無 ・ 有
（4）　心膜疾患　　無 ・ 有　　心膜疾患の診断名（　　　　　　）
（5）　所見（　　　　　　）

3　不　整　脈

（1）　難治性不整脈　　無 ・ 有（　　　　　　）（令和　　年　　月　　日）
（2）　ペースメーカー治療（心臓再同期医療機器(CRT)含む）　　無 ・ 有 （令和　　年　　月　　日）
（3）　植込み型除細動器 （ＩＣＤ）又は除細動器機能付き心臓再同期医療機器(CRT−D)　　無 ・ 有 （令和　　年　　月　　日）
（4）　その他（　　　　　　）

4　虚血性心疾患

（1）　心不全症状　　無 ・ 軽運動で有 ・ 安静時有
（2）　狭心症状　　無 ・ 軽運動で有 ・ 安静時有
（3）　梗塞後狭心症状　　無 ・ 軽運動で有 ・ 安静時有
（4）　心室性期外収縮　　無 ・ 有 （Lown　　度）
（5）　その他の手術　　無 ・ 有 （手術名　　　　　　）（令和　　年　　月　　日）
（6）　その他（　　　　　　）

5　大動脈疾患

（1）　胸部大動脈解離　　無 ・ 有　　Stanford 分類（ A型 ・ B型 ）（令和　　年　　月　　日）
（2）　大動脈瘤　　無 ・ 有 （ 部位: 胸部 ・ 胸腹部 ・ 腹部 ）（最大血管短径　　cm）（令和　　年　　月　　日）
（3）　人工血管　　無 ・ 有 （ 部位: 胸部 ・ 胸腹部 ・ 腹部 ）（令和　　年　　月　　日）
（4）　ステントグラフト　　無 ・ 有 （ 部位: 胸部 ・ 胸腹部 ・ 腹部 ）（令和　　年　　月　　日）
（5）　その他の手術　　無 ・ 有 （ 手術名　　　　　　）（令和　　年　　月　　日）
（6）　その他（　　　　　　）

注:高血圧症がある場合は、「7 高血圧症」にも記載してください。

6　重症心不全

（1）　心臓移植　　無 ・ 有 （令和　　年　　月　　日）
（2）　人工心臓　　無 ・ 有 （令和　　年　　月　　日）
（3）　心臓再同期医療機器(CRT)　　無 ・ 有 （令和　　年　　月　　日）
（4）　除細動器機能付き心臓再同期医療機器(CRT−D)　　無 ・ 有 （令和　　年　　月　　日）

7　高血圧症

（1）　二次性高血圧症 （病名 :　　　　　　）
（2）　検査成績

血圧測定年月日	最大血圧	最小血圧	降圧薬服用
・　・			無・有（　　種）
・　・			無・有（　　種）
・　・			無・有（　　種）

8　その他の循環器疾患

（1）　手術　　無 ・ 有　　（手術名　　　　　　）（令和　　年　　月　　日）
（2）　その他（　　　　　　）

⑬ 現症時の日常生活活動能力（必ず記入してください）	
⑭ 予　後（必ず記入してください）	
⑮ 備　考	

本人の障害の程度及び状態に無関係な欄には記入する必要はありません。（無関係な欄は、斜線により抹消してください。）

上記のとおり、診断します。　　　　令和　　年　　月　　日

病院又は診療所の名称　　　　診療担当科名

所　在　地　　　　医師氏名

（裏　　　面）

注　意

1　この診断書は、特別児童扶養手当の受給資格を認定するための資料の一つです。
この診断書は障害者の障害の状態を証明するために使用されますが、記入事項に不明な点がありますと認定が遅くなることがありますので、詳しく記入してください。

2　〇・×で答えられる欄は、該当するものを〇で囲んでください。記入しきれない場合は、別に紙片をはり付けて記入してください。

3　③の欄は、この診断書を作成するための診断日ではなく障害者が障害の原因となった傷病については初めて医師の診断を受けた日を記入してください。前に他の医師が診断している場合は、障害者本人又はその父母等の申立てによって記入してください。
また、それが不明な場合には、その旨を記入してください。

4　⑨の欄の「診療回数」は、現症日前1年間における診療回数を記入してください。（なお、入院日数1日は、診療回数1回として計算してください。）

5　「障害の状態」の欄は、次のことに留意して記入してください。

(1)　①～⑪及び⑬～⑭の欄は、全て記入してください。⑫の欄については本人の障害の程度及び状態に無関係な欄には記入する必要がありません。（無関係な欄は斜線により末梢してください。）なお、該当欄に記入しきれない場合は、別に紙片をはりつけてそれに記入してください。

(2)　⑪の欄「3　検査所見」の「(6)　血液検査」は、どちらか一方の検査数値を記入してください。

(3)　「（4）の心カテーテル検査」」について、主要冠動脈3本全てに、75%以上の狭窄がある場合について記載する。

(4)　⑫の欄「1　先天性心疾患・後天性心疾患」の「(1)　症状について」の「学校生活管理指導表の指導区分」は、学校生活管理指導表（公益財団法人　日本学校保健会）の指導区分の内容を参考に記入してください。
A・・・在宅医療・入院が必要　B・・・登校はできるが運動は不可　C・・・軽い運動は可　D・・・中等度の運動まで可　E・・・強い運動も可
（学校生活管理指導表の指導区分における定義）
〈軽い運動〉同年齢の平均的生徒にとって、ほとんど息がはずまない程度の運動
〈中等度の運動〉同年齢の平均的児童にとって、少し息がはずむが息苦しくない程度の運動。パートナーがいれば楽に会話ができる程度の運動。
《強い運動》 同年齢の平均的児童にとって、息がはずみ息苦しさを感じるほどの運動。

6　心電図所見のあるものは、この診断書の外に、心電図（コピー）を必ず添えてください。

様式第７号

（表　　面）

特別児童扶養手当認定診断書

（腎、肝疾患、糖尿病の障害用）

（ふりがな） 氏　　名		生年月日	平成・令和　　年　月　日生（　歳）	性別	男・女
住　　所	住所地の郵便番号 （　　－　　）	都道府県	郡市区		

① 障害の原因となった傷病名		②　傷病の発生年月日	平成 令和　　年　月　日　診療録で確認 本人の申立て
		③　①のため初めて医師の診断を受けた日	平成 令和　　年　月　日　診療録で確認 本人の申立て

④　傷病の原因又は誘因　　初診年月日（平成・令和　年　月　日）	⑤　既存障害		⑥ 既往歴

⑦　傷病が治った（症状が固定して治療の効果が期待できない状態を含む。）かどうか。	傷病が治っている場合　……治った日　平成・令和　　年　月　日（推定・確認）
	傷病が治っていない場合　……症状の良くなる見込　　有　・　無　・　不明

⑧　診断書作成医療機関における初診時所見 初診年月日 （平成・令和　　年　月　日）	

⑨ 現在までの治療内容、期間、経過、その他参考となる事項		診療回数	年間　回、月平均　回
		手術歴	手術名（　　　　）
			手術年月日（　年　月　日）

⑩　計測 （令和　年　月　日計測）	身長	cm	脈拍	回／分	血圧	最大　　mmHg	降圧薬服用
	体重	kg				最小　　mmHg	無・有

⑪　一般状態区分表　（令和　年　月　日）

（該当するものを選んでどれか1つを○で囲んでください。但し、乳幼児では、掲げた内容に相当すると考えられる状態とする。）

Ⅰ　無症状で社会活動ができ、制限を受けることなく、発病前と同等にふるまえるもの

Ⅱ　軽度の症状があり、強い運動は制限を受けるが、歩行、軽い運動や座業はできるもの

Ⅲ　歩行や身のまわりのことはできるが、時に少し介助のいることもあり、軽い運動はできないが、日中の50%以上は起居しているもの

Ⅳ　身のまわりのある程度のことはできるが、しばしば介助がいり、日中の50%以上は就床しており、自力では屋外への外出等がほぼ不可能となったもの

Ⅴ　身のまわりのこともできず、常に介助がいり、終日就床を必要としており、活動の範囲がおおむねベット周辺に限られるもの

障　害　の　状　態

⑫　腎　疾　患（令和　年　月　日現症）

腎性網膜症又は糖尿病を合併する例では、糖尿病(⑭)の欄にも、必要事項を記入してください。

1　臨　床　所　見

（1）自覚症状

悪心・嘔吐　（無・有・著）

食欲不振　（無・有・著）

頭　　痛　（無・有・著）

呼吸困難　（無・有・著）

（2）他覚所見

浮　　腫　（無・有・著）

貧　　血　（無・有・著）

腎不全に基づく

神経症状　（無・有・著）

視力障害　（無・有・著）

低身長　（無・有・著）

（3）検査成績　　（記入上の注意を参照）

検査項目 ＼ 検査日	.　.	.　.	.　.
夜間尿蓄尿蛋白量　mg／hr／㎡			
早朝尿蛋白量／クレアチニン比g／gクレアチニン			
赤血球数　$\times 10^4$／μℓ			
ヘモグロビン　g／dℓ			
白血球数　／μℓ			
血小板数　$\times 10^4$／μℓ			
血清総蛋白　g／dℓ			
血清アルブミン　g／dℓ			
BCG法・BCP法・改良型BCP法			
総コレステロール　mg／dℓ			
血液尿素窒素（BUN）　mg／dℓ			
血清クレアチニン　mg／dℓ			
eGFR　mℓ／分			
1日尿量　mℓ／日			
内因性クレアチニン・クリアランス　mℓ／分			
血液ガス分析（アシドーシスの有無）	無・有・著	無・有・著	無・有・著

2　腎生検　　無・有　　検査年月日（令和　年　月　日）

所見

3　人工透析療法

（1）人工透析療法の実施の有無　　無・有（血液透析・腹膜透析・血液濾過）

（2）人工透析開始日　　（令和　年　月　日）

（3）人工透析（腹膜透析除く）実施状況　　回数・　回／週、1回　　時間

（4）人工透析導入後の臨床経過

（5）長期透析による合併症　　無・有

所見

4　その他の所見

（1）腎移植　　無・有（有の場合は移植年月日（令和　年　月　日））

経過

（2）その他

本人の障害の程度及び状態に無関係な欄には記入する必要はありません。（無関係な欄は、斜線により抹消してください。）

障害の状態

⑬ 肝疾患（令和　年　月　日現症）

（糖尿病又は腎臓障害を合併する例では、糖尿病（⑭）、腎疾患（⑫）の欄にも、必要事項を記入してください。）

1 臨床所見

（1）自覚症状
- 全身倦怠感（無・有・著）
- 発熱（無・有・著）
- 食欲不振（無・有・著）
- 悪心・嘔吐（無・有・著）
- 皮膚そう痒感（無・有・著）
- 有痛性筋痙攣（無・有・著）
- 吐血・下血（無・有・著）

（2）他覚所見
- 肝萎縮（無・有・著）
- 脾腫大（無・有・著）
- 浮腫（無・有・著）
- 腹水（無・有・有（難治性））
- 黄疸（無・有・著）
- 腹壁静脈怒張（無・有・著）
- 肝性脳症（無・有（　度））
- 出血傾向（無・有・著）

（3）検査成績

検査項　＼　検査日	施設 基準値	・・	・・	・・
AST(GOT)　IU／ℓ				
ALT(GPT)　IU／ℓ				
γ－GPT　IU／ℓ				
血清総ビリルビン　mg／dℓ				
アルカリホスファターゼ　IU／ℓ				
血清総蛋白　g／dℓ				
血清アルブミン　g／dℓ BCG法・BCP法 ・改良型BCP法				
A／G比				
血小板数　×10⁴／μℓ				
プロトロンビン時間　%				
総コレステロール　mg／dℓ				
血中アンモニア　μg／dℓ				
AFP　ng／mℓ				
PIVKA－Ⅱ　mAU／mℓ				

2 Child-Pughによるgrade
A（5・6）　B（7・8・9）　C（10・11・12以上）

3 胆道閉鎖症の治療歴
（1）手術所見（日時：令和　年　月　日）

（2）治療経過

4 肝生検　無・有　検査年月日（令和　年　月　日）
所見　グレード（　　）ステージ（　　）

5 食道・胃などの静脈瘤
（1）無・有　検査年月日（令和　年　月　日）
（2）吐血・下血の既往　無・有（　　回）
（3）治療歴　無・有（　　回）

6 肝腫瘍治療歴　無・有
・手術　回　・局所療法　回　・動脈塞栓術　回
・放射線療法　回　・化学療法　回

7 特発性細菌性腹膜炎その他肝硬変症に付随する病態の治療歴
所見

8 治療内容
（1）利尿剤（無・有）
（2）特殊アミノ酸製剤（無・有）
（3）抗ウイルス療法（無・有）
（4）アルブミン・血漿製剤（無・有）
（5）血小板輸血（無・有）
（6）その他
具体的内容

9 その他の所見
（1）肝移植　無・有（有の場合は移植年月日（令和　年　月　日））
経過
（2）その他（超音波・CT・MRI検査等）（令和　年　月　日）

⑭ 糖尿病（令和　年　月　日現症）（腎合併症を認める例では、腎疾患（⑫）の欄に必要事項を記入してください。）

1 病型（いずれかの病型に○を付してください。）
（1）1型糖尿病　（2）2型糖尿病
（3）その他の型（病名　　）

2 検査成績（記入上の注意を参照）

検査項目　＼　検査日			
HbA1c(NGSP)(%)			
空腹時又は随時血糖値(mg/dl)	空腹・随時	空腹・随時	空腹・随時

3 治療状況
（1）インスリンによる
（薬剤名　）単位/日　回/日　単位/kg(体重)
（薬剤名　）単位/日　回/日　単位/kg(体重)
（薬剤名　）単位/日　回/日　単位/kg(体重)
（2）インスリン以外の治療による(具体的な治療　）

4 合併症　症状・所見等
（1）眼の障害　有・無（　）
（2）神経系統の障害 有・無（　）
（3）その他の障害　有・無（　）

5 インスリン療法の自己管理状況
（1）インスリン注射の施行
□自己管理　□一部介助　□全部介助
（介助の必要な理由：　）
（2）血糖値測定
□自己管理　□一部介助　□全部介助
（介助の必要な理由：　）
（3）インスリン量の管理等
（状態に応じた適切な対応（インスリン量の調整又は補食など）ができるかで判断して下さい。）
□自己管理　□一部介助　□全部介助
（介助の必要な理由：　）

6 血糖コントロールの困難な状況

⑮ その他の代謝疾患（令和　年　月　日現症）
（自覚症状・他覚所見・検査成績等）

⑯ 現症時の日常生活活動能力 （必ず記入してください）	
⑰ 予後 （必ず記入してください）	
⑱ 備考	

本人の障害の程度及び状態に無関係な欄には記入する必要はありません。（無関係な欄は、斜線により抹消してください。）

上記のとおり、診断します。　令和　年　月　日

病院又は診療所の名称　　診療担当科名
所在地　　医師氏名

（裏　　面）

注　意

1　この診断書は、特別児童扶養手当の受給資格を認定するための資料の一つです。
この診断書は障害者の障害の状態を証明するために使用されますが、記入事項に不明な点がありますと認定が遅くなることがありますので、詳しく記入してください。

2　○・×で答えられる欄は、該当するものを○で囲んでください。記入しきれない場合は、別に紙片をはり付けて記入してください。

3　③の欄は、この診断書を作成するための診断日ではなく障害者が障害の原因となった傷病については初めて医師の診断を受けた日を記入してください。前に他の医師が診断している場合は、障害者本人又はその父母等の申立てによって記入してください。
また、それが不明な場合には、その旨を記入してください。

4　⑨の欄の「診療回数」は、現症日前1年間における診療回数を記入してください。（なお、入院日数1日は、診療回数1回として計算してください。）

5　「障害の状態」の欄は、次のことに留意して記入してください。

（1）①～⑪及び⑯～⑰の欄は、全て記入してください。それ以外については本人の障害の程度及び状態に無関係な欄には記入する必要がありません。（無関係な欄は斜線により抹消してください。）なお、該当欄に記入しきれない場合は、別に紙片をはりつけてそれに記入してください。

（2）⑫及び⑬の欄の「1　臨床所見」の検査成績及び⑭の欄の「2　ヘモグロビンAlc及び空腹時血糖値の推移の推移」の検査成績は、過去6ヶ月間における2回以上の検査成績をそれぞれ記入してください。なお、人工透析療法を実施している人の腎機能検査成績は当該療法の導入後であって、毎回の透析実施前の検査成績を記入してください。

（3）⑫及び⑬の欄の「1　臨床所見」の検査成績の「血清アルブミン」については、BCG法、BCP法又は改良型BCP法のいずれかに○を付してください。

（4）⑬の欄の「2　Child-Pughによるgrade」の点数に○を付してください。

（5）⑬の欄の「8　治療の内容」は、⑬の欄冒頭の現症日時点の内容を記入してください。また、「具体的内容」については、（1）～（6）の治療が有る場合は、必要に応じて薬品名や（6）の内容等を記入してください。

（6）⑭の欄の「2 検査成績」の「HbA1c」及び「空腹時又は随時血糖値」は、「空腹・随時」について該当する方に○で囲み、過去6か月間における2回以上の検査成績をそれぞれ記入してください。

（7）⑭の欄の「4　合併症」については、過去3か月間において病状を最もよく表している所見を記入してください。

（8）⑭の欄の「6　血糖コントロールの困難な状況」は、意識障害により自己回復ができない重症低血糖である場合等、血糖コントロールが困難な状況について、特記すべきことがあれば具体的に記入してください。

（9）⑱の欄「備考」について、①～⑰欄までに書ききれないことや、参考になる事柄があればを記入してください。

様式第８号

（表　　面）

特別児童扶養手当認定診断書

（血液・造血器、その他の障害用）

（ふりがな） 氏　　名		平成 令和　　年　　月　　日生（　　歳）			男・女
住　　所	住所地の郵便番号 （　　―　　）	郡市 区　　町区 村			
① 障害の原因となった傷病名		②　傷病の発生年月日	平成 令和　　年　　月　　日	診療録で確認 本人の申立て	
		③　①のため初めて医師の診断を受けた日	平成 令和　　年　　月　　日	診療録で確認 本人の申立て	
④　傷病の原因又は誘因		⑤　既存障害		⑥ 既往症	
⑦　傷病が治った（症状が固定して治療の効果が期待できない状態を含む。）かどうか。	傷病が治っている場合　……治った日　平成・令和　　年　　月　　日（推定　・　確認）				
	傷病が治っていない場合　……症状の良くなる見込　　有　・　無　・　不明				
⑧　診断書作成医療機関における初診時所見 初診年月日 （平成・令和　　年　　月　　日					
⑨ 現在までの治療の内容、反応、期間、経過、その他の参考となる事項		診療回数　年間　　回、月平均　　回			
		手術歴	手術名（　　　） 手術年月日（　　年　　月　　日）		
⑩ 現在の症状、その他参考となる事項					

⑪　計　　測 （令和　年　月　日 計　　測）	身長	cm	体重	現在　kg 健康時　kg	握力	右　kg 左　kg	視力	右眼　裸眼　　矯正 左眼　裸眼　　矯正
	視野		調整機能			聴力レベル／最良語音明瞭度 右耳　db　% 左耳　db　%	血圧	最大　mmHg 最小　mmHg

⑫　一般状態区分表　（該当するものを選んでどれか一つを○で囲んでください。）　（令和　　年　　月　　日）

（該当するものを選んでどれか１つを○で囲んでください。但し、乳幼児では、掲げた内容に相当すると考えられる状態とする。）

- Ⅰ　無症状で社会活動ができ、制限を受けることなく、発病前と同等にふるまえるもの
- Ⅱ　軽度の症状があり、強い運動は制限を受けるが、歩行、軽い運動や座業はできるもの
- Ⅲ　歩行や身のまわりのことはできるが、時に少し介助のいることもあり、軽い運動はできないが、日中の50％以上は起居しているもの
- Ⅳ　身のまわりのある程度のことはできるが、しばしば介助がいり、日中の50％以上は就床しており、自力では屋外への外出等がほぼ不可能となったもの
- Ⅴ　身のまわりのこともできず、常に介助がいり、終日就床を必要としており、活動の範囲がおおむねベット周辺に限られるもの

障　害　の　状　態

⑬　血液・造血器　（令和　　年　　月　　日現症）

１ 臨床所見

(1) 自覚症状

- 易疲労感　（無・有・著）
- 動悸　（無・有・著）
- 息切れ　（無・有・著）
- 発熱　（無・有・著）
- 紫斑　（無・有・著）
- 月経過多　（無・有・著）
- 関節症状　（無・有・著）

(2) 他覚所見

- 易感染性　（無・有・著）
- リンパ節腫脹　（無・有・著）
- 出血傾向　（無・有・著）
- 血栓傾向　（無・有・著）
- 肝腫　（無・有・著）
- 脾腫　（無・有・著）

(3) 検査成績

ア　末梢血液検査（令和　　年　　月　　日）

※アの欄は、最も適切に現在の病状が把握できる検査数値及びその日付を記入してください。

- ヘモグロビン濃度（　　　）g/dL
- 網赤血球（　　　）万/μL
- 血小板（　　　）万/μL
- 白血球（　　　）/μL
- 好中球（　　　）/μL
- リンパ球（　　　）/μL
- 病的細胞（　　　）％

イ　凝固系検査（令和　　年　　月　　日）

※イの欄は、最も適切に現在の病状が把握できる検査数値及びその日付を記入してください。

- 凝固因子活性（（第　因子）　　　）％
- vWF活性（　　　）％
- インヒビター（無　・　有）
- APTT（　　　）秒　（基準値　　　秒）
- PT（　　　）秒　（基準値　　　秒）

ウ　その他の検査

画像検査（検査名　　　）（令和　　年　　月　　日）

所見（　　　）

他の検査（検査名　　　（令和　　年　　月　　日）

所見

２ 治療状況

- 赤血球輸血（年・月　　回）　血小板輸血（年・月　　回）
- 補充療法（年・月　　回）　新鮮凍結血漿（年・月　　回）
- 造血幹細胞移植　（無・有）　有の場合（令和　　年　　月　　日）
- 慢性GVHD　（無・有）　有の場合（軽症・中等症・重症）

所見

３ その他の所見

本人の障害の程度及び状態に無関係な欄には記入する必要はありません。（無関係な欄は、斜線により抹消してください。）

⑭ その他の障害（令和　年　月　日現症）

1. 症状

(1) 自覚症状

(2) 他覚所見

2. 検査成績

(1) 血液・生化学検査

	単位	施設基準値	年月日	年月日	年月日
赤血球数	万／μL				
ヘモグロビン濃度	g／dL				
ヘマトクリット	%				
血清総蛋白	g／dL				
血清アルブミン	g／dL				

(2) その他の検査成績

3. 人工臓器等

(1) 人工肛門造設　無・有　手術年月日：令和　年　月　日

(2) 尿路変更術　無・有　手術年月日：令和　年　月　日

(3) 新膀胱造設　無・有　手術年月日：令和　年　月　日

(4) 自己導尿の常時施行　無・有

(5) 完全尿失禁状態　無・有
（カテーテル留置：令和　年　月　日）

(6) その他の手術　無・有（　　）令和　年　月　日

⑮ 現症時の日常生活活動能力	
⑯ 予後	
⑰ 備考	

本人の障害の程度及び状態に無関係な欄には記入する必要はありません。（無関係な欄は、斜線により抹消してください。）

上記のとおり、診断します。　令和　年　月　日

病院又は診療所の名称　　診療担当科名

所在地　　医師氏名

（裏　　面）

注　意

1　この診断書は、特別児童扶養手当の受給資格を認定するための資料の一つです。
この診断書は障害者の障害の状態を証明するために使用されますが、記入事項に不明な点がありますと認定が遅くなることがありますので、詳しく記入してください。

2　○・×で答えられる欄は、該当するものを○で囲んでください。記入しきれない場合は、別に紙片をはり付けて記入してください。

3　診断書の様式は、障害の原因となった傷病に応じて次のとおり定めています。この診断書は、次のいずれの障害にも該当せず、かつ、これらの診断書を使用することが適切でないと認められる場合に使用してください。

様式第1号　眼の障害用
様式第2号　聴力、平衡機能、口腔（そしゃく・言語）の障害用
様式第3号　肢体の障害用
様式第4号　精神の障害用
様式第5号　呼吸器疾患の障害用
様式第6号　循環器疾患の障害用
様式第7号　腎疾患・肝疾患・糖尿病の障害用

4　③の欄は、この診断書を作成するための診断日ではなく障害者が障害の原因となった傷病については初めて医師の診断を受けた日を記入してください。前に他の医師が診断している場合は、障害者本人又はその父母等の申立てによって記入してください。

5　⑨の欄の「診療回数」は、現症日前1年間における診療回数を記入してください。（なお、入院日数1日は、診療回数1回として計算してください。）

6　「障害の状態」の欄は、次のことに留意して記入してください。
（1）　本人の障害の程度及び状態に無関係な欄には記入する必要がありません。（無関係な欄は斜線により抹消してください。）
なお、該当欄に記入しきれない場合は、別に紙片をはりつけてそれに記入してください。
（2）　⑪の聴力欄は「聴力レベル」を記入してください。
「聴力レベル」は、昭和57年改正後のJIS規格によるオージオメータで測定した測定値です。
（3）　⑭の1欄は、なるべく具体的に記入してください。
（4）　⑭の2欄は、血液・生化学検査値のうち、病状を適切に表していると思われるものを記入してください。

○特別児童扶養手当、障害児福祉手当及び特別障害者手当に係る障害程度認定基準の一部改正の具体的な取扱いについて

〔平成二十七年七月十三日　障企発〇七一三第一号

各都道府県・各指定都市障害福祉主管部(局)長宛〕　厚生労働省社会・援護局障害保健福祉部企画課長通知

障害保健福祉行政の推進に御尽力いただき厚く御礼申し上げます。

さて、特別児童扶養手当に係る障害の程度の認定については、「特別児童扶養手当等の支給に関する法律施行令別表第三における障害の認定について」（昭和五十年九月五日児発第五七六号厚生省児童家庭局長通知）により、障害児福祉手当及び特別障害者手当の障害程度の認定については、「障害児福祉手当及び特別障害者手当の障害程度認定基準について」（昭和六十年十二月二十八日社更第一六二号厚生省社会局長通知）により実施しているところです。

先般、「特別児童扶養手当等の支給に関する法律施行令別表第三における障害の認定要領の一部改正について」（平成二十七年六月十九日障発〇六一九第四号）及び「障害児福祉手当及び特別障害者手当の障害程度認定基準の一部改正について」（平成二十七年六月十九日障発〇六一九第三号）を発出し、その取扱いの一部を変更したところですが、左記の点に御留意いただく必要がありますので、貴職におかれましては、これを御了知いただくとともに、都道府県におかれましては、貴管内の市町村（特別区を含む。）に対し、周知をお願いいたします。

記

第一　聴覚の障害に係る認定基準の改正に伴う取扱いについて

1　今般の認定基準の改正後においては、聴覚の障害により、一級の特別児童扶養手当、障害児福祉手当又は特別障害者手当（以下「手当」という。）の認定又は再認定を請求する場合には、①聴覚の障害によって特別児童扶養手当（特別障害者手当の場合にあっては、障害年金）を受給している場合、又は②身体障害者手帳を取得している場合を除き、オージオメータによる検査に加えて、ＡＢＲ検査等の他覚的聴力検査又はそれに相当する検査の実施が必要となること。

2　前記の「聴覚の障害によって特別児童扶養手当（特別障害者手当の場合にあっては、障害年金）を受給している場合」については、今般の認定基準の改正前（本年十月一日前）に当該特別児童扶養手当（特別障害者手当の場合にあっては、当該障害年金）の認定が行われたことにより、認定に当たってＡＢＲ検査等の検査が実施されていない場合であっても、ＡＢＲ検査等の検査を実施する必要はないこと。

3　また、「身体障害者手帳を取得している場合」について、聴覚障害程度認定基準の一部改正について

特別児童扶養手当、障害児福祉手当及び特別障害者手当に係る障害程度認定基準の一部改正の具体的な取扱いについて

の障害に係る身体障害者手帳（二級）の認定基準が本年四月一日から改正されているところであるが、当該認定基準の改正前（本年四月一日前）に聴覚の障害に係る身体障害者手帳を取得したことにより、取得に当たってＡＢＲ検査等の検査が実施されていない場合であっても、ＡＢＲ検査等の検査を実施する必要はないこと。

　この場合において、身体障害者手帳に記載されている等級表の級別及び手帳番号が手当の認定請求書に記入され、それにより、請求者の障害の程度が手当の認定基準に該当することが明らかである場合には、従来通り、聴覚の検査に係る認定診断書がなくとも、身体障害者手帳の等級表の級別に基づいて認定をして差し支えないこと。

第二　認定診断書の改正に伴う取扱いについて

1　認定請求受付自治体（特別児童扶養手当の場合にあっては市町村、障害児福祉手当及び特別障害者手当の場合にあっては都道府県、市及び福祉事務所を設置する町村をいう。）に対し、本年九月三十日までに提出される認定請求書については、現行（改正前）の認定診断書の様式を使用し、現行（改正前）の認定基準により審査を行うこと。

2　今般の認定基準の改正（本年十月一日）前に認定診断書を配布する場合には、請求者が認定請求受付自治体に対して認定請求書を提出することができる時期を聴取した上で、改正前後の認定診断書の様式のいずれを配布するべきかを適切に判断するとともに、請求者に対し、本年十月一日前後で提出可能な認定診断書の様式が異なる旨を十分に説明すること。

○特別児童扶養手当支給事務に係る知的障害児の児童相談所における判定について

〔昭和五十年九月八日　児企第三五号
各都道府県民生主管部（局）長宛　厚生省児童家庭局企画課長通知〕

〔改正経過〕

第一次改正　（昭和五七年一〇月一日児発第八二四号）
第二次改正　（平成一一年三月三一日障第二一六号）
第三次改正　（平成二七年四月一日障発〇四〇一第六号）

今般、特別児童扶養手当等の支給に関する法律等の一部を改正する法律が公布され、昭和五十年十月一日から、障害の程度が特別児童扶養手当等の支給に関する法律（昭和三十九年七月二日法律第百三十四号。以下「法」という。）別表第一に定める二級に該当する障害児を新たに特別児童扶養手当の支給対象障害児としたことに伴い、「法別表第一における障害の認定要領」（以下「認定要領」という。）の全面改正（昭和五十年九月五日児発第五七六号各都道府県知事あて厚生省児童家庭局長通知）が行われたところであるが、特に児童相談所における知的障害の判定について具体的要領を次のとおり定め、昭和五十年十月一日から適用することとしたので、この取扱いについて遺憾のないようにされたい。

なお、管下市町村に対し、周知方お願いする。

特別児童扶養手当支給事務に係る知的障害児の児童相談所における判定について

1　判定事務

(1)　児童相談所が行う特別児童扶養手当関係の判定事務は、知的障害の診断書作成に係るものであること。

(2)　児童相談所が判定を行う知的障害児は、特別児童扶養手当の認定請求を行う者（特別児童扶養手当の改定請求を行う者及び受給資格者を含む。以下「認定請求者」という。）又は都道府県若しくは指定都市児童福祉主管課のいずれかから診断書の作成を求められた障害児であること。

なお、都道府県又は指定都市児童主管課からの判定の依頼は、特別児童扶養手当都道府県事務取扱準則（平成二十三年四月一日障発〇四〇一第四号各都道府県知事あて厚生労働省社会・援護局障害保健福祉部長通知）様式第5号及び特別児童扶養手当指定都市事務取扱準則（平成二十七年四月一日障発〇四〇一第一〇号各指定都市市長あて厚生労働省社会・援護局障害保健福祉部長通知）様式第5号「知的障害に係る診断依頼について」によって行うものとすること。

(3)　診断書の作成は、医師が心理判定員等の協力を得て行うことを原則とすること。

(4)　判定を行うにあたっては、対象障害児の参集が容易な日時及び場所を予め定めて認定請求者に通知すること。

(5)　判定を終了したときは、すみやかに作成した診断書を認定請求者に交付又は都道府県若しくは指定都市児童福祉主管課に提出すること。

また、別途児童記録票を作成してその診断書作成件数を当該児童相談所の一般業務統計に繰入れ、さらにその診断書に付随する資料がある場合には、その資料をその児童記録票に添付して当該障害児ごとにそれぞれ保管すること。

2 知的障害の判定についての基本的事項

(1) 知的障害の判定に係る事項は、特別児童扶養手当等の支給に関する法律施行令別表第三における障害の認定について（昭和五十年九月五日児発第五七六号各都道府県知事あて厚生省児童家庭局長通知）（以下「認定基準」という。）に定める別添2様式第4号「特別児童扶養手当認定診断書」によるものであること。

(2) 「知的障害」とは、認定基準別添1「第七節／精神の障害」に定める知的障害をいうものであること。

(3) 知的障害の判定にあたっては、次のことに留意し、総合的に行うものとすること。

ア 単に現在の状態及び障害の有無等に着目するにとどまらず、医学的な原因、経過、予後の判断をもできる限り調査、検討することを原則とすること。

イ 「日常生活の用を弁ずることを不能ならしめる程度」等の判定にあたっては、標準化された「社会生活能力検査」を用いるほか、意志疎通、運動機能、日常生活動作および知的能力等障害児の全体像を勘案して行うこと。なお、知的能力の判定方法については、標準化された個人知能検査によること。

(4) 判定後、おおむね二年後に再判定すること。

前　文（第三次改正）抄

〔前略〕平成二十七年四月一日から適用する。

○特別児童扶養手当及び特別障害者手当等におけるヒト免疫不全ウイルス感染症に係る障害認定について

〔平成十年三月二十七日　障企第二四号
各都道府県民生主管部(局)長宛　厚生省大臣官房障害保健福祉部企画課長通知〕

〔改正経過〕

第一次改正　〔平成一三年七月三一日雇児福発第三四号・障企発第三九号〕
第二次改正　〔平成二三年三月三〇日障企発〇三三〇第一号〕

ヒト免疫不全ウイルス感染症に係る特別児童扶養手当、障害児福祉手当及び特別障害者手当の障害の認定について、別紙のとおり留意事項を定めたので、管内市町村及び関係機関に周知徹底を図るとともに、その運用に当たっては特段のご配慮を願いたい。

別紙

第一　特別児童扶養手当

1　ヒト免疫不全ウイルス感染症に係る特別児童扶養手当の認定について

ヒト免疫不全ウイルス感染症に係る障害の認定については、従来どおり「特別児童扶養手当等の支給に関する法律施行令別表第三における障害の認定について」（昭和五十年九月五日児発第五七六号児童家庭局長通知）に定める「特別児童扶養手当等の支給に関する法律施行令別表第三における障害の認定要領」（以下「認定要領」という。）によるものとする。

2　ヒト免疫不全ウイルス感染症による障害の範囲について

ヒト免疫不全ウイルス感染症による障害認定の対象となる障害は、次のとおりである。

(1)　ヒト免疫不全ウイルス感染症とその続発症による日常生活上の障害

(2)　副作用等治療の結果として起こる日常生活上の障害

3　障害認定のあり方について

続発症（ヒト免疫不全ウイルス消耗症候群、日和見感染症等）の有無及びその程度及びＣＤ４値（注１）等の免疫機能の低下の状態を含む検査所見、治療及び症状の経過を十分考慮し、日常生活上の障害を総合的に認定すること。

（注１）　ＣＤ４値：血液中に含まれるリンパ球の一種で、免疫全体をつかさどる機能を持つリンパ球数のこと。

4　認定請求の際に添付する診断書について

ヒト免疫不全ウイルス感染症に係る障害により、特別児童扶養手当の認定の請求をしようとする者が認定請求書に添付する診断書は、特別児童扶養手当等の支給に関する法律施行規則（昭和三十九年厚生省令第三十八号。以下「規則」という。）第一条第二号及び認定要領の別添２様式第８号に定める特別児童扶養手当認定診断書（特別児童扶養手当及び特別障害者手当等におけるヒト免疫不全ウイルス感染症に係る障害認定について

定診断書（血液・造血器・その他の障害用）とするが、当該診断書のみでは認定が困難な場合には、必要に応じ療養の経過若しくは日常生活状況等の調査又は必要な検診等を実施したうえ適正な認定を行うこと。

5　障害の程度について

ヒト免疫不全ウイルス感染症による障害の程度は、基本的には認定要領第十六節その他の障害に掲げられている障害の状態であること。

(1)　特別児童扶養手当等の支給に関する法律施行令（昭和五十年政令第二百七号。以下「令」という。）別表第三第九号の一級に該当すると思われる病状には、次のようなものがある。

回復困難なヒト免疫不全ウイルス感染症及びその合併症の結果、生活が室内に制限されるか日常生活に全面的な介助を要するもの

(2)　令別表第三第十五号の二級に該当すると思われる病状には、次のようなものがある。

エイズ指標疾患（注2）や免疫不全に起因する疾患又は症状が発生するか、その既往が存在する結果、治療又は再発防止療法が必要で、日常生活が著しく制限されるもの

（注2）　エイズ指標疾患（別添資料）：サーベイランスのためのＡＩＤＳ診断基準における特徴的症状に該当する疾患

病状の程度については、一般状態が次表の一般状態区分表の5に該当するものは一級に、同表の3又は4に該当するものは二級に概ね相当するので、認定の参考とすること。

一般状態区分表

区分	一般状態
1	無症状で社会活動ができ、制限を受けることなく、発病前と同等にふるまえるもの
2	軽度の症状があり、強い運動は制限を受けるが、歩行、軽い運動や坐業はできるもの
3	歩行や身のまわりのことはできるが、時に少し介助のいることもあり、軽い運動はできないが、日中の五〇％以上は起居しているもの
4	身のまわりのある程度のことはできるが、しばしば介助がいり、日中の五〇％以上は就床しており、自力では屋外への外出がほぼ不可能となったもの
5	身のまわりのこともできず、常に介助がいり、終日就床を必要としており、活動の範囲がおおむねベット周辺に限られるもの

6　検査所見及び臨床所見について

ヒト免疫不全ウイルス感染症による障害の程度について、以下の項目に留意し、認定を行うこと。

ア　疲労感、倦怠感、不明熱、体重減少、消化器症状の程度、出現頻度、持続時間

イ　日和見感染症、悪性腫瘍の種類、重症度、既往、出現頻度

ウ　ＣＤ４値、ヒト免疫不全ウイルス―ＲＮＡ定量値、白血球数、ヘモグロビン量、血小板数の状況

エ　治療の状況（治療薬剤、服薬状況、副作用の状況）

なお、現時点におけるエイズ治療の水準にかんがみ、ＣＤ４値が二〇〇未満の状態（注３）では、多くの感染児において強い疲労感、倦怠感が認められており、また、この段階では、多数の日和見感染症等の発症の可能性が高まるために、抗エイズ薬等の多剤併用療法が実施され、重篤な副作用を生じる結果、日常生活が著しく制限される場合が多いことにも留意すること。

（注３）一三歳未満の者については、次の年齢区分ごとのＣＤ４値及び全リンパ球に対する割合に基づく免疫学的分類において「重度低下」に該当

児の年齢	重度低下	
	ＣＤ４値	全リンパ球に対する割合
６～13歳未満	＜200／μℓ	＜15％
１～６歳未満	＜500／μℓ	＜15％
１歳未満	＜750／μℓ	＜15％

７　複数の外部障害、精神の障害等が存在する場合の認定について

ヒト免疫不全ウイルス感染症及びその続発症によるか、又はヒト免疫不全ウイルス感染症に対する治療の結果によるかの原因の如何を問わず、視機能障害、四肢麻痺、精神・神経障害等の不可逆的な障害は、原疾患との重複認定により認定すること。この場合、認定要領第十七節重複障害の認定基準をもとに認定すること。

第二　障害児福祉手当及び特別障害者手当

１　ヒト免疫不全ウイルス感染症に係る障害児福祉手当及び特別障害者手当の認定について

ヒト免疫不全ウイルス感染症に係る障害の認定については、従来どおり「障害児福祉手当及び特別障害者手当の障害程度認定基準について」（昭和六十年十二月二十八日社更第一六二号社会局長通知）に定める「障害児福祉手当及び特別障害者手当の障害程度認定基準」（以下「認定基準」という。）によるものとする。

２　ヒト免疫不全ウイルス感染症による障害の範囲について

ヒト免疫不全ウイルス感染症による障害認定の対象となる障害は、次のとおりである。

⑴　ヒト免疫不全ウイルス感染症とその続発症による日常生活上の障害

⑵　副作用等治療の結果として起こる日常生活上の障害

３　障害認定のあり方について

続発症（ヒト免疫不全ウイルス消耗症候群、日和見感染症等）の有無及びその程度及びＣＤ４値等の免疫機能の低下の状態を含む検査所見、治療及び症状の経過を十分考慮し、日常生活上の障害を総合的に認定すること。

４　認定請求の際に添付する診断書について

ヒト免疫不全ウイルス感染症に係る障害により、障害児福祉手

当若しくは特別障害者手当の認定の請求をしようとする者（児）が認定請求書に添付する診断書は、障害児福祉手当及び特別障害者手当の支給に関する省令（昭和五十年厚生省令第三十四号。以下「省令」という。）第二条第二号及び省令様式第二号㈦に定める障害児福祉手当認定診断書（肝臓血液疾患及びその他の疾患用）若しくは省令第十五条第二号及び省令様式第六号㈦に定める特別障害者手当認定診断書（肝臓血液疾患及びその他の疾患用）とするが、当該診断書のみでは認定が困難な場合には、必要に応じて療養の経過、日常生活の状況の調査、検診等を実施した結果に基づき認定すること。

5　障害の程度について

(1)　障害児福祉手当のヒト免疫不全ウイルス感染症による障害の程度は、基本的には認定基準の第二障害児福祉手当の個別基準5その他の疾患に掲げられている障害の状態であること。

ア　令別表第一第八号に該当すると思われる病状には、次のようなものがある。

回復困難なヒト免疫不全ウイルス感染症及びその合併症の結果、生活が室内に制限されるか日常生活に全面的な介助を要し、診断書の「⑫安静を要する程度」が一又は二であるもの

(2)　特別障害者手当のヒト免疫不全ウイルス感染症による障害の程度は、基本的には認定基準の第三特別障害者手当の個別基準のうちで次に掲げられている障害の状態であること。

ア　令別表第二第六号に該当すると思われる病状には、次のようなものがある。

回復困難なヒト免疫不全ウイルス感染症及びその合併症の結果、生活が室内に制限されるか日常生活に全面的な介助を要し、診断書の「⑫安静を要する程度」が二以上であるもの

イ　認定基準第三の2(1)次表第十号に該当すると思われる病状には、次のようなものがある。

エイズ指標疾患や免疫不全に起因する疾患又は症状が発生するか、その既往が存在する結果、治療又は再発防止療法が必要で、日常生活が著しく制限されるもので、身のまわりのある程度のことはできるが、しばしば介助を必要とし、日中の五〇％以上は就床しているもの（診断書の「⑬活動能力の程度」が四であるもの）

ウ　認定基準第三の3(1)に規定する第二障害児福祉手当の個別基準5その他の疾患に該当すると思われる病状には、次のようなものがある。

回復困難なヒト免疫不全ウイルス感染症及びその合併症の結果、生活が室内に制限されるか日常生活に全面的な介助を要し、診断書の「⑫安静を要する程度」が一であるもの

6　検査所見及び臨床所見について

ヒト免疫不全ウイルス感染症による障害の程度について、以下の項目に留意し、認定を行うこと。

ア　疲労感、倦怠感、不明熱、体重減少、消化器症状の程度、出

現頻度、持続時間

イ　日和見感染症、悪性腫瘍の種類、重症度、既往、出現頻度

ウ　CD4値、ヒト免疫不全ウイルス―RNA定量値、白血球数、ヘモグロビン量、血小板数の状況

エ　治療の状況（治療薬剤、服薬状況、副作用の状況）

なお、現時点におけるエイズ治療の水準にかんがみ、CD4値が二〇〇未満の状態では、多くの感染者（児）において強い疲労感、倦怠感が認められており、また、この段階では、多数の日和見感染症等の発症の可能性が高まるために、抗エイズ薬等の多剤併用療法が実施され、重篤な副作用を生じる結果、日常生活が著しく制限される場合が多いことにも留意すること。

7　複数の外部障害、精神の障害等が存在する場合の認定について

ヒト免疫不全ウイルス感染症及びその続発症によるか、又はヒト免疫不全ウイルス感染症に対する治療の結果によるかの原因の如何を問わず、視機能障害、四肢麻痺、精神・神経障害等の不可逆的な障害は、原疾患との重複認定により認定すること。この場合、障害児福祉手当においては、認定基準第二の7令別表第一第十号による障害をもとに認定すること。

第三　個人情報の保護及び申請手続きについて

(1)　ヒト免疫不全ウイルス感染者（児）に係る特別児童扶養手当、障害児福祉手当及び特別障害者手当の申請から支給までには、市町村及び都道府県の職員、嘱託医等が関わることになる。したがって、これらの諸手当の受付、認定及び支給事務をとり行うに際しては、支給対象障害児若しくは認定請求者の病名、病状等の個人情報の保護について十分留意すること。

特に、ヒト免疫不全ウイルス感染者（児）にあっては、諸般の事情により病名を明らかにできない場合もあることから、認定に際しては、ヒト免疫不全ウイルス感染症との記載がない場合であっても、何らかの形でヒト免疫不全ウイルス感染症であると認められる場合には、ヒト免疫不全ウイルス感染症として取扱い、認定を行われたい。

(2)　特別児童扶養手当、障害児福祉手当及び特別障害者手当の認定（額改定）請求書及び有期認定の障害認定診断書（以下「請求書等」という。）は、一元的に市町村において受付することとなっているが、これらの請求書等は支給対象障害児若しくは認定請求者等の病名、病状等が記載された診断書等の添付を要するものであり、申請者保護の観点から、ヒト免疫不全ウイルス感染者（児）に係る当該請求書等においては本人に代わって関係のある者が提出することができるものとする。

また、ヒト免疫不全ウイルス感染者（児）に係る請求書等は、郵送により提出することとして差しつかえないこととし、この場合において記載又はその添付書類等の不備により、市町村が当該請求書等を返付する場合も受給資格者又は受給者あてに郵送によることとして差しつかえないものとする。

別添資料　略

○特別児童扶養手当等の支給に関する法律における有期認定の障害認定診断書の取扱いについて

〔平成二十三年一月十一日　障発〇一一一第七号
各都道府県民生主管部(局)長宛　厚生労働省社会・援護局障害保健福祉部企画課長通知〕

〔改正経過〕

第一次改正　〔令和元年五月七日障発〇五〇七第四号〕

今般、特別児童扶養手当等の支給に関する法律（以下「法」という。）における有期認定の障害認定診断書の取扱いについて、次のとおり定めたので、管内市区町村及び関係機関に周知徹底を図るとともに、その運用に当たっては特段のご配慮をお願いします。

また、昭和五十四年七月三日児企第一八号及び第一八号の二厚生省児童家庭局企画課長通知「特別児童扶養手当における有期認定の障害認定診断書の取扱いについて」は廃止することとします。

1　再認定に係る障害認定診断書の提出期限が到来する受給資格者に対しては、再認定月の概ね一か月前に法第三十六条第一項の規定に基づき文書をもってその提出方を命ずること。

この場合、正当な理由がなく書類を提出しないときは、法第十一条（法第二十六条又は法第二十六条の五において準用する場合を含む。）の規定により手当の支給を受けることができなくなる旨を付記すること。

また、手当が所得制限により支給停止となる場合は、診断書の提出を省略することができる旨を付記すること。（別紙参考）

2　命令したにもかかわらず正当な理由がなく指定した期限までに障害認定診断書の提出がない者については、有期認定の終期の月の翌月から手当を支給しない処分を行うこと。

経過措置等（第一次改正）

1　この通知による改正前のそれぞれの通知で定める様式（以下「旧様式」という。）により使用されている書類は、この通知による改正後のそれぞれの通知で定める様式によるものとみなす。

2　旧様式による用紙については、合理的に必要と認められる範囲内で、当分の間、例えば、訂正印や手書きによる改正等により、これを取り繕って使用することができることとする。

3　国民生活への影響をできる限り少なくする観点から、申請等の受理等に当たっては、当分の間、

・改元日前に、「令和」により改元日以降の日時が標記されている場合

・改元日以降に、「平成」により改元日以降の日時が標記されている場合

のいずれについても、必要な読替えを行った上で、これを受理等する。

〔別　紙〕

○○手当の診断書の提出について

下記の提出書類を令和　　年　　月　　日までに○○市町村（○○福祉事務所）の○○手当担当係に提出して下さい。

なお、正当な理由がなく診断書を提出期限内に提出しない場合には、特別児童扶養手当等の支給に関する法律第11条（第26条又は第26条の５において準用する場合を含む。）の規定により、再認定月の翌月から診断書が提出されるまでの間の手当の支給を受けることができなくなります。

また、手当が所得制限により支給停止となる場合は、診断書の提出を省略することができます。

令和　　年　　月　　日

○○県知事（印）

○○福祉事務所長（印）

殿

受給資格者氏名	
住　　　所	
提　出　書　類	診　断　書
提出を要する理由	引き続いて手当の支給を受けるためには○○さんの障害の状態を確認する必要があります。

○特別児童扶養手当等の支給に関する法律における有期認定の障害認定診断書の取扱いに関する疑義照会について

〔平成二十三年二月十日
各都道府県特別児童扶養手当・特別障害者手当等担当者宛　厚生労働省社会・援護局障害保健福祉部企画課手当係〕

障害福祉行政の推進につきましては、日々ご尽力いただき厚くお礼申しあげます。

今般、「特別児童扶養手当等の支給に関する法律における有期認定の障害認定診断書の取扱いについて」（平成二十三年一月十一日障発〇一一一第七号厚生労働省社会・援護局障害保健福祉部企画課長通知）により、有期認定の障害認定診断書の取扱いが明記されたところですが、複数の自治体より疑義照会がございました。

なお、その回答については別添のとおりとなりますので、管内市区町村及び関係機関に対しても周知していただきますよう、お願いいたします。

（別　添）

問1

再認定に係る障害認定診断書の提出期限が到来する受給資格者に対して通知する文書に、「手当が所得制限により支給停止となる場合は、診断書の提出を省略することができる旨を付記すること。」とあるが、支給停止中の受給資格者が有期認定の診断書の提出を省略したことにより、障害の状態が確認出来ない期間が発生するため、支給要件を満たしているか不明な期間を作ることに問題はないのか。

また、問題はないのであれば、当該支給停止が解除となった場合には、どの時点で診断書を提出させ、どの時点から手当の支給を開始することになるのか。

なお、障害の状態が確認出来ない期間は、従前の等級が続くと考えるのか。それとも、支給停止解除の時点の診断書をもって障害の状態が確認出来ない期間の判断をするのか。

回答1

特別児童扶養手当等の支給に関する法律（以下「法」という。）第三十六条の規定に基づく、有期認定の診断書の提出がされない場合には、法第十一条第二号の規定（法第二十六条及び法第二十六条の五において法第十一条第二号を準用する場合を含む。）により、手当の支給を制限することになるが、受給資格者の負担軽減を図るため、所得制限による支給停止中の受給資格者については、有期の再認定月における診断書の提出を省略することができる旨の改正を行ったところであり、診断書の提出を省略することで、受給資格自体はなくならないものである。

また、その後受給資格者の所得が所得制限限度額内となり、当該支給停止が解除される場合には、当該事実が明らかになった時点で受給資格者は所得状況届等の提出とともに診断書を提出するものとし、その当該診断書を以て障害状態を確認することの出来ない期間が発生する場合については、その他身体障害者手帳や療育手帳及び障害基礎年金等の判定の基礎となった診断書等で障害状態を確認のうえ、確認の取れた時点から手当の支給を開始していただきたい。

なお、障害状態が確認出来ない期間については、法第二条で定義付けされる「障害児」、「重度障害児」、「特別障害者」に該当するか不明なこと、及び法第三条の支給要件を満たしているか不明なため、手当の支給はできないものである。

支給停止となる受給資格者に対しては、障害状態が確認出来ない期間がある場合には、その期間の手当の支給は出来ないというリスク（所得更正や支給停止解除時に障害の状態が確認できない場合等）を踏まえたうえで、診断書の省略ができる旨を有期認定に伴う障害認定診断書の提出命令に添える等して、ご説明して頂きたい。

問2

支給停止となる受給資格者については、診断書の提出を省略する、しないの判断は受給資格者に委ねると解してよろしいか。また、受給資格者に委ねるとすれば、その旨、福祉事務所宛て所定期限までに申し立てしなければ、正当な理由に該当しないのか。

回答2

診断書の提出を省略する、しないの判断については、支給停止となる受給資格者の判断に委ねる。ただし、障害の状態が確認出来ない期間がある場合にはその期間の手当の支給は出来ないというリスクを踏まえたうえで、診断書の省略ができる旨説明頂きたい。

また、診断書の省略を選択したことについて、福祉事務所等への報告義務はないものである。

問3

「手当が所得制限により支給停止となる場合は、診断書の提出を省略することができる旨を付記すること。」とあるが、

(1) 扶養義務者所得で支給停止の者が当該扶養義務者と生計同一（生計維持）でなくなった場合

(2) 所得状況届により、八月分の手当から支給停止でなくなった場合

(1)、(2)いずれも診断書の提出が必要になると思うが、「別紙」には特にその教示はないが、運用してよろしいか。

回答3

運用して差し支えない。(1)、(2)いずれも問1に準ずるものである。

問4

診断書の提出を省略することで、障害状態が確認出来ていない時期については、等級を受給資格者台帳上、どのように管理すればよいのか。

回答4

支給停止中の受給資格者が診断書の提出を省略することで、障害状態が確認出来ていない時期については、従前の等級をそのまま記載しておき、備考欄に支給停止中のために診断書の提出を省略している旨を記載するなどして、管理していただきたい。

○特別児童扶養手当における有期認定の取扱いについて

〔令和元年五月三十一日　障発〇五三一第四号
各都道府県知事・各指定都市市長宛　厚生労働省社会・援護局障害保健福祉部長通知〕

標記については、「児童扶養手当法及び特別児童扶養手当法における有期認定の取扱いについて」（昭和四十二年十二月十九日児発第七六五号厚生省児童家庭局長通知）により、特別児童扶養手当等の支給に関する法律施行規則（昭和三十九年厚生省令第三十八号）による障害認定診断書に基づき、都道府県知事・指定都市市長が当該受給資格者に対し、期間を定めて手当の受給資格を認定した場合の取扱いについて定めているところである。

今般、児童扶養手当における有期認定の取扱いに変更があったため、特別児童扶養手当における有期認定の取扱いについても、改めて次のとおり定める。

ついては、遺憾のないようお取り計らいいただくとともに、管内市町村（指定都市を除く。）への周知方お願いいたしたい。

なお、この通知は、地方自治法（昭和二十二年法律第六十七号）第二百四十五条の四第一項に基づく技術的な助言である。

また、これに伴い、「児童扶養手当法及び特別児童扶養手当法における有期認定の取扱いについて」（昭和四十二年十二月十九日児発第七六五号厚生省児童家庭局長通知）は廃止することとし、「特別児童扶養手当の支給に関する法律施行令別表第三における障害の認定について」（昭和五十年九月五日児発第五七六号厚生省児童家庭局長通知）2(5)エ中「昭和四十二年十二月九日児発第七六五号都道府県知事あて本職通知「児童扶養手当及び特別児童扶養手当法における有期認定の取扱いについて」」を「令和元年五月三十一日障発〇五三一第四号厚生労働省社会・援護局障害保健福祉部長通知「特別児童扶養手当における有期認定の取扱いについて」」に改める。

1　認定期間の終期の月は、当該受給者の手当受領等の便宜上、三月、七月又は十一月のいずれかとして認定すること。ただし、手当を十一月に支払う場合は、認定期間の終期の月を十月として差し支えない。

2　次に掲げる事項を記載した通知書を当該受給者に対し、交付すること。

(1)　受給資格の認定期間

(2)　認定期間後も引き続いて手当を受けようとする場合の手続き

(3)　その他必要な事項

3　通知書作成上の注意事項

(1)　受給資格の認定期間

認定の始期及び終期の月を記載すること。

(2)　認定期間後も引き続いて手当を受けようとする場合の手続き

(ア) 障害認定診断書の提出期限（認定の終期の月）を記載して、その提出を求めること。

(イ) 障害認定診断書提出の提出先を明示すること。

(ウ) 障害認定診断書の診断年月日は、原則として提出期限の月又はその前月中のものであること。

なお、受給者に交付する通知書の例文を別紙のとおり添付するので参考とされたい。

別　紙

障　害　認　定　通　知　書

年　　月　　日

○　○　○　○　殿

都道府県知事
指定都市市長　　印

あなたの特別児童扶養手当の受給資格は、　　○年○月から、　　○年○月までとなっております。それ以後引き続き手当を受けようとするときは、○○さんの障害の状態について　○年○月又は○月中に専門医の診断を受け、所定の様式による障害認定診断書を作成してもらい、これに特別児童扶養手当証書を添えて　　○年○月中に○○市役所、区役所又は町村役場へご提出下さい。

○特別児童扶養手当等の認定請求書等における所得の額の確認に係る事務等について

〔令和元年六月二十八日　障企発〇六二八第二号
各都道府県知事・各指定都市市長宛　厚生労働省社会・援護局障害保健福祉部企画課長通知〕

〔改正経過〕

第一次改正〔令和二年一二月二五日障企発一二二五第一号・障障発一二二五第一号・障精発一二二五第一号〕
第二次改正〔令和三年二月一六日障企発〇二一六第一号〕

特別児童扶養手当及び特別障害者手当等制度に係る事務につきまして、日頃より御尽力賜り御礼申し上げます。

平成二十九年度税制改正において、配偶者控除及び配偶者特別控除の見直しが行われ、その中で従来「控除対象配偶者」とされていた者を、新たに「同一生計配偶者」と定義付ける改正が行われました。これに伴い、特別児童扶養手当、障害児福祉手当、特別障害者手当及び経過的福祉手当（以下「特別児童扶養手当等」という。）の支給については、所得制限の判定に当たって「控除対象配偶者」ではなく「同一生計配偶者」を用いることとし、本年八月以後の月分の特別児童扶養手当等の支給の制限から適用されます。

今般、これらの改正に伴い、確定申告・住民税申告のいずれも提出がない者で合計所得金額一〇〇〇万円超の者（配偶者が障害者である場合を除く。）の同一生計配偶者の有無については、税務部局で把握を行うことができない場合があるため、特別児童扶養手当等の支給に当たって新たに確認を行う必要があります。

ついては、「同一生計配偶者」の有無の確認に当たって、今後、特に御留意・御対応いただきたい点を左記に取りまとめるとともに、情報連携により確認を行う場合の対応についても、総務省より示された「平成三十一年以降のデータ標準レイアウト等における同一生計配偶者の取扱いについて」（平成三十年十二月二十七日付け総務省自治税務局市町村税課事務連絡）（別添1）を参考に、別紙1に記載しました。

また、平成二十四年六月二十九日付け事務連絡及び平成三十年八月一日付け事務連絡において示していた、特別児童扶養手当等の認定請求及び所得状況届における一六歳以上一九歳未満の控除対象扶養親族の数の認定方法及び寡婦（夫）控除のみなし適用に係る事実を明らかにすることができる書類についても、改めて左記のとおりとします。

各都道府県・指定都市におかれましては、内容について御了知の上、管内市区町村へ周知していただくようお願いいたします。

記

第一　同一生計配偶者の把握方法

特別児童扶養手当の認定請求書（以下「認定請求書」という。）、特別児童扶養手当等所得状況届（以下「所得状況届」という。）においては、以下を参考に、同一生計配偶者の有無を確認すること。

1　特別児童扶養手当の支給に関する法律（昭和三十九年法律第百

三十四号）第六条又は第二十条に規定する受給資格者の同一生計配偶者の有無について

(1) 受給資格者の前年（一月から六月までの請求については、前々年。以下同じ。）の所得（所得税法（昭和四十年法律第三十三号）上の合計所得金額をいう。以下同じ。）が一〇〇〇万円以下の場合には、公簿等又は所得証明書において、「控除対象配偶者」とあれば「同一生計配偶者」が、また、「老人控除対象配偶者」とあれば「七〇歳以上の同一生計配偶者」が有ることが確認できる。

(2) 受給資格者の前年の所得が一〇〇〇万円超の場合には、受給資格者の配偶者について、受給資格者と民法上の婚姻関係にあること、生計を一にすること並びに前年の所得及び前年の十二月三十一日現在の年齢を確認し、以下の要件①のみを満たす場合は「同一生計配偶者」が、また、要件①及び②を満たす場合は「七〇歳以上の同一生計配偶者」が有ることが確認できる。なお、要件①を満たさない場合はいずれも該当なしとなる。

① 受給資格者と配偶者が民法上の婚姻関係にあり、生計を一にし、かつ配偶者の前年の所得が四八万円以下であること

② 配偶者の前年の十二月三十一日時点の年齢が七〇歳以上であること

(3) (2)において、配偶者の前年の所得の額については、次の方法により確認する。

ア 当該者が前年に就労していた等により、前年に収入がある場合は、公簿等により前年の所得の額を確認すること。なお、当該者が未申告の場合には、申告義務がある者には申告するよう求め、申告義務のない者については、公簿等により前年の所得の額を確認できない場合は前年の所得がないものとして取り扱うこと。

イ 当該者が前年に就労していなかった等により、前年に収入がない場合は、前年の所得がないものとして取り扱うこと。

2 特別児童扶養手当の支給に関する法律第七条、第八条又は第二十一条に規定する配偶者又は扶養義務者の同一生計配偶者の有無について

「受給資格者」を「配偶者又は扶養義務者」と読み替え、1(1)及び1(2)①と同様の方法で確認すること。

（留意事項）

・ 公簿等又は所得証明書において「同一生計配偶者」の有無を直接確認することができる場合は、この限りではない。

・ 前記1(2)①②については、特別児童扶養手当等の支給に関する法律施行規則（昭和三十九年厚生省令第三十八号）（以下「特児規則」という。）第一条第六号イ及び第七号イ並びに障害児福祉手当及び特別障害者手当の支給に関する省令（昭和五十年厚生省令第三十四号）（以下「特障等省令」という。）第二条第四号イ及び第五号イ並びに第十五条第四号イ及び第五号イに掲げる「やむを得ない理由により～当該事実を明らかにすることができる書類」として、申立書（様式

例については、別紙2及び3参照）を活用した上で、公簿等により内容を確認すること。

第二　平成三十年度以前の地方税関係情報の「控除対象配偶者」の取扱い

今年度のデータ標準レイアウト改版によって、「控除対象配偶者」のデータ項目名が「同一生計配偶者」に変更される予定であるが、データ標準レイアウトの仕様上、今年度の改版後は、平成三十年度以前の地方税関係情報のうち「控除対象配偶者」を照会する際、データ項目名が「同一生計配偶者」となる。

平成三十一年度課税分以降の「同一生計配偶者」と、平成三十年度課税分以前の「控除対象配偶者」の定義は同じであるため、平成三十一年改版後に過年度分の地方税関係情報を照会する際は、「同一生計配偶者」を「控除対象配偶者」に読み替えていただくようお願いする。

第三　一六歳以上一九歳未満の控除対象扶養親族の把握方法

認定請求書、所得状況届においては、以下を参考に、一六歳以上一九歳未満の控除対象扶養親族の有無を確認すること。

(1)　一六歳以上一九歳未満の控除対象扶養親族を有する請求者又は受給者については、認定請求書又は所得状況届の所定欄に、一六歳以上一九歳未満の控除対象扶養親族の数を記載するとともに、特児規則第一条第六号ハ並びに特障等省令第二条第四号ロ及び第十五条第四号ロに掲げる「当該控除対象扶養親族の数を明らかにすることができる書類」として、控除対象扶養親族の氏名、個人番号、続柄、生年月日及び別居の場所の住所を記載した申立書（様式例については、別紙4、5及び6参照）を提出させる。

(2)　公簿又は所得証明書における、控除対象扶養親族の数から、特定扶養親族の数及び老人扶養親族の数を控除した数の範囲内で、認定請求書又は所得状況届に記載された一六歳以上一九歳未満の控除対象扶養親族の数及び(1)の申立書に一六歳以上一九歳未満の控除対象扶養親族として記載された者の前年の所得により、一六歳以上一九歳未満の控除対象扶養親族の数を認定する。この場合において、一六歳以上一九歳未満の控除対象扶養親族の前年の所得については、所得税法に規定する金額が四八万円以下であることが必要である。

(3)　(1)の申立書に一六歳以上一九歳未満の控除対象扶養親族として記載された者の前年の所得の額については、次の方法により確認する。

ア　記載された者が前年に就労していた等により、前年に収入がある場合は、公簿等により前年の所得の額を確認すること。なお、記載された者が未申告の場合には、申告義務がある者には申告するよう求め、申告義務のない者については、公簿等により前年の所得の額を確認できない場合は前年の所得がないものとして取り扱うこと。

イ　記載された者が前年に就労していなかった等により、前年に収入がない場合は、前年の所得がないものとして取り扱うこと。

（留意事項）

・公簿又は所得証明書において一六歳以上一九歳未満の控除対象扶養親族の数を直接確認することができる場合は、この限りではない。

第四　寡婦（夫）控除のみなし適用に係る書類

特別児童扶養手当等の認定請求書及び所得状況届における寡婦（夫）控除のみなし適用に係る「当該事実を明らかにすることができる書類」の様式例については、別紙7及び8のとおりとする。

前　文（第二次改正）抄

〔前略〕本改正は、令和二年以後の年の所得による特別児童扶養手当等の支給の制限及び返還からの適用となります。

（別添1）

平成三十一年以降のデータ標準レイアウト等における同一生計配偶者の取扱いについて

〔平成三十年十二月二十七日　事務連絡　各都道府県市区町村担当課宛　総務省自治税務局市町村税課〕

平成二十九年度税制改正により、配偶者控除及び配偶者特別控除の見直しが行われ、その中で「控除対象配偶者」の定義を改め、新たに「同一生計配偶者」の定義が置かれたところです。

前記改正が平成三十一年度以後の個人住民税から適用されることに伴い、平成三十一年一月一日以降に用いる給与支払報告書並びに個人住民税申告書及び平成三十一年改版予定のデータ標準レイアウトについて、以下のとおり取り扱われるところです。

○　給与支払報告書については、同一生計配偶者の記載欄は追加されない

○　住民税申告書（確定申告書の付記事項を含む。）については、控除対象配偶者を除く同一生計配偶者の記載欄が追加される

○　「配偶者控除等」のデータ項目に、「3　控除対象配偶者を除く同一生計配偶者」のコード値を追加

○　「控除対象配偶者」のデータ項目名を「同一生計配偶者」に変更

このことにより伴う留意事項を左記のとおりまとめましたので、貴都道府県におかれては、貴都道府県内市区町村に対しまして、この旨周知されますようお願いします。

記

1　住民税申告書及び給与支払報告書の様式改正の考え方について

控除対象配偶者を除く同一生計配偶者について、課税にあたっては非課税限度額の算定で用いることが考えられますが、この場合本人の合計所得金額が一〇〇〇万円超であり、均等割の非課税限度額の判定に控除対象配偶者を除く同一生計配偶者の有無が影響するのは、扶養親族が極めて多数にのぼる場合に限定されます。

一方で、所得割の非課税限度額については総所得金額等で判定することから繰越控除等もその判定に影響するため、控除対象配偶者を除く同一生計配偶者の有無が判定に影響する場合が一定数あると考えられます。

このような必要となる頻度と納税義務者及び特別徴収義務者の事務負担を考慮し、給与支払報告書の様式には同一生計配偶者の記載

欄を設けないこととし、住民税申告書（確定申告書の付記事項を含む。）については控除対象配偶者を除く同一生計配偶者の記載欄を設けることとしました。

なお、給与支払報告書の提出のみの者については、課税のために必要に応じて控除対象配偶者を除く同一生計配偶者の有無を個別に調査することもあり得ますが、扶養親族数が一定数となるまでは、控除対象配偶者を除く同一生計配偶者の有無が非課税限度額の判定に影響しないことから、控除対象配偶者を除く同一生計配偶者の有無を用いずに判定することも考えられます。

2　「控除対象配偶者を除く同一生計配偶者」の副本登録方法について

同一生計配偶者のうち、控除対象配偶者については従来どおり給与支払報告書や住民税申告書等で把握できますが、控除対象配偶者に該当しない同一生計配偶者について、全ての者を網羅的に把握することはできなくなります。

これにより、控除対象配偶者を除く同一生計配偶者かどうか不明な場合が出てくることとなりますが、その場合には、控除対象配偶者を除く同一生計配偶者を扶養する納税義務者のデータ標準レイアウトの「配偶者控除等」のデータ項目のコード値には「0　初期値」を、その納税義務者の配偶者のデータ標準レイアウトの「同一生計配偶者」のデータ項目には「0　初期値」を登録してください。

3　平成三十年度以前の地方税関係情報の「控除対象配偶者」の取扱い

前述のとおり、平成三十一年のデータ標準レイアウト改版によって、「控除対象配偶者」のデータ項目名が「同一生計配偶者」に変更される予定ですが、データ標準レイアウトの仕様上、平成三十一年の改版後は、平成三十年度以前の地方税関係情報のうち「控除対象配偶者」を照会する際、データ項目名が「同一生計配偶者」の状態でしか照会できなくなります。

平成三十一年度課税分以降の「同一生計配偶者」と、平成三十年度課税分以前の「控除対象配偶者」の定義は同じであるため、平成三十一年の改版後に過年度分の地方税関係情報を照会する際は、「同一生計配偶者」を「控除対象配偶者」に読み替えていただくようお願いします。

以上

（別紙1）

情報連携による同一生計配偶者の把握方法

1　特別児童扶養手当の支給に関する法律（以下、「法」という。）第六条及び第二十条に規定する受給資格者並びに法第七条、第八条及び第二十一条に規定する配偶者又は扶養義務者（以下、「受給資格者等」という。）のマイナンバーを元に、地方税部局に対して情報照会を行い、データ項目「配偶者控除等」のコード値を確認する。

2　1により確認したコード値に応じて、それぞれ以下のとおり処理をする。

(1)　コード値が「0　初期値」である場合

①　受給資格者等のデータ項目「合計所得金額」を確認する。

イ　受給資格者等の前年（一月から六月までの請求については、前々年。以下同じ。）の合計所得金額が一〇〇〇万円以下である場合、同一生計配偶者は無いことが確認できる。

ロ　受給資格者等の前年の合計所得金額が一〇〇〇万円超の場合、左記②について確認を行う。

②　受給資格者等の配偶者（以下「配偶者」という。）のマイナンバーを元に地方税部局に対して情報照会を行い、データ項目「合計所得金額」を確認する。

イ　配偶者の前年の合計所得金額が四八万円超の場合、同一生計配偶者は無いことが確認できる。

ロ　配偶者の前年の合計所得金額が四八万円以下又は所得情報なしである場合、さらに左記③について確認を行う。

③　必要に応じて申立書を活用した上で、公簿等により、受給資格者等と配偶者が民法上の婚姻関係にあること、生計を一にすること及び配偶者の前年の十二月三十一日時点の年齢を確認する。

生計を一にし、七〇歳未満である場合には「同一生計配偶者」、七〇歳以上の場合は「同一生計配偶者（七〇歳以上に限る。）」が有ることが確認できる。

(2)　コード値が「1　一般の控除対象配偶者」である場合

一般受給資格者に「同一生計配偶者」が有ることが確認できる。

(3)　コード値が「2　老人控除対象配偶者」である場合

一般受給資格者に「同一生計配偶者（七〇歳以上に限る。）」が有ることが確認できる。

(4)　コード値が「3　控除対象配偶者を除く同一生計配偶者」である場合

公簿等又は申立書（様式例参照）により、配偶者の前年の十二月三十一日現在の年齢を確認し、七〇歳未満である場合には「同一生計配偶者」、七〇歳以上の場合は「同一生計配偶者（七〇歳以上に限る。）」が有ることが確認できる。

（別紙２）

特別児童扶養手当における同一生計配偶者に関する申立書
（認定請求書・所得状況届用）

（申立先）
○○都道府県知事・指定都市市長　　殿

【申立人】（特別児童扶養手当の請求者）
氏　名

私は、前年（請求日が１月から６月までの間にある場合は、前々年。以下同じ。）の12月31日時点における、所得税法（昭和40年法律第33号）に規定する同一生計配偶者に関する事項について、申し立てます。

記

１　同一生計配偶者を有する者について
（該当する番号をチェックしてください。）
□　①　申立人と同一
□　②　申立人の配偶者
　氏名：＿＿＿＿＿＿＿＿＿＿＿
□　③　申立人の扶養義務者（注１）
　氏名：＿＿＿＿＿＿＿＿＿＿＿
□　同一生計配偶者を有する者はいない

２　１の者の配偶者について
（１の②に該当する場合は、以下の記入を省略できます。）

氏　名		性別	男　・　女
個人番号 （１の③に該当する場合のみ）		生年月日 （注２）	年　　月　　日生（　　歳）
別居の場合の住所			

（注１）　民法（明治29年法律第89号）第877条第１項に定める扶養義務者で、届出者と生計を同じくするもの（父母、祖父母、子、孫などの直系血族と兄弟姉妹）をいいます。
（注２）　前年の12月31日時点（当該年の途中で死亡した場合には、その死亡の日）の年齢を記入してください。

（注意事項）
○　この申立書は、「特別児童扶養手当認定請求書」又は、「特別児童扶養手当所得状況届」を提出する方、その方の配偶者又はその方の扶養義務者に、前年の12月31日（当該年の途中で死亡した場合には、その死亡の日）における同一生計配偶者の有無について、公簿等又は所得証明書で確認できない場合に、ご記入いただくものです。
○　所得税法に規定する同一生計配偶者とは、前年の12月31日（当該年の途中で死亡した場合には、その死亡の日）において、次のいずれにも該当する方をいいます。
①　民法の規定による配偶者である（内縁関係の人は該当しません）
②　生計を一にしている
③　前年分の所得税法上の合計所得金額が48万円以下である
④　青色申告者の事業専従者として給与の支払を受けていない又は白色申告者の事業専従者ではない

（別紙３）

特別障害者手当等における同一生計配偶者に関する申立書
（認定請求書・所得状況届用）

（申立先）
○○都道府県知事・市町村長　　殿

【申立人】（特別障害者手当等の請求者）
氏　名

私は、前年（請求日が１月から６月までの間にある場合は、前々年。以下同じ。）の12月31日時点における、所得税法（昭和40年法律第33号）に規定する同一生計配偶者に関する事項について、申し立てます。

記

１　同一生計配偶者を有する者について
（該当する番号をチェックしてください。）

□　①　申立人と同一
□　②　申立人の配偶者
　　氏名：＿＿＿＿＿＿＿＿＿＿＿＿
□　③　申立人の扶養義務者（注１）
　　氏名：＿＿＿＿＿＿＿＿＿＿＿＿
□　同一生計配偶者を有する者はいない

２　１の者の配偶者について
（１の②に該当する場合は、以下の記入を省略できます。）

氏　名		性別	男　・　女
個人番号（１の③に該当する場合のみ）		生年月日（注２）	年　　月　　日生（　　歳）
別居の場合の住所			

（注１）　民法（明治29年法律第89号）第877条第１項に定める扶養義務者で、届出者と生計を同じくするもの（父母、祖父母、子、孫などの直系血族と兄弟姉妹）をいいます。

（注２）　前年の12月31日時点（当該年の途中で死亡した場合には、その死亡の日）の年齢を記入してください。

（注意事項）

○　この申立書は、特別障害者手当等の認定請求書又は、特別障害者手当等の所得状況届を提出する方、その方の配偶者又はその方の扶養義務者の、前年の12月31日（当該年の途中で死亡した場合には、その死亡の日）における同一生計配偶者の有無について、公簿等又は所得証明書で確認ができない場合に、ご記入いただくものです。

○　所得税法に規定する同一生計配偶者とは、前年の12月31日（当該年の途中で死亡した場合には、その死亡の日）において、次のいずれにも該当する方をいいます。

①　民法の規定による配偶者である（内縁関係の人は該当しません）
②　生計を一にしている
③　前年分の所得税法上の合計所得金額が48万円以下である
④　青色申告者の事業専従者として給与の支払を受けていない又は白色申告者の事業専従者ではない

（別紙４）

特別児童扶養手当における16歳以上19歳未満の控除対象扶養親族に関する申立書

○　私の所得税法上の扶養親族のうち、前年（請求日が１月から６月までの間にある場合は、前々年。以下同じ。）の12月31日において年齢が16歳以上19歳未満であった者について、以下のとおり申し立てます。

	16歳以上19歳未満の控除対象扶養親族				
	フリガナ 氏名	個人番号	続柄	生年月日	別居の場合の住所
1				平成・令和　年　月　日	
2				平成・令和　年　月　日	
3				平成・令和　年　月　日	
4				平成・令和　年　月　日	

（注意事項）

○　この申立書は、「特別児童扶養手当認定請求書」、「特別児童扶養手当所得状況届」を提出する方が、前年の12月31日（年の途中で死亡した場合には、その死亡の日）において年齢が16歳以上19歳未満の所得税法上の扶養親族がある場合に、ご記入いただくものです。

（参考）平成30年12月31日において年齢が16歳以上19歳未満の方：平成12年１月２日から平成15年１月１日までの間に生まれた方

○　所得税法上の扶養親族とは、前年の12月31日（年の途中で死亡した場合には、その死亡の日）において、次のいずれにも該当する方をいいます。

①　配偶者以外の親族（６親等内の血族及び３親等内の姻族）か、都道府県等から養育を委託された児童（いわゆる里子）である

②　あなたと生計を一にしている

③　前年（請求日が１月から６月までの間にある場合は、前々年）分の所得税法上の合計所得金額が48万円以下である

④　青色申告者の事業専従者として給与の支払を受けていない又は白色申告者の事業専従者でない

○　記入欄が足りない場合は、子の氏名等を複数枚の申立書に分けてご記入ください。

この申立書により申し出る16歳以上19歳未満の控除対象扶養親族の人数は、所得税及び住民税における内容と相違ありません。

住所＿＿＿＿＿＿＿＿＿＿＿＿＿＿

氏名＿＿＿＿＿＿＿＿＿＿＿＿＿＿

（別紙５）

障害児福祉手当（福祉手当）における16歳以上19歳未満の控除対象扶養親族に関する申立書

○　私の所得税法上の扶養親族のうち、前年（請求日が１月から６月までの間にある場合は、前々年。以下同じ。）の12月31日において年齢が16歳以上19歳未満であった者について、以下のとおり申し立てます。

	16歳以上19歳未満の控除対象扶養親族				
	フリガナ 氏名	個人番号	続柄	生年月日	別居の場合の住所
1				平成・令和　年　月　日	
2				平成・令和　年　月　日	
3				平成・令和　年　月　日	
4				平成・令和　年　月　日	

（注意事項）

○　この申立書は、「障害児福祉手当認定請求書」、「障害児福祉手当（福祉手当）所得状況届」を提出する方が、前年の12月31日（年の途中で死亡した場合には、その死亡の日）において年齢が16歳以上19歳未満の所得税法上の扶養親族がある場合に、ご記入いただくものです。

（参考）平成30年12月31日において年齢が16歳以上19歳未満の方：平成12年１月２日から平成15年１月１日までの間に生まれた方

○　所得税法上の扶養親族とは、前年の12月31日（年の途中で死亡した場合には、その死亡の日）において、次のいずれにも該当する方をいいます。

①　配偶者以外の親族（６親等内の血族及び３親等内の姻族）か、都道府県等から養育を委託された児童（いわゆる里子）である

②　あなたと生計を一にしている

③　前年（請求日が１月から６月までの間にある場合は、前々年）分の所得税法上の合計所得金額が48万円以下である

④　青色申告者の事業専従者として給与の支払を受けていない又は白色申告者の事業専従者でない

○　記入欄が足りない場合は、子の氏名等を複数枚の申立書に分けてご記入ください。

この申立書により申し出る16歳以上19歳未満の控除対象扶養親族の人数は、所得税及び住民税における内容と相違ありません。

住所＿＿＿＿＿＿＿＿＿＿＿＿

氏名＿＿＿＿＿＿＿＿＿＿＿＿

（別紙６）

特別障害者手当における16歳以上19歳未満の控除対象扶養親族に関する申立書

○　私の所得税法上の扶養親族のうち、前年（請求日が１月から６月までの間にある場合は、前々年。以下同じ。）の12月31日において年齢が16歳以上19歳未満であった者について、以下のとおり申し立てます。

	16歳以上19歳未満の控除対象扶養親族				
	フリガナ 氏名	個人番号	続柄	生年月日	別居の場合の住所
1				平成・令和　年　月　日	
2				平成・令和　年　月　日	
3				平成・令和　年　月　日	
4				平成・令和　年　月　日	

（注意事項）

○　この申立書は、「特別障害者手当認定請求書」、「特別障害者手当所得状況届」を提出する方が、前年の12月31日（年の途中で死亡した場合には、その死亡の日）において年齢が16歳以上19歳未満の所得税法上の扶養親族がある場合に、ご記入いただくものです。

（参考）平成30年12月31日において年齢が16歳以上19歳未満の方：平成12年１月２日から平成15年１月１日までの間に生まれた方

○　所得税法上の扶養親族とは、前年の12月31日（年の途中で死亡した場合には、その死亡の日）において、次のいずれにも該当する方をいいます。

①　配偶者以外の親族（６親等内の血族及び３親等内の姻族）か、都道府県等から養育を委託された児童（いわゆる里子）である

②　あなたと生計を一にしている

③　前年（請求日が１月から６月までの間にある場合は、前々年）分の所得税法上の合計所得金額が48万円以下である

④　青色申告者の事業専従者として給与の支払を受けていない又は白色申告者の事業専従者でない

○　記入欄が足りない場合は、子の氏名等を複数枚の申立書に分けてご記入ください。

この申立書により申し出る16歳以上19歳未満の控除対象扶養親族の人数は、所得税及び住民税における内容と相違ありません。

住所＿＿＿＿＿＿＿＿＿＿

氏名＿＿＿＿＿＿＿＿＿＿

（別紙７）

令和　　年　　月　　日

特別児童扶養手当における寡婦（夫）控除のみなし適用申請書

○○都道府県知事・指定都市市長　殿

住所＿＿＿＿＿＿＿＿＿＿＿＿＿＿＿＿

氏名＿＿＿＿＿＿＿＿＿＿＿＿＿＿＿＿

私は、特別児童扶養手当の支給に係る所得の額の計算において、寡婦（夫）控除のみなし適用を受けたいので、事実を確認できる書類を添えて下記のとおり申請します。

私は、特別児童扶養手当の支給に係る所得の額の計算の対象となる年（前年（請求日が１月から６月までの間にある場合は、前々年））の12月31日現在、次のいずれかに該当していることを申し立てます。（該当番号を○で囲んで下さい。）

１　婚姻によらないで母となり、現在婚姻をしていないもののうち、扶養親族又は生計を一にする子を有するもの

２　１に該当し、扶養親族である子を有し、かつ、合計所得金額が500万円以下であるもの

３　婚姻によらないで父となり、現在婚姻をしていないもののうち、生計を一にする子がおり、合計所得金額が500万円以下であるもの

※　上記の「現在婚姻をしていないもの」の「婚姻」には、届出をしていないが、事実上婚姻関係と同様の事情にある場合を含みます。

※　上記の「子」は、総所得金額等が38万円以下であり、他の人の控除対象配偶者や扶養親族となっていない場合に限ります。

私は、寡婦（夫）控除のみなし適用に関して、○○都道府県・指定都市が申請者及び対象となる子の所得の額、世帯の状況及び戸籍の内容を調査し、取得した情報を要件の確認のために必要な範囲内で利用することに同意します。

令和　　年　　月　　日　氏名＿＿＿＿＿＿＿＿＿＿＿＿＿＿＿＿

※上記の「子」が支給対象児以外の場合、以下にご記入ください。

（氏名）	（個人番号）	（別居の場合の住所）

※事実を確認できる書類は、次のような書類です。なお、認定申請書の添付書類等で確認できる場合は、別途提出していただく必要はありません。

・寡婦（夫）控除のみなし適用の対象となる者本人の戸籍全部事項証明書

・寡婦（夫）控除のみなし適用の対象となる者本人の属する世帯の全員の住民票の写し

・寡婦（夫）控除のみなし適用の対象となる者本人の所得証明書（合計所得金額が分かるもの）

・上記の「子」の所得証明書（総所得金額等が分かるもの）

※注意事項（必ずお読みください。）

・字は、楷書（かいしょ）ではっきり書いてください。

・本申請書は、特別児童扶養手当の支給に係る所得の額の計算にあたって、寡婦（夫）控除をみなし適用するためのものであり、特別児童扶養手当の認定請求については、別途手続きが必要です。

・現在、寡婦（夫）控除のみなし適用を受けている方は、毎年の所得状況届の提出時に本申請書を提出して下さい。

・虚偽の内容を記載した場合には、手当額の全部又は一部の返還のほか、一定の金額の納付を命ぜられ、また、処罰される場合があります。

（別紙８）

令和　　年　　月　　日

特別障害者手当等における寡婦（夫）控除のみなし適用申請書

○○都道府県知事・市町村長　殿

住所＿＿＿＿＿＿＿＿＿＿＿＿＿＿＿＿＿＿

氏名＿＿＿＿＿＿＿＿＿＿＿＿＿＿＿＿＿＿

私は、特別障害者手当等の支給に係る所得の額の計算において、寡婦（夫）控除のみなし適用を受けたいので、事実を確認できる書類を添えて下記のとおり申請します。

私は、特別障害者手当等の支給に係る所得の額の計算の対象となる年（前年（請求日が１月から６月までの間にある場合は、前々年））の12月31日現在及び申請日現在、次のいずれかに該当していることを申し立てます。（該当番号を○で囲んで下さい。）

１　婚姻によらないで母となり、現在婚姻をしていないもののうち、扶養親族又は生計を一にする子を有するもの

２　１に該当し、扶養親族である子を有し、かつ、合計所得金額が500万円以下であるもの

３　婚姻によらないで父となり、現在婚姻をしていないもののうち、生計を一にする子がおり、合計所得金額が500万円以下であるもの

※　上記の「現在婚姻をしていないもの」の「婚姻」には、届出をしていないが、事実上婚姻関係と同様の事情にある場合を含みます。

※　上記の「子」は、総所得金額等が38万円以下であり、他の人の控除対象配偶者や扶養親族となっていない場合に限ります。

私は、寡婦（夫）控除のみなし適用に関して、○○都道府県・市町村が申請者及び対象となる子の所得の額、世帯の状況及び戸籍の内容を調査し、取得した情報を要件の確認のために必要な範囲内で利用することに同意します。

令和　　年　　月　　日　氏名＿＿＿＿＿＿＿＿＿＿＿＿＿＿＿＿

※支給対象児以外の子について、以下にご記入ください。

（氏名）	（個人番号）	（別居の場合の住所）

※事実を確認できる書類は、次のような書類です。なお、認定申請書の添付書類等で確認できる場合は、別途提出していただく必要はありません。

・寡婦（夫）控除のみなし適用の対象となる者本人の戸籍全部事項証明書
・寡婦（夫）控除のみなし適用の対象となる者本人の属する世帯の全員の住民票の写し
・寡婦（夫）控除のみなし適用の対象となる者本人の所得証明書（合計所得金額が分かるもの）
・上記の「子」の所得証明書（総所得金額等が分かるもの）

※注意事項（必ずお読みください。）

・字は、楷書（かいしょ）ではっきり書いてください。
・本申請書は、特別障害者手当等の支給に係る所得の額の計算にあたって、寡婦（夫）控除をみなし適用するためのものであり、特別障害者手当等の認定請求については、別途手続きが必要です。
・現在、寡婦（夫）控除のみなし適用を受けている方は、毎年の所得状況届の提出時に本申請書を提出して下さい。
・虚偽の内容を記載した場合には、手当額の全部又は一部の返還のほか、一定の金額の納付を命ぜられ、また、処罰される場合があります。

○特別児童扶養手当等の支給を制限する場合の所得の額の計算における寡婦（夫）控除のみなし適用に係る事実を明らかにすることができる書類について

〔令和二年十二月二十八日　事務連絡
各都道府県・各指定都市民生主管部（局）宛　厚生労働省社会・援護局障害保健福祉部企画課〕

令和二年度税制改正において、未婚のひとり親に対する税制上の措置がされ、これに伴い健康保険法施行令等の一部を改正する政令（令和二年政令第三百八十一号）により、特別児童扶養手当等の支給に関する法律施行令（昭和五十年政令第二百七号）が改正され、また、児童福祉法施行規則等の一部を改正する省令（令和二年厚生労働省令第二百十二号）により、特別児童扶養等の支給に関する法律施行規則（昭和三十九年厚生省令第三十八号）第一条第六号ハ及び第七号ハ及び障害児福祉手当及び特別障害者手当の支給に関する省令（昭和五十年厚生省令第三十四号）第二条第四号ニ及び第五号ハ並びに第十五条第四号ホ及び第五号ハで定めていた「当該事実を明らかにすることができる書類」を削除することとなりました。

このため、「特別児童扶養手当等の認定請求書等における所得の額の確認に係る事務等について」（令和元年六月二十八日付け障企発〇六二八第二号厚生労働省社会・援護局障害保健福祉部企画課長通知）で示している、「特別児童扶養手当における寡婦（夫）控除のみなし適用申請書」（別紙７）及び「特別障害者手当等における寡婦（夫）控除のみなし適用申請書」（別紙８）（以下「みなし適用申請書」という。）について、令和二年以後の年の所得による特別児童扶養手当等の支給の制限及び返還に当たっては、提出が不要となりました。

なお、令和元年以前の年の所得による特別児童扶養手当等の支給の制限及び返還については、みなし寡婦（夫）の適用を受けようとする場合、従前のとおり、みなし適用申請書の提出が必要となります。

つきましては、運用について遺憾のなきようお願いするとともに、管内市区町村に対して周知いただきますようお願いいたします。

特別児童扶養手当等の支給を制限する場合の所得の額の計算における寡婦（夫）控除のみなし適用に係る事実を明らかにすることができる書類について

○特別児童扶養手当の都道府県が任意で設置するオンラインシステムによる認定請求書等の事務手続について

〔令和五年七月三日　障企発〇七〇三第一号
各都道府県・各指定都市民生主管部（局）長宛　厚生労働省社会・援護局障害保健福祉部企画課長通知〕

今般、「令和四年の地方からの提案等に関する対応方針」（令和四年十二月二十日閣議決定）を踏まえ、都道府県が任意で設置するオンラインシステムを通じて、請求者及び届出者（以下「請求者等」という。）から、都道府県に対して、直接、

・特別児童扶養手当等の支給に関する法律（昭和三十九年法律第百三十四号。以下「法」という。）第五条に規定する認定の請求

・法第十六条において準用する児童扶養手当法（昭和三十六年法律第二百三十八号）第八条第一項に規定する認定の請求（以下「手当額の改定の請求」という。）

・法第三十五条に規定する届出等

に係る請求書、届出書その他の関係書類（以下「認定請求書等」という。）を提出することを可能とすることとしたのでお知らせする。

標記事務手続は左記のとおりであるため、御了知の上、事務処理に遺漏のないようにされるとともに、都道府県におかれては管内市区町村（指定都市を除く）に対する周知をお願いする。

記

第一　趣旨・内容

本通知は、請求者等及び地方公共団体の負担を軽減するため、従来の請求者等が市区町村を経由して都道府県に認定請求書等を提出する方法に加え、請求者等が、都道府県が任意で設置するオンラインシステムを通じて、市区町村を経由して都道府県に認定請求書等を提出する方法を設けることが可能であることを周知するものである。

第二　事務処理の流れ

従来の請求者等が市区町村を経由して都道府県に認定請求書等を提出する方法における、都道府県が市区町村から認定請求書等の提出を受けたときの事務処理の流れは、「特別児童扶養手当都道府県事務取扱準則について」（平成二十三年障発〇四〇一第四号）において示しているところであるが、都道府県が任意で設置するオンラインシステムを通じて、市区町村を経由して都道府県に認定請求書等を提出する方法は、例えば、以下のような事務処理の流れが考えられる。

（事務処理の例）

1　受付処理簿に、件名、氏名及び受付年月日や手続の種類等を記入。

2　受け付けた認定請求書等を市区町村に送付するとともに、受付

処理簿に送付年月日を記入。

※1　書類の受付、市区町村への送付に際し、以下(1)～(3)を行うことも考えられる。

(1)　認定請求書等の記載及びその添付書類等に不備がないかどうかを確認し、認定請求書等に都道府県において容易に補正することができない程度の誤りがあるとき又はその添付書類等に著しい不備があるときは、認定請求書等を請求者等に返付。

(2)　(1)によって認定請求書等を返付するときは、受付処理簿に返付年月日を記入。

(3)　請求者等が返付された認定認求書等を補正して再提出したときは、受付処理簿に再提出受付年月日を記入。

※2　受付処理簿については、電算システムにより適正に記録、管理、利用することにより事務を支障なく行い得る場合は不要と考えられる。

前記のとおり、都道府県が行う事務は、都道府県が任意で設置するオンラインシステムの仕様等に応じて異なり得ることから、当該事務処理を行う都道府県におかれては、請求等に係る手続に遅滞・遺漏等が生じないよう、事前に管内市区町村との役割分担や事務フロー等について十分な調整をお願いする。あわせて、都道府県オンラインシステムを通じて書類の不備等を確認する場合も含め、遅滞なく速やかに市区町村に書類を送付されるようお願いする。

第三　法第五条の認定の請求をした日の取扱い

特別児童扶養手当の支給は、法第五条の二第一項において、法第五条の認定の請求をした日の属する月の翌月から始めることとしている。法第五条の認定の請求をした日は、市区町村において添付書類及び請求書の記載に不備がないものとして請求書を受理した時点であるとしており、都道府県オンラインシステムを通じて認定請求等を行った場合も同様の取扱いとなる。

現行も受給権保護の観点から、認定の請求をした日の取扱いについては、受給資格者に不利益が生ずることのないよう配慮が行われていることと承知しているが、例えば、都道府県がオンラインシステムを設置した場合であって、都道府県から市区町村への書類の送付が月をまたいで行われたときは、受給権保護の観点から、都道府県がオンラインシステムを通じて書類を受け付けた時点を受理日として差し支えない（手当額の改定の請求についても同様の取扱い）。

なお、この場合でも、都道府県から市区町村へ送付された書類に不備等があるときは、従来の市区町村の窓口にて書類を受け付ける場合と同様、書類に不備がないものとして市区町村が受け付けることが前提となる。

このため、添付書類や請求書等の記載事項に不備等が見つかった場合は、速やかに請求者等に補正を求めるなど、従来の請求者等が市区町村を経由して都道府県に認定請求書等を提出する方法に比べて、請求者等に不利とならないよう配慮をお願いする。

以上

（雑　則）

○重度精神薄弱児〔特別児童〕扶養手当過誤払等による返納金債権の取扱いについて

〔昭和三十九年十二月十二日　児発第一、〇二七号
各都道府県出納長宛　厚生省児童家庭局長・大臣官房
会計課長連名通知〕

重度精神薄弱児扶養手当法に基づく重度精神薄弱児扶養手当の過誤払等に係る債権の管理及び徴収に関する事務は、厚生省所管債権管理事務取扱規程第三条及び厚生省所管会計事務取扱規程第五条の規定により貴職において取扱うこととなるが、当該事務については、昭和三十七年四月二十五日児発第四八八号・会発第四〇三号「児童扶養手当の過誤払等による返納金債権の取扱いについて」の例に準じ処理することとし、遺憾のないよういたされたい。

なお、郵政省（支払郵便局）側の責に帰すべき事由により発生した過誤払等に係る債権の管理に関する事務は、郵政省において行なうものであること。

○特別児童扶養手当の認定事務の手続等について

〔昭和四十八年十月十五日　児企第四五号
各都道府県民生主管部（局）長宛　厚生省児童家庭局企画課長通知〕

〔改正経過〕

第一次改正〔昭和五七年一〇月一日児発第八二四号〕

第二次改正〔平成一一年三月三一日障第二二六号〕

特別児童扶養手当法に基づく特別児童扶養手当の受給資格を認定するにあたつて、次の事項に留意のうえ遺憾のないようお取り計らい願いたい。

1　公的年金給付との併給に関する事項

(1)　特別児童扶養手当と公的年金給付とが併給されることになったことに伴い、すでに児童扶養手当又は特別児童扶養手当のいずれかの受給資格の認定を受けている者から特別児童扶養手当又は児童扶養手当についての認定の請求が行われる場合において、特別児童扶養手当法施行規則第二十八条第一項又は児童扶養手当法施行規則第二十六条第二項に該当するときは、当該障害に係る診断書又はエックス線直接撮影写真の添付を省略して差しつかえないものであること。

(2)　特別児童扶養手当の支給の対象となる児童が障害を支給事由とする公的年金給付を受けることができるときは、手当は支給されないが、この場合の公的年金給付を受けることができる児童は、義務教育終了後の児童であるものと思われるので、認定請求書受理の際社会保険事務所、事業所等関係機関との連けいを密にし、その年金受給状況を的確に把握されたいこと。

なお、この公的年金給付を受給していることが明白であるときには、請求者に対し、請求が却下されることを説明して認定請求書を取り下げるように指導することが望ましいこと。

(3)　特別児童扶養手当と公的年金給付とが原則として併給されることになったことに伴い、「児童扶養手当及び特別児童扶養手当における公的年金の受給状況の審査について」（昭和四十七年九月十六日児企第三七号各都道府県民生主管部（局）長あて本職通知）中「児童扶養手当及び特別児童扶養手当」を「児童扶養手当」に改めること。

2　療育手帳制度に関する事項

知的障害児（者）に対する療育手帳制度については、「療育手帳制度について（昭和四十八年九月二十七日厚生省発児第一五六号各都道府県知事、指定都市市長あて厚生事務次官通知）」により療育手帳制度要綱が示され、また「療育手帳制度の実施について（昭和四十八年九月二十七日児発第七二五号各都道府県知事、指定都市市長あて厚生省児童家庭局長通知）」が通知され、実施されたところであるが、特別児童扶養手当の認定等に際しとくに療育手帳で「A」と判定された二〇歳未満の児童の障害の程度については、特別児童扶養手当法別表（以下「法別表」という。）に該当するとみなされるなど、この療育手帳が活用されることとなっているので、次の事項に留意されたい。

(1) 療育手帳制度要綱に基づき障害の程度が判定されるにあたっては、特別児童扶養手当法施行規則様式第二号（六）の診断書に記されている事項が十分勘案されるよう療育手帳事務主管課と連けいを密にすること。

(2) 当該児童又はその保護者から療育手帳の交付申請があった場合においては、当該児童に係る障害の程度の判定が行われるので、特別児童扶養手当の受給資格の認定又は障害に係る再判定のため必要とされる診断書の添付は、これを省略してさしつかえないものとしたものであること。

なお、認定にあたって、当該児童の障害の程度等について承知する必要がある場合には、療育手帳事務主管課で保管する「療育手帳交付台帳」及び児童相談所、知的障害者更生相談所で保管する「児童記録票」、「指導台帳」の内容によること。

(3) 前記(2)に掲げる場合において、特別児童扶養手当の認定の請求があったときは、療育手帳を提示させ、認定請求書の備考欄に療育手帳に記載されている番号、障害の程度及び合併障害等を記載されるよう市町村（特別区を含む。）を指導されたいこと。

(4) 厚生省報告例（昭和四十七年厚生省訓令第十四号）による第九○「特別児童扶養手当受給者異動状況」の報告においては、療育手帳に障害の程度が「A」と記載され、かつ合併障害の程度が身体障害者福祉法に基づく障害等級一級又は二級と記載されている児童の障害の程度は、法別表第一号から第九号に該当する場合があるので留意されたいこと。

前　文（第二次改正）抄

〔前略〕平成十一年四月一日から適用する。

○特別児童扶養手当事務取扱交付金について

〔昭和四十二年八月三十一日　厚生省発児第一〇六号
各都道府県知事宛　厚生事務次官通知〕

〔改正経過〕

第一次改正　〔昭和四三年八月一三日厚生省発児第一一六号
第二次改正　〔昭和四四年八月二二日厚生省発児第一二七号
第三次改正　〔昭和四五年八月二七日厚生省発児第一〇八号
第四次改正　〔昭和四六年一一月五日厚生省発児第一六〇号
第五次改正　〔昭和四七年九月一六日厚生省発児第一三五号
第六次改正　〔昭和四九年二月二六日厚生省発児第二〇号
第七次改正　〔昭和五〇年二月二五日厚生省発児第二四号
第八次改正　〔昭和五〇年一〇月一日厚生省発児第一六三号
第九次改正　〔昭和五〇年一二月二四日厚生省発児第二〇八号
第一〇次改正　〔昭和五二年三月一八日厚生省発児第五八号
第一一次改正　〔昭和五三年二月六日厚生省発児第七号
第一二次改正　〔昭和五四年一月二六日厚生省発児第五号
第一三次改正　〔昭和五五年三月一八日厚生省発児第六二号
第一四次改正　〔昭和五六年三月一七日厚生省発児第五三号
第一五次改正　〔昭和五七年三月一二日厚生省発児第五六号
第一六次改正　〔昭和五七年一〇月一日厚生省発児第一八七号
第一七次改正　〔昭和五八年三月一八日厚生省発児第三九号
第一八次改正　〔昭和五九年三月一六日厚生省発児第六〇号
第一九次改正　〔昭和六〇年三月一五日厚生省発児第四一号
第二〇次改正　〔昭和六一年三月二五日厚生省発児第五三号
第二一次改正　〔昭和六二年三月二七日厚生省発児第四七号
第二二次改正　〔昭和六三年三月二三日厚生省発児第五二号
第二三次改正　〔平成元年三月三一日厚生省発児第五三号
第二四次改正　〔平成二年三月三〇日厚生省発児第五六号
第二五次改正　〔平成三年三月二九日厚生省発児第四八号
第二六次改正　〔平成四年三月二一日厚生省発児第三六号
第二七次改正　〔平成五年三月三一日厚生省発児第四九号
第二八次改正　〔平成六年三月二四日厚生省発児第四四号
第二九次改正　〔平成七年三月二三日厚生省発児第五六号
第三〇次改正　〔平成八年三月二一日厚生省発児第四五号
第三一次改正　〔平成九年三月一九日厚生省障第九七号
第三二次改正　〔平成一〇年三月二〇日厚生省障第九五号
第三三次改正　〔平成一一年三月二五日厚生省障第一二一号
第三四次改正　〔平成一二年三月二四日厚生省障第一六四号
第三五次改正　〔平成一三年一月二三日厚生労働省発障第二号
第三六次改正　〔平成一三年三月二八日厚生労働省発障第一〇五号
第三七次改正　〔平成一五年三月二四日厚生労働省発障第〇三二四〇〇五号
第三八次改正　〔平成一五年一〇月一日厚生労働省発障第一〇〇一〇〇四号
第三九次改正　〔平成一六年三月二四日厚生労働省発障第〇三二四〇〇一号
第四〇次改正　〔平成一七年三月二四日厚生労働省発障第〇三二四〇〇二号
第四一次改正　〔令和元年六月二七日厚生労働省発障〇六二七第一一号
第四二次改正　〔令和四年三月二四日厚生労働省発障〇三二四第一一号

今般「特別児童扶養手当法に基づき都道府県及び市町村に交付する事務費に関する政令」（昭和四十年政令第二百七十号。以下「事務費政令」という。）の一部が改正され、昭和四十二年度以降分に係る事務費交付金から適用されることとなったことに伴い、「特別児童扶養手当事務取扱交付金交付要綱」が別紙のとおり定められたので、その取扱いに当たっては、次の事項に留意のうえ、遺憾のないようにされたく通知する。

なお、この通知は、昭和四十二年度分事務費交付金から適用し、昭和四十一年九月九日厚生省発児第一三〇号各都道府県知事あて本職通知「特別児童扶養手当事務取扱交付金について」は、廃止する。

おって、この通知中市町村（特別区を含む。以下同じ。）に関する部分については、管下市町村に対し、すみやかに通知されたい。

特別児童扶養手当事務取扱交付金について

別紙

特別児童扶養手当事務取扱交付金交付要綱

（対象業務）

第一　この交付金は、都道府県知事又は市町村長（特別区の区長を含む。以下同じ。）が、当該年度において、特別児童扶養手当等の支給に関する法律（昭和三十九年法律第百三十四号）（以下「法」という。）に基づき行う特別児童扶養手当の支給事務を対象として交付するものであること。

（交付額の算定方法）

第二　この交付金の交付額は、当該年度において、各都道府県又は市町村に対し、次により算定するものであること。

1　都道府県に交付する事務費の額

都道府県に交付する事務費（以下「都道府県分」という。）の額は、次の⑴、⑵及び⑶に掲げる額の合計額であること。

⑴　事務費政令第一条の規定により算定した額。

⑵　特別事情分として、別に定めるところにより当該都道府県の区域を管轄する地方厚生局長（徳島県、香川県、愛媛県及び高知県にあっては四国厚生支局長。以下「地方厚生（支）局長」という。）が必要と認めた額。ただし、実支出額がその額に満たないときは、当該実支出額とする。

⑶　手当月額改定に係る事務費として、別に定めるところにより厚生労働大臣が必要と認めた額。ただし、実支出額がその額に満たないときは、当該実支出額とする。

2　市町村に交付する事務費の額

市町村に交付する事務費（以下「市町村分」という。）の額は、次の⑴、⑵及び⑶に掲げる額の合計額であること。

⑴　事務費政令第二条の規定により算定した額。

⑵　特別事情分として、別に定めるところにより地方厚生（支）局長が必要と認めた額。ただし、実支出額がその額に満たないときは、当該実支出額とする。

⑶　手当月額改定に係る事務費として、別に定めるところにより厚生労働大臣が必要と認めた額。ただし、実支出額がその額に満たないときは、当該実支出額とする。

（交付額算定上の留意事項）

第三　前記第二に定める都道府県分又は市町村分の額の算定にあたっては、次の事項に留意されたいこと。

1　都道府県分の額の算定について

⑴　事務費政令第一条第一号に掲げる「厚生労働大臣が都道府県の区域を勘案して定める額」については、毎年度第４・四半期において決定のうえ通知されるものであること。

⑵　事務費政令第一条第二号に定める額は、法第二条第一項に規定する障害児の障害の状態等の認定業務に要する費用として、国が予算の範囲内において交付を決定した額とするものであること。

⑶　事務費政令第一条第三号に定める職員旅費の額は、都道府県知事が特別児童扶養手当の支給事務に関し当該職員を旅行させるために要する費用として条例の定めるところにより算定のう

え交付申請された額につき国が予算の範囲内において交付を決定した額とするものであること。

(4) 事務費政令第一条第四号に定める「参考人の旅費、日当及び宿泊料について、当該都道府県の条例の定めるところにより算定した額」とは、都道府県知事が、当該年度において条例の定めるところにより参考人に対し支払った旅費、日当及び宿泊料の実支出額をいうものであること。

2 市町村分の額の算定について

事務費政令第二条に掲げる「厚生労働大臣が定める額」については、毎年度第4・四半期において決定のうえ通知されるものであること。

(都道府県における事務)

第四 この交付金の市町村分に係る交付事務のうち次に掲げるものは、都道府県知事に依頼するものであること。

1 市町村長から提出された交付申請書の受理並びに地方厚生(支)局長に対する提出書の作成及び提出

2 市町村分の各市町村に対する交付決定の内容及びこれに附した条件の通知

3 市町村長から提出された実績報告書の受理並びに地方厚生(支)局長に対する提出書の作成及び提出

4 市町村分の各市町村に対する交付額確定の通知並びにその結果剰余を生じた場合における当該剰余を生じた市町村長に対する返還の命令に係る通知及びその結果不足を生じた場合における当該不足を生じた市町村長に対する追加交付決定に係る通知

(交付申請)

第五 この交付金の交付申請は次によるものとすること。

1 都道府県分

(1) 都道府県知事がこの交付金の交付申請を行うときは、様式第1号による申請書に添付書類を添えて、当該年度の六月一日までに地方厚生(支)局長に提出すること。

(2) 前記(1)の交付申請における算定額中事務費政令第一条第一号に係る部分については、「十二月三十一日」とあるのは「四月三十日」と読み替えて算定するものとすること。

2 市町村分

(1) 第四に掲げる交付事務を都道府県が行う場合

(ア) 市町村長がこの交付金の交付申請を行うときは、様式第3号による申請書に添付書類を添えて、都道府県知事が定める日までに都道府県知事に提出すること。

(イ) 前記(ア)の書類の提出を受けた都道府県知事は、その書類に基づき様式第4号による提出書を作成し、様式第5号による内訳書を添えて、当該年度の六月一日までに地方厚生(支)局長に提出すること。

(2) (1)以外の場合

市町村長がこの交付金の交付申請を行うときは、様式第3号による申請書に添付書類を添えて、当該年度の六月一日までに地方厚生(支)局長に提出するものとする。

(3)　前記(1)及び(2)の交付申請における算定額については、事務費政令第二条に掲げる「十二月三十一日」とあるのは「四月三十日」と、読み替えて算定するものであること。

（変更交付申請）

第六　この交付金の交付決定後の事情の変更により申請の内容を変更して、追加交付申請等を行う場合には、次によるものとすること。

1　都道府県分

(1)　都道府県知事がこの交付金の変更交付申請を行うときは、様式第6号による申請書に添付書類を添えて、当該年度の一月三十一日までに地方厚生（支）局長に提出すること。

(2)　前記(1)の変更交付申請における算定額は、事務費政令第一条に掲げるとおりとすること。

2　市町村分

(1)　第四に掲げる交付事務を都道府県が行う場合

(ア)　市町村長がこの交付金の変更交付申請を行うときは、様式第8号による申請書に添付書類を添えて、都道府県知事が定める日までに都道府県知事に提出すること。

(イ)　前記(ア)の書類の提出を受けた都道府県知事は、その書類に基づき様式第9号による提出書を作成し、様式第10号による内訳書を添えて、当該年度の一月末日までに地方厚生（支）局長に提出すること。

(2)　(1)以外の場合

市町村長がこの交付金の変更交付申請を行うときは、様式第8号による申請書に添付書類を添えて、当該年度の一月三十一日までに地方厚生（支）局長に提出するものとする。

（交付金の概算払）

第七　厚生労働大臣は、必要があると認める場合においては、国の支払い計画承認額の範囲内において概算払いをすることができる。

（実績報告）

第八　この交付金の実績報告は次によるものとすること。

1　都道府県分

都道府県知事は、様式第11号による実績報告書に添付書類を添えて、翌年度の四月十日までに地方厚生（支）局長に提出すること。

2　市町村分

(1)　第四に掲げる交付事務を都道府県が行う場合

(ア)　市町村長は、様式第13号による報告書に添付書類を添えて、都道府県知事が定める日までに都道府県知事に提出すること。

(イ)　前記(ア)の書類の提出を受けた都道府県知事は、その書類に基づき様式第14号による提出書を作成し、様式第15号による内訳書を添えて、当該年度の翌年度の四月十日までに地方厚生（支）局長に提出するものとする。

(2)　(1)以外の場合

市町村長は、様式第13号による実績報告書に添付書類を添えて、当該年度の翌年度の四月十日までに地方厚生（支）局長に提出するものとする。

（交付金の返還）

第九　地方厚生（支）局長は、交付すべき交付金の額を確定した場合において、既にその額を超える交付金が交付されているときは、期限を定めて、その超える部分について国庫に返還することを命ずる。

前　文（第四二次改正）抄

〔前略〕令和四年四月一日から適用する。

様式第１号

番　　　　号
年　　月　　日

厚生労働大臣　　殿

都道府県知事

（元号）　　年度特別児童扶養手当事務取扱
交付金（都道府県分）交付申請書

次のとおり、特別児童扶養手当事務取扱交付金（都道府県分）の交付を申請する。

1　交付申請額　　金　　　　　円

2　交付申請額内訳

区　　分	支出予定額	算　定　額	要交付決定額	備　　考
事務費政令第１条関係経費	円	円	円	
特別事情分				
手当額改定分				
計				

（注）1　各区分の「支出予定額」及び「算定額」は、様式第２号の各区分における「支出予定額」及び「算定額」のそれぞれの計の額と符合するものであること。

2　「要交付決定額」は、「計」を除く各区分の経費について、それぞれの「支出予定額」と「算定額」とを比較して、いずれか低い額を記入し、その合算額を「計」に記入すること。

3　添付書類

⑴　交付申請額内訳書（様式第２号）

⑵　特別児童扶養手当主管係事務分掌表

⑶　（元号）　　年度特別児童扶養手当事務取扱交付金（都道府県分）関係の歳入歳出予算書（又は予算案）抄本

様式第２号

（元号）　　年度特別児童扶養手当事務取扱
交付金（都道府県分）交付申請額内訳書

区　　分	支出予定額			算　定　額
	員　数	単　価	金　額	
(1)事務費政令第１条関係経費	人	円	円	事務費政令第１条関係
給　料				第１号
職員手当				受給権者数×単価＝　円
扶養手当				第２号　障害認定費　円
○○手当				第３号　職員旅費　円
○○手当				第４号　参考人旅費　円
職員旅費				（内　訳）
消耗品費				
通信運搬費				
○○○費				
○○○費				
委託料				
計				円
(2)特別事情分				特別事情分
○　○費				
○　○費				
計				円
(3)手当額改定分				手当額改定分
○　○費				
○　○費				
計				円
合　計				円

注１　「支出予定額」欄には、当該経費につき予算に計上されている額を計上すること。
　ただし、予算措置が行なわれていないものについては、今後予算の追加又は更生の見込が確実なものに限りこれを計上して差し支えないが、この場合においては、その追加更生関係の予算案抄本も添付すること。

２　「算定額」の「受給権者数」は、当該年度の４月30日の受給権者数を記入すること。

様式第３号

番　　　号
年　月　日

厚生労働大臣　　殿

市町村長

（元号）　　年度特別児童扶養手当事務
取扱交付金（市町村分）交付申請書

次のとおり、特別児童扶養手当事務取扱交付金（市町村分）の交付を申請する。

1　交付申請額　金　　　　　円

2　交付申請額内訳

区　　分	支出予定額	算定額	要交付決定額	受給権者数	備考
事務費政令第２条関係経費	円	円	円	人	
特別事情分					
手当額改定分					
計					

注⑴　「要交付決定額」は、「計」を除く各区分の経費について、それぞれの「支出予定額」と「算定額」とを比較して、いずれか低い額を記入し、その合算額を「計」に記入すること。

⑵　「受給権者数」は、当該年度の４月30日の受給権者数を記入すること。

3　添付書類

（元号）　　年度特別児童扶養手当事務取扱交付金（市町村分）関係の歳入歳出予算書（又は予算案）抄本

様式第４号

番　　　　号

年　　月　　日

厚生労働大臣　　殿

都道府県知事

(元号)　　年度特別児童扶養手当事務取扱交付
金（市町村分）交付申請に関する提出書

次のとおり、管内市町村長から特別児童扶養手当事務取扱交付金（市町村分）の交付申請があったので、とりまとめて提出する。

1　交付申請総額　金　　　　　　　　円

(○○市町村ほか、　　　か市町村分)

2　交付申請総額内訳

別添の「(元号)　　年度特別児童扶養手当事務取扱交付金（市町村分）交付申請の市町村別内訳書」（様式第５号）のとおり。

様式第５号

（元号）　　年度特別児童扶養手当事務取扱交付金
（市町村分）交付申請の市町村別内訳書

都道府県名

市町村名	事務費政令第２条関係経費			特別事情分			手当額改定分			要交付決定額計（交付申請額）	受給権者数	備考
	支出予定額	算定額	要交付決定額	支出予定額	算定額	要交付決定額	支出予定額	算定額	要交付決定額			
	円	円	円	円	円	円	円	円	円	円	人	
合計												

注　用紙が２枚以上になるときは、各用紙の末尾に「小計」を附し、最後に「合計」を記入すること。

様式第６号

番　　　号
年　月　日

厚生労働大臣　　殿

都道府県知事

(元号)　　年度特別児童扶養手当事務取扱
交付金（都道府県分）変更交付申請書

標記について、(元号)　年　月　日　第　号をもって提出し、(元号)　年　月　日　第　号をもって交付決定されたところであるが、その後の事情変更により交付額を次のとおり変更されたく申請する。

1　今回追加（減額）交付申請額　　金　　　　　　円

2　変更交付申請額内訳

区　　分	支出予定額	算定額	変更後交付金所要額	既交付決定額	差引変更所要額	備　考
事務費政令第１条関係経費	円	円	円	円	円	
特別事情分						
手当額改定分						
計						

(注) 1　各区分の「支出予定額」及び「算定額」は、様式第７号の各区分における「支出予定額」及び「算定額」のそれぞれの計の額と符合するものであること。

2　「変更後交付金所要額」は、「計」を除く各区分の経費について、それぞれの「支出予定額」と「算定額」とを比較して、いずれか低い額を記入し、その合算額を「計」に記入すること。

3　添付書類

(1)　変更交付申請額内訳書（様式第７号）

(2)　特別児童扶養手当主管係事務分掌表

(3)　(元号)　　年度特別児童扶養手当事務取扱交付金（都道府県分）関係の歳入歳出予算書（又は予算案）抄本

様式第７号

（元号）　　年度特別児童扶養手当事務取扱交付金
（都道府県分）変更交付申請額内訳書

区　　分	支出予定額			算定額
	員数	単価	金額	
(1)事務費政令第１条関係経費	人	円	円	事務費政令第１条関係 第１号 受給権者数×単価＝　円 第２号　障害認定費　円 第３号　職員旅費　円 第４号　参考人旅費　円 （内　訳）
給　　料				
職員手当				
扶養手当				
○○手当				
○○手当				
職員旅費				
消耗品費				
通信運搬費				
○○○費				
○○○費				
委託料				
計				円
(2)特別事情分				特別事情分
○　○　費				
○　○　費				
計				円
(3)手当額改定分				手当額改定分
○　○　費				
○　○　費				
計				円
合　　計				円

注１　「支出予定額」欄には、当該経費につき予算に計上されている額を計上すること。ただし、予算措置が行なわれていないものについては、今後予算の追加又は更生の見込が確実なものに限りこれを計上して差し支えないが、この場合においては、その追加更生関係の予算案抄本も添付すること。
２　「算定額」の「受給権者数」は、当該年度の12月31日の受給権者数を記入すること。

様式第８号

番　　　号
年　月　日

厚生労働大臣　　殿

市町村長

（元号）　年度特別児童扶養手当事務取扱
交付金（市町村分）変更交付申請書

標記について、（元号）　年　月　日　第　号をもって提出し、（元号）　年　月　日　第　号をもって交付決定されたところであるが、その後の事情変更により交付額を次のとおり変更されたく申請する。

1　今回追加（減額）交付申請額　金　　　円

2　変更交付申請額内訳

区　分	支出予定額	算定額	変更後交付金所要額	既交付決定額	差引変更所要額	受給権者数	備考
事務費政令第２条関係経費	円	円	円	円	円		
特別事情分							
手当額改定分							
計							

注(1)　「変更後交付金所要額」は、「支出予定額」と「算定額」とを比較して、いずれか低い額を記入すること。

3　添付書類

（元号）　年度特別児童扶養手当事務取扱交付金（市町村分）関係の歳入歳出予算書（又は予算案）抄本

様式第９号

番　　　　　号
年　　月　　日

厚生労働大臣　　殿

都道府県知事

（元号）　　年度特別児童扶養手当事務取扱交付金
（市町村分）変更交付申請書に関する提出書

次のとおり、管内市町村長から特別児童扶養手当事務取扱交付金（市町村分）の変更交付申請があったので、とりまとめて提出する。

１　変更交付申請総額　金　　　　　　　　円
（○○市町村ほか、　　か市町村分）

２　交付申請総額内訳
別添の「（元号）　　年度特別児童扶養手当事務取扱交付金（市町村分）変更交付申請の市町村別内訳書」（様式第10号）のとおり。

様式第10号

(元号)　　年度特別児童扶養手当事務取扱交付金
(市町村分) 変更交付申請の市町村別内訳書

都道府県名

市町村名	事務費政令第２条関係経費			特別事情分			手当額改定分			要交付決定額計(交付申請額)	既交付決定額	差引変更所要額	受給権者数	備考
	支出予定額	算定額	要交付決定額	支出予定額	算定額	要交付決定額	支出予定額	算定額	要交付決定額					
	円	円	円	円	円	円	円	円	円	円	円	円	人	
合計														

注　用紙が２枚以上になるときは、各用紙の末尾に「小計」を附し、最後に「合計」を記入すること。

様式第11号

番　　　　号
年　　月　　日

厚生労働大臣　　殿

都道府県知事

（元号）　　年度特別児童扶養手当事務取扱
交付金（都道府県分）実績報告書

本都道府県における特別児童扶養手当事務取扱交付金（都道府県分）の実績は、次のとおりであるので報告する。

1　積算額　　　金　　　　　　　円

内　訳

区　　分	実支出額	算定額	要交付決定額	交付決定済額	受入済額	差引過△不足額	備考
事務費政令第１条関係経費	円	円	円	円	円	円	
特別事情分							
手当額改定分							
計							

注⑴　各区分の「実支出額」及び「算定額」は、様式第12号の各区分における「実支出額」及び「算定額」のそれぞれの「計」の額と符合するものであること。

⑵　「要交付決定額」は、「計」を除く各区分の経費について、それぞれの「実支出額」と「算定額」とを比較して、いずれか低い額を記入し、その合算額を「計」に記入すること。

⑶　「差引過△不足額」は、「要交付決定額の計」から「受入済額」を控除した額を記入すること。

2　添付書類

⑴　精算額内訳明細書（様式第12号）

⑵　特別児童扶養手当主管係事務分掌表

⑶　（元号）　　年度特別児童扶養手当事務取扱交付金（都道府県分）関係の歳入歳出決算書（又は決算見込書）抄本

様式第12号

（元号）　　年度特別児童扶養手当事務取扱
交付金（都道府県分）精算額内訳明細書

区分	実支出額 員数	実支出額 単価	実支出額 金額	算定額
(1)事務費政令第１条関係経費	人	円	円	事務費政令第１条関係 第１号 受給権者数×単価＝　円 第２号　障害認定費　円 第３号　職員旅費　円 第４号　参考人旅費　円 （内訳）
給料				
職員手当				
扶養手当				
○○手当				
○○手当				
職員旅費				
消耗品費				
通信運搬費				
○○○費				
○○○費				
委託料				
計				円
(2)特別事情分				特別事情分
○○費				
○○費				
計				円
(3)手当額改定分				手当額改定分
○○費				
○○費				
計				円
合計				円

注　「算定額」欄の「受給権者数」は、当該年度の12月31日の受給権者数を記入すること。

様式第13号

番　　　　号
年　　月　　日

厚生労働大臣　　殿

市 町 村 長

（元号）　　年度特別児童扶養手当事務
取扱交付金（市町村分）実績報告書

本市町村における特別児童扶養手当事務取扱交付金（市町村分）の実績は、次のとおりであるので報告する。

1　精算額　　　金　　　　　　　円

内　訳

区　　分	実支出額	算定額	要交付決定額	交付決定済額	受入済額	差引過△不足額	受給権者数
事務費政令第２条関係経費	円	円	円	円	円	円	人
特別事情分							／
手当額改定分							
計							／

注(1)　「要交付決定額」は、「計」を除く各区分の経費について、それぞれの「実支出額」と「算定額」とを比較して、いずれか低い額を記入し、その合算額を「計」に記入すること。

(2)　「差引過△不足額」は、「要交付決定額の計」から「受入済額」を控除した額を記入すること。

(3)　「受給権者数」は、当該年度の12月31日の受給権者数を記入すること。

2　添付書類

（元号）　　年度特別児童扶養手当事務取扱交付金（市町村分）関係の歳入歳出決算書（又は決算見込書）抄本

様式第14号

番　　　号
年　月　日

厚生労働大臣　　殿

都道府県知事

(元号)　　年度特別児童扶養手当事務取扱交付金(市町村分)実績報告書に関する提出書

次のとおり、管内市町村長から特別児童扶養手当事務取扱交付金(市町村分)に係る実績報告があったので、とりまとめて提出する。

1　精算総額　　　金　　　　　円
(○○市町村ほか、　　か市町村分)

内　訳

区　　分	実支出額	算定額	要交付決定額	交付決定済額	受入済額	差引過△不足額	受給権者数
事務費政令第2条関係経費	円	円	円	円	円	円	人
特別事情分							
手当額改定分							
計							

注(1)　「差引過△不足額」は、「要交付決定額の計」から「受入済額」を控除した額を記入すること。
(2)　「受給権者数」は、当該年度の12月31日の受給権者数を記入すること。

2　市町村別精算額内訳
別添の「(元号)　　年度特別児童扶養手当事務取扱交付金(市町村分)精算額の市町村別内訳書」(様式第15号)のとおり。

様式第15号

(元号)　　年度特別児童扶養手当事務取扱交付金
(市町村分) 精算額の市町村別内訳書

都道府県名

市町村名	事務費政令第2条関係経費			特別事情分			手当額改定分			要交付決定額計	交付決定済額	受入済額	差引額		受給権者数	備考
	実支出額	算定額	要交付決定額	実支出額	算定額	要交付決定額	実支出額	算定額	要交付決定額				過剰額	不足額		
	円	円	円	円	円	円	円	円	円	円	円	円	円	円	人	
合計																

注(1)　用紙が2枚以上になるときは、各用紙の末尾に「小計」を附し、最後に「合計」を記入すること。
(2)　手当額改定分の受給権者数については、「備考」に記入すること。

○特別児童扶養手当事務取扱交付金の交付について

〔昭和四十二年八月三十一日　児発第五三七号
各都道府県知事宛　厚生省児童家庭局長通知〕

〔改正経過〕
第一次改正　〔昭和五七年一〇月一日児発第八二四号〕
第二次改正　〔平成一一年三月三一日障第二一六号〕
第三次改正　〔平成二七年四月一日障発〇四〇一第七号〕

標記については、昭和四十二年八月三十一日厚生省発児第一〇六号各都道府県知事あて厚生事務次官通知「特別児童扶養手当事務取扱交付金について」において「特別児童扶養手当事務取扱交付金交付要綱」（以下「交付要綱」という。）が通知されたところであるが、これが運用の細目については、次の事項に留意のうえ遺憾のないよう取り計らわれたく通知する。

なお、この通知は、昭和四十二年度分から適用し、昭和四十一年九月九日児発第五八三号各都道府県知事あて本職通知「特別児童扶養手当事務取扱交付金の交付について」は廃止する。

おって、この通知中市町村（特別区を含む。以下同じ。）に関する部分については、管下市町村に対してすみやかに通知されたい。

特別児童扶養手当事務取扱交付金の交付について

第一　都道府県分の算定について

1　「特別児童扶養手当法に基づき都道府県及び市町村に交付する事務費に関する政令」（昭和四十年政令第二百七十号。以下「事務費政令」という。）第一条第一号における「当該年度の十二月三十一日において当該都道府県の区域内（指定都市の区域を除く。以下1において同じ。）に住所を有し、かつ、法第六条に規定する認定を受けている者」とは、当該日において当該都道府県の区域内に住所を有し、かつ、特別児童扶養手当について受給権を有する者をいい、「福祉行政報告例」（平成十二年三月厚生労働省訓令第一号。以下「報告例」という。）の「第二六　特別児童扶養手当受給資格者の認定及び異動状況」の表頭「本月末現在受給者数（一七）」、表側「受給者数」本欄に計上される者であること。

2　事務費政令第一条第二号に規定する費用は、昭和五十年九月八日児企第三五号各都道府県民生主管部長あて本職通知「特別児童扶養手当支給事務に係る知的障害児の児童相談所における判定について」（以下「児企第三五号通知」という。）に基づく児童相談所における診断業務並びに都道府県本庁等における身体障害及び精神障害の認定業務に要する費用であり、別途内示する額により交付申請を行なうこと。

3　都道府県の医師又は歯科医師が受給資格者又は受給者から提出された診断書等により当該児童の精神又は障害の状態を審査したが、当該診断書等のみでは認定又は継続支給の可否を決定することが不可能なときは、当該都道府県が当該児童につきその指定する医師又は歯科医師に受診を命じ、その結果をまって認定又は継続支給の可否を決定しなければならないが、この場合、その指定する医師又は歯科医師が当該診断に要した費用として請求した額につき当該都道府県が当該年度に支払った額は、再診費として、交付要綱の様式第11号及び様式第12号の「実支出額」及び「算定額」の欄に計上すること。

4　事務費政令第一条第三号に規定する職員旅費の額については、別途内示する額により交付申請を行なうこと。

5　事務費政令第一条第四号に定める参考人の旅費、日当及び宿泊料を当該会計年度内に支払った場合には、その具体的事由及びその実支出額を明らかにしておくこと。

第二　指定都市分の算定について

1　事務費政令第二条において指定都市に交付する事務費の算定については、第一（5を除く。）の規定を準用する。

この場合において、第一の1中「都道府県の区域内（指定都市の区域を除く。以下1において同じ。）」とあるのは「指定都市の区域内」と「当該都道府県の区域内に」とあるのは「当該指定都市の区域内に」と、第一の2中「都道府県本庁等」とあるのは「指定都市本庁等」と、第一の3中「都道府県」とあるのは「指定都市」と読み替えるものとする。

第三　市町村分の算定について

1　事務費政令第三条において「当該年度の十二月三十一日において当該市町村（指定都市を除く。以下同じ。）の区域内に住所を有し、かつ、法第六条に規定する認定を受けている者」とは、当該日において当該市町村の区域内に住所を有し、かつ、特別児童扶養手当について受給権を有する者をいい、「報告例」の「第二六　特別児童扶養手当受給資格者の認定及び異動状況」の表頭「本月末現在受給者数（一七）」、表側「受給者数」本欄に計上される者であること。

第四　交付事務について

1　この交付金については、都道府県分、指定都市分及び市町村分とも交付申請書に基づき概算をもって交付決定されるものであるが、交付額の確定は、事業実績報告に基づき当該会計年度において行なわれるものであること。

なお、確定の結果、交付額に不足を生ずる場合には当該会計年度においてその不足額を交付し、交付額が超過している場合には返還を命ずるものであること。

2　指定都市分及び市町村分に係る交付金の交付決定は、各都道府県ごとに一括して行なわれるので、各都道府県はその際指示するところにより、その交付決定額を管下市町村に対しすみやかに通知するとともに、別途送付する支出負担行為書及び支払計画示達表に基づき支出手続きをとられたいこと。

第五　この交付金は交付要綱に規定する対象業務以外の業務に充当してはならないものであり、都道府県及び市町村は、他の経費と区分することができ、かつ、その支出の内訳が明らかになるよう経理すること。

前　文〔第三次改正〕抄

〔前略〕平成二十七年四月一日から適用する。

以下「地方厚生（支）局長」という。）に協議のあったものについて、予算の範囲内において交付するものとする。

2　対象経費

前記事業に必要な賃金、旅費、需用費、役務費、委託料及び賃借料並びに備品購入費。

3　協議等

特別事情分について、地方厚生（支）局長に協議する場合は、別に定める期日までに別紙により協議するものとする。

経過措置等（第二次改正）

1　この通知による改正前のそれぞれの通知で定める様式（以下「旧様式」という。）により使用されている書類は、この通知による改正後のそれぞれの通知で定める様式によるものとみなす。

2　旧様式による用紙については、合理的に必要と認められる範囲内で、当分の間、例えば、訂正印や手書きによる改正等により、これを取り繕って使用することができることとする。

3　国民生活への影響をできる限り少なくする観点から、申請等の受理等に当たっては、当分の間、

・改元日前に、「令和」により改元日以降の日時が標記されている場合

・改元日以降に、「平成」により改元日以降の日時が標記されている場合

のいずれについても、必要な読替えを行った上で、これを受理等する。

○特別児童扶養手当事務取扱交付金における特別事情分について

〔昭和六十年三月十五日　児発第一六三号　各都道府県知事宛　厚生省児童家庭局長通知〕

〔改正経過〕

第一次改正〔平成一五年一〇月一日障発第一〇〇一〇〇六号〕
第二次改正〔令和元年五月七日障発〇五〇七第四号〕

近年、内部障害等の増加に伴い特別児童扶養手当対象児童が増加しているところであるが、これが事務処理に対応するため、認定事務の適正化及び事務の合理化・改善等特別の事情により必要とした経費について、左記により特別児童扶養手当事務取扱交付金で措置することとしたので、通知する。

記

1　対象事業

制度の普及、認定事務の適正化措置、事務の合理化・改善等の特別の対策を講じたことにより、多額の費用を要した都道府県市町村につき、あらかじめ当該都道府県の区域を管轄する地方厚生局長（徳島県、香川県、愛媛県及び高知県にあっては四国厚生支局長、

別　紙

番　　　　号
年　　月　　日

○○厚生（支）局長　　殿

都道府県知事　　　　印

令和　　　年度特別児童扶養手当事務
取扱交付金（特別事情分）協議書

標記について、下記のとおり追加交付されたく関係書類を添えて協議いたします。

記

1　協　議　額＿＿＿＿＿＿＿円

2　協議理由書

3　事業計画書及び所要額積算内訳書

4　歳入歳出予算事項別明細書

○「特別児童扶養手当等の支給に関する法律」における外国人に係る事務の取扱いについて

〔平成二十四年六月二十八日　障企発〇六二八第一号
各都道府県民生主管部(局)長宛　厚生労働省社会・援護局障害保健福祉部企画課長通知〕

標記については、今般、「住民基本台帳法の一部を改正する法律」（平成二十一年法律第七十七号。以下「改正住基法」という。）が平成二十一年七月十五日に公布され、「住民基本台帳法の一部を改正する法律の施行期日を定める政令」（平成二十四年政令第三号）により、平成二十四年七月九日（以下「改正住基法施行日」という。）より施行されることとなったことから、改正住基法施行日以後の「特別児童扶養手当等の支給に関する法律」（昭和三十九年法律第百三十四号。以下「法」という。）における外国人に係る事務の取扱いについては、左記によることとしたので、御了知の上、管内市区町村及び関係機関への周知をお願いするとともに、その運用について遺憾のないようお取り計らい願います。

また、これに伴い、「児童扶養手当及び特別児童扶養手当の外国人適用に伴う事務取扱いについて」（昭和五十六年十一月二十五日児企第四一号厚生省児童家庭局企画課長通知）のうち、特別児童扶養手当に係る部分及び「福祉手当の外国人適用に伴う事務取扱いについて」（昭和五十六年十一月二十一日社更第一八四号厚生省社会局更生課長通知）は、改正住基法施行日をもって廃止することとします。

なお、この通知は、「地方自治法」（昭和二十二年法律第六十七号）第二百四十五条の四に規定する技術的な助言に当たるものです。

記

第一　受給資格者に関する事項

住民基本台帳に記録されている日本国内に住所を有する外国人（日本国籍を有しない者をいう。以下同じ。）で、法第三条の支給要件に該当する者は特別児童扶養手当、法第十七条の支給要件に該当する者は障害児福祉手当、法第二十六条の二の支給要件に該当する者は特別障害者手当、「国民年金法等の一部を改正する法律」（昭和六十年法律第三十四号）附則第九十七条の支給要件に該当する者は福祉手当の支給対象と取り扱うものであること。

第二　事務処理に関する事項

1　一般的事項

外国人に係る事務処理については、原則として日本人に対する取扱いと同様に行うものとすること。

2　受給資格の認定について

外国人に係る受給資格の認定は、特別児童扶養手当については、当該外国人の住所地の都道府県知事、障害児福祉手当、特別障害者手当及び福祉手当については、当該外国人の住所地の都道府県知事、市長（特別区の区長を含む。）又は福祉事務所を管理する町村長が行うものであるが、その住所地は、住民基本台帳によるものとすること。

3　認定請求書等の添付書類について

認定請求書、所得状況届等の添付書類として、戸籍の謄本又は抄本を提出させることとされている場合には、これらに代えて、必要に応じ、本人の申立書、民生委員・児童委員の証明書等、受給資格等に係る事実を明らかにすることができる書類を添付させるものであること。

4　認定請求書、手当証書、各種届書、台帳等の記載要領について

外国人である受給資格者又は障害児（以下「受給資格者等」という。）の氏名、生年月日、住所及び続柄等の確認は、住民基本台帳をもって行うこと。

(1) 氏名

氏名は、本名により管理することとし、特に特別児童扶養手当の手当証書については、本名により作成することとするが、これら以外の認定請求書、各種届書等については、受給資格者の日常生活が通称名によって営まれている場合等事務処理上通称も管理することが適当な場合については、括弧書又は備考欄に通称を記載させることができること。

なお、氏名及び通称名の記載に当たっては、本人の申立てによりそれぞれフリガナを付すものであること。

(2) 署名・捺印

認定請求書、各種届書等の「印」の欄は、署名をもって代えることができるものであること。

(3) 生年月日

生年月日は、受給資格者等が記載するに当たっては、西暦等によって差し支えないが、台帳等の生年月日欄は、元号により記載するものであること。

(4) 外国人表示

外国人の受給者については、受給資格者台帳の様式の欄外に(外)の朱印を押印し、外国人の受給者に係る分を分類整理すること。

5　住民基本台帳担当部門との連携強化について

外国人に係る事務処理に当たっては、住民基本台帳と密接な関係があるので、市（区）町村においては例えばあらかじめ外国人受給者一覧表等を住民基本台帳担当部門に提出し、外国人の受給資格者等の事実関係に変動があった場合には、速やかに、それぞれの手当の担当部門に通報する体制を確立する等、市（区）町村における事務処理体制にあった方法により住民基本台帳担当部門との連携強化を図り、円滑・適正な事務処理に努めること。

第三　外国人が出国した場合の受給権に関する事項

1　基本的取扱い

外国人が生活の本拠を移して出国する場合には、住民基本台帳法（昭和四十二年法律第八十一号）第二十四条の規定により、住所地の市町村長に転出届の提出が必要であることから、当該受給

資格者等の住民票が消除された日をもって受給権を消滅させること。

2　外国人の住民票が消除されないまま出国している場合

(1)　再入国の許可を受けて出国している場合について

手当の受給資格者等である外国人が、「出入国管理及び難民認定法」（昭和二十六年政令第三百十九号）第二十六条に規定する再入国の許可（同法第二十六条の二の規定により再入国の許可を受けたものとみなされる場合を含む。以下同じ。）を受けて出国した場合は、当該外国人の受給権は消滅しないものであること。

ただし、当該外国人が再入国の有効期間内に再入国しなかった場合には、当該外国人に係る住民票が消除された日をもって、手当の受給権を消滅させること。

なお、当該外国人の出国した日を把握した場合には、手当の受給権は当該外国人が出国した日に遡及して消滅させ、手当の返還請求を行う取扱いとして差し支えないこと。

(2)　再入国の許可を受けないで出国している場合について

手当の受給資格者等である外国人が、再入国の許可を受けないで出国した場合は、当該外国人に係る住民票が消除された日をもって手当の受給権は消滅するものであること。

3　外国人の出国に伴う手当の過払の防止等について

手当の受給資格者等である外国人が、本邦を出国することにより手当の過払が行われることのないよう、所得状況届時の実態の把握、外国人の在留状況の把握等、工夫するものであること。

第四　所得制限に関する事項

外国人に係る所得制限については、日本人の場合と同様その者の都道府県民税に係る前年（一月から七月までの月分については前々年）の所得の額を基礎として行うものであること。

○特別児童扶養手当等の支給に関する法律施行令上の疑義について

〔平成十二年二月十五日　障企第九号　各都道府県民生主管部(局)長宛　厚生省大臣官房障害保健福祉部企画課長通知〕

標記について、別紙1による茨城県からの照会に対して別紙2のとおり回答したので参考とされたい。

〔別紙1〕

特別児童扶養手当等の支給に関する法律施行令上の疑義について（照会）

〔平成十二年二月十四日　障福第二〇一号　厚生省大臣官房障害保健福祉部企画課長宛　茨城県保健福祉部長照会〕

標記法令の別表第二第五号に「体幹の機能に座っていることができない程度又は立ち上がることができない程度の障害を有するもの」とあるが、「座っていることができない程度」とはどのような状態と解釈すればよいのか確認したく御教示願います。

〔別紙2〕

特別児童扶養手当等の支給に関する法律施行令上の疑義について（回答）

〔平成十二年二月十五日　障企第八号　茨城県保健福祉部長宛　厚生省大臣官房障害保健福祉部企画課長回答〕

平成十二年二月十四日障福第二〇一号をもって照会のあった標記については、次のとおり回答する。

特別児童扶養手当等の支給に関する法律施行令別表第二第五号でいう「座っていることができない程度」とは、腰掛、正座、横座り、長座位およびあぐらのいずれも単に座位そのものができない状態ではなく、座っていることができない状態、すなわち持続して座ることができない状態をいうものである。

○特別児童扶養手当及び特別障害者手当等に関する近畿府県民生主管部長会議、一六大都道府県障害福祉主管課長会議、一六大都道府県児童福祉主管課長会議及び二一大都市心身障害者（児）福祉主管課長会議からの要望に対する回答について

〔平成二十四年八月三十一日　事務連絡　各都道府県特別児童扶養手当・特別障害者手当等担当者宛　厚生労働省社会・援護局障害保健福祉部企画課手当係〕

障害福祉行政の推進につきましては、日頃より種々ご尽力賜り厚く御礼申し上げます。

今般、近畿府県民生主管部長会議、一六大都道府県障害福祉主管課長会議、一六大都道府県児童福祉主管課長会議及び二一大都市心身障害者（児）福祉主管課長会議が開催され、特別児童扶養手当及び特別障害者手当等に関する障害認定等についての要望をいただいたことから、当該要望に対する考え方を別紙のとおりまとめたので、事務処理上の参考とするとともに、管内市区町村及び関係機関に対しましても周知していただきますようお願いいたします。

別紙

1　特別児童扶養手当に関する要望について

（障害認定関係）

要望1　現行の特別児童扶養手当の障害認定基準は、障害の種類別に定められているが、例えば、知的障害では、知的障害があり日常生活における身辺の処理にも援助が必要なものが二級に相当することに比べ、肛門等の障害は、人工肛門を造設し、かつ、新膀胱造設又は完全排尿障害を併せ持たなければ二級に該当せず、人工肛門閉鎖後は身辺の処理に援助が必要であっても手当が支給されない等、総体的に見ると、障害の種類により、中度・重度の基準の程度に不均衡が生じている。

ついては、父母等の介護の程度によって均衡がとれるよう基準の見直しを図ること。

（近畿府県民生主管部長会議要望）

回答　特別児童扶養手当については、精神又は身体に障害を有する児童について手当を支給することにより、これらの児童の福祉の増進を図ることを目的としており、障害等級は、障害の程度に応じて重度のものから一級及び二級としているところである。

そのため、父母等の介護の程度により障害等級を定めるものではない。

なお、認定要領において、人工肛門を造設し、かつ、新膀胱を造設したもの又は尿路変更術を施したものを二級と認定する

としているところであるが、手当の認定は障害の程度により行うものであるため、人工肛門閉鎖後は手当を支給しないことを規定しているものではなく、人工肛門閉鎖後の障害の程度により、日常生活の用を弁ずることを不能ならしめる程度のものを一級に、日常生活が著しい制限を受けるか又は日常生活に著しい制限を加えることを必要とする程度のものを二級に該当するものと認定することは可能である。

要望２　平成十四年四月に特別児童扶養手当の障害の認定要領が一部改正されたが、この障害程度認定基準は成人を対象とした国民年金法の基準を踏襲したものであり、児童を対象にするには不合理な面がある。

　また、特別児童扶養手当に係る認定基準のうち、発達障害等、その内容が抽象的なものについて、具体的な運用指針等の明示や、診断書の様式についてより詳細な内容への改正を図られたい。

（一六大都道府県児童福祉主管課長会議要望）

回答　特別児童扶養手当に該当する障害の程度は、令別表第三に定めるとおりであり、国民年金法による障害程度の一級及び二級に相当するものであるが、認定要領を改正する際は、児童を対象とした手当であることを考慮し、専門家の意見を踏まえて改正を行っている。

　なお、今後も具体的な認定要領となるよう、引き続き努めてまいりたい。

（手続関係）

要望３　特別児童扶養手当について、障害児を父及び母が監護するときは、主として当該障害児の生計を維持する者に支給するものとされているが、当該父母が離婚を前提とした別居等に至った場合には、現に手当を受給している親からの資格喪失届の提出がない場合であっても、当該障害児の生計維持の実情等を踏まえ、職権にて受給者を主たる監護を行う者とすることができるよう制度の改善を図ること。

（一六大都道府県障害福祉主管課長会議要望）

回答　障害児の父母が離婚を前提とした別居等に至った場合において、現に手当を受給している父若しくは母が主として生計を維持していないことが明らかであり、かつ、資格喪失届の提出がなされない場合には、法第三条の支給要件に該当しなくなったとして、職権により資格喪失の処理を行うこと。

　ただし、主として当該障害児の生計を維持する者の判断については、画一的に処理することが困難な問題であるので、収入のほかにも種々の要素を加味して判断していただくことになるが、職権により認定する際には慎重を期す必要がある。

２　特別障害者手当等に関する要望について

（障害認定関係）

要望１　診断書の記載事項と認定基準の事項が明確に対応していないものがあること。

【例１：特別障害者手当　令別表第二第五号（体幹の障害）】

特別児童扶養手当及び特別障害者手当等に関する近畿府県民生主管部長会議等からの要望に対する回答について

「座っていることができない程度又は立ち上ることができない程の障害」とあるが、認定基準において診断書のどの項目で判断すべきか明示されていない。

【例2：障害児福祉手当　令別表第一第八号（内部障害：呼吸器）】

「呼吸困難が強いため歩行がほとんどできないもの」とあるが、認定基準において診断書のどの項目で判断すべきか明示されていない。

【例3：障害児福祉手当　令別表第一第九号（精神障害）】

日常生活において常時介護を必要とする程度の判断基準に「診断書⑯欄の各動作の半数以上について半介助以上に該当する場合」とあるが、⑯欄4、6、7の項目には「半介助」の選択肢が無い。

【例4：特別障害者手当　次表】

平成二十三年一月十一日障発〇一一一第一号により、視野障害が次表第十号に該当する障害として明記されたところであるが、認定に当たっては、身体障害者手帳に拠ることを前提としているため、特別障害者手当認定診断書の書式を視野障害について記載できるよう改めることを検討されたい。

【例5：障害児福祉手当　令別表第一第三号、第五号、第七号（肢体不自由）】

両上肢、両下肢、体幹機能障害で基準項目として挙げられる各動作について、「介護なしでは自立できない状態」であることが条件とされているが、診断書の日常生活動作の障害程度欄と一致しない。また、診断書における「ひとりでできてもうまくできない場合」を含むものなのかどうか、明記されていない。

【例6：障害児福祉手当、特別障害者手当　令別表第一第九号、第二第七号（精神障害）】

精神障害の内容として八項目挙げられているが、それぞれについて、診断書のどの部分に該当があれば基準を満たすのか不明。例えば、てんかんの発作の「頻繁に」というのは週何回程度を指すのか。中毒性精神病、器質性精神病で挙げられる「高度の痴呆」とは診断書のどの項目から読み取るのか。早期幼年自閉症の「異常行動」は問題行動及び習癖欄のうち何項目以上に該当するものを言うのか。

（二一大都市心身障害者（児）福祉主管課長会議要望）

回答

【例1】

認定基準において、「座っていることができない程度とは、腰掛、正座、横すわり、長座位及びあぐらのいずれもできないものをいい、立ち上ることができないとは、臥位又は座位から自力のみで立ち上れず、他人、柱、つえ、その他の器物の介護又は補助によりはじめて立ち上ることができるものをいう」としている。

このため、診断書においては、⑪欄の日常生活動作の障害程度の「12　すわる（正座・横すわり、あぐら、脚なげ出し（このような姿勢を持続する））」又は「15　立ち上る」により判断していただきたい。

【例2】

認定基準において、呼吸困難が強いため歩行がほとんどできない状態に該当し、自己の身辺の日常生活活動が極度に制限されるものについては、令別表第一第八号に該当するとしている。

なお、呼吸機能障害の認定は、原則として診断書⑬欄にある指数（予測肺活量一秒率）で行うものであり（指数優先）、この場合手当の対象となる指数二〇以下又は測定不能の場合は、診断書⑪欄の活動能力の程度でいえば、「エ　ゆっくりでも少し歩くと息切れがする」「オ　息苦しくて身のまわりのこともできない」に該当するとしているため、これらにより判断していただきたい。

【例3】

診断書⑯欄にある1から7の動作のうち、「4　衣服」、「6　危険物」及び「7　睡眠」について半介助の記載はないが、基本的には、「4　衣服」の自立、「6　危険物」の大体わかる、「7　睡眠」の問題なし以外については、半介助以上に該当することが考えられるが、この動作について精神の障害の症状によるものなのかについて、個別の状況により判断していただきたい。

【例4】

平成二十三年一月十一日付け事務連絡「特別障害者手当の障害程度認定基準の次表に該当する視野障害の障害程度の確認について」に示したとおり、認定に当たっては、身体障害者手帳の「障害名」欄に記載される傷病名及び障害程度又は当該手帳の判定の基礎となった診断書により確認していただきたい。

なお、診断書に視野障害について記載できるよう改めることについては、検討してまいりたい。

【例5】

認定基準において、両上肢、両下肢、体幹の機能障害により、それぞれ定められた各動作について介護なしでは自立できない状態にあり、日常生活の用を弁ずることを不能ならしめる程度と認められるものについては、令別表第一第八号に該当するものとしている。

両上肢については、「㋐食事、㋑洗面、㋒便所の処置、㋓衣服の着脱」の動作について左右の上肢を用いてもその用を弁ずることができないものをいい、㋐から㋓の各動作については、診断書⑩欄の「6　はしで食事をする」、「7　さじで食事をする」、「4　顔を洗う」、「9　用便（小便（ズボンの前のところに手をやる）大便（臀のところに手をやる））」、「10　かぶりシャツを着る脱ぐ」、「11　シャツのボタンの止めはずし」、「12　ズボンの着脱（どのような姿勢でもよい)」及び「13　靴下をはく（どのような姿勢でもよい)」により判断していただきたい。

両下肢については、「㋐階段の昇降、㋑室内の歩行」の動作について介護なしでは自立できない状態にあり、日常生活の用を弁ずることを不能ならしめる程度のものをいい、㋐及び㋑の各動作については、診断書⑩欄の「19　階段をのぼる」、「20　階段をおりる」及び「18　歩く（室内)」により判断していただきたい。

体幹については、「㋐座位の保持、㋑起立保持、㋒立ち上り」の動作について介護なしでは自立できない状態にあり、日常生活の用を弁ずることを不能ならしめる程度のものをいい、㋐から㋒の各動作については、診断書⑩欄の「14　すわる〔支えなしで正座・横すわり・あぐら・脚なげ出し（このような姿勢を持続する)〕」、「16　深くおじぎをする」及び「17　立ち上る」により判断していただきたい。

なお、ひとりでできてもうまくできない場合を含むか否かについては、個々の障害の程度も違うことから、個別の状況により判断していただきたい。

【例6】

「障害児福祉手当及び特別障害者手当の障害程度認定基準の一部改正について」（平成二十三年八月九日障発〇八〇九第三号厚生労働省社会・援護局障害保健福祉部長通知）により、特別障害者手当等の精神障害の認定基準を一部改正しているので、御留意願いたい。

なお、てんかんの発作の回数や早期幼年自閉症の問題行動及び習癖欄のうち何項目以上であれば該当するかについて、具体的な回数や項目数を示すのは困難であるため、精神の障害の程度については、日常生活において常時の介助又は援助を必要とする程度以上のものか否かについて、個々の障害の状態により判断していただきたい。

また、高度の認知症等による症状性を含む器質性精神障害については、診断書の「⑭問題行動及び習癖」や「⑯日常生活能力の程度」等により判断していただきたい。

要望2　認定基準に「総合的に判定する」等の表現があり、実施機関ごとで判定が異なる可能性があること。

【例：障害児福祉手当　令別表第一第九号（精神障害)】

「知能指数がおおむね二〇以下」の「おおむね」の範囲について、「認定基準の別表に定める個々の状態を総合的に勘案して判断されたい」とされている。

（二一大都市心身障害者（児）福祉主管課長会議要望）

回答　総合的に判定するものについては、個々の検査数値や日常生活の状態等を総合的に勘案するものであり、客観的に判断できるような基準を示すことは困難である。

また、知能指数がおおむね二〇以下というのは一応の目安として設定したものであるが、認定基準に記載のとおり、知的障害の認定に当たっては、知能指数のみに着眼することなく、日常生活のさまざまな場面における援助の必要度を勘案して総合的に判断していただきたい。

要望３　実施機関では判断が困難な事例については知事協議によることとなるが、その判断が都道府県ごとで異なる可能性があること。

（二一大都市心身障害者（児）福祉主管課長会議要望）

回答　都道府県において統一的な判定ができるような認定基準になるよう、引き続き努めてまいりたい。

（手続関係）

要望４　障害者手帳所持者が特別障害者手当等の認定請求を行う場合、手続の簡素化と費用負担の軽減を図るため、当該手帳交付申請に係る診断書が活用できるよう、診断書記載項目の統一化を検討すること。

（一六大都道府県障害福祉主管課長会議）

回答　特別障害者等に係る受給資格の認定の請求については、原則として、認定請求書に診断書等を添付して行うものであるが、「特別障害者手当制度の創設等について」（昭和六十年十二月二十八日社更第一六〇号厚生省社会・児童家庭局長連名通知）の第二受給資格の認定の１認定請求手続きの簡素化等に掲げる範囲内で可能が限り診断書の省略は可能としているところである。

なお、身体障害者手帳と特別障害者手当等については、制度の趣旨及び認定基準が違うことから、診断書記載項目の統一化は困難である。

要望５　認定資料として提出される診断書は、他の制度のものでも可能とされているが、手当の基準となる項目が網羅されていないことが多く、手当用診断書を求めた場合、診断書作成費用をかけたくない請求者に理解を得られないことが多いこと。

【例：特別障害者手当（精神障害用）】

障害年金（精神障害用）の診断書では、手当用診断書の日常生活能力の程度を読み取れる項目が揃っていないため、審査が不可能。

（二一大都市心身障害者（児）福祉主管課長会議要望）

回答　特別障害者等に係る受給資格の認定の請求については、原則として、認定請求書に診断書等を添付して行うものであるが、「特別障害者手当制度の創設等について」（昭和六十年十二月二十八日社更第一六〇号厚生省社会・児童家庭局長連名通知）の第二受給資格の認定の１認定請求手続きの簡素化等に掲げる範囲内で可能が限り診断書の省略は可能としているところである。

なお、障害年金と特別障害者手当等については、制度の趣旨及び認定基準が違うことから、診断書記載項目の統一化は困難である。

３　特別児童扶養手当及び特別障害者手当等に関する要望について

（手続関係）

要望　特別児童扶養手当及び特別障害者手当等の障害の程度の認

特別児童扶養手当及び特別障害者手当等に関する近畿府県民生主管部長会議等からの要望に対する回答について

定が身体障害者手帳や療育手帳と別制度となっていることは、診断書の複数作成等、障害児を監護・養育している家庭に負担を強いるとともに、支援制度の内容を把握し利用するに当たり混乱を来す要因ともなっている。

ついては、身体障害者手帳や療育手帳の障害等級及び再認定期間をそのまま特別児童扶養手当等の認定に活かせるような制度に改善すること。

（近畿府県民生主管部長会議要望）

回答　特別児童扶養手当については、「特別児童扶養手当等の支給に関する法律施行令別表第三における障害の認定について」（昭和五十年九月五日児発第五七六号厚生省児童家庭局長通知）の別紙4障害の認定に係る診断書等についてにより、特別障害者手当等については、「特別障害者手当制度の創設等について」（昭和六十年十二月二十八日社更第一六〇号厚生省社会・児童家庭局長連名通知）の第二受給資格の認定の1認定請求手続きの簡素化等に掲げる範囲内で可能が限り、それぞれ診断書の省略は可能としているところである。

なお、身体障害者手帳や療育手帳と特別児童扶養手当及び特別障害者手当等については、制度の趣旨及び認定基準が違うことから、全てにおいて障害等級及び再認定期間をそのまま特別児童扶養手当や特別障害者手当等の認定に活用することは困難である。

○特別児童扶養手当に関する疑義について

〔平成二十八年六月十五日 障企発〇六一五第三号
各都道府県・各指定都市民生主管部(局)長宛 厚生労働省社会・援護局障害保健福祉部企画課長通知〕

〔改正経過〕

第一次改正 (平成三〇年八月一日障企発〇八〇一第二号

標記については、従来示していた疑義回答を見直すとともに、新たな疑義事項についても回答を附し、別紙のとおりまとめたので、事務取扱上の参考とされたい。

また、これに伴い、「特別児童扶養手当に関する疑義について」(平成二十三年十月二十日付け障企発一〇二〇第一号厚生労働省社会・援護局障害保健福祉部企画課長通知)は廃止する。

なお、本通知は、地方自治法(昭和二十二年法律第六十七号)第二百四十五条の四第一項に基づく技術的助言である。

別紙

第一 監護・養育関係

(問1) 受給者が監護者であり、配偶者とは別居中で、現在離婚調停中である。このような場合であっても、所得制限を適用するに当たって配偶者の所得を見る必要があるか。

(答) 別居していても離婚調停中でも、法的に配偶者であるうちは配偶者の所得を見る必要がある。ただし、配偶者が子を遺棄している場合は、配偶者の所得は見る必要がないと考える。

(問2) 父母と障害児の三人世帯において、受給者(A)による配偶者からの暴力(以下「DV」という)により、配偶者(B)が障害児を連れて家を出て、現在、母子生活支援施設等を転々としている。

Aに居住地を知られないように、Bの住民票上の住所を変更することが困難である場合に、住民票上の住所がある市町村ではなく、現在の居住地の市町村に対して認定請求を行うことは可能か。

(答) 手当は、住民票上の住所がある自治体において認定することが基本であるが、住民票上の住所を変更することにより、DV被害者の居住地が判明し、DV加害者により危害が加えられる事態が想定される等のやむを得ない場合においては、現に居住する自治体において、手当の申請書等を受理しても差し支えない。この場合、関係機関と連携の上、認定請求の際に必要とされている書類に加え、保護命令決定書の謄本及び確定証明書(配偶者からの暴力の防止及び被害者の保護等に関する法律第十九条の請求により交付される保護命令の確定証明書をいう。)の提出を受けて確認すること。

ただし、「父又は母が配偶者からの暴力の防止及び被害者の保護等に関する法律による保護命令を受けた児童に係る児童扶養手当の支給事務について」(平成二十四年七月二十七日雇児福発〇七二七第二号）の別紙2「確定等証明申請書（児童扶養手当請求用）」により裁判所の証明を得ている場合には、保護命令決定書の謄本等ではなく、それによって確認することでも差し支えない。

また、各自治体の児童扶養手当制度所管部署が既に前記のような証明書の提出を受けている場合には、当該部署から証明書の写しを徴すること等により、DV被害者からの証明書の提出を省略して差し支えない。

（問3）障害児が就職し、現に働いている場合でも手当を支給して差し支えないか。

（答）支給要件に該当する限り、差し支えない。

第二　施設等入所関係

（問1）障害児が児童福祉施設、障害者支援施設等に入所したときは、手当が支給されないのはなぜか。

（答）児童福祉施設等に入所した障害児については、施設の長等のみが障害児を監護しているものと解し、父母の監護という要件には該当しないものとみなされるためである。ただし、医療型障害児入所施設に親子で短期間入所して機能訓練等を行う場合など、障害児の父母等の監護が継続していると考えられる場合もあるため、監護の実態等を個別具体的に判断する必要がある。

なお、父母が監護していないと認められる場合において、施設の長その他の職員は、入所した障害児の生計を個人的に維持しているものではないため、養育者とはならず、かつ、養育は同居を要件としているため、施設に入所した障害児について施設の外部にも養育者は存在しない。

（問2）障害児が特別支援学校の寄宿舎に入寮している場合、受給資格者と離れるが、受給資格喪失となるか。

（答）特別支援学校の寄宿舎については、一般的に親等の監護は及ぶと解されるので、入寮をもって受給資格は喪失しないものと考える。

（問3）障害者総合支援法によるグループホーム（共同生活援助）は施設入所に該当しないと解してよいか。

（答）お見込のとおり。

当該事業においては、父母等の監護が継続するものと解されるが、監護の実態等を個別具体的に判断する必要がある。

（問4）里親は受給対象となると解してよいか。

また、小規模住居型児童養育事業（ファミリーホーム）の養育者は受給対象となるか。

（答）里親については、お見込のとおり。

また、小規模住居型児童養育事業（ファミリーホーム）は、

・法令上、養育者に加え、一人以上の補助者の配置が義務付けられていること、

・事業の実施主体が法人の場合もあり、必ずしも、養育者が障害児の生計を個人的に維持しているとは言えないことから、受給対象とはならない。

・「児童扶養手当法及び特別児童扶養手当法の一部を改正する法律等の施行について」（昭和四十八年九月二十八日児発第七二七号厚生省児童家庭局長通知）参照

（問５）小規模住居型児童養育事業（ファミリーホーム）に委託された障害児の父母等に対する特別児童扶養手当は受給資格喪失となるか。また、児童自立生活援助事業（自立援助ホーム）が行われている場合はどうか。

（答）小規模住居型児童養育事業者に委託された場合については、児童は小規模住居型児童養育事業（ファミリーホーム）の養育者の監護の下に置かれ、父母等の監護が及んでいないと解されるので、受給資格を喪失する。

また、児童自立生活援助事業（自立援助ホーム）については、監護の実態等を個別具体的に判断する必要がある。

（問６）障害児が児童相談所に一時保護された場合、父母等に対する手当は受給資格喪失となるか。

また、一時保護により受給資格が喪失しない場合、保護期間が長引いた場合の取扱いはどうなるか。

（答）児童相談所の一時保護は、あくまでも一時的なものであることから、父母等の監護が継続するものと解し、原則として、一時保護期間中も手当を支給する。

なお、父母等の虐待により長期で一時保護所に入所する場合や、一時保護の期間が長期に渡ることが見込まれる場合等については、監護の実態等を個別具体的に判断して、受給資格を喪失させても差し支えない。

（問７）契約入所の場合、資格喪失日は契約日の前日でよいか。

（答）施設入所の公費が発生するのは契約による場合であっても、実際に入所した日からとなる。よって、契約日の前日や入所予定日で資格喪失するのではなく、実際に入所した日の前日で資格喪失となる。

第三　所得関係

（問１）受給者が手当の対象障害児を連れて再婚し、生計の維持は専ら配偶者に依存するようになった場合においても、法第三条の規定の趣旨から受給資格は元の受給者にあるものと解されるが、再婚により配偶者に生計を維持されるようになった時点における配偶者の前年分の所得状況に関する書類の提出を求め、法第七条の所得制限が適用されるか。

（答）お見込のとおり。

（問２）削除

第四　手続関係

（問１）手当の申請や有期認定の際に提出する診断書について、取得時期の期限はあるのか。

（答）診断書の作成日（診断日）は、手当の申請日又は有期認定の提出期限日から概ね二か月以内のものが望ましい。

・「児童扶養手当法及び特別児童扶養手当法における有期認定の取扱いについて」（昭和四十二年十二月十九日児発第七六五号厚生省児童家庭局長通知）参照

特別児童扶養手当に関する疑義について

(問2) 有期認定の期限前に診断書が提出された場合について、受給資格がないと判断されたときの手当の取扱いはどうなるのか。

(答) 診断書作成日をもって手当の受給資格を喪失させる(※)。

※ 具体例：平成二十八年三月(末日)が期限となる有期認定の場合

① 平成二十八年一月十五日　診断書作成

② 平成二十八年二月上旬　認定庁に診断書提出

③ 平成二十八年二月下旬　非該当の判定(受給資格喪失の認定)

→ この場合、診断書作成日(一月十五日)に資格喪失となる。

(問3) 有期認定の期限後の手当の取扱いはどうなるのか。

(答) 有期認定の際の診断書の提出について、正当な理由がなく提出が遅れた場合は、診断書が提出されるまでの間、法第十一条の規定による支給停止処分を行う。その後、診断書が提出され、受給資格を満たしていると判断される場合は、その提出した日の属する月の翌月から手当を支給する。

また、期限後に提出された診断書により受給資格がないと判断される場合は、有期認定の終期の月の末日に資格喪失となる(※)。

※ 具体例：平成二十八年三月(末日)が期限となる有期認定の場合

① 平成二十八年四月十五日　診断書作成

② 平成二十八年五月上旬　認定庁に診断書提出

③ 平成二十八年五月下旬　非該当の判定(受給資格喪失の認定)

→ この場合、有期認定の終期の日(三月末日)に資格喪失となる。

(問4) 療育手帳「A」を所持している場合は、診断書を省略できることになっているが、療育手帳「B1」を特別児童扶養手当二級相当、「B2」をそれ以外と区分している場合において、特別児童扶養手当二級に該当する旨の児童相談所の証明書、あるいは療育手帳「B1」の写しをもって、診断書に代えることはできないか。

(答) 特別児童扶養手当制度は全国的な制度であるので、療育手帳制度の改正がない限り、都道府県単独の措置で診断書の省略を行うことはできない。

なお、療育手帳「A」を所持していた者が、療育手帳「A」に該当しなくなったことを把握した場合には、速やかに、法第三十六条第一項に基づき期限を定めて医師の診断書の提出を求め、受給資格要件について判断すること。

・「特別児童扶養手当制度の支給に関する法律施行令別表第三における障害の認定について」(昭和五十年九月五日児発第五七六号児童家庭局長通知)の「4　障害の認定に係る診断書等について」参照

（問5）　療育手帳の「A」判定には、①「知能指数がおおむね三五以下」の場合と、②「知能指数がおおむね五〇以下」であって、肢体不自由、盲、ろうあ等の障害により身体障害者福祉法に基づく障害等級が一級～三級に該当する場合などがあるが、①の場合だけでなく、②の場合も診断書を省略できるか。

（答）　省略できる。

（問6）　療育手帳「B」を所持している場合について、手当二級（知的障害）を受けていた者に対して、再認定を行う際に、療育手帳の再認定等のために使用された判定資料によって、手当の診断書の提出を省略することはできないか。

（答）　手当（知的障害）の再認定の手続においては、法第三十六条第一項に基づき医師の診断書の提出を求め、資格要件について判断することを原則とする。

　ただし、療育手帳の再認定等のために使用された医師の診断書において、手当（知的障害）の診断書で必要とされる診断項目が全て含まれており、かつ、必要な検査が全て行われており、手当受給者が療育手帳の診断書での手続きを希望する場合は、手当の診断書に代えて、療育手帳の診断書の内容を審査することにより、手当の診断書の提出を求めなくても、減額改定や受給資格喪失の認定又は手当の再認定を行って差し支えない。

　なお、療育手帳の再認定等のために発行された診断書の作成日について、手当の再認定の提出日前の概ね二箇月以内に作成されたものとすること。

（問7）　八月三十一日に障害児施設を退所した場合、認定請求が翌日の九月一日になると、法第五条の二により支給開始が十月となり、一か月分の手当が受けられなくなる。退所日と同日付けで特別児童扶養手当の申請をすることは可能か。

（答）　退所日までは施設長等に監護されていると解されることから、退所日の翌日以降でなければ請求ができない。

（問8）　所得状況届が提出されない場合の取扱いはどうなるのか。

（答）　所得状況届について、規則第四条に定められた期間内に正当な理由がなく提出しない場合は、法第十二条の規定に基づき、手当の支払いを一時差し止め、後日、所得状況届が提出され所得制限の限度額以内の場合は、差し止められた分の手当を支給する。

　なお、所得状況届未提出のまま支払期日到来後二年を経過した場合には時効により受給権を失うこととなるので、その都度職権により処理されたい。

・「児童扶養手当及び特別児童扶養手当に係る時効の解釈及び取扱い等について」（昭和四十七年八月二十五日児企第三三号厚生省児童家庭局企画課長通知）参照

（問9）　五年前から所得制限により手当を支給されなかった人が、所得更正によって五年前から手当を支給できる所得額となったが、この場合、手当はいつまで遡って支払うことができるのか。

（答）　受給資格が時効により消滅する二年前まで遡って支給することができる。

・「児童扶養手当及び特別児童扶養手当に係る時効の解釈及び取扱い等について」（昭和四十七年八月二十五日児企第三三号厚生省児童家庭局企画課長通知）参照

第五　障害認定関係

（問１）　オージオメータにより聴力レベルを測定できない乳幼児については、他の検査の結果により認定することができるか。

（答）　オージオメータにより聴力レベルを測定できない乳幼児の場合、聴力の検査はＡＢＲ検査（聴性脳幹反応検査）又はＡＳＳＲ検査（聴性定常反応検査）と、ＣＯＲ検査（条件詮索反応検査）を組み合わせて実施する。

・「特別児童扶養手当等の支給に関する法律施行令別表第三における障害の認定について」（昭和五十年九月五日付児発第五七六号厚生省児童家庭局長通知）参照

（問２）　身体障害者手帳では、人工内耳装用前の状態又は電源を切った状態で障害の状態を判定することになっている。聴力を計測する場合は、人工内耳や補聴器の電源を切った状態で測定すべきか。

（答）　人工内耳や補聴器の電源を切った状態で測定されたい。

（問３）　ペースメーカを植え込んだ者について、身体障害者手帳が交付されているが、このような場合、診断書に代えて身体障害者手帳の写しで認定しても差し支えないか。

（答）　診断書が省略できるのは、手帳に記載されている障害名及び等級表による級別によって障害の程度が令別表第三の各号に明らかに該当する場合であり、ペースメーカを植え込んでいることのみでは判断ができないため、診断書により審査されたい。

（問４）　インスリン療法の診断書の自己管理状況において、いずれか一つが「全部介助」の場合は自己管理ができない場合に相当すると考えられるが、「一部介助」となっている場合は「インスリン療法の自己管理ができない場合」に該当するとしてよいか。

（答）　診断書のインスリン療法の自己管理状況において、「一部介助」という診断がされた場合は、現在までの治療の内容や介助の必要な理由等により、自己管理の状況を確認し、自己管理ができないと判断される場合には、認定の対象とする。

前　文（第一次改正）抄

〔前略〕平成三十年八月一日から適用する。

○番号制度の導入に伴う特別児童扶養手当受給資格者台帳等の取扱いについて

〔平成二十八年一月十三日　事務連絡　各都道府県特別児童扶養手当及び特別障害者手当等・各指定都市特別児童扶養手当事務担当者宛　厚生労働省社会・援護局障害保健福祉部企画課〕

〔改正経過〕

第一次改正〔令和元年五月八日事務連絡〕
第二次改正〔令和三年二月一六日事務連絡〕

日頃より、特別児童扶養手当制度及び特別障害者手当等の円滑の運営に御協力いただき、厚く御礼申し上げます。

さて、番号制度の導入に伴い、「「障害児福祉手当及び特別障害者手当等事務取扱細則準則について」等の一部改正について」（平成二十七年十一月十二日付け厚生労働省社会・援護局障害保健福祉部長通知）において、特別児童扶養手当受給資格者名簿及び特別児童扶養手当受給資格者台帳、障害児福祉手当受給者台帳、特別障害者手当受給者台帳並びに福祉手当受給者台帳（以下「受給資格者名簿等」という。）の様式改正について通知をしたところです。

今般、受給資格者名簿等の取扱いを左記のとおり整理しましたので、内容について御了知いただき、取扱いに遺漏のないようお願いするとともに、管内市区町村への周知方お願いいたします。

記

特別児童扶養手当、障害児福祉手当、特別障害者手当又は福祉手当の受給者が、他の地方自治体に住所を変更したことにより、住所変更後の地方自治体から住所変更前の地方自治体に対し、受給資格者名簿等の写しの送付依頼があった場合には、これを送付することとされているが、今後は、特定個人情報の保護を図る観点から、送付に当たって以下の事項に留意すること。

1　受給資格者名簿等の写しを送付する際には、住所変更前の地方自治体において、個人番号の部分にマスキング（黒塗りして見えなくすること。）等を行い、特定個人情報に該当しないよう加工した上で送付すること。

2　受給資格者名簿等の写しの送付を受けた地方自治体においては、移管に係る事務処理を行うとともに、自ら受給者の個人番号を取得し、管理すること。

　このときの個人番号の取得方法については、住所変更届の様式に個人番号の記載欄を追加する（様式例：別添様式1及び様式2参照）ことにより、受給者本人から取得すること。

なお、やむを得ない事情により、受給者本人から個人番号を取得することが困難な場合には、地方公共団体において、市町村の住民基本台帳又は住民基本台帳ネットワーク（個人番号利用事務実施者に限る。）等を用いて個人番号を確認することが可能である。

　経過措置（第二次改正）

(1)　この通知による改正前のそれぞれの通知で定める様式（以下「旧様式」という。）により使用されている書類は、この通知による改正後のそれぞれの通知で定める様式によるものとみなす。

(2)　旧様式による用紙については、合理的に必要と認められる範囲内で、当分の間、例えば、手書きによる訂正等により、これを取り繕って使用することができることとする。

（別添様式１）

【様式例】

※※第　　　　号

※経　由 市区町村名		※市区町村 受付年月日	令和　　年　　月　　日
※市区町村 提　出	令和　　年　　月　　日 第　　号	※市区町村 再提出	令和　　年　　月　　日 第　　号

特別児童扶養手当住所（転入）・支払方法変更届

（ふりがな） 氏　　名		個人番号	

証書の記号・番号(注)		第　　　　号	
支給対象障害児の氏名			
配偶者の氏名			
扶養義務者の氏名			
住所	変更前		
	変更後		
支払希望金融機関	変更前	名称	
		口座番号	
	変更後	名称	
		口座番号	
転　入　日		令和　　年　　月　　日	

上記のとおり、特別児童扶養手当に係る住所・支払方法変更について届け出ます。

令和　　年　　月　　日

都道府県知事
指定都市市長　殿

氏名

◎　※の欄は記入する必要がありません。

◎　字は楷書ではっきりと書いて下さい。

（注）　現在、交付されている証書番号、若しくは、転入前の自治体で交付されていた証書番号を記載すること。

（別添様式２）

【様式例】

<table>
<tr><td colspan="4">※　第　　　　　　　　　　号</td><td>※受付年月日</td><td>令和　　年　　月　　日</td></tr>
<tr><td colspan="6">特別障害者手当・障害児福祉手当・経過的福祉手当
住所（転入）・支払方法変更届</td></tr>
<tr><td colspan="2">（ふりがな）
受給資格者
の　氏　名</td><td colspan="2"></td><td>個人番号</td><td></td></tr>
<tr><td colspan="2">配偶者の氏名</td><td colspan="4"></td></tr>
<tr><td colspan="2">扶養義務者の氏名</td><td colspan="4"></td></tr>
<tr><td rowspan="2">住所</td><td>変更前</td><td colspan="4"></td></tr>
<tr><td>変更後</td><td colspan="4"></td></tr>
<tr><td rowspan="4">支払希望
金融機関</td><td rowspan="2">変更前</td><td>名称</td><td colspan="3"></td></tr>
<tr><td>口座番号</td><td colspan="3"></td></tr>
<tr><td rowspan="2">変更後</td><td>名称</td><td colspan="3"></td></tr>
<tr><td>口座番号</td><td colspan="3"></td></tr>
<tr><td colspan="2">転　入　日</td><td colspan="4">令和　　年　　月　　日</td></tr>
<tr><td colspan="6">上記のとおり、特別障害者手当・障害児福祉手当・経過的福祉手当に係る住所・支払方法変更について届け出ます。
令和　　年　　月　　日
都道府県知事（福祉事務所長）
市町村長（福祉事務所長）　　殿
氏名</td></tr>
</table>

◎　※の欄は記入する必要がありません。

◎　字は楷書ではっきりと書いてください。

○日台民間租税取決めに伴う特別児童扶養手当等支給事務に係る所得額の算定基準の一部改正について

〔平成二十八年七月一日　事務連絡　各都道府県・各指定都市特別児童扶養手当・各都道府県特別障害者手当等担当課(部)宛　厚生労働省社会・援護局障害保健福祉部企画課〕

特別児童扶養手当に係る認定事務等につきましては、平素より格段のご高配を賜り、厚く御礼申し上げます。

さて、「所得に対する租税に関する二重課税の回避及び脱税の防止のための公益財団法人交流協会と亜東関係協会との間の取り決め」(日台民間租税取決め)に規定された内容を実施する内容を含んだ所得税法等の一部を改正する法律(平成二十八年法律第十五号)が公布され、新たな申告分離課税の区分が創設されました。これに伴い、今般、外国人等の国際運輸業に係る所得に対する相互主義による所得税等の非課税に関する法律施行令等の一部を改正する政令(平成二十八年政令第二百二十六号)において、特別児童扶養手当等の支給に関する法律施行令(昭和五十年政令第二百七号。以下「施行令」という。)を左記のとおり一部改正し、平成二十九年一月一日から施行されることをお知らせします。

つきましては、管内市区町村及び関係機関等に対して周知をお願いするとともに、その運用について遺憾のないようお取り計らい願います。

記

1　改正の趣旨

所得税法等の一部を改正する法律による改正後の外国居住者等の所得に対する相互主義による所得税等の非課税等に関する法律(昭和三十七年法律第百四十四号。以下「所得相互免除法」という。)において、日本国居住者又は内国法人が構成員となっている政令で指定される外国において設立された団体であって、かつ、日本の租税が免除とされる団体を通じて利子等又は配当等を得たために特別徴収できなかった個人住民税について、当該団体の日本国居住者である構成員に、市町村に対して特例適用利子等の額又は特例適用配当等の額として申告する義務を課すための新たな申告分離課税の区分が設けられたことを踏まえ、施行令について必要な見直しを行ったこと。

2　改正の内容

特別児童扶養手当の支給を制限する場合の所得の額の計算において他の所得と区分して計算される所得の金額に、所得相互免除法第八条第二項に規定する「特例適用利子等の額」及び同法第八条第四項に規定する「特例適用配当等の額」を新たに加えること。(施行令第五条第一項関係)

3　施行期日

施行令の改正規定の施行日は、平成二十九年一月一日とすること。

○無戸籍の児童に関する児童福祉等行政上の取扱いについて

（平成二十八年十月二十一日　事務連絡
各都道府県・各指定都市・各中核市民生主管部（局）宛
厚生労働省雇用均等・児童家庭局総務課・内閣府子ども・子育て本部参事官（子ども・子育て支援担当）・児童手当管理室・厚生労働省社会・援護局障害保健福祉部企画課）

無戸籍の児童に関する児童福祉行政上の取扱いについては、「戸籍及び住民票に記載のない児童に関する児童福祉行政上の取扱いについて」（平成十九年三月二十二日付け事務連絡）により周知をお願いしたところですが、これらの児童については、戸籍謄本等により身元を証明することができないために、各種の行政サービスを受ける上でなお困難が生じているものと思われます。つきましては、改めて左記の取扱いについて貴管内の市町村及び児童相談所に周知していただきますようお願いいたします。

また、法務省を中心に無戸籍の児童が戸籍に記載されるための支援を推進しているところですので、貴職におかれましても、無戸籍児童の情報を管轄法務局等へ連絡する等の対応について、周知方お取り計らい願います。

記

1　無戸籍児童に関する児童福祉等行政上の取扱いについて

無戸籍児童に関する児童福祉等行政上の取扱いについては、左記のとおりとしているところです。

無戸籍の児童に関する児童福祉等行政上の取扱いについて

(1)　保育所・認定こども園・家庭的保育事業等

子ども・子育て支援新制度において、保育所・認定こども園・家庭的保育事業等は、小学校就学前子どもの保護者が、支給認定を受けた上で利用することとされている。

当該利用に当たっては、利用申込書を当該小学校就学前子どもの保護者の居住地の市町村に提出することとされており、離婚後三〇〇日以内に出生した子について出生届がなされない等の事情により、戸籍及び住民票に記載のない場合であっても、当該小学校就学前子どもが当該市町村に居住している実態を確認できれば、支給認定を受けた上で保育所・認定こども園・家庭的保育事業等を利用することができ、子どものための教育・保育給付の対象となる。

(2)　母子保健

母子保健に関する事業については、妊娠した者に対して市町村長への届出を求め、これによって把握した対象者に母子健康手帳を交付し、保健指導、新生児の訪問指導及び健康診査を行っている。

当該対象者については住所要件がないことから、戸籍及び住民票における記載の有無にかかわらず、当該市町村に居住している実態を確認できれば、母子保健に関する事業の対象となる。

(3)　児童手当

児童手当は、中学校修了前の児童の養育者からの申請に基づき、監護要件及び生計要件等を判断するほか、受給者（養育者）及び児童が国内に住所を有するときに支給することとされている。

しかしながら、離婚後三〇〇日以内に出生した子について出生届がなされない等の事情により、戸籍及び住民票に記載のない場合であっても、出生証明書により、児童及びその母が確認でき、かつ、当該児童が国内に居住している実態を確認できれば、当該児童の養育者について監護要件及び生計要件等を個別に確認した上で、当該児童の養育者に対して児童手当の支給を認定することができる。

(4) 児童扶養手当

児童扶養手当は、母子世帯等、父又は母と生計を同じくしていない児童を監護又は養育している者からの申請に基づき、申請者と対象児童との関係、監護要件、養育要件等を判断するほか、受給者（母、父又は養育者）及び対象児童が国内に住所を有するときに支給することとされている。

そのため、申請に当たっては、親子関係等を証明する戸籍の謄本又は抄本、居住地等を証明する住民票の写し等の添付が必要となるが、離婚後三〇〇日以内に出生した子について出生届がなされない等の事情により、戸籍及び住民票に記載のない場合であっても、出生証明書により、対象児童及びその母が確認でき、かつ、当該児童が国内に居住している実態を確認できれば、児童扶養手当の支給対象とすることができる。

(5) 特別児童扶養手当

特別児童扶養手当は、障害児の父若しくは母がその障害児を監護するとき、又は父母がないか若しくは父母が監護しない場合において、当該障害児の父母以外の者がその障害児を養育するときなど、障害児を監護又は養育している者からの申請に基づき、申請者と対象児童との関係、監護要件、養育要件等を判断するほか、受給者（父母又は養育者）及び対象児童が国内に住所を有するときに支給することとされている。

そのため、申請にあたっては、戸籍の謄本又は抄本及び住民票の写し等の添付が必要となるが、離婚後三〇〇日以内に出生した子について出生届がなされない等の特段の事情により、戸籍及び住民票に記載のない児童であっても、調査により当該児童が国内に居住している実態を確認できれば、特別児童扶養手当の支給対象とすることができる。

(6) 障害児福祉手当

障害児福祉手当については、対象児童が居住する福祉事務所所管区域内に住所を有するときに支給することとされている。

そのため、申請にあたっては、戸籍の謄本又は抄本及び住民票の写し等の添付が必要となるが、離婚後三〇〇日以内に出生した子について出生届がなされない等の特段の事情により、戸籍及び住民票に記載のない児童であっても、調査により当該児童が福祉事務所所管区域内に居住している実態を確認できれば、障害児福祉手当の支給対象とすることができる。

(7) 障害児通所給付費等

障害児通所給付費、特例障害児通所給付費、障害児入所給付費（以下「障害児通所給付費等」という。）は、障害児の保護者からの申請に基づき、給付決定を行った上で支給することとされている。

当該申請に係る給付決定については、障害児の保護者の居住地の市町村が行うものとするとされており、障害児の保護者が居住地を有しないとき、又は明らかでないときであっても、その障害児の保護者の現在地の市町村が行うものとするとされている。このため、離婚後三〇〇日以内に出生した子について、出生届がなされない等の事情により、戸籍及び住民票に記載のない場合であっても、当該障害児の保護者が当該市町村に居住している実態を確認できれば、給付決定を行った上で、障害児通所給付費等の支給対象とすることができる。

2　戸籍の記載に向けた支援について

法務省においては、「戸籍に記載がない者に関する情報の把握及び支援について（依頼）」（平成二十六年七月三十一日付け法務省民一第八一七号民事局民事第一課長通知）（別添）を発出し、市区町村長（児童相談所長、教育委員会教育長等を含む。）が戸籍以外の所管業務の過程で無戸籍者に関する情報を把握したときは、市区町村の戸籍窓口に当該情報（通称、生年月日、連絡先等）を連絡するとともに、無戸籍者に対する管轄法務局等への相談方の案内について協力を依頼するよう通知をしているところです。

当該通知の趣旨を踏まえた取組を徹底するため、無戸籍の学齢児童生徒の情報を把握したときは、速やかに戸籍担当部局に連絡するとともに、無戸籍者支援に係る法務省のホームページを紹介する、管轄法務局等への相談方を案内するなど、戸籍担当部局と連携して、戸籍への記載に向けた支援を行うようお願いします。

無戸籍の児童に関する児童福祉等行政上の取扱いについて

別添

戸籍に記載がない者に関する情報の把握及び支援について（依頼）

〔平成二十六年七月三十一日　法務省民一第八一七号
各法務局民事行政部長・各地方法務局長宛　法務省民事局民事第一課長通知〕

女性が元夫との離婚後三〇〇日以内に子を出産した場合、原則として、民法第七百七十二条の規定により、元夫が当該子の父と推定され、戸籍上も当該子は元夫の子として取り扱われるところ、出生届の届出義務者である母が他に当該子の血縁上の父が存在すること等を理由として出生の届出をしないために、当該子が戸籍に記載されないことがあります。このような経緯により、日本国籍を有するものの戸籍に記載がない者（以下「無籍者」といいます。）については、戸籍謄本等により身元を証明することができないために社会生活上様々な不利益を被ることがあるほか、各種の行政サービスを享受する上で困難が生じるものと思われます。

このような事情に鑑みると、無籍者については、その情報をできる限り把握するとともに、無籍者が適正な手続により戸籍に記載されるための支援を行う必要があります。

ついては、貴管下市区町村長に対し、戸籍担当部署（以下「戸籍窓口」といいます。）において無籍者についての情報の把握に努めていただくとともに、これを把握したときは、管轄法務局若しくは地方法務局又はその支局（以下「管轄法務局等」といいます。）に無籍者に関する情報（通称、生年月日、連絡先等）を連絡するほか、無籍者に対して管轄法務局等への相談方を御案内いただきますよう周知方取り計らい願います。

また、無籍者についての情報は戸籍窓口だけで全て把握することは困難であり、住民基本台帳、児童福祉、学校教育等の戸籍以外の業務を行う過程でもこれに関する情報に接することがあるものと思われます。そのため、貴局管内の市区町村長、児童相談所長、教育委員会教育長等に対し、戸籍以外の所管業務の過程で無籍者に関する情報を把握したときは、市区町村の戸籍窓口に無籍者に関する情報（通称、生年月日、連絡先等）を連絡していただくとともに、無籍者には管轄法務局等への相談方を御案内いただくよう協力を依頼する旨の文書を発出していただきますよう併せてお願い申し上げます。

なお、無籍者への対応等につきましては、法務省ホームページ（http://www.moj.go.jp/MINJI/minji175.html）を御参照願います。

○特別児童扶養手当の認定請求に関する疑義照会について

〔平成二十九年二月二日　障企発〇二〇二第一号　各都道府県・各指定都市民生主管部（局）長宛　厚生労働省社会・援護局障害保健福祉部企画課長通知〕

特別児童扶養手当の認定請求につきましては、複数の自治体より疑義照会のあった事項がございましたので、今般、左記のとおりの取扱いといたします。都道府県におかれましては、管内市町村及び関係機関への周知方よろしくお取り計らい願います。

なお、本通知は、地方自治法（昭和二十二年法律第六十七号）第二百四十五条の四第一項に基づく技術的助言であることを申し添えます。

（問）

平成二十八年六月十五日障企発〇六一五第三号「特別児童扶養手当に関する疑義について」第一　監護・養育関係（問２）（別添参照）において、「手当は、住民票上の住所がある自治体において認定することが基本であるが、住民票上の住所を変更することにより、ＤＶ被害者の居住地が判明し、ＤＶ加害者により危害が加えられる事態が想定される等のやむを得ない場合においては、現に居住する自治体において、手当の申請書等を受理しても差し支えない」と回答されている。

その上で、当該通知では認定請求の際に必要な書類に加え、保護命令決定書の謄本及び確定証明書の提出を受けて確認することとされているが、これ以外の書類の提出によってＤＶ被害者から認定請求を受理することはできないか。

（答）

保護命令決定書の謄本及び確定証明書の提出がなされない場合については、婦人相談所の一時保護証明書、配偶者暴力相談支援センターが発行する「配偶者からの暴力の被害者の保護に関する証明書」、母子生活支援施設の施設長の証明書等の書類の提出により、やむを得ない場合に当たると判断されるときに限り、居住の実態を把握した上で、ＤＶ被害者が現に居住する自治体において認定請求を受理して差し支えない。

別添　略

○特別児童扶養手当等支給事務指導監査の実施について

〔平成三十年三月二十八日　障発〇三二八第一号
各都道府県知事・各指定都市市長宛　厚生労働省社会・援護局障害保健福祉部長通知〕

特別児童扶養手当、障害児福祉手当及び特別障害者手当並びに経過措置による福祉手当に関し、市町村長（その管理に属する行政機関の長を含む。）又は都道府県知事の管理に属する行政機関の長若しくは事務を分掌する者（以下「実施機関」という。）が行う支給事務に対して都道府県が行う指導監査については、市町村長に対しては地方自治法（昭和二十二年法律第六十七号）第二百四十五条の四第一項及び第二百四十五条の七第二項の規定に基づく関与（法定受託事務）として、都道府県の実施機関に対しては内部監査として実施してきたところである。

特別児童扶養手当の支給事務については、平成二十七年四月一日に道府県から指定都市に権限移譲されてから一定期間経過しており、指定都市において特別児童扶養手当支給事務が定着し、指導監査等を実施する体制を整えることが可能となってきたことが想定されることから、今後は指定都市の管理に属する行政機関に対する特別児童扶養手当支給事務に係る指導監査について、当該指定都市が内部監査として実施することも可能とする。

これを踏まえ、今般、別紙「特別児童扶養手当等支給事務指導監査要綱」を定め、平成三十年度から適用することとしたので、今後、この内容を十分踏まえて管内実施機関の指導監査を実施し、支給事務の適正、円滑かつ的確な運営が確保されるよう指導をお願いしたい。

なお、この通知は、地方自治法第二百四十五条の四第一項の規定に基づく技術的な助言である。

おって、平成二十七年三月二十七日障発〇三二七第八号厚生労働省社会・援護局障害保健福祉部長通知「特別児童扶養手当等支給事務指導監査の実施について」は廃止する。

別　紙

特別児童扶養手当等支給事務指導監査要綱

1　指導監査の目的

指導監査は、実施機関（「市町村長（その管理に属する行政機関の長を含む。）又は都道府県知事の管理に属する行政機関の長若しくは事務を分掌する者」をいう。以下同じ。）における支給事務（「特別児童扶養手当、障害児福祉手当及び特別障害者手当並びに経過措置による福祉手当に関する支給事務」をいう。以下同じ。）が関係法令等に照らし適正に実施されているか確認し、必要に応じ、地方自治法第二百四十五条の四第一項及び第二百四十五条の七第二項の規定に基づく技術的な助言・勧告又は是正の指示等を行うことにより、支給事務の適正円滑かつ的確なる実施を確保しようとするものであること。

2　指導監査の実施方針

(1)　指導監査は、実施機関における支給事務の実施について、資料の提出を求めるなどその実情を調査し、運営の適否を検討するとともに、必要な助言を行うものとすること。

(2) 指導監査は、支給事務の運営の適否についての調査、助言に加え、適正な運営を確保するための事務処理体制、事務処理方式等の改善についても助言すること。

3 指導監査の実施計画

(1) 指導監査実施計画の策定

ア 都道府県及び指定都市（その管理に属する行政機関に対して指導監査を実施するものに限る。以下同じ。）は、毎年度当初にその年度の指導監査の実施計画を策定すること。

イ 実施計画を策定するに当たっては、各実施機関の実情、問題点を考慮して指導監査が効果的に実施されるよう配慮すること。

(2) 指導監査の種類及び回数

指導監査は、次により「一般指導監査」と「特別指導監査」に分けて実施すること。

ア 一般指導監査は、実施機関における支給事務全般について、二年に一回以上実施すること。ただし、国が指導監査を実施した実施機関については、当該年度及び翌年度の実施を省略できること。

イ 特別指導監査は、実施機関における個別の問題等に対応して必要に応じ実施すること。

4 指導監査の実施

(1) 指導監査の実施に当たっては、当該実施機関に対し、実施期日、指導監査職員の氏名その他必要な事項を、特別な場合を除き、事前に通知すること。

(2) 指導監査方法

ア 一般指導監査は、別紙1「特別児童扶養手当支給事務指導監査事項」又は別紙2「特別障害者手当等支給事務指導監査事項」に基づき、関係書類を閲覧し、関係者からのヒアリング方式で行うこと。

イ 特別指導監査は、当該実施機関の個別の問題等に応じて、その都度の指導監査事項等を設定すること。

5 指導監査の結果通知等

(1) 指導監査終了後、当該実施機関の幹部及び関係職員の出席を求めて、講評を行い必要な助言を行うこと。

(2) 指導監査の終了後、講評事項等の結果については、綿密に検討を行い、その問題点等を明らかにし、実施機関がとるべき具体的措置の方法等について、文書をもって速やかに通知すること。

(3) 結果通知に対する改善結果については、期限を付して報告を求めるとともに、その結果を検証すること。

(4) 指導監査において繰り返し改善又は是正措置をとるよう助言したにもかかわらず、なお改善がなされないもの及び法令の規定に違反又は著しく適正を欠き、かつ、明らかに公益を害していると認められる場合については、必要に応じて、勧告又は是正の指示等を行うこと。

(5) 都道府県及び指定都市は、毎年度の指導監査の実施結果を別に定める様式により厚生労働省社会・援護局障害保健福祉部企画課あて報告すること。

別紙1

特別児童扶養手当支給事務指導監査事項

1　都道府県の実施機関（支庁等）

主眼事項	着眼点
1　主管課の業務体制の状況	(1)　事務に必要な業務体制がとられているか。 (2)　新任職員等に対する研修は行われているか。
2　関係機関等との連携状況	関係部課、市町村、児童相談所、福祉事務所等関係機関との連携は十分図られているか。
3　規則に定める諸様式用紙等の作成記入、整理及び保管の状況	認定請求書、所得状況届等及び関係書類提出受付処理簿、受給資格者台帳、支給廃止簿等の整理・保管が適切に行われているか。
4　認定請求書の審査及び認定の状況	(1)　受給資格者等の所得の確認及び処理は適切に行われているか。 (2)　障害程度の認定は適切に行われているか。 (3)　監護要件（施設入所等）の確認は適切に行われているか。 (4)　却下処分は適切に行われているか。
5　所得状況届の処理状況	(1)　受給者の所得の確認は適切に行われているか。 (2)　監護要件（施設入所等）の確認は適切に行われているか。 (3)　支給停止処分は適切に行われているか。 (4)　未提出者に対する提出指導及び受給資格を喪失していることが公簿等により確認されている者の取扱は適切に行われているか。
6　有期認定の状況	(1)　有期認定の取扱は適切に行われているか。 (2)　額改定は適切に行われているか。
7　受給資格喪失者に係る事務処理の状況	(1)　資格喪失届の提出指導は適切に行われているか。 (2)　資格喪失届の審査（資格喪失時点の確認を含む。）は適切に行われているか。
8　証書記載事項の訂正状況	住所又は支払金融機関の変更（都道府県又は指定都市内）に係る記載が適正に行われているか。
9　諸届の処理状況	所得状況届以外の届書の処理は適正に行われているか。
10　手当支給事務の状況	(1)　未支払手当は、適正に支払われているか。 (2)　過誤調整の事務処理は適正に行われているか。

2　指定都市

主眼事項	着眼点
1 主管課の業務体制の状況	(1) 事務に必要な業務体制がとられているか。 (2) 新任職員等に対する研修は行われているか。
2 関係機関等との連携状況	関係部課、児童相談所、福祉事務所等関係機関との連携は十分図られているか。
3 広報の状況	(1) 制度の広報は十分行われているか。 (2) 受給者に対し制度（各種届を含む）の周知が十分行われているか。
4 規則に定める諸様式用紙等の作成記入、整理及び保管の状況	認定請求書、所得状況届等及び関係書類提出受付処理簿、受給資格者台帳、支給廃止簿等の整理・保管が適切に行われているか。
5 認定請求書の受付、審査及び認定の状況	(1) 窓口における認定請求書の作成指導は適切に行われているか。 (2) 障害程度の認定は適切に行われているか。 (3) 子、扶養義務者との身分関係及び生計維持関係等についての事実関係の確認は十分行われているか。 (4) 受給資格者、配偶者及び扶養義務者の所得等の確認は適切に行われているか。 (5) 身体障害者手帳、療育手帳等の確認が適切に行われているか。
	(6) 監護要件（施設入所等）の確認は適切に行われているか。 (7) 却下処分は適切に行われているか。
6 所得状況届等の処理状況	(1) 所得状況届の受理時における添付書類は整備されているか。 (2) 受給者、扶養義務者の所得、当該障害児の年金の確認は適切に行われているか。 (3) 監護要件（施設入所等）の確認は適切に行われているか。 (4) 支給停止処分は適切に行われているか。 (5) 未提出者に対する提出指導及び受給資格を喪失していることが公簿等により確認されている者の取扱は適切に行われているか。
7 有期認定の状況	(1) 有期認定の取扱は適切に行われているか。 (2) 額改定は適切に行われているか。
8 受給資格喪失者に係る事務処理の状況	(1) 資格喪失届の提出指導は適切に行われているか。 (2) 資格喪失届の審査（時効、年齢超過、有期認定及び資格喪失時点の確認を含む。）は適切に行われているか。 (3) 資格喪失届の提出処理は適切に行われているか。

9 証書記載事項の訂正状況	住所又は支払金融機関の変更（指定都市内）に係る記載が適正に行われているか。
10 諸届の処理状況	所得状況届以外の届書の処理は適正に行われているか。
11 手当支給事務の状況	(1) 未支払手当は、正当な請求者に支払われているか。 (2) 過誤調整の事務処理は適正に行われているか。
12 事務取扱交付金の経理状況	支出は適正に行われているか。

3 市町村

主眼事項	着眼点
1 主管課の業務体制の状況	(1) 事務に必要な業務体制がとられているか。 (2) 新任職員等に対する研修は行われているか。
2 関係機関等との連携状況	戸籍担当部門、住民基本台帳担当部門、年金担当部門、施設入所担当部門等関係機関との連携は十分図られているか。
3 広報の状況	(1) 制度の広報は十分行われているか。 (2) 受給者に対し制度（各種届を含む。）の周知が十分行われているか。
4 規則に定める諸様式用紙等の作成記入、整理及び保管の状況	認定請求書、所得状況届等及び関係書類提出受付処理簿、受給資格者名簿等の整理・保管が適切に行われているか。
5 認定請求書受付の状況	(1) 窓口における認定請求書の作成指導は適切に行われているか。 (2) 認定請求書の受理時において、必要な添付書類が整備されているか。
6 認定請求書の審査及び提出の状況	(1) 子、扶養義務者との身分関係及び生計維持関係等についての事実関係の確認は十分行われているか。 (2) 受給資格者、配偶者及び扶養義務者の所得等の確認は適切に行われているか。 (3) 身体障害者手帳、療育手帳等の確認が適切に行われているか。 (4) 監護要件（施設入所等）の確認は適切に行われているか。
7 所得状況届の処理状況	(1) 所得状況届の受理時における添付書類は整備されているか。 (2) 受給者、扶養義務者の所得、当該障害児の年金の確認は適切に行われているか。 (3) 監護要件（施設入所等）の確認は適切に行われているか。 (4) 未提出者に対する提出指導及び受給資格を喪失していることが公簿等により確認されている者の扱いは適切に行われているか。

8 受給資格喪失者に係る事務処理の状況	(1) 資格喪失届の提出指導は適切に行われているか。 (2) 資格喪失届の審査（時効、年齢超過、有期認定及び資格喪失時点の確認を含む。）は適切に行われているか。 (3) 資格喪失届の提出処理は適切に行われているか。
9 証書記載事項の訂正状況	住所又は支払金融機関の変更（都道府県）に係る記載が適正に行われているか。
10 諸届の処理状況	所得状況届以外の届書の処理は適正に行われているか。
11 事務取扱交付金の経理状況	支出は適正に行われているか。

別紙2

特別障害者手当等支給事務指導監査事項

主眼事項	着眼点
1 主管課の業務体制の状況	(1) 事務に必要な業務体制がとられているか。 (2) 新任職員等に対する研修は行われているか。 (3) 事務取扱細則等が整備されているか。
2 関係機関等との連携状況	関係部課、戸籍担当部門、住民基本台帳担当部門、年金担当部門、施設入所担当部門等関係機関との連携は十分図られているか。
3 広報の状況	(1) 制度の広報は十分行われているか。 (2) 受給者に対し制度（各種届を含む）の周知が十分行われているか。
4 規則に定める諸様式用紙等の作成記入、整理及び保管の状況	認定請求書、所得状況届等及び関係書類受付処理簿、受給者台帳、支給停止簿、支給廃止簿等の整理・保管が適切に行われているか。
5 認定請求書の受付、審査及び認定の状況	(1) 窓口における認定請求書の作成指導は適切に行われているか。 (2) 受給資格者等の所得・年金等の確認は適切に行われているか。 (3) 障害程度の認定は適切に行われているか。

	(4) 施設（病院）入所等の確認は適切に行われているか。 (5) 却下処分は適切に行われているか。
6 所得状況届等の処理状況	(1) 所得状況届又は現況届の記載内容の確認は適切に行われているか。 (2) 受給者の所得、年金の確認は適切に行われているか。 (3) 有期認定の取扱は適切に行われているか。 (4) 支給停止処分は適切に行われているか。 (5) 未提出者に対する提出指導及び受給資格を喪失していることが公簿等により確認されている者の取扱は適切に行われているか。
7 受給資格喪失者に係る事務処理の状況	(1) 資格喪失届の提出指導は適切に行われているか。 (2) 資格喪失届の審査（資格喪失時点の確認を含む）は適切に行われているか。
8 手当支給事務の状況	(1) 手当の支払日は、支払月の初旬に設定され、設定日どおり支払われているか。 (2) 未支払手当は、正当な請求者に支払われているか。 (3) 過誤調整の事務処理は適正に行われているか。

第二節　障害児福祉手当及び特別障害者手当に関する事項

（施行通知）

○福祉手当制度の創設について

〔昭和五十年八月十三日　厚生省社第七四二号
各都道府県知事宛　厚生事務次官通知〕

〔改正経過〕

第一次改正　〔昭和五七年一〇月一日厚生省発児第一八七号〕

重度障害者に対する福祉手当制度は、本年六月二十七日公布された特別児童扶養手当等の支給に関する法律等の一部を改正する法律（昭和五十年法律第四十七号）による改正後の特別児童扶養手当等の支給に関する法律（以下「法」という。）に基づき本年十月一日から実施されることになったが、これに伴い、特別児童扶養手当等の支給に関する法律施行令（昭和三十九年政令第二百六十一号）の全部が改正され、特別児童扶養手当等の支給に関する法律施行令（昭和五十年政令第二百七号。以下「令」という。）が本年七月四日に、福祉手当の支給に関する省令（昭和五十年厚生省令第三十四号。以下「規則」という。）が本年八月十三日に公布され、それぞれ本年十月一日から施行されることになった。

この制度は、在宅の重度障害者に対する福祉の措置の一環として実施されるものであるが、制度の趣旨及びその内容は次のとおりであるので、この制度の実施に当っては、管下市町村及び関係機関に対し十分趣旨の徹底を図るとともに、その運営に遺憾のないよう、命により通知する。

1　趣旨

福祉手当制度は、在宅の重度障害者に対する福祉の措置の一環として実施するものであり、その重度の障害によって生ずる特別の負担の一助として手当を支給することにより、重度障害者の福祉の向上を図ることを目的とするものであること。

2　支給要件

この手当は、精神又は身体に法別表第二に定める程度の重度の障害があるため日常生活において常時の介護を必要とする程度の状態にある日本国民であって、法第十七条第三号又は規則第一条に定める施設に収容されていない者に対して支給されるものであり、また、令第六条に定める障害を支給事由とする給付を受けることができる者については、支給されないものであること。

3　手当額

福祉手当の額は、一人につき月額四〇〇〇円であること。

4　実施機関

福祉手当の支給機関（以下「実施機関」という。）は、受給資格者の住所地を管轄する福祉事務所を管理する都道府県知事又は市町村長であること。また、これらの実施機関は、福祉手当の支給に関する事務の全部又は一部をその管理に属する福祉事務所の長に委任することができるものであること。

5　受給資格の認定

(1)　福祉手当の支給を受けようとする者は、その受給資格について、その住所地を管轄する実施機関の認定を受けなければならないこと。

なお、受給資格喪失後再び支給要件に該当するに至った場合も同様であること。

(2)　受給資格の認定請求は、規則第二条に定めるところにより、福祉手当認定請求書に所定の書類等を添付して実施機関に提出して行うものであること。

(3)　認定の請求は、この制度が実施される本年十月一日以前であっても行うことができるものであること。

6　支給期間

福祉手当の支給は、原則として、受給資格者が認定の請求をした日の属する月の翌月から始め、手当を支給すべき事由が消滅した日の属する月で終わるものであること。

なお、制度の発足時における特例として、昭和五十年十月一日において既に支給要件に該当する者が、同年十月三十一日までに認定の請求を行ったときは、同年十月から手当の支給が開始されるものであること。

7　支払期月

福祉手当は、原則として、毎年一月、五月、九月の三期にそれぞれの前月までの分をまとめて支払うものであること。

8　所得による支給制限

福祉手当は、受給資格者又はその配偶者若しくは扶養義務者の前年の所得が扶養親族等の有無及びその数に応じて令第七条第一項に定める額を超えるとき又は同条第二項に定める額以上であるときは、その年の五月から翌年の四月までの一年間支給を停止するものであること。

なお、震災、風水害、火災等の災害により自己又は扶養親族等の住宅、家財等の財産について、被害金額が当該財産の価格のおおむね二分の一以上である損害を受けた場合は、その損害を受けた月から翌年の四月までの手当については、所得による支給制限につき特例が定められていること。

9　届出等

福祉手当の受給者は、定時の所得状況届のほか、氏名及び住所の変更並びに受給資格の喪失等について届出義務が課せられていること。

10　調査、資料の提供

実施機関は、必要に応じ、調査を行い又は資料の提供等を求めることができるものであること。

11　不服申立

市町村長が行った福祉手当の支給に関する処分について不服がある者は、都道府県知事に対して審査請求を行うことができ、また、当該審査請求についての都道府県知事の裁決に不服がある者は、厚生大臣に対して再審査請求を行うことができるものであること。

都道府県知事が自ら実施機関として行った処分については、法第二十七条の特例により当該都道府県知事に対して異議申立てを行うことができ、また、異議申立てに対する決定を経た後において厚生大臣に対し審査請求を行うことができるものであること。

12　費用の負担

福祉手当の支給に要する費用は、その一〇分の八を国が一〇分の二を都道府県か市又は福祉事務所を設置する町村が負担するものであること。

○福祉手当制度の創設について

〔昭和五十年八月十三日　社更第一一二号
各都道府県知事宛　厚生省社会局長通知〕

〔改正経過〕

第一次改正〔昭和五八年七月二五日社更第九七号〕
第二次改正〔平成一一年三月三一日障第二一六号〕
第三次改正〔平成一三年七月三一日雇児発第五〇二号・障発第三二五号〕

標記については、昭和五十年八月十三日厚生省社第七四二号厚生事務次官通知をもってその大綱が示されたところであるが、同制度の実施にあたっては、同通知によるほか、次の事項に留意のうえ、適正な実施を期せられたい。

なお、この通知において、改正後の特別児童扶養手当等の支給に関する法律を「法」と、特別児童扶養手当等の支給に関する法律施行令を「令」と、また、新たに制定された福祉手当の支給に関する省令を「規則」とそれぞれ略称する。

第一　事務の委任

福祉手当制度における手当支給の実施機関は、受給資格者の住所地を所管する福祉事務所を管理する都道府県知事又は市町村長とされているが、この制度は、重度障害者に対する福祉の措置の一環として、身体障害者福祉法、児童福祉法、知的障害者福祉法等による援護の措置と相まって実施されることが望ましいと思料されるので、受給資格の認定、手当の支払い等の支給事務は、法第三十八条第二項に定めるところにより、原則として、その管理に属する福祉事務所の長に委任し、制度の円滑な運用を図られたいこと。

第二　受給資格の認定

1　認定請求手続の簡素化等

福祉手当に係る受給資格認定の請求については、原則として、規則第二条の規定により、福祉手当認定請求書に医師の診断書等所定の書類を添付して行うものであるが、事務の簡素化、請求者の負担の軽減を図るため、次に掲げる範囲内で可能な限り添付書類等を省略して差しつかえないこと。

(1)　医師の診断書の省略

ア　次のいずれかに該当する場合であって、その障害の原因、症状等からみて、その後の障害の程度に変化が生じていないと認められるときは、福祉手当認定診断書の省略を認めて差しつかえないこと。

(ア)　一級又は二級の身体障害者手帳（二級の身体障害者手帳所持者については、当該手帳の障害名の欄の記載により、その者の障害の程度が福祉手当の支給要件に該当することが明らかな場合に限る。）については、当該手帳の提示があったとき。

(イ)　特別福祉手当の受給対象障害（児）者については、当該手当証書の提示があったとき。

(ウ)　福祉手当の受給者であって、施設への入所、他の実施機関の所管する区域への住所の変更等により受給資格を喪失した後再び支給要件に該当するに至ったものについては、福祉手当の受給者であったこと及び受給資格喪失の事由が障害の程度にかかるものでないことを証明する書類の提示があったとき。

イ　次に掲げるものについては、当該各制度における障害の程度についての判定の基礎となった診断書等を確認することが可能であって、当該診断書等によりその者の障害の程度が福祉手当の支給要件に該当することが明らかであり、かつ、その後の障害の程度に変化が生じていないと認められるときは、本制度による認定診断書の省略を認めて差しつかえないこと。

(ア)　二級の身体障害者手帳所持者（アの(ア)に該当する者を除く。）

(イ)　障害福祉年金（一級）受給者

(ウ)　特別児童扶養手当（一級）の受給対象障害児

(エ)　療育手帳所持者（重度の記号表示があるものに限る。）

(2)　住民票の写しの省略

実施機関において、住民基本台帳その他の公簿を確認することにより、受給資格者の国籍、住所及びその属する世帯の状況を把握できるときは、住民票の写しの省略を認めて差しつかえないこと。

(3)　所得状況に関する市町村長の証明書の省略

次のいずれかに該当する場合は、所得状況等に関する市町村長の証明書の省略を認めて差しつかえないこと。

ア　市又は福祉事務所を設置する町村の区域内に住所を有する受給資格者に係る所得の状況等について、当該市町村長が課税台帳その他の公簿により確認できるとき

イ　福祉事務所を設置しない町村の区域内に住所を有する受給資格者に係る所得の状況等について実施機関が当該町村長の協力を得て課税台帳その他の公簿により確認できるとき

2　福祉手当認定診断書の作成

福祉手当認定診断書を提出する必要がある者に係る認定診断書の作成は、身体障害者更生相談所、児童相談所、知的障害者更生相談所又は当該相談所が行う巡回相談等を利用し若しくは身体障害者福祉法に規定する指定医師又は該当する障害等に係る専門医が作成したものとするよう指導されたいこと。

3　障害程度の認定

障害程度の認定は、別途通知する「福祉手当の障害程度認定基準」及び次により行うこと。

(1)　次に掲げる者については、障害の程度に関し受給資格を有するものとして認定して差しつかえないこと。

ア　一級の身体障害者手帳所持者

イ　二級の身体障害者手帳所持者で、当該手帳の記載内容からその者の障害の程度が福祉手当の支給要件に該当していることが明らかに判断できる場合

ウ　特別福祉手当受給対象障害（児）者

エ　法第十七条第三号及び規則第一条に定める施設への入所、住所の変更等障害の程度に係るものではない事由により受給資格を喪失した者が再び支給要件に該当した場合

(2)　障害程度の認定にあたっては、医学的専門的判断を必要とする場合が多いと考えられるので実施機関においては、必要に応じ、審査に当る医師を嘱託し、その意見を求め、適正な認定を行うこと。

(3)　実施機関において障害程度の認定を行うことが困難な事例については、都道府県本庁に必要に応じて照会することとし、制度の適切、かつ、統一的運用を図ること。

(4)　都道府県知事は、障害程度の認定について実施機関から必要に応じて照会があった場合は、当該障害の程度に関し、身体障害者更生相談所、児童相談所、知的障害者更生相談所等の協力を得て適切な判定を行うこと。

なお、障害程度の認定等に関する不服申立てについては、地方社会福祉審議会の身体障害者福祉専門分科会に福祉手当部会を設ける等の方法により慎重に審査すること。

第三　手当の支払

1　手当の支払方法

手当の支払方法等については、特に定められていないが、受給者が重度の障害者であること等にかんがみ、地域の実情、受給者の便宜等を十分勘案のうえ、次に掲げる方法を併用する等、手当

福祉手当制度の創設について

の円滑な支払いが行われるよう配意すること。
ア　実施機関における窓口支払い
イ　金融機関等の口座振替
ウ　金融機関等への支払事務委託
エ　郵送
オ　町村における支払い等

2　手当の支払いの開始期日
支払い月における手当の支払いの開始期日は、各実施機関において特定の日（その日が日曜、祝日又は金融機関等を通じて支払う場合は毎月第二土曜日であるときは翌日とする。）を定めて行うこと。

なお、支払いの開始期日は、支払月の初旬における適当と認める日とすること。

3　支払額の調整
誤認定等により、手当を支給すべきでないにもかかわらず手当が支給された場合にあっては、その支払われた手当は、その後支払うべき手当の内払いとみなして調整を行って差しつかえないこと。

なお、内払調整すべき期間が長期にわたる等の場合にあっては、安易に調整を行うようなことはせず、調整額に相当する手当額を返納させる等事務処理の適正を期すこと。

4　時効
福祉手当を受ける権利は、手当の支払期月到来後二年を経過した時点で消滅するものであること。

この場合における時効の起算日は、実施機関において定められた当該支払期月の支払の開始期日であり、時効が完成するのは、当該支払開始期日から二年を経過した日であること。

第四　その他の留意事項
1　届出の励行等
(1)　法及び規則に定める各種の届出の励行については、受給資格の認定時その他の機会を通じて十分指導を行い、届出を怠っている者に対しては、届出を行うよう指導すること。
(2)　受給者が定時の所得状況届の提出を怠っているために所得の状況等について確認できないときは、その届出が提出されるまでの間、手当の支給を差し止めること。

2　調査資料の提出等
(1)　実施機関は、福祉手当の受給資格等について疑義があるときは、速やかに所要の調査若しくは診断を行い、又は、資料の提出等を求め、受給資格の確認を行うこと。
(2)　実施機関は、町村その他の関係機関と密接な連携を図り、受給者が受給資格を喪失したことを確認したときは、死亡届又は受給資格喪失届の提出がない場合であっても遅滞なく支給廃止の手続をとること。

3　関係機関との連携
福祉手当の受給資格の認定にあたっては、公的年金等の受給状況、施設への入所状況の確認、他制度に基づく手帳、証書等の活用など他制度と密接な関連を有する場合が少なくないので、これらの内容を十分承知するとともに、これらの制度の担当機関と十分連携を図るよう管内実施機関を指導すること。

4　町村長に対する協力依頼

都道府県の設置する福祉事務所においては特に次の事項について町村長の協力が必要と考えられるので、あらかじめ町村長にその協力を依頼し、手当支給事務の円滑な実施が図られるよう特段の配意を煩わしたいこと。

(1)　認定請求書等の町村役場への備えつけ

認定請求書等受給資格の認定請求その他の届出に必要な書類について町村役場への備えつけ及び請求者からの提出書類の受付、実施機関への送付

(2)　所得状況等の確認

認定請求時及び定時の所得状況等の確認及び証明

(3)　町村役場における手当の支払い

実施機関からの資金前渡を受けて、当該町村に住所地を有する受給者に対する手当の支払い

5　制度の周知徹底

福祉手当制度の実施にあたり、各実施機関は関係町村、民生（児童）委員、身体障害者相談員、知的障害者相談員等の協力を得て制度の周知徹底に努め、手当の支給に遺漏がないよう配意すること。

特に、特別福祉手当の受給対象障害者については、本制度の実施に伴い特別福祉手当制度が廃止されることとなるので、その取扱いに特段の配意を煩わしたいこと。

○児童扶養手当法施行令及び特別児童扶養手当等の支給に関する法律施行令の一部を改正する政令の施行について

〔昭和五十一年五月一日　社更第五五号　各都道府県知事宛　厚生省社会局長通知〕

今般、児童扶養手当法施行令及び特別児童扶養手当等の支給に関する法律施行令の一部を改正する政令が、昭和五十一年四月三十日政令第七十六号をもって公布され、同年五月一日から施行されることとなったが、今回の改正中、福祉手当制度に関する改正の内容は、次のとおりであるので、御了知のうえ、管下実施機関に対し、周知徹底を図るとともに、これが実施にあたって遺憾のないよう取り扱われたい。

1　所得による支給制限の是正等

(1)　受給者本人の所得による支給制限の限度額の引上げ（特別児童扶養手当等の支給に関する法律施行令（以下「令」という。）第七条関係）

受給者本人の所得による支給制限の限度額及び扶養親族等がある場合の加算額を、それぞれ次のとおり引き上げたこと。

扶養親族等の数	限度額
○人	七〇〇、〇〇〇円

一　人	九二〇、〇〇〇円
二人以上	九二〇、〇〇〇円に扶養親族等のうち一人を除いた扶養親族等一人につき二六〇、〇〇〇円を加算した額（所得税法に規定する老人扶養親族があるときは、その額に当該老人扶養親族一人につき（当該老人扶養親族のほかに扶養親族等がないときは、当該老人扶養親族のうち一人を除いた老人扶養親族一人につき）六〇、〇〇〇円を加算した額）

(2)　扶養義務者等の所得による支給制限の限度額の是正等（令第七条、第八条関係）

ア　受給者の扶養義務者等の所得による支給制限の限度額並びに扶養親族等がある場合の加算額及び加算方法を、それぞれ次のとおり改めたこと。

イ　今回の改正に伴い、扶養義務者等の所得による支給制限の限度額が、改正後の令第二条第二項に規定する額と同額になることから、条文の整理を行い、令第七条第二項を削除し、新たに令第八条第一項を加え、同項の規定により、令第二条第二項の規定を準用することとしたこと。

扶養親族等の数	限　度　額
〇　人	五、七三三、〇〇〇円
一　人	五、九八二、〇〇〇円
二人以上	五、九八二、〇〇〇円に扶養親族等のうち一人を除いた扶養親族等一人につき二一三、〇〇〇円を加算した額（所得税法に規定する老人扶養親族があるときは、その額に当該老人扶養親族一人につき（当該老人扶養親族のほかに扶養親族等がないときは、当該老人扶養親族のうち一人を除いた老人扶養親族一人につき）六〇、〇〇〇円を加算した額）

(3)　控除額の引上げ

所得の額の計算において、地方税法に規定する障害者控除、老年者控除、寡婦控除又は勤労学生控除を受けた者について、所得の額から控除する額を一五万二五〇〇円から二〇万円（特別障害者については、二二万七五〇〇円から二八万円）に引き上げたこと。

2　その他

(1)　前記の改正は、昭和五十一年五月以降の月分にかかる福祉手当の支給の制限について適用されること。

なお、昭和五十一年四月以前の月分にかかる福祉手当の支給の制限及び福祉手当に相当する金額の返還については、なお従前の例によること。

(2)　今回の改正中、特に扶養義務者等の所得による支給制限限度額が是正されたことに伴い、支給停止が解除される者が相当数いるものと予測されるので、定時の所得状況届の提出等について十分配意されたいこと。

○児童扶養手当法施行令及び特別児童扶養手当等の支給に関する法律施行令の一部を改正する政令の施行について

〔昭和五十二年四月二十七日　社更第四八号
各都道府県知事宛　厚生省社会局長通知〕

今般、児童扶養手当法施行令及び特別児童扶養手当等の支給に関する法律施行令の一部を改正する政令が、昭和五十二年四月二十六日政令第百十四号として公布されたところであるが、福祉手当制度に関する改正の内容は次のとおりであるので、了知のうえ、管下実施機関に周知徹底を図るとともに、これが実施に遺憾のないようにされたい。

1　福祉手当の支給を制限する場合の所得の基準額の改正

福祉手当受給資格者本人の前年の所得による支給を制限する場合の基準額を、次のように改めたこと。

扶養親族等の数	限度額
○人	八〇万円
一人	一〇〇万円
二人以上	一〇〇万円に扶養親族等のうち一人を除いた扶養親族等一人につき二六万円を加算した額（所得税法に規定する老人扶養親族があるときは、その額に当該老人扶養親族一人につき（当該老人扶養親族のほかに扶養親族等がないときは、当該老人扶養親族のうち一人を除いた老人扶養親族一人につき）六万円を加算した額）

2　施行期日等

この改正は、昭和五十二年五月一日から施行し、昭和五十二年五月以降の月分にかかる福祉手当の支給の制限について適用するものであること。

なお、昭和五十二年四月以前の月分の福祉手当の支給の制限及び福祉手当に相当する金額の返還については、従前の例によることとなるので留意されたい。

○特別障害者手当制度の創設等について

〔昭和六十年十二月二十八日　厚生省社第一、〇一六号
各都道府県知事宛　厚生事務次官通知〕

特別障害者に対する特別障害者手当制度及び重度障害児に対する障害児福祉手当制度は、本年五月一日に公布された国民年金法等の一部を改正する法律（昭和六十年法律第三十四号）第七条の規定による改正後の特別児童扶養手当等の支給に関する法律（昭和三十九年法律第百三十四号。以下「法」という。）に基づき、昭和六十一年四月一日から実施されることとなった。また、これに伴い、特別児童扶養手当等の支給に関する法律施行令の一部を改正する政令（昭和六十年政令第三百二十三号）が本年十二月二十四日に公布され、昭和六十一年四月一日から施行されることとなり、福祉手当の支給に関する省令の一部を改正する省令（昭和六十年厚生省令第四十九号）が本年十二月二十八日に公布され、昭和六十一年四月一日（特別障害者手当の認定請求手続については同年一月一日）から施行されることとなった。

本制度の趣旨及び内容は次のとおりであるので、本制度の実施に当たっては、管下市町村及び関係機関に対し十分趣旨の徹底を図るとともに、その運営に遺憾のないよう、命により通知する。

なお、この通知においては、改正後の特別児童扶養手当等の支給に関する法律施行令（昭和五十年政令第二百七号）を「令」と、改正後の障害児福祉手当及び特別障害者手当の支給に関する省令（昭和五十年厚生省令第三十四号）を「規則」とそれぞれ略称する。

第一　特別障害者手当制度の概要

1　趣旨

特別障害者手当制度は、障害者の所得保障の一環として障害者の自立生活の基盤を確立するために創設されたものであり、在宅の特別障害者に対し、著しく重度の障害によって生ずる特別な負担の軽減を図る一助として手当を支給することにより、特別障害者の福祉の増進を図ることを目的とするものであること。

2　支給要件

特別障害者手当は、精神又は身体に令第一条第二項に定める程度の著しく重度の障害があるため、日常生活において常時特別の介護を必要とする程度の障害の状態にある二〇歳以上の者であって、法第二十六条の二第一号若しくは規則第十四条に掲げる施設に収容されていないもの又は法第二十六条の二第二号に該当しないものに対して支給されるものであること。

3　手当額

特別障害者手当の額は、一人につき月額二万円であること。

なお、令第十条に定める手当の支給を受けている場合は、その価額の限度で支給が調整されるものであること。

4　実施機関

特別障害者手当の支給機関（以下「実施機関」という。）は、受給資格者の住所地を管轄する福祉事務所を管理する都道府県知

事及び市町村長であること。

なお、これらの実施機関は、特別障害者手当の支給に関する事務の全部又は一部を、その管理に属する福祉事務所の長に委任することができるものであること。

5 受給資格の認定

(1) 特別障害者手当の支給を受けようとする者は、その受給資格について、その住所地を管轄する実施機関の認定を受けなければならないこと。
なお、受給資格喪失後、再び支給要件に該当するに至った場合も同様とすること。

(2) 受給資格の認定請求は、規則第十五条に定めるところにより、特別障害者手当認定請求書に所定の書類等を添付して実施機関に提出して行うものであること。

(3) 認定の請求は、昭和六十一年一月一日から行うことができるものであること。

6 支給期間

特別障害者手当の支給は、受給資格者が認定の請求をした日の属する月の翌月から始め、手当を支給すべき事由が消滅した日の属する月で終わるものであること。

なお、制度の発足時における特例として、昭和六十一年四月一日において支給要件に該当している者が同年四月三十日までに認定の請求を行ったときは、同年四月から手当の支給が開始されるものであること。

7 支払期月

特別障害者手当は、原則として毎年二月、五月、八月及び十一月の四期にそれぞれの前月までの分をまとめて支払うものであること。

8 所得による支給制限

(1) 特別障害者手当は、受給資格者又はその配偶者若しくは扶養義務者の前年の所得が扶養親族等の有無及びその数に応じて令第十二条第一項において準用する令第七条に定める額を超えるとき又は令第十二条第二項において準用する令第二条第二項に定める額以上であるときは、その年の八月から翌年の七月までの一年間支給を停止するものであること。
なお、震災、風水害、火災等の災害により自己又は扶養親族等の住宅、家財等の財産について、被害金額が当該財産の価格のおおむね二分の一以上である損害を受けた場合は、その損害を受けた月から翌年の七月までの手当については、所得による支給制限につき特例が定められていること。

(2) 特別障害者手当の支給を制限する場合の受給資格者に係る所得の範囲は、地方税法（昭和二十五年法律第二百二十六号）上の非課税所得以外の所得及び令第十一条各号に掲げる給付であるその他の所得とすること。また、令第十一条各号に掲げる給付を受ける受給資格者に係る所得の額は、当該給付を所得税法

（昭和四十年法律第三十三号）第二十八条第一項に規定する給与等とみなして算定するものであること。

(3) 特別障害者手当の所得による支給の制限は、規則第十五条の規定による認定請求時又は規則第十六条において準用する規則第五条の規定により毎年八月十一日から九月十日までの間に、受給資格者から提出される特別障害者手当所得状況届に基づき、実施機関が課税台帳等により確認した結果に従い決定するものであること。

9 届出

特別障害者手当の受給資格者は、定時の所得状況届のほか、氏名及び住所の変更又は受給資格の喪失等について届出義務を課せられていること。

10 調査及び資料の提出

実施機関は、必要に応じ、受給資格者の障害の程度、所得の状況等について調査を行い、又は資料の提出等を求めることができるものであること。

11 不服申立て

市長又は福祉事務所を管理する町村長が行った特別障害者手当の支給に関する処分について不服がある者は、都道府県知事に対し審査請求を行うことができ、また、当該審査請求についての都道府県知事の裁決に不服がある者は、厚生大臣に対し再審査請求を行うことができるものであること。

都道府県知事が自ら実施機関として行った処分については、法

第二十七条の特例により当該都道府県知事に対し異議申立てを行うことができ、また、異議申立てに対する決定を経た後において厚生大臣に対し審査請求を行うことができるものであること。

12 費用の負担

特別障害者手当の支給に要する費用は、その一〇分の八を国が、一〇分の二を都道府県、市又は福祉事務所を設置する町村が負担するものであること。

第二 障害児福祉手当制度の概要

1 趣旨

障害児福祉手当制度は、二〇歳以上の障害者を対象とした障害基礎年金制度の創設に伴い、従来の福祉手当制度の支給対象者を二〇歳未満の児童に限定し、その手当の名称を障害児福祉手当に改めたものであること。障害児福祉手当制度は、在宅の重度障害児に対する福祉の措置の一環として実施するものであり、その重度の障害によって生ずる特別な負担の軽減を図る一助として手当を支給することにより、重度障害児の福祉の増進を図ることを目的とするものであること。

2 支給要件

障害児福祉手当は、精神又は身体に令別表第1に定める程度の重度の障害があるため、日常生活において常時の介護を必要とする程度の障害の状態にある二〇歳未満の者であって、法第十七条第二号又は規則第一条に掲げる施設に収容されていないものに対して支給されるものであり、また、令第一条の二各号に掲げる給

付を受けることができる者については、支給されないものであること。

3 手当額

障害児福祉手当の額は、一人につき月額一万一二五〇円であること。

4 実施機関

特別障害者手当の場合と同様であること。

5 受給資格の認定

(1) 障害児福祉手当の支給を受けようとする者は、その受給資格について、その住所地を管轄する実施機関の認定を受けなければならないこと。

なお、受給資格喪失後、再び支給要件に該当するに至った場合も同様とすること。

(2) 受給資格の認定請求は、規則第二条に定めるところにより、障害児福祉手当認定請求書に所定の書類等を添付して実施機関に提出して行うものであること。

(3) 昭和六十一年三月三十一日において二〇歳未満の者であって、福祉手当の受給資格を有するものについては、引き続き障害児福祉手当の受給資格を有するものとし、新たな障害児福祉手当の認定請求は要しないものであること。

6 支給期間

障害児福祉手当の支給は、受給資格者が認定の請求をした日の属する月の翌月から始め、手当を支給すべき事由が消滅した日の属する月で終わるものであること。

7 支払期月

特別障害者手当の場合と同様であること。

8 所得による支給制限

障害児福祉手当は、受給資格者又はその配偶者若しくは扶養義務者の前年の所得が扶養親族等の有無及びその数に応じて令第七条に定める額を超えるとき又は令第八条第一項において準用する令第二条第二項に定める額以上であるときは、その年の八月から翌年の七月までの一年間支給を停止するものであること。

なお、震災、風水害、火災等の災害により自己又は扶養親族等の住宅、家財等の財産について、被害金額が当該財産の価格のおおむね二分の一以上である損害を受けた場合は、その損害を受けた月から翌年の七月までの手当については、所得による支給制限につき特例が定められていること。

9 届出、調査及び資料の提供、不服申立て並びに費用の負担

特別障害者手当の場合と同様であること。

第三 経過措置による福祉手当の概要

1 趣旨

二〇歳以上の障害者に対する福祉手当は、障害基礎年金及び特別障害者手当の創設に伴い廃止することとしたものであるが、従来の福祉手当の受給資格者のうち特別障害者手当の支給要件に該当せず、かつ、障害基礎年金も支給されない者に対しては、国民年金法等の一部を改正する法律附則第九十七条の規定により、経

過措置として、従前の例により福祉手当を支給することとしたものであること。

2　支給対象者

経過措置による福祉手当は次のいずれにも該当する者に対して支給されるものであること。

(1)　昭和六十一年三月三十一日において二〇歳以上であること。

(2)　昭和六十一年四月一日において従前の福祉手当の受給資格を有すること。

(3)　特別障害者手当を受けることができないこと。

(4)　障害基礎年金を受けることができないこと。

3　手当額等

経過措置による福祉手当の額及び所得による支給制限の限度額は、障害児福祉手当に係る額と同額とするものであること。

4　支給期間

昭和六十一年四月一日以後、引き続き福祉手当の支給要件に該当する間、支給するものであること。

5　支払期月

経過措置による福祉手当の支給期月については、特別障害者手当等と同様毎年二月、五月、八月及び十一月とするものであること。

○特別障害者手当制度の創設等について

〔昭和六十年十二月二十八日　社更第一六〇号
各都道府県知事宛　厚生省社会・児童家庭局長連名通知〕

〔改正経過〕

第一次改正　〔平成一一年三月三一日障第二一六号〕
第二次改正　〔平成一三年七月三一日雇児発第五〇二号・障発第三三五号〕

標記については、昭和六十年十二月二十八日厚生省社第一、〇一六号厚生事務次官通知をもってその大綱が示されたところであるが、同制度等の実施に当たっては、同通知によるほか、次の事項に留意のうえ、管内市町村及び関係機関に周知徹底を図り、適正な実施を期せられたい。

なお、この通知において、国民年金法等の一部を改正する法律（昭和六十年法律第三十四号）を「改正法」と、改正後の特別児童扶養手当等の支給に関する法律を「法」と、特別児童扶養手当等の支給に関する法律施行令の一部を改正する政令を「改正令」と、改正後の特別児童扶養手当等の支給に関する法律施行令を「令」と、福祉手当の支給に関する省令の一部を改正する省令を「改正規則」と、改正後の障害児福祉手当及び特別障害者手当の支給に関する省令を「規則」とそれぞれ略称する。

第一　事務の委任

特別障害者手帳、障害児福祉手当及び経過措置による福祉手当（以下「経過的福祉手当」という。）の支給の実施機関は、受給資格者の住所地を所管する福祉事務所を管理する都道府県知事又は市町村長とされているが、これらの手当の制度は重度の障害者（児）に対する福祉の措置としての性格を有するので、身体障害者福祉法、児童福祉法、知的障害者福祉法等による援護の措置と相まって実施されることが望ましいと思料されることから、受給資格の認定、手当の支払い等の支給事務は、法第三十八条第二項に定めるところにより、原則として、その管理に属する福祉事務所の長に委任し、制度の円滑な運用を図られたいこと。

第二　受給資格の認定

1　認定請求手続の簡素化等

特別障害者手当及び障害児福祉手当に係る受給資格の認定の請求については、原則として、規則第十五条及び第二条の規定により、特別障害者手当認定請求書及び障害児福祉手当認定請求書に医師の診断書等所定の書類を添付して行うものであるが、事務の簡素化、請求者の負担の軽減を図るため、次に掲げる範囲内で可能な限り添付書類等を省略して差しつかえないこと。

(1)　医師の診断書の省略

ア　特別障害者手当

(ア)　重複障害による認定の場合であって、個々の障害が次のいずれかに該当し、その障害の原因、症状等から、その後特別障害者手当制度の創設等について

の障害の程度に変化が生じていないと認められるときは、当該障害についての診断書の省略を認めて差しつかえないこと。ただし、心臓ペースメーカーを装着しているもの等認定の基準に差異があるものについては注意すること。

㋐　当該障害が福祉手当の受給資格の障害程度に該当していたとき。

㋑　当該障害についての一級又は二級の身体障害者手帳（二級の身体障害者手帳所持者については、当該手帳の障害名の欄の記載により、その障害の程度が令別表第二に該当することが明らかな場合に限る。）の提示があったとき。

(イ)　特別障害者手当の受給資格者であって、施設への入所、病院等への長期入院等により受給資格を喪失した後、再び支給要件に該当するに至ったものについては、特別障害者手当の受給資格者であったこと及び受給資格喪失の事由が障害の程度に係るものではないことを証明する書類の提示があり、かつ、その障害の原因、症状等から、その後の障害の程度に変化が生じていないと認められるときは、当該障害についての診断書の省略を認めて差しつかえないこと。

(ウ)　次に掲げる者については、当該各制度における障害の程度についての判定の基礎となった診断書等を確認することが可能であって、当該診断書等によりその者の障害の程度

特別障害者手当制度の創設等について

が令別表第二に該当することが明らかであり、かつ、その障害の原因、症状等から、その後の障害の程度に変化を生じていないと認められるときは、当該障害についての診断書の省略を認めて差しつかえないこと。

㋐ 当該障害についての二級の身体障害者手帳所持者（(ア)の㋑に該当する者を除く。）

㋑ 障害基礎年金等障害を支給事由とする年金（一級）受給者

㋒ 特別児童扶養手当（一級）受給対象障害児であった者

㋓ 療育手帳所持者（重度の記号表示があるものに限る。）

イ　障害児福祉手当

(ア) 次のいずれかに該当する場合であって、その障害の原因、症状等から、その後の障害の程度に変化が生じていないと認められるときは、障害児福祉手当認定診断書の省略を認めて差しつかえないこと。

㋐ 当該障害についての一級又は二級の身体障害者手帳（二級の身体障害者手帳所持者については、当該手帳の障害名の欄の記載により、その障害の程度が障害児福祉手当の支給要件に該当することが明らかな場合に限る。）の提示があったとき。

㋑ 障害児福祉手当の受給資格者であって、施設への入所等により受給資格を喪失した後、再び支給要件に該当するに至ったものについては、障害児福祉手当の受給資格者であったこと及び受給資格喪失の事由が障害の程度に係るものではないことを証明する書類の提示があったとき。

(イ) 次に掲げるものについては、当該各制度における障害の程度についての判定の基礎となった診断書等を確認することが可能であって、当該診断書等によりその者の障害の程度が障害児福祉手当の支給要件に該当することが明らかであり、かつ、その障害の原因、症状等から、その後の障害の程度に変化が生じていないと認められるときは、当該障害についての認定診断書の省略を認めて差しつかえないこと。

㋐ 当該障害についての二級の身体障害者手帳所持者（(ア)の㋐に該当する者を除く。）

㋑ 特別児童扶養手当（一級）受給対象障害児

㋒ 療育手帳所持者（重度の記号表示があるものに限る。）

(2) 住民票の写しの省略

実施機関において、住民基本台帳その他の公簿を確認することにより、受給資格者の住所及びその属する世帯の状況を把握できるときは、住民票の写しの省略を認めて差しつかえないこと。

(3) 所得状況に関する市町村長の証明書の省略

次のいずれかに該当する場合は、所得状況に関する市町村長の証明書の省略を認めて差しつかえないこと。

ア　市又は福祉事務所を設置する町村の区域内に住所を有する受給資格者に係る所得の状況等について、当該市町村長が課税台帳その他の公簿により確認できるとき。

イ　福祉事務所を設置しない町村の区域内に住所を有する受給資格者に係る所得の状況等について、実施機関が当該町村長の協力を得て課税台帳その他の公簿により確認できるとき。

2　特別障害者手当認定診断書及び障害児福祉手当認定診断書

特別障害者手当認定診断書又は障害児福祉手当認定診断書を提出する必要がある者に係る認定診断書は、身体障害者福祉法に規定する指定医等該当する障害又は病状に係る専門医が作成したものとするよう指導されたいこと。

3　障害程度の認定

特別障害者手当及び障害児福祉手当の障害程度の認定は、別途通知する「障害児福祉手当及び特別障害者手当の障害程度認定基準」及び次により行うこと。

(1)　特別障害者手当の障害程度の認定に当たつて、重複障害として認定する者のうち次に掲げる者については、令別表第二に掲げる障害を有するものとして当該障害を認定して差しつかえないこと。ただし、心臓ペースメーカーを装着しているもの等認定の基準に差異があるものについては注意すること。

ア　福祉手当受給者

イ　当該障害についての一級の身体障害者手帳所持者

ウ　当該障害についての二級の身体障害者手帳所持者で、当該手帳の記載内容からその者の障害の程度が令別表第二に掲げる障害に該当していることが明らかに判定できる場合

エ　法第二十六条の二第一号若しくは規則第十四条に定める施設への入所又は法第二十六条の二第二号に定める長期にわたる病院等への収容等障害の程度に係るものでない事由により、受給資格を喪失した者が再び支給要件に該当した場合

(2)　障害児福祉手当の障害程度の認定に当たつて次に掲げるものについては、障害の程度に関し受給資格を有するものとして認定して差しつかえないこと。

ア　当該障害についての一級の身体障害者手帳所持者

イ　当該障害についての二級の身体障害者手帳所持者で、当該手帳の記載内容からその者の障害の程度が令別表第一に掲げる障害に該当していることが明らかに判定できる場合

ウ　法第十七条第二号及び規則第一条に定める施設への入所等障害の程度に係るものではない事由により、受給資格を喪失した者が再び支給要件に該当した場合

(3)　障害程度の認定に当たつては、医学的専門的判断を必要とする場合が多いと考えられるので実施機関においては、必要に応じ、審査に当たる医師を嘱託し、その意見を求め、適正な認定を行うこと。

(4)　実施機関において障害程度の認定を行うことが困難な事例に

ついては、都道府県本庁に必要に応じて照会することとし、制度の適切、かつ、統一的運用を図ること。

(5) 障害程度の認定の適正を期すため、必要に応じ期間を定めて認定すること。

この場合、再認定に係る診断書の提出を求める時期は、再認定が必要と認められる時期を経過後の直近の一月、四月、七月又は十月とし、その月のおよそ一月前までに期限を付して当該受給資格者に対して診断書の提出方を通知するものとする。

(6) 都道府県知事は、障害程度の認定について実施機関から必要に応じて照会があった場合は、当該障害の程度に関し、身体障害者更生相談所、児童相談所、知的障害者更生相談所等の協力を得て適切な判断を行うこと。

なお、障害程度の認定等に関する不服申立てについては、地方社会福祉審議会の身体障害者福祉専門分科会に特別障害者手当等部会を設ける等の方法により慎重に審査すること。

第三 特別障害者手当の支給の調整及び所得による支給制限

1 支給の調整

特別障害者手当は、その支給要件に該当する者が、令第九条において定める原子爆弾被爆者に対する特別措置に関する法律（昭和四十三年法律第三十三号）による介護手当（以下「介護手当」という。）を受給できるときは、その価額の限度で支給しないこと。

この支給の調整の方法は、介護手当が、介護を受けた月の翌月

以降、都道府県知事に対し請求することにより、その介護を受けた月分について支給されるものであることから、特別障害者手当の支払期月において介護手当を受けることができる受給者については、その価額の限度で特別障害者手当を支給しないことにより調整すること。なお、介護手当より先に特別障害者手当を支給したような場合においては、法第二十六条の五において準用する法第十六条において準用する児童扶養手当法（昭和三十六年法律第二百三十八号）第三十一条の規定による支払の調整を行う等適正に実施すること。

2 所得による支給制限

特別障害者手当の支給を制限する場合の受給資格者に係る所得の範囲には、令第十一条各号に掲げる給付を含むものであるが、労働者災害補償保険法（昭和二十二年法律第五十号）に基づく年金たる給付については、障害補償年金前払一時金、遺族補償年金前払一時金、障害年金前払一時金及び遺族年金前払一時金を含むものであり、当該前払一時金は別途通知する一定の方法により各年における受給資格者の所得に算入するものであること。

この取扱いは、船員保険法、国家公務員災害補償法並びに地方公務員災害補償法及び同法に基づく条例に基づく前払一時金についても同様であること。

第四 特別障害者手当及び障害児福祉手当の支払

1 手当の支払方法

特別障害者手当及び障害児福祉手当（以下「手当」という。）

の支払方法等については、特に定められていないが、受給者が重度の障害者であること等にかんがみ、地域の実情、受給者の便宜等を十分勘案のうえ、次に掲げる方法を併用する等手当の円滑な支払いが行われるよう配慮すること。

ア　実施機関における窓口支払い

イ　金融機関等の口座振替

ウ　金融機関等への支払事務委託

エ　郵便振替

2　手当の支払いの開始期日

支払月における手当の支払いの開始期日は、各実施機関において特定の日（その日が日曜日若しくは土曜日又は休日（以下「日曜日等」という。）に当たる場合は、支給開始日を繰り上げ、その直前の日曜日等でない日とする。）を定めて行うこと。

なお、支払いの開始期日は、支払月の初旬における適当と認める日とすること。

3　支払額の調整

誤認定等により、手当を支給すべきでないにもかかわらず手当が支給された場合にあっては、その支払われた手当は、その後支払うべき手当の内払いとみなして調整を行って差しつかえないこと。

なお、内払調整すべき期間が長期にわたる等の場合にあっては、安易に調整を行うようなことはせず、調整額に相当する手当額を返納させる等事務処理の適正を期すこと。

4　未支払手当の支給

手当の受給資格者が死亡した場合において、その死亡した者に支払うべき手当で、まだその者に支払っていなかった手当がある場合はその者の配偶者又は扶養義務者で、その者の死亡の当時その者と生計を同じくしていた者に支払うこととする。

なお、手当を支払うべき者の順位は、原則として配偶者、子、父母、孫、祖父母又は兄弟姉妹の順とする。

5　時効

手当を受ける権利は、手当の支払期月到来後二年を経過した時点で消滅するものであること。

この場合における時効の起算日は、実施機関において定められた当該支払期月の支払いの開始期日であり、時効が完成するのは、当該支払開始期日から二年を経過した日であること。

第五　受給資格の喪失

1　長期入院による受給資格の喪失

特別障害者手当については、法第二十六条の二第二号により、病院又は診療所に継続して三月を超えて収容されるに至った場合は、受給資格喪失となること。

従って、入院が三月を超えるに至った時は、規則第十六条において準用する規則第十一条により受給資格喪失届の提出が義務付けられているので、受給者等に対してあらかじめ十分周知させる必要があるとともに、医療機関への確認等により三月を超える収容が判明した場合は、届出がない場合であっても職権において三月を超えるに至った日の属する月において受給資格喪失の手続きを行って差しつかえないこと。

2　年齢による資格喪失

障害児福祉手当については、二〇歳未満の重度障害児を対象として支給するものであるので、二〇歳に到達した日の属する月において支給事由が消滅することとなる。従って、二〇歳に到達した時は、規則第十六条において準用する規則第十一条により受給資格喪失届の提出が義務付けられているので、受給者等に対しあらかじめ十分周知させる必要があるとともに、認定請求書等の生年月日により二〇歳に到達したことが確認できた場合は、届出がない場合であっても受給資格喪失の手続きを行って差しつかえないこと。

3　住所変更の取扱い

改正前の福祉手当においては、他の実施機関の所管する地へ転居した場合、新たに認定請求書を求め当該実施機関において認定を行うこととしていたが、新制度においては所定の住所変更届の提出によって引き続き特別障害者手当等の受給資格要件があるものとして取り扱うこととしたこと。

なお、障害程度等に疑義がある場合は法第三十六条の調査を実施する等適正な運用に配慮すること。

第六　経過的福祉手当の留意事項

1　支給要件

経過的福祉手当は、施行日の前日（昭和六十一年三月三十一日）において二〇歳以上の従前の福祉手当受給資格者であって、施行日（昭和六十一年四月一日）において特別障害者手当又は障害基礎年金の支給を受けることができないものに対して、引き続き支給要件に該当する間に限って従前の例による福祉手当を支給するものであるので、施行日以降に施設に入所する等によって、受給資格を喪失した場合は、以後は経過措置の対象とならないものであること。

なお、経過的福祉手当の受給資格者が、他の実施機関が所管する地へ転居した場合についても受給資格を喪失するものではないこと。

2　特例的取扱い

改正法の施行に伴い、施行日の前日における障害基礎年金の受給資格者については、同年四月一日より障害基礎年金を受給することとなり、当該障害基礎年金受給資格者については、経過的福祉手当及び児童扶養手当を支給しないこととなるが、施行日の前日において児童扶養手当法第四条に規定する支給要件（以下「児童扶養手当の支給要件」という。）に該当している者（その監護、養育する児童が一人の場合に限る。）であって、同法第六条の認定を受け、又は、認定の請求をしているもの（ただし、昭和六十一年三月分の月分の児童扶養手当の全部又は一部が支給制限されている者は除く。）については、改正政令附則第五条の規定に基づき、引き続き経過的福祉手当を支給するものであること。

この場合においては、児童扶養手当法第五条本文に規定する額、改正法附則第九十七条第二項において準用する法第十八条に規定する額及び改正法による改正前の国民年金法（昭和三十四年法律第百四十一号）第五十八条に規定する障害基礎年金（一級）の額を一二で除して得た額の合算額から障害基礎年金（一級）及び子が一人あるときに加算する額の合算額を一二で除して得た額を減じた額を経過的福祉手当として支給するものであること。

また、改正政令附則第五条に基づく経過的福祉手当については、当該経過的福祉手当の支給を受ける者が児童扶養手当の支給要件に該当しなくなったとき（障害基礎年金の支給を受けることができることにより児童扶養手当の支給要件に該当しなくなったときを除く。）には、当該該当しなくなった日の属する月の翌月から当該経過的福祉手当を支給しないものであるため、改正規則附則第三条において、当該経過的福祉手当の受給者は、現況の届出について、所得状況届及び関係書類の他に児童扶養手当法施行規則（昭和三十六年厚生省令第五十一号）第四条に規定する児童扶養手当現況届及び関係書類を添えて、届け出るものであること。ただし、受給資格者等の前年の所得による支給制限については、経過的福祉手当の限度額を適用するため、児童扶養手当関係書類として、受給資格者等の前年の所得に関する書類を改めて届け出る必要はないものである。

以上の場合においては、各都道府県児童扶養手当担当課及び関係福祉事務所との連携が必要とされるため、制度の移行につき遺憾なきを期されたいこと。

第七　その他の留意事項

1　届出の励行等

(1)　法及び規則に定める各種の届出の励行については、受給資格の認定時その他の機会を通じて十分指導を行い、届出を怠っている者に対しては、届出を行うよう指導すること。

(2)　受給者が定時の所得状況届の提出を怠っているために所得の状況等について確認できないときは、その届が提出されるまでの間、手当の支給を差し止めること。

2　調査資料の提出等

(1)　実施機関は、手当の受給資格等について疑義があるときは、速やかに所要の調査若しくは診断を行い、又は資料の提出を求め、受給資格の認定を行うこと。

(2)　実施機関は、町村その他の関係機関と密接な連携を図り、受給者が受給資格を喪失したことを確認したときは、死亡届又は受給資格喪失届の提出がない場合であっても遅滞なく支給廃止の手続をとること。

3　関係機関との連携

手当の受給資格の認定に当たっては、公的年金等の受給状況、施設等への入所状況等の確認、他制度に基づく手帳、証書等の活用など他制度と密接な関連を有する場合が少なくないので、これらの内容を十分承知するとともに、これらの制度の担当機関と十分連携を図るよう管内実施機関を指導すること。

4　町村長に対する協力依頼

特別障害者手当制度の創設等について

都道府県の設置する福祉事務所においては、特に次の事項について町村長の協力が必要と考えられるので、あらかじめ町村長にその協力を依頼し、手当支給事務の円滑な実施が図られるよう特段の配慮を煩わしたいこと。

(1) 特別障害者手当認定請求書等の町村役場への備えつけ

特別障害者手当認定請求書及び障害児福祉手当認定請求書等受給資格の認定請求その他の届出に必要な書類について町村役場への備えつけ及び請求者からの提出書類の受付、実施機関への送付

(2) 特別障害者手当所得状況等の確認

特別障害者手当及び障害児福祉手当の認定請求時及び定時の所得状況等の確認及び証明

第八　特別児童扶養手当に係る障害等級表

改正法により政令で定められることとされた特別児童扶養手当に係る障害等級表については、今般、改正政令において令別表第三として定めたこと。

（そ の 他）

○障害児福祉手当及び特別障害者手当等事務取扱細則準則について

〔昭和六十年十二月二十八日 社更第一六一号
各都道府県知事宛 厚生省社会局長通知〕

〔改正経過〕

第一次改正〔平成四年八月二八日社援更第三二号
第二次改正〔平成六年三月三一日社援企第四八号
第三次改正〔平成一一年一月一一日障第七六一号
第四次改正〔平成一三年七月三一日雇児発第五〇二号・障発第三二五号
第五次改正〔平成一七年三月三一日障発第〇三三一〇一三号
第六次改正〔平成二七年一一月一二日障発一一一二第七号
第七次改正〔平成二八年二月二九日障発〇二二九第一号
第八次改正〔平成二八年五月二六日障発〇五二六第八号
第九次改正〔平成二八年五月三〇日障発〇五三〇第一号
第一〇次改正〔令和元年五月七日障発〇五〇七第四号
第一一次改正〔令和元年七月一日障発〇七〇一第二号
第一二次改正〔令和三年二月一六日障発〇二一六第四号
第一三次改正〔令和四年一〇月二四日障発一〇二四第一号

先般、国民年金法等の一部を改正する法律（昭和六十年五月一日法律第三十四号）により、特別児童扶養手当等の支給に関する法律の一部が改正され、福祉手当制度が再編されるとともに、新たに特別障害者手当制度が創設されることとなったが、特別障害者手当等の支給事務の適正を期し、併せて事務処理の能率化を図るため、障害児福祉手当及び特別障害者手当等事務取扱細則の一般的基準を示す準則を次のとおり定めたので、貴職においては「障害児福祉手当及び特別障害者手当等事務取扱細則」を制定するとともに、管内市町村に対して所要の措置を講ずるよう周知されたく通知する。

障害児福祉手当及び特別障害者手当等事務取扱細則準則について

なお、これに伴い、昭和五十年八月十三日社更第一一三号本職通知「福祉手当事務取扱細則準則について」は、昭和六十一年三月三十一日で廃止する。

別紙

「障害児福祉手当及び特別障害者手当等事務取扱細則」準則

障害児福祉手当及び特別障害者手当等事務取扱細則を次のように定める。

年　月　日　都道府県知事（市町村長）

規則第　号

障害児福祉手当及び特別障害者手当等事務取扱細則

第一章　総則

（目的）

第一条　特別児童扶養手当等の支給に関する法律（昭和三十九年法律第百三十四号。以下「法」という。）に基づく障害児福祉手当及び特別障害者手当並びに国民年金法等の一部を改正する法律（昭和六十年法律第三十四号）に基づく福祉手当（以下三つの手当を総称して「特別障害者手当等」という。）の支給に関する事務の取扱い手続については、法、特別児童扶養手当等の支給に関する法律施行令（昭和五十年政令第二百七号。以下「令」という。）並びに障害児福祉手当及び特別障害者手当の支給に関する省令（昭和五十年厚生省令第三十四号。以下「規則」という。）に定めるもののほか、この細則の定めるところによる。

（文書の取扱い）

第二条　特別障害者手当等の請求者又は届出人に対する通知、照会等の文章を作成するときは、なるべく平易な文体を用い、必要があるときは、ふりがなをつけ、又は注釈を加える等適宜な方法を講じて記載内容を容易に了解させるよう努めるものとする。

2　特別障害者手当等の請求者、届出人その他の関係者から提出された請求書又は届書等の記載事項に軽微かつ明白な誤りがある場合において、これを容易に補正できるものであるときは、当該職員が適宜その誤りを補正して受理するよう努めるものとする。

（委任）

第三条　法第十七条、第十九条、第十九条の二、第二十六条の二、第二十六条の四、第三十六条及び第三十七条、法第二十六条及び第二十六条の五において準用する法第五条第二項、第五条の二第一項、同条第二項、第十一条（第三号を除く。）、第十二条及び児童扶養手当法第三十一条並びに法第二十六条の五において準用する法第十九条及び第十九条の二の規定による特別障害者手当等の支給等に関する事務は、福祉事務所長にこれを委任する。

（備付帳簿等）

第四条　福祉事務所（以下「実施機関」という。）の長は、特別障害者手当等の各手当毎に次の帳簿等を備えるものとする。ただし、五については同一の交付簿として差し支えないものとする。

一　関係書類受付処理簿（以下「受付処理簿」という。）

二　受給者台帳

三　支給停止簿

四　支給廃止簿

五　特別障害者手当等調査員証交付簿（以下「調査員証交付簿」という。）

（受付処理簿）

第五条　受付処理簿は、次に掲げる記入欄を設けるものとする。

一　受付（再提出）年月日

二　返付年月日

三　受理年月日

四　整理番号

五　件名（氏名）

六　処理経過

七　備考

2　受付処理簿は、特別障害者手当等に関する請求書及び届書等の種類別の受付順に整理するものとする。

（受給者台帳）

第六条　受給者台帳は、受給資格の認定順に整理番号を附すとともに、支払地（支払方法）別受給者氏名の五十音順等当該台帳の取扱いに便利な方法で整理するものとする。

（支給停止簿）

第七条　支給停止簿は、所得制限等により支給停止となっている受給資格者に係る受給者台帳を編入し、整理するものとする。

（支給廃止簿）

第八条　支給廃止簿は、受給資格を失った者及び他の実施機関の所管する区域に住所を変更した受給者に係る受給者台帳を編入し、整理するものとする。

（調査員証交付簿）

第九条　調査員証交付簿は、次に掲げる記入欄を設けるものとする。

一　調査員証番号

二　交付年月日

三　返納年月日

四　受領者の官職及び氏名

五　受領印

六　交付取扱者印

七　返納取扱者印

八　備考

2　調査員証交付簿は、特別障害者手当等調査員証を交付し、又は返納があったつど整理するものとする。

第二章　受給資格の認定

（認定請求書の処理）

第十条　特別障害者手当等の支給要件に該当する者から障害児福祉手当認定請求書又は特別障害者手当認定請求書（以下「認定請求書」という。）の提出を受けたときは、次により処理するものとする。

一　受付処理簿の件名（氏名）欄及び受付（再提出）欄に件名、氏名及び受付年月日をそれぞれ記入すること。

二　認定請求書の記載及び添付書類等に不備がないかどうか確認すること。

三　規則第十八条の規定により、認定請求に係る添付書類が省略されているときは、認定請求書の備考欄に省略された書類の名称を記入すること。

四　認定請求書等に実施機関において補正できない程度の不備があるときは受付処理簿の返付欄に返付年月日を記入するとともに、当該認定請求書等を請求者に返付し、補正のうえ再提出するよう指導すること。

五　前号の規定により、返付した認定請求書を補正して再提出があったときは、受付処理簿の受付（再提出）欄に再提出年月日を記入すること。

六　再提出された書類を点検の結果、不備がないと認めたときは、受付処理簿の備考欄にその旨を記入するとともに、受理年月日欄に受理年月日を記入すること。

（審査）

第十一条　特別障害者手当等の受給資格の審査は、提出された書類等に基づき、次の事項について行うこと。

一　請求者の障害の程度

二　住所地

三　令第六条に規定する障害を支給事由とする給付の受給の有無（障害児福祉手当の場合）

四　法第十七条第二号に規定する障害児入所施設又は規則第一条各号に規定する施設への入所の有無（障害児福祉手当の場合）

五　法第二十六条の二第一号に規定する障害者支援施設又は規則第十四条各号に規定する施設への入所の有無及び法第二十六条の二

第三号に規定する病院又は診療所に継続して三か月を超える入院の有無（特別障害者手当の場合）

2　受給資格の認定にあたり、特に必要があると認められるときは、法第三十六条に規定する調査等を行い又は法第三十七条に規定する措置をとること。

（受給資格を認定した場合の処理）

第十二条　前条の規定によって審査した結果、受給資格を認定したときは、次により処理するものとする。

一　認定請求書の認定年月日欄に認定年月日及び支給開始年月日を記入すること。

二　受付処理簿の処理経過欄に認定の旨を記入すること。

三　受給者台帳を作成すること。

2　障害児福祉手当認定通知書及び特別障害者手当認定通知書（以下「認定通知書」という。）を交付するときは、次によるものとする。

一　認定通知書と受給者台帳とを照合し、相違がないかどうか確認すること。

二　認定通知書を受給資格者に交付すること。

三　受付処理経過欄に認定通知書の交付年月日を記入すること。

四　受給資格者の死亡等により明らかに受給資格が消滅していることが認められるときは、認定通知書の交付を停止するとともに、受給者台帳の備考欄に交付停止の理由及び交付停止年月日を記入し、当該受給者台帳を支給廃止簿に編入すること。

（受給資格を認めなかった場合の処理）

第十三条　第十一条の規定により審査した結果、受給資格を認めないと決定したときは、次により処理すること。

一　認定通知書の却下年月日欄に却下年月日を記入すること。

二　受付処理簿の処理経過欄に却下の旨を記入すること。

三　障害児福祉手当認定請求却下通知書及び特別障害者手当認定請求却下通知書（以下「却下通知書」という。）を請求者等に交付すること。

四　受付処理簿の処理経過欄に却下通知書の交付年月日を記入すること。

第三章　所得状況の審査等

（認定請求時の所得状況届の処理）

第十四条　受給資格の認定請求時において規則第二条及び第十五条の規定による障害児福祉手当所得状況届又は特別障害者手当所得状況届（以下「所得状況届」という。）の提出を受けたときは、次により処理するものとする。

一　所得状況届の記載内容と規則第二条第四号及び第五号並びに規則第十五条第四号及び第五号に規定する添付書類の内容又は課税台帳等の公簿によって確認した内容とが一致しているかどうか審査すること。

二　前号の規定により審査した結果、所得制限非該当と決定したときは、次によること。

ア　所得状況届の審査欄に所得制限非該当の旨を記入すること。

イ　受給者台帳の所得状況欄に所要事項を記入すること。

(現況届の処理)

第十五条　規則第五条及び第十六条において準用する規則第五条の規定により受給者等から定時の障害児福祉手当所得状況届、特別障害者手当所得状況届又は福祉手当所得状況届（以下「現況届」という。）の提出を受けたときは、次により処理するものとする。

一　前条第一号の規定の例により審査すること。

二　前号の規定により審査の結果、所得制限非該当と決定したときは、次によること。

ア　現況届の審査欄に所得制限非該当の旨を記入すること。

イ　受給者台帳の所得状況欄に所要事項を記入すること。

ウ　受付処理簿の処理経過欄に継続支給又は支給停止解除の旨を記入すること。

エ　規則第十三条及び第十六条において準用する規則第十三条の規定により現況届の提出を受けたものについては、障害児福祉手当支給停止解除通知書、特別障害者手当支給停止解除通知書又は福祉手当支給停止解除通知書（以下「支給停止解除通知書」という。）を当該受給資格者に交付すること。

オ　受付処理簿の処理経過欄に支給停止解除通知書の交付年月日を記入すること。

(支給の停止)

第十六条　第十四条又は第十五条の規定による審査の結果支給の停止を決定したときは、次により処理するものとする。

一　所得状況届又は現況届の審査欄に所得制限該当の旨を記入すること。

二　受給者台帳の所得状況欄に所要事項を記入するとともに、手当支払記録欄の支給停止期間に係る支払期月の金額欄に「0」と記入すること。

三　支給停止に係る当該受給者台帳を支給停止簿に編入すること。

四　障害児福祉手当支給停止通知書、特別障害者手当支給停止通知書又福祉手当支給停止通知書（以下「支給停止通知書」という。）を当該受給資格者に交付すること。

五　受付処理簿の処理経過欄に支給停止の旨及び支給停止通知書の交付年月日を記入すること。

(被災状況書の処理)

第十七条　規則第二条及び第十五条の規定により障害児福祉手当被災状況書特別障害者手当被災状況書又は福祉手当被災状況書（以下「被災状況書」という。）の提出を受けたときは、第十四条第一号の規定の例により審査すること。

2　前項の規定により審査した結果、法第二十二条第一項又は法第二十六条の五において準用する法第二十二条第一項に該当すると決定したときは次によること。

一　被災状況書の審査欄に法第二十二条第一項又は法第二十六条の五において準用する法第二十二条第一項に該当する旨を記入すること。

二　受給者台帳の備考欄に被災状況書の受理年月日及び法第二十二条第一項又は法第二十六条の五において準用する法第二十二条第

一項に該当する旨を記入するとともに支給停止解除年月日を記入すること。
三　受給者台帳の支給停止期間を訂正すること。
四　受給者台帳の支払記録欄中、当該支給停止解除された月分にかかる金額欄にそれぞれ支給すべき手当の額を記入するとともに「停止解除」と朱書すること。
五　支給停止解除通知書を当該受給資格者に交付すること。
六　受付処理簿の処理経過欄に支給停止解除通知書の交付年月日を記入すること。
七　当該受給者台帳を支給停止簿から取りはずし、正規の綴りに編入し整理すること。

3　第一項の規定により審査した結果、法第二十二条第一項又は法第二十六条の五において準用する法第二十二条第一項に該当しないと決定したときは、次によること。
一　被災状況書の審査欄に法第二十二条第一項又は法第二十六条の五において準用する法第二十二条第一項に非該当の旨を記入すること。
二　受給者台帳の備考欄に被災状況書の受理年月日及び法第二十二条第一項又は法第二十六条の五において準用する法第二十二条第一項に非該当の旨を記入すること。
三　障害児福祉手当被災非該当通知書特別障害者手当被災非該当通知書福祉手当被災非該当通知書（以下「被災非該当通知書」という。）を当該受給資格者に交付すること。
四　受付処理簿の処理経過欄に被災非該当通知書の交付年月日を記入すること。

（現況届が未提出の場合の取扱い）
第十八条　現況届が所定の期間内に提出されないため所得状況等について確認できないときは、当該受給者に対して文書により、提出期日を指定し現況届の提出について督促するとともに、当該現況届が提出されるまでの間特別障害者手当等の支給を差し止める旨通知すること。

第四章　氏名又は住所の変更

（氏名変更届の処理）
第十九条　規則第七条及び第十六条において準用する第七条の規定により氏名変更届の提出を受けたときは、次により処理すること。
一　受付処理簿の件名（氏名）欄及び受付欄に件名（氏名）及び受付年月日を記入すること。
二　氏名変更届の記載及びその添付書類に不備がないかどうか審査すること。
三　前号の規定によって審査した結果、不備がないときは、受付処理簿の受理欄に受理年月日を記入すること。
四　受給者台帳の氏名欄を訂正すること。
五　受給者台帳を変更後の氏名により整理すること。

（住所変更届の処理）
第二十条　規則第八条及び第十六条において準用する第八条の規定により住所変更届の提出を受けたときは、次により処理するものとする。

一　同一の実施機関の所管する区域内における住所変更届の提出を受けたときは前条の規定の例により処理すること。

二　同一の都道府県が設置する実施機関の所管する区域内における住所変更で当該受給者の住所地を所管する実施機関の変更を伴う住所変更届の提出を受けたときは次によること。

ア　旧住所地を所管する実施機関に対し、受給者台帳の写の送付を求めること。

イ　受給者台帳の写の送付を受けたときは、当該受給者台帳の写に基づき新たに受給者台帳を作成し、備考欄に旧住所地を所管する実施機関から移管された旨を記入すること。

三　他の都道府県への転出等同一の手当支給の実施機関の区域を超えた住所変更（前号の場合を除く。）に伴う住所変更届の提出を受けたときは、次によること。

ア　転入に伴う住所変更届の提出を受けたとき

(ア)　旧住所地を所管する実施機関に対し、受給者台帳の写の送付を求めること。

(イ)　受給者台帳の写の送付を受けたときは、当該受給者台帳の写に基づき新たに受給者台帳を作成し、備考欄に旧住所地を所管する実施機関から移管された旨を記入すること。

イ　転出に伴う住所変更届の提出を受けたとき

(ア)　受給者台帳の住所欄を訂正するとともに受給資格喪失欄に所要事項を記入すること。

(イ)　受給者台帳を支給廃止簿に編入すること。

第五章　受給資格の喪失

（受給資格喪失届等の処理）

第二十一条　受給者から障害児福祉手当資格喪失届、特別障害者手当資格喪失届若しくは福祉手当資格喪失届（以下「資格喪失届」という。）又は障害児福祉手当死亡届、特別障害者手当死亡届若しくは福祉手当死亡届（以下「死亡届」という。）の提出を受けたときは、次により処理するものとする。

一　受給者台帳の受給資格喪失欄に所要事項を記入し、支給廃止簿に編入すること。

二　障害児福祉手当資格喪失通知書、特別障害者手当資格喪失通知書又は福祉手当資格喪失通知書（以下「資格喪失通知書」という。）を届出人等に交付すること。

2　受給資格を喪失した月以前の月分にかかる手当でまだその者に支払われていない手当があるときは次によること。

一　受給者台帳の受給資格喪失欄に当該所要事項を記入するとともに、備考欄に未支払いの手当がある旨を記入すること。

二　受給者台帳の支払記録の金額欄に未支払手当の合計額を記入するとともに未支払いの手当である旨及び未支払いとなっている月数を記入すること。

（資格喪失届が未提出の場合の処理）

第二十二条　資格喪失届又は死亡届が提出されていない場合であっても、実施機関において、当該受給者が受給資格を喪失し、又は死亡したことを確認したときは、前条の規定の例により処理すること。

第六章　手当の支払等

（支払開始期日）

第二十三条　特別障害者手当等の支払開始期日は各支払期月の日とすること。

2　支払開始期日が日曜日若しくは土曜日又は休日（以下「日曜日等」という。）に当たる場合は、支払開始期日を繰り上げ、その直前の日曜日等でない日とする。

（手当の支払等）

第二十四条　特別障害者手当等の支払いは次によるものとする。

一　受給者台帳に基づき、支払地別の障害児童福祉手当支給明細書・特別障害者手当支給明細書及び福祉手当支給明細書、（様式第十号、十一号、十二号。以下「支給明細書」という。）を作成すること。

二　支給明細書に伺書を附して、特別障害者手当等給付費の支出について決裁を経ること。

2　実施機関の窓口で支払いを行うときは、受給者が持参する認定通知書等と支給明細書とを照合確認のうえ支払うこと。

3　受給者の代理人が手当を受領しようとするときは委任状等の提出を求め、これを確認したうえで支払うこと。

4　金融機関等を通じて支払うときは、当該金融機関において所定の支払日に支払いが行い得るよう事前に資金の交付（振込）を行うこと。

（支払後の整理）

第二十五条　受給者から徴した受領書又は金融機関等からの振込通知書等と支払額とに相違がないかどうか確認のうえ当該受領書又は振込通知書等を整理すること。

2　受領書等に基づき、受給者台帳の支払記録欄を整理すること。

（支払いの調整）

第二十六条　法第二十六条の四に規定する支給の調整を行う必要があるとき又は認定通知書を交付した後誤認定その他の事由により手当の支払額が不足し又は過剰になっていることが判明し、支払いの調整を行う必要があるときは、次により受給者台帳を整理すること。

一　支払記録欄の追加又は減額支給を行うべき支払期日の金額欄に支払調整後の支払総額を記入するとともに備考欄に調整事由を記入すること。

二　減額調整を行う場合で、減額すべき額が次期支払期日にかかる支払額（以下「次期支払額」という。）以上であるときは次によること。

ア　減額すべき額が次期支払額と同額であるときは、次期支払期月にかかる金額欄は「0」と記入し、同支払済年月日を斜線で抹消すること。

イ　減額すべき額が次期支払額を超えるときは、当該次期支払期月については、金額欄に「0」と記入し、同支払済年月日を斜線で抹消するとともに、次期支払期月の次の支払期月欄については、第一号の規定の例により記入すること。

第七章　雑則

第二十六条の二　本細則に定める帳簿等のうち、様式の定めがないものであって、障害福祉システム標準仕様書に帳票レイアウトが定められているものについては、当該帳票レイアウトのとおりとする。

（受付年月日の記入）

第二十七条　認定請求書又は届書の提出を受けたときは、当該認定請求書又は届書に必ず受付年月日を記入すること。

（帳簿等の保存期間）

第二十八条　帳簿は、それぞれ完結の日の属する年（年度）の翌年（翌年度）から次の期間保存するものとする。

一　認定請求書及びその決定に係る書類	五年
二　認定診断書	五年
三　受給者台帳	五年
四　受付処理簿	二年
五　調査員証交付簿	一年
六　所得状況届	二年
七　被災状況届	二年
八　その他の届書	一年

前　文（第一三次改正）抄

〔前略〕令和四年十月一日より適用する。

なお、本通知の施行に際して、当分の間は、従前の様式による諸帳簿等の用紙を取り繕って使用することができるものとする。

様式第１～９号（削除）

様式第10号

支払方法
支 払 地（　　　　）

月 分 障 害 児 福 祉 手 当 支 給 明 細 書

（金　　　　円 / 外　　　名分）

整理番号	受給者氏名	月別内訳					支給年月日	記名欄	備考
		月分	月分	月分	月分	合計			
		円	円	円	円	円			

様式第11号

支払方法（　　　）
支払地

月分特別障害者手当支給明細書

（金　　　　円
外　　　名分）

整理番号	受給者氏名	月別内訳					支給年月日	記名欄	備考
		月分	月分	月分	月分	合計			
		円	円	円	円	円			

様式第12号

支払方法（　　　）
支払地

月分福祉手当支給明細書

（金　　　　円
外　　　名分）

整理番号	受給者氏名	月別内訳					支給	記名欄	備考
		月分	月分	月分	月分	合計	年月日		
		円	円	円	円	円			

○障害児福祉手当及び特別障害者手当の障害程度認定基準について

〔昭和六十年十二月二十八日 社更第一六二号
各都道府県知事宛 厚生省社会局長通知〕

〔改正経過〕

第一次改正〔平成一一年三月三一日障第二一六号
第二次改正〔平成一三年七月三一日雇児発第五〇二号・障発第三二五号
第三次改正〔平成二三年一月一一日障発〇一一一第一号
第四次改正〔平成二三年八月九日障発〇八〇九第三号
第五次改正〔平成二五年五月一〇日障発〇五一〇第三号
第六次改正〔平成二六年五月二〇日障発〇五二〇第三号
第七次改正〔平成二七年六月一九日障発〇六一九第三号
第八次改正〔平成二八年四月一四日障発〇四一四第二号
第九次改正〔平成二九年一二月二一日障発一二二一第二号
第一〇次改正〔令和元年五月七日障発〇五〇七第四号
第一一次改正〔令和元年七月一日障発〇七〇一第二号
第一二次改正〔令和二年一二月二五日障発一二二五第一号
第一三次改正〔令和三年一二月二四日障発一二二四第三号

先般、国民年金法等の一部を改正する法律（昭和六十年五月一日法律第三十四号）により、特別児童扶養手当等の支給に関する法律の一部が改正され、福祉手当制度が再編されるとともに、新たに特別障害者手当制度が創設され、昭和六十一年四月一日から実施されることに伴い、標記の手当の支給対象となる障害の程度に関する認定の基準を別紙のとおり定めたので、その運用について遺憾のないよう取り計らわれたい。

なお、これに伴い、昭和五十年八月十三日社更第一一四号本職通知「福祉手当の障害認定基準について」は、昭和六十一年三月三十一日で廃止する。

別紙

障害児福祉手当及び特別障害者手当の障害程度認定基準

第一　共通的一般事項

1　この認定基準は、特別児童扶養手当等の支給に関する法律施行令（以下「令」という。）第一条第一項及び第二項に該当する程度の障害の認定基準を定めたものであること。

2　特別児童扶養手当等の支給に関する法律（以下「法」という。）第二条第二項及び第三項にいう障害の状態とは、精神又は身体に令第一条第一項及び第二項に該当する程度の障害があり、かつ、その障害が永続性を有するか、又は長期にわたって回復しない状態をいうものであること。

3　障害程度の認定は、原則として、別添に定める障害児福祉手当認定診断書及び特別障害者手当認定診断書（以下「認定診断書」という。）によって行うこと。

なお、精神障害その他の疾患で当該認定診断書のみでは認定が困難な場合にあっては必要に応じ療養の経過、日常生活の状況の調査、検診等を実施した結果に基づき認定すること。

4　認定診断書は、身体障害者福祉法に規定する指定医師等該当する障害又は病状に係る専門医の作成したものとするよう指導すること。

5　視覚の測定及び聴覚等の測定においては、その障害程度の認定が、実際上極めて困難な場合があるので、偽病に注意して慎重に行うものとし、必要に応じて複数の医療機関等での判定に委ねることが望ましいこと。

6　肢体不自由についての障害の程度の判定に当たっては一時的に得られる瞬間的能力をもって判定するものではなく、当該機能障害全般を総合した上で判定するものとし、個々の障害の程度について認定することが不可能な場合は、認定基準及び認定診断書の内容に基づき、日常生活動作の困難度等について、総合的に判断するものとする。

なお、疼痛による機能障害を有するものについては、その疼痛が認定診断書により客観的に立証しうるものであれば機能障害として取り扱うものとする。

7　実施機関において、障害程度の認定に関し疑義を生ずる場合においては当該障害程度の認定について都道府県知事に必要に応じて照会すること。

8　障害の程度についての認定の適正を期すため、必要に応じ期間を定めて認定すること。

第二　障害児福祉手当の個別基準

令別表第一に該当する障害の程度とは次によるものとする。

1　視覚障害

(1)　両眼の視力がそれぞれ〇・〇二以下のもの

ア　視力は、万国式試視力表又はそれと同一の原理に基づく試視力表により測定する。

イ　視標面照度は五〇〇〜一〇〇〇ルクス、視力検査室の明るさは五〇ルクス以上で視標面照度を上回らないこととし、試視力表から五mの距離で視標を判読することによって行う。

ウ　屈折異常のあるものについては、矯正視力により認定するが、この場合最良視力が得られる矯正レンズによって得られた視力を測定する。眼内レンズ挿入眼は裸眼と同様に扱い、屈折異常がある場合は適正に矯正した視力を測定する。

エ　両眼の視力を別々に測定し、良い方の眼の視力と他方の眼の視力とで障害の程度を認定する。

オ　屈折異常のあるものであっても次のいずれかに該当するものは、裸眼視力により認定する。

(ア)　矯正が不能のもの

(イ)　矯正により不等像視を生じ、両眼視が困難となることが医学的に認められるもの

(ウ)　最良視力が得られる矯正レンズの装用が困難であると医学的に認められるもの

カ　視力が〇・〇一に満たないもののうち、明暗弁のもの又は手動弁のものは視力〇として計算し、指数弁のものは〇・〇一として計算する。

キ　「両眼の視力がそれぞれ〇・〇二以下のもの」とは、視力の良い方の眼の視力が〇・〇二以下のものをいう。

(2)　両眼の視力がそれぞれ〇・〇三以下のもの又は一眼の視力が〇・〇四、他眼の視力が手動弁以下のものであり、かつ、両眼による視野が二分の一以上欠損したため、令別表第一第一号と同程度以上と認められ、日常生活の用を弁ずることを不能ならしめる程度のものであるときは、令別表第一第八号に該当するものとする。

ア　「両眼の視力がそれぞれ〇・〇三以下のもの」とは、視力の良い方の眼の視力が〇・〇三以下のものをいう。

イ　「一眼の視力が〇・〇四、他眼の視力が手動弁以下のもの」とは、視力の良い方の眼の視力が〇・〇四かつ他方の眼の視力が手動弁以下のものをいう。

ウ　視野は、ゴールドマン型視野計又は自動視野計を用いて測定する。認定は、ゴールドマン型視野計又は自動視野計のどちらか一方の測定結果で行うこととし、両者の測定結果を混在させて認定することはできない。

エ　「両眼による視野が二分の一以上欠損」とは、両眼で一点を注視しつつ測定した視野が、生理的限界の面積の二分の一以上欠損している場合で、以下のとおり測定する。

(ア)　ゴールドマン型視野計を用いる場合は、左右眼それぞれに測定したⅠ／４の視標による視野表を重ね合わせることで、両眼による視野の面積を得る。その際、面積は厳格に計算しなくてよい。なお、視野の生理的限界は、左右眼それぞれに上・内上・内・内下六〇度、下七〇度、外下八〇度、外九五度、外上七五度である。なお、傷病名と視野障害の整合性の確認が必要な場合、Ｖ／４の視標を含めた視野を確認した上で総合的に認定する。

(イ)　自動視野計を用いる場合は、両眼開放視認点数が一〇〇点以下のものとする。「両眼開放視認点数」とは、視標サイズⅢによる両眼開放エスターマンテスト（図１）で一二〇点測定し、算出したものをいう。

（図１）

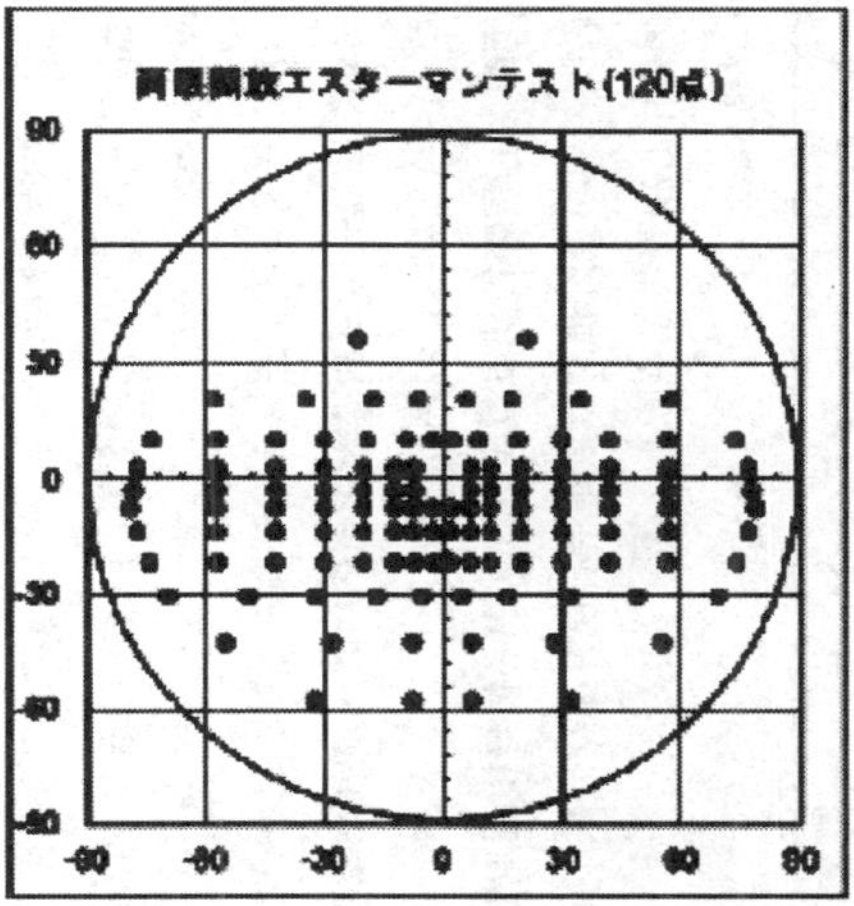

オ　以下の(ア)又は(イ)に該当する場合は、「両眼による視野が二分の一以上欠損」と同等とする。

(ア)　両眼中心視野角度が五六度以下のもの

(イ)　両眼中心視野視認点数が四〇点以下のもの

カ　「両眼中心視野角度」は、ゴールドマン型視野計を用い、以下の手順に基づき算出したものをいう。

(ア)　Ｉ／２の視標による八方向（上・内上・内・内下・下・外下・外・外上の八方向）の中心視野角度の和を左右眼それぞれ求める。八方向の中心視野角度はＩ／２視標が視認できない部分を除いて算出するものとする。

(イ)　(ア)で求めた左右眼の中心視野角度の和に基づき、次式により、両眼中心視野角度を計算する（小数点以下は四捨五入し、整数で表す）。

両眼中心視野角度＝（３×中心視野角度の和が大きい方の眼の中心視野角度の和＋中心視野角度の和が小さい方の眼の中心視野角度の和）／４

(ウ)　なお、Ｉ／２の視標で中心一〇度以内に視野が存在しない場合は、中心視野角度の和は〇度として取り扱う。

キ　「両眼中心視野視認点数」は、自動視野計を用い、以下の手順に基づき算出したものをいう。

(ア)　視標サイズⅢによる10―2プログラム（図２）で中心一〇度以内を二度間隔で六八点測定し、左右眼それぞれについて感度が二六dB以上の検査点数を数え、左右眼それぞれの中心視野視認点数を求める。なお、dBの計算は、背景輝度三一・五asbで、視標輝度一万asbを〇dBとしたスケールで算出する。

(イ)　(ア)で求めた左右眼の中心視野視認点数に基づき、次式により、両眼中心視野視認点数を計算する（小数点以下は四捨五入し、整数で表す）。

両眼中心視野視認点数＝（３×中心視野視認点数が多い方の眼の中心視野視認点数＋中心視野視認点数が少ない方の眼の中心視野視認点数）／４

（図２）

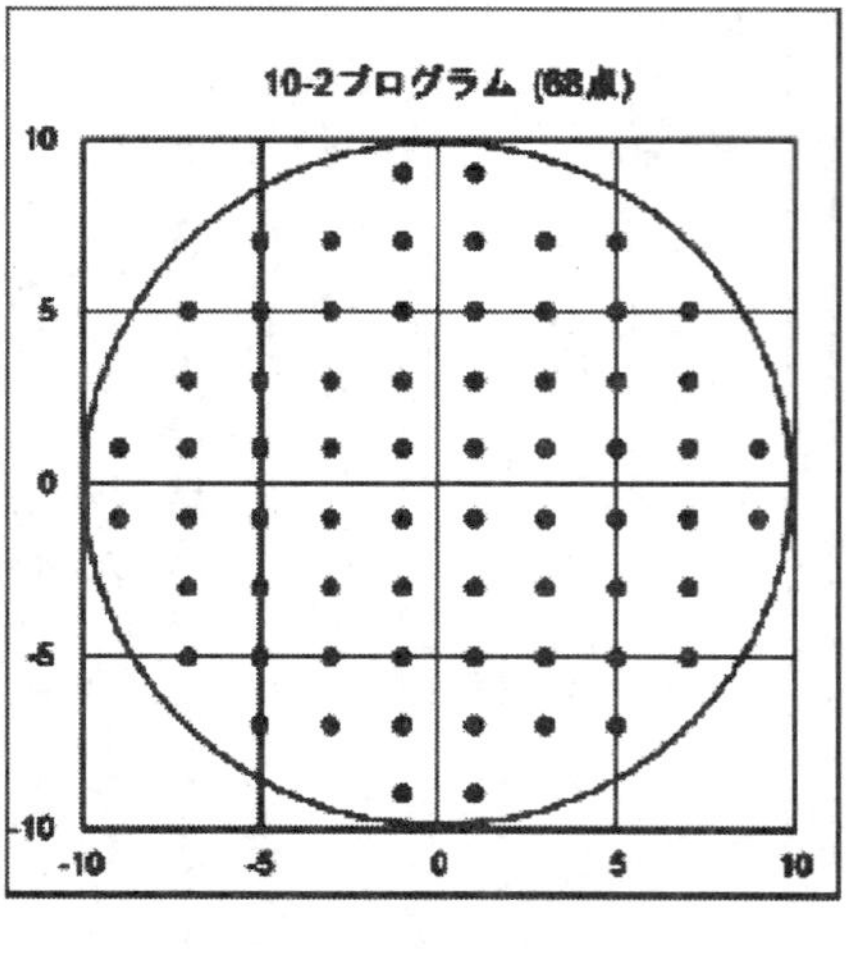

ク　ゴールドマン型視野計では、中心三〇度内は適宜矯正レンズを使用し、三〇度外は矯正レンズを装用せずに測定する。
自動視野計では、10―2プログラムは適宜矯正レンズを使用し、両眼開放エスターマンテストは矯正眼鏡を装用せずに実施する。

ケ　自動視野計を用いて測定した場合において、認定上信頼性のある測定が困難な場合は、ゴールドマン型視野計で測定し、その測定結果により認定を行う。

コ　ゴールドマン型視野計又は自動視野計の結果は、診断書に添付する。

2　聴覚障害

(1)　両耳の聴力レベルが補聴器を用いても音声を識別することができない程度のもの

ア　聴力レベルは、オージオメータ（ＪＩＳ規格又はこれに準ずるオージオメータ）及び言語音によって測定するものとする。

ただし、聴覚の障害により特別児童扶養手当を受給しておらず、かつ、身体障害者手帳を取得していない障害児に対し、令別表第一に該当する診断を行う場合には、オージオメータによる検査に加えて、ＡＢＲ検査（聴性脳幹反応検査）等の他覚的聴力検査又はそれに相当する検査を実施する。また、その結果（実施した検査方法及び検査所見）を診断書に記載し、記録データのコピー等を提出（添付）するものとする。

イ　両耳の聴力が補聴器を用いても音声を識別できないものとは、両耳の聴力レベルが一〇〇デシベル以上のもので、全ろうを意味し、重度難聴用の補聴器を用いても、全く音声を識別できない程度のものをいう。

ウ　聴覚の障害により特別児童扶養手当を受給しておらず、かつ、身体障害者手帳を取得していない障害児に対し、令別表第一に該当する場合は、オージオメータによる検査結果のほか、ＡＢＲ検査（聴性脳幹反応検査）等の他覚的聴力検査又はそれに相当する検査結果を把握して、総合的に認定する。

エ　オージオメータにより聴力レベルを測定できない乳幼児の聴力の障害による認定については、ＡＢＲ検査（聴性脳幹反応検査）又はＡＳＳＲ検査（聴性定常反応検査）及びＣＯＲ検査（条件詮索反応検査）を組み合わせて実施するものとする。

(ア)　ＡＢＲ検査（聴性脳幹反応検査）又はＡＳＳＲ検査（聴性定常反応検査）の聴力レベルのデシベル値が両耳とも一〇〇デシベル以上、ＣＯＲ検査（条件詮索反応検査）の聴力レベルのデシベル値が一〇〇デシベル以上のもので、全ろうを意味し、重度難聴用の補聴器を用いても、全く音声を識別できない程度のものをいう。

なお、エにより認定した場合は、原則として当該認定を行った日からおおむね二年後に再認定を行うこととする。

3　肢体不自由

(1)　両上肢の機能障害

ア　両上肢の機能に著しい障害を有するもの

(ア)　両上肢の機能を全廃したもの又は両上肢を手関節以上で欠くものについては、令別表第一第三号に該当するものとする。

なお、両上肢の機能全廃とは、各々の関節が強直若しくは、それに近い状態（可動域五度以内）にあるか又は関節に目的運動を起こさせる能力が欠如（筋力著減以下に相当するもの）していることで、日常生活動作に必要な運動を起こし得ない程度の障害をいう。

(イ)　両上肢の機能に著しい障害を有するものとはおおむね、両上肢のそれぞれについて肩、肘及び手の三大関節中いずれか二関節以上が全く用を廃する程度の障害を有するものをいう。

なお、この場合肩関節については、前方及び側方の可動域が三〇度未満のものは、その用を全く廃する程度の障害に該当するものとする。

イ　両上肢の全ての指を欠くもの

全ての指を欠くとは、それぞれの指を近位節（指）骨の基部から欠き、その有効長が〇のものをいう。

ウ　両上肢の機能障害により、次の全ての動作が介護なしでは自立できない状態にあり、日常生活の用を弁ずることを不能ならしめる程度と認められるものについては、令別表第一第八号に該当するものとする。

なお、介護なしでは自立できない状態とは、次の㋐から㋓に掲げる動作について左右の上肢を用いてもその用を弁ずることができないものをいい、診断書に記載のその他の日常動作、つまむ、にぎる等の個々の基本動作が可能であっても、自助具を含む補装具等を自ら装着使用して他の総合動作を行うことができないものについては、個々の基本動作不能に該当するものとする。

㋐　食事

㋑　洗面

㋒　便所の処理

㋓　衣服の着脱

(2)　両下肢の機能障害

ア　両下肢の用を全く廃したもの

両下肢の機能の用を全く廃したものとは、各々の関節が強直若しくはそれに近い状態にあるか又は下肢に運動を起こさせる能力が欠如（筋力著減以下に相当するもの）し、起立歩行に必要な動作を起こし得ない程度の障害をいう。

イ　両大腿を二分の一以上失ったもの

切断を判定する場合、切断肢の骨の突出、瘢痕拘縮神経腫等が存するときは、これらの部分を除いた実用長により判定するものとする。したがって、実用長が計測値より短い場合がある。

ウ　両下肢の著しい機能障害により、次のすべての動作について介護なしでは自立できない状態にあり、日常生活の用を弁ずることを不能ならしめる程度と認められるものについては、令別表第一第八号に該当するものとする。

㋐　階段の昇降

㋑　室内の歩行

エ　両下肢に障害を有する場合で、自己の最大限の努力により室内の歩行が可能な場合であっても、その歩行が身体又は障害そのものに悪影響を与えるものであるときは、歩行可能とはせず、歩行不能に該当するものとする。

(3)　体幹の機能障害

ア　体幹の機能に座っていることができない程度の障害を有するもの。

(ア)　体幹の機能障害は、高度体幹麻痺等を後遺した脊髄性小児麻痺、脳性麻痺、脊髄損傷、強直性脊椎炎等によって生ずるが、四肢の機能障害を伴っている場合が多いので、両者を総合して障害の程度を判定するものとする。

(イ)　座っていることができないとは、腰掛、正座、横座り、長座位及びあぐらのいずれもできないものをいう。

イ　体幹の機能障害により、次の全ての動作について介護なしでは自立できない状態にあり、日常生活の用を弁ずることを不能ならしめる程度と認められるものについては、令別表第一第八号に該当するものとする。

㋐　座位の保持

㋑　起立保持

㋒　立ち上り

4　内部障害

(1)　心臓の機能障害

ア　心臓の機能障害については、永続する機能障害（将来とも回復する可能性がないか極めて少ないものをいう。以下同じ。）をいうものとする。

イ　心臓の機能障害の程度についての判定は、呼吸困難、心悸亢進、チアノーゼ、浮腫等の臨床症状、X線、心電図等の検査成績、一般状態、治療及び病状の経過等により行うものとし、自己の身辺の日常生活活動が極度に制限される状態にあるものについては、令別表第一第八号に該当するものとする。

ウ　令別表第一第八号に該当すると思われる病状には、次のようなものがある。

次のうちいずれか二以上の所見があり、かつ、安静時又は自己の身辺の日常生活活動でも心不全症状又は狭心症症状が起こるもの。

(ア)　心胸比が六〇％以上のもの

(イ)　心電図で陳旧性心筋梗塞所見があるもの

(ウ)　心電図で脚ブロック所見があるもの

(エ) 心電図で完全房室ブロック所見があるもの

(オ) 心電図で第二度の房室ブロック所見があるもの

(カ) 心電図で心房細動又は粗動所見があり、心拍数に対する脈拍数の欠損が一分間一〇以上のもの

(キ) 心電図でＳＴの低下が〇・二mV以上の所見があるもの

(ク) 心電図で第一誘導、第二誘導及び胸部誘導（ただしV_1を除く。）のいずれかのT波が逆転した所見があるもの

エ　前記ウのほか小児の心臓機能障害で令別表第一第八号に該当するものと思われる病状には、次のようなものがある。

原則として重い心不全症状、低酸素血症又はアダムス・ストークス発作のため継続的医療を必要とするもので、次のうち六以上の所見があるもの

（臨床所見）

1　著しい発育障害

2　心音心雑音の異常

3　多呼吸又は呼吸困難

4　運動制限

5　チアノーゼ

6　肝腫大

7　浮腫

（胸部Ｘ線所見）

8　心胸比五六％以上

9　肺血流量の増加又は減少

10　肺静脈のうっ血像

（心電図所見）

11　心室負荷像

12　心房負荷像

13　病的不整脈

14　心筋障害像

(2)　呼吸器（呼吸器系結核及び換気機能）の機能障害

ア　呼吸器の機能障害については、永続する機能障害をいうものとする。

イ　呼吸器の機能障害の程度についての判定は、予測肺活量一秒率（以下「指数」という。）及び臨床症状によるものとする。ここでいう指数とは、一秒量（最大努力下の最初の一秒間の呼気量）の予測肺活量（性別、年齢、身長の組合せで正常な状態ならば当然あると予測される肺活量の値）に対する百分率である。

ウ　次に掲げる状態のいずれかに該当するため、自己の身辺の日常生活活動が極度に制限されるものについては、令別表第一第八号に該当するものとする。

(ア) 呼吸困難が強いため歩行がほとんどできないもの

(イ) 指数の測定ができないもの又は指数が二〇以下のもの

(3)　腎臓の機能障害

ア　腎臓の機能障害については、永続する腎機能不全、尿生成異常をいうものとする。

イ　腎臓の機能障害の程度は、慢性透析療法を行う必要があるものについては、当該療法実施前の状態で判定するものとする。

ウ　腎臓の機能障害の程度についての判定は、臨床症状、腎臓機能検査成績、尿所見、血球算定検査、血液生化学検査（血清尿素毒素、血清クレアチニン、血清電解質、血清シスタチンC等）、血液ガス分析、推算糸球体濾過値（eGFR）、腎生検、一般状態、治療及び病状の経過等により行うものとし、自己の身辺の日常生活活動が極度に制限される状態にあるものについては、令別表第一第八号に該当するものとする。

エ　令別表第一第八号に該当すると思われる病状には次のようなものがある。

(ア)　腎臓機能検査において、内因性クレアチニンクリアランスが一五ml／分未満又は推算糸球体濾過値（eGFR）が一五未満であって、かつ、自己の身辺の日常生活活動が著しく制限されるか又は次のいずれかの所見があるもの

㋐　尿毒症性心包炎

㋑　尿毒症性出血傾向

㋒　尿毒症性中枢神経症状

(イ)　次表に掲げる検査成績のうちアが異常を示し、かつ、イ又はウのいずれかが異常を示すもので、ネフローゼ症候群と診断されるもの。

区分	検査項目	単位	異常
ア	血清アルブミン	g／dl	2.5以下
イ	早朝尿蛋白量／クレアチニン比	g／gクレアチニン	2.0以上
ウ	夜間尿蓄尿蛋白量	mg／hr／m²	40以上

オ　腎機能検査成績は、その性質上変動しやすいものと思われるので、腎臓疾患による病状の程度の判定に当たっては、診断書作成日前三か月間において最も適切に症状をあらわしていると思われる検査成績に基づいて行うものとする。

(4)　肝臓疾患

ア　肝臓疾患による病状の程度についての判定は、おおむね三か月以上の療養を必要とし、悪心、黄疸、腹水、肝萎縮、肝性脳症、出血傾向等の臨床症状、肝機能検査成績、一般状態、治療及び病状の経過等により行うものとし、自己の身辺の日常生活活動が極度に制限される状態にあるものについては、令別表第一第八号に該当するものとする。

イ　令別表第一第八号に該当すると思われる病状は次の(ア)に定める検査成績を示すものをいう。

(ア)　次表に掲げる肝機能異常度指表の検査成績のうち高度異常を三つ以上示すもの又は高度異常を二つ及び中等度の異

常を二つ以上示すもの

肝機能異常度指表

検査項目／臨床所見	基準値	中等度の異常	高度異常
血清総ビリルビン（mg／dl）	0.3～1.2	2.0以上 3.0以下	3.0超
血清アルブミン（g／dl）（BCG法）	4.2～5.1	3.0以上 3.5以下	3.0未満
血小板数（万／μl）	13～35	5以上 10未満	5未満
プロトロビン時間（PT）（%）	70超～130	40以上 70以下	40未満
腹水	—	腹水あり	難治性腹水あり
脳症（表1）	—	Ⅰ度	Ⅱ度以上

ウ　肝機能検査成績は、その性質上変動しやすいものと思われるので、肝臓疾患による病状の程度の判定に当たっては、診断書作成日前三か月における一か月以上の間隔をおいた二回の検査成績に基づいて行うものとする。

表1　昏睡度分類

昏睡度	精神症状	参考事項
Ⅰ	睡眠―覚醒リズムの逆転 多幸気分ときに抑うつ状態 だらしなく、気にとめない状態	あとでふり返ってみて判定できる
Ⅱ	指南力（時、場所）障害、物をとり違える（confusion） 異常行動 ときに傾眠状態（普通のよびかけで開眼し会話ができる） 無礼な言動があったりするが、他人の指示に従う態度をみせる	興奮状態がない 尿便失禁がない 羽ばたき振戦あり
Ⅲ	しばしば興奮状態またはせん妄状態を伴い、反抗的態度をみせる 嗜眠状態（ほとんど眠っている） 外的刺激で開眼しうるが、他人の指示に従わない、または従えない（簡単な命令には応じえる）	羽ばたき振戦あり（患者の協力がえられる場合） 指南力は高度に障害
Ⅳ	昏睡（完全な意識の消失） 痛み刺激に反応する	刺激に対して、払いのける動作、顔をしかめるなどがみられる
Ⅴ	深昏睡 痛み刺激にも全く反応しない	

(5)　血液疾患

ア　血液疾患による病状の程度についての判定は、おおむね三か月以上の療養を必要とする者につき、一般状態特に治療及び病状の経過に重点をおき、立ちくらみ、動悸、息切れ等の臨床症状、血液学的検査成績等により行うものとし、自己の身辺の日常生活活動が極度に制限される状態にあるものについては、令別表第一第八号に該当するものとする。

イ　令別表第一第八号に該当すると思われる病状には、次のようなものがある。

貧血、感染、発熱、各種臓器組織での出血性病変等の病状が継続するものであって、かつ、次表に掲げる血液異常度指表三系列のうち二系列以上の検査成績が高度異常を示すもの。

血液異常度指表

区分	系列	検査項目	単位	高度異常
末梢血液像	赤血球系	ヘモグロビン濃度	g／dL	7未満
		網赤血球	／μL	20,000未満
	白血球系	白血球数	／μL	1,000未満
		好中球数	／μL	500未満
	血小板系	血小板数	／μL	20,000未満

ウ　血液検査成績は、その性質上変動しやすいものと思われるので、血液疾患による病状の程度の判定に当たっては、最も適切に病状をあらわしていると思われる検査成績に基づいて行うものとする。

5　その他の疾患

(1)　前各項に掲げるもののほか、身体の機能の障害又は長期にわたる安静を必要とする病状がある場合においては、その状態が令別表第一第一号から第七号までと同程度以上と認められるものであって、日常生活において常時の介護を必要とする程度のものであるときは、令別表第一第八号に該当するものとする。

(2)　(1)の機能の障害又は病状の程度の判定については、1から4に準じて行うものとする。

6　精神の障害

(1)　精神の障害は、統合失調症、統合失調症型障害及び妄想性障害、気分（感情）障害、症状性を含む器質性精神障害、てんかん、知的障害、発達障害に区分し、その傷病及び状態像が令別表第一第九号に該当すると思われる症状等には、次のようなものがある。

ア　統合失調症によるものにあっては、高度の残遺状態又は高度の病状があるため、高度の人格変化、思考障害、その他妄想、幻覚等の異常体験が著明なもの

イ　統合失調症型障害及び妄想性障害によるものにあっては、残遺状態又は病状が前記アに準ずるもの

ウ　気分（感情）障害によるものにあっては、高度の気分、意

欲・行動の障害及び高度の思考障害の病相期があり、かつ、これが持続したり頻繁にくりかえしたりするもの

エ　症状性を含む器質性精神障害（高次脳機能障害を含む。）によるものにあっては、高度の認知障害、高度の人格変化、その他の高度の精神神経症状が著明なもの

なお、アルコール、薬物等の精神作用物質の使用による精神及び行動の障害についてもこの項に含める

（注1）　高次脳機能障害とは、脳損傷に起因する認知障害全般を指し、日常生活又は社会生活に制約があるものが認定の対象となる。その障害の主な症状としては、失行、失認のほか記憶障害、注意障害、遂行機能障害、社会的行動障害などがある。

なお、障害の状態は、代償機能やリハビリテーションにより好転も見られることから療養及び症状の経過を十分考慮すること。

オ　てんかんによるものにあっては、十分な治療にかかわらず、てんかん性発作を極めてひんぱんに繰り返すもの

なお、てんかん発作については、抗てんかん薬の服用や、外科的治療によって抑制される場合にあっては、原則として認定の対象としない

カ　知的障害によるものにあっては、食事や身のまわりのことを行うのに全面的な援助が必要であって、かつ、会話による意思の疎通が不可能か著しく困難なもの

（注1）　知的障害の認定に当たっては、知能指数のみに着眼することなく、日常生活のさまざまな場面における援助の必要度を勘案して総合的に判断する。

（注2）　日常生活能力等の判定に当たっては、身体的機能及び精神的機能を考慮のうえ、社会的な適応性の程度によって判断するよう努める。

キ　発達障害によるものにあっては、社会性やコミュニケーション能力が欠如しており、かつ、著しく不適応な行動が見られるもの

（注1）　発達障害とは、自閉症、アスペルガー症候群その他の広汎性発達障害、学習障害、注意欠陥多動性障害その他これに類する脳機能の障害であってその症状が通常低年齢において発現するものをいう。

（注2）　発達障害については、たとえ知能指数が高くても、社会行動やコミュニケーション能力の障害により対人関係や意思疎通を円滑に行うことができないために日常生活に著しい制限を受けることに着目して行う。

（注3）　日常生活能力等の判定に当たっては、身体的機能及び精神的機能を考慮のうえ、社会的な適応性の程度によって判断するよう努める。

ク　アからキまでの認定の対象となる精神疾患が併存しているときは、併合認定の取扱いは行わず、諸症状を総合的に判断

して認定する。

(2) 精神の障害の程度については、日常生活において常時の介護又は援助を必要とする程度以上のものとする。

(3) 知的障害の程度については、知的機能の発達程度のほか、適応行動上の障害を十分勘案のうえ、別表に掲げる知的機能の程度により判定するものとし、年齢階層別の障害の程度が最重度とされるものについては令別表第一第九号に該当するものとする。

なお、この場合における知的障害の程度は、標準化された知能検査による知能指数がおおむね二〇以下に相当する。

7 令別表第一第十号による障害

身体の機能の障害若しくは病状又は精神の障害が重複する場合の障害の程度の認定は次によるものとする。

(1) 病状と機能障害が重複する場合又は病状が重複する場合若しくは機能障害が重複する場合の障害の程度の判定に当たっては、一般状態、医学的な原因及び経過等を総合的に勘案することとし、その状態が日常生活において常時の介護を必要とする程度のものであるときは、令別表第一第十号に該当するものとする。

(2) 知的障害と他の病状又は機能障害が重複する場合における知的障害の程度については、別表に掲げる年齢階層別の障害の程度が重度とされたものとする。

なお、この場合における知的障害の程度は標準化された知能検査による知能指数がおおむね三五以下に相当する。

(3) 前記(1)及び(2)における機能障害の程度については、次に掲げる程度のものとする。

ア 両眼の視力がそれぞれ〇・〇三以下のもの又は一眼の視力が〇・〇四、他眼の視力が手動弁以下のもの

イ 両耳の聴力レベルが一〇〇デシベル以上のもの

ウ 両上肢の機能障害により、次に掲げる動作の二分の一以上について介助が必要なもの

㋐ 食事

㋑ 洗面

㋒ 便所の処理

㋓ 衣服の着脱

エ 両下肢の機能障害により、次に掲げる動作の二分の一以上について介助が必要なもの

㋐ 階段の昇降

㋑ 室内の歩行

オ 体幹の機能障害により、次に掲げる動作の二分の一以上について介助が必要なもの

㋐ 座位の保持

㋑ 起立保持

㋒ 立ち上り

第三 特別障害者手当の個別基準

1 令第一条第二項第一号に該当する障害

障害児福祉手当及び特別障害者手当の障害程度認定基準について

令第一条第二項第一号に該当する障害の程度とは、令別表第二各号に掲げる障害が重複するものとし、令別表第二各号に該当する障害の程度とは次によるものとする。

(1) 視覚障害

ア 視力障害

両眼の視力がそれぞれ〇・〇三以下のもの、又は一眼の視力が〇・〇四、他眼の視力が手動弁以下のもの

(ア) 視力は、万国式試視力表又はそれと同一の原理に基づく試視力表により測定する。

(イ) 視標面照度は五〇〇～一〇〇〇ルクス、視力検査室の明るさは五〇ルクス以上で視標面照度を上回らないこととし、試視力表から五mの距離で視標を判読することによって行う。

(ウ) 屈折異常のあるものについては、矯正視力により認定するが、この場合最良視力が得られる矯正レンズによって得られた視力を測定する。眼内レンズ挿入眼は裸眼と同様に扱い、屈折異常がある場合は適正に矯正した視力を測定する。

(エ) 両眼の視力を別々に測定し、良い方の眼の視力と他方の眼の視力とで障害の程度を認定する。

(オ) 屈折異常のあるものであっても次のいずれかに該当するものは、裸眼視力により認定する。

㋐ 矯正が不能のもの

㋑ 矯正により不等像視を生じ、両眼視が困難となることが医学的に認められるもの

㋒ 最良視力が得られる矯正レンズの装用が困難であると医学的に認められるもの

(カ) 視力が〇・〇一に満たないもののうち、明暗弁のもの又は手動弁のものは視力〇として計算し、指数弁のものは〇・〇一として計算する。

(キ) 「両眼の視力がそれぞれ〇・〇三以下のもの」とは、視力の良い方の眼の視力が〇・〇三以下のものをいう。

(ク) 「一眼の視力が〇・〇四、他眼の視力が手動弁以下のもの」とは、視力の良い方の眼の視力が〇・〇四かつ他方の眼の視力が手動弁以下のものをいう。

イ 視野障害

① ゴールドマン型視野計による測定の結果、両眼のⅠ／4視標による周辺視野角度の和がそれぞれ八〇度以下かつⅠ／2視標による両眼中心視野角度が二八度以下のもの

② 自動視野計による測定の結果、両眼開放視認点数が七〇点以下かつ両眼中心視野視認点数が二〇点以下のもの

(ア) 視野は、ゴールドマン型視野計又は自動視野計を用いて測定する。認定は、ゴールドマン型視野計又は自動視野計のどちらか一方の測定結果で行うこととし、両者の測定結果を混在させて認定することはできない。

(イ) ゴールドマン型視野計を用いる場合は、それぞれ以下

によって測定した「周辺視野角度の和」及び「両眼中心視野角度」に基づき、認定を行う。なお、傷病名と視野障害の整合性の確認が必要な場合は、Ｖ／４の視標を含めた視野を確認した上で総合的に認定する。

㋐　「周辺視野角度の和」とは、Ｉ／４の視標による八方向（上・内上・内・内下・下・外下・外・外上の八方向）の周辺視野角度の和とする。八方向の周辺視野角度はＩ／４視標が視認できない部分を除いて算出するものとする。

Ｉ／４の視標で、周辺にも視野が存在するが中心部の視野と連続しない部分は、中心部の視野のみで算出する。

Ｉ／４の視標で、中心一〇度以内に視野が存在しない場合は、周辺視野角度の和が八〇度以下として取り扱う。

㋑　「両眼中心視野角度」とは、以下の手順に基づき算出したものをいう。

a　Ｉ／２の視標による八方向（上・内上・内・内下・下・外下・外・外上の八方向）の中心視野角度の和を左右眼それぞれ求める。八方向の中心視野角度はＩ／２視標が視認できない部分を除いて算出するものとする。

b　aで求めた左右眼の中心視野角度の和に基づき、次式により、両眼中心視野角度を計算する（小数点以下は四捨五入し、整数で表す）。

両眼中心視野角度＝（３×中心視野角度の和が大きい方の眼の中心視野角度の和＋中心視野角度の和が小さい方の眼の中心視野角度の和）／４

c　なお、Ｉ／２の視標で中心一〇度以内に視野が存在しない場合は、中心視野角度の和は〇度として取り扱う。

(ウ)　自動視野計を用いる場合は、それぞれ以下によって測定した「両眼開放視認点数」及び「両眼中心視野視認点数」に基づき、認定を行う。

㋐　「両眼開放視認点数」とは、視標サイズⅢによる両眼開放エスターマンテスト（図１）で一二〇点測定し、算出したものをいう。

㋑　「両眼中心視野視認点数」とは、以下の手順に基づき算出したものをいう。

a　視標サイズⅢによる10―2プログラム（図２）で中心一〇度以内を二度間隔で六八点測定し、左右眼それぞれについて感度が二六dB以上の検査点数を数え、左右眼それぞれの中心視野視認点数を求める。なお、dBの計算は、背景輝度三一・五asbで、視標輝度一万asbを〇dBとしたスケールで算出する。

b　aで求めた左右眼の中心視野視認点数に基づき、

次式により、両眼中心視野視認点数を計算する（小数点以下は四捨五入し、整数で表す）。

両眼中心視野視認点数＝（3×中心視野視認点数が多い方の眼の中心視野視認点数＋中心視野視認点数が少ない方の眼の中心視野視認点数）／4

（図1）

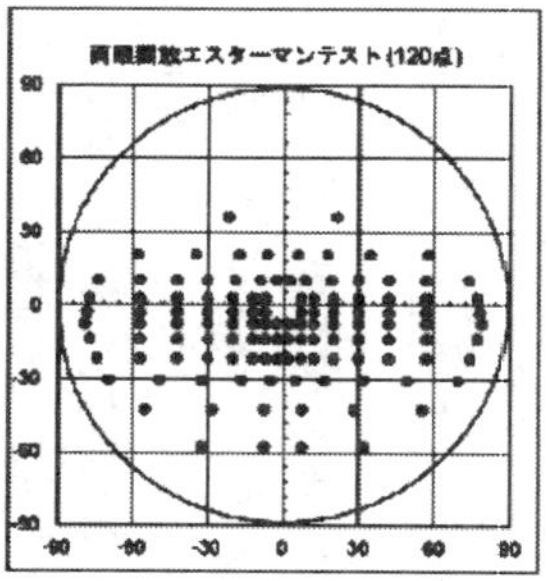

（図2）

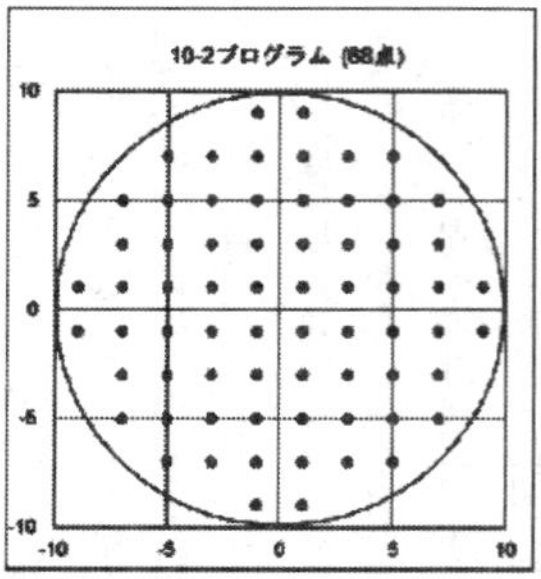

(エ) ゴールドマン型視野計では、中心三〇度内は適宜矯正レンズを使用し、三〇度外は矯正レンズを装用せずに測定する。

自動視野計では、10―2プログラムは適宜矯正レンズを使用し、両眼開放エスターマンテストは矯正眼鏡を装用せずに実施する。

(オ) 自動視野計を用いて測定した場合において、認定上信頼性のある測定が困難な場合は、ゴールドマン型視野計で測定し、その測定結果により認定を行う。

(カ) ゴールドマン型視野計又は自動視野計の結果は、診断書に添付する。

(2) 聴覚障害

ア 両耳の聴力レベルが一〇〇デシベル以上のもの

両耳の聴力レベルは、オージオメータ（ＪＩＳ規格又はこれに準ずるオージオメータ）によって測定するものとする。

ただし、聴覚の障害により、障害年金を受給しておらず、かつ、身体障害者手帳も取得していない者に対し、令第一条第二項第一号に該当する診断を行う場合には、オージオメータによる検査に加えて、ＡＢＲ検査（聴性脳幹反応検査）等の他覚的聴力検査又はそれに相当する検査を実施する。また、その結果（実施した検査方法及び検査所見）を診断書に記載し、記録データのコピー等を提出（添付）するものとする。

イ　聴力レベルのデシベル値は、会話音域すなわち周波数五〇〇、一〇〇〇、二〇〇〇ヘルツの純音のデシベル値の平均値とする。平均値は周波数五〇〇、一〇〇〇、二〇〇〇ヘルツにおける純音の各々のデシベル値をa、b、cとした場合、次の算式により算出する。

$$\frac{a+2b+c}{4}$$

なお、この場合、a、b、cのうちいずれか一又は二が測定不能のとき（一〇〇デシベルの音も聴取できない場合）は、当該部分のデシベル値を一〇五デシベルとし前記算式に計上し聴力レベルを算定する。

ウ　聴覚の障害により、障害年金を受給しておらず、かつ、身体障害者手帳も取得していない者に対し、令第一条第二項第一号に該当する場合は、オージオメータによる検査結果のほか、ＡＢＲ検査（聴性脳幹反応検査）等の他覚的聴力検査又はそれに相当する検査結果を把握して、総合的に認定する。

(3)　両上肢の機能障害

両上肢の機能に著しい障害を有するもの又は両上肢の全ての指を欠くもの若しくは両上肢の全ての指の機能に著しい障害を有するもの

ア　両上肢の機能に著しい障害を有するものとは、おおむね両上肢のそれぞれについて肩、肘及び手の三大関節中いずれか二関節以上が用を廃する程度の障害を有するものをいう。この場合において、関節が用を廃する程度の障害を有するとは、各々の関節が強直若しくはそれに近い状態（可動域一〇度以下）にある場合又は関節に目的運動を起こさせる筋力が著減（徒手筋力テスト二以下）している場合で日常生活動作に必要な運動を起こし得ない程度の障害をいう。

ただし、肩関節については、前方及び側方の可動域が三〇度以下のものは、その用を廃する程度の障害に該当するものとする。

なお、この場合には上肢装具等の補装具を使用しない状態で、日常生活において次のいずれの動作も行うことができないものである。

㋐　かぶりシャツの着脱（一分以内に行う）

㋑　ワイシャツのボタンをとめる（一分以内に行う）

イ　両上肢の全ての指を欠くものとは、それぞれの指を近位節（指）骨の基部から欠き、その有効長が〇のものをいう。

ウ　両上肢の全ての指の機能に著しい障害を有するものとは、指の著しい変形、麻痺による高度の脱力、関節の強直、瘢痕による指の埋没又は拘縮等により指があってもそれがないのとほとんど同程度の機能障害があるものをいう。

なお、この場合には日常生活において次のいずれの動作も行うことができないものである。

㋐　タオルをしぼる（水を切れる程度）

㋑　とじひもを結ぶ（一〇秒以内に行う）

(4) 両下肢の機能障害

両下肢の機能に著しい障害を有するもの又は両下肢を足関節以上で欠くもの

ア 両下肢の機能に著しい障害を有するものとは、おおむね両下肢のそれぞれについて股、膝及び足の三大関節中いずれか二関節以上が用を廃する程度の障害を有するものをいう。この場合において、関節が用を廃する程度の障害を有するとは、各々の関節が強直若しくはそれに近い状態（可動域一〇度以下。なお、足関節の場合は五度以下。）にある場合又は下肢に運動を起こさせる筋力が著減（徒手筋力テスト二以下）している場合で、起立歩行に必要な動作を起こし得ない程度の障害をいう。ただし、膝関節のみが一〇〇度屈位の強直である場合のように単に一関節が用を廃するにすぎない場合であっても、その下肢は歩行する場合に使用することができないため、その下肢の機能に著しい障害を有するものとする。

なお、この場合にはつえ、松葉づえ、下肢装具等の補助具を使用しない状態で、日常生活において次のいずれの動作も行うことができないものである。

㋐ 片足で立つ

㋑ 階段の昇降

イ 両下肢を足関節以上で欠くものとは、ショパール関節以上で欠くものをいう。

ウ 人工骨頭又は人工関節をそう入置換したものについては、そう入置換した状態で認定を行うものとする。

(5) 体幹の機能障害

体幹の機能に座っていることができない程度又は立ち上がることができない程度の障害を有するもの

ア 体幹の機能障害は、高度体幹麻痺等を後遺した脊髄性小児麻痺、脳性麻痺、脊髄損傷、強直性脊椎炎等によって生ずるが、これらの多くのものは障害が単に体幹のみならず四肢に及ぶものが多い。このような症例における体幹の機能障害とは四肢の機能障害を一応切り離して、体幹のみの障害の場合を想定して判定したものをいう。従ってこのような症例の場合は体幹と四肢の障害の程度を総合して判定するものであるが、この際体幹と下肢の重複障害として認定するときは慎重に行うこと。例えば脊髄損傷又は臀筋麻痺で起立困難の症例を体幹と下肢の両者の機能障害として重複障害として認定することは適当ではない。

イ 座っていることができないとは、腰掛、正座、横座り、長座位及びあぐらのいずれもできないものをいい、立ち上がることができないとは、臥位又は座位から自力のみで立ち上がれず、他人、柱、つえ、その他の器物の介護又は補助によりはじめて立ち上がることができるものをいう。

(6) 内部障害

ア 心臓の機能障害

(ア) 心臓の機能障害については、永続する機能障害（将来とも回復する可能性がないか極めて少ないものをいう。以下同じ。）をいうものとする。

(イ) 心臓の機能障害の程度についての判定は、呼吸困難、心悸亢進、チアノーゼ、浮腫等の臨床症状、X線、心電図等の検査成績、一般状態、治療及び病状の経過等により行うものとし、自己の身辺の日常生活活動が極度に制限される状態にあるものについては、令別表第二第六号に該当するものとする。

(ウ) 令別表第二第六号に該当すると思われる症状には、次のようなものがある。

次のうちいずれか二以上の所見があり、かつ、自己の身辺の日常生活活動でも心不全症状又は狭心症症状が起こるもの。

㋐ 心胸比が六〇パーセント以上のもの
㋑ 心電図で陳旧性心筋梗塞所見があるもの
㋒ 心電図で脚ブロック所見があるもの
㋓ 心電図で完全房室ブロック所見があるもの
㋔ 心電図で第二度の房室ブロック所見があるもの
㋕ 心電図で心房細動又は粗動所見があり、心拍数に対する脈拍数の欠損が一分間一〇以上のもの
㋖ 心電図でSTの低下が〇・二mV以上の所見があるもの
㋗ 心電図で第一誘導、第二誘導及び胸部誘導（ただしV_1を除く。）のいずれかのT波が逆転した所見があるもの
㋘ 心臓ペースメーカーを装着したもの
㋙ 人工弁を装着したもの

(エ) 心臓ペースメーカー及び人工弁を装着したものについては装着した状態で認定を行うものとする。

イ 呼吸器（呼吸器系結核及び換気機能）の機能障害

(ア) 呼吸器の機能障害については、永続する機能障害をいうものとする。

(イ) 呼吸器の機能障害の程度についての判定は、予測肺活量一秒率（以下「指数」という。）、動脈血ガス分析値及び臨床症状によるものとする。ここでいう指数とは、一秒量（最大努力下の最初の一秒間の呼気量）の予測肺活量（性別、年齢、身長の組合せで正常な状態ならば当然あると予測される肺活量の値）に対する百分率である。

(ウ) 令別表第二第六号に該当すると思われる機能障害の状態とは次の㋑又は㋒の所見があり、㋐の症状を有するものとする。

㋐ 呼吸困難が強いため歩行がほとんどできないもの
㋑ 指数の測定ができないもの又は指数が二〇以下のもの
㋒ 動脈血ガス分析値が、動脈血O_2分圧で五五mmHg以下のもの又は動脈血CO_2分圧で六〇mmHg以上のもの

ウ 腎臓の機能障害

(ア) 腎臓の機能障害については、永続する腎機能不全、尿生

成異常をいうものとする。

(イ) 腎臓の機能障害の程度についての判定は、臨床症状、腎臓機能検査成績、尿所見、血球算定検査、血液生化学検査（血清尿素毒素、血清クレアチニン、血清電解質等）、動脈血ガス分析、腎生検、一般状態、治療及び病状の経過等により行うものとし、自己の身辺の日常生活活動が極度に制限される状態にあるものについては、令別表第二第六号に該当するものとする。

(ウ) 慢性透析療法を行う必要があるものにかかる腎機能検査は当該療法実施前の成績によるものとする。

(エ) 令別表第二第六号に該当すると思われる病状には次のようなものがある。

腎臓機能検査において、内因性クレアチニンクリアランスが一〇ml／分未満、血清クレアチニンが八・〇mg／dl以上又は血液尿素窒素が八〇mg／dl以上であってかつ、自己の身辺の日常生活活動が著しく制限されるか又は次のいずれかの所見があるもの。

㋐ 尿毒症性心包炎

㋑ 尿毒症性出血傾向

㋒ 尿毒症性中枢神経症状

腎機能検査成績は、その性質上変動しやすいものと思われるので、腎臓疾患による病状の程度の判定に当たっては、診断書作成日前三か月間において最も適切に症状をあらわしていると思われる検査成績に基づいて行うものとする。

エ 肝臓疾患

(ア) 肝臓疾患による病状の程度についての判定は、おおむね三か月以上の療養を必要とし、悪心、黄疸、腹水、肝萎縮、肝性脳症、出血傾向等の臨床症状、肝機能検査成績、一般状態、治療及び病状の経過等により行うものとし、自己の身辺の日常生活活動が極度に制限される状態にあるものについては、令別表第二第六号に該当するものとする。

(イ) 令別表第二第六号に該当すると思われる病状は次の㋐に定める検査成績を示すものをいう。

㋐ 次表に掲げる肝機能異常度指表の検査成績のうち高度異常を三つ以上示すもの又は高度異常を二つ及び中等度の異常を二つ以上示すもの

肝機能異常度指表

検査項目／臨床所見	基準値	中等度の異常	高度異常
血清総ビリルビン（mg／dl）	0.3～1.2	2.0以上 3.0以下	3.0超
血清アルブミン（g／dl）（BCG法）	4.2～5.1	3.0以上 3.5以下	3.0未満

血小板数（万／μl）	13～35	5以上10未満	5未満
プロトロンビン時間（ＰＴ）（％）	70超～130	40以上70以下	40未満
腹水	—	腹水あり	難治性腹水あり
脳症（表１）	—	Ⅰ度	Ⅱ度以上

(ウ) 肝機能検査成績は、その性質上変動しやすいものと思われるので、肝臓疾患による病状の程度の判定に当たっては、診断書作成日前三か月間における一か月以上の間隔をおいた二回の検査成績に基づいて行うものとする。

オ　血液疾患

(ア) 血液疾患による病状の程度についての判定は、おおむね三か月以上の療養を必要とする者につき、一般状態特に治療及び病状の経過に重点をおき、立ちくらみ、動悸、息切れ等の臨床症状、血液学的検査成績等により行うものとし、自己の身辺の日常生活活動が極度に制限される状態にあるものについては、令別表第二第六号に該当するものとする。

(イ) 令別表第二第六号に該当すると思われる病状には、次のようなものがある。

貧血、感染、発熱、各種臓器組織での出血性病変等の病状が継続するものであって、かつ、次表に掲げる血液異常度指表三系列のうち一系列以上の検査成績が高度異常を示すもの。

血液異常度指表

区分	系列	検査項目	単位	高度異常
末梢血液像	赤血球系	ヘモグロビン濃度	g／dL	7未満
		網赤血球	／μL	20,000未満
	白血球系	白血球数	／μL	1,000未満
		好中球数	／μL	500未満
	血小板系	血小板数	／μL	20,000未満

(ウ) 血液検査成績は、その性質上変動しやすいものと思われるので、血液疾患による病状の程度の判定に当たっては、最も適切に病状をあらわしていると思われる検査成績に基づいて行うものとする。

(7) その他の疾患

ア　前各項に掲げるもののほか、身体の機能の障害又は長期にわたる安静を必要とする病状がある場合においては、その状態が令別表第二第一号から第五号までと同程度以上と認められるものであって、日常生活の用を弁ずることを不能ならしめる程度のものであるときは令別表第二第六号に該当するものとする。

イ　アの機能の障害又は症状の程度の判定については、(1)から(4)に準じて行うものとする。

ウ　なお、病状には慢性に経過する極めて重とくな疾患で、短期間に軽快することを期待できない疾患を総じて含むもので特定疾患治療研究事業の対象疾患にとどまらず、対象となるものである。認定に際しては前各項に掲げる疾患のように、特定の症状を以って評価することが困難な場合が多く個別に表出された症状の総括によって評価しなければならないために、X線・検尿・血液検査・心電図等の所見を必要とする場合も多い。臨床所見はあくまで「常時安静、就床を要する程度」のものであり、それを裏付ける所見が必要となることから慎重に取扱うこと。

なお、「常時安静、就床を要する程度」とは、結核の治療指針（昭和三十八年六月七日保発第一二号厚生省保険局長通知）に掲げる安静度表の二度以上に該当すると認められるものである。

(8)　精神の障害

ア　精神の障害は、統合失調症、統合失調症型障害及び妄想性障害、気分（感情）障害、症状性を含む器質性精神障害、てんかん、知的障害、発達障害に区分し、その傷病及び状態像が令別表第二第七号に該当すると思われる症状等には、次のようなものがある。

(ア)　統合失調症によるものにあっては、高度の残遺状態又は高度の病状があるため高度の人格変化、思考障害、その他妄想、幻覚等の異常体験が著明なもの

(イ)　統合失調症型障害及び妄想性障害によるものにあっては、残遺状態又は病状が前記(ア)に準ずるもの

(ウ)　気分（感情）障害によるものにあっては、高度の気分、意欲・行動の障害及び高度の思考障害の病相期があり、かつ、これが持続したり、ひんぱんに繰り返したりするもの

(エ)　症状性を含む器質性精神障害（高次脳機能障害を含む。）によるものにあっては、高度の認知障害、高度の人格変化、その他の高度の精神神経症状が著明なもの

なお、アルコール、薬物等の精神作用物質の使用による精神及び行動の障害についてもこの項に含める

（注1）　高次脳機能障害とは、脳損傷に起因する認知障害全般を指し、日常生活又は社会生活全般に制約があるものが認定の対象となる。その障害の主な症状としては、失行、失認のほか記憶障害、注意障害、遂行機能障害、社会的行動障害などがある。

なお、障害の状態は、代償機能やリハビリテーシヨンにより好転も見られることから療養及び症状の経過を十分に考慮すること。

(オ) てんかんによるものにあっては、てんかん性発作のA又はBが月に一回以上あり、かつ、常時の介護が必要なもの

なお、てんかん発作については、抗てんかん薬の服用や、外科的治療によって抑制される場合にあっては、原則として認定の対象としない

(注) 発作のタイプは以下の通り

A：意識障害を呈し、状況にそぐわない行為を示す発作

B：意識障害の有無を問わず、転倒する発作

(カ) 知的障害によるものにあっては、食事や身のまわりのことを行うのに全面的な援助が必要であって、かつ、会話による意思の疎通が不可能か著しく困難なもの

(注1) 知的障害の認定に当たっては、知能指数のみに着眼することなく、日常生活のさまざまな場面における援助の必要度を勘案して総合的に判断する。

(注2) 日常生活能力等の判定に当たっては、身体的機能及び精神的機能を考慮のうえ、社会的な適応性の程度によって判断するよう努める。

(キ) 発達障害によるものにあっては、社会性やコミュニケーション能力が欠如しており、かつ、著しく不適応な行動が見られるもの

(注1) 発達障害とは、自閉症、アスペルガー症候群その他の広汎性発達障害、学習障害、注意欠陥多動性障害その他これに類する脳機能の障害であってその症状が通常低年齢において発現するものをいう。

(注2) 発達障害については、たとえ知能指数が高くても、社会行動やコミュニケーション能力の障害により対人関係や意思疎通を円滑に行うことができないために日常生活に著しい制限を受けることに着目して行う。

(注3) 日常生活能力等の判定に当たっては、身体的機能及び精神的機能を考慮のうえ、社会的な適応性の程度によって判断するよう努める。

(ク) (ア)から(キ)までの認定の対象となる精神疾患が併存しているときは、併合認定の取扱いは行わず、諸症状を総合的に判断して認定する。

イ 精神の障害の程度については、日常生活において常時の介護又は援助を必要とする程度以上のものとする。

ウ 知的障害の程度については、知的機能の発達程度のほか、適応行動上の障害を十分勘案のうえ、別表に掲げる知的機能の程度により判定するものとし、年齢階層別の障害が最重度とされるものについては令別表第二第七号に該当するものとする。

なお、この場合における知的障害の程度は、標準化された知能検査による知能指数がおおむね二〇以下に相当する。

エ アの症状を有するもので、次の日常生活能力判定表の各動

作及び行動に該当する点を加算したものが一〇点以上の場合にイに該当するものとする。

日常生活能力判定表

動作及び行動の種類	○点	一点	二点
1　食事	ひとりでできる	介助があればできる	できない
2　用便（月経）の始末	ひとりでできる	介助があればできる	できない
3　衣服の着脱	ひとりでできる	介助があればできる	できない
4　簡単な買物	ひとりでできる	介助があればできる	できない
5　家族との会話	通じる	少しは通じる	通じない
6　家族以外の者との会話	通じる	少しは通じる	通じない
7　刃物・火の危険	わかる	少しはわかる	わからない
8　戸外での危険から身を守る（交通事故）	守ることができる	不十分ながら守ることができる	守ることができない

2　令第一条第二項第二号に該当する障害

令第一条第二項第二号に該当する障害の程度とは、次のいずれかに該当するものとする。

(1)　令別表第二第一号から第七号までのいずれか一つの障害を有し、かつ、次表に規定する身体の機能の障害若しくは病状又は精神の障害を重複して有するもの

1	両眼の視力がそれぞれ〇・〇七以下のもの又は一眼の視力が〇・〇八、他眼の視力が手動弁以下のもの
2	両耳の聴力レベルが九〇デシベル以上のもの
3	平衡機能に極めて著しい障害を有するもの
4	そしゃく機能を失ったもの
5	音声又は言語機能を失ったもの
6	両上肢のおや指及びひとさし指の機能を全廃したもの又は両上肢のおや指及びひとさし指を欠くもの
7	一上肢の機能に著しい障害を有するもの又は一上肢の全ての指を欠くもの若しくは一上肢の全ての指の機能を全廃したもの
8	一下肢の機能を全廃したもの又は一下肢を大腿の二分の一以上で欠くもの
9	体幹の機能に歩くことができない程度の障害を有するもの
10	前各号に掲げるもののほか、身体の機能の障害又は長期にわたる安静を必要とする病状が前各号と同程度以上と認められる状態であって、日常生活が著しい制限を受けるか、又は日常生活に著しい制限を加えることを必要とする程度のもの
11	精神の障害であって、前各号と同程度以上と認められる程度のもの

前記の各号に該当する障害は、次によるものとする。

ア　第一号について

(ア)　視力の測定については、1の(1)のアによること。

㋐「両眼の視力がそれぞれ〇・〇七以下のもの」とは、視力の良い方の眼の視力が〇・〇七以下のものをいう。

㋑「一眼の視力が〇・〇八、他眼の視力が手動弁以下のもの」とは、視力の良い方の眼の視力が〇・〇八かつ他方の眼の視力が手動弁以下のものをいう。

(イ) 次のいずれかに該当する場合には、第十号その他疾患に該当するものとする。なお、視野の測定については、1の(1)のイによること。

㋐ ゴールドマン型視野計による測定の結果、両眼のⅠ／4視標による周辺視野角度の和がそれぞれ八〇度以下かつⅠ／2視標による両眼中心視野角度が五六度以下のもの

㋑ 自動視野計による測定の結果、両眼開放視認点数が七〇点以下かつ両眼中心視野視認点数が四〇点以下のもの

イ 第二号について

聴力レベルの測定については、1の(2)のア（ただし書を除く。）、イ及びウによること。

ウ 第三号について

(ア) 平衡機能の障害には、その原因が内耳性のもののみならず、脳性のものも含まれるものとする。

(イ) 平衡機能の極めて著しい障害とは、四肢体幹に器質的異常がない場合に、閉眼で起立不能又は開眼で直線を歩行中に一〇メートル以内に転倒あるいは著しくよろめき、手すりによる歩行のみが可能なものとする。

エ 第四号について

(ア) そしゃく機能障害は、下顎骨の欠損、顎関節の強直又はそしゃくに関係のある筋、神経の障害等により起こるものとする。

(イ) そしゃく機能を欠くものとは、歯を用いて食物をかみくだくことが不能であることによって流動食以外は摂取できないもの、食餌が口からこぼれ出るため常に手、器物等でそれを防がなければならないもの、又はそしゃく機能障害若しくは嚥下困難のため、一日の大半を食事についやさなければならない程度のものとする。

オ 第五号について

(ア) 音声又は言語機能の障害とは、発音に関わる機能又は音声言語の理解と表出に関わる機能の障害をいい、構音障害又は音声障害、失語症及び聴覚障害による障害が含まれる。

㋐ 構音障害又は音声障害

歯、顎、口腔（舌、口唇、口蓋等）、咽頭、喉頭、気管等の発声器官の形態異常や運動機能障害により、発音に関わる機能に障害が生じた状態のものをいう。

㋑ 失語症

大脳の言語野の後天性脳損傷（脳血管障害、脳腫瘍、頭部外傷や脳炎など）により、一旦獲得された言語機能に障害が生じた状態のものをいう。

㋒ 聴覚障害による障害

先天的な聴覚障害により音声言語の表出ができないものや、中途の聴覚障害によって発音に障害が生じた状態のものをいう。

(イ) 「音声又は言語機能を失ったもの」とは、発音に関わる機能を喪失するか、話すことや聞いて理解することのどちらか又は両方がほとんどできないため、日常会話が誰とも成立しないものをいう。

(ウ) 構音障害、音声障害又は聴覚障害による障害については、発音不能な語音を評価の参考とする。発音不能な語音は、次の四種について確認するほか、語音発語明瞭度検査等が行われた場合はその結果を確認する。

㋐ 口唇音（ま行音、ぱ行音、ば行音等）

㋑ 歯音、歯茎音（さ行、た行、ら行等）

㋒ 歯茎硬口蓋音（しゃ、ちゃ、じゃ等）

㋓ 軟口蓋音（か行音、が行音等）

(エ) 失語症については、失語症の障害の程度を評価の参考とする。失語症の障害の程度は、音声言語の表出及び理解の程度について確認するほか、標準失語症検査等が行われた場合はその結果を確認する。

(オ) 失語症が、音声言語の障害の程度と比較して、文字言語（読み書き）の障害の程度が重い場合には、その症状も勘案し、総合的に認定する。

(カ) 喉頭全摘出手術を施した結果、発音に関わる機能を喪失したものについては、「音声又は言語機能を失ったもの」に該当するものと認定する。

(キ) 歯のみの障害による場合は、補綴等の治療を行った結果により判定する。

(ク) 音声又は言語機能の障害（特に構音障害）とそしゃく・嚥下機能の障害とは併存することが多いが、この場合には、第四号及び第五号の障害を重複して有することがある。また、音声又は言語機能の障害（特に失語症）と肢体の障害又は精神の障害とは併存することが多いが、この場合についても、第五号と第六号から第九号まで、又は第十一号の障害のうちいくつかを重複して有することがある。

カ 第六号について

(ア) 両上肢のおや指及びひとさし指の機能を全廃したものとは、両上肢のおや指及びひとさし指の各々の関節の可動域が一〇度以下のものとする。

(イ) 両上肢のおや指及びひとさし指を欠くものとは、少なくとも必ず両上肢のおや指を欠き、それに加えて両上肢のひとさし指を欠くものである。この場合の指を欠くものとは、それぞれの指を近位節（指）骨の基部から欠き、その有効長が〇のものをいう。

キ 第七号について

(ア) 一上肢の機能に著しい障害を有するものとは、おおむね肩、肘及び手の三大関節中いずれか二関節以上が用を廃する程度の障害を有するものとする。この場合において、関節が用を廃する程度の障害を有するとは各々の関節が強直若しくはそれに近い状態（可動域一〇度以下）にある場合又は関節に目的運動を起こさせる筋力が著減（徒手筋力テスト二以下）している場合で日常生活動作に必要な運動を起こし得ない程度のものとする。

なお、肩関節については、前方及び側方の可動域が三〇度以下のものはその用を廃する程度の障害に該当するものとする。

(イ) 一上肢の全ての指を欠くものとは、それぞれの指を近位節（指）骨の基部から欠き、その有効長が〇のものをいう。

(ウ) 一上肢の全ての指の機能を全廃したものとは、一上肢の全ての指の各々の関節の可動域が一〇度以下のものとする。

ク 第八号について

(ア) 一下肢の機能を全廃したものとは、一下肢の股、膝及び足の三大関節のいずれの関節とも用を廃する程度の障害を有するものとする。この場合において、関節が用を廃する程度の障害を有するとは、各々の関節が強直若しくはそれに近い状態（可動域一〇度以下。なお、足関節の場合は五度以下。）にある場合又は下肢に運動を起こさせる筋力が著減（徒手筋力テスト二以下）している場合で起立歩行に必要な動作を起こし得ない程度のものとする。

(イ) 大腿の切断の部位及び長さは実用長をもって計測するものとする。

ケ 第九号について

体幹の機能に歩くことができない程度の障害を有するものとは、室内においては、つえ、松葉づえその他の補助用具を必要とせず、起立移動が可能であるが、野外ではこれらの補助用具の助けをかりる必要がある程度又は片脚による起立保持が全く不可能な程度のものとする。

コ 第十号について

(ア) 内部障害

㋐ 心臓の機能障害については、1の(6)のアの(ウ)の㋐から㋙のいずれかの所見があり、かつ、家庭内での極めて温和な活動には支障がないが、それ以上の活動では心不全症状又は狭心症症状が起こるものとする。

㋑ 呼吸器（呼吸系結核及び換気機能）の機能障害については、次のいずれかの所見があり、かつ、ゆっくりでも少し歩くと息切れがするものとする。

a 指数（予測肺活量一秒率）が三〇以下のもの

b 動脈血ガス分析値が動脈血O_2分圧で七五㎜Hg以下のもの又は動脈血CO_2分圧で四六㎜Hg以上のもの

㋒ 腎臓の機能障害については、腎臓機能検査において、内因性クレアチニンクリアランスが二〇ml／分未満、血清クレアチニンが五mg／dl以上又は血液尿素窒素が四〇mg／dl以上であって、次のいずれか二以上の所見があり、かつ、家庭内での極めて温和な活動には支障がないが、それ以上の活動は著しく制限されるものとする。

a　腎不全に基づく末梢神経症
b　腎不全に基づく消化器症状
c　水分電解質異常
d　腎不全に基づく精神異常
e　X線上における骨異栄養症
f　腎性貧血
g　代謝性アチドージス
h　重篤な高血圧症
i　腎疾患に直接関連するその他の症状

㋓　肝臓疾患については、次のａに定める検査成績を示すものとする。

a　次表に掲げる肝機能異常度指表の検査成績のうち中等度又は高度の異常を三つ以上示すもの

肝機能異常度指表

検査項目／臨床所見	基準値	中等度の異常	高度異常
血清総ビリルビン（mg／dl）	0.3～1.2	2.0以上3.0以下	3.0超
血清アルブミン（g／dl）（BCG法）	4.2～5.1	3.0以上3.5以下	3.0未満
血小板数（万／μl）	13～35	5以上10未満	5未満
プロトロビン時間（PT）（%）	70超～130	40以上70以下	40未満
腹水	—	腹水あり	難治性腹水あり
脳症（表1）	—	Ⅰ度	Ⅱ度以上

表1　昏睡度分類

昏睡度	精神症状	参考事項
Ⅰ	睡眠—覚醒リズムの逆転 多幸気分ときに抑うつ状態 だらしなく、気にとめない状態	あとでふり返ってみて判定できる
Ⅱ	指南力（時、場所）障害、物をとり違える（confusion） 異常行動 ときに傾眠状態（普通のよびかけで開眼し会話ができる） 無礼な言動があったりするが、他人の指示に従う態度をみせる	興奮状態がない 尿便失禁がない 羽ばたき振戦あり

Ⅲ	しばしば興奮状態またはせん妄状態を伴い、反抗的態度をみせる 嗜眠状態（ほとんど眠っている） 外的刺激で開眼しうるが、他人の指示に従わない、または従えない（簡単な命令には応じえる）	羽ばたき振戦あり（患者の協力がえられる場合） 指南力は高度に障害
Ⅳ	昏睡（完全な意識の消失） 痛み刺激に反応する	刺激に対して、払いのける動作、顔をしかめるなどがみられる
Ⅴ	深昏睡 痛み刺激にも全く反応しない	

㋔　血液疾患

血液疾患については、貧血、感染、発熱、各種臓器組織での出血性病変等の病状が継続するものであって、かつ、次表に掲げる血液異常度指表の三系列のうち一系列以上の検査成績が、異常を示すものとする。

血液異常度指表

区分	系列	検査項目	単位	異常
末梢血液像	赤血球系	ヘモグロビン濃度	g／dL	9未満
		網赤血球	／μL	60,000未満
	白血球系	白血球数	／μL	2,000未満
		好中球数	／μL	1,000未満
	血小板系	血小板数	／μL	50,000未満

(イ)　その他の疾患

その他の疾患については、前各項に掲げるもののほか身体の機能の障害又は長期にわたる安静を必要とする病状がある場合において、その症状が(1)の表に掲げる障害と同程度以上であって、日常生活が著しい制限を受けるか、又は日常生活に著しい制限を加えることを必要とする程度のものとする。

この場合の障害程度の判定においては一般状態が次に該当するものとする。

身のまわりのある程度のことはできるが、しばしば介助を必要とし、日中の五〇パーセント以上は就床している。

サ　第十一号について

精神の障害については1の(8)のアの症状を有するもの又はこれに準ずる程度の症状を有するものであって、1の(8)のエの日常生活能力判定表の各動作及び行動に該当する点を加算したものが八点以上のものとする。

なお、知的障害の程度については、標準化された知能検査による知能指数がおおむね三五以下に相当する場合に該当するものとする。

(2) 令別表第二第三号から第五号までのいずれか一つの障害を有し、かつ、次の日常生活動作評価表の日常生活動作能力の各動作の該当する点を加算したものが一〇点以上のもの。

この評価は、つえ、松葉づえ、下肢装具等の補助具等を使用しない状態で行うものである。

日常生活動作評価表

動　　作	評価
1 タオルを絞る（水をきれる程度）	
2 とじひもを結ぶ	
3 かぶりシャツを着て脱ぐ	
4 ワイシャツのボタンをとめる	
5 座わる（正座・横すわり・あぐら・脚なげだしの姿勢を持続する）	
6 立ち上る	
7 片足で立つ	
8 階段の昇降	

前記の各動作の評価は次によること

評価	ひとりでできる場合……………〇点 ひとりでできてもうまくできない場合………一点 ひとりでは全くできない場合……………二点
	(注)(1) 2の場合については、次によること 五秒以内にできる…………………〇点 一〇秒　　〃　　…………………一点 一〇秒ではできない………………二点 (2) 3及び4の場合については、次によること 三〇秒以内にできる………………〇点 一分　　〃　　……………………一点 一分ではできない…………………二点

3 令第一条第二項第三号に該当する障害

令第一条第二項第三号に該当する障害の程度とは、令別表第一のうち次のいずれかに該当するものとする。

(1) 第二障害児福祉手当の個別基準の4又は5に該当する障害を有するものであって第三の1の7のウの「安静度表」の一度に該当する状態を有するもの。

(2) 第二障害児福祉手当の個別基準の6に該当する障害を有するものであって第三の1の8のエの「日常生活能力判定表」の各動作及び行動に該当する点を加算したものが一四点となるもの。

第四　福祉手当の障害程度認定基準

国民年金法等の一部を改正する法律（昭和六十年五月一日法律第三十四号）附則第九十七条により支給される福祉手当の障害程度認定基準については、「第二　障害児福祉手当の個別基準」を準用する。

前　文（第一三次改正）抄

〔前略〕令和四年四月一日から適用する。

なお、令和四年四月一日以降においては、本通知により改正された障害児福祉手当認定診断書及び特別障害者手当認定診断書に基づき障害程度の認定を行う必要があるので、その取扱いに遺漏なきようお願いする。

別表（第二の6の⑶及び第三の1の⑻のウ）

知的機能の程度

段階／年齢	重度	最重度
五歳以下	1　ことばがごく少なく意志の表示は身ぶりなどで示す。 2　ある程度の感情表現はできる（笑ったり、怒ったり等）。 3　運動機能の発達の遅れが著しい。 4　身のまわりの始末はほとんどできない。 5　集団あそびはできない。	1　言語不能 2　最小限の感情表示（快、不快等） 3　歩行が不能またはそれにちかい。 4　食事、衣服の着脱などはまったくできない。
六歳〜一七歳	1　言語による意志表示はある程度可能。 2　読み書きの学習は困難である。 3　数の理解に乏しい。 4　身近なものの認知や区別はできる。 5　身辺処理は部分的に可能。 6　身近な人と遊ぶことはできるが長続きしない。	1　言語は数語のみ 2　数はほとんど理解できない。 3　食事、衣服の着脱などひとりではほとんどできない。
一八歳以上	1　日常会話はある程度できる。 2　ひらがなはどうにか読み書きできる。 3　数量処理は困難	1　会話は困難 2　文字の読み書きはできない。 3　数の理解はほとんどできない。 4　身辺処理はほとんど不可能。 5　作業能力はほとんどない。

（注）1　「五歳以下」の欄は、おおむね四〜五歳児の知的機能の程度を示したものであり、それ以下の年齢についてはこれと年齢相応の発達の程度を参考にして判定すること。

2　失禁、興奮、多寡動等の特別な介助を必要とする行動の障害等が認められる場合は、当該行動の障害等を勘案のうえ総合的に知的障害の程度を判定すること。

別添

様式第１号

（表　面）

障害児福祉手当認定診断書（視覚障害用）				
（ふりがな） ①　氏　名		男・女	②　生年月日	平成 令和　年　月　日
③　住　所			④　障害の原因となった傷病名	
⑤　傷病の原因又は誘因	先天性 後天性（疾病・不慮災・労災・その他）		⑥　傷病発生年月日	平成 令和　年　月　日
⑦　④のため初めて医師の診断を受けた日	平成 令和　年　月　日		⑧　将来再認定の要	有（　年後）・無

⑨　眼所見（前眼部、中間透光体、眼底所見）

⑩　視力

	裸眼	矯正視力
右		× D ( ) cyl D Ax °
左		× D ( ) cyl D Ax °

現症

⑪ 視野　**※ 視野図のコピーを添付してください。**

・ゴールドマン型視野計を用いた視野図を添付する場合には、どのイソプタがⅠ／4の視標によるものか、Ⅰ／2の視標によるものかを明確に区別できるように記載してください。
・自動視野計を用いた場合は、両眼開放エスターマンテストの検査結果及び10-2プログラムの検査結果がわかるものを添付してください。

どちらかに記入してください。

ア．ゴールドマン型視野計

（ア）周辺視野の評価（Ⅰ／4）

両眼による視野が2分の1以上欠損　（ はい ・ いいえ ）

（イ）中心視野の評価（Ⅰ／2）

中心視野の角度

	上	内上	内	内下	下	外下	外	外上	合計	
右									a	度
左									b	度

両眼中心視野角度（Ⅰ／2）　（ (aとbのうち大きい方) ×3 ＋ (aとbのうち小さい方) ）／4 ＝ 　度

イ．自動視野計

（ア）周辺視野の評価

両眼開放エスターマンテスト　両眼開放視認点数　　点

（イ）中心視野の評価（10-2プログラム）

右	c	点（≧26dB）
左	d	点（≧26dB）

両眼中心視野視認点数　（（cとdのうち大きい方）□×3＋（cとdのうち小さい方）□）／4　＝　□点

⑫備考

（本人の状態について特記すべきことがあれば記入してください（例えば、視力や視野についての検査を補完し、障害の状態を客観的に証明できる他覚的所見等（網膜電位、視覚誘発電位等））。）

上記のとおり診断します。

令和　　年　　月　　日

病院又は診療所の名称

所　　在　　地

診療担当科名　　　　　　　　医師氏名

◎　裏面の注意をよく読んでから記入してください。

◎　字は楷《かい》書ではっきりと書いてください。

（A列4番）

注意

1　この診断書は、障害児福祉手当（福祉手当）の受給資格を認定するための資料の一つです。

この診断書は、障害者の障害の状態を証明するために使用されますが、記入事項に不明な点がありますと認定が遅くなることがありますので、詳しく記入してください。

2　○・×で答えられる欄は、該当するものを○で囲んでください。記入しきれない場合は、別に紙片をはり付けてそれに記入してください。

3　⑦の欄は、この診断書を作成するための診断日ではなく、障害者が障害の原因となった傷病について初めて医師の診断を受けた日を記入してください。前に他の医師が診断している場合は、障害者本人又はその父母等の申立てによって記入してください。また、それが不明の場合には、その旨を記入してください。

4　⑩の欄の「矯正視力」の欄は、最良視力が得られる矯正レンズによって得られた視力を記入してください。

なお、眼内レンズ挿入眼は裸眼と同様に扱い、屈折異常がある場合には適正に矯正した視力を測定してください。

5　視野は、ゴールドマン型視野計又は自動視野計を用いて測定してください。

ゴールドマン型視野計を用いる場合、中心視野の測定にはⅠ／２の視野を用い、周辺視野の測定にはⅠ／４の視標を用いてください。自動視野計を用いる場合、両眼開放視認点数は視標サイズⅢによる両眼開放エスターマンテストで測定し、両眼中心視野視認点数は視標サイズⅢによる10―２プログラムで測定してください。

6　⑪の欄のア(イ)「中心視野の角度」は、Ⅰ／２の視標を用いて左右眼ごとに８方向の視野の角度（Ⅰ／２の視標が視認できない部分を除いて算出）を該当する方向の欄に記入し、８方向の角度を合算した数値を「合計」の欄に記入してください。

7　口頭による諸検査結果と他覚所見とが一致しないような場合は、備考欄になるべく詳しく診断結果を付加記入してください。

様式第２号

（表　面）

障害児福祉手当（福祉手当）認定診断書（聴覚障害用）

①（ふりがな） 氏　名		男・女	②　生年月日	平成 令和　　年　　月　　日
③　住　所			④　障害の原因となった傷病名	
⑤　傷病の原因又は誘因	先天性 後天性　（疾病 ・ 不慮災 ・ 労災 ・ その他）		⑥　傷病発生年月日	平成 令和　　年　　月　　日
⑦　④のため初めて医師の診断を受けた日	平成 令和　　年　　月　　日		⑧　将来再認定の要	有（　　年後）・ 無

現症

⑨　聴力検査成績

（1）純音聴力

聴力レベル

	500	1000	2000
右			
左			

（dB値で記入）

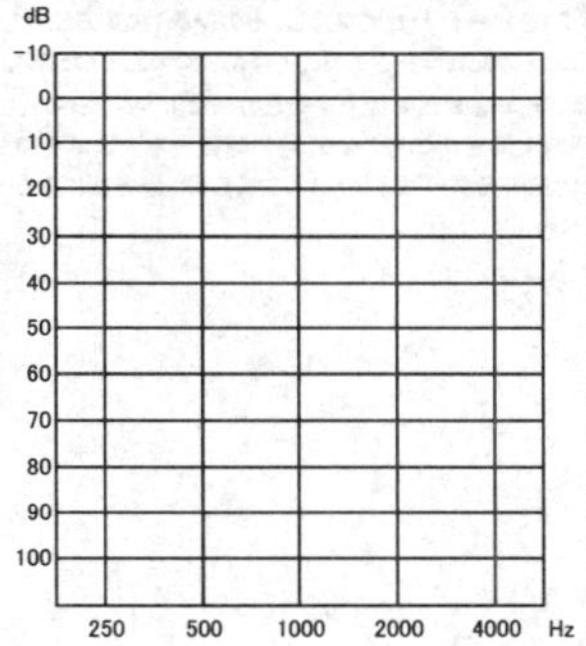

（2）最良語音明瞭度

右　　　％

左　　　％

所見

⑩　重度難聴用の補聴器の使用効果

全く音声を識別できない程度に……
- 1　該当する
- 2　該当しない

⑪ 備考

上記のとおり、診断します。

令和　　年　　月　　日

病院又は診療所の名称

所　在　地

診療担当科名　　　　　　　　医　師　氏　名

◎ 裏面の注意をよく読んでから記入してください。障害者の障害の程度及び障害の認定に無関係な欄は記入する必要がありません。

◎ 字は楷書ではっきりと書いてください。

（裏　　　面）

注　意

1　この診断書は、障害児福祉手当（福祉手当）の受給資格を認定するための資料の一つです。
この診断書は障害者の障害の状態を証明するために使用されますが、記入事項に不明な点がありますと認定が遅くなることがありますので、詳しく記入してください。

2　○・×で答えられる欄は、該当するものを○で囲んでください。記入しきれない場合は、別に紙片をはりつけてそれに記入してください。

3　⑦の欄は、この診断書を作成するための診断日ではなく障害者が障害の原因となった傷病については初めて医師の診断を受けた日を記入してください。前に他の医師が診断している場合は、障害者本人又はその父母等の申立てによって記入してください。
また、それが不明な場合には、その旨を記入してください。

4　現症欄のデシベル値は、和声域すなわち周波数500、1,000、2,000、における純音の各々のデシベル値とする。

5　⑨の欄の「所見」は、聴覚の障害により特別児童扶養手当を受給しておらず、かつ、身体障害者手帳を取得していない障害児に対し、令別表第1に該当する診断を行う場合は、オージオメータによる検査に加えて、聴性脳幹反応検査（ABR）等の他覚的聴力検査又はそれに相当する検査を実施し、その結果（検査方法及び検査所見）を記入してください。
また、オージオメータにより聴力レベルを測定できない乳幼児の場合、ABR検査又はASSR検査（聴性定常反応検査）と、COR検査（条件詮索反応検査）を組み合わせて実施し、その結果（検査方法及び検査所見）を記入してください。
また、この診断書のほかに、その記録データのコピー等を必ず添えてください。

6　最良語音明瞭度の検査は、日本聴覚医学会で定めた方法によってください。
なお、この検査は、語音明瞭度障害が問題となり、特に障害者本人又はその父母等から依頼された場合にのみ測定してください。

7　口頭による諸検査結果と他覚所見が一致しないような場合は、備考欄になるべく詳しく診断結果を付加記入してください。

様式第３号

（表　面）

障害児福祉手当（福祉手当）認定診断書（肢体不自由用）

①（ふりがな）氏　名		男・女	②　生年月日	平成 令和　年　月　日
③　住　所			④　障害の原因となった傷病名	
⑤　傷病の原因又は誘因	先天性 後天性（疾病・不慮災・労災・その他）		⑥　傷病発生年月日	平成 令和　年　月　日
⑦　④のため初めて医師の診断を受けた日	平成 令和　年　月　日		⑧　将来再認定の要	有（　年後）・無

⑨　現　症

1

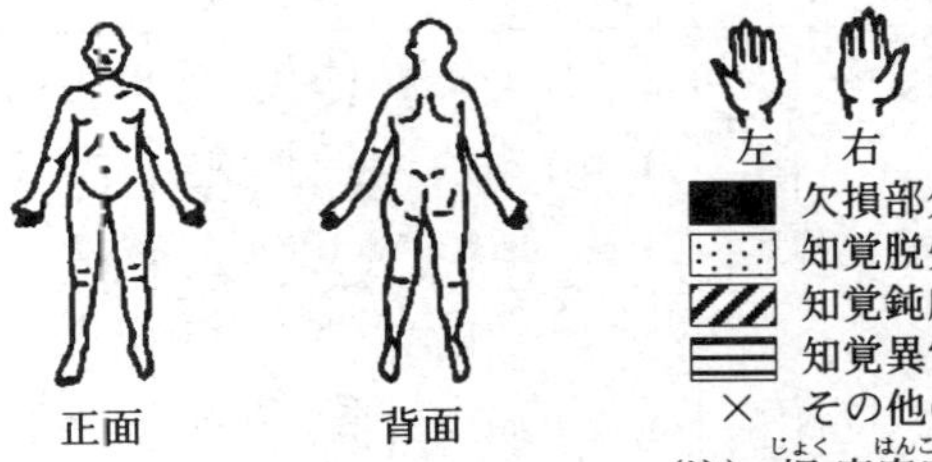

欠損部分
知覚脱失部分
知覚鈍麻部分
知覚異常部分
×　その他の障害の部分

（注）褥《じょく》瘡瘢痕《はんこん》も記入してください。

2　四肢周径（㎝）

	上腕中央部	前腕最大部	大腿《たい》中央部	下腿《たい》最大部
右				
左				

3　四肢長（㎝）

	上肢長	下肢長
右		
左		

4　神経学的所見

(1)　知覚障害……………有　無（あれば上図に記入すること）

(2)　運動麻痺《ひ》の種類（該当するものを〇で囲んでください。）
弛《し》緩性　痙《けい》性　失調性　不随意運動性　強剛（固縮）性　しんせん性

(3)　障害の起因部位（該当するものを〇で囲んでください。）
脳性　脊《せき》髄性　末梢《しょう》神経性　筋性　その他

(4)　諸反射検査

	上肢腱《けん》反射	下肢腱《けん》反射	バビンスキー反射	その他の病的反射
右				
左				

(5)　ぼうこう・直腸麻痺《ひ》……………有　無

5　体幹・四肢関節可動域

部位	運動の方向	可動域			
		右		左	
		自動	他動	自動	他動
肩関節					
肘《ちゅう》関節					
前腕					
手関節					
股《こ》関節					
膝《しつ》関節					
足関節					

部位	運動の方向	可動域	
		自動	他動
頸《けい》部			
胸腰部			

6　その他

⑩　日常生活動作の障害程度（補装具等を使用しない状態で判定すること。）

記号
- ひとりでできる場合…………………………○
- ひとりでできてもうまくできない場合…△
- ひとりでは全くできない場合……………×

1　つまむ（新聞紙が引き抜けない程度）……｛右＿ 左＿

2　握る（丸めた週刊誌が引き抜けない程度）………｛右＿ 左＿

3　タオルを絞る（水をきれる程度）…両手＿

4　顔を洗う………………………………＿

5　ひもを結ぶ……………………………＿

6　はしで食事をする……………………｛右＿ 左＿

7　さじで食事をする……………………｛右＿ 左＿

8　握　力…………………………………｛右＿ 左＿

9　用便｛小便（ズボンの前のボタンのところに手をやる）…＿ 大便（臀《しり》のところに手をやる）…＿

10　かぶりシャツを着る脱ぐ………………＿

11　シャツのボタンの止めはずし…………＿

12　ズボンの着脱（どのような姿勢でもよい）………＿

13　靴下をはく（どのような姿勢でもよい）…………＿

14　すわる｛支えなしで正坐・横すわり・あぐら・脚なげ出し（このような姿勢を持続する）｝…＿

15　こしかける｛可能 不能　背もたれ—要・不要

16　深くおじぎをする………………………＿

17　立ち上る｛可能 不能　支持—要・不要

18　歩く（室内）……………………………＿

19　階段をのぼる｛可能 不能　手すり—要・不要

20　階段をおりる｛可能 不能　手すり—要・不要

⑪　備　考

上記のとおり診断します。

令和　　年　　月　　日

病院又は診療所の名称

所　　在　　地

診療担当科名　　　　　　医師氏名

◎　裏面の注意をよく読んでから記入してください。障害者の障害の程度及び障害の認定に無関係な欄は記入する必要がありません。

◎　字は楷《かい》書ではっきりと書いてください。

（裏　面）

注意

1　この診断書は、障害児福祉手当（福祉手当）の受給資格を認定するための資料の一つです。

この診断書は、障害者の障害の状態を証明するために使用されますが、記入事項に不明の点がありますと認定が遅くなることがありますので、詳しく記入してください。

2　○・×で答えられる欄は、該当するものを○で囲んでください。記入しきれない場合は、別に紙片をはり付けてそれに記入してください。

3　⑦の欄は、この診断書を作成するための診断日ではなく、障害者が障害の原因となった傷病について初めて医師の診断を受けた日を記入してください。前に他の医師が診断している場合は、障害者本人又はその父母等の申立てによって記入してください。また、それが不明の場合には、その旨を記入してください。

4　⑨の欄は、次によってください。

(1)　1の図は、障害の内容に応じてそれぞれの部位を塗りつぶしてください。

(2)　「四肢長」の測定は、上肢長については肩峰より橈《とう》骨茎状突起まで、下肢長については、腸骨前上棘《きょく》より内果までの距離を測ってください。

(3)　4の「障害の起因部位」が心因性のものと思われる場合は、「その他」のところを○で囲んでください。

(4)　5の「体幹・四肢関節可動域」は、関節角度計を使用してください。また、運動障害のある部位について、運動の方向別に解剖学的肢位を0°（前腕については手掌面が矢状面にある状態を0°とし、肩関節の水平屈曲伸展計測については外転90°位を0°とする。）とした測定方法（昭和49年6月日本整形外科学会及び日本リハビリテーション医学会で定めた測定方法）により測定した最大可動域を記入してください。

5　6の「その他」には、現疾患にかかわる変形や筋力の減弱等日常生活動作に直接関連を有する症状について記入してください。

6　⑩の欄の日常生活動作については、それぞれの状態に応じて○・△・×を記入してください。

なお、15、17、19及び20の動作については、該当するものを○で囲んでください。

様式第４号

（表　面）

障害児福祉手当（福祉手当）認定診断書（心臓疾患用）

（ふりがな） ①　氏　　名		男・女	②　生　年　月　日	平成 令和　　年　　月　　日
③　住　　所			④　障害の原因となった傷病名	
⑤　④のため初めて医師の診断を受けた日	平成 令和　　年　　月　　日		⑥　傷病発生年月日	平成 令和　　年　　月　　日
⑦　障害が永続すると判定された日	平成 令和　　年　　月　　日	推定 確認	⑧　将来再認定の要	有（　　年後）・無

現症

⑨　一般用

1　臨床所見

⑴　動　悸《き》　（　有　・　無　）
⑵　息切れ　（　有　・　無　）
⑶　呼吸困難　（　有　・　無　）
⑷　胸　痛　（　有　・　無　）
⑸　血　痰《たん》　（　有　・　無　）
⑹　チアノーゼ　（　有　・　無　）
⑺　浮　腫《しゅ》　（　有　・　無　）
⑻　血　圧　（　最高　　最低　）
⑼　心拍数　（　　　　）
⑽　脈拍数　（　　　　）
⑾　心　音　（　　　　）
⑿　その他の臨床所見

3　活動能力の程度（該当するものどれか一つを選んで○で囲んでください。）

⑴　普通の活動でも心不全症状又は狭心症が起こらないもの

⑵　家庭内での普通の活動では何でもないが、それ以上の活動は著しく制限されるもの

⑶　家庭内での普通の活動では何でもないが、それ以上の活動では心不全症状又は狭心症症状が起こるもの

⑷　家庭内での極めて温和な活動では何でもないが、それ以上の活動では心不全症状又は狭心症症状が起こるもの

⑸　安静時でも心不全症状又は狭心症症状が起こるもの

2　X線・心電図所見　　　　令和　　年　　月　　日撮影

⑴　陳旧性心筋梗塞《そく》　（　有・無　）
⑵　脚ブロック　（　有・無　）
⑶　完全房室ブロック　（　有・無　）
⑷　不完全房室ブロック　（　有　第　　度　・無　）
⑸　心房細動（粗動）　（　有・無　）
　　心拍数に対する脈拍数の欠損　（　　／分）
⑹　STの低下　（　有　　mV　・無　）
⑺　第Ⅰ誘導、第Ⅱ誘導及び胸部誘導（ただし、V_1を除く。）のいずれかのT波の逆転　（　有・無　）

⑩　小児用

1　臨床所見

⑴　著しい発育障害　（　有　・無　）
⑵　心音・心雑音の異常　（　有　・無　）
⑶　多呼吸又は呼吸困難　（　有　・無　）
⑷　運動制限　（　有　・無　）
⑸　チアノーゼ　（　有　・無　）
⑹　肝　腫《しゅ》　（　有　・無　）
⑺　浮　腫《しゅ》　（　有　・無　）

3　養護の区分（該当するものを○で囲んでください。）

⑴　6か月～1年ごとの観察
⑵　1か月～3か月ごとの観察
⑶　症状に応じて要医療
⑷　継続的医療
⑸　重い心不全、低酸素血症又はアダムスストークス発作で継続的医療を要するもの

	2 X線・心電図所見　令和　年　月　日撮影 (1) 心胸比56%以上　（有・無） (2) 肺血流量増又は減　（有・無） (3) 肺静脈うつ血像　（有・無） (4) 心室負荷像　（有(右室、左室、両房)・無） (5) 心房負荷像　（有(右室、左室、両房)・無） (6) 病的不整脈(種類　)　（有・無） (7) 心筋障害像(所見　)　（有・無）
⑪ 備考	
上記のとおり診断します。 令和　年　月　日 病院又は診療所の名称 所　在　地 診療担当科名　医師氏名	

◎　裏面の注意をよく読んでから記入してください。障害者の障害の程度及び障害の認定に無関係な欄は記入する必要がありません。

◎ 字は楷《かい》書ではっきりと書いてください。　（A列4番）

（裏　面）

注意

1　この診断書は、障害児福祉手当（福祉手当）の受給資格を認定するための資料の一つです。
この診断書は、障害者の障害の状態を証明するために使用されますが、記入事項に不明な点がありますと認定が遅くなることがありますので、詳しく記入してください。

2　〇・×で答えられる欄は、該当するものを〇で囲んでください。記入しきれない場合は、別に紙片をはりつけてそれに記入してください。

3　⑤の欄は、この診断書を作成するための診断日ではなく、障害者が障害の原因となった傷病について初めて医師の診断を受けた日を記入してください。前に他の医師が診断している場合は、障害者本人又はその父母等の申し立てによって記入してください。また、それが不明の場合には、その旨を記入してください。

様式第５号

障害児福祉手当・福祉手当認定診断書（結核及び換気機能障害用）

（ふりがな） ① 氏　　名		男 ・ 女	② 生 年 月 日	平成 令和　　年　　月　　日
③ 住　　所			④ 障害の原因となった傷病名	
⑤ ④のためはじめて医師の診断を受けた日	平成 令和　　年　　月　　日		⑥ 傷病発生年月日	平成 令和　　年　　月　　日
⑦ 障害が永続すると判定された日	平成 令和　　年　　月　　日	推定 確認	⑧ 将来再認定の要	有（　　　年後）・ 無

現症

⑨ 身体計測
身長　　　　　cm ： 体重　　　　　kg

⑩ 胸部X線所見
ア．胸 膜 癒 着　なし・軽・中・高
イ．気 腫 化　なし・軽・中・高
ウ．線 維 化　なし・軽・中・高
エ．不 透 明 肺　なし・軽・中・高
オ．胸 廓 変 形　なし・軽・中・高
カ．心縦隔の変形　なし・軽・中・高

撮影
年　　月　　日

⑪ 活動能力の程度
ア．激しい運動をした時だけ息切れがある。
イ．平坦な道を早足で歩く、あるいは緩やかな上り坂を歩く時に息切れがある。
ウ．息切れがあるので、同年代の人より平坦な道を歩くのが遅い、あるいは平坦な道を自分のペースで歩いている時、息切れのために立ち止まることがある。
エ．平坦な道を約100m、あるいは数分歩くと息切れのために立ち止まる。
オ．息切れがひどく家から出られない、あるいは衣服の着替えをする時にも息切れがある。

⑫ 換気機能（令和　　年　　月　　日）
ア．肺活量実測値(VC)　　　ml
イ．予測肺活量　　　ml
ウ．努力性肺活量(FVC)　　　ml
エ．1秒量(FEV1.0)
オ．努力性肺活量1秒率(FEV1%)　エ/ウ×100
カ．予測肺活量1秒率　エ/イ×100

⑬ 安静を要する程度
1度　絶対安静
2度　ベット上の安静
3度　必要時のみ室内歩行(30分以内)
4度　室内歩行はよい(1時間以内)
5度　一定時間内の屋外歩行はよい(1.5時間以内)
6度　健康な人の2分の1程度の運動はよい
7度　軽い運動はよいが強い運動は禁ずる。ただし、休憩時間を多くとる。
8度　疲れない程度の普通の生活

⑭ 現在までの治療内容等

⑮ その他の障害又は病状
臨床所見

⑯ 備考

上記のとおり診断します。
令和　　年　　月　　日
病院又は診療所の名称
所　在　地
診療担当科名　　　　　　医師氏名

◎裏面の注意をよく読んでから記入して下さい。障害者の障害の程度及び状態の認定に無関係な欄は記入する必要がありません。
◎字は楷書ではっきりと書いて下さい。

（裏　面）

注意

1　この診断書は、障害児福祉手当・福祉手当の受給資格を認定するための資料の一つです。

この診断書は、障害者の障害の状態を証明するために使用されますが、記入事項に不明な点がありますと認定がおそくなることがありますので、くわしく記入してください。

2　○・×で答えられる欄は、該当するものを○でかこんでください。記入しきれない場合は、別に紙片をはりつけてそれに記入してください。

3　⑤の欄は、この診断書を作成するための診断日ではなく、障害者が障害の原因となった傷病についてはじめて医師の診断を受けた日を記入してください。

前に他の医師が診断している場合は、障害者本人又はその父母等の申し立てによって記入してください。また、それが不明の場合には、その旨を記入してください。

4　⑩の欄には、添付されたＸ線写真について、その所見を記入してください。

5　⑭の欄には、現在までの治療の内容、期間、経過などを記入してください。

6　この診断書の外に胸部Ｘ線写真を添えてください。

様式第６号

（表　　面）

障害児福祉手当（福祉手当）認定診断書（腎臓疾患用）

① （ふりがな） 氏　　名		男・女	② 生年月日	平成 令和　　年　　月　　日
② 住　　所			④ 疾病の原因となった傷病名	
⑤ ④のため初めて医師の診断を受けた日	平成 令和　　年　　月　　日		⑥ 傷病発生年月日	平成 令和　　年　　月　　日
⑦ 障害が永続すると判定された日	平成 令和　　年　　月　　日	推定 確認	⑧ 将来再認定の要	有（　　　年後）・無

障　害　の　状　態

⑨ 腎臓疾患（令和　年　月　日現症）

1　臨床所見

(1) 自覚症状

悪心・嘔吐（無・有・著）

食欲不振（無・有・著）

頭　　痛（無・有・著）

呼吸困難（無・有・著）

(2) 他覚所見

浮　　腫（無・有・著）

貧　　血（無・有・著）

腎不全に基づく

神経症状（無・有・著）

視力障害（無・有・著）

低身長（無・有・著）

(3) 尿毒症性心包炎（無・有）

(4) 尿毒症性出血傾向（無・有）

(5) 尿毒症性中枢神経症状（無・有）

(6) 検査成績

検査日 ／ 検査項	・・	・・	・・
夜間尿蓄尿蛋白量　mg／hr／㎡			
早朝尿蛋白量／クレアチニン比　g／gクレアチニン			
赤血球数　×10⁴／μℓ			
ヘモグロビン　g／dℓ			
白血球数　／μℓ			
血小板数　×10⁴／μℓ			
血清総蛋白　g／dℓ			
血清アルブミン値　g／dℓ			
BCG法・BCP法・改良型BCP法			
総コレステロール　mg／dℓ			
血液尿素窒素（BUN）　mg／dℓ			
血清クレアチニン　mg／dℓ			
eGFR　mℓ／分			
1日尿量　mℓ／日			
内因性クレアチニン・クリアランス　mℓ／分			
血液ガス分析（アシドーシスの有無）	無・有・著	無・有・著	無・有・著

2　腎生検　無・有　検査年月日（令和　年　月　日）

所見

3　人工透析療法

(1) 人工透析療法の実施の有無　無・有（血液透析・腹膜透析・血液濾過）

(2) 人工透析開始日　（令和　年　月　日）

(3) 人工透析（腹膜透析除く。）実施状況　回数・　回／週、1回　時間

(4) 人工透析導入後の臨床経過

(5) 長期透析による合併症　無・有

所見

4　その他の所見

(1) 腎移植　無・有（有の場合は移植年月日（令和　年　月　日））

経過

(2) その他

⑩ 活動能力の程度（該当するものどれか一つを選んで○で囲んでください。）

1　普通の生活については著しく制限されることがないもの

2　家庭内での普通の生活又は社会での極めて温和な活動には支障がないが、それ以上の活動は著しく制限されるもの

3　家庭内での極めて温和な活動には支障がないが、それ以上の活動は著しく制限されるもの

4　自己の身辺の日常生活活動を著しく制限されるもの

⑪ 備　　考	

上記のとおり、診断します。

令和　年　月　日

病院又は診療所の名称

所　在　地

診療担当科名　　　　医師氏名

◎ 裏面の注意をよく読んでから記入してください。障害者の障害の程度及び障害の認定に無関係な欄は記入する必要がありません。

◎ 字は楷書ではっきりと書いてください。

（裏　　面）

注　意

1　この診断書は、障害児福祉手当（福祉手当）の受給資格を認定するための資料の一つです。
　この診断書は障害者の障害の状態を証明するために使用されますが、記入事項に不明な点がありますと認定が遅くなることがありますので、詳しく記入してください。

2　○・×で答えられる欄は、該当するものを○で囲んでください。記入しきれない場合は、別に紙片をはり付けてそれに記入してください。

3　⑤の欄は、この診断書を作成するための診断日ではなく障害者が障害の原因となった傷病については初めて医師の診断を受けた日を記入してください。前に他の医師が診断している場合は、障害者本人又はその父母等の申立てによって記入してください。
　また、それが不明な場合には、その旨を記入してください。

4　⑨の欄の「1　臨床所見」の検査成績は、過去3か月間において、症状を最もよく表している検査成績をそれぞれ記入してください。なお、人工透析療法を実施している人の腎機能検査成績は当該療法の導入後であって、毎回の透析実施前の検査成績を記入してください。

5　⑨の欄の「1　臨床所見」の検査成績の「血清アルブミン」については、BCG法、BCP法又は改良型BCP法のいずれかに○を付してください。

様式第７号

障害児福祉手当・福祉手当認定診断書（肝臓・血液疾患及びその他の疾患用　）

（ふりがな） ① 氏　　名		男・女	② 生 年 月 日	平成 令和　　年　　月　　日
③ 住　　所			④ 障害の原因となった傷病名	
⑤ ④のためはじめて医師の診断を受けた日	平成 令和　　年　　月　　日		⑥ 傷病発生年月日	平成 令和　　年　　月　　日
⑦ 障害が永続すると判定された日	平成 令和　　年　　月　　日	推定 確認	⑧ 将来再認定の要	有（　　　年後）・無

障　害　の　状　態

⑨ 肝 疾 患（令和　　年　　月　　日現症）

1 臨床所見

(1) 自覚症状

全身倦怠感（無・有・著）

発　　熱（無・有・著）

食欲不振（無・有・著）

悪心・嘔吐（無・有・著）

皮膚そう痒感（無・有・著）

有痛性筋痙攣（無・有・著）

(2) 他覚所見

肝萎縮（無・有・著）

脾腫大（無・有・著）

浮腫（無・有・著）

腹水（無・有・有（難治性））

黄疸（無・有・著）

(3) 検査成績

検査日 ＼ 検査項目	施設基準値	・・	・・
AST(GOT)　IU/L			
ALT(GPT)　IU/L			
γ-GPT　IU/L			
血清総ビリルビン　mg/dL			

吐血・下血（無・有・著）　腹壁静脈怒張（無・有・著）

肝性脳症（無・有・（　度））

出血傾向（無・有・著）

2 Child-Pughによるgrade

A（5・6） B（7・8・9） C（10・11・12以上）

3 胆道閉鎖症の治療歴

(1) 手術所見（日時：令和　年　月　日）

(2) 治療経過

4 肝生検　無・有　検査年月日（令和　年　月　日）

所見　グレード（　　）　ステージ（　　）

5 食道・胃などの静脈瘤

(1) 無・有　検査年月日（令和　年　月　日）

(2) 吐血・下血の既往　無・有（　回）

(3) 治療歴　無・有（　回）

6 肝腫瘍治療歴　無・有

・手術　回　・局所療法　・動脈塞栓術　回

・放射線療法　回　・化学療法

7 特発性細菌性腹膜炎その他肝硬変症に付随する

アルカリホスファターゼ IU/L			
血清総蛋白 g/dL			
血清アルブミン g/dL			
BCG法・BCP法			
・改良型BCP法			
A/G比			
血小板数 ×10⁴/uL			
プロトロンビン時間 %			
総コレステロール mg/dL			
血中アンモニア ug/dL			
AFP ng/mL			
PIVKA-Ⅱ mAU/mL			

8 治療内容

(1) 利尿剤（無・有）　(4) アルブミン・血漿製剤（無・有）

(2) 特殊アミノ酸製剤（無・有）(5) 血小板輸血（無・有）

(3) 抗ウイルス療法（無・有）(6) その他

具体的内容

9 その他の所見

(1) 肝移植　無・有（有の場合は移植年月日

病態の治療歴

所見

令和　年　月　日）

経過

(2) その他（超音波・CT・MRI検査等）（令和　年　月　日）

⑩ 血液疾患（令和　年　月　日現症）

1 臨床所見

(1) 自覚症状

立ちくらみ（無・有・著）
易疲労感（無・有・著）
動悸（無・有・著）
息切れ（無・有・著）
発熱（無・有・著）
紫斑（無・有・著）
月経過多（無・有・著）
関節症状（無・有・著）

(2) 他覚所見

易感染性（無・有・著）
リンパ節腫脹（無・有・著）
出血傾向（無・有・著）
血栓傾向（無・有・著）
肝腫（無・有・著）
脾腫（無・有・著）

(3) 検査成績

ア 末梢血液検査（令和　年　月　日）

※アの欄は、最も適切に現在の病状が把握できる検査数値及びその日付を記入してください。

ヘモグロビン濃度（　）g/dL
網赤血球（　）万/μL
血小板（　）万/μL
白血球（　）/μL
好中球（　）/μL
リンパ球（　）/μL
病的細胞（　）%

イ その他の検査

画像検査（検査名　）（令和　年　月　日）
所見（　）

他の検査（検査名　（令和　年　月　日）
所見

2. 治療状況

赤血球輸血（年・月　回）　血小板輸血（年・月　回）
補充療法（年・月　回）　新鮮凍結血漿（年・月　回）

3. その他の所見

⑪ その他の疾患（令和　年　月　日現症）

1. 症状

2. 臨床検査

⑫ 安静を要する程度 1. 絶対安静 2. ベッド上の安静 3. 必要時のみ室内歩行(30分以内) 4. 室内歩行はよい(1時間以内)	5. 一定時間内の屋外歩行はよい(1.5時間以内) 6. 健康な人の2分の1程度の運動はよい 7. 軽い運動はよいが強い運動は禁ずる。ただし休憩時間を多くとる 8. 疲れない程度の普通の生活
⑬ 備考	

上記のとおり診断します。

令和　　年　　月　　日

病院又は診療所の名称

所在地

診療担当科名　　　　医師氏名

◎裏面の注意をよく読んでから記入して下さい。障害者の障害の程度及び障害の認定に無関係な欄は記入する必要がありません。

◎字は楷書ではっきりと書いて下さい。

（裏　面）

注意

1　この診断書は、障害児福祉手当(福祉手当)の受給資格を認定するための資料の一つです。
この診断書は、障害者の障害の状態を証明するために使用されますが、記入事項に不明な点がありますと認定がおそくなることがありますので、詳しく記入してください。

2　○・×で答えられる欄は、該当するものを○で囲んでください。記入しきれない場合は、別に紙片をはり付けてそれに記入してください。

3　⑤の欄は、この診断書を作成するための診断日ではなく、障害者が障害の原因となった傷病については初めて医師の診断を受けた日を記入してください。
前に他の医師が診断している場合は、障害者本人又はその父母等の申立てによって記入してください。また、それが不明の場合には、その旨を記入してください。

4　肝機能の検査成績は、過去３か月間における２回の検査成績(１ヶ月以上の間隔をおくこと。)をそれぞれ記入してください。

5　⑨の欄の「1　臨床所見」の検査成績の「血清アルブミン」については、BCG法、BCP法又は改良型BCP法のいずれかに○を付してください。

6　⑨の欄の「2　Child-Pughによるgrade」の点数に○を付してください。

7　⑨の欄の「8　治療の内容」は、⑨の欄冒頭の現症日時点の内容を記入してください。また、「具体的内容」については、(1)～(6)の治療が有る場合は、必要に応じて薬品名や(6)の内容等を記入してください。

8　⑪の「その他の疾患」の欄には、視覚障害、聴覚障害、肢体障害、結核及び換気機能障害、心臓疾患、肝臓疾患、血液疾患及び精神障害以外の疾患について記入してください。

9　問診による身体状態と他覚的検査結果とが一致しないような場合には、備考欄にその旨を記入してください。

様式第８号

（表　　面）

障害児福祉手当（福祉手当）認定診断書（精神の障害用）

① 氏　　名		男・女	② 生年月日	平成 令和　　年　月　日
③ 住　　所			④ 障害の原因となった傷病名	

⑤ 傷病発生　　年　月	主な精神障害　平成 令和　年　月 合併精神障害　平成 令和　年　月 合併身体障害　平成 令和　年　月	⑥ 合併症	精神障害 身体障害	
⑦ ④のため初めて医師の診断を受けた日	平成 令和　　年　月　日	⑧ 将来再判定の要	有（　　　年後）・無	

⑨ 現病歴（陳述者より聴取）　　陳述者の氏名　　　　患者との続柄

ア　発病以来の病状と経過

イ　発病以来の治療歴

（病院名）	（治療期間）	（入院・外来別）	（病名）	（主な療法）	（転帰）
（ア）	年　月　～　年　月	入・外			
（イ）	年　月　～　年　月	入・外			
（ウ）	年　月　～　年　月	入・外			
（エ）	年　月　～　年　月	入・外			

⑩ これまでの発育・養育歴等（出生から発育の状況や教育歴を陳述者より聴取の上、できるだけ詳しく記入してください。）	ア 発育・養育歴	イ 教育歴 乳児期 不就学　・　就学猶予 小学校（ 普通学級 ・ 特別支援学級 ・ 特別支援学校 ） 中学校（ 普通学級 ・ 特別支援学級 ・ 特別支援学校 ） 高　校（ 普通学級 ・ 特別支援学校 ） その他

障害の状態（令和　　年　　月　　日現症）

現症		現在の病状又は状態像	左記の状態について、その程度・症状・処方薬等を具体的に記載してください。
	⑪ 知能障害等	1　知的障害 知能指数又は発達指数（IQ・DQ　　　） テスト方式（　　　）　テスト不能 判　定（　最重度、　重度、　中度、　軽度　） 判定年月日（令和　　年　　月　　日） 2　高次脳機能障害　ア 失行　イ 失認 ウ 記憶障害　エ 注意障害 オ 遂行機能障害　カ 社会的行動障害 3　学習障害　ア 読み　イ 書き　ウ 算数 エ その他（　　　　） 4　その他（　　　　）	
	⑫ 発達障害関連症状	1　相互的な社会関係の質的障害 2　言語コミュニケーションの障害 3　限定した常同的で反復的な関心と行動 4　その他（　　　　）	
	⑬ 意識障害・てんかん	1　意識混濁　　2（夜間）せん妄 3　もうろう　　4　錯乱　　5　てんかん発作 6　不機嫌症　　7　その他（　　　　） ・てんかん発作のタイプ（　　　　　） ・てんかん発作の頻度（（年間　・　月　・　週）　回程度）	
	⑭ 精神症状	1幻覚　2妄想　3自閉　4無為　5感情の平板化　6不安 7恐怖　8強迫行為　9思考障害　10心気症　11中毒嗜《し》癖 12うつ状態　13そう状態　14その他（　　　　）	
	⑮ 問題行動及び習癖	1興奮　2暴行　3多動　4拒絶　5自殺企画　6自傷 7破衣　8不潔　9放火・弄《ろう》火　10器物破壊　11徘徊《はいかい》・浮浪 12盗み　13性的逸脱行動 14排泄《せつ》の問題（尿失禁、便失禁、便こね、その他） 15食事の問題（拒食、異食、大食、小食、偏食、その他） 16その他（　　　　）	
	⑯ 性格特徴		

(裏　　面)

<table>
<tr><td rowspan="3">現

症</td><td rowspan="2">⑰　日常生活
能力の程度

(必ず記入してください)</td><td>1　食事　(全介助 ・ 半介助 ・ 自立)
2　洗面　(全介助 ・ 半介助 ・ 自立)
3　排泄《せつ》〔おむつ必要 ・ おむつ不要
全介助 ・ 半介助 ・ 自立〕
4　衣服〔脱げない ・ 着れない ・
ボタン不能 ・ 自立〕</td><td>5　入浴　(全介助 ・ 半介助 ・ 自立)
6　危険物〔全くわからない ・ 特定の物、
場所はわかる ・大体わかる〕
7　睡　眠〔夜眠らず騒ぐ ・ 時々不眠
寝ぼける ・ 問題なし〕</td></tr>
<tr><td colspan="2">上記の内容を具体的に記載して下さい。</td></tr>
<tr><td>⑱　要注意度</td><td colspan="2">1 常に厳重な注意を必要とする　2 随時一応の注意を必要とする　3 ほとんど必要ない</td></tr>
<tr><td colspan="2">⑲　備　考</td><td colspan="2"></td></tr>
<tr><td colspan="4">上記のとおり、診断します。
令和　年　月　日
病院又は診療所の名称
所　在　地
診療担当科名　　　　　　　　医師氏名</td></tr>
</table>

◎ 裏面の注意をよく読んでから記入してください。障害者の障害の程度及び状態の認定に無関係な欄は記入する必要はありません。

◎ 字は楷書ではっきりと書いてください。

記入上の注意

1　この診断書は、障害児福祉手当(福祉手当)の受給資格を認定するための資料の一つです。

この診断書は障害者の障害の状態を証明するために使用されますが、記入事項に不明な点がありますと認定が遅くなることがありますので、できるだけ詳しく記入してください。

2　○・×で答えられる欄は、該当するものを○で囲んでください。また、記入する欄(　)は具体的に詳しく記入してください。

なお、記入しきれない場合は、別に紙片をはり付けてそれに記入してください。

3　⑦の欄は、この診断書を作成するための診断日ではなく、障害者が障害の原因となった傷病については初めて医師の診断を受けた日を記入してください。

前に他の医師が診断している場合は、その父母等の申立てによって記入してください。

また、それが不明な場合には、その旨を記入してください。

4　⑪から⑮までの欄には、それぞれの欄の症状又は行動について該当するものを○で囲んでください。

5　知的障害の場合は、知能指数又は発達指数及び検査方式を⑪の欄に記入してください。

6　⑱の欄は、⑪から⑰までの欄に記載する注意を要する症状の有無、程度及び頻度に応じて該当するものを○で囲んでください。

7　診断医が、「精神保健指定医」である場合には、氏名の上にその旨を記載してください。また、診断医が精神保健福祉センター、児童相談所又は知的障害者更生相談所の医師である場合には、「病院又は診療所」のところに、その精神保健福祉センター、児童相談所又は知的障害者更生相談所の名称を記入するだけで、「所在地」、「診療担当科目名」は記入する必要はありません。

様式第９号

（表　　面）

特別障害者手当認定診断書（視覚障害用）

① （ふりがな） 氏　　名		男・女	② 生年月日	昭和 平成 令和　年　月　日
③ 住　　所			④ 障害の原因となった傷病名	
⑤ 傷病の原因又は誘因	先天性 後天性（疾病・不慮災・労災・その他）		⑥ 傷病発生年月日	昭和 平成 令和　年　月　日
⑦ ④のため初めて医師の診断を受けた日	昭和 平成 令和　年　月　日		⑧ 将来再認定の要	有（　年後）・無

⑨ 眼所見（前眼部、中間透光体、眼底所見）

⑩ 視力

	裸眼	矯正視力
右		×　D（　）cyl　D　Ax　°
左		×　D（　）cyl　D　Ax　°

⑪ 視野　　**※ 視野図のコピーを添付してください。**

現症

［・ゴールドマン型視野計を用いた視野図を添付する場合には、どのイソプタがⅠ／4の視標によるものか、Ⅰ／2の視標によるものかを明確に区別できるように記載してください。
・自動視野計を用いた場合は、両眼開放エスターマンテストの検査結果及び10-2プログラムの検査結果がわかるものを添付してください。］

（どちらかに記入してください。）

ア．ゴールドマン型視野計

（ア）周辺視野の評価（Ⅰ／4）

周辺視野の角度

	上	内上	内	内下	下	外下	外	外上	合計
右									度
左									度

（イ）中心視野の評価（Ⅰ／2）

中心視野の角度

	上	内上	内	内下	下	外下	外	外上	合計
右									a　度
左									b　度

両眼中心視野角度（Ⅰ／2）　（［　］(aとbのうち大きい方)×3＋［　］(aとbのうち小さい方)）／4　＝　［　］度

イ．自動視野計

（ア）周辺視野の評価

両眼開放エスターマンテスト　両眼開放視認点数　［　］点

（イ）中心視野の評価（10-2プログラム）

右	c	点（≧26dB）
左	d	点（≧26dB）

両眼中心視野視認点数　（［　］(cとdのうち大きい方)×3＋［　］(cとdのうち小さい方)）／4　＝　［　］点

⑪ 備考	

上記のとおり診断します。
令和　　年　　月　　日
病院又は診療所の名称
所　　　在　　　地
診療担当科名　　　　　　　　　医師氏名

◎　裏面の注意をよく読んでから記入してください。□
◎　字は楷《かい》書ではっきりと書いてください。　（A列4番）

（裏　　　　面）

注　　意

1　この診断書は、特別障害者手当の受給資格を認定するための資料の一つです。

この診断書は障害者の障害の状態を証明するために使用されますが、記入事項に不明な点がありますと認定が遅くなることがありますので、詳しく記入してください。

2　○・×で答えられる欄は、該当するものを○で囲んでください。記入しきれない場合は、別に紙片をはり付けてそれに記入してください。

3　⑦の欄は、この診断書を作成するための診断日ではなく、障害者が障害の原因となった傷病については初めて医師の診断を受けた日を記入してください。前に他の医師が診断している場合は、障害者本人又はその父母等の申立てによって記入してください。また、それが不明な場合には、その旨を記入してください。

4　⑩視力の「矯正視力」の欄は、最良視力が得られる矯正レンズによって得られた視力を記入してください。

なお、眼内レンズ挿入眼は裸眼と同様に扱い、屈折異常がある場合は適正に矯正した視力を測定してください。

5　視野は、ゴールドマン型視野計又は自動視野計を用いて測定してください。

ゴールドマン型視野計を用いる場合、中心視野の測定にはⅠ／２の視野を用い、周辺視野の測定にはⅠ／４の視標を用いてください。

自動視野計を用いる場合、両眼開放視認点数は視標サイズⅢによる両眼開放エスターマンテストで測定し、両眼中心視野視認点数は視標サイズⅢによる10—２プログラムで測定してください。

6　⑪視野のア㈠「周辺視野の角度」は、Ⅰ／４の視標を用いて左右眼ごとに８方向の視野の角度（Ⅰ／４の指標が視認できない部分を除いて算出）を該当する方向の欄に記入し、８方向の角度を合算した数値を「合計」の欄に記入してください。

7　⑪視野のア㈡「中心視野の角度」は、Ⅰ／２の視標を用い左右眼ごとに８方向の視野の角度（Ⅰ／２の視標が視認できない部分を除いて算出）を該当する方向の欄に記入し、８方向の角度を合算した数値を「合計」の欄に記入してください。

8　口頭による諸検査結果と他覚所見とが一致しないような場合は、備考欄になるべく詳しく診断結果を付加記入してください。

様式第10号

（表　　面）

特別障害者手当認定診断書			〔聴覚、平衡機能、そしゃく、音声又は言語機能　　障害用〕	
①（ふりがな）氏名		男・女	② 生年月日	昭和・平成・令和　年　月　日
③ 住所			④ 障害の原因となった傷病名	
⑤ 傷病の原因又は誘因	先天性 後天性（疾病・不慮災・労災・その他）		⑥ 傷病発生年月日	昭和・平成・令和　年　月　日
⑦ ④のため初めて医師の診断を受けた日	昭和・平成・令和　年　月　日		⑧ 将来再認定の要	有（　　年後）・無

⑨　聴力検査成績（純音聴力）

聴力レベル

	500	1000	2000
右			
左			

（dB値で記入）

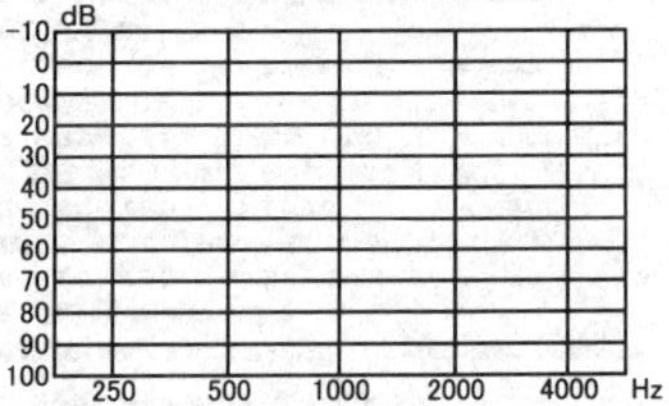

所見〔聴覚の障害により、障害年金を受給しておらず、かつ、身体障害者手帳も取得していない者に対し、令別表第2に該当する診断を行う場合には、ABR検査（聴性脳幹反応検査）等の検査を実施し、検査方法及び検査所見を記入してください。〕

⑩平衡機能障害

（イ）閉眼起立
（可能・不能）

（ロ）10m歩行
（可能・不能）
（手すり等は使用しない）

⑪そしゃく機能障害

（イ）流動食以外の摂取
（可能・不能）

（ロ）食餌《じ》が常に口からこぼれ出る
（出る・出ない）

（ハ）一日の大半を食事に要する
（要する・要しない）

⑫音声言語機能障害

ア　会話による意思疎通の程度（該当するものを選んでどれか1つを○で囲んでください。）

1　患者は、話すことや話を理解することにほとんど制限がなく、日常会話が誰とでも成立する。

2　患者は、話すことや聞いて理解することのどちらか又はその両方に一定の制限があるものの、日常会話が、互いに確認することなどで、ある程度成り立つ。

3　患者は、話すことや聞いて理解することのどちらか又はその両方に多くの制限があるため、日常会話が、互いに内容を推論したり、たずねたり、見当をつけることなどで部分的に成り立つ。

4　患者は、発音に関わる機能を喪失するか、話すことや聞いて理解することのどちらか又は両方がほとんどできないため、日常会話が誰とも成立しない。

イ　発音不能な語音（構音障害、音声障害又は聴覚障害による障害がある場合に、記入してください。）

Ⅰ　4種の語音（該当するものを選んでどれか1つを○で囲んでください。）

口唇音（ま行音、ぱ行音、ば行音等）
1　全て発音できる　2　一部発音できる　3　発音不能

歯音、歯茎音（さ行音、た行音、ら行音等）
1　全て発音できる　2　一部発音できる　3　発音不能

歯茎硬口蓋音（しゃ、ちゃ、じゃ等）
1　全て発音できる　2　一部発音できる　3　発音不能

軟口蓋音（か行音、が行音等）
1　全て発音できる　2　一部発音できる　3　発音不能

Ⅱ　発音に関する検査結果（語音発語明瞭度検査など）
（　　　）

ウ　失語症の障害の程度（失語症がある場合に、記入してください。）

Ⅰ　音声言語の表出及び理解の程度（該当するものを選んでどれか1つを○で囲んでください。

単語の呼称（単語の例：家、靴下、自動車、電話、水）
1　できる　2　おおむねできる　3　あまりできない　4　できない

短文の発話（2～3文節程度、例：女の子が本を読んでいる）
1　できる　2　おおむねできる　3　あまりできない　4　できない

長文の発話（4～6文節程度、例：私の家に田舎から大きな小包が届いた）
1　できる　2　おおむねできる　3　あまりできない　4　できない

単語の理解（例：単語の呼称と同じ）
1　できる　2　おおむねできる　3　あまりできない　4　できない

短文の理解（例：短文の発話と同じ）
1　できる　2　おおむねできる　3　あまりできない　4　できない

長文の理解（例：長文の発話と同じ）
1　できる　2　おおむねできる　3　あまりできない　4　できない

Ⅱ　失語症に関する検査結果（標準失語症検査など）
（　　　）

エ　その他の所見
喉頭全摘・その他の手術（手術名：　　　　）　手術年月日：令和　　年　　月　　日

⑬ 備考

上記のとおり、診断します。
令和　　年　　月　　日
病院又は診療所の名称
所　在　地
診療担当科名　　　　医 師 氏 名

◎　裏面の注意をよく読んでから記入してください。障害者の障害の程度及び障害の認定に無関係な欄は記入する必要がありません。
◎　字は楷書ではっきりと書いてください。

（裏　　面）

注　意

1　この診断書は、特別障害者手当の受給資格を認定するための資料の一つです。

この診断書は障害者の障害の状態を証明するために使用されますが、記入事項に不明な点がありますと認定が遅くなることがありますので、詳しく記入してください。

2　〇・×で答えられる欄は、該当するものを〇で囲んでください。記入しきれない場合は、別に紙片をはりつけて記入してください。

3　⑦の欄は、この診断書を作成するための診断日ではなく障害者が障害の原因となった傷病については初めて医師の診断を受けた日を記入してください。前に他の医師が診断している場合は、障害者本人又はその父母等の申立てによって記入してください。

また、それが不明な場合には、その旨を記入してください。

4　⑨の欄のデシベル値は、話声域すなわち周波数500、1,000、2,000、における純音の各々のデシベル値とする。

5　⑨の欄の「所見」は、聴覚の障害で障害年金又は身体障害者手帳を取得していない者については、オージオメータによる検査に加えて、聴性脳幹反応検査（ABR）等の他覚的聴力検査又はそれに相当する検査を実施し、その結果（検査方法及び検査所見）を記入してください。また、この診断書のほかに、その記録データのコピー等を必ず添えてください。

6　⑫の欄の「イ　発音不能な語音」は、構音障害、音声障害又は聴覚障害による障害がある場合に、記入してください。発音に関する検査を行った場合は、その検査結果を「Ⅱ　発音に関する検査結果」欄に記入してください。

7　⑫の欄の「ウ　失語症の障害の程度」は、失語症がある場合に記入してください。失語症に関する検査を行った場合は、その検査結果を「Ⅱ　失語症に関する検査結果」欄に記入してください。必要に応じて失語症検査の結果表を添えてください。

8　口頭による諸検査結果と他覚所見が一致しないような場合は、備考欄になるべく詳しく診断結果を付加記入してください。

様式第11号

（表　　面）

特別障害者手当認定診断書（肢体不自由用）				
（ふ　り　が　な） ①氏　　　　名		男・女	②生　年　月　日	明治 大正 昭和　　年　　月　　日 平成 令和
③住　　　　所			④障害の原因となった傷病名	
⑤　傷病の原因又は誘因	先天性 後天性（疾病・不慮災・労災・その他）		⑥　傷病発生年月日	昭和 平成　　年　　月　　日 令和
⑦④のため初めて医師の診断を受けた日	昭和 平成　　年　　月　　日 令和		⑧　将来再認定の要	有（　　年後）・無
⑨　　　現　　　　　　症				
1				

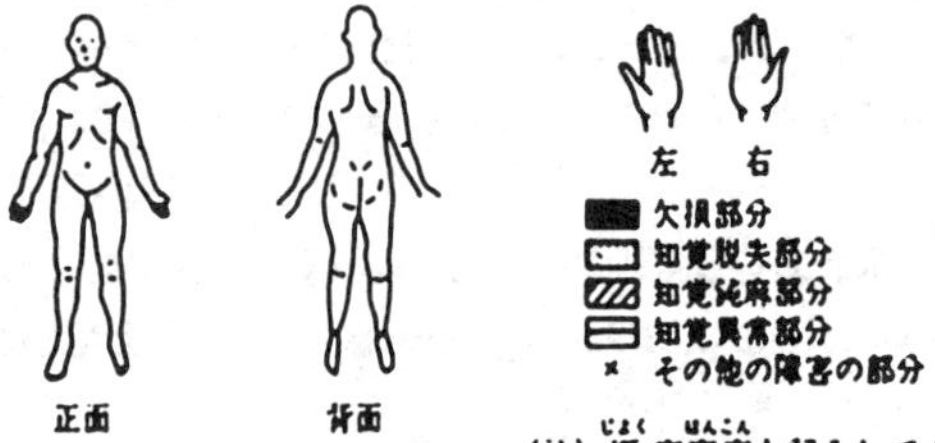

（注）褥《じょく》瘡瘢《はん》痕《こん》も記入してください。

2 四肢周径（ｃｍ）

	上腕中央部	前腕最大部	大腿《たい》中央部	下腿最大部
右				
左				

3 四肢長（ｃｍ）

	上肢長	下肢長
右		
左		

4 神経学的所見

(1) 知覚障害……………有　無（あれば上図に記入すること）

(2) 運動麻痺《ひ》の種類（該当するものを○で囲んでください）

弛《し》緩性・痙《けい》性・失調性・不随意運動性・強剛（固縮）性・しんせん性

(3) 障害の起因部位（該当するものを○で囲んでください）

脳性・脊《せき》髄性・末梢《しょう》神経性・筋性・その他

(4) 諸反射検査

	上肢腱《けん》反射	下肢腱《けん》反射	バビンスキー反射	その他の病的反射
右				
左				

(5) ぼうこう・直腸麻痺《ひ》……………有・無

5 手指の関節の可動域

部位		母指		母指		母指		母指		母指	
		屈曲	伸展	屈曲	伸展	屈曲	伸展	屈曲	伸展	屈曲	伸展
中手指節間関節(MP)	右	度	度	度	度	度	度	度	度	度	度
	左	度	度	度	度	度	度	度	度	度	度
近位指節間関節（PIP）（母指では指節間関節）	右	度	度	度	度	度	度	度	度	度	度
	左	度	度	度	度	度	度	度	度	度	度

6 握力　右（　　kg）　左（　　kg）

7 人工骨頭・人工関節装着の状態　部位　手術日　昭和・平成・令和　　年　　月　　日

8 関節可動域及び筋力（首・体幹・四肢）	部位	運動の種類	右 関節可動域 他動範囲	右 関節可動域 強直肢位	右 関節運動筋力 正常又はやや減	右 関節運動筋力 半減	右 関節運動筋力 著減又は消失	左 関節可動域 他動範囲	左 関節可動域 強直肢位	左 関節運動筋力 正常又はやや減	左 関節運動筋力 半減	左 関節運動筋力 著減又は消失
	首											
	体幹											
	肩関節											
	肘《ちゅう》関節											
	手関節											
	股《こ》関節											
	膝《しつ》関節											
	足関節											

⑩ 補助用具使用状況		
	1 常時（起床から就寝まで使用） 2 ときどき使用 3 使用せず	ア 義手　イ 義足　ウ 上肢補装具　エ 下肢補装具 オ つえ　カ 松葉づえ　キ 車いす　ク 歩行車 ケ 補助用小道具　コ その他（具体的に）

ひとりでもうまくできる場合……………………………○
ひとりでできてもうまくもうまくできない場合…△　を付けること。
ひとりでは全くできない場合……………………………×

（注）　4の場合　5秒以内にできる…………○
10秒　〃　…………△
10秒ではできない…………×

8と9の場合　30秒以内にできる…………○
1分　〃　…………△
1分ではできない…………×

⑪ 日常生活動作の障害程度			補助具等				補助具等	
			使用しない	使用			使用しない	使用
	1 つまむ（新聞紙が引き抜けない程度）	右			10 ズボンの着脱（どのような姿勢でもよい）			
		左						
	2 握る（丸めた週刊誌が引き抜けない程度）	右			11 靴下をはく（どのような姿勢でもよい）			
		左						
	3 タオルを絞る（水をきれる程度）	両手			12 すわる（正座・横すわり、あぐら、脚なげ出し（このような姿勢を持続する）			
	4 とじひもを結ぶ	両手						
	5 食事をする	右						
		左			13 歩く	屋内		
	6 顔を洗う（顔に手のひらをつける）	右				戸外		
		左			14 片足で立つ	右		
	7 排便の処置をする（臀《しり》のところに手をやる）	右				左		
		左			15 立ち上る			
	8 かぶりシャツを着て脱ぐ				16 階段をのぼる			
	9 ワイシャツのボタンをとめる				17 階段をおりる			
	（注） 補助具等の使用欄には、支持（立ち上る場合）及び手すり（階段の昇降の場合）を要した場合を記入すること。							
⑫ 備考								

上記のとおり診断します。

令和　　年　　月　　日

病院又は診療所の名称

所　　在　　地

診療担当科名　　　　　　　　　　医師氏名

◎ 裏面の注意をよく読んでから記入してください。障害者の障害の程度及び障害の認定に無関係な欄は記入する必要がありません。

◎ 字は楷《かい》書ではっきりと書いてください。

注意

1　　この診断書は、特別障害者手当の受給資格を認定するための資料の一つです。
この診断書は、障害者の障害の状態を証明するために使用されますが、記入事項に不明な点がありますと認定が遅くなることがありますので、詳しく記入してください。

2　○・×で答えられる欄は、該当するものを○で囲んでください。記入しきれない場合は、別に紙片をはり付けてそれに記入してください。

3　⑦の欄は、この診断書を作成するための診断日ではなく、障害者が障害の原因となった傷病について初めて医師の診断を受けた日を記入してください。前に他の医師が診断している場合は、障害者本人又はその父母等の申立てによって記入してください。また、それが不明の場合には、その旨を記入してください。

4　⑨の欄は，次によつてください。

（1）　1の図は，障害の内容に応じてそれぞれの部位を塗りつぶしてください。

（2）　3の「四肢長」の測定は，上肢長については肩峰より橈《とう》骨茎状突起まで，下肢長については，腸骨前上棘《きょく》より内果までの距離を測つてください。

（3）　4の「障害の起因部位」が心因性のものと思われる場合は，「その他」のところを○で囲んでください。

（4）　5及び8の「関節の可動域」は，関節角度計を使用してください。また，運動障害のある部位について，運動の方向別に解剖学的肢位を0°（前腕については手掌面が矢状面にある状態を0°とし，肩関節の水平屈曲伸展計測については外転90°位を0°とする。）とした測定方法（昭和49年6月日本整形外科学会及び日本リハビリテーション医学会で定めた測定方法）により測定した最大可動域を記入してください。

四肢の角度の測り方

例

ア　自然起立姿勢で四肢関節がとる位置は，次のような角度になります。
肩関節0°，肘関節0°，手関節0°，股関節0°，膝関節0°，足関節0°（図A参照）

イ　四肢の運動角度は，図Aの↘の角度を記入してください。

ウ　首・体幹の運動角度は，図B・Cの↘の角度を記入してください。
なお，自然起立位で体幹がとる位置は，すべて0°とします。

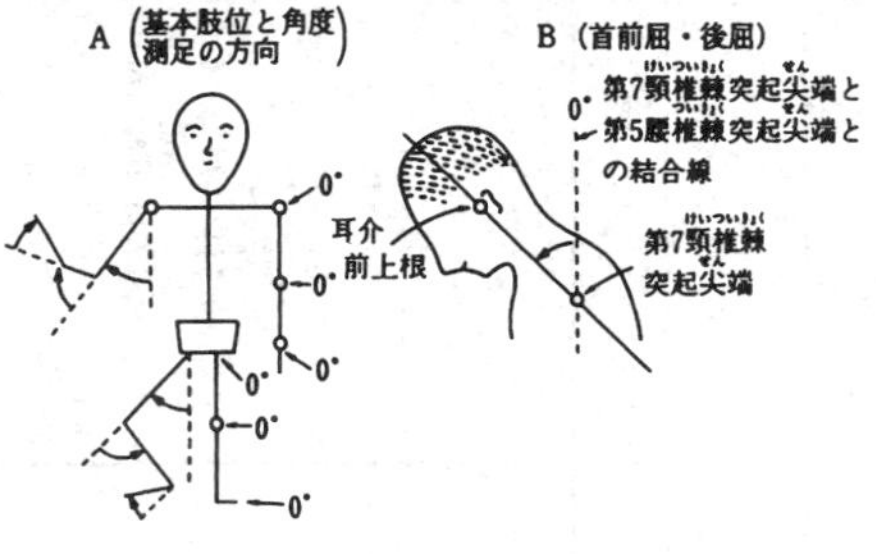

C（体幹前屈・後屈）

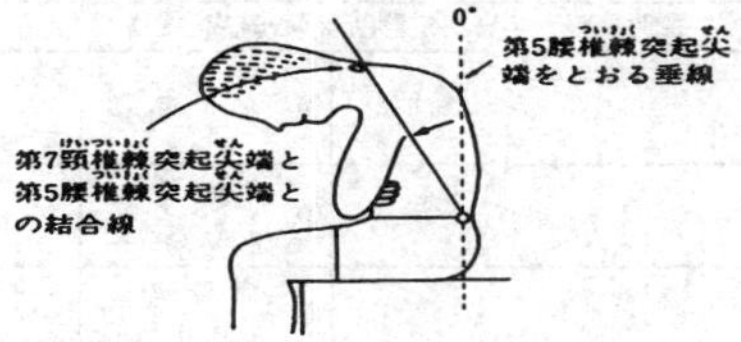

（5）８の筋力の程度を表す具体的な「程度」は次のとおりです。

正　常……　検者が手で加える十分な抵抗を排して自動可能な場合
やや減……　検者が手を置いた程度の抵抗を排して自動可能な場合
半　減……　検者の加える抵抗には抗し得ないが，自分の体部分の重さに抗して自動可能な場合（筋力テスト３）
著　減……　自分の体部分の重さに抗し得ないが，それを排するような肢位では自動可能な場合（筋力テスト１又は２）
消　失……　いかなる肢位でも関節の自動が不能な場合（筋力テスト０）

様式第12号

特別障害者手当認定診断書(心臓疾患用)

① (ふりがな) 氏名		男・女	② 生年月日	昭和 平成 令和 年 月 日
③ 住所			④ 障害の原因となった傷病名	
⑤ ④のため初めて医師の診断を受けた日	昭和 平成 令和 年 月 日		⑥ 傷病発生年月日	昭和 平成 令和 年 月 日
⑦ 障害が永続すると判定された日	昭和 平成 令和 年 月 日	推定 確認	⑧ 将来再認定の要	有(年後)・無

現症

⑨ 臨床所見

(1) 動悸 (有・無)
(2) 息切れ (有・無)
(3) 呼吸困難 (有・無)
(4) 胸痛 (有・無)
(5) 血痰 (有・無)
(6) チアノーゼ (有・無)
(7) 浮腫 (有・無)
(8) 血圧 (最高 最低)
(9) 心拍数 ( )
(10) 脈拍数 ( )
(11) 心音 ( )
(12) 心臓ペースメーカー装置 (有 (昭和 平成 令和 年 月装着) 無)
(13) 人工弁装着 (有 (昭和 平成 令和 年 月装着) 無)
(14) その他の臨床所見

⑪ 活動能力の程度

(1) 普通の活動でも心不全症状又は狭心症症状が起こらないもの
(2) 家庭での普通の活動では何でもないが、それ以上の活動では心不全症状又は狭心症症状が起こるもの
(3) 家庭内での極めて温和な活動では何でもないが、それ以上の活動では心不全症状又は狭心症症状が起こるもの
(4) 自己の身辺の動作でも心不全症状又は狭心症症状が起こるもの
(5) 安静時でも心不全症状又は狭心症症状が起こるもの

⑩ X線・心電図所見

(1) 陳旧性心筋梗塞 (有・無)
(2) 脚ブロック (有・無)
(3) 完全房室ブロック (有・無)
(4) 不完全房室ブロック (有 第 度・無)
(5) 心房細動(粗動) (有・無)
心拍数に対する脈拍数の欠損 (/ 分)
(6) STの低下 (有 mV・無)
(7) 第Ⅰ誘導、第Ⅱ誘導及び胸部誘導(ただし、V_1を除く。)のいずれかのT波の逆転 (有・無)

年 月 日撮影

心胸比 %

⑫ 安静を要する程度

1. 絶対安静
2. ベッド上の安静
3. 必要時のみ室内歩行(30分以内)
4. 室内歩行はよい(1時間以内)
5. 一定時間内の屋外歩行はよい(1.5時間以内)
6. 健康な人の2分の1程度の労働はよい
7. 軽労働はよいが重労働は禁ずる。ただし、休憩時間を多くとる。
8. 疲れない程度の普通の生活

⑬ 備考

上記のとおり診断します。
令和 年 月 日
病院又は診療所の名称
所在地
診療担当科名 医師氏名

◎ 裏面の注意をよく読んでから記入して下さい。障害者の障害の程度及び障害の認定に無関係な欄は記入する必要がありません。

◎ 字は楷書ではっきりと書いて下さい。

(裏面)

注意

1 この診断書は、特別障害者手当の受給資格を認定するための資料の一つです。

この診断書は、障害者の障害の状態を証明するために使用されますが、記入事項に不明な点がありますと認定が遅くなることがありますので、詳しく記入してください。

2 ○・×で答えられる欄は、該当するものを○で囲んでください。記入しきれない場合は、別に紙片をはり付けてそれに記入してください。

3 ⑤の欄は、この診断書を作成するための診断日ではなく、障害者が障害の原因となった傷病について初めて医師の診断を受けた日を記入してください。

前に他の医師が診断している場合は、障害者本人又はその父母等の申し立てによって記入してください。また、それが不明の場合には、その旨を記入してください。

様式第13号

特別障害者手当認定診断書（結核及び換気機能障害用）

（ふりがな） ① 氏　　名		男・女	② 生年月日	明治 大正 昭和 平成 令和　　年　　月　　日
③ 住　　所			④ 障害の原因となった傷病名	
⑤ ④のためはじめて医師の診断を受けた日	昭和 平成 令和　　年　　月　　日		⑥ 傷病発生年月日	昭和 平成 令和　　年　　月　　日
⑦ 障害が永続すると判定された日	昭和 平成 令和　　年　　月　　日	推定 確認	⑧ 将来再認定の要	有（　　年後）・無

現症

⑨ 身体計測　身長　　　cm：体重　　　kg

⑩ 胸部X線所見

ア．胸膜癒着	なし・軽・中・高
イ．気腫化	なし・軽・中・高
ウ．線維化	なし・軽・中・高
エ．不透明肺	なし・軽・中・高
オ．胸廓変形	なし・軽・中・高
カ．心縦隔の変形	なし・軽・中・高

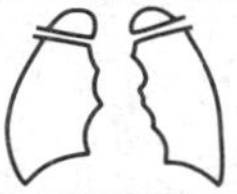

撮影

年　　月　　日

⑪ 活動能力の程度

ア．激しい運動をした時だけ息切れがある。

イ．平坦な道を早足で歩く、あるいは緩やかな上り坂を歩く時に息切れがある。

ウ．息切れがあるので、同年代の人より平坦な道を歩くのが遅い、あるいは平坦な道を自分のペースで歩いている時、息切れのために立ち止まる。

エ．平坦な道を約100m、あるいは数分歩くと息切れのために立ち止まる。

オ．息切れがひどく家から出られない、あるいは衣服の着替えをする時にも息切れがある。

⑫ 換気機能（令和　　年　　月　　日）

ア．肺活量実測値（VC）　　ml

イ．予測肺活量　　ml

ウ．努力性肺活量（FVC）　　ml

エ．1秒量（FEV1.0）

オ．努力性肺活量1秒率（FEV1%）　エ/ウ×100

カ．予測肺活量1秒率　エ/イ×100

⑬ 安静を要する程度

1度　絶対安静

2度　ベット上の安静

3度　必要時のみ室内歩行（30分以内）

4度　室内歩行はよい（1時間以内）

5度　一定時間内の屋外歩行はよい（1.5時間以内）

6度　健康な人の2分の1程度の労働はよい

7度　軽労働はよいが重労働は禁ずる。ただし、休憩時間を多くとる。

8度　疲れない程度の普通の生活

⑭ 動脈血ガス分析値（令和　　年　　月　　日）

ア．動脈血O_2分圧　　mmHg

イ．動脈血CO_2分圧　　mmHg

⑮ 現在までの治療内容等

⑯ その他の障害又は病状臨床所見

⑯ 備考

上記のとおり診断します。

令和　　年　　月　　日

病院又は診療所の名称

所在地

診療担当科名　　　　医師氏名

◎裏面の注意をよく読んでから記入して下さい。障害者の障害の程度及び状態の認定に無関係な欄は記入する必要がありません。

◎字は楷書ではっきりと書いて下さい。

（裏　面）

注意

1　この診断書は、特別障害者手当の受給資格を認定するための資料の一つです。
この診断書は、障害者の障害の状態を証明するために使用されますが、記入事項に不明な点がありますと認定がおそくなることがありますので、くわしく記入してください。

2　○・×で答えられる欄は、該当するものを○でかこんでください。記入しきれない場合は、別に紙片をはりつけてそれに記入してください。

3　⑤の欄は、この診断書を作成するための診断日ではなく、障害者が障害の原因となった傷病についてはじめて医師の診断を受けた日を記入してください。
前に他の医師が診断している場合は、障害者本人又はその父母等の申し立てによって記入してください。また、それが不明の場合には、その旨を記入してください。

4　⑩の欄には、添付されたX線写真について、その所見を記入してください。

5　⑮の欄には、現在までの治療の内容、期間、経過などを記入してください。

6　この診断書の外に胸部X線写真を添えてください。

様式第14号

特別障害者手当認定診断書(腎臓疾患用)

① (ふりがな) 氏　　名		男・女	② 生年月日	昭和 平成　　年　　月　　日 令和
② 住　　所			④ 疾病の原因となった傷病名	
⑤ ④のため初めて医師の診断を受けた日	昭和 平成　　年　　月　　日 令和		⑥ 傷病発生年月日	昭和 平成　　年　　月　　日 令和
⑦ 障害が永続すると判定された日	昭和 平成　　年　　月　　日 令和	推定 確認	⑧ 将来再認定の要	有(　　　年後)・無

⑨ 腎臓疾患(令和　　年　　月　　日現症)

1 臨床所見

(1) 自覚症状

悪心・嘔吐 (無・有・著)

食欲不振 (無・有・著)

頭　　痛 (無・有・著)

呼吸困難 (無・有・著)

(2) 他覚所見

浮　　腫 (無・有・著)

貧　　血 (無・有・著)

アシドーシス (無・有・著)

腎不全に基づく

神経症状 (無・有・著)

視力障害 (無・有・著)

(3) 尿毒症性心包炎 (無・有)

(4) 尿毒症性出血傾向 (無・有)

(5) 尿毒症性中枢神経症状 (無・有)

2 腎生検　無・有　検査年月日(令和　　年　　月　　日)

所見

3 人工透析療法

(1) 人工透析療法の実施の有無　無・有 (血液透析・腹膜透析・血液濾過)

(2) 人工透析開始日　(令和　　年　　月　　日)

(3) 人工透析(腹膜透析除く。)実施状況　回数・　回/週、1回　　時間

(4) 人工透析導入後の臨床経過

(6) 検査成績

検査項目 ＼ 検査日		・・	・・	・・
1日尿蛋白量	g/日			
尿蛋白/尿クレアチニン比	g/gCr			
尿蛋白	(定性)			
赤血球数	$\times 10^4$/μℓ			
ヘモグロビン	g/dℓ			
白血球数	/μℓ			
血小板数	$\times 10^4$/μℓ			
血清総蛋白	g/dℓ			
血清アルブミン	g/dℓ			
BCG法・BCP法・改良型BCP法				
総コレステロール	mg/dℓ			
血液尿素窒素(BUN)	mg/dℓ			
血清クレアチニン	mg/dℓ			
eGFR	mℓ/分			

(5)　長期透析による合併症　　無 ・ 有
所見

1日尿量	mℓ／日			
内因性クレアチニン・クリアランス	mℓ／分			
動脈血（HCO_3）	mEq／ℓ			

4　その他の所見

(1)　腎移植　　無 ・ 有（有の場合は移植年月日（令和　　年　　月　　日））
経過

(2)　その他

⑩　活動能力の程度（該当するものどれか一つを選んで○で囲んでください。）
1　普通の生活については著しく制限されることがないもの
2　家庭内での普通の生活又は社会での極めて温和な活動には支障がないが、それ以上の活動は著しく制限されるもの
3　家庭内での極めて温和な活動には支障がないが、それ以上の活動は著しく制限されるもの
4　自己の身辺の日常生活活動を著しく制限されるもの

⑪　安静を要する程度
1　絶対安静
2　ベッド上の安静
3　必要時のみ室内歩行（30分以内）
4　室内歩行はよい（1時間以内）
5　一定時間内の屋外歩行はよい（1．5時間以内）
6　健康な人の2分の1程度の労働はよい
7　軽労働はよいが重労働は禁ずる。ただし、休憩時間を多くとる。
8　疲れない程度の普通の生活

⑫　備　　考

上記のとおり、診断します。
令和　　年　　月　　日
病院又は診療所の名称
所　　在　　地
診療担当科名　　　　　　　　医 師 氏 名

◎　裏面の注意をよく読んでから記入してください。障害者の障害の程度及び障害の認定に無関係な欄は記入する必要がありません。
◎　字は楷書《かいしょ》ではっきりと書いてください。

（裏　面）

注　　意

1　この診断書は、特別障害者手当の受給資格を認定するための資料の一つです。

この診断書は障害者の障害の状態を証明するために使用されますが、記入事項に不明な点がありますと認定が遅くなることがありますので、詳しく記入してください。

2　○・×で答えられる欄は、該当するものを○で囲んでください。記入しきれない場合は、別に紙片をはり付けてそれに記入してください。

3　⑤の欄は、この診断書を作成するための診断日ではなく障害者が障害の原因となった傷病については初めて医師の診断を受けた日を記入してください。前に他の医師が診断している場合は、障害者本人又はその父母等の申立てによって記入してください。

また、それが不明な場合には、その旨を記入してください。

4　⑨の欄の「1　臨床所見」の検査成績は、過去3か月間において、症状を最もよく表している検査成績をそれぞれ記入してください。なお、人工透析療法を実施している人の腎機能検査成績は当該療法の導入後であって、毎回の透析実施前の検査成績を記入してください。

5　⑨の欄の「1　臨床所見」の検査成績の「血清アルブミン」については、BCG法、BCP法又は改良型BCP法のいずれかに○を付してください。

様式第15号

特別障害者手当認定診断書（肝臓・血液疾患及びその他の疾患用）

（ふりがな） ① 氏名		男・女	② 生年月日	昭和・平成・令和　年　月　日
③ 住所			④ 障害の原因となった傷病名	
⑤ ④のためはじめて医師の診断を受けた日	昭和・平成・令和　年　月　日		⑥ 傷病発生年月日	昭和・平成・令和　年　月　日
⑦ 障害が永続すると判定された日	昭和・平成・令和　年　月　日	推定・確認	⑧ 将来再認定の要	有（　年後）・無

障害の状態

⑨ 肝疾患（令和　年　月　日現症）

1 臨床所見

(1) 自覚症状
全身倦怠感（無・有・著）
発熱（無・有・著）
食欲不振（無・有・著）
悪心・嘔吐（無・有・著）
皮膚そう痒感（無・有・著）
有痛性筋痙攣（無・有・著）
吐血・下血（無・有・著）

(2) 他覚所見
肝萎縮（無・有・著）
脾腫大（無・有・著）
浮腫（無・有・著）
腹水（無・有・有（難治性））
黄疸（無・有・著）
腹壁静脈怒張（無・有・著）
肝性脳症（無・有・（　度））
出血傾向（無・有・著）

2 Child-Pughによるgrade
A（5・6）B（7・8・9）C（10・11・12以上）

3 肝生検　無・有　検査年月日（令和　年　月　日）
所見　グレード（　　）ステージ（　　）

4 食道・胃などの静脈瘤
(1) 無・有　検査年月日（令和　年　月　日）
(2) 吐血・下血の既往　無・有（　　回）
(3) 治療歴　無・有（　　回）

5 肝腫瘍治療歴　無・有
・手術　回　・局所療法　回　・動脈塞栓術　回
・放射線療法　回　・化学療法　回

6 特発性細菌性腹膜炎その他肝硬変症に付随する病態の治療歴
所見

7 治療内容
(1) 利尿剤（無・有）　(4) アルブミン・血漿製剤（無・有）
(2) 特殊アミノ酸製剤（無・有）(5) 血小板輸血（無・有）
(3) 抗ウイルス療法（無・有）(6) その他
具体的内容

(3) 検査成績

検査日 ／ 検査項目	施設基準値		
AST(GOT)　IU/L			
ALT(GPT)　IU/L			
γ-GPT　IU/L			
血清総ビリルビン　mg/dL			
アルカリホスファターゼ IU/L			
血清総蛋白　g/dL			
血清アルブミン g/dL			
BCG法・BCP法			
・改良型BCP法			
A/G比			
血小板数　×10⁴/uL			
プロトロンビン時間　%			
総コレステロール　mg/dL			
血中アンモニア　ug/dL			
AFP　ng/mL			
PIVKA-Ⅱ　mAU/mL			

8 その他の所見
(1) 肝移植　無・有（有の場合は移植年月日（令和　年　月　日））
経過

(2) その他（超音波・CT・MRI検査等）（令和　年　月　日）

⑩ 血液疾患（令和　　年　　月　　日現症）

1 臨床所見

(1) 自覚症状

- 立ちくらみ　（無・有・著）
- 易疲労感　（無・有・著）
- 動悸　（無・有・著）
- 息切れ　（無・有・著）
- 発熱　（無・有・著）
- 紫斑　（無・有・著）
- 月経過多　（無・有・著）
- 関節症状　（無・有・著）

(2) 他覚所見

- 易感染性　（無・有・著）
- リンパ節腫脹　（無・有・著）
- 出血傾向　（無・有・著）
- 血栓傾向　（無・有・著）
- 肝腫　（無・有・著）
- 脾腫　（無・有・著）

(3) 検査成績

ア 末梢血液検査（令和　　年　　月　　日）

※アの欄は、最も適切に現在の病状が把握できる検査数値及びその日付を記入してください。

- ヘモグロビン濃度（　　　）g/dL
- 網赤血球（　　　）万/μL
- 血小板（　　　）万/μL
- 白血球（　　　）/μL
- 好中球（　　　）/μL
- リンパ球（　　　）/μL
- 病的細胞（　　　）%

イ その他の検査

画像検査（検査名　　　　）（令和　　年　　月　　日）

所見（　　　　）

他の検査（検査名　　　　）（令和　　年　　月　　日）

所見

2. 治療状況

赤血球輸血（年・月　　回）　血小板輸血（年・月　　回）

補充療法（年・月　　回）　新鮮凍結血漿（年・月　　回）

3. その他の所見

⑪ その他の疾患（令和　　年　　月　　日現症）

1. 症状

2. 臨床検査

⑫ 安静を要する程度

1. 絶対安静
2. ベッド上の安静
3. 必要時のみ室内歩行(30分以内)
4. 室内歩行はよい(1時間以内)
5. 一定時間内の屋外歩行はよい(1.5時間以内)
6. 健康な人の2分の1程度の労働はよい
7. 軽労働はよいが重労働は禁ずる。ただし休憩時間を多くとる
8. 疲れない程度の普通の生活

⑬ 活動能力の程度

1. 無症状で社会活動ができ、制限を受けることなく、発病前と同等にふるまえる
2. 軽度の症状があり、肉体労働は制限を受けるが、歩行・軽労働や坐業はできる。例えば、軽い家事・事務など
3. 歩行や身のまわりのことはできるが、時に少し介助のいることもある。軽労働はできないが、日中の50%以上は起居している
4. 身のまわりのある程度のことはできるが、しばしば介助がいり、日中の50%以上は就床している
5. 身のまわりのこともできず、常に介助がいり、終日就床を必要としている

⑭ 備考

上記のとおり診断します。

令和　　年　　月　　日

病院又は診療所の名称

所在地

診療担当科名　　　　医師氏名

◎裏面の注意をよく読んでから記入して下さい。障害者の障害の程度及び障害の認定に無関係な欄は記入する必要がありません。

◎字は楷書ではっきりと書いて下さい。

（裏 面）

注意

1　この診断書は、特別障害者手当の受給資格を認定するための資料の一つです。
この診断書は、障害者の障害の状態を証明するために使用されますが、記入事項に不明な点がありますと認定が遅くなることがありますので、詳しく記入してください。

2　○・×で答えられる欄は、該当するものを○で囲んでください。記入しきれない場合は、別に紙片をはり付けてそれに記入してください。

3　⑤の欄は、この診断書を作成するための診断日ではなく、障害者が障害の原因となった傷病について初めて医師の診断を受けた日を記入してください。
前に他の医師が診断している場合は、障害者本人又はその父母等の申立てによって記入してください。また、それが不明の場合には、その旨を記入してください。

4　肝機能の検査成績は、過去３か月間における２回の検査成績（１ヶ月以上の間隔をおくこと。）をそれぞれ記入してください。

5　⑨の欄の「１　臨床所見」の検査成績の「血清アルブミン」については、BCG法、BCP法又は改良型BCP法のいずれかに○を付してください。

6　⑨の欄の「２　Child-Pughによるgrade」の点数に○を付してください。

7　⑨の欄の「７　治療の内容」は、⑨の欄冒頭の現症日時点の内容を記入してください。また、「具体的内容」については、(1)～(6)の治療が有る場合は、必要に応じて薬品名や(6)の内容等を記入してください。

8　⑪の「その他の疾患」の欄には、視覚障害、聴覚障害、肢体障害、結核及び換気機能障害、心臓疾患、肝臓疾患、血液疾患及び精神障害以外の疾患について記入してください。

9　問診による身体状態と他覚的検査結果とが一致しないような場合には、備考欄にその旨を記入してください。

様式第16号

（表　　面）

特別障害者手当認定診断書（精神の障害用）

① 氏　　名	男・女	② 生年月日	昭和 平成　　年　　月　　日 令和
③ 住　　所		④ 障害の原因となった傷病名	
⑤ 傷病発生年　月	主な精神障害　昭和・平成・令和　年　月 合併精神障害　昭和・平成・令和　年　月 合併身体障害　昭和・平成・令和　年　月	⑥ 合併症	精神障害 身体障害
⑦ ④のため初めて医師の診断を受けた日	昭和 平成　　年　　月　　日 令和	⑧ 将来再判定の要	有（　　　　年後）・無

⑨ 現病歴（陳述者より聴取）	陳述者の氏名　　　　患者との続柄
ア　発病以来の病状と経過	イ　発病以来の治療歴 （病院名）（治療期間）（入院・外来別）（病名）（主な療法）（転帰） （ア）　　年　月　～　年　月　入・外 （イ）　　年　月　～　年　月　入・外 （ウ）　　年　月　～　年　月　入・外 （エ）　　年　月　～　年　月　入・外

⑩ これまでの発育・養育歴等（出生から発育の状況や教育歴を陳述者より聴取の上、できるだけ詳しく記入してください。）	ア　発育・養育歴	イ　教育歴 乳児期 不就学　・　就学猶予 小学校（　普通学級　・　特別支援学級　・　特別支援学校　） 中学校（　普通学級　・　特別支援学級　・　特別支援学校　） 高　校（　普通学級　・　特別支援学校　） その他

障害の状態（令和　　年　　月　　日現症）

		現在の病状又は状態像	左記の状態について、その程度・症状・処方薬等を具体的に記載してください。
現症	⑪ 知能障害等	1　知的障害 知能指数又は発達指数（IQ・DQ　　　） テスト方式（　　　）　テスト不能 判　定（　最重度、　重度、　中度、　軽度　） 判定年月日（令和　　年　　月　　日） 2　高次脳機能障害　ア 失行　イ 失認 ウ 記憶障害　エ 注意障害 オ 遂行機能障害　カ 社会的行動障害 3　学習障害　ア 読み　イ 書き　ウ 算数 エ その他（　　　） 4　その他（　　　）	
	⑫ 発達障害関連症状	1　相互的な社会関係の質的障害 2　言語コミュニケーションの障害 3　限定した常同的で反復的な関心と行動 4　その他（　　　）	
	⑬ 意識障害・てんかん	1　意識混濁　2（夜間）せん妄 3　もうろう　4　錯乱　5　てんかん発作 6　不機嫌症　7　その他（　　　） ・てんかん発作のタイプ（　　　） ・てんかん発作の頻度（（年間　・　月　・　週）　回程度）	
	⑭ 精神症状	1幻覚　2妄想　3自閉　4無為　5感情の平板化　6不安 7恐怖　8強迫行為　9思考障害　10心気症　11中毒嗜《し》癖 12うつ状態　13そう状態　14その他（　　　）	
	⑮ 問題行動及び習癖	1興奮　2暴行　3多動　4拒絶　5自殺企画　6自傷 7破衣　8不潔　9放火・弄《ろう》火　10器物破壊　11徘徊《はいかい》・浮浪 12盗み　13性的逸脱行動 14排泄《せつ》の問題（尿失禁、便失禁、便こね、その他） 15食事の問題（拒食、異食、大食、小食、偏食、その他） 16その他（　　　）	
	⑯ 性格特徴		

（裏　　面）

現 症	⑰ 日常生活 能力の程度 （必ず記入してください）	1　食事　（・ひとりでできる　・介助があればできる　・できない　） 2　用便（月経）の始末　（・ひとりでできる　・介助があればできる　・できない　） 3　衣服の着脱　（・ひとりでできる　・介助があればできる　・できない　） 4　簡単な買物　（・ひとりでできる　・介助があればできる　・できない　） 5　家族との会話　（・通じる　・少しは通じる　・通じない　） 6　家族以外の者との会話　（・通じる　・少しは通じる　・通じない　） 7　刃物・火の危険　（・わかる　・少しはわかる　・わからない　） 8　戸外での危険（交通事故）から身を守る　｛・守ることができる　・不十分ながら守ることができる　・守ることができない｝
		上記の内容を具体的に記載して下さい。
	⑱　要注意度	1　常に厳重な注意を必要とする　2　随時一応の注意を必要とする　3　ほとんど必要ない
⑲　備考		

上記のとおり、診断します。
令和　年　月　日
病院又は診療所の名称
所　在　地
診療担当科名　　　　医師氏名

◎　裏面の注意をよく読んでから記入してください。障害者の障害の程度及び状態の認定に無関係な欄は記入する必要はありません。

◎　字は楷書ではっきりと書いてください。

記入上の注意

1　この診断書は、特別障害者手当の受給資格を認定するための資料の一つです。
この診断書は障害者の障害の状態を証明するために使用されますが、記入事項に不明な点がありますと認定が遅くなることがありますので、できるだけ詳しく記入してください。

2　○・×で答えられる欄は、該当するものを○で囲んでください。また、記入する欄（　）は具体的に詳しく記入してください。
なお、記入しきれない場合は、別に紙片をはり付けてそれに記入してください。

3　⑦の欄は、この診断書を作成するための診断日ではなく、障害者が障害の原因となった傷病については初めて医師の診断を受けた日を記入してください。
前に他の医師が診断している場合は、その父母等の申立てによって記入してください。
また、それが不明な場合には、その旨を記入してください。

4　⑪から⑮までの欄には、それぞれの欄の症状又は行動について該当するものを○で囲んでください。

5　知的障害の場合は、知能指数又は発達指数及び検査方式を⑪の欄に記入してください。

6　⑱の欄は、⑪から⑰までの欄に記載する注意を要する症状の有無、程度及び頻度に応じて該当するものを○で囲んでください。

7　診断医が、「精神保健指定医」である場合には、氏名の上にその旨を記載してください。また、診断医が精神保健福祉センター、児童相談所又は知的障害者更生相談所の医師である場合には、「病院又は診療所」のところに、その精神保健福祉センター、児童相談所又は知的障害者更生相談所の名称を記入するだけで、「所在地」、「診療担当科目名」は記入する必要はありません。

○特別障害者手当の障害程度認定基準の次表に該当する視野障害の障害程度の確認について

〔平成三十年九月四日　事務連絡
各都道府県特別障害者手当ご担当者宛　厚生労働省社会・援護局障害保健福祉部企画課〕

特別障害者手当制度の円滑な実施については、日頃から格別のご配慮を賜り、厚く御礼申し上げます。

さて、先般、「身体障害者障害程度等級表の解説（身体障害認定基準）について」（平成十五年一月十日障発第〇一一〇〇〇一号厚生労働省社会・援護局障害保健福祉部長通知）が一部改正され、視覚障害の認定基準が変更されました。

本通知の改正により、平成二十三年一月十一日付け事務連絡で示した取扱いができなくなったことから、特別障害者手当における視野障害の程度の判断については左記の通りとします。

つきましては、運用について遺憾のなきようお願いするとともに、管内市区町村に対して周知をお願いいたします。

記

「障害児福祉手当及び特別障害者手当の障害程度認定基準について」（昭和六十年十二月二十八日社更第一六二号厚生省社会局長通知）の別紙「障害児福祉手当及び特別障害者手当の障害程度認定基準」（以下、「認定基準」という。）第三の2の⑴の表第十号に該当する障害であるかは、特別障害者手当の診断書で判断すること。

したがって、認定請求の際には、認定基準の別添様式第九号若しくは第一五号の備考欄等に、認定に必要な情報を記載いただくようにすること。

○人工内耳を用いている場合の障害児福祉手当の認定について

〔平成三十一年三月二十六日　事務連絡
各都道府県障害児福祉手当ご担当者宛　厚生労働省社会・援護局障害保健福祉部企画課〕

障害児福祉手当制度の円滑な実施については、日頃から格別のご配慮を賜り、厚く御礼申し上げます。

昨今の医療技術の発展により、人工内耳を使用している障害児が障害児福祉手当の対象となることが想定され、多くの自治体より人工内耳を用いている場合の取扱いについて照会いただいておりましたので、左記のとおり周知いたします。

つきましては、その運用について遺憾のないようお願いするとともに、管内市区町村及び関係機関に対して周知方お取り計らい願います。

記

障害児福祉手当における聴覚障害の認定については、「障害児福祉手当及び特別障害者手当の障害程度認定基準について」（昭和六十年十二月二十八日社更第一六二号厚生省社会局長通知）（以下、「認定基準」という。）第二2(1)イにおいて、「両耳の聴力が補聴器を用いても音声を識別できないものとは、両耳の聴力レベルが一〇〇デシベル以上のもので、全ろうを意味し、重度難聴用の補聴器を用いても、全く音声を識別できない程度のものをいう。」とあるところ、日常生活において人工内耳を用いている場合の認定についても、補聴器を用いている場合と同様に、裸耳により測定する聴力レベルが一〇〇デシベル以上のもので、かつ、人工内耳を用いても、全く音声を識別できない程度とする。また、認定基準第二2(1)エ(ア)における取扱いも同様とする。

なお、「全く音声を識別できない程度」とは、日常会話が成立しない程度である。

○特別障害者手当等給付費に係る国庫負担について

〔昭和六十一年五月八日　厚生省社第四六二号
各都道府県知事宛　厚生事務次官通知〕

〔改正経過〕

第一次改正　〔平成元年四月二八日厚生省社第二七四号
第二次改正　〔平成一二年八月三〇日厚生省障第三七五号
第三次改正　〔平成一五年一〇月一日厚生労働省発障第一〇〇一〇〇五号
第四次改正　〔令和元年六月二七日厚生労働省発障〇六二七第一〇号
第五次改正　〔令和四年三月二四日厚生労働省発障〇三二四第一〇号

特別児童扶養手当等の支給に関する法律（昭和三十九年法律第百三十四号）第二十五条及び同法第二十六条の五において準用する同法第二十五条並びに国民年金法等の一部を改正する法律（昭和六十年法律第三十四号）附則第九十七条第二項又は附則第九十八条に基づく国庫負担金の交付については、別紙特別障害者手当等給付費国庫負担金交付要綱（以下「交付要綱」という。）により行うこととされたので通知する。

なお、この通知は昭和六十一年四月一日から適用し、昭和五十六年五月五日厚生省社第五七七号「福祉手当給付費に係る国庫負担について」は、廃止する。

ただし、昭和六十年度以前の福祉手当給付費に係る国庫負担の取扱いについては、なお従前の例によるものとし、昭和六十一年度にかかる交付申請については、交付要綱の5にかかわらず昭和六十一年五月十四日までに行うものとする。

おって、貴管下の市長及び福祉事務所を設置する町村長に対しては、貴職からこの旨通知されたい。

別紙

特別障害者手当等給付費国庫負担金交付要綱

（通則）

1　特別児童扶養手当等の支給に関する法律（昭和三十九年法律第百三十四号）第二十五条及び同法第二十六条の五において準用する同法第二十五条並びに国民年金法等の一部を改正する法律（昭和六十年法律第三十四号）附則第九十七条第二項又は附則第九十八条に基づく国庫負担金の交付については、予算の範囲内において交付するものとし、特別児童扶養手当等の支給に関する法律並びに国民年金法等の一部を改正する法律（以下「特別障害者手当法」という。）、補助金等に係る予算の執行の適正化に関する法律（昭和三十年法律第百七十九号）、補助金等に係る予算の執行の適正化に関する法律施行令（昭和三十年政令第二百五十五号）及び厚生労働省所管補助金等交付規則（平成十二年厚生省労働省令第六号）の規定によるほか、この交付要綱の定めるところによる。

（交付の対象）

2　この負担金は特別障害者手当法に基づき都道府県、市及び福祉事務所を設置する町村が行う障害児福祉手当、特別障害者手当及び福祉手当支給事業を交付の対象とする。

（交付額の算定方法）

3　この負担金の交付額は、都道府県、市及び福祉事務所を設置する町村が支弁した額から、事業に係る寄付金その他の収入額を控除した額に四分の三を乗じて得た額とする。

（交付の条件）

4　この負担金の交付の決定には、次の条件が付されるものとする。負担金と事業にかかる予算及び決算との関係を明らかにした別紙様式1による負担金調書を作成し、負担金の額の確定の日の属する年度の終了後五年間保存しておかなければならない。

（申請手続）

5　この負担金の交付の申請は、次により行うものとする。

(1)　都道府県知事は、別紙様式2による申請書に関係書類を添えて、年度開始前の三月三十一日までに当該都道府県の区域を管轄する地方厚生局長（徳島県、香川県、愛媛県及び高知県にあっては四国厚生支局長、以下「地方厚生（支）局長」という。）に提出して行うものとする。

(2)　市町村長は、別紙様式3による申請書に関係書類を添えて都道府県知事が定める日までに都道府県知事に提出するものとする。

(3)　都道府県知事は、(2)の書類を受理したときは、その内容を審査し、これをとりまとめ、別紙様式2による申請書に関係書類を添えて、年度開始前の三月三十一日までに地方厚生（支）局長に提出するものとする。

（変更申請の手続）

6　この負担金の交付決定後の事情変更により、申請の内容を変更して、追加交付申請等を行う場合には、5に定める申請手続に従い毎年度一月三十一日までに提出するものとする。

（交付決定までの標準的期間）

7　都道府県知事は、市町村長から5(2)又は6による交付申請が到達した日から起算して原則として三〇日以内に地方厚生（支）局長に提出を行うものとし、地方厚生（支）局長は、交付申請書が到達した日から起算して原則として六〇日以内に交付の決定（決定の変更を含む。）を行うものとする。

（交付決定の通知）

8　都道府県知事は、市町村分に係る負担金について、地方厚生（支）局長の交付決定通知又は変更交付決定通知があったときは、市町村長に対し、別紙様式4によりすみやかに交付決定の通知を行うものとする。

（負担金の概算払）

9　厚生労働大臣は、必要があると認める場合においては、国の支払計画承認額の範囲内において概算払をすることができる。

（実績報告）

10　この負担金の事業実績報告は、次により行うものとする。

(1)　都道府県知事は、当該年度の事業が完了したときは、別紙様式5による報告書を、翌年度の六月十五日までに地方厚生（支）局長に提出しなければならない。

(2) 市町村長は、当該年度の事業が完了したときは、別紙様式6による報告書を、都道府県知事が定める日までに都道府県知事に提出しなければならない。

(3) 都道府県知事は、(2)の書類を受理したときは、その内容を審査し、これをとりまとめ別紙様式6による報告書に関係書類を添えて、翌年度の六月十五日までに地方厚生（支）局長に提出しなければならない。

（負担金の額の確定通知）

11 都道府県知事は、市町村分に係る負担金について、地方厚生（支）局長の交付額の確定通知があったときは、市町村長に対し、別紙様式7によりすみやかに確定通知を行わなければならない。

（負担金の返還）

12 地方厚生（支）局長は、交付すべき負担金の額を確定した場合において、既にその額を超える負担金が交付されているときは、期限を定めて、その超える部分について国庫に返還することを命ずる。

（その他）

13 特別の事情により5、6及び10に定める手続によることができない場合は、あらかじめ地方厚生（支）局長の承認を受けて、その定めるところによる。

別紙様式１

国　庫　負　担　金　調　書

（元号）　年度

厚生労働省所管

（地方公共団体名）

	国			地方公共団体										備考
				歳入			歳出							
	歳出予算科目	交付決定の額	補助率	科目	予算現額	収入済額	科目	予算現額	うち国庫負担金相当額	支出済額	うち国庫負担金相当額	翌年度繰越額	うち国庫負担金相当額	
福祉手当		円	円		円	円		円	円	円	円	円	円	
特別障害者手当														
障害児福祉手当														
福祉手当（経過措置分）														
総計														

（作成要領）

1　「国」の「歳出予算科目」は、項及び目（交付決定が目の細分において行われる場合は目の細分まで）を記載すること。

2　「地方公共団体」の「科目」は、歳入にあっては款、項、節を、歳出にあっては款、項、目をそれぞれ記載すること。

3　「予算現額」は、歳入にあっては当初予算額、補正予算額等の区分を、歳出にあっては当初予算額、補正予算額、予備費、支出額流用等増減額等の区分を明らかにして記載すること。

4　「備考」は、参考となるべき事項を適宜記載すること。

別紙様式２

番　　　　　　号

（元号）　　年　　月　　日

○○厚生（支）局長　　　　殿

都道府県知事

（元号）　　年度特別障害者手当等給付費
国庫負担金の交付申請について

標記について、次のとおり国庫負担金を交付されるよう関係書類を添えて申請する。

なお、管下市（町村）分については、申請を受理し、その内容を審査した結果適正と認められるので、あわせて提出する。

	交付申請額
総額	円
都道府県分	円
市（町村）分	円

（添付資料）

1　（元号）　　年度特別障害者手当等給付費負担金所要額調書（別紙１）

2　（元号）　　年度特別障害者手当等給付費負担金市（町村）別所要額調書（別紙２）

3　事業計画書（別紙３）

4　歳入歳出予算書（又は見込書）

（別紙１）

（元号）　　年度特別障害者手当等給付費負担金所要額調書

都道府県名

区	分	支出予定額 (A)	寄付金その他の収入予定額 (B)	差引額 (C)	国庫負担基本額 (D)	国庫負担所要額 (E)	既国庫負担額 (F)	差引追加（△一部取消）国庫負担所要額（E－F）＝(G)	
計	計	円	円	円	円	円	円	計	円
								増額	
								△減額	
	福祉手当								
	特別障害者手当								
	障害児福祉手当								
	福祉手当（経過措置分）								
県分	計							増額	
								△減額	
	福祉手当								
	特別障害者手当								
	障害児福祉手当								
	福祉手当（経過措置分）								
市(町村)分	計							計	
								増額	
								△減額	
	福祉手当								
	特別障害者手当								
	障害児福祉手当								
	福祉手当（経過措置分）								

1　市（町村）分については、別紙２の特別障害者手当等給付費負担金市（町村）別所要額内訳の総計欄の額を記入すること。

2　「既国庫負担額(F)」及び「差引追加（△一部取消）国庫負担所要額(G)」は本通知の６の変更申請を行う場合のみ欄を設けて記入すること。

（別紙２）

（元号）　　年度特別障害者手当等給付費負担金市（町村）別所要額調書

都道府県名

区分		支出予定額 (A)	寄付金その他の収入予定額 (B)	差引額 (C)	国庫負担基本額 (D)	国庫負担所要額 (E)	既国庫負担額 (F)	差引追加（△一部取消）国庫負担所要額（E－F）＝(G)
総計	計	円	円	円	円	円	円	円
	福祉手当							
	特別障害者手当							
	障害児福祉手当							
	福祉手当（経過措置分）							
○○市（町村）	計							
	福祉手当							
	特別障害者手当							
	障害児福祉手当							
	福祉手当（経過措置分）							
○○市（町村）	計							
	福祉手当							
	特別障害者手当							
	障害児福祉手当							
	福祉手当（経過措置分）							

（記入注意）

「既国庫負担額(F)」及び「差引追加（△一部取消）国庫負担所要額(G)」は本通知の６の変更申請を行う場合のみ欄を設けて記入すること。

（別紙３）

事　業　計　画　書

(1)　福祉手当受給者数

区　　　　　分	福祉手当受給者数	備　　　　考
総　　　　　数	人	
都　道　府　県　分		
市　（町　村）　分		
○○市（町村）分		
○○市（町村）分		

（注）　都道府県分福祉手当受給者数算出内訳

(2)　特別障害者手当受給者数

区　　　　　分	特別障害者手当受給者数	備　　　　考
総　　　　　数	人	
都　道　府　県　分		
市　（町　村）　分		
○○市（町村）分		
○○市（町村）分		

（注）　都道府県分特別障害者手当受給者数算出内訳

(3)　障害児福祉手当受給者数

区　　　　　分	障害児福祉手当受給者数	備　　　　考
総　　　　　数	人	
都　道　府　県　分		
市　（町　村）　分		
○○市（町村）分		
○○市（町村）分		

（注）　都道府県分障害児福祉手当受給者数算出内訳

(4)　福祉手当受給者数

区　　　　　分	福祉手当（経過措置分）受　給　者　数	備　　　　考
総　　　　　数	人	
都　道　府　県　分		
市　（町　村）　分		
○○市（町村）分		
○○市（町村）分		

（注）　都道府県分福祉手当（経過措置分）受給者数算出内訳

別紙様式３

番　　　　　　　号

（元号）　　年　　月　　日

○○厚生（支）局長　　　　殿

市（町村）長

（元号）　　年度特別障害者手当等給付費
国庫負担金の交付申請について

標記について、次のとおり国庫負担金を交付されるよう関係書類を添えて申請する。

国庫負担申請額　　　金＿＿＿＿＿＿＿＿＿＿円

（添付書類）

1　（元号）　　年度特別障害者手当等給付費負担金所要額調書（別紙１）

2　事業計画書（別紙２）

3　歳入歳出予算書（又は見込書）

（別紙１）

（元号）　　年度特別障害者手当等給付費負担金所要額調書

市（町村）名

区分	支出予定額 (A)	寄付金その他の収入予定額 (B)	差引額 (C)	国庫負担基本額 (D)	国庫負担所要額 (E)	既国庫負担額 (F)	差引追加（△一部取消）国庫負担所要額（E－F）＝(G)	
計	円	円	円	円	円	円	増額	円
							△減額	
福祉手当								
特別障害者手当								
障害児福祉手当								
福祉手当（経過措置分）								

（記入注意）

「既国庫負担額(F)」及び「差引追加（△一部取消）国庫負担所要額(G)」は本通知の６の変更申請を行う場合のみ欄を設けて記入すること。

(別紙２)

事　業　計　画　書

⑴　福祉手当受給者数

＿＿＿＿＿＿＿＿＿＿人

(算出内訳)

⑵　特別障害者手当受給者数

＿＿＿＿＿＿＿＿＿＿人

(算出内訳)

⑶　障害児福祉手当受給者数

＿＿＿＿＿＿＿＿＿＿人

(算出内訳)

⑷　福祉手当（経過措置分）受給者数

＿＿＿＿＿＿＿＿＿＿人

(算出内訳)

別紙様式４

番　　　号

（元号）　　年度特別障害者手当等給付費国庫負担金
（変更）交付決定通知書

市（町村）

（元号）　　年　　月　　日　　第　　号で申請のあった特別児童扶養手当等の支給に関する法律（昭和39年法律第134号）及び国民年金法等の一部を改正する法律（昭和60年法律第34号）（以下「特別障害者手当法」という。）に基づく標記国庫負担金については、補助金等に係る予算の執行の適正化に関する法律（昭和30年法律第179号。以下「適正化法」という。）第６条第１項（第３項）の規定により（元号）　　年　　月　　日○○第　　号をもって次のとおり交付することに決定されたので、適正化法第８条の規定により通知する。

（元号）　　年　　月　　日

都道府県知事

1　この負担金の交付の対象となる事業（以下「事業」という。）は、特別障害者手当法に基く障害児福祉手当、特別障害者手当及び福祉手当の支給事業である。
2　事業に要する経費及び負担金の額は、別紙のとおりである。ただし、事業の内容が変更された場合において事業に要する経費又は負担金の額が変更されるときは、別に通知するところによる。
3　この負担金の額は、昭和61年５月８日厚生省社第462号厚生事務次官通知の別紙「特別障害者手当等給付費負担金交付要綱」（以下「交付要綱」という。）の３に定める交付額の算定方法により行うものである。
4　この負担金は、交付要綱の４に定める事項を条件として交付するものである。
5　事業に係る実績報告は、交付要綱の10に定めるところにより行うものとする。
6　この負担金の交付の決定の内容又は条件に不服がある場合における適正化法第９条第１項の規定による申請の取り下げをすることのできる期限は、（元号）　　年　　月　　日とする。

別紙

事業に要する経費及び負担金の額

市（町村）名＿＿＿＿＿＿

区　　　分	事業に要する経費	負担金の額
前回までの交付決定額	円	円
今回交付決定額		
交付決定累計額		

別紙様式５

番　　　　　　　号
（元号）　　年　　月　　日

○○厚生（支）局長　　　殿

都道府県知事

（元号）　　年度特別障害者手当等給付費国庫負担金に
係る事業実績報告について

（元号）　　年　　月　　日　　第　　号により交付決定を受けた標記国庫負担金に係る事業の実績について、次の関係書類を添えて報告する。

なお、同日付同号で交付決定を受けた市（町村）分に係る標記国庫負担金の事業実績については、次のとおり報告があり、内容を審査した結果適正と認められるので、関係書類を添えて提出する。

1　（元号）　　年度特別障害者手当等給付費負担金精算書（別紙１）
2　（元号）　　年度特別障害者手当等給付費負担金市（町村）別精算額内訳（別紙２）
3　事業実績報告書（別紙３）
4　歳入歳出決算書抄本（又は見込書）

（別紙１）

（元号）　　年度特別障害者手当等給付費負担金精算書

都道府県名

区分		支出済額 (A)	寄付金その他の収入 (B)	差引額 (C)	国庫負担基本額 (D)	国庫負担所要額 (E)	国庫負担交付決定額 (F)	国庫負担受入済額 (G)	差引過不足額 過（G－E） (H)	差引過不足額 不足（E－G） (K)
計	計	円	円	円	円	円	円	円	円	円
	福祉手当									
	特別障害者手当									
	障害児福祉手当									
	福祉手当（経過措置分）									
県分	計									
	福祉手当									
	特別障害者手当									
	障害児福祉手当									
	福祉手当（経過措置分）									
市（町村）分	計									
	福祉手当									
	特別障害者手当									
	障害児福祉手当									
	福祉手当（経過措置分）									

(別紙２)

(元号)　　年度特別障害者手当等給付費負担金市(町村)別精算額内訳

都道府県名

区分		支出済額 (A)	寄付金その他の収入 (B)	差引額 (C)	国庫負担基本額 (D)	国庫負担所要額 (E)	国庫負担交付決定額 (F)	国庫負担受入済額 (G)	差引過不足額 過 (G－E) (H)	差引過不足額 不足 (E－G) (K)
総計	計	円	円	円	円	円	円	円	円	円
	福祉手当									
	特別障害者手当									
	障害児福祉手当									
	福祉手当(経過措置分)									
○○市(町村)	計									
	福祉手当									
	特別障害者手当									
	障害児福祉手当									
	福祉手当(経過措置分)									
○○市(町村)	計									
	福祉手当									
	特別障害者手当									
	障害児福祉手当									
	福祉手当(経過措置分)									

(別紙３)

事業実績報告書

(1)　特別障害者手当等受給者数　　　　　　　　　　都道府県名

区分	受給者数				備考
	福祉手当	特別障害者手当	障害児福祉手当	福祉手当(経過措置分)	
総数	人	人	人	人	
都道府県分					
市(町村)分					
○○市(町村)分					
○○市(町村)分					

(2)　都道府県分の福祉手当受給者延数の内訳

年月	受給者数	備考
○○年12月	人	
○○年1月		
2月		
3月		
合計		

(3)　都道府県分の特別障害者手当受給者延数の内訳

年月	受給者数	備考
○○年12月	人	
○○年1月		
2月		
3月		
4月		
5月		
6月		
7月		
8月		
9月		
10月		
11月		
12月		
○○年1月		
2月		
3月		
合計		

(記入注意)

後段の２月～３月は転居等に伴う随時払いをした人員を記入すること。

(4) 都道府県分の障害児福祉手当受給者延数の内訳

年　　月	受給者数	備考
○○年 12月	人	
○○年 1月		
2月		
3月		
4月		
5月		
6月		
7月		
8月		
9月		
10月		
11月		
12月		
○○年 1月		
2月		
3月		
合計		

(記入注意)

後段の２月～３月は転居等に伴う随時払いをした人員を記入すること。

(5) 都道府県分の福祉手当（経過措置分）受給者延数の内訳

年　　月	受給者数	備考
○○年 12月	人	
○○年 1月		
2月		
3月		
4月		
5月		
6月		
7月		
8月		
9月		
10月		
11月		
12月		
○○年 1月		
2月		
3月		
合計		

(記入注意)

後段の２月～３月は転居等に伴う随時払いをした人員を記入すること。

別紙様式６

番　　　　　　　　号

（元号）　　年　　月　　日

○○厚生（支）局長　　　　殿

市（町村）長

（元号）　　年度特別障害者手当等給付費国庫負担金に
係る事業実績報告について

（元号）　　年　　月　　日　　第　　号により交付決定を受けた標記国庫負担金に係る事業の実績について、次の関係書類を添えて報告する。

１　（元号）　　年度特別障害者手当等給付費国庫負担金精算書（別紙１）

２　事業実績報告書（別紙２）

３　歳入歳出決算書抄本（又は見込書）

(別紙1)

(元号)　　年度特別障害者手当等給付費国庫負担金精算書

市(町村)名

区分	支出済額 (A)	寄付金その他の収入 (B)	差引額 (C)	国庫負担基本額 (D)	国庫負担所要額 (E)	国庫負担交付決定額 (F)	国庫負担受入済額 (G)	差引過不足額 過(G－E) (H)	差引過不足額 不足(E－G)(K)
計	円	円	円	円	円	円	円	円	円
福祉手当									
特別障害者手当									
障害児福祉手当									
福祉手当(経過措置分)									

（別紙２）

事　業　実　績　報　告　書

⑴　福祉手当受給者延数の内訳　　　　　　　　　市（町村）名

年　　　月	受　給　者　数	備　　　考
○　○　年　12　月	人	
○　○　年　1　月		
2　月		
3　月		
合　　計		

⑵　特別障害者手当受給者延数の内訳

年　　　月	受　給　者　数	備　　　考
○　○　年　12　月	人	
○　○　年　1　月		
2　月		
3　月		
4　月		
5　月		
6　月		
7　月		
8　月		
9　月		
10　月		
11　月		
12　月		
○　○　年　1　月		
2　月		
3　月		
合　　計		

（記入注意）

後段の２月～３月は転居等に伴う随時払いをした人員を記入すること。

⑶　障害児福祉手当受給者延数の内訳

年　　月	受給者数	備　　考
○○年12月	人	
○○年1月		
2月		
3月		
4月		
5月		
6月		
7月		
8月		
9月		
10月		
11月		
12月		
○○年1月		
2月		
3月		
合　　計		

（記入注意）

後段の２月～３月は転居等に伴う随時払いをした人員を記入すること。

⑷　福祉手当（経過措置分）受給者延数の内訳

年　　月	受給者数	備　　考
○○年12月	人	
○○年1月		
2月		
3月		
4月		
5月		
6月		
7月		
8月		
9月		
10月		
11月		
12月		
○○年1月		
2月		
3月		
合　　計		

（記入注意）

後段の２月～３月は転居等に伴う随時払いをした人員を記入すること。

別紙様式７

番　　　号

（元号）　　年度特別障害者手当等給付費国庫負担金
交付額確定通知書

市（町村）

（元号）　　年　　月　　日　　第　　号で交付決定の通知をした（元号）　　年度特別障害者手当等給付費国庫負担金については、（元号）　　年　　月　　日第　　号による事業実績報告に基づき交付額が別紙のとおり確定され（金　　円を追加交付することと決定され）たので通知する。

なお、超過交付となった金　　　円については、補助金等に係る予算の執行の適正化に関する法律（昭和30年法律第179号）第18条第２項の規定により（元号）　　年　　月　　日までに返還することを命ぜられたのであわせて通知する。

（元号）　　年　　月　　日

都道府県知事

（元号）　　年度特別障害者手当等給付費国庫負担金
交付額確定内訳

市（町村）名

確　　定　　額	受　　入　　額	超過交付額	不　　足　　額
円	円	円	円

○特別障害者手当等給付費国庫負担金の事務執行の適正化について

〔平成二十五年十一月十八日　事務連絡
各都道府県特別障害者手当等担当者宛　厚生労働省社
会・援護局障害保健福祉部企画課手当係〕

障害福祉行政の推進につきましては、日頃より種々ご尽力賜り厚く御礼申し上げます。

今般、平成二十四年度会計検査院の実地検査において、「特別障害者手当等給付費国庫負担金」について補助事業の実施及び経理が不当と認められるものとして左記1のとおり指摘を受けたところです。

各都道府県におかれては、会計検査院指摘事項について十分認識していただくとともに、特別障害者手当等給付費国庫負担金の算定等につきましてはより一層留意の上、管内市町村への周知及び指導を徹底し、適正な事務の執行に努めていただきますようお願いします。

なお、債権が発生した場合の取扱いについては、左記2のとおりとなっておりますので、御了知願います。

記

1　会計検査院指摘事項

特別障害者手当等給付費国庫負担金事業実績報告の寄付金その他の収入額の算定にあたり、過年度に過誤払いした特別障害者手当等にかかる調定額を寄付金その他の収入額に計上すべきところ、これを計上していなかったため、国庫負担金が過大に交付されていると指摘。

2　債権が発生した場合の実績報告及び確定について

・過年度分の債権額（過誤払い分）については、当該金額を「寄付金その他の収入(B)」欄に計上する。

・現年度分の債権額（過払い分）については、当該金額を「支出済額(A)」欄にマイナス計上する。

・前記債権額は、過年度分、現年度分いずれも未回収であっても計上することとする。

・過年度分、現年度分とも債権を発生させた年度の実績報告書に計上する。

○特別障害者手当の所得制限に係る障害補償年金前払一時金等の所得としての計算方法について

〔昭和六十一年七月十四日　社更第一三〇号
各都道府県民生部(局)長宛　厚生省社会局更生課長通知〕

〔改正経過〕

第一次改正　〔平成一三年七月三一日雇児福発第三四号・障企発第三九号〕

特別障害者手当の所得制限に係る所得の計算方法については、昭和六十年十二月二十八日社更第一六〇号厚生省社会局長・児童家庭局長通知をもって示したところであるが、労働者災害補償保険法（昭和二十二年法律第五十号）に基づく障害補償年金前払一時金等を受給資格者の所得に算入する場合の計算方法について定めたので、次の事項に留意の上、管内市町村及び関係機関に対して周知徹底を図られたい。

記

1　労働者災害補償保険法に基づく障害補償年金前払一時金、遺族補償年金前払一時金、障害年金前払一時金及び遺族年金前払一時金（以下「前払一時金」と総称する。）は、労災年金受給権者の請求により、労働者災害補償保険法施行規則（昭和三十年労働省令第二十二号。以下「労働省令」という。）で定める額の中から受給権者の選択した額を支給するものであり、この場合、労災年金は、各月に支給されるべき額の合計額が労働省令で定める算定方法に従い当該前払を受けた額に達するまでの間、その額が停止されることとなっている。この前払一時金については、年金の前払金としての性格を有すること、前払一時金の受給を選択しない者との均衡等を考慮し、特別障害者手当の本人の所得制限に係る所得計算に当たり、その額を当該受給権者の各年の収入に分割して算入すること。具体的には、前払一時金を受給し労災年金の支給が停止されている場合であっても、前払一時金の受給を選択しなかった場合に当該年の各月に支給されるべき年金額を当該年の支給月分だけ合算した額を当該年の前払一時金に係る収入額とすること。

2　船員保険法（昭和十四年法律第七十三号）に基づく障害前払一時金及び遺族前払一時金、国家公務員災害補償法（昭和二十六年法律第百九十一号）に基づく障害補償年金前払一時金及び遺族補償年金前払一時金、地方公務員災害補償法（昭和四十二年法律第百二十一号）に基づく障害補償年金前払一時金、遺族補償年金前払一時金及び地方公共団体が定める条例に基づく年金たる補償並びに公立学校の学校医、学校歯科医及び学校薬剤師の公務災害補償に関する法律（昭和三十二年法律第百四十三号）に基づき地方公共団体が定める条例に基づく年金たる補償についても、その所得としての計算方法は1と同様にすること。

○特別障害者手当等給付事務の適正実施の推進について

〔平成三年八月三十日　社更第一九〇号　各都道府県民生主管部(局)長宛　厚生省社会局更生課長通知〕

標記については、平素格別のご配意を煩わしているところであるが、近時、特別障害者手当等給付事務に係る会計実地検査において、多くの実施機関で特別障害者手当等の受給資格のない者に対して手当が支給されている事例がみられ、指摘を受けたところである。

指摘内容等については、先般、全国民生主管課長会議等において指示し、その内容についてお示ししたところであるが、各都道府県におかれては、特に次に示す事項について留意し、管下実施機関に対する一層の指導の徹底を図るとともに、所要の措置を講じ事務執行の適正を期されたい。

なお、近く、特に指摘の多い福祉手当（経過措置分）について、受給資格者の現況調査等の実施について依頼する予定でいるので了知されたい。

1　障害基礎年金等受給や施設入所等各種届出義務の周知徹底を図るため、毎年、受給資格者に対し、文書でその周知徹底を図ること。

2　受給資格者の現況把握及び必要事項の調査確認の徹底を図るため、毎年、現況の届出を提出させるなどして現況を把握するとともに必要に応じ関係機関に照会すること。

3　受給資格者の施設入所を的確に把握するため、児童相談所等の関係機関と連携を密にし、これについて十分な調査確認を行うこと。

4　特に福祉手当（経過措置分）の受給資格者については、障害基礎年金等の受給の有無を関係機関に照会するなどして調査確認すること。

○障害児福祉手当及び特別障害者手当等の支払開始期日が日曜若しくは土曜日又は休日に当たる場合の支払開始期日の繰上げについて

〔平成四年八月二十八日　社援更第三二号
各都道府県知事宛　厚生省社会・援護局長通知〕

障害児福祉手当及び特別障害者手当並びに経過的福祉手当（以下「特別障害者手当等」という。）に係る手当の支払い開始期日については、「特別障害者手当制度の創設等について」（昭和六十年十二月二十八日厚生省社会局長、児童家庭局長通知）により、各実施機関において特定の日を定めて行い、その日が日曜、祝日又は金融機関等を通じて支払う場合は毎月第二土曜であるときは、翌日とすることとされているところであるが、今回、より一層の受給者サービス向上のため、支払開始期日が日曜日若しくは土曜日又は休日（以下「日曜日等」という。）に当たる場合は支給開始日を繰り上げ、その直前の日曜日等でない日とすることとしたので、管下市町村及び関係機関に周知徹底を図り、適正な実施につきご配慮願いたい。なお、厚生年金、国民年金における支払開始日も同様の取扱いを行うこととされている。

1　昭和六十年十二月二十八日社更第一六一号社会局長通知「障害児福祉手当及び特別障害者手当等事務取扱細則準則について」により示した「障害児福祉手当及び特別障害者手当等事務取扱細則」を別添のとおり改正するので、細則の改正につき所要の措置を講じられたい。

2　実施期日については、各都道府県、市及び福祉事務所を設置する町村における事務処理体制が整いしだい順次実施することとするが、支払開始日が日曜等に最初に該当する支払月までに実施できるようご配慮願いたい。

別添　略

○特別障害者手当等に係る所得状況の届出の適正な実施について

〔平成二十八年七月十三日　事務連絡
各都道府県特別障害者手当等事務担当課(室)宛　厚生労働省社会・援護局障害保健福祉部企画課〕

特別障害者手当等に係る事務につきましては、平素より格段のご高配を賜り、厚く御礼申し上げます。

標記について、各都道府県より照会の多かった事案について、左記のとおりお示しいたします。

つきましては、管内市区町村及び関係機関に対して周知をお願いするとともに、その運用について遺憾のないようお取り計らい願います。

記

1　特別障害者手当支給に係る公的年金等控除額について

(1)　特別児童扶養手当等の支給に関する法律施行令（昭和五十年政令第二百七号）第十二条第四項の規定により読み替えて適用する同令第五条の規定により、特別障害者手当の受給資格者の所得額を計算する際、所得税法（昭和二十二年法律第二十七号）第三十五条第四項の規定を適用して総所得金額を算定するに当たっては、租税特別措置法（昭和二十一年法律第十五号）第四十一条の十五の三第一項の規定は適用しないこと。

(2)　障害児福祉手当及び特別障害者手当の支給に関する省令（昭和五十年厚生省令第三十四号）様式第七号の（注）⑨欄の記入要領の表中B欄については、六五歳未満である者であるか否かにかかわらず、表中A欄の金額から、所得税法第三十五条第四項の規定により算定した公的年金等控除額に相当する額を控除した後の金額を記載すること。この際、租税特別措置法第四十一条の十五の三第一項の規定は適用しないこと。

2　特別障害者手当等に係る所得状況の届出期間について

特別障害者手当等に係る所得状況の届出期間については、障害児福祉手当及び特別障害者手当の支給に関する省令第五条（同令第十六条において準用する場合を含む。）において、毎年八月十二日から九月十一日までの間とされているところであるが、八月十二日が休日に当たる場合は、前々営業日以前を開始日とし、九月十一日が休日に当たる場合は、翌営業日以降を終了日として取り扱うこと。

○障害児福祉手当及び特別障害者手当に関する疑義について

〔平成二十八年九月二十八日 障企発〇九二八第一号
各都道府県民生主管部(局)長宛 厚生労働省社会・援護局障害保健福祉部企画課長通知〕

標記については、別紙のとおりまとめたので、事務取扱上の参考とされたい。

また、これに伴い、「特別障害者手当等の支給事務の取扱いについて」(平成十年三月三十一日付け障企第二七号厚生労働省社会・援護局障害保健福祉部企画課長通知)は廃止する。

なお、本通知は、地方自治法(昭和二十二年法律第六十七号)第二百四十五条の四第一項に基づく技術的助言である。

※ 別紙について、特に対象となる手当を記載していない問答については、両手当(障害児福祉手当及び特別障害者手当)ともに該当する内容である。

別紙

第一 手続関係

〔診断書の省略〕

(問１) 身体障害者更生相談所、知的障害者更生相談所などの判定書により障害の程度が確認できるときは、認定診断書の省略を認めてもよいか。

(答) お見込みのとおり。

(問２) 一級の身体障害者手帳所持者は、その提示をもって無条件に診断書の添付の省略を認めてよいか。

(答) 認定請求書に添付する診断書の省略は、適正な手当の認定を行うに支障がないことを前提に認められているものであり、身体障害者手帳に記載されている障害程度と現状のそれに乖離があると思われるような事例や手帳の申請に用いた診断書で判定できない事例については認められない。

〔親権者等代理人による請求〕

(問３) 受給資格者以外の代理人による認定の請求を認めてよいか。

(答) 委任状の提出があれば、代理人による認定の請求を認めてよい。また、親権者や後見人等の法定代理人の場合には、委任状は不要である。

〔認定請求日〕

(問４) 町村経由で認定の請求があった場合、「認定の請求があった日」とは、どのように解したらよいか。

（答）「当該町村において認定の請求を受け付けた日」と解されたい。

（問5）特別児童扶養手当等の支給に関する法律（昭和三十九年法律第百三十四号。以下「法」という。）では、特別障害者手当等の支給について、請求した日の属する月の翌月から始めると規定されている。認定請求書の添付書類に不備がある等のために当該請求書を返付した場合、「請求した日」とは、請求書の再提出があった日と解するのか。

（答）機械的に処理することなく個々の実情に応じて処理されたい。なお、この場合、受給資格者に不利益が生ずることのないよう配慮されたい。

〔住所〕

（問7）法第十七条の規定では、福祉事務所の所管区域内に住所を有する重度障害児に対して障害児福祉手当を支給することになっているが、特別支援学校の寄宿舎に住所を有する生徒に対する実施機関は、当該学校所在地（当該受給資格者が住民登録をしている地）を所管する福祉事務所と解してよいか。

（答）お見込みのとおり。

〔住所変更届の提出先〕

（問8）特別児童扶養手当等の支給に関する法律施行規則第六条（昭和三十九年厚生省令第三十八号。以下「規則」という。）の規定に基づく住所変更届の提出先は、旧住所地、新住所地のいずれを所管する福祉事務所か。

（答）新住所地を所管する福祉事務所とされたい。

〔支給開始月〕

（問9）法では、手当支給の始期に関する特例として、災害その他やむを得ない理由により請求をすることができなかった場合において、その理由がやんだ後一五日以内にその請求をしたときは、当該請求をすることができなくなった日の属する月の翌月から支給されるとあるが、「災害その他やむを得ない理由」とは具体的にどういったものをいうのか。

（答）「災害その他やむを得ない理由」とは、自然災害（風水害等）、火災のほか、急病、出産、死亡、交通事故等の物理的な理由に限定される。離婚等の人為的な理由は、これに含まれない。

〔転出者に対する手当の支払〕

（問10）手当の支給月でない月に他都道府県に転出した場合、次期の手当の支給方法はどのようになるのか。

（答）以下により取り扱われたい。

(1) 旧支給機関は、当該受給資格者からの届出又は新支給機関からの通知に基づき、転出した日の属する月までの手当を支払うものとする。

(2) 新支給機関は、当該受給資格者に、転入後に住所変更届を提出させ、当該届出のあった日の属する月の翌月以降の手当を支払うものとする。

〔資格喪失日〕

障害児福祉手当及び特別障害者手当に関する疑義について

（問11） 死亡や入所等による手当の資格喪失日の考え方如何。

（答） 資格喪失日は以下の通り。

(1) 受給資格者が死亡した場合

資格喪失日は死亡日となる。

（例）

死亡日：平成二十八年七月一日↓

資格喪失日：平成二十八年七月一日

※ この場合、手当は七月分まで支給。

(2) 受給資格者が施設に入所した場合

資格喪失日は当該施設に入所した日となる。

（例）

入所日：平成二十八年七月一日↓

資格喪失日：平成二十八年七月一日

※ この場合、手当は七月分まで支給。

(3) 特別障害者手当の受給資格者が三か月を超えて入院した場合【特別障害者手当】

法第三十三条の規定により、期間の計算は、民法（明治二十九年法律第八十九号）の期間に関する規定を準用することとなっている。このため、資格喪失日は入院した日から三か月を経過する日の翌日となる。

（例）

入院日：平成二十八年七月一日↓

資格喪失日：平成二十八年十月二日

入院日：平成二十八年八月三十日↓

資格喪失日：平成二十八年十二月一日

入院日：平成二十八年八月三十一日↓

資格喪失日：平成二十八年十二月一日

※ 民法第百四十三条では、「月又は年によって期間を定めた場合において、最後の月に応当する日がないときは、その月の末日に満了する。」とされている。

(4) 障害児福祉手当の受給資格者が二〇歳に達した場合

資格喪失日は当該者の二〇歳の誕生日の前日となる。

（例）

二〇歳の誕生日：平成二十八年七月十五日↓

資格喪失日：平成二十八年七月十四日

※ この場合、障害児福祉手当は七月分まで支給。特別障害者手当に切り替わる場合は、特別障害者手当を八月から支給。

なお、月の初日に、二〇歳の誕生日を迎える場合には、誕生日の前日をもって二〇歳に達したこととなることから、当該誕生日の前日の属する月分の障害児福祉手当は支給されないこととなる。この場合、特別障害者手当に切り替わる場合の取扱いについては、誕生日の前日をもって特別障害者手当の支給要件を満たすこととなるため、誕生日の属する月から特別障害者手当の支給ができるものである。

（例）

二〇歳の誕生日：平成二十八年七月一日→
資格喪失日：平成二十八年六月三十日

※　この場合、障害児福祉手当は六月分まで支給。特別障害者手当に切り替わる場合は、特別障害者手当を七月から支給。

〔未支払手当〕

（問12）「特別障害者手当制度の創設等について」（昭和六十年十二月二十八日付け社更第一六〇号厚生省社会局長・児童家庭局長連名通知）によれば、手当の受給資格者が死亡した場合、その者の配偶者又は扶養義務者で、その者の死亡の当時その者と生計を同じくしていた者に未支払手当を支払うこととなっており、また、支払うべき者の順位は、原則として配偶者、子、父母、孫、祖父母又は兄弟姉妹の順となっている。この配偶者は、法律上婚姻関係にある者に限られるか。

（答）未支払手当の支払いを受ける配偶者は、法第二条により法律上婚姻関係にある者に限らず、婚姻の届出をしていないが、事実上婚姻関係と同様の事情にある者を含むものとする。

第二　施設等入所関係【別表参照】

〔介護老人保健施設の取扱い〕

（問1）介護老人保健施設に入所した場合の法第二十六条の二ただし書きの取扱如何。【特別障害者手当】

（答）介護老人保健施設の医療法との関係等については、介護保険法（平成九年法律第百二十三号）第百六条に「介護老人保健施設は、医療法にいう病院又は診療所ではない。ただし、医療法及びこれに基づく命令以外の法令の規定（健康保険法、国民健康保険法その他の法令の政令で定める規定を除く。）において「病院」又は「診療所」とあるのは、介護老人保健施設（政令で定める法令の規定にあっては、政令で定めるものを除く。）を含むものとする。」と規定されているところ、同条の政令に定める規定に、特別児童扶養手当等の支給に関する法律は掲げられていない。したがって、特別障害者手当受給者が介護老人保健施設に入所した場合の取扱いは、病院又は診療所と同様の取扱いとなる。

〔介護療養型医療施設の取扱い〕

（問2）介護療養型医療施設に入所した場合の法第二十六条の二ただし書きの取扱如何。【特別障害者手当】

（答）介護療養型医療施設は、病院又は診療所であることから、特別障害者手当受給者が介護療養型医療施設に入所した場合の取扱いは、病院又は診療所の取扱いとなる。

〔介護保険法第八条第十一項に定める特定施設等の取扱い〕

（問3）介護保険法第八条第十一項に規定される「特定施設（有料老人ホーム、軽費老人ホーム等）」に入所した場合、施設入所として資格喪失となるか。【特別障害者手当】
また、同法同条第十九項に規定する「小規模多機能型居宅介護」を利用した場合はいかがか。

（答）介護保険法第八条第一項において、特定施設入居者生活介護は居宅サービスと位置付けられており、障害児福祉手当及び特別障害者手当の支給に関する省令（昭和五十年厚生省令第三十四号。以下「支給省令」という。）第十四条にも該当しないため施設入所に該当せず、資格喪失とはならない。また、「小規模多機能型居宅介護」についても、省令第十四条にも該当しないため、同様である。

〔親子入所の取扱い〕

（問4）「障害児入所施設における親子入所による療育について」（平成二十五年二月十三日付け障発〇二一三第一号厚生労働省社会・援護局障害保健福祉部長通知）により、障害児入所施設に親子入所している障害児は、その入園期間が短期（一か月～三か月）であっても、障害児福祉手当の支給を受けることはできないのか。【障害児福祉手当】

（答）法第十七条の規定により、障害児入所施設に入所している重度障害児には、障害児福祉手当を支給しないこととされている。

〔月の初日の入所〕

（問5）月の初日（例えば四月一日）に受給資格者が福祉施設に入所した場合について、その月の手当を支給してよいか。

（答）お見込みのとおりである。

〔短期入所の取扱い〕

（問6）特別養護老人ホーム等に短期入所した場合は、法第二十六条の二第一号に該当するか。

（答）短期入所は、在宅福祉施策の一環として位置付けられているものであり、法第二十六条の二第一号に規定する施設に入所しているものとは解さない。

〔入退所が同月の者〕

（問7）受給資格者が施設に入所したが、同じ月に退所した場合、一度当該者の資格喪失の手続きをし、また、新たに認定の請求を行わせた上で、再度認定をしなければならないか。

（答）お見込みのとおり。ただし、診断書、所得状況届等は従前のものを使用し、本人から改めて提出させる必要はない。

〔入院期間中の取扱いについて〕

（問9）入院した受給資格者が三か月経過直前に退院し、すぐにまた入院した場合は、受給資格の喪失となるか。また、病院を転院した場合の取扱い如何。【特別障害者手当】

（答）退院手続を終了して一日以上在宅した場合は、入院は継続していないものとして取り扱う。また、同日付の転院、外出許可等は当然入院が継続しているものとして取り扱う。なお、法第三十三条により期間の計算については民法の期間に関する規定を準用する。

〔入院期間中の請求について〕

（問10）法第二十六条の二第三号により、病院または診療所に継続して三か月を超えて入院している場合は、受給資格の喪失となるが、手当を受給していない入院中の者から特別障害者手当の新規認定請求があった場合に、受付してよいか。【特別障害者

手当】

（答）　入院日から三か月を超える日の属する月の当該三か月を超える日の前日以前に認定請求した場合には、三か月を超える入院の見込みを本人に確認してから受理すること。

同月中に三か月を超える入院により受給資格がなくなる者から認定請求書を受理した場合には、却下処分を行うこととし、翌月分以降の手当は支給しない。

第三　所得関係

〔所得等に関する市町村長の証明〕

（問１）　支給省令第二条第四号及び同条第五号並びに第十五条第四号及び同条第五号に定める所得額及び各種控除額等に関する市町村長の証明書については、特に様式は示されていないが、所得状況届の審査欄等に記入証明を行う方法によって差し支えないか（住所地の市町村で課税されている場合のみ。）。

（答）　お見込みのとおり。

〔法第二十一条の扶養義務者と税法上の扶養している者〕

（問２）　法第二十一条の扶養義務者で受給資格者の生計を維持するものの所得とは、税法上扶養している者の所得と解してよいか。また、同一世帯で税法上の扶養義務者以外に政令で定める以上の所得がある場合の取扱如何。

（答）　法第二十一条にいう扶養義務者とは、民法第八百七十七条第一項に定める扶養義務者であり、必ずしも税法上扶養している者とは限らないものである。なお、「生計を維持する」とは、「生計を同じくする」とは相違し、生計費のおおむね大半を支出している場合がこれに該当するものと解される。

〔所得制限の対象となる扶養義務者〕

（問３）　特別障害者手当等において、所得状況届の際に届出された所得制限の対象となる扶養義務者以外の扶養義務者についての所得も調査する必要があるか。

（答）　当該届出された扶養義務者が法第二十一条に定める扶養義務者であるかどうかに疑義がある場合は、届出人等に再度確認した上で、必要に応じて補正を命じられたい。

〔課税台帳に所得の記載がない場合〕

（問４）　受給資格者等の所得確認ができない場合の取扱如何。

（答）　所得の申告義務があるにもかかわらず、税務部局に申告していない受給資格者等に対しては、申告するよう求めること。地方税法（昭和二十五年法律第二百二十六号）第三百十七条の二第一項の規定により住民税所得割の納税義務を負わないと認められる者のうち、当該市町村の条例で定めるものについては、市町村民税の申告の義務はないが、その場合であっても、課税台帳等により所得額を確認できる場合は、その額により所得等を認定することとし、それ以外の場合には、所得がないものとして取り扱われたい。

〔所得の更正決定等があった場合〕

（問５）　一度所得額の審査、確認を行った上で手当の支給が決定された後、当該所得が更正決定によって増額又は減額が生じ、所得制限限度額を超過した場合又は所得制限限度額内となった場合の取扱如何。

（答）　所得状況届を受理後、最初の支払期月到来前に所得制限限度額の超過が判明した場合は支給停止措置をとることとし、既に支給されている場合には八月に遡って支給停止の措置をとるとともに支払われた手当について返還等の措置をとられたい。また、所得制限限度額内であったことが判明した場合には、支給停止となっていた手当について、時効の範囲内において遡及して支給するものとする。

〔扶養義務者等の年度中途の異動〕

（問6）　法第二十一条にいう配偶者又は扶養義務者は、その死亡、結婚、離婚等の事由により異動した場合の取扱如何。当該者の所得額が、所得制限限度額内にあるか否かの見直しは、翌年度の所得状況届の提出まで待って行うこととなるのか。

（答）　法第二十一条にいう配偶者又は扶養義務者に異動があった場合は、受給資格者にその異動状況を届け出させ、その異動後の実態に基づき改めて法第二十一条に該当するか否かの判定を行い、異動の事実のあった月の翌月から支給停止の解除等所要の措置を講じられたい。

〔年金等を過去数年分遡って一括受給した場合の所得計算〕

（問7）　国民年金等を過去数年分遡って一括受給した場合の所得計算の方法如何。【特別障害者手当】

（答）　「特別障害者手当の所得制限に係る障害補償年金前払一時金等の所得としての計算方法について」（昭和六十一年七月十四日付け社更第一三〇号厚生省社会局更生課長通知）における障害補償年金前払一時金等と同様、本来支給されるべきであった年の所得として取り扱われたい。

例えば、平成二十七年に支払われるべき年金が、平成二十八年に支給された場合は、平成二十七年の所得として取り扱うこととなる。

〔公的年金控除額〕

（問8）　特別障害者手当の受給資格者の所得額について、六五歳以上の者の公的年金等控除の計算に当たっては、租税特別措置法（昭和二十一年法律第十五号）第四十一条の十五の三における特例を適用すべきか。【特別障害者手当】

（答）　租税特別措置法第四十一条の十五の三第一項の規定は適用しないこと。

また、支給省令様式第七号の（注）⑨欄の記入要領の表中B欄については、六五歳未満である者であるか否かにかかわらず、表中A欄の金額から、所得税法第三十五条第四項の規定により算定した公的年金等控除額に相当する額（租税特別措置法第四十一条の十五の三第一項の規定は適用しない）を控除した後の金額を記載すること。

〔特別障害者手当等に係る所得状況の届出期間〕

（問9）　特別障害者手当等に係る所得状況の届出期間については、支給省令第五条（同令第十六条において準用する場合を含む。）において、毎年八月十二日から九月十一日までの間とされているところであるが、八月十二日又は九月十一日が、行政機関の休日に関する法律（昭和六十三年法律第九十一号）に規定する行政機関の休日（以下「行政機関の休日」という。）に当たる場合の取扱如何。

（答）　八月十二日が行政機関の休日に当たる場合は、前営業日を開始日とし、九月十一日が行政機関の休日に当たる場合は、翌営業日を終了日として取り扱うこと。

【別表】

障害児福祉手当・特別障害者手当における施設入所の取扱

	障害児福祉手当	特別障害者手当
資格喪失	法第17条	法第26条の２
	障害児入所施設	障害者支援施設（生活介護に限る）
	—	病院又は診療所（３か月以上） ※　病院・診療所には介護療養型医療施設や介護老人保健施設も含まれる。
	省令第１条	省令第14条第１号（省令第１条に掲げる施設）
	乳児院又は児童養護施設	—
	指定発達支援医療機関	—
	障害者総合支援法に規定する療養介護を行う病院又は障害者支援施設	
	独立行政法人国立重度知的障害者総合施設のぞみの園が設置する施設	
	独立行政法人国立病院機構の設置する医療機関等の進行性筋萎縮症者の治療等を行う施設	
	国立保養所	
	生活保護法に規定する救護施設又は更生施設	
	病院又は診療所（法令の規定に基づく命令による入院・入所に限る）	
		省令第14条第３号
		養護老人ホーム、特別養護老人ホーム
支給継続（主なものの例）	障害福祉系	
	宿泊型自立訓練施設	
	共同生活援助（グループホーム）	
	児童福祉系	介護系
	母子生活支援施設	小規模多機能型居宅介護事業所
	情緒障害児短期治療施設　※	特定施設入居者生活介護施設（地域密着型含む）
	児童自立支援施設	ex）有料老人ホーム、軽費老人ホーム等
	児童自立援助事業（自立援助ホーム）	サービス付き高齢者住宅
	小規模住居型児童養育事業（ファミリーホーム）	認知症対応型共同生活介護（グループホーム）
	児童相談所一時保護施設	
	その他	
	特別支援学校の寄宿舎	自動車事故対策機構療護センター
		婦人保護施設

※　平成29年４月１日より児童心理治療施設に名称変更予定。

○特別障害者手当の支給を制限する場合の所得の額の算出に係る事務について

〔令和元年六月十三日　事務連絡
各都道府県特別障害者手当ご担当者宛　厚生労働省社会・援護局障害保健福祉部企画課手当係〕

特別障害者手当制度の円滑な実施については、日頃から格別のご配慮を賜り、厚く御礼申し上げます。

標記につきまして、左記のとおり留意事項を周知いたしますので、当該事務については引き続き適切に実施していただくとともに、管内市区町村に対して周知をお願いいたします。

記

1　特別障害者手当の支給を制限する場合の受給資格者の所得の範囲については、特別児童扶養手当等の支給に関する法律施行令（昭和五十年政令第二百七号。以下「政令」という。）第十一条に基づくものとすること。例えば、労働者災害補償保険特別支給金支給規則（昭和四十九年労働省令第三十号）に基づく障害特別一時金や障害特別年金等、政令第十一条に規定しない給付は所得に算入しないので、所得の算出を行う際には法令等をよくご確認いただきたい。

なお、配偶者及び扶養義務者の所得の範囲については、政令第十二条の規定により準用する政令第四条の規定に基づき適切に処理されたい。

2　特別障害者手当の支給を制限する場合の受給資格者の所得の額は、政令第十二条第四項の規定により読み替えて適用する政令第五条に基づき算出すること。この場合、所得税法（昭和四十年法律第三十三号）第三十五条第二項に規定する公的年金等（以下「公的年金等」という。）、すなわち、道府県民税において課税対象の年金の額については道府県民税関係の情報により確認し、政令第十一条に規定する給付のうち道府県民税が非課税のものの額については年金給付関係の情報により確認し、総所得金額に算入するものである。したがって、所得計算に当たって、同一の公的年金等を重複して算入しないよう、十分留意すること。

なお、主な公的年金等は、次のとおりである。以下に記載のない年金の税法上の取扱いについては、必要に応じて、当該年金を所管する実施機関にご確認いただきたい。

・国民年金法（昭和三十四年法律第百四十一号）に基づく老齢基礎年金
・厚生年金保険法（昭和二十九年法律第百十五号）に基づく老齢厚生年金
・被用者年金制度の一元化等を図るための厚生年金保険法等の一部を改正する法律（平成二十四年法律第六十三号）附則第三十七条、附則第六十一条及び附則第七十九条に規定する年金給付のうち退職共済年金

以上

付 その他

1　障害児・者の所得保障の基本構造

《障害児（20歳未満）》

合計 68,920円

障害児福祉手当
15,220円
6.3万人

特別児童扶養手当２級
35,760円
18.2万人

特別児童扶養手当１級
53,700円（２級×1.5倍）
9.6万人

《障害者（20歳以上）》

合計 110,792円

特別障害者手当
27,980円
13万人

障害基礎年金２級
66,250円
148万人

障害基礎年金１級
82,812円（２級×1.25倍）
73万人

（注①）受給者の人数については令和３年度末のものである。
（注②）受給額については令和５年４月以降の月額である。

2　特別児童扶養手当制度の推移

区分／年度	手当月額 実施年月	手当月額 特別児童扶養手当児童１人につき（円）	所得制限限度額（収入ベース） 実施年月	本人（千円）	配偶者	扶養義務者等（６人世帯の場合）（千円）	対象障害児 年度末現在数（人）	障害範囲等
			（昭39～45　障害福祉年金に同じ）	（２人世帯の場合）				
昭39	39.9（創設）	1,000	39.9	297.5	所得税免税点	654	7,641	重度の精神薄弱児
40	40.9	1,200	40.5	342.5	同上	716	10,943	
41	42.1	1,400	41.5	377.5	扶養義務者の場合と同じ	817.5	15,187	41.9から重度の外部障害（身体障害）
42	43.1	1,700	42.5	437.5	同上	932.5	16,750	
43	43.10	1,900	43.5	507.5	同上	1,055	16,310	
44	44.10	2,100	44.5	570	同上	1,192.5	15,399	
45	45.9	2,400	45.5	扶養義務者の場合と同じ	同上	1,357.7	19,281	
	45.10	2,600						
			（昭46～55　母子福祉年金に同じ）					
46	46.11	2,900	46.5	同上	同上	1,800	24,169	
47	47.10	4,300	47.5	（４人世帯の場合）1,792	同上	2,500	31,561	47.10から重度の内部障害等（全障害）
48	48.10	6,500	48.5	2,048	同上	6,000	43,833	48.10から原則として公的年金給付と併給可
49	49.9（特別福祉手当１人につき　3,000）	11,300	49.5	2,415	同上	6,885	51,648	１　49年9月から重複重度心身障害者に対する特別福祉手当の支給 ２　里親を支給対象
50	50.10（50年10月から福祉手当に移管）	１級18,000 ２級12,000	50.5	3,229	同上	8,760	１級 60,959 ２級 9,745	１　50年10月から中程度の障害児

								（２級相当）を支給対象 ２ 対象児童の国籍要件撤廃
51	51.10	１級 20,300 ２級 13,500	51.5	3,615	同上	8,760	１級 63,870 ２級 18,340	
52	52.8	１級 22,500 ２級 15,000	52.5	3,850	同上	8,760	１級 65,983 ２級 23,162	52年10月から支払期月の変更 １、５、９月→４、８、12月
53	53.8	１級 24,800 ２級 16,500	53.8	4,065	同上	8,760	１級 68,189 ２級 27,201	
54	54.8	１級 30,000 ２級 20,000	54.8	4,195	同上	8,760	１級 69,936 ２級 30,832	
55	55.8	１級 33,800 ２級 22,500	55.8	4,335	同上	8,760	１級 71,557 ２級 33,807	
				(昭56～ 支給率維持)				57年１月から受給資格者の国籍要件撤廃
56	56.8	１級 36,000 ２級 24,000	56.8	4,505	同上	8,760	１級 73,536 ２級 36,448	
57	57.9	１級 37,700 ２級 25,100	57.8	4,829	同上	8,760	１級 76,547 ２級 39,210	
58	改正なし	１級 37,700 ２級 25,100	58.8	5,071	同上	8,760	１級 78,091 ２級 41,391	
59	59.6	１級 38,400 ２級 25,600	59.8	5,238	同上	8,760	１級 79,849 ２級 43,268	
60	60.6	１級 39,800 ２級 26,500	60.8	5,411	同上	8,760	１級 80,223 ２級 44,638	
61	61.4	１級 40,800 ２級 27,200	61.8	5,661	同上	8,760	１級 81,642 ２級 46,916	
62	62.4	１級 41,100	62.8	5,792	同上	8,760	１級 81,117	

		2級 27,400					2級 47,726	
63	63.4	1級 41,300 2級 27,500	63.8	5,859	同上	8,760	1級 80,917 2級 48,471	
平元	元.4	1級 42,600 2級 28,400	元.8	6,120	同上	8,760	1級 80,176 2級 48,403	
2	2.4	1級 43,580 2級 29,050	2.8	6,296	同上	8,760	1級 80,089 2級 48,042	手当額の自動物価スライド制の導入
3	3.4	1級 44,900 2級 29,930	3.8	6,575	同上	8,760	1級 78,052 2級 46,971	
4	4.4	1級 46,390 2級 30,930	4.8	6,849	同上	8,760	1級 76,880 2級 46,400	
5	5.4	1級 47,160 2級 31,440	5.8	7,121	同上	8,760	1級 77,534 2級 47,571	手当支払日が日曜日等に当る場合は、繰上支給（該当５年４月）
6	6.4	1級 47,800 2級 31,860	6.8	7,311	同上	8,922	1級 77,417 2級 48,530	
	6.10	1級 50,000 2級 33,300						
7	7.4	1級 50,350 2級 33,530	7.8	7,410	同上	9,041	1級 78,208 2級 49,346	振替預入の実施（４月実施）
8	改正なし	1級 50,350 2級 33,530	8.8	7,497	同上	9,291	1級 79,552 2級 50,452	物価スライドなし
9	改正なし	1級 50,350 2級 33,530	9.8	7,601	同上	9,463	1級 79,911 2級 51,600	物価スライドなし
10	10.4	1級 51,250 2級 34,130	10.8	7,707	同上	9,542	1級 81,644 2級 53,320	
11	11.4	1級 51,550 2級 34,330	11.8	7,707	同上	9,542	1級 84,162 2級 55,318	「精神薄弱」の用語を「知的障害」に改める（４月）

12	12.4	1級 51,550 2級 34,330	12.8	7,707	同上	9,542	1級 87,190 2級 57,969	物価スライドなし
13	改正なし	1級 51,550 2級 34,330	13.8	7,707	同上	9,542	1級 90,010 2級 60,686	物価スライドなし
14	改正なし	1級 51,550 2級 34,330	14.8	7,707	同上	9,542	1級 92,214 2級 63,174	物価スライドなし
15	15.4	1級 51,100 2級 34,030	15.8	7,707	同上	9,542	1級 95,020 2級 66,431	物価スライド△0.9%
16	16.4	1級 50,900 2級 33,900	16.8	7,707	同上	9,542	1級 97,194 2級 69,642	物価スライド△0.3%
17	17.4	1級 50,900 2級 33,900	17.8	7,707	同上	9,542	1級 97,032 2級 71,787	物価スライドなし
18	18.4	1級 50,750 2級 33,800	18.8	7,707	同上	9,542	1級 98,401 2級 75,740	物価スライド△0.3%
19	19.4	1級 50,750 2級 33,800	19.8	7,707	同上	9,542	1級 99,362 2級 80,482	物価スライドなし
20	20.4	1級 50,750 2級 33,800	20.8	7,707	同上	9,542	1級 100,109 2級 85,385	物価スライドなし
21	21.4	1級 50,750 2級 33,800	21.8	7,707	同上	9,542	1級 100,508 2級 91,101	物価スライドなし
22	22.4	1級 50,750 2級 33,800	22.8	7,707	同上	9,542	1級 101,204 2級 97,036	物価スライドなし
23	23.4	1級 50,550 2級 33,670	23.8	7,707	同上	9,542	1級 101,139 2級 103,532	物価スライド△0.4%
24	24.4	1級 50,400 2級 33,570	24.8	7,707	同上	9,542	1級 102,788 2級 114,439	物価スライド△0.3%

25	25.4	1級 50,400 2級 33,570	25.8	7,707	同上	9,542	1級 102,554 2級 122,460	物価スライドなし
	25.10	1級 50,050 2級 33,330						物価スライドなし 特例水準解消分△0.7%
26	26.4	1級 49,900 2級 33,230	26.8	7,707	同上	9,542	1級 101,341 2級 131,055	物価スライド△0.4% 特例水準解消分△0.7%
27	27.4	1級 51,100 2級 34,030	27.8	7,707	同上	9,542	1級 99,932 2級 138,361	物価スライド2.8% 特例水準解消分△0.3%
28	28.4	1級 51,500 2級 34,300	28.8	7,707	同上	9,542	1級 98,630 2級 144,842	物価スライド0.8%
29	29.4	1級 51,450 2級 34,270	29.8	7,707	同上	9,542	1級 97,620 2級 152,449	物価スライド△0.1%
30	30.4	1級 51,700 2級 34,430	30.8	7,707	同上	9,542	1級 96,543 2級 161,471	物価スライド0.5%
平31 令元	31.4	1級 52,200 2級 34,770	元.8	7,707	同上	9,542	1級 95,555 2級 168,792	物価スライド1.0%
2	2.4	1級 52,500 2級 34,970	2.8	7,707	同上	9,542	1級 95,360 2級 178,005	物価スライド0.5%
3	3.4	1級 52,500 2級 34,970	3.8	7,707	同上	9,542	1級 96,038 2級 182,198	物価スライドなし
4	4.4	1級 52,400 2級 34,900	4.8	7,707	同上	9,542	1級 2級	物価スライド△0.2%
5	5.4	1級 53,700 2級 35,760	5.8	7,707	同上	9,542	1級 2級	物価スライド2.5%

3 特別児童扶養手当の受給者数及び障害別支給対象児童数の推移

年度		H9	H10	H11	H12	H13	H14	H15	H16	H17	H18	H19	H20	H21
受給者数		128, 432	131, 758	135, 940	141, 400	146, 702	150, 980	156, 836	162, 026	163, 670	168, 558	173, 582	178, 715	184, 095
支給対象障害児童総数		131, 511	134, 964	139, 480	145, 159	150, 696	155, 388	161, 451	166, 836	168, 819	174, 141	179, 844	185, 494	191, 609
	1級	79, 911	81, 644	84, 162	87, 190	90, 010	92, 214	95, 020	97, 194	97, 032	98, 401	99, 362	100, 109	100, 508
	2級	51, 600	53, 320	55, 318	57, 969	60, 686	63, 174	66, 431	69, 642	71, 787	75, 740	80, 482	85, 385	91, 101
身体障害	総数	53, 962	54, 764	55, 944	57, 305	58, 906	59, 460	60, 131	60, 477	59, 834	59, 889	59, 978	60, 224	60, 207
	1級	37, 291	37, 846	38, 642	39, 278	40, 042	40, 073	40, 324	40, 474	40, 087	40, 000	39, 883	39, 812	39, 585
	2級	16, 671	16, 918	17, 302	18, 027	18, 864	19, 387	19, 807	20, 003	19, 747	19, 889	20, 095	20, 412	20, 622
	外部障害　総数	39, 839	40, 138	40, 772	41, 399	42, 071	42, 462	42, 946	43, 325	42, 497	42, 332	41, 961	41, 841	41, 785
	1級	31, 936	32, 408	33, 138	33, 746	34, 324	34, 602	34, 979	35, 315	34, 891	34, 828	34, 591	34, 542	34, 522
	2級	7, 903	7, 730	7, 634	7, 653	7, 747	7, 860	7, 967	8, 010	7, 606	7, 504	7, 370	7, 299	7, 263
	内部障害　総数	14, 123	14, 626	15, 172	15, 906	16, 835	16, 998	17, 185	17, 152	17, 337	17, 557	18, 017	18, 383	18, 422
	1級	5, 355	5, 438	5, 504	5, 532	5, 718	5, 471	5, 345	5, 159	5, 196	5, 172	5, 292	5, 270	5, 063
	2級	8, 768	9, 188	9, 668	10, 374	11, 117	11, 527	11, 840	11, 993	12, 141	12, 385	12, 725	13, 113	13, 359
精神障害	総数	74, 884	78, 041	81, 271	85, 541	89, 439	93, 508	98, 507	103, 391	105, 987	111, 170	116, 632	121, 963	128, 074
	1級	40, 121	41, 801	43, 409	45, 755	47, 768	49, 898	52, 163	54, 026	54, 190	55, 538	56, 469	57, 245	57, 863
	2級	34, 763	36, 240	37, 862	39, 786	41, 671	43, 610	46, 344	49, 365	51, 797	55, 632	60, 163	64, 718	70, 211
	知的障害　総数	72, 731	75, 950	79, 086	83, 210	87, 068	90, 970	95, 410	99, 364	100, 948	105, 098	109, 485	114, 033	118, 050
	1級	39, 161	40, 844	42, 411	44, 722	46, 796	48, 970	51, 153	52, 849	52, 902	54, 115	54, 921	55, 702	56, 383
	2級	33, 570	35, 106	36, 675	38, 488	40, 272	42, 000	44, 257	46, 515	48, 046	50, 983	54, 564	58, 331	61, 667
	知的以外の精神障害　総数	2, 153	2, 091	2, 185	2, 331	2, 371	2, 538	3, 097	4, 027	5, 039	6, 072	7, 147	7, 930	10, 024
	1級	960	957	998	1, 033	972	928	1, 010	1, 177	1, 288	1, 423	1, 548	1, 543	1, 480
	2級	1, 193	1, 134	1, 187	1, 298	1, 399	1, 610	2, 087	2, 850	3, 751	4, 649	5, 599	6, 387	8, 544
重複障害	総数	2, 665	2, 159	2, 265	2, 313	2, 351	2, 420	2, 813	2, 968	2, 998	3, 082	3, 234	3, 307	3, 328
	1級	2, 499	1, 997	2, 111	2, 157	2, 200	2, 243	2, 533	2, 694	2, 755	2, 863	3, 010	3, 052	3, 060
	2級	166	162	154	156	151	177	280	274	243	219	224	255	268

資料：福祉行政報告例（年度末現在）

年　　度	H22	H23	H24	H25	H26	H27	H28	H29	H30	R 1	R 2	R 3
受　給　者　数	190, 162	195, 838	207, 083	214, 542	220, 238	224, 793	228, 764	234, 077	240, 230	244, 722	251, 536	254, 706

			H22	H23	H24	H25	H26	H27	H28	H29	H30	R 1	R 2	R 3
支給対象障害児童総数			198, 240	204, 671	217, 227	225, 014	232, 396	238, 293	243, 472	250, 069	258, 014	264, 347	273, 671	278, 236
		1級	101, 204	101, 139	102, 788	102, 554	101, 341	99, 932	98, 630	97, 620	96, 543	95, 555	95, 519	96, 038
		2級	97, 036	103, 532	114, 439	122, 460	131, 055	138, 361	144, 842	152, 449	161, 471	168, 792	178, 152	182, 198
身体障害	総数		59, 865	59, 530	60, 261	59, 386	58, 621	56, 924	55, 055	53, 606	52, 192	50, 644	50, 716	48, 734
		1級	39, 180	38, 830	38, 956	38, 189	37, 416	36, 240	35, 151	34, 274	32, 918	31, 461	31, 261	29, 656
		2級	20, 685	20, 700	21, 305	21, 197	21, 205	20, 684	19, 904	19, 332	19, 274	19, 183	19, 455	19, 078
	外部障害　総数		41, 814	41, 485	41, 639	40, 931	40, 237	39, 188	38, 030	37, 005	35, 865	34, 616	33, 802	32, 707
		1級	34, 505	34, 269	34, 398	33, 707	33, 047	32, 147	31, 190	30, 239	29, 210	28, 039	27, 317	26, 380
		2級	7, 309	7, 216	7, 241	7, 224	7, 190	7, 041	6, 840	6, 766	6, 655	6, 577	6, 485	6, 327
	内部障害　総数		18, 051	18, 045	18, 622	18, 455	18, 384	17, 736	17, 025	16, 601	16, 327	16, 028	16, 914	16, 027
		1級	4, 675	4, 561	4, 558	4, 482	4, 369	4, 093	3, 961	4, 035	3, 708	3, 422	3, 944	3, 726
		2級	13, 376	13, 484	14, 064	13, 973	14, 015	13, 643	13, 064	12, 566	12, 619	12, 606	12, 970	12, 751
精神障害	総数		134, 684	141, 080	152, 821	161, 452	169, 757	177, 469	184, 804	192, 853	201, 956	209, 866	219, 057	225, 783
		1級	58, 770	58, 902	60, 464	60, 984	60, 617	60, 338	60, 168	59, 995	60, 160	60, 655	60, 706	62, 899
		2級	75, 914	82, 178	92, 357	100, 468	109, 140	117, 131	124, 636	132, 858	141, 796	149, 211	158, 351	162, 884
	知的障害のみ　※		113, 277	103, 455	101, 479	101, 021	99, 212	97, 014	95, 497	95, 025	94, 918	93, 885	93, 469	92, 854
		1級	56, 640	55, 228	55, 213	55, 215	54, 491	53, 884	53, 668	53, 673	53, 834	54, 272	54, 019	55, 669
		2級	56, 637	48, 227	46, 266	45, 806	44, 721	43, 130	41, 829	41, 352	41, 084	39, 613	39, 450	37, 185
	知的障害及び知的障害以外の精神障害		10, 780	25, 123	35, 384	40, 652	45, 470	51, 438	56, 744	61, 285	66, 446	71, 256	75, 495	79, 344
		1級	1, 055	2, 884	4, 374	4, 743	5, 021	5, 288	5, 396	5, 366	5, 449	5, 590	5, 828	6, 334
		2級	9, 725	22, 239	31, 010	35, 909	40, 449	46, 150	51, 348	55, 919	60, 997	65, 666	69, 667	73, 010
	知的障害以外の精神障害のみ　※		10, 627	12, 502	15, 958	19, 779	25, 075	29, 017	32, 563	36, 543	40, 592	44, 725	50, 093	53, 585
		1級	1, 075	790	877	1, 026	1, 105	1, 166	1, 104	956	877	793	859	896
		2級	9, 552	11, 712	15, 081	18, 753	23, 970	27, 851	31, 459	35, 587	39, 715	43, 932	49, 234	52, 689
重複障害	総数		3, 691	4, 061	4, 145	4, 176	4, 018	3, 900	3, 613	3, 610	3, 866	3, 837	3, 898	3, 719
		1級	3, 254	3, 407	3, 368	3, 381	3, 308	3, 354	3, 311	3, 351	3, 465	3, 439	3, 552	3, 483
		2級	437	654	777	795	710	546	302	259	401	398	346	236

※　平成22年度から精神障害の区分の見直しを行っていることから、22年度、23年度については、新区分「知的障害のみ」欄に旧区分「知的障害」の人数を加え、「知的障害以外の精神障害のみ」欄に旧区分「知的障害以外の精神障害」の人数を加えて計上している。

注１　22・23年度においては、東日本大震災の影響により、福島県を除いた人数を掲載している。

注２　〔参考〕精神障害（22・23年度旧区分）

全体（１級＋２級）		22年度	23年度
精神障害　総数		54, 644	16, 066
	知的障害　総数	48, 910	14, 654
	１級	22, 337	7, 948
	２級	26, 573	6, 706
	知的障害以外の精神障害　総数	5, 734	1, 412
	１級	696	201
	２級	5, 038	1, 211

4　特別児童扶養手当支給事務の事務処理系統図

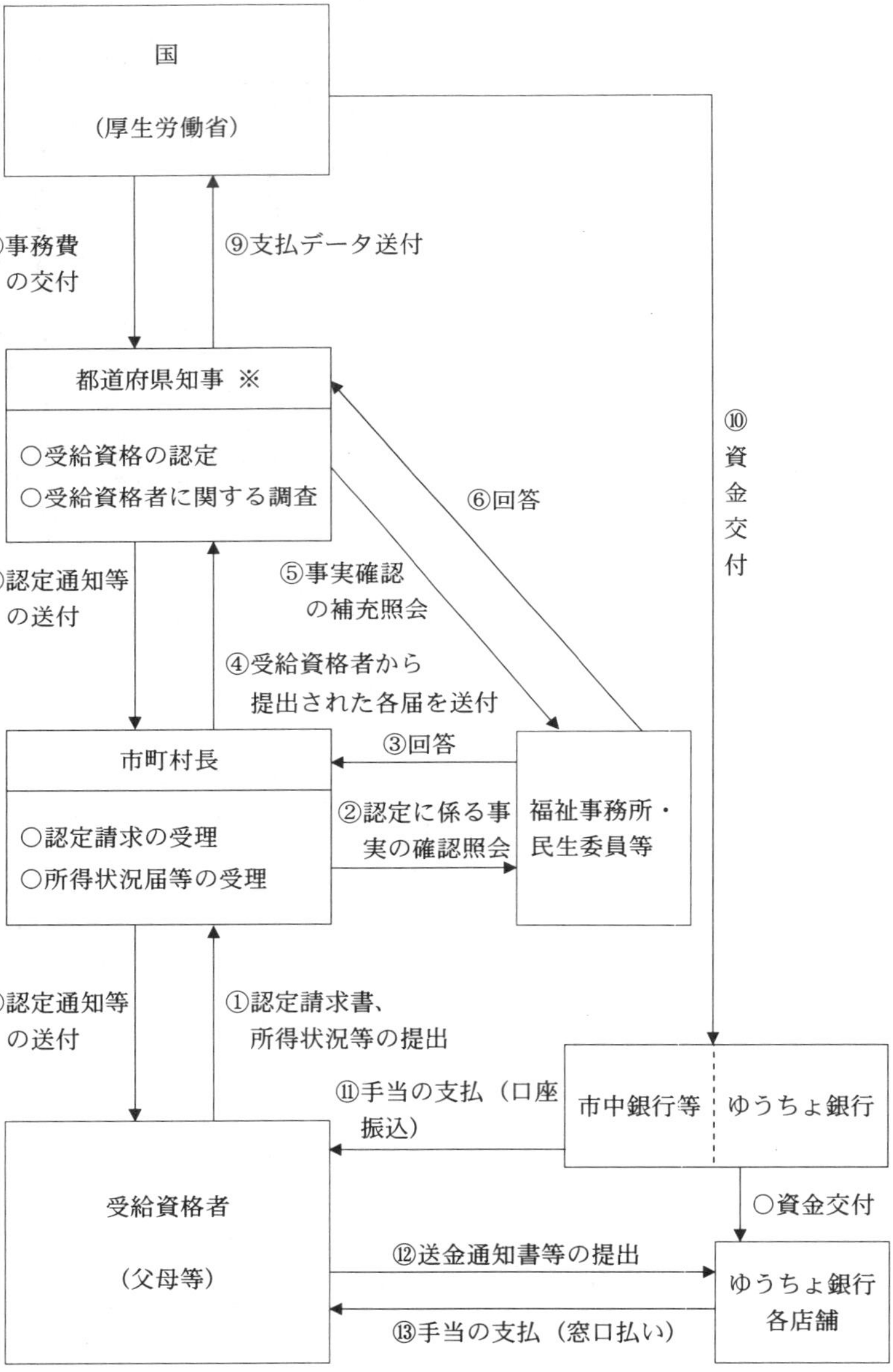

※地方自治法第252条の19第１項の指定都市の区域内に住所を有する受給者については、指定都市の長

（参考）特別児童扶養手当支給事務の事務処理根拠法令

国

・手当の支給　（法第３条）
・事務費の交付　（第14条）
・不正利得の徴収
　（法第16条により準用する児童扶養手当法第23条）

都道府県

○都道府県知事　※
・受給資格、手当額についての認定　（法第５条）
・手当額の改定についての認定
　（法第16条により準用する児童扶養手当法第８条）
・異議申立てについての事務　（法第27条）
・届出（所得状況届等）　（法第35条）
・調査　（法第36条第１項）
・報告徴収等　（法第37条）

↓
［事務の委任（法第38条第１項）］
↓

市町村

○市町村長（特別区の区長を含む。）
・受給資格、手当額の認定の請求の受理及びその請求に係る事実についての審査　（令第13条第１号）
・手当額改定の認定の請求の受理及びその請求に係る事実についての審査　（令第13条第２号）
・届出等の受理及びその届出に係る事実についての審査　（令第13条第３号）
・手当に関する証書の交付　（令第13条第４号）
・同一都道府県の区域内における住所等の変更に係る手当に関する証書の記載事項の訂正　（令第13条第５号）

※地方自治法第252条の19第１項の指定都市の区域内に住所を有する受給者については、指定都市の長

5　特別障害者手当等の制度の変遷

S50 ― 福祉手当制度の創設

福　祉　手　当

［支給要件］①在宅の重度障害者であること（障害程度は、概ね、身体障害者等級の１級程度）
②障害福祉年金を除く障害を支給事由とする公的年金等の給付を受けていないこと
※年齢制限なし
［制度創設時の支給月額］4,000円

↓

S59 ― 改正前　福祉手当支給月額（10,800円）＋障害福祉年金１級（38,400円）
［児童の場合］10,800円　［成人の場合］49,200円（但し、障害福祉年金受給者の場合）

↓

S60 ― 障害基礎年金制度の導入　→　障害者所得水準の改善による福祉手当制度の再編成

- 20歳未満の重度障害児 ↓
- 常時特別の介護を必要とする成人 ↓
- 常時の介護を必要とする障害基礎年金を支給される者 ↓
- 障害基礎年金を支給されない成人 ↓

障害児福祉手当
［支給要件等］
①在宅の20歳未満の重度障害児（障害程度は従来の福祉手当と同じ）
［根拠条文］
☆特別児童扶養手当等の支給に関する法律第17条

特別障害者手当
［支給要件等］
①在宅の20歳以上の特別障害者（障害程度は国年１級の重複相当）
②障害基礎年金１級との併給可
［根拠条文］
☆特別児童扶養手当等の支給に関する法律第26条の５

障害基礎年金のみ受給
［支給要件等］
①従来の福祉手当受給者
②障害基礎年金を支給される者であること
③特別障害者手当の受給要件に該当しないこと

福祉手当経過措置分
［支給要件等］
①従来の福祉手当受給者
②障害基礎年金を支給されない者であること
③特別障害者手当の受給要件に該当しないこと
［根拠条文］
☆国民年金法等の一部を改正する法律（昭和60年法34）附則第97条

（注１）障害基礎年金が支給されない者としては、年金制度加入後、障害者になった者で、保険料未払いであった者が該当
（注２）従来の福祉手当の障害程度は、障害基礎年金１級の障害程度より重い。

↓

障害児福祉手当　11,250円
［根拠条文］
☆特別児童扶養手当等の支給に関する法律第18条

特別障害者手当額　20,000円
障害基礎年金額（１級）　62,500円
両方を受給している場合　82,500円
［根拠条文］
☆特別児童扶養手当等の支給に関する法律第26条の３
☆国民年金法第30条

経過的福祉手当　11,250円
［根拠条文］
☆国民年金法等の一部を改正する法律（昭和60年法34）附則第97条

↓

S61 ― 以降、年金の物価スライドによる額の改定に準拠して毎年額を改定。（元年の手当額については、財政再計算による。）

↓

H１ ―

完全物価スライド制の導入

［支給月額］障害児福祉手当及び経過的福祉手当　12,100円　特別障害者手当　22,250円
［根拠条文］障害児福祉手当　特別児童扶養手当等の支給に関する法律第18条による児童扶養手当法第５条の２の準用
特別障害者手当　特別児童扶養手当等の支給に関する法律第26条の５による同第18条準用
経過的福祉手当　国民年金法等の一部を改正する法律（昭和60年法34）附則第97条による児童扶養手当法第５条の２の準用

↓

	障害児福祉手当	特別障害者手当	経過的福祉手当
H６．４	４月～　13,580円	４月～　24,960円	４月～　13,580円
	財政再計算により、基準額改定。		
H６．10	10月～　14,170円	10月～　26,050円	10月～　14,170円
〜〜〜			
R５．４	４月～　15,220円	４月～　27,980円	４月～　15,220円

（参考）手当等の支給月
①特別障害者手当等　２、５、８、11の各月
②障害基礎年金の支給月　２、４、６、８、10、12の各月

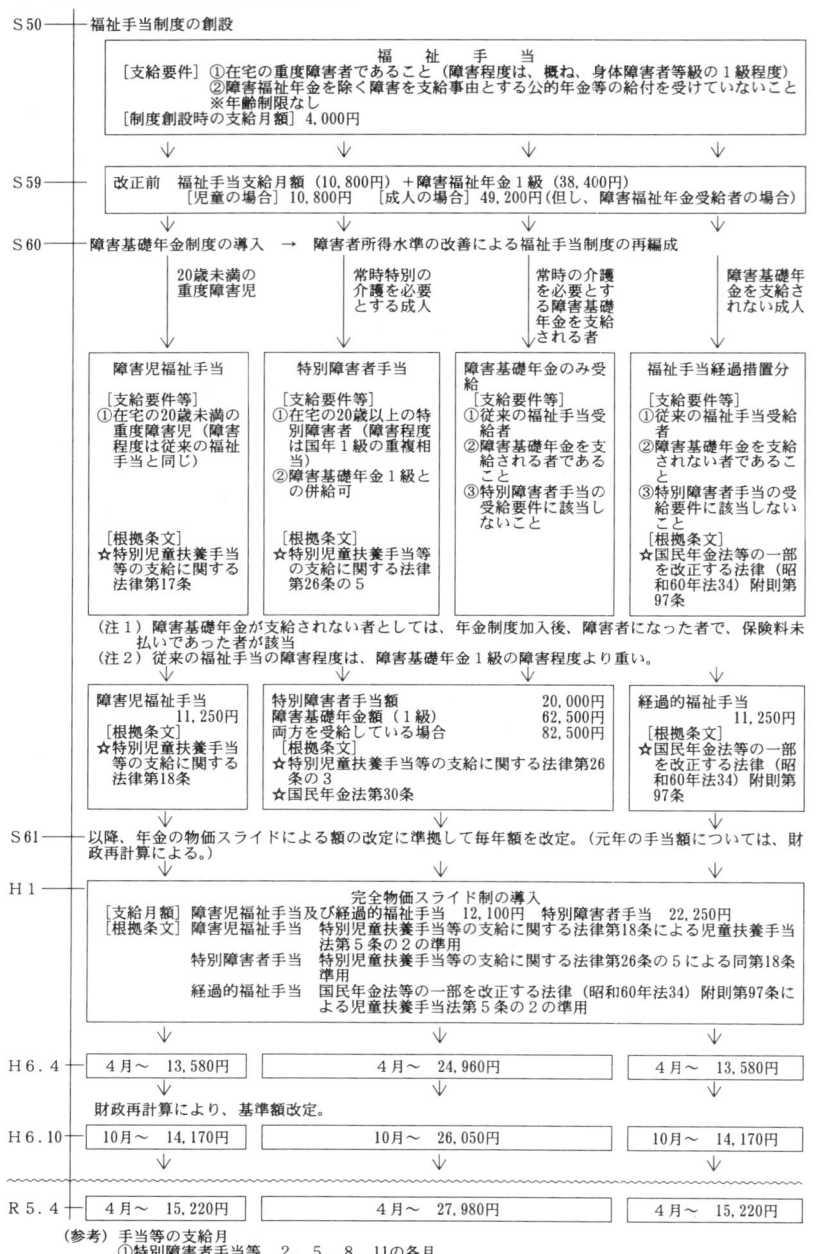

6　特別障害者手当等の手当額等の推移

（単位：円）

年度	実施月	手当月額		所得制限限度額	
		障害児福祉手当 ・ 経過的福祉手当	特別障害者手当	本人 （扶養親族１人）	配偶者・ 扶養義務者 （扶養親族５人）
昭和61年度	４月	11,550	20,800	2,385,000	6,789,000
昭和62年度	４月	11,650	20,900	2,465,000	6,789,000
昭和63年度	４月	11,700	20,950	2,558,000	6,789,000
平成元年度	４月	12,100	22,250	2,676,000	6,789,000
平成２年度	４月	12,380	22,760	2,818,000	6,789,000
平成３年度	４月	12,750	23,450	2,979,000	6,789,000
平成４年度	４月	13,180	24,230	3,150,000	6,789,000
平成５年度	４月	13,390	24,630	3,275,000	6,789,000
平成６年度	４月	13,580	24,960	3,370,000	6,934,000
	10月	14,170	26,050		
平成７年度	４月	14,270	26,230	3,453,000	7,042,000
平成８年度	４月	14,270	26,230	3,516,000	7,162,000
平成９年度	４月	14,270	26,230	3,610,000	7,317,000
平成10年度	４月	14,520	26,700	3,712,000	7,388,000
平成11年度	４月	14,610	26,860	3,778,000	7,388,000
平成12年度	４月	14,610	26,860	3,861,000	7,388,000
平成13年度	４月	14,610	26,860	3,929,000	7,388,000
平成14年度	４月	14,610	26,860	3,984,000	7,388,000
平成15年度	４月	14,480	26,620	3,984,000	7,388,000
平成16年度	４月	14,430	26,520	3,984,000	7,388,000
平成17年度	４月	14,430	26,520	3,984,000	7,388,000
平成18年度	４月	14,380	26,440	3,984,000	7,388,000
平成19年度	４月	14,380	26,440	3,984,000	7,388,000
平成20年度	４月	14,380	26,440	3,984,000	7,388,000
平成21年度	４月	14,380	26,440	3,984,000	7,388,000
平成22年度	４月	14,380	26,440	3,984,000	7,388,000
平成23年度	４月	14,330	26,340	3,984,000	7,388,000
平成24年度	４月	14,280	26,260	3,984,000	7,388,000
平成25年度	４月	14,180	26,080	3,984,000	7,388,000
平成26年度	４月	14,140	26,000	3,984,000	7,388,000
平成27年度	４月	14,480	26,620	3,984,000	7,388,000
平成28年度	４月	14,600	26,830	3,984,000	7,388,000

平成29年度	４月	14,580	26,810	3,984,000	7,388,000
平成30年度	４月	14,650	26,940	3,984,000	7,388,000
令和元年度	４月	14,790	27,200	3,984,000	7,388,000
令和２年度	４月	14,880	27,350	3,984,000	7,388,000
令和３年度	４月	14,880	27,350	3,984,000	7,388,000
令和４年度	４月	14,850	27,300	3,984,000	7,388,000
令和５年度	４月	15,220	27,980	3,984,000	7,388,000

7　特別障害者手当等の受給者数等の推移

（人）

	障害児福祉手当	特別障害者手当	経過的福祉手当
昭和61年度	54,942	55,114	117,387
昭和62年度	55,187	62,984	100,018
昭和63年度	56,500	71,434	90,355
平成元年度	53,897	74,076	74,243
平成２年度	52,915	76,611	64,563
平成３年度	51,553	79,791	55,304
平成４年度	50,207	81,979	48,560
平成５年度	49,587	85,201	43,339
平成６年度	49,660	87,487	38,640
平成７年度	50,023	90,950	34,650
平成８年度	50,876	95,014	31,132
平成９年度	51,396	99,321	27,975
平成10年度	52,125	102,906	25,317
平成11年度	53,112	104,576	22,898
平成12年度	54,525	103,351	20,815
平成13年度	56,088	103,307	18,878
平成14年度	63,995	111,216	8,943
平成15年度	58,666	106,068	15,605
平成16年度	59,880	105,896	14,175
平成17年度	60,728	105,647	12,323
平成18年度	61,981	107,298	11,057
平成19年度	63,255	108,942	9,960

平成20年度	63, 995	111, 216	8, 943
平成21年度	65, 034	114, 610	8, 098
平成22年度	65, 369	115, 774	7, 227
平成23年度	65, 089	117, 151	6, 486
平成24年度	66, 327	120, 359	5, 926
平成25年度	66, 613	121, 337	5, 330
平成26年度	66, 122	122, 218	4, 779
平成27年度	65, 595	122, 701	4, 322
平成28年度	64, 978	122, 746	3, 904
平成29年度	64, 422	123, 055	3, 524
平成30年度	63, 729	123, 609	3, 152
令和元年度	63, 584	124, 822	2, 844
令和２年度	63, 621	126, 872	2, 591
令和３年度	63, 372	129, 939	2, 322

出典：福祉行政報告例　各年度末現在

8　特別障害者手当等支給事務処理系統図

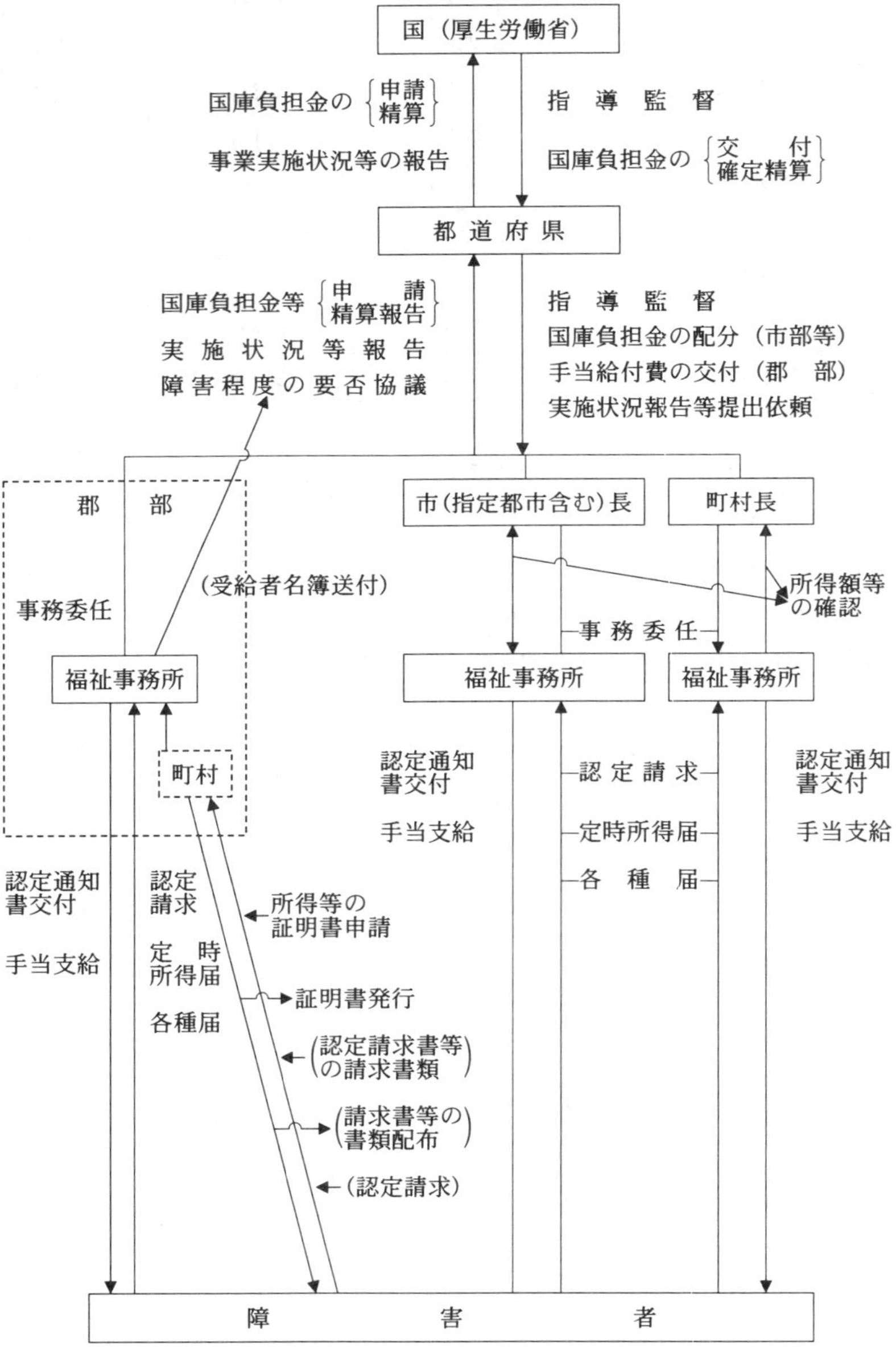

9　特別障害者手当認定基準

（区分）　（政令）　（認定基準）

障害が重複

→ 政令第１条第２項第１号に該当する障害の程度

〔身体の機能の障害若しくは病状又は精神の障害が別表第２各号の一に該当し、かつ、当該身体機能の障害等以外の身体機能の障害等がその他の同表各号の一に該当するもの〕

→ 政令別表第２に掲げる第１号から第７号までの障害が２つ以上重複する場合

→ 政令第１条第２項第２号に該当する障害の程度

〔前号に掲げるもののほか、身体機能の障害等が重複する場合（別表第２各号の一に該当する身体機能の障害等があるときに限る。）における障害の状態であって、これにより日常生活において必要とされる介護の程度が前号に定める障害の状態によるものと同程度以上であるもの〕

→ 政令別表第２第１号から第７号までのいずれか１つの障害を有し、かつ次表に規定する身体の機能の障害若しくは病状又は精神の障害を重複して有するもの

→ 政令別表第２第３号から第５号までのいずれか１つの障害を有し、かつ、日常生活動作評価表の日常生活動作能力の各動作の該当する点を加算したものが、10点以上のもの

障害が単一

→ 政令第１条第２項第２号に該当する障害の程度

→ 政令第１条第２項第３号に該当する障害の程度

〔身体機能の障害等が別表第１各号（第10号を除く。）の一に該当し、かつ、当該身体機能の障害等が前号と同程度以上と認められる程度のもの〕

→ 政令別表第１第８号に該当する障害を有するものであって、「安静度表」の１度に該当する状態を有するもの

→ 政令別表第１第９号に該当する障害を有するものであって、「日常生活能力判定表」の各動作及び行動に該当する点を加算したものが14点となるもの

別表第１

1　両眼の視力がそれぞれ0.02以下のもの
2　両耳の聴力が補聴器を用いても音声を識別することができない程度のもの
3　両上肢の機能に著しい障害を有するもの
4　両上肢の全ての指を欠くもの
5　両下肢の用を全く廃したもの
6　両大腿《たい》を２分の１以上失ったもの
7　体幹の機能に座っていることができない程度の障害を有するもの
8　前各号に掲げるもののほか、身体の機能の障害又は長期にわたる安静を必要とする病状が前各号と同程度以上と認められる状態であって、日常生活の用を弁ずることを不能ならしめる程度のもの
9　精神の障害であって、前各号と同程度以上と認められる程度のもの
10　身体の機能の障害若しくは病状又は精神の障害が重複する場合であって、その状態が前各号と同程度以上と認められる程度のもの
（備考）　視力の測定は、万国式試視力表によるものとし、屈折異常があるものについては、矯正視力によって測定する。

別表第２

1　次に掲げる視覚障害
イ　両眼の視力がそれぞれ0.03以下のもの
ロ　１眼の視力が0.04、他眼の視力が手動弁以下のもの
ハ　ゴールドマン型視野計による測定の結果、両眼のＩ／４視標による周辺視野角度の和がそれぞれ80度以下かつＩ／２視標による両眼中心視野角度が28度以下のもの
ニ　自動視野計による測定の結果、両眼開放視認点数が70点以下かつ両眼中心視野視認点数が20点以下のもの
2　両耳の聴力レベルが100デシベル以上のもの
3　両上肢の機能に著しい障害を有するもの又は両上肢の全ての指を欠くもの若しくは両上肢の全ての指の機能に著しい障害を有するもの
4　両下肢の機能に著しい障害を有するもの又は両下肢を足関節以上で欠くもの
5　体幹の機能に座っていることができない程度又は立ち上がることができない程度の障害を有するもの
6　前各号に掲げるもののほか、身体の機能の障害又は長期にわたる安静を必要とする病状が前各号と同程度以上と認められる状態であって、日常生活の用を弁ずることを不能ならしめる程度のもの
7　精神の障害であって、前各号と同程度以上と認められる程度のもの

次　表

1　両眼の視力がそれぞれ0.07以下のもの又は１眼の視力が0.08、他眼の視力が手動弁以下のもの
2　両耳の聴力レベルが90デシベル以上のもの
3　平衡機能に極めて著しい障害を有するもの
4　そしゃく機能を失ったもの
5　音声又は言語機能を失ったもの
6　両上肢のおや指及びひとさし指の機能を全廃したもの又は両上肢のおや指及びひとさし指を欠くもの
7　１上肢の機能に著しい障害を有するもの又は１上肢の全ての指を欠くもの若しくは１上肢の全ての指の機能を全廃したもの
8　１下肢の機能を全廃したもの又は１下肢を大腿の２分の１以上で欠くもの
9　体幹の機能に歩くことができない程度の障害を有するもの

10　前各号に掲げるもののほか、身体の機能の障害又は長期にわたる安静を必要とする病状が前各号と同程度以上と認められる状態であって、日常生活が著しい制限を受けるか、又は日常生活に著しい制限を加えることを必要とする程度のもの
11　精神の障害であって、前各号と同程度以上と認められる程度のもの

日常生活動作評価表

1　タオルを絞る（水をきれる程度）
2　とじひもを結ぶ
3　かぶりシャツを着て脱ぐ
4　ワイシャツのボタンをとめる
5　座わる（正座・横すわり・あぐら・脚なげだしの姿勢を持続する）
6　立ち上がる
7　片足で立つ
8　階段の昇降

ひとりでできる場合　→　0点
ひとりでできてもうまくできない場合　→　1点
ひとりでは全くできない場合　→　2点

注⑴　2の場合については、次によること
　5秒以内にできる　→　0点
　10秒　〃　→　1点
　10秒ではできない　→　2点
⑵　3及び4の場合については、次によること
　30秒以内にできる　→　0点
　1分　〃　→　1点
　1分ではできない　→　2点

日常生活能力判定表 動作及び行動の種類	0点	1点	2点
1食事	ひとりでできる	介助があればできる	できない
2用便（月経）の始末	ひとりでできる	介助があればできる	できない
3衣服の着脱	ひとりでできる	介助があればできる	できない
4簡単な買物	ひとりでできる	介助があればできる	できない
5家族との会話	通じる	少しは通じる	通じない
6家族以外の者との会話	通じる	少しは通じる	通じない
7刃物・火の危険	わかる	少しはわかる	わからない
8戸外での危険から身を守る（交通事故）	守ることができる	不十分ながら守ることができる	守ることができない

安静度

1　絶対安静
2　終日横になっている
3　短時間離床してよいが主に横になっている
4　午前午後にそれぞれ安静時間をとる
5　午後安静時間をとる

<table>
<tr><td colspan="3">特別障害者手当（20歳から）</td></tr>
<tr><td>C表</td><td>D表</td><td>E表</td></tr>
<tr><td>B表の１項目かつその他の障害部位で下表の２項目が該当</td><td>B表の３～５のいずれか１つに該当し日常生活動作が10点以上</td><td rowspan="2">A表の８のうち内部障害又はその他の疾患等に該当しかつ安静度表１度（絶対安静）</td></tr>
<tr><td rowspan="5">１・両眼視力各0.07以下
・１眼視力0.08、他眼視力が手動弁以下
２　両耳聴力90db以上
３　平衡機能の極めて著しい障害
４　そしゃく機能喪失
５　音声・言語機能喪失
６　両上肢の親指・ひとさし指全廃又は欠損
７　１上肢著障、全指欠損又は全指全廃
８　１下肢全廃又は１大腿２分の１以上欠損
９　体幹　野外歩行に補助用具必要
10　日常生活に著しい制限を受ける障害又は病状
⑴　視野障害
・ゴールドマン型視野計による測定の結果、両眼Ｉ／４視標による周辺視野角度の和が各80度以下かつＩ／２視標による両眼中心視野角度56度以下
・自動視野計による測定の結果、両眼開放視認点数70点以下かつ両眼中心視野視認点数40点以下
⑵　内部障害
心臓、肝臓、腎臓等
⑶　その他の疾患
（日中の50％以上就床）
11　精神障害
・精神の障害（日常生活能力８点以上）
・知的障害（知能指数35以下）</td><td rowspan="3">＊日常生活動作
１　タオルをしぼる
２　すわる
３　立ち上がる
４　片足で立つ
５　階段を昇降する
６　とじひもを結ぶ
７　かぶりシャツを着て脱ぐ
８　ワイシャツのボタンをとめる</td></tr>
<tr><td>F表</td></tr>
<tr><td>A表の９に該当しかつ日常生活能力14点以上</td></tr>
<tr><td colspan="2">＊評価
ひとりで出来る場合………………………０点
ひとりで出来てもうまく出来ない場合…１点
ひとりでは全く出来ない場合……………２点
（注）
・６の場合については
５秒以内に出来る…０点
10　〃　…１点
10秒で出来ない……２点
・７および８の場合について
30秒以内に出来る……０点
１分　〃　……１点
１分で出来ない………２点</td></tr>
<tr><td colspan="2">日常生活能力<table>
<tr><td></td><td>０点</td><td>１点</td><td>２点</td></tr>
<tr><td>１　食事</td><td>１人で出来る</td><td>介助要</td><td>出来ない</td></tr>
<tr><td>２　用便（月経）の始末</td><td>１人で出来る</td><td>介助要</td><td>出来ない</td></tr>
<tr><td>３　衣服の着脱</td><td>１人で出来る</td><td>介助要</td><td>出来ない</td></tr>
<tr><td>４　簡単な買物</td><td>１人で出来る</td><td>介助要</td><td>出来ない</td></tr>
<tr><td>５　家族との会話</td><td>通じる</td><td>少し通じる</td><td>通じない</td></tr>
<tr><td>６　家族以外の者との会話</td><td>通じる</td><td>少し通じる</td><td>通じない</td></tr>
<tr><td>７　刃物・火の危険</td><td>わかる</td><td>少しわかる</td><td>わからない</td></tr>
<tr><td>８　戸外での危険から身を守る（交通事故）</td><td>守ることが出来る</td><td>不十分でも出来る</td><td>出来ない</td></tr>
</table></td></tr>
</table>

10　障害児福祉手当及び特別障害者手当の障害程度認定基準表

障害児福祉手当（19歳まで）	
A表（別表第１）	B表（別表第２）
下表の１項目が該当	下表の２項目が該当
1　両眼視力各0.02以下 2　両耳音声識別不可（補聴器使用）、及び両耳聴力100db以上 3　両上肢著障 4　両上肢全指欠損 5　両下肢全廃 6　両大腿２分の１以上欠損 7　体幹座位不可 8　日常生活の自立ができない程度の障害又は病状 ⑴・両眼視力各0.03 ・１眼視力0.04、他眼視力が手動弁以下で視野障害２分の１以上 ・両上肢→食事・洗面・便所の処置・衣服の着脱の自立不可 ・両下肢→階段の昇降・室内歩行の自立不可 ・体　幹→座位保持・起立保持・立上りの自立不可 ⑵　内部障害（自己身辺の日常生活が極度に制限される） ・心臓　・腎臓　・肝臓 ・血液　・呼吸器 ⑶　その他の疾患（日常生活で常時介護） 9　精神障害 ・精神の障害（日常生活で常時介護） ・知的障害（最重度・知能指数20以下） 10　身障・病状・精神障害の重複（日常生活で常時介護） ・知的障害（重度・知能指数35以下） ・身障　・８⑴の動作が２分の１以上介護 ・視力各0.03又は１眼視力0.04、他眼視力が手動弁以下 ・聴力100db以上	1・両眼視力各0.03以下 ・１眼視力0.04、他眼視力が手動弁以下 ・ゴールドマン型視野計による測定の結果、両眼Ｉ／４視標による周辺視野角度の和が各80度以下かつＩ／２視標による両眼中心視野角度28度以下 ・自動視野計による測定の結果、両眼開放視認点数70点以下かつ両眼中心視野視認点数20点以下 2　両耳聴力100db以上 3・両上肢著障 ・両上肢全指欠損 ・両上肢全指著障 4・両下肢著障 ・両下肢足関節以上欠損 5・体幹座位不可 ・体幹自力立上がり不可 6　日常生活の自立が出来ない程度の障害又は病状 ⑴　内部障害（自己身辺の日常生活が極度に制限される） ・心臓　・腎臓　・肝臓 ・血液　・呼吸器 ⑵　特定疾患等 常時安静・就床 安静度表２度以上 7　精神障害 ・精神の障害（日常生活能力10点以上） ・知的障害（最重度・知能指数20以下）

11　児童扶養手当・特別児童扶養手当と年金等の併給関係

事項	受給者	児扶	特児	老基	障基	遺基	特障	障児	経福
児童扶養手当	父又は母等		○	△ ※1	△ ※2	△ ※1	○	○	○
特別児童扶養手当	父母等	○		○	○	○	○	○	○
老齢基礎年金	本人	△ ※1	○		×	×	○	—	○
障害基礎年金 (旧障害福祉年金)	本人	△ ※2	○	×		×	○	×	×
遺族基礎年金 (旧母子福祉年金)	本人	△ ※1	○	×	×		○	○	○
特別障害者手当	本人	○	○	○	○	○		—	—
障害児福祉手当	本人	○	○	—	×	○	—		—
経過的福祉手当	本人	○	○	○	×	○	—	—	

(注)　各記号は次のとおり。

「○」……完全併給できる。

「×」……併給できない（いずれか一方のみを受給）。

「△」……※１～※２参照。

「—」……年齢等により併給が有り得ない。

※１　手当額が年金額を上回る場合、その差額を手当として支給。

※２　手当額が子の加算額を上回る場合、その差額を手当として支給。

12　各種手当の制度の概要

手当種別	特別障害者手当	障害児福祉手当	特別児童扶養手当	児童扶養手当	児童手当
法　律	特別児童扶養手当等の支給に関する法律			児童扶養手当法	児童手当法
事務の区分	国の第１号法定受託事務				
支給目的	精神又は身体に著しく重度の障害を有する者に支給することにより、福祉の増進を図る	精神又は身体に重度の障害を有する児童に支給することにより、福祉の増進を図る	精神又は身体に障害を有する児童を監護している者に支給することにより、福祉の増進を図る	父又は母と生計を同じくしていない児童が育成される家庭生活の安定と自立の促進により、児童の福祉の増進を図る	家庭生活の安定、次代の社会を担う児童の健やかな成長に資するため
支給主体	県、市、福祉事務所を設定する町村※	県、市、福祉事務所を設定する町村※	国 認定事務は都道府県・指定都市	県、市、福祉事務所を設定する町村※	市町村
費用負担割合	国３／４ 県又は市１／４	国３／４ 県又は市１／４	全額国費	国１／３ 県又は市２／３	国2/3～37/45 県市8/45～1/3 公務員は所属庁
事務取扱交付金	無	無	有	無 （H16一般財源化）	無
併　給	―	併給可能			
受給者	障害者本人	障害児本人	障害児を監護する者	児童の父、母、養育者	支給対象児童を養育している者
支給対象（者）児童	20歳以上	20歳誕生月まで（誕生日が１日の時はその前月まで）	20歳誕生月まで（同左）	18歳到達の年度末（障害児は20歳誕生月まで）	中学校卒業まで
支払月額（円）（Ｒ５．４月～）	27,980	15,220	53,700（１級） 35,760（２級）	１人目　10,410～44,140 ２人目　5,210～10,420 ３人目以降　3,130～6,250	10,000～15,000 5,000（特例）
支払月	２、５、８、11月	２、５、８、11月	４、８、11月または12月	１、３、５、７、９、11月	２、６、10月
非課税年金	含む（受給者のみ）	含まない	含まない	含まない	含まない
長期・短期譲渡所得	特別控除前の所得	特別控除前の所得	特別控除前の所得	特別控除前の所得	特別控除前の所得
障害の程度	重複障害を基本	単一障害（重度）	単一障害	特児と同等	―
現況届	８月12日～９月11日	８月12日～９月11日	８月12日～９月11日	８月１日～８月31日	６月１日～６月30日
有期認定	診断書等を基に設定	診断書等を基に設定	概ね２年以内	18歳を超えた障害児の場合あり	―
主な資格喪失事由（○は継続、×は喪失）　入院３か月超	×	○	○	○	○
主な資格喪失事由　施設入所	×	×	×	×	○ （施設長に支給）
主な資格喪失事由　施設親子入所	―	×	○	○	○
主な資格喪失事由　公的年金等受給　受給者	○	× （事例少）	○	×（注）	○
主な資格喪失事由　公的年金等受給　児童	―		× （事例少）	×	○
備　考				S60.8.1国→県 H14.8.1市へ権限委譲	

※県からの委託により、町村での受付可。

13　所得制限の限度額

〔特別児童扶養手当〕

令和３年８月～　　　　　　　　　　　　　　　　　　　　　　　（単位：円）

扶養親族等の数	本人		配偶者及び扶養義務者	
	収入額	所得額	収入額	所得額
0	6,420,000	4,596,000	8,319,000	6,287,000
1	6,862,000	4,976,000	8,586,000	6,536,000
2	7,284,000	5,356,000	8,799,000	6,749,000
3	7,707,000	5,736,000	9,012,000	6,962,000
4	8,129,000	6,116,000	9,225,000	7,175,000
5	8,546,000	6,496,000	9,438,000	7,388,000

(注)

1　所得税法に規定する老人控除対象配偶者、老人扶養親族、特定扶養親族又は控除対象扶養親族（19歳未満の者に限る。）がある者についての限度額（所得額）は、上記の金額に次の金額を加算した額とする。

(1)　本人の場合は、

①　老人控除対象配偶者又は老人扶養親族１人につき10万円

②　特定扶養親族又は控除対象扶養親族（19歳未満の者に限る。）１人につき25万円

(2)　配偶者及び扶養義務者の場合は、老人扶養親族１人につき（当該老人扶養親族のほかに扶養親族等がないときは、当該老人扶養親族のうち１人を除いた老人扶養親族１人につき）６万円

2　政令上は所得額で規定されており、ここに掲げた収入額は、給与所得者を例として給与所得控除額を加えて表示した額である。

〔障害児福祉手当、特別障害者手当及び経過的福祉手当〕

令和３年８月～　　　　（単位：円）

扶養親族等の数	本人		配偶者及び扶養義務者	
	収入額	所得額	収入額	所得額
0	5,180,000	3,604,000	8,319,000	6,287,000
1	5,656,000	3,984,000	8,586,000	6,536,000
2	6,132,000	4,364,000	8,799,000	6,749,000
3	6,604,000	4,744,000	9,012,000	6,962,000
4	7,027,000	5,124,000	9,225,000	7,175,000
5	7,449,000	5,504,000	9,438,000	7,388,000

(注)

1　所得税法に規定する老人控除対象配偶者、老人扶養親族、特定扶養親族又は控除対象扶養親族（19歳未満の者に限る。）がある者についての限度額（所得額）は、上記の金額に次の金額を加算した額とする。

⑴　本人の場合は、

①　老人控除対象配偶者又は老人扶養親族１人につき10万円

②　特定扶養親族又は控除対象扶養親族（19歳未満の者に限る。）１人につき25万円

⑵　配偶者及び扶養義務者の場合は、老人扶養親族１人につき（当該老人扶養親族のほかに扶養親族等がないときは、当該老人扶養親族のうち１人を除いた老人扶養親族１人につき）６万円

2　政令上は所得額で規定されており、ここに掲げた収入額は、給与所得者を例として給与所得控除額を加えて表示した額である。

14　扶養義務者の範囲

扶養義務者とは、民法第877条第１項に定める扶養義務者で、かつ受給者世帯の生計をもとに維持する者をいう。

下図点線内の者のうち、受給者と生計を同一にしている者は、所得制限の対象となる。(住民票が世帯分離となっている場合にも対象となり得ます。)

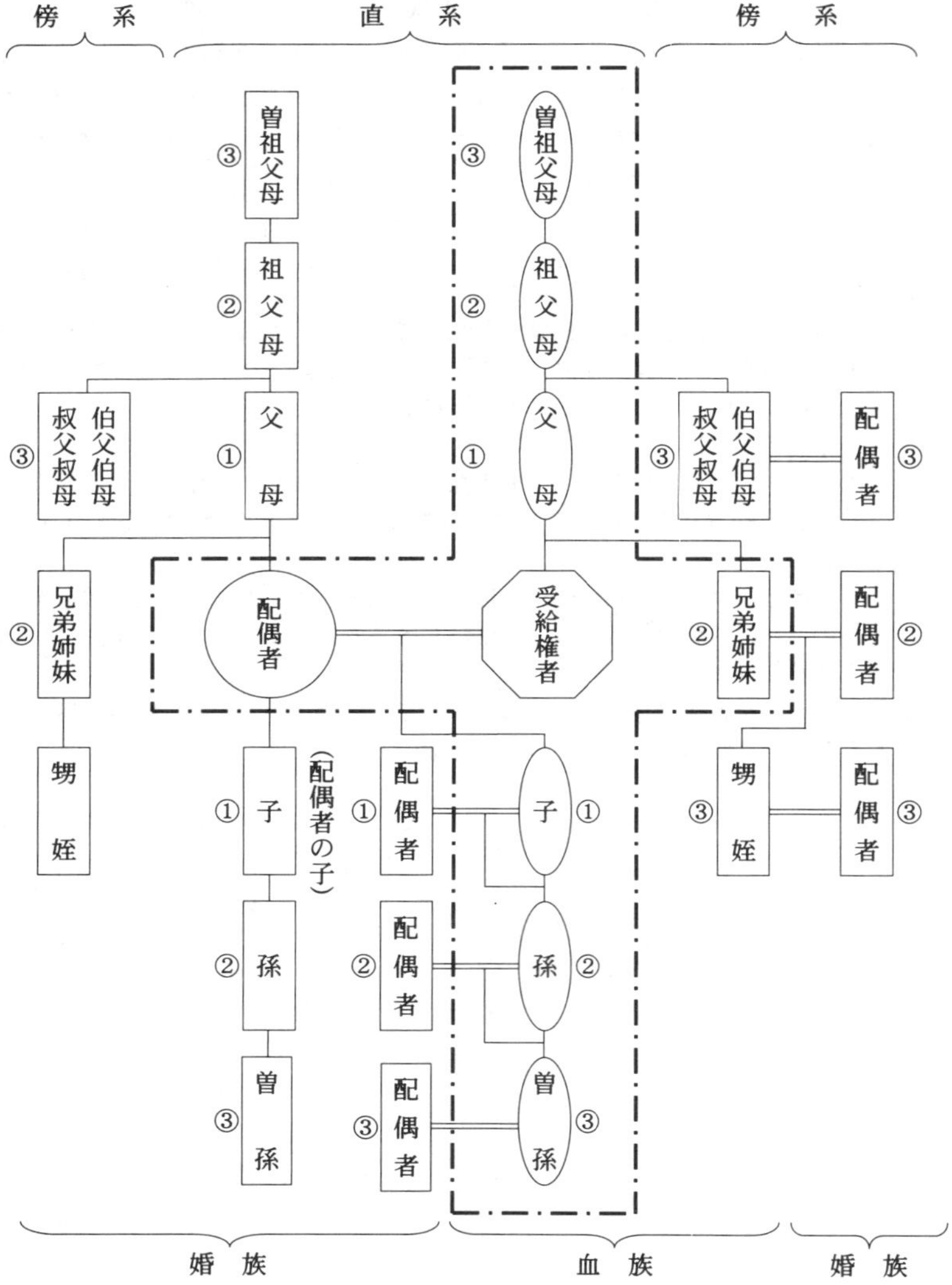

なお、養子縁組をした場合は、民法第727条により血族とみなすため、扶養義務者となります。

また、養子縁組解消をした場合には、当然に親族関係は終了します。

年別索引目次

昭和三十六年

〔法　律〕

一一・二九　第二三八号
児童扶養手当法……三

〔政　令〕

一二・七　第四〇五号
児童扶養手当法施行令……五九

〔省　令〕

一二・七　厚生省令第五一号
児童扶養手当法施行規則……一一一

〔告　示〕

一二・七　厚生省告示第四〇二号
児童扶養手当法施行令第五条に規定する主たる生業の維持に供するその他の財産……二一四

〔通　知〕

一二・二一　厚生省発児第三一八号
児童扶養手当法等の施行について……二一七

一二・二一　児発第一、三五六号
児童扶養手当法等の施行について……二一九

一二・二一　児発第一、三七四号
児童扶養手当法施行令〔別表第二〕における障害の認定要領について……七五一

昭和三十七年

〔通　知〕

一・一一　児発第一三号
児童扶養手当法における障害認定診断書の取扱いについて……九三七

一・二四　児発第四三号
児童扶養手当法の施行と関係機関の協力について……七二二

二・五　児発第七四号
未成年者の児童扶養手当の請求について……七三九

二・一九　児企第一七号
児童扶養手当証書の保管について……一〇一六

四・二五　児発第四八九号
児童扶養手当の過誤払等による返納金債権の取扱いについて……九八五

五・七　児企第八九号
児童扶養手当法第二十三条に規定する不正受給の具体例について……九八四

五・一八　児発第五七四号
児童扶養手当法施行規則の一部を改正する省令について……五〇二

五・二二　児発第五八二号
児童扶養手当の差額追給及び内払調整に基づく減額支給について……一〇〇八
七・九　児発第七五二号
児童扶養手当の障害認定に係る再診の取扱いについて……九三八

昭和三十八年

〔通　知〕

七・一六　児企第七八号の二
未支払児童扶養手当支給に係る事務取扱いについて……七八七

昭和三十九年

〔法　律〕

七・二　第一三四号
特別児童扶養手当等の支給に関する法律……一三〇三

〔省　令〕

八・二八　厚生省令第三八号
特別児童扶養手当等の支給に関する法律施行規則……一三九一

〔通　知〕

五・一一　児発第四二三号
児童扶養手当法上の処分に関する行政不服審査について……九四四
五・一一　児企第四一号
児童扶養手当支給事務の実施上留意すべき事項について……七二三
五・一六　児発第四二九号
市町村における新様式による児童扶養手当証書の記載事項の訂正について……六一八
六・二三　児発第五四七号
児童扶養手当法の一部を改正する法律〔第七次改正〕の施行について……二二三
八・三一　厚生省発児第一八一号
重度精神薄弱児扶養手当法等の施行について……一四七九
八・三一　児発第七七一号
重度精神薄弱児扶養手当関係法令の施行について……一四八〇
八・三一　児発第七九〇号
児童扶養手当法施行令の一部を改正する政令及び児童扶養手当法施行規則の一部を改正する省令の施行について……五〇四
一二・一二　児発第一、〇二七号
重度精神薄弱児〔特別児童〕扶養手当過誤払等による返納金債権の取扱いについて……一六六二

昭和四十年

〔政　令〕

八・一〇　第二七〇号
特別児童扶養手当等の支給に関する法律に基づき都道府県及び市町村に交付する事務費に関する政令……一三七七

〔通　知〕

六・一四　児発第四九九号
児童扶養手当法等の一部を改正する法律の施行について……二二一七

昭和四十一年

〔通　知〕

八・五　児発第四八三号
都道府県における児童扶養手当証書の作成について……六二〇

八・一一　児発第四九五号
児童扶養手当法の一部を改正する法律、重度精神薄弱児［特別児童］扶養手当法の一部を改正する法律等の施行について……二二三一

八・三〇　児発第五三五号
児童扶養手当法施行規則の一部を改正する省令及び重度精神薄弱児扶養手当法施行規則の一部を改正する省令の施行について……五〇六

昭和四十二年

〔通　知〕

八・三一　厚生省発児第一〇六号
特別児童扶養手当事務取扱交付金について……一六六五

八・三一　児発第五三七号
特別児童扶養手当事務取扱交付金の交付について……一六八五

昭和四十三年

〔通　知〕

一・五　児発第二号
児童扶養手当法施行規則及び特別児童扶養手当法施行規則の一部を改正する省令について……五〇九

三・三〇　社保第八四号・児発第一七二号
特定者に対する日本国有鉄道の通勤定期乗車券の特別割引制度について……一〇二八

七・四　児発第四三〇号
児童扶養手当法施行令及び特別児童扶養手当法施行令の一部を改正する政令等の施行について……二二三六

昭和四十四年

〔通　知〕

八・二七　児発第五九九号
児童扶養手当法施行令の一部を改正する政令等の施行について……二二三八
一二・一三　児発第七七一号
児童扶養手当法施行規則及び特別児童扶養手当法施行規則の一部改正について……五〇九

昭和四十六年

〔通　知〕

一一・五　児企第四七号
児童扶養手当法施行令の一部を改正する政令等の施行について……二二三九

昭和四十七年

〔通　知〕

六・二六　児発第三九八号
児童扶養手当法等の一部改正について……二二四〇
八・七　児企第三一号
児童扶養手当及び特別児童扶養手当支給事務関係書類の保存期間等について……一〇一二
八・二五　児企第三三号
児童扶養手当及び特別児童扶養手当に係る時効の解釈及び取扱い等について……一〇一七

昭和四十八年

九・一六　児発第六一三号
児童扶養手当法施行規則及び特別児童扶養手当法施行規則の一部を改正する省令の施行について……五一〇

〔通　知〕

五・一〇　児発第二九八号
児童扶養手当法施行令の一部改正について……二二四二
五・一六　児企第二八号
児童扶養手当及び特別児童扶養手当関係法令上の疑義について……六五二
九・二八　児発第七二七号
児童扶養手当法及び特別児童扶養手当法の一部を改正する法律等の施行について……二二四三
一〇・一五　児企第四五号
特別児童扶養手当の認定事務の手続等について……一六六三
一〇・三一　児企第四八号
児童扶養手当及び特別児童扶養手当関係書類市町村審査要領について……七一二

昭和四十九年

〔通　知〕

四・三〇　児発第二三九号……二四六
児童扶養手当法施行令の一部改正〔第一五次改正〕について

六・二二　児発第四二一号……二四七
児童手当法等の一部を改正する法律等の施行について

七・一五　児企第三二号……二五三
児童扶養手当法施行令の一部改正に伴う事務取扱いについて

八・一五　児発第五一八号……七四一
児童扶養手当法施行令別表第一における障害の認定要領について

昭和五十年

〔政　令〕

七・四　第二〇七号……一三四七
特別児童扶養手当等の支給に関する法律施行令

〔省　令〕

八・一三　厚生省令第三四号……一四四三
障害児福祉手当及び特別障害者手当の支給に関する省令

〔告　示〕

八・一三　厚生省告示第二五八号……一四七七
特別児童扶養手当等の支給に関する法律施行令第三条に規定する主たる生業の維持に供するその他の財産

〔通　知〕

五・七　児発第二六一号……二五六
児童扶養手当法施行令の一部改正について

八・一三　厚生省社第七四二号……一七二三
福祉手当制度の創設について

八・一三　児発第五三一号……一四八四
特別児童扶養手当等の支給に関する法律等の一部を改正する法律等の施行について

八・一三　児発第五三二号の一……一五六三
特別児童扶養手当証書の作成等について

八・一三　社更第一一二号……一七二五
福祉手当制度の創設について

九・五　児発第五七六号……一五六四
特別児童扶養手当等の支給に関する法律施行令別表第三における障害の認定について

九・八　児企第三五号……一六三三
特別児童扶養手当支給事務に係る知的障害児の児童相談所における判定について

昭和五十一年

〔通　知〕

五・一　社更第五五号……一七二九
児童扶養手当法施行令及び特別児童扶養手当等の支給に関する法律施行令の一部を改正する政令の施行について

一〇・一　児発第六八〇号……二五八
児童扶養手当法等の一部改正について

一〇・一　児企第三六号……七四〇
児童扶養手当の認定について

昭和五十二年

〔通　知〕

四・二六　児発第二三〇号……二六〇
児童扶養手当法施行令及び特別児童扶養手当等の支給に関する法律施行令の一部改正について

四・二七　社更第四八号……一七三一
児童扶養手当法施行令及び特別児童扶養手当等の支給に関する法律施行令の一部を改正する政令の施行について

五・二七　児発第二九二号……二六一
児童扶養手当法及び特別児童扶養手当等の支給に関する法律の一部改正について

六・二三　児発第三八六号……六三〇
都道府県における児童扶養手当及び特別児童扶養手当の支払期月の変更に係る証書の作成について

九・八　児企第三一号……七八二
児童扶養手当の支給停止関係について

昭和五十三年

〔通　知〕

六・五　児発第三一五号……五一一
児童扶養手当法施行規則等の一部を改正する省令の施行について

七・六　児発第四〇九号……二六二
児童扶養手当法施行令等の一部改正について

昭和五十五年

〔通　知〕

六・二三　児発第四八八号……五一二
児童扶養手当法施行規則の一部を改正する省令の施行について

六・二三　児企第二六号　児童扶養手当及び特別児童扶養手当関係法令上の疑義について……六八五
七・九　児企第二九号　児童扶養手当及び特別児童扶養手当に関する疑義について……六九〇
七・二九　児発第五九四号　国民年金法施行令等の一部改正について……二六三
一二・一六　児企第四六号　児童扶養手当の事務運営上の留意事項について……七八四

昭和五十六年

〔通　知〕

六・一二　児発第四九〇号　児童扶養手当法等の外国人適用について……二六四
七・三〇　児発第六五二号　児童扶養手当法施行令等の一部改正について……二六五
一二・一九　児発第一、〇四六号　児童扶養手当法施行規則及び特別児童扶養手当等の支給に関する法律施行規則の一部改正について……五一四

昭和五十七年

〔通　知〕

六・九　児発第四八八号　特別児童扶養手当等の支給に関する法律施行令の一部改正について……一四八九
六・二二　児発第五三九号　児童扶養手当法施行規則及び特別児童扶養手当等の支給に関する法律施行規則の一部改正について……五一四
八・一四　児発第六九五号　児童扶養手当法施行規則等の一部改正について……五一五
九・二七　厚生省総第三四六号　障害に関する用語の整理に関する厚生省関係法令の施行について……二六七

昭和六十年

〔告　示〕

七・二九　厚生省告示第一二四号　児童扶養手当法施行令別表第二第十一号の規定に基づき内閣総理大臣が定める障害の状態……二一四

〔通　知〕

三・一五　児発第一六三号　特別児童扶養手当事務取扱交付金における特別事情分について……一六八八

七・三一　厚生省発児第一三四号　児童扶養手当法の一部を改正する法律の施行について（依命通知）……二六八

七・三一　児発第六六二号　児童扶養手当法の一部を改正する法律等の施行について（施行通知）……二七〇

八・二一　児発第七〇五号　児童扶養手当都道府県事務取扱準則の改正について……五四四

八・二一　児発第七〇六号　児童扶養手当町村事務取扱準則の改正について……五六八

九・二七　児発第七九五号　都道府県における児童扶養手当証書等の作成について……六二九

一〇・九　児企第三四号　児童扶養手当の業務運営上留意すべき事項について……六三三

一一・一六　児企第三七号　児童扶養手当の受給資格認定に係る事務取扱いについて……七〇八

一二・二八　厚生省社第一、〇一六号　特別障害者手当制度の創設等について……一七三二

一二・二八　社更第一六〇号　特別障害者手当制度の創設等について……一七三六

一二・二八　社更第一六一号　障害児福祉手当及び特別障害者手当等事務取扱細則準則について……一七四五

一二・二八　社更第一六二号　障害児福祉手当及び特別障害者手当の障害程度認定基準について……一七五七

昭和六十一年

〔通　知〕

四・八　児企第一六号　児童扶養手当法施行規則等の一部改正について……五一六

四・三〇　児発第三八二号　児童扶養手当法及び特別児童扶養手当等の支給に関する法律の一部改正について（施行通知）……二八二

五・六　児企第一八号　国民年金法等の一部を改正する法律附則第三十三条の規定の取扱いについて……七八九

五・八　厚生省社第四六二号　特別障害者手当等給付費に係る国庫負担について……一八三七

六・二七　児企第三一号　児童扶養手当の疑義について……七一〇

七・一四　社更第一三〇号　特別障害者手当の所得制限に係る障害補償年金前払一時金等の所得としての計算方法について……一八六〇

七・二二　児発第六三四号　児童扶養手当法施行令及び特別児童扶養手当等の支給に関する法律施行令の一部改正について……二八四
九・一六　児企第四五号　児童扶養手当法令上の疑義について……七一一
一二・五　児企第六〇号　児童扶養手当返納金債権の管理の事務処理について……九八九

昭和六十二年

〔通　知〕

五・二九　児発第四八二号　児童扶養手当法施行令等の一部改正について……二八八
六・一　児発第四九三号　児童扶養手当法及び特別児童扶養手当等の支給に関する法律の一部改正について（施行通知）……二九二

昭和六十三年

〔通　知〕

五・二四　児発第四六九号　児童扶養手当法等の一部改正について（施行通知）……二九三
五・三一　児発第四八四号　児童扶養手当法施行令等の一部改正について……二九五

平成元年

〔通　知〕

四・一〇　社保第八一号　国の補助金等の整理及び合理化並びに臨時特例等に関する法律の施行について（社会福祉関係）……三〇〇
五・三一　児発第四一九号　児童扶養手当法施行令等の一部改正について……三〇一
一二・二二　児発第九一二号　児童扶養手当法等の一部改正について（施行通知）……三〇六

平成二年

〔通　知〕

三・二〇　児発第一八〇号　児童扶養手当法施行令等の一部改正について（施行通知）……三〇八
三・二〇　児企第一六号　児童扶養手当法施行令等の一部改正に伴う事務取扱いについて……三一〇
七・二〇　社更第一四四号・児発第六〇四号　児童扶養手当法施行令等の一部改正について……三一一

平成三年

〔通　知〕

三・二九　社更第六〇号・児発第二九〇号
児童扶養手当法施行令等の一部改正について（施行通知）……三一六
六・七　社更第一二三号・児発第五二九号
児童扶養手当法施行令等の一部改正について……三一八
八・三〇　社更第一九〇号
特別障害者手当等給付事務の適正実施の推進について……一八六一

平成四年

〔通　知〕

三・二七　社更第六八号・児発第二七五号
児童扶養手当法施行令等の一部改正について（施行通知）……三二一
六・一二　社更第一三五号・児発第五七六号
児童扶養手当法施行令等の一部改正について……三二三
八・二八　社援更第三二号
障害児福祉手当及び特別障害者手当等の支払開始期日が日曜若しくは土曜日又は休日に当たる場合の支払開始期日の繰上げについて……一八六二
一二・二五　児発第一、〇七三号
児童扶養手当及び特別児童扶養手当の支払日の改正等について……一〇二〇

平成五年

〔通　知〕

三・二四　社援更第六八号・児発第二一五号
児童扶養手当法施行令等の一部改正について（施行通知）……三二六
六・一六　社援更第一七五号・児発第五二一号
児童扶養手当法施行令等の一部改正について……三二八

平成六年

〔通　知〕

三・一八　社援更第六八号・児発第二三三号
児童扶養手当法施行令等の一部改正について（施行通知）……三三二
七・一五　社援更第一八五号・児発第七一〇号
児童扶養手当法施行令等の一部改正について（施行通知）……三三四

七・二七　社援更第一九一号・児発第七四一号　児童扶養手当法施行規則等の一部改正について（施行通知）……五一七
一一・九　社援更第二九一号・児発第九九五号　児童扶養手当法等の一部改正について……三三九

平成七年

〔通　知〕

三・二三　社援更第五四号・児発第二二九号　児童扶養手当法施行令等の一部改正について（施行通知）……三四一
三・三〇　児発第二九二号　児童扶養手当法施行規則等の一部改正について（施行通知）……五一八
六・三〇　社援更第一六四号・児発第六五四号　児童扶養手当法施行令等の一部改正について（施行通知）……三四三

平成八年

〔政　令〕

七・二四　第二二七号　阪神・淡路大震災に伴う国民年金法第三十条の四の規定による障害基礎年金の支給停止等に係る平成七年の所得の額の計算方法の特例に関する政令……一〇一

〔通　知〕

三・一　児家第一〇号　一八歳に達する日以後の最初の三月三十一日が終了する児童の児童扶養手当支給事務の取扱い等について……七九一
三・三一　社援更第一〇四号・児発第三三六号　平成八年度における児童扶養手当等の額の改定の特例措置について（施行通知）……三四七
七・二四　児発第七一一号　児童扶養手当法施行令の一部改正について（施行通知）……三四八
七・三〇　児発第七三〇号　児童扶養手当法施行規則の一部改正について（施行通知）……五二〇

平成九年

〔通　知〕

七・二　児発第四六七号　児童扶養手当法施行令の一部改正について（施行通知）……三五〇
一二・二六　児発第七四八号　児童扶養手当法施行規則及び児童手当法施行規則の一部を改正する省令の制定について……五二一

平成十年

〔通　知〕

三・一八　障第一四〇号・児発第一六二号　児童扶養手当法施行令等の一部改正について（施行通知）……三五二
三・二六　児発第一九二号　国民年金法に基づき市町村に交付する事務費に関する政令等の一部改正について（施行通知）……三五三
三・二七　障企第二四号　特別児童扶養手当及び特別障害者手当等におけるヒト免疫不全ウイルス感染症に係る障害認定について……一六三五
四・二四　児家第一八号　児童扶養手当におけるヒト免疫不全ウイルス感染症に係る障害認定について……七七三
六・二四　児発第四八五号　児童扶養手当法施行令及び母子及び寡婦福祉法施行令の一部を改正する政令等の施行について……三五四

平成十一年

〔通　知〕

一・一一　障第七六〇号　「特別児童扶養手当等の支給に関する法律施行規則等の一部を改正する省令」の施行について……一四九〇
三・一九　障第一四七号・児発第二二一号　児童扶養手当法施行令等の一部改正について（施行通知）……三六四

平成十二年

〔通　知〕

二・一五　障企第九号　特別児童扶養手当等の支給に関する法律施行令上の疑義について……一六九三
三・三一　障第二五七号・児発第三三二号　平成十二年度における児童扶養手当等の額の改定の特例措置について（施行通知）……三六五
四・二五　児発第四七一号　児童福祉行政指導監査の実施について……六三五

平成十三年

〔通　知〕

三・三〇　雇児発第二三一号・障発第一四〇号　平成十三年度における児童扶養手当等の額の改定の特例措置について（施行通知）……三六六
四・一七　雇児福発第二一号　児童扶養手当支給事務指導監査実施状況報告書の提出について……一〇三〇

七・三　雇児福発第三〇号
児童扶養手当証書の取り扱いについて……六三二
七・三一　雇児発第五〇二号・障発第三二五号
地方分権の推進を図るための関係法律の整備等に関する法律等の施行に伴う児童扶養手当並びに特別児童扶養手当、障害児福祉手当、特別障害者手当及び経過的福祉手当に関する法定受託事務に係る処理基準について……七三〇
七・三一　雇児福発第三四号・障企発第三九号
地方分権の推進を図るための関係法律の整備等に関する法律等の施行に伴う児童扶養手当並びに特別児童扶養手当、障害児福祉手当、特別障害者手当及び経過的福祉手当に関する法定受託事務に係る処理基準（課長通知関係）について……七三三
八・七　雇児発第五一六号
児童扶養手当法施行令等の一部改正について（施行通知）……三六七
八・一五　雇児発第五四〇号
地方分権の推進を図るための関係法律の整備等に関する法律の施行前に発出された通知の取扱いについて……七三六

平成十四年

〔通　知〕

四・一　雇児発第〇四〇一〇〇九号・障発第〇四〇一〇〇四号……三六八
平成十四年度における児童扶養手当等の額の改定の特例措置について（施行通知）
七・三　雇児発第〇七〇三〇〇一号
児童扶養手当法に基づき都道府県及び市町村に交付する事務費に関する政令の一部改正について……三六九
七・四　雇児発第〇七〇四〇〇三号
児童扶養手当市等事務取扱準則について……五九五
七・二五　雇児福発第〇七二五〇〇一号
児童扶養手当法施行令の一部改正に伴う事務取扱いについて……三七〇
七・二五　雇児発第〇七二五〇〇三号
児童扶養手当法施行令及び母子及び寡婦福祉法施行令の一部を改正する政令等の施行について（施行通知）……三七一
七・二六　雇児発第〇七二六〇〇二号
地方分権の推進を図るための関係法律の整備等に関する法律、地方分権の推進を図るための関係法律の整備等に関する法律の施行に伴う厚生省関係政令の整備等に関する政令及び児童扶養手当法施行規則の一部を改正する省令について（施行通知）……三八一
七・二六　雇児発第〇七二六〇〇三号
養育費の取扱いについて……七九三
七・三〇　雇児福発第〇七三〇〇〇一号
児童扶養手当の認定等に関する事務の委譲等に伴う児童扶養手当の事務取扱いについて……七九八

平成十五年

〔法　律〕

三・三一　第一九号　平成十五年度における国民年金法による年金の額等の改定の特例に関する法律（抄）……五五

〔政　令〕

三・三一　第一六〇号　平成十五年度における国民年金法による年金の額等の改定の特例に関する法律に基づく厚生労働省関係法令による年金等の額の改定等に関する政令（抄）……一〇四

〔省　令〕

三・二六　厚生労働省令第五二号　既認定者等に交付する児童扶養手当証書の様式を定める内閣府令……二一〇
三・二六　厚生労働省令第五三号　特別児童扶養手当証書の様式を定める省令……一四七三

〔告　示〕

五・六　厚生労働省告示第二〇二号　補助金等に係る予算の執行の適正化に関する法律第二十六条第一項等の規定に基づく地方厚生局及び四国厚生支局が行う補助金等の交付に関する事務……一四七七

〔通　知〕

三・三一　雇児発第〇三三一〇二〇号　母子及び寡婦福祉法等の一部を改正する法律等の施行について（施行通知）……三八五
三・三一　雇児発第〇三三一〇二一号　「養育費の算定表」について……八〇三
三・三一　障発第〇三三一〇三二号　平成十五年度における国民年金法による年金の額等の改定の特例に関する法律に基づく厚生労働省関係法令による年金等の額の改定等に関する政令の制定について（施行通知）……一四九二
七・三一　雇児福発第〇七三一〇〇一号　児童扶養手当法第九条第一項及び第九条の二に規定する「受給資格者の扶養親族等でない児童で当該受給資格者が前年の十二月三十一日において生計を維持したもの」の取扱いについて……七三七
九・一〇　雇児発第〇九一〇〇〇三号　平成十五年度における国民年金法による年金の額等の改定の特例に関する法律に基づく厚生労働省関係法令による年金等の額の改定等に関する政令の一部を改正する政令の施行について（施行通知）……三九九

平成十六年

〔通　知〕

三・三一　雇児発第〇三三一〇二九号・老発第〇三三一〇一五号・保発第〇三三一〇一三号
児童福祉法等の一部を改正する法律等の施行について……四〇〇

三・三一　雇児発第〇三三一〇一〇号・障発第〇三三一〇三一号
平成十六年度における国民年金法による年金の額等の改定の特例に関する法律に基づく厚生労働省関係法令による年金等の額の改定等に関する政令の施行について（施行通知）……四〇二

平成十七年

〔法　律〕

三・三〇　第九号
児童扶養手当法による児童扶養手当の額等の改定の特例に関する法律（抄）……五六

〔通　知〕

三・二五　雇児発第〇三二五〇一〇号
児童扶養手当法施行規則の一部を改正する省令について（施行通知）……五二二

平成十八年

三・三〇　雇児発第〇三三〇〇〇四号・障発第〇三三〇〇〇三号
児童扶養手当法による児童扶養手当の額等の改定の特例に関する法律等の施行について（施行通知）……四〇四

七・二七　雇児発第〇七二七〇〇一号
児童扶養手当法施行規則の一部を改正する省令について（施行通知）……五二三

平成十八年

〔政　令〕

三・三〇　第一一一号
児童扶養手当法による児童扶養手当の額等の改定の特例に関する法律第二項の規定に基づき児童扶養手当等の改定額を定める政令……一〇六

〔通　知〕

三・三〇　雇児発第〇三三〇〇〇七号・障発第〇三三〇〇〇三号
児童扶養手当法による児童扶養手当の額等の改定の特例に関する法律第二項の規定に基づき児童扶養手当等の改定額を定める政令等の施行について（施行通知）……四〇六

三・三一　雇児発第〇三三一〇二八号・老発第〇三三一〇一九号・社援発第〇三三一〇三一号
国の補助金等の整理及び合理化等に伴う児童手当法等の一部を改正する法律等の施行について……四〇九

七・三一　雇児発第〇七三一〇〇二号・障発第〇七三一〇〇一号
児童扶養手当法施行規則等の一部を改正する省令並びに障害児福祉手当及び特別障害者手当の支給に関する省令の一部を改正する省令について（施行通知）……五二四

平成十九年

〔通　知〕

四・一　雇児発第〇四〇一〇〇四号・障発第〇四〇一〇〇一号
児童扶養手当法施行令等の一部を改正する政令の施行について（施行通知）……四一四

平成二十年

〔通　知〕

二・八　雇児福発第〇二〇八〇〇二号
児童扶養手当法施行令の一部を改正する政令等の施行について……四一六

三・三一　雇児福発第〇三三一〇〇一号
児童扶養手当法第十三条の三の規定に基づく一部支給停止措置及び一部支給停止措置適用除外に係る事務について……八四六

八・一　雇児福発第〇八〇一〇〇一号
児童扶養手当一部支給停止措置適用除外に係る事務について……八六三

平成二十一年

〔通　知〕

三・三一　雇児発第〇三三一〇三〇号・障発第〇三三一〇一七号
児童扶養手当法施行令等の一部を改正する政令の施行について（施行通知）……四二〇

平成二十二年

〔通　知〕

四・一　雇児発〇四〇一第四号・障発〇四〇一第三号
児童扶養手当法施行令等の一部を改正する政令の施行について（施行通知）……四二二

六・二　雇児発〇六〇二第一号
児童扶養手当法の一部を改正する法律等の施行について……四二三

七・三〇　雇児福発〇七三〇第一号
特定者に対する旅客鉄道株式会社の通勤定期乗車券の特別割引制度について……一〇三〇

七・三〇　雇児福発〇七三〇第二号……八六四
児童扶養手当における父母の事実婚解消及び母の婚姻によらない懐胎を支給事由とする場合の留意事項について

平成二十三年

〔政　令〕

七・二九　第二四四号……一〇八
平成二十二年四月以降において発生が確認された口蹄疫に起因して生じた事態に対処するための手当金等についての健康保険法施行令等の臨時特例に関する政令（抄）

〔通　知〕

一・一一　障発〇一一一第七号……一六四〇
特別児童扶養手当等の支給に関する法律における有期認定の障害認定診断書の取扱いについて

二・一〇……一六四二
特別児童扶養手当等の支給に関する法律における有期認定の障害認定診断書の取扱いに関する疑義照会について

二・二一　雇児福発〇二二一第一号……八六六
障害基礎年金の子の加算の運用の見直しに伴う児童扶養手当支給事務の取扱いについて

三・一六　雇児福発〇三一六第一号……一〇二一
東北地方太平洋沖地震による被災者に対する児童扶養手当等の取扱いについて

三・二五　障発〇三二五第一号……一四九三
特別児童扶養手当等の支給に関する法律に基づき都道府県及び市町村に交付する事務費に関する政令の一部改正について（施行通知）

三・三一　雇児発〇三三一第七号・障発〇三三一第九号……四二八
児童扶養手当法施行令等の一部を改正する政令の施行について（施行通知）

四・一　障発〇四〇一第四号……一五〇八
特別児童扶養手当都道府県事務取扱準則について

四・一　障発〇四〇一第五号……一五二八
特別児童扶養手当市町村事務取扱準則について

四・一四　雇児福発〇四一四第一号……一〇二三
災害により父又は母の生死が明らかでない場合等の児童扶養手当の取扱いについて

七・二九　障発〇七二九第四号……一四九四
「平成二十二年四月以降において発生が確認された口蹄疫に起因して生じた事態に対処するための手当金等についての健康保険法施行令等の臨時特例に関する政令」の施行（特別児童扶養手当等の支給に関する法律施行令の特例に係る部分に限る。）について

平成二十四年

〔通　知〕

一・五　事務連絡　特別児童扶養手当等の支給に関する法律施行令の一部改正について……一四九五

六・六　雇児発〇六〇六第一号　児童扶養手当法施行規則及び母子及び寡婦福祉法施行規則の一部を改正する省令の施行について……五二六

六・二一　雇児福発〇六二一第一号　児童扶養手当における外国人に係る事務の取扱いについて……八七八

六・二八　障企発〇六二八第一号　「特別児童扶養手当等の支給に関する法律」における外国人に係る事務の取扱いについて……一六九〇

六・二九　障発〇六二九第一号　特別児童扶養手当等の支給に関する法律施行規則及び特別障害児福祉手当及び特別障害者手当の支給に関する省令の一部を改正する省令の施行について……一四九六

七・二七　雇児発〇七二七第三号　児童扶養手当法施行令の一部を改正する政令等の施行について……四三〇

七・二七　雇児福発〇七二七第二号　父又は母が配偶者からの暴力の防止及び被害者の保護等に関する法律による保護命令を受けた児童に係る児童扶養手当の支給事務について……八八一

八・三一　事務連絡　特別児童扶養手当及び特別障害者手当等に関する近畿府県民生主管部長会議、一六大都道府県障害福祉主管課長会議、一六大都市心身障害者（児）福祉主管課長会議及び二一大都市の要望に対する回答について……一六九四

一一・二六　雇児発一一二六第一号・障発一一二六第一号　「国民年金法等の一部を改正する法律等の一部を改正する法律」の施行について（児童扶養手当・特別児童扶養手当関係）……四三二

平成二十五年

〔政　令〕

九・六　第二六一号　児童扶養手当法による児童扶養手当の額等の改定の特例に関する法律第二項の規定に基づき児童扶養手当等の改定額を定める政令の一部を改正する等の政令（抄）……一一〇

〔通　知〕

六・二八　雇児福発〇六二八第一号　児童扶養手当証書の説明文について……八八六

九・六　雇児発〇九〇六第一号・障発〇九〇六第一号　児童扶養手当法による児童扶養手当の額等の改定の特例に関する法律第二項の規定に基づき児童扶養手当等の改定額を定める政令の一部を改正する等の政令の施行について（施行通知）……四三四

一一・一八　事務連絡
特別障害者手当等給付費国庫負担金の事務執行の適正化について……一八五九

平成二十六年

〔通　知〕

三・三一　雇児発〇三三一第一〇号・障発〇三三一第三九号
児童扶養手当法施行令等の一部を改正する政令の施行について（施行通知）……四三六

四・二三　雇児発〇四二三第三号
次世代の社会を担う子どもの健全な育成を図るための次世代育成支援対策推進法等の一部を改正する法律について……四三八

九・三〇　雇児発〇九三〇第一九号
次世代の社会を担う子どもの健全な育成を図るための次世代育成支援対策推進法等の一部を改正する法律の一部の施行に伴う関係政令の整備に関する政令等の施行について……四四四

一〇・一七　雇児福発一〇一七第一号
公的年金給付又は遺族補償等の給付が行われる場合の児童扶養手当支給事務の取扱いについて……八九一

一一・二八　雇児福発一一二八第二号
児童扶養手当における公的年金の受給状況の審査等について……九二七

平成二十七年

〔通　知〕

三・二五　障発〇三二五第二号
特別児童扶養手当等の支給に関する法律に基づき都道府県及び市町村に交付する事務費に関する政令の一部改正について（施行通知）……一四九七

三・三一　雇児発〇三三一第二八号・障発〇三三一第一二号
児童扶養手当法施行令等の一部を改正する政令の施行について（施行通知）……四六三

四・一　障発〇三三一第一三号
地域の自主性及び自立性を高めるための改革の推進を図るための関係法律の整備に関する法律の施行に伴う厚生労働省関係政令等の整備等に関する政令及び地域の自主性及び自立性を高めるための改革の推進を図るための関係法律の整備に関する法律の施行に伴う厚生労働省関係省令の整備に関する省令の施行について……一四九八

四・一　障発〇四〇一第一〇号
特別児童扶養手当指定都市事務取扱準則について……一五四五

四・一七　雇児福発〇四一七第一号
児童扶養手当の取扱いに関する留意事項について……六八七

七・一三　障企発〇七一三第一号
特別児童扶養手当、障害児福祉手当及び特別障害者手当に係る障害程度認定基準の一部改正の具体的な取扱いについて……一六三一

一二・一八　雇児発一二一八第一号
児童扶養手当法施行令の一部を改正する政令の施行について……四六五

平成二十八年

〔通　知〕

一・一三　事務連絡
番号制度の導入に伴う特別児童扶養手当受給資格者台帳等の取扱いについて……一七〇七

四・一　雇児発〇四〇一第二四号
行政不服審査法及び行政不服審査法の施行に伴う関係法律の整備等に関する法律の施行について（児童扶養手当法関係）……四六六

四・一　雇児発〇四〇一第二六号・障発〇四〇一第六号
児童扶養手当法施行令等の一部を改正する政令の施行について（施行通知）……四六七

四・一五　雇児福発〇四一五第一号
平成二十八年（二〇一六年）熊本地震による被災者に対する児童扶養手当等の取扱いについて……一〇二四

五・一二　雇児発〇五一二第二号
特定非常災害の被害者の権利利益の保全等を図るための特別措置に関する法律第三条第二項の規定に基づき同条第一項の特定権利利益に係る期間の延長に関し当該延長後の満了日を平成二十八年九月三十日とする措置を指定する件等について……一〇二六

五・一三　雇児発〇五一三第一号
児童扶養手当法の一部を改正する法律について……四六九

六・一五　障企発〇六一五第三号
特別児童扶養手当に関する疑義について……一七〇一

六・一六　雇児福発〇六一六第一号
児童扶養手当の現況届等について……九八〇

七・一　雇児発〇七〇一第一号
児童扶養手当法施行令の一部を改正する政令の施行について……四七一

七・一　事務連絡
日台民間租税取決めに伴う特別児童扶養手当等支給事務に係る所得額の算定基準の一部改正について……一七一〇

七・一三　事務連絡
特別障害者手当等に係る所得状況の届出の適正な実施について……一八六三

七・一四　雇児発〇七一四第一号
児童扶養手当法施行規則の一部を改正する省令の施行について……五二九

八・一　雇児福発〇八〇一第二号
「児童扶養手当法第十三条の三の規定に基づく一部支給停止措置及び一部支給停止措置適用除外に係る事務について」（平成二十年三月三十一日雇児福発第〇三三一〇〇一号）の一部改正等の留意事項について……八六一

九・二八　障企発〇九二八第一号
障害児福祉手当及び特別障害者手当に関する疑義について……一八六四

一〇・二一　事務連絡
無戸籍の児童に関する児童福祉等行政上の取扱いについて……一七一一

平成二十九年

〔通　知〕

二・二　障企発〇二〇二第一号
特別児童扶養手当の認定請求に関する疑義照会について……一七一五

三・三一　雇児発〇三三一第六号・障発〇三三一第一号
児童扶養手当法施行令等の一部を改正する政令の施行について（施行通知）……四七二

平成三十年

〔通　知〕

三・二八　障発〇三二八第一号
特別児童扶養手当等支給事務指導監査の実施について……一七一六

三・三〇　子発〇三三〇第二号・障発〇三三〇第一号
児童扶養手当法施行令等の一部を改正する政令の施行について（施行通知）……四七三

六・八　子発〇六〇八第一号・社援発〇六〇八第一号
「生活困窮者等の自立を促進するための生活困窮者自立支援法等の一部を改正する法律」の公布について……四七五

七・二七　子発〇七二七第一号
児童扶養手当法施行令等の一部を改正する政令の施行について（児童扶養手当法施行令及び母子及び父子並びに寡婦福祉法施行令関係）（施行通知）……四八一

八・一　子発〇八〇一第一号
児童扶養手当法施行規則等の一部を改正する省令の施行について（児童扶養手当法施行規則及び母子及び父子並びに寡婦福祉法施行規則関係）（施行通知）……五三〇

八・一　障発〇八〇一第一号
児童扶養手当法施行令等の一部を改正する政令及び特別児童扶養手当等の支給に関する法律施行規則等の一部を改正する省令の施行について（特別児童扶養手当等の支給に関する法律施行令並びに特別児童扶養手当等の支給に関する法律施行規則及び特別障害者手当の支給に関する省令関係）……一五〇二

九・四　事務連絡
特別障害者手当の障害程度認定基準の次表に該当する視野障害の障害程度の確認について……一八三五

九・二八　子発〇九二八第二号
生活困窮者等の自立を促進するための生活困窮者自立支援法等の一部を改正する法律の施行に伴う厚生労働省関係省令の整備等に関する省令の施行について（児童扶養手当法施行規則及び母子及び父子並びに寡婦福祉法施行規則関係）（施行通知）……五三二

九・二八　子家発〇九二八第三号
児童扶養手当の認定請求、所得状況届及び現況届における一六歳以上一九歳未満の控除対象扶養親族の数の認定方法について……八三八

平成三十一年

〔通　知〕

三・二六　事務連絡
人工内耳を用いている場合の障害児福祉手当の認定について……一八三六
三・二九　子発〇三二九第二三号・障発〇三二九第一一号
児童扶養手当法施行令等の一部を改正する政令の施行について（施行通知）……四八三

令和元年

〔通　知〕

五・七　子発〇五〇七第一号
元号の表記の整理のための厚生労働省関係省令の一部を改正する省令の施行について……五三四
五・七　障発〇五〇七第三号
元号の表記の整理のための厚生労働省関係省令の一部を改正する省令及び元号の表記の整理のための厚生労働省関係告示の一部を改正する告示の施行について……一五〇五
五・三一　子発〇五三一第二号
児童扶養手当における有期認定の取扱いについて……九四二
五・三一　障発〇五三一第四号
特別児童扶養手当における有期認定の取扱いについて……一六四四
六・一三　事務連絡
特別障害者手当の支給を制限する場合の所得の額の算出に係る事務について……一八七二
六・二八　子発〇六二八第五号・障発〇六二八第三号
児童扶養手当法施行規則等の一部を改正する省令の施行について（施行通知）……五三五
六・二八　障企発〇六二八第二号
特別児童扶養手当等の認定請求書等における所得の額の確認に係る事務等について……一六四六
七・一　子発〇七〇一第三号
不正競争防止法等の一部を改正する法律の施行に伴う厚生労働省関係省令の整備に関する省令の施行について（子ども家庭局関係）……五三九
七・一　子家発〇七〇一第一号
児童扶養手当の認定請求、所得状況届及び現況届における同一生計配偶者の把握方法について……八四一
九・三〇　子家発〇九三〇第一号
児童扶養手当の事務運営におけるプライバシーの保護に配慮した事実婚の支給要件の確認方法に関する留意事項について……九八一
九・三〇　子家発〇九三〇第二号
児童扶養手当の事務運営における調査の適正な実施について……九八三

令和二年

〔通　知〕

三・三〇　子発〇三三〇第一一号・障発〇三三〇第一一号……四八五
児童扶養手当法施行令等の一部を改正する政令の施行について（施行通知）

六・五　子発〇六〇五第一号……四八七
「年金制度の機能強化のための国民年金法等の一部を改正する法律」の公布について（児童扶養手当法の一部改正関係）（公布通知）

九・四　子発〇九〇四第一号・障発〇九〇四第一号・保発〇九〇四第一号……四八八
国民健康保険法施行令等の一部を改正する政令の公布について

一〇・三〇　子発一〇三〇第一号……四九〇
年金制度の機能強化のための国民年金法等の一部を改正する法律の一部の施行に伴う関係政令の整備に関する政令の公布等について（公布通知）

一二・二四　府子本第一、一四九号・健発一二二四第一号・子発一二二四第二号・障発一二二四第二号・老発一二二四第四号・保発一二二四第六号……四九四
健康保険法施行令等の一部を改正する政令の公布について

一二・二五　子発一二二五第三号……五四〇
押印を求める手続の見直しのための厚生労働省関係省令の一部を改正する省令の施行について

一二・二五　障発一二二五第三号……一五〇七
押印を求める手続の見直し等のための厚生労働省関係省令の一部を改正する省令の施行について

一二・二八　健発一二二八第二号・子発一二二八第一号・障発一二二八第三号・老発一二二八第一号……五四一
児童福祉法施行規則等の一部を改正する省令の公布について

一二・二八　事務連絡……一六五九
特別児童扶養手当等の支給を制限する場合の所得の額の計算における寡婦（夫）控除のみなし適用に係る事実を明らかにすることができる書類について

令和三年

〔通　知〕

七・二一　子家発〇七二一第一号……七八五
児童扶養手当の事務運営における留意事項について

一二・二四　子発一二二四第二号・障発一二二四第一号……四九七
児童扶養手当法施行令及び特別児童扶養手当等の支給に関する法律施行令の一部を改正する政令の公布について

令和四年

〔通　知〕

三・一八　子家発〇三一八第一号
児童扶養手当遺棄の認定基準について……九三四

三・二五　子発〇三二五第一号・障発〇三二五第一号
児童扶養手当法施行令等の一部を改正する政令の施行について……四九八

令和五年

〔通　知〕

三・三〇　子発〇三三〇第一号・障発〇三三〇第一号
児童扶養手当法施行令等の一部を改正する政令の施行について……五〇〇

四・二一　こ支家第四三号
児童扶養手当給付費の国庫負担について……九四六

七・三　障企発〇七〇三第一号
特別児童扶養手当の都道府県が任意で設置するオンラインシステムによる認定請求書等の事務手続について……一六六〇

児童扶養手当・特別児童扶養手当・障害児
福祉手当・特別障害者手当法令通知集　第３版

令和６年２月15日　発行

監　修　公益財団法人児童育成協会

発行者　荘村明彦

発行所　中央法規出版株式会社

〒110-0016　東京都台東区台東3-29-1　中央法規ビル
TEL　03-6387-3196
https://www.chuohoki.co.jp/

印刷・製本　長野印刷商工株式会社

定価はカバーに表示してあります。
ISBN978-4-8058-8997-8